R. N. Champlin, Ph.D.
ENCICLOPÉDIA de BÍBLIA, TEOLOGIA & FILOSOFIA

VOLUME 6 | S/Z

hagnos

©1991 por Russel N. Champlin

1ª edição: 1991
14ª reimpressão: abril de 2021

Revisão
Equipe Hagnos

Capa
Maquinaria Studio

Diagramação
Imprensa da Fé

Editor
Aldo Menezes

Coordenador de produção
Mauro Terrengui

Impressão e acabamento
Imprensa da Fé

As opiniões, as interpretações e os conceitos emitidos nesta obra são de responsabilidade do autor e não refletem necessariamente o ponto de vista da Hagnos.

Todos os direitos desta edição reservados à
Editora Hagnos Ltda.
Av. Jacinto Júlio, 27
04815-160 — São Paulo, SP
Tel.: (11) 5668-5668

E-mail: hagnos@hagnos.com.br
Home page: www.hagnos.com.br

Dados Internacionais de Catalogação na Publicação (CIP)
Angélica Ilacqua CRB-8/7057

Champli, Russel Norman, 1933-2018.

Enciclopédia de Bíblia, Teologia & Filosofia. Vol. 6: S-Z. / Russel Norman Champlin — São Paulo: Hagnos, 1991. 6 vols.

ISBN 978-85-88234-33-8

1. Bíblia – Enciclopédias 2. Teologia – Enciclopédias 3. Filosofia – Enciclopédias I. Título

21-0891   CDD 220.3

Índices para catálogo sistemático:
1. Bíblia – Enciclopédias 220.3

Editora associada à:

1. Formas Antigas

fenício (semítico), 1000 A.C.   grego ocidental, 800 A.C.   latino, 50 D.C.

2. Nos Manuscritos Gregos do Novo Testamento

3. Formas Modernas

SSss   SSss   SSss   Ss

4. História

S é a décima nona letra do alfabeto português (décima oitava, se deixarmos de lado o K). Historicamente, essa letra deriva-se da letra semítica *shin*, «dente». Essa palavra hebraica também tem o sentido de «serra», que talvez possa explicar seu formato original. A princípio representava o som *ch*. O grego adotou a letra, chamando-a de *sigma*. Nesse idioma acabou adquirindo um formato semelhante ao nosso «S», não tendo mais o formato de W (como era nas línguas semíticas). No grego tinha o som de «ss». Foi adotada pelo latim, de onde passou para outras línguas modernas, adquirindo seu formato final.

5. Usos e Símbolos

S é abreviação portuguesa de «sacerdotal», tradução da palavra inglesa *priestly*, que seria uma alegada fonte informativa do Pentateuco, destacando os ritos da casta sacerdotal. Ver o artigo sobre *J. E. D. P.(S.)* quanto a uma completa descrição. Ver também sobre *S* quanto a vários símbolos relacionados a essa letra. *S* também é usada como símbolo do *Codex Vaticanus 354*, descrito no artigo separado *S*.

Caligrafia de Darrell Steven Champlin

Reprodução Artística de
Darrell Steven Champlin

Arte céltica, a luta do homem contra a
serpente, evangelho de Mateus, Livro de Kells

S

S
Um símbolo às vezes usado para o *codex Sinaiticus*, mais comumente designado *Alefe* (ver a respeito).

S também é um símbolo que foi usado por R. H. Pfeiffer, para um dos alegados membros componentes do livro de Gênesis. Essa sigla deriva-se do sul de Seir, isto é, *Edom*, que ele acreditava ter sido seu lugar de origem. Esse estudioso também apontara o tempo da composição desta parte do livro como o século X a.C. Supostamente, a narrativa das origens e da história do homem primitivo, a saber, Gênesis 1 a 11, foi composta naquela região. Entretanto, certas porções daqueles capítulos foram atribuídas a *P*, por esse mesmo perito. Para ele, a sigla representaria outra composição alegadamente separada, os capítulos 14 a 38, como o relato da origem do povo que habitava no sul da Palestina e na Transjordânia, incluindo um sumário das populações que ocupavam Edom. Ver o artigo intitulado *J. E. D. P. (S.)* quanto à teoria das múltiplas fontes do Pentateuco.

S
Esta é a designação do *Codex Vaticanus 354*, que não deve ser confundido com o Manuscrito do Vaticano, designado *B*. *S* é membro do grupo da Família *E*. Trabalhei com a família *E* quanto ao evangelho de Mateus, e meu professor e amigo, o dr. Jacob Geerlings, trabalhou com os outros três evangelhos da mesma família. O título de minha obra foi *Family E and Its Allies in Matthew* (1966), publicada pela University of Utah Press; e, então, foram lançadas as teses sobre os outros evangelhos. Esses e vários outros estudos textuais foram patrocinados e editados pelo dr. Geerlings, sob o título *Studies and Documents*. *S* é um dos mais antigos manuscritos gregos datados, pertencentes aos evangelhos. Um cólofon afirma que ele foi escrito por um monge de nome Miguel, no ano do mundo de 6457, que corresponde a 949 d.C. Atualmente, esse manuscrito está na Biblioteca do Vaticano, e que explica o seu nome. Data dos séculos VIII ou IX d.C., e exibe um tipo de texto antigo, mas bizantino já padronizado. Ver os artigos gerais sobre *Manuscritos, Novo Testamento*.

S
Ver *P (Código Sacerdotal)*. *S* é o português para *P* (inglês, *priestly*). Está em vista o *Código Sacerdotal*, uma fonte alegada do Pentateuco.

SAADIA BEN JOSEPH AL-FAYYUMI

Suas datas foram 882 a 942. Filósofo judeu nascido em Fayyum, no Egito, foi um dos líderes da escola de Sura, na Babilônia. Traduziu o Antigo Testamento para o árabe e compilou o primeiro dicionário hebraico de que se tem notícia.

AL-Fayyumi foi um dos mais brilhantes eruditos do começo da Idade Média. E representou o partido rabinita e talmudita contra uma disputa contra *os caraítas* (ver a respeito), que asseveram a regra das «Escrituras somente» quanto à fé e à prática, e, por isso mesmo, rejeitavam os eruditos e rabinos judeus, os quais haviam escrito coisas que assumiam grande autoridade entre os israelitas. Al-Fayyumi também defendia o uso da filosofia, afirmando que não há nenhuma necessidade de essa atividade terminar no ceticismo. Advogava a aplicação da razão ao estudo e utilização das Escrituras, sem preocupações com o suposto conflito entre a razão e a revelação. Também pensava que a doutrina cristã da Trindade era uma interpretação errônea das Escrituras.

Além de seu trabalho no campo da erudição bíblica, também fez estudos significativos nos terrenos da astronomia, da liturgia, da gramática, da lexicografia e da apologética. Abraham ibn Ezra declarou que Al-Fayyumi era «a autoridade máxima em todos os campos».

Escritos. Livro das Crenças e *Opiniões; Refutação do Agressor Injusto*.

SAAFE

No hebraico, *união, amizade*, ou, talvez, a palavra derive do aramaico, significando *bálsamo*.

1. O sexto filho de Jadai (I Crô. 2.47)

2. O terceiro de quatro filhos que Calebe teve com sua concubina, Maaca. Era o "pai" (isto é, o fundador) da região chamada de Madmana, localizada ao sul de Judá (I Crô. 2.49). Viveu em algum período após 1380 a.C.

SAALABIM

No hebraico, *chacais, raposas* ou *lugar de raposas ou chacais*. Uma vila localizada próximo a Aijalom, Zora e Ir-Semes, cerca de 24 km ao oeste de Jerusalém, que pertencia à tribo de Dã (Jos. 19.41-45). Sua identificação com *Saalbim* (Juí. 1.35; I Reis 4.9) pode estar correta. O *Selbit* moderno (cerca de 5 km ao noroeste de Aijalom) provavelmente marca o antigo local.

SAALBIM

No hebraico, *chacais, raposas* ou *lugar de raposas ou chacais*, nome alternativo para *Saalabim* (ver). Essa era uma vila ou uma região da tribo de Dã localizada entre Aijalom e Ir-Semes (Jos. 19.42; ver também Juí. 1.35 e I Reis 4.9). Esta região era controlada pelos amorreus que resistiram com zelo à invasão dos hebreus. Posteriormente, uma vez incorporada a Israel, tornou-se um dos distritos administrativos de Salomão (I Reis 4.9). Sua forma adjetiva, *saalbonita*, refere-se a *Eliaba*(II Sam. 23.32; I Crô. 11.31; Jos. 19.42). O trecho de I Reis 4.9 parece posicionar Saalbim próximo a Estaol, Bete-Semes e Aijalom, cerca de 24 km ao oeste de Jerusalém, dentro do território da tribo de Dã. O local exato é desconhecido hoje.

SAALBONITA

Ver *Saalbim*.

SAALIM

No hebraico, *chacais, raposas* ou *lugar de raposas ou chacais*. Saul passou por esta região quando estava procurando por asnos perdidos de seu pai, Quis (I Sam. 9.4). A região localizava-se ao norte de Micmas e provavelmente pertencia à tribo de Dã, mas alguns acadêmicos afirmam que ficava no território da tribo de Benjamim, à qual pertencia Saul (ver I Sam. 13.17). O local exato não é conhecido hoje. O nome pode ser uma alternativa a *Saalbim* (ver).

SAARAIM (LUGAR)

No hebraico, *dois portões*.

1. Uma cidade localizada a sudeste de Jerusalém em *Sefelá* (região de planícies e morros). Cf. Jos. 15.33-36. Esta cidade dominava o vale através do qual os filisteus fizeram um rápido recuo (I Sam. 17). A cidade pertencia à tribo de Judá (Jos. 15.36; I Sam. 17.52). Cf. I Crô. 4.31. O local exato não é conhecido hoje, mas sabemos que ficava abaixo de Azeca (I Sam. 17.1).

2. Uma vila da tribo de Simeão (I Crô. 4.31), talvez um

SAARAIM – SÁBADO

nome alternativo de *Silim* (ver) ou *Saruém* (ver). São dadas algumas informações sobre o local em Jos. 15.27-32 e 19.2-6. Ambos a identidade e a localização do local são desconhecidas hoje, embora não pudesse ser localizada distante de Gaza e de Berseba.

SAARAIM (PESSOA)

No hebraico, *aurora dupla*, nome de um descendente de Benjamim. De acordo com I Crô. 8.8, ele teve três mulheres e nove filhos. Na Bíblia em português, seu nome é idêntico a dois locais (discutidos acima), mas o hebreu tem palavras levemente diferentes para designar os locais e a pessoa. O homem assim chamado viveu em Moabe por muitos anos, fazendo dela seu lar adotivo.

SAASGAZ

Este é um nome persa cujo significado não nos é conhecido hoje. Saasgaz era um eunuco que guardava as concubinas de Assuero, rei da Pérsia. Ester era uma das tais companhias, de acordo com Est. 2.14. Este homem viveu em cerca de 515 a.C. Ver o artigo *Eunuco*.

SAAZIMA

Uma vila ou região da tribo de Issacar, localizada entre Tabor e o rio Jordão (Jos. 19.22). Equivale ao nome hebraico para *alturas*. O local foi identificado como o local que hoje é chamado de *Tell el Mekarkash*.

SABACTANI

Ver *Eli, Eli, Lama Sabactini*.

SÁBADO

I. Os Termos
II. Caracterização Geral
III. Teorias da Origem
IV. Observações Bíblicas
V. Opiniões sobre a Obrigatoriedade

I. Os Termos

A palavra hebraica *sabbat* significa *descanso* ou *cessação*; provavelmente está relacionada à forma verbal *sbt*, que significa "trazer a um fim". Alguns estudiosos supõem que a idéia do sábado surgiu na Babilônia, e que o termo hebraico *sabbat* se relaciona à palavra acadiana (babilônica) *sab/pattu*, que fala do dia de lua cheia. Esta teoria perdeu aceitação em anos recentes. A palavra grega na Septuaginta é a forma transliterada do hebraico *sabbaton*, que pode significar especificamente o *sábado* ou pode referir-se a uma semana inteira.

II. Caracterização Geral

O sétimo dia da semana era chamado de *sábado* e apenas esse dia tinha um nome. Os outros eram designados por números. Não há registro de que o sábado era observado na época patriarcal, embora o início "teológico" esteja relacionado à criação divina de todas as coisas e ao descanso de Deus de seu trabalho (Gên. 2.2). O início *histórico* na Bíblia é associado ao Pacto Mosaico. Ver o artigo *Pactos*, onde apresento um resumo dos pactos bíblicos. Observar o sábado tornou-se o próprio *sinal* do Pacto Mosaico. Ver as anotações introdutórias ao capítulo 19 de Êxodo no *Antigo Testamento Interpretado* para uma descrição completa. Na teologia hebraica, esse dia sagrado comemorava a criação original e a redenção de Israel do Egito (Gên. 2.2; Êxo. 20.8,11; Deu. 5.15). No início era um dia de descanso, mas gradativamente assumiu outro significado relativo à devoção e piedade. O acúmulo de regras relacionadas ao sábado era sufocante na época de Jesus. O descanso oferecia a oportunidade de engajamento em louvor, estudo e, especialmente, na leitura das Escrituras. A sinagoga (ver) transformou o sábado em seu dia sagrado mais importante. Ele se inicia na sexta-feira às 18h00 e perdura até o sábado, às 18h00. Em tempos modernos, a comemoração de modo geral inicia-se mais tarde, para permitir às pessoas que trabalham uma chance para chegar à casa de reuniões. As Escrituras são lidas, são pregados sermões e oferecidas orações. Embora haja teorias diversas quanto às origens (ver a seção III, a seguir), parece que essa era uma instituição exclusiva aos hebreus antes de a idéia propagar-se a outros povos.

III. Teorias da Origem

Afirmações Não-bíblicas

1. *Teoria planetária*. Não há dúvida de que o desenvolvimento do sábado teve relação com a semana, mas foi apenas no início da era cristã que os nomes dos planetas passaram a ser associados com dias específicos. Chamar os sete dias com os nomes dos sete planetas chegou tarde demais para ter alguma relação com o sábado hebreu. Não há evidência de que tal dia tivesse alguma coisa que ver com a veneração de um planeta, algo que seria contrário à teologia hebraica. Nem há evidências de um "empréstimo hebraico" que tivesse sofrido adaptações para ajustar-se à sua cultura.

2. *Teoria pambabilônica*. Os tabletes cuneiformes babilônicos usam a palavra *shabatum* para designar o 15º dia do mês, à hora da lua cheia, e tal dia era considerado um dia de pacificação ou apaziguamento do *deus* (presumivelmente o *deus-chefe*). Outros dias do mês, especificamente o 7º, o 14º, o 21º e o 28º (as fases da lua) eram considerados dias do mal ou do azar. Nesses dias até mesmo o rei tinha sua vida limitada: ele não podia andar de carruagem, comer carne assada em fogo, mudar de roupa ou discutir os negócios do Estado. Sacrifícios eram oferecidos aos deuses para afastar acidentes e reversões de fortuna. O épico babilônico *Enuna elish* descreve esses e outros particulares, e lembramos, aqui e ali, o relato bíblico da criação, mas as diferenças são tão grandes que eliminam o possível apoio à teoria do "empréstimo direto".

3. *Teoria da festa lunar*. O sábado hebraico era originalmente um antigo festival lunar? Alguns estudiosos acham que sim. A própria Bíblia ocasionalmente associa o sábado à lua nova (II Reis 4.23; Isa. 1.13; Amós 8.5). Um exame cuidadoso de Lev. 23.11,15 parece indicar que a palavra "sábado" pode referir-se ao dia de lua cheia. No paganismo, as fases da lua (lua nova, lua cheia, meia-lua, lua minguante) eram comemoradas com sacrifícios e orações, principalmente para afastar o mal. Os judeus tinham certos sábados fixos, que caiam no dia de lua cheia, a saber, a Páscoa, o banquete dos Tabernáculos e o banquete de Purim. O sábado comum de todas as semanas, contudo, não era vinculado à lua e às fases da lua. Alguns insistem que observações das fases lunares, em um momento posterior, provocaram uma observação semanal que perdeu as conexões lunares originais, mas não há nenhuma evidência que sustente tal opinião.

Afirmações Bíblicas

1. O próprio Deus deu origem ao sábado, o dia de descanso, para comemorar seu descanso da atividade de criação (Gên. 2.2). Os conservadores consideram a afirmação de Gênesis como o fim de todos os argumentos sobre a origem do sábado. Os liberais e os críticos, contudo, acreditam que essa é uma afirmação anacrônica que de fato repousava em eventos posteriores ocorridos

SÁBADO

na época de Moisés. Nesse caso, a doutrina de que o próprio Deus deu origem ao sábado, imediatamente após a criação, é "idealista" e "teológica", não uma doutrina histórica. Os críticos destacam que o sábado não era observado na época patriarcal.

2. O sábado iniciou como um *sinal* do Pacto Mosaico (que descrevo na introdução a Êxo. 19, no *Antigo Testamento Interpretado*).

3. O sinal foi então transformado no *quarto* dos Dez Mandamentos (o Decálogo). Ver o artigo *Dez Mandamentos*. "Lembra-te do dia de sábado, para o santificar" (Êxo. 20.8).

IV. Observações Bíblicas

Importantes observações bíblicas sobre o sábado são as que seguem. O originador deste dia como o *dia de descanso* foi *Elohim*, o Poder, o Deus universal e criador de todas as coisas (Gên. 2.2). A observação do sábado pelos homens, imitando a Deus, transformou-se no sinal do *Pacto Mosaico* e no *quarto* dos dez mandamentos (Êxo. cap. 19; 20.11). Embora originalmente fosse apenas um dia de descanso, o sábado tornou-se *dia sagrado* (Êxo. 16.23). Ele passou a ser associado a festas solenes, especialmente aquelas em dia de lua cheia (Amós 8.5; Osé. 2.13; Isa. 1.13). O dia era comemorado, provavelmente, como um dia de louvor, adoração e oração (Lev. 23.1-3). Aqueles que se recusavam a observar o dia arriscavam possível apedrejamento até a morte (Núm. 15.32-36). Muitas vezes a celebração do sábado tornou-se uma formalidade sem que estivesse associada a isso qualquer fé religiosa sentida no coração. Tal degeneração foi denunciada pelos profetas (Isa. 1.12,13). Houve abusos do dia e de suas exigências, abusos que foram combatidos pelos profetas (Jer. 17.21, 22; Eze. 22.8). A assembléia sagrada do sábado exigia que as ofertas diárias fossem dobradas (Núm. 28.9 ss.). A manutenção do dia tornou-se um sinal da lealdade de Israel a Yahweh (o Deus Eterno), como vemos em Isa. 56.2; 58.13; Eze. 20.12,21. O dia deveria ser de deleite e felicidade, não um dia de obrigações infelizes (Núm. 10.10; Isa. 58.13; Osé. 2.11).

No período entre o Antigo e o Novo Testamento, ocorreu uma radicalização na celebração do sábado. Na época dos macabeus, muitos preferiam morrer a deixar de celebrar o sábado. Soldados recusavam-se a defender a si mesmos e ao próprio povo naquele dia (I Macabeus 2.32-38; II Macabeus 6.11). A tradição judaica posterior permitia que o dia deixasse de ser observado sob circunstâncias de vida ou morte. Perigos que ameaçassem à vida poderiam ser encarados de maneiras que violassem a manutenção da tradição sabática (Yoma 8.6). Mas nem todas as facções do judaísmo seguiram as diretrizes de liberalização. Materiais encontrados no Qumran mostram que os fazendeiros não podiam realizar no sábado atos que preservassem a vida de animais durante parturições complicadas. Se a mãe ou sua cria morresse, o acontecimento era considerado um ato de Deus.

Jesus, que vinha de uma região liberal da Galiléia, entrou em conflito direto com as autoridades judaicas por causa de sua aparente falha em cumprir as regras do sábado. De fato, isto aconteceu *seis* vezes, de acordo com os registros das Escrituras. Ver as referências a seguir: Mat. 12.1-4; 12.5; 12.8; João 5.1-18; 9.1-41; 9.40,41. A regra básica de Jesus era a de que o homem não havia sido feito para o sábado, mas, sim, o sábado havia sido feito para o homem (Mar. 2.27).

O ensinamento de Paulo era que, para o cristão, não há dias especiais. Por outro lado, um cristão tem a liberdade de tornar um dia sagrado *se* fizer isso "para o Senhor" (a fim de promover a espiritualidade), Rom. 14.1-6.

Depois do livro de Atos, a palavra sábado aparece apenas duas vezes no Novo Testamento (Col. 2.16; Heb. 4.4). Nesses versículos, o sábado não é apresentado nem promovido como um dia que devesse ser celebrado, mas como um dia típico, como todos os outros que Cristo dá àqueles que nEle acreditam.

V. Opiniões sobre a Obrigatoriedade

Batistas do sétimo dia e adventistas do sétimo dia continuam a celebrar o sábado no sétimo dia da semana. Outros cristãos o transformaram no domingo, o primeiro dia da semana, ou seja, um "sábado cristão". Como em todas as polêmicas, devemos lembrar-nos de praticar o amor cristão, que é o maior princípio moral e espiritual de todos. À parte de qualquer obrigação de manter a celebração do sábado que alguém possa emprestar do Antigo Testamento, Paulo informa-nos que é legítimo uma pessoa celebrar dias especiais, se isso for de sua escolha. Por outro lado, a liberdade funciona de outra forma: uma pessoa pode optar por considerar todos os dias iguais (Rom. 14.5,6).

Na *Enciclopédia de Bíblia, Teologia e Filosofia*, apresento vários artigos que abordam esse tema, portanto minha cobertura aqui é muito breve. Ver o artigo *Sabatismo e Observação de Dias Especiais*; *Sábado Cristão* e *Sábado Puritano*. Ver a exposição sobre certos versículos-chaves do *Novo Testamento Interpretado*: Rom. 14.5,6; Col. 2.16; Gál. 4.10.

Em Defesa da Observação do Sábado

1. Deus santificou o dia (Gên. 2.2).

2. O dia tornou-se um sinal do Pacto Mosaico e o quarto mandamento (Êxo. 19; 20.11).

3. Jesus e a igreja inicial praticavam a celebração, como demonstram várias referências das Escrituras em Atos. Ver Atos 2.46; 5.42; 9.20; 13.14; 14.1; 17.1,2,10; 18.4.

4. A mudança do dia sagrado para o domingo fez parte da apostasia inicial da igreja, particularmente da Igreja Católica Romana.

5. A celebração do dia não é legalista, pois foi estabelecida antes da lei, por ato do próprio Deus, que foi o primeiro a observar o sábado.

A Crítica à Celebração do Sábado

1. Gên. 2.2 não estabelece uma regra para os cristãos, ou tal regra certamente teria sido reiterada no Novo Testamento de alguma forma óbvia e definitiva. Os liberais e os críticos apontam essa referência como uma inserção na história da criação, um fragmento *anacrônico* que foi emprestado da história de Moisés e inserido no relato da origem das coisas.

2. O simples fato de que o sábado era o *sinal* do Pacto Mosaico mostra que ele não pertence ao Novo Pacto. A celebração do sábado é uma forma de legalização que Paulo refutou, pois os crentes não estão sob a lei (Rom. 6.14; Gál. 3.10-23).

3. Naturalmente, a igreja inicial, especialmente na Palestina, celebrava o sábado, pois essa prática descendia das raízes judaicas. Houve um *período de transição* da antiga à nova ordem das coisas. A medida que a igreja se espalhava aos países gentios, a celebração do sábado perdeu força e praticamente desapareceu. Apo. 1.10 mostra que, mesmo na época dos apóstolos, pois o Dia do Senhor, substituía o sábado antigo. Ver sob *Dia do Senhor, Domingo*, na *Enciclopédia de Bíblia, Teologia e Filosofia*.

4. Se uma mudança do sábado para o domingo como um dia especial (seja ou não este considerado o "sábado cristão") foi um ato de apostasia, isso ocorreu muito antes da formação da Igreja Católica Romana. O *Didache* (150 d.C.), uma espécie de manual de ética e doutrina do

SÁBADO CRISTÃO – SABATÁ

cristianismo inicial, fala sobre o domingo como o dia no qual os cristãos se reuniam para o louvor e a oração. O mesmo é real sobre os escritos de Hipólito (160 d.C.) e Clemente de Alexandria (200 d.C.).

5. Embora pareça correto falar sobre a celebração do sábado como anterior à Lei, não sendo ela, portanto, uma prática legal, os versículos de Rom. 14.5,6; Col. 2.16 e Gál. 4.10 parecem colocá-la em tal classe. A celebração do sábado era de extrema importância para os hebreus, um verdadeiro *sine qua non* da condição de ser hebreu/judeu; de fato, era o sinal do Pacto Mosaico, e isso diz tudo. Algo tão importante assim dificilmente deixaria de ser reforçado vigorosamente *caso* se esperasse que os cristãos devessem celebrá-lo.

Deixo ao leitor a consulta dos artigos mencionados na seção V para discussões mais detalhadas. Quaisquer discussões desse tipo devem ser deixadas no Altar do Amor, e não representar um teste de espiritualidade ou retidão. Muitos cristãos judeus hoje continuam a observar uma variedade de festas e feriados judeus. Se fizerem isso "para o Senhor", com vistas a ampliar sua espiritualidade, não devem ser criticados por aqueles que consideram todos os dias iguais. Por outro lado, aqueles que não seguem tais celebrações (incluindo aqui o sábado) não devem ser criticados. Certamente não merecem a designação de "hereges" ou apóstatas. A verdadeira espiritualidade não reside em manter nem em ignorar o sábado.

SÁBADO CRISTÃO

Ver sobre *Puritanos* e *Sábado Puritano*. Sob esse título, podemos designar duas observâncias: 1. Na Igreja primitiva, nos lugares onde predominava o elemento judaico, naturalmente o *sábado judaico* continuou a ser observado. E, paralelamente a isso, podemos supor que tenha havido uma consideração especial pelo primeiro dia da semana, visto que esse foi o dia da ressurreição de Jesus. Ver Atos 20:7, I Cor. 16:2, e especialmente, o dia do Senhor, em Apo. 1:10. 2. Gradualmente, o *dia do Senhor*, como muitos começaram a denominar o domingo, começou a substituir o dia de sábado; e podemos pensar que isso sucedeu, desde tempos bem antigos, nos territórios gentílicos.

Legalmente observado, o dia do Senhor ou domingo tornou-se um sábado cristão, conforme ilustro no caso dos puritanos, no respectivo artigo. Constantino, imperador romano (321 d.C.), fez do domingo ou dia do Senhor um feriado oficial, com descanso de todo trabalho manual e com recomendação de que houvesse observâncias religiosas.

Os grupos protestantes de tendências legalistas enfatizavam a obrigação de observar o «sábado cristão», utilizando textos de prova, passagens do Antigo Testamento e, especificamente, o decálogo e sua ordem acerca do sábado. O quarto mandamento aparece em Êxo. 20:8-11. O espírito do puritanismo passou para vários ramos da Igreja evangélica. Embora meus pais tenham sido batistas, para eles o dia de domingo era um sábado doméstico, e não podíamos participar de esportes e outras atividades afins. A Igreja era tudo naquele dia, como também praticamente em todos os demais.

SÁBADO PURITANO

Ver o artigo geral sobre os *Puritanos*. Essa seita cristã evangélica tinha certos aspectos legalistas com sua demasiada ênfase sobre a Lei de Moisés como orientação para a vida. Tal legalismo incluía a adoção do dia de domingo como se fosse o sábado cristão. Isso envolvia uma observância muito estrita do domingo, quando nenhum trabalho manual era efetuado, enquanto o dia inteiro era dedicado a atividades religiosas e à adoração. Vários fatores estavam envolvidos:

1. *Historicamente,* os puritanos seguiam as diretrizes impressas pelos reformadores protestantes, que faziam da lei mosaica uma norma para a conduta cristã, embora negassem que sua observância pudesse justificar ao pecador.

2. *Ideologicamente,* eles pensavam que a lei continuava em sua função, não podendo perceber que o ministério do Espírito Santo substituiu tal função, e que o chamado «sábado cristão», apesar de nada haver de errado em sua observância, não é um ensino neotestamentário.

3. *Praticamente,* eles faziam isso a fim de combater a lassidão na conduta cristã que se instalara nos dias anteriores à reforma.

4. *Legalmente,* o sabatismo dos puritanos adquiriu ímpeto na Inglaterra, entre 1640 e 1660, quando seus políticos conseguiram eliminar tanto o trabalho manual quanto os jogos em dias de domingo.

SABAÍSMO

Esse é o nome dado às crenças de um grupo semicristão da Babilônia. Eles são chamados *sabeítas* no Alcorão (2:29; 5:73; 22:17). Outros nomes aplicados a eles são *sabianos* ou *mandeanos*. Ver o artigo detalhado intitulado *Mandeanos*. Eles sobreviveram como uma pequena seita até hoje, afirmando que João Batista é o seu profeta supremo. A doutrina deles é sincretista, uma mescla de idéias.

SABÃO

Do hebraico *borith*, que pode ser qualquer agente de limpeza. A palavra é encontrada na Bíblia hebraica apenas em Jer. 2.22 e em Mal. 3.2. O termo está relacionado a *bor* (Jó 9.30; Isa. 1.25), que se refere a *aleli* (potassa). Esta substância era obtida a partir das cinzas de plantas queimadas. No Oriente, as expressões "cinzas de borite" e "cinzas de quali" referiam-se a agentes de limpeza e podem ser traduzidas como *sabão*. Muitas plantas produzem substâncias alcalinas quando reduzidas a cinzas, e a Palestina tinha várias dessas espécies, como, por exemplo, a planta que os botânicos chamam de *Salsola kali*, a qual cresce em abundância próximo ao mar Morto. Outras plantas desse tipo são a *Ajram*, encontrada próximo ao Sinai, e a *Saponaria officinalis* e a *Mesembryanthemum nodiflorum*, achadas em várias partes da Palestina. *Metaforicamente,* agentes de limpeza são usados para falar da purificação dos pecadores. Mar. 9.3 usa o termo *lavandeiro* para referir-se à gloriosa transfiguração de Jesus, que brilhou com tanta intensidade em seu estado transformado que até mesmo suas roupas assumiram extrema brancura:

SABAOTE

Ver sob *Senhor dos Exércitos* e sob *Deus, Nomes Bíblicos de*.

SABATÁ

O significado da palavra hebraica é desconhecido. Ela é transliterada como *Sabtah*. Este era o nome do terceiro filho de Cuxe, cujos descendentes se estabeleceram ao sul da Arábia, norte de Cane, em cerca de 2300 a.C. Ver Gên. 10.7; I Crô. 1.9. Ver sobre *Sabtecá*, que pode ser uma variação do mesmo nome e faz referência a outro filho de Cuxe.

SABATARIANISMO – SABATISMO

SABATARIANISMO

Este é um título alternativo usado para indicar o sábado cristão. Ver sobre *Sábado Cristão*.

SABATISMO E OBSERVAÇÃO DE DIAS ESPECIAIS

Rom. 14:5: *Um faz diferença entre dia e dia; outro julga iguais todos os dias. Cada um tenha opinião bem definida em sua própria mente.*

Provavelmente esta era uma questão intensamente debatida e talvez mais ainda do que aquela concernente ao regime «vegetariano». A história mostra que não há razão alguma para supormos que a Igreja em Jerusalém tivesse abandonado essas observâncias típicas do judaísmo, senão após a destruição da cidade, que ocorreu no ano 70 d.C. E, mesmo depois desse desastre, é bem provável que muitos convertidos cristãos dentre o judaísmo tivessem dado prosseguimento a tais práticas religiosas, ainda que individualmente, já que não havia mais templo onde levar a efeito tais observâncias. Por todo o livro de Atos encontramos evidências sobre o que aqui dizemos; e até o próprio grande apóstolo Paulo ainda observava pelo menos as grandes festividades religiosas como o Pentecoste, a Páscoa etc. (Ver Atos 2:46 e 3:1 quanto ao caráter judaico da igreja cristã primitiva. Ver Atos 10:9 quanto à questão do legalismo na igreja cristã primitiva. Ver o artigo sobre o tema *Domingo, Dia do Senhor*, como o dia de adoração.)

Não dispomos de meios para julgar, com base neste texto e com toda a certeza, se Paulo queria incluir ou não o sábado na lista dos vários dias especiais que os irmãos «fracos na fé» insistiam em observar. Não restam dúvidas de que pelo menos alguns elementos da igreja primitiva, embora cristãos, tenham continuado a observar e guardar o sétimo dia da semana. Os costumes antigos só morrem lentamente; e muitos cristãos primitivos continuaram honrando o sétimo dia da semana, considerando uma obrigação religiosa observá-lo. Isso se verificou na igreja de Jerusalém, e é provável que tenha ocorrido outro tanto até mesmo entre crentes puramente gentílicos e em centros gentílicos. É interessante a observação de que alguns crentes primitivos observavam tanto o sétimo como o primeiro dia da semana, embora por razões diversas: guardavam o sétimo dia por causa da tradição do Antigo Testamento; e guardavam o domingo por causa da ressurreição de Cristo, que se dera no primeiro dia da semana. Contudo, o domingo era amplamente observado desde os primeiros dias do cristianismo. Clemente de Alexandria (200 d.C.) e Hipólito (160 d.C.) referiam-se a cristãos que observavam o primeiro dia da semana, tendo havido uma prática continuada dessa norma, desde os dias dos apóstolos até os primeiros dos chamados pais da igreja. O famoso *Didache* (escritos de cristãos primitivos, cujo título significa «Ensinamento») também menciona este fato. Esse documento data de cerca de 150 d.C. O *Didache* foi uma espécie de manual da vida e dos princípios morais da igreja cristã primitiva, o que prova, além de qualquer sombra de dúvida, que a adoração no primeiro dia da semana ou «domingo» não foi criação de nenhum papa medieval ou de algum concílio da Igreja Católica Romana, conforme alguns religiosos têm proclamado, embora não possam prová-lo. O que algum papa ou concílio fez, foi tão-somente confirmar uma prática que vinha sendo observada entre os cristãos desde longa data. Nem tudo o que a Igreja Católica Romana tem decretado é de criação medieval ou recente, pois às vezes ela apenas tem confirmado práticas religiosas consagradas pelo uso cristão de muitos séculos.

Quanto ao *sabatismo*, isto é, a idéia de que o sábado é o dia de guarda obrigatório, até mesmo para os crentes do Novo Testamento, existem duas formas diversas, a saber:

1. Alguns pensam na observância ininterrupta do sétimo dia como dia de guarda obrigatório, segundo o estilo do judaísmo, conforme fazem algumas seitas evangélicas modernas, tais quais a dos Adventistas do Sétimo Dia e a dos Batistas do Sétimo Dia.

2. Outros pensam que as exigências do antigo sábado judaico devem ser cumpridas pelos cristãos no primeiro dia da semana, ou domingo. Essa idéia se tornou extremamente popular durante a Idade Média, tendo revivido ainda mais fortemente entre os puritanos da Inglaterra, a partir de onde isso se tornou padrão para muitas denominações protestantes. Muitos católicos romanos também mantêm esse ponto de vista, provavelmente como uma herança proveniente da Idade Média. Essa posição se tornou oficial por ocasião da Assembléia de Westminster. Realmente, desde os primeiros séculos da era cristã, a tendência foi nessa direção, pois o imperador Constantino, no ano de 321 d.C., separou o domingo como um dia legal de descanso do trabalho geral. Porém, a idéia de que o domingo deve ser um verdadeiro sábado, isto é, um verdadeiro «descanso», só surgiu muito mais tarde na história do cristianismo.

Os *pontos fracos* da teoria que o sábado é o dia de guarda obrigatório para os cristãos são os seguintes:

1. Essa observância jamais é ordenada no Novo Testamento, ao mesmo tempo que os demais nove mandamentos da lei mosaica são constantemente reiterados e salientados. Devemos admitir que não havia necessidade de enfatizar essa prática na igreja de Jerusalém, mas não podemos entender a ausência de tal preceito nos escritos do apóstolo Paulo, que escreveu para igrejas gentílicas, sem tradições sabáticas, pois, se essa observância fosse obrigatória, não podemos duvidar que o apóstolo dos gentios teria ensinado às igrejas a respeito, conforme fez com todas as outras doutrinas verdadeiramente cristãs. Ora, Paulo mesmo declarou: «... jamais deixando de vos anunciar coisa alguma proveitosa e de vo-la ensinar publicamente e também de casa em casa» (Atos 20:20). Que o apóstolo dos gentios não ensinou ser necessária a observância do sábado é significativo. Também não há que duvidar que Paulo classificava o sábado dentro da mesma categoria das outras festividades religiosas dos judeus.

2. Deve-se observar, por igual modo, que apesar de haver, em certas mentes modernas, tremenda diferença entre as «leis morais» e *as leis cerimoniais*, isto é, respectivamente, entre os dez mandamentos e os preceitos rituais dos judeus, contudo, tal distinção jamais fez parte da mentalidade judaica, não sendo encontrada nenhuma declaração bíblica nesse sentido. Muitos judeus consideravam mandamentos importantíssimos, não menos importantes do que os dez mandamentos das tábuas da lei, certas observâncias que consideraríamos triviais, como a lavagem de roupas, mãos, pratos etc. Portanto, a distinção feita por alguns modernos, os quais afirmam que a lei «cerimonial» foi ab-rogada, mas que a «lei moral» não o foi, é uma pretensão inteiramente destituída de provas bíblicas. Pois, nesse caso, é tão fácil eliminar o sábado como é fácil eliminar a lavagem de mãos, pratos etc., com base no ponto de vista da suposta eternidade das leis outorgadas ao antigo povo de Israel.

3. Grande parte da epístola aos Romanos foi especificamente escrita com a finalidade de ensinar-nos que agora *não estamos* mais debaixo da lei mosaica, e

SABATISMO

que, de fato, os gentios nunca estiveram. Essa é a lei que os judeus imaginavam lhes servir de instrumento de salvação, e várias referências bíblicas mostram que o apóstolo Paulo incluiu nessa categoria tanto os aspectos morais como os aspectos cerimoniais da lei mosaica. Sendo um bom judeu, Paulo não teria estabelecido diferença entre «leis morais» e «leis cerimoniais», conforme se tornou usual hoje em dia fazer. Pode-se observar, no décimo terceiro capítulo da epístola aos Romanos, que a lei que é cumprida pelo amor é aquela que proíbe o adultério, o furto etc.; e essa não é a chamada «lei cerimonial», mas, sim, aquela que é cumprida dentro do sistema da graça, mediante o amor. A lei discutida por Paulo, no segundo capítulo da epístola aos Romanos, é bem definida em seus aspectos «morais», embora não exclusivamente. Podemos notar que Rom. 2:20-22 é convincente quanto a esse ponto. O exame inteiro da lei e do pecado até o fim do terceiro capítulo desta epístola, onde Paulo começa a mostrar a verdade da justificação pela fé, aborda questões «morais», e não meramente cerimoniais. No entanto, em Rom. 3:28, Paulo diz claramente que um homem é justificado pela fé, independentemente das obras da lei; e isso não elimina a lei, mas antes, confirma-a, ou seja, através de seu uso apropriado, revela o pecado. Com isso se pode comparar o trecho de Rom. 3:10-12. E os vss. 24 e 25 desse mesmo terceiro capítulo de Romanos mostram-nos que não mais estamos *debaixo da lei*. Sendo esse o caso, dificilmente pode-se pensar que o dia de sábado continua sendo um preceito obrigatório para os crentes do Novo Testamento. Sumariando: A despeito de todos os preceitos morais da lei serem reiterados no Novo Testamento, como reflexos da moralidade que se espera da parte dos crentes, ainda que essa moralidade só possa ser obtida mediante a graça divina, devido à influência íntima do Espírito de Deus, e não através de observâncias legalistas, contudo o sábado jamais é reiterado no Novo Testamento como algo obrigatório para os crentes.

4. Também não estamos obrigados a observar algum suposto *sábado cristão*. A exposição feita por Paulo, neste ponto de sua epístola aos Romanos, indica que nenhum dia é mais santo do que qualquer outro dia. Podemos ver, no trecho de Col. 2:16, que o «sábado» foi incluído naqueles itens referentes aos quais não devemos permitir que os homens nos julguem. Fazer com que essas palavras do apóstolo se refiram aos «sábados» ou grandes festividades religiosas dos judeus não reflete uma boa exegese, embora a idéia também deva incluir necessariamente esse pensamento. É verdade que a palavra em foco, «sábados», é usada no plural, em Col. 2:16; mas o plural era com freqüência utilizado nas Escrituras, como se fosse o singular. (No Antigo Testamento, ver os trechos de Êxo. 20:8 e Deu. 5:12 e, no Novo Testamento, ver Mat. 12:1, 5, 10-12; 28:1; Mar. 1:21). O plural era geralmente usado a fim de destacar a importância do dia, não necessariamente para indicar pluralidade, o que, de resto, era um truque lingüístico muito próprio e comum da língua hebraica. Outrossim, mesmo que o plural, referido em Col. 2:16, fizesse alusão a diversos *sábados*, nem por isso deixaria de incluir o sábado.

O apóstolo Paulo nos ensina, aqui em Rom. 14:5, que *nenhum dia* é especial por si mesmo. O domingo não é o «sábado cristão», conforme muitos o têm chamado, e não é mais obrigatório nem mais digno de maior atenção do que o sábado (ou mesmo do que qualquer outro dia da semana). Os crentes primitivos se reuniam no primeiro dia da semana, ou domingo, conforme se verifica em várias passagens, desde que o Senhor Jesus se ausentou deles. Mas o próprio Novo Testamento não ensina que devemos guardar o domingo, como se este houvesse substituído o sábado, dentro da nova economia da graça divina.

Por isso mesmo disse Alford (*in loc.*): «A inferência óbvia, dessa linha de argumentação, é que ele (Paulo) não reconhecia nenhuma obrigação como essa 'da guarda de algum dia especial', mas, antes, cria que, para os crentes, sobretudo os 'fortes na fé', todos os dias são iguais».

Essas palavras refletem a verdadeira doutrina paulina, e o «sabatismo» labora em erro como princípio doutrinário, ainda que venha sendo preservado por algumas seitas cristãs. Não obstante, cumpre-nos respeitar a história eclesiástica e suas tradições, mas não tão rígida e rigorosamente como alguns querem fazê-lo. Por isso, seguindo o exemplo da igreja primitiva, reunimo-nos geralmente no domingo, quando então efetuamos nossos principais ritos -- e nossos cultos mais importantes. Fazemos isso não por necessidade, nem por «imposição legal», mas, sim, meramente por ser uma tradição neotestamentária. Porém, a despeito disso, não tentamos fazer do domingo alguma espécie de «sábado».

«Visto os homens terem sido erroneamente ensinados ou influenciados, ou pelos cristãos judaizantes, dos primeiros séculos do cristianismo, ou infelizmente, pelos reformadores e puritanos, desde a reforma protestante, a maioria dos evangélicos reputa o primeiro dia da semana como um 'sábado semanal', como um 'dia santo', embora isso derrote totalmente o seu uso apropriado. Substitui a doce palavra 'privilégio', própria do sistema da graça, por um duro vocábulo legal *dever*» (Newell, *in loc.*).

«O chamado ensinamento puritano, quanto a este particular, tem sido denominado, e com muita razão, de 'teologia adúltera', porquanto tem procurado casar os crentes a dois maridos, à lei e a Cristo» (Scofield).

Já desde o ano de 115 d.C., Inácio (martirizado nesse ano) mencionou que os crentes não mais observavam o «sábado», e, sim, o «Dia do Senhor», «... de quem a nossa vida, na qualidade de ressuscitados por meio dele, depende». Justino Mártir, que deu sua vida em cerca de 168 d.C., quando foi repreendido por Trifo, por ter 'desistido do sábado', retrucou: «Como podemos guardar o sábado, se descansamos do pecado todos os dias da semana?». Apesar de o primeiro dia da semana ter sido assim honrado, e apesar de o dia de sábado ter passado para os registros históricos como um dia religioso especial, o primeiro dia da semana de maneira alguma assumiu o caráter do antigo sábado. Pelo contrário, cabe-nos o privilégio de honrar a Cristo e à sua ressurreição, reunindo-nos no primeiro dia da semana. E poderíamos fazer isso em qualquer outro dia, sem com isso desobedecermos a qualquer lei moral, embora com isso criássemos uma tradição de muito menor valor histórico.

Cada um Tenha Opinião. É interessante que Paulo *não proíbe* a ninguém reunir-se em dia de sábado e observar sua guarda, como também não proíbe nenhum outro dia. Aquele que porventura queira guardar o dia de sábado, que o faça, para glória do Senhor; e aqueles que se reunirem em outro dia qualquer, ou todos os dias, sem destacar um dia como especial, que também o façam para a glória do Senhor. Nenhuma dessas coisas será jamais condenada por Deus, embora surjam muitos críticos humanos. Moisés jamais poderia ter dito: «Cada um tenha opinião bem definida em sua própria mente». Mas o apóstolo Paulo, o grande defensor do sistema da graça, pôde fazer tal declaração, sendo esse um dos grandes lemas da igreja cristã, o que concorda mui harmoniosamente com a liberdade cristã, porquanto não estamos debaixo da escravidão.

SABATISMO – SABEDORIA

«No que concerne à observância de dias e anos, podemos comparar esta passagem com os trechos de Gál. 4:10 e Col. 2:16. Essas passagens, consideradas conjuntamente, dão-nos a entender claramente que a observância de dias especiais não conta com nenhuma sanção absoluta, mas é puramente uma questão de expediente religioso. Entretanto, isso é base suficiente sobre o que nos escudamos, e a experiência parece favorecer algum sistema como aquele adotado pela nossa própria igreja cristã» (Sanday, *in loc.*).

Paulo não toma decisão a respeito dessa questão, pois, para ele, tratava-se de uma daquelas questões indiferentes. No entanto, objetava contra as pessoas que tentavam forçar suas opiniões a outras, exagerando a importância da observância de certo dia ou dias. Também condenou os crentes da Galácia por agirem desse modo, onde assumiu uma atitude negativa sobre a questão, em vez de uma atitude neutra, devido aos exageros com que aqueles crentes se tinham aferrado às antigas práticas judaicas. Isso era prejudicial para os conceitos da graça gratuita naquela localidade. (Ver Gál. 4:9 e ss.). Tais observâncias ameaçavam destruir o trabalho do apóstolo dos gentios entre os gálatas.

No que diz respeito aos crentes de Roma, Paulo fazia objeção mais cerrada acerca da controvérsia provocada pelas observâncias de dias religiosos especiais, controvérsia essa que destruíra o espírito de amor e unidade nas igrejas da Galácia.

Podemos notar aqui a ênfase sobre as questões de consciência. Paulo confiava que esse elemento da natureza humana, dado por Deus, mediante consideração cautelosa, e com a orientação do Espírito Santo, era capaz de mostrar o curso de ação que o crente deve tomar.

SABEDORIA

I. Termos Relativos aos Tipos de Sabedoria
II. Caracterização Geral
III. A Maior Fonte de Toda a Sabedoria
IV. A Unidade da Verdade
V. Fontes Secundárias de Sabedoria
VI. Literatura sobre a Sabedoria
VII. Sabedoria de Acordo com a Filosofia

I. Termos Relativos aos Tipos de Sabedoria

1. *Chokmah* (também transliterado como *hokmah*): habilidade ou destreza na arte (Êxo. 28.3; 31.6, *et al.*); habilidade mais elevada de raciocínio, prudência, inteligência (Deu. 4.6; 34.9; Pro. 10.1, *et al.*).

2. *Sakal*, ser prudente, circunspecto (I Sam. 18.30; Jó 22.2, *et al.*).

3. *Tushiyah*, retidão, bom conselho e compreensão (Jó 11.6; 12.16; Pro. 3.21, *et al.*).

4. *Binah*, compreensão, introspecção, inteligência (Pro. 4.7; 5.5; 39.26; Deu. 4.6; I Crô. 12.32; Dan. 1.20; 9.22; 10.1, *et al.*).

5. *Sophia* (no Novo Testamento), palavra geral para todos os tipos de sabedoria, divina e humana (Luc. 1.17; 11.31,49; Atos 6.3,10; Rom. 11.31; I Cor. 1.17,19; Efé. 1.8,17; Tia. 1.5; 3.13, 15, 17; II Ped. 3.15; Apo. 5.12; 13.18; 17.9, *et al.*).

II. Caracterização Geral

Ter sabedoria é pensar bem e agir bem em qualquer empreendimento realizado, seja secular ou espiritual. Deus é a principal fonte de todo o bom pensamento e de toda a boa realização, pois seu espírito vive no homem, é expresso nele e conduz o caminho. Ver o artigo *Teísmo*: O Criador permanece com Sua criação, orientando, dando recompensas e punindo. Contraste isto com *Deísmo* (também no *Dicionário*): a força criativa, pessoal ou impessoal, abandonou sua criação às mãos da leis naturais. A sabedoria pode ser destreza mecânica e habilidade nos trabalhos manuais (Êxo. 28.3); a arte dos mágicos (Gên. 41.8; Êxo. 7.11); sagacidade, aprendizado, experiência, aplicação do conhecimento (Jó 12.2; 38.37; Sal. 105.22); as filosofias engenhosas dos pagãos (I Cor. 1.20; 2.5; 3.19).

A sabedoria é um atributo de Deus (I Tim. 1.17; Jud. 25) e um presente especial de Deus ao homem (Atos 6.10; I Cor. 2.6; 12.8; Efé. 1.17; Tia. 1.5; 3.15-17). Jesus, o Cristo, era a sabedoria personificada (I Cor. 1.30).

A sabedoria era tratada como uma Senhora Nobre que é tanto profetisa quanto professora (Pro. 1.20-33; 9.1-6). Esta mulher é mãe e esposa, e pode tornar-se irmã de alguém (Cantares de Salomão; Pro. 7.4; 31.10). Como esposa e mulher, é uma boa conselheira e mestra (Pro. 8.6-10, 14). É contrastada com a mulher ignorante e profana (Pro. 9.13-18). A Boa Senhora "seduz" aos bons pensamentos e atos; a senhora ignorante está interessada apenas no corpo, em seus apetites e adornos (Pro. 2.16; 5.3-20; 7.5-27). Este motivo de Sabedoria Feminina repete-se em outros livros judaicos, como Sabedoria de Salomão, Siraque, Baruque e em algumas passagens dos materiais do Qumran.

III. A Maior Fonte de Toda Sabedoria

"... ao Rei eterno, imortal, invisível, único Deus" (I Tim. 1.17); "... o único Deus, nosso Salvador" (Jud. 25). O teísmo bíblico representa Deus como o dono de qualidades humanas mais nobres em grau infinito. Platão transformou a sabedoria em um de seus "universais", a partir da qual fluem todas as manifestações inferiores da mesma qualidade, e isto está em consonância com o pensamento bíblico. A sabedoria é atribuída à Deidade (I Reis 3.28; Isa. 10.13; 31.2; Jer. 10.12; 51.15; Dan. 5.11). Deus tornou conhecida Sua sabedoria na natureza e na revelação. Ele a abre à intuição humana se um homem for piedoso e estiver em busca de um caminho mais alto (Rom. 11.33; I Cor. 1.24,26; Tia. 1.5; Apo. 7.12; Atos 6.10; Efé. 1.17; Col. 1.9; 3.16). Logicamente, a despeito das revelações, a sabedoria divina não pode ser alcançada pelo homem em nenhum sentido completo, mas é meramente um aspecto da salvação do homem (o ser finito, em constante movimento em direção a Deus, o Infinito). Esse é um processo eterno. Ver as anotações sobre II Cor. 3.18 no *Novo Testamento Interpretado*. Como há uma infinidade a ser preenchida, deve também haver um preenchimento infinito.

IV. A Unidade da Verdade

Os patriarcas da igreja primitiva, particularmente aqueles da igreja oriental que foram influenciados pela filosofia grega, descreveram toda a verdade como uma unidade regida divinamente. Deus, a fonte da verdade, é encontrado em todos os ramos do conhecimento e é o objeto real de todo o conhecimento. Isto significa que mesmo o chamado "conhecimento secular" é, de fato, apenas um ramo da *teologia*. Todas as disciplinas meramente tentam seguir o raciocínio divino e, quanto mais descobrem, mais revelam o intricado trabalho da mente divina. Se estudo biologia, descubro, em um grau pequeno, como Deus operou nas coisas vivas. Se estudo matemática, descubro um pouco sobre o Grande Matemático. Deus é o Grande Intelecto, e eu sou um intelecto pequeno recortado, eu poderia dizer, do mesmo molde, uma pequena fagulha da Faísca Infinita. Um livro de sabedoria como Provérbios não descansa em revelações divinas dogmáticas, mas é um livro da busca humana pela compreensão e pela sabedoria do modo que isso se aplica à vida diária. O livro presume que pode ser

SABEDORIA

feito progresso significativo em direção à sabedoria pelos homens piedosos e diligentes, mesmo sem o auxílio da revelação. Um livro de sabedoria negativa como Eclesiastes presume que a busca é fútil, mas podemos divertir-nos com ela, participando nos pequenos prazeres da vida que são o summum bonum do homem, ainda que fúteis.

A religião natural é uma busca legítima e útil, pois Deus está em tudo, deixando pegadas a serem seguidas por aqueles que estão em uma busca honesta. Tudo é a mão de Deus estendendo-se ao homem, mas o homem deve buscar o Divino através do estudo, da oração e da piedade.

A verdade mais alta e unificadora. Um grande princípio que rege toda a busca humana é a *lei do amor*, que inicia no amor a Deus e continua sua manifestação do homem pelo homem. Esta é a base de toda a vida e do viver, de todo o conhecimento e sabedoria. Um homem pode exercitar todos os dons espirituais, mas, se não tiver amor, ele nada é (I Cor. 13).

Amor divino, todos os amores em excelência,
Alegria dos céus à terra desceu;
Coloque em nós sua habitação humilde;
Todas suas misericórdias fiéis coroe.
(Charles Wesley)

A canção popular expressa o princípio: "A maior coisa que você jamais aprenderá é apenas amar e ser amado em retorno". O homem *sábio* é aquele que aprendeu esse "segredo" e o pratica.

V. Fontes Secundárias de Sabedoria Bíblica

1. Os profetas do Antigo Testamento trouxeram uma revelação preliminar que foi a fonte de alguma sabedoria. Eles não eram sábios a seus próprios olhos, como eram os falsos profetas (Jer. 9.23; Isa. 5.21). Ver a sabedoria de Deus *personificada* em Pro. 8.22-31.

2. Outras personagens do Antigo Testamento, como os autores dos diversos livros, incluindo a literatura de sabedoria do Antigo Testamento: alguns salmos, Jó, Eclesiastes; Provérbios.

3. O *Logos* inspirou esses instrumentos de sabedoria, mas apresentou o *Messias*, Filho Divino, como instrumento especial. Ele era o revelador de Deus (João 1.1-5, 18). Nele (o Logos-Messias) estão escondidos em todos os tesouros da sabedoria e do conhecimento (Col. 2.3).

4. Os ministros do Evangelho, especificamente os *apóstolos*, trouxeram novos livros que elucidaram um conhecimento mais alto sobre Deus e propagaram uma sabedoria mais elevada.

5. Tais instrumentos (Antigo e Novo Testamento) falavam através de sabedoria acumulada, aprendida, mas também tinham a vantagem da *revelação*. Ver o artigo com esse título e ver também Atos 6.10; I Cor. 2.6; Efé. 1.17; Col. 1.9; II Tim. 3.16.

Não-bíblicas

1. Filósofos e homens sagrados de tradições religiosas externas à herança hebraico-cristã, mas ainda operando como instrumentos do Logos, de acordo com a unidade do conceito de verdade. Ver a seção IV deste artigo.

2. Cientistas e homens de todos os ramos que trabalham bem e trazem novo conhecimento e diversas aplicações desse conhecimento para o bem do homem. Às vezes os poetas têm sabedoria intuitiva. O Logos emprega muitos instrumentos para o benefício do homem, e nenhum campo do conhecimento está totalmente destituído de sabedoria.

VI. Literatura sobre a Sabedoria

A *Enciclopédia de Bíblia, Teologia e Filosofia* apresenta artigos separados sobre os livros mencionados a seguir, e este *Dicionário* do *Antigo Testamento Interpretado* repete os artigos relacionados ao Antigo Testamento. Portanto, apresento aqui um breve resumo.

Canônica

1. Alguns dos salmos são composições de literatura de sabedoria. Há 18 classificações dos *Salmos*, uma das quais é "literatura de sabedoria". Ver a introdução àquele livro. Os Salmos 19, 104 e 147 são notáveis salmos de sabedoria.

2. *Provérbios* é o principal livro de sabedoria do Antigo Testamento e fornece os melhores ditados sábios de rabinos que tocam em cada aspecto da vida humana. Ver a introdução àquele livro para maiores detalhes.

3. O livro de Jó examina o problema do significado do "louvor desinteressado": O louvor de Deus que não promete nenhuma recompensa pessoal ao fiel. O conceito (errôneo) por trás disso é o *voluntarismo* (ver a respeito na *Enciclopédia* e no *Dicionário*).

Jó e o único livro bíblico que examina com maior profundidade o *Problema do Mal* (ver a *Enciclopédia* e no *Dicionário*). "Por que os homens sofrem e por que sofrem como sofrem?" Apenas um claro entendimento da sabedoria de Deus poderia informar-nos do "porquê" do sofrimento. Jó tem algumas respostas, mas deixa muitas perguntas em aberto. Ver a *Introdução* ao livro para maiores detalhes. Jó nega que todo o sofrimento deriva da operação da lei da colheita de acordo com a semeadura.

4. *Eclesiastes* é um tipo de livro anti-sabedoria, que acaba por informar-nos que a busca da sabedoria é fútil. O *summum bonum* (bem mais alto) do homem são os pequenos prazeres da vida, mas esses também têm valor falso. O livro é pessimista, niilista e céptico, e, de fato, um tratado negativo, parecido com a visão grega da sabedoria, em vez de mostrar a visão ortodoxa hebraica. Ver a *Introdução* ao livro para um tratamento mais completo do assunto.

5. No Novo Testamento temos a sabedoria divina propagada em muitos dos dizeres de Jesus e Paulo. *Tiago* é do mesmo estilo do Antigo Testamento, que se enquadra virtualmente por inteiro nesta categoria. Ver a *Introdução* do livro para maiores detalhes.

Não-canônica

1. *Eclesiástico*, atribuído a Jesus, filho de Siraque (chamado de Sabedoria de Siraque), é semelhante ao livro canônico de Provérbios. A vida ideal é apresentada em muitos dizeres sábios. Ver o artigo sobre esse livro para maiores detalhes. Tal livro é chamado de *apócrifo* pelos protestantes e evangélicos e não foi mantido no cânon palestino. A Septuaginta, contudo, contém o livro e os católicos romanos o aceitam como canônico. Portanto, podemos dizer que era (é) um livro autoritário do cânon alexandrino.

2. A *Sabedoria de Salomão* tem o mesmo status canônico e não-canônico de *Eclesiástico*, e é considerado o melhor desses livros por muitos estudiosos. Ver os artigos a respeito desse livro na *Enciclopédia de Bíblia, Teologia e Filosofia* e no *Dicionário do Antigo Testamento Interpretado*. O livro combina conceitos da sabedoria do Antigo Testamento com aqueles dos melhores filósofos gregos.

Enquanto a literatura de sabedoria do Antigo Testamento não menciona as grandes histórias dos livros históricos do Antigo Testamento, nem os pactos, nem faz apelos diretos à lei etc., é ir longe demais chamá-la de "corpo estranho de literatura" dentro do cânon do Antigo Testamento. É verdade que esses livros representam a busca humana pela sabedoria sem a intrusão contínua da

SABEDORIA – SABEDORIA DE DEUS

revelação para explicar todas as coisas. Ao mesmo tempo, muitos dos dizeres são elaborações dos conceitos básicos da lei de Moisés.

Os livros representam quatro categorias: natural, experimental, judicial e teológica, que obviamente vão além da dependência contínua da revelação, que é encontrada em grande parte do Antigo Testamento.

Em concordância com o restante do Antigo Testamento, esses livros têm forte fundamentação antropocêntrica e uma interpretação enfaticamente teísta da vida. Problemas humanos, como vida longa, saúde, riqueza, crianças, ambições terrenas, são os principais assuntos, e a busca depende do intelecto e da intuição, em vez de depender da revelação divina. Portanto, esses livros de certo modo representam a filosofia da religião natural. Contudo, dizer que são apenas dessa natureza seria certamente um grande exagero. Ver na *Enciclopédia de Bíblia, Teologia e Filosofia* o artigo *Religião*, III. *Tipos de Religião*, 5. *Natural*.

VII. Sabedoria de Acordo com a Filosofia

1. *Platão* fazia da "sabedoria" uma das quatro principais virtudes, juntamente com a coragem, a temperança e a justiça. A sabedoria é o conhecimento do todo, bem como a capacidade de aplicar esse conhecimento de forma correta e justa, em qualquer situação dada. Segundo ele, o rei-filósofo deveria ser treinado para não somente ser o homem mais sábio, mas também o mais justo, o que o qualificaria a governar. A sabedoria deve proceder do mundo das idéias, porquanto todas as qualidades, das maiores às menores, são apenas imitações ou reflexos deste mundo material e da percepção dos sentidos. Assim sendo, em última análise, a sabedoria é uma qualidade divina inerente que os homens possuem em certo grau e que têm a obrigação moral de cultivar.

2. *Aristóteles* falava sobre a sabedoria especulativa e sobre a sabedoria prática, refletindo, assim, a diferença entre *sophia* e *phrónesis*. A sabedoria especulativa (que poderíamos designar aqui como "sabedoria") requer a aplicação de rigorosa filosofia e de um raciocínio bem controlado, a busca das causas primeiras e dos princípios. Essa pesquisa pode ser vista de modo mais proeminente na *teologia* e então na *metafísica*, também conhecida como a primeira filosofia. A sabedoria prática corresponde à *phrónesis*, "prudência", de Aristóteles, e relaciona-se à conduta prudente na vida diária.

3. Os filósofos *cirenaicos*, *epicureus* e *estóicos* enfatizavam a *phrónesis*, ou seja, a sabedoria prática.

4. *Tomás de Aquino* cristianizou a idéia de Aristóteles, preservando a distinção entre a sabedoria especulativa e a sabedoria prática. Ele via a principal expressão da sabedoria especulativa na teologia revelada e nas operações iluminadoras do Espírito Santo.

5. *Nicolau de Cusa* não se impressionava muito diante da sabedoria humana, preferindo chamá-la de "ignorância informada".

6. *Spinosa* tinha sua própria divisão dupla. Ele falava sobre a *ratio*, "razão", relacionada ao conhecimento e às leis científicas, e sobre a *scientia intuitiva*, "conhecimento intuitivo", através da qual o indivíduo pode chegar a "ver" o universal em todos os particulares da existência. Esta seria a verdadeira sabedoria, mediante a qual o indivíduo compreenderia as essências e significados da existência e do ser, ou seja, "a vida sob o aspecto da eternidade".

Fé
Oh, Mundo, não escolhestes a melhor parte!
Não é sábio ser apenas sábio,
E fechar os olhos para a visão interior.
Mas é sabedoria acreditar no coração.
Colombo achou um mundo, e não tinha mapa;
Confiar na empresa invencível da alma
Era toda a sua ciência, toda a sua arte.
Nosso conhecimento é uma tocha fumegante
Que ilumina o caminho um passo de cada vez,
Através de um vazio de mistério e espanto.
Ordena, pois, que brilhe a luz terna da fé,
A única capaz de dirigir nosso coração mortal
Aos pensamentos sobre as coisas divinas.
(George Santayana)

SABEDORIA, LIVRO DE
Ver sobre *Sabedoria de Salomão*.

SABEDORIA DE DEUS
Esboço:
I. Idéias Gerais
II. Deus Fez de Jesus Cristo Essa Sabedoria
III. Referências e Idéias. A Sabedoria de Deus
IV. A Multiforme Sabedoria de Deus se Torna Conhecida (Efé. 3:10)

I. Idéias Gerais

1. Essa sabedoria é um dos *atributos* divinos (ver I Sam. 2:3); é insondável (ver Rom. 11:33); e é a base de toda a bondade humana, sobretudo do bem-estar espiritual, particularizando-se a salvação (ver Efé. 1:8).

2. O evangelho contém os tesouros da sabedoria divina (ver I Cor. 2:7).

3. Paulo fez contraste entre a sabedoria humana (ensinada na filosofia) e a sabedoria de Deus (que se manifesta na mensagem do evangelho). A sabedoria humana gera o orgulho; a sabedoria divina conduz à salvação da alma.

4. A sabedoria divina se manifesta em Cristo (ver o artigo sobre *Sabedoria*).

5. O próprio Cristo é a personificação da sabedoria divina, conforme ensinado em I Cor. 1:30. É Cristo quem proporciona aos homens os benefícios prometidos pela sabedoria divina.

Tudo quanto os homens podem conhecer acerca da verdadeira *sabedoria*, precisam conhecer em Cristo; pois, para os homens, Cristo é a sabedoria de Deus. A sabedoria de Deus é demonstrada no seu plano, relativo à redenção da humanidade, plano esse que concretiza algo que a sabedoria humana sob hipótese nenhuma poderia concretizar. E a palavra ou a mensagem da cruz é o tema central dessa sabedoria (ver I Cor. 1:18). Por igual modo, essa sabedoria é a única que permanecera de pé sob o teste do juízo divino (ver I Cor. 1:19). Através da sabedoria de Deus é que o mundo inteiro pode ser potencialmente salvo (ver I Cor. 1:31). Tudo isso pode parecer um escândalo, uma insensatez e uma pedra de tropeço para os homens (ver I Cor. 1:22-23), mas Jesus Cristo é a própria personificação da sabedoria de Deus (ver I Cor. 1:24,30). A grande verdade é que a sabedoria de Deus, que tantos homens reputam como insensatez, é mais sábia que a sabedoria humana, porquanto cumpre aquilo que o engenho humano está impossibilitado de fazer (ver I Cor. 1:25). Mas esse cumprimento só se verifica no caso de homens humildes, que reconhecem sua ignorância espiritual; pois Deus dá iluminação espiritual a esses, mas resiste aos soberbos (ver I Cor. 1:26-28). Sim, Cristo é a verdadeira sabedoria de Deus, fazendo violento contraste com a falsa sabedoria humana.

SABEDORIA DE DEUS – SABEDORIA DE SALOMÃO

II. Deus Fez de Jesus Cristo Essa Sabedoria

1. Mediante os seus decretos, baixados desde a eternidade.
2. Mediante a encarnação do Filho de Deus.
3. Mediante o ministério terreno de Jesus Cristo.
4. Mediante a sua exaltação à mão direita de Deus Pai, onde foi feito Senhor e Cristo, e de onde brande toda a autoridade, nos céus e na terra, segundo também lemos em Mat. 28:18. Ora, todos esses aspectos estavam designados de antemão com o propósito de produzir a redenção humana.

III. Referências e Idéias. A Sabedoria de Deus

1. A sabedoria de Deus é um de seus atributos (ver I Sam. 2:3 e Jó 9:4). 2. A sabedoria de Deus é descrita como perfeita (ver Jó 36:4 e 37:16). 3. É poderosa (ver Jó 36:5). 4. É universal (ver Jó 28:24; Dan. 2:22 e Atos 15:18). 5. É infinita (ver Sal 147:5 e Rom. 11:3). 6. É insondável (ver Isa. 40:28 e Rom. 11:33). 7. É maravilhosa (ver Sal. 139:6). 8. Ultrapassa a compreensão humana (ver Sal 139:6). 9. É incomparável (ver Isa. 44:7 e Jer. 10:7). 10. Não é derivada (ver Jó 21:22 e Isa. 40:44). 11. O evangelho contém os tesouros da sabedoria divina (ver I Cor. 2:7). 12. A sabedoria dos santos é derivada da sabedoria de Deus (ver Esd. 7:25). 13. Toda a sabedoria humana deriva da sabedoria divina (ver Dan. 2:2).

IV. A Multiforme Sabedoria de Deus se Torna Conhecida (Efé. 3:10)

A palavra *multiforme* deriva do termo grego *polupoikilos*, em forma adjetivada encontrada somente aqui um vez no Novo Testamento, cujo significado é «variegado», «multilateral», usado para indicar quadros, flores e vestimentas de várias cores. Na versão da Septuaginta (tradução do original hebraico do Antigo Testamento para o grego, completada cerca de duzentos anos antes da era cristã), a capa de «muitas cores» presenteada por Jacó a José é descrita por palavra (ver Gên. 37:3). Esse vocábulo pinta a sabedoria divina como algo que tem muitíssimas facetas com os mais variados modos de manifestação e expressão, por ser algo que é digno de ser contemplado, devido a suas muitas e excelentes variações e realizações.

Gregório de Nissa (ver *Hom.* viii, sobre Cantares de Salomão) nos fornece uma notável interpretação, a que — vários expositores – aludem. Diz ele: «Antes da encarnação de nosso Salvador, os poderes celestiais conheciam a sabedoria de Deus como algo simples e uniforme, que efetuava maravilhas de modo consoante com a natureza de cada coisa. Nada havia de *poikilon* (multiforme, multicolorido). Mas agora, por meio da *oikonomia* (dispensação, plano) que diz respeito à igreja e à raça humana, a sabedoria de Deus não é mais conhecida como algo uniforme, e, sim, como algo *polupoikilos* (multiforme, variegado), produzindo contrários por meio de contrastes, mediante a morte, a vida, a desonra, a glória, o pecado e a retidão; mediante a maldição e a bênção; mediante a fraqueza e o poder. O invisível se manifestou em carne. Veio para remir cativos, sendo ele mesmo o adquiridor, e sendo ele mesmo o preço» (ID IB LAN NTI).

SABEDORIA DE JESUS

Ver sobre *Eclesiástico*.

SABEDORIA DE SALOMÃO

I. Títulos
II. Status Canônico
III. Caracterização Geral
IV. Autor e Data
V. Conteúdo
VI. Influências

I. Títulos

Este livro, falsamente atribuído a Salomão, recebeu diversos títulos diferentes: a Septuaginta diz *Sophia Salomonos* (Sabedoria de Salomão); as traduções Latina e Vulgata apresentam *Livro de Sabedoria*; a igreja antiga, em sua maioria, favorecia o título latino; Clemente de Alexandria deu o nome *Sabedoria Divina*, que Orígenes também favorecia; Agostinho o chamava de *Livro de Sabedoria Cristã*. Não há um título hebraico, pois o livro foi escrito em grego. Ao contrário da Torá e dos Profetas, os livros de sabedoria (ver *Sabedoria*, cujo artigo inclui anotações sobre a *Literatura de Sabedoria*) não eram produtos de guardiães autoritários do cânon do Antigo Testamento, nem seus autores eram considerados profetas (os porta-vozes de Deus), mas perspicazes observadores e comentaristas que empregavam, principalmente, o *mashal*, ou provérbio. Seus ensinamentos cobriam ampla gama de assuntos de interesse à vida humana, e os estilos literários eram variados.

II. Status Canônico

O cânon hebraico (palestino) rejeitou este livro, atitude que foi seguida por evangélicos e protestantes. Seria impensável para os judeus da Palestina aceitar um relato dos judeus da dispersão escrito em grego. Mas era natural para os judeus da Dispersão que utilizaram tais relatos aceitar certos livros. Este livro é encontrado na Septuaginta, o mesmo ocorrendo no chamado cânon alexandrino. Esta sugestão foi seguida pela Igreja Católica Romana, que chama o livro de canônico, enquanto os protestantes o denominam apócrifo. O Concílio de Trento (ver) não hesitou em incluir o livro na Bíblia Católica Romana. Várias versões antigas, além da grega (Septuaginta), também incluíam o livro, a saber, as versões latina, siríaca e armênia. Vários patriarcas da igreja inicial tanto do Oriente como do Ocidente atribuíam ao livro status canônico, como Clemente de Alexandria, Orígenes, Eusébio e Agostinho. O livro também aparece na lista canônica do fragmento Muratoriano, que era, contudo, uma lista de livros canônicos do Novo Testamento!

III. Caracterização Geral

Como vimos, um grande segmento da igreja cristã aceitou este livro como canônico, seguindo o chamado cânon alexandrino, que é exemplificado na Septuaginta. Mesmo aqueles que o consideraram apócrifo de modo geral reconheceram o grande valor deste livro e muitas vezes o apontaram como o melhor dos trabalhos apócrifos. Há, indubitavelmente, alusões e empréstimos do livro no Novo Testamento. Ver maiores detalhes a respeito sob a seção VI, *Influências*. O livro é uma exortação hábil para o homem espiritual sério buscar sabedoria e, assim, ampliar sua espiritualidade. A sabedoria é uma essência divina e está mediante a homens finitos. Embora muito da sabedoria do Antigo Testamento influencie esse livro, os capítulos 6-9 claramente repousam na filosofia grega. A sabedoria trazia prosperidade e bem-estar a Israel, enquanto os pagãos, que não a tinham, pereciam (caps. 10-19). Os capítulos 11-19 são quase certamente de um autor separado, que nenhuma vez emprega o termo sabedoria. Mas as instruções dessa seção dão margem a muita reflexão sobre a natureza da punição de vários tipos de apostasia e idolatria, contrastando Israel às nações pagãs.

O autor(es) exibe(m) considerável habilidade literária, empregando a retórica e figuras literárias como equilíbrio,

SABEDORIA DE SALOMÃO

personificação, ironia, jogo de palavras e piadas sutis. O aprendizado grego definitivamente está por trás da composição, cuja produção provavelmente é da responsabilidade de algum(ns) judeu(s) helenístico (s).

Uma característica notável do livro é a identificação de *retidão com sabedoria* (Parte II, 6.12-10.21). A Senhora Sabedoria, parceira de Deus, é muito elogiada e até mesmo considerada parceira do autor do livro (6.14; 9.4). Mas a declaração da autoria por parte de Salomão está apenas em uma convenção literária que nada tem que ver com fato histórico.

Um tema principal do livro é a presença salvadora de Deus (teísmo), e este poder é estendido a todos os povos, o que teríamos esperado de uma produção helenística. O Deus deste livro é um Deus que intervém nas atividades humanas, quer para salvar, quer para julgar, conforme as escolhas do homem.

A Parte III fornece uma explicação da justiça de Deus. Ele não pune os pecadores sem causa e sem sabedoria (ver 11.15-12.27). Todos os julgamentos são cuidadosamente pesados com amedrontadora precisão (11.20).

A Parte IV, que se inicia em 16.1, contrasta o cuidado de Deus em relação a Israel (os fiéis) com seus julgamentos de pecadores, apóstatas e idólatras. O autor emprega toques literários helenísticos, como, por exemplo, quando descreve a *escuridão* como criadora de uma prisão de medo para os egípcios (17.2-21).

IV. Autor e Data

Este livro, de autoria composta (desconhecida), foi escrito em grego, provavelmente na Alexandria e ao final da primeira metade do primeiro século a.C. O livro exibe conhecimento da filosofia helenística e de estilos literários que eram comuns ao período de 100 a.C. a 100 d.C. O autor aparentemente desconhecia os escritos de Filo Judeu (20 a.C. a 50 d.C.). Qualquer livro helenístico judeu escrito durante ou depois da época de Filo muito provavelmente teria emprestado algo dele. A ausência de quaisquer empréstimos óbvios implica que o livro foi produzido antes de sua época.

Os antigos deleitavam-se em atribuir livros a pessoas famosas, *primeiro* para ampliar a importância de seus escritos e, *segundo*, para honrar ao "mestre" cujo nome havia sido emprestado. Não há nenhuma chance de que Salomão tenha escrito qualquer parte deste trabalho grego helenístico.

V. Conteúdo

Este livro pode ser dividido convenientemente em *quatro seções*:

1ª. seção: *1.1 - 6.11*. Esta seção serve como um tipo de prólogo que persuade os leitores a buscar a *retidão* na qual a *imortalidade* será atingida, o que um homem verdadeiramente *sábio* faria. Esta seção ilustra os princípios com exemplos de pessoas "sábias" que fizeram aquilo que o autor as persuadiu a fazer, em contraste com seus adversários arrogantes. Os sábios, que fazem a vontade de Deus, reinarão com Deus para sempre. Assim, temos uma afirmação clara e forçosa da *imortalidade* (ver), em contraste com a maior parte do Antigo Testamento, que tem poucas referências claras a essa realidade importante.

2ª. seção: *6.12 - 10.21*. Esta seção é destinada a cantar o louvor da *Senhora Sabedoria*, caracterizada como parceira de Deus e do autor do livro (6.14; 9.4). Também nessa seção afirma-se a autoria do rei Salomão. Em todo o caso, a Senhora Sabedoria é retratada como uma grande figura, recebendo algumas descrições que fazem lembrar descrições egípcias da deusa Ísis, a patroa da sabedoria. A segunda seção foi apropriadamente chamada de "o Livro de Sabedoria Adequada".

3ª. seção: *11.15 - 12.27*. Dois propósitos dominantes inspiraram a redação desta seção: a. uma explicação sobre a justiça de Deus no mundo, incluindo seu modo de governar (11.15 - 12.27); b. o apelo do autor aos judeus para que rejeitem os modos pecaminosos dos pagãos que provocaram o julgamento de Deus sobre eles. A adoração à natureza recebe uma denúncia especial (13.1-9) e a idolatria é fortemente criticada (13.10 - 14.8). Nesta seção temos uma repetição da teoria de Euémero (300 a.C.) sobre a origem da idolatria, isto é, que os primeiros deuses eram mortais deificados (14.9 - 15.6).

4ª. seção: *16.1 - 19.22*. Esta seção apresenta *sete contrastes* entre o sábio e o tolo, o bom e o mau, o sagrado e o não sagrado, com base na experiência de êxodo de Israel. A mensagem geral (desenvolvida de forma elaborada e poética) é a de que Deus se importa com Seu povo enquanto continua sendo severo (em julgamento) com Seus adversários. Deus empregou várias armas para cumprir Seus propósitos: pragas e desastres que incluíram água, animais, morte súbita e utilização divina da luz e do escuro. O escuro é poeticamente chamado de "prisão do medo" que retém os ímpios.

VI. Influências

Para parte significativa da igreja, este livro forneceu uma boa fonte de lições e sermões, enquanto outra parte, temerosa da palavra *apócrifo* vinculada ao livro, perdeu seus benefícios. Vários patriarcas iniciais, tanto do oriente como do ocidente, não hesitaram em empregar o livro para o ensino e a edificação. O próprio Novo Testamento tem várias alusões e empréstimos verbais do livro, como segue: Rom. 1.18-23 parece ter alguns empréstimos dos capítulos 11-14; o trecho de Rom. 1.19 ss. assemelha-se com 13.1-9; Rom. 9.19 é um eco de 12.12 e 15.7, onde, para ilustrar a soberania de Deus, é empregada a mesma analogia do fabricante de vasos e da argila. A paciente resistência de Deus em Rom. 2 é similar a 11.23 e 12.10,19; Rom. 5.12 é parecido com 2.24; através do trabalho do demônio, a morte entrou na esfera terrena. Efé. 6.11-17 se parece com 5.18-20, mas aqui a real dependência pode ser de Isa. 59.17. A linguagem cristológica, como em Col. 1.15 e Heb. 1.2 ss. e João 1.9, pode refletir 7.25 ss. Cf. ainda João 1.1 com 9.1 ss. Intérpretes cristãos encontraram neste livro profecias messiânicas, tanto da encarnação de Cristo como de Sua crucificação (2.12-20; 14.7; 18.15).

A lição que ganhamos disso tudo é que os bons livros que contêm altos ideais espirituais e elevadas doutrinas são úteis para todos os homens espirituais, sejam eles rotulados como canônicos ou não-canônicos. De acordo com o judaísmo helenístico (que emprestava da filosofia grega), este trabalho afirma enfaticamente a imortalidade da alma. Os autores do Novo Testamento incorporaram este desenvolvimento, que ia muito além de qualquer ensinamento do Antigo Testamento. A imortalidade, não a abundância material, é a principal preocupação do homem bom. O autor deste livro estava atrás de uma perspectiva "de outro mundo", em contraste com o judaísmo antigo. Ele encontrou uma solução para o problema do mal (ver) ao olhar para a eternidade, onde todas as feridas serão curadas.

A personificação da Sabedoria por parte do autor era sugestiva do Filho, da mesma forma que a manifestação da Sabedoria de Deus e certas passagens do livro têm sido úteis para a formação do conceito de trindade, embora não seja possível que o autor tenha antecipado tal pensamento.

SABEDORIA DE SIRAQUE – SÁBIO

SABEDORIA DE SIRAQUE
Ver *Eclesiástico*.

SABELIANISMO
Ver os artigos gerais *Cristologia* e *Trindade*. Sabélio (ver a respeito), líder eclesiástico do século III d.C., ensinava uma única *essência* divina que operaria mediante três manifestações temporárias sucessivas: Deus Pai (criador e legislador); Deus Filho (redentor); e Deus Espírito Santo (mediador, doador da vida, ator divino). De acordo com essa doutrina, não haveria algo como três *pessoas* separadas, formando uma Trindade divina. Ver sobre o *Modalismo*. O interesse dessa doutrina, naturalmente, era a preservação do *monoteísmo* (ver a respeito), pois, para certos, como Sabélio, o trinitarianismo parecia ser apenas uma forma velada de triteísmo, ou seja, de politeísmo.

SABÉLIO
Foi um teólogo cristão que viveu no século III d.C. Nasceu na Líbia, e dali mudou-se para Roma. Tornou-se líder do partido modalista e foi excluído, devido a essa heresia, por Calixto. Não foi ele o criador do *modalismo* (ver a respeito), embora lhe tenha dado nova expressão, valendo-se do termo grego *prósopon*, «face», «manifestação». Deus assumiria três «faces» ou «manifestações», mas não se comporia de três pessoas. Sabélio também incorria em erro ao declarar-se igualmente defensor da doutrina do patripassionismo porquanto asseverava que os sofrimentos de Deus Filho necessariamente se refletiam sobre Deus Pai. Ver sobre o *Sabelianismo*.

SABETAI
No hebraico, *nascido no sábado*, ou *meu descanso*.
1. Um hebreu do século quinto a.C., um importante levita associado a Esdras que ajudou a explicar a Lei ao povo depois de Esdras ter lido o texto em reuniões públicas. Ver Esd. 10.15 e I Esdras 9.14. Ver ainda Nee. 8.7 e I Esdras 9.48.
2. Talvez tenha havido outro homem com esse nome mencionado em Nee. 11.16. Juntamente com Jozabade, ele era um administrador do Segundo Templo. Alguns identificam o homem ao qual refiro sob os números 1 e 2 como o mesmo homem.

SABEUS
Este talvez seja um nome alternativo para o Semaías de Esd. 10.31. O nome aparece apenas em I Esdras 9.32. A Septuaginta o translitera como Sebaías.

SABEUS (POVOS)
O significado desse nome é incerto. A RSV adivinha "bêbados" em Eze. 23.42. A raiz *shebha* sugere *distúrbio*, talvez em referência a um povo saqueador e destrutor. Cf. Jó 1.15. A Bíblia em português usa o mesmo nome para dois povos distintos que são chamados por nomes um pouco diferentes em hebraico:
1. Os descendentes de Sabá. O filho mais velho de Cuxe é chamado assim, ou pelo menos é assim que alguns supõem. Esse homem era um neto de Cuxe (ver Gên. 10.7). Seu território era o norte da Etiópia, que incluía o Meroe.
2. Os descendentes de Jocsã também eram chamados de *sabeus*. Jocsã era um filho de Abraão com Quetura, cujos descendentes vieram a ocupar, juntamente com Edom, partes da Síria e da Arábia (Gên. 24.3). Um isolamento relativo os protegia de poderes estrangeiros, mas lhes permitia o comércio com outros países. Seus produtos comerciais incluíam ouro, incenso, pedras preciosas, marfim e uma variedade de outros itens (ver Sal. 72.15; Isa. 60.6; Jer. 6.20; Eze. 27.22; 38.13). Eles comandavam rotas de caravanas que levavam à África e à Índia. A perícia nos negócios e na agricultura os tornava essencialmente autosustentados. Descobertas arqueológicas indicam que seu lar original se encontrava no norte da Arábia, de onde paulatinamente se espalharam. Até o século XII a.C., eles haviam estabelecido uma capital fortificada em Maribe. No século X a.C. a princesa deles viajou a Jerusalém para testar a sabedoria de Salomão e sem dúvida para promover o comércio com o rico rei hebreu (I Reis 10.1-13; I Crô. 9.1-12). A longo prazo, o sul da Arábia foi consolidado em um estado forte que continuou como tal até o crescimento do Islã.

As regiões gerais desse povo foram exploradas pela Expedição Árabe da *American Foundation for the Study of Man*, organizada por Wendell Phillips. Foi criada uma breve história desse povo com base nessas escavações. Antes de 1200 a.C., ocorreu uma migração para o sul de Sheba e a tribos aliadas; essas tribos se expandiram e formaram uma antiga nação no período entre 1000 a.C. e 700 a.C. Entre os séculos IX e V governaram reis sacerdotes. Foi em cerca de 950 a.C. que a Rainha de Sheba (Sabá) fez sua viagem de cerca de 2 mil km pelo deserto para visitar Salomão, levando com ela uma fartura de presentes (I Reis 10.1-13). Ver o artigo *Rainha de Sabá*, que adiciona detalhes interessantes aos aqui fornecidos.

A Etiópia moderna representa uma mistura de vários povos antigos, entre os quais os sabeus semitas e os sabeus camitas. Não faz muito tempo que a Etiópia enviou a Israel um grande grupo de etíopes semitas que, aparentemente, eram verdadeiros judeus em fé religiosa e, supõe-se, pelo menos alguns deles descendiam do próprio Salomão, mas seria possível provar uma teoria como essa?

SABI
Um nome hebraico de significado incerto, transliterado como Sabele na Septuaginta. O Antigo Testamento canônico não faz nenhuma referência a ele, mas I Esdras atribui a uma família de porteiros esse nome (5.28). Além disso, alguns descendentes de escravos de Salomão também eram chamados assim (I Esdras 5.34). Eles retornaram a Jerusalém da Babilônia sob a liderança de Zorobabel.

SÁBIO (PROFICIÊNCIA)
Um *sábio* é tão-somente um homem venerável, de grande sabedoria. A raiz latina desse adjetivo é *sapiens*, «sábio». Por outro lado, trata-se de alguém que obteve um desenvolvimento espiritual incomum, o que distingue dos demais homens. Toda a fé religiosa dá lugar à proficiência, à sabedoria, que é exaltada como um alvo a ser atingido pelos homens. Mas nem todas as religiões crêem que todos os seres humanos são capazes de atingir essa meta. Doutrinas como a da predestinação e a da depravação dos homens impedem a idéia de a graça iluminadora de Deus ser administrada a todos os homens, sem distinção; os dogmas limitam.

Apesar disso, o alvo da vida, segundo o neoconfucionismo, é que todos os homens venham a tornar-se sábios. Chou Tun-I afirmava que um sábio dirige de tal maneira a sua vida que obedece à regra áurea; e que o resultado disso é que ele vem a tornar-se sábio, atingindo aquele elevado alvo. A doutrina do meio-termo requer sinceridade e persistência. Por outro lado, You Yen

SÁBIOS – SACERDOTE

acreditava que o verdadeiro sábio e a sua condição estão acima de nossas categorias, às quais nomeamos.

No cristianismo, Jesus Cristo é a nossa sabedoria, é o modelo segundo o qual nossa transformação metafísica e moral terá lugar (ver I Cor. 1:30; II Cor. 3:18). E, ainda segundo os ensinos bíblicos, o ministério do Espírito deve ser atuante sobre uma vida humana para que aquela pessoa venha a tornar-se um verdadeiro sábio. Não podemos esquecer, por igual modo, o estudo das Sagradas Escrituras, com a absorção de seus princípios espirituais. Diz Paulo a Timóteo: «... desde a infância sabes as sagradas letras, que podem tornar-te sábio para a salvação, pela fé em Cristo Jesus» (II Tim. 3:15). A mensagem universal do evangelho de Cristo abriu as portas da proficiência espiritual a todos os homens, posto que nem todos valer-se-ão dessa oportunidade, preferindo permanecer no estado de ignorância espiritual, aquilo que a Bíblia chama de «nesciedade». A participação na própria natureza divina, incluindo a sabedoria divina, é o alvo final dos remidos (ver Col. 9,10; Efé. 3:19; II Ped. 1:4).

SÁBIOS
Ver sobre os *Magos*.

SABOROSA COMIDA
Do hebraico *matammim*, que significa, literalmente, "coisas gostosas". Os únicos usos desta expressão ocorrem em Gên. 27.9,14,17,31, onde lemos o relato sobre como Rebeca tentou ajudar Jacó na tentativa de obter o direito de primogenitura que estava em posse de Esaú. O prato foi preparado com leite de cabra misturado a vários legumes. A mistura produzia um bom cheiro, que excitava o apetite, e Isaque foi vítima fácil do plano. Compare esta história sobre como Yahweh ficou satisfeito com tais cheiros deliciosos, ocasião que, em hebraico, "sabor" é usado no lugar dessa palavra em Gên. 27 (ver Gên. 8.21). A moral da história é que os *cheiros* têm grande significado para os seres humanos.

SABTÁ
Terceiro filho de **Cuxe**, cujos descendentes habitavam no terço médio do sul da Arábia, ao norte de Cane (Periplus), por volta de 2300 a.C. (Ver Gên. 10:7 e 1 Crô. 1:9). Era também nome de um lugar na Arábia, provavelmente, na costa oriental ou próxima da mesma. Diversas localidades têm sido sugeridas, mas nenhuma delas tem sido identificada com certeza. Acredita-se que os cuxitas tenham atravessado o mar Vermelho desde a Núbia, na direção nordeste, entrando pela península da Arábia.

SABTECÁ
O significado desta palavra hebraica é desconhecido. Era o nome de um filho de Cuxe (ver Gên. 10.7; I Crô. 1.9) e, segundo alguns, de uma região por ele estabelecida. O local ficava na Arábia, provavelmente na costa oriental, mas há sugestões de outros locais. A conexão entre a pessoa de Cuxe e a região com o mesmo nome era uma migração dos cuxitas pelo mar Vermelho vindos da Núbia, ao nordeste, em direção à península da Arábia.

SACAR
1. No hebraico, *alugado* ou *recompensa*. O pai de Aião, um dos confiados guerreiros ou "heróis" de Davi. Ele era um hararita, um dos "trinta" homens poderosos. É chamado de Sarar em II Sam. 23.33. Ver também I Crô. 11.35.
2. O quarto filho de Obede-Edom, porteiro cuja família assumiu tal ocupação por hereditariedade (I Crô. 26.4). Ele era do ramo coraíta de sacerdotes (I Crô. 26.1).

SACCAS, AMMONIUS
Ver sobre **Amônio Saccas**.

SACERDOS, SACERDOTAL
Sacerdos é o termo latino correspondente ao termo grego *iereús*, «sacerdotes» A versão latina começou a usar aquele vocábulo latino para indicar os ministros cristãos, lá pelos fins do século II d.C., posto que erroneamente. Em seguida, o termo veio a ser aplicado aos bispos; e foi dito que a plenitude do «sacerdócio» pertencia aos bispos. Em cerca de 250 d.C., os anciãos ou presbíteros também começaram a ser chamados «sacerdotes», iniciado o costume por Cipriano, que viveu por essa altura dos acontecimentos. Mas, na época, eles eram assim designados somente porque podiam substituir a um bispo, na ausência deste, a fim de realizarem seus serviços, incluindo o oferecimento da eucaristia. Durante a Idade Média, aumentou a autoridade dos sacerdotes comuns, quando, em virtude de sua ordenação, eles obtiveram o direito de oferecer a eucaristia, sem que isso tivesse alguma coisa que ver com o bispo e seu ofício. Visto que o sacramentalismo está associado a essa designação, muitos protestantes objetam ao uso da palavra sacerdote para indicar os ministros cristãos; e alguns desses protestantes chegam a imaginar que isso tem algo que ver com as artes mágicas, embora não tenha nenhuma base racional. Por outra parte, os ministros luteranos retiveram o ofício essencial dos sacerdotes, o que também sucede na comunidade anglicana, onde o sacramentalismo sobrevive.

SACERDOTAL, CÓDIGO
Ver o artigo intitulado *J. E. D. P. (S.)*, onde *P. (S.)* indica «sacerdotal» (em português) e «priestly» (em inglês), e que faz parte daquele artigo que descreve o código sacerdotal. Ver também *P (Código Sacerdotal)*.

SACERDOTALISMO
Ver o artigo *Sacerdos, Sacerdotal*. O termo sacerdotalismo é usado por alguns para aludir negativamente a certa ordem de sacerdotes, na igreja cristã, que se julgam investidos de poderes especiais, de funções sacrificiais e de forças sobrenaturais, em virtude de sua ordenança. Porém, outros usam o termo positivamente para destacar a validade desses poderes. Na verdade, a cristandade está dividida quanto à natureza dos ministros cristãos. Para alguns, eles são sacerdotes aos moldes levíticos e pagãos; para outros, são homens dotados espiritualmente para desempenhar certas funções, mas sem que isso os torne uma classe especial entre os irmãos com foros de superioridade.

SACERDOTE (ECLESIÁSTICO)
Esboço:
I. Os Termos Usados
II. Informes Históricos
III. Um Corolário Lógico

I. Os Termos Usados
a. Em português, «sacerdote» vem do latim *sacer*, «sagrado», «consagrado». Vê-se abaixo que há certa ligação com a idéia de salvação.
b. Em inglês, o vocábulo *priest* é uma forma abreviada do grego *presbúteros*. Esta palavra usualmente é traduzida como *elder*, o «ancião», embora, como é óbvio,

SACERDOTE – SACERDOTES, CRENTES COMO

historicamente falando, o ofício dos padres se desenvolveu a partir dos presbíteros ou anciãos. O termo grego mais apropriadamente traduzido como sacerdote» é *iereús,* derivado de *ierós,* «sagrado», relativo aos «deuses», e então «relativo a Deus» dentro da teologia hebraica e cristã. O termo grego cognato do latim (ver acima, ponto *a*) é *saos (sos),* «seguro», «são», «saudável»; e, por sua vez está ligado a *sodzo,* «salvar», «preservar», «conservar em vida». Nossa palavra portuguesa «sagrado» está obviamente ligada ao latim *sacer.*

II. Informes Históricos

O vocábulo grego *iereús,* «sacerdote», não foi aplicado a ministros cristãos senão já perto do século II d.C. Somente na época de Cipriano (cerca de 250 d.C.) é que os presbíteros ou anciãos do cristianismo também começaram a ser intitulados «sacerdotes». Porém, antes mesmo disso, os bispos vinham sendo chamados assim. Esse uso, sem dúvida, tinha analogia com os sacerdotes do Antigo Testamento. E, observando os sacerdotes católicos e ortodoxos de hoje, lembramo-nos da situação veterotestamentária, com suas vestes especiais e ritos elaborados. As Constituições Apostólicas chamam aos bispos cristãos de «vossos sumos sacerdotes», aos presbíteros ou anciãos de «vossos sacerdotes», e aos diáconos apresenta como equivalentes aos levitas (ver 2:25). É provável que desde bem cedo muitos cristãos tenham procurado fazer dos ofícios eclesiásticos cristãos paralelos aos do sacerdócio veterotestamentário, em parte como defesa da nova religião, que era atacada como se fosse um substituto da antiga religião, a qual, segundo os judeus, seria uma instituição eterna. Assim sendo, os cristãos podiam dizer que a antiga religião continuava, embora sob nova forma, e que o ministério da antiga religião era glorificado na nova religião. Foi assim que os presbíteros se tornaram os «padres» cristãos, desde bem cedo na história da Igreja, embora se trate de um desenvolvimento estranho ao espírito e à letra do Novo Testamento. É verdade que as Constituições Apostólicas só foram publicadas no século IV d.C., mas as práticas ali descritas vinham de tempos anteriores.

Essa analogia foi ainda estimulada pelo fato de que Cristo é chamado de Sumo Sacerdote no Novo Testamento, um Sumo Sacerdote que substituiu o sumo sacerdote do Antigo Testamento. Com base nessa circunstância, foi apenas natural (embora com base em uma interpretação equivocada) que os ministros do evangelho viessem a ser concebidos como quem compartilhava de suas funções sacerdotais, por delegação.

O aumento no número dos cristãos, sem um aumento correspondente no número dos bispos, fez com que parte da autoridade dos bispos fosse passada aos sacerdotes. Estes, em vista disso, começaram a celebrar a eucaristia e a administrar os sacramentos. Na Idade Média esse ofício já estava confirmado pela antiguidade do costume, e Tomás de Aquino pensava que a essência desse ofício era a administração da *eucaristia* (ver a respeito). Paralelamente, a eucaristia era cada vez mais encarada como um sacramento dotado de caráter sacrificial.

Vários reformadores protestantes rejeitaram a idéia de que a eucaristia ou Ceia do Senhor é um sacrifício, sobretudo a noção de que Cristo pode ser sacrificado de novo, conforme se vê na missa católica romana. Para eles, a Ceia do Senhor é apenas o memorial de um ato que Cristo realizou na cruz de uma vez para sempre.

Além disso, a ênfase neotestamentária sobre o sacerdócio de todos os crentes desmascara claramente o erro que consiste em criar uma classe sacerdotal distinta e acima dos crentes como um todo, bem como nas funções sacramentais e ritualistas desse suposto sacerdócio especial.

III. Um Corolário Lógico

Pode-se conceber que os ministros cristãos (já sacerdotes por direito que cabe a todos os crentes, sem distinção) sejam considerados líderes entre seus irmãos, devido à sua posição de liderança. Mas vê-los a supostamente sacrificar a Cristo todos os dias (o sentido central da missa) certamente é uma perversão de todo ensino neotestamentário relacionado ao assunto. Apesar de a idéia de sacerdócio ocupar posição cêntrica dentro do pensamento católico romano, qualquer crente, de Bíblia aberta na mão, percebe que isso constitui uma distorção. A Bíblia só reconhece o sacerdócio de todos os crentes, e não apenas de alguma classe especial de ministros. Nas igrejas protestantes e evangélicas, os ministros não são tidos como sacerdotes (no sentido católico), mas apenas como servos de Deus que atuam entre seus irmãos. Esses servos evangélicos, e protestantes ocupam-se do pastorado, do evangelismo, do ensino, do exercício de vários dons espirituais etc., mas nunca sacrificam novamente a Cristo, por ocasião da eucaristia. Na Igreja Católica Romana, entretanto, esse contínuo sacrificar de Cristo se tornou o «mistério» maior da fé, o que também se verifica nas igrejas ortodoxas orientais e na comunidade anglicana.

SACERDOTE NO NOVO TESTAMENTO

Ver sobre *Sacerdotes e Levitas,* quinta seção, e também *Sacerdotes, Crentes como.*

SACERDOTES, CRENTES COMO

Sacerdotes, Apo. 1:6. Considerado coletivamente, o «novo Israel» é um «reino». Considerados individualmente, seus membros são todos «sacerdotes». No antigo povo de Israel havia para cada família um «sacerdote», que era o chefe da casa. Em seguida, apareceu o sacerdócio como ordem separada, pertencente a uma única tribo. Em nenhum momento, porém, todos os homens foram sacerdotes. Em Cristo Jesus, entretanto, todos os crentes se tornam sacerdotes, porquanto lhes foi obtido, através do evangelho, acesso superior a Deus, o qual também lhes é aberto mediante a missão salvadora de Cristo. (O presente versículo pode ser comparado à passagem de I Ped. 2:5.) Coletivamente, o «novo Israel» (a Igreja) é uma «casa espiritual».

Individualmente falando, os seus membros são *pedras vivas.* E todos formam um «sacerdócio régio», em que cada indivíduo é um rei, dotado de autoridade majestática, conforme se aprende em I Ped. 2:9. Consideremos abaixo a questão do «sacerdócio de todos os crentes» nos pontos discriminados:

1. Antes da instauração da lei mosaica, o chefe de família era seu sacerdote (ver Gên. 8:20; 26:25 e 31:54).

2. Com o advento da lei, a tribo de Levi (Arão e seus filhos e descendentes) assumiu funções sacerdotais. A promessa feita a Moisés, de que todos os membros individuais da nação de Israel se tornariam sacerdotes (ver Êxo. 19:6), evidentemente não pôde ser cumprida, devido à desobediência e à carnalidade deles. A limitação do sacerdócio à tribo de Levi teve por intuito enfrentar essa situação negativa, preservando, posto que de forma inferior, o conceito e a função do sacerdócio no seio do povo de Israel.

3. Dentro da dispensação neotestamentária cumpre-se o ideal, não mediante obras e méritos humanos, mas, sim, pela livre graça divina, que torna cada remido um sacerdote (ver I Ped. 2:9 e Apo. 1:6).

SACERDOTES, VESTIMENTAS DOS

No tocante ao «sacerdócio dos crentes», devemos considerar os pontos seguintes:

a. Esse sacerdócio se verifica por direito de primogenitura; quando nos tornamos «filhos de Deus», naturalmente temos acesso a Deus Pai. b. Esse sacerdócio indica acesso superior a Deus (ver Heb. 9:7). O verdadeiro acesso não pode ser mais obtido por um único homem, o sumo sacerdote; e isso, no tocante à expiação, apenas uma vez por ano. O crente individual tem acesso ao Santo dos Santos (ver Heb. 10:19-22). Ali aprende-se que o verdadeiro Sumo Sacerdote aguarda nossas buscas e petições de toda a sorte, e não meramente aquelas que dizem respeito ao pecado (ver Heb. 9:24 e 10:19-22). c. O crente, na qualidade de sacerdote, oferece um sacrifício superior: (i) seu próprio corpo vivo, meio terreno de seu serviço (ver Rom. 12:1; Fil. 2:17; II Tim. 4:6; I João 3:16 e Tia. 1:27). (ii) O louvor de sua vida e de seus lábios (ver Heb. 13:15 e Êxo. 25:22). (iii) Suas riquezas financeiras devem ser usadas para benefício do próximo (ver Heb. 13:16; Rom. 12:13; Gál. 6:6; III João 5--8; Heb. 13:2; Gál. 6:10 e Tito 3:14). d. Na qualidade de sacerdote, o crente, tal como Cristo e o Espírito Santo, é um intercessor em favor de outros (ver I Tim. 2:1 e Col. 4:12). e. O sacerdócio leva-nos à comunhão com Deus, que é nosso Pai, segundo se aprende em Apo. 1:6. Portanto, o sacerdócio é um meio de comunhão e, nessa capacidade, um meio transformador de nossa natureza, segundo a imagem de nosso Irmão mais velho (ver II Cor. 3:18). f. O alvo, pois, é que tenhamos participação na própria natureza do Pai (ver II Ped. 1:4), isto é, a «divindade», em que receberemos toda a plenitude de Deus, em sua natureza e em seus atributos (ver Col. 2:10 e Efé. 3:19), tal como Cristo participa dessa natureza. É nisso que consiste a «perfeição», o que define, para nós, «como» seremos aperfeiçoados (ver Mat. 5:48).

SACERDOTES, VESTIMENTAS DOS

Ver os artigos gerais intitulados *Sacerdotes e Levitas* e *Sumo Sacerdote*. Oferecemos uma descrição sobre as vestes especiais dos sacerdotes comuns de Israel no primeiro desses dois artigos, quarta seção. Portanto, o que se segue é uma descrição das vestes sacerdotais do Sumo Sacerdote.

O sumo sacerdote de Israel não precisava de vestes oficiais fora do desempenho de suas funções. E, quando em serviço, não usava calçados, aparentemente por uma questão de respeito, mais ou menos como Moisés, diante da sarça ardente, precisou tirar as sandálias. Ver Êxo. 3:5. O sumo sacerdote compartilhava, de modo geral, as vestes dos sacerdotes comuns. Mas, além daquelas peças, também usava outras:

1. *O Peitoral*. No hebraico, *hoshen;* Êxo. 28:15, 30. Uma peça quadrada de tecido dobrada ao meio, era feita do mesmo tecido da *estola sacerdotal*, descrita a seguir. Uma vez dobrada ao meio, formava uma espécie de bolso. Sobre essa peça de tecido havia doze pedras preciosas engastadas em ouro. Nessas pedras estavam gravados os nomes das doze tribos de Israel. Além disso, nas quatro pontas do peitoral, havia argolas de ouro. As duas argolas de cima permitiam que duas tiras prendessem o peitoral aos ombros. E as duas argolas de baixo permitiam que o peitoral fosse preso a estola, por meio de tiras ou cordões de cor azul. Ver Êxo. 28:13-28; 39:8-21.

No peitoral é que ficavam guardados os misteriosos objetos chamados *Urim e Turim* (ver a respeito). Esses dois objetos, provavelmente pedras preciosas, eram usados com propósitos de adivinhação. Ver Êxo. 28:30; Lev. 8:8. Ninguém até hoje, desde tempos antigos, conseguiu fornecer uma explicação apropriada desses objetos, embora muitos o tenham tentado. Sabe-se somente que esses objetos eram usados para determinar a vontade de Deus entre opções (ver Núm. 27:21), razão pela qual o Urim e o Turim talvez fossem apenas sortes. No artigo sobre esses objetos, apresento várias idéias a respeito.

2. *A Estola*. Esta peça do vestuário do sumo sacerdote era feita de linho fino, bordada em azul, púrpura e escarlate e com figuras douradas. Consistia em duas peças, uma para cobrir o peito e outra para cobrir as costas. As duas metades eram ligadas uma à outra sobre os ombros, mediante colchetes de ouro. Cada colchete contava com uma pedra de ônix; e sobre cada pedra haviam sido gravados os nomes de seis das tribos de Israel, dando um total de doze. Na estola ficava preso o peitoral, segundo descrito acima. Ver Êxo. 28:6-12; 39:2-7. Na *Enciclopédia de Bíblia, Teologia e Filosofia*, há um artigo separado sobre a *Estola*, com maiores detalhes. A estola descia, formando uma espécie de robe de cor azul, tecida sem nenhuma emenda. Chegava até ligeiramente abaixo dos joelhos. A túnica aparecia por baixo da estola e descia até a altura do chão. Era azul e sem costuras. Havia fendas nos lados, por onde passavam os braços. Da cintura para baixo, havia um bordado decorativo, representando romãs, nas cores azul, vermelho e carmesim. Havia um sinete de ouro entre cada romã.

3. *O cinto* (no hebraico, *hesheb*) era feito do mesmo material que a estola, e se mantinha no lugar esta peça, em torno da cintura do sumo sacerdote. Ver Êxo. 28:8.

4. *A mitra* (no hebraico, *misnepheth*, «enrolado»), uma espécie de turbante azul-escuro. Ao que parece, era um tipo de gorro em torno do qual se enrolava um pano, formando então um turbante. Na parte da frente havia um diadema de ouro puro (uma placa de ouro), onde estavam inscritas as palavras «Santo a Yahweh». Era preso ao turbante mediante um fio azul-escuro. Ver Êxo. 28:36-38; 39:30 ss.

Alguns Presumíveis Símbolos Dessas Peças:

1. As cores tinham seu próprio simbolismo: o branco, a santidade; o ouro, a deidade; o vermelho, o sangue da expiação; o azul, o céu ou a espiritualidade. Ver Dan. 10:5; 12:6, 7; Eze. 9:3; 10:2, 7; Mat. 28:3; Apo. 7:9.

2. As vestes, como cobertura, simbolizavam que a nudez espiritual do ser humano é coberta pelas provisões especiais de Deus, em Cristo.

3. As vestes sem costura falam de integridade moral e espiritual, ou seja, a retidão que Deus confere.

4. O turbante, parecido na forma com o cálice de uma flor, talvez simbolizasse a vida, o crescimento e o vigor. O sumo sacerdote não podia tirar da cabeça o seu turbante; e, se este viesse a cair acidentalmente, isso era considerado simbolicamente negativo. Ver I Ped. 1:24; Tia. 1:10; Sal. 103:15; Isa. 40:6-8.

5. O cinto servia, no Oriente, para segurar no lugar as vestes soltas da antiguidade, a fim de que a pessoa pudesse movimentar-se sem empecilho. Desse modo, o cinto simboliza serviço. Podemos lembrar-nos, em conexão, do humilde Cristo que se cingiu ao lavar os pés de seus discípulos. Ver Mar. 10:45. O material do cinto do sumo sacerdote era da mesma cor e do mesmo estilo do véu do santuário, indicando que as vestes do sumo sacerdote mostravam ser ele o administrador do santuário, em suas diversas funções sacerdotais.

6. *A parte superior da única* era tecida em uma única peça de cor azul. E isso indica a espiritualidade em sua inteireza; a origem celestial do serviço prestado pelo sumo sacerdote e o caráter espiritual de seu ofício também foram destacados. Todo o israelita precisava usar fímbrias azuis na borla de suas vestes, relembrando suas obrigações diante

SACERDOTES E LEVITAS

da lei (ver Núm. 15:38 ss.). As romãs ali bordadas falavam sobre a vida, e as sinetas entre as romãs talvez indicassem que ele deveria estar sempre atento à voz de Deus.

7. *A estola*, com a peça dos ombros e com o peitoral, podia ter vários símbolos, como o trabalho que o sumo sacerdote levava aos ombros. Ali havia a insígnia das doze tribos, que ficavam sob a sua responsabilidade (ver Isa. 22:22). No peitoral também havia os nomes das doze tribos, servindo de lembrete adicional. No bolso formado pelo peitoral, estavam o Urim e o Turim, símbolos da função do sumo sacerdote como recebedor e transmissor de oráculos, orientação espiritual e de sua ação como mediador entre Deus e os homens. O sumo sacerdote não era apenas um juiz. Sua função espiritual visava, essencialmente, à higidez espiritual do povo de Israel.

8. *O turbante* era emblema de sua autoridade e de suas responsabilidades governamentais. Tinha uma coroa que era símbolo de sua autoridade (ver Êxo. 29:6; 30:30; Lev. 8:8). Ele fora escolhido e coroado para ocupar-se de suas funções. Sobre o turbante havia uma placa de ouro com as palavras «Santo a Yahweh», relembrando que seu trabalho era inteiramente consagrado a Deus, no tocante aos pecados do povo, procurando guindá-los a um nível espiritual mais elevado. E isso combinava com seu trabalho de expiação anual, a sua função principal.

A *unção* do sumo sacerdote mostrava que ele fora devidamente nomeado e equipado para o seu trabalho.

No tocante aos tipos, algumas vezes a Bíblia dá claras indicações sobre seu significado; mas a questão tem sido sujeitada a exageros, havendo muitas idéias que evidentemente não faziam parte do intuito original. Seja como for, o que dissemos mostra um exemplo dos tipos de coisas que podem ser vistas, como símbolos, nas vestes sumos sacerdotais.

A Aplicação Maior. Cristo, como o nosso grande Sumo Sacerdote, que substitui a todos os outros, é simbolizado, de modo preeminente, pelas várias peças do vestuário e das funções dos sumos sacerdotes de Israel, algo obviamente apoiado na mensagem geral da epístola aos Hebreus. Ver o artigo separado intitulado *Sumo Sacerdote, Cristo como.* Ver também sobre *Sumo Sacerdote.*

SACERDOTES E LEVITAS

Ver os artigos separados intitulados *Levitas*; *Levi, Tribos (Tribos de Israel)*; *Sacrifícios e Ofertas*; *Sumo Sacerdote*; *Sumo Sacerdote, Cristo como*; *Sacerdotes, Crentes como*; *Melquisedeque, Sacerdote Eclesiástico.*

Esboço:
I. Desenvolvimento Histórico
II. Distinções no Ofício e nas Funções Sacerdotais: Argumentos dos Críticos
III. Características e Funções
IV. As Vestes Sacerdotais
V. O Sacerdócio no Novo Testamento
VI. Bibliografia

I. Desenvolvimento Histórico

Antes do desenvolvimento formalizado do sacerdócio levítico, na família de Arão (que, segundo alguns estudiosos, só teria sido plenamente organizada depois do cativeiro babilônico), houve as seguintes fases:

1. *O homem santo, dotado de poderes psíquicos e espirituais*, que era consultado como um oráculo. Esses antigos sacerdotes — fossem eles hebreus ou não — usualmente tinham um santuário (embora tosco), ao qual serviam. E também dispunham de ritos, orações, encantamentos etc., tudo o que fazia parte do seu trabalho. Além disso, com freqüência eram uma figura importante, social e politicamente falando. Esperava-se do sacerdote que servisse de mediador entre algum poder divino e os homens, e também que fosse capaz de pronunciar-se sobre questões éticas e legais, além de prever o futuro.

O bramanismo, na Índia, é um exemplo de como tal ofício se tornou hereditário e veio a fazer parte de um sistema de castas. Os sacerdócios egípcios eram altamente organizados, sob o controle do rei, que era o sumo sacerdote do sistema religioso. Na Babilônia, uma classe especializada ocupava-se dos deveres sacerdotais. Nas culturas grega e romana, porém, a questão era um tanto mais livre. Qualquer indivíduo que demonstrasse possuir habilidades psíquicas e espirituais podia tornar-se sacerdote, embora a história demonstre que havia um número maior de sacerdotes nobres do que plebeus. Com freqüência, nessas culturas todas, o sacerdócio funcionava sob o controle do Estado. Na história posterior de Roma, o imperador tornou-se o equivalente ao sumo sacerdote, considerado um vulto divino. Em seus primórdios, o budismo e o islamismo não contavam com um sacerdócio.

Na antiga cultura hebréia, qualquer homem podia ser sacerdote, se mostrasse possuir a capacidade para tanto; mas, durante o período patriarcal, o sacerdócio era desempenhado pelo cabeça de cada família (ver Gên. 8:20; 22:13; 26:25; 33:20). Os sacerdotes por muitas vezes tornavam-se líderes nacionais, conforme se vê no caso de Melquisedeque. Embora seja muito duvidoso que ele fosse um hebreu, é certo que era semita. E também podemos pensar no caso de Moisés, que foi líder nacional e sacerdote.

2. *O Estágio Deuteronômico. Nos* tempos de Moisés, os sacerdotes pertenciam todos à família de Arão. Todavia, isso não sucedeu de modo absoluto, pelo que, se é geralmente correto dizer que todos os sacerdotes pertenciam à tribo de Levi (através de Arão), isso não ocorria no caso de todos eles. Pode-se dizer que, se um levita pudesse ser achado, ele era a preferência natural; mas houve exceções a essa regra. Assim, Samuel exercia poderes sacerdotais, mas ele mesmo não era da tribo de Levi. Talvez seja correto dizer que Salomão foi um rei-sumo sacerdote; e, no entanto, era da tribo de Judá. Os profetas também desempenhavam certa função sacerdotal, posto que não formal, no tabernáculo ou no templo. Em face de sua ocupação, os sacerdotes também eram juízes. O filho de Mica, que era efraimita, atuou como sacerdote (Juí. 17:5). Outro tanto fizeram alguns dos filhos de Davi (II Sam. 8:18), Gideão (Juí. 6:26) e Manoá, este da tribo de Dã (Juí. 13:19).

3. *O Estágio de Transição.* Nos capítulos 40 a 48 do livro de Ezequiel, foram favorecidos os sacerdotes zadoquitas (de Jerusalém), o que estreitou a opção de onde podiam proceder os sacerdotes, em Israel.

4. *O Estágio Pós-exílico.* O sacerdócio foi monopolizado pelos descendentes reais ou supostos de Arão, enquanto outros levitas ocuparam posições subordinadas, e, algumas vezes, manuais. Foi durante esse último estágio de desenvolvimento que emergiu o verdadeiro sumo sacerdote de Israel, embora Arão tivesse sido um protótipo do ofício. Os sacerdotes tinham o direito de receber dízimos e porções determinadas das ofertas. Cuidavam do santuário e das formas externas do culto, e envolviam-se no sistema sacrificial. Eram os guardiães das tradições e protegiam a pureza da adoração. No judaísmo posterior, o sacerdote (no hebraico, *cohen*) retinha o privilégio de pronunciar a bênção sacerdotal, e de ser o primeiro a ler o livro da lei.

SACERDOTES E LEVITAS

Quando o sacerdócio formal caiu e desapareceu da história, os rabinos retiveram o trabalho dos sacerdotes, em forma simbólica, embora também literal em outros sentidos, tornando-se então os líderes espirituais do povo de Israel.

5. *Divisões dos Sacerdotes Levíticos.* Três famílias deram prosseguimento ao sacerdócio, em Israel: os descendentes de Gérson, Coate e Merari. Outros levitas ajudavam nos cultos: até que ponto, é disputado pelos historiadores bíblicos (ver Núm. 3:5 ss.). Sabemos que levitas que não pertenciam a essas famílias contavam com seus santuários em certos lugares. Mas isso terminou por ocasião das reformas instituídas por Ezequias (ver II Reis 18:4; 23:8 ss.). Outrossim, conforme já vimos, alguns não-levitas envolviam-se nos deveres sacerdotais.

II. Distinções no Ofício e nas Função Sacerdotais. Argumentos dos Críticos

Na primeira seção deste artigo, mostro algumas dessas divisões. Quando a família de Arão obteve o monopólio do sacerdócio em Israel, houve uma tríplice divisão. Mas alguns não-levitas receberam funções e autoridade sacerdotais. A relação entre os sacerdotes que eram descendentes de Arão e os levitas (da linhagem geral, mas não especificamente de Arão) é algo disputado entre os eruditos. E o problema vê-se complicado ante o fato de que as próprias referências bíblicas a respeito nem sempre são claras, sem mencionar o fato de que a própria prática seguida nem sempre foi coerente. Assim, enquanto os levitas normalmente assumiam uma posição subordinada aos sacerdotes, em alguns casos chegaram a exercer plenos poderes. E por que não, visto que até não-levitas algumas vezes assim o fizeram?

A Tríplice Divisão. O ofício e as funções sacerdotais estavam divididos entre o sumo sacerdote, os sacerdotes e os levitas. Todos descendiam de Levi. Assim sendo, todos os sacerdotes eram levitas. Porém, nem todos os levitas eram sacerdotes. As obrigações menores, algumas vezes até manuais, como de limpeza, arranjo e arrumação no templo, cabiam aos levitas não-sacerdotais. Seus deveres são descritos em Êxo. 13:2, 12, 13; 22:29; 34:19, 20; Lev. 27:27; Núm. 3:12, 13, 41, 45; 8:14-17; 18:15; Deu. 15:19. Eram os descendentes diretos de Arão que, normalmente, desempenhavam o ofício superior do sacerdócio. Essa questão é mais bem desenvolvida no artigo intitulado *Levitas,* que deve ser lido juntamente com o presente artigo.

Julius Wellhausen fez um extenso estudo sobre a questão das ordens, da hierarquia e dos serviços prestados pelos sacerdotes, e então sobre a relação entre os levitas e os sacerdotes. E grande parte do estudo crítico sobre estas questões gira em torno de suas observações, bem como das confirmações e negações de tais observações. Sua obra encontra-se em seus *Prolegômenos à História de Israel,* em dois capítulos, intitulados «Os Sacerdotes e os Levitas» e «Os Dotes do Clero».

Elementos Básicos das Idéias de Wellhausen.

1. Ele enfatizava o desenvolvimento do código sacerdotal (ver sobre *P. (S.),* em *J. E. D. P. (S.),* o qual, presumivelmente, reflete uma fruição posterior do ofício sacerdotal.

2. Ezequiel mencionou como os levitas seriam impedidos de entrar no ofício sacerdotal (ver Eze. 44:6-16). E daí Wellhausen deduziu o alegado fato de que, antes disso, os levitas desempenhavam funções sacerdotais, embora nos dias de Ezequiel fossem pouco mais que escravos do templo.

3. Os sacerdotes descendentes de Zadoque seriam isentados dessa drástica alteração no sacerdócio, porquanto tinham servido no santuário em Jerusalém e não envolveram nas corrupções dos lugares altos, os lugares de adoração não-autorizada e quase pagã.

4. Supondo que a distinção feita por Ezequiel, entre sacerdotes e levitas, parecia ser apenas uma *inovação,* não o retorno a um anterior *modus operandi,* ele chegou à conclusão de que o livro de Números não existia ainda nos dias de Ezequiel.

5. O *código sacerdotal P. (S.) da teoria J. E. D. P. (S.),* alegadamente frisa somente o sacerdócio aarônico. Em seguida, a esse documento foi negada autenticidade histórica, e seu conteúdo seria considerado mera «ficção». O mesmo argumento avança dizendo que tudo foi uma invenção, para dar autoridade a uma casta sacerdotal que, na realidade, só teria vindo à existência muito mais tarde.

6. Violento contraste foi feito entre a elaborada natureza do culto no deserto e a descentralização que houve no período dos juízes de Israel. Presumivelmente, a adoração teria desempenhado papel secundário nessa versão posterior, o que talvez esteja indicado em Juízes 3--16. E Wellhausen acreditava que esse período posterior havia sido a verdadeira fonte das formas de adoração que ali se desenvolveram. Teria tudo começado com chefes de família que dirigiam os próprios santuários particulares (como o de Eli, em Silo).

7. Uma ilustração foram as radicais diferenças das duas formas de adoração. Assim, Samuel (que era efraimita, e não levita) servia a cada noite ao lado da arca (I Sam. 3:3), enquanto o décimo sexto capítulo de Levítico mostra que somente um sumo sacerdote podia aproximar-se da arca, e isso apenas uma vez por ano.

8. Quando a monarquia centralizou o governo, o mesmo se deu com o sacerdócio, e então a família dos zadoquitas adquiriu grandes poderes. Davi nomeou os zadoquitas, juntamente com Abiatar, para que substituíssem os familiares de Eli. Não demorou muito e, nos dias de Salomão, foi estabelecido um santuário permanente no templo, ficando assegurada a proeminência especial de uma casta sacerdotal. Jeroboão teve santuários reais, e os sacerdotes eram responsáveis diante dele, como se ele fosse cabeça do culto religioso (o que também sucedera nos dias de Salomão), seguindo a filosofia egípcia da religião, o conceito do rei-sacerdote.

9. A centralização do culto foi fortalecida ainda mais, quando Josias aboliu os lugares altos.

10. Presumivelmente, além da composição do código sacerdotal como uma espécie de base documentar da nova situação (dando-lhe uma falsa antiguidade), veio à tona o ofício sumo sacerdotal (ver a respeito), mas isso somente já nos tempos pós-exílicos, visto que, no tempo da monarquia, o próprio rei era uma espécie de sacerdote. Esse desenvolvimento, de acordo com Wellhausen, representa um tempo em que governos estrangeiros tinham perturbado a monarquia, pelo que o poder religioso foi transferido para o sumo sacerdote, que se tornou então uma espécie de rei-sacerdote. O código sacerdotal deu ao sistema da época uma espécie de autoridade, com base (mediante invenção) na história antiga.

11. Foi sentido que a posição atribuída aos levitas, no código sacerdotal (ou seja, uma posição humilde, em contraste com os fatos históricos), é o tendão de Aquiles daquele documento, revelando que se trata apenas uma invenção, e não um verdadeiro documento histórico no tocante ao culto religioso de Moisés e do tempo de Arão. De acordo com o pensamento de Wellhausen, esse código,

SACERDOTES E LEVITAS

que divide o ministério religioso em sumo sacerdote, sacerdotes e levitas, seria uma contradição com o verdadeiro quadro, onde só haveria sacerdotes levíticos.

Objetos Argumentos contra Essa Teoria Crítica. Enquanto alguns aumentavam e outros reduziam as teorias de Wellhausen, o ponto de vista crítico lhes dava muito valor, pelo que uma resposta a essas teorias serve de uma espécie de resposta geral aos críticos como um todo.

1. A teoria de Wellhausen depende pesadamente da idéia de *J. E. D. P. (S.)*, acerca da qual escrevi um artigo, e onde há alguns comentários contrários a essa Idéia. A reconstituição do material do Antigo Testamento, em supostos blocos, cada um dos quais com seu conteúdo e suas ênfases especiais, parece ser uma atividade muito artificial, e quase sempre exagerada.

2. As teorias de Wellhausen dependem demais do pressuposto de que os levitas, que tinham sido convidados (segundo Deu. 18:6, 7) para servir no santuário central, foram justamente aqueles desligados de sua função quando da abolição dos lugares altos, durante os dias de Josias. Mas as evidências em favor dessa idéia não são convincentes, e o trecho de II Reis 23:9 parece dizer precisamente o oposto.

3. A teoria supõe que não havia, nos dias de Arão, clara distinção entre os sacerdotes e os levitas; mas isso parece ser contradito pelo fato de que foi feita uma distinção entre as responsabilidades do povo para com as duas classes. Ver Deu. 18:3-5 e 18:6-8. A própria expressão «sacerdotes e levitas» mostra alguma forma de distinção. Ver Deu. 17:9, 18:1; 24:8; 27:9.

4. As passagens que parecem contradizer as teorias dos críticos são tachadas por eles de interpolações, e assim eles se fazem surdos às evidências que desdizem suas idéias, pois nenhum argumento veterotestamentário contrário a essas teorias é levado em conta, nem é considerado autoritativo.

5. *Contradição acerca dos Dízimos.* Os trechos de Núm. 18:21 ss. e Lev. 27:30 falam sobre os dízimos dados aos levitas. «Porém, a passagem de Deu. 14:22 ss. permite que os israelitas comessem os dízimos em uma refeição sacrificial, o que, presumivelmente, refletiria duas situações contraditórias, talvez originárias de duas diferentes fontes informativas do Pentateuco. Isso, como é óbvio, reforçaria a noção básica da teoria *J.E.D.P.(S.)*. Os intérpretes do Antigo Testamento tradicionalmente conciliam a questão supondo que havia um segundo dízimo, conforme também é explicado no Talmude, que o chama de *Ma`aser Sheni.* E alguns estudiosos pensam que havia variações nos dízimos, por razões desconhecidas, ou que a ausência de imposição de leis específicas fazia parte de situações aparentemente contraditórias. Nesse caso, o livro de Números exporia o ideal quanto aos dízimos, ao passo que o livro de Deuteronômio refletiria o que sucedia na prática, durante o tempo da conquista da terra de Canaã e da fixação de Israel naquele território. Mas o ponto de vista da alta crítica é que o livro de Números contém a ordem original das coisas, enquanto Deuteronômio mostra aquilo que foi determinado, depois que os levitas foram depostos, nos tempos do rei Josias.

6. Wellhausen acreditava que a denúncia feita por Ezequiel (44:4 ss.) foi o desmantelamento da ordem original e a redução dos levitas a virtuais escravos do templo, de modo contrário à prática antiga. Mas os eruditos conservadores supõem que essa denúncia, na verdade, reduziu os levitas idólatras à posição mais limitada que lhes cabia, ou seja, uma posição de subserviência. E, nesse caso, Ezequiel não estabeleceu nenhum novo costume, apenas reverteu a situação ao que havia sido em seu estado original.

7. Apesar de o título sumo sacerdote ser de origem posterior, não significa que o *próprio ofício* não tivesse sido inaugurado na pessoa de Arão. E, assim, aquele ofício não veio à existência somente em tempos pós-exílicos. É apenas lógico que qualquer sistema sacerdotal devesse um cabeça. Também é apenas natural que tivessem havido desenvolvimentos no ofício; mas a essência do sumo sacerdócio, em Israel, começou com Arão. O próprio título aparece somente em II Reis 12:10; 22:4, 8 e 23:4. Porém, em I Sam. 21:2, encontramos a expressão «ao sacerdote», (aplicada a Aimeleque), o que também sucede em II Reis 11:9,10,15 (em alusão a Joiada), e em II Reis 16:10 ss. (em alusão a Urias). Nesses casos, o artigo definido «o» (dentro de «ao») poderia ter o significado de «sumo».

8. Não parece que o sumo sacerdote tivesse autoridade de um monarca.

9. A suposição de Wellhausen, de que o sumo sacerdote foi ofício originário de tempos posteriores, é uma contradição histórica com aquilo que sabemos acerca das práticas semíticas de uma remota antiguidade, onde havia, sem dúvida, um sumo sacerdote, e não meramente um tipo democrático de sacerdócio sem uma forte autoridade central. Além disso, é provável que a minimização do ofício sacerdotal tão-somente indique que, no tempo da monarquia, esse ofício se tivesse *degenerado*, e não reflita alguma condição existente *antes* de seu desenvolvimento.

10. Albright opinava que levitas, distintos em sua ordem e função, algumas vezes eram promovidos àquele ofício sacerdotal, pelo que não havia linhas de diferenciação muito rígidas, mesmo que tal distinção fosse mantida de forma geral.

Argumentos e contra-argumentos abundam quanto à questão, mas não parece haver razão sólida para aceitarmos os pontos de vista radicais dos críticos ou para duvidarmos da historicidade básica do Pentateuco, no que diz respeito ao assunto do sacerdócio em Israel.

III. Características e Funções

No que tange especificamente aos levitas, tenho fornecido amplas informações sobre eles, no artigo a respeito. Mas aqui podemos considerar os seguintes pontos:

1. Os sacerdotes eram ordenados a seu ofício e às suas funções mediante um elaborado ritual (Êxo. 29; Lev. 8).

2. Usavam vestimentas especiais, em sinal de seu ofício, e cada peça de seu vestuário ao que se presume, tinha significados simbólicos (Êxo. 29; Lev. 8).

3. O sumo sacerdote estava encarregado de certos deveres especiais, que só ele podia cumprir, como oficiar no dia da expiação, entrando no Santo dos Santos com esse propósito, e servir de principal oráculo do sacerdócio. Também tinha o dever de oferecer a refeição diária (ver Lev. 6:19 ss.). Ver o artigo separado intitulado *Sumo Sacerdote*.

4. Os sacerdotes comuns realizavam todos os sacrifícios (Lev. 1--6), cuidavam de questões sobre alimentos próprios e impróprios (Lev. 13--14), e estavam encarregados de diversos outros deveres secundários (Núm. 10:10; Lev. 23:24; 25:9).

5. Eram sustentados mediante dízimos, primícias do campo, primícias dos animais e porções de vários sacrifícios (Núm. 18).

6. A função original de um sacerdote (no hebraico, *cohen*) era ser o intermediário de um oráculo, alguém que dava instruções por inspiração divina, segundo dele se

SACERDOTES E LEVITAS – SACO

esperava. E isso continuou a ser uma importante parcela do ofício sacerdotal, mormente no caso do sumo sacerdote. Os sacerdotes também eram os guardiões e mestres dos documentos e das tradições sagradas. Finalmente essa função foi transferida para os rabinos, com o desaparecimento do sacerdócio em Israel. Como é óbvio, os profetas compar-tilhavam essas atividades; e, de fato, atuavam quase como se fossem sacerdotes, embora sem fazer parte do sacerdócio, de maneira formal.

7. Os sacerdotes eram guardiães dos ritos sagrados, os quais promoviam o conhecimento sobre a santidade de Deus e a necessidade de os homens se aproximarem dele sem a poluição do pecado, mediante os holocaustos apropriados e a mudança de vida correspondente. Eles queimavam o incenso sobre o altar de ouro, no lugar santo, o que era mesmo um símbolo das funções sacerdotais. Também cuidavam das lâmpadas, acendendo-as a cada novo começo de noite; e arrumavam os pães da proposição sobre a mesa própria, a cada sábado (ver Êxo. 27:21; 30:7,8; Lev. 24:5-8). Eles mantinham a chama sempre acesa no altar dos holocaustos (Lev. 6:9,12); limpavam as cinzas desse altar (vss. 10,11); ofereciam sacrifícios matinais e vespertinos (Êxo. 29:38-44); abençoavam o povo após os sacrifícios diários (Lev. 9:22; Núm. 6:23-27); aspergiam o sangue e depositavam sobre o altar as várias porções da vítima sacrificial; sopravam as trombetas de prata e o chifre do jubileu, por ocasião de festividades especiais; inspecionavam os imundos quanto à lepra (Núm. 6:22 ss. e capítulos 13 e 14); administravam o juramento que uma mulher deveria fazer quando acusada de adultério (Núm. 5:15); eram os mestres da lei e agiam como juízes quanto às queixas do povo, tomando decisões válidas quanto aos casos apresentados (Deu. 17:8 ss.; 19:17; 21:5).

IV. As Vestes Sacerdotais

Nem os sacerdotes comuns nem o sumo sacerdote usavam vestes especiais quando não estavam servindo em suas funções. A mais antiga vestimenta dos sacerdotes parece ter sido o '*epod bad*, espécie de pano passado à cintura, e que nossa versão portuguesa chama de «estola sacerdotal» (ver II Sam. 6:14,20). Somos informados, nessa passagem e em I Sam. 22:18, que essa peça era feita de linho. Já sumo sacerdote usava uma estola sacerdotal de material mais caro, o *ses* (linho finíssimo), trabalhado em ouro, púrpura e escarlate. Parte dessa peça descia da altura do peito até os quadris, e era mantida no lugar por duas tiras que passavam por cima dos ombros e por outras duas que davam um laço à altura da cintura (ver Êxo. 39:1-26). Além disso, uma estola era usada para dar oráculos, a qual ficava pendurada em um lugar especial, no templo (ver I Sam. 21:9). Os sacerdotes comuns, por sua vez, usavam uma peça que cobria seus quadris e coxas (ver Êxo. 28:42,43; Lev. 16:4); dispunham de uma longa túnica bordada, com mangas (ver Êxo. 28:40; 39:27), e também de um elaborado cinto feito de linho torcido, azul, púrpura e escarlate (ver Êxo. 28:40; 39:27). Uma espécie de turbante lhes cobria a cabeça (ver Êxo. 28:37,39; 29:6; 39:28). Não podiam usar nenhuma peça feita de lã, uma regra que também era mantida no Egito e na Babilônia no tocante aos sacerdotes (ver Eze. 44:17). Além disso, no templo, não podiam calçar sandálias (ver Êxo. 3:5; 19:20). Ali, precisavam andar descalços (ver Êxo. 3:5; Jos. 5:15), sem dúvida em sinal de respeito. Quanto às vestes distintivas do sumo sacerdote, ver o artigo intitulado *Sacerdotes, Vestimentas dos*.

V. O Sacerdócio no Novo Testamento

1. O sacerdócio do Antigo Testamento tinha Cristo como seu antítipo. Ele incorpora em si mesmo todos os tipos e funções do sacerdócio veterotestamentário. Essa é mesmo a mensagem central da epístola aos Hebreus, parecendo muito radical quando exposta pela primeira vez, pois anulava uma porção extensa e importante do Antigo Testamento, substituindo-a por um único sacrifício, o de Cristo, no Calvário. Finalmente, a história fez essa substituição tornar-se um fato, posto que o judaísmo moderno retém símbolos que levam avante o espírito da casta sacerdotal do Antigo Testamento. Ler a epístola aos Hebreus, mormente trechos como 2:14-18; 4:14-16; 5:1-10 e seu sétimo capítulo.

2. Jesus Cristo também foi o cumprimento cabal do sacerdócio de Melquisedeque (ver Heb. 7). Ver o artigo sobre *Melquisedeque*.

3. Os deveres sacerdotais de Cristo cumpriram-se após o sacerdócio aarônico ter cumprido seu papel, sendo um cumprimento desse sacerdócio; o seu ofício como sacerdote seguinte à ordem ou categoria de Melquisedeque. Ver o artigo intitulado *Sumo Sacerdote, Cristo como*.

4. *Todos os Crentes São Sacerdotes*. Ver sobre *Sacerdotes, Crentes como*. As passagens neotestamentárias centrais que ensinam essa doutrina são I Ped. 2:5,9; Efé. 1:5 ss. Os sacerdotes do Novo Testamento (todos os crentes) têm acesso ao trono celeste por meio de seu Sumo Sacerdote, Jesus Cristo (Heb. 10:19-22). O sacerdócio dos crentes é vinculado à filiação deles, o que, por sua vez, é uma maneira de definir a salvação da alma. Visto haver acesso pessoal a Deus, por meio de Cristo, não há necessidade da intermediação de nenhuma casta sacerdotal.

Princípios do Sacerdócio Bíblico:

1 Deus Pai ordena sacerdotes; esse é um privilégio e um ato divino. Ver Heb. 5:4-6.

2. Os sacerdotes eram nomeados mediadores entre Deus e os homens, sobretudo no tocante ao pecado, à expiação e à reconciliação dos homens, com Deus. Ver Heb. 5:1.

3. A expiação pelo sangue de animais sacrificados ocupava o centro das funções sacerdotais. Ver Heb. 8:3.

4. O trabalho intercessório dos sacerdotes do Novo Testamento (os crentes) repousa sobre a natureza eficaz da expiação de Cristo. E é aí que os crentes alcançam a Deus. Ver Heb. 8:1 ss.

5. O novo pacto, com base no sacerdócio superior de Cristo, envolve melhores promessas que aquelas do antigo pacto (Heb. 8:6). De fato, o novo pacto anulou totalmente o antigo (a totalidade da epístola aos Hebreus).

VI. Bibliografia

L ALB M B BRIN E ND ORR PF UN WEL Z

SACO (PANO DE SACO)

No hebraico, *saq*; no grego, *sakkos*, uma mecha, um pano áspero normalmente feito de pêlo de cabra (Isa. 50.3; Apo. 6.12). Este tecido parecia com o *cilicium* dos romanos.

Usos do material:

1. Para fazer sacos (Gên. 42.25; Lev. 11.32).

2. Para fazer roupas humildes, mas duráveis, às vezes usadas próximo à pele, mas às vezes usadas como peças de vestuário externas (I Reis 21.27; Jó 16.15; Isa. 32.11; Jon. 3.6).

3. Empregado como roupas na época de luto como um tipo de humilhação e pano apropriado para expressar a "dureza" de uma situação (Gên. 37.34; Est. 4.1-4); usado por homens e por mulheres com vários propósitos (II Reis 6.30; Jó 16.15; Joel 1.8; II Macabeus 3.19).

4. Para marcar ocasiões solenes (Gên. 37.34; II Sam. 3.31).

5. Para expressar uma penitência (Jer. 6.26)

6. Meio de autopunição (Isa. 58.5; Dan. 9.3).

SACRAMENTAL REFEIÇÃO – SACRAMENTOS

7. Usado em épocas de calamidades nacionais (Isa. 37.1;I Reis 20.32).

Usos figurados:
1. De punições pesadas (Sal. 35.13).
2. Retirar o tecido de saco significava a liberação da tristeza (Sal. 30.11).
3. Severos julgamentos pelo Divino (Isa. 50.3; Apo. 6.12).
4. Os profetas usavam o material como roupa de baixo em sinal de sinceridade e seriedade de seu chamado e de sua missão (Isa. 20.2; Mat. 3.4).

SACRAMENTAL, REFEIÇÃO

Essa era uma característica comum das religiões antigas. Vários aspectos de interesse podem ser mencionados no tocante a essa questão. *Em primeiro lugar,* Deus ou os deuses estavam interessados em manter *comunhão* com os homens, e se deliciavam nas festas e banquetes que os homens ofereciam em sua honra. *Em segundo lugar,* acreditava-se que os alimentos ingeridos nessas ocasiões estavam impregnados dos poderes e da essência das divindades.

Vários intérpretes crêem que a *páscoa* (ver a respeito) se revestia de tal significação para os hebreus e, naturalmente, é óbvia a conexão entre essa atitude e certas perspectivas sacramentais da eucaristia cristã. De fato, a visão sacramental da eucaristia é uma espécie de adaptação moderna da antiga refeição sacramental.

Em terceiro lugar, os sacrifícios efetuados nessas oportunidades, ou a carne nelas sacrificada, segundo se pensava, eram poderosos para aplacar os deuses, desviando assim a ira das divindades e permitindo aos homens escapar. Em quarto lugar, tais refeições incorporavam, potencialmente, a idéia de pacto. Os homens sentam-se para conversar e comer e, em momentos de tal comunhão, estabelecem pactos ou acordos. Novamente, pois, encontramos certo paralelo com a Ceia do Senhor e com a visão eucarística relacionada. A refeição festiva comemora um pacto. Ver I Cor. 11:23-26. A significação sacramental, de acordo com determinados intérpretes, é confirmada em João 6:40-52. Mas outros intérpretes vêem na Ceia do Senhor apenas uma comunhão mística, não uma refeição sacramental. Os católicos romanos, os altos anglicanos o os luteranos aderem à natureza sacramental da eucaristia, ao passo que a grande maioria dos grupos protestantes e evangélicos entende que a Ceia do Senhor se reveste de um sentido memorial e dedicatório.

SACRAMENTALISMO

Esta é a posição, existente na cristandade, que pensa que as ordenanças da Igreja são *sacramentos* (ver a respeito). Para tais intérpretes, os sacramentos são veículos da graça divina, do ministério do Espírito Santo, e, por conseguinte, necessários à salvação espiritual, ao bem-estar e ao desenvolvimento do homem.

O sacramentalismo chega ao extremo de afirmar que os sacramentos (mediante uma virtude conferida por Deus) podem transmitir graça mesmo quando, por necessidade, não se fazem acompanhar pela fé dos recipientes, como nos casos do batismo infantil e da extrema-unção.

SACRAMENTÁRIO

Este adjetivo foi originalmente usado para aludir àqueles protestantes que negavam a doutrina luterana da *consubstanciação* (ver a respeito) ou à doutrina católica romana da *transubstan-ciação* (ver também a respeito). Curiosamente, em certos círculos, este adjetivo tem sido utilizado como sinônimo de sacramentalismo, que antes exprimia a idéia exatamente oposta. Ao que parece, tal adjetivo foi cunhado por Lutero para referir-se àqueles que, como Zuínglio, tomavam um ponto de vista não-sacramental das ordenanças do batismo e da eucaristia.

SACRAMENTÁRIO GREGORIANO

É um livro de assuntos litúrgicos, atribuído ao papa Gregório I (pontificou entre 590 e 604). Entretanto, sua autoria foi posta em dúvida a partir de 1729. Estudos completos têm demonstrado que, apesar da obra, como um todo, não poder ser atribuída a ele, contém escritos genuínos seus. Todavia, não se trata de obra de um único autor. O papa Gregório II (reinou entre 715 e 731) também participou de sua compilação. Contém orações para os domingos e dias santos, prefácios, o cânon da missa (conhecido como cânon romano desde 1968), formulários de ordenação e de dedicação de templos e várias bênçãos, como uma espécie de compêndio de teologia prática para os ministros da Igreja Ocidental.

SACRAMENTARISTAS

Este termo refere-se àqueles que supõem haver grande valor nos sacramentos, em oposição àqueles que os consideram meros símbolos, ou mesmo rejeitam de vez os sacramentos religiosos. No tempo da Reforma Protestante, a palavra fazia referência àqueles que se recusavam a concordar com a noção de Lutero da real presença do sangue e do corpo de Cristo nos elementos da eucaristia. O *partido sacramentarista* foi o autor da *Confissão Tetrapolitana,* assim chamada porque quatro cidades deram apoio aos sacramentaristas, a saber: Estrasburgo, Constança, Lindau e Menningen. Zuínglio concordava com as idéias desse grupo, e um artigo com seus argumentos foi incorporado na igreja helvética. A Helvécia vinha do nome latino da região da Europa central que agora é parte da Suíça, em sua porção ocidental. Essa era a designação romana dos habitantes celtas daquela área. Até hoje, Helvécia é um nome alternativo para Suíça.

A *Confissão Tetrapolitana* era o mais antigo símbolo teológico da Igreja reformada (ver a respeito) da Alemanha. Foi preparada por Bucer (idem) em 1530, durante as sessões da Dieta de Augsburgo. Procurou encontrar uma posição de transigência entre as teorias sacramentais luterana e reformada, mas terminou sendo apenas uma das primeiras e fúteis tentativas de obter a união entre protestantes e evangélicos. Ver os artigos separados sobre as *Confissões da Igreja Histórica* e sobre as *Confissões Helvéticas.* (AM E)

SACRAMENTOS

Esboço:
I. Considerações de Pano de Fundo: a Metafísica da Questão
II. Definições Básicas
III. A Teologia Sacramental
IV. Os Sete Sacramentos da Igreja Católica Romana
V. O Protestantismo e os Sacramentos

I. Considerações de Pano de Fundo: a Metafísica da Questão

O homem é considerado um ser que consiste em dois níveis, correspondentes aos dois níveis naturais da realidade, que podem ser divididos em material e não-material (ou espiritual). Na maioria das religiões, esses dois níveis não são distinguidos de modo absoluto, porquanto são

SACRAMENTOS

concebidos como capazes de entrar em contato mútuo, conforme se vê no cristianismo. É precisamente isso o que empresta à religião a sua vitalidade, pois, sob esse ângulo, a religião é mais do que uma visão mundial ou uma filosofia. A fé religiosa pode ser vital, porque a experiência humana pode ser espiritual, não meramente material. Ora, o sacramentalismo tenta argumentar com base nessa circunstância dos dois níveis, afirmando que os sacramentos, embora envolvam a materialidade, também têm uma função espiritual, mediante determinação de Deus. Deus toca os homens através da matéria e de sinais visíveis ou meios visíveis; e esses veículos é que transmitiriam a administração da graça divina. A encarnação é usada para exemplo de como a materialidade e a espiritualidade podem ter uma união vital; mediante tal união a presença e a graça de Deus são comunicadas aos homens.

II. Definições Básicas

A palavra portuguesa «sacramento» vem do latim *sacramentum*, algo «santo», «sagrado», «consagrado». Entretanto, a Vulgata Latina usou esta palavra para traduzir o termo grego *mustérion*, «mistério». Ver no Novo Testamento Efé. 1:9; 3:2 ss.; Col. 1:26 ss.; I Tim. 3:16; Apo. 1:20; 17:7. Dentro dessa associação de idéias, um sacramento passa também a ser um santo mistério, uma verdade profunda e sagrada revelada pela divindade, embora continue contendo elementos ocultos ou difíceis de entender.

Tertuliano usou o termo para denotar fatos sagrados, sinais misteriosos e salutares, atos santos que servem de veículo. Num sentido tão amplo, até mesmo alguma doutrina das Escrituras pode ser chamada de sacramento.

Na opinião católica romana, um sacramento é algum rito instituído por Cristo ou pela Igreja, como sinal externo e visível de uma graça interna e espiritual. Na Igreja Ortodoxa Oriental, os sacramentos também são chamados *mistérios*. A tradição medieval fixou o número dos sacramentos em sete. O protestantismo tipo sacramental reduziu os sacramentos a dois: o batismo e a Ceia do Senhor. O catecismo anglicano brinda-nos com a seguinte definição: «Um sinal externo e visível de uma graça interior e espiritual que nos é dada, ordenado pelo próprio Cristo para servir de meio pelo qual recebemos essa graça, e pelo que nos é feita uma segura promessa». De acordo com a teologia católica romana, os sacramentos têm sua eficácia com base na vontade divina. Os sacramentos, de acordo com Roma, operariam *ex opere operato*, e não por alguma operação mecânica, mas, antes, pela graça e pelo poder divino, sem importar quão indigno seja o ministrante que realiza o rito, e, em alguns casos, independentemente da fé pessoal dos recipientes, conforme é o caso dos infantes, ao serem batizados, no aguardo da regeneração e de uma fé que se espera manifestar-se futuramente.

Relações entre a Palavra e os Sacramentos. Se tivesse dado sempre prioridade às Escrituras, nem teriam surgido os sacramentos. A Palavra subsiste sem nenhum sacramento, mas os sacramentos não podem existir, em nenhum sentido significativo, sem a Palavra. Melhor diríamos, não pode haver ordenanças sem a base da Palavra. Quando os evangélicos falam em «meios de graça», referem-se a exercícios espirituais, ao cultivo da piedade, não a cerimônias externas. Para nós, os meios da graça são coisas como a leitura da Bíblia, a meditação, a oração, a freqüência aos cultos, a piedade doméstica, as experiências místicas etc.

Se alguns vêem pontos de semelhança entre a Palavra e os sacramentos, preferimos ver os pontos de distinção entre a Palavra e as ordenanças. Podemos indicar quatro pontos de distinção: 1. *Quanto à necessidade*. A Palavra é indispensável à salvação; as ordenanças são dispensáveis, e nem mesmo fazem parte do processo salvatício. Ilustração disso é o caso do ladrão penitente, na cruz, que morreu sem ter recebido nenhum rito, embora Jesus lhe tivesse garantido: «Em verdade te digo que hoje estarás comigo no paraíso» (Luc. 23:43). Uma ordenança é apenas um sinal *visível* da Palavra. A fé é a única causa instrumental da salvação (ver João 5:24; 6:29; Atos 16:31 etc.). 2. *Quanto à aplicação*. A Palavra deve ser pregada a todos; as ordenanças visam ser dadas somente aos que já fazem parte da família da fé. João Batista recusou batizar certos judeus impenitentes: «Raça de víboras, quem nos induziu a fugir da ira vindoura? Produzi, pois, fruto digno do arrependimento...» (Mat. 3:7,8). 3. *Quanto a seu objetivo*. A Palavra visa fazer brotar e fortalecer a fé; as ordenanças são meros memoriais dos feitos remidores de Deus. «Este cálice é a nova aliança no meu sangue; fazer isto, todas as vezes que o beberdes, em memória de mim» (I Cor. 11:25). 4. *Quanto à forma de expressão*. A Palavra visa ser pregada; as ordenanças impressionam a imaginação mais através da vista. Por assim dizer, as ordenanças são uma Palavra visível. As ordenanças são «formas visíveis da graça invisível».

Quando certos cristãos passaram a crer que Deus manifesta a sua graça através de meios *físicos* («meios de graça», segundo o nome técnico), esses meios receberam o nome de *sacramentos*. O conceito não se coaduna com o ensino bíblico, que fala das operações diretas da graça divina sobre a alma, independentemente de qualquer meio externo, do mérito humano e da intervenção humana, porquanto é operação direta do Espírito Santo com base exclusiva na obra remidora de Cristo. Se o efeito da graça diSábado cristão – SAbAtávina é instantâneo e eficaz, o uso dos sacramentos redunda em uma monotonia repetitiva e eficaz que, no dizer da epístola aos Hebreus, é «impossível» que «remova pecados» (ver Heb. 10:3). Verdade é que o autor sagrado não se referia aos sacramentos modernos, e sim, às ofertas simbólicas da legislação mosaica, mas a aplicação não é imprópria.

A idéia de sacramento acompanha o cristianismo de longa data. Sem dúvida, faz parte do judaísmo. O escritor da epístola aos Hebreus encontrou-a entrincheirada na mente de muitos de seus leitores. Harnack indica que Tertuliano «já usava essa palavra a fim de denotar fatos sagrados, misteriosos, sinais salutares e veículos ou atos santos. Tudo quanto estivesse ligado à deidade e sua revelação e, portanto, até mesmo doutrinas, era chamado sacramento; e o termo também se aplicava ao que era simbólico, ao que era sempre algo misterioso e santo» (*History of Dogma, III,* págs. 138 e 139).

Com o tempo, o uso do termo foi sendo afunilado, passando a indicar apenas aquelas cerimônias litúrgicas que, supostamente, são transmissoras da graça divina. Atualmente, a Igreja Católica Romana fala em *sete sacramentos:* batismo, confirmação, eucaristia, penitência, extrema-unção, ordens e matrimônio. As igrejas evangélicas, em sua maioria, evitam o uso do termo «sacramentos», tanto por causa de suas conotações históricas, como por não concordarem com a idéia de a graça divina ser veiculada por meio de cerimônias. Quase sempre os evangélicos preferem falar em ordenanças, definidas como símbolos externos da graça interna, limitando o seu número a dois: o batismo e a Ceia do Senhor (ver os artigos a respeito). Destarte, fica eliminada

SACRAMENTOS

a necessidade de criar uma liturgia em torno de tudo quanto não simboliza diretamente a obra salvatícia de Cristo. As ordenanças do batismo e da Ceia do Senhor representam aspectos variados da operação interna do Espírito e da obra remidora de Cristo.

A eficácia da graça divina e a ineficácia dos sacramentos podem ser ilustradas como segue: Nasceu uma menina de pais católicos, que a levaram à pia batismal no tempo hábil; mocinha, ela fez sua primeira confissão, tomou a hóstia e foi crismada. De fortes tendências religiosas, a jovem não perdia a missa, nem se descuidava de se confessar e participar da comunhão freqüentemente. Após alguns anos, tornou-se freira, tendo passado uma longa vida de religiosidade e serviço fiel à sua Igreja. Agora, jazia moribunda no convento. Veio um padre e lhe deu a extrema-unção, último recurso litúrgico católico. Se, então, alguém perguntasse da velhinha se ela tinha a certeza da salvação, ela responderia com uma dúvida atroz no espírito: «Quem sabe, meu filho, quem sabe?». Todos os supostos meios da graça, por ela recebidos, haviam sido em vão.

III. A Teologia Sacramental

1. Essa teologia está estribada sobre o ponto de vista dos dois níveis da existência, conforme foi descrito na seção primeira, acima.

2. Um sacramento operaria através da vontade divina, mediante a administração do Espírito, pelo que seria mais que mero sinal. Antes, seria um poder atuante que altera tanto o estado do homem como lhe administra as graças do Espírito.

3. Espera-se da parte de quem recebe um sacramento a reação e a cooperação de sua vontade, e também que o sacramento seja recebido no estado espiritual apropriado e com uma santa atitude acolhedora; mas a eficácia de um sacramento dispensa esse aspecto, visto que o ato, em si mesmo, é um poder transformador, uma vez que carrega o ministério do Espírito. Outrossim, como nos casos do batismo e da extrema-unção, esse poder pode operar sem a vontade e a fé do recipiente, sendo assim uma pura medida da graça. Além disso, o ministro que administra um sacramento de forma devida, pode ser uma pessoa indigna; mas, se tal ministrante acha-se dentro da linha da sucessão apostólica, então permanece o seu poder de administrar os sacramentos, a despeito de suas falhas pessoais.

4. «Os sacramentos envolvem ou subentendem uma promessa ou compromisso, e são mistérios, no sentido de que não desvendam o seu sentido diante de olhos incrédulos. Conforme concordaram Santo Agostinho e São Tomás de Aquino, são *sinais* de uma santa realidade ou graça que santifica aos homens» (C).

5. O batismo e a eucaristia, desde a antiguidade, têm sido considerados como ordenanças que ocupam uma classe toda especial, por serem essenciais à salvação dos homens, sem os quais tal salvação se torna impossível. Os católicos romanos liberais acreditam que os sacramentos podem existir à parte de qualquer sinal visível e externo, como ou no ministério do Espírito; mas os católicos romanos conservadores crêem que a presença e utilização dos sinais externos são necessárias para que a graça do Espírito possa atuar. Nisso cria-se uma exclusividade, porquanto é evidente que somente certos ministros cristãos são reputados qualificados para administrar os sacramentos. A Igreja Católica Romana aceita a validade dos administrados pela Igreja Ortodoxa Oriental (embora esta seja considerada cismática). Porém, o catolicismo romano não aceita os «dois» sacramentos dos protestantes sacramentalistas. Como é óbvio, as religiões não-cristãs também são encaradas como ineficazes para a salvação humana. Isso posto, dentro das fileiras católicas romanas, «sacramentalismo» é a posição que diz que somente aquela Igreja pode ser um agente salvatício, sendo, *de fato*, um agente salvatício, através do uso dos sacramentos. Naturalmente, fica aqui compreendido que à Igreja Ortodoxa Oriental também são admitidos tais poderes, a despeito do que mais possa ser dito acerca de suas deficiências, por não reconhecer a autoridade universal do papa. Os protestantes não-sacramentalistas objetam a esse exclusivismo, e muitos pensam que os sacramentalistas usam os sacramentos como se fossem passes de mágica ou, então, como atos presunçosos de uma teologia desvirtuada.

6. Os sacramentos são vinculados ao pacto *de Deus* com os homens, servindo de meios para cumprir os propósitos desse pacto. Assim sendo, o novo pacto é concebido como uma aliança sacramentalmente administrada.

7. *O próprio Cristo* aparece como o verdadeiro celebrante dos sacramentos, visto que ministraria a fim de realizar os ritos que atuariam por sua delegação.

IV. Os Sete Sacramentos da Igreja Católica Romana

1. *Batismo*. Seu agente físico é a água; o labor espiritual é do Espírito. Um sacerdote deve oficiar o rito, exceto quando há urgência ou circunstâncias extraordinárias, quando então até um leigo pode administrar a cerimônia. O rito do batismo é administrado no nome do Pai, do Filho e do Espírito Santo. Os teólogos católicos romanos ensinam que o batismo efetua a regeneração. Ver os dois artigos sobre *Batismo* e *Regeneração Batismal*.

2. *Confirmação*. Esse sacramento completa o intuito do batismo, e leva o indivíduo à plena responsabilidade. O agente físico é a imposição de mãos; o labor espiritual também é realizado pelo Espírito. A crisma (unção com azeite) pode acompanhar o ato. Normalmente, o ministrante é um bispo. Na Igreja Ortodoxa Oriental, um padre pode realizar a cerimônia como delegado de um bispo. Presume-se que o Espírito, mediante esse rito, capacita a pessoa para o cumprimento de sua vida e serviço cristãos.

3. *Penitência*. Esse é o ato físico da confissão de pecados na presença de um sacerdote e da absolvição concedida por ele. O padre atua em nome de Cristo e da Igreja. A pessoa expressa o desejo de reconciliar-se por meio de atos de contrição e fé. O ministrante é sempre um padre. O benefício conferido é o perdão dos pecados, cometidos após o batismo, e o recebimento dentro da comunhão da Igreja, que fora rompida por causa do pecado.

4. *Santa Eucaristia*. Os agentes físicos são o pão e o vinho. O elemento espiritual é o corpo e o sangue de Cristo, que se tornam na substância do pão e do vinho, sem modificação dos acidentes. Ver o artigo sobre a *Transubstanciação*. Alguns luteranos trocaram essa posição pela *consubstanciação* (ver a respeito). O rito é realizado no espírito e com palavras de agradecimento pelo sacrifício de Cristo. O benefício é o fortalecimento e o refrigério do espírito, em união com Deus e a assimilação de Cristo, presente nos elementos físicos. A Igreja Católica Romana preceitua que se acham presentes o corpo, o sangue, a alma e a divindade de Cristo nos elementos do pão e do vinho. O ministrante é um sacerdote; o recipiente é uma pessoa batizada e membro da Igreja organizada. O *res sacramenti* é o verdadeiro, mas espiritual corpo e sangue de Cristo. Ver o artigo detalhado chamado *Eucaristia*.

5. *Santas Ordens*. O agente físico é a imposição de mãos, com o pronunciamento da fórmula de ordenação,

SACRAMENTOS

que define a intenção do rito. Quem realiza a cerimônia usualmente é um bispo, e os recipientes são pessoas batizadas, que assumem, mediante o ato, deveres e serviços especiais. A graça transmitida é o poder e as qualificações para o ministério sacerdotal.

6. *Matrimônio*. O agente físico é a cerimônia de matrimônio e o contrato legal do matrimônio. Um padre realiza o rito, e os recipientes da graça conferida são o homem e a mulher que se casam. A graça é o poder e a bênção necessários para o cumprimento apropriado dos ideais do matrimônio, como a ajuda mútua, as legítimas funções sexuais, a procriação e a manutenção de uma relação monógama. Os recipientes devem ser batizados, membros da Igreja organizada, sem nada que as desabone. Não deve haver impedimento legal ou moral ao casamento. Os casamentos mistos (de pessoas católicas romanas com pessoas não-católicas romanas) não podem receber esse sacramento.

7. *Extrema-unção*. Trata-se de uma unção com azeite, com a diferença de que o recipiente é alguma pessoa enferma, tendo em vista a sua possível cura. Chama-se «extrema» porque geralmente é ministrada em casos desesperadores. O agente físico é o azeite usado na unção, paralelamente à prece apropriada pedindo graça e ajuda. O ministrante é um sacerdote, exceto em casos de grande emergência, quando então um leigo pode administrar esse sacramento, em nome de Cristo e da Igreja. O benefício esperado é a graça que ajude na enfermidade física e na remissão dos pecados. Recebida a extrema-unção, a alma estaria preparada para ser admitida aos mundos de luz.

Matéria e Forma. Cada um dos sete sacramentos tem matéria e forma. A matéria é a substância material usada, como a água, no batismo, o azeite, na unção, a imposição de mãos etc. A forma é o conteúdo do rito pronunciado. A matéria e a forma, consideradas conjuntamente, formam o *sacramentum*. A graça é o benefício procurado através do rito. A graça também é chamada de *benefício*. A fé por parte dos recipientes é chamada *virtus*. O ministro age como delegado da Igreja, a qual, por sua vez, é considerada delegada de Cristo. Em adição a esses elementos, na eucaristia também há o *res sacramenti*, o corpo e o sangue de Cristo, presentes nos elementos físicos do pão e do vinho.

As informações dadas acima refletem, essencialmente, a doutrina da Igreja Católica Romana, onde a questão dos sacramentos foi mais amplamente desenvolvida. Os ritos da Igreja Ortodoxa Oriental diferem quanto a detalhes relativamente pequenos.

V. O Protestantismo e os Sacramentos

1. Os luteranos e alguns baixo-anglicanos reduziram os seus sacramentos a dois: batismo e a Ceia do Senhor. Mas ali esses dois ritos retêm um caráter verdadeiramente sacramental. Asseveram a idéia de alguma virtude objetiva nos sacramentos, mas salientam a necessidade de fé por parte dos recipientes. Naturalmente, no caso do batismo de infantes, isso não pode ser mantido logicamente (embora Lutero assim se tivesse pronunciado, fosse como fosse). Nesse caso, a intenção dos pais substitui a fé da criança, aguardando o tempo em que a criança venha a poder ter sua própria fé. Os alto-anglicanos (ou Anglo-Católicos, ver a respeito) retêm os pontos de vista essenciais do catolicismo romano.

2. *Nas Igrejas Reformadas*. Os teólogos católicos romanos ensinam que os sacramentos operam *ex opere operato*, pois o objetivo deles não depende dos recipientes, embora, como é óbvio, seja desejável a apropriada condição espiritual para recebimento desses ritos. Já as Igrejas reformadas assumiram uma posição diferente. O *Breve Catecismo de Westminster* declara a questão como segue: «Os sacramentos tornam-se meios eficazes de salvação, não devido a alguma virtude inerente a eles, ou devido à sua administração, mas devido à bênção de Cristo e às operações do Espírito Santo nas pessoas que, mediante a fé, os recebem». Nesse segmento do cristianismo, os sacramentos são analisados em três partes: a. eles representam os benefícios do novo pacto; b. eles são selos ou garantias do novo pacto; c. eles devem ser aplicados.

Naturalmente, do ponto de vista católico romano, não resta sacramento se esta posição reformada for aceita. Além disso, para os grupos reformados, a aplicação da graça dos sacramentos só se realiza quando o indivíduo foi regenerado mediante fé pessoal. Naturalmente, os presbiterianos levam a sério a identificação do recipiente com o pacto, o qual, não sendo eficaz sem a fé individual, ainda assim é uma espécie de vínculo que ajuda os homens a prosseguir até Deus.

3. *As Ordenanças*. Quase todas as denominações evangélicas são radicalmente anti-sacramentais, razão pela qual chamam o batismo e a Ceia do Senhor de ordenanças. Esses grupos não pensam que as ordenanças envolvem eficácia inerente que vá além de qualquer outra forma externa de adoração, vida e serviço cristãos. O Espírito Santo observa aqueles que empregam os meios da Igreja tendo em vista seu próprio desenvolvimento espiritual, e então abençoa aos tais. A fé pessoal e a justificação pela fé são as operações eficazes por meio das quais o indivíduo é espiritualmente beneficiado. A obra regeneradora é ali aceita como uma operação do Espírito, desvinculada de qualquer mérito pessoal do recipiente, e desvinculada de quaisquer ritos que este venha a realizar. Não obstante, alguns evangélicos acreditam que os momentos do batismo e da Ceia do Senhor são especiais, quando a presença do Espírito se faz mais pronunciada, como se o crente pudesse desfrutar de uma comunhão mais íntima com o Senhor nessas oportunidades. Mas, mesmo nesses casos, não se pensa que as ordenanças sejam meios de salvação. Há tão-somente um aproveitamento espiritual quando a pessoa age por sua própria vontade e exercita a sua fé. Entre os evangélicos, espera-se que tanto o batismo quanto a Ceia do Senhor sejam aplicados a pessoas regeneradas.

Quanto ao batismo em água, em alguns grupos esse é administrado a infantes, embora não se julgue ter os mesmos efeitos regeneradores. Mas, em outros grupos, o batismo em água é reservado exclusivamente aos adultos regenerados. Para esses grupos, o batismo é um ato de obediência, com vistas a um intencional discipulado cristão, e não a um ato regenerador. Os grupos protestantes e evangélicos dessa persuasão pensam que os pontos de vista católicos romanos envolvem idéias primitivas, que incluem noções como passes de mágica. Esses grupos objetam à interpretação sacramentalista de certos versículos neotestamentários, utilizados em apoio às opiniões romanistas. Abordo essas questões nos artigos intitulados *Transubstanciação* e *Jesus como o Pão da Vida*. Este último oferece a interpretação mística da passagem do sexto capítulo de João, que é muito debatida.

4. *Argumentos Contrários ao Sacramentalismo, com Base na Experiência*. Quantos milhões de pessoas são batizados na infância, em nosso Brasil, nunca demonstram sinal de conversão e regeneração? Quantas dessas mesmas pessoas continuam a tomar a santa comunhão, mas nem por isso dão alguma mostra de autêntica regeneração? Se supostamente os sacramentos são eficazes, garantindo as operações do Espírito de Deus, mesmo à parte da vontade

SACRIFÍCIO CRISTÃO – SACRIFÍCIO DE CRISTO

e da fé dos recipientes, porque esse resultado nunca é conseguido? Parece que tudo isso envolve muito mais meros desejos do que a realidade. Certas interpretações teológicas dão margem às pessoas pensarem de modo desejoso, esperando que aconteça algo no futuro. Porém, se alguém realmente estiver interessado na conversão e na regeneração, fará melhor em enfrentar a necessidade de uma experiência pessoal com Cristo, Aquele que redime, santifica e transforma. O Espírito Santo realmente opera sobre a alma daquele que deposita fé em Cristo como seu Salvador pessoal; e nenhum rito, chamado sacramento ou não, pode tomar o lugar dessa realidade espiritual. Uma real conversão e transformação espiritual depende dos atos e do progresso da alma, e isso mediante o poder transformador do Espírito de Deus. Nenhum rito atua sobre a alma; o máximo que os ritos fazem é apontar memorialmente para as operações do Espírito. O Espírito Santo não precisa de meios para atuar de forma regeneradora e transformadora sobre uma alma. Se os sacramentos (como alguns chamam, se as ordenanças) fossem meios de salvação, como teriam sido salvos os santos do Antigo Testamento, mormente aqueles que vieram antes da legislação mosaica, com seus ritos levíticos? O Novo Testamento jamais vincula a salvação da alma a nenhum rito ou cerimônia, mas tão-somente às operações regeneradoras do Espírito de Cristo.

SACRIFÍCIO CRISTÃO

O claro ensino do Novo Testamento é que Jesus Cristo é o nosso sacrifício, sendo o antítipo de todos os outros sacrifícios, que eram meramente simbólicos (ver Heb. 10 e João 1:29). Ver os artigos intitulados *Expiação; Expiação pelo Sangue* e *Expiação pelo Sangue de Cristo*.

«... o pensamento do remédio divino para o pecado, o sacrifício ou expiação, não é mais atribuído às oferendas feitas pelos homens, e, sim, à provisão da graça remidora: o Justo Servo de Deus foi levado ao matadouro, tendo justificado a muitos, ao levar sobre Si mesmo as iniquidades deles (ver Isa. 53:7). O sacrifício cristão (Cristo crucificado) incorpora todos os valores dessa grandiosa tradição. O sacrifício de Cristo é a perfeita oferenda pelo pecado, é a provisão de uma completa expiação (ver Heb. 9:24-10:18). Jesus encarava o seu próprio sacrifício como a concretização dos protótipos mais elevados do Antigo Testamento: o Servo divino, por meio de Quem as graciosas energias de Deus fluem de modo remidor até os homens (ver Luc. 4:17 ss.; Mat. 12:14-21; Mar. 10:42-45)» (E).

A igreja cristã como um todo, com exceção de alguns pensadores liberais, atribui grande importância a essa questão do sacrifício cristão, que é Cristo. É verdade que alguns segmentos da igreja assumem uma posição sacramentalista da celebração do sacrifício de Cristo, na Eucaristia ou Ceia do Senhor. Ver sobre *Eucaristia* e *Sacramentos*.

Os grupos protestantes e evangélicos vêem o sacrifício de Cristo como algo realizado «de uma vez por todas», negando que a eucaristia seja um sacrifício em sentido algum. Isso invalida totalmente a «missa», nome que vem do latim e significa «sacrifício». Para aqueles grupos, a Ceia do Senhor é apenas um memorial do grande e único sacrifício de Cristo. «... um sumo sacerdote... que não tem necessidade, como os sumos sacerdotes (de Israel), de oferecer todos os dias sacrifícios, primeiro por seus próprios pecados, depois pelos do povo; porque fez isto uma vez por todas, quando a si mesmo se ofereceu (Heb. 7:26,27).

Todavia, poderíamos pensar em sacrifícios secundários (não de caráter expiatório e salvatício), como o oferecimento de uma vida consagrada ao Senhor, o oferecimento de orações constantes, a prática das boas obras, a atribuição do louvor a Deus e a exibição de um coração humilde. Ver sobre *Sacrifício Vivo*. Mas sacrifício expiatório, para o crente, só há um, o de Jesus Cristo no Calvário. Aceito este, o crente é exortado a viver uma vida caracterizada pela devoção que raia ao sacrifício, o «sacrifício vivo» de que Paulo fala em Rom. 12:1.

SACRIFÍCIO DE CRISTO

O autor ressalta seis pontos em Heb. 13:12:

1. O sacrifício de Cristo foi efetuado fora da porta, isto é, totalmente à parte da ordem levítica, nada tendo que ver com ela, exceto que por ela foi prefigurado.

2. A fim de derivar benefícios de seu sacrifício, devemos estar dispostos a deixar o templo e sair para fora da porta, rompendo relações com os antigos caminhos.

3. Esse rompimento também subentende a separação moral de tudo quanto é secundário, inferior e pecaminoso (ver Heb. 13:12,13).

4. O rompimento também indica levar o opróbrio de Cristo, a desaprovação em que é tida a fé cristã, e que ele também levou (ver Heb. 13:14).

5. Será o reconhecimento de que não fazemos parte deste mundo, de seu sistema de idéias, de seu sistema religioso; antes, vivemos segundo uma regra superior e eterna, aquela estabelecida pela cidade eterna (ver Heb. 13:14).

Sofreu. Os leitores originais são assim lembrados acerca das agonias de Cristo, tal como em Heb. 5:7,8, mediante as quais recebeu a vitória e a perfeição. Eles também, caso se associassem a ele, só poderiam esperar tais sofrimentos (ver João 15:18 e ss.).

Divinas mãos e pés, peito rasgado,
Chagas em brandas carnes imprimidas,
Meu Deus, que, por salvar almas perdidas,
Por elas quereis ser crucificado.
Outra fé, outro amor, outro cuidado,
Outras dores às Vossas são devidas,
Outros corações limpos, outras vidas,
Outro querer no Vosso transformado,
Em vós se encerrou toda a piedade,
Ficou no mundo só toda a crueza,
Por isso cada um deu o que tinha,
Claros sinais de amor, ah! saudade!
Minha consolação, minha firmeza,
Chagas do meu Senhor, redenção minha.
(Frei Agostinho da Cruz, Portugal)

6. *Fora da porta*. O povo de Israel, enquanto esteve no deserto, habitava em um «acampamento», o que explica a escolha de palavras nesse citado versículo.

O *sofrer fora da porta* simbolizava o opróbrio, pois assim é que eram punidos os piores criminosos; e a própria localização de seus sofrimentos era o desprezo oficial votado às suas pessoas. O autor sagrado, pois, indica que seus leitores devem estar dispostos a se separar da comunidade de Israel, até onde tangiam as questões religiosas, identificando-se com o desprezado Jesus. Ele nos assegura que este mundo e o seu sistema, que rejeitaram a Cristo, não são amigos da graça nem nos ajudam a buscar a Deus.

«Não eviteis abandonar vossas antigas associações e serdes reputados párias e traidores, sendo furtados de vossos privilégios pelos judeus. Esse é o opróbrio de

SACRIFÍCIO EUCARÍSTICO – SACRIFÍCIO VIVO

Cristo, e sofrendo o mesmo, chegai-vos mais perto dele. E a rendição dos vossos privilégios não precisa custar-vos tantas lamentações, pois não temos neste mundo uma cidade permanente, mas buscamos aquela que será, aquela que tem fundamentos» (ver Heb. 11:10), a Jerusalém celestial (ver Heb. 12:22). Aquilo que é espiritual e eterno satisfaz a ambição e enche o coração. (Comparar com Mar. 3:35; Fil. 3:20.) A falta de reconhecimento e de fixidez na terra, por conseguinte, bem pode ser suportada» (Dodds, *in loc.*).

«A crucificação, tal como outras punições capitais do mundo antigo, era infligida fora da cidade. Para o escritor sagrado, esse fato parece ser intensamente significativo, rico em seu simbolismo. Tanto que sua mente se apressa em usá-lo, não mais como mera confirmação do negativo, no vs. 10, mas como uma nova e positiva chamada para fora do mundanismo. Todas as idéias sensuais, como aquelas subentendidas nas refeições sacrificiais, misturam nossa religião com o próprio mundo de onde nos deveríamos retirar, a exemplo de Jesus. Encontramo-nos com Cristo fora dessas coisas, e não dentro delas» (Moffatt, *in loc.*).

O autor sagrado ensina-nos que não temos o direito de nos fixarmos em um mundo que crucificou ao Senhor, não prestando lealdade a uma fé religiosa que era seu principal opositor. «O ordálio ardente de seus sofrimentos corresponde à consumação da vítima no fogo» (Faucett, *in loc.*).

SACRIFÍCIO EUCARÍSTICO
Ver sobre *Eucaristia* e *Sacramentos*.

SACRIFÍCIO HUMANO

Temos aí a *execução capital* de um ser humano, por motivos cerimoniais, como parte de algum culto religioso. Essa prática era generalizada nas antigas culturas, mesmo naquelas que já tinham ultrapassado o nível da selvageria. De modo geral, pode-se dizer que a motivação básica para esse ato era o temor aos deuses ou a poderes desconhecidos. A mentalidade envolvida era que sacrificar um ser humano significava uma espécie de sacrifício supremo, que poderia esperar o resultado máximo. Na maioria dos casos, tais sacrifícios eram feitos sob a hipótese de que beneficiariam a comunidade inteira, pelo que eram vistos ou como um serviço prestado por aqueles que eram forçados a tal situação, ou por aqueles que se apresentassem voluntariamente como vítimas. O indivíduo assim sacrificado, pelo menos em algumas culturas, poderia esperar encontrar um favor todo especial (da parte dos deuses ou das forças cósmicas). Ou, então, no caso dos pais que sacrificassem os seus filhinhos, pensava-se que os genitores haviam realizado um nobre serviço que só podia ficar no aguardo da recompensa correspondente.

Propósitos do Ato. Esses propósitos eram aplacar os deuses, assim evitando ou pondo fim às pragas; prevenir contra o fracasso nas colheitas; invocar as chuvas; garantir vitórias nas batalhas; conseguir curas; fazer expiação pelos pecados da humanidade; enviar um mensageiro (a alma liberada do corpo físico) aos deuses; comungar com os deuses mediante a ingestão de carne humana, que muitos povos antigos pensavam ser a residência de algum deus; obter riquezas ou favores da parte dos poderes divinos; ou, finalmente, grosso modo, evitar catástrofes e agradar aos deuses, que haveriam de reconhecer a grande natureza do sacrifício efetuado.

Na Bíblia. Ficamos desolados diante do vigésimo segundo capítulo de Gênesis. Nenhuma explicação pode aliviá-lo de sua demonstração de uma religião primitivista. Mesmo que Abraão tenha crido, sinceramente, que Deus requerera dele um sacrifício humano, de seu próprio filho, é impossível crer que Deus lhe tenha dado, realmente, tal mensagem. Abraão teria agido em boa-fé; mas o Senhor não estaria vinculado à questão, sob hipótese alguma. É óbvio, pois, que Abraão ainda retinha traços de selvageria e paganismo em sua fé, apesar do seu grande avanço espiritual. Podemos extrair do relato muitas boas lições morais; mas é catastrófico para a fé religiosa sã, a suposição de que Deus, sob qualquer circunstância ou razão, tenha ordenado que se fizesse um sacrifício humano. Mais tarde, na legislação de Israel, os sacrifícios humanos foram estrita e enfaticamente proibidos. Ver Lev. 18:21. E a pena de morte era imposta aos desobedientes (Lev. 20:2,3).

SACRIFÍCIO VESPERTINO

O povo de Israel tinha, como uma de suas instituições, a queima contínua de ofertas. Pela manhã, era feito o sacrifício de um cordeiro, com certa quantidade de cereais. À noite, o sacrifício se repetia. Nessas oportunidades também havia uma oferta sob a forma de libação de pequena quantidade de vinho. Ver Êxo. 29:38-42; Núm. 28:3-8. E o trecho de II Crô. 13:11 mostra que esse era um importante elemento do judaísmo antigo. Todavia, dentro do sistema sacrificial do templo restaurado de Ezequiel, um templo ideal, somente os sacrifícios matinais foram retidos. Ver Eze. 46:13-15.

SACRIFÍCIO VIVO (ROM. 12:1)

Esta expressão é usada juntamente com o verbo «apresenteis», a fim de lembrar-nos o sistema judaico de sacrifícios e dar-nos boa idéia sobre a natureza absoluta da dedicação espiritual que Deus requer de nossa parte. É evidente que, nas páginas do Antigo Testamento, os «sacrifícios» de todas as espécies e, sobretudo as «ofertas queimadas», que mui provavelmente estão em foco neste versículo, eram totalmente entregues, com o propósito de adorar e servir a Deus. Nesses sacrifícios, havia um período de preparação para os animais que seriam sacrificados. Deviam ser de certa idade, de elevada qualidade física, tendo de passar por certos preparativos preliminares.

«Os sacrifícios não tinham vontade própria, e sua única razão de existência era que servissem para cumprir seu uso como sacrifício. Assim sendo, devemos pensar sobre a «totalidade» e sobre o «caráter absoluto» do serviço que nos compete prestar a Deus, envolvendo o sacrifício espiritual da personalidade inteira. Não pode haver nenhuma tentativa de dar a Deus um «segundo lugar», porquanto nenhum sacrifício depende de categorias ordinais para sua existência. Pelo contrário, Deus é tudo, e a dedicação deve ser total.

Como pode o corpo tornar-se um sacrifício? Que os olhos não contemplem o mal; e isso importa em sacrifício. Que a língua não profira nenhuma vileza; e isso será uma oferta. Que as mãos não operam o que é pecaminoso; e isso equivale um holocausto. Mais ainda, isso ainda não é bastante, pois, acima de tudo, devemos esforçar-nos ativamente em favor do bem; as mãos, dando esmolas, a boca, bendizendo aqueles que nos amaldiçoam, e os ouvidos, sempre prontos a dar atenção a Deus» (*Crisóstomo*).

«As ofertas queimadas eram um símbolo da vida inteira, com todas as suas facilidades, a qual deve ser consumida

SACRIFÍCIOS – SACRIFÍCIOS E OFERTAS

no fogo do senhorio divino, visando seu serviço e sua glória» (Lange, *in loc.*).

Vivo. Em que sentido? De conformidade com os três pontos listados a seguir:

1. Em oposição aos "sacrifícios abatidos", que prestavam seu serviço mediante a morte.

2. Pois o crente presta seu serviço a Deus através de sua vida consagrada. Isso nos faz lembrar de Sócrates, cuja ética dizia que a vida santa consiste em morrer diariamente. Primeiramente, enfatizamos o nosso lado "espiritual", negando os apetites do corpo. Em segundo lugar, devemos ser como homens que estão prestes a morrer, por estarem as nossas mentes voltadas totalmente para valores mais elevados, mediante os quais também nós vivemos, não nos deixando guiar pelos valores da carne.

3. Também devemos libertar de tal maneira nossos espíritos para que prestemos ao Senhor o serviço apropriado, sem os empecilhos das limitações mortais e pecaminosas.

Os sacrifícios judaicos subentendiam em matança; os sacrifícios cristãos subentendem em sua atividade em uma vida contínua; porém, assim como nos ritos judaicos todas as cerimônias precisavam ser cumpridas, a fim de que os sacrifícios fossem aceitáveis aos olhos de Deus, nos sacrifícios cristãos, nosso corpo deve ser santo, sem mancha ou mácula.

SACRIFÍCIOS

Sacrifícios que podiam ser comidos, ou, de alguma outra maneira, conferiam certo benefício pessoal aos sacerdotes:

1. A oferta queimada dos governantes (um cabrito), bem como a oferta pelo pecado oferecido pelo povo comum (uma cabrita ou um cordeiro). (Ver Lev. 4:22 ss. e 27 e ss. Comparar com as regras que aparecem no sexto capítulo do livro de Levítico, acerca de comer ou não os sacrifícios.)

2. A pomba oferecida por um homem pobre (ver Lev. 5:9).

3. A oferta pela transgressão (ver Lev. 7:7).

4. A pele da oferta queimada, inteira (ver Lev. 7:8. O sacerdote podia ficar com o couro).

5. A oferta movida do peito e do ombro das ofertas pacíficas.

6. As ofertas movidas da festa das Semanas, em sua inteireza.

E as ofertas das quais os sacerdotes não podiam participar eram as seguintes:

1. A oferta pelo pecado do sumo sacerdote, por si mesmo (ver Lev. 4:5-7, 12).

2. A oferta pelos pecados de ignorância do povo (ver Lev. 14:16-21 e Núm. 15:24).

3. A oferta pelo pecado do sumo sacerdote e do povo combinados, no grande Dia da Expiação, cujo sangue era levado ao Santo dos Santos, e não somente ao Lugar Santo (ver Lev. 16:27).

Além disso, há uma regra geral, à qual o autor sagrado sem dúvida faz alusão, e que se acha em Lev. 6:30. «Nenhuma oferta pelo pecado, da qual o sangue era levado ao interior do tabernáculo da congregação, para reconciliar, no lugar santo, seria comida; seria queimada no fogo» (Alford, citando *Delitzch*).

O sacrifício de Cristo não pode ser pessoalmente apropriado por aqueles que insistem em aferrar-se aos antigos caminhos, porque foi um sacrifício efetuado fora do portão, e nada de seu benefício foi deixado no interior do tabernáculo, para uso dos sacerdotes. Somente aqueles que saem com Cristo, até fora da porta, podem ser beneficiados.

SACRIFÍCIOS DE ANIMAIS

Ver o artigo sobre *Sacrifícios*.

SACRIFÍCIOS E OFERTAS

I. Caracterização Geral
II. Classificação dos Sacrifícios
III. Materiais Empregados
IV. Modos de Apresentação
V. Sacrifícios do Mundo Antigo
VI. Sacrifícios no Antigo Testamento
VII. Sacrifícios no Novo Testamento

I. Caracterização Geral

Na maioria das fés antigas do período antes de Cristo, o sacrifício era o principal instrumento de louvor, o modo mais favorecido de tentar aproximar-se do Divino. No tangente à fé hebraica, os livros de Levítico, Números e Deuteronômio eram as principais compilações das regras que regiam a prática. Originalmente, os materiais comestíveis utilizados para sacrifícios eram considerados o "alimento" dos deuses ou de Deus. Os sacrifícios dos israelitas eram, essencialmente, de duas classificações amplas: 1. O *sacrifício do pacto*, com sua refeição sacramental. A Deidade era considerada o anfitrião da refeição, e os participantes, seus amigos e membros companheiros no acordo que estava sendo feito. Os membros companheiros eram os "convidados" da refeição sacrificial. Achava-se que o ritual tinha por propósito estabelecer um laço de amizade e obrigação mútua entre o "anfitrião" e os "convidados". 2. O *sacrifício tabu* transformava todos os materiais usados em produtos da criação da Deidade. Os materiais eram de origem tanto vegetal como animal. O tabu proibia o uso por humanos dos materiais designados, sendo esses propriedade exclusiva do Divino. Quando os sacrifícios eram realizados, a redenção e a expiação eram alcançadas, bem como eram obtidas bênçãos para os participantes que apaziguavam a(s) Deidade(s) através de seus atos. Os primeiros frutos da doação de materiais eram do tipo tabu.

Os materiais para sacrifícios poderiam apenas ser de propriedade doméstica e agrícola do homem. Animais silvestres não poderiam ser usados, nem materiais vegetais que crescessem de forma silvestre, distante do cultivo humano. O sacrifício precisava ter um "toque pessoal". Originalmente, todos os animais domésticos mortos para alimentação eram considerados sacrifícios, mas posteriormente cerimônias específicas passaram a limitar o sacrifício a rituais especiais e regulados.

Muitos oráculos locais estavam envolvidos em sacrifícios, mas, a longo prazo, houve um esforço para limitar os sacrifícios ao templo e seu lar, Jerusalém. A Reforma Deuteronômica ocorreu por volta de 621 a.C., segundo as avaliações dos críticos, mas muito antes, segundo o pensamento dos conservadores, que associava a limitação com regulamentações mosaicas instituídas por Davi e Salomão. Ver Deu. 12.

No período pós-exílico (depois de 539 a.C.), o sistema de sacrifícios judeu foi sistematizado. O antigo *sacrifício do pacto* passou a ser chamado de *oferta de paz*, enquanto o tipo *tabu* foi dividido em várias classificações, como a oferta queimada, a oferta de refeição, a oferta por pecados, com sua subdivisão de oferta por culpa. Todos os sacrifícios estavam envolvidos em algum tipo de propósito de acordo ou expiação. A destruição de Jerusalém em 70

SACERDOTES, VESTIMENTOS

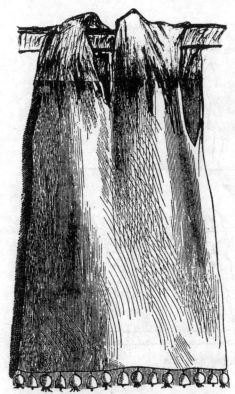

Roupa do sumo sacerdote com romãs e sinos de ouro

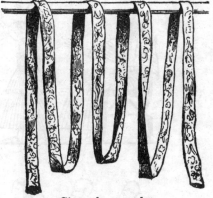

Cinto do sacerdote

O sumo sacerdote com suas roupas do dia da Expiação

Ver descrições das roupas do sumo sacerdote apresentadas em Êxo. cap. 34.

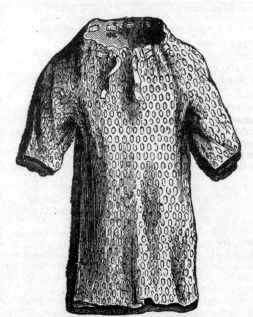

Casaco dos sacerdotes

SACERDOTES, VESTIMENTOS

Roupas dos sacerdotes egípcios

Sacerdotes — Usos Metafóricos

Vós também como pedras vivas, sois
edificados casa espiritual e sacerdócio santo,
para oferecer sacrifícios espirituais
agradáveis a Deus por Jesus Cristo.
 (I Ped. 2:5)

Tendo pois, irmãos, ousadia para entrar
no santuário, pelo sangue de Jesus,
pelo novo e vivo caminho que ele nos
consagrou, pelo véu, isto é, pela
sua carne. E tendo um grande
sacerdote sobre a casa de Deus...
 (Heb. 10:19-21)

••• ••• •••

SACRIFÍCIOS E OFERTAS

d.C. provocou o fim do sistema sacrificial judeu. Os rabinos supunham que a oração, os símbolos rituais e o serviço humanitário tivessem tomado o lugar do antigo sistema de sacrifício. Tal atitude prevaleceu em tempos modernos.

II. Classificação dos Sacrifícios

Já vimos algo sobre isso nas descrições anteriores relativas aos sacrifícios do "pacto" e do "tabu". Sob a lei mosaica, temos ainda outras divisões:

1. Sacrifícios efetuados para estabelecer e ampliar a comunhão do homem com o Divino. Os meios de estabelecer a comunhão eram a expiação, as ofertas por pecados e as ofertas por violações.

2. Uma vez estabelecida a comunhão, pensava-se que sua preservação e ampliação fossem alcançadas através de ofertas queimadas, *ofertas de paz*, que incluíam ofertas de agradecimento, de votos, de desejo livre, e de carne e bebida.

O adorador perdoado avançava em comunhão com o Divino e cria-se que tal avanço era mediado pelo intricado sistema de sacrifícios.

III. Materiais Empregados

Esses materiais eram de *duas classes principais*: em primeiro lugar, o *sangrento* (sacrifícios de animais). Originalmente incluíam o sacrifício humano, mas a lei mosaica denunciou essa prática (um lembrete do que vemos na intenção de Abraão de sacrificar seu filho, Isaque). Em segundo plano, havia os sacrifícios *não-sangrentos*, isto é, de produtos vegetais e agrícolas.

1. Os *sacrifícios animais* eram realizados com os *cinco animais nobres*: o boi, a ovelha, a cabra, a rola e a pomba. Esses animais tinham de cumprir as *quatro* exigências: a. nenhuma mancha ou defeito: animais *limpos*, isto é, apenas aqueles designados para propósitos sacrificiais e considerados limpos de acordo com as regulamentações levíticas; b. animais adequados para alimentação; c. parte da propriedade do adorador; d. de idade adequada, entre uma semana e três anos de vida. O boi castrado de sete anos de idade que figura em Jud. 6.25 é excepcional. Animais machos e fêmeas podiam ser usados, mas certos tipos de sacrifícios permitiam apenas o uso de machos. Para referências bíblicas que falam de tais regulamentações, ver Lev. 3.1.6; 5.7; 7.16; 12.8; 22.20-24 (e os contextos nos quais essas referências são situadas); Êxo. 22.30; 28.38 (e contextos); Núm. 15.5 ss.; 28.11 ss.

2. *Materiais de origem vegetal*. Vários grãos, azeite de oliva, vinho e materiais adequados para incenso. O sal também era usado em ambos os ritos, animais e vegetais. De fato, todas as ofertas vegetais tinham de ser salgadas (Lev. 2.13; Eze. 43.24; Mar. 9.49). Leveduras e mel não eram permitidos (Lev. 2.13).

Preparações: os grãos eram assados na espiga (Lev. 2.14); transformados em farinha fina (Lev. 2.1); às vezes eram preparados em misturas com incenso e óleo (Lev. 2.1,15 ss.); farinha sem levedura era usada para fazer certos tipos de bolos ou biscoitos.

Cozimento: as ofertas em grãos eram assadas em uma panela ou em um forno, ou fritos em uma panela.

IV. Modos de Apresentação

Rituais específicos deviam ser seguidos. O homem que trouxesse o animal sacrificial era o que deveria realizar a matança. Ele abatia o animal no lado norte do altar (Lev. 1.4,5,11; 3,2,8; 6.25; 7.2). No caso dos cultos regulares do santuário e das ofertas para ocasiões festivas, os sacerdotes faziam as ofertas em nome do povo. As vítimas eram mortas, suas peles eram retiradas e as carcaças eram cortadas em pedaços. Exceto pelo holocausto (a oferta tendo sido completamente queimada), seguiam refeições comunais, nas quais os sacerdotes tinham direito de escolher os cortes de carne e ao povo era destinado o restante. As peles ficavam com os sacerdotes para servir de vestimenta e abrigo.

O sangue das vítimas era coletado pelo sacerdote em um vaso usado para esse propósito, e então era respingado em qualquer dos lados do altar, em seus chifres, ou nos chifres do altar de incenso, ou, às vezes, "nele", isto é "na direção" do altar. O que restava do sangue era então esvaziado no pé do Grande Altar (Êxo. 29.12; Lev. 4.17,18). O sangue e a gordura pertenciam a Yahweh.

Se a vítima era uma ave, o sacerdote arrancava-lhe a cabeça e permitia que o sangue fluísse no lado do altar. As vísceras eram jogadas nas cinzas ao lado do altar, e a cabeça e o corpo eram queimados no altar (Lev. 1.15).

Ofertas de origem vegetal. Às vezes ofertas de grãos eram associadas às ofertas animais. Nesses casos, parte da farinha e do óleo, algumas das espigas dos grãos e os bolos (com incenso) eram queimados no altar. Parte era destinada ao consumo dos sacerdotes. Não era permitida levedura em nenhum dos preparos (Lev. 2.2 ss.; 6.9-11; 7.9 ss.; 10.12 ss.). No caso da *oferta de graças*, um bolo era oferecido a Yahweh, o Recebedor, e então se tornava o alimento do sacerdote que respingava o sangue (Lev. 7.14). Os outros bolos tornavam-se o alimento dos sacerdotes que os apresentavam. Ver outros detalhes na seção VI, onde apresento um sumário dos tipos de ofertas.

V. Sacrifícios do Mundo Antigo

É inútil isolar os sacrifícios hebraicos e suas formas de outros sistemas do mundo antigo, pois havia um tipo de semelhança e mesmice, sugerindo que ocorreram empréstimos e adaptações no sistema hebraico. Em outras palavras, nem toda a legislação do Antigo Testamento era exclusiva. No mundo mesopotâmico, as idéias dominantes eram a expiação e a provisão de alimentos para os deuses. O deus, feliz com os sacrifícios oferecidos, consideraria "seus adoradores" com maior gentileza e acumularia benefícios para eles. Diziam-se que Marduque, o deus-chefe dos babilônicos, criou os homens (chamados de "aqueles de cabeças negras") com o propósito específico de que o servissem com seus sacrifícios e rituais religiosos. Seus templos o agradariam, pois ele estaria recebendo bastante atenção daqueles que os haviam construído. Os deuses ficavam felizes com a provisão de alimentos, que, de alguma forma misteriosa os agradavam, especialmente os cheiros deliciosos produzidos que se propagavam pelo ar, chegando até às narinas dos deuses. Cf. Gên. 8.21; Êxo. 29.25; Lev. 1.9, 13, 17; Núm. 15.3.

Os deuses do antigo *Sumer* tinham seus próprios santuários e cidades dedicadas a seus cultos. Orações e ritos eram realizados e incenso era queimado. O sacrifício era sempre central. Como na cultura hebréia, ofertas de animais e vegetais faziam parte do sistema. Gêneros alimentícios eram colocados diante dos deuses e então retirados para serem comidos pelo rei e pela família real. De alguma forma misteriosa, os deuses conseguiam saciar-se com esses rituais e então retribuíam aos homens, ajudando-os e livrando-os de perigos.

Os vizinhos de Israel não tinham regras sobre o uso apenas de certos animais domésticos "aprovados" para sacrifício. Sabemos que, no norte da Síria e na Anatólia, burros eram usados em ritos sacrificiais. Um livro hitita de rituais fala do sacrifícios de cães. Soldados no campo de batalha, na esperança de apaziguar os deuses e conseguir sua ajuda, não hesitavam em sacrificar animais silvestres, algo que um hebreu jamais faria.

SACRIFÍCIOS E OFERTAS

Tabuletas ugaríticas e fenícias informam sobre sacrifícios que nos fazem lembrar do Antigo Testamento, no tocante tanto a sacrifícios animais como vegetais, e *El* (o poder), um nome semita comum (também usado pelos hebreus) para representar Deus, figura com destaque no ritual. Os sacerdotes de Baal tinham terminologia e práticas similares às dos israelitas (ver I Reis cap. 18; II Reis 10.18-27).

Os gregos eram um povo muito religioso desde os dias de Homero, até a época do Novo Testamento. Sacrifícios aparecem com destaque em toda a sua história (ver *Ilíada*, I.11.446-476). Os sacrifícios envolviam animais, vegetais e a refeição sagrada da qual compartilhavam homens e deuses. Os sacrifícios eram oferecidos tanto às deidades do submundo como àquelas do augusto Olimpo. Além do uso do boi e do cordeiro, os gregos empregavam cães e outros animais "sujos", da perspectiva hebraica.

VI. Sacrifícios no Antigo Testamento

Os sacrifícios específicos do sistema hebraico eram os que seguem:

1. *Oferta por pecados* (Lev. cap. 4). Do hebraico *hattath*, "ofensa". Os pecados de ignorância eram reparados através de sacrifício animal (Lev. 4.2). Pecados premeditados não tinham reparação (Lev. 15.30). O reparo adequado resultava no perdão do pecado cometido (Lev. 4.20, 26, 31, 35; 5.10). O sangue e a gordura eram a porção de Yahweh. Os sacerdotes ficavam com os cortes de escolha, e o povo, com o que sobrava. Uma refeição sagrada, comunal, encerrava o rito. A gordura era queimada no altar e o sangue era espalhado pelos lados, na direção do altar, ou derramado na sua base. Pensava-se que a "vida" do animal estava em seu sangue (Lev. 17.11, 14). Portanto, Yahweh recebia a "vida" do animal, o que Lhe agradava, e por isso Ele perdoava o "dono" que havia trazido o animal para sacrifício: em outras palavras, era realizado um rito *vicário*. Os materiais usados para este tipo de sacrifício eram bois jovens, cabritos e cabras, ovelhas, rolas e pombas (para os pobres que não possuíam animais grandes, e para os ritos de purificação de mulheres). Ver Lev. caps. 4, 5, 6, 14, 15 para descrições. Ver ainda Núm. caps. 6, 8, 28.

2. *Ofertas por transgressões*, para infrações específicas da Lei, do hebraico *asham* (falha). A reparação era o objeto desta oferta. Fornecia-se uma recompensa para um tipo específico de erro. A oferta pelo pecado era geral, enquanto a oferta por transgressões era específica, mas os objetivos eram os mesmos. Um cordeiro era o animal comum neste ritual (Lev. 4.14, 15; 6.6; 19.21). O animal usado para os leprosos e para os nazireus era o cordeiro.

3. *Ofertas queimadas*, do hebraico *olah*, que se refere a "fumaça ascendente". Neste *holocausto* (ver), o animal inteiro era queimado até sobrar quase nada. Apenas a pele era guardada e dada ao sacerdote que estava realizando o ritual. A oferta era tanto reparatória como restauradora de uma comunhão e simbolizava o compromisso de um homem com Deus. Foi uma oferta de pacto especial que vinculou Israel a Yahweh, e essa era realizada todas as manhãs e nos finais de tarde, em todos os sábados e em certos dias festivos. Ofertas queimadas especiais também estavam na ordem para a purificação de mulheres, para a limpeza de leprosos, para a promessa dos nazireus e para ofertas voluntárias. Os animais usados para este tipo de oferta eram bois jovens, cordeiros, cabritos, carneiros e, no caso dos pobres, rolas ou pombas, indepen-dentemente do sexo (Lev. 1.3, 10, 14).

4. *A oferta de paz*, do hebraico *skelamim*, "sacrifício de paz". Havia três classificações para este tipo de oferta: a. a oferta de graças por alguma bênção recebida (ver Lev. 7.12, 22,29); b. uma oferta que correspondia a uma promessa específica (ver Núm. 6.14; 15.3; 17.16); c. uma oferta de boa vontade (ver Lev. 17.16; 22.18, 21). Gado (bois e vacas) podia ser usado para esses tipos de ofertas; até mesmo um animal defeituoso podia ser usado no caso de ofertas voluntárias (Lev. 22.23), pois esses sacrifícios iam além das exigências da Lei e, assim, poderiam representar um gasto menor para o adorador. Os sacrifícios eram sempre acompanhados por ofertas de cereais e derramamento de líquidos (Lev. 7.11). Aparentemente não eram utilizadas aves nesses rituais.

5. *Ofertas de cereais e de líquidos derramados*. Do hebraico *minhah*, ou "oferta". Essas ofertas eram feitas em conjunção com os rituais de ofertas queimadas e de paz. Os bolos de cereais eram assados, num total de dez, exceto no caso em que os bolos preparados representavam todo o Israel, e então eram usados doze. Os bolos significavam alimento para Yahweh e para os sacerdotes e pessoas. Aplicações especiais das ofertas de cereais : a. a oferta diária do Sumo Sacerdote (Lev. 6.14 ss.); b. parte do ritual da consagração dos sacerdotes (Lev. 6.20); c. substituição para uma oferta de pecado no caso de pobreza (Lev. 5.11, 12). O derramamento de vinho sempre acompanhava as ofertas de paz.

6. *As ofertas de levantamento e de acenos*: *levantamento* (do hebraico *terumah*, "levantar"), referentes a como os sacerdotes levantavam e abaixavam o material das ofertas, isto é, as porções dos animais sacrificiais ou material vegetal (Êxo. 25.2 ss.; 35.24; 36.3; Lev. 7.14; Núm. 15.19 ss.; 18.19). Nessas ofertas, acenavam-se os materiais, do hebraico *tenuphah*, "ondear" (Lev. 2.2,9; 7.32; 10.15). Elas indicavam: "Veja, Yahweh, levanto ou aceno ante o Senhor tudo o que tenho e sou, entregando tudo ao Ti". Presentes eram oferecidos ao templo e ao seu ministério. Essas eram *ofertas* verdadeiras, em contraste com os sacrifícios. Ofertas de graças envolviam este tipo de ritual (Lev. 14.12; Núm. 6.20). Os sacerdotes eram consagrados por tais tipos de ofertas, numa demonstração de entrega completa a Yahweh.

7. *A oferta de cinzas da novilha vermelha*. Este animal era reduzido a cinzas, que depois eram usadas em purificações (Núm. 19.1) e ofertas de pecados (Núm. 19.9, 17). O pecado causa a morte; as cinzas removem a causa e limpam o adorador. As pessoas purificavam-se de qualquer tipo de impureza através deste ritual. Os "impuros" ficavam, assim, "limpos", de acordo com a lei de Moisés. Ver *Limpo e Imundo* para detalhes sobre as coisas que deixavam o homem impuro.

Ocasiões (Momentos) para Ofertas

1. *Diariamente* (Núm. 28.3-8), pela manhã e à tarde: dois cordeiros sacrificados em uma oferta queimada, acompanhados de uma oferta de cereal e do derramamento de líquidos.

2. *Aos sábados* (Núm. 28.9, 10; Lev. 24.8): as ofertas diárias regulares mais dois cordeiros para uma oferta queimada; uma oferta de cereal com derramamento de líquidos e doze pães novos da proposição colocados nos lugares apropriados.

3. *Na lua nova* (Núm. 28. 11-15): a oferta diária mais dois bois jovens, um carneiro, sete ovelhas para ofertas queimadas; uma oferta de cereal e o derramamento de líquidos.

4. *Na Festa das Trombetas* (Núm. 29.1-6): os sacrifícios diários mais as ofertas de lua nova; sacrifícios de um boi jovem, um carneiro e sete cordeiros para uma oferta queimada; ofertas de cereais, mais derramamentos de líquidos.

SACRIFÍCIOS E OFERTAS – SACRILÉGIO

5. *Na Páscoa* (Êxo. 12.1 ss.): as oferta diárias, mais outra oferta de um cordeiro jovem cujo sangue era esparramado nos batentes e nos arcos das portas.

6. *Na Festa dos Pães Asmos* (Núm. 28.17-24): as ofertas diárias mais o sacrifício de um cabrito (oferta por pecados); dois bois jovens, um carneiro e sete ovelhas jovens (oferta queimada), acompanhados por ofertas de cereal e de líquidos derramados. O programa todo era repetido por sete dias, com variações a cada dia.

7. *No Pentecoste* (Núm. 28.27-31; Lev. 23.16-20): os sacrifícios diários mais a oferta de um cabrito para uma oferta de pecado; dois bois jovens, um carneiro, sete cordeiros para uma oferta queimada, acompanhados com ofertas de cereais e líquidos derramados, além de ofertas de aceno e de paz, com diversas variações durante o dia.

8. *No Dia da Expiação* (Lev. 16.3; Núm. 29.7-11): as ofertas diárias mais um boi jovem para uma oferta de pecado; um cordeiro para uma oferta queimada, especialmente para os sacerdotes, dois cabritos para uma oferta de pecado, um carneiro para uma oferta queimada, especialmente para o povo, um boi jovem, um carneiro, sete cordeiros para uma oferta queimada, acompanhados por ofertas de cereais e líquidos derramados.

9. *Na Festa dos Tabernáculos* (Núm. 29.13 ss.): ocasião campeã da complexidade, durava oito dias. Além dos sacrifícios diários regulares, incluía: *primeiro dia* - 13 bois jovens, dois carneiros, 14 cordeiros e 1 cabrito sacrificados; *segundo dia* - 12 bois, dois carneiros, 14 cordeiros e 1 cabrito; *terceiro dia* - 11 bois, 2 carneiros, 14 cordeiros e 1 cabrito; *quarto dia* - 10 bois, 2 carneiros, 14 carneiros e 1 cabrito; *quinto dia* - 9 bois, 2 carneiros, 14 cordeiros e 1 cabrito; *sexto dia* - 8 bois, 2 carneiros, 14 cordeiros e 1 cabrito; *sétimo dia* - 7 bois, dois cordeiros, 14 carneiros e 1 cabrito; *oitavo dia* - 1 boi, 1 carneiro, 7 cordeiros e 1 cabrito. Esse emaranhado de sacrifícios ainda era acompanhado por ofertas de cereais e derramamento de líquidos.

O sistema sacrificial dominou toda a história da fé religiosa hebraica, mas alguns dos profetas posteriores começaram a sentir que o sistema não satisfazia as necessidades mais profundas da espiritualidade humana. A "rejeição" do sistema estava no ar. Ver Amós 5.21-27; Isa. 1.10-20; Sal. 51.16-17. Uma mudança total veio com o Messias, Jesus Cristo.

VII. Sacrifícios no Novo Testamento

Obviamente, Jesus, Seus discípulos e os primeiros cristãos, ainda vivendo no contexto judeu, observavam as exigências do sistema sacrificial. Cristo não exigiu sua abolição (Mat. 5.24). Ele ordenou aos leprosos que haviam sido limpos que cumprissem as leis sacrificiais (Mat. 8.4, Luc. 17.14). Ele previu que Sua própria morte seria um sacrifício vicário (Mar. 10.45; Mat. 20.28). O Evangelho de João refere-se a Ele como "o Cordeiro de Deus" que remove os pecados do mundo (1.29, 36, um sentimento repetido em Apo. 13.8).

Os romanos destruíram Jerusalém em 70 d.C. e, com a cidade, também o sistema sacrificial dos judeus. Esse sistema não foi restaurado, e os cristãos passaram a considerar o "sacrifício sangrento" de Jesus, o Messias, o cumprimento de todos os tipos e sobras do antigo sistema. O livro de Hebreus é uma grande elaboração sobre este tema. Ver Heb. 8.7 e 10.1, para declarações específicas de sumário. O Espírito Eterno tornou Seu sacrifício totalmente eficaz (Heb. 9.13, 14). A redenção era vista no sangue de Cristo (I Ped. 1.18, 19). I João fala sobre a expiação e a limpeza do pecado em Cristo (1.7; 2.2; 5.6, 8; ver ainda Apo. 1.5).

Em Rom. 12.1 o sacrifício ideal é o próprio homem espiritual, que se torna um "sacrifício vivo", ao cumprir o desejo de Deus para sua vida. Ver também Rom. 15.16; Fil. 2.17; 4.18; I Ped. 2.5.

SACRILÉGIO

O termo latino de onde deriva esse vocábulo português é *sacrilegus*, «ladrão de templos». Na raiz desse vocábulo, temos *sacer*, «santo», e *legere*, «reunir». Um sacrilégio consiste no ato de violar ou profanar qualquer coisa considerada santa ou consagrada. Ademais, a violação de votos religiosos ou morais é também vista como um sacrilégio. Os antigos pensavam que os sacrilégios envolviam algum perigo de ordem mística. O Antigo Testamento contém muitos exemplos de ofensas que eram severamente punidas (mediante provisões da lei mosaica), por serem tidas como sacrílegas. Ver Jos. 7:7-26 quanto ao relato sobre Acã, que ilustra graficamente a questão.

Dentro da literatura clássica greco-romana, a pilhagem de templos era considerada a ofensa sacrílega, e foi com base nessa circunstância que o vocábulo se desenvolveu. A maioria dos países do mundo civilizado, sem importar qual seja a sua religião, olha com desdém para qualquer ato que profane um templo ou cause dano às suas instalações materiais. Em muitas nações há legislação específica a esse respeito.

No grego, *ierosuléo*, «roubo de templos». O verbo grego figura apenas em Rom. 2:22, onde Paulo indaga retoricamente dos judeus incrédulos, aos quais ele acusava de incoerência: «... abominas os ídolos, e lhes roubas os templos?». A palavra grega também ocorre em II Macabeus 4:39, na Septuaginta, onde é descrito o saque dos tesouros do templo pelo sacerdote renegado, Lisímaco.

Em nossa versão portuguesa, o termo português aparece também em Atos 19:37, dentro das palavras do escrivão da cidade de Éfeso, quando procurava pacificar a multidão, açulada pelos ourives que defendiam sua indústria de fabricação de nichos de Diana: «... estes homens que aqui trouxestes não são sacrílegos, nem blasfemam contra a nossa deusa». Aí aparece o adjetivo cognato, no grego, *ierósulos*, «roubador de templos».

De acordo com as leis romanas, o termo indicava a remoção de algum objeto sagrado de seu devido lugar, o que envolvia severas penas. Cícero escreveu: «Seja tratado como parricida aquele que rouba ou retira qualquer coisa sagrada ou o que é confiado a uma pessoa sagrada» (*De Legibus*, 2:9). «Segundo a lei germânica, o sentido da palavra também cobria a remoção de qualquer objeto sagrado de seu lugar determinado. Na Idade Média, o sacrilégio era considerado um crime contra a Igreja e contra o Estado, punível com muitas penas ou mesmo com a execução capital. Em sentido mais estreito, o termo denotava o furto de qualquer objeto sagrado; e, no sentido mais lato, qualquer injúria ou desonra infligida a um objeto ou pessoa sagrada. Talvez nenhum povo se tenha mostrado tão zeloso na defesa de seus objetos de culto sagrado como os judeus. «Transpassar certos limites do espaço do templo de Jerusalém, por exemplo, era convite à morte. Isso é refletido em Atos 21:27 ss., onde se lê que os judeus, só por pensarem que Paulo introduzira Trófimo, um efésio, no recinto do templo, estiveram a pique de linchá-lo, e o apóstolo só escapou da morte pela intervenção dos soldados romanos, que o arrancaram das mãos do povo, quando já estava sendo espancado.

SADAI – SADUCEUS

SADAI

O significado deste nome de Deus é controverso, mas provavelmente deriva da raiz *shadad*, "ser forte ou poderoso", de modo que é um tipo de sinônimo de *El*, nome semita muito comum para representar deus ou Deus. Ver Gên. 17.1. Para uma pesquisa geral sobre nomes divinos na Bíblia, ver o artigo chamado *Deus, Nomes Bíblicos de*.

SADRAQUE, MESAQUE E ABEDE-NEGO

1. *Os nomes*. Esses nomes foram dados aos "três jovens hebreus" pelo chefe eunuco do rei babilônico. Os nomes em hebraico eram Hananias, Misael e Azarias. O significado desses nomes não é conhecido, mas eles contêm sílabas que refletem *El* (o Poder), nome semita comumente atribuído a Deus, como *Yah* (Yahweh, o Deus Eterno). Os significados desses nomes babilônicos são desconhecidos, mas talvez Aspenaz (o chefe eunuco) tenha imitado os significados hebraicos. De toda a forma, os nomes dados pelo eunuco certamente honravam deidades pagãs. No caso de Sadraque, argumenta-se que seu nome reflete o nome acádico *Shudur* (comando de) e o sumério Aku (o deus lua), ou poderia ainda ser uma corrupção de *Marduque*, líder do panteão babilônico. Os nomes são sempre encontrados juntos e na mesma ordem (Dan. 1.4; 2.49; 3.12-20). Há alusões à história (sem citar os nomes) em I Macabeus 2.59,60; III Macabeus 6.6; IV Macabeus 13.9; 16.3,21; 18.12.

2. *A história*. Esses três jovens hebreus estavam entre os cativos judeus na Babilônia por volta de 605 a.C. Aparentavam ter características e liderança incomuns, portanto foram selecionados para servir ao rei. Entre os que estavam sendo treinados com esse propósito, os três demonstraram ser superiores e assim obtiveram favores especiais. Através deles, o sonho misterioso de Nabucodonosor foi interpretado por Daniel (Dan. 1.7, 8), o que ampliou suas já ascendentes posições. Oponentes babilônicos nativos, enciumados dos "estrangeiros", convenceram o rei a fazer uma imagem de ouro à qual todos do reino deveriam adorar. Naturalmente, os três jovens hebreus recusaram-se. Uma fornalha foi preparada para cremar os dissidentes, e os três jovens foram lançados dentro dela. Nada aconteceu a eles, pois o anjo de Yahweh protegeu os inocentes que se recusaram a tomar parte de qualquer forma de idolatria. Os jovens foram então promovidos (Dan. 3.1-30). Não há mais referências a eles no livro de Daniel, nem no restante do Antigo Testamento. Há algumas menções a eles em Macabeus. Talvez Heb. 11.34 seja uma alusão quando fala sobre aqueles que foram salvos do fogo com sua fé.

3. *As lições morais e espirituais*. Qualquer forma de idolatria deve ser condenada pelo homem espiritual. Os *perigos* decorrentes da lealdade podem ser anulados pelo poder de Deus, que trabalha através de Seus anjos. A lealdade sempre é a melhor opção, em qualquer caso; aderir ao princípio espiritual é a postura correta, independentemente de qual seja a situação. A lealdade espiritual obterá a recompensa apropriada, mesmo que tenham de ocorrer milagres para tal propósito.

SADUCEUS

I. Nome
II. Caracterização Geral
III. Fontes de Informação
IV. Ensinamentos
V. No Novo Testamento
VI. Sumário de Sua História

I. Nome

A derivação e o possível significado do nome são muito debatidos. A idéia mais provável é a de que o nome se referia a qualquer um que simpatizasse com os *zadoquitas*, descendentes sacerdotes de *Zadoque*, o sumo sacerdote nos dias de Davi e Salomão. Para maiores detalhes, ver *Zadoque*.

II. Caracterização Geral

Os saduceus compunham uma das mais importantes e influentes seitas judaicas, muitas vezes em oposição tanto política quanto teológica com os fariseus. Esta seita era amplamente constituída pelos elementos mais ricos da população, em contraste com os mais pobres e mais populares fariseus. Entre seus componentes se encontravam os sacerdotes mais poderosos, mercadores prósperos e a classe aristocrática da sociedade. Eles aderiam apenas à lei mosaica (fundamentalistas originais), rejeitando os profetas e a lei oral como espúrios. Seu partido manteve o controle político por muito tempo, enquanto um ramo da casta de sacerdotes controlou o ofício de sumo sacerdote por vários séculos. Disputas entre eles e os fariseus são mencionadas com relativa freqüência nos escritos do judaísmo posterior (m. Yad. 4.6-7; 'Erub. 6.2; m. Para 3.7; m. Nid. 4.2; Yoma 2a, 19b, 53a; b. Suk. 48). Então, no Novo Testamento, encontramos várias referências às disputas deles com Jesus (Mar. 12.18; Mat. 16.1, 6) e até mesmo a estranha com os fariseus para livrar-se de Jesus. Eles também se opuseram fortemente à igreja primitiva (Atos 4.1; 5.17).

III. Fontes de Informação

Além dos vários itens de informação dados pelos escritores judeus posteriores, que acabo de revisar no parágrafo anterior, Josefo informa-nos sobre seus ensinamentos e poder político (*Ant*. 13.5.9; 18.1, 16, 17; 20.9.1; *Guerras* 2.8.165). Na obra farisaica *Salmos de Salomão*, os saduceus eram os "pecadores" de destaque que resistiam. O Novo Testamento apresenta várias referências a eles, que serão listadas na seção V.

IV. Ensinamentos

Seu cânon era a lei escrita de Moisés, o Pentateuco, de modo que doutrinas não mencionadas claramente ali eram rejeitadas. Eles não criam em uma alma imortal nem acreditavam em nenhum tipo vida após a morte; rejeitavam a doutrina dos anjos e espíritos de qualquer tipo e não viam sentido no ensinamento da ressurreição do corpo. Repudiavam a tradição oral como uma invenção do homem (Josefo, *Ant*. 13.10.6). Sua negação dos "princípios de pós-vida" os tornava materialistas que buscavam tirar o máximo proveito desta vida através de poder político e material. Josefo (*Ant*. 18.1, 4) informa-nos explicitamente que eles não criam na alma nem em recompensas ou punições após a vida. Atos 23.8 declara: "Os saduceus declaram não haver ressurreição, nem anjo, nem espírito; ao passo que os fariseus admitem todas essas cousas". Em alguns pontos no Antigo Testamento, como em Dan. 12.2, tais crenças são declaradas e, logicamente, os anjos são uma constante naquela coleção de livros, mas a Torá (o cânon dos saduceus) não é uma boa fonte de crenças espiritualistas. Os saduceus não acreditavam nem em demônios nem no destino. Um homem é livre para fazer seu próprio destino, mas apenas dentro do contexto de "uma vida presente". Eles criam no arrependimento pelos pecados de tal forma que isso garantia uma vida presente razoável abençoada pela prosperidade e pelo poder.

V. No Novo Testamento

Apenas os evangelhos sinópticos e o livro de Atos fazem referências aos saduceus: Mat. 3.7; 16.1, 6, 11, 12; 22.23; Mar. 12.18; Luc. 20.27; Atos 4.1; 5.17; 23.6-8. São sempre relatórios negativos sobre esta seita, seja por sua oposição e perseguição a Jesus, seja por sua cosmovisão materialista. Eles também se opunham aos apóstolos, efetuando perseguições (Atos 4.1 ss.). A referência final aos saduceus ocorre em Atos 23.6 ss., por ocasião do julgamento de Paulo pelo Sinédrio. Nesse julgamento Paulo conseguiu que os fariseus e saduceus entrassem em choque e debate, pondo fim à reunião.

VI. Sumário de Sua História

Não há motivo para duvidar de que o início desta seita remonta à influência da linhagem sacerdotal de Zadoque. Alguns, contudo, apontam um Zadoque posterior, aluno de um dos sábios, Antígono de Soco, do início do segundo século a.C. como o verdadeiro pai desta seita. No entanto, descendentes do sumo sacerdote original, o Zadoque do Antigo Testamento, serviram sob Davi e Salomão. Esta linhagem veio a controlar tanto o templo como as coisas públicas, herdando o poder religioso e político. Josefo indica o início da história dos saduceus no segundo século a.C., quando este emergiu de uma crise ocasionada pela usurpação do sumo sacerdócio por Jônatas em 152 a.C. Provavelmente nessa época, os essênios se separaram do judaísmo principal, fugiram para o deserto e iniciando seu estilo de vida monástico. Nesta época, os fariseus e saduceus começaram sua duradoura briga de "cão e gato". Buscando agora as coisas boas, os saduceus não estavam interessados em derrubar o governo romano. A primeira menção desta seita por Josefo (*Ant.* 13.5.9) diz respeito ao período de Jônatas Macabeu, sucessor de seu irmão, Judas. Somos informados de três seitas judaicas existentes naquela época (saduceus, fariseus e essênios). O controle se alternava freqüentemente na luta pelo poder, ora estando por cima os saduceus, ora os fariseus. Os saduceus conseguiram controlar o Sinédrio, o corpo regente mais poderoso entre os judeus por um longo tempo. Os fariseus tiveram um surto temporário de influência com o governo de Salomé Alexandra, que sucedeu seu marido Janeu (76 a.C.). Quando de sua morte (67 a.C.), seus dois filhos lutaram pela sucessão, e Aristóbulo II, apoiado pelos saduceus, finalmente derrotou Hircano II, apoiado pelos fariseus. Ele assumiu o sumo sacerdócio, e a sorte dos saduceus floresceu por algum tempo. Mas com o surgimento de Herodes, o Grande, os saduceus foram deixados de lado. Josefo informa-nos que vinte e oito sumo sacerdotes governaram de Herodes até a queda de Jerusalém (*Ant.* 20.10.5), o que mostra que o caos geral era o poder real daquela época. Com a queda de Jerusalém em 70 d.C., quando os exércitos romanos destruíram aquela e muitas outras cidades em Judá, os saduceus desapareceram como partido político e religioso.

SAFÃ

A Bíblia portuguesa fornece esta mesma transliteração para dois nomes hebraicos diferentes, mas certa semelhança. Três personagens do Antigo Testamento são assim chamadas:

1. Um chefe da tribo de Dã que viveu em Basã. De fato, ele era o segundo na hierarquia de comando em sua tribo (I Crô. 5.12). A palavra hebraica significa "jovem", "vigoroso". Ele viveu em cerca de 750 a.C.

2. De uma palavra hebraica um pouco diferente, que significa "cônico" ou "texugo de pedra", temos o nome de um homem que era o filho de Azalias e secretário do rei Josias. Ver observações sobre sua família pessoal em II Reis 22.3; II Crô. 34.8; 34.20; 36.10-12; 39.14; 40.5, 9, 11; 41.2; 43.6. Como escriba, ele parecia ter autoridade quase igual à do governador da cidade e do escrivão real. Ele foi enviado com esses dois homens para relatar sobre o dinheiro que havia sido coletado pelos levitas para o reparo dos templos e para os salários dos trabalhadores (II. Reis 22.4; II Crô. 34.9). Foi em tal ocasião que Hilquias, o sumo sacerdote, informou ao rei que ele havia encontrado uma cópia da lei ao preparar as reformas do Templo. A Safã foi confiado o livro, e ele o entregou ao rei para leitura. O rei então ordenou uma consulta com Hulda, a profetisa, sobre a questão. Ver II Reis 22.14, 15. Como resultado disso, ressurgiu o interesse pelas coisas espirituais. A família de Safã exerceu subseqüentemente uma influência para o bem. Seu filho, *Aicão*, não permitiu que o profeta Jeremias fosse linchado quando enfrentou a oposição de falsos profetas e líderes políticos corruptos. Outro filho, *Gemarias* (Jer. 36.10,25), era o dono da casa onde o escriba de Jeremias, Baruque, leu as profecias condenatórias do profeta contra a corrupta Jerusalém e seus horrendos habitantes. O malvado rei Joiaquim destruiu as profecias escritas que foram lidas perto ele e que circulavam entre seus súditos. *Gedalias*, indicado governador de Judá pelo rei da Babilônia após o cativeiro babilônico, era neto de Safã (Jer. 39.14).

3. Outro homem chamado por este nome era o pai de *Jaazanias*, um dos setenta idólatras que "ministravam" no templo na época de Ezequiel (Eze. 8.11), em cerca de 590 a.C.

SAFATE

No hebraico, *juiz*, provavelmente querendo dizer "Ele, que é, Deus, juízes".

1. Um filho de Hori, da tribo de Simeão (Núm. 13.5), o qual representou sua tribo como espião enviado à Terra Prometida por Moisés. Isto foi feito em preparação para a invasão da terra, mas o relatório negativo produzido na volta adiou por quarenta anos a tentativa de invasão. Isso ocorreu em cerca de 1440 a.C.

2. Um filho de Gade era chamado assim. Ele estabeleceu seu lar em Basã (I Crô. 5.12), em cerca de 1070 a.C. Alguns acreditam que ele teria vivido em torno de 738 a.C.

3. Um filho de Adlai, reprodutor e criador do gado de Davi (I Crô. 27.29), que viveu em cerca de 1015 a.C.

4. O pai do profeta Eliseu (I Reis 19.16, 19, 20; II Reis 3.11; 6.31), natural da cidade de Abel-Meola, situada a leste do rio Jordão. Seu lar havia sido identificado com Tell el-Maqlub, no curso de água el-Yabis. Este homem viveu o suficiente para ver seu filho substituir Elias como o principal profeta de Yahweh, em cerca de 930 a.C. No entanto, alguns acreditam que ele teria vivido por volta de 865 a.C.

5. O filho mais jovem dos seis filhos de Semaías (I Crô. 3.22, que lista, contudo, apenas cinco nomes). Ele era da linhagem real de Judá e viveu após o cativeiro babilônico, em cerca de 350 a.C., embora alguns aproximem sua data em torno de 450 a.C.

SAFE

Hebraico para *limite* ou *prato*, mas alguns dizem *preservador*. Era o nome de um gigante filisteu, membro da etnia de Rafa. A Bíblia informa-nos de várias etnias de gigantes que os israelitas acabaram por exterminar da Palestina. Este homem foi abatido por Sibecai, o husita, um dos *trinta* poderosos guerreiros de Davi (II Sam. 21.18). Esse gigante também era chamado de Sipai, como vemos em I Crô. 20.4. Talvez ele tenha sido filho do famoso gigante Golias, como supõem alguns. Ele viveu por volta de 1048 a.C.

SAFIR

No hebraico, *bela*, *agradável*. O nome de uma das cidades que o profeta Miquéias denunciou (Miq. 1.1). Ela foi identificada com es-Suafir, situada um pouco a sudeste de Asdode. Alguns a chamam de es-Suafir Tell es-Sawafir.

SAFIRA – SAINT-SIMON, CLAUDE-HENRI

Estudiosos recentes preferem uma identificação em Judá como Khirbet el-Kom, a oeste de Hebrom, onde há um curso d'água chamado Es-Safar. Robinson indicou que várias vilas eram chamadas por este mesmo nome, o que aumenta a confusão da identificação.

SAFIRA

A palavra hebraica é *sappir*; a grega (*sappheiros*, emprestada do aramaico) diz *safira*, significando "lindo". Essa pedra preciosa, dura e brilhante, é uma das variedades de coríndon (óxido de alumínio) e manifesta-se na cor azul-escuro. Algumas vezes, a palavra aparentemente se refere ao lápis-lazúli. As referências bíblicas são Êxo. 24.10; 28.18; 39.11; Jó 28.6.16; Can. 5.14; Isa. 54.11; Lam. 4.7; Eze. 1.26; 10.1; 28.13. O equivalente grego aparece em Apo. 21.19. Essa é a pedra mais dura mencionada na Bíblia, depois do diamante. Algumas safiras radiavam com pontos de ouro e nunca eram transparentes, embora o sejam algumas pedras modernas assim chamadas. Certas variedades de *topázio* de cor amarela são chamadas de safiras. A *ametista* de cor roxa também tem sido assim denominada. O Ceilão tem sido a principal fonte desta pedra há 2,5 mil anos, além de produzir também rubis.

SAGE

Do hebraico, "vagueação". O nome do pai de Jônatas que foi um dos trinta "heróis" de Davi, ou guerreiros especialmente habilidosos que o acompanhavam, na função de guarda-costas, e se tornaram o núcleo de sua ordem quando ela se formou. Ver I Crô. 11.34. Ele viveu em torno de 1048 a.C.

SAGRADO

Este adjetivo aponta para a qualidade sacra de algo (pessoas, coisas, cerimônias etc.). De acordo com o paganismo, algo se tornava sagrado por haver sido consagrado às divindades. No cristianismo, algo é sagrado quando consagrado a Deus, mediante a pessoa de Jesus Cristo, com a chancela do Espírito Santo. É o aspecto divino no aspecto humano; que torna uma pessoa ou coisa sagrada, distinguindo essa pessoa ou coisa do que é profano ou secular.

Algumas pessoas assumem um ponto de vista pragmático ou mesmo cético, e dizem que tudo quanto a sociedade ou algum grupo religioso diz torna-se sagrado *para eles*. Essa interpretação dá a entender que a idéia envolve apenas uma convenção da linguagem. Por outra parte, há os que levam muito a sério essa noção de «sagrado», supondo existirem, realmente, pessoas, coisas e condições sagradas. R. Otto (ver a respeito) dizia que a santidade ou o sagrado é parte integrante da natureza *única* e distintiva da deidade e que esse é o mais elevado alvo de realização por parte dos homens. Ver sobre o *Misticismo*. Ele também acreditava que o sagrado é a raiz irredutível da religião, tanto em sua teoria quanto em sua prática.

SAI BABA

Ver o artigo sobre **Sathya Sai Baba**.

SAÍDICA, VERSÃO

Ver o artigo geral intitulado *Bíblia, Versões da*, sob *Copta*. Outras informações são dadas no artigo geral sobre *Manuscritos, Novo Testamento*, na divisão chamada *Versões*.

SAINT-SIMON, CLAUDE-HENRI

Suas datas foram 1760-1825. Filósofo e conde francês nascido em Paris, recebeu educação privada, e um de seus mestres foi o enciclopedista d'Alembert. Ativista na Revolução Francesa e na Revolução Americana, na ligação com o movimento na França, renunciou a seu título de nobreza. Foi o fundador do socialismo francês. Exerceu influência sobre Auguste Comte (ver a respeito), que se tornou seu discípulo e colaborador. Aos 19 anos de idade, era oficial da força expedicionária francesa enviada para ajudar a América do Norte em sua luta na independência da Inglaterra.

Percebendo que precisava de muito dinheiro para realizar os planos na sua terra de origem, em reformas políticas, após a revolução, conseguiu reunir apreciável fortuna. No entanto, gastou o dinheiro em aventuras ambiciosas, estudando e viajando. Quando deu início à sua carreira de escritor, já era um homem pobre. A isso, ele fez acompanhar por uma linha de desenvolvimento e expressão científica; e daí transferiu os seus interesses para a política, pois entendia que a política deveria ser deixada aos cuidados de uma elite científica, a única capaz de compreender as necessidades humanas e dotada da inteligência e do poder necessários para efetuar as modificações necessárias.

1. Foi Saint-Simon quem introduziu o termo *positivismo* na filosofia, tendo influenciado seu aluno, Comte, a um maior "desenvolvimento" ainda de seu pensamento e sistema. Ver o artigo *Positivismo*. Assumia a abordagem científica, quanto a todos os campos do empreendimento humano, como a ética, a religião e a política. Porém, sua fé na ciência era exagerada, ao pensar que essa abordagem do conhecimento e ação poderia ser o instrumento do progresso e da harmonia entre os homens.

2. Pretendia varrer para longe as "fossilizações sociais" com os seus esforços positivistas.

3. Para Saint-Simon, uma época crítica qualquer é aquela em que idéias estão sendo formuladas. E uma *época orgânica* é aquela em que essas novas idéias são colocadas em prática. Saint-Simon acreditava que seu período fora uma época crítica, e que se poderia antecipar uma época orgânica para breve.

4. A desejada época orgânica consistiria em três níveis de poder operante: a. os artistas e os engenheiros seriam uma espécie de manancial de idéias, que apresentariam suas propostas bem pensadas; b. cientistas seletos avaliariam as idéias e planos, abrindo caminho para a sua execução; c. industriais poriam em prática estas idéias.

5. *Na Religião*. Saint-Simon opinava que aquilo que ele via no cristianismo estava degenerado e por demais preocupado com os dogmas, com o exclusivismo e com a metafísica. Um novo cristianismo haveria de interessar-se por questões de ética e de fraternidade, pondo em prática a lei do amor entre todos os homens.

Saint-Simon não apresentou as observações seguintes, mas sua filosofia concordou com elas em *essência*.

Evolução da Vereda Espiritual

1. O mais baixo nível de espiritualidade é o materialismo. Nesse estado, os homens estão imersos na materialidade e no *egoísmo*.

2. Daí, os homens podem avançar para a superstição, quando já receberam alguma iluminação acerca das realidades espirituais, posto que de maneira distorcida, ainda em mistura com muita ignorância.

3. Em seguida, aparece o nível fundamentalista, quando a letra das Escrituras é tudo. Nesse nível, predomina uma

SAIVISMO – SALA

alegada verdade absoluta e promove-se a *hostilidade contra* todas as pessoas ou organizações que diferem. A arrogância manifesta-se fortemente. Contudo, admitamos que esse nível representa considerável progresso espiritual.

4. Vem então o estágio filosófico, onde os credos já não ficam sem exame crítico. Doutrinas antigas são vistas por outro prisma, e se acrescentam novos conceitos e novas posturas, que antes não faziam parte do quadro mental e espiritual.

5. Em um nível *subseqüente,* os homens chegam a ter fome e sede de conhecimento em primeira mão e de um desenvolvimento espiritual mais vital. Isso pode atingir uma intensidade de agonia, uma paixão devoradora que agita o espírito.

6. Finalmente, vem a *vereda mística*, a busca e a obtenção da *iluminação*. Ver sobre *Misticismo*.

SAIVISMO

Esse é o nome de uma das duas principais seitas teístas do hinduísmo. Deriva-se do nome da adoração ao grande deus pessoal, *Siva*, e também incorpora a adoração às suas esposas, de tal modo que esse culto tinha ares nitidamente politeístas. Tal como o *vishnuísmo* (ver a respeito), o saivismo atrai pessoas de todas as classes e camadas da vida, e de muitas localizações geográficas. Apesar de o sistema ter absorvido algumas idéias e crenças aviltantes, também conseguiu impor algumas crenças sofisticadas e algumas práticas nobres.

Várias subseitas têm enfatizado os poderes de um ou de outro aspecto de Siva. Na opinião de algumas, ele é o supremo asceta; para outras, a suprema destruição; para outras, o supremo criador etc. Assim sendo, tem provocado tanto raciocínios filosóficos quanto a contemplação mística, sendo objeto de intensa e sincera devoção. Dependendo da localidade de seus adeptos, essa fé assume muitas faces, algumas crassamente politeístas, outras mais refinadas. Uma dessas formas é a adoração às forças dessa divindade, personalizadas como deusas; essas forças são chamadas *shakti*. Ver o artigo geral sobre o *Hinduísmo*.

SAL

No hebraico, *melach* (cerca de trinta ocorrências no Antigo Testamento); no grego, *alas* ou *als*, com doze ocorrências no Novo Testamento em diversas categorias gramaticais. Cloreto de sódio, composto cristalino que tinha (e tem) diversos usos, quer naturais, quer espirituais. Há ainda os usos simbólicos, morais e espirituais. O sal era um item comercial no Oriente, obtido de lagos de sal, especificamente do mar Morto, e da mineração.

Usos:

1. Condimento para temperar alimentos, tanto para os homens como para animais (Jó 6.6; Isa. 30.24).

2. Elemento necessário para ofertas e sacrifícios, seja em cereais, seja nos animais (Lev. 2.13).

3. Preservativo para alimentos (vegetais e animais), Êxo. 30.35.

4. Auxílio à fertilização do solo para apressar a decomposição de excrementos (Mat. 5.13; Luc. 14.35).

5. Elemento medicinal usado para lavar bebês recém-nascidos e para outros tipos de limpeza (Eze. 16.4).

6. Dado como recompensa por serviços, juntamente com o óleo e o vinho, e, entre os romanos (e posteriormente), usado como pagamento, derivando daí a palavra "salário".

7. Elemento destrutivo misturado ao solo dos inimigos para garantir a infertilidade por longos períodos (Juí. 9.45).

8. Item de comércio (Josefo, *Ant.* 13.4.9)

Usos figurativos:

1. Nas cerimônias do pacto, para falar sobre sinceridade e durabilidade (Núm. 18.19; II Crô. 13.5; Esd. 4.14).

2. Para simbolizar os ministérios sinceros dos homens bons em contraste com o serviço falso e frívolo de alguns (Mat. 5.13).

3. Para simbolizar a graça e a sinceridade do coração (Mar. 9.50).

4. Para falar da sabedoria e da fala sensível, livre de hipocrisia (Col. 4.6)

5. Promotores falsos de fé religiosa têm falta de sal (isto é, de sinceridade e genuinidade; ver Mat. 5.13; Mar. 9.50).

6. Uma cova de sal representava a desolação (Sof. 2.9).

7. Salgar com fogo significa julgamento severo (Mar. 9.49); também poderia significar a purificação dos pecadores através de julgamentos.

8. O valor de um homem espiritual sincero o transforma no "sal da terra" (Mat. 5.13). Como genuíno homem de fé, ele dá valor à terra.

9. Para falar de coisas infrutíferas (Deu. 29.23; Sof. 2.9; Juí. 9.45; Sal. 107.34)

10. Para simbolizar cura ou poderes de transformação (II Reis 2.20,21).

11. Para significar esterilidade e improdutividade (Deu. 29.23; Sof. 2.9).

SAL, CIDADE DO

O nome de uma cidade no deserto de Judá (Jos. 15.62), provavelmente na extremidade sudoeste do mar Morto, onde algumas formações montanhosas são de sal puro. Foi uma de seis cidades dadas a Judá como posse naquela área geral. Talvez Khirbet Qumran marque o antigo local. A área vem sendo povoada desde pelo menos a Idade do Ferro II.

SAL, VALE DO

O que *aconteceu* nesta região é claro em referências bíblicas, mas o *local* é disputado. Alguns sugeriram o wadi el-Milh (sal), por causa da similaridade de nomes. Esse wadi se localizava um tanto a leste de Berseba. Um local mais provável é es-Sebkah, região estéril e salina ao sul do mar Morto. De qualquer modo, este local foi o palco de várias batalhas importantes de Israel, como se pode observar nas seguintes referências: II Sam. 8.13; II Reis 14.7; I Crô. 18.12 e II Crô. 25.11.

SALA (QUARTO) DE HÓSPEDE

Ver os artigos separados sobre *Convidado*; *Câmara*, *Aposento* e *Hospitalidade*. Algumas traduções dizem "quarto de hóspede" para a palavra grega *katáluma*, que aparece por três vezes no Novo Testamento: Mar. 14:14; Luc. 2:7 e 22:11. Na verdade, essa palavra significa apenas "aposento". Vem do verbo *katalúo*, que indica, entre outras coisas, "alojar-se". Portanto, a palavra grega pode apontar para um lugar de alojamento temporário, ou onde se efetua um banquete. Assim, na tradução Septuaginta, o termo é usado em I Sam. 9:22 para indicar o lugar onde Samuel e Saul tiveram juntos uma refeição. A palavra hebraica correspondente, *lishkah*, significa apenas "aposento", "sala".

Em nossa versão portuguesa, no Novo Testamento, o vocábulo grego em foco é traduzido por "aposento" em Mar. 14:14 e Luc. 22:11. Mas, em Luc. 2:7, é traduzido por lugar, no trecho que diz que na hospedaria não havia vaga para José e Maria. Esta estava grávida em seus últimos dias de gestação. Destarte, Jesus nasceu e foi deitado em uma

SALA SUPERIOR – SALÁRIOS

manjedoura, onde eram guardados os animais. Para o Rei do universo, não havia abrigo melhor do que esse!

SALA SUPERIOR (CENÁCULO)

O termo *cenáculo* também é usado. O termo hebraico correspondente é *'aliyah*, "alto". Ver II Reis 1:2; 23:12; I Crô. 28:11; II Crô. 3:9; Juí. 3:23. No Novo Testamento grego, o termo grego correspondente é *anageon*, usado em Mar. 14:15, Luc. 22:12; e também temos *uperoon*, em Atos 1:13; 9:37, 39 e 20:8. Os cenáculos eram usados como salas de meditação e oração, para escapar à confusão do dia, e também como sala de visitas. Nas casas hebréias, os cenáculos eram cobertos com um telhado plano. Nas estruturas gregas e romanas, o cenáculo fazia parte do andar superior de uma casa. O cenáculo era usado durante o verão; e o andar térreo, durante o inverno. Os judeus associavam o inverno ao interior da casa, e o verão, ao ar livre.

No grego, *anagaion*, "quarto superior", isto é, um quarto do primeiro andar. O termo grego ocorre somente em dois trechos que descrevem a cena da Última Ceia do Senhor Jesus com seus discípulos (Mar. 14:15 e Luc. 22:12). É possível que o vocábulo seja uma contração do grego *anà tèn g?n*, "acima do chão". Tal termo é raro, confinado ao período helenista.

Grandes salões, em um patamar superior, com escadas internas ou externas, um pouco acima do ruído e da agitação das ruas das cidades antigas, são mencionados como uma característica da arquitetura palestina. No Antigo Testamento, havia o que se chamava de "quarto alto", correspondente aos cenáculos, no Novo Testamento (ver II Reis 1:2 etc.).

Na narrativa do livro de Atos, outro tipo de aposento é mencionado, a saber, o *uperõon*, que é o substantivo neutro do termo grego comum, *uperõos*, "sob o telhado", escada acima. Esse é o termo usado na Septuaginta para traduzir o termo hebraico a que já nos referimos. Mas, visto que Lucas não usou esse vocábulo para indicar o aposento usado na Última Ceia, é extremamente duvidoso que seja o mesmo quarto onde os discípulos costumavam orar e onde Pedro discursou, após o que os apóstolos escolheram Matias, para tomar o lugar de Judas Iscariotes (Atos 1:13). Nesse texto, não há evidências em apoio nem à noção de que esse foi o mesmo aposento onde os discípulos "receberam" o Espírito Santo, no dia de Pentecoste, nem de que foi o aposento onde Jesus celebrou a sua última Páscoa, em companhia dos discípulos. De fato, há várias provas em contrário.

O atual cenáculo, no latim, *coenaculum*, adjacente ao mosteiro beneditino, na antiga cidade de Jerusalém (no latim, *Dormition Sanctae Mariae*), data do período medieval, pelo está inteiramente fora de cogitação. E, embora o túmulo por baixo dele, tradicionalmente chamado de Túmulo do rei Davi, tenha sido identificado há muito tempo (desde a época do rabino Benjamin de Tudela, c. de 1173 d.C.), nada foi dito que essa seria a locação do *cenáculo*, senão muito depois do século XII. E embora Epifânio (359-403 d.C.) tenha mencionado que o imperador romano, Adriano, visitou o "cenáculo", em 135 d.C., não há confirmação a isso senão já durante a Idade Média, o que empresta à questão uma aura de muitas dúvidas.

O templo cristão, depois transformado em mesquita islâmica, e, mais tarde, novamente em templo cristão, construído onde o cenáculo estaria localizado, data somente do século XIV d.C. Em vista do exposto, é melhor pensar que não se sabe onde ficava esse cenáculo. E nem a questão é importante para nós, evangélicos, que não cremos em lugares sagrados, no sentido da Igreja Católica Romana e de outras religiões.

SALAI

A palavra hebraica para *pesado*, ou para *quem rejeita*, o nome de duas famílias no Antigo Testamento, ou de dois indivíduos:

1. Uma família de Benjamim, e um membro líder daquela família. Esta pessoa e sua família (928 pessoas) radicaram-se em Jerusalém após o retorno do cativeiro babilônico, por volta de 455 a.C. (Nee. 11.8).

2. Um chefe de família de sacerdotes que retornaram do cativeiro babilônico na companhia de Zorobabel, por volta de 536 a.C. (Nee. 12.20).

SALAMIEL

Nome hebraico semelhante a *Selumiel*, de Núm. 1.6, que significa "paz de Deus". A variante *Salmiel* é dada na Septuaginta. Em Judite 8.1, o homem é mencionado como ancestral de Judite.

SALAMINA

1. *Termo*. Este nome provavelmente se origina do grego *salos*, que significa um "vagalhão" ou "onda" do mar. É o nome de uma cidade no extremo leste da ilha de Chipre, um ancoradouro movimentado naquela parte da ilha. O porto antigo foi quase completamente sedimentado pelo rio Pedias, e assim o que o povo vê hoje é totalmente diferente do visual do ancoradouro antigo.

2. *Referências Históricas*. O local antigo é marcado pela Famgusta moderna. A tradição nos conta que uma cidade foi construída ali por Teucer depois da guerra troiana, porém a arqueologia demonstrou que o lugar era habitado antes daquele período. Sabemos que ela mantinha extenso comércio com Fenícia, Egito e o Oriente, especialmente de produtos como grãos, vinho, azeite de oliva e sal.

Esta cidade-estado pagou tributo à Assíria em 668 a.C., e a arqueologia confirma a influência daquele império ali. A cidade figurou na revolta grega contra a Pérsia no quinto e quarto século a.C. Os ptolomeus tomaram a área no terceiro século a.C. Ela ficou sob o controle romano aproximadamente em 58 a.C. Então se tornou parte da província da Cilícia, porém em 31 a.C. conquistou a independência como uma província imperial. Desde a época dos ptolomeus, grandes colônias judaicas têm existido ali.

3. *Época Neotestamentária*. Atos 13:5 é a única referência neotestamentária específica ao lugar. *Sérgio Paulo* (vs. 7) foi o procônsul nos dias dos apóstolos. Ver o detalhado artigo sobre ele, o qual dá informação suplementares ao presente artigo. Ver também sobre *Chipre*. Paulo e Barnabé visitaram este lugar depois de deixar a Selêucida. Havia sinagogas (plural) ali, o que indica uma grande população judaica. É possível que os conversos daquela população estivessem entre os cristãos de Chipre mencionados em Atos 11:19, 20. Barnabé era natural de Chipre, e seu alegado túmulo está localizado próximo ao moderno mosteiro de Ail Barnaba. O bispo Epifânio de Salamina (367-402 d.C.) é lembrado por seu apoio radical ao movimento monástico e sua oposição aos seguidores de Orígenes.

SALÁRIOS

I. Os Termos
II. Primeiros Usos
III. Informações Bíblicas
IV. Usos Figurativos

SALÁRIOS – SALGUEIRO

I. Os Termos
Palavras hebraicas:
1. *sakar*, "contratar", "recompensar" (Gên. 31.8; Êxo. 2.9; Eze. 29.18,19).
2. *maskereth*, "recompensa", "aluguel", "recompensa" (Gên. 29.15; 31.41; Rute 2.12).
3. *peulah*, "recompensa", "trabalho", "salário" (Lev. 19.13; Sal. 109.20)
4. *chinnam*, "gratuito", "vão", "sem salário" (Jer. 22.13)
Palavras gregas:
Nossa palavra *salário* é uma transliteração da palavra latina para *sal*. Soldados romanos recebiam parte de seus proventos em sal. O cloreto de sódio (sal) tornou-se um importante item comercial. Ver o artigo geral sobre *Sal*.

II. Primeiros Usos
A forma mais antiga do "salário" era o item de troca ou de comércio através do qual uma pessoa adquiria outros itens. O trabalho era *vendido* por objetos de valor, sejam agrícolas ou outros. O preço pago pelo trabalho era um salário. O trabalho é uma propriedade a ser vendida, seja em pares (para ganhar muitos itens), seja de uma só vez, para ser usado ao longo de um período específico de tempo. Trocas de uma coisa por outra constituíam a forma mais primitiva de salário. Produtos específicos pagavam por serviços: Ver Gên. 29.15,20; 31.7,8,41. "Salários" para soldados ou trabalhadores são mencionados em Ageu 1.6; Eze. 29.18,19; João 4.36, e tais pagamentos eram feitos em produtos, não em moedas, uma invenção posterior. Metais preciosos em peso, contudo, constituíam uma forma muito antiga de pagar salários. Embora já existissem moedas na Ásia Menor (entre os lidianos), em períodos tão remotos quanto 700 a.C., o Oriente Próximo não adotou tal prática até cerca de 300 a.C.

III. Informações Bíblicas
A legislação mosaica era muito rígida em favor ao pagamento justo pelo trabalho e pela honestidade na troca de itens. Isso era controlado pela casta dos sacerdotes, que eram os guardiões da lei (Lev. 19.13; Deu. 25.14,15). Censura grave era invocada contra aqueles que abusavam da lei (Jó 24.11); a retenção de salários justos era considerada um crime sério (Jer. 22.13; Mal. 3.5). Tia. 5.4 informa-nos sobre os maus patrões de seus dias. A barganha era uma forma de determinar a quantidade do salário, e um empregador poderia ser mais ou menos generoso, conforme suas qualidades espirituais e morais (Gên. 30.28; Mat. 20.1-16). A lei reduzia a exploração: os salários eram pagos diariamente, antes do pôr-do-sol (Lev. 19.13; Deu. 24.14,15). Mas, como nos tempos modernos, na história remota passada, era comum a exploração de trabalhadores. O homem que tivesse dinheiro não tinha dificuldade em explorar aquele que não tivesse. O "escravo do salário" tem sempre sido uma constante na história humana. Ver Jer. 22.13; Mal. 3.5. A medida de um homem é sua generosidade, outro nome que se pode dar à lei do amor, mas não são muitos os que seguem essa lei nas sociedades em que o dinheiro é deus e a maioria dos homens é escrava desse deus.

Um antigo *padrão* bíblico para trabalhadores diaristas era o *denário*, Mat. 20.2; ou o *dracma*, Tobias 5.14, que alguns calculam tivesse o valor de uns 16 centavos de dólar americano, mas todas as suposições dessa natureza são inúteis. Podemos assegurar que o salário padrão, onde existisse, era suficiente apenas para sustentar a vida.

IV. Usos Figurativos
1. Deus paga seus "salários" (recompensas) aos fiéis que obedecem à Sua vontade e trilham pelo caminho espiritual. O mesmo se aplica aos infiéis, de forma negativa (Isa. 40.10; 62.11; Sal. 109,20; II Ped. 2.15).
2. O julgamento é um tipo de salário de retribuição negativa para aqueles que ignoraram as leis espirituais (Sal. 109.20).
3. A vida eterna é um *presente* de Deus, mas os *proventos* do pecado são a morte (Rom. 6.23).
O *salário justo*, literal ou figurativo, é uma subcategoria do princípio de *justiça*, que, presume-se, rege este mundo e por fim triunfará.

SALATIEL
Esta é uma forma alternativa de *Sealtiel* (ver).

SALCÃ
Do hebraico, "caminhar", cidade ou região de Basã (Deu. 3.10; 13.11), aparentemente uma das capitais do reino de Ogue. I Crô. 5.11 parece indicar que ela se localizava na fronteira leste de Manassés e Gade. Este assentamento controlava o acesso ao sudeste do vale fértil de Haurã (isto é, a Basã bíblica). Ainda pode ser vista hoje uma antiga estrada romana na área. A cidade foi identificada com a moderna *Salkhade*, situada no topo de um vulcão extinto. A arqueologia descobriu algumas ruínas significativas do local, incluindo uma cidadela cuja forma presente tem o nome de *Ayyubid*. Algumas ruínas são dos tempos romanos. Entre as descobertas estão moedas de Areta, rei dos nabateus (9 a.C. – 40 a.C.).

SALEFE
Do hebraico "retirado", palavra usada para designar um filho de Joctã e uma tribo árabe (Gên. 10.26; I Crô. 1.20). É provável que os descendentes do homem em questão tornaram-se a tribo com o mesmo nome. Os nomes Salaf e Sulaf sobreviveram como designações de locais na área envolvida. Salefe parece ter vivido em cerca de 2200 a.C. O nome talvez derive de *salafa*, que significa "cultivar" e "trazer para frente". O significado pretendido pode fazer referência a uma *colheita*.

SALÉM
Do hebraico, "paz", uma forma abreviada para Jerusalém. Estritamente falando, esta era a forma original do nome da cidade. A palavra ocorre apenas quatro vezes na Bíblia (Gên. 14.18; 33.18, Sal. 76.2; Heb 7.1). Melquisedeque foi um antigo rei do local, como nos informa a referência em Hebreus. Ele foi o "rei da paz", definido melhor no verso seguinte, implicando "segurança, prosperidade e bem-estar". Os jebuseus originais provavelmente adoravam a divindade cananéia Salém. Se isso for real, esta era a verdadeira origem do nome da cidade. Nas Cartas Amaranas, a forma do nome é Urusalim (cidade da paz).

SALEQUETE
Do hebraico, "expulsão" ou "rebaixamento". Este era o nome de um dos portões do templo de Salomão, através do qual era jogado refugo (daí o motivo da designação). Na saída deste portão uma calçada levava ao vale chamado *Tiropeon*. Ver I Crô. 26.16. Alguns estudiosos supõem que as cinzas e entranhas dos animais sacrificados no templo fossem jogadas por este portão. Mas sabemos que tais materiais eram depositados no vale do Cedrom, que ficava a leste do templo.

SALGUEIRO
As palavras hebraicas para esta espécie de árvore são *saph* e *saphah*, equivalentes dos termos árabes *sifsaf* e

SALIM – SALMANASER

'*arab*. Esta é uma árvore que tem folhas finas e galhos flexíveis que são usados para a feitura de cestas. Ver Eze. 17.5; Lev. 23.40; Jó 40.22; Sal. 137.2; Isa. 15.7; 44.4. A canção folclórica do Salmo 137 faz referência a uma das espécies de salgueiro, possivelmente a *Salix babylonica*, que crescia na Babilônia. Há outras opiniões sobre a questão e nada pôde ser demonstrado.

SALIM
1. *Termo*. Esta palavra parece ser oriunda da raiz grega *saleuo*, que significa "agitar", "tremer". Era a localização do *Enon* (o termo hebraico para "nascentes"), e a agitação daquelas águas poderia ter emprestado seu nome ao lugar.
2. *Localização*. Ninguém sabe hoje, com certeza, onde este lugar estava situado. a. Talvez pertencesse a Decápolis, visto que Jerônimo e Eusébio dizem que Salumias, cerca de 13 km ao sul de Citópolis, era o local. Nesse caso, Tel Radgah (também chamada Tell Shekh es-Salim) identifica a região. 2. É possível que um lugar próximo às nascentes de wadi Farah, localizado ao leste de Nablo, estivesse em vista, e essa foi a conjectura de Albright. 3. Outros endossam o wadi Saleim, situado a aproximadamente 10 km ao nordeste de Jerusalém, como a identificação moderna mais provável.
3. *Menção Neotestamentária*. Este era o lugar onde João batizava seus conversos, "porque havia ali muita água" (João 3:22-26). Isso provavelmente significa que ele batizava por imersão, o modo pelo qual os judeus batizavam seus prosélitos.

SALISA, TERRA DE
Do hebraico, "triangular", mas chamada por alguns de "terra do terceiro terreno". Este era o nome de um distrito junto ao monte Efraim (I Sam. 9.4), localizado ao norte de Lida. Aparentemente, a Khirbet Keir Thilth moderna identifica o antigo local, estando a palavra *thilth* etimologicamente relacionada a *shalishah*. Está em vista a terra ao redor de Baal-Salisa (II Reis 4.42). A Bíblia menciona esta área em conexão com a busca de Saul pelos asnos de seu pai, Quis.

SALITRE
Do hebraico *nether*, traduzido como "vinagre" em Pro. 25.25, mas como "salitre" em Jer. 2.22. É uma substância alcalina usada para propósitos de limpeza. O nitro moderno é salitre, composto de nitrato de potássio, mas não é o mesmo que o *nitron* dos antigos. A substância ocorre naturalmente em certos solos.

SALIVA (CUSPE)
Quatro palavras hebraicas e duas gregas estão envolvidas nos textos que falam de cuspe e cuspir: Hebraico: *rir*, "saliva", "clarade ovo" (II Sam. 21.13); *roq*, "saliva". "cuspir"; *raqaq*, "cuspir" (Lev. 15.8); yaraq, "cuspir" (Núm. 12.14); *Grego: ptusma*, "saliva" (João 9.6); *emptuo*, "cuspir" (Mat. 7.33; João 9.6). A saliva poderia ser a fonte da mancha da cusparada (Lev. 15.8). Cuspir no rosto de outra pessoa era um insulto grosseiro (Núm. 12.14; Mat. 26.27; 27.30). Mas Jesus usou o próprio cuspe para curar um homem cego (João 9.6). Os rabinos consideravam o cuspe um agente de cura. Cães lambem suas feridas, e isso parece auxiliar no processo de cura, embora possa ser realizado apenas como uma limpeza, em vez de como um elemento de poder antibacteriano. Ver os artigos *Curas* e *Milagres*.

SALMA, SALMOM
Do hebraico, "firmeza" ou "fortaleza".
1. Um filho de Calebe era chamado com esse nome. Ele obteve a reputação de fundador (pai) de Belém (I Crô. 2.11, 51, 54). O nome ali é *Salmom*.
2. O pai de Boaz (Rute 4.20, 21). A ortografia *Salamah* aparece no vs. 20, mas no versículo seguinte temos *Salmon*. O mesmo homem foi o "pai" (ancestral) dos netofatitas (vs. 54). Ele viveu em torno de 1400 a.C.

SALMÃ
Um rei com esse nome é mencionado em Osé. 10.14. Esta é uma forma abreviada de Salmaneser (ver, a seguir, sob o ponto 5). Alguns estudiosos, contudo, pensam que o monarca moabita, Salamanu, é quem está em vista. Seu nome ocorre em uma inscrição de Tiglate-Pileser III (745-727) que ainda estava vivo na época de Oséias. A primeira idéia é a mais aceita.

SALMAI
No hebraico, *Yahweh é o recompensador*. Seu nome aparece em duas passagens diferentes: Esd. 2:46 e Nee. 7:48. Contudo, na primeira destas passagens, seu nome aparece, em nossa versão portuguesa, com a forma de "Salmai", o que também ocorre no livro apócrifo de I Esdras (5:30). Ele representava uma família de servidores do templo, que retornou do exílio babilônico (Nee. 7:48). Cerca de 536 a.C.

SALMANESER
Do assírio, "o deus Sulma e o chefe". A transliteração grega é *Salannesar* ou *Salamnasar*. Apenas SalamaneserV é mencionado na Bíblia, mas para apresentar um material completo, forneço breves descrições dos cinco reis assim denominados. As inscrições assírias nos dão detalhes sobre esses soberanos. Ver o artigo separado sobre a *Assíria*.
1. *Salmaneser I* (1345-1274 a.C.). Era um homem destemido, uma das luzes mais brilhantes na história assíria. Filho de Adade-Nirade I e distinto guerreiro, derrotou vários inimigos, dentre eles os povos de Uratu, Guti, os hurrianos, os hititas e os arameus. Ao capturar Carquêmis, foi o primeiro rei assírio a entrar em choque com os egípcios (e com o oeste da Ásia).
2. *Salmaneser II* (1030-1020 a.C.). Sua principal tarefa foi a fortificação da Assíria, uma vez que o povo repeliu a dominação aramaica.
3. *Salmaneser III* (858-824), filho de Assurnasirpal II. Brilhante estadista e guerreiro, foi o primeiro assírio a ter contato direto com Israel. Nele viveu novamente o espírito do poderoso Tiglate-Pileser I (que viveu em cerca de 1110 a.C.). Como a maioria dos antigos reis de notoriedade, suas realizações se resumiram em principalmente matar, conquistar e expandir fronteiras. Sua história é marcada por uma longa lista de povos conquistados e, com este trabalho, ele expandiu o império assírio em todas as direções. Para maiores detalhes, ver o artigo geral sobre Assíria, ponto 10. *História*, d. *Novo Império* (900-612 a.C.). Temos vários artefatos arqueológicos importantes de sua época, sendo o mais famoso deles o Obelisco Negro, que agora se encontra no Museu Britânico. É um bloco sólido de basalto de mais de dois metros de altura, cujas inscrições contam a história das conquistas de Salmaneser e dos subseqüentes tributos de vários povos que ele extorquiu. Outro grande pedaço escavado retrata o rei, em tamanho real, e também possui duas colunas de escrita. Vários grandes bois, completos com inscrições, foram desenterrados e fornecem informações vitais sobre o período da história assíria no qual Salmaneser III esteve envolvido.

SALMERON, ALFONSO – SALMOS

O rei passou a última parte de seu reinado em casa, embelezando o local, construindo moradias governamentais e privadas. A maior parte do trabalho posterior foi feita em Cala, uma cidade reconstruída por seu pai.

4. *Salmaneser IV* (782-722 a.C.), filho de Adade-Nirari III. Extorquiu tributos da Samaria, a capital do norte de Israel, fato registrado na estela de Rima, e também no Antigo Testamento, mas sem constar o nome dele como o recebedor. Este rei não foi conhecido por muito, exceto por seu controle das rebeliões contra a Assíria e dentro de seu próprio país.

5. *Salmaneser V* (725-722 a.C.) deu continuidade às políticas da Assíria para manter o fluxo de entrada do dinheiro proveniente de tributos. Quando Tiglate-Pileser III, rei da Assíria, morreu em 727 a.C., seu trono foi tomado por Ululai, governador da Babilônia, que então passou a ser conhecido como Salmaneser V. A Assíria manteve sob tributo a maioria dos reis da Palestina, incluindo Oséias, rei de Israel, como vemos em II Reis 17.3. Israel cansou de pagar todo aquele dinheiro e então revoltou-se, com resultados desastrosos. Uma invasão da Samaria resultou primeiro na captura de Oséias, que foi levado à Babilônia. Antes deste evento, Salmaneser V morreu, e Sargão II tomou seu lugar (723-722). Ele pode ser o homem mencionado em Osé. 10.14. Quase 800 mil israelitas do norte foram exilados, e colonos vindos de vários lugares do Oriente ocuparam o reino do norte. Em mistura com o restante da população local, eles se tornaram os samaritanos. Foi cometido um genocídio eficaz, uma especialidade da antiga Assíria. Para maiores detalhes, ver os artigos: *Assíria*; *Samaritanos e Israel, Reino de*.

SALMERON, ALFONSO

Suas datas foram 1515-1585. Jesuíta espanhol, teólogo e exegeta católico romano, exerceu influência sobre decisões tomadas quando do Concílio de Trento (ver sobre os *Concílios Ecumênicos*). Publicou comentários sobre os evangelhos, o livro de Atos e as epístolas de Paulo.

SALMODIA

Esta palavra combina "salmo" com *oide*, "cântico", dando a entender o uso litúrgico dos Salmos; ou, mais frouxamente, "o cântico dos salmos". Os Salmos são usados no ofício divino (Horas); no Breviário (sobre o que apresento artigos separados). No Livro de Orações da Igreja Anglicana, o Saltério aparece dividido em sessenta porções para serem usadas durante um mês, a cada manhã e a cada tarde. Os historiadores têm mostrado que os Salmos eram entoados pela Igreja primitiva. Naturalmente, isso ocorria em imitação ao que se fazia no judaísmo. Tal prática foi a precursora dos corais e dos hinos evangélicos. O trecho de Col. 1:16 faz distinção entre um salmo cantado e um hino. Ver o artigo intitulado *Música*. Desenvolveram-se vários padrões litúrgicos. A salmodia antifonal é uma forma que alterna dois coros. A salmodia responsiva é a alternância entre um coro e um solista. A salmodia direta usa os salmos sem alternância.

SALMONA

No grego, *Salmoné*. Um promontório na porção leste da ilha de Creta, atualmente chamado cabo Sídero. Quando Paulo e outros viajantes tomaram um navio em Mira, na Lícia, tiveram de enfrentar fortes ventos que sopravam do nordeste. Mantendo-se próximos da costa, eles chegaram a Cnido com alguma dificuldade. Mas ali cessou a proteção dada pela costa. Teria sido possível lançar âncora naquele porto, à espera de ventos mais brandos; mas, por causa de seus urgentes desejos de chegar a Roma, o único curso que lhes restou foi navegar a "sotavento de Creta, na altura de Salmona". E Lucas acrescenta em seu relato: "Costeando-a penosamente, chegamos a um lugar chamado Bons Portos, perto do qual estava a cidade de Laséia" (Atos 27:7,8).

SALMOS

Esboço:
I. O Título e Vários Nomes
II. Caracterização Geral
III. Idéias dos Críticos e Refutações
IV. Autoria e Datas
V. Várias Compilações e Fontes Informativas
VI. Conteúdo e Tipos
VII. A Esperança Messiânica
VIII. Usos dos Salmos
IX. A Poesia dos Hebreus
X. Pontos de Vista e Idéias Religiosas
XI. Canonicidade
XII. Os Salmos no Novo Testamento
XIII. Bibliografia

I. O Título e Vários Nomes

1. O moderno título desse livro do Antigo Testamento vem do grego *psalmós*, que indica um cântico para ser cantado com o acompanhamento de algum instrumento de cordas, como a harpa. O verbo grego *psallein* significa «tanger». A Septuaginta diz *Psalmoi* como o título do livro. E é da Septuaginta que se deriva nosso título moderno do livro. A Vulgata Latina diz, como título, *Liber Psalmorum*.

2. O título hebraico antigo do livro era *Tehillim*, «cânticos de louvor». Esse título refletia o principal conteúdo dessa coletânea em geral. Mas vários outros vocábulos hebraicos introduzem salmos específicos, a saber:

Shir, «cântico» (29 salmos). *Mizmor*, «melodia», «salmo» (57 salmos); essa palavra subentende o tanger de algum instrumento de cordas, pelo que é similar ao termo grego *psalmós*. *Sir Hammolot*, «cânticos dos degraus» (Sal. 120 a 134), que eram cânticos entoados por peregrinos que subiam a Jerusalém para celebrar as festividades religiosas. *Miktam*, cujo sentido exato se perdeu, embora haja nas composições envolvidas a idéia de lamentações e expiação (Sal. 16, 56-40). *Maskil*, «instrução», que são salmos didáticos (Sal. 74, 78 e 79). *Siggayon*, também de significado duvidoso, mas talvez uma palavra relacionada ao termo hebraico *saga*, «dar uma guinada», «girar», referindo-se a um tipo de música agitada (Sal. 7). *Tepilla*, «oração», referindo-se a alguma composição poética entoada como uma oração ou petição (Sal. 142). *Toda*, «agradecimento», *Le annot*, «aflição». *Hazkir*, «comemorar» ou «lembrança», como no caso de um pecado cometido (Sal. 38 e 70). *Yedutum*, «confissão» (Sal. 39, 62 e 77). *Lammed*, «ensinar» (Sal. 60). *Menasseah*, «diretor musical» (55 salmos). *Yonat elem rehoqim*, que diz respeito a alguma «pomba» (deve estar em foco algum tipo de sacrifício). *Ayyelet hassahar*, «corça do alvorecer» (estará em foco algum sacrifício). *Sosannim*, «lírios» (Sal. 60, 65 e 69), talvez uma referência ao uso de flores em cortejos nos quais eram entoados salmos. *Neginot*, uma referência a instrumentos musicais que sem dúvida acompanhavam o cântico de salmos (Sal. 6, 54, 55 e 67). *Sela*, «elevar», talvez uma direção para que se elevasse a voz, em algum tipo de bênção ou vozes responsivas (39 salmos). *Nehilot*, «flautas», uma referência ao acompanhamento do cântico de salmos por meio desse instrumento de sopro.

A complexidade desses títulos reflete tanto a própria complexidade da coletânea quanto o seu variegado uso em

SALMOS

conexão com a devoção privada e com a adoração pública, especialmente aquele tipo que era acompanhado por música.

II. Caracterização Geral

«O livro de Salmos, tradicionalmente atribuído a Davi, é uma antologia de cânticos e poemas sagrados dos hebreus. Aparece na terceira seção do Antigo Testamento, chamada os Escritos (no hebraico, *Ketubim*). A palavra *salmos* é de origem grega e denota o som de algum instrumento de cordas. Seu nome, em hebraico, é *tehillim*, 'louvores'. Os temas dos salmos envolvem não somente louvores ao Senhor, mas também alegria e tristeza pessoais, redenção nacional, festividades e eventos históricos. O seu fervor religioso e poder literário têm conferido a essa coletânea uma profunda influência através dos séculos, e não menos no mundo cristão».

«Tem havido intensa disputa entre os eruditos acerca da antiguidade e autoria desses salmos, e acerca de sua conexão com o rei Davi. Provavelmente foram compostos durante um período bíblico de mil anos ou mesmo mais. Dentre os cento e cinquenta salmos, setenta e três têm, no seu título, as palavras «de Davi»; e muitos deles foram compostos na primeira pessoa do singular. Alguns desses, ou porções dos mesmos, parecem ser de data posterior à do reinado de Davi. Entretanto, o cotejo com outras peças poéticas religiosas do Oriente Próximo e Médio da mesma época geral sugere que alguns dos poemas atribuídos a Davi datam, realmente, do tempo dele. Sem importar o que os especialistas digam, é apenas natural que a crença popular tenha atribuído a obra inteira ao maior dos reis de Israel, um poeta e músico que se sentia em íntima comunhão com Deus» (WW).

Os salmos reverberam as mais profundas experiências e necessidades do coração humano, e assim exercem uma atração permanente sobre as pessoas de todas as religiões. Incorporaram o que havia de melhor nas formas poéticas dos hebreus, tendo-as desenvolvido, e eram acompanhados por um surpreendente desenvolvimento musical, com frequência usado para acompanhar a recitação dos salmos na adoração formal de Israel.

Tem-se tornado comum aos eruditos liberais aludirem aos salmos como «o hinário do segundo templo», o que serve de uma boa descrição. Contudo, não há nenhuma razão constrangedora que nos force a duvidar de que pelo menos muitos dos salmos, bem como a música que os acompanhava, já faziam parte da liturgia do primeiro templo de Jerusalém. Ver a terceira seção, intitulada *Idéias dos Críticos e Refutações*, quanto aos argumentos pró e contra acerca da data e da compilação dessa coletânea de hinos e poemas. Esse hinário do segundo templo contém muitos elementos antigos que correspondem ao que se conhece sobre a poesia antiga de outras culturas, e não somente da cultura hebréia; e isso favorece a antiguidade pelos menos de uma parcela razoável da coletânea.

Seja como for, a fé religiosa viva resplandece através desses hinos e poemas. O Saltério é o hinário do antigo povo de Israel; e, posteriormente, veio a ser o livro veterotestamentário mais constantemente citado no Novo Testamento. Os primeiros hinários cristãos, em vários idiomas, incorporaram muitos dos salmos, que então foram musicados. Sob o primeiro ponto, temos dado indicações sobre os muitos tipos de salmos que compõem a coletânea, e, nas seções quinta e sexta, ilustramos essa questão em pouco mais. Os principais tipos de salmos são os de louvor, lamentação, confissão, júbilo, triunfo, agradecimento, salmos reais, imprecações contra os inimigos, história sagrada, sabedoria, liturgias, cânticos festivos. O livro de Salmos reflete muitos aspectos da vida religiosa e das aspirações do antigo povo de Israel, e é dotado de profunda beleza e percepção espiritual, o que tem feito do livro uma parte imortal da literatura religiosa.

III. Idéias dos Críticos e Refutações

Apesar de todos os homens louvarem os salmos, nem todos pensam que eles foram autenticamente compostos por Davi e produzidos naquele antigo período da história. Talvez a maioria dos eruditos modernos veja os salmos como uma série de coletâneas que terminou unida em uma única grande coletânea, embora a totalidade tivesse sido composta e desenvolvida no processo de um longo tempo.

Alistamos os principais pontos de vista dos críticos, juntamente com as refutações às suas críticas:

1. O uso do termo hebraico *le* levanta uma questão de interpretação. Essa palavra pode significar «por», envolvendo assim a idéia de autoria. Porém, também pode ter o sentido de «pertencente a», não requerendo assim a idéia de que determinados salmos foram compostos pelo indivíduo que aparece no título. Onze salmos presumivelmente são atribuídos aos filhos de Coré, mas essa palavra hebraica aparece nos títulos introdutórios. No entanto, o trecho de II Crô. 20.19 mostra-nos que esses homens formavam uma guilda de cantores do templo, após o exílio. Não é provável que eles tenham, verdadeiramente, composto os salmos que lhes são atribuídos; antes, esse grupo de salmos foi selecionado por eles (provavelmente procedentes de diferentes autores), e os cantores os usavam em seu trabalho.

Resposta. Apesar de ser verdade que o vocábulo hebraico em questão pode envolver o sentido de «pertencente a», e que, de fato, em certos casos assim deve ser entendido, também é verdade que tal termo pode significar «por», indicando a autoria. E se havia uma guilda musical dos filhos de Coré, que existiu depois do exílio babilônico, é também provável que essa guilda já existisse desde tempos mais antigos, e que os seus descendentes é que foram mencionados em II Crônicas. Ver na *Enciclopédia* sobre *Coré; Coate e Coatitas*. A passagem de I Crô. 6.31 ss. fornece-nos os nomes daqueles que *Davi* nomeou para ocuparem-se da música sacra, e os filhos de Coré estavam entre eles. Ver o vs. 38. «Quando da reorganização instituída por Davi, os coatitas ocuparam certa variedade de ofícios, incluindo um papel na música executada no templo» (ND).

2. *Os títulos dos salmos* não eram originais, e sem dúvida contêm muitos desejos piedosos, não informações históricas autênticas.

Resposta. É verdade que as tradições tendem por adicionar toda espécie de material não histórico, mas também podemos estar tratando com anotações e observações verdadeiramente antigas dotadas de valor histórico, pelo menos no que se aplica à maioria dos salmos. A baixa crítica (estudo do texto dos manuscritos antigos) arma-nos de um constante testemunho em favor desses títulos. Todavia, este último argumento não é muito definitivo, visto que todos os manuscritos que temos dos Salmos são tão posteriores que se torna impossível fazer qualquer afirmação quanto ao valor histórico dos títulos, meramente por se encontrarem em todos os manuscritos conhecidos. *Todos os* manuscritos conhecidos do livro de Salmos são de data relativamente recente.

3. *Setenta e quatro dos salmos são atribuídos a Davi*, mas entre eles manifesta-se uma grande variedade de estilo, expressão e sintaxe, mostrando que dificilmente eles foram compostos por um único autor.

Resposta. Esse tipo de argumento só pode ter peso se também for exatamente detalhado quais problemas estão envolvidos. Argumenta-se que são achados aramaísmos

SALMOS

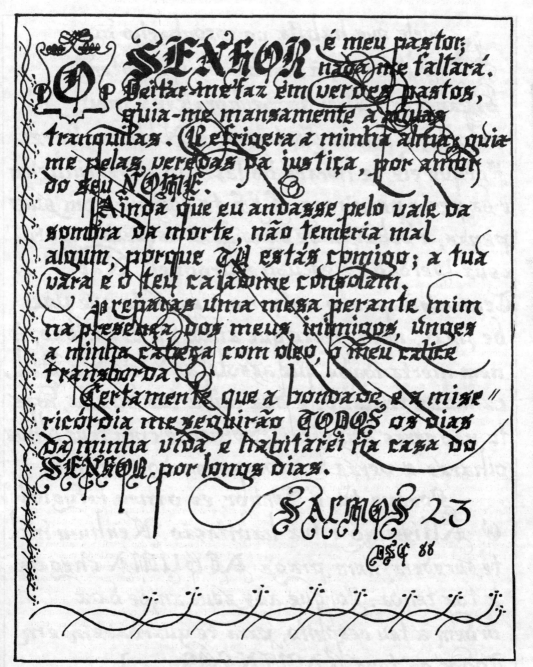

Caligrafia de Darrell Steven Champlin

SALMOS

Aquele que habita no esconderijo do Altíssimo, à sombra do Onipotente descansará. Direi do Senhor: Ele é meu refúgio, a minha Fortaleza, e Nele confiarei. Porque ele te livrará do laço do passarinheiro e da peste perniciosa. ELE te cobrirá com suas penas, e debaixo de suas asas estarás seguro: a sua Verdade é escudo e broquel. Não Temerás espanto noturno, nem seta que voe de DIA, nem peste que ande na escuridão, nem mortandade que assole ao meio dia. Mil cairão ao teu lado, e dez mil à tua direita, mas tu não serás atingido. Somente com teus olhos olharás e verás a recompensa dos ímpios.

Porque tu, ó Senhor, és o meu refúgio! O Altíssimo é tua habitação. Nenhum mal te sucederá, nem praga ALGUMA chegará à tua tenda. Porque aos seus anjos dará ordem a teu respeito, para te guardarem em todos os teus CAMINHOS.

Salmos 91
1-11

Caligrafia de Darrell Steven Champlin

SALMOS

nos salmos de Davi. Os eruditos conservadores dizem que isso poderia ter ocorrido durante o processo de transmissão dos textos. Questões assim só podem ser tentativamente resolvidas por eruditos no hebraico. Entretanto, todos os autores são, parcialmente, compiladores, pelo que é possível que Davi, embora poeta de alto gabarito, algumas vezes tenha incorporado composições não de sua autoria, em seus poemas. Além disso, é possível que vários dos chamados salmos de Davi não fossem de sua autoria, embora esse reparo não caiba à grande massa deles. Salmos anônimos provavelmente também foram atribuídos a Davi, visto que ele foi o principal para a coletânea. No Novo Testamento, certos salmos são atribuídos a Davi, embora os títulos do Antigo Testamento não digam tais coisas. Isso pode ter sido instância do que acabamos de asseverar. Não há necessidade de nos empenharmos pela autoria davídica desses salmos. Mas precisamos defender o conjunto dos salmos de Davi. Quanto a observações neotestamentárias, ver Atos 4.25 e Heb. 4.7. O trecho de I Crô. 16.8-36 contém porções dos Salmos 96, 105 e 106, e parece atribuí-los a Davi, ao passo que, no próprio livro de Salmos, eles figuram como anônimos. E no tocante a Heb. 4.7, alguns estudiosos argumentam que esse versículo não precisa ser interpretado com o sentido de que a autoria davídica está em pauta, pois estariam em foco apenas as questões do uso de idéias e o cuidado na prestação de ações de graças.

4. *Muitas coletâneas,* incorporadas naquilo que finalmente veio a ser o Saltério, provavelmente indicam um processo muito prolongado. Assim, apesar de alguns dos salmos terem sido de autoria davídica, a maior parte não o é, e a compilação final ocorreu após o exílio babilônico.

Resposta. Na primeira seção, acima, ficou demonstrado que, de fato, muitos dos títulos dos salmos sugerem fontes múltiplas, muito mais complexas do que se dizer que Davi e alguns outros, como Asafe, Salomão, os filhos de Coré etc., nos legaram os salmos. Todos os bons hinários são como antologias de hinos adicionadas através dos séculos. Porém, o reconhecimento desse fato não anula a idéia de que Davi foi o principal e mais volumoso contribuinte, e que outros salmos, como os de Asafe, também pertencem, autenticamente, à época de Davi. Ver a quinta seção, abaixo, quanto à complexidade de fontes que aparentemente estão por trás do livro de Salmos. Parece que precisamos admitir que o livro de Salmos recebeu contribuições da parte de muitos, ao longo de um prolongado tempo. Contudo, isso não anula o antigo âmago do livro, especialmente aquela porção que pertence autenticamente a Davi.

5. *Os títulos davídicos* relacionam os salmos a certos eventos da vida de Davi, mas a leitura desses salmos envolvidos revela-nos que o seu conteúdo nada tem que ver com o que aqueles títulos dizem.

Resposta. É admirável que as mesmas evidências possam ser interpretadas de modos diferentes, tudo dependendo de como os intérpretes aparentemente queiram distorcer a questão. Alguns eruditos liberais admitem nada menos de dezoito salmos como de autoria autenticamente davídica; mas outros desses mesmos eruditos não podem achar um único salmo que seja tão antigo que possa ser atribuído a Davi. Na quarta seção, *Autoria e Datas,* apresentamos um estudo sobre esses salmos que parecem refletir circunstâncias verdadeiras da vida de Davi. E consideramos isso adequado para demonstrar a presença de genuínos salmos davídicos no livro de Salmos, mesmo que isso não possa ser aplicado a todos os setenta e quatro salmos a ele atribuídos.

6. Apesar de poder ser demonstrado que alguns dos salmos contêm elementos antiquíssimos, que mostram afinidade com a poesia norte-cananéia (como aquela que foi encontrada em Ras Shamra; ver na *Enciclopédia* a respeito) ou com os antigos textos babilônicos, pode-se interpretar melhor esse ponto supondo-se que antigos elementos tivessem sido incorporados, e não que todos os salmos fossem verdadeiramente antigos. Por outra parte, pode-se mostrar que material literário semelhante aos salmos era bastante comum em tempos pré-exílicos, segundo se vê em Osé. 6.1-3; Isa. 2.2-4; 38.10-20; Jer. 14.7-9; Hab. 3.1 ss.; I Crô. 16.8-36. O mesmo sucedeu em tempos pós-exílicos, conforme se vê em Esd. 9.5-15 e Nee. 9.6-39. Com base nas evidências, podemos afirmar que essa forma de composição escrita era encontrada em várias colunas antigas, e isso cobrindo um período de tempo muito longo.

7. O *guerreiro Davi* poderia ter sido o autor desses monumentos de espiritualidade? Infelizmente é verdade que, em muitas ocasiões, Davi agiu como um puro selvagem. Mas ele viveu em tempos extremamente violentos, e precisou usar da violência a fim de sobreviver. Ficamos desconsolados ao ler os relatos de matanças insensatas que ocorreram em seus dias. Davi desejou construir o templo de Jerusalém; e o profeta Natã encorajou-o a fazê-lo. Mas, pouco depois, o Espírito de Deus mostrou a Natã que Davi não era a pessoa indicada para a obra, devido à sua trajetória sangüinária. E assim a tarefa foi transferida para Salomão, um dos filhos de Davi. O relato acha-se no sétimo capítulo de II Samuel. O trecho de I Sam. 27.8 ss registra o incrível incidente no qual Davi e seus homens executaram todos os homens, mulheres, crianças e até animais, meramente a fim de engodarem a Aquis, fazendo-o pensar que era contra Judá que Davi tinha agido. Isso Davi fez a fim de fortalecer a sua posição diante daquele monarca pagão, quando exilado no território dele. Davi queria que Aquis pensasse que a sua inimizade contra seu próprio povo israelita era tão grande que ele nunca mais seria uma ameaça para os vizinhos de Israel. Ora, um homem assim tão brutal poderia ter composto uma poesia tão sublime? Diante dessa indagação, relembramos o leitor de que os poemas homéricos, uma literatura de insuperável beleza e técnica, foram escritos dentro do contexto de matanças e ameaças de morte. Tem havido grandes poemas de fundo belicoso, com também soberba prosa. De fato, as guerras têm inspirado muitas grandiosas peças de literatura, além de notáveis produções teatrais. Também devemos considerar que Davi, embora tivesse vivido em tempos selvagens, também tinha outro lado em sua personalidade, o lado de uma profunda devoção ao Senhor. Isso fica claro nos livros de I e II Samuel, I e II Reis, além de várias outras referências a Davi, espalhadas pela Bíblia. Outrossim, a habilidade de Davi como poeta e músico já era proverbial em seus próprios dias. Os trechos de I Crô. 6.31 ss. e 16.8-36 fornecem-nos indicações a esse respeito. Finalmente, cumpre-nos considerar a natureza do próprio ser humano, um misto de nobreza e vileza, em uma mesma criatura. O sétimo capítulo da epístola aos Romanos elabora esse ponto. Até Adolfo Hitler gostava de cães! A passagem de Amós 6.5 mostra quão grande era a reputação de Davi como músico e poeta (ver também II Sam. 1.17 ss.; 3.33 ss.), a qual continuou a ser notória mesmo séculos depois de sua morte. A Bíblia chega a revelar que Davi inventou instrumentos musicais. O Cântico de Moisés (Êxo. 15) e o Cântico de Débora (Juí. 5) mostram que a poesia dos hebreus era muito antiga e muito bem desenvolvida. Não há

SALMOS

nenhuma razão em supormos que o templo original de Jerusalém não contasse com música e poesia dessa qualidade altamente desenvolvida. Não há nenhuma dúvida razoável acerca do papel desempenhado por Davi em tudo isso, a despeito de sua natureza belicosa, e, com freqüência, violenta.

8. Pode-se explicar melhor os salmos como composições que giraram em torno de tempos pós-exílicos e isso por várias razões, algumas das quais foram descritas acima. A música e a liturgia elaborada servem de outro fator de uma data posterior.

Porém, contra isso, além dos argumentos que já foram expostos, deveríamos observar que os *Manuscritos do Mar Morto* (ver a respeito na *Enciclopédia*) já continham muito material proveniente dos Salmos, e isso evidencia que os Salmos já haviam sido escritos em um período histórico anterior ao daquele em que foram produzidos os rolos do mar Morto. Todavia, essa resposta não nos faria retroceder até os dias de Davi, mas somente até um tempo anterior ao tempo dos Macabeus. No entanto, o argumento é sugestivo, mesmo que não conclusivo.

9. *A esperança messiânica* é por demais pronunciada no livro de Salmos para que essas composições sejam consideradas saídas da pena de Davi. Historicamente, essa esperança ajusta-se melhor ao período dos Macabeus, sendo similar ao material dos livros pseudepígrafos, no tocante aos anseios dos judeus pelo aparecimento de um Libertador. Uma posição mais radical é aquela que diz que nada semelhante ao Messias cristão está em foco, mas tão-somente a figura de um Rei-Salvador, como aquela que foi concebida no tempo dos Macabeus.

Resposta. Contra essa idéia, deve-se observar que desde tempos bem antigos na história de Israel esperava-se um Messias (ver Deu. 18.15). Isaías (750 a.C.) também reflete essa forte ênfase messiânica, conforme é claro para todos os que estudam a Bíblia, e isso certamente é anterior, e em muito, ao período pós-exílico. Ademais, afirmar que os antigos hebreus não poderiam ter tido a esperança messiânica é apenas uma opinião subjetiva. Podemos opinar subjetivamente que os hebreus poderiam ter tido tal esperança. Além disso, há indicações, extraídas da própria história da literatura bíblica, que mostram que o tipo de esperança messiânica davídica é mais antigo que a esperança refletida nos livros pseudepígrafos. O fato é que o livro de I Enoque contém uma esperança messiânica muito mais refinada e muito mais parecida com a do Novo Testamento do que aquela que transparece no livro de Salmos, refletindo um estágio posterior desse ensino. O artigo sobre I Enoque na *Enciclopédia* certamente demonstra que, quanto a esse aspecto, I Enoque está mais próximo do Novo Testamento do que o livro de Salmos. Quanto a pormenores sobre a esperança messiânica no livro de Salmos, ver a seção VII abaixo, que se dedica a esse assunto. Finalmente, no tocante a essa questão, precisamos relembrar dois itens incomuns e místicos que sempre acompanham as culturas humanas, antigas e modernas; o poder de curar e o de prever o futuro. Visto que o Messias brotou dentre o povo de Israel, não há nenhuma razão em supormos que a sua vinda não pudesse ter sido percebida com muita antecedência. Mas o contra-argumento mais definitivo aqui é que o próprio Jesus Cristo ensinou a natureza messiânica dos Salmos; «...importava se cumprisse tudo o que de mim está escrito na lei de Moisés, nos Profetas e nos Salmos» (Luc. 24.44).

10. A música e a liturgia elaborada, refletida no livro de Salmos, falam sobre uma época posterior à de Davi, ou seja, a época do segundo templo, terminado o exílio babilônico.

Resposta. Não há razão para crer que uma elaborada situação músico-litúrgica não se caracterizava no primeiro templo. O trecho de I Crô. 6.31 ss. certamente ensina que, desde bem cedo, o aspecto musical de fé religiosa ocupava um largo espaço na religião dos hebreus. As observações musicais, existentes nos títulos dos salmos, referem-se a três elementos: instrumentos musicais, melodias utilizadas, vozes e efeitos musicais. Nada há nesses elementos que necessariamente pertença a tempos posteriores aos de Davi, embora, como é óbvio e como ninguém pretende negar, tudo isso tenha sido sujeitado a um progressivo desenvolvimento e elaboração. Nos tempos pós-exílicos havia guildas de músicos, como a dos filhos de Coré (ver II Crô. 20.19); mas esse trecho mostra que essa família formava uma antiga guilda musical, desde os tempos do primeiro templo de Jerusalém.

Observações Gerais sobre o Conflito: Críticos Versus Conservadores. Temos dado um sumário bastante detalhado do debate que ruge entre estas duas facções de estudiosos. Opino que não há como solucionar todos os problemas envolvidos, visto que cada teoria tem sua contrateoria. Parece-me que a solução desses problemas só poderia partir de especialistas no idioma e na cultura dos hebreus, os quais, além disso, fossem técnicos no estudo dos próprios Salmos. E isso, como é óbvio, está acima da maioria dos eruditos do Antigo Testamento, para nada dizer sobre os leitores comuns. Controvérsias dessa natureza têm alguns elementos positivos, especialmente se forçam pessoas interessadas a estudar os livros da Bíblia em profundidade. Quanto ao seu lado negativo, essas controvérsias podem ser prejudiciais ao espírito da fé religiosa, dando maior ênfase à contenda do que à espiritualidade. A fim de ilustrar essa declaração, o leitor pode meditar sobre o fato de que uma de minhas fontes informativas (uma respeitável enciclopédia) desperdiça espaço desproporcionalmente grande sobre estas questões controvertidas, ao mesmo tempo que dedica muito pouco espaço à mensagem e ao valor dos salmos, como uma colêtanea sagrada. Certas pessoas (em sentido positivo ou em sentido negativo) gostam de debate, e acima de todas as coisas, elas debatem. É óbvio que isso é um exagero, que só pode ser prejudicial para a espiritualidade. Assim sendo, que debatamos, mas que o façamos sem hostilidade e exageros. Quando o amor transforma-se em ódio teológico, então eu me despeço e vou-me embora.

IV. Autoria e Datas

Quanto a esta particularidade, precisamos depender essen-cialmente dos informes dados nos títulos de introdução aos Salmos. Se dependermos somente desses títulos, obteremos o seguinte quadro:

Setenta e quatro salmos são atribuídos a Davi; dois a Salomão (Sal. 72 e 127); um a um sábio de nome Hemã (Sal. 88); um a um sábio chamado Etã (Sal. 89; quanto a esse, ver I Reis 4.31); um a Moisés (Sal. 90); vinte e três aos cantores levíticos de Asafe (Sal. 50; 73-83); vários aos filhos de Coré (Sal. 42, 43, 44-49, 84, 85, 87). Os quarenta e nove salmos restantes são anônimos.

Os informes existentes nos salmos subentendem que várias guildas musicais ou escreveram ou utilizaram os salmos. Quanto a uma exposição mais completa a respeito, ver a quinta seção da Introdução.

Várias Compilações e Fontes Informativas. Os eruditos conservadores contentam-se em confiar no valor histórico desses informes. Os eruditos liberais, por outra parte, têm

SALMOS

achado pouco ou nenhum valor nessas informações. R. H. Pfeiffer considera-os «totalmente irrelevantes». Mas, se os estudiosos conservadores estão com a razão, então a maior parte dos salmos foi composta nos dias do Davi. E, se os liberais estão certos, podemos pensar em um desenvolvimento gradual da coletânea, a começar por Davi, com uma compilação final nos tempos pós-exílicos. Na terceira seção, ventilamos os argumentos e os contra-argumentos que circundam a questão. Não se pode duvidar que desde antes de Davi havia uma literatura similar à dos salmos, que tem paralelo em várias culturas da época. Penso que nada de fatal pode ser dito acerca do possível valor dos pontos dos salmos, mesmo que não cheguemos a ponto de canonizar esses títulos juntamente com o texto, dependendo estupidamente de qualquer coisa que esses títulos digam.

Os argumentos que cercam a palavra hebraica *le* («por» ou «pertencente a»?) não podem anular a antiga autoria davídica, mas, em alguns casos, podem apontar para os processos de seleção e compilação, e não exatamente autoria. Ver III.1. A baixa crítica (que trata do texto dos manuscritos) favorece uma data definitiva, pois todos os manuscritos que chegaram até nós são de origem relativamente recente, e não se sabe quando foram acrescentadas as composições poéticas. Podemos conjecturar com segurança, porém, que esses títulos são posteriores à época de Davi, embora possam estar alicerçados sobre sólidas tradições históricas. Em caso negativo, precisamos depender do conteúdo dos salmos que refletem situações diversas na vida de Davi, e não dos títulos propriamente ditos. Muitos eruditos conservadores têm preferido esse argumento, apresentando assim um caso que merece respeito.

Salmos que Parecem Redefinir Situações Genuínas na Vida de Davi: Catorze dos salmos refletem motivos específicos de sua composição. Depende aqui das informações supridas por Z. A ordem de apresentação é cronológica, e não numérica.

O Salmo 59 foi ocasionado pelo incidente registrado em I Sam. 19.11, e projeta luz sobre o caráter de certos associados invejosos de Davi (59.12).

O Salmo 56 mostra como o temor que Davi sentiu em Gate (ver I Sam: 21.10), acabou transmutando-se em fé (56.12).

O Salmo 38 ilumina as demonstrações de bondade subseqüentes, da parte do Senhor Deus (38.6-8, cf. I Sam. 21.13).

O Salmo 142, à luz da perseguição descrita em seu sexto versículo, sugere as experiências de Davi na caverna de Adulão (cf. I Sam. 22.1), e não em En-Gedi (ver sobre o Salmo 57, mais abaixo).

O Salmo 52 (cf. o vs. 3) enfatiza a iniqüidade de Saul, como superior de Doegue, que foi o carrasco executor dos sacerdotes (cf. I Sam. 22.9).

O Salmo 54 (cf. o vs. 3) impreca julgamento contra os zifeus (cf. I Sam. 23.13).

O Salmo 57 envolve a caverna de En-Gedi, quando Saul foi apanhado na própria armadilha que havia armado (57.6; cf. I Sam. 24.1).

O Salmo 7 apresenta-nos Cuxe, o caluniador benjamita (7.3), ao mesmo tempo em que o oitavo versículo desse mesmo salmo corresponde a I Sam. 24.11,12.

O Salmo 18 é repetido na íntegra em II Sam. 22; cronologicamente, deveria ter sido posto em II Sam. 7.1.

O Salmo 60 (cf. o vs. 10) ilumina a perigosa campanha militar contra os idumeus (ver II Sam 3.13,14; I Crô. 18.12), também referida em I Reis 11.15.

O Salmo 51 elabora o pecado de Davi com Bate-Seba e contra Urias (ver II Sam. 12.13,14).

O Salmo 3 retrata (cf. o vs. 5) a fé que Davi demonstrou ter, ao tempo da revolta de Absalão (cf. II Sam. 15.16).

O Salmo 63 lança luz sobre a fuga de Davi para o Oriente nessa ocasião (cf. II Sam. 16.2), pois, em suas fugas anteriores, ele ainda não subira ao trono de Israel (ver Sal. 63.11).

O Salmo 30 alude ao pecado de orgulho de Davi, devido ao poder do seu exército (ver os vss. 5, 6; cf. II Sam. 24.2), antes da perturbação que perdurou pouco tempo (cf. II Sam. 24.13-17; I Crô. 21.11-17). A isso seguiu-se o seu arrependimento e a dedicação do altar e da *casa* (a área sagrada do templo; I Crô. 22:1) de *Yahweh*.

Entre os salmos restantes cujos títulos determinam a sua autoria, os vinte e três salmos compostos pelos cantores de Israel exibem panos de fundo inteiramente diferentes uns dos outros, visto que aqueles clãs levíticos continuaram em atividade durante e após os tempos do exílio babilônico (ver Esd. 2.41). A maior parte desses vinte e três salmos pertence aos dias de Davi ou de Salomão. Todavia, o Salmo 83 ajusta-se dentro do ministério do asafita Jaaziel, ou seja, em torno do 852 a.C. (cf. os vss. 5-8 com II Crô. 20.1,2,14), ao passo que os Salmos 74, 79 e as estrofes finais dos Salmos 88 e 89 foram compostos por descendentes de Asafe e de Corê que, ao que tudo indica, sobreviveram à destruição de Jerusalém, em 586 a.C. (ver Sal. 74.3,8,9; 79.1; 89.44).

Entre os salmos sem títulos ou anônimos, alguns poucos são oriundos do tempo do exílio babilônico (Sal. 137), do tempo do retorno dos judeus a Judá, em 537 a.C. (Sal. 107.2,3 e 126.1), ou da reconstrução das muralhas, sob a liderança de Neemias, em 444 a.C. (Sal. 147.13). Outros salmos, que refletem momentos trágicos, facilmente poderiam estar vinculados às desordens provocadas pela revolta de Absalão, ou então a certas calamidades que se abateram sobre Davi (cf. Sal. 102.13,22, 106.41-47). R. Laird Harris recomenda que se use de grande cautela na crítica a respeito das datas de determinados salmos, escrevendo: «É de regular interesse que as alusões históricas dos salmos não ultrapassam os tempos de Davi, excetuando o Salmo 137, um salmo anônimo que versa sobre o cativeiro. Vários salmos dizem respeito, em termos gerais, aos tempos do cativeiro e às dificuldades enfrentadas em períodos de desolação do templo (por exemplo, Sal. 80; 85 e 129). Entretanto, essas são descrições poéticas bastante gerais, e não deveríamos esquecer que Jerusalém foi saqueada por mais de uma vez. O próprio Davi enfrentou duas conspirações em seu palácio. Nenhum dos salmos acima referidos é atribuído a Davi, embora alguns deles pudessem ter sido compostos em seus dias, ou pouco mais tarde» (Cf. F. H. Henry, editor, *The Biblical Expositor*, II, pág. 49).

Após termos suprido tais informações, nem por isso temos demonstrado que todos os setenta e quatro salmos atribuídos a Davi foram, na realidade, escritos por ele. Porém, temos dado motivos para crer que a contribuição de Davi foi real e vital. A posição radical que diz que os Salmos, como uma coletânea, foram compostos em tempos pós-exílicos, pelo menos em sua maioria, não resiste à investigação. Podemos concluir, portanto, que a maior parte dos salmos foi composta mais ou menos na época do primeiro templo de Jerusalém, ou seja, 1000 a.C., ou ligeiramente mais tarde.

SALMOS

V. Várias Compilações e Fontes Informativas

Já apresentamos o essencial desta questão, conforme aparecem diversos informes nos títulos dos salmos, no segundo parágrafo da quarta seção da Introdução. Se esses títulos estão essen-cialmente corretos historicamente falando, então outras fontes informativas devem ser rebuscadas entre os quarenta e nove salmos anônimos. Sempre que um título não for de caráter histórico, teremos o aumento no número de salmos anônimos.

Diversas coletâneas secundárias (envolvendo assim autores e datas diferentes) podem estar indicadas nos títulos hebraicos *shir, miktam, maskil* etc. Uma de minhas fontes informativas conjectura que pode ter havido um mínimo de dez coletâneas menores de salmos, antes da compilação final do Saltério. Temos o *Saltério Eloísta* como exemplo de uma coletânea distinta. Esses são salmos onde o nome divino predominante é Elohim. Trata-se dos Salmos 42 a 83. Curiosamente, o Sal. 53 é uma recensão eloísta do Sal. 14; e o Sal. 70, de Sal. 40.13-17. Além disso, temos os *Cânticos dos Degraus,* um grupo distinto de salmos (120 a 134) que, provavelmente, eram usados pelos peregrinos, quando subiam para celebrar festividades religiosas em Jerusalém. O trecho de Sal. 135.21 tem uma doxologia que pode ter assinalado o fim de uma dessas coletâneas secundárias. As doxologias finais do quarto livro podem ter encerrado originalmente uma pequena coletânea, que acabou fazendo parte do todo. Ver Sal. 106.48. As coletâneas secundárias refletem crescimento e a idéia de crescimento implica diferentes datas para diferentes segmentos do livro de Salmos.

VI. Conteúdo e Tipos

A. Quatro Tipos Principais:

1. *Os Salmos de Davi.* O livro I (Sal. 1 - 41) é essencialmente atribuído a Davi, exceto o Salmo 1, que é a introdução a esse livro I, e o Sal. 33, que não tem título. Parece que foi Davi quem primeiro coligiu o primeiro grande bloco de material que, finalmente, veio a fazer parte da coletânea total, no livro de Salmos. Um total de setenta e quatro salmos lhe são atribuídos; e, como é óbvio, eles não ficam todos no livro I.

2. *Os Salmos de Salomão.* Os livros II e III exibem um maior interesse nacional que o livro I. Esses livros incluem os Sal. 42 a 89. O rei Salomão foi o responsável pela doxologia de 72.18-20, e pode ter sido o compilador (embora não o autor) do livro II. Porém, os Sal. 42 a 49 são produção do clã cantante dos filhos de Coré. O Salmo 50 é de autoria de Asafe.

3. *Os Salmos Exílicos.* O livro III contém os Salmos 32, 52, 74, 79, e 89, que aludem à história posterior de Israel, já distante do período de Davi, mencionando a destruição de Jerusalém, em 586 a.C., e certas condições próprias do exílio. Porém, esse livro mostra certa variedade de composições, da parte de vários autores. De Davi (como o Sal. 86), de Asafe (Sal. 73 -83), dos filhos de Coré (Sal. 84, 85 e 87).

4. *Os Salmos da Restauração, Pós-Exílicos e Macabeus.* Nestes salmos predomina o interesse litúrgico. Os Salmos 107 e 127 devem ter provindo do tempo após o retorno dos exilados, em 537 a.C., e talvez existissem em uma coletânea separada, que foi então adicionada. Um inspirado escriba pode ter trazido o livro V (Sal. 107 - 150) à existência, unindo-o aos livros I – IV, ao adicionar a sua própria composição (Sal. 146-150) como uma espécie de grande aleluia! relativo ao Saltério inteiro. E isso pode ter ocorrido em cerca de 444 a.C. (Sal. 147.13), quando Esdras proclamou a renovação da adoração de Israel no segundo templo de Jerusalém. Alguns estudiosos pensam que o próprio Esdras pode ter sido o responsável pela compilação final (Esd. 7.10). Outros eruditos têm pensado que o período dos Macabeus foi o tempo da produção de muitos salmos, a começar por 168 a.C. Porém, naquele período, o aramaico já havia sobrepujado quase inteiramente o hebraico, e os salmos não foram compostos em aramaico. Ademais, o material dos Manuscritos do Mar Morto contém os salmos, fazendo a data de sua composição retroceder para antes do período dos Macabeus. Por conseguinte, é improvável que um grande número de salmos se tenha originado no tempo dos Macabeus.

B. Os Cinco Livros:

O livro de Salmos divide-se em cinco livros, cada um dos quais termina com uma doxologia. São os seguintes: Livro I (Sal. 1-41); Livro II (Sal. 42-72); Livro III (Sal. 73-89); Livro IV (Sal. 90-106); Livro V (Sal. 107-150).

C. Temas Principais:

1. *O tema messiânico.* Preservei este assunto para ser ventilado na seção oitava, onde ele é descrito pormenorizadamente.

2. *Louvor.* Alguns exemplos são Sal. 47; 63; 104; 145 - 150.

3. *Pedidos de bênção e proteção.* Sal. 86; 91 e 102.

4. *Pedidos de intervenção divina.* Sal. 38 e 137.

5. *Confissão de fé,* especialmente no tocante aos poderes e ofícios do Senhor. Sal. 33; 94; 97; 136 e 145.

6. *Penitência pelo pecado.* Sal. 6; 32; 38; 51; 102; 130 e 143. Em algum destes salmos, o perdão recebido é o assunto principal.

7. *Intercessão* em favor do rei, da nação, do povo etc. Sal. 21; 67; 89 e 122.

8. *Imprecações.* Queixas contra os adversários e o pedido para que Deus proteja, faça justiça e vingue. Sal. 35; 59; 109.

9. *Sabedoria, homilias espirituais,* com o oferecimento de instruções (salmos pedagógicos). Sal. 37; 45; 49; 78; 104; 105-107; 122.

10. *O governo e a providência divina.* Como Deus trata com todas as classes de homens, incluindo os ímpios. Sal. 16; 17; 49; 73 e 94.

11. *Exaltação à lei de Deus.* Sal. 19 e 119.

12. *O reino milenar do Messias.* Sal. 72.

13. *Apreciação pela natureza.* Temos aqui um reflexo da bondade, da glória e da beleza de Deus. Sal. 19; 29; 33; 50; 65; 74; 75; 104; 147 e 148.

14. *Salmos históricos e nacionais,* onde é elogiada a condição de Israel. Sal. 14; 44; 46-48; 53; 66; 68; 74; 76; 78-81; 83; 85; 87; 105; 108; 122; 124-129. São passados em revista muitos incidentes da história de Israel, e a providência divina é celebrada. O futuro de Israel é projetado de forma esperançosa.

15. *A humilde natureza humana e sua grandeza.* Sal. 8; 31; 41; 78; 100; 103 e 104.

16. *A existência da alma e sua sobrevivência.* Sal. 16.10,11; 17.15; 31.5; 41.12; 49.9,14,15. Historicamente, essa crença entrou no judaísmo mediante os Salmos e os livros dos profetas, e mostra-se ausente no Pentateuco.

17. *Liturgia.* Sal. 4; 5; 15; 24; 26; 30; 66; 92; 113-118; 120-134.

VII. A Esperança Messiânica

Ver a décima segunda seção quanto a uma lista completa de citações extraídas do livro de Salmos e contidas no Novo Testamento. Muitas dessas citações são de natureza messiânica. O próprio Senhor Jesus referiu-se aos Salmos, que prediziam a seu respeito (ver Luc. 24.44). Billy Graham chegou a asseverar que todos os Salmos são

SALMOS

messiânicos. Certamente isso é um exagero, mas o fato de que esse livro do Antigo Testamento foi o mais constantemente citado pelos autores do Novo Testamento mostra que ali o elemento messiânico certamente é fortíssimo. Por esse motivo, destaquei essa questão do restante do conteúdo deste verbete, para efeito de ênfase.

1. *Sal. 2.1-11.* O poderoso Filho de Deus, exaltado pelo Pai contra os seus adversários, triunfa sobre tudo e todos. Este trecho é citado em Atos 4.25-28; 13.33; Heb. 1.13 e 5.5; onde recebe uma interpretação messiânica.

2. *Sal. 8.4-8.* A exaltação do Filho de Deus. Todas as coisas foram postas debaixo de seus pés, o que sob hipótese nenhuma pode aplicar-se a um mero ser humano. Esta passagem é citada em Heb. 2.50-10 e I Cor. 15.27, dentro de contextos messiânicos.

3. *Sal. 16.10.* A incorrupção do Filho de Deus em sua morte; sua divina e miraculosa preservação; sua segurança no Pai. Este salmo é citado em Atos 2.24-31 e 13.35-37, sendo aplicado à ressurreição de Cristo, bem como à sua autoridade e exaltação gerais.

Há seis salmos da paixão: Sal. 16; 22; 40; 69; 102 e 109.

4. *Sal. 22.* Um dos salmos da paixão que fornecem detalhes sobre a crucificação e descrevem os sofrimentos do Messias. Este salmo é citado em Mat. 26.35-46; João 19.23-25 e Heb. 2.12. O Sal. 22.24 prediz a glorificação de Cristo; o vs. 26 fala sobre a festa escatológica e o futuro trabalho de ensino do Messias (vss. 22, 23, 25; Heb. 2.12).

5. *Sal. 40.6-8.* A encarnação. A citação acha-se em Heb. 10.5-19.

6. *Sal. 46.6,7.* O trono eterno do Messias. Sua natureza divina (vs. 6), embora distinta do Pai (vs. 7). O trecho de Heb. 1.8,9 cita esta passagem.

7. *Sal. 79.25.* A maldição sobre Judas Iscariotes, citada em Atos 1.16-20.

8. *Sal. 72.6-17.* O governo do Messias. Seu reino será eterno (vs. 7); seu território será vastíssimo (vs. 8); todos virão para adorá-lo (vss. 9-11).

9. *Sal. 89.3,4,28,29,34-36.* O Messias como o Filho de Davi; sua descendência será eterna (vss. 4, 29, 36, 37). Este salmo é citado em Atos 2.30.

10. *Sal. 102.25-27.* A eternidade do Filho-Messias. Uma invocação a Yahweh (vss. 1-22) e a El (vs. 24) é aplicada a Jesus Cristo.

11. *Sal 109.6-19.* Judas Iscariotes é amaldiçoado. O Messias teria muitos adversários, mas havia um maior de todos. O plural aparece nos vss. 4,5 e muda para o singular no vs. 6, sendo reiniciado no vs. 20. Este salmo é citado em Atos 1.16-20.

12. *Sal. 110.1-7.* A ascensão e o sacerdócio do Messias. Ele é o Senhor de Davi (vs. 1), e é sacerdote eternamente (vs. 4). Este salmo é citado em Mat. 22.43-45; Atos 2.33-35; Heb. 1.11; 5.6-10; 6.20; 7.24.

13. *Sal. 132.11,12.* Ele, o Filho de Davi, é a semente real e eterna. Este salmo é citado em Atos 2.30.

14. *Ofício de Profeta, Sacerdote e Rei.* Que o Messias pudesse ocupar esses três ofícios, foi profetizado antes mesmo do tempo de Davi. O Messias é visto como profeta (Deu. 18.15), como sacerdote (Lev. 16.32) e como rei (Núm. 24.17). Ora, nos Salmos há indicações acerca de todos esses três ofícios. Ele é profeta em Sal. 22.22, 23; 25; Sal. 23. Ele é sacerdote, divino e humano em Sal. 110.2. Ele é rei em Sal. 2; 6; 12; 24 e 72. Essas três idéias são combinadas em Sal. 22.12 e 110.2.

Quanto a completos detalhes sobre a questão dos ofícios de Cristo como profeta, sacerdote e rei, ver na *Enciclopédia* o artigo intitulado *Ofícios de Cristo.* Ver a tradição profética em geral sobre o Messias, com referências cruzadas com o Novo Testamento, no artigo chamado *Profecias Messiânicas Cumpridas em Jesus.*

VIII. Usos dos Salmos

1. Todos os estudiosos concordam que os Salmos eram o *hinário* do segundo templo de Israel. No entanto, essa restrição não é imperiosa. O trecho de I Cor. 6.31 ss. demonstra o uso de música elaborada no culto divino, nos próprios dias de Davi. Portanto, o uso litúrgico dos salmos foi importante desde o começo. E isso teve prosseguimento na Igreja cristã, onde muitos salmos foram musicados e usados no culto de adoração. Além disso, muitos versículos, porções de salmos ou idéias ali contidas foram incorporados nos hinos cristãos.

2. Os salmos prestam-se muito bem a *devoções particulares,* sendo extremamente ricos em conceitos espirituais, além de excelentes como consolo e inspiração para o louvor ao Senhor. Muitos salmos são obras-primas literárias em miniatura, conforme se vê nos Salmos 1; 2; 8; 19; 22; 23 e 91. Qualquer seleção será forçosamente defeituosa, mas essa seleção ilustra o ponto.

3. Os Salmos são uma Bíblia em miniatura dentro da Bíblia, conforme Lutero afirmou, repletos de idéias religiosas e de fervor. Não foi por acidente que os autores do Novo Testamento citaram mais dos Salmos do que de qualquer outro livro do Antigo Testamento. Ver a décima segunda seção quanto a uma demonstração desse fato. O próprio Senhor Jesus muito se utilizou dos salmos. Ele e os seus discípulos entoaram o *Hallel* (Sal. 113 -118), por ocasião da Última Ceia.

4. *Textos de prova acerca do messiado de Jesus* são abundantes nos Salmos, conforme é demonstrado na sétima seção da Introdução.

5. *Uso dos Salmos em Ocasiões Especiais.* Os títulos dos salmos dizem-nos que muitos deles eram usados em certas ocasiões, como o sábado, as festividades religiosas etc. Para exemplificar, o Sal. 92 era usado no sábado, e talvez igualmente o Sal. 136. Os Sal. 120 - 134 são conhecidos como «Salmos dos Degraus», porquanto eram entoados pelos peregrinos quando subiam a Jerusalém, para celebrar as principais festas dos judeus.

Alguns eruditos pensam que vários salmos eram usados na festa anual da entronização de Yahweh, como Rei de Israel, um costume que tinha paralelos no paganismo. Os Sal. 47; 93; 95 - 99 são designados como tais. E alguns estudiosos supõem que essa prática se alicerçasse sobre a festa do Ano Novo na Babilônia, o *akitu,* quando o deus Marduque era carregado pelas ruas da cidade de Babilônia. Depois de um elaborado ritual, era-lhe conferido mais um ano de autoridade no país, como um rei divino. Presumivelmente, as palavras de Sal. 24.7,8: «Levantai, ó portas, as vossas cabeças; levantai-vos, ó portais eternos, para que entre o Rei da Glória... o Senhor poderoso nas batalhas», refletem aquele costume, que teria sido copiado pelos israelitas. Mas a maior parte dos eruditos conservadores assevera que salmos que supostamente aludem a essa festa podem ser explicados melhor de outras maneiras. Talvez aquelas assertivas do Sal. 24 reverberem o transporte da arca da aliança para Jerusalém. Além disso, os salmos que exaltam ao Rei, de modo geral, fazem-no Rei sobre todas as coisas e sobre todos os povos, e não meramente sobre Israel. E isso pode ser um argumento contra a interpretação que fala em uma entronização específica do Rei divino sobre a nação de Israel. Essa universalidade pode ser vista em Sal. 93; 95-100. Com base em raciocínios subjetivos, alguns eruditos opinam que Israel jamais haveria de emular uma festividade pagã,

SALMOS

e argumentam que não há nenhuma evidência convincente e direta de que havia tal festividade em Israel. Outrossim, de que adiantaria ao homem entronizar a Deus? Em sociedades idólatras, idéias assim podem parecer razoáveis; mas não nas comunidades onde Deus aparece como todo-poderoso e transcendental.

6. *Crítica de Forma: Formas Literárias*. Hermann Gunkel, em sua obra *Awrewahlte Psalmen*, 1905, procurou demonstrar, no livro de Salmos, cinco distintas formas literárias que, por sua vez, implicariam usos específicos dos Salmos. Essas formas literárias seriam: a. hinos para cultos de adoração pública; b. lamentações e intercessões coletivas, em tempos de desastre nacional; c. salmos reais, cuja função prática era a de confirmar a autoridade do rei, como cabeça da teocracia em Israel; d. salmos de ação de graças; e. lamentações, intercessões e confissões individuais, além de pedidos para que fossem supridas necessidades pessoais. Não parece haver nenhuma razão para duvidarmos da exatidão geral dessas observações. Pois podemos estar certos de que havia um uso coletivo e comunal dos salmos, embora também houvesse um uso individual e privado.

7. *Magia e Contra-Encantamentos*. Alguns estudiosos têm sugerido que trechos do livro de Salmos, como 6.6-8; 64.2-4; 69; 91; 93.3-7 e 109 talvez fossem usados como fórmulas mágicas, para neutralizar as forças demoníacas. Isso poderia envolver uma prática coletiva e cúltica, ou então uma prática individual. Argumentos em favor e contra essas práticas (mormente no caso do uso dos salmos) estão baseados em sentimentos e raciocínios subjetivos, porquanto é extremamente difícil determinar quanta verdade possa haver nesse parecer. Seja como for, sabemos que tais práticas eram e continuam sendo comuns em muitas culturas. Sempre haverá muitas forças malignas ao nosso redor, que precisarão ser exorcizadas.

IX. A Poesia dos Hebreus

Como é evidente, os Salmos são a grande coletânea de composições poéticas da Bíblia. Quedamo-nos admirados diante da qualidade de muitas dessas antigas peças literárias, algumas das quais são obras-primas em miniatura. A poesia teve uma antiga e longa tradição na literatura dos hebreus. Ver na *Enciclopédia* sobre *Pentateuco*, primeira seção, décimo ponto, quanto a ilustrações a respeito, extraídas da porção mais antiga do Antigo Testamento. Ver também sobre *Poeta, Poesia*, especialmente em sua segunda seção, *Poesia no Antigo Testamento*.

X. Pontos de Vista e Idéias Religiosas

1. Apesar de os Salmos serem composições líricas, expressões emocionais e de fervor religioso, também transmitem muitos pensamentos, e, indiretamente, apresentam muitas doutrinas. A teologia hebréia geral faz-se presente, com algumas adições, como a crença na existência da alma e sua sobrevivência diante da morte biológica, e um fortíssimo tema messiânico. O estudo sobre os temas, na sexta seção, onde os principais temas são alistados, dá uma idéia sobre a multiplicidade de idéias apresentadas nesse livro da Bíblia.

2. A existência da alma e sua sobrevivência diante da morte física foi uma doutrina que só passou a ser expressa mais tarde, no judaísmo. No Pentateuco não há nenhuma referência clara e indisputável a esse fato. Muitas leis nunca são associadas a alguma recompensa ou punição apóstumulo. Não faltamos com a verdade ao afirmar que a maior parte dos ensinamentos do judaísmo sobre essa questão foi tomada por empréstimo. Tendo começado a ser expressa nos Salmos e nos livros dos profetas, foi nos livros apócrifos e pseudepígrafos, porém, que esse assunto encontrou seu maior desenvolvimento, antes do começo do Novo Testamento. O relato sobre Saul e a feiticeira de En-Dor demonstra a crença na existência da alma ao tempo de Davi. Ver I Sam. 28.3 ss, quanto à interessante narração do encontro de Saul com o espírito de Samuel. Indicações existentes no livro de Salmos, acerca da crença na existência da alma são: 16.10,11; 17.15; 31.5; 41.12; 49.9,14,15.

3. Os salmos imprecatórios, de fervorosa invocação a Deus para que mate os inimigos, podem ser facilmente entendidos dentro do contexto histórico, quando o povo de Israel quase sempre via-se sob a ameaça de um punhado de inimigos mortais; e o próprio Davi, como indivíduo, sempre teve de enfrentar tais dificuldades. Naturalmente, a atitude desses salmos não é a mesma que a de Jesus, o qual exortou os homens para que amassem seus inimigos. As imprecações fazem parte da natureza humana, e não nos deveríamos surpreender em encontrá-las nas páginas da Bíblia. Porém, é ridículo defender a espiritualidade das imprecações propriamente ditas. Muitos estudiosos conservadores têm tentado fazer precisamente isso. Talvez o comentário de C. I. Scofield, em sua introdução ao livro de Salmos, seja o mais sugestivo que podermos achar: «Os salmos imprecatórios são um grito dos oprimidos, em Israel, pedindo justiça, um clamor apropriado e correto da parte do povo terreno de Deus, e alicerçado sobre promessas distintas do pacto abraâmico (ver Gên. 15.18); porém, um clamor impróprio para a Igreja, um povo celeste que já tomou seu lugar junto com um rejeitado e crucificado Cristo (ver Luc. 9.52-55)». Exemplos de salmos imprecatórios são os de números 35, 59 e 109.

4. O ensino sobre o Messias, apesar de não tão avançado quanto no livro de I Enoque (se comparados aos conceitos que figuram no Novo Testamento), é surpreendentemente extenso. Dediquei a sétima seção da Introdução ao assunto.

5. Apesar de que muitos dos salmos foram designados para um uso litúrgico, neles aparecem muitas indicações de uma apropriada atitude individual espiritual, bem como da correta espiritualidade pessoal. Quanto a esse aspecto, os salmos concordam, grosso modo, com os livros dos profetas. Ver Sal. 15.1 ss.; 19.14; 50.14,23; 51.16 ss.

6. Há uma exaltada doutrina de Deus nos salmos tão generalizada que aparece praticamente em todos os salmos.

7. A importância da experiência religiosa pessoal é uma ênfase constante no livro de Salmos. Deus é retratado como quem está à disposição dos seres humanos, refletindo assim o ensino do *teísmo*, e não do *deísmo* (ver a respeito no *Dicionário*). O teísmo ensina que Deus não somente criou, mas também permanece interessado na sua criação, intervindo, recompensando e castigando. Mas o deísmo alega que Deus, ou alguma força divina criadora, após ter criado tudo, abandonou o mundo, deixando-o à mercê de forças naturais.

8. São ressaltados os deveres do homem para com Deus, como o arrependimento, a vida santificada, a adoração, o louvor, a obediência através do serviço e o amor ao próximo.

9. A adoração pública é uma questão obviamente frisada no livro de Salmos, visto que muitas dessas composições eram usadas exatamente nesse contexto. Precisamos pesquisar pessoalmente as questões religiosas; mas também precisamos fazê-lo coletivamente. A participação na adoração pública é encarecida em trechos como Sal. 6.5, 20.3, 51.19; 66.13-5.

10. A adoração não-ritual não é desprezada, devendo fazer parte integrante da busca espiritual dos homens. Ver Sal. 40.6 e 50.9.

SALMOS

XI. Canonicidade

Ver na *Enciclopédia* o artigo sobre *Cânon*, no que se aplica ao Antigo Testamento. Para os saduceus, somente o Pentateuco era considerado digno de ser chamado de Escrituras santas e autoritárias. Para os judeus palestinos, como era o caso dos fariseus, as três grandes seções de livros sagrados aceitos eram: o Pentateuco, os Escritos (que incluíam os Salmos) e os Profetas. Na ordem da arrumação judaica, os Escritos formavam a terceira seção. Entre os judeus da dispersão, vários livros apócrifos eram aceitos. E não é inexato falar sobre o Cânon Alexandrino. Além disso, havia as obras pseudepígrafas, revestidas de prestígio suficiente para que muitas idéias ali contidas fossem aproveitadas pelos escritores do Novo Testamento, embora, como uma coletânea, os livros pseudepígrafos nunca tivessem obtido condição canônica. É que a canonicidade origina-se, essencialmente, do valor interno de uma obra escrita, que se torna óbvio para todos quantos a lêem, além de originar-se da consagração da antigüidade, o que é uma espécie de processo histórico religioso, e, finalmente, de originar-se de pronun-ciamentos oficiais da parte de líderes religiosos, pronunciamentos esses que formam a base tradicional acerca dos livros sacros. Os estudiosos conservadores, ademais disso, pensam que o poder e a presença do Espírito Santo estão envolvidos nesses vários aspectos da questão. Mas os eruditos liberais mais radicais são da opinião de que o processo inteiro depende da mera seleção natural (uma espécie de seleção do leitor, aplicada às questões religiosas); mas, assim pensando, esses eruditos olvidam-se totalmente do elemento sobrenatural e dos poderes divinos por trás desse processo. Ver na *Enciclopédia* sobre *Inspiração*.

Se a coletânea dos Salmos foi-se formando através de um longo período de tempo, chegando a ser compilada somente após o cativeiro, então nenhuma canonização final poderia ter ocorrido até estar completa a coletânea. Porém, coletâneas preliminares (como aquelas de Davi, de outras antigas personagens e de clãs de músicos) tiveram suas próprias canonizações preliminares, o que explica a sua preocupação no decorrer de muitos séculos.

«No caso dos livros I, II e IV do Saltério, a canonização deve ter ocorrido com considerável presteza. O Sal. 18 foi incluído dentro do livro canônico de Samuel, dentro de meio século após a morte de Davi... Os Salmos 96 - 105 e 106 foram *designados* por Davi como um padrão para a adoração pública, bem no início de seu governo sobre todo o Israel (ver I Crô. 16.7-36). A designação de muitos outros salmos, para que os músicos os preparassem para a adoração prestada por Israel, serve de evidência de uma similar canonização consciente dos poemas de Davi. E o fato de que Davi e Salomão compilaram intencionalmente os livros I, II e IV, quando ainda viviam, fornece-nos testemunho extra do reconhecimento da autoridade espiritual pelo menos daqueles oitenta e nove salmos pelos contemporâneos desses dois monarcas». (Z)

O *livro III*, portanto, que contém as porções pós-exílicas do livro de Salmos, foi acrescentado. Talvez muitos dos salmos ali envolvidos fossem pré-exílicos e já fizessem parte da coletânea. Há pouco ou mesmo nenhum testemunho externo quanto à aceitação canônica do livro de Salmos, até o período intertestamentário. Somente então obtemos algumas declarações acerca do uso desses poemas. Por exemplo, o trecho de II Macabeus 2.13 refere-se aos livros de Davi, juntamente com os escritos de outros reis e de profetas. A passagem de Sal. 79.2 é citada como Escritura. Os Salmos já faziam parte da versão da Septuaginta do século III a.C., o que significa que o recolhimento e a autoridade desses poemas devem ter sido cristalizados antes do preparo daquela versão. O material das cavernas de Qumran, do século II a.C., também exibe os Salmos, o que serve de outro índice da aceitação da coletânea desde tempos mais remotos do que alguns estudiosos têm pensado. O rolo principal dos Salmos, encontrado na caverna II (além de cinco outros fragmentos), apresenta amplo material extraído dos livros IV e V dos Salmos. Esse material, porém, apresenta alguma variação na ordem sucessiva dos salmos, sugerindo que houvesse certa fluidez no arranjo dos salmos, e que o livro de Salmos ainda não havia chegado à sua forma final, conforme o conhecemos atualmente. Entretanto, alguns especialistas pensam que os salmos achados na caverna II formavam uma espécie de lecionário, e não uma completa coletânea dos salmos, em sua ordem normal. Porém, é impossível determinar a verdade por trás dessa questão.

Seja como for, de acordo com o arranjo final dos escritos do Antigo Testamento, encontramos a Lei, os Profetas e os Escritos. E o livro de Salmos fazia parte dessa terceira porção, os Escritos. Josefo referiu-se ao Antigo Testamento como uma coletânea de vinte e dois livros: Pentateuco, cinco; Profetas, treze, e os Hinos de Deus e Conselhos dos Homens (Apion, 1.8), que incluíam os Salmos, Provérbios, Eclesiastes e Cântico dos Cânticos.

Outrossim, temos as próprias declarações canônicas do Senhor Jesus, em Mat. 23.35 e Luc. 24.44.

Os Salmos são o segundo livro mais volumoso da Bíblia, perdendo somente para as profecias de Jeremias, mas o livro de Salmos é o mais constantemente citado no Novo Testamento. É dificílimo pôr em dúvida sua posição no cânon da Bíblia e sua autoridade espiritual.

XII. Os Salmos no Novo Testamento

Os Salmos são citados no Novo Testamento por cerca de oitenta vezes, o que significa que, dentre todos os livros do Antigo Testamento, esse foi o mais constantemente utilizado pelos autores neotestamentários. A muitas dessas citações foi dada uma interpretação messiânica, sobre o que comentei com pormenores na sétima seção e o artigo separado intitulado *Profecias Messiânicas Cumpridas em Jesus*.

Salmos	Novo Testamento
2.1,2	Atos 4.25,26
2.7	Atos 13.33; Heb. 1.5 e 5.5
4.4	Efé. 4.26
5.9	Rom. 3.13
8.3 LXX	Mat. 21.16
8.4-6 LXX	Heb. 2.6-8
8.6	I Cor. 15.27
10.7	Rom. 3.14
14.1-3	Rom. 3.10-12
16.8-11	Atos 2.25-28
16.10	Atos 2.31
16.10 LXX	Atos 13.35
18.49	Rom. 15.9
19.4	Rom. 10.18
22.1	Mat. 27.46; Mar. 15.34
22.18	João 19.24
22.22	Heb. 2.12
24.1	I Cor. 10.26
31.5	Luc. 23.46
32.1,2	Rom. 4.7,8
34.12-16	I Ped. 3.10-12
35.19	João 15.25
36.1	Rom. 3.18

SALMOS – SALMOS DE SALOMÃO

40.6-8	Heb. 10.5-7	III. Data, Autoria, Título, Autoria Múltipla
41.9	João 13.18	IV. Conteúdo
44.22	Rom. 8.36	V. Messianismo
45.6,7	Heb. 1.8,9	VI. Bibliografia
51.4	Rom. 3.4	
53.1-3	Rom. 3.10-12	
68.18	Efé. 4.8	
69.4	João 15.25	
69.9	João 2.17; Rom. 15.3	
69.22,23	Rom. 11.9,10	
69.25	Atos 1.20	
78.2	Mat. 13.35	
78.24	João 6.31	
82.6	João 10.34	
89.20	Atos 13.22	
91.11,12	Mat. 4.6; Luc. 4.10,11	
94.11	I Cor. 3.20	
95.7,8	Heb. 3.15; 4.7	
95.7-11	Heb. 3.7-11	
95.11	Heb. 4.3; 5	
102.25-27	Heb. 1.10-12	
104.4	Heb. 1.7	
109.8	Atos 1.20	
110.1	Mat. 22.44; 26.64	
	Mar. 12.36; 14.62	
	Luc. 20.42,43 e 22.69	
	Atos 2.34,35	
	Heb. 1.13	
110.4	Heb. 5.6,10 e 7.17,21	
112.9	II Cor. 9.9	
116.10	II Cor. 4.13	
117.1	Rom. 15.11	
118.6	Heb. 13.6	
118.22	Luc. 20.17	
	Atos 4.11	
	I Ped. 2.7	
118.22,23	Mat. 21.42	
	Mar. 12.10,11	
118.25,26	Mat. 21.9	
	Mar. 11.9,10	
118.26	João 12.13	
	Mat. 23.39	
	Luc. 13.35; 19.38	
132.11	Atos 2.30	
140.3	Rom. 3.13	

XIII. Bibliografia
AM NET BA E I IB IOT ND WBC WES YO Z

SALMOS DE ROMAGENS
Este termo aplica-se aos Salmos 120-134, em nossa Bíblia portuguesa. São os mesmos salmos chamados, em outras versões, de Salmos dos Degraus. Também são intitulados Salmos dos Peregrinos. Alguns eruditos pensam que os peregrinos entoavam esses salmos, enquanto subiam em direção ao templo de Jerusalém. Foi com base nessa alegada circunstância histórica que tais salmos passaram a ser assim intitulados. Em nossa Bíblia portuguesa, o subtítulo exato é "Cântico de Romagem", em cada um desses referidos salmos.

SALMOS DE SALOMÃO
Esboço:
I. Caracterização Geral
II. Informes Históricos e o Cânon do Antigo Testamento
III. Data, Autoria, Título, Autoria Múltipla
IV. Conteúdo
V. Messianismo
VI. Bibliografia

I. Caracterização Geral
Denomina-se Salmos de Salomão uma obra judaica pseude-pígrafa que consiste em dezoito composições poéticas que seguem de perto o estilo e algo do conteúdo dos Salmos da Bíblia. Essas composições foram escritas em hebraico, aí pelos meados do século I a.C., evidentemente na Palestina. Naquilo em que não imitam a Bíblia, refletem o pensamento e a doutrina dos fariseus. Visto que foram erroneamente atribuídas a Salomão, essas composições são tidas como "pseudas" ou seja, não foram escritas pelo alegado autor. Ver o artigo geral sobre as obras pseude-pígrafas. Esse material, embora essencialmente ignorado por muitos cristãos (especialmente os evangélicos), é importante como originador indireto do Novo Testamento, quanto às suas idéias e expressão literária. A tradição profética deve muito especialmente a certos livros pseudepígrafos, principalmente I e II Enoque e Jubileus, a respeito dos quais dou artigos detalhados separadamente.

Os Salmos de Salomão têm sobrevivido em manuscritos gregos e siríacos que, mui provavelmente, são traduções de um original hebraico.

II. Informes Históricos e o Cânon do Antigo Testamento
Os livros apócrifos e pseudepígrafos foram bem representados nos Manuscritos do Mar Morto. Ver *Manuscritos (Rolos) do Mar Morto*. Isso significa que muitos daqueles livros eram respeitados e reputados como inspirados, mesmo em torno da área de Jerusalém, para nada dizermos quanto às arcas distantes da Dispersão. Podemos afirmar que havia certa diferença entre o cânon Palestino e o cânon Alexandrino. O primeiro assemelha-se essencialmente ao das Bíblias de edição protestante; e o segundo, ao das Bíblias de edição católica romana. E os livros pseudepígrafos formavam uma espécie de terceira fase nessa questão do cânon do Antigo Testamento: a. o Antigo Testamento (39 livros); b. o Antigo Testamento + os livros apócrifos (ver a respeito); c. o Antigo Testamento + os livros apócrifos + os livros pseudepígrafos. E o Novo Testamento tomou algo por empréstimo do cânon do Antigo Testamento, bem como de livros extracanônicos, o que demonstro a sobejo no artigo chamado *I Enoque*.

O livro Salmos de Salomão foi uma das obras pseudepígrafas, que às vezes pertence à coletânea chamada de deuterocanônica. Foi incluído na *Esticometria* de Nicéforo e na Sinopse do pseudo-Atanásio. A tabela do conteúdo do *Codex Alexandrinus* mostra que essa obra foi inclusa naquele manuscrito, o qual é um dos mais importantes tanto do Antigo quanto do Novo Testamento. Há evidências não-conclusivas de que o *Codex Aleph* também continha essa obra. O começo e o final daquele manuscrito se perderam, pelo que essa afirmação precisa permanecer conjectural. Embora se saiba de sua existência, mesmo porque foi citado por certos pais da Igreja, não existem manuscritos conhecidos dessa obra durante a Idade Média. Mas reapareceu em uma biblioteca de Augsburgo, no começo do século XVII, embora tal manuscrito não tenha demorado muito a perder-se. Atualmente, porém, temos um total de seis manuscritos completos, em grego, e dois, em siríaco.

III. Data, Autoria, Título, Autoria Múltipla
Os eruditos concordam que essa obra teve origem nos

SALMOS DE SALOMÃO – SALOMÃO

séculos II ou I a.C., o que pode ser confirmado pelas idéias refletidas e pelas referências históricas que são ocultadas apenas ligeiramente. Um item histórico importante foi o conflito entre tendências conservadoras e liberais, que prosseguia no ambiente judaico da época. É mencionada uma profanação do templo, o que poderíamos entender como aquela promovida por Antíoco IV Epifânio, mas a maioria dos estudiosos prefere pensar na profanação ocorrida nos dias de Pompeu, ou seja, em 64-46 a.C. O segundo salmo especialmente instrutivo quanto a esse particular.

Em nossos dias, quando alguém vale-se do nome de algum autor famoso, como se este fosse autor de uma obra que não escreveu, a fim de aumentar a importância dessa obra, achamos que isso é pura desonestidade, é um golpe baixo literário. Os antigos, porém, não compartilhavam dessa opinião. Coisa alguma é mais comum, nos séculos antigos, do que a utilização de algum nome famoso (secular ou religioso), a fim de dar maior prestígio a um livro. Ademais, em muitos casos, esse artifício visava honrar o alegado autor, ou então promover suas idéias. Visto que Davi e Salomão foram autores notáveis, era apenas natural alguém lançar mão do nome de Salomão, atribuindo-lhe alguns salmos que não foram compostos por ele. Apesar de Salomão ter sido conhecido como autor dos provérbios, e não do livro de Salmos, também é verdade que escreveu alguns dos Salmos. E alguns autores antigos, nessa dúvida, acabaram compondo salmos e atribuindo-os a Salomão. Também podemos ter como certo que a maioria dos antigos leitores não levava a sério essas reivindicações de autoria, e também não fazia objeção a essa prática de pseudo-autoria.

Alguns estudiosos modernos percebem mais de um autor por trás dos Salmos de Salomão, pelo que duvidam de sua integridade. Porém, um único autor-editor pode ter compilado a obra. Seja como for, eles conheciam bem os salmos canônicos, e não hesitaram em copiar seu estilo e conteúdo. Todavia, também contribuíram com sua própria parte, mormente aquela relacionada à propaganda em favor da posição conservadora judaica.

Wellhausen acreditava que o autor (ou talvez mais de um) teria sido algum fariseu. Esse autor arrogantemente contrasta a si mesmo com os "pecadores", e por trás da cena principal podemos notar um conflito entro os fariseus e os saduceus. Ênfases importantes da obra são a justiça e a retribuição divina, o determinismo divino e o livre-arbítrio humano — problemas que os fariseus gostavam de debater. Entretanto, alguns eruditos modernos têm argumentado que qualquer judeu religioso, não-saduceu, poderia ter escrito tais coisas. E a forte ênfase messiânica poderia apontar para um terceiro grupo de judeus, talvez indivíduos associados à comunidade de Qumran, ou a alguma comunidade similar. Por outro lado, alguns fariseus eram fortemente messiânicos quanto às suas idéias. Seja como for, parece que o idioma original da obra foi o hebraico, o que é demonstrado por muitas expressões gregas peculiares e desnaturais, mostrando que o manuscrito grego deve ter sido uma tradução. Contudo, nenhum manuscrito hebraico da obra sobreviveu até os nossos dias.

IV. Conteúdo

a. A imitação dos salmos canônicos, como seus louvores, lamentações, ações de graças e ameaças contra os inimigos, formam um aspecto importante do livro.

b. Doutrinas como a do juízo divino, da retribuição e da providência de Deus etc. inspiraram grande parte dos salmos dessa coletânea. Deus é o justo Juiz dos homens pecaminosos (2:16; 8:7). Os judeus geralmente têm sido mais corruptos que os próprios pagãos (1:8; 8:12,14). Os líderes judeus têm sido hipócritas, conduzindo muitos à prática de coisas vergonhosas (4:2). O julgamento divino aguarda os pecadores, mas a bem-aventurança espera pelos justos (Salmos 13 a 15). Os vícios dos ímpios, principalmente dos líderes, são descritos como suas injustiças pecaminosas, sua perseguição contra os pobres, sua sensualidade etc. (4:4-6, 13).

c. É enfatizada a fidelidade de Deus para com os justos (11:2; 18:1).

d. Os pecadores -- hasmoneanos -- tiveram o privilégio de receber suas terras mediante o poder de Deus; mas seus abusos levaram-nos a cair no cativeiro e no opróbrio (nos dias de Aristóbulo; 8:23,24).

e. O conquistador dos judeus, Pompeu, que servira de instrumento da ira de Deus, por sua vez sofreu mediante a instrumentalidade dos egípcios (2:30,31). Pompeu, que foi apunhalado pelas costas quando desembarcava de um pequeno bote, serve de ilustração de como Deus trata com os pecadores traiçoeiros. Estes, quando muito, são apenas instrumentos nas mãos do Senhor (2:32-35).

f. Em contraste com isso, os justos jamais serão esquecidos (11:8).

g. Finalmente, todas as nações contemplarão a glória de Deus e verão a concretização da esperança messiânica, e haverão de apressar-se por submeter-se ao povo de Israel e ao seu Deus (17:34, 35). O Messias triunfará (17:36). O Messias será descendente de Davi (17:23). Então, haverá um governo de paz e justiça (17:25-31).

V. Messianismo

Quiçá seja este o segundo mais importante tema dos Salmos de Salomão, um item que tenho enfatizado a ponto de abrir um ponto separado para ele. A melhor peça literária dessa coletânea, que exprime essa esperança, é o Salmo 17. Naturalmente, o material oriundo de Qumran tem paralelos com os Salmos de Salomão, e a obra, no seu conjunto, mostra quão importante se tornou essa doutrina, pouco antes do primeiro advento de Cristo. A vinda de Messias aproximava-se, e os corações e as mentes sentiam-se impulsionados a falar a respeito. Nessa obra, o Messias é retratado como o Filho de Davi; como o cumprimento das promessas de Deus a Israel. Ali não é destacada a sua deidade, embora tenha ele recebido o exaltado título de "o Messias do Senhor". O Messias também estabelecerá um reino sobrenatural, que cumprirá e ultrapassará todas as expectativas, corrigirá todas as injustiças e, finalmente, entronizará a retidão. Jerusalém será purificada. O povo de Israel herdará a terra inteira. O Messias atuará como um Pastor especial. É perpetuada a ambigüidade entre o Conquistador e o Redentor, o que teve prosseguimento na vida de Jesus Cristo e naquilo que foi escrito acerca Dele. Uma vez depuradas, as nações haverão de ocupar uma posição subordinada, em relação a Israel, embora nem por isso deixem de compartilhar do reino de Deus.

VI. Bibliografia
Ver aquela do artigo chamado *Pseudepígrafos*.

SALOMÃO
I. Nomes
II. Família
III. Pano de Fundo Histórico
IV. Chegada ao Poder
V. Construção do Império
VI. Época Áurea de Israel
VII. Vida Espiritual

SALOMÃO

I. Nomes
A palavra *Salomão* deriva do hebraico *Shelomah*, que significa "pessoa pacífica". Sob as ordens do profeta Natã, ele também recebeu o nome de *Jedidias*, que significa "amado por Yahweh" (II Sam. 12.24, 25). Mas *Salomão* foi o nome que prevaleceu, e o homem é chamado assim 300 vezes no Antigo Testamento.

II. Família
O rei Davi teve muitas mulheres e muitos filhos. Salomão foi aparentemente o décimo filho do rei Davi. Sua mãe era a bela Bate-Seba, que já havia tido um filho de Davi, resultado de seu adultério. Este filho morreu logo após o nascimento, mas sua mãe foi colhida ao harém de Davi depois do assassinato de Urias, marido de Bate-Seba. Ver o artigo sobre ele para maiores detalhes de sua história vergonhosa. Salomão teve seis meio-irmãos que nasceram em Hebrom, cada um de uma mãe diferente (II Sam. 3.2-5). A linhagem messiânica, é claro, passou por Salomão (Mat. 1.6).

III. Pano de Fundo Histórico
Saul e Davi tiveram origem humilde, em contraste com Salomão, que nasceu em um palácio. Saul foi capaz de enfraquecer alguns dos inimigos de Israel, mas foi Davi quem realizou a árdua tarefa de unificar o país ao derrotar seus muitos inimigos. Aqueles que ele não aniquilou, conseguiu confinar. De fato, ele derrotou sete pequenos impérios para obter seu poder total. Ver II Sam. 5.17-25; 7.10; 12.26-31; 21.15-22 e I Crô. 18.1. Davi foi o Guerreiro Rei perfeito, enquanto Salomão foi o Construtor Sábio perfeito, capaz de alcançar a época áurea de Israel e tornar-se o maior rei israelita. Mas ele não poderia ter feito isso sem o trabalho preparatório de seu pai que, digamos, lhe ofereceu o império numa bandeja de prata. Davi unificou o império e assim Salomão recebeu poder sobre tanto o norte como sobre o sul. Esta situação logo desintegrou no reino de seu filho, Reoboão, que, sem sabedoria, criou condições que dividiram o país em duas partes: o sul (Judá e Benjamim) e o norte (as Dez Tribos de Israel).

O Egito, inimigo perene, havia sofrido sérias derrotas que o mantiveram no fundo do cenário por dois séculos. Isto permitiu que Salomão se engajasse em suas extensas atividades. O império hitita da Anatólia (o território da moderna Turquia) também sofreu um período de derrota nas mãos dos frigianos e dos filisteus. A Assíria era ainda um poder nascente e, assim, não interferiu nos avanços de Salomão, e o dia da Babilônia ainda não havia chego. Salomão tinha vizinhos encrenqueiros, mas nenhum rival verdadeiro.

IV. Chegada ao Poder
Salomão teve rivais ao trono e, na verdade, não era o candidato mais óbvio. Davi havia recebido uma revelação de que "Salomão era o homem certo" para o cargo (I Crô. 22), e isso teve grande influência na escolha daquele filho em particular, entre várias possibilidades. Muitos de seus filhos mais velhos foram eliminados violentamente. Adonias era mais velho que Salomão e, portanto, a escolha óbvia para o reinado. Ele contava com homens poderosos e tentou forçar a questão. O sumo sacerdote, Abiatar, o apoiou e deu às suas ambições um tipo de aval espiritual. Um suposto festival religioso em En-Rogel (I Reis 1.9) acabou sendo uma operação política secreta para tornar Adonias o rei. O profeta Natã e Bete-Seba imediatamente planejaram colocar seu homem "Salomão" no poder. Davi ordenou que Zadoque ungisse Salomão como rei. As forças se acumularam em apoio a Salomão, e logo Adonias implorava por misericórdia, asilando-se nos chifres do alto altar do Tabernáculo. Como prêmio de consolação, ele solicitou que a bela *Abisague* lhe fosse dada por esposa. Mas ela fazia parte do harém de Davi, embora continuasse virgem porque o velho rei se tornara impotente antes de incluí-la em sua coleção. Ela acabou sendo apenas um aquece-cama para ele. Em qualquer caso, Salomão, furioso com o fato de que seu meio-irmão tentara ascender à cama de seu pai, ordenou sua execução. Isso significou o fim da rivalidade e a consolidação do poder de Salomão. Ver I Reis 2.24,25.

Abiatar não foi executado, mas a linhagem de Zadoque tomou o ofício de sumo sacerdote, em recompensa por ter apoiado a facção Davi-Salomão. O único xeque ao poder de Salomão foi a opinião do povo em geral. Os impostos ridiculamente altos, o trabalho escravo e a posterior apostasia e idolatria mancharam os anos finais de seu reinado e montaram o palco para a divisão do reino nas partes norte e sul.

V. Construção do Império
O Pacto Abraâmico (ver o artigo *Pactos*) havia estabelecido a fronteira nordeste no rio Eufrates e sudeste no rio Nilo. Salomão foi o rei que mais se aproximou da realização desse extenso território. Mas muito provavelmente ele tivesse apenas postos militares avançados no Eufrates, enquanto sua fronteira sudeste parava no *Ribeiro do Egito* (ver), que era um wadi às vezes chamado de rio do Egito, levando a uma confusão com as referências bíblicas ao Nilo. O wadi el-hesa é o nome moderno desse "rio".

Aspectos específicos da construção do império de Salomão:

1. Sua *sabedoria* extrema aplicava-se a coisas tanto espirituais como materiais. Ele se tornou o maior rei da monarquia hebraica, expandindo o território, introduzindo cavalos, carruagens e várias inovações militares que o tornaram invencível. No início, Salomão era um modelo de rei, chegando até a pedir que recebesse sabedoria em vez de riqueza material e poder (Ver I Reis 4.29 ss.).

2. Já vimos sua expansão de território no primeiro parágrafo desta seção. Seu território tocava o Eufrates no nordeste, o ribeiro do Egito no sudeste, o mar Mediterrâneo no oeste e o deserto arábico no leste. A fronteira leste de Israel sempre foi indefinida, mas era marcada pelo deserto e por alguns "lugares por lá". Sua expansão logo foi manchada, contudo, pela tomada de Edom de suas mãos por Hadade (I Reis 11.14-22), e pela perda de Gezer para os egípcios. Para fortificar seus ganhos territoriais, Salomão fez várias alianças com poderes estrangeiros. Ainda assim, com toda a sua glória, o império inteiro de Salomão ocupou menos espaço que o atual Estado de São Paulo.

3. Israel era um país *ao lado* do mar, mas não *do* mar. Todavia, com a ajuda dos fenícios, Salomão desenvolveu um próspero comércio marítimo que trouxe ouro ao tesouro de Jerusalém. I Hirão de Tiro tornou-se seu amigo e ajudante em seu programa de enriquecimento rápido. Ver I Reis 5.1-12; 9.10-14.

4. *Tratados*. Salomão selou tratados com os grandes e com os humildes, mediante casamentos (I Reis 10.24, 25; II Crô. 9.23, 24). Seu filho Reoboão, o sucessor ao trono, era filho de uma amonita. Essas alianças ampliaram sua grandeza e garantiram um período de paz.

5. *Programa de construção*. Os projetos de construção mais ambiciosos de Salomão foram o *Templo* (ver) e seu próprio estupendo palácio, a "Casa da Floresta", no Líbano, mas houve muitos outros projetos menos

TEMPLO DE JERUSALÉM

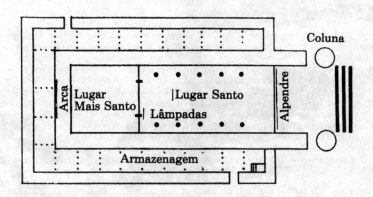

Planta do Templo de Salomão

O templo de Salomão — reconstrução por Stevens — Cortesia, Zondervan Pub. House

Arca da Aliança
Cortesia, Matson Photo Service

SALOMÃO – SALOMÃO, CANTARES DE

significativos. Para levá-los a cabo, ele extorquiu com altos impostos e empregou trabalho escravo, mantendo assim um costume Oriental e uma atividade copiada por políticos desde então. Os israelitas não eram cientistas, e seu conhecimento de matemática era primitivo. Consequentemente, eles tinham de apelar para trabalho e material estrangeiro nas empreitadas de construção. Ver I Reis 9.10-14. Os gastos extravagantes de Salomão e o trabalho escravo provocaram muitas reclamações de seus súditos e, assim, foram plantadas as sementes da rebelião e divisão (ver I Reis 5.13-14; 12.18).

6. *Mineração e refinamento de cobre*. As famosas "minas de cobre do rei Salomão" de fato existiram e não eram meramente uma história antiga que prendeu a imaginação dos diretores de cinema. A arqueologia demonstrou que foi realizada extensa mineração de cobre em Eziom-Geber. Novamente, os cientificamente ignorantes israelitas tiveram de apelar aos fenícios para realizar esta operação. Minerações semelhantes de cobre foram encontradas na Sardenha e na Espanha. Navios fenícios transportavam o cobre aos mercados de todo o mundo conhecido na época. Ver os artigos sobre *Eziom-Geber* para maiores detalhes. A cidade ficava na extremidade norte do golfo de Ácaba (ver). O local é assinalado pelo moderno *Tell el kheleifeh*. Ver I Reis 9.26. Unger chamou Salomão de "rei do cobre", comparando Eziom-Geber à americana Pittsburgh, a "cidade do aço". Mas não esqueçamos a mina de cobre Kennicott, próxima a Salt Lake City, Utah, a maior operação de cobre de todos os tempos. De qualquer forma, foi esta extração de cobre o principal fator na transformação de um pequeno país em um império. Ver o artigo separado sobre *Salomão, Minas de*.

7. *Realizações culturais*. I Reis 4.29-34 afirma que Salomão foi o mais erudito dos estudiosos de sua época, superando os grandes sábios de Edom. São atribuídos a ele 3.000 provérbios e 1.005 canções. É provável que alguns dos provérbios canônicos tenham sido escritos por ele, talvez alguns salmos, mas não há quase nenhuma chance de que haja algo entre ele e os Cantares ou o Eclesiastes. E, claro, ele não foi o autor dos livros não-canônicos *Sabedoria de Salomão* e *Salmos de Salomão* (ver os artigos). Alguns estudiosos também supõem que ele tenha auxiliado na organização de vários livros históricos do Antigo Testamento como Josué, Juízes, Rute e os dois livros de Samuel, mas tais declarações, impossíveis de provar, são muito provavelmente falsas. Outras referências a essas realizações literárias podem ser encontradas em I Reis 11.41 e II Crônicas 9.29. Não se pode duvidar que Salomão foi um "homem das letras", embora não seja possível determinar exatamente quanto do Antigo Testamento tenha passado por suas mãos.

VI. Época Áurea de Israel

Se se considerar a grandeza, a prosperidade, a sabedoria e as realizações em construções de modo geral, nenhum rei de Israel ou de Judá poderia ser comparado a Salomão. É dito corretamente que ele trouxe a *Idade de Ouro* de Israel. Ainda assim Jesus, referindo-se a si mesmo, disse que "alguém maior que Salomão está aqui"! (Mat. 12.42). Isto nos ensina que a verdadeira grandeza deve ser medida por padrões espirituais, não materiais. Salomão era um homem sábio, mas Jesus, o Cristo, o Logos manifesto, era a Sabedoria Personificada (I Cor. 1.30). Jamais devemos esquecer de nos afastar da busca do dinheiro e nunca devemos esquecer os verdadeiros tesouros que residem no espírito.

VII. Vida Espiritual

O início da carreira de Salomão foi manchado por três *execu-ções políticas* (isto é, *assassinatos* políticos cometidos por alegados motivos *nobres*). As vítimas foram Adonias (um meio-irmão!), Joabe e Simei (ver os artigos). A consolidação pessoal do poder e a "proteção do estado" sempre recebem o crédito por tais crimes, que, de fato, escondem a ganância pessoal, a ambição e os egos inflamados.

Ainda assim, as Escrituras elogiam o início do reinado de Salomão, afirmando que ele buscava a Yahweh e obedecia à legislação mosaica. Sua sabedoria (I Reis 4.29 ss.) resultava de boas escolhas, quando ele enfatizava a parte espiritual da vida em detrimento do lado material. Sua construção do templo foi uma grande realização espiritual, mas, no início, influenciado por seu bando de mulheres e concubinas, ele caiu em idolatria (I Reis 11.5, 33). Seus abusos morais (elevados impostos e trabalho escravo) definiram o palco para o colapso de seu império e a conseqüente divisão nas partes norte (Israel) e sul (Judá-Benjamim). O homem que inicialmente teve um "coração que ouvia" (I Reis 3.0) logo passou a ter uma mente poluída. Um típico julgamento deuteronômico é passado ao homem em I Reis 11. Este capítulo fala de vários adversários que se levantaram contra o rei e o puniram por suas infrações.

SALOMÃO, AÇUDES DE

Ver *Açude*.

SALOMÃO, CANTARES DE

No hebraico, *shir hashirim*. Na Septuaginta, *Ásma* ou *Ásma asmáton*. Na Vulgata Latina, *Canticum* Canticorum.

Dentro da Bíblia hebraica, este livro é o primeiro dos cinco rolos (no hebraico, *Megilloth*), que eram lidos quando das festas religiosas judaicas. Geralmente tem o nome de Cântico dos Cânticos nas diversas versões, mas a nossa versão portuguesa prefere «Cantares de Salomão». A forma hebraica, *shir hashirim*, é a forma superlativa (Can. 1.1), que significa «o mais excelente dos cânticos». Dentro das tradições judaicas, os Cantares eram lidos por ocasião da páscoa, para os judeus, a mais importante das festas religiosas.

Esboço:
I. Pano de Fundo
II. Autoria
III. Data
IV. Unidade do Livro
V. Lugar de Origem
VI. Destino
VII. Motivo de sua Escrita
VIII. Propósito do Livro
IX. Canonicidade
X. Estado Atual do Texto
XI. Conteúdo e Esboço
XII. Interpretação da sua Mensagem
XIII. Teologia do Livro
XIV. Bibliografia

I. Pano de Fundo

Os que pensam que Cantares de Salomão é obra de autoria de Salomão, rei de Israel, vêem o princípio da monarquia israelita como o pano de fundo da obra. O tom pastoril de seu quadro poético sugere um longo período de paz em Israel, naquele período que os historiadores têm chamado de «época áurea» da cultura dos hebreus, as monarquias de Davi e Salomão.

SALOMÃO, CANTARES DE

Acresça-se a isso que o livro de Cantares contém numerosas referências a animais e plantas exóticas, tudo o que nos faz lembrar da fama de Salomão nos campos da biologia e da botânica. Isso nos leva de novo ao período inicial da monarquia hebréia. As diversas alusões geográficas existentes no livro parecem indicar uma fase da história dos hebreus em que o reino ainda não havia sido dividido em dois: o reino do norte, Israel, e o reino do sul, Judá. Assim, o livro fala sobre lugares nortistas como o Líbano (Can. 3.9; 4.8,11,15), o monte Hermom (4.8), Tirza (6.4), Damasco (7.4) e o Carmelo (7.5), como se formassem um único reino, juntamente com Jerusalém e as terras em redor. Todavia, isso poderia significar apenas que os arroubos poéticos do autor não eram considerações puramente locais, conforme alguns estudiosos têm salientado. Seja como for, o livro mostra claramente que o autor estava familiarizado com a geografia de toda a região da Síria-Palestina, desde as montanhas do Líbano até En-Gedi, perto do mar Morto (Can. 1.14). Mas, apesar de o livro mencionar produtos exóticos do Extremo Oriente, não há nenhuma indicação de que o material tenha sido escrito fora da Palestina, ou com um pano de fundo estritamente palestino.

II. Autoria

Quase todos os eruditos modernos rejeitam a autoria de Cantares por parte de Salomão. Esses preferem ver no livro uma coletânea de cânticos que celebrariam o amor pré-marital e marital. Seja-nos permitido observar que dificilmente esse tema teria tornado o livro aceitável aos judeus, para ser incluído no cânon sagrado, pelo que se trata de uma opinião muito duvidosa. Além disso, dizem alguns que a única prova de que o livro teria sido escrito por Salomão é o título, ou introdução editorial, conforme alguns eruditos o têm descrito, porquanto a forma mais completa do pronome relativo só é usada em Can. 1.1: «Cântico dos cânticos de Salomão». Um ponto técnico gramatical é que no hebraico há nisso uma construção ambígua, pois a partícula atributiva poderia significar «para», «acerca» ou «segundo», ou então poderia aludir à autoria direta de Salomão. No entanto, o nome do famoso monarca hebreu, Salomão, aparece por seis vezes no texto do livro (Can. 1.5; 3.7,9,11 e 8.11,12). E o último trecho, Can. 8:11,12, refere-se de passagem às riquezas materiais desse rei. No terceiro capítulo, Salomão é mencionado em três ocasiões diversas, em conexão com um elaborado cortejo, onde devemos ver a personagem histórica chamada Salomão. As alusões ao «rei» também são, geralmente, associadas a Salomão (Can. 1.4,12 e 7.5). Todavia, embora o grande rei hebreu seja a figura central de certos poemas (entre os quais se destaca o de Can. 3.6-11), na verdade ele nunca aparece como aquele que fala, e por esse motivo, certos estudiosos pensam que pelo menos alguns dos poemas foram escritos sobre Salomão, e não diretamente por ele.

Os argumentos em favor de uma autoria que não a de Salomão, geralmente, também falam em uma data posterior para o livro, e isso sobre bases lingüísticas. Para exemplificar isso, há quarenta e nove vocábulos hebraicos que só ocorrem no livro de Cantares, em todo o Antigo Testamento; e alguns desses termos são de natureza botânica. Também há palavras e frases que parecem refletir o aramaico usado em certas composições pós-exílicas, sem falarmos em palavras que parecem ter sido tomadas por empréstimo do persa e do grego. Tudo isso pode ser naturalmente explicado pelo fato de que o vocabulário de um livro qualquer depende muito do assunto que estiver sendo tratado ali. Não admira, pois, que haja tantas palavras técnicas que se referem à zoologia e à botânica nesse livro, que não se acham em outros livros do Antigo Testamento. Quanto a outros vocábulos, também não é difícil justificá-los. Assim, no caso do nome da especiaria que era importada do Oriente, «cinamomo» (Can. 4.14), temos um termo importado. O comércio entre a Índia e a Mesopotâmia já estava bem firmado desde o terceiro milênio A.C., como também o comércio com o Egito. Isso quer dizer que, na época de Salomão, havia uma longa tradição de contatos comerciais com o Extremo Oriente. Por essa razão é que os nomes de certos produtos e substâncias, mencionados no livro, têm paralelos obviamente sânscritos. Poderíamos citar os casos de «nardo» (no sânscrito, *naladu* — Can. 1.12; 4.13,14) e a «púrpura» (no sânscrito, *regaman* — Can. 3.10 e 7.5). E alguns eruditos pensam que a palavra hebraica para «palanquim» (ver Can. 3.9) não veio através do grego, conforme muitos acreditam, mas derivou-se diretamente do termo sânscrito *paryanka*. Quanto à presença de alguns termos aramaicos no livro, isso nada significa, porquanto há vários outros livros do Antigo, e até do Novo Testamento, que contêm termos aramaicos, sem que isso altere em coisa alguma as questões da data ou da autoria desses livros. Ademais, o aramaico era língua gêmea do hebraico, mas que, desde o segundo milênio a.C., pelo menos, vinha sendo falada na Assíria e em outros lugares a leste da Palestina. Portanto, nada existe na linguagem em que foi escrito o livro de Cantares que requeira uma data posterior para a sua composição. Concluímos, pois, que devemos aceitar a autoria salomônica que, tradicionalmente, tem sido dada a esse livro.

III. Data

Os críticos que atribuem um dos dois poemas do livro de Cantares a Salomão naturalmente datam-nos dentro de seu reinado, admitindo que o restante do livro foi coligido por ele (970-930 a.C.). E a menção a Tirza (Can. 6.4), como se fosse a contraparte nortista de Jerusalém, aponta para uma data comparativamente antiga da composição, ou, pelo menos, daquela porção do livro. Antes do governo de Onri (885/884-874/873 a.C.), Tirza fora a principal cidade do reino do norte; mas, quando Onri subiu ao trono de Israel, então, estabeleceu Samaria como a sua capital, tendo construído ali um esplêndido palácio real, além de numerosos outros edifícios e de ter fortalecido muito a cidade. Portanto, se Tirza aparece em Cantares como a principal cidade da porção norte do país, assim como Jerusalém era a principal cidade da porção sul, então a seção poética envolvida bem pode ser datada no século X a.C., a época de Salomão.

IV. Unidade do Livro

Talvez o livro seja a coletânea de vários poemas que cantam o amor rústico, interiorano, de origem incerta. Nesse caso, Salomão teria sido o compilador e editor, que deu um burilado geral ao livro. Mas fê-lo de tal modo que o livro estampa sinais bem claros de unidade de estilo e de tema geral. Em face do que parece ser a unidade mais central da obra, a saber, o tema da riqueza do amor humano, parece que as tentativas de fragmentação do livro, que alguns críticos têm sugerido, são forçadas e artificiais. Portanto, devemos pensar que, da pena de Salomão, o livro de Cantares saiu como uma única obra literária.

V. Lugar de Origem

Se o livro foi, realmente, composto por Salomão, então, o lugar de origem da obra deve ter sido a corte real, em Jerusalém. O trecho de I Reis 4.32 fala sobre as habilidades literárias de Salomão. Todavia, os críticos que não aceitam a autoria salomônica têm pensado que pelo menos alguns dos poemas constantes no livro de Cantares foram escritos no reino do norte, quando da monarquia dividida. Porém, todos os argumentos nesse sentido já foram respondidos.

No entanto, se estão certos os estudiosos que pensam que o livro de Cantares nada tem que ver com Salomão como seu autor, então, a passagem do livro que gira em torno de Can. 6.4 pode ter sido escrita em Samaria ou nas proximidades. É mister, contudo, deixar claro que toda a opinião acerca do lugar de origem do livro precisa alicerçar-se sobre pura especulação, posto que não há indicações no livro que nos permitam precisar o local exato, dentro da Palestina, onde a obra poderia ter sido preparada. Por exemplo, não há provincialismos perceptíveis.

VI. Destino

A maneira como interpretamos o material do livro de Cantares também determina os possíveis destinatários da obra. Não parece que o autor sagrado tenha visado outra gente além dos próprios israelitas. Se os poemas foram compostos apenas para exaltar o amor humano, em suas várias facetas, então, não é provável que os destinatários tenham sido pessoas fora do povo em pacto com Deus, o povo de Israel. Um costume surgiu posteriormente entre os árabes, de recitar poemas eróticos, conhecidos entre os árabes por *wasfs*, diante de um noivo e sua noiva, pouco antes da cerimônia do casamento. Por essa razão, alguns eruditos têm pensado que o livro de Cantares serviria a um propósito similar, em Israel. Contudo, não podemos depender de um costume árabe para explicar a finalidade de uma composição escrita em Israel, cuja mentalidade sobre questões morais era tão diferente. Dificilmente um *wasf* seria aceito entre os livros canônicos de Israel.

VII. Motivo de Sua Escrita

Não se sabe dizer o que teria motivado um autor sagrado a compor o livro de Cantares. Se o livro é apenas uma antologia de poemas líricos, que exaltam o amor físico, de proveniência salomônica em geral, então poderia ter sido motivado por um ou mais dos numerosos casamentos desse monarca hebreu. Mas, se o livro consiste em uma coletânea de cânticos nupciais de várias regiões do reino hebreu, então algum editor desconhecido apenas quis preservar para a posteridade esses poemas líricos. A própria subjetividade do processo de produção do livro, visto que no livro nada se lê que nos esclareça a respeito, inevitavelmente, faz com que a questão seja nebulosa para nós.

VIII. Propósito do Livro

Muitos expositores têm sentido grandes dificuldades para justificar a inclusão do livro de Cantares de Salomão no cânon das Escrituras Sagradas. Parte dessa dificuldade se deve ao seu flagrante erotismo. Por outro lado, o livro é um longo *mashal ou* provérbio, ilustrando a riqueza e a beleza do amor físico humano; e, como tal, faz parte firme da tradição gnômica da literatura de sabedoria dos hebreus. Devemo-nos lembrar de que esse material originou-se no Oriente Próximo, onde imperavam diferentes atitudes quanto a certos pontos de moral. Deve-se observar que somente pessoas de classes abastadas poderiam dar-se ao luxo de empregar as substâncias exóticas e caríssimas, mencionadas nesses poemas. Tais pessoas, em contradição com as classes populares, estavam acostumadas a considerar o sexo em termos não tanto ascéticos, como uma questão não embaraçosa. Todavia, talvez essas pessoas e esses poemas se excedam um tanto, em relação com aquilo que nós estamos acostumados. Porém, o livro escolhe um curso que é um meio-termo entre a perversão, ou, pelo menos, o excesso sexual, por um lado, e a negação rígida e emocional das necessidades físicas, por outro lado, descendo até momentos da maior intimidade física entre um homem e uma mulher que se amam. No dizer de E. J. Young, talvez tudo isso reflita um amor mais puro que o nosso; ou, então, comentamos nós, uma atitude não tão vitoriana quanto a nossa.

IX. Canonicidade

A julgar pelas fontes rabínicas, é claro que o livro de Cantares de Salomão não obteve inclusão imediata no cânon das Escrituras hebraicas. O Talmude chega a atribuir essa composição escrita a Ezequias e seu grupo de escribas, uma opinião que pode estar alicerçada sobre as atividades do grupo que, aparentemente, editou outros materiais escritos de Salomão (cf. *Baba Bathra* 15a e Pro. 25.1). A Mishnah (*Yadaim* 3.5) indica que o livro de Cantares não foi aceito no cânon senão com alguma disputa no tempo do suposto concílio de Jamnia (cerca de 95 d.C.). Após pareceres favoráveis e desfavoráveis quanto à inclusão do livro no cânon sagrado do Antigo Testamento, foi o rabino Aqiba quem comentou: «...todos os Escritos são santos, mas o Cântico dos Cânticos é o santo dos santos». Porém, bastaria isso para mostrar-nos que havia muitas dúvidas se o livro deveria ser incluído ou não no cânon. E toda a oposição à sua inclusão devia-se à natureza erótica do conteúdo da obra. De fato, quando da inclusão do livro no cânon, houve também a cautela de ser proibido o uso de qualquer porção sua em banquetes e reuniões semelhantes, a fim de que não houvesse abusos que envolvessem um livro considerado canônico. A solução para esse aspecto erótico do livro consistiu em interpretá-lo não em sentido literal, mas como uma alegoria. Essa interpretação tem prevalecido tanto entre os judeus como no cristianismo em geral.

X. Estado Atual do Texto

As obscuridades do livro de Cantares parecem mais devidas à presença de um número incomum de palavras raras, devido à natureza do assunto tratado, do que a algum manuseio por parte de escribas. Visto que a Septuaginta e o Siríaco Peshitta seguem bem de perto o texto massorético, essas versões não nos ajudam em coisa alguma a determinarmos melhor o sentido exato de certas palavras existentes no texto de Cantares. Além de consideráveis dificuldades de tradução em trechos como Cant. 6.12 e 7.9, também não se sabe o sentido de quatro palavras hebraicas diferentes, ali existentes, em Can. 1.17; 4.4; 5.14 e 7.6. E o complicado simbolismo empregado no livro aumenta mais ainda as dificuldades de tradução.

XI. Conteúdo e Esboço

Não é fácil apresentar uma análise do livro de Cantares à maneira convencional, por causa do fato de que todos os diálogos são muito entretecidos e difíceis de deslindar. Há ali diálogos (por exemplo, Can. 1:9 ss.) e solilóquios (por exemplo, 2.8—3.5), e as palavras passam de uma personagem para outra com tanta freqüência que é impossível identificar precisamente essas personagens. As «filhas de Jerusalém» são mencionadas durante a exposição (Can. 1.5; 2.7; 3.5 etc.), e a elas são atribuídas certas respostas, no diálogo (por exemplo, Can. 1.8, 5.9; 6.1 etc.). Uma situação similar ocorre no caso dos habitantes de Sulém (Can. 8.5) e os de Jerusalém (Can. 3.6-11). Entretanto, em termos gerais, poderíamos esboçar o conteúdo do livro de Cantares como segue:

1. A noiva exprime seu anelo pelo noivo, e canta seus louvores (1.1–2.7).
2. Aprofundando-se a afeição mútua entre eles, a noiva

SALOMÃO, CANTARES DE

continua a elogiar seu amado, usando símbolos da natureza (2.8 – 3.5).

3. Louvores ao rei Salomão, à noiva e aos desposórios (3.6–5.1).

4. O noivo ausenta-se por algum tempo, durante o qual a noiva anela pela volta do noivo e continua a elogiá-lo (5.2 – 6.9).

5. Uma série de passagens descritivas sobre a beleza física da noiva (6.10–8.4).

6. Conclusão, que aborda a permanência do verdadeiro amor (8.5-14).

XII. Interpretação da Sua Mensagem

Nenhum livro do Antigo Testamento tem sido interpretado de tantas maneiras diferentes como o livro Cantares de Salomão. Isso se deve ao fato de que não há no livro nenhum tema especificamente religioso e central. Quatro abordagens principais devemos destacar aqui: a interpretação alegórica, a interpretação cúltica, a interpretação dramática e a interpretação lírica.

A *interpretação alegórica* foi adotada pelos rabinos e pelos pais da Igreja como a única maneira de resolver os problemas associados à aceitação do livro no cânon das Escrituras; essa é a interpretação até hoje favorecida pela Igreja Católica Romana e pelos comentadores judeus ortodoxos. Para estes últimos, Deus seria o grande amante dos poemas, e Israel seria a noiva, que receberia as demonstrações das misericórdias divinas. Às mãos dos cristãos, porém, houve alguma modificação, pois a noiva passou a ser a Igreja cristã. De fato, isso transparece em certos trechos do Novo Testamento, como, por exemplo, João 3.29, Efésios 5.22,23, Apocalipse 18.23 e 22.17. Foi Orígenes quem desenvolveu a interpretação alegórica clássica, sendo seguido por Jerônimo, Atanásio, Agostinho e muitos outros. No entanto, a maioria dos expositores cristãos tem evitado os problemas que surgem quando se expande o livro de Cantares em termos da história da Igreja cristã. Uma variante dessa interpretação, postulada por alguns escritores patrísticos, é a que diz que o livro reflete a relação entre Deus e a alma individual. Essa variante também foi iniciada por Orígenes, tendo sido adotada por alguns dos pais da Igreja e por certos escritores medievais. Ambrósio e alguns comentadores católicos romanos, mui caracteristicamente, têm identificado a noiva com a Virgem Maria, ao passo que Martinho Lutero opinava que a noiva nada mais seria do que o reino salomônico personificado. E alguns intérpretes identificam variegadamente a noiva, como se ela representasse, em um trecho ou em outro, Israel, a Igreja cristã, a Virgem Maria e o crente individual. Porém, a própria subjetividade da interpretação alegó-rica contribui para desacreditá-la. Apesar disso, a interpretação alegórica do livro de Cantares é a que tem predominado no pensamento protestante, pelo menos até recentemente.

A *interpretação cúltica* tem sido favorecida por alguns estudiosos à luz das liturgias do Oriente Próximo que comemoravam a morte e a ressurreição de alguma divindade. Segundo esse ponto de vista, o amante do livro de Cantares seria um deus que morrera e ressuscitara, ao passo que sua noiva seria sua irmã ou sua mãe, que se lamentava por sua morte e saíra freneticamente atrás de seus restos mortais. Algo similar teria acontecido a Baal e Anate, dos cananeus, a Tamuz e a Israel, dos babilônios, e a Osíris e Ísis, dos egípcios. E os idealizadores dessa idéia dizem que o que serviria para comprovar isso era o fato de o livro era usado por ocasião de uma festividade religiosa dos judeus. Mas, além de quatro outras composições canônicas serem usualmente empregadas em festividades religiosas dos judeus, não há nenhum indício de que Israel jamais tivesse qualquer cerimônia que se assemelhasse a isso.

A *abordagem dramática* de Cantares de Salomão surgiu quando começou a declinar o interesse pela interpretação alegórica, no começo do século XIX. Todavia, também podemos atribuir a Orígenes a idéia inicial, que foi reiterada nos escritos de Milton. A partir de 1800 desenvolveram-se duas formas dessa interpretação. A primeira delas, exposta por F. Delitzsch, que pensava que o livro cantava duas personagens principais, Salomão e uma donzela interiorana descrita como a sulamita (Can. 6.13). O livro contaria como Salomão a encontrou em suas rústicas cercanias e a trouxe para Jerusalém, onde, desposando-se com ela, aprendeu a amá-la com mais do que um puro amor carnal. A outra forma dessa interpretação dramática foi proposta por Ewald, que, além de Salomão e da jovem sulamita, introduziu na narrativa uma suposta terceira personagem, um pastor que seria o amante da jovem. E ela, levada para a capital pelo rei, lembrava-se apaixonadamente do rapaz, elogiando as suas qualidades, até que Salomão permitiu a volta dela para o rapaz. Essa teoria, conhecida como «a hipótese do pastor», tornou-se, geralmente, aceita entre os estudiosos liberais. A principal dificuldade da posição de Ewald, contudo, é que não há nenhuma evidência textual em favor da existência de um suposto pastor, que seria uma das personagens centrais do livro. Além disso, ele supõe que tenha havido grande resistência da parte da jovem à conquista amorosa, ao passo que a narrativa bíblica mostra, precisamente, o contrário. Acresça-se a isso que Ewald dá a impressão de que o rei que queria seduzi-la à força, transformando Salomão em um vilão, e não no herói da história. Por esses e outros motivos, tal interpretação está inteiramente desacreditada.

A *quarta* interpretação principal do livro de Cantares é a da *abordagem lírica*. Esta pensa somente que o livro consiste em uma coletânea de poemas líricos, sem nenhuma conexão com a festa de casamento ou ocasiões festivas especiais. Se essa interpretação tão simples tem alguma vantagem a seu favor, essa vantagem é somente que evita as dificuldades inerentes às três outras principais interpretações.

Também poderíamos falar sobre a interpretação chamada *típica*, favorecida por certos eruditos conservadores. Ela tem a vantagem de preservar o sentido óbvio dos poemas, ao mesmo tempo em que percebe um sentido espiritual e, portanto, mais elevado do que uma mensagem puramente sensual ou erótica. De conformidade com essa interpretação, o livro de Cantares refletia o puro amor espiritual que se verifica entre Cristo e os seus seguidores. Também haveria idéias paralelas na Bíblia, conforme se vê em trechos como Oséias 1—3; Ezequiel 16.6 ss. e Efésios 5.22 ss. E o uso que Cristo fez da narrativa sobre Jonas (Mat. 12.40), bem como a alusão à serpente de metal, levantada no deserto (João 3.14), são aduzidas como compatíveis com esse método geral de interpretação.

O conteúdo do livro de Cantares revela uma atitude para com a natureza que raramente se encontra em outros trechos do Antigo Testamento. Os hebreus, geralmente, concebiam a natureza como algo que revelava o esplendor e a majestade de Deus, pois ele controlaria totalmente essas forças naturais, segundo o seu querer. Mas, no livro de Cantares, os ciclos da natureza correspondem aos sentimentos dos amantes. Talvez isso se deva ao fato de que esse livro tenha incluído noções poéticas puramente folclóricas. O fato é que o amado chega ao campo no instante em que os poderes

SALOMÃO, CANTARES DE – SALUM

vitais da terra estavam novamente se manifestando (Can. 2.8-17; 7.11-13). Se esses poemas realmente tinham alguma conexão com cerimônias nupciais, então a habilidade das personagens das festas poderia ser comparada à capacidade profissional das lamentadoras, que, em Jer. 9.17, são descritas como «mulheres hábeis». E visto que o livro de Cantares esteve associado à autoria salomônica desde o começo, a relação entre essa composição e a epítome de sabedoria de Israel parecia confirmar sua posição entre as obras de literatura de sabedoria de Israel. Todavia, quando a autoria salomônica foi posta em dúvida, então essa coleção de poemas foi relegada a outros gêneros literários.

Visto que o material de Cantares é essencialmente poético, por isso mesmo há nele características próprias de outras composições poéticas do Antigo Testamento. Ver no *Dicionário* sobre *Poesia dos Hebreus*. Essas características incluem itens como sinônimos, paralelismos, sintéticos e antitéticos, e acentos rítmicos que salientam pontos importantes.

XIII. Teologia do Livro.

O livro de Cantares ocupa uma posição *sui generis* no cânon do Antigo Testamento, devido ao fato de não conter nenhuma teologia explícita. Os estudiosos que crêem que temos ali somente uma coleção de cânticos líricos ou folclóricos vêem nisso uma confirmação para a sua opinião. Portanto, somente através de interferências podemos determinar a posição teológica do livro; e, quando é encarado por esse ângulo, o livro de Cantares ajusta-se às mil maravilhas à tradição hebréia do monoteísmo. Porquanto não há ali nenhum traço das influências mágicas ou das crenças politeístas que se acham, por exemplo, em cânticos de amor similares, provenientes do Egito. O amado só suspirava pela sua amada, exaltando assim o ideal da monogamia. Incidentalmente, isso parece contradizer a autoria salomônica, visto que o terceiro rei de Israel foi homem com muitíssimas mulheres e concubinas. Ver I Reis 11.3-8. Embora as imagens poéticas sejam quase totalmente estranhas para o gosto moderno, a composição nunca se torna obscena, mesmo de acordo com os padrões da civilização ocidental. De fato, o livro reflete os cânones tradicionais da moralidade sexual que fazem parte da legislação mosaica, e jamais tolera qualquer coisa que poderia ser descrita como baixa ou imoral. O livro também reflete as tradições expressas em Gênesis 2.24, que mantém que, no casamento, institui-se uma unidade psicofísica entre o marido e sua mulher. E toda a discussão sobre as emoções dos dois amantes é mantida em um elevado nível de sensibilidade e moralidade. Portanto, a pureza e a beleza do amor humano físico, como um Dom divino, é o amor dominante do livro. O relacio-namento natural entre um homem e sua esposa, que se amam, aponta no livro para a riqueza do amor humano, um pequeno exemplo do muito mais amplo, profundo e puro amor de Deus que lhe pertencem.

XIV. Bibliografia.

AM E I IB IOT ND WES YO Z

SALOMÃO, MINAS DE

Ver o artigo *Minas do Rei Salomão*.

SALOMÃO, PÓRTICO DE

Ver o artigo *Pórtico de Salomão*.

SALOMÃO, SABEDORIA DE

Ver o artigo *Sabedoria de Salomão*.

SALOMÃO, SALMOS DE

Ver o artigo *Salmos de Salomão*.

SALOMÃO, SERVOS DE

Ver o artigo *Servos de Salomão*.

SALOMÃO BEM ELISHA

Ver o artigo *Cabala*.

SALOMÉ

O termo é uma adaptação grega da raiz hebraica de *Salomão*. Seu significado é "pacífico". Duas mulheres da época neotestamentária foram assim chamadas:

1. A filha de Herodias com seu primeiro esposo, Herodes Filipe (Josefo, *Ant.* xviii.5.4). Ela é a mulher que Mat. 14:6 chama de "filha de Herodias", porém não nomeia especificamente. Foi ela quem efetuou a dança obscena que tanto deleitou a Herodes Antipas e seus amigos ébrios, custando a cabeça de João Batista. Esse tipo de dança fazia parte do entretenimento dos ricos daquela época, e provavelmente se assemelhava ao nosso balé moderno. As dançarinas representavam uma história, às vezes usando máscaras, mas com freqüência deixando o resto do corpo praticamente nu. Esta Salomé foi primeiramente casada com Filipe, tetrarca de Traconites, que era seu tio. Então se casou com Aristóbulo, filho de Herodes, rei de Calcis, com quem teve três filhos. Para a história completa, segundo o relata do Novo Testamento, ver Mat. 14:3-11 e Mar. 6:16-18.

2. A esposa de Zebedeu tinha este nome (compare Mat. 27:56 com Mar. 15:40). Alguns estudiosos presumem que ela fosse irmã de Maria, mãe de Jesus, o que faria de seus filhos, Tiago e João, primos de Jesus. Outros a tomam como esposa de Cléopas (João 19:25). Ela é lembrada por ter sido mencionada no Novo Testamento: aparece entre as primeiras mulheres que foram discípulas de Jesus (Mar. 15:40, 41); estava ansiosa que seus filhos ocupassem elevadas posições no futuro reino de Jesus (Mat. 20:20-24; Mar. 10:35-41); foi testemunha da crucificação (Mar. 15:40); e uma daquelas que se prontificaram a cuidar do corpo de Jesus e por isso testemunharam a Ressurreição (Mar. 16:1).

SALPICADOS

Ver sobre **Cor, Cores**.

SALTÉRIO

Ver sobre *Salmos*.

SALU

No hebraico, *rejeição, desprezo*. A forma do termo hebraico varia.

Duas pessoas aparecem com esse nome, no Antigo Testamento: 1. Epônimo, de uma família benjamita que se estabeleceu em Jerusalém, terminando o cativeiro babilônico (I Crô. 9:7; Nee. 11:7). 2. Uma família sacerdotal que figurava entre os exilados da Babilônia (Nee. 12:7), cujo chefe é chamado Salai, em Nee. 12:20.

SALUM

Do hebraico, "recompensa". A Bíblia hebraica menciona 15 pessoas assim chamadas, embora variações desse mesmo nome tenham sido padronizadas na versão portuguesa. Sigo a ordem cronológica dessas personagens.

1. Um homem também chamado de Silem (ou Shilem), filho de Naftali, avô de Josafá (rei de Israel, I Reis 22.42; II Crô. 20.31). Viveu no século XVI a.C.

2. Neto de Simeão, um líder daquela tribo, pai de

SALUM – SALVAÇÃO

Mibsão (I Crô. 4.25). Viveu no século XVI a.C.

3. Um filho de Sisamai da tribo de Judá, pai de Jecamias (I Crô. 2.40, 41), de data incerta.

4. Filho de Coré, um levita, descendente de Corá. Era o chefe dos porteiros que vigiavam o tabernáculo na época de Davi. Seus descendentes continuaram naquele tipo de ocupação na época de Esdras e Neemias. Ele também era chamado de Meselemaias e Selemias (I Crô. 9.17, 19, 31; 26.1, 2, 9, 14; Esd. 2.42; Nee. 7.45). Viveu no século X a.C.

5. Décimo quinto rei de Israel, viveu no século VIII a.C. após a divisão do império entre o norte (as Dez Tribos) e o sul (Judá e Benjamim). Era filho de Jabes. Para conseguir o poder, assassinou Zacarias (II Reis 14.29), filho de Jeroboão II. Dentro de um mês, o próprio Salum foi assassinado por Menaém (II Reis 15.8-15). Viveu em cerca de 745 a.C.

6. Pai de Jeizquias, líder da tribo de Efraim. Quando Israel tomou prisioneiros de Judá em uma batalha entre o norte e o sul, ele insistiu que os prisioneiros fossem enviados de volta à Judá. Isto ocorreu na época do rei Peca (II Crô. 28.12), no século VIII a.C. e foi um pequeno toque de humanidade no meio da brutalidade.

7. Marido da profetisa Hulda, filho de Ticva (II Reis 22.14; II Crô. 34.22), no século VII a.C. Talvez ele fosse tio do profeta Jeremias (Jer. 32.7), mas alguns duvidam desta identificação. Era o mantenedor do guarda-roupa do rei Josias.

8. Filho de Zadoque e pai de Hilquias. Era sumo sacerdote na época do rei Josias e ancestral de Esdras (I Crô. 6.12; Esd. 7.2). Viveu no século VII a.C.

9. Pai de Hanamel e tio de Jeremias. Jeremias redimiu seu campo em Anatote, embora soubesse que a invasão de Israel pelos babilônicos estava próxima. Por este ato, ele estava dizendo: "As coisas se normalizarão, uma vez que o julgamento de Deus tenha cumprido Seu propósito" (Jer. 32.7). Viveu no século VII a.C.

10. Décimo sétimo rei de Judá, também chamado de *Jeoacaz*. Ver sob esse título, ponto 2.

11. Pai de Maaséias, um porteiro do templo de Jerusalém na época do profeta Jeremias (Jer. 35.4). Viveu no século VI a.C.

12. Levita, porteiro nos portões do templo, foi forçado a divorciar-se de sua esposa pagã após o cativeiro babilônico, na época de Esdras (Esd. 10.24). Viveu no século V a.C.

13. Descendente de Binui, que foi forçado a divorciar-se de sua esposa pagã após o cativeiro babilônico, na época de Esdras (Esd. 10.42). Viveu no século V a.C.

14. Filho de Haloés, que governou parte de Jerusalém como um tipo de prefeito. Ele e suas filhas foram designados à tarefa de reparar parte do muro da cidade na época de Neemias (Nee. 3.12). Viveu no século V a.C.

15. Filho de Col-Hoze, governador de um distrito de Mispá. Foi designado à tarefa de reparar o Portão da Fonte de Jerusalém e o muro próximo ao Poço de Selá (Nee. 3.15). Viveu no século V a.C.

SALVAÇÃO
Esboço:
1. Salvação Segundo o Antigo Testamento
2. Salvação no Novo Testamento
   a. Nos Evangelhos Sinópticos
   b. No Evangelho de João
   c. No Livro de Atos
   d. Nas Epístolas Paulinas
   e. Nos Escritos de Pedro
3. O Meio da Salvação
4. A Salvação é um Processo Eterno e Infinito
5. O Conceito da Filiação
6. Elementos da Salvação
7. A Realização da Salvação: Pontos de Vista Teológicos
8. Salvação em Várias Religiões
9. Bibliografia

Nossa palavra "salvação" vem do latim *salvare*, que significa "salvar", e de *salus*, que significa "saúde" ou "ajuda". A palavra hebraica traduzida em português por "salvação" indica segurança. O termo grego *soteria*, e suas formas cognatas, tem a idéia de *cura, recuperação, redenção, remédio*, bem-estar e resgate. Essa palavra pode ser usada em conexões totalmente físicas e temporais, ou no que diz respeito ao bem-estar da alma, presente e eterna. A idéia de "salvar", quando usada para indicar a salvação espiritual, fala do livramento do pecado, da degradação moral e das penas que devem seguir-se, como o julgamento divino. Mas o *livramento* também nos confere algo, a saber: o perdão, a justificação, a transformação moral e a vida eterna, que consiste na participação na própria vida de Deus, no seu "tipo" de vida. A discussão a seguir explica mais amplamente a natureza desse "livramento para alguma coisa", bem como desse "livramento de alguma coisa".

1. Salvação Segundo o Antigo Testamento

Embora a salvação com freqüência apareça ali apenas como algo no tempo, como da ira de algum inimigo ("o justo viverá por sua fé", em Hab. 2:4; fala da preservação física), há passagens, como Isa. 45:17, Dan. 7:13 ss. e Isa. 53, que entram no nível espiritual da salvação. Os rabinos, após o período patriarcal, criam na alma, no pós-vida, nos lugares celestiais. Mas, a salvação, nas páginas do Antigo Testamento, jamais tomou alguns aspectos revelados no Novo Testamento, especialmente no tocante à plenitude da filiação, em que os homens assumem a natureza do próprio Cristo, a fim de terem sua mesma glória e herança. Esse é um conceito que escapou a teologia dos judeus, e continua a ser ignorado e desconhecido na maioria das igrejas de hoje, onde a salvação é reduzida ao perdão dos pecados e à mudança de endereço para os céus, após a morte física.

2. Salvação no Novo Testamento.

Até mesmo uma leitura superficial revelará que nem todos os autores do Novo Testamento têm o mesmo ponto de vista acerca da salvação. Não obstante, seus pontos de vista são *suplementares*, e não contraditórios. A visão da plenitude da salvação é mais clara em alguns escritores sagrados do que em outros.

a. *Nos Evangelhos Sinópticos*. A salvação vem por meio de Jesus (ver Luc. 19:9). Ele veio para salvar (ver Mar. 3:4; Luc. 4:18; Mar. 18:11; Luc. 9:56 e Mat. 20:28). Sua missão impõe certa obrigação moral sobre os homens (Mar. 8:35; Luc. 7:50; 8:12; 13:24 e Mat. 10:22). A salvação requer um coração contrito, a receptividade como a de uma criança, a renúncia de tudo por causa de Cristo. Ela nos conduz à vida eterna, à salvação da alma (ver Mat. 7:13,14 e Mar. 8:34 e ss.). Isso envolve a associação com Jesus em seu reino (ver Mat. 13; Mar. 8:38), que é visto como algo ao mesmo tempo celestial e terreno. Ver Mat. 3 2 e o artigo sobre a doutrina do Reino. Envolve a inquirição e a final possessão das perfeições morais (ver Mat. 5:48). Nos evangelhos sinópticos, entretanto, nunca temos a descrição dos níveis mais altos da transformação

SALVAÇÃO

segundo a imagem de Cristo, em que passamos a ser o que ele é e a possuir o que ele tem. O evangelho normalmente pregado nas igrejas evangélicas se eleva somente até o nível dos evangelhos sinópticos, o que deixa de lado especiais e maiores revelações, como aquelas dadas a Pedro e, mormente, a Paulo.

b. *No Evangelho de João.* Nesse evangelho temos um ponto de vista mais similar ao de Paulo do que aos dos evangelhos sinópticos. O princípio de *filiação* é associado à salvação, e isso é um discernimento penetrante. Fica subentendido que aquilo que é o Filho, nisso nos transformamos, pois também seremos autênticos filhos do Pai celeste. Somente no evangelho de João, de maneira mais clara e como descrição direta, é que temos o conceito da participação do homem na vida "necessária" e "independente" de Deus, o Pai. Há muitas "modalidades" de vida, a começar pelos animais unicelulares, passando por animais mais completos, do mar, da terra e dos ares. Finalmente, chegamos ao homem, o qual incorpora em si mesmo os aspectos físico e espiritual da vida, de maneira especial. As evidências mostram que toda a vida é dual, e talvez imortal; pelo menos toda e qualquer vida tem uma porção psíquica, que talvez seja o controle real do desenvolvimento físico. A fotografia Kirliana tem demonstrado o fato. Trata-se de um processo fotográfico, similar à radiologia, que fotografa a aura existente ao redor de todas as coisas vivas, mostrando que todas as coisas possuem dualidade. Existem *formas de vida* que cobrem e possuem a parte física, e essas, evidentemente, são as inteligências que dirigem o desenvolvimento físico desde a concepção, mantendo a vida física. Não obstante, o homem, em alto grau, é uma incorporação da vida espiritual com a vida física. Além disso, há a vida puramente espiritual, dos seres celestiais. Mas a vida inteira, incluindo a desses últimos, é vida *dependente,* isto é, depende de Deus para ser sustentada. Toda a vida, abaixo da vida de Deus, é vida "não-necessária", isto é, pode existir ou pode ser reduzida a nada, por ser vida potencialmente perecível. Mas Deus é o pináculo de toda a vida, sua fonte e sustentáculo. Já o "tipo" de vida de Deus é diferente. Ele é *independente,* dependendo somente dele mesmo para continuar a viver; e também é *vida necessária,* isto é, não pode deixar de existir. Sim, Deus tem vida "independente", porque depende somente de si mesmo para existir; e tem vida "necessária" porque essa forma de vida não pode deixar de existir. Foi esse o tipo de vida que o Filho recebeu por ocasião de sua encarnação, na posição de Cabeça federal da raça remida. E, através dele, os remidos também recebem essa forma de vida. (Assim nos ensinam os trechos de João 5:25,26 e 6:57, um dos mais elevados conceitos de todo o NT). Os homens chegam a compartilhar dessa forma de vida, tornando-se muito mais elevados que os anjos e membros autênticos da família divina, possuidores da natureza divina (ver II Ped.1:4). Notemos que o elevadíssimo tipo de vida exposto no Evangelho de João fez parte integral da salvação, sendo mediado através da ressurreição.

c. *No Livro de Atos.* Neste ponto retornamos ao terreno dos evangelhos sinópticos, conforme se poderia antecipar do fato de que Lucas, seu autor, também é o autor do evangelho de Atos, um dos evangelhos sinópticos. O perdão dos pecados, o arrependimento, a conversão, a entrada no reino celestial, são elementos da salvação, mas não cobrem a revelação inteira, embora destaquem os conceitos primários da salvação, que são indispensáveis. Não pode haver glorificação sem o perdão dos pecados e o arrependimento, mas esses são apenas os passos iniciais da salvação. O Livro de Atos é essencialmente uma narrativa sobre como o evangelho de arrependimento se propagou entre todas as nações. (Ver Atos 2:38, 4:12 e 16:30 e ss.)

d. *Nas Epístolas Paulinas.* Neste ponto encontramos os conceitos mais elevados, os quais são enumerados neste parágrafo. *i.* Rom. 8:29: a salvação envolve nossa transformação segundo a imagem moral e metafísica de Cristo, em que compartilharemos de sua natureza essencial; *ii.* Efé. 1:23: ser "salvo" significa vir a possuir, finalmente, a "plenitude de Cristo", que é tudo para todos; *iii.* Efé. 3:19: ser "salvo" significa compartilhar finalmente de "toda a plenitude de Deus", em sua natureza, atributos e perfeições; *iv.* Col. 2:9, 10: ser "salvo" significa participar da plenitude da divindade, tal como o Filho dela participa; *v.* II Cor. 3:18: tudo isso é produzido pelas operações do Espírito, que nos amolda segundo a natureza moral de Cristo, e então segundo a sua natureza metafísica; *vi.* a *filiação sumaria a obra:* aquilo que o Filho é, isso seremos; aquilo que ele possui, nós possuiremos. Cristo é tanto o Caminho como é o Pioneiro do Caminho. Ele assumiu a natureza humana e, na qualidade de homem, foi espiritualizado para compartilhar da divindade, na qualidade de Deus-homem, um novo modo de tal participação. É essa participação na divindade que foi aberta a todos os homens que nele confiam (ver Rom. 8:17,29,30), tornando-os capacitados a receber sua herança, sua natureza, sua imagem e sua glorificação. Para Paulo, pois, ser salvo é tornar-se aquilo que é o Filho de Deus, é compartilhar do que ele possui. Esse é o mais elevado conceito que o homem conhece. Exige arrependimento e perdão de pecados, mas esses são apenas meios para atingirmos a glorificação.

e. *Nos Escritos de Pedro.* A passagem de II Ped. 1:4 encerra a declaração mais significativa. Mostra-nos que chegamos a *participar da divindade,* da *natureza divina,* escapando da corrupção que há no mundo, para que as promessas de Deus se cumpram em nós.

3. O Meio da Salvação

Isso nos vem através do arrependimento, da fé, da conversão, enfim (ver Atos 2:38; Rom. 8:29,30 e João 3:15). O novo nascimento é parcialmente realizado agora, mas o total novo nascimento consiste em nascermos dentro do reino de Deus, já como seres celestiais. Portanto, ter por término a glorificação, quando nos tornarmos cidadãos do novo mundo. A salvação nos vem pela graça divina (ver Efé. 2:8), mas é mediada pela "santificação" (ver II Tes. 2:13). Ninguém jamais verá a Deus se não for totalmente santo, como Deus é santo (ver Heb. 12:14 e Rom. 3:21). A imputação envolve muito mais do que a declaração *forense* de que somos perfeitos em Cristo. Significa que, através da santificação do Espírito, chegaremos realmente a possuir a natureza de Deus, em sua santidade e perfeições -- em outras palavras, chegaremos realmente a possuir a verdadeira natureza de Deus, aquilo que a declaração forense meramente nos atribui. A justificação nos dá a santidade de Cristo por decreto forense; mas também garante e opera em nós a possessão real dela. (Ver o artigo sobre a *Justificação.*)

A salvação não vem através de *obras legais,* pois ninguém pode tornar-se um ser semelhante a Cristo, que é o alvo da salvação. Contudo, envolve certas obras, pois o Espírito Santo opera em nós e nos faz expressar os frutos da piedade, os seus próprios frutos, dos quais Cristo é o supremo possuidor (ver Gál. 5:22,23). Essa é

SALVAÇÃO

a razão pela qual os homens são exortados a "levar a bom termo a sua própria salvação", conforme se lê em Fil. 2:12. Nesse sentido, "graça" e "obras" se tornam sinônimas, pois a graça vem do Espírito, como também as obras. No entanto, as obras devem ser reais e eficazes na vida, devendo ser cultivadas pela vontade humana; de outro modo, não haverá "operação da graça" no homem. A salvação, pois, consiste em trazer o infinito ao finito, o divino ao humano; e o homem precisa cooperar com o Senhor, embora o próprio resultado seja divino em sua natureza.

A salvação, pois, é uma cadeia de ouro. Consiste em arrependimento, fé, conversão, santificação, glorificação, que levam um homem à plena filiação. Se qualquer desses elos for quebrado, não haverá salvação.

A salvação, pois, é "inicial", quando nos convertemos, pelo que também um homem pode dizer: "Estou salvo". Mas também tem um aspecto progressivo: estamos sendo salvos, porquanto estamos sendo preparados para o reino celestial. E a salvação também tem um aspecto final: a glorificação, quando obtivermos a natureza divina.

4. A Salvação é um Processo Eterno e Infinito

Posto que nela chegamos a possuir "toda a plenitude de Deus" (ver Efé. 3:19), isso significa que não pode haver fim na obra de salvação, pois Deus é infinito. A existência inteira nos mundos eternos, tal como aqui, terá o propósito de participarmos daquilo que Deus é, através do modelo de Cristo. Jamais poderemos participar completamente de tudo quanto Deus é, embora filhos autênticos junto com o Filho, dotados de sua natureza metafísica, pois não haverá como chegarmos ao fim da infinitude. Portanto, a diferença entre a natureza remida do homem e a natureza do Pai não consiste em "espécie", e, sim, em "extensão" da glória. A salvação consiste em trazer o infinito ao que é finito, em trazer o que é divino ao que é humano. Quanto a isso, não pode haver fim, e toda a eternidade nos ensinará o que esse preceito significa.

5. O Conceito de Filiação

O conceito de filiação sumaria a idéia da salvação, conforme aparece no Novo Testamento. Somos "filhos que estão sendo conduzidos à glória" (ver Heb. 2:10); compartilhamos da natureza do Filho (ver Rom. 8:29; II Cor. 3:18 e I João 3:1,2). O indivíduo salvo é alguém que se tornou filho de Deus, de modo a compartilhar de tudo quanto o Filho possui, de ter a sua natureza essencial. O Cabeça e o corpo místico devem possuir a mesma natureza, embora tenham diferentes ofícios e funções. A glorificação do corpo deve ser a mesma glorificação desfrutada pelo Cabeça.

Pode-se perceber facilmente, mediante essa descrição, por que a salvação, em sua natureza essencial, é chamada de "grande" em Heb. 2:3. Fala da "imensidão" do bem-estar espiritual que é conferido aos remidos, da imensidão em que o homem é transformado, pois se torna mais elevado que os mais altos anjos, tal como o próprio Cristo é infinitamente superior a eles. Ver o artigo sobre o problema da *Segurança do Crente*.

> Gloriosa, mais gloriosa é a coroa
> Daquele que nos trouxe a salvação,
> Por humildade chamado de o Filho.
> Tu, que creste naquela estupenda verdade
> E agora o feito sem-igual foi realizado,
> DETERMINADO; OUSADO E FEITO.
> (Christopher Smart)

6. Elementos da Salvação

A salvação consiste no processo, no estado resultante e no progresso contínuo da alma, em sua inquirição para obter toda a plenitude de Deus (ver Efé. 3:19), experimentando a transformação segundo a natureza e a imagem do Filho (ver Rom. 8:29), que avança de um estágio a outro de glória, interminavelmente (ver II Cor. 3:18). A teologia tem dado nomes aos vários estágios desse processo, e oferecemos artigos separados sobre eles. Ver *Expiação; Arrependimento; Conversão; Justificação; Regeneração; Santificação* e *Glorificação*. Ver também o artigo intitulado *Divindade, Participação na, Pelos Homens*.

7. A Realização da Salvação: Pontos de Vida Teológicos

No artigo *Salvação em Várias Religiões*, demonstro que há grande variedade de pontos de vista no tocante ao que a salvação se propõe a realizar. Também demonstro que em qualquer sistema religioso, incluindo o judaísmo e o cristianismo, a salvação é um conceito crescente. De fato, nem a Bíblia (no Antigo e no Novo Testamento) nos oferece somente um ponto de vista a respeito, visto tratar-se de um conceito complexo, que implica muitas facetas. Para exemplificar, a visão paulina da salvação é muito mais extensa e exaltada que a dos evangelhos sinópticos. Mas a mensagem de salvação, pregada nas igrejas cristãs de nossos dias, reflete a mensagem dos evangelhos sinópticos. Apresentamos os vários níveis de pensamento a respeito sob o segundo ponto. Não é de surpreender, pois, que a teologia também encare a salvação de modos diversos. É possível alguém ler um dicionário bíblico, no verbete "Salvação", sem nada encontrar acerca da transformação do crente à imagem de Cristo ou acerca da participação na plenitude de Deus. O que ali é abordado são temas como a fé, o arrependimento, a justificação e a glorificação, os quais, embora verdadeiros, estão longe de explorar toda a gama de facetas que Paulo expôs. Em outras palavras, alguns intérpretes não têm conseguido ver além da visão dos evangelhos sinópticos.

As *teologias cristãs* tendem por apresentar um ou outro dos ângulos do Novo Testamento acerca da salvação, ao mesmo tempo que negligenciam aspectos desse mesmo documento sagrado que expõem outras idéias, as quais não somente acrescentam algo, mas também modificam pontos de vista muito drásticos. Por isso mesmo, as teologias via de regra são provinciais, e não representam, universalmente, os ensinamentos do Novo Testamento. O que dizemos a seguir ilustra essa declaração:

a. *A Questão da Expiação*. Ver o artigo geral intitulado *Expiação*. O calvinismo limita a expiação somente aos eleitos, apesar do claro pronunciamento de I João 3:2, que foi escrito contra o exclusivismo gnóstico. Estes acreditavam que a grande maioria dos homens não pode ser remida, tal como o fazem os calvinistas, embora por outros motivos. Assim, o intuito de Deus é limitado desde o começo, e seu amor universal (ver João 3:16) é reduzido a uma farsa. O ponto de vista arminiano, por sua parte, crê que o potencial para a salvação é universal, mas não tem fé na concretização desse potencial, para todos os propósitos práticos, pelo que não se mostra mais generoso acerca da missão de Cristo e de suas propostas realizações do que o calvinismo. O *universalismo* irrestrito (ver a respeito) é extremamente generoso, fazendo a aplicação da missão de Cristo incidir sobre todos, sem supressão, de modo absoluto e final. Muitos cristãos têm assumido esse ponto de vista, e, nos tempos modernos, especialmente os estudiosos liberais. Meu ponto de vista

O Salvador

EIS QUE ESTOU À PORTA E BATO

••• •••

Foi grande revelar Deus a seres angelicais;
Foi maior estimar o homem humilde.
Foi grande habitar no exaltado favor divino;
Foi maior ser Salvador do homem quebrantado.
    (Russell Norman Champlin)

•••

Cristo, Salvador de Todos os Mundos
Cristo, Salvador de todos os mundos, em todos
  os mundos, até a beira da condenação;
Amando, pesquisando, buscando, salvando
  para além do sepulcro ou túmulo.
Decretos divinos, dogmas humanos, séculos
  presentes ou futuros — nada pode limitar o
  seu poder imutável, esperança fixa e sublime.
O Cristo, imutável, Redentor eterno,
  na transição dos séculos sempre o mesmo,
  constante é o poder recuperador do teu Nome.
Ponto de tempo chamado terra, e tu Jesus,
  não são tudo, não podem ser tudo;
Esferas além, mundos vindouros —
  o Logos Divino deve dominar.
Ponto de tempo findo pela morte, significa
  para alguns o fim da própria vida,
  para outros, o fim da esperança —
  ambas visões míopes, sem dúvida.
Pois Tu és o Cristo eterno, no tempo e
  fora dele sustentas seguramente.
Amando, pesquisando, buscando, salvando —
  para além do sepulcro ou túmulo.
Tu és o Cristo, Salvador de todos os mundos,
  em todos os mundos,
  à beira da condenação; na condenação?
  —Na Condenação!—
    (Russell Norman Champlin)

•••

SALVAÇÃO EM VÁRIAS RELIGIÕES

pessoal é o da redenção-restauração, que significa que os eleitos serão remidos, e que os não-eleitos serão restaurados. Destarte, a expiação de Cristo terá aplicação absoluta. O poder de Cristo alcança todos os homens, eficazmente, embora não da mesma maneira. O artigo sobre a *Restauração* apresenta completos detalhes sobre esse ponto de vista.

b. *A Missão Tridimensional de Cristo*. Se limitarmos a missão de Cristo, naturalmente limitaremos o potencial de suas realizações. Cristo tem exercido três ministérios que contribuem para o mesmo grandioso propósito: a missão terrena, a missão no hades e a missão celestial. E todas essas missões têm algo que ver com a oportunidade de salvação, e o que essa oportunidade espera realizar. Os evangelhos falam sobre a missão terrestre de Cristo; os trechos de I Ped. 3:18 - 4:6 e Fé. 4:8 ss. falam sobre o seu ministério no hades. Sabemos que o evangelho foi anunciado até mesmo àquele lugar de julgamento, oferecendo a oportunidade de salvação para os que ali estão encerrados. I Ped. 4:6 deixa isso claro. E que o julgamento é remedial, e não meramente retributivo. A idéia, ali, é que os homens "vivam no espírito segundo Deus", depois que o juízo divino tiver surtido o seu efeito. Ver sobre *Descida de Cristo ao Hades* quanto a completos detalhes sobre a missão de Cristo àquele lugar. Sua descida teve o mesmo propósito que sua subida dali, ou seja, que ele fosse Aquele que encheu "todas as cousas", conforme Efé. 4:10 afirma. Mas também precisamos considerar o seu ministério celestial, que dá prosseguimento à sua grandiosa obra. O propósito dessa missão celeste é que os remidos venham a participar de toda a plenitude de Deus (a sua *pléroma*), porquanto isso só poderá tornar-se realidade se Cristo realizar sua poderosa obra celeste, transformando os filhos de Deus à imagem do Filho. Dessa maneira é que chegaremos a participar da natureza divina (ver Col. 2:9,10; II Ped. 1:4).

A *missão tridimensional de Cristo* garante uma *oportunidade universal, absoluta*, o que contempla a aplicação universal dos benefícios da missão de Cristo. Ora, isso é precisamente o que devemos esperar do grande amor de Deus, que alcança desde o mais fundo inferno até os pináros do céu. Ver o artigo intitulado *Missão Universal de Cristo*.

c. *O Mistério da Vontade de Deus*. O trecho de Efé. 1:9,10 alude a esse profundo mistério. O seu propósito é unificar, finalmente, *todas as coisas*, em redor de Cristo. Isso será realizado na redenção-restauração que envolve as três missões de Cristo. Quanto a completos detalhes, ver o verbete *Mistério da Vontade de Deus*.

d. O que a missão de Cristo propõe-se a realizar pode ser sumariado em duas palavras: *redenção* e *restauração*. Os artigos sobre esses dois temas oferecem detalhes.

Derrota das Teologias Pessimistas. Todas as teologias *limitadoras* como o calvinismo e o arminianismo são pessimistas. Todas elas dependem da utilização de determinados textos de prova, e da correspondente distorção ou supressão de outros textos, que não se ajustam àqueles esquemas. O calvinismo limita o *intuito* de Deus, suprimindo o magnificente mistério da vontade de Deus. E o arminianismo limita a *aplicação* da boa vontade do Senhor. O universalismo, por sua vez, não compreende que o Deus Todo-poderoso, operando através de seu Filho absolutamente eficiente, pode aplicar seu poder de diferentes modos, garantindo o sucesso, embora não da *mesma maneira*, no tocante a todos os homens.

Podemos ter a certeza, contudo, que o plano de salvação é grandioso; o labor de Cristo é inigualável; a aplicação da tridimensional missão de Cristo é absoluta. Coisa alguma permanece fora do poder do Logos de Deus; a sua vontade terá cumprimento cabal; a sua missão será realizada em termos absolutos. Qualquer afirmação menor do que isso faz injustiça à verdade da salvação.

8. Salvação em Várias Religiões
Ver o artigo separado com esse título, quanto a um pouco de teologia comparada, no que concerne à salvação.

9. Bibliografia
AM B C E EP NTI P R RP Z

SALVAÇÃO, AUTOR DA

A expressão aparece em Heb. 2:10, e sob a forma de Autor e Consumador da fé. em Heb. 12:2. A palavra ali usada é *archegós*, que tem o sentido de "líder", "pioneiro". Nossa versão portuguesa prefere a tradução "autor", em ambas essas passagens da epístola aos Hebreus, embora não faça o mesmo nas demais referências em que o termo aparece: Atos 3:15 e 5:31. Todas essas idéias, entretanto, dizem verdades sobre a pessoa de Cristo. Cristo é o grande Autor de nossa salvação, embora também seja Aquele que nos mostra o caminho, como Pioneiro do caminho que ele é, conduzindo os filhos de Deus para que compartilhem de sua natureza e filiação divina. O termo grego por trás dessa palavra, *archegós*, combina dois vocábulos: *arche*, "começo" ou "primeiro", e *ago*, "liderar", ou seja, o primeiro que encabeça a outros, que o seguem. Tal palavra pode significar, igualmente, *fundador* ou *originador*. Cristo tanto é *o autor* da salvação, como também, por ser homem, é o *primeiro* de uma série, ou seja, as *primícias* de uma grande colheita espiritual, o primeiro dos homens a atravessar a barreira da mortalidade para a imortalidade. Nessa capacidade, ele é *o Pioneiro* do caminho. Tendo passado para a imortalidade, agora conduz muitos outros filhos à glória (ver Heb. 2:10). Ele é o Pioneiro, por intermédio da fé (Heb. 12:2), por meio de seu exemplo moral e de sua dedicação espiritual, qualidades que os remidos precisam ter.

SALVAÇÃO DE INFANTES
Ver *Infantes, Morte e Salvação dos*.

SALVAÇÃO EM VÁRIAS RELIGIÕES
Ver o artigo separado sobre *Salvação*, no qual é pormenorizada a exposição neotestamentária cristã.

Esboço:
I. O Termo
II. Pano de Fundo
III. Em Várias Religiões
IV. Na Filosofia
V. No Cristianismo
VI. Bibliografia

I. O Termo
A palavra latina da qual se deriva o termo português "salvar" é *salvare*, que pode referir-se a qualquer tipo de salvamento, livramento etc. *Salvus* significa seguro, a salvo, não prejudicado, ileso, livre. No seu sentido teológico, *salvar* é livrar de algum perigo ou mal (incluindo o juízo final), juntamente com a provisão de bem-estar espiritual, definido de muitos modos nos vários sistemas religiosos. Usualmente, a salvação é associada a algum estado futuro, a uma existência pós-túmulo de algum tipo bem-aventurado; e, em muitos sistemas religiosos, isso é contrastado com algum estado de julgamento e miséria.

SALVAÇÃO EM VÁRIAS RELIGIÕES

A palavra hebraica é *yesua,* que indica "largueza", "facilidade", "segurança", e que podia ser usada em toda forma de contexto e aplicação. O vocábulo grego correspondente é *soteria,* que envolve as idéias de "cura", "recuperação", "remédio", "salvamento", "redenção", "bem-estar". No Novo Testamento, esse vocábulo grego é usado para indicar o livramento da condenação, estando em vista um aspecto escatológico, mas com primórdios desde a vida presente, tudo considerado de diferentes ângulos e com diferentes significações.

II. Pano de Fundo

Dois fatores principais devem ser considerados:

1. A crença quase universal dos homens em uma existência após a morte biológica, estando envolvida alguma forma de imortalidade.

2. Os homens reconhecem que a justiça precisa ser servida, podendo isso manifestar ou um aspecto positivo ou um aspecto negativo. Quanto ao aspecto negativo, é postulado algum tipo de julgamento, que deve conter alguma forma de retribuição em face dos males praticados. Quanto ao aspecto positivo, é postulada alguma forma de bem-aventurança, que caracterizará a existência na vida pós-túmulo. Esse aspecto é associado ao livramento do estado não-desejado, bem como a outorga de bênçãos positivas, usualmente concebidas como a vida em um lindo e favorável lugar, isento dos males que são tão corriqueiros na vida terrena.

Aqueles que acreditam nas idéias inatas supõem que os homens naturalmente saibam dessas coisas, visto que a alma é dotada de um conhecimento básico que pode ser perscrutado mediante a *intuição* (ver a respeito). Também há aqueles que pensam que o ministério do Espírito garante aos homens o conhecimento básico acerca da existência pós-túmulo, tanto em seu aspecto negativo quanto em seu aspecto positivo. Ou, quiçá, a razão seja suficiente para sondar essas questões. Essas idéias emergiriam indistintas em nosso consciente, mas emergiriam. E todas as culturas participariam desse conhecimento básico dos fatos.

Básica a qualquer forma de crença na salvação é a fé na espiritualidade fundamental do ser humano, e, paralelamente, a sua responsabilidade. Daí porque muitos sistemas éticos estão alicerçados sobre o pressuposto de que aquilo que aqui praticamos nos segue para além da morte biológica, levando-nos a alguma forma de existência no além.

Outro motivo universal é a crença de que os lugares de julgamento, chamados *hades* na cultura greco-romana, como também na moderna cultura cristã (por empréstimo e influência do Novo Testamento), envolvem alguma espécie de missão remidora. Essa crença era muito forte no judaísmo do período intertestamentário e chegou a fazer parte da tradição cristã. Ver sobre *Descida de Cristo ao Hades* quanto a completas explanações sobre a questão.

Falta de Homogeneidade. Não podemos esquecer que os grandes sistemas religiosos não são homogêneos quanto a certas doutrinas principais, incluindo essa questão da salvação. O próprio Novo Testamento não expõe uma idéia única sobre isso, e cada uma das grandes religiões também não tem uma explicação singela para aquilo que a existência no além reserva para os homens.

III. Em Várias Religiões

1. *Nas Religiões Animistas.* É provável que amais antiga forma de religião seja a animista, a crença na continuidade do espírito humano, que pode voltar ao mundo e abençoar ou amaldiçoar, com grande variedade de outros espíritos que podem fazer a mesma coisa. Nessas religiões, geralmente há falta de todo o tipo de descrição exata quanto ao estado dos mortos, além de incluírem a noção que os mortos podem ajudar ou prejudicar aos vivos. Entretanto, certo bem-estar é vinculado às vidas dos mortos bons, e isso serve como uma espécie de visão primitiva da salvação.

2. *No Judaísmo.* Pode-se buscar em vão, no Pentateuco, alguma explicação a respeito da vida pós-túmulo. Não há ali nenhum apelo à mesma, nem como advertência aos que não observassem à lei, nem como promessa de bem-estar no além para os que agissem corretamente. Quando o trecho de Deu. 5:33 promete vida abençoada e longa àqueles que observarem aos mandamentos, não há nisso nenhum indício de que estava em vista a vida no além. Aquele que pusesse em prática as ordenanças do Senhor, viveria por esse motivo (ver Lev. 18:5). Esse texto é citado em Rom. 10:5, no contexto da salvação, embora negando que a observância dos mandamentos envolva a promessa da vida eterna. É evidente que Moisés não estava pensando na vida pós-túmulo. Não obstante, no judaísmo posterior (na época em que foram escritos os Salmos e os Profetas), esses trechos do Pentateuco foram aplicados à vida no além. A despeito do que digam em contrário certos cristãos, o judaísmo sempre foi um caminho de obras humanas, e a obediência à lei era o padrão absoluto dessas obras. E até mesmo nos Salmos e nos Profetas não há nenhuma descrição clara acerca do que está envolvido na vida pós-túmulo, exceto que são prometidas a miséria para os pecadores e a felicidade para os justos. O *Sheol* (ver a respeito) torna-se ali uma ameaça aos pecadores; e algum tipo de vida bem-aventurada, não bem definida, torna-se uma promessa feita aos justos. No Antigo Testamento, o trecho de Dan. 12:2,3 é a mais clara passagem acerca do julgamento e da salvação: "Muitos dos que dormem no pó da terra ressuscitarão, uns para a vida eterna, e outros para vergonha e horror eterno. Os que forem sábios, pois, resplandecerão como o fulgor do firmamento; e os que a muitos conduzirem à justiça, como as estrelas sempre e eternamente".

Alguns eruditos atribuem uma data posterior ao livro de Daniel; e se este foi produzido durante o período helenista, então podemos compreender melhor uma declaração como essa. Seja como for, os livros apócrifos e pseudepígrafos do período intertestamentário apresentam uma visão bastante complexa da vida no além, com gradações de céus e um agonizante *sheol*. A idéia dos *sete céus* surgiu durante esse período; e a mais exaltada glória consiste em assumir a natureza dos anjos e habitar em um lugar elevado e abençoado. Até aí evoluíram as idéias dos judeus quanto à salvação, antes do começo do Novo Testamento. Naturalmente, os saduceus preferiram permanecer com a visão do Pentateuco, não aceitando como autoritativa a doutrina que surgiu mais tarde. Ver o artigo sobre I e II Enoque, quanto à elaborada concepção da vida pós-túmulo que, finalmente, veio a ser defendida pelo judaísmo.

A falta de homogeneidade da fé dos hebreus, acerca da salvação, fica assim demonstrada. A crença na vida no além e no que isso envolve foi uma doutrina que se paulatinamente se desdobrou entre eles. Toda teologia cresce, e não necessariamente na mesma direção quanto a diferentes grupos dentro de um mesmo sistema religioso.

3. *No Budismo* (ver a respeito). A escola *hinayana* do budismo não ensinava a existência de uma verdadeira alma no homem, e, como é óbvio, a reencarnação da alma. Antes, estados mentais passariam de uma entidade a outra, mas cada entidade deixaria de existir por ocasião da morte

SALVAÇÃO EM VÁRIAS RELIGIÕES

biológica. Apesar disso, seus pensadores postulavam uma espécie de salvação. Seria desejável que esses estados mentais desaparecessem totalmente, ou seja, se apagassem como se fossem chamas, e que o Nirvana (extinção total) viesse a dominar sobre tudo. Para eles, o vazio absoluto seria a salvação. A paz total, com a cessação da existência, seria obtida mediante as obras, em que o indivíduo seguiria as *nobres verdades* daquela fé. Em primeiro lugar, seria obtido um estado budista (semelhança com Buda), e então um vácuo, o Nirvana.

O *budismo mahayana*, em contraste com isso, prometia aos seus seguidores uma genuína imortalidade e bem-aventurança, tudo a ser obtido pelos mesmos meios propostos pela escola hinayana, e que seria conseguido em um céu verdadeiro, chamado Nirvana, mas ali definido de maneira diversa. A participação na natureza divina e a existência aos moldes divinos seria a salvação, atingida uma vez que cessasse o ciclo de renascimentos ou reencarnações, mediante uma vida moral e reta. Ver sobre o *Budismo* quanto a maiores detalhes.

Posteriormente, o budismo chegou a desenvolver uma doutrina de muitos céus e infernos, que a alma humana poderia habitar, embora dali pudesse retornar, para ter outra reencarnação. Mas, finalmente, uma vez obviada a necessidade de reencarnação, esferas de glória estariam à espera da alma.

4. O confucionismo (ver a respeito) é, essencialmente, uma religião deste mundo, tal como o judaísmo mais antigo. A crença na existência da alma fazia-se presente, embora com idéias vagas acerca da existência no além.

5. O taoísmo (ver a respeito) envolve uma noção distinta sobre o mundo do além, tendo emprestado a idéia de muitos céus e infernos do budismo. O indivíduo venceria por meio do quietismo, geralmente atrelado às experiências místicas. Na terra, vida longa e riquezas materiais são procuradas; boas obras são recomendadas; confissão de pecado e absolvição são ali doutrinas básicas. A devida retribuição pelo bem e pelo mal praticado é uma doutrina corrente.

6. O *hinduísmo* (ver a respeito) é uma religião na qual as idéias acerca da salvação têm variado de um período histórico para outro. Assim, no hinduísmo védico havia noções nitidamente próprias a uma vida neste mundo, ainda que, sob forma preliminar, também houvesse crenças na existência da alma, e que ela poderia esperar o bem ou o mal, após a morte física. Obter-se-ia o bem mediante sacrifícios. Ver o artigo intitulado *Religião*, terceira seção, *Tipos de Religião*.

O *hinduísmo brâmane* veio a tornar-se bastante espiritualizado em seu caráter, prometendo a esperança de uma existência bem-aventurada no além para aqueles que pudessem desvencilhar-se dos ciclos da reencarnação, mediante atos morais e boas obras positivas. O carma e a reencarnação são aspectos centrais nessa religião.

O *hinduísmo filosófico* ressalta a necessidade de o *indivíduo* livrar-se dos ciclos da reencarnação, buscando o descanso e a alegria na outra vida. A participação na natureza divina é a maior realização possível, embora o homem só possa obter essa participação em grau finito. Há ali muitos caminhos importantes para o homem obter libertação e glória: conhecimento, boas obras, experiências místicas e, finalmente, o amor. Essas seriam as veredas básicas para o empreendimento humano. Mediante várias reencarnações, a alma humana haverá de experimentar todas elas. Consideradas conjuntamente, essas veredas levam a alma a subir aos mundos de luz: O artigo sobre o *hinduísmo* descreve com maiores detalhes as suas idéias sobre as principais veredas que o indivíduo pode seguir, em busca do desenvolvimento espiritual e da realização.

O *hinduísmo devocional* (teísta) fala sobre a vida eterna no céu, na presença de Deus. Nessa forma de hinduísmo aparecem muitos céus e infernos. O indivíduo pode ir subindo de céu em céu até chegar a habitar na presença de Deus, a visão mais exaltada da salvação, segundo esse segmento do hinduísmo. Mas, aos olhos do hinduísmo filosófico (ver anteriormente), esse não é o alvo mais alto, visto que nada diz sobre a participação do homem na própria natureza divina. No hinduísmo devocional, a vereda para a glória consiste, essencialmente, em fé, devoção, amor e prestação de serviço ao próximo. Essa fé tem ramificações politeístas, e a divindade cuja presença é buscada é variegadamente escolhida. As principais divindades são Vishnu, Krishma, Rama, Siva e Kali, que são objetos de adoração por parte de diferentes seitas.

7. Os *sikhs* (ver a respeito) defendem essencialmente as mesmas idéias que as advogadas pelo hinduísmo devocional (teísta).

8. O *jainismo* (ver a respeito) foi uma espécie de movimento protestante dentro do hinduísmo. Ensinava a escapar dos ciclos de reencarnação, bem como a passagem por muitos céus e infernos, nenhum deles permanente. Essa religião não é muito teísta. Se ali existem deuses, eles em nada ajudam aos homens. A salvação é obtida por meio do esforço humano, e o carma governa tudo. As três "jóias" da fé religiosa são: a fé correta, o conhecimento correto e a conduta correta. Importantes doutrinas são o ascetismo e o pacifismo.

9. O *zoroastrismo* (ver a respeito) sempre se afastou do secularismo, como religião; e isso foi acentuando-se com a passagem do tempo. Deus é visto ali como alguém que é reto e exige retribuição e recompensa. Os homens maus serão punidos; e os homens bons serão recompensados. A salvação seria obtida por meio das boas obras. A ênfase recai sobre pensamentos bons, boas obras, boas ações — até que o indivíduo venha a colher aquilo que semeou de bom ou de mau. No zoroastrismo posterior, foi concebida uma personagem, *Soashyant*, o Salvador, a fim de ajudar os homens a atingir a salvação.

10. O *islamismo* (ver a respeito) fez fartos empréstimos tanto do judaísmo quanto do cristianismo, e surgiu em cena numa época em que outros aspectos próprios do outro mundo dominavam os pensamentos dos homens. Uma das principais idéias dessa fé é escapar do julgamento por parte de Allah, um juízo que consiste em chamas eternas. O caminho da salvação consiste em boas obras e conformidade com a fé religiosa islâmica, com a realização de suas provisões, ritos especiais etc. A crença também é importante para a salvação: a crença em um monoteísmo absoluto, tendo Maomé como o profeta de Allah, o autor do livro santo, o Alcorão, onde se fala sobre o juízo divino etc. Contudo, a salvação depende da eleição por parte de Allah, de acordo com o que os eleitos agirão como bons muçulmanos. Na seita Shira do islamismo, é enfatizada a salvação por meio da fé. O pós-vida (na salvação) é um lugar agradável, com prazeres, lazer e bem-estar.

IV. Na Filosofia

Os filósofos têm abraçado todas as principais manifestações de fé religiosa, pelo que os sistemas por eles criados refletem, até certo ponto, seus panos de fundo formativos e suas associações religiosas. Além dessas circunstâncias, alguns filósofos criaram filosofias distintamente religiosas, com conceitos de salvação.

Dou apenas alguns exemplos:

1. *Platão* falou sobre o drama sagrado da alma, a qual

SALVAÇÃO EM VÁRIAS RELIGIÕES – SALVADOR

procura libertar-se dos ciclos de reencarnação mediante atos morais corretos e uma vida reta. Todas as almas são perenes, pois, oriundas da eternidade, voltam à eternidade. Mas, na salvação, a alma, agora participante da natureza divina, torna-se eterna. E isso produz o fim dos ciclos de reencarnação, quando a alma entra em um período (cuja duração é impossível de determinar) em que vai subindo pela escadaria ontológica, até chegar a Deus e à sua natureza. Alguns interpretam isso como a perda da individualidade e a total absorção por parte do Ser divino. Outros supõem que o indivíduo tornar-se-á universal, cônscio de sua grande glória.

2. O neoplatonismo tomou por empréstimo certas idéias de Platão, fazendo alguns acréscimos a elas, principalmente a idéia das emanações. As emanações retornariam a Deus e seriam finalmente reabsorvidas por ele; e nisso consistiria a salvação. Novamente, debateu-se ali se isso significará ou não o fim da individualidade. Minha opinião é que essa questão não foi adequadamente respondida pelos pensadores neoplatônicos. O indivíduo tornar-se-ia o universo, e, nesse sentido, chegaria ao fim; mas isso não significa que haverá fim da consciência individual, com alguma forma de auto-identidade.

3. *Doutrinas da Alma*. Todas as filosofias que ensinam a imortalidade da alma automaticamente também ensinam alguma forma de salvação da alma, em alguma outra esfera da existência, alguma outra esfera não-material. O próprio gnosticismo, que não cria na pecaminosidade da alma imaterial, ainda assim afirmava que há uma salvação à espera da alma, quando ela puder livrar-se da matéria, ou princípio do mal, segundo os gnósticos. E então haveria uma reabsorção no Ser divino, com a aparente perda da individualidade. Ainda segundo o gnosticismo, as almas inferiores, embora não condenadas (como os profetas do Antigo Testamento), podem atingir um mundo de bem-aventurança, mas não a participação na natureza divina. As almas inferiores, aquelas que não puderam libertar-se da matéria, seriam totalmente aniquiladas.

4. *Várias Filosofias*. Nos escritos de Hegel, tudo retornaria ao Absoluto, na grande e final *síntese*. No pensamento de *Kant*, a alma deverá ser condenada ou recompensada, mas ele não especulou para além dessas expectativas básicas. No *existencialismo ateu*, não há nem alma nem salvação, apenas desespero. No *existencialismo teísta*, o finito ir-se-á aproximando sempre do Infinito, nunca deixando de *progredir* naquilo que é chamado de salvação. Nas filosofias científicas, como é o caso do *positivismo*, ensina-se que qualquer especulação metafísica é destituída de sentido, visto não possuirmos os meios para saber se são verdadeiras ou não. Portanto, segundo essa posição, a salvação é algo que não podemos discutir com inteligência, pelo que é um assunto que deveria ser evitado. No *humanismo*, a salvação é algo temporal e terreno, consistindo naquilo que é melhor para o homem, aqui e agora. No *transcendentalismo*, vê-se forte ênfase espiritualizada. O homem é uma alma, e deve buscar a vida permanente do espírito. Emerson acreditava no Sobre-ser, de onde o homem se originou e dentro do qual vive.

V. No Cristianismo

Apresento um artigo separado sobre a *Salvação*, o qual mostra a visão bíblica e teológica própria da fé cristã. Precisamos estar atentos ao fato de que o Novo Testamento (conforme exposto por seus vários livros e autores) não aponta somente um conceito da salvação. Os evangelhos sinópticos oferecem-nos a visão popular, que veio a predominar na Igreja. Ali salvação consiste em ficar livre do pecado, em converter-se e passar a viver uma vida muito melhor no espírito. A mais elevada meta, ali, parece ser a participação na natureza angelical (ver Luc. 20:36). Diz esse texto: "... são iguais aos anjos...". Ora, até esse ponto é que o judaísmo helenista tinha avançado, conforme se vê refletido nos livros de I e II Enoque; e Lucas parece ter empregado e aprovado essa idéia. No *Evangelho de João* encontramos um conceito mais elevado. Ali já aparece a filiação dada ao crente, embora isso não seja definido em termos precisos. Porém, João 5:24 e seu contexto parecem ensinar a doutrina que a alma chegará a participar da vida necessária e independente de Deus, por meio do poder e das operações do Filho de Deus. Se essa interpretação está com a razão, então, no Evangelho de João, a salvação final é a real participação na natureza divina, o que concederá à alma a vida que não pode deixar de existir (vida necessária), bem como a vida em si mesma (vida independente, dada por Deus, o único Ser independente, e que ele haverá de comunicar aos filhos de Deus por meio do Filho).

A salvação final, de acordo com os escritos paulinos, ultrapassa em muito àquilo que se lê nos evangelhos sinópticos. Ali temos a participação na filiação (ver Rom. 8:14-29); a participação em toda a plenitude de Deus (Efé. 3:19); a participação na plenitude do Filho (Col. 2:9, 10). Para Paulo, a salvação jamais estagnar-se-á, visto que prosseguirá de um grau de glória para o próximo, interminavelmente (ver II Cor. 3:18). Isso significa que, em vista de haver uma infinitude com a qual seremos cheios, também deverá haver um enchimento infinito. E isso só pode significar que haverá uma participação real, mas finita (porém sempre crescente), na natureza divina.

Quando o trecho de II Ped. 1:4 afirma que os remidos virão a participar da natureza divina, considero essa declaração de modo literal, e não apenas figurado. Portanto, o perdão dos pecados e a transferência da alma para o céu, por mais importantes que sejam esses aspectos, revelam-se apenas estágios preliminares de nossa salvação. Isso pode ser comparado com o que Platão disse, que a alma deixará de ser perene para ser imortal. E ele definiu essa imortalidade em termos da real natureza de Deus, comunicada aos homens, como um Pai a seus filhos, os quais assim terão sido conduzidos à glória eterna (ver Heb. 2:10). Tudo mais que tenho para dizer acerca desse assunto pode ser acompanhado no artigo separado, intitulado *Salvação*.

VI. Bibliografia.
B C E EP P R RP Z

SALVADOR

Ver sobre *Salvação*. No grego, *sotér*, "libertador", "preservador", um vocábulo aplicado a homens poderosos, governantes e divindades antigas. Na Bíblia, supremamente, a Deus Pai e a Jesus Cristo. "... a pregação que me foi confiada por mandato de Deus, nosso Salvador, a Tito, verdadeiro filho, segundo a fé comum. Graça e paz da parte de Deus Pai e de Cristo Jesus, nosso Salvador" (Tito 1:3,4). Ver também João 4:42 e Efé. 5:23. Um conceito básico e subjacente a todo o Antigo Testamento é o de que Deus é o libertador de seu povo. Ali se ensina que ninguém pode salvar a si mesmo, e que só Deus é o Salvador. (Ver Sal. 44:3; Isa. 43:11; 45:21; 60:16; Jer. 14:8; Osé. 13:4.) No hebraico, *salvador* é um particípio, não um substantivo, o que parece indicar que, no Antigo. Testamento, a palavra não é tanto um título e, sim, uma descrição das atividades de Deus em prol de seu povo. Embora "salvador" não seja um dos títulos messiânicos do Antigo Testamento, o Messias

SALVADOR – SALVOS PELA VIDA DE CRISTO

é ali descrito como alguém que viria para oferecer salvação a todas as nações (Isa. 49:6,8; Zac. 9:9). Homens poderosos, que Deus usava como instrumentos de libertação de seu povo, no Antigo Testamento, por igual modo, foram intitulados "salvadores" (ver Juí. 3:9,15; II Reis 13:5; Nee. 9:27 e Oba. 21). A LXX emprega a palavra grega *sotér* em lugar do substantivo "salvação", pelo que o vocábulo se tornou comum aos ouvidos daqueles que se utilizavam do Antigo Testamento traduzido para o grego.

Algumas vezes, os gregos usavam a palavra *sotér* como uma apelação divina. Como o faziam os hebreus, os gregos também usavam esse termo para indicar homens poderosos, como filósofos como Epicuro, ou governantes como Ptolomeu I. E os romanos, a partir da época de Nero, usavam o vocábulo para referir-se a seus imperadores.

No Novo Testamento, porém, o vocábulo jamais é aplicado para indicar um mero ser humano, mas exclusivamente a Deus Pai e a seu Filho, Jesus Cristo. Deus é descrito como *salvador,* no Novo Testamento, por ser ele o autor da salvação que Jesus Cristo veio trazer aos homens (Luc. 1:47; I Tim. 1:1; 2:3; 4:10; Tito 1:3; 2:10; 3:4; Jud. 25). E esse é o título aplicado especialmente ao Senhor Jesus, no Novo Testamento. Desde o princípio ele foi anunciado como o Salvador do mundo (Luc. 2:11). Embora o termo não seja usado no evangelho de Mateus, a missão de Jesus é descrita nesse evangelho como a missão Daquele que viera salvar o seu povo de seus pecados (Mat. 1:21). A distribuição das vinte e quatro ocorrências do vocábulo "Salvador", nas páginas do Novo Testamento, indica que, embora o termo já fosse empregado para referir-se à pessoa de Jesus, desde o começo do cristianismo, tornou-se um vocábulo especialmente importante já no final do período neotestamentário. Dois terços dessas ocorrências aparecem nos livros posteriores do Novo Testamento, a saber: dez vezes nas epístolas pastorais; cinco vezes em II Pedro; e uma vez em João, I João e Judas. O evangelho de Marcos e as primeiras epístolas paulinas não incluem o termo *Salvador.* Nas páginas do Novo Testamento, a palavra grega *sotér* aparece em Luc. 1:47; 2:11; João 4:42; Atos 5:31; 15:23; Efé. 5:23; Fil. 3:20; I Tim. 1:1; 2:3; 4:10; II Tim. 1:10; Tito 1:3,4; 2:10,13; 3:4,6; II Ped. 1:1, 11; 2:20; 3:2,18; I João 4:14 e Jud. 25.

Palavras associadas ao termo "Salvador", no Novo Testamento, fornecem-nos maior discernimento sobre o seu significado no cristianismo primitivo. Jesus foi descrito no quarto evangelho como "o Salvador do mundo" no seu encontro com a mulher samaritana. Isso indica que a significação de Cristo é universal, não podendo ser limitada a um povo ou raça. Nas epístolas pastorais, é usada a expressão "aparecimento de nosso Salvador, Cristo Jesus" (II Tim. 1:10; cf. Tito 2:13), que testifica de sua origem e glória sobrenaturais. Esse termo também é vinculado ao seu amor para com os homens (Tito 3:4; no grego, *philanthropía*). As associações da idéia *sotér* também apareciam comumente nos escritos dos gregos.

O próprio Senhor Jesus interpretou sua missão como uma missão salvadora quando declarou: "Porque o Filho do homem veio buscar e salvar o perdido" (Luc. 19:10). O termo pressupõe a existência de algum perigo, de algum desastre, do qual o libertador arrebata àquele que é salvo. Tanto no Antigo (Isa. 53) quanto no Novo Testamento, sugere-se o livramento da pior aflição e tribulação que a humanidade conhece – a condenação do pecado. E, conforme se depreende da declaração de Isaías, também é enfatizado o ministério de Jesus em favor dos beneficiários de sua libertação. Ele não era Salvador apenas dos poderosos, dos ricos e dos eruditos, mas também dos pastores e de vultos desprezados, como Zaqueu.

SALVADOR, DEUS COMO

Deus, Nosso Salvador (I Tim. 1:1). Normalmente, é Cristo quem é chamado de "Salvador", e não Deus Pai. Por vinte e quatro vezes é empregado o termo "Salvador", nas páginas do Novo Testamento; dessas vezes, oito vezes são atribuídas a Deus Pai, e dessas oito vezes, seis ocorrências aparecem nas "epístolas pastorais" (ver I Tim. 1:2; 2:3; 4:10; Tito 1:3; 2:10 e 3:4). A passagem de II Tim. 1:10 aplica esse título a Jesus Cristo. A epístola a Tito usa *Salvador* por seis vezes, e parece alternar deliberadamente para que diga respeito a Jesus e a Deus Pai. Nas demais epístolas paulinas, o termo "Salvador" ocorre somente em Fil. 3:20 e Efé. 5:23, e em ambas as ocasiões se refere a Jesus. Isso significa que a expressão "Deus, nosso Salvador", naquelas epístolas atribuídas a Paulo, é isolada nas "epístolas pastorais". Os trechos de Luc. 1:47 e Jud. 25 atribuem essa expressão a Deus. O restante do Novo Testamento aplica o epíteto a Cristo, conforme se vê em Luc. 2:11; Atos 5:31; 13:23; João 4:42; I João 4:14; II Ped. 1:1,11; 2:20; 3:2,18. Não obstante, trata-se de termo comum no Antigo Testamento. (Ver Sal. 106:21; Isa. 43:3,11; 45:15,21; 49:26; 53:8; 60:16 e Osé. 13:4.)

É realmente estranho que, nos evangelhos, essas palavras jamais aflorem dos lábios de Jesus. É Deus quem se coloca em relação de Salvador para com os homens e, nas páginas do NT, isso é feito através da missão e do ofício intermediário de Jesus Cristo. Deus salva os homens de seus pecados e da alienação espiritual em que se acham, atraindo-os para si mesmo, para a sua glória, para a transformação segundo a imagem e a natureza de Cristo, a fim de que se tornem o que ele é e compartilhem de tudo quanto ele tem, em sua herança e glorificação (ver Rom. 8:29; II Cor. 3:18; Rom. 8:17,30; II Ped. 1:4). Quando alguém é salvo em Cristo Jesus, isso significa compartilhar finalmente de toda a plenitude de Deus (Efé. 3:19), e não meramente ter os pecados perdoados ou mesmo tornar-se impecável. Até mesmo depois de um homem tornar-se impecável – o que só ocorrerá nos lugares celestiais – ainda terá de percorrer o extenso caminho durante o qual se tornará o que Cristo é, para que alcance a plenitude daquele que é tudo para todos. Ora, é nisso que consiste realmente a salvação. (Ver o artigo sobre a *Salvação*.)

Nas epístolas pastorais, este título evidentemente é usado como repreenda contra o "gnosticismo", que julgava ser possível a salvação apenas de alguns poucos homens. Os gnósticos dividiam os homens em três classes, a saber: os "pneumáticos" (que seriam os passíveis de "salvação", constituída pela reabsorção na pessoa de Deus); os "psíquicos" (que poderiam receber menor grau de glória, em sua salvação); e os "hílicos" (que seriam a vasta maioria dos homens). Esta última classe deriva seu nome de um termo grego que significa "material". Portanto, tais homens se voltariam para a matéria, seriam "materialistas" e estariam destinados a perecer quando da destruição final da matéria – tais indivíduos eram reputados inteiramente fora do alcance da salvação. Mas Paulo rebate conclusivamente tal conceito: Deus é o Salvador e pode salvar a todos os homens. (Ver esse tema novamente enfatizado em I Tim. 2:3,4, onde o título de Deus, como Salvador, é reiterado.)

SALVOS PELA VIDA DE CRISTO

Como Somos Salvos Pela Vida de Cristo? (Rom. 5:10)

SAMA – SAMARIA

1. Não porque imitamos a sua vida, mediante boas obras, nem por mérito humano.

2. Por causa da vida que ele viveu, como o Pioneiro do caminho de nossa salvação (ver Heb. 2:10), porquanto nos mostrou o modo de viver em santidade e vitória espiritual. Cada um será julgado de acordo com suas obras (ver Rom. 16). As notas existentes no NTI nessa referência oferecem importantes detalhes sobre quais diferenças estabelecem nossa vida, no tocante à entrada no estado eterno e no tocante à posição que ali ocuparemos.

3. Este versículo alude primariamente à sua "vida ressurreta". Cristo saiu do sepulcro dotado de nova forma de vida. Participaremos dessa nova forma de vida por ocasião de sua "parousia" (ou segunda vinda; ver I João 3:2). A ressurreição subentende, naturalmente, tanto a ascensão quanto a glorificação de Cristo, da qual também participamos, espiritualmente falando (ver Rom. 8:30). A ressurreição de Cristo possibilitou tudo isso, pelo que somos salvos pela sua vida.

4. Provavelmente este versículo também significa que somos salvos por sua vida, conforme ela *agora* é vivida, isto é, em seu ministério nos céus, por causa de sua *intercessão* (ver a respeito).

5. De modo geral, o versículo pode querer dar a entender que: "Sois salvos pela vida de Cristo, a qual ele agora está vivendo em vós". Isso estaria em consonância com o que o apóstolo dissera: "... já não sou eu quem vive, mas Cristo vive em mim; e esse viver que agora tenho na carne, vivo pela fé no Filho de Deus, que me amou e a si mesmo se entregou por mim" (Gál. 2:20).

SAMA
Do hebraico, "ouvinte", um dos trinta "heróis" ou guerreiros que atuavam como uma espécie de guarda-costas de Davi, e depois tornaram-se o núcleo de seu exército. Era filho de Hotão, que nasceu em Aroer, cerca de 1048 a.C. Ver I Crô. 11.44.

SAMÃ
Do hebraico, "fama", "renome". Um homem do Antigo Testamento era assim chamado por esse significado. O mesmo nome em português, representando quatro outras pessoas, tem uma forma levemente diferente no hebraico. Esta forma significa *desolação*.

1. O homem cujo nome significava "fama" era um *aserita*. Foi o oitavo filho de Zofá, de acordo com I Crô. 7.37, e viveu em cerca de 1500 a.C.

As quatro pessoas a seguir eram chamadas com aproximadamente o mesmo nome, no hebraico; o significado é *desolação*.

2. Filho de Reuel (filho de Esaú e Basamate, filha de Israel). Era líder de uma tribo (Gên. 36.13; I Crô. 1.37) e viveu em torno de 1700 a.C.

3. Irmão do rei Davi, terceiro filho de Jessé. Nos dias de Saul, engajou-se em batalhas contra os filisteus. Estava presente quando Davi derrotou Golias e também quando Samuel fez ungiu Davi como rei (II Sam. 13.3; I Crô. 2.13). É o *Simei* de II Sam. 21.20, 21. Seu filho, Jônatas, matou outro gigante notável. Viveu em torno de 1050 a.C.

4. Filho de Age, o hararita (II Sam. 23.11). Foi um dos três guerreiros mais poderosos de Davi, distinção que não era fácil de obter, considerando-se a fama de seus 30 "heróis". Alguns o identificam com o número 5, a seguir. Seu heroísmo em II Sam. 23.11, 12 é atribuído a Eleazar em I Crô. 11.10-14. Talvez ele tenha sido um dos três que trouxe ao rei Davi água da fonte de Belém (II Sam. 23.13-17). Viveu em torno de 1050 a.C.

5. Herodita, isto é, de Harode (Juí. 7.1). *Ain Jslud* marca o antigo local, o que significa "fonte de Herodes". O homem chamado com esse nome era um dos trinta heróis guerreiros de Davi, que acabaram formando o núcleo de seu exército quando ele obteve o poder (II Sam. 23.23,25). Samã é chamado de "Samute, o izraíta" em I Crô. 27.8, e Samote em I Crô. 1127. Viveu em torno de 1050 a.C.

SAMADHI
Esta é uma palavra sânscrita que significa "concentração". É o oitavo e final passo na vereda da ioga, que procura obter a liberação. Ver o artigo geral sobre *Ioga*.

SAMAI
Do hebraico, "célebre".

1. Filho mais velho de Onã e pai de Nadabe e Abisur, viveu em torno de 1450 a.C.

2. Filho de Requem e pai de Maom, descendente de Calebe, da tribo de Judá, viveu em torno de 1450 a.C.

3. Há duas idéias sobre este homem: filho de Esdras da tribo de Judá (I Crô. 4.17), que viveu em torno de 1190 a.C. Ou, se a última cláusula do vs. 18 for inserida no vs. 17, após o nome Jotão, então compreendemos que se está falando do filho de Merede com sua mulher egípcia Bitia, filha do faraó.

SAMARIA, CIDADE DE
No hebraico, *vigia*. O nome desta cidade provavelmente originou-se do fato de ela estar situada em um morro alto, cerca de 65 km ao norte de Jerusalém. Samaria era uma importante cidade de Israel e tornou-se a capital do reino do norte após a cisão com o sul. A cidade deu seu nome à região ao redor dela e também a uma seita resultante de divisão posterior na fé judaica.

I. Geografia
II. História
III. Descobertas Arqueológicas

I. Geografia
O morro no qual a cidade foi construída ficava tinha cerca de 100 m de altura. Descansava em uma bacia hidrográfica formada pelo vale que vai de Siquém à costa, atualmente chamado de wadi es-Sair (o quase vale). Na primavera, o local brilhava com água e flores, mas as coisas secavam consideravelmente no verão. Samaria era cercada de morros por três lados. A oeste havia uma vista espetacular do vale abaixo, sobre os morros e ao mar, que ficava a cerca de 37 km.

II. História
1. O sexto rei do rei do norte (Israel), Onri (que reinou entre 885 e 873), foi o fundador de Samaria (no hebraico, *somron*). Ele comprou a terra de Semer por dois talentos de prata (II Sam. 24.24). Arqueólogos encontraram vários traços de propriedades rurais que datam entre os séculos XI e IX no morro de Samaria. O nome Samaria logo tornou-se sinônimo do reino do norte (I Reis 21.1; II Reis 1.3).

2. O norte logo tornou-se um leito quente de idolatria, com os principais santuários localizados em Dã e Betel (I Reis 12.29). Uma inscrição (de cerca de 800 a.C.), encontrada em Kuntillet 'Ajrud (no norte do Sinai) implica que havia um santuário para Yahweh em Samaria, e podemos supor com certeza que tal santuário representasse um centro sincrético no qual Yahweh partilhava Sua glória com divindades inferiores (ou mesmo iguais). Acabe, filho de Onri, construiu um templo para Baal ali, como informa

Samaria — Cortesia, Matson Photo Service

A Desolação de Jerusalém

SAMARIA

I Reis 16.32. Jeú, ao realizar suas reformas, demoliu o santuário de Acabe e transformou-o em uma latrina (II Reis 10.27), mas um santuário para a deusa Aserá persistiu (I Reis 16.33; II Reis 13.6; Amós 8.14).

3. A cidade teve seus dias de prosperidade e glória, especialmente na época dos reis Onri, Acabe e Jeroboão II (até meados do século VIII a.C.). O Samaria Ostraca (63 fragmentos de cerâmica inscritos) dá algumas informações gerais, especialmente sobre a riqueza acumulada pela cidade.

4. A história de Samaria foi, na prática, recheada de guerras e rumores de guerra. O país lutou contra Damasco (I Reis 20.24); Judá (I Reis 22.2; II Reis 8.26) e outros vizinhos.

5. Samaria mantinha bom relacionamento comercial e diplomático com os fenícios. Tecnologia e talentos artísticos foram emprestados desse povo para a construção e adorno da casa de marfim de Acabe (I Reis 22.39). A arqueologia descobriu centenas de móveis de marfim no local. Paredes de pedra calcária decoradas também foram descobertas e, novamente, havia marcas do trabalho fenício. Além disso, foram encontrados muitos itens de cerâmica, artefatos de bronze, impressões de selos e moedas representando períodos posteriores.

6. Em 722 a.C., os assírios invadiram o local, e os poucos sobreviventes ao ataque foram levados à Babilônia, além, é claro, dos poucos que ficaram e se misturaram a povos importados ao local pelos estrangeiros. O resultado da mistura foram os *Samaritanos* (ver).

7. Após o exílio babilônico do sul, o governador dos samaritanos foi o infamo Sambalate, que se opunha às tentativas de Neemias de reconstruir Jerusalém (Nee. 4 e 5). Havia oposição tanto religiosa como política.

8. Após a época de Alexandre, os samaritanos construíram seu famoso santuário no monte Gerizim, próximo a Siquém, mas alguns estudiosos insistem que isso não ocorreu até o período hasmoneano (século II a.C.). De qualquer modo, os samaritanos tornaram-se rivais religiosos do judaísmo principal, o que é refletido em João 4, que narra a história do encontro de Jesus com uma mulher samaritana.

9. *Destruições*. Alexandre destruiu a cidade em 331 a.C. e João Hircano repetiu a dose em 108 a.C. Roma a reviveu, e Herodes, o Grande, a embelezou em 63 a.C. Os romanos deram à cidade um nome novo, *Sebaste*. Naquela época Samaria tornou-se uma cidade maravilhosa, com ruas colunadas, um estádio, um teatro e vários templos. Mais uma vez foi nivelada durante a primeira revolta dos judeus contra Roma (66 – 70 d.C.).

10. Para referências do Novo Testamento, ver Luc. 9.52-53; 10.29-37; João 4 e Atos 8, que dão informações boas e ruins sobre o povo chamado samaritano. Esse era um povo transnacional entre os judeus e os gentios. Na época do Novo Testamento, a cidade tinha uma população de cerca de 40 mil pessoas. A área do morro na qual ela foi construída, estimada em 20 acres, limitou seu crescimento.

III. Descobertas Arqueológicas

1. Propriedades rurais ilustradas: ver II.1.
2. Um santuário para honrar Yahweh: ver II.2.
3. O Samaria Ostraca: II.3.
4. Casa de marfim de Acabe e a prosperidade: II.5
5. Muitos outros itens de épocas posteriores: ver II.5.
6. Vários prédios descobertos dos períodos de Onri, Acabe, Jeú e do século VIII a.C
7. Fortificações do mesmo período.
8. Muitas cisternas que mantinham a cidade abastecida durante o verão.

9. Contas de receita real e dos negócios do estado.
10. Menção a muitos nomes bíblicos em inscrições, algumas das quais continham também Yahu (Yahweh).
11. Figuras em marfim, papiro e outros materiais de escrita, leões, touros, esfinges, deuses egípcios e desenhos florais.
12. Os trabalhos de Herodes, o Grande, um construtor maior do que Salomão! (Ver II.9.) Evidências da grandeza de Sebaste são abundantes, incluindo restos do templo de Herodes e outras construções.

Expedições específicas foram realizadas nos períodos de 1908-10; 1931-33; 1935; 1952. A Samaria tem sido um dos principais sítios para escavações arqueológicas.

A Samaria era uma cidade cosmopolita, sendo o lar de muitas etnias: judeus, samaritanos, gregos, romanos, macedônios, além de refúgio para muitos mercenários estrangeiros.

Ver os artigos separados: *Samaria, Território de*; *Samaritanos*; *Samaritano, o Pentateuco*.

SAMARIA, TERRITÓRIO DE

Agora não estamos lidando com a Samaria, o sinônimo do reino do norte. A *província de Samaria* apareceu pela primeira vez na história dos macabeus quando o selêucida Demétrio recompensou Jônatas por levantar o embargo de Acra em Jerusalém, dando-lhe os três distritos de Samaria: Efraim, Lida e Ramataim.

1. *Limites*. É impossível determinar com precisão quais eram os limites, ou fronteiras, deste território (província), mas grande parte era composta de terras ocupadas em tempos remotos pelas tribos de Efraim e Manassés ao oeste. A fronteira do sul era marcada por uma estrada que ia de Jericó a Betel. A do norte cobria desde o monte Carmelo até o monte Gilboa e os morros que conectavam esses dois pontos altos.

2. *Fertilidade*. A área gerava abundantemente produtos agrícolas como uvas, azeitonas e várias frutas. Grandes bandos de aves e manadas eram suportados pela riqueza da terra. O território era servido por boas estradas, ao longo das quais ocorria considerável comércio. De fato, a maior parte do comércio entre o Egito e a Síria passava pelo distrito da Samaria.

3. *História*. Os samaritanos vieram a existir como resultado da mistura do pouco da população judia deixada na terra pelos assírios na época do cativeiro, com povos do norte que o conquistador enviou para ocupar a terra. Ver detalhes completos no artigo sobre *Samaria, Cidade de* e *Samaritanos*. Depois do cativeiro (722 a.C.), Sargão II transformou o local em uma província e deu a ela o nome de *Samerena*. A única passagem do Antigo Testamento que fala do "território da Samaria" é II Reis 17.29. Os judeus remanescentes conseguiram preservar muito de seus antigos costumes, mas os do sul (Judá) e os de períodos posteriores os consideravam pagãos.

O poder dos assírios enfraqueceu, e o domínio egípcio se estendeu. Josias tentou reconquistar o território, mas seu rival, o faraó Neco, controlava o local. Não muito tempo depois, o rei babilônico, Nabucodonosor, tornou-se o novo dono (em cerca de 612). O mesmo aconteceu ao império assírio, que perdeu para a Babilônia. Jerusalém foi destruída em 587 a.C., como outro resultado da hegemonia babilônica. Os persas então dominaram os territórios babilônicos e a Samaria continuou sendo uma província sob um poder estrangeiro. Alexandre a livrou dos persas, e seguiram-se muitos incidentes sangrentos. Siquém tornou-se a única cidade de destaque do antigo território. O paganismo e o tipo samaritano de judaísmo misturaram os costumes e idéias judaicas, no sul, e o

SAMARIA – SAMARITANO, PARÁBOLA DO

paganismo, no norte.

Ptolomeu levou prisioneiros da Samaria à Alexandria, e seu poder e prestígio caíram. Antíoco Epifânio (o rei selêucida, 175-163 a.C.) aparentemente deixou o lugar em paz, de modo que a região passou por um período de renovação.

A fé samaritana já estava estabelecida havia muito, mas o templo do monte Gerizim foi dedicado a Zeus por Antíoco. Ele provavelmente também enviou seu próprio governador para reinar ali.

Na época dos macabeus, o selêucida Demétrio recompensou Jônatas com três distritos da Samaria, sendo eles Efraim, Lida e Ramataim, para auxiliá-lo contra Acra, que estava impondo um embargo a Jerusalém. João Hircano conseguiu dominar grande parte do território da Samaria. Ele capturou Siquemand e destruiu o templo no monte Gerizim. Depois passou a controlar todo o território ao capturar Scitópolis.

A época do controle judeu, contudo, não durou muito. Pompeu capturou toda a Palestina e anexou a Samaria à província da Síria. A história da Samaria é muito parecida com a da própria Israel. Ela passou de poder a poder, à medida que a maré de impérios humanos subia e descia.

SAMARITANO, PENTATEUCO

1. *Origem*. Os samaritanos originais eram uma mistura de hebreus que deixaram sua terra na época do cativeiro assírio (ver) com pessoas do norte que a Assíria havia enviado para ocupar a terra. Exatamente quanto era hebreu e quanto era pagão é discutido, mas uma paganização gradual fez com que o sul (Judá) considerasse a população do norte pagã e apóstata. De fato, uma fé rival surgiu com o santuário sagrado do norte estabelecido no monte Gerizim, enquanto Jerusalém era a cidade sagrada para aqueles do sul.

Não há motivo para duvidar que cópias do Pentateuco (Torá) sobreviveram no norte, apesar da invasão assíria. Isto significa que essas Escrituras estiveram presentes todo o tempo. Um tipo de escrita que tinha cópias da Torá, vindas da Samaria, com letras hebraicas arredondadas, chamaram a atenção dos escribas, e logo essa se tornou a forma padronizada de escrever aquela língua. Mas, com o passar do tempo, as letras quadradas do estilo aramaico prevaleceram.

2. *Variantes*. O Pentateuco Samaritano aderiu ao antigo estilo hebraico de escrita e com o passar do tempo surgiram muitas variantes no texto. Ele difere do Pentateuco Judaico em cerca de 6.000 passagens, embora grande parte das diferenças não seja muito significativa. Às vezes, é o Pentateuco Samaritano que retém as leituras originais, e essa tem sido uma ferramenta importante para crítica textual da Torá. Alguns estudiosos supõem que a linhagem textual do Pentateuco Samaritano represente um texto anterior ao texto massorético padronizado (ver sobre *Massora (Massorah); Texto Massorético*). É seguro supor que ambos, o texto padronizado e o Pentateuco Samaritano, tenham perdido muitas de suas leituras originais, o que, contudo, não afeta a precisão geral do texto. Há grande semelhança entre as duas recessões da Torá, apesar do longo período de desenvolvimento independente. Às vezes o documento samaritano concorda com a Septuaginta, contra o Pentateuco hebraico. Devemos lembrar que a descoberta dos Manuscritos do Mar Morto (manuscritos hebraicos) demonstrou que as versões, particularmente da Septuaginta, às vezes preservam as leituras originais que foram perdidas no texto massorético padronizado. Talvez esse percentual possa chegar a 5%. Ver o artigo *Manuscritos do Antigo Testamento*. Ver mais descrições sob o ponto 3, a seguir.

3. *O Pentateuco Samaritano e os Manuscritos do Mar Morto*. As quatro cavernas em Qumran renderam muitos fragmentos sobre uma cópia mais antiga do Êxodo (catalogada como 4QExa), que aparentemente é um representante remoto do Pentateuco Samaritano. Este texto exibe as seguintes características:

a. Em alguns lugares, fica próximo ao texto protomassorético do Antigo Testamento, portanto apresenta ocasionalmente uma leitura que representa o manuscrito original, contra o texto massorético padronizado.

b. Tem grande número de passagens que concordam com a Septuaginta (versão grega), algumas das quais podem ser originais, enquanto outras não.

c. O texto foi escrito com muito mais liberdade que os textos judeus padrões que produziram grande número de leituras inferiores: expansões, transposições, paralelos inseridos de outros trechos da Bíblia. Tais variantes reduziram o valor deste documento para crítica textual.

d. Os fragmentos evidentemente datam do período macabeu, portanto são realmente antigos, mas ainda assim estão longe da data dos escritos originais.

SAMARITANO, PARÁBOLA DO

Lucas 10:30-42. Esta seção das Escrituras foi registrada tão-somente por Lucas. Assim sendo, esbarramos novamente com algum material que Lucas descobriu no processo de suas investigações, o qual não esteve disponível ou, pelo menos, não foi utilizado pelos demais evangelistas. Esse material é chamado de fonte informativa *L*. (Quanto às fontes informativas dos evangelhos, ver o artigo intitulado *Problema Sinóptico*, bem como os artigos separados sobre cada evangelho.)

A *parábola do bom samaritano* foi dada a fim de ilustrar o importantíssimo mandamento da lei: "Amarás ao teu próximo como a ti mesmo". Podem-se fazer as seguintes observações a respeito:

1. Jesus ensina aqui um importante princípio da ética humanitária. O próximo pode ser uma pessoa inteiramente desconhecida.

2. O "próximo" pode ser de uma raça diferente, e até mesmo desprezada.

3. O "próximo" pode ser pessoa de outra religião, até mesmo conhecida como herética.

4. Contudo, os cuidados de Deus por toda a humanidade devem manifestar-se na vida de todos quantos são chamados pelo nome.

É muito instrutivo que Jesus tenha escolhido um *samaritano* para a sua ilustração. Samaria, capital do reino israelita do norte, caiu ante o império assírio em 722 a.C. Embora o remanescente, que ficou na terra de Israel, tenha envidado o esforço de dar continuidade à adoração ordinária, a mistura gradual com povos colonizadores enviados de várias partes do império assírio, alterou paulatinamente a atitude e a adoração do povo, além de ter criado uma raça mista. As conquistas efetuadas pelos gregos, séculos mais tarde, aumentaram ainda mais essa fusão de raças. A oposição que se instaurou entre os judeus de Jerusalém e os samaritanos parece ter sido de natureza quase inteiramente política, até o século V A.C. E o advento de *Esdras* e *Neemias*, com a nova ênfase sobre a pureza racial, fez crescer ainda mais a brecha entre essas comunidades. Os samaritanos haviam erigido um templo no monte Gerizim e aceitavam a lei de Moisés, mas não os escritos dos profetas, como porções integrantes das Escrituras. Assim sendo, foram-se alargando cada vez mais as diferenciações religiosas. Lemos que, durante o tempo dos Macabeus, debaixo da pressão de elementos pagãos, o templo de Samaria foi dedicado ao deus Xênios. Os *hasmoneanos* (nome de família dos macabeus) adquiriram grande autoridade e popularidade em Israel, como também a ascendência sobre a comunidade religiosa passou para as mãos dos judeus que proclamavam Jerusalém como o centro da adoração a Jeová.

Em 63 a.C. *Pompeu* separou Samaria e a anexou à nova província da Síria. Subseqüentemente, a cidade se tornou lugar favorito nos domínios de Herodes, o Grande, que lhe deu o novo nome de Sebaste, em honra a Augusto. Os samaritanos também sofreram sob a repressão romana e em 66 d.C., Sebaste foi incendiada até os alicerces.

As *divergências religiosas* entre os judeus de Jerusalém e os samaritanos giravam, essencialmente, em torno do lugar de adoração, ao mesmo tempo que os samaritanos não aceitavam como Escrituras os escritos dos profetas e esperavam que Moisés voltasse como uma espécie de Messias (o que nos mostra que o conceito messiânico também diferia entre os dois povos). O templo samaritano de Gerizim era o principal fulcro do antagonismo, mas a mistura racial dos samaritanos era menosprezada pelos judeus de Jerusalém. (Ver outros comentários no NTI em Luc. 9:52 e Atos 8:5.)

Jesus escolheu *de propósito* os desprezados samaritanos para ilustrar o correto tratamento que se deve dar ao próximo. Nem mesmo o altamente reverenciado levita (ver o vs. 32) demonstrou possuir o desenvolvimento espiritual e a graça para acudir a um semelhante em necessidade. Isso, juntamente com a mesma atitude exibida por um sacerdote (ver o vs. 31), deve ter sido especialmente contundente para os judeus que ouviam a Jesus.

O vocábulo grego traduzido em português por *parábola* foi usado pelos tradutores da LXX para traduzir um substantivo hebraico, *mashal*, derivado de um verbo que significa "assemelhar-se". "Na literatura hebraica, um mashal poderia ser qualquer tipo de imagem verbal: um enigma, um provérbio, uma zombaria, uma símile, uma metáfora, um oráculo profético, uma símile detalhada, uma narrativa ilustrativa, uma história exemplar ou até mesmo uma alegoria. Por outro lado, o termo 'parábola', conforme utilizado nos evangelhos sinópticos, descreve um alcance similar de declarações figuradas, embora, no uso comum, se restrinja a três tipos: 'símile', 'parábola narrativa' e 'histórias exemplificadoras'. No primeiro e no segundo caso, a parábola ensina por analogia; e no terceiro caso, por um exemplo direto, que deve ser imitado ou evitado. 'Histórias exemplificadoras' só podem ser encontradas na tradição especial de Lucas e, além daquela ora em discussão (a parábola do bom samaritano), temos também a parábola do rico insensato, do rico e Lázaro e do fariseu e o publicano" (S. MacLean Gilmour, *in loc.*).

Parece que Lucas tinha especial interesse nos samaritanos, fazendo Jesus demonstrar uma atitude favorável para com eles. Alguns têm imaginado, à base disso, que Lucas pode ter usado aqui um samaritano, no lugar de algum simples judeu leigo, que poderia figurar na história original, e que poderia ter sido usado para mostrar a falta de compaixão de um sacerdote, em contraste com um "leigo". Mas acerca disso não temos prova, e devemos depender de simples conjecturas. O conceito do bom samaritano jamais deve ser esquecido pelo mundo em geral, porquanto se trata de uma das mais nobres parábolas dos evangelhos, exibindo uma ética de gentileza fraternal de que o mundo inteiro necessita desesperadamente. Aquele a quem posso ajudar a qualquer momento, um ser humano como eu, é o meu próximo, sem importar as diferenças raciais, religiosas ou de posição social.

SAMARITANOS

I. Nome
II. Origem
III. História
IV. Teologia
V. Pentateuco Samaritano
VI. Samaritanos da Atualidade

I. Nome

Do hebraico *shomeronee*, habitantes de *shomerone* (um posto de vigia), derivado do fato de que a cidade capital, Samaria, era construída em um morro. Ver o artigo *Samaria, Cidade de*. Os samaritanos eram os habitantes do distrito (da cidade e de suas áreas adjacentes) chamado *shomerone*, que de modo geral é transliterado sem o *e* no final, como *Shomeron*. A única referência do Antigo Testamento com este nome é a de II Reis 17.29.

II. Origem

O reino do norte (chamado de Israel em contraste com o reino do sul, chamado de Judá) foi invadido pelo império assírio e, em 722 a.C., a Samaria e as outras cidades importantes foram dominadas. Seguiu-se então o cativeiro da maioria dos sobreviventes. Ver o artigo *Cativeiro Assírio*. Os hebreus que foram deixados misturaram-se então com os povos que os assírios enviaram para ocupar a terra. A população mista resultante foi chamada de "samaritana". Salmaneser V (726-722 a.C.) foi o captor. Seu sucessor foi Sargão II. Ver o artigo sobre *Salmaneser*, que descreve cinco reis assim batizados. Quantos hebreus permaneceram na terra é um número disputado, portanto é difícil determinar o percentual de hebreus em relação a outros povos importados, mas sabemos que o local era considerado pagão pelos judeus do sul e que o número de estrangeiros cresceu com o passar do tempo. Algumas raízes judaicas, contudo, nunca foram perdidas, nem mesmo com os samaritanos da atualidade.

III. História

A história subseqüente naturalmente apresenta um paralelo à da cidade de Samaria, portanto peço que o leitor leia o artigo correspondente para maiores detalhes. Ezra 4.2 indica que os samaritanos representavam uma etnia mista com um centro pagão, mas, mesmo na época do rei Ezequias (II Crô. 30.11), do rei Josias (II Crô. 34.9) e do profeta Jeremias (Jer. 41.5), "israelitas" do norte continuariam louvando a Yahweh; não havia, contudo, uma fé religiosa que fizesse um paralelo, em todos os aspectos, com à fé do sul.

Os historiadores judeus registram sua história como descendentes dos colonos que os assírios plantaram no norte, revelando certo preconceito, talvez, mas não reconhecendo a todos da população hebraica que permaneceu na terra. II Crô. 30.10,11 informa-nos que, na época de Ezequias, as pessoas ainda vinham do norte para passar a Páscoa em Jerusalém. Os samaritanos também preservavam seu próprio pentateuco (ver sobre *Samaritano, o Pentateuco*). Manassés e Efraim continuaram sendo tribos frouxamente vinculadas e contribuíram com os reparos do Templo de Jerusalém (II Crô. 34.9).

Quando Zorobabel construiu o Segundo Templo, algumas pessoas do norte, afirmando-se adeptas do louvor a Yahweh, queriam participar da construção, mas foram rejeitadas (Esd. 4.2). É provável que os judeus não quisessem complicar sua renovação histórica do judaísmo com elementos dúbios do norte. Tal julgamento provavelmente estava correto, o que é demonstrado pelo fato de que *Sambalate*, governador da província persa de Samaria, se opunha à reconstrução de Jerusalém (Nee. 2.10-6.14; 13.28). Ver o artigo separado sobre ele.

SAMARITANOS – SAMKHYHA

Josefo (*Ant.* XI. Viii.1-4) informa-nos sobre o templo que os samaritanos construíram no monte Gerizim, o qual, finalmente, acabou sendo um tipo de culto de cisma ao qual João 4 se refere no Novo Testamento. É impossível determinar exatamente quando os samaritanos construíram seu templo.

A rejeição aos samaritanos continuou a crescer e tornou-se intensa no período intertestamentário. *Eclesiástico* os chama de uma "não-nação" (50.25,26). O *Testamento de Levi* chama Siquém de "a cidade dos tolos". As referências do Novo Testamento fornecem observações tanto negativas como positivas. Ver Luc. 9.52-53; 10.29-37; João 4; Atos 8.

IV. Teologia

Informações do Antigo Testamento são escassas, mas podemos presumir que os samaritanos do norte, que estavam envolvidos com o culto a Yahweh, não eram muito diferentes de suas contrapartes do sul. Os samaritanos acreditavam que Josué havia construído um santuário no monte Gerizim, que foi o primeiro local centralizado para o louvor de Israel, vários séculos antes da construção do templo. Presumivelmente, então, o santuário em Silo era uma divisão. O mesmo era verdade (segundo a estimativa deles) sobre o templo em Jerusalém. "Nossos pais adoraram neste monte; vós, entretanto, dizeis que em Jerusalém é o lugar onde se deve adorar" (João 4.20). A afirmação da mulher samaritana é apoiada em Juí. 9.7; Deu. 12.5;11; I Reis 9.3; II Crô. 7.12. É claro, tais *textos de prova* nada têm que ver com uma situação "permanente". Muitas coisas aconteceram na cultura hebraica posterior que foram teologicamente tão importantes quanto acontecimentos anteriores. Nunca podemos colocar uma cerca ao redor de Deus e da espiritualidade e dizer "as coisas acabam aqui", ainda que denominações e até sistemas religiosos inteiros insistam em agir dessa forma. Além do mais, muitos textos bíblicos são informativos, não dogmáticos. Então, considere: a revelação move-se juntamente com o processo histórico, portanto nunca chegará uma época em que poderemos escrever "finis" sobre o avanço da revelação, do conhecimento e da espiritualidade.

A maioria das informações que temos sobre a teologia dessas pessoas vem do século IV d. C., tarde demais para lançar alguma luz sobre o início do movimento. Baba Rabba foi o principal colaborador ao nosso conhecimento sobre este assunto. Em cerca de 300 d. C., os judeus começaram a excomungar e colocar os samaritanos em ostracismo e, dali por diante, as coisas azedaram de vez.

Alguns escritores judeus comparam os samaritanos com os saduceus, declarando que eles negaram a ressurreição do corpo e os trabalhos judeus "posteriores", mantendo exclusivamente o Pentateuco como suas escrituras canônicas. Logicamente, a principal objeção era a insistência deles em usar o monte Gerizim como local de louvor, e sua forte rejeição a Jerusalém como cidade sagrada.

O samaritanismo posterior exaltava Moisés a tal ponto que os samaritanos lembram os cristãos em seu louvor a Jesus, o Cristo. Como os judeus, eles esperavam (esperam) por um Messias, em cujas mãos ocorrerá o julgamento final. O gnosticismo teve sua parte na teologia samaritana posterior, e também houve certo relacionamento com os essênios.

Muitas coisas eram (são) mantidas em comum com o judaísmo principal: o Pentateuco como a principal linha de doutrinas e práticas; a exigência absoluta da circuncisão; a manutenção do sábado sagrado; adesão às leis de dieta; a esperança messiânica; o julgamento futuro dos homens bons e maus, tendo o Messias como Juiz.

V. Pentateuco Samaritano

Forneço um artigo separado sobre este assunto que o leitor pode consultar.

VI. Samaritanos da Atualidade

Ainda hoje um pequeno grupo de samaritanos vive em Nablo e em Jafa, hoje subúrbio de Tel Aviv. De acordo com um senso de 1960, havia 214 pessoas no grupo em Nablo e 132 em Jafa. O monte Gerizim continua sendo o local sagrado para eles, que ainda seguem os antigos festivais hebraicos como a Páscoa e o Dia da Expiação (seu dia mais sagrado). Além disso, o sábado é árabe observado rigidamente. Seu sumo sacerdote é o líder político-religioso, com quem os "forasteiros" (como o governo) devem tratar no tocante a qualquer questão relacionada ao grupo. Embora pequena, eles ainda representam uma forte seita religiosa.

SAMBALATE

1. *O nome*. Este nome é babilônico, significando "que Sin (o deus-lua) lhe dá vida" (sin-uballit). Ele deu aos seus filhos nomes que incluíam a referência a Yahweh (II Reis 18.23), mas provavelmente apenas refletiam uma cultura sincretista, não uma devoção exaltada a Yahweh.

2. Ele era chamado de *horohita*, provavelmente uma referência a Bete-Horom, ao sul de Efraim (Jos. 10.10; II Crô. 8.5), considerada sua cidade natal.

3. *Fundador do templo no Monte Gerizim*. A única coisa que sabemos com certeza é que ele tinha algum tipo de poder civil ou militar na Samaria, no serviço ao rei Artaxerxes (Nee. 4.2), e tentou usar sua influência para deter a reconstrução de Jerusalém por Neemias. Ele contou com a ajuda de Tobias, o amonita, e de Gesém, o árabe (Nee. 2.19; 4.7). Seus planos falharam porque era o dia de Judá para a restauração, acabada que era a época para reversões.

4. *Confirmação histórica*. Entre os documentos dos Papiros Elefantinos há uma carta escrita por Sambalate e enviada a Bagoas, governador de Judá. Naquela época ele devia ser um homem velho. A época de sua força e influência foi 445 a. C.

SAMEQUE

A forma hebraica é *Samek*, o nome da 15ª letra do alfabeto hebraico. Em algumas versões, esta letra é colocada no início da seção 15 do Salmo 119. Cada frase dessa seção dos salmos começa com essa letra, sendo este um instrumento literário ocasionalmente empregado por autores do Antigo Testamento. Ver o artigo sobre *Alfabeto*.

SAMIR

Palavra hebraica traduzida de várias formas: pedregulho, espinho, diamante. Uma pessoa e duas cidades eram assim chamadas:

1. Filho de Mica, da tribo de Levi, e descendente de Izar (I Crô. 24.24).

2. Vila nas montanhas de Judá (Jos. 15.48), localizada cerca de 20 km a sudoeste de Hebrom. Talvez a moderna el-Birch, ou Somerah, marque o antigo local.

3. Uma cidade nas montanhas de Efraim também era chamada assim. Era a cidade natal e também foi o local do enterro do juiz Tola (Juí. 10.1, 2). Ninguém sabe como identificar sua localização geográfica hoje, mas talvez ela estivesse próxima à Samaria. A Septuaginta, seguindo esta idéia, chama a vila de *Samaria* em vez de Samir.

SAMKHYHA

Esta é a designação dos sistemas mais arcaicos de filosofia indiana, cujas raízes podem ser encontradas em meados do primeiro milênio a.C. Idéias dessa filosofia aparecem como elementos importantes no Mahabharata

SAMLÁ – SAMUA

(incluindo o Bhagavadgita), nas Puranas e em algumas das Upanishadas. Samkhya foi uma escola líder de pensamento até cerca do século VI d.C., e a sua influência permeou a filosofia indiana. As Samkhvakarikas, escritas por Isvarakrishna, antes de 500 d.C., são as principais fontes de noções dessa escola. Mas também devemos pensar no comentário anônimo de nome Yuktidipika, escrito em cerca de 550 d.C., que atuou como outra fonte informativa.

Idéias: 1. Foram rejeitadas todas as formas de monismo. 2. Uma eterna essência primária, a *pradhana*, composta de três constituintes qualitativamente diferentes (chamados *gunas*) distribui-se por todo o mundo dos fenômenos. 3. Em primeiro lugar, vem a manifestação da *buddhis* (mente, percepção, consciência), que evolui na *ahankarq*, "consciência individual". 4. Em seguida, teríamos as *manas*, os órgãos dos sentidos e os cinco elementos ou percepções distintas. Elas constituem a condição psicossomática humana. 5. Há um número infinito de *purusa*, "eus, ou almas", que seriam passivas ou impotentes, mas os *prakrti*, que evoluem a partir das *purusa*, seriam ativos. Todas as formas de percepção ou consciência são consideradas materialmente condicionadas. 6. Os *prakrti* seriam compostos de três elementos: *sattava* (consciência potencial); *rqias* (fonte de atividade); *tamas* (fonte de resistência à atividade). Esses elementos seriam responsáveis, respectivamente, pelo prazer, pela dor e pela indiferença. 7. Esses complexos elementos produzem o mundo dos fenômenos, conforme o conhecemos, e a dissolução do mundo presente ocorrerá quando todas as coisas retornarem ao *prakrti* original, que ainda não se manifestou. 8. Esse sistema é quase científico, no sentido que reduz a vasta variedade de fenômenos a tipos básicos, incluindo a mensagem de como os homens podem libertar-se do mundo dos fenômenos, obtendo assim a libertação, que reverte a evolução cósmica dos *prakrti*.

SAMLÁ

Da palavra hebraica que significa *veste*, ou *tecido*, o quinto rei de Edom, com datas incertas. Ele sucedeu a Hadade (Gên. 36.36, 37; I Crô. 1.47, 48). Um monarca muito antigo, reinou antes de a monarquia chegar a Israel.

SAMOS

O significado desta palavra grega é desconhecido. Refere-se a uma importante ilha do mar Egeu, próxima ao litoral de Lídia, na Ásia Menor. Entre a costa e o continente há um canal estreito. A água se reduz a menos de 2 km em seu ponto mais estreito. A ilha em si é bem pequena, tendo aproximadamente uma extensão de 43 km e uma largura de 22 km. O terreno é montanhoso, mas seu solo é fértil e próprio para o cultivo de videiras e oliveiras, o que tem atraído os navios comerciais desde tempos muito antigos. Além desses produtos, a ilha era conhecida pela produção de uma cerâmica feita de um fino barro vermelho, um item comercial que também durou bastante tempo. Imigrantes jônios se estabeleceram ali e se tornaram particularmente prósperos no século quinto a.C. A área caiu então sob vários domínios, tais como a Pérsia, Egito, Pérgamo e Roma. Aliás, ela foi legada a Roma em 133 a.C., passando a fazer parte da província romana da Ásia. No primeiro século a.C., porém, tornou-se um estado independente. No tempo em que Paulo esteve rapidamente ali, em seu caminho da Grécia à Síria (Atos 20:15), a ilha era a sede do culto a Juno, a quem estava dedicado famoso templo chamado Haraeon. Possuía um santuário sublimemente decorado com algumas das obras de arte mais finas já conhecidas no mundo antigo.

SAMOTRÁCIA

Este nome é um composto de *Samos* + *Trácia* e é de derivação incerta.

1. *Localização*. É uma ilha localizada na parte nordeste do mar Egeu. Diretamente ao norte ficava (e fica) o rio Hebro da Macedônia. Região montanhosa, um de seus picos atinge aproximadamente 1.800 m. Homero denominava o lugar "a ilha de Poseidon" (*Ilíada* 13.12), devido à idéia de que, a partir de um pico elevado daquele lugar, Poseidon podia ter examinado Tróia em terra firme.

2. *População*. O lugar era bastante inóspito para a habitação humana, fato que justifica apenas no sétimo século a.C. termos alguma notícia de colonizações ali. Eventualmente, veio a ser uma região na qual os navios se detinham ao percorrer o norte do Egeu. Esse foi o caso de Paulo quando partiu em sua primeira viagem missionária, como se acha registrado em Atos 16:11, que é a única referência neotestamentária da região.

3. A *religião* era uma grande atração no lugar. O culto a Cibele florescia, bem como aquele a Cabeiri. Nos tempos helenistas, o último rivalizava com os cultos de Dêmetra e Perséfones em Elêusis. Cabeiri eram deuses gêmeos, cujo culto atualmente é de origem desconhecida.

4. *Arqueologia*. As escavações começaram ali no século 19 e continuaram até o século 20. Vários artefatos de cultos religiosos antigos foram desenterrados, dos quais o mais famoso é a "Vitória Alada de Samotrácia", que agora pode ser encontrado no Museu de Louvre, em Paris. Originariamente, celebrava uma vitória naval dos ródios de aproximadamente 190 a.C.

SAMPSAMES

No grego, *Sampsámes*. Um dos lugares para onde o cônsul romano, Lúcio, escreveu uma carta, defendendo os judeus (ver I Macabeus 15:23). Talvez seja a mesma cidade moderna de Samsun, um porto de mar do mar Negro.

SAMSARA

Vocábulo sânscrito cujo sentido é "ciclo", referente aos ciclos da reencarnação. A morte física seria apenas uma pausa, antes que o indivíduo reinicie a sua existência, em outra vida terrena. O *carma* (ver a respeito) estará assim tendo cumprimento, e a liberação está sendo buscada na *samsara*. Ver o artigo geral sobre a *Reencarnação*. A cessação da *samsara* é chamada *moksha*, ou seja, "salvação". Ver o artigo intitulado *Salvação em Várias Religiões*.

SAMUA

Do hebraico "reconhecido", "falado", "rumor". Quatro pessoas eram chamadas assim, listadas a seguir em ordem cronológica:

1. Filho de Zacur, representante da tribo de Rúben, que ajudou o espião a sair da terra de Canaã na época de Josué. Ele fez um relatório mau, juntamente com a maioria, que desencorajava Israel a fazer a invasão naquela época. Viveu até cerca de 1490 a.C. Ver Núm. 13.4.

2. Filho de Davi, talvez com sua mulher Bate Seba (I Crô. 3.5), nascido em Jerusalém em 989 a.C. Até essa época, Davi havia mudado para Jerusalém, e seu harém era de tamanho considerável. Ver no artigo *Davi* uma ilustração da prática da poligamia. Ver também o artigo sobre *Poligamia*. O texto não é claro sobre quem foi a mãe.

3. Representante da família dos sacerdotes de Bilga nos

SAMUEL

dias de Joiaquim. Neemias dá o nome alternativo de *Bilgai* (10.8). Ele estava na companhia que retornou a Jerusalém com Zorobabel. Ele e seu filho serviram como sacerdotes em torno de 445 a.C.

4. Levita, pai de Abda (Nee. 11.17), que viveu em 450 a.C., filho de Galal. É chamado de Semaías em I Crô. 9.16. Era um líder dos cultos do templo após o cativeiro babilônico.

SAMUEL
1. Nome e família
No hebraico, "nome de Deus", ou então, "seu nome é El (Deus)". Samuel viveu durante o tempo de transição dos juízes para a monarquia hebréia. Com freqüência ele é alistado como o último dos juízes, cuja fase histórica foi substituída pela fase dos reis, dos quais o primeiro foi Saul. Em seu ministério, Samuel atuou como juiz, como sacerdote e como profeta. Portanto, é difícil classificá-lo apenas como juiz ou apenas como profeta. O primeiro livro de Samuel fornece-nos os dados básicos de sua vida.

Os pais de Samuel foram Elcana e Ana. Elcana era levita, descendente de Coate, mas não da linhagem aarônica (I Crô. 6:26,33). Ele vivia no território de Efraim, visto que Ramá, onde residia, ficava no distrito montanhoso da tribo de Efraim. Ramá tem sido mais especificamente identificada com Ramataim ou com Ramataim-Zofim (vide).

Os pais de Samuel eram israelitas tementes a Deus, que iam anualmente a Silo, para adorar no tabernáculo. Ana, que não tinha filhos, fez uma petição fervorosa nesse sentido. No devido tempo, Deus concedeu-lhe o pedido. Ela chamou o menino de Samuel, cumprindo seu voto, ao dedicá-lo a uma vida de serviço ao Senhor. E assim, em vez de iniciar seus serviços com a idade de vinte e cinco anos, como era costume entre os levitas, Samuel passou a servir ao Senhor, no tabernáculo, quando ainda era menino. Elcana e Ana voltavam anualmente, suprindo o menino de roupas, enquanto ele era criado em Silo, sob a supervisão do sacerdote Eli.

2. Enfrentando condições adversas
O ambiente que havia no tabernáculo não era bom, pois os filhos de Eli, Hofni e Finéias, não reverenciavam a Deus e nem respeitavam a seu pai, embora continuassem agindo como sacerdotes. Eli repreendia seus filhos brandamente, embora as suas imoralidades já fossem notórias diante de todo o povo de Israel. Deus advertiu Eli sobre o que sucederia a seus filhos e a sua família, mediante um profeta cujo nome não é dado (ver I Sam. 2:22-36).

Foi nessas circunstâncias que a chamada divina foi dada ao menino Samuel (I Sam. 3:1-14). A Eli restava percepção espiritual suficiente para aconselhar Samuel corretamente. Quando Samuel respondeu, em atitude de obediência, "Fala, porque o teu servo ouve", recebeu uma mensagem de condenação referente a Eli e sua descendência. Eli respondeu, resignadamente: "É o Senhor; faça o que bem lhe aprouver" (I Sam. 3:15-18).

Após isso, Samuel foi-se tornando reconhecido nacionalmente como profeta do Senhor. A admirável graça de Deus transparece nas palavras: "...o Senhor era com ele, e nenhuma de todas as suas palavras deixou cair em terra" (I Sam. 3:19).

3. Problemas com os filisteus
Os filisteus estavam apertando muito aos israelitas. Em urna batalha, Israel foi derrotado, tendo perdido quatro mil homens. O povo exigiu a presença da arca da aliança no arraial. Mas, quem cuidava da arca? Hofni e Finéias! Aqueles a quem o Senhor não perdoara, e resolvera matar (cf. I Sam. 2:25). Não admira que os israelitas tenham sido novamente derrotados, que Hofni e Finéias tivessem sucumbido e, pior ainda, que a arca da aliança tivesse sido arrebatada pelos filisteus, a qual só foi devolvida por eles anos mais tarde, que alguns estudiosos pensam ter chegado a vinte. Ao receber a notícia da morte dos dois filhos e da tomada da arca da aliança, Eli, que estava sentado ao receber as más novas, caiu para trás, quebrou o pescoço e morreu, após ter julgado a Israel por quarenta anos. Obviamente, a fase dos juízes estava no fim, e uma nova ordem de coisas precisava começar. As palavras finais da viúva de Finéias, que estava grávida de últimos dias, e que teve um parto prematuro, mostram-nos uma opinião, provavelmente calcada sobre noções supersticiosas acerca da arca da aliança: Foi-se a glória de Israel, pois foi tomada a arca de Deus (I Sam. 4:22). Como se a glória do povo de Deus dependesse de um objeto, e não de sua aprovação por parte do Senhor!

Embora a narrativa bíblica não mencione, nos livros históricos, a destruição de Silo, local do santuário do Senhor, há referências (Jer. 7:12,14; 26:6,9; Sal. 78:60) que dão a entender que isso sucedeu. Silo deixa de ser mencionada como centro religioso após o quarto capítulo de I Samuel.

4. Juiz de Israel
Por muitos anos, Samuel julgou a Israel. Porém, tornou-se muito melhor conhecido como profeta, fazendo o povo abandonar a idolatria (I Sam. 7:1-4). Um dos episódios marcantes da vida de Samuel foi o que envolveu a ereção da pedra que ele erigiu entre Mispa e Sem, à qual chamou de "Ebenézer", dizendo: "Até aqui nos ajudou o Senhor" (I Sam. 7:12). Como juiz, embora residente em Ramá, onde edificara um altar dedicado a Deus (I Sam. 7:17), Samuel dirigia tribunais anualmente em Betel, Gilgal e Mispa (I Sam. 7:15,16), além de outras cidades não mencionadas nos registros bíblicos. Infelizmente, à semelhança do caso anterior de Eli e seus filhos, os filhos de Samuel, Joel e Abias, não se mostraram dignos de servir como juízes.

Quando os israelitas requereram de Samuel um rei, a petição estava escudada em duas razões: negativamente, estavam desapontados com a delegação de autoridade, por parte de Samuel, e seus filhos; positivamente, eles queriam ter um rei e serem como as outras nações. Samuel ficou grandemente perturbado ante o pedido, mas o Senhor assegurou-lhe de que essa era sua vontade permissiva, e que Samuel deveria esboçar as responsabilidades que os israelitas teriam de assumir, comandados por um rei (I Sam. 8:1-22).

5. Unção do Rei Saul
A comissão de Samuel para ungir Saul como rei deixava bem claro que um rei, em Israel, era "príncipe sobre o meu povo de Israel" (I Sam. 9:16) e príncipe sobre a herança do Senhor, "o povo de Israel" (I Sam. 10:1). Isso equivale a dizer que o rei daria contas a Deus pela autoridade que exerceria sobre os israelitas. As instruções que Samuel escreveu em um livro, chamadas o direito do reino, concordam com as instruções dadas no sétimo capítulo de Deuteronômio. (Ver 1 Sam. 10:25).

Apesar de algumas boas vitórias iniciais, Saul, o primeiro rei de Israel, não demorou muito a incorrer no desagrado do Senhor. Samuel ainda intercedeu por Saul, mas este simplesmente não reagia espiritualmente, mas antes, mostrava-se voluntarioso e atrevido. As coisas chegaram a um extremo em que Samuel foi usado para avisar a Saul (e, incidentalmente, a todos nós): Tem porventura o Senhor tanto prazer em holocaustos e sacrifícios quanto em que se

A Apresentação de Samuel

••• ••• •••

•••

As Crianças são suas, O, Senhor.

Por este menino orava eu, e o Senhor
me concedeu a minha petição, que eu lhe
tinha pedido. (I Sam. 1:27)
Ao Senhor eu o entreguei por todos os dias
que viver. (I Sam. 1:28)
Deixai os meninos, e não os estorveis de
vir a mim;
Porque dos tais é o reino dos céus. (Mat. 19:14)
Em verdade vos digo que, se não converterdes
e não vos fizerdes como meninos, de modo
algum entrareis no reino de Deus.
 (Mat. 18:3)

Desejai afetuosamente, como meninos
novamente nascidos, o leite racional, não
falsificado, para que por ele vades
crescendo. (I Ped. 2:2)
Instrue ao menino no caminho em que deve
andar e até quando envelhecer não se
desviará dele. (Prov. 22:6)
Como flechas na mão do valente, assim
são os filhos da mocidade. Bem-aventurado
o homem que enche deles a sua aljava.
 (Sal. 127:4,5)

••• ••• •••

SAMUEL – SAMUEL (LIVROS)

obedeça à sua palavra? Eis que o obedecer é melhor do que o sacrificar, e o atender melhor do que a gordura de carneiros. Porque a rebelião é como o pecado de feitiçaria, e a obstinação é como a idolatria e culto a ídolos do lar. Visto que rejeitaste a palavra do Senhor, ele também te rejeitou a ti..." (I Sam. 15:22,23).

6. Unção do Rei Davi

Tempos depois, Samuel recebeu ordens para ir a Belém de Judá, ungir a outro escolhido do Senhor para reinar em lugar de Saul. Foi assim que Davi, filho de Jessé, foi ungido rei, embora ainda se passassem bem mais de dez anos, até ele receber o trono. O relato sagrado, a partir da narração da unção de Davi, ocupa-se principalmente em retratar os episódios entre Davi e Saul. Mas, em I Sam. 25:1, lemos: "Faleceu Samuel; todo o Israel se ajuntou, e o prantearam, e o sepultaram na sua casa, em Ramá". Isso sucedeu quando Saul vivia caçando a Davi por toda a parte.

7. Última mensagem a Saul

A última mensagem de Samuel a Saul ocorreu depois da morte do profeta, na presença da médium de En-Dor. Sem que a mulher pudesse controlar os acontecimentos, sem dúvida por permissão divina, Samuel falou diretamente com o rei, informando-o sobre a morte próxima dele e de seus filhos. De fato, isso ocorreu no dia seguinte (I Sam. 28:4-19). Ver sobre a *Médium de En-Dor* e sobre *Consulta aos Mortos*. O aparecimento de Samuel a Saul, após a morte do primeiro, constitui um dos capítulos mais estranhos da Bíblia. Por um lado, prova que há vida após a morte (pelo menos para quem aceita o testemunho da Bíblia); e, por outro lado, prova que pode haver o contato de espíritos de mortos com os vivos. Não queremos aqui abordar as consequências teológicas desse fato. Tratamos sobre isso algures, nesta enciclopédia. Aqui queremos somente frisar a possibilidade desse contato, que a Bíblia proíbe como algo intencionalmente buscado. (Ver *Necromancia*).

8. Caráter de Samuel

Samuel é conhecido como grande homem de oração e intercessão (I Sam. 15:11; Sal. 99:6), por meio de quem Deus abençoou muito a Israel, fazendo seu antigo povo entrar em uma nova fase de sua história, a era do reino, que prefigurava o futuro reino messiânico. Samuel ocupa lugar proeminente entre os líderes e profetas do Senhor, por meio dos quais se evidencia que o favor do Senhor Deus continua com seu povo (Atos 3:24; 13:20; Heb. 11:32).

SAMUEL (LIVROS)
Esboço:
I. Nome
II. Caracterização Geral
III. Autoria
IV. Data
V. Propósito
VI. Estado do Texto
VII. Problemas Especiais
VIII. Teologia do Livro
IX. Conteúdo e Cronologia
X. Bibliografia

I. Nome

Nossos livros de I e II Samuel, no cânon hebraico, aparecem como um único volume. Isso é provado pela nota marginal, ao lado de I Sam. 28.24, que diz que ali se encontra "a metade do livro". Naturalmente essa nota posta à margem não aparece em nossa versão portuguesa. O nome do livro deriva-se de uma das três personagens principais da obra, o profeta Samuel. Ele aparece, com proeminência, nos primeiros quinze capítulos de I Samuel.

E, mesmo depois que a história passa a gravitar em torno, primeiramente, de Saul, então, de Saul e Davi, e, finalmente, de Davi apenas, Samuel continua aparecendo como uma das três personagens principais do relato, até a sua morte (ver I Sam. 25.1), inter-relacionando-se com Saul e Davi. De fato, Samuel continua a desempenhar importante papel no livro de I Samuel. O trecho de I Sam. 28.20 é a última menção a esse grande profeta de Deus. Interessante é observar que o nome de Samuel nunca aparece no livro de II Samuel. Isso se repete em ambos os livros de Reis. Mas o seu nome reaparece em I Crô. 6.28; 9.22; 11.3; 26.28; 29.29; II Crô. 35.18; Sal. 99.6 e Jer. 15.1 (no restante do Antigo Testamento); e também em Atos 3.24; 13.20 e Heb. 11.32 (no Novo Testamento). Seu nome, figura por um total de 136 vezes em toda a Bíblia, das quais 125 vezes em I Samuel. Esse nome significa "ouvido por Deus".

Samuel era levita, filho de *Elcana* e *Ana* (ver a respeito desses nomes no *Dicionário*). Nasceu em Ramataim-Zofim, no território montanhoso de Efraim. Foi o último dos juízes e o primeiro dos profetas (depois de Moisés), uma categoria de servos de Deus que, quanto ao Antigo Testamento, prosseguiu até Malaquias, e, na verdade, até João Batista, o precursor do Senhor Jesus. Quanto a maiores detalhes sobre sua pessoa, ver na *Enciclopédia* o artigo sobre *Samuel*.

II. Caracterização Geral

Como já dissemos, o cânon hebreu tinha um único livro de Samuel, que nós conhecemos como I e II Samuel. Foi na Septuaginta que, pela primeira vez, apareceu a divisão em dois livros, quando eles foram chamados "Livros dos Reinos" (no grego, *bíbloi basileiõn a e b*). Foi na mesma ocasião que os livros que chamamos de I e II Reis apareceram como "Livros dos Reinos III e IV", visto que o conteúdo desses dois últimos continha o relato iniciado em I e II Samuel.

Jerônimo, por sua vez, afixou o título "Livros dos Reis" (no latim, *Libri Regum*) a esses *novos* quatro livros. Foi também ele quem modificou o título "Reinos" para "Reis". E, finalmente, com o tempo, a Vulgata Latina conferiu o nome "Samuel", aos dois primeiros desses quatro livros.

Os livros de Samuel, pois, historiam a transição do povo de Israel da teocracia para a monarquia. A *teocracia* (ver a respeito no *Dicionário*), que indica o governo de Deus sobre o povo de Israel, mediante homens divinamente escolhidos, como *Moisés, Josué* e os *juízes* (ver sobre esses termos também no *Dicionário*), foi iniciada no livro de Êxodo; instaurada na Terra Prometida, quando da conquista sob a liderança de Josué, e teve continuidade até os dias do próprio Samuel, que atuava como o agente escolhido por Deus para representar a teocracia. Isto posto, há um vínculo inegável entre os livros de Moisés, Josué, Juízes, Rute e I e II Samuel, como se fossem elos de uma corrente. Na verdade, a corrente prossegue nos livros de Reis e de Crônicas, dentro dos quais também devemos incluir os livros proféticos pró-exílicos, os livros dos profetas pós-exílicos e, finalmente, livros como Esdras, Neemias e Ester. Os livros poéticos (Jó a Cantares de Salomão), embora também nos propiciem alguns informes históricos, têm o seu material englobado nos primeiros livros bíblicos que mencionamos, que constituem o *Pentateuco*, os Livros *Históricos* e os Livros *Proféticos* (ver a respeito no *Dicionário*). Todavia, os livros de Samuel assinalam um período histórico todo especial na vida da nação de Israel: o período do surgimento da monarquia, com Saul e Davi. Organizacionalmente, a nação galgou um degrau na evolução de sua história;

SAMUEL (LIVROS)

espiritualmente, porém, houve algum retrocesso, que só será anulado por ocasião da segunda vinda do Senhor Jesus. Todavia, como o Senhor nunca é frustrado em Seus planos eternos, a monarquia, afinal, acabou contribuindo para que o palco fosse armado para a primeira e a segunda vinda do Senhor Jesus; porquanto Cristo, quanto à carne, é descendente de Davi, o segundo e mais importante dos monarcas da nação de Israel.

III. Autoria

Os próprios livros históricos da Bíblia nos fornecem algumas indicações sobre a autoria de I e II Samuel. Lê-se em I Sam. 10.25: "Declarou Samuel ao povo o direito do reino, escreveu-o num livro, e o pôs perante o Senhor". E também somos informados em I Crô. 29.29: "Os atos, pois, do rei Davi, assim os primeiros como os últimos, eis que estão escritos nas crônicas, registrados por Samuel, o vidente, nas crônicas do profeta Natã e nas crônicas de Gade, o vidente". Esses trechos bíblicos dão-nos a entender que, pelo menos em parte, Samuel é um dos autores do âmago da narrativa de I Samuel e também que Natã e Gade, que viveram na geração seguinte à de Samuel, tiveram participação nessa obra. Que outros autores dos livros de Samuel (I e II) possam ter participado já não passa de especulação, pois a Bíblia faz total silêncio a respeito. A autoria dos livros de Samuel, pelo menos em parte, é confirmada pelo Talmude (ver *Baba Bathra* 14), que diz que esse profeta escreveu os livros de Samuel. É claro que Samuel não pode ter sido o autor da obra inteira (I e II Samuel, segundo o nosso cânon), porque ele morreu quando Saul ainda era rei; assim Samuel não pode ter acompanhado nem mesmo o começo do reinado de Davi, com cujo governo se ocupa o livro de II Samuel, embora possa ter sido autor do âmago inicial de I Samuel.

A *composição* dos livros de I e II Samuel, por isso mesmo, tem dado margem a diversas teorias:

a. A alta crítica oferece mais de uma opinião acerca da origem dos livros de Samuel. Eles falam em contradições "óbvias", relatos duplicados e outras evidências de múltipla autoria. Para eles, essa múltipla autoria explicaria tais problemas, criados no decorrer de muito tempo, em que os autores envolvidos tanto teriam apelado para informes históricos dignos de confiança quanto para informes meramente orais e tradicionais. Outros estudiosos da alta crítica acham que grande parte de Deuteronômio a Reis foi reescrita entre 621 e 550 a.C., e que esses compiladores foram os responsáveis pela composição final de I e II Samuel.

b. A maioria dos estudiosos acredita que I e II Samuel se formaram pela mistura de várias fontes informativas, que seriam duas ou três. Eissfeldt vincula os livros de I e II Samuel às fontes informativas *J.E* e *L*, as duas primeiras da teoria *J.E.D.P.(S.)* (ver a respeito no *Dicionário*), e *L* sendo uma criação dele, para denominar informantes "leigos". Todos os estudiosos que apelam para essa teoria pensam que os livros bíblicos, de Gênesis até Reis, tiveram por base essas supostas fontes informativas. A suposta fonte informativa *L* representaria opiniões populares, sem interesses teológicos, mas com a atenção concentrada na arca da aliança.

c. Bentzen expressa dúvidas se as fontes *J* e *E* realmente prosseguem nos livros de I e II Samuel. Albright nega explicitamente a validade das fontes informativas *J* e *E* quanto aos livros de Samuel. De fato, ele pensava que nenhuma teoria baseada em supostas fontes informativas poderia ser formada no tocante aos livros de Samuel.

d. Segal, que também rejeitava a hipótese de tais fontes informativas documentárias, prefere pensar na combinação de duas narrativas independentes acerca de Davi. A primeira delas seria uma boa biografia; e a segunda era mais lendária quanto à sua natureza. A isso teriam sido acrescentados relatos independentes sobre a arca, sobre Saul e sobre o profeta Samuel.

e. A escola tradicional histórica enfatiza que teria havido ciclos de sagas em torno das vicissitudes sofridas pela arca da aliança, a respeito dos quais se criaram crônicas históricas um tanto desconexas entre si. Alguns membros dessa escola adiam a fase escrita dos livros de Samuel até os tempos pós-exílicos.

f. A maioria dos críticos pensa que os livros de Samuel refletem tanto fontes informativas exatas quanto meras tradições orais, pelo que seu valor histórico flutuaria muito. Muitos deles crêem que os relatos fragmentares sobre Davi, de I Sam. 16 a II Sam. 8, não passam de uma novela histórica, com o propósito de glorificar Davi. Essas narrativas teriam sólida base histórica, mas com muitos adornos fantasiosos. Por outra parte, o material de II Sam. 8—20 consistiria, juntamente com os livros de I e II Reis, em "narrativas de sucessão ao trono". Muitos críticos dão mais valor histórico a essa porção de Samuel (II Sam. 9—20) do que a todo o restante do livro. O quadro formado pelos críticos torna-se extremamente complicado quando eles supõem ter havido um propósito "político" nos livros I e II Samuel e de I e II Reis. Quanto às complexas idéias desse grupo, queremos destacar apenas que eles pensam que os trechos de I Sam. 15 a II Sam. 8 representam uma "apologia" da dinastia davídica, em tudo superior à dinastia de Saul.

Preferimos ficar com a idéia de que o âmago dos livros de I e II Samuel consiste nas crônicas históricas de Samuel, Natã e Gade. E, então, algum autor-compilador-editor, para nós desconhecido, formou a obra com base nos escritos daqueles três, utilizando-se também do "Livro dos Justos" (ver II Sam. 1.18), uma fonte informativa histórica que ele sem dúvida usou, pois isso ele próprio mencionou. O trabalho desse compilador talvez explique como pode ter havido uma transição suave de episódio para episódio e de seção para seção nos livros de Samuel, conferindo-lhes assim a inequívoca unidade. Por trás desses livros há um propósito único (ver a seção V, *Propósito*), e eles foram escritos em uma linguagem uniforme.

IV. Data

A questão da data dos livros de I e II Samuel depende, em muito, da questão de sua autoria. Assim, se Samuel, Natã e Gade foram os autores essenciais, então esses dois livros foram escritos durante os dias do reinado de Davi, ou imediatamente depois. Todavia, os estudiosos pensam que certas porções da obra, particularizando II Sam. 9—20, teriam sido escritas no século X a.C., ao passo que outras porções são atribuídas por eles a períodos posteriores, que se estenderiam até depois do exílio babilônico.

Mas, se a idéia de "apologia" davídica tiver de ser aceita (ver anteriormente), então, pode-se argumentar em favor de uma data anterior para aqueles capítulos. E isso porque a necessidade de tal defesa da dinastia davídica seria uma imposição nos dias do próprio Davi e nos dias de Salomão, mas especialmente durante os primeiros anos do governo de Davi, quando seu trono estava seriamente ameaçado, de sorte que apenas a tribo de Judá o aceitava como rei, ao passo que as demais tribos permaneciam em compasso de espera. Ver II Sam. 2.1—4.12. Em I Sam. 27.6 lemos que "Ziclague pertence aos reis de Judá, até o dia de hoje". Isso pode indicar ou que o livro de Samuel foi escrito durante os dias da monarquia

SAMUEL (LIVROS)

dividida, isto é, após Salomão, ou então que essas palavras foram inseridas posteriormente.

Os eruditos conservadores fazem variar a data dos livros de Samuel desde 970 a.C. (pouco depois da época de Davi) até 722 a.C. (época em que a cidade de Samaria foi destruída pelos assírios e começou o exílio de Israel, nação do norte). Todavia, a ausência de qualquer referência à queda de Samaria provê um extremo temporal seguro. Os livros de Samuel não podem ter sido escritos após a queda de Samaria. Doutra sorte, haveria alguma alusão a esse acontecimento, por demais importante para ter sido esquecido por um autor-compilador, caso, porventura, já tivesse ocorrido.

V. Propósito

Os livros de Samuel, como já dissemos, foram escritos para apresentar uma narrativa conexa dos eventos que cercaram a instauração da monarquia em Israel. Esses livros historiam tanto a carreira do último dos juízes, que também foi o primeiro (depois de Moisés) da longa série de profetas, Samuel, quanto os acontecimentos que circundaram a vida de Saul e Davi, os dois primeiros reis de Israel. Portanto, os livros de Samuel assinalam um período crítico de transição. É com toda a razão que os livros se chamam I e II Samuel, porque o papel desempenhado por esse profeta de Deus é crucial para a correta compreensão tanto da instauração da monarquia quanto do desenvolvimento do ofício profético no Antigo Testamento, que terminou com a figura fulgurante de João Batista, precursor do Senhor Jesus. Foi Samuel, o agente da teocracia, quem deu legitimidade à dinastia davídica, diante dos olhos um tanto duvidosos de toda a nação de Israel.

As lições morais e espirituais que derivamos das experiências pessoais de Samuel, de Saul e de Davi também se revestem de importância capital. Um ponto a destacar, nessas lições, é a atitude de desobediência a Yahweh, por parte de Saul. Isso o condenou aos olhos do Senhor, que o rejeitou como rei. Esse é um dos pontos altos da narrativa. "... visto que rejeitaste a palavra do Senhor, já ele te rejeitou a ti, para que não sejais rei sobre Israel" (I Sam. 15.26). Outra dessas lições foi a queda de Davi, no caso de Bate-Seba, que quase lhe custou a coroa e a vida (ver II Sam. 11.1—12.25). Contudo, a despeito de seus graves defeitos, Davi era o escolhido e ungido do Senhor, pelo que a sua dinastia foi firmada. O Senhor estabeleceu com Davi o chamado pacto davídico (ver II Sam. 7.1-29). De acordo com os termos desse pacto, o Messias procederia da casa de Davi consoante as palavras do Senhor, através do profeta Natã: "Quando teus dias se cumprirem, e descansares com teus pais, então farei levantar depois de ti o teu descendente, que procederá de ti, e estabelecerei o seu reino. Este edificará uma casa ao meu nome, e eu estabelecerei para sempre o trono do seu reino" (II Sam. 7.12,13).

Acrescente-se a isso que os livros de Samuel fornecem um excelente pano de fundo para alguns dos salmos. E, finalmente, vários fatos importantes acerca da cidade de Jerusalém são esclarecidos no livro. O propósito dos livros de Samuel é, pois, multifacetado.

VI. Estado do Texto

O texto hebraico tradicional, representado pelo *texto massorético* (ver a respeito na *Enciclopédia*), mostra-se estranhamente defeituoso no que concerne a I e II Samuel. Há mesmo casos nos quais as emendas são imperiosas, por motivo de textos muito mal preservados. Para exemplificar, temos I Sam. 13.1, que omite o número de "anos", ao descrever a idade de Saul. Nossa versão portuguesa, juntamente com outras, atrapalha ainda mais a passagem. A tradução emendada diz, conforme a NIV: "Saul tinha trinta anos de idade quando se tornou rei; e reinou em Israel por quarenta e dois anos". Entretanto, a nossa versão portuguesa diz: "Um ano reinara Saul em Israel. No segundo ano do seu reinado sobre o povo...".

Permanecem desconhecidas as razões pelas quais o texto massorético sobre os livros de Samuel apresenta maior número de dificuldades do que o texto de qualquer outro livro do Antigo Testamento. Há estudiosos, como Archer, que sugerem que o texto oficial, formulado durante o período intertestamental, dependeu de uma antiga cópia, desgastada pelo uso ou mesmo atacada por insetos. E os massoretas teriam reproduzido fielmente o texto "oficial". Outros, como Segal, crêem que os livros de Samuel foram negligenciados em face da competição feita pelos livros mais populares de Crônicas. Por ser menos lido, o texto de Samuel, de alguma maneira, veio a sofrer de corrupções várias.

Interessante é que fragmentos do manuscrito dos livros de Samuel, entre os chamados *Manuscritos do Mar Morto*, sobre os quais se baseou a tradução da *Septuaginta* (ver a respeito ambos os termos no *Dicionário*), mostram-se superiores à tradição massorética. Cross tem estudado várias passagens nas quais o material das cavernas de Qumran se assemelha muito com a Septuaginta, sobretudo o códex B. Isso indica que os tradutores dessa versão do Antigo Testamento para o grego manusearam o texto hebraico com extrema fidelidade, pelo que seriam mais dignos de confiança do que o foram até bem pouco tempo, entre os estudiosos. Pelo menos nos dois livros de Samuel, a versão da Septuaginta reveste-se de grande valor na determinação do verdadeiro texto de muitas passagens problemáticas.

Albright opinou que as cópias mais antigas de Samuel, entre o material encontrado nas cavernas de Qumran, exibem superioridade tanto em relação ao texto hebraico massorético quanto em relação ao texto da Septuaginta. Os estudiosos estão preparando uma edição melhorada do texto de I e II Samuel, com base nesses achados de Qumran (ver a respeito na *Enciclopédia*). Esperemos, pois, por essa edição!

VII. Problemas Especiais

Os críticos geralmente apontam para três problemas especiais existentes nos livros de Samuel: a. relatos duplicados; b. a identidade de quem matou Golias; e c. dificuldades em torno da feiticeira de En-Dor. No tocante ao primeiro desses problemas, os estudiosos encontram discrepâncias e contradições no texto dos livros de Samuel. De acordo com eles, as descrições dos mesmos eventos, de duas maneiras diversas, deixam-nos "entrever" o uso de diferentes fontes informativas, ou então a existência de relatos paralelos, o que revelaria, no mínimo, a mão de mais de um autor do livro. Ver a terceira seção, sobre *Autoria*, anteriormente. Exemplos de duplicação seriam os seguintes: Por duas vezes Saul é feito rei, por duas vezes, igualmente, Davi foi apresentado a Saul; e por duas vezes os habitantes de Zife informaram a Saul acerca do local onde Davi se ocultava. Além desses casos, eles falam em várias outras duplicações. Mas, em cada um dos casos apresentados, sempre se pode encontrar uma explicação satisfatória, o que reduz a nada esses problemas especiais, criados pelos críticos.

Assim, os eventos que cercam as duas "coroações" de Saul foram acontecimentos diferentes um do outro. Na primeira ocasião, Saul foi escolhido mediante o lançamento de sortes e, então, foi apresentado ao povo.

SAMUEL (LIVROS)

Porém, alguns "filhos de Belial" (I Sam. 10.27) mostraram dúvidas quanto à sua capacidade de governar a nação, e recusaram-se a reconhecê-lo. No capítulo 11 de I Samuel, Saul liderou o exército de Israel a obter uma vitória decisiva sobre os amonitas, e Samuel reuniu o povo em Gilgal, a fim de que renovassem o "reino" (I Sam. 11.14). Então todo o povo *proclamou* Saul como seu rei (vs. 15), em meio a grandes demonstrações de regozijo e unidade. As palavras "proclamaram a Saul seu rei" não aparecem no capítulo 10; e a referência à renovação ou confirmação do reino deixa entendido que Saul havia sido previamente designado como rei.

Davi foi inicialmente apresentado a Saul (ver I Sam. 16.21). Na oportunidade, Saul recebeu-o como músico e armeiro, e o jovem Davi foi contratado para acalmar, com sua música, o perturbado monarca. Mas, depois que Davi retornou do campo de batalha, onde matara o gigante Golias, Saul indagou: "De quem é filho este jovem, Abner?" (I Sam. 17.55). Mas Abner não sabia dizê-lo. Há aqueles que interpretam isso como se Saul houvesse esquecido o nome de Davi. Notemos, porém, que a dúvida não estava sobre a identidade de Davi e, sim, de seu pai. O rei repetiu a pergunta diretamente a Davi: "De quem és filho, jovem?". E Davi, havendo entendido que Saul não perguntava por seu próprio nome (de Davi) e, sim, pelo nome de seu pai, respondeu: "Filho de teu servo Jessé, belemita" (I Sam. 17.56-58). Como vemos, novamente, a falta de atenção levou alguns eruditos a imaginar que Davi precisou ser apresentado por duas vezes a Saul, o que teria sido realmente estranho, para dizer o mínimo.

A indagação de Saul acerca do pai de Davi fica ainda bem compreendida em face de I Sam. 17.25-27, onde o rei prometera que o homem que matasse o gigante Golias não pagaria os impostos da casa de seu pai. Para que Saul cumprisse a promessa, era mister saber o nome do pai de Davi, que abatera ao atrevido gigante. A promessa dizia: "A quem o (ao gigante) matar, o rei cumulará de grande riqueza, e lhe dará por mulher a filha, e a casa de seu pai isentará de impostos em Israel" (vs. 25). Lembremo-nos de que, naquele período de sua vida, Davi ainda não era o famoso rei Davi e, sim, apenas um jovem cortesão, músico, proveniente de uma família que até então não havia alcançado notoriedade em Israel. Também poderíamos argumentar que a mente do rei estava tremendamente perturbada, por permissão de Deus, o que também pode ter contribuído para o seu esquecimento quanto ao nome do pai de Davi. Além disso, I Sam. 18.2 afirma que Saul, depois que Davi matou a Golias, não lhe permitiu retornar à casa paterna, sugerindo uma diferença em sua maneira de tratar o jovem, o que deve ser entendido em confronto com I Sam. 17.15.

Os dois episódios que envolveram os zifitas são também superficialmente semelhantes. Nos capítulos 23 e 26 de I Samuel, os habitantes de Zife levaram ao conhecimento de Saul informações sobre o paradeiro de Davi. Os dois eventos, porém, envolvem circunstâncias muito diferentes, em períodos diferentes, embora o local envolvido, como esconderijo de Davi, fosse o mesmo: o outeiro de Haquilá. Um caso similar a esse foi o de Abraão, que apresentou Sara como sua irmã, por duas vezes, nos capítulos 12 e 20 do livro de Gênesis. Mas os críticos não argumentam que ali houve duplicação de narrativas, em face de fontes informativas diferentes! A impressão que se tem é de que os críticos, querendo fazer prevalecer sua opinião sobre as origens de diversos livros antigos da Bíblia, criam hipóteses que depois não são capazes de consubstanciar.

Conforme dissemos anteriormente, outro problema especial criado pelos intérpretes gira em torno da pergunta: "Quem, realmente, matou Golias?". Certos críticos pensam que houve uma versão mais popular do feito, segundo a qual o matador do gigante teria sido *Elanã*. Entretanto, na verdade, Elanã (de acordo com II Sam. 21.19) é quem teria abatido o gigante. Mas, posteriormente, o feito teria sido transferido para Davi, a fim de torná-lo uma figura heróica, capaz de ocupar o trono de Israel. Essa suposição, contudo, esbarra com dificuldades intransponíveis. Se Davi não tivesse matado Golias, como explicar o intenso ciúme de Saul? E como explicar o cântico triunfal, que atribuiu, imediatamente em seguida, o triunfo a Davi (ver I Sam. 18.7)? Essa suposta dificuldade teria sido prontamente dirimida mediante a atenção ao trecho de I Crô. 20:5, onde se lê: "... e Elanã, filho de Jair, feriu a Lami, irmão de Golias, o geteu, cuja lança tinha a haste como eixo de tecelão". Isto posto, Davi matou Golias, e Elanã matou Lami, irmão de Golias. Não há nenhuma duplicação de relatos. Evidentemente, houve um erro primitivo de transcrição em II Sam. 21.19, onde se lê: "... e Elanã, filho de Jaaré-Oregim, o belemita, feriu Golias, o geteu, cuja lança tinha a haste como eixo do tecelão". Mas essa passagem, quando comparada com aquela outra, de I Crônicas, fica esclarecida. O que houve não foi a repetição de relatos, na qual em um deles Davi teria sido o matador de Golias, e, em outro, o matador teria sido Elanã. O que, realmente, houve, foi um erro primitivo de transcrição.

E acerca da feiticeira de En-Dor? Sobre o que objetam os críticos? Alguns declaram que, em face de certas proibições bíblicas, o contato de vivos com os mortos não pode ter acontecido. Tudo teria sido apenas um fenômeno psicológico, talvez fruto da condição perturbada de Saul. Um ponto de vista mais conservador admite que Deus permitiu que Saul visse uma forma semelhante a Samuel, embora tudo não passasse de uma visão, e não do corpo ou do espírito real daquele profeta. Entretanto, a explicação mais certa e óbvia é aquela que reconhece que Samuel realmente apareceu a Saul em forma visível, e que o profeta já morto realmente comunicou-se com Saul. O relato está no capítulo 28 de I Samuel. A médium de En-Dor, diante da pergunta de Saul: "Não temas; que vês?", replicou: "Vejo um deus que sobe da terra" (vs. 13). Sabemos que os médiuns espíritas e outros realmente se comunicam com espíritos desses lugares tenebrosos. Isso é ensinado desde o livro de Gênesis, no caso dos magos do Egito. Esses médiuns, porém, não têm normalmente contato com espíritos remidos. Portanto, Deus deve ter intervindo, permitindo o aparecimento de Samuel à vidente de En-Dor. Isso surpreendeu a mulher, que gritou.

Que os mortos podem aparecer aos vivos, vê-se no caso de Moisés e Elias, que apareceram juntamente com o Senhor Jesus, quando de sua transfiguração, diante de três de seus discípulos: Pedro, Tiago e João (ver Mat. 17.1-8; Mar. 9.14-29 e Luc. 9.37-43). Esse episódio, juntamente com o do aparecimento de Samuel após a sua morte, por intermediação da médium de En-Dor, incidentalmente prova a existência consciente dos espíritos humanos que daqui partiram, por força da morte biológica, além de ser um fortíssimo apoio à doutrina da imortalidade da alma! Por conseguinte, toda essa objeção à aparição de Samuel à feiticeira de En-Dor, e ao recado que ele deu a Saul, baseia-se naquela razão que foi dada pelo Senhor Jesus aos saduceus: "Errais, não conhecendo as Escrituras nem o poder de Deus" (Mat. 22.29).

VIII. Teologia do Livro

Embora a ênfase principal dos dois livros de Samuel seja histórica, e não-teológica, vários capítulos contêm

SAMUEL (LIVROS)

importantes doutrinas, que nos são ensinadas de maneira inequívoca. Três são as lições teológicas destacadas nos livros de Samuel:

A. *A Vontade Soberana de Deus*. Muitos estudiosos ficaram perplexos diante da atitude de Deus em relação ao estabelecimento da monarquia em Israel. Indícios suficientes indicam que Deus não ficou satisfeito com o fato de que os israelitas rejeitaram o governo teocrático. Ver I Sam. 8.7, onde se lê: "Disse o Senhor a Samuel: Atende à voz do povo em tudo quanto te dizem, pois não te rejeitaram a ti, mas a mim, para eu não reinar sobre eles". Mesmo assim, o homem de Deus tentou dissuadir o povo de desejar um rei; mas a maioria esmagadora do povo mostrou-se inflexível na exigência de ter um monarca que os conduzisse às batalhas conforme sucedia aos povos em derredor. Por outro lado, antes mesmo de Saul haver sido ungido rei, Deus prometeu abençoá-lo e usá-lo para livrar seu povo dos inimigos, segundo se aprende em I Sam. 9.16: "Amanhã a estas horas te enviarei um homem da terra de Benjamim, o qual ungirás por príncipe sobre o meu povo de Israel, e ele livrará o meu povo da mão dos filisteus; porque atentei para o meu povo, pois o seu clamor chegou a mim". É evidente que devemos traçar uma distinção entre a vontade diretiva e a vontade permissiva de Deus. Assim, o desejo que os israelitas tiveram de um rei foi um desejo pecaminoso, mas o Senhor Deus contornou isso, permitindo que, ainda assim, o povo fosse abençoado.

Outro aspecto da vontade de Deus diz respeito à questão da predestinação em relação à responsabilidade humana. Depois que Saul já era rei de Israel fazia algum tempo, ele desobedeceu a Deus, oferecendo um sacrifício, privilégio reservado exclusivamente ao sacerdócio. Samuel repreendeu-o severamente por isso, anunciando que Saul havia perdido o direito de ser cabeça de uma dinastia reinante duradoura. No dizer de Samuel: "Procedeste nesciamente em não guardar o mandamento que o Senhor teu Deus te ordenou; pois teria agora o Senhor confirmado o teu reino sobre Israel para sempre" (I Sam. 13.13). Mas, em vez disso, por causa desse ato de precipitação e rebeldia de Saul, o Senhor transferiu a liderança do reino a outro, a saber, Davi.

É evidente que o pecado de Saul pode ser apontado como a causa da perda de seus direitos dinásticos. No entanto, desde os dias do patriarca Jacó, estava profetizado que o "cetro não se arredará de Judá" (Gên. 49.10). A tribo governante sobre o povo de Israel seria a tribo de Judá, à qual pertencia Davi, e não a tribo de Benjamim, à qual pertencia Saul. Isto posto, o cumprimento dessa predição do Espírito de Deus, por intermédio de Jacó, não exigia a desqualificação de Saul? Por outra parte, vemos que Samuel não consolou Saul, dizendo-lhe: "O pecado que cometeste não foi uma falta tua, e tinha mesmo que acontecer". Pelo contrário, Saul não foi desculpado por sua desobediência, mas foi severamente julgado. Isto posto, naturalmente, Deus tanto previu esse acontecimento quanto cuidou para que ele realmente se efetuasse; mas a responsabilidade humana permaneceu sendo um fato, e Saul foi julgado culpado, apesar de seu ato ter sido previsto desde há muito.

B. *A Doutrina do Pecado*. Os livros de I e II Samuel ilustram, em vivas cores, a pecaminosidade do coração humano e os inevitáveis maus resultados do pecado. Líderes piedosos de Israel, como Eli, Davi e Samuel, não acertaram sempre, pois suas falhas também são salientadas no relato bíblico. O que é de admirar, entretanto, é que esses três homens tiveram filhos que foram rebeldes contra o Senhor. Na qualidade de pais, os três enfrentaram tremendas dificuldades para encaminhar seus filhos na senda da retidão. Assim, os filhos de Eli furtavam os sacrifícios trazidos pelo povo, blasfemavam contra Deus e cometiam fornicação, e isso no papel de sacerdotes do Senhor. Ver I Sam. 2.13-17,22; 3.13. Não admira que eles tenham sido mortos pelos filisteus. O trágico, na história de Samuel, é que foi justamente por causa dos delitos de seus filhos que o povo de Israel chegou a exigir que lhes fosse dado um monarca (I Sam. 8.5).

Saul começou seu governo como homem humilde, que recebia orientação do Espírito de Deus. No entanto, à medida que seu governo avançava no tempo, ele passou a rebelar-se contra o Senhor, até que terminou sob a influência de espíritos malignos e foi atacado por acessos de inveja e fúria que nos fazem pensar em demência precoce, ou coisa pior. Sua queda moral e espiritual foi tão vertiginosa que ele acabou apelando para a médium de En-Dor! Para quem chegara a receber instruções diretas da parte de Deus, isso foi como ser precipitado do céu ao inferno! Deus não mais lhe respondia. Lemos em I Sam. 28.6: "Consultou Saul o Senhor, porém este não lhe respondeu, nem por sonhos, nem por Urim, nem por profetas". Por isso, em seu desvario, desesperado, Saul perguntou onde poderia encontrar uma médium que consultasse aos mortos. Quando aconteceu a batalha dos israelitas com os filisteus, estes conseguiram cercar Saul e seus três filhos, seu escudeiro e todos os homens de guerra que estavam em sua companhia!

A experiência pecaminosa de Davi provê-nos uma triste instrução, que tem aspectos positivos e negativos. O grande rei Davi era homem segundo o coração de Deus. Mas, em um momento de falta de vigilância, deixou-se arrastar pela tentação, tendo-se envolvido em adultério secreto e homicídio cometido sob as circunstâncias mais covardes e agravantes. E isso depois de ter exibido por anos a fio grande fé e devoção ao Senhor. Todavia, tendo Davi finalmente reconhecido seus graves pecados, foi espiritualmente restaurado (ver II Sam. 12.13). O Senhor o perdoou e deu continuidade à benção a ele prometida, demonstrando-lhe, assim, grande graça e misericórdia. Entretanto, um aspecto que não podemos esquecer da lição que esses incidentes nos ensinam é que, apesar da confissão sincera de Davi — e de haver sido ele perdoado —, ele precisou sofrer as inevitáveis consequências penais do pecado. O filhinho dele e de Bate-Seba acabou morrendo ainda tenro infante. Amon, primogênito de Davi, imitou-o e cometeu incesto com sua meio-irmã, Tamar. Isso precipitou a vingança de Absalão, que terminou, traiçoeiramente, tirando a vida de Amom. E houve várias outras tragédias na família, como a da revolta de Absalão, que violentou as mulheres de seu pai e acabou sendo morto com três dardos que lhe transpassaram o coração, estando ele preso pelos longos cabelos, enroscados em um galho de árvore pendurado cerca de um metro acima do solo.

Apesar desses pontos extremamente negativos na vida de Davi e de seus familiares mais diretos, ainda assim o Senhor muito o abençoou, assim como o seu reinado, em Sua incalculável misericórdia. Deus também recuperou Bate-Seba, culpada com Davi de adultério. E o Senhor até abençoou a Salomão, outro filho que, mais tarde, Davi e Bate-Seba tiveram, escolhendo-o para ser o sucessor de seu pai no trono de Israel.

C. *O Pacto Davídico*. Este é um dos mais importantes pactos estabelecidos por Deus, em todo o Antigo Testamento. Deus firmou esse pacto com Davi (ver II Sam. 7.1-29), ampliando ainda mais as provisões do pacto

SAMUEL (LIVROS)

abraâmico, que encontramos no livro de Gênesis. A Davi foi prometida uma linhagem permanente, um trono firme e um reino perpétuo. O direito de governar Israel sempre caberia a um de seus descendentes, promessa que antecipa e garante o reinado eterno do Senhor Jesus Cristo, o Filho maior de Davi. A fidelidade e o amor constante de Deus por Seu servo Davi podem ser vistos no fato de que Ele o perdoou graciosamente de seu grave pecado duplo: adultério e homicídio. Não admira, pois, que Davi se tenha regozijado diante da promessa divina feita à sua casa. As "últimas palavras" de Davi, que encontramos em II Sam. 23.1 ss., referem-se a essa *aliança eterna*. Ver no *Dicionário* o artigo sobre os *Pactos*.

Um ponto deveras tocante nos livros de I e II Samuel foi a profunda e fiel amizade que se estabeleceu entre Davi e *Jônatas* (ver a respeito no *Dicionário*), filho de Saul. A amizade entre eles ilustra a responsabilidade daqueles que se compactuam de alguma maneira. Jônatas não traiu a seu amigo, Davi, em momento algum, até o último dia de sua vida, embora tivesse todas as razões para compartilhar da inveja e hostilidade que seu pai, Saul, nutria por Davi. E Davi também não se mostrou menos leal a seu amigo Jônatas. Depois que se tornou rei, Davi cuidou zelosamente do bem-estar de um filho aleijado de seu amigo Jônatas, Mefibosete (ver II Sam. 9.1-13). Em uma época sangrenta e violenta como foi a de Davi, é grato encontrarmos uma amizade como essa entre Davi e Jônatas, que redime muito daquilo que nos provoca repulsa, quando consideramos a selvageria própria do período. Os homens são fruto do meio em que vivem. Davi era um bom filho de sua época histórica, mas ele mostrou ser um homem sensível, amigo fiel, artista, poeta, músico, embora também um gênio militar, muitas vezes sangüinário e cruel. A personalidade de Davi era tão cativante que todos os israelitas, até hoje, têm como um de seus mais caros ídolos um governante como Davi.

IX. Conteúdo e Cronologia

Conforme dissemos na segunda seção, *Caracterização Geral*, a Bíblia dos hebreus tinha um único livro de Samuel, que englobava o que conhecemos como I e II Samuel. A divisão apareceu, inicialmente, na Septuaginta (a tradução do Antigo Testamento hebraico para o grego, terminada cerca de 200 anos antes da eclosão do cristianismo). Mas, que há uma unidade e continuação ininterrupta na narrativa, pode-se ver claramente nas passagens sumariadoras: I Sam. 14 e II Sam. 8, que destacaremos a seguir, no decurso dos comentários sobre cada ponto importante do esboço do conteúdo. Essas passagens dão-nos as chaves para uma boa compreensão sobre a estrutura de I e II Samuel. Isto posto, nosso esboço de conteúdo não observará essa divisão literária em I e II Samuel, mas exibirá as vinculações óbvias entre um livro e outro, como se não houvesse dois livros de Samuel.

A. *Samuel* (1.1—7.17)
1. Seu nascimento (1.1-28)
2. O Cântico de Ana, mãe de Samuel (2.1-10)
3. O sacerdote Eli e seus filhos (2.11-36)
4. Chamada de Samuel (3.1-21)
5. A arca da aliança é tomada (4.1-22)
6. A arca na Filístia (5.1-12)
7. Devolução da arca (6.1—7.1)
8. Exortação ao arrependimento (7.2-17)
B. *Samuel e Saul* (8.1—15.35)
1. O fim da teocracia (8.1-22)
2. Saul e Samuel encontram-se (9.1-24)
3. Saul ungido rei (9.25—10.27)
4. Primeiras vitórias de Saul (11.1-11)
5. Saul é proclamado rei (11.12-15)
6. Samuel resigna o cargo de juiz (12.1-25)
7. Temeridade de Saul e sua reprovação (13.1-15ª)
8. Vitória sobre os filisteus (13.15b—14.52)
9. Saul é rejeitado (15.1-35)
C. *Samuel Unge a Davi* (16.1-13)
D. *Davi e Saul* (16.14—II Sam. 1.27)
1. Davi, o músico (16.14-23)
2. Davi e Golias (17.1-58)
3. Davi e Jônatas (18.1-5)
4. A inveja de Saul (18.6—19.24)
5. Aliança entre Davi e Jônatas (20.1-43)
6. Fuga de Davi (21.1—27.12)
7. Saul e a médium de En-Dor (28.1-25)
8. Davi e os filisteus (29.1—30.31)
9. Morte de Saul (31.1-13)
10. Davi lamenta por Saul e Jônatas (II Sam.1.1-27)
E. *Davi Torna-se Rei* (II Sam. 2.1 – 24.25)
1. Sobre Judá (2.1-7)
2. Oposição a Davi (2.8—4.12)
3. Sobre todo o Israel (5.1-12)
4. Feitos vários de Davi (5.13—10.19)
5. O pecado de Davi (11.1—12.31)
6. Conseqüências temporais do pecado (13.1—19.10)
7. Davi novamente em Jerusalém (19.11—20.22)
8. Oficiais de Davi (20.23—21.22)
9. Ação de graças de Davi (22.1-51)
10. Ultimas palavras de Davi (23.1-7)
11. Feitos dos maiores guerreiros de Davi (23.8-39)
12. O recenseamento (24.1-25)

Comentários sobre o item A) Samuel (1.1—7.17)

1. Samuel nasceu como resposta graciosa de Deus às instantes orações de sua mãe, Ana. Até então, Ana tinha profunda tristeza por ser estéril. Fiel à sua promessa, Ana dedicou o filho, Samuel, já desmamado, ao Senhor.

2. O cântico de gratidão de Ana. Seu salmo é chamado de "oração". Em Sal. 72.20, os salmos de Davi também são chamados de "orações".

3. Os filhos de Eli eram pecaminosos. Lembremo-nos de João 1.12,13, que ensina que os "filhos de Deus não nasceram do sangue, nem da vontade da carne, nem da vontade do homem". A responsabilidade diante de Deus é pessoal. Ver Eze. 18:1 ss., onde é estabelecido um princípio básico: "a alma que pecar, essa morrerá".

4. O Espírito de Deus entra em contato real com o espírito humano. A experiência dos grandes homens de Deus confirma isso. O título posto acima do capítulo 3 de I Samuel, em nossa versão portuguesa, diz "Deus fala com Samuel em sonhos". Isso é um erro. Deus apareceu a Samuel; houve uma *teofania* (ver a respeito no *Dicionário*).

5. Não somente a arca foi tomada, mas seu santuário, Silo, foi destruído. Isso foi um castigo divino, conforme se aprende em Jer. 6.9 e 7.12,26. O quanto isso representou para o povo de Israel, pode-se depreender das palavras da nora de Eli: "Foi-se a glória de Israel, pois foi tomada a arca de Deus" (vs. 22).

6. Os filisteus não puderam saborear o gosto da tomada da arca. A mão do Senhor veio contra eles sob a forma de graves enfermidades. "Os homens que não morriam eram atingidos com os tumores; e o clamor da cidade (Asdode) subiu até o céu" (5.12).

7. Não há que duvidar que houve o impulso de forças divinas ou angelicais sobre as vacas que puxavam o carro em que era devolvida a arca da aliança. A arca era apenas um objeto, mas um objeto sagrado que representava muito. Setenta israelitas morreram, por terem olhado o interior

SAMUEL (LIVROS)

da arca. A pergunta dos habitantes de Bete-Semes faz-nos pensar: "Quem poderia estar perante o Senhor, este Deus santo?" (6.20).

8. Os israelitas seriam livrados da opressão filistéia caso se arrependessem. Essa era e sempre será a condição do livramento divino. Samuel entendia isso e exortou o povo ao arrependimento. E o povo se arrependeu: "Então os filhos de Israel tiraram dentre si os baalins e os astarotes, e serviram só ao Senhor» (7.4).

Comentários sobre o item B) Samuel e Saul (8.1—15.35):

1. Findou-se um período importante no trato de Deus com o povo de Israel. O aviso de Samuel foi profético: "... naquele dia clamareis por causa do vosso rei, que houverdes escolhido; mas o Senhor não vos ouvirá naquele dia" (8.18). Só haverá novamente a teocracia por ocasião da Segunda Vinda do Senhor Jesus, mas dessa vez sobre bases muito superiores, no milênio e no estado eterno. Os israelitas queriam ser iguais aos povos vizinhos. Eles não queriam um governo justo, mas um governo militarista: "... o nosso rei poderá governar-nos, sair adiante de nós, e fazer as nossas guerras" (8.20). Mas, no milênio, não haverá mais guerra, e as nações desaprenderão a arte bíblica. (Ver Isa. 2.4).

2. O primeiro rei de Israel tinha muitas qualidades humanas, entre as quais é destacada sua beleza física: "... Saul, moço, e tão belo que entre os filhos de Israel não havia outro mais belo do que ele; desde os ombros para cima sobressaía a todo o povo" (9.2). Era, porém, defeituoso quanto às qualidades morais e espirituais, conforme deixa claro toda a narrativa bíblica sobre ele.

3. "... O Espírito de Deus se apossou de Saul, e ele profetizou no meio deles" (10.10). Alguma coisa tinha sucedido a Saul, mas não fora o novo nascimento. Isso deve ser entendido à luz de Heb. 6.4-8. A unção divina, pois, é uma realidade espiritual transformadora, mas não necessariamente salvadora.

4. Um dos resultados da unção divina sobre Saul foi a sua nova habilidade militar. "E o Espírito de Deus se apossou de Saul, quando ouviu estas palavras, e acendeu-se sobremodo a sua ira" (11.6).

5. Não temos aqui a repetição do relato sobre sua unção (ver 9.25—10.27), mas sua aclamação como monarca, sua aceitação como rei por parte do povo. Ver a seção VII, *Problemas Especiais*, segundo parágrafo.

6. Samuel terminou seu juizado de maneira vitoriosa e digna, embora triste por ter-se encerrado a teocracia. Notemos, porém, que ele não renunciou às suas funções proféticas; e nem mesmo poderia tê-lo feito, porquanto era caso escolhido por Deus para tanto, e os dons de Deus são sem arrependimento. Ver Rom. 11.29.

7. A guerra de Saul foi gradativa. Primeiro ele foi reprovado por ter-se imiscuído em funções que não lhe cabiam, usurpando uma função sacerdotal. Contudo, Deus continuou dando vitórias a Israel, por meio de Saul e de Jônatas, seu príncipe herdeiro, que se mostrou um digno e honrado candidato à sucessão ao trono, quando seu pai fechasse os olhos. Mas a queda moral e espiritual de Saul prosseguiria, anulando todas as possibilidades futuras de Jônatas.

8. O voto de Saul, muito precipitado, demonstra que ele já estava perdendo o contato com o Espírito de Deus. E a decisão popular, mais sábia que o voto impetuoso de Saul, salvou a vida de Jônatas (14.45).

9. Repreendido por Samuel, Saul não deu o braço a torcer, e tentou justificar-se. As palavras de Samuel são uma lição para todas as questões: "Tem porventura o Senhor tanto prazer em holocaustos e sacrifícios quanto em que se obedeça à sua palavra? Eis que o obedecer é melhor do que o sacrificar, e o atender melhor do que a gordura de carneiros. Porque a rebelião é como a idolatria e culto a ídolos do lar..." (15.22,23). Quando Saul buscou lugar de arrependimento, já era tarde. E Samuel sentenciou: "Visto que rejeitasse a palavra do Senhor, já ele te rejeitou a ti, para que não sejas rei sobre Israel" (vs. 26). Um dos pontos cruciais do livro de Samuel acha-se no vs. 28: "O Senhor rasgou hoje de ti o reino de Israel, e deu a teu próximo, que é melhor do que tu". O reino estava passando de Saul para Davi!

Comentários sobre o item C) Samuel Unge a Davi (16.1-13)

Saul era belo como nenhum outro jovem em Israel. Quando ia ungir a Davi, Samuel deve ter pensado que ungiria a um lindo moço. Mas Deus lhe ensinou uma grande lição, à qual todos devemos prestar atenção: "Não atentes para a sua aparência, nem para a sua altura, porque o rejeitei (a Eliabe, irmão mais velho de Davi), porque o Senhor não vê como vê o homem. O homem vê o exterior, porém o Senhor, o coração" (16.7). Ver também II Cor. 5.16.

Por que primeiro Saul teve de ser rei, e somente então Davi? Porque um dos princípios básicos espirituais é o que se aprende em I Cor. 15.46: "Mas não é primeiro o espiritual, e sim, o natural; depois o espiritual".

Comentários sobre D) Davi e Saul (I Sam. 16.4—II Sam. 1.27)

1. Agora, um espírito maligno perturbava Saul. Mas ele se aliviava ouvindo a harpa do jovem Davi. Os psicólogos reconhecem atualmente os efeitos benéficos ou maléficos da música. Lemos que houve profetas que profetizavam impelidos pela música. Ver I Sam. 10.5,6 e II Reis 3.15. Mas também há música sensual e degradante. Há música que, embora não seja sacra, nem por isso é errada para um crente. Mas há música que, definitivamente, deveríamos evitar. A música mexe muito conosco, para melhor ou para pior!

2. Golias confiava em seu gigantismo e em sua armadura. Davi confiava no seu Deus. Por isso, Davi replicou ao filisteu: "Tu vens contra mim com espada e com lança e com escudo; eu, porém, vou contra ti em nome do Senhor dos Exércitos, o Deus dos exércitos de Israel, a quem tens afrontado" (17.45). Como é que o resultado daquela batalha singular poderia ter sido diferente? Os antigos, "... por meio da fé... puseram em fuga exércitos de estrangeiros..." (Heb. 11.33,34)!

3. Jônatas amava a Davi "... como à sua própria alma" (18.3). Sem dúvida, existem almas gêmeas. A sincera e duradoura amizade de Jônatas deve ter sido um grande consolo para Davi, ao mesmo tempo que as perseguições de Saul eram-lhe extremamente molestas.

4. A inveja rói a alma do invejoso e é extremamente desagradável para o invejado. Nada demovia Saul de suas suspeitas ciumentas, nem a intervenção de seus próprios filhos, Jônatas e Mical. Um momento crítico foi quando Saul intentou cravar Davi na parede com sua lança enquanto este dedilhava seu instrumento de música (19.10).

5. Jônatas reconheceu que Davi era o escolhido do Senhor para ocupar o trono em lugar de seu pai, Saul. Jônatas, pois, mostrou grande abnegação. Por essa sua defesa em favor de Davi, quase Jônatas paga com a própria vida (20.33). A aliança entre Davi e Jônatas envolvia até mesmo os seus descendentes: "O Senhor seja para sempre entre mim e ti, e entre a minha descendência e a tua" (vs. 42).

SAMUEL (LIVROS)

6. Um longo período muito perigoso para Davi. Há muitos episódios, e não podemos comentá-los separadamente. Para piorar a situação de Davi, foi durante esse tempo que Samuel morreu (25.1). Davi respeitava Saul, seu rei e seu sogro. Sua atitude para com Saul pode ser vista na observação que fez em certa ocasião: "O Senhor me guarde, de que eu estenda a mão contra o seu ungido..." (26.11). Saul estava fora de si. Reconhecia momentaneamente sua tola perseguição contra Davi, seu genro, mas o espírito maligno apossava-se dele, e ele voltava à carga contra Davi. Era uma fixação doentia!

7. Deus abandonara a Saul, e Saul abandonara o Senhor. Não sabendo para onde se voltar em busca de socorro, com medo dos filisteus, Saul resolveu consultar uma médium espírita. Foi o ponto mais baixo de toda a sua carreira. Foi a gota que fez entornar o balde. Samuel mostrou a Saul que era o ponto terminal para o primeiro rei de Israel: "...amanhã tu e teus filhos estareis comigo..." (28.19).

8. O rei dos filisteus confiava em Davi. Mas os nobres filisteus, não, porque se lembravam: "Não é este aquele Davi, de quem uns aos outros respondiam, nas danças, dizendo: Saul feriu os seus milhares, porém, Davi os seus dez milhares?" (29.5). Para eles, Davi era dez vezes mais perigoso que Saul. No caso de divisão da presa, Davi mostrou sua sensibilidade social. Ele era homem justo e equânime: "...qual é a parte dos que desceram à peleja, tal será a parte dos que ficaram com a bagagem; receberão partes iguais" (30.24).

9. Gravemente ferido, Saul acabou suicidando-se, atirando-se contra a própria espada (31.4). A batalha foi uma grande derrota para Israel. O rei, que começara seu governo com vitórias sobre os inimigos em derredor, quarenta anos mais tarde amargou sua maior derrota, pagando com a própria vida! Tudo isso lhe sucedeu porque ele se afastou do Senhor, a ponto de ficar perturbado por espíritos malignos. Uma lição horrível, para todas as gerações!

10. Só três dias depois Davi soube da morte de Saul e de seus três filhos. Não há certeza quanto às circunstâncias em que o amalequita deu o golpe de misericórdia em Saul. Mas, como todo o ungido do Senhor era "intocável", o amalequita pagou com a própria vida por seu ato sacrílego (II Sam. 1.11 ss.). O lamento de Davi por Saul e Jônatas é comovente. Na lamentação de Davi há um estribilho, reiterado por três vezes: "Como caíram os valentes!". Vêm-nos as lágrimas quando lemos acerca das palavras de Davi sobre Jônatas: "Angustiado estou por ti, meu irmão Jônatas; tu eras amabilíssimo para comigo! Excepcional era o teu amor, ultrapassando o amor de mulheres" (II Sam. 1.26).

Comentários sobre o item E) Davi Torna-se Rei (II Sam. 2.1-24.25)

1. Os judaítas foram os primeiros a reconhecer Davi como seu rei. As demais tribos ainda ficaram esperando por mais algum tempo. Ver II Sam. 2.1-7.

2. Abner, capitão do exército do falecido Saul, encabeçava a oposição a Davi, e fez de Is-Bosete, filho de Saul, um rei rival, de tal modo que "somente a casa de Judá seguia a Davi" (2.10). Seguiu-se sangrenta batalha, em que os homens de Davi levaram a melhor (2.12-32). "Durou muito tempo a guerra entre a casa de Saul e a casa de Davi..." (3.1). Contudo, a casa de Davi fortalecia-se cada vez mais, até que Abner, comandante do exército partidário da casa de Saul, bandeou-se para o lado de Davi. O assassínio de Is-Bosete, por ex-partidários seus, foi um ato covarde e traiçoeiro (4.1-12).

3. "Então todas as tribos de Israel vieram a Davi..." (5.1) e "ungiram a Davi, rei sobre Israel" (vs. 3). Quando Hirão, rei de Tiro, enviou mensageiros a Davi, este reconheceu que "... o Senhor o confirmara rei sobre Israel e exaltara o seu reino por amor do seu povo" (vs. 12).

4. A primeira coisa que Davi fez foi tomar concubinas e mulheres, além de Ainoã e Abigail (ver 2.2; 3.2-5), Maaca, Hagite, Abital e Eglá. Em II Sam. 15.16 e 20.3, lemos que ele tinha "dez concubinas". Davi obteve grandes vitórias militares contra os inimigos tradicionais de Israel, transportou a arca da aliança para Jerusalém e projetou a construção do templo. Um ponto importante no relato fica em II Sam. 8:15: "Reinou, pois, Davi sobre todo o Israel; julgava e fazia justiça a todo o seu povo". Para isso é que ele fora levantado como rei, embora o povo pensasse mais em um heróico guerreiro como ideal da realeza. Um detalhe que mostra algo do caráter de Davi foi a sua bondade para com Mefibosete, filho de Jônatas e neto de Saul (9.1-13).

5. Seu caso com Bate-Seba foi a maior mancha no caráter de Davi, que o transformou em um adúltero e assassino. Quando parecia que tudo conseguira ficar encoberto, eis que Natã é enviado por Deus para desmascarar Davi (II Sam. 11.1—12.15). Deus perdoou o pecado de Davi, mas a primeira conseqüência adversa foi a morte de seu filho com Bate-Seba (12.15 ss.). Todavia, Davi já se casara legalmente com a viúva Bate-Seba; e um segundo filho do casal foi Salomão, destinado por Deus a ser o próximo rei de Israel (24.25).

6. Uma série de funestos acontecimentos atingiu Davi e seus familiares, como conseqüências temporais de seu pecado. Os capítulos 13 a 19 de II Samuel devem ser lidos com muita atenção. Mediante essas ocorrências, Deus deixou todo o Seu povo saber do pecado de Davi. O Senhor nunca se torna cúmplice dos pecados de ninguém. Uma das coisas que mais doeu a Davi foi a revolta e a morte de seu querido filho, Absalão. Quase podemos ouvir os soluços do rei, enquanto ele clamava, desconsolado: "Meu filho Absalão! Quem me dera que eu morrera por ti, Absalão, meu filho, meu filho!" (II Sam. 18.33).

7. Davi voltou a Jerusalém, convidado pelos homens de Judá. "...mandaram dizer-lhe: Volta, ó rei, tu e todos os teus servos" (II Sam. 19.14). Houve reconciliações e protestos de fidelidade. O caso da sedição de Seba foi gravíssimo, fazendo a nação dividir-se em duas. Lemos em II Sam. 20.2: "Então todos os homens de Israel se separaram de Davi, e seguiram Seba, filho de Bicri; porém, os homens de Judá se apegaram ao seu rei...".

8. Davi organizou melhor o reino, com oficiais civis e militares. Entrando em batalha, Davi ficou "muito fatigado" (21.15). Que idade teria ele? Efeitos prematuros de muitas privações? Seja como for, não mais deixaram Davi sair em batalha: "... para que não apagues a lâmpada de Israel" (vs. 17). Ainda restavam gigantes, quando o reinado de Davi já se aproximava do fim. Os homens de Davi mataram quatro deles. Ver II Sam. 21.19, sobre o qual já tecemos comentários na seção sétima, *Problemas Especiais,* sexto parágrafo.

9. Cronologicamente esta seção deveria estar no começo de II Samuel, porque o cântico celebra o livramento de Davi das perseguições de Saul (II Sam. 22.1).

10. Davi compõe um poema, agradecendo pela "aliança eterna" estabelecida pelo Senhor Deus com ele. Ver a oitava seção, *Teologia do Livro,* no trecho *O Pacto Davídico.*

11. Davi foi um grande homem que foi assessorado

SAMUEL (LIVROS) – SANDÁLIA

por grandes homens, sobretudo no campo militar. A lista que aqui se encontra dos "valentes" de Davi inclui 37 nomes. Um trecho paralelo — I Crô. 11.11-41 — acrescenta mais 16 nomes, totalizando 53 heróis de guerra.

12. O incidente do recenseamento mostra que o orgulho começara a tomar conta do coração do idoso rei Davi. O livro de II Samuel termina com estas palavras positivas: "... o Senhor se tornou favorável para que se tornou a terra, e a praga cessou de sobre Israel" (II Sam. 24.25). O livro termina em uma nota de reconciliação e restauração. O governo justo de Davi, apesar de falhas, dentre delas algumas graves, no seu todo era aprovado pelo Senhor.

Cronologia:

Nos livros de I e II Samuel, há narrativas que nos permitem formular certa cronologia quanto aos episódios cobertos. Para exemplificar, ver I Sam. 6.1; 7.2; 8.1,5; 13.1; 25.1; II Sam. 2.10,11; 5.4,5; 14.28; 15.7. No entanto, os informes são insuficientes para que se possa formar uma cronologia precisa quanto à maioria dos eventos desse período da história de Israel. Com exceção das datas do nascimento de Davi e da duração de seu reinado, que são dados firmes (ver II Sam. 5.4,5), quase todas as demais datas têm de ser meras aproximações.

O problema textual que envolve a passagem de I Sam. 13.1, acerca da idade de Saul, quando ele se tornou monarca de Israel (ver a seção VI, *Estado do Texto*), contribui ainda mais "para essa falta de precisão cronológica, pelo menos quanto ao tempo de seu nascimento e ao começo de seu governo. Nenhuma informação nos é dada acerca do tempo do nascimento ou da morte de Samuel (I Sam. 1.1 e 25.1). Porém, calcula-se que Samuel deve ter vivido desde os tempos de Sansão e de Obede, filho de Rute e Boaz, e avô de Davi. Todavia, é-nos indicado que ele já era homem bem avançado em anos quando os anciãos de Israel lhe pediram que ungisse um rei a Israel (ver I Sam. 8.1,5).

Um forte fator de incerteza cronológica é que o(s) autor(es) sagrado(s) nem sempre arranjou(aram) o material em estrita seqüência cronológica. Ao que tudo indica, por exemplo, II Sam. 7 deveria aparecer após as conquistas militares de Davi descritas em II Sam. 8.1-14. A narrativa sobre a escassez que houve em Israel, por castigo divino, devido ao fato de que Saul violou um tratado estabelecido com os gibeonitas, o qual se acha em II Sam. 21.1-4, deveria aparecer antes do relato sobre a rebelião de Absalão, registrada em II Sam. 15—18. Em face dessa série de dificuldades, pois, oferecemos a seguir um quadro cronológico com datas aproximadas, alicerçado muito mais em deduções do que em informes bíblicos seguros:

Nascimento de Samuel (I Sam. 1.20)	1105 a.C.
Nascimento de Saul	1080
Unção de Saul como rei (I Sam. 10.1)	1050
Nascimento de Davi	1040
Unção de Davi para ser o próximo rei (I Sam. 16.1-13)	1025
Davi começa a reinar sobre Judá (II Sam. 1.1; 2.1,4,11)	1010
Davi começa a reinar sobre todo o Israel (II Sam. 5)	1003
As guerras de Davi (II Sam. 8.1-14)	997-992
Nascimento de Salomão (II Sam. 12.23; I Reis 3.7; 11.42)	991
O recenseamento (II Sam. 24.1)	980
Fim do governo de Davi (II Sam. 5.4,5; I Reis 2.10,11)	970

X. Bibliografia
ALB AM ANET E I IB WBC VO Z

SAMUTE

Do hebraico, *fama, renome,* mas alguns dizem *desolações, ruínas,* um guarda de Davi (II Crô. 11.27), considerado por alguns *Samá,* o haroditade de II Sam. 23.25, e o *Samute* de I Crô. 27.8.

SANCTUS

Palavra latina que significa "santo". É a designação da última parte do prefácio, que aparece imediatamente antes do cânon da missa. A passagem começa com as palavras "Sanctus, sanctus, sanctus" extraídas de Isa. 6:3. Essa fórmula litúrgica esteve em uso desde tão cedo quanto Clemente de Roma, que faleceu em 104 d.C.

SANDÁLIA (SAPATO)

A arqueologia tem conseguido mostrar o antiqüíssimo uso de diferentes tipos de calçados, dos quais o mais comum eram as sandálias. Tal como hoje em dia, era essencialmente uma sola presa aos pés por meio de correias. Têm sido encontradas na Babilônia, no Egito, em Israel, na Grécia e em Roma. O termo hebraico é *naal,* com freqüência traduzido por "sandálias", no Antigo Testamento. Ver Êxo. 3:5; 12:11; Deu. 25:9,10; 29:5; Jos. 5:15; I Reis 2:5; Rute 4:7,8. As palavras gregas usadas são *upódema* e *sandálion* (ver Mar. 6:9; Atos 12:8). Sapato é a tradução comum para *upódema.* Essa palavra ocorre por dez vezes no Novo Testamento: Mat. 3:11; 10:10; Mar. 1:7; Luc. 3:16; 10:4; 15:22; 22:35; João 1;27; Atos 7:33 (citando Êxo. 3:5); 13:25. Sua forma verbal é *upodéo,* que significa "amarrar", estando provavelmente em foco a sandália, na maioria das ocorrências. Os calçados variavam, segundo a necessidade da ocasião, e havia muitos tipos de calçados para as diversas profissões. Ver o artigo geral intitulado *Vestuário.*

Os formatos dos calçados antigos têm sido amplamente demonstrados em monumentos, desenhos etc., principalmente os de origem assíria, babilônica, egípcia e persa. Algum tipo de proteção para os pés pode ser visto nas gravuras desde o quarto milênio a.C. O painel de Beni-Hassan, de cerca de 1900 a.C., mostra um grupo de asiáticos, que vinham do Egito, usando uma espécie de sandália que revestia o calcanhar e o peito do pé. As mulheres usavam botas que chegavam acima dos tornozelos, com uma faixa branca no alto. O obelisco negro de Salmaneser III (século IX a.C.) mostra Jeú e os israelitas com calçados de ponta virada para cima, sem dúvida com propósitos decorativos e nenhuma utilidade prática.

Os calçados eram tirados quando se entrava em alguma casa, e o lava-pés representava um ato comum de cortesia e hospitalidade (ver Luc. 7:44). Nas famílias mais abastadas, eram os escravos que realizavam esse humilde serviço.

Usos Figurados:

1. O sumo sacerdote de Israel não usava calçados quando cumpria seus deveres; seus pés descalços simbolizavam *respeito,* porque ninguém podia usar calçados na presença de Yahweh. Talvez isso proviesse da idéia de andar descalço na terra santa (ver Êxo. 3:5), quiçá envolvendo a idéia de que os calçados, que pisam o chão, estão geralmente sujos. Ver o sexto ponto, a seguir.

2. A sandália com correias era um calçado barato, feito de material que até mesmo os pobres podiam comprar. Assim, Abraão não concordou em ficar nem com a mais

insignificante possessão do rei de Sodoma (ver Gên. 14:23). Em Amós 2:6 e 8:6, comprar "os necessitados por um par de sandálias" era vendê-los por preço irrisório.

3. O calçado, tão ao nível do chão, representa a parte ou porção mais humilde de uma pessoa. João Batista disse que não era digno nem mesmo de tocar nas sandálias de Jesus (ver Mat. 3:11; Miq. 1:7; Atos 13:25).

4. Os calçados falam sobre a preparação para alguma viagem (Êxo. 12:11).

5. Não precisar de dois pares de sandálias aponta para as provisões adequadas, conferidas por Jesus aos seus discípulos (ver Mat. 10:10; Luc. 10:4; 22:35).

6. As sandálias e os pés ficam sujos devido às imundícies com as quais entram em contato. Isso simboliza como a vida diária contamina espiritualmente o indivíduo, e como o crente precisa de purificação diária. Provavelmente, essa foi a razão pela qual Deus ordenou que Moisés tirasse as sandálias, quando estivesse em terreno santo (ver Êxo. 3:5). Essa é também a lição espiritual por trás da cerimônia do lava-pés, descrita com detalhes no sexto capítulo do Evangelho de João.

7. A remoção dos calçados poderia simbolizar transferência de propriedades ou direitos, ou a desistência de um direito, como no caso da responsabilidade pelo casamento levirato. Um homem que se recusasse casar com a viúva de um seu irmão, para gerar filhos em nome dele, tinha de remover os calçados como sinal da recusa de assumir tal responsabilidade. Ver Deu. 25:9, 10 e comparar com Rute 4:7,8. Talvez por trás desse costume houvesse a idéia de que pisar sobre uma propriedade conferia ao que assim fizesse direitos sobre ela. Tirar os calçados e entregá-los a outrem indicava transferir os direitos acerca de alguma propriedade. Israel precisou pisar sobre a Terra Prometida, como símbolo de que tomava possessão dela. Ver Deu. 11:24,25.

8. Fazer algo calçado indicava fazê-lo com vigor, força e de modo completo, visto que a maioria das pessoas tem pés por demais delicados para fazer muita coisa descalça.

9. Lançar fora os calçados simbolizava rejeitar alguém ou alguma coisa, depois de ter tirado proveito desse alguém ou coisa. Usualmente, a expressão exprime certa injustiça no ato de rejeição.

10. Em sonhos e visões, amarrar um calçado é símbolo de morte, provavelmente devido ao fato de que, quando as pessoas amarram os sapatos, preparam-se para viajar. A morte é uma viagem para o além.

SÂNDALO

Uma árvore que dava excelente madeira de construção, que Hirão trazia de Ofir, para ser usada na construção do templo (ver I Reis 10:11; II Crô. 2:8 e 9:10,11). Alguns pensam estar em vista a *Pterocarups santalinus*, madeira da Índia que pode ser intensamente polida. É uma madeira avermelhada, macia e cara, para ser usada em móveis. Contudo, não se tem podido localizar esse tipo de árvore entre os cedros e ciprestes do Líbano. Por isso, alguns estudiosos conjecturam estar em vista algum tipo de pinheiro, ou o cipreste. Outros conjecturam tratar-se de uma madeira da variedade cítrica, conforme diz a Vulgata Latina, *thyinum*, que os antigos muito estimavam por sua beleza e seu odor agradável. Porém, nada se sabe com certeza a respeito. (FA S UN Z)

SANGAR

A palavra hebraica aparentemente significa *fugitivo*, *copeiro*, ou *espada*, talvez associada lingüisticamente ao hurriano Simigari, dos textos de Nuzi, filho de Anate (Juí. 3.31). Talvez ele tenha sido de Bete-Anote, que lhe teria dado esse nome. Foi o terceiro juiz de Israel, cuja bravura livrou Israel dos filisteus, em cerca de 1350 a.C. Recebeu o crédito de ter matado 600 filisteus com um cajado de boi, o que pode significar que ele realizou um feito extraordinário em uma única ocasião, ou talvez o número seja uma contagem de corpos de toda a sua carreira assassina.

SANGAR-NEBO

General babilônico que ajudou no ataque contra Jerusalém (Jer. 39.3). O texto em questão pode listar três ou possivelmente quatro oficiais militares babilônicos. Se foram somente três, teremos: Nergal-Sareser, o Sangar; Nebo-Sarsequim, o Rabe-Saris, e Nergal-Sarezer, o Rabe-Mague. Nesse caso, Sangar, Rabe-Saris e Rabe-Mague seriam títulos honoríficos, ao passo que Nergal-Sareser, Nebo-Sarsequim e Nergal-Sarezer seriam nomes próprios.

SANGUE

Aquele fluido viscoso e vermelho, essencial à vida biológica, que flui pelo organismo inteiro através do sistema circulatório, levando oxigênio e nutrientes aos tecidos e, ao mesmo tempo, removendo o dióxido de carbono e outros materiais decompostos. Nesse sentido literal, o sangue é freqüentemente mencionado nas Escrituras (ver Gên. 37:31; Êxo. 23:18 ss.; II Sam. 20:12; I Reis 18:28; Luc. 13:1), onde a alusão é o sangue tanto de seres humanos quanto de animais irracionais.

1. *Idéias das Culturas Antigas*. Nos estágios iniciais de quase todas as culturas, o sangue é encarado com certo ar de respeito, o que tem provocado as noções mais estranhas. Alguns atribuem ao sangue um poder misterioso, pelo que os guerreiros bebiam o sangue de suas vítimas, a fim de adquirirem as energias vitais dos inimigos mortos. Alguns pensavam que era perigoso tocar no sangue. Outros supunham que o sangue derramado nas batalhas, o sangue da menstruação das mulheres, ou o sangue perdido por ocasião do parto, pudesse transmitir um contágio qualquer, pelo que deveria ser lavado.

Os antigos *semitas* (ver o artigo) identificavam o sangue com o princípio ativo da própria vida biológica. Por essa razão, proibiam a ingestão de sangue, derramavam sangue sobre altares consagrados, cobriam o sangue com terra, nos lugares sagrados, ou aplicavam o sangue a pedras que representavam deuses. Segundo eles imaginavam, os perigos e maravilhas do sangue podiam ser desse modo controlados e utilizados. O sangue podia ser visto como perigoso ou benéfico. Por isso mesmo era aspergido sobre os batentes das portas, para que a casa fosse protegida. Ou então os idosos tomavam sangue, a fim de recuperar a vitalidade da juventude. E o sangue também era empregado nas cerimônias de purificação e expiação. Alguns povos antigos chegavam a usar sangue, em vez de água, em ritos batismais.

As pessoas que se consideravam íntimas bebiam um pouco do sangue uma da outra, como ato de união e dedicação mútua. O ato algumas vezes servia de selo confirmatório de algum pacto ou acordo, feito entre duas pessoas, ou mesmo entre duas nações. Os estrangeiros eram admitidos como cidadãos pela troca mútua de sangue, ou pela ingestão mútua de sangue.

2. *O Sangue Usado como Alimento*. Muitas culturas, antigas e modernas, têm usado o sangue como alimento. Uma das mais vigorosas tribos africanas, os zulus, bebem o sangue de seu gado. Algumas vezes, a prática é ou era vinculada às idéias expostas no primeiro ponto,

SANGUE

anteriormente. Além de servir de alimento, esperava-se que o sangue provesse ao seu consumidor alguma espécie de virtude. Dentro da cultura dos hebreus, era estritamente proibida a prática da ingestão de sangue (Gên. 9:4; Lev. 3:8; 7:26), especificamente diante do fato de que a vida da carne está no sangue. Em outras palavras, o sangue revestir-se-ia de virtudes misteriosas, tornando-se sagrado. Portanto, não servia como artigo próprio para a alimentação.

3. *O Sangue e os Hebreus*. No Antigo Testamento, a palavra hebraica *dam*, "sangue", aparece 362 vezes, das quais 203 como descrições de mortes violentas, e 103 vezes em alusão a sacrifícios cruentos. Em três passagens do Antigo Testamento, o sangue é diretamente vinculado ao princípio da vida (Gên. 9:4; Deu. 12:23 e Lev. 17:11). Também já verificamos que os povos semitas se apegavam a essa idéia. O texto de Levítico mostra que, por causa desse conceito, surgiu a idéia da expiação pelo sangue. Mas, visto que o uso do sangue requer a morte de alguma vítima, o sangue também estava associado à morte, na antiga cultura dos hebreus. De modo geral, pois, temos nesses sacrifícios alguma vida oferecida a Deus, envolvendo o supremo sacrifício da vítima, a saber, a sua morte. Em tudo isso fica subentendida a seriedade do pecado, porquanto o pecado requer um remédio radical. A expiação é obtida através da morte da vítima, mas, igualmente, por sua vida, oferecida no sangue.

4. *O Sangue no Novo Testamento*. O vocábulo grego *aima*, "sangue", além de referir-se à morte sacrificial de Cristo, indica as idéias de reinado (João 1:13); da natureza humana (Mat. 16:17; I Cor. 15:50); de morte violenta (vinte e cinco trechos diferentes); e de animais sacrificados (doze referências, como se vê em Heb. 9:7,12 etc.), onde se enfatiza a perda da vida das vítimas, conceito destacado no Antigo Testamento. Quanto ao sangue de Cristo e o seu valor expiatório, há referências como Col. 1:20. Ver o artigo separado sobre esse assunto, que provê certa variedade de referências e idéias. Os intérpretes têm debatido se é a morte ou a vida perdida do animal que obtém a expiação. Penso que se trata de ambas as coisas. Pois, afinal de contas, é a vida de Cristo que nos salva (Rom. 5:7), dando a entender a sua ressurreição e ascensão, em virtude do que ele se tornou o Salvador medianeiro permanente. Aquele mesmo contexto, no vs. 9, afirma que o seu sangue nos justifica, o que nos faz pensar tanto em sua vida como em sua morte e ressurreição. A vida que Jesus viveu também faz parte de nossa inquirição espiritual, com vistas à salvação final; porque, quando procuramos imitar a vida de Cristo, passamos a compartilhar de sua natureza metafísica, mediante operações do Espírito Santo (II Cor. 3:18). Como alguns teólogos separam idéias inseparáveis, como se fossem categorias distintas e valores isolados? Dentro do plano de salvação, a vida e a morte de Jesus são fatores inseparáveis, embora em sentidos diferentes.

5. *Sentidos Metafóricos*. a. Temos visto como os sacrifícios cruentos simbolizavam tanto a vida quanto a morte; e como é óbvio, os sacrifícios do Antigo Testamento simbolizavam a morte expiatória de Cristo. A epístola aos Hebreus tem este como um de seus temas principais. Ver Heb. 7:27, quanto a uma declaração principal. b. Estar no próprio sangue indica um estado imundo e destituído, uma condição de perdição (Eze. 16:6). c. Beber sangue indica ter a perversa satisfação de haver assassinado a alguém (Eze. 39:8; Isa. 49:26; Núm. 23:24). d. Ter de beber sangue significa ser morto como retribuição por ter-se deleitado em derramar sangue (Apo. 17:7; Eze. 16:38). e. A vingança divina é retratada pelo ato de mergulhar os próprios pés no sangue (Sal. 58:10; 68:23). f. Um homem de sangue é uma pessoa cruel (II Sam. 16:7). g. O plural, "sangues", aponta para homicídios repetidos (Gên. 4:10; II Sam. 3:28). h. Tirar o sangue da boca e das abominações significa libertar alguém do poder dessas coisas e de sua inclinação para o homicídio. (AM ID S Z)

SANGUE, CAMPO DE

Em Atos 1:19 encontramos a interpretação do termo hebraico *Aceldama* como "campo de sangue". Há nisso alusão ao campo adquirido por Judas com o dinheiro por ele recebido por haver traído a Jesus. O trecho de Mat. 27:9,10 faz esse ato de Judas tornar-se o cumprimento de uma profecia, referida em Jer 32:6-9 e Zac. 11:12,13. O mais provável é que esse campo ficasse no vale de Hinom, adquirido pelos sacerdotes do templo (em lugar de Judas) com o dinheiro que ele devolvera (Mat. 27:7-10). (ID NTI)

SANGUE, FLUXO DE

Há duas questões em foco, nas narrativas do Novo Testamento:

1. Em Mat. 9:20 temos um incomum e prolongado fluxo de sangue uterino, de que sofria certa mulher que foi curada por Jesus. Ela vinha padecendo de tal condição há doze anos, o que demonstra o poder de Jesus. Pois aquilo que a natureza e os médicos não puderam fazer em doze anos, Jesus fez cessar em um único instante. Ver plenos comentários sobre esse versículo, no NTI.

2. A enfermidade do pai de Públio, relatada em Atos 28:8, que algumas traduções dão como "disenteria" (como é o caso de nossa versão portuguesa). A enfermidade caracterizava-se por uma ulceração, que produzia abundante hemorragia. A causa é uma bactéria ou um protozoário, e tal enfermidade pode ser fatal, dependendo da quantidade da perda de sangue e de complicações secundárias. Paulo curou o homem mediante oração e imposição de mãos. Para maiores detalhes, ver a exposição em Atos 28:8, no NTI. Ver o artigo geral sobre *Enfermidades*. (NTI Z)

SANGUE, NÃO NASCERAM DE SANGUE E CARNE

João 1:13: "os quais não nasceram do sangue, nem da vontade da carne, nem da vontade do varão, mas de Deus". Visto que essas expressões podem revestir-se de diferentes implicações históricas, especialmente no que diz respeito às várias crenças do homem antigo, no que tange ao processo da reprodução, existem muitas e variegadas interpretações acerca do sentido possível.

Não Nasceram do Sangue. Muitos eruditos aceitam que estas palavras simplesmente são uma alusão à geração natural, e pensam referir-se à noção judaica de que o mero fato físico de alguém ser judeu era suficiente para outorgar a um indivíduo, automaticamente, o mérito da salvação. Podemos encontrar essa mesma idéia mais adiante, no mesmo evangelho de João (capítulo 8), onde Jesus procura mostrar aos judeus que Deus poderia suscitar filhos até mesmo das pedras; e que a descendência humana, apesar de isso conceder certos privilégios, até mesmo de ordem religiosa, não é capaz, entretanto, de propiciar nenhum direito espiritual a quem quer que seja, posto que a salvação é uma questão exclusivamente pessoal. Por extensão, podemos ensinar que pais crentes não

SANGUE – SANGUE E ÁGUA

reproduzem, necessariamente, filhos crentes; nem um passado de constante freqüência aos cultos de uma igreja produz tais resultados. Essa idéia pode estender-se a ponto de incluir qualquer instituição humana ou mérito tomado de empréstimo, institucional, religioso ou ancestral, isto é, qualquer vantagem que se origine de tais conexões, as quais, de forma alguma, podem adquirir mérito diante de Deus, nem podem produzir aquele renascimento celestial que é necessário para que o pecador participe da salvação de Deus.

A palavra *sangue*, nesta passagem, literalmente traduzida seria o plural, "sangues", "não nasceram dos sangues". Diversos intérpretes tentaram esclarecer a questão de variegadas formas.

Adam Clarke escreveu: "A união de pai e mãe, ou de uma linhagem ilustre e distinguida de ancestrais; porquanto a linguagem hebraica faz uso do plural para salientar a dignidade ou excelência de alguma coisa, e é muito provável que, ao usar aqui o plural, o evangelista tencionasse mostrar, aos seus compatriotas, que o fato de terem Abraão e Sara por seus primeiros progenitores não os capacitava, por si só, a receberem as bênçãos do novo pacto..." (*in loc.*). Apesar de estarem de conformidade com o argumento geral, aqui exposto, alguns intérpretes põem em dúvida se isso expressa a verdade, em fato do plural ter sido usado aqui.

SANGUE, VINGADOR DO
Ver *Vingador do Sangue*.

SANGUE E ÁGUA

Existem dois trechos bíblicos que combinam estas duas palavras e que são teologicamente significativos, a saber: 1. João 19:34, que diz respeito ao fluxo que jorrou do lado de Jesus ao ter sido seu corpo perfurado pela lança do soldado, quando ele já estava morto na cruz. 2. I João 5:6,8, que nos diz que Cristo veio pela água e pelo sangue, e que esses elementos, juntamente com o Espírito, prestam testemunho de Cristo e de sua missão na esfera terrena.

1. João 19:34. Somente o quarto evangelho menciona o incidente do fluxo de água e sangue, que jorrou do ferimento produzido pela lança do soldado no corpo morto de Jesus. Através dos séculos, comentadores e teólogos têm debatido a questão, e grande número de interpretações tem sido oferecidas. Ao que a água e o sangue prestam testemunho? Vejamos:

a. Talvez a questão seja bem simples. O autor do quarto evangelho testificou sobre o que sucedeu, uma ocorrência que ele considerou incomum, mas que os outros escritores sagrados não relataram. Ele teria mencionado o fato para mostrar que sua narrativa se baseava em seu testemunho pessoal. Aqueles que viram a morte de Cristo contemplaram a ocorrência incomum, tendo-a relatado para mostrar que haviam estado ali.

b. Esse item seria uma prova de que Cristo morrera, e por conseguinte, que sua ressurreição fora uma autêntica ressurreição. O ferimento teve por intuito assegurar que o homem da cruz do meio realmente estava morto. Seria um testemunho contra as idéias dos docetistas e gnósticos dos dias do autor sagrado, que punham em dúvida a morte de Cristo e a conseqüente expiação por meio de seu sangue.

c. O fenômeno mostra que Jesus morrera pelo rompimento da pleura, que envolve o coração, o que poderia ter causado aquela mistura de líquidos orgânicos. Nesse caso, seria outra prova da morte de Cristo. Contudo, há evidências de que o ferimento foi feito no lado direito do corpo de Jesus, tanto em antigos manuscritos como na mortalha de Turim (ver o artigo).

d. Há interpretações eclesiásticas. Uma delas pensa que a água simboliza o batismo, e que o sangue simboliza a morte expiatória de Cristo.

e. Outra interpretação diz que a água corresponde à verdade natural, ao passo que o sangue corresponde à verdade divina.

f. Ainda mais remota é a interpretação que diz que, assim como Eva foi criada com base na costela extraída do lado de Adão, assim também a água simboliza a Igreja, extraída do lado de Cristo.

g. Outra interpretação equipara a água ao batismo, e o sangue à eucaristia.

h. Alguns vinculam o texto do evangelho de João com I João 5:6, onde a água seria o batismo de Cristo, ao passo que o sangue representaria a expiação mediante o seu sangue. Nesse caso, o autor sagrado teria afirmado que a missão e a autoridade de Jesus repousavam sobre ambas essas coisas, e não meramente sobre o batismo, que era o ponto de vista dos gnósticos. Ver os comentários a seguir, sobre esse versículo.

i. A água representaria a santificação; o sangue representaria a expiação do pecado.

O lado ferido de meu Salvador
Deixou escapar um duplo rio:
Pela água somos purificados,
Pelo sangue, somos perdoados.
(Isaac Watts)

j. A interpretação *totalmente miraculosa*. Não há como explicar o acontecimento. Tudo foi miraculoso e, após seu selo sobre a vida miraculosa que resultou em expiação, uma prova de quão diferente era nosso Senhor e Salvador. Quanto a mais detalhes, ver a exposição sobre esse versículo no NTI.

2. I João 5:6,8. Cristo veio mediante *água e sangue*. Há muitas interpretações a respeito.

Acerca da água: a. Seria o batismo de João, que assinalou a unção de Jesus para ele dar início a seu ministério. b. Seria o batismo recebido por Jesus, que assinalou o momento em que o homem Jesus recebeu o Espírito de Cristo, o *aeon* celestial que usou seu corpo por algum tempo, a fim de cumprir sua missão. Assim pensavam os gnósticos. c. Seria o batismo cristão.

Acerca do sangue: a. Seria a simples morte do homem Jesus, sem nenhum valor expiatório, conforme pensavam os gnósticos. b. Seria a eucaristia. c. Seria a combinação da vida e da missão completa de Cristo, sumariada nos dois importantes elementos do batismo e da expiação pelo sangue. d. Ou seria a combinação já antes referida em João 19:34, sem nenhuma interpretação, na primeira epístola de João. Isso daria margem às mesmas tentativas de interpolação que já vimos anteriormente.

A Verdadeira Interpretação. A água representa o batismo de Jesus e a unção do Espírito que lhe foi dada. O sangue representa sua morte expiatória. Os gnósticos aceitavam a autoridade do batismo, mas não a idéia da unção de Jesus, como se ele fosse divino, e sim, como demarcação do tempo em que o *aeon* celeste, o Espírito de Cristo – que não era a mesma entidade que o homem Jesus – veio tomar posse do corpo de Jesus, a fim de realizar sua missão. Porém, o que o Novo Testamento nos informa é que o batismo de Jesus foi o de Cristo em forma encarnada, e que a sua morte foi a do Filho de Deus. Os gnósticos negavam totalmente tanto a encarnação como a expiação. Isso posto, esses versículos (do evangelho de João e da primeira epístola de João) combatem essas negativas heréticas. O Cristo encarnado, que é a mesma entidade que o homem Jesus (por haver assumido forma humana) também fez expiação pelos nossos pecados. Os gnósticos, entretanto, negavam que Cristo viera em carne (I João 4:2). Em lugar da encarnação, eles concebiam uma *possessão*, supondo erroneamente que Jesus e o Cristo não eram uma mesma pessoa. Quanto a mais detalhes, ver a exposição desses versículos no NTI. (IB NTI)

SANGUE PRECIOSO

Esta expressão chegou a designar o sangue de Cristo derramado pela redenção da humanidade. Ver sobre *Expiação* e sobre *Expiação pelo Sangue de Cristo*. A Igreja Católica Romana tem honrado essa realidade ao celebrar anualmente, a 10 de julho, uma festa especial, intitulada *Sangue Precioso*. Essa festividade foi instituída em 1849.

SANGUESSUGA

A palavra hebraica assim traduzida, *aluqah*, que figura exclusivamente em Pro. 30:15, é de sentido duvidoso, embora muitos estudiosos pensem estar em foco, realmente, a sanguessuga. A raiz da palavra hebraica parece significar "chupadora". Há um número fantástico desses animais, ou seja, animais tipo verme, que sugam o sangue dos animais vertebrados. Esses animais formam parte de uma classe especializada, de nome científico *Hirudinea* ou *Annelida*, distinguidos por terem exatamente 34 segmentos nos corpos, dos quais os primeiros 5 ou 6 formam a cabeça que chupa, enquanto os últimos sete formam a cauda que chupa.

As sanguessugas são bastante espalhadas pelo mundo, podendo habitar dentro da água ou em terra úmida. Alimentam-se principalmente de sangue, e chupam tão prodigiosas quantidades que seus corpos se distendem quais balões. Embora usualmente se agarrem à pele da pessoa, há espécies que invadem a garganta ou as passagens nasais. Nesses casos, obtêm acesso quando a pessoa está nadando ou bebendo água. Tanto os homens quanto os animais são atacados pelas sanguessugas. No século XIX, julgava-se que as *sangrias* tinham valor medicinal, sendo usadas sanguessugas com essa finalidade, especialmente quando se tratava de remover o sangue de pisaduras e inchaços.

Alguns intérpretes pensar estar em destaque alguma espécie de vampiro, no trecho do livro de Provérbios; porém o mais provável é que não seja, visto que esses morcegos se confinam à América Central e América do Sul. Mas, naturalmente, é possível que uma espécie desconhecida e atualmente extinta de morcegos esteja em vista, ou que o morcego vampiro simplesmente tenha desaparecido da Palestina. O mais provável, contudo, é que o texto realmente faça alusão a alguma espécie de sanguessuga.

Metaforicamente, a *sanguessuga* refere-se a uma pessoa, coisa ou circunstância debilitadora, gananciosa e extremamente egoísta em suas exigências. A referência bíblica em apreço ilustra como os homens anelam por mais e mais; a natureza destrutiva de indivíduos sangüinários que nunca matam ou aleijam o suficiente; a cobiça humana que jamais se satisfaz; a concupiscência de certas pessoas que sempre desejam mais. Diz aquele versículo: "A sanguessuga tem duas filhas, a saber: Dá, Dá...". Isso cria uma situação cada vez mais premente.

Outros estudiosos pensam que esse versículo deve ser entendido juntamente com o seguinte, em uma interpretação de que as sanguessugas representam a "sepultura", consumidora de vidas. Também há os que acreditam que essas sanguessugas seriam demônios, ou a sorte, ou qualquer outra espécie de força destruidora.

SANSANA

No hebraico *instrução*. Mas há estudiosos que preferem o sentido "ramo de tâmara". Aparece exclusivamente em Jos. 15:31. Era uma cidade localizada no Neguebe de Judá, cujo sítio é por nós desconhecido. A comparação com outras listas de nomes de localidades tem levado alguns estudiosos a identificá-la com a Hazar-Susa, de Jos. 19:5, e com a Hazar-Susim de I Crô. 4:31, embora não se possa ter certeza quanto a esse particular. Uma possível localização moderna é a Khirbet esh-Shamsaniyat, 24 km ao norte de Berseba.

SANSÃO

1. *Nome*. No hebraico, *homem do sol* (shimshon, literalmente, "pequeno sol"), mas alguns dão o significado de "distinto" ou "forte".

2. *Família*. Foi o filho de Manoá, membro da tribo de Dã. Seu nascimento foi previsto por um anjo do Senhor, pois, de forma violenta, ele devia cumprir a missão de aliviar a opressão de Israel pelos filisteus.

3. *Observações pessoais*. Em Timna, ele se interessou pela filha de um filisteu e com ela casou apesar dos protestos de seus parentes. Quando de sua primeira visita para ver a jovem mulher, um leão o interceptou, mas isso não foi problema, pois aquele gigante não teve nenhum problema para matar o animal. Na festa de casamento, ele propôs uma charada, que fazia parte do entretenimento na ocasião. Prometeu roupas àqueles que conseguissem resolver o quebra-cabeças. Ninguém conseguiu, mas, pressionando a esposa de Sansão, a resposta apareceu. Em uma fúria para conseguir as roupas, ele foi a Asquelom, matou 30 filisteus e levou suas roupas para dar aos falsos solucionadores de charadas. O casamento logo fracassou: sua mulher foi dada a outro e ele voltou à casa de seu pai (Juí. 14.1-20).

O homem era uma máquina de matar. Para se vingar de sua mulher, seu sogro e os filisteus de modo geral, ele prendeu 300 chacais, amarrou seus rabos, pôs fogo nos rabos e os enviou aos campos, o que destruiu as colheitas. Os filisteus ficaram furiosos e mataram a mulher de Sansão e seu sogro. A máquina de matar respondeu com outro grande massacre de filisteus (Juí. 15.1-80).

4. A promessa do *nazireado*, que exigia cabelos longos, sem cortes, existia desde o nascimento de Sansão, mas, ao longo de sua vida, encontramos muitas infrações dessa condição. Ver Núm. 6.2-21, para detalhes sobre esta promessa. Ver ainda *Nazireado, Voto do*, na *Enciclopédia de Bíblia, Teologia e Filosofia*. O homem que não cumprisse suas promessas religiosas tinha uma vida cheia de reversões e violência, e acabava morrendo prematuramente, algo muito temido pelos hebreus.

5. *Outras vicissitudes*. Ou Sansão estava atrás dos filisteus, ou os filisteus estavam atrás dele. *Vingança* é o nome do jogo. Após o incidente dos chacais, seu próprio povo o prendeu (por considerá-lo um encrenqueiro) e o entregou ao seu inimigo. Sansão foi amarrado com duas cordas e imobilizado. Eles concordaram em não matá-lo com as próprias mãos e levaram-no a Leí (Lehi, que significa *queixo*). Ali os filisteus o receberam e pretendiam divertir-se ao torturá-lo e matá-lo. Mas quando Sansão ouviu os gritos de triunfo, sua força repentinamente anormal reapareceu. Ele rompeu as cordas, agarrou o queixo de um asno e imediatamente matou mil filisteus. Acabou-se a história de amarrar o homem com cordas! (Juí. 15.9-20).

6. Sentindo-se razoavelmente bem, ele foi a Gaza e ali

viu uma linda jovem, uma prostituta, e manteve relações com ela. Os habitantes da cidade fecharam os portões e o confinaram na cidade, planejando matá-lo no dia seguinte. Pela manhã, a máquina de matar deixou a casa onde passara a noite com a mulher e viu os portões trancados. Imediatamente quebrou as travas e levou consigo *toda* a estrutura do portão até o topo de uns morros das redondezas. Acabou-se a história de confinar o homem com portões! (Juí. 16.1.3.). Isso ocorreu por volta de 1070 a.C.

Meus amigos, estou relatando apenas parte da história, pois contá-la toda seria assustador. O homem andava por aí como Zeus encarnado e fazia o que queria com homens, o que, de modo geral, significava matá-los exatamente como fazia Zeus.

7. *A perversa Dalila*. O homem que nenhum homem pôde conquistar foi derrubado por uma *mulher*, uma história tão antiga quanto o próprio mundo. Após várias tentativas, aquela temível mulher foi capaz de arrancar de Sansão o "segredo" de sua força. Nenhum homem poderia ser tão forte quanto ele sem algum tipo de segredo. A promessa havia sido feita a Yahweh, e seus longos cabelos eram o sinal do pacto. Se seus cabelos fossem cortados, Sansão seria reduzido à normalidade. Os filisteus conseguiram cortar-lhe os cabelos e prendê-lo, depois o cegaram e o forçaram a moer grãos (como um animal) no moinho giratório de uma prisão. Mas seu cabelo voltou a crescer e nenhum filisteu percebeu o perigo que se aproximava. Em uma ocasião especial, para honrar o deus-chefe Dagom, os filisteus trouxeram Sansão para fazer parte da diversão no festival. A festa estava sendo realizada entre dois pilares que sustentavam a casa. Após uma rápida oração a Yahweh, Sansão agarrou os pilares, derrubou-os e, com eles, a casa toda, matando a si mesmo e a três mil filisteus. Assim, com sua morte, Sansão matou mais inimigos do que havia matado durante toda a sua vida, o que foi uma realização e tanto (Juí. 16).

8. *Historicidade*. Os críticos consideram essa história um folclore romântico e dramático, um tipo de romance antigo. Outros acham que tudo isso foi verdade, pondo e tirando alguns detalhes. Outros ainda estão certos de que apenas metade da temível história foi contada, pois ela é assustadora demais para ser exposta. De qualquer forma, dizem que o homem "julgou Israel" por vinte anos (Juí. 16.28-31), embora a história sobre Sansão nada aponte nessa direção, mais interessada em discursar sobre a incrível máquina de matar. Suponho que Sansão nada tenha feito para julgar. Ele estava ocupado demais entrando e saindo de encrencas.

9. *Caráter*. Não há muito que falar sobre o "caráter" de um homem como Sansão. Ele era um homem de ação, não de pensamento, exceto quando usou sua inteligência para ajudá-lo a realizar seus planos destrutivos. Por outro lado, Sansão teve vários encontros próximos com Yahweh, e o Deus de Israel nunca o desapontou. O segredo de sua força foi a associação com Yahweh, não seus cabelos, que eram apenas um símbolo. Sansão foi o nazireado, o homem de extraordinária força sobrenatural, a qual ele recebeu como uma dádiva de Deus para cumprir uma missão específica. Ele cometeu muitos erros e tomou más decisões, mas ainda assim conseguiu realizar o trabalho, e talvez essa seja uma boa descrição da maioria de nós. Sua história é contada em Juí. 13-16. Ele foi o Hércules dos hebreus. Verdadeiramente, como disse Hércules, se pudesse ter encontrado um lugar para se posicionar, ele teria sido capaz de mover o mundo todo.

SANSERAI
No hebraico, a palavra significa *heróico*. Foi o nome do primeiro dos seis filhos de Jeroão, que residiu em Jerusalém em torno de 1100 a.C. (I Crô. 8.26).

SANTA FÉ
Este título é dado à sede do bispado de Roma. No uso corrente, canônico e diplomático, a Santa Sé (no latim, *Sancta Sedes*) refere-se não somente ao bispado de Roma, mas também à cúria romana, por meio da qual costumeiramente o papa administra os negócios da Igreja Católica Romana.

Segundo o uso eclesiástico, o termo latim *sedes*, que literalmente significa *cadeira*, refere-se à residência de qualquer bispo católico romano. Seu ofício é a sua cadeira ou trono, de onde ele cumpre a sua missão. A expressão *Santa Sé* já teve significado mais geral, referindo-se a certo número de bispados que, segundo se cria, teriam sido fundados pelos apóstolos; mas, com o tempo, tal uso foi limitado somente ao bispado de Roma.

SANTAYANA, GEORGE
Suas datas foram 1863-1952. Filósofo europeu-norte-americano nascido em Madri, Espanha, educou-se em Harvard. Ensinava ali quando William Jantes e Royce também ali ensinavam. Por ocasião da morte de seu pai, recebeu uma herança grande bastante para conferir-lhe independência financeira, e dessa maneira voltou à Europa, escolhendo Roma como local de moradia. A partir de então levou uma vida tranqüila, caracterizada pela erudição, parte da qual consistiu na composição de excelente material poético.

Idéias:

1. Ele combinou elementos tão heterogêneos quanto o materialismo, o ceticismo e o platonismo, mas não procurou construir nenhum sistema. Antes, buscava discernimentos onde quer que pudessem ser achados. À semelhança de Descartes, tentou levar à frente o método da dúvida, o máximo possível, para então ver o que emergiria além da dúvida.

2. Descobrindo que coisa alguma está para além da dúvida, voltou-se para a fé, buscando sentimentos e crenças fundamentais. Consideremos um de seus belos poemas:

Oh, mundo, não escolheste a melhor parte;
Não é sábio ser apenas sábio,
E fechar os olhos para a visão interior,
Mas é sabedoria acreditar no coração.
Colombo achou um mundo, e não tinha mapa,
Salvo o da fé, decifrado nas estrelas!
Confiar na empresa invencível da alma
Era toda a sua ciência, toda a sua arte.
Nosso conhecimento é uma tocha fumegante
Que ilumina o caminho um passo de cada vez,
Através de um vazio de mistério e espanto.
Ordena, pois, que brilhe a luz terna da fé,
A única capaz de dirigir nosso coração mortal
Aos pensamentos sobre as coisas divinas.

3. Suspendendo a crença, o indivíduo seria capaz de sentir grande qualidade estética na natureza, embora ache impossível encontrar provas das coisas.

4. Entretanto, os impulsos internos levam a pessoa a crer em qualquer coisa que lhe seja necessária à sobrevivência. Conforme dizia Hume: "A *fé animal* toma conta das coisas".

5. Se tivermos de agir, então a *substância* deve ser admitida como real, e nisso cremos em nossa própria realidade, e também na dos outros, bem como na ordem da natureza. Aí entra o desígnio.

6. Essas admissões implicam a existência de dimensões do ser onde a matéria é o elemento básico. Sua aceitação e descrição do "eu" seguia as linhas do *epifenomenalismo* (ver a respeito).

7. Acima da matéria, sentimos a nobreza da verdade, embora ela fale, essencialmente, a respeito da matéria.

8. Os homens, em face de suas necessidades biológicas e psicológicas básicas, formam sociedades e instituições. A sociedade ideal compõe-se das mais elevadas realizações humanas nos campos da religião, da arte, da ciência e da ética.

9. Podem ser distinguidos três níveis de ética: a. Uma moralidade pré-racional, inspirada em declarações sucintas, aforismos, injunções. Essa ética é, ao mesmo tempo, rica e incoerente. b. A moralidade pré-racional, uma vez purificada, confere-nos a ética racional, com suas regras e raciocínios filosóficos. É daí que emerge a vitalidade da sociedade. c. O otimismo, na ética racional, cede lugar ao pessimismo em uma moralidade pós-natural. Aqui encontraríamos esquemas religiosos acerca da salvação para além deste mundo: a felicidade deve ser encontrada algures, onde o homem não se encontra. A bondade nesse mundo fracassa, pelo que só pode ser achada nas esferas fora deste mundo.

10. A beleza é encontrada no senso de prazer, derivada de objetos que nos ferem os sentidos, como os das artes. A experiência estética difere de outras experiências agradáveis por sentirmos que a estética é uma qualidade pertencente aos objetos. Isso posto, obtemos um "prazer objetivado", que nos confere um conceito do belo. A criação de objetos de arte é um impulso humano básico, tão básico quanto a religião. A arte, como a religião, deriva-se da preocupação do homem com a sua situação e posição na vida.

11. A religião é uma espécie de ponte entre a ciência e a mágica. Suas origens são primitivas e mágicas. Conduz os homens à ciência e à filosofia. A religião, para Santayana, é uma construtiva obra da imaginação. "As religiões são as grandes histórias da carochinha da consciência", dizia ele. E, como tais, animam os espíritos desmoralizados. Emocionalmente, Santayana parecia gostar mais da exibição de essência, presente nas formas religiosas, que dos resultados da filosofia ou da ciência.

12. Sua filosofia leva os homens a um meio de vida que salienta a gentileza, o desprendimento, a contemplação e a gentil ironia acerca dos defeitos da própria personalidade e da personalidade das outras pessoas no mundo. Ele foi uma espécie de cético feliz, que não precisava de crenças e certezas específicas a fim de apreciar a condição humana. Ele suspendia a crença; e, no entanto, cria.

Escritos. Sense of Beauty; Life of Reason (cinco volumes); *Skepticism and Animal Faith; Realms of Being; The Idea of Christ in the Gospels; Dominations and Powers.*

SANTIDADE
Esboço:
I. Os Termos Envolvidos
II. Características da Santidade de Deus
III. A Santidade do Povo de Deus, Cuja Base é a Salvação
IV. Santidade de Coisas e de Lugares
V. O Filho de Deus é Santo
VI. O Espírito de Deus é Santo
VII. A Suprema Manifestação do Amor é a Santidade

I. Os Termos Envolvidos

O vocábulo hebraico *qodesh* envolve a idéia de separação ou frescor. O termo grego *agiosúne* significa "separação", "santidade". A palavra-raiz, *agos,* indica qualquer objeto que merece respeito religioso, que pode ser um sacrifício expiatório, uma maldição, uma poluição, algo que transmite culpa, algo separado para uso e adoração aos deuses. A raiz verbal é *adzomai,* que significa "ter medo", "ter respeito profundo". *Agiótes* é a condição da santidade. Esses são os sentidos básicos. Ver o sumário a seguir.

No hebraico: Qodesh, o substantivo, "separação", "santidade". O verbo, *qadash,* "separar". O adjetivo *qadosh,* "santo", "sagrado". O verbo *qidash,* "santificar", "separar". As raízes consonantais do substantivo *qdsh* (vocalizadas como *qodesh)* continuam sendo estudadas pelos especialistas. É palavra cognata de termos que significam "glória", "honra", "abundância" e "peso". No emprego dessa raiz temos a idéia de "separação" para uso santo ou reconhecimento como sagrado. Em suas várias formas e derivações, a palavra é usada mais de 830 vezes no Antigo Testamento, das quais 350 só no Pentateuco, o que ilustra a importância desse conceito para os hebreus.

Qodesh é palavra usada acerca de Deus, lugares e coisas. Deus é santo; um rito levítico é santo; um santuário é um lugar santo. Essas coisas e lugares eram separados para uso divino. Ver os exemplos bíblicos a seguir: Êxo. 3:5 (terra santa); Êxo. 12:16 (convocação santa); Êxo. 15:13 (habitação santa); Êxo. 16:23 (descanso santo); Lev. 2:3,10 (oferendas santas); Núm. 4:4 (coisas santas); I Sam. 2:2 e 6:20 (Deus é santo); Sal. 99:9 (o monte santo de Sião).

No grego: Ágos é palavra que indica qualquer objeto ou condição que desperta respeito e solenidade religiosos, mas também temor, maldição, sacrifício etc. *Ágios* era um dos cinco sinônimos para "santo", no grego clássico. Os deuses eram santos; os seus santuários também eram santos. O sentido original está relacionado ao que desperta respeito ou temor; mas, no uso diário, a palavra algumas vezes indica coisas que são puras, castas, dedicadas ao serviço divino, coisas dignas de estar ligadas com Deus. O próprio Deus é santo (João 17:11; I Ped. 1:15), tal como os profetas (Luc. 1:70; Atos 3:21; II Ped. 12). João Batista figura como um homem santo (Mar. 6:20); os apóstolos são santos (Efé. 3:6); os crentes são santos (Col. 3:12; II Tim. 1:9). Assim como Deus é santo, também devem ser considerados santos a adoração e o serviço que prestamos a ele (I Ped. 1:15, 16). O termo grego *ágios* equivale mais ou menos, no Novo Testamento, ao vocábulo hebraico *qodesh,* conforme também se vê na tradução da Septuaginta.

II. Características da Santidade de Deus

A *santidade,* em seu sentido mais sublime, é aplicada a Deus. Ela denota os pontos seguintes:

1. O fato de que Deus está separado da criação, até mesmo daquela porção da criação que não está maculada com a maldade inerente, como os seres angelicais que não caíram no pecado. Isso porque a santidade consiste também na bondade positiva, e não meramente na ausência do mal.

2. Yahweh, pois, é transcendental, fazendo contraste com os falsos deuses (ver Êxo. 15:1) e com a criação inteira (ver Isa. 40:25).

3. Deus é a essência absoluta da santidade, da bondade e da retidão sendo ele o alvo de toda a inquirição por santidade, pureza e bem-estar, baseados na retidão.

SANTIDADE

4. A santidade de Deus é *perfeita* e inspiradora (ver Sal. 99:3).

5. A santidade de Deus fala acerca de sua "excelência moral", bem como do fato de que ele está livre de todas as limitações acerca da "excelência moral" (ver Hab. 1:13).

6. A santidade incorpora em si mesma todas as excelências morais de Deus, como a sua bondade, o seu amor, a sua longanimidade, sendo a luz solar que abarca todas as cores do espectro, mesclando-se com uma força de poderosa luz.

7. A santidade de Deus é *incomparável* (ver Êxo. 15:11 e I Sam. 2:2).

8. A santidade de Deus é exibida em seu caráter (ver Sal. 22:3 e João 17:11), em seu nome (ver Isa. 57:15), em suas palavras (ver Sal. 60:6), em suas obras (ver Sal. 145:17) e em seu reino (ver Sal. 47:8 e Mat. 13:41). Há pureza, justiça e bondade perfeita em todas essas coisas, tendendo à retidão e ao bem-estar de todos, pois Deus é a fonte de tudo isso.

9. A santidade de Deus deve ser magnificada (ver Isa. 6:3 e Apo. 4:8).

10. A santidade de Deus deve ser imitada (ver Lev. 11:44; I Ped. 1:15,16).

11. A santidade de Deus será duplicada nos remidos (ver I Tes. 4:3; Mat. 5:48 e Gál. 5:22,23).

12. A santidade de Deus requer um serviço santo (ver Jos. 24:19 e Sal. 93:5).

III. A Santidade do Povo de Deus, Cuja Base é a Salvação

1. *A Mensagem Bíblica Fala sobre a Redenção.* O pecado é o obstáculo básico à redenção. Deve haver liberação do princípio do pecado, se o homem tiver de ser salvo. Ademais, deve haver a santificação ao Ser divino. Não basta alguém ser impecável. Também deve haver a participação positiva nos atributos divinos e nas qualidades morais. Ver os artigos separados sobre *Santificação* e *Fruto do Espírito*.

2. *A transformação moral* processa-se somente mediante a santificação. A transformação moral é necessária à *transformação metafísica*. Esses são estágios da própria salvação. São elos de ouro da cadeia da redenção que, finalmente, levam a alma salva à *glorificação*. Essa glorificação consiste em um processo eterno, não sendo um único acontecimento, que ocorre de uma vez por todas. Ver o artigo sobre a *Glorificação*. A glorificação leva-nos a participar da imagem e da natureza de Cristo (Rom. 18:29), através do poder do Espírito, o qual nos conduz através de muitos estágios de transformação (II Cor. 3:18), para que participemos de toda a plenitude de Deus (Efé. 3:19), ou seja, da própria natureza divina (Col. 2:10; II Ped. 1:4). Essa participação será real, mas finita. Ver o artigo intitulado *Divindade, Participação dos Homens na*.

3. *A Base Necessária*. Torna-se patente, de imediato, que a santidade é algo supremamente necessário à salvação, não algo opcional. O trecho de Heb. 12:14 garante-nos que ninguém verá a Deus sem a santificação. Jamais devemos conceber a santidade como a mera ausência de pecado. Esse é um *começo* necessário, mas não a própria substância da santidade. Deve haver a participação nas qualidades morais positivas e metafísicas do Ser Divino, para que a verdadeira santidade seja atingida.

4. *O Pano de Fundo Veterotestamentário*. O povo de Israel deve santificar-se para o Senhor (Deu. 7:6; 14:2,21), tornando-se uma nação santa (Êxo. 19:6); um povo santo (Isa. 62:12; 63:18; Dan. 12:7); uma raça santa (Esd. 9:2; Isa. 6:13); uma comunidade de santos (Sal. 16:3; 34:9); um reino de sacerdotes (Êxo. 19:6) e uma congregação santa (Núm. 16:3). O livro de Levítico servia de uma espécie de código de santidade, com inúmeras leis pessoais, rituais e cerimoniais, cuja finalidade é promover e tipificar a santidade. Ver Núm. 17--26. Ali são tratadas todas as questões de moralidade prática e pessoal, e não apenas questões cerimoniais. Espera-se que o povo de Deus seja honesto (Núm. 19:11,36), veraz (19:11), respeitoso aos seus pais (19:3), respeitoso aos idosos (19:32), tratando os servos com justiça e eqüidade (19:13), amando ao próximo (19:33,34), mostrando-se generoso para com os pobres (19:10,15), ajudando aos fisicamente incapacitados (19:14,32), mostrando-se sexualmente puro (18:1-30; 20:1-21) e evitando as superstições (19:26, 31; 20:6,27).

Adzomai, "ter medo", "sentir profundo respeito", embora não apareça no Novo Testamento, ilustra o sentido original básico.

Agiádzo, um verbo, significa separar coisas para propósitos religiosos apropriados (Êxo. 29:27,37,44) (na Septuaginta). Tem o sentido de santificar, consagrar (conforme é comum na Septuaginta e nos escritos de Filo, como em *Leg. All.* 1:18; *Spec. Leg.* 1,67). A idéia de separação para uso divino encontra-se em Mat. 23:18; I Tim. 4:5. A consagração, dedicação e santificação de sacrifícios, em Heb. 2:11; 9:13, e a santificação do cônjuge incrédulo pelo cônjuge crente (I Cor. 7:14), são idéias ilustrativas. Deus consagrou ou santificou o seu Cristo (João 10:36) e também os crentes (João 17:17; I Tes. 5:13). O nome de Deus precisa ser tratado como santo, reconhecido como tal, segundo se vê em Isa. 29:23 e Eze. 36:23, na Septuaginta. A idéia de purificação também faz parte do significado dessa palavra (ver Núm. 6:11, na Septuaginta; Rom. 15:16; I Cor. 1:2; I Tes. 5:23).

Agiasma aponta para o "santuário" (I Macabeus 1:23 e Testamento de Daniel 5:9).

Agiasmós significa "santidade", "consagração", "santificação". Ver Rom. 6:18,22; II Tes. 2:13; I Ped. 1:2; I Cor. 1:30.

Agiosúne também é traduzida por "santidade", e "retidão". É a santificação, em contraste com o ato de santificar (*agiasmós*). Essa palavra acha-se apenas por três vezes no Novo Testamento; em Rom. 1:4 (o espírito de santidade); em II Cor. 7:1 (a santidade que os santos devem possuir, no temor de Deus); e em I Tes. 3:13 (a santidade que os crentes precisam ter diante de Deus, tornando-se inculpáveis, a fim de poderem enfrentar a segunda vinda de Cristo).

Agiótes indica a santificação como um estado, e não como o processo santificador. Ver Heb. 12:10.

Osiótes, "santidade", encontra-se somente por duas vezes, em Luc. 1:75 e Efé. 4:24. O significado básico dessa palavra é a observância das leis divinas, da retidão e da piedade. *Ósios* indica algo sancionado ou aprovado pelas leis da natureza, ao passo que *dikaios* indicava algo estabelecido pelas leis humanas. Originalmente, no grego clássico, o seu sentido cúltico apontava para aquelas coisas que pertenciam aos deuses, ao "sagrado", em contraste com o que é profano. A raiz verbal, *osíoo* (que nunca aparece no Novo Testamento), significa "tornar santo", "purificar", "fazer expiação", e corresponde ao termo latino *expiare*. O vocábulo *ósios* encontra-se por oito vezes no Novo Testamento, sendo usado acerca de Deus, o Santo (Atos 2:27; 13:35), dos atos de misericórdia (Atos 13:34), das mãos santas, erguidas em oração (I Tim. 2:8); e também é usado acerca de Cristo como o nosso Sumo Sacerdote

SANTIDADE

(Heb. 7:26). Cristo era separado dos pecadores, conforme aquele versículo esclarece. Ver também o artigo separado sobre a Piedade.

5. *A Santa Igreja do Novo Testamento.* A santidade é salientada por Cristo, que nos trouxe um código moral superior, como também os meios espirituais, através do poder do Espírito, permitindo-nos cumprir as exigências da lei. Ele nos trouxe a nova lei, que opera mediante o poder do Espírito (Rom. 8:2). A comunidade cristã é o Novo Israel (Gál. 6:16; Efé. 2:12). O trecho de I Ped. 2:9 destaca a idéia do reino de sacerdotes (Êxo. 19:6), trazendo-a para o Novo Testamento e aplicando a questão à Igreja. Os crentes devem separar-se de todo o mal, como sucedia a Israel, não entrando em alianças comprometedoras (II Cor. 6:14 ss.). Eles devem participar das virtudes morais positivas do próprio Deus (Gál. 5:22 ss.). À Igreja cumpre ser o veículo das atividades divinas neste mundo (I Cor. 12:27; Col. 1:18). A Igreja é o templo do Espírito Santo (Efé. 2:22; 3:5,6; I Cor. 3:16 ss.). O próprio templo é a edificação do Espírito, sendo equivalente, segundo os termos neotestamentários, à Igreja (Efé. 2:19-22). A expiação realizada por Cristo, em favor de sua Igreja (a Noiva), deve resultar na santidade, e não apenas no perdão dos pecados (Efé. 5:25-27; II Cor. 11:2). Ver também Apo. 19:7,8; 21:9. Os próprios "santos" são freqüentemente intitulados "santos", o que significa que formam um povo distinto e separado para Deus. Ver Rom. 1:7; I Cor. 1:2; Efé. 1:15; Col. 1:12,26; Heb. 6:10; Jud. 3; Apo. 8:3; 16:6 e 19:8.

A associação com Cristo separa os crentes do pecado (I Cor. 6:19), conferindo-lhes pureza e piedade (Efé. 1:4; 5:27), dando-lhes uma chamada santa (Col. 3:12; II Tim. 1:9). Na vida do crente, a santidade torna-se realidade mediante a vontade de Deus (I Tes. 4:3), estando centrada em Cristo (I Cor. 1:30), além de ser produzida pelo Espírito (II Tes. 2:13), em parceria com a fé (Atos 26:18; Efé. 1:1; II Tes. 1:11; Apo. 13.10). O seu objetivo é a glória de Deus, agora e sempre (II Tes. 1:10, 12). Resulta de estar alguém *em Cristo,* expressão usada por Paulo por mais de 160 vezes. Ver sobre *Cristo – Misticismo.* A união com Cristo deve produzir a santidade, sob pena de nem ter havido tal união (Rom. 8:9).

IV. Santidade de Coisas e de Lugares

Momentos específicos de *adoração* e *observância* religiosa são santos, como o sábado (Gên. 2:3; Êxo. 16:23). Há também dias santos (Nee. 8:11), *santas* convocações religiosas (No. 12:1-6), nas quais Deus se mostra santo (Deu. 26:15; II Crô. 30:27; Sal. 11:4). A Terra Prometida é santa (Êxo. 15:13), como também o são o acampamento de Israel (Lev. 10:4), a cidade de Jerusalém (Nee. 11:1), Sião (Isa. 1:19), o tabernáculo e o templo (Êxo. 38:24; Lev. 10:17,18; I Crô. 29:3; Sal. 5:6). Além disso, coisas contidas no tabernáculo e no templo eram consideradas santas (Êxo. 29:38; 30:27; 40:10; II Crô. 29:33; Núm. 5:9; Sal. 89:20; I Sam. 21:4; I Reis 7:51).

V. O Filho de Deus é Santo

Cristo é pioneiro no caminho que conduz à salvação (Heb. 2:10). Aquele que é santo conduz o seu povo à santidade. Em doze trechos do Novo Testamento, Jesus Cristo é descrito como santo. Em nove dessas vezes, é empregado o termo grego *agios* (Mar. 1:24; Luc. 1:35; 4:34; João 6:69; Atos 3:14; 4:27,30; I João 2:20; Apo. 17). Por três vezes é empregado o termo grego *ósios* (Atos 2:27; 13:5 e Heb. 7:26). Cristo foi prometido como o santo filho de Maria, e seria o santo Filho de Deus, irmão mais velho dos outros filhos de Deus (Luc. 1:35). Um demônio, em Cafarnaum, reconheceu que Cristo é o Santo de Deus (Mar. 1:24; Luc. 4:24). Ele é o Santo por meio de quem os crentes são ungidos (I João 2:20). Ele é o Senhor das igrejas, e também aquele que é santo e verdadeiro (Apo. 3:7). Foi escolhido para a sua missão messiânica pelo Pai, por causa de sua santidade superior (Heb. 1:9). Foi tentado, mas não revelou nenhuma falha moral (Heb. 4:15). Ver o artigo separado sobre a *Impecabilidade de* Jesus. Em nossa própria transformação segundo a sua imagem, a sua santidade vai sendo produzida em nós, mediante o poder do Espírito Santo (II Cor. 3:18).

VI. O Espírito de Deus é Santo

Um adjetivo muito comum, para indicar o Espírito de Deus, é "santo". No Antigo Testamento, este título ocorre apenas três vezes (ver Sal. 51:11; Isa. 63:10,11). Porém, no Novo Testamento, a expressão "Espírito Santo" ocorre por mais de 90 vezes. Ver o artigo separado sobre *Espírito de Deus.* Para algumas referências neotestamentárias sobre o Espírito Santo, ver Mat. 3:11 (é ele quem batiza); Atos 2:4 (é ele quem enche e santifica a Igreja); Rom. 5:5 (é ele quem derrama o amor de Deus em nosso coração); I Cor. 2:13 (ele é o nosso Mestre); I Cor. 3:17 (somos o templo que ele santifica); II Ped. 2:21 (ele é o inspirador das Santas Escrituras); Jud. 20 (ele nos ajuda em oração).

VII. A Suprema Manifestação do Amor é a Santidade

A única virtude ou atributo de Deus que pode tomar o lugar do nome divino é o *amor.* Ver I João 4:8. O amor é a prova mesma da espiritualidade de alguém (I João 4:7). Essa é a grande prova de que alguém nasceu de Deus.

"A suprema manifestação da santidade é o amor. Vemos, ao mesmo tempo, um elogio ao *agape* cristão e ao delineamento da santidade cristã, no décimo terceiro capítulo de I Coríntios. Isso teve pleno cumprimento somente no homem Jesus Cristo. No entanto, permanece como critério pelo qual é medido o desenvolvimento do crente na graça. A essência da natureza divina é o amor santo. É nisso, acima de tudo, que assim como ele é, também o somos no, mundo (I João 4:17)". (Z)

Deus ama, e, por conseguinte, deseja santificar-nos, porquanto, sem a santificação, as aspirações do amor de Deus, no tocante à salvação do homem, jamais se concretizam. O pecado e a imperfeição destroem o plano piloto da salvação do homem. Isso posto, o amor busca e atinge a verdadeira santidade no homem. O amor cultiva a santidade nos crentes.

SANTIDADE, CÓDIGO DA

Ver sobre *J.E.D.P.(S.)* Ver o artigo geral sobre o *Pentateuco. O Código da Santidade* é a alegada fonte literária do Pentateuco, parte do material que foi incluído nos cinco primeiros livros da Bíblia, por algum compilador e editor. Refere-se a certa porção do livro de Levítico (capítulos 17 a 26), além de incluir outras passagens, como Êxo. 21:13,14; Lev. 11:43,45 e Núm. 15:37-41.

Conforme afirma essa teoria, tornou-se uma coletânea de leis, e mais tarde foi incorporada no que se denomina Código Sacerdotal. Os eruditos aludem a esse código como *S,* de "sacerdotal". Quanto às várias presumíveis fontes de informação do Pentateuco, ver sobre a teoria *JEDS,* em que cada letra representa um dos quatro supostos documentos originais. Comentamos sobre cada um desses documentos, nesta enciclopédia. O *Código da Santidade* teria sido inspirado pela escola de Ezequiel, advertindo contra as transgressões morais, as corrupções rituais e as influências pagãs, fazendo valer as apropriadas advertências de juízo divino, se o povo de Israel não obedecesse às normas desse código.

SANTIFICAÇÃO

SANTIFICAÇÃO
Ver também *Santificar.*
Esboço:
I. Idéias Gerais
II. Elementos da Santificação
III. Inteira Santificação
IV. O Alvo da Santificação

I. Idéias Gerais

O termo grego aqui empregado é *agiasmos*, que significa "consagração", "separação", "santificação". Refere-se ao processo que leva o crente a tornar-se uma pessoa dedicada, santa, baseada em um início implantado quando da conversão, forensemente reconhecido diante de Deus, mas também concretizado nele, através de sua transformação moral. O alvo final é a perfeita concretização dessa santidade no indivíduo, de modo que a própria santidade de Deus Pai seja plenamente absorvida (ver Mat. 5:48 e Rom. 3:21). Somente essa forma de santidade é aceitável por Deus; todos os seres que habitam nos lugares celestiais e, portanto, todos os seres que estão próximos de Deus, devem ser santos como Deus é santo.

A conversão e a justificação são as sementes da santificação. No artigo sobre *Justificação*, pode-se perceber que a justificação, conforme os termos paulinos, realmente inclui aquele processo que se chama santificação, ainda que os reformadores protestantes, sobretudo Lutero, tenham feito clara distinção entre uma e outra doutrina, provavelmente no zelo de procurar preservar a justificação isenta de qualquer pensamento de esforço humano. Todavia, essa distinção não é paulina, pois a justificação é para a *vida*, e nela há comunicação de vida santa, e não apenas um "decreto forense" de Deus, que declara que o crente está "posicionalmente" perfeito em Cristo. É verdade que essa declaração forense está envolvida, mas há mais ainda envolvido. Consiste em realmente aperfeiçoar o crente, mediante a influência do Espírito Santo; e isso pode ser chamado de santificação "progressiva" ou "presente".

A linha divisória entre a justificação e a santificação é muito tênue, se é que realmente existe. A justificação, em seu sentido pleno, torna-se real e vital na santificação, que é a operação do Espírito Santo que torna o indivíduo dedicado e santo, e que assim, finalmente, vem a tornar-se tão santo quanto o próprio Deus. (Ver o artigo sobre a *Justificação*.) A "santificação" tem um aspecto passado, obtido quando da conversão; há também a santidade presente (ver Gál. 5:22,23), que vai sendo paulatinamente implantada pela ação e poder do Espírito; e há também um aspecto futuro da santificação, quando todo o resquício de pecado será tirado, quando o indivíduo se tornar finalmente participante das qualidades morais positivas de Deus, e não meramente livre da presença do pecado. E isso significa que o homem tornar-se-á tão santo como Deus, perfeito na bondade, na justiça e no amor, e esse é o alvo na direção do qual estamos sendo levados pela santificação.

Ora, é a transformação de nossa natureza moral que produz uma transformação correspondente da natureza metafísica, a qual nos tornará participantes da própria natureza e divindade de Cristo (ver Rom. 8:29; II Cor. 3:18 e II Ped. 1:4), a saber, da "total plenitude de Deus" (ver Efé. 3:19). Esse é o alvo culminante da santificação.

II. Elementos da Santificação

1. Separação do crente para Deus e para o seu serviço (ver Sal. 4:3).
2. É uma realização divina (ver Eze. 37:28; I Tes. 2:23 e Jud. 1), por meio de Cristo (ver Heb. 2:11 e 13:12), e através do Espírito Santo (ver Rom. 15:16; I Cor. 6:11 e I Tes. 4:8).
3. Consiste na comunhão mística com Cristo (ver I Cor. 1:2).
4. Depende do valor da expiação pelo sangue de Cristo (ver Heb. 10:10 e 13:12).
5. Realiza-se mediante a energia da palavra de Deus (ver João 17:17,19 e Efé. 5:26).
6. Cristo é o nosso mais elevado exemplo de santidade, porquanto é a nossa santificação (ver I Cor. 1:30).
7. A eleição leva a efeito esse alto objetivo, por meio da santificação, não podendo esse alvo deixar de ser concretizado na vida do crente regenerado, visto que é um dos elos da cadeia de ouro que nos leva à glorificação (ver II Tes. 2:13 e I Ped. 1:2).
8. A igreja se tornará gloriosa por meio da santificação (ver Efé. 5:26,27).
9. Conduz o crente à presente mortificação da natureza pecaminosa (ver I Tes. 4:3,4).
10. Conduz o crente àquela santidade no Íntimo sem o que ninguém verá a Deus (ver Rom. 6:22; Efé. 5:7-9 e Heb. 12:14).
11. Torna aceitável para Deus a "oferta" dos santos (ver Rom. 15:16).
12. A vontade de Deus é que os crentes sejam santos (ver I Tes. 4:3).
13. Também é mediante a santificação que os ministros de Deus são separados para o serviço divino (ver Jer. 1:5).
14. Devemos orar insistentemente para que os crentes participem plenamente da santificação (ver I Tes. 5:23).
15. Sem a santificação ninguém poderá herdar o reino de Deus (ver I Cor. 6:9-11).

III. Inteira Santificação

1. Biblicamente falando, isto é declarado impossível para a vida atual. Ver I João 1:8.
2. A experiência mostra que declarações de inteira santificação são falsas.
3. As pessoas que declaram Ter alcançado a "perfeição" sempre reduzem a definição do pecador para ter a capacidade de viver (em algum grau) suas declarações.
4. A santificação inclui a participação positiva nas virtudes morais de Deus (Gál. 5:22,23). Deste ponto de vista, a santificação deve ser um processo infinito, eterno. Ver Efé. 3:19 sobre a nossa participação na plenitude de Deus. A perfeição atualmente é o alvo. A perfeição de Deus sempre será o alvo de nosso viver.

Em termos gerais, tudo isso está envolvido no processo de separação ou dedicação a um ser santo, para seu uso, para seu serviço, tanto nesta terra como nos céus, tanto no tempo como na eternidade. Deus santifica. Cristo santifica e o Espírito Santo santifica (conforme declaramos anteriormente), mas o próprio crente também se santifica, cedendo à influência divina e aplicando os meios normais de adoração e purificação, como a oração, o estudo da Palavra e a meditação, além da inquirição pelo Espírito Santo. Esses são "meios" que compete ao crente aplicar a si mesmo, a fim de que o Espírito Santo, por sua vez, opere sua obra santificadora. (Ver os trechos de Lev. 11:44; Jos. 7:13 e II Cor. 6:14-18, onde a responsabilidade da santificação é imposta ao homem.)

A santificação consiste na *transformação moral* do crente segundo a imagem de Cristo. Por isso mesmo torna-se necessária a comunhão com ele, para que haja essa realização (ver I Cor. 1:4 e II Cor. 3:18). As experiências espirituais específicas podem intensificar a busca e fornecer vitórias especiais no terreno da santificação; mas nenhuma experiência poderá entregar tudo para nós. De fato, na qualidade de seres mortais, não somos ainda o tipo de seres que possa ter a santidade em seu sentido mais completo, conforme explanado acima. É mister que o indivíduo receba a natureza divina e esteja

SANTIFICAÇÃO – SANTO DOS SANTOS

habitando nos lugares celestiais, antes de poder dar os passos gigantescos na direção da perfeição moral que podemos intitular de "inteira santificação". Trata-se de uma inquirição eterna, e não meramente da terra ou dos céus, como se, por ocasião da partida do crente deste mundo e de sua entrada nos lugares celestiais, tudo pudesse ser atingido automática e repentinamente. Pelo contrário, esse exaltado alvo está sendo atingido; e nisso consiste a própria existência do crente, nisso consiste a própria natureza da vida terrena – tornarmo-nos cada vez mais semelhantes a Deus.

A santificação tem sido reduzida a um "sacramento", porquanto muitos estudiosos supõem que, na Igreja Católica Romana, a santificação é conferida através da graça supostamente inerente nos sacramentos. Pelo contrário, a santificação é e sempre será "mística", ou seja, vem através da comunhão mística com o Espírito de Deus, mediante sua presença habitadora contínua. Certamente que isso não envolve um processo legalista. Não pode a santificação ser atingida mediante a observância consciente de algum código legal.

IV. O Alvo da Santificação

1. A santificação tem seus primórdios originários na eleição; e uma vez que se desenvolve em realidade, ela se torna um meio da eleição.

2. O Espírito Santo é o agente da santificação, pois afinal de contas, trata-se de uma realização divina. Requer a cooperação humana e se concretiza mediante o uso dos meios de desen-volvimento espiritual, como o amor, bem como o emprego dos dons espirituais, no cumprimento de nossas respectivas missões e na santificação.

3. O alvo é elevadíssimo: antes de mais nada, a própria natureza santa de Deus está sendo implantada em nós (ver Dan. 3:21).

4. A perfeição de Deus é o alvo da santificação (ver Mat. 5:48). Chegaremos a participar da natureza do Pai, porquanto somos filhos de Deus e estamos sendo conduzidos à glória (ver Heb. 2:10).

5. A participação na natureza metafísica de Deus é o resultado da inquirição após a perfeição (ver II Ped. 1:4). Isso nos conferirá a plenitude divina (a natureza e os atributos de Deus), conforme se aprende em Efé. 3:19. Essa transformação é levada a efeito em conformidade com a imagem do Filho, o qual é o arquétipo da nossa salvação (ver Col. 2:10 e Rom. 8:29).

SANTIFICAR

Ver também *Santificação*.

O termo hebraico *kadash* envolve as idéias de separar, consagrar, tornar santo, mostrar que algo é santo. O vocábulo grego *agiázo* significa "separar" (para algum uso sagrado), "santificar", "dedicar", "reverenciar", "purificar", "tratar como santo". Ver o artigo separado sobre a *Santificação*. Os sinônimos encontrados na Bíblia, que se referem ao ato de santificar e à santificação, são: consagrar, devotar, dedicar, reverenciar. A idéia de *separação sagrada* com freqüência faz parte inerente do termo.

Coisas Santificadas:

1. *Oferendas.* Ofertas especiais de vários tipos eram apresentadas pelos sacerdotes, as quais eram consideradas *santas* (Êxo. 28:38). Os dízimos eram santificados para uso dos sacerdotes (Núm. 18:29). Os indivíduos ritualmente imundos eram separados dos adoradores, visto que não haviam cumprido os requisitos da santificação cerimonial (Lev. 22:3).

2. *Edifícios.* Lugares dedicados à adoração e ao serviço a Yahweh eram reputados lugares santos (Lev. 16:19). Isso era aplicado até aos lugares que eram temporariamente estabelecidos com essa finalidade (I Reis 8:64). O tabernáculo e o templo, com todos os seus imóveis e utensílios, também eram considerados santos (Êxo. 20:8-11; Eze. 20:20).

3. *Ocasiões Especiais.* Festas e festivais eram períodos separados para a adoração a Yahweh e para a celebração de eventos especiais. Isso incluía o ano do jubileu (ver a respeito), celebrado a cada 50 anos (Lev. 25:10). Ver o artigo separado sobre as *Festas (Festividades) Judaicas*. O sétimo dia de cada semana era santificado, dedicado à adoração ao Senhor (Gên. 2:3; Eze. 20:20).

4. *Os Sacerdotes.* Arão e seus filhos foram originalmente consagrados às funções sacerdotais. E então os seus descendentes continuaram a tradição. Ver Êxo. 29. Cristo pôs fim ao antigo tipo de ofício sacerdotal, quando se tornou o nosso grande Sumo Sacerdote (Heb. 9:11). Deus se consagrava por amor ao seu povo (João 17:19). Agora, todos os crentes formam uma raça eleita, um sacerdócio real. Deles é requerido que se santifiquem, não menos que os sacerdotes originais (I Ped. 2:9).

5. *Deus.* O nome do Senhor deve ser considerado santo por todo o seu Povo (Lev. 22:32). Ele não é santificado somente em relação à doutrina, mas, acima de tudo, através dos atos e formas de adoração de seu povo. Jesus declarou, na oração do Pai Nosso: "... santificado seja o teu nome..." (Mat. 6:9).

6. Os *Crentes* do Novo *Testamento*. Já vimos no quarto ponto, que todos os crentes são sacerdotes, dentro da dispensação do Novo Testamento. O trecho de Rom. 12:1,2 refere-se especificamente à necessidade de o crente viver separado da maneira de viver do mundo, inteiramente dedicado ao Senhor, mediante a renovação de seus hábitos mentais. Ver o artigo geral sobre a *Santificação*. Ver também sobre *Hábito*.

SANTO DE ISRAEL

Ver sobre *Deus, Nomes Bíblicos de*.

SANTO DOS SANTOS

Ver *Lugar Mais Santo*. Ver os artigos gerais sobre o *Tabernáculo* e o *Templo*. O Santo dos Santos (em hebraico, *Kodesh ha Kodashim)* era a porção mais sagrada do tabernáculo e do templo. No tabernáculo, simplesmente fazia parte dele, como uma repartição separada por cortinas. No templo de Jerusalém, porém, era uma construção mais substancial. Era ali que o sumo sacerdote realizava os ritos do dia da Expiação (ver a respeito). Só se podia chegar ao Santo dos Santos passando-se primeiro pelo Lugar Santo, atravessando a divisória de cortinas. Contudo, só o sumo sacerdote tinha o direito de fazê-lo, e isso somente uma vez por ano. Isso representava o fato de que o acesso até Deus se fazia somente por fases. De acordo com a economia do Novo Testamento, o próprio crente torna-se o templo e o Santo dos Santos onde reside continuamente o Espírito (I Cor. 3:16 e ss.). A visita do sumo sacerdote ao Santo dos Santos fazia-se apenas uma vez por ano, um violento contraste com a contínua presença habitadora do Espírito no crente. Aparentemente, o Santo dos Santos era mantido completamente às escuras (I Reis 8:12), o que servia para envolver o lugar em um mistério ainda maior, onde se esperava sentir a assombrosa presença de Deus. Seus móveis consistiam na arca da aliança, sombreada pelos querubins por cima do propiciatório, que, na verdade, era uma espécie de tampa sólida da arca da aliança.

O trecho de Heb. 9:4 diz que o Santo dos Santos tinha,

SANTO DOS SANTOS – SANTOS

como um dos seus itens, o incensário de ouro, o que não é historicamente verdadeiro, até onde sabemos, no tocante a nenhuma das épocas da história de Israel. Alguns intérpretes supõem que o autor sagrado se tenha equivocado; mas outros acreditam que a palavra "tinha" significa "pertencente a", embora sem deixar entendido que esse objeto ficava dentro do ambiente fechado do Santo dos Santos. Na verdade, não há nenhuma boa maneira de solucionar o problema, nem é importante resolvê-lo.

No tabernáculo original, o Santo dos Santos se localizava no fim do ambiente fechado, penetrando na área do Lugar Santo. Cinco colunas formavam a entrada e, perante elas, ficava o véu. O santuário mais interno, o Santo dos Santos, tinha cerca de 18 m de lado; era quadrado. Continha somente a arca da aliança, a tampa (que era chamada de propiciatório) sobre a qual eram feitas as ofertas do dia da Expiação. A própria arca continha os itens mencionados e descritos em Heb. 9:4. Esse lugar simbolizava o acesso final a Deus. No Novo Testamento, Cristo substituiu esse lugar. Afinal, o acesso é espiritual, e não local. Quando feitos filhos de Deus, moldados segundo a imagem do Filho, nós mesmos somos transformados e adquirimos acesso a Deus, na qualidade de filhos. As passagens de Heb. 4:14; 6:20; 9:8 e 10:9 descrevem o acesso espiritual de que desfrutamos. Ver o artigo sobre *Acesso*. O Santo dos Santos representava a salvação final que nos é oferecida, vinculada à idéia de acesso a Deus.

As dimensões exatas do Santo dos Santos, no templo de Salomão, aparecem em I Reis 6.

SANTO GRAAL

Trata-se de uma lenda da era medieval com origens cristãs e pagãs, e narrada com grandes variações. Graal é um cálice grande. Com freqüência, o termo é usado para indicar o cálice que o Senhor Jesus usou por ocasião da última ceia. Conforme diz a lenda, ao que se presume, esse cálice foi preservado por José de Arimatéia, o qual colheu um pouco do sangue de Cristo vertido durante a crucificação e levou-o até as ilhas britânicas. Mas, por causa da impureza dos que o guardavam, acabou desaparecendo. Outra parte da mesma lenda diz respeito à busca do graal desaparecido. Os mais célebres investigadores foram Perceval e Galaade, cavaleiros da Mesa Redonda, do rei Artur.

As mais famosas narrativas que tratam dessa questão foram escritas no último quartel do século XII e em meados do século XIII. A mais notável foi a de Chrétien de Troyes, chamado *Perceval le Gallois* ou *Le Conte del Graal*. Notável também foi a narrativa intitulada *Parzifal*, de Wolfram von Eshenbach. Perceval não conseguiu achar o graal por causa de sua ignorância sobre o significado do objeto. No relato feito por Wolfram, essa falha também é atribuída à ignorância; mas o graal é finalmente encontrado quando Perceval se torna um sábio. A sabedoria, pois, conquistou o prêmio. Essa obra literária particular é muito comovente, sendo um profundo escrito espiritual, rico em sua simbologia religiosa.

SANTO SEPULCRO
Ver **Sepulcro Santo.**

SANTOS
I. Termos
II. Comentários sobre Termos Específicos
III. No Novo Testamento
IV. Usos pelas Igrejas Católica, Ortodoxa e Mórmon
V. Negligência Protestante
VI. Lição Moral

I. Termos
Hebraico

1. *chasid (hasid)*, piedoso, justo. Alguns exemplos: I Sam. 2.9; II Crô. 5.41; Sal. 30.4; 31.23; Pro. 2.8.

2. *qadosh*, pessoa santa, consagrada ao serviço de Deus: os sacerdotes (Sal. 106.16); o primogênito (Êxo. 12.2; 7.1); anjos (Deu. 33.2, 3).

3. *qaddish*, separado (Dan. 4.8, 9; 7.18-27).

4. *agios* (no Novo Testamento), separado, santificado, piedoso (mais de 200 vezes). Exemplos: Mat. 1.18; Apo. 22.21.

II. Comentários sobre Termos Específicos

Acima de tudo, Yahweh é *sagrado* (do hebraico, *Qadosh*, Lev. 11.44), por conseqüência Seu povo também é sagrado, pois, seguindo Seu exemplo, é transformado moral e espiritualmente e assume um grau de santidade divina. O mesmo termo é usado para os anjos e para os lugares sagrados onde eram praticados cultos a Yahweh. O *ugarítico* usa uma palavra cognata para referir-se à santidade dos deuses e santuários nos diversos cultos dos cananeus. Cf. Deu. 23.18.

Qaddish deriva da mesma raiz que *qadosh* e tem as mesmas aplicações.

Chasid tem um forte tom moral e lembra-nos das expectativas divinas em relação aos homens. Este termo se relaciona a questões de misericórdia e bondade, não meramente à retidão moral. A palavra é muito usada nos salmos e na época dos macabeus, em referência à seita de pessoas alegadamente piedosas que foram os antecessores da posterior seita dos *fariseus*.

III. No Novo Testamento

A palavra grega *agios* significa separado, piedoso, moral e eticamente correto, uma pessoa favorecida por Deus por causa de sua participação na santidade divina, através da missão de Cristo e no ministério do Espírito Santo, cujo objetivo é transformar os homens na imagem do Filho (Rom. 8.29; II Cor. 3.18). Sem tal transformação, a salvação é impossível. Ver Heb. 12.14.

O nome mais comum no Novo Testamento para o crente é "santo". Alguns exemplos são: Atos 9.13; 32; 26.10; Rom. 8.27; 12.13; 15, 25, 26; Fil. 4.21; Efé. 4.12; 5.3. Não há evidências no Novo Testamento de que apenas os "bons crentes", ou só aqueles que demonstraram dádivas ou realizações, podem ser chamados assim.

IV. Usos pelas Igrejas Católica, Ortodoxa e Mórmon

Na Igreja Católica Romana, bem como nas Igrejas Ortodoxas, pessoas incomuns, que demonstraram santidade de vida e poder para fazer milagres, são canonizadas e transformadas em um grupo de almas especiais vistas como dotadas poderes e qualidades virtualmente semelhantes às de deuses. A *canonização* é o nome dado ao decreto que inclui uma pessoa no catálogo ou cânon *dos santos*, os quais são recomendados à veneração dos fiéis. Para tanto, a pessoa precisa ser *beatificada* e ter pelo menos dois de seus milagres confirmados através de investigação. Nenhuma pessoa viva pode ser canonizada. A doutrina desses tipos de "santos" é muito complexa e levou muitos séculos para ser desenvolvida. Ver na *Enciclopédia de Bíblia, Teologia e Filosofia* o artigo *Santos (Eclesiásticos)*. Ver também o artigo *Beatificação*, na mesma obra.

A Igreja de Jesus Cristo dos Santos dos Últimos Dias retornou aos ensinamentos do Novo Testamento ao empregar com força o termo "santos" aos seus fiéis. Alguns fanáticos chegam a chamar outros cristãos de "gentios", para fazer a distinção radical entre os seus *santos* e as outras pessoas que se autodenominam cristãs.

SANTOS – SANTOS (ECLESIÁSTICOS)

Além disso, esses "santos" são dos últimos dias, pois essa igreja acredita ainda que o Milênio não está longe e que vivemos no fechamento da época final antes de ocorrer a grande intervenção divina.

V. Negligência Protestante

Os protestantes e os evangélicos estão muito cientes de sua característica "não muito sagrada" e envergonham-se de chamar a si mesmos de "santos". Além disso, não crêem na doutrina que torna de alguns fiéis "superiores", assumindo grandes poderes acima dos outros. Embora isso sem dúvida seja verdadeiro, eles não acreditam em nenhuma *classe oficial* dessa natureza, em contraste com outros.

VI. Lição Moral

"Segui... a santificação, sem a qual ninguém verá o Senhor" (Heb. 12.14). Um elemento necessário da própria salvação é a santificação. O título "santo" mantém esse fato diante do crente. Além disso, na vida diária de santidade opera a lei do amor, e essa é a principal lei da espiritualidade (I João 4.7). Ver os artigos *Santificação; Salvação* e *Amor*.

SANTOS (ECLESIÁSTICOS)

Esboço:
I. A Palavra e Suas Definições
II. Usos Bíblicos do Termo
III. Canonização; Posição e Serviço
IV. Comunhão dos Santos
V. Veneração aos Santos
VI. Avaliação

I. A Palavra e Suas Definições

No artigo separado *Santos*, as palavras bíblicas e seus usos são considerados. No presente artigo, está em vista a noção de santos eclesiásticos, aqueles canonizados pela Igreja Católica Romana e pela Igreja Ortodoxa Oriental. A palavra latina da qual esse termo moderno deriva é *sanctus*, "santo", "consagrado". Nos idiomas clássicos, a idéia que se pode inferir do uso dessa palavra é "separação para o serviço prestado às divindades", indicando alguma pessoa especialmente devotada que se distingue das massas populares. Mas, nas páginas do Novo Testamento, um "santo" é qualquer crente. Este, por haver sido regenerado, foi separado do mundo, tornando-se diferente de seus vizinhos pagãos, porque Deus o separou para si mesmo e porque tal crente agora consagra-se ao serviço do Senhor. De fato, a santificação tem esse duplo aspecto: Deus separa o santo para si mesmo; e o crente se separa para Deus. Além disso, devemos considerar os santos nas dimensões celestes, os quais já atingiram os estágios iniciais da glorificação. Todos nós, crentes, desfrutamos de certa comunhão espiritual com os irmãos que ainda militam na terra e com os irmãos triunfantes no céu. Essa comunhão, naturalmente, envolve o Pai, o Filho, o Espírito Santo e até os anjos bons, formando uma união espiritual real e vital.

Ocasionalmente, os anjos são chamados "santos". No uso eclesiástico, os santos comuns também são reconhecidos; mas ali os "santos" são, especialmente, as figuras canonizadas, almas que, em face de sua santidade superior, continuariam atuando sobre a face da terra, incluindo a atividade miraculosa. Atualmente, é de presumir-se, encontram-se em elevado estado de exaltação, ocupando uma classe distinta. Esses santos são os canonizados pela Igreja, conforme se verá na terceira seção.

II. Usos Bíblicos do Termo

O artigo separado intitulado *Santos* apresenta os vocábulos bíblicos e as idéias acerca dos santos. O povo de Deus, separado pelo Senhor, que se acha no processo de santificação pessoal e está sendo transformado (segundo deve acontecer a todos os crentes), é composto de pessoas que muitas traduções chamam de *santos*. Ver Lev. 19:2; Sal. 31:23; Atos 9:13; Col. 1:2; I Tes. 3:13. Nas páginas do Novo Testamento, todos os crentes são santos, visto que ali se espera que todos eles tenham sido regenerados, e estejam sendo santificados por Deus, distinguindo-se assim das massas pagãs e incrédulas. Destarte, o crente torna-se um santo em virtude de seu relacionamento especial com Jesus Cristo e dos resultados que esse relacionamento produz. No último dia, quando Cristo retornar, os santos do Senhor participarão de sua santidade especial, o que será manifesto para todos, conforme vemos em I Tes. 3:13. O mais que tenho a dizer sobre a questão, está contido no artigo referido acima.

III. Canonização; Posição e Serviço

Dentro do catolicismo romano e na Igreja Ortodoxa Oriental, a canonização é o nome dado ao decreto que inclui uma pessoa no catálogo ou cânon dos santos, os quais são recomendados à veneração dos fiéis. Para tanto, a pessoa precisa ter sido *beatificada* (ver a respeito), e pelo menos dois de seus milagres devem ter sido confirmados. A pessoa a ser canonizada já deve ter falecido. E então o papa proclama, oficialmente, a sua canonização.

Um santo assim canonizado torna-se objeto de um tipo inferior de adoração ou veneração, chamado *dulia,* fazendo contraste com *latria,* tipo de *adoração* reservado somente a Deus. Maria, a bendita Virgem, naturalmente, é considerada o maior de todos os santos. Ver os artigos chamados *Mariologia* e *Mariolatria. No* conceito católico e ortodoxo, os santos teriam atingido certa posição, dentro da comunhão dos santos, que os qualifica para serem mediadores de seus irmãos menores, que continuam agrilhoados à militância e humildade da vida terrena, e que teriam uma estatura espiritual muito menor que a daqueles.

A partir desse ponto, houve grande expansão da doutrina da mediação, de acordo com o que certos santos se tornaram especialistas em tipos específicos de problemas, servindo de mediadores eficazes em suas respectivas especializações. Do ponto de vista teológico, não seria muito difícil defender a tese que essa noção católica romana e ortodoxa oriental deriva-se de conceitos politeístas do paganismo. Ali, cada divindade era classificada segundo seus diferentes poderes. Tudo isso foi transferido para a hierarquia dos "santos" do catolicismo romano e oriental. Dessa maneira, valendo-se das vantagens da familiaridade politeísta (os deuses estariam sempre próximos dos homens, prontos para ajudá-los), os romanistas e outros têm pensado fazer a augusta Trindade tornar-se menos distante e mais disponível. A deidade estaria por trás da atuação dos santos glorificados, garantindo que eles *tomam consciência* dos pedidos que os terrenos lhes enviam, sendo dotados para cumprir os desejos emitidos pelos homens, em consonância com a vontade de Deus, à qual todas as almas humanas, elevadas e humildes, estão sujeitas. Desse modo, os "santos" não atuariam independentemente de Deus; antes, seriam seus delegados quanto a inúmeras tarefas.

É mister observar que aquilo que essa doutrina diz acerca dos "santos" há muito vinha sendo a doutrina normal referente aos anjos. O ministério angelical certamente inclui o tipo de ajuda que certos homens buscam da parte dos "santos"; e muitas pessoas costumam orar aos anjos, embora isso nunca transpareça como doutrina bíblica.

SANTOS (ECLESIÁSTICOS)

Não obstante, a mediação (que não envolve a salvação) é uma realidade em muitos níveis, de acordo com certos ensinos bíblicos, o que nem por isso elimina a mediação de Cristo para o encontro da alma com Deus. Ver I Tim. 2:5. Deus conta com seus agentes e delegados, e, se buscarmos esse auxílio, ele nos será conferido. Entretanto, isso não ratifica nem justifica a doutrina geral dos "santos", muito mesmo aprova a prática das preces dirigidas a eles. Porém, se orarmos a Deus, pedindo ajuda, ele poderá escolher enviar um anjo para realizar o trabalho a ser feito. Não obstante, Deus poderia preferir enviar alguma outra alma para fazer tal trabalho de ajuda; ou poderia modificar as circunstâncias. Naturalmente, isso não significa que devamos venerar esses delegados de Deus; mas também não devemos desprezar seu potencial para serviço e ajuda. De fato, precisamos de toda a ajuda que pudermos obter.

Outro serviço prestado pelos santos é o grande exemplo no tocante a como se deve viver a vida espiritual. Mas, de todos esses exemplos, o maior é mesmo o do Senhor Jesus Cristo. "Sede meus imitadores, como também eu sou de Cristo" (I Cor. 11:1). Paulo convidou os crentes a imitá-lo, tal como ele mesmo procurava imitar a Cristo. A memória de homens dotados de espiritualidade e santidade incomuns, bíblicos e extrabíblicos, pode inspirar-nos a uma maior realização espiritual. A literatura em muito contribui para apresentar-nos esse tipo de ajuda.

IV. Comunhão dos Santos

Minha opinião pessoal é que nós, os evangélicos, temos dado pouca importância a essa doutrina. Não há que duvidar que a Igreja de Cristo é uma só, e a comunhão dos santos e seus poderes e possíveis efeitos não cessa meramente porque há santos na terra e santos no céu. Ver o artigo *Comunhão dos Santos*, quanto a completas explanações a respeito.

V. Veneração aos Santos

Os homens inclinam-se por venerar outros seres humanos, especialmente aqueles que são os grandes astros do mundo dos entretenimentos. Até alguns poucos políticos são venerados. Infelizmente, grandes matadores (como certas figuras militares) são especialmente venerados na História. Visto que a mente humana está condicionada a esse tipo de atitude, não é de admirar que pessoas de elevadas realizações espirituais (conforme é o caso de muitos dos "santos") recebam a veneração de seres humanos que ainda estão na terra. A história da veneração aos santos é bastante antiga na Igreja. A seguir oferecemos um esboço dessa história.

Nos primeiros dias da antiga Igreja, o termo "santo" era aplicado aos mártires ou mesmo aos mártires potenciais, aqueles cujas vidas santas e serviços os tornavam prováveis candidatos ao martírio. Mas um mártir também era alguém de elevada estatura espiritual, que vivia como mártir e não precisava sofrer o martírio para ser chamado de mártir. Participar desse tipo de vida era suficiente para merecer esse título. Seja como for, os mártires eram objetos de atenção especial, e aqueles que eram executados por causa de sua fé logo se tornavam objetos de veneração.

Quando a Igreja tentou definir a questão, criou a distinção entre *dulia* (a forma inferior de adoração, ou seja, a *veneração*) e *latria* (a adoração reservada exclusivamente a Deus). Essa distinção é facilmente entendida, sendo observada pelos católicos romanos (se pudermos acreditar nas afirmações deles); mas serve somente para repelir aos protestantes e evangélicos, os quais, pela Bíblia, entendem que só Deus deve ser adorado, ficando excluídos anjos, seres humanos e o que mais possa ser nomeado.

Os *sepulcros dos mártires* não tardaram a ser objetos de *peregrinação*, e não foi preciso muito tempo para que ali surgissem santuários religiosos. Seguiram-se alegadas curas, e isso contribuiu para reforçar o culto aos "santos". A prática de ter relíquias sobre os altares, como parte do culto, paralelamente às peregrinações, aumentou mais ainda a veneração. Assim, lá pelo século IV d.C., vários padres e Cirilo de Jerusalém encorajavam aos fiéis a pedir que os "santos" intercedessem por eles, diante de Deus.

Pelos fins do século IV e começos do século V d.C., foram adicionados os chamados *confessores* à lista das personagens veneradas. Esses confessores eram pessoas extremamente religiosas que, embora não tivessem morrido como mártires, eram considerados como tais, conforme expliquei anteriormente.

Durante a Idade Média, publicações sobre a vida dos santos, ou descrições verbais acerca deles, aumentaram ainda mais o seu prestígio entre as massas católicas. Foi então que a doutrina geral dos "santos" veio a ter grande desenvolvimento e elaboração. Infelizmente, tanto relatos sobre verdadeiros santos quanto relatos sobre figuras fictícias vieram a fazer parte desse culto crescente, que sempre rendeu gordos dividendos, sob a forma de doações em dinheiro e outros bens.

Relatos apócrifos tornaram-se uma praxe. Até os nossos próprios dias, a Igreja Católica Romana tem tido de cancelar os nomes de alguns falsos santos, para horror dos veneradores locais, os quais as mais diversas "graças" tinham recebido da parte de "santos" que, agora, passam a ser declarados como quem nunca chegou ao céu.

A Reforma Protestante, entre outras coisas, protestou contra esse culto aos "santos". Os seguidores de Calvino e de Zuínglio fizeram cessar completamente a prática em seu meio, tachando-a de antibíblica e prejudicial à adoração a Deus, e de provocação contra a mediação de Cristo. E os reformadores também mostraram até que ponto o engodo e a superstição haviam entrado em toda essa questão. Os Trinta e Nove Artigos da comunidade anglicana condenaram a invocação aos santos (artigo 22). Mas, desde então, alguns anglicanos têm reinterpretado o artigo, supondo que ele tenha sido escrito em uma época de excessos, e que agora precisa ser afrouxado. Sem Cristo no coração, todo o homem torna-se um idólatra.

Em 1563, o Concílio de Trento reteve a veneração aos santos, embora fizesse a distinção entre a *dulia* e a *latria*, conclamando os católicos romanos a usar de cautela e evitar excessos nessa adoração. Esse concílio salientou a mediação única de Cristo, da qual toda e qualquer outra mediação é parte integrante, por meio de delegação. Na realidade, esse arranjo antibíblico oficializa toda e qualquer mediação que os homens queiram inventar. Porém, segundo as recomendações católicas romanas, quando seus fiéis orarem aos "santos", deverão fazê-lo com o propósito de mediarem junto a Cristo por eles, pois em Cristo todo o poder está investido. A origem das bênçãos procederia do alto, mas os homens poderiam valer-se da mediação de poderes secundários, para chegar ao cume.

O movimento de Oxford da comunidade anglicana (século XIX) fomentou a veneração aos "santos" por parte dos anglo-católicos. Mas os baixo-anglicanos permanecem protestantes quanto a seu ponto de vista sobre a questão.

Os grupos protestantes não veneram os "santos", ainda que, ocasionalmente, apareça um templo com o nome de algum deles, em sua honra, posto que não exista tendência alguma para a veneração. A Igreja Católica Romana, contudo, prossegue promovendo a veneração aos santos. Seu calendário litúrgico especifica os dias de festa de seus muitos "santos".

VI. Avaliação

SANTOS ECLESIÁSTICOS – SANTOS DOS ÚLTIMOS DIAS

Não é errado relembrar os heróis da fé; e também não é mister fazer cuidadosas distinções entre os santos, quanto às denominações cristãs a que eles pertenceram. E apesar de não ser correto usar o termo "santo" para distinguir uma alma humana altamente desenvolvida, que se eleva acima de seus irmãos (tanto nesta vida quanto na outra), é indiscutível que há almas que estão acima das demais. Mas todas as pessoas remidas são santas, ou seja, foram separadas para o Senhor Deus, por estarem em Cristo; e todas essas pessoas merecem o epíteto.

Porém, tal como sucede nesta vida terrena, assim sucederá na existência pós-túmulo – algumas almas remidas terão um grau mais elevado de transformação segundo a imagem de Cristo. É correto termos tais pessoas como objetos de admiração e emulação, pois nos servem de bons exemplos. Mas é um erro transformá-las em objetos de culto. A Bíblia condena em termos bem claros essa forma de culto, dirigido à criatura. Consideremos, para exemplificar, uma declaração paulina: "... eles mudaram a verdade de Deus em mentira, adorando e servindo a criatura, em lugar do Criador, o qual é bendito eternamente. Amém" (Rom. 1:25).

Assim afirmando, não nego que tais almas possam ajudar a outras, com base na comunhão dos santos. De fato, espero que assim suceda, porquanto precisamos de toda a ajuda que pudermos obter, para a promoção tanto de nossa suficiência material quanto para de nosso progresso espiritual. Se anjos ministram àqueles que são os herdeiros da salvação (ver Heb. 1:14), não vejo por que duvidar que os santos de Deus, já do outro lado da existência, tanto os maiores (assim reconhecidos) quanto os menores (nossos parentes e amigos crentes etc.), possam prestar-nos sua ajuda, sem que para tanto sejam por nós solicitados em nossas orações, e sem que para tanto tenhamos de prestar-lhes culto. Tais orações já seriam orações dirigidas aos mortos, prática condenada por Deus desde o Antigo Testamento. No entanto, se um espírito remido chegar a mostrar interesse por minha vida, e eu for capaz de detectá-lo, então poderei dizer-lhe: "Alegro-me em vê-lo! Faça o que puder!". Em outras palavras, creio que tais espíritos podem ministrar, da mesma maneira que fazem os anjos. Ocasionalmente, ouve-se o relato de alguma cura especial, operada por um espírito, dentro dos limites de uma família. Nesse caso, Deus pode ter enviado tal espírito como seu delegado e todos os delegados de Deus são bem-vindos. Nem por isso, entretanto, devo prostrar-me a venerar aos delegados de Deus. Acredito que o amor entre os membros de uma família continua para além da morte biológica; e que o amor pode cruzar as barreiras entre o céu e a terra, realizando muitos feitos notáveis. Assim, que o amor possa fluir, sem que isso se transforme em um culto à criatura.

SANTOS DOS ÚLTIMOS DIAS (MÓRMONS)

Esboço:
I. O Nome Mórmon
II. Informes Históricos
III. Seitas Mórmons
IV. Algumas Características e Doutrinas Distintivas dos Mórmons
V. Livros Sagrados dos Mórmons e Avaliações do Mormonismo

Sob o título *Santos dos Últimos Dias*, comentamos sobre a *Igreja de Jesus Cristo dos Santos dos últimos Dias*, numericamente a maior organização eclesiástica entre aqueles vários grupos que se chamam *Santos dos Últimos Dias*. Esse grupo mais numeroso dispõe de um fantástico programa missionário, que tem mais missionários do que os de todas as denominações evangélicas somadas. Temos algo a aprender quanto a seus métodos e atitudes missionárias.

I. O Nome Mórmon

Seis grupos religiosos diferentes desenvolveram-se a partir do movimento original, que veio à existência através das alegadas visões de Joseph Smith. Todos esses grupos chamam-se *mórmons* por causa do suposto mensageiro celeste, Mórmon, que teria sido o agente provedor da nova revelação do Livro de Mórmon. Seu filho, *Moroni*, também teria sido intermediário nessa revelação. Os mórmons acreditam que Mórmon e seu filho, Moroni, viveram na terra no passado e foram profetas. Em sua forma glorificada, teriam dado as revelações que os mórmons valorizam.

II. Informes Históricos

1. *A Origem do Mormonismo*. A primeira visão de Joseph Smith, que finalmente levou à produção do Livro de Mórmon e à organização da Igreja Mórmon, ocorreu a 21 de setembro de 1823. Os historiadores mórmons afiançam que ele já testemunhara outras manifestações divinas, e que muito estivera ocupado em oração, solicitando maior iluminação. E a visão decisiva lhe foi dada naquela data, que ficou registrada, com detalhes na introdução ao Livro de Mórmon. A visão de Joseph Smith assemelha-se às típicas experiências místicas, com pesada mistura de imagens do Antigo Testamento. O anjo *Moroni* (que antes teria sido apenas um homem) apareceu a Joseph Smith, dando-lhe as orientações iniciais. Esse anjo anunciou a existência do livro de placas de ouro, que seria a principal fonte informativa do Livro de Mórmon. Além dessas placas de ouro, haveria outros itens como as pedras do Urim e do Turim, em um peitoral, as quais seriam usadas para ajudar na tradução das placas para o inglês. O anjo, de aspecto muito magnificente, anunciou a Joseph Smith que o seu nome tornar-se-ia "para o bem e para o mal entre todas as nações, raças e línguas". E o poderoso movimento missionário dos mórmons tem garantido o cumprimento dessa predição, muito mais do que no caso de outras seitas com igual número de membros.

O número total dos mórmons não é tão gigantesco. Eles contavam apenas com 2 milhões de membros em 1970. Pode-se imaginar que atualmente eles sejam cerca de 3 milhões. Muitas seitas têm esse número de seguidores, mas poucas têm tido a representação *universal* dos mórmons, através de sua atividade missionária febril.

Seja como for, a visão de Joseph Smith revelou-lhe o local, no estado de Nova Iorque, nos Estados Unidos da América do Norte, onde as placas de ouro haviam sido enterradas. Mas Smith foi avisado que, uma vez desenterradas essas placas, não poderia mostrá-las a nenhum outro ser humano, sob pena de ser destruído. Cópias desses escritos, mostradas posteriormente a lingüistas, em nada os impressionaram. Esses escritos teriam sido registrados em egípcio *reformado;* porém, aqueles que viram os caracteres não puderam perceber nenhuma conexão com alguma forma escrita egípcia. Então, *Moroni* subiu para o céu em forma visível, e a visão terminou.

Não muito tempo depois, esse mensageiro retornou dando exatamente o mesmo recado, ao que adicionou uma mensagem apocalíptica sobre tempos agitados que viriam, com guerras, pestes, fomes, grandes desolações e julgamentos divinos sobre a terra. Então, desapareceu novamente. Joseph Smith sentiu-se atônito e perturbado diante de tudo isso; e, quando estava querendo absorver o que lhe fora revelado, eis que o mesmo mensageiro lhe apareceu pela terceira vez. A mesma mensagem foi reiterada; mas, dessa vez, com o acréscimo de que ele deveria ter cuidado com as placas de ouro, uma vez desenterradas, porquanto alguns membros de sua família poderiam querer ganhar dinheiro com elas (porquanto eram pessoas pobres). A Smith, pois, foi dito que ele deveria resistir a qualquer tentativa nesse sentido, porquanto de tudo aquilo só poderia redundar uma coisa, a glória de Deus; e, se Smith se desviasse desse propósito central, não obteria as placas de ouro de maneira alguma. O mensageiro angelical subiu ao céu pela terceira vez, quando já estava amanhecendo.

De acordo com seu próprio testemunho, Joseph Smith sentiu-se muito debilitado por esses encontros dramáticos, e não conseguia trabalhar na lavoura, no dia seguinte. Seu pai dispensou-o do trabalho, e ele se dirigiu de volta para casa. Mas, no caminho, faltaram-lhe as forças, e ele, inerte, caiu ao chão em um estado de estupor. Então, o mensageiro angelical voltou a aparecer-lhe, pela quarta vez, de pé, ao seu lado. A mesma mensagem foi repetida, e foi-lhe recomendado que a revelasse a seu pai. Isso Joseph Smith fez, tendo encontrado, em seu pai, uma mente receptiva. Seu pai assegurou-lhe que tudo aquilo vinha de Deus. Devemos lembrar que alguns metodistas estiveram envolvidos neste drama. Joseph Smith era, originalmente, metodista.

2. *A Descoberta das Placas de Ouro*. Joseph Smith recebeu descrições exatas do local onde estariam as placas de ouro. Essas placas teriam sido encontradas dentro de uma caixa de pedra em uma colina perto da vila de Manchester, condado de Ontário, estado de Nova Iorque (a localidade atualmente chama-se Palmyra). Na época do descobrimento original, o mensageiro celeste proibiu Smith de remover o conteúdo da caixa. Foi-lhe ordenado que voltasse anualmente ao mesmo local; mas somente após quatro anos ele entraria na posse das placas. Entrementes, ele receberia instruções e seria preparado, de modo geral, para a tarefa que teria à sua frente. Finalmente, as placas de ouro lhe foram entregues, a 22 de setembro de 1827. Uma vez que a tradução delas se completou, Moroni tomou de volta as placas. É de presumir que o processo de tradução se tenha ampliado por quase um ano. Essa tradução resultou no Livro de Mórmon, de volume, em tamanho, equivalente ao Novo Testamento.

3. *As Testemunhas*. As testemunhas originais que disseram ter visto as placas de ouro eram três. Mais tarde, houve outras oito testemunhas, entre elas o pai de Joseph Smith, que também se chamava Joseph. Suas declarações, confirmando a veracidade da história, aparecem na introdução ao Livro de Mórmon, e são as mais enfáticas possíveis, invocando Deus como testemunha. Na introdução ao livro não se explica por que testemunhas puderam ver as placas, quando originalmente isso fora proibido. Porém, fica subentendido que deve haver alguma explicação para isso. As declarações são de natureza tal que convencem, a quase qualquer leitor, que eles viram algo que lhes deu tanto poder de expressão. Aqueles que não são mórmons naturalmente acreditam que tudo envolve uma imensa fraude; mas os mórmons confiam naqueles testemunhos e no poder de Deus, que se teria manifestado daquele modo. Se houve fraude, então Joseph Smith deve ter enganado as testemunhas com a exibição convincente de placas de ouro, que de algum modo ele conseguiu. Mas o que parece é que as testemunhas não mentiram propositadamente. Estavam convencidas da realidade da existência das placas de ouro.

4. Imediatamente começaram a aparecer os convertidos, e colônias de mórmons foram estabelecidas nos estados norte-americanos de Ohio, Illinois e Missouri Esses convertidos segregaram-se das comunidades nas quais até então tinham vivido, e passaram a viver isolados.

5. *Oposição e Perseguição*. As reivindicações dos mórmons, no sentido de haverem recebido revelações da parte de Deus, de Cristo, dos apóstolos, dos anjos, de João Batista etc., que deram origem às suas crenças tão diferentes, levaram-nos a ser perseguidos. Os mórmons deram início à sua bem conhecida prática da poligamia desde o começo de sua história; e isso em nada os ajudou a ser aceitos por pessoas de fora.

6. De 1831 a 1845, os mórmons, por quatro vezes, tentaram edificar a sua própria Sião, a saber, em Kirkland, Ohio; em Independence, Missouri; em Far West, Missouri; e em Nauvoo, Illinois. Em Kirkland foi construído um templo, excelente exemplo da arquitetura norte-americana antiga.

7. Intolerância é o nome do jogo religioso, e a perseguição e a matança não andam muito longe quando a intolerância se instala. Os mórmons foram expulsos do Missouri, e cerca de 40 pessoas foram mortas. Joseph Smith calculou que as propriedades mórmons que foram destruídas no estado de Missouri atingiram uma perda de cerca de 4 milhões de dólares, o que representava uma prodigiosa soma na época. Essas perdas e assassinatos ocorreram nos anos de 1838 e 1839.

8. Os mórmons mudaram-se para o estado norte-americano de Illinois, e estabeleceram suas comunidades em Nauvoo. Ali levantaram uma cidade com cerca de 15.000 habitantes. Porém, novas perseguições provocaram matanças e perdas de propriedades.

9. *A Igreja Organizada*. Joseph Smith foi o primeiro presidente, tendo desenvolvido uma elaborada organização eclesiástica. Foi formada uma milícia mórmon, que efetuou um contra-ataque contra os perseguidores, destruindo a publicação *o Expositor*, de Nauvoo, que estava lançando histórias antimórmons. Mas isso agitou a oposição, e novas violências resultaram.

10. *Encarceramento e Morte de Joseph Smith*. A onda de violências foi a causa da detenção e encarceramento de Joseph Smith, juntamente com seu irmão, Hyrum, em Cartago, estado de Illinois. Os guardas da prisão cooperaram com uma multidão, e Joseph Smith e seu irmão foram linchados na prisão. Eles se defenderam e conseguiram matar a alguns poucos dos atacantes, mas acabaram mortos. Seguiram-se ainda mais perseguições, e os mórmons foram forçados a abandonar Nauvoo. Um dos líderes do movimento recebeu uma experiência mística em conexão com a morte de Joseph Smith. Foi dada, então, a seguinte mensagem: "Tudo está bem com Joseph!".

11. *Brigham Young Salva a Igreja Mórmon*. Os mórmons retiraram-se de Nauvoo a uma temperatura abaixo de zero, em fevereiro de 1846. Foi um momento de grande crise. Muitas pessoas já haviam sofrido o suficiente, e abandonaram a causa. Então, surgiu em cena Brigham Young, homem dotado de grande determinação e hábil organizador. Os mórmons estabeleceram uma colônia no que é hoje Omaha em Nebraska. Partindo dali, Brigham Young liderou uma expedição até o vale do grande Salt Lake (Lago Salgado). O grupo partiu a 7 de abril de 1847 e chegou a 22 de julho do mesmo ano. Contemplando o belo vale de Salt Lake, ele exclamou: "Este é o lugar certo!", o que agora é repetido pelos

SANTOS DOS ÚLTIMOS DIAS

mórmons em forma mais simples: "Este é o lugar!". Qualquer um que já tenha visitado o lugar deve concordar.

Inteiramente à parte de suas vinculações com os mórmons, Brigham Young é relembrado como um dos grandes pioneiros norte-americanos. Foi o primeiro governador do estado de Utah.

12. *Milhares Aderem aos Mórmons.* Seguiu-se uma grande companhia e foi estabelecida em Salt Lake City. Brigham Young, temendo a corrupção que se instala nas grandes cidades, ordenou aos seus seguidores que estabelecessem colônias por todo o território de Utah e nas regiões entre as serras montanhosas. Na época de sua morte, em 1877, já haviam sido estabelecidos 357 povoados, e o total da população mórmon chegava aos 140 mil. Os mórmons sempre salientaram a importância da educação, e apenas três anos após sua chegada ao vale de Salt Lake, tinham fundado a Universidade de Utah, onde atualmente se acha a West High School. O autor deste artigo formou-se em ambas as instituições e também foi criado em uma casa mórmon original, feita de adobe, embora tivesse sido educado como filho de uma família evangélica. Se alguém está indagando por que razão devotei tanto espaço a uma fé cristã não evangélica, aí está a resposta!

13. *Normas de Imigração dos Mórmons.* A Igreja Mórmon, sobre bases doutrinárias que dizem que os últimos dias verão imensas destruições, e visto que a mensagem do grupo tenciona ser universal, unificando a todos os povos, tem promovido ativíssima política de imigração, em face da qual que muitas pessoas, das mais diversas nacionalidades, têm sido levadas ao estado de Utah. Essas pessoas são prontamente absorvidas pela comunidade mórmon. Tal prática prossegue até hoje, de modo que, embora a cidade de Salt Lake seja um local onde impera a língua inglesa, há ali também grande número de pessoas bilíngues, o que inclui seus inúmeros missionários e imigrantes, vindos de todas as regiões do mundo.

III. Seitas Mórmons

1. *O Grupo Mais Numeroso.* Esse grupo é atualmente chamado de *Igreja de Jesus Cristo dos Santos dos últimos Dias,* resultante da divisão de mórmons que Brigham Young conduziu ao estado de Utah. Esse grupo conta com mais da metade das igrejas mórmons, e 85 por cento do total de membros.

2. *A Igreja Reorganizada de Jesus Cristo dos Santos dos últimos Dias.* Esse grupo tem menos de mil igrejas e algo em torno de 100 mil membros, e é o segundo maior agrupamento dos mórmons. Afirma ser a verdadeira Igreja Mórmon. Seu fundador foi um dos filhos de Joseph Smith. Uma das viúvas de Joseph Smith também aderiu ao grupo, bem como outros membros da família imediata de Joseph Smith. Sua sede fica em Independence, estado de Missouri. O grupo foi organizado por mórmons que se opunham à poligamia da corrente principal do movimento. Obteve possessão do templo de Kirkland e do terreno do templo de Independence. Seus presidentes são descendentes diretos de Joseph Smith. Além de não aceitar a poligamia, esse grupo ensina a imutabilidade de Deus (em contraste com a divisão do grupo do estado de Utah). Também é um grupo trinitariano (e não triteísta, como o é o grupo de Utah); também aceita os dons espirituais (pondo mais ênfase sobre o misticismo do que o grupo de Utah); são enfatizados o batismo por imersão e o dom de curas.

3. *Igreja de Cristo (Terreno do Templo).* É um pequeno grupo, com apenas cerca de 20 igrejas e 1.000 membros. Esse ramo permaneceu no estado de Illinois quando a maioria dos mórmons partiu para o Missouri. Presumivelmente, ali permaneceram por causa de uma revelação divina. Compraram o *terreno do templo,* uma área de cerca de 11.000 m^2, que eles pensavam ter sido designada como o local do templo do período milenar futuro. Essa se tornou a Sião dos mórmons. Foi necessária uma ação judicial para obtenção desse terreno, que o grupo supõe que será muito importante, após o retorno de Cristo.

4. *Igreja de Jesus Cristo (Bickertonitas).* O grupo conta com cerca de 50 igrejas e 2.000 membros. O grupo foi fundado por Guilherme Bickerton, em Greenrock, estado da Pensilvânia, em 1862. Ele afirmou ter recebido revelações divinas e foi capaz de congregar um pequeno grupo de mórmons, que permaneceu na porção oriental dos Estados Unidos. Opunham-se a Brigham Young, à poligamia, ao batismo pelos mortos e a outras práticas mórmons típicas de Utah.

5. *Igreja de Jesus Cristo (Cutleritas).* O grupo afirma ser a verdadeira Igreja Mórmon, opondo-se a todos os outros ramos, aos quais considera apóstatas. Tem bem poucas igrejas e um número reduzido de membros. Suas igrejas se localizam em Independence, Missouri, e em Cliteral, Minnesota. Essa seita foi fundada por Aipliens Cutler, um dos anciãos originais de Joseph Smith. A igreja prega a comunidade de bens, uma das práticas mórmons originais, e que aos poucos foi morrendo nos outros segmentos mórmons. Cutler sentiu-se inspirado a separar-se dos demais mórmons por causa de alegadas revelações divinas.

6. *Igreja de Jesus Cristo (Strangitas).* Esse grupo tem menos de 10 igrejas e menos de 200 membros, mas afirma ser a original Igreja Mórmon, a única verdadeira. James J. Strang foi seu profeta e primeiro presidente. Afirmava que Joseph Smith o designara pessoalmente como seu sucessor. Afirmou ter sido ordenado ao ministério por anjos, após a morte de Joseph Smith. Estabeleceu a sua igreja em Voree, perto de Burlington, Wisconsin. O grupo principal dos mórmons opinava que estavam surgindo profetas em excesso, e não reconhecia a validade das revelações de Strang. Mas isso não refreou Strang, que foi capaz de exibir certas placas de ouro que Joseph Smith não havia encontrado e, assim, produziu mais alguns escritos sagrados. Esse material foi denominado *Livro de Lei do Senhor.* Strang foi assassinado em 1856.

IV. Algumas Características e Doutrinas Distintivas dos Mórmons

Retorno agora à corrente principal dos mórmons, em Utah.

1. *Tolerância.* Os mórmons têm um profundo respeito pela individualidade e por aquilo que chamam de "livre agência". Por essa razão, e pelo fato de eles mesmos foram severamente perseguidos, mostram-se muito tolerantes em relação aos grupos religiosos minoritários que vivem em suas comunidades. Cresci na cidade de Salt Lake, e posso afirmar isso. Embora minha família fosse evangélica, sob hipótese alguma sofremos perseguição ou discriminação. Os anciãos mórmons vez por outra visitavam nossa casa, e tínhamos vívidas discussões. Eles nos evangelizavam, e nós os evangelizávamos; mas sempre houve respeito mútuo. Alguns evangélicos têm-se mostrado amargos contra os mórmons, dizendo coisas cortantes contra eles e espalhando boatos acerca dos líderes primitivos e atuais dos mórmons. Porém, quanto de verdade há nesses boatos, é difícil determinar. É verdade que, nos seus primeiros anos, houve grande massacre de pioneiros que chegaram ao estado de Utah. Mas isso foi ordenado por um bispo da

SANTOS DOS ÚLTIMOS DIAS

porção sul de Utah, e não por causa de algum crime "da Igreja Mórmon". Minha avó afirmava ter tido conhecimento pessoal de certos assassinatos cometidos pelos *anjos vingadores* de Brigham Young, embora eu não possa julgar a exatidão dessa informação. Mas basta-nos dizer que, se houve abusos (e a história mostra que houve alguns), de modo geral e em tempos mais recentes, os mórmons têm exibido admirável tolerância para com outros grupos, o que distingue esse sistema dos fundamentalistas da extrema direita, que parecem deleitar-se em cortar e prejudicar a outros, por motivos doutrinários, mesmo quando estão em pauta questões secundárias. Certamente os mórmons podem ensinar uma preciosa lição a muitos protestantes e evangélicos: a da tolerância religiosa!

2. *Conservantismo Político e Patriotismo.* Como comunidade, geralmente os mórmons votam em favor de candidatos conservadores, e a maioria deles são americanos patriotas. Defendem a democracia e abominam o comunismo. Joseph Smith declarou: "As ditaduras nunca florescerão na América do Norte". Certamente ele tinha razão, ao assim afirmar. E, embora os mórmons praticassem a poligamia em seus primeiros dias, desafiando assim ao governo americano, tal atitude foi abandonada.

3. *Um Poderoso Programa Missionário.* Os jovens mórmons, em massa, ou são convocados ou se apresentam como missionários voluntários. Seus familiares e amigos pagam as despesas, aliviando assim a organização desse financiamento. Eles saem a campo ao terminar o colégio (cerca de 20 anos de idade) e cumprem termos missionários de 2 ou 3 anos. O número total de missionários que eles lançam assim ao campo é mais do que o número total de todas as denominações evangélicas juntas. No Brasil, a Igreja Mórmon tem cerca de 300 mil membros. Edificações de excelente qualidade são construídas com fundos doados pela igreja mãe, um dinheiro então pago de volta pelas igrejas locais. Temos muito de aprender sobre como realizar o trabalho missionário através do exemplo dado pelos mórmons. Os jovens missionários chegam em países estrangeiros já falando razoavelmente o idioma, em face de bons programas de treinamento da Universidade de Brigham Young, localizada em Provo, Utah.

4. *Ênfase sobre a Livre Agência.* O mormonismo rejeitou totalmente as estritas idéias calvinistas da eleição e da predestinação. Eles consideram muito o que o homem é e pode fazer naturalmente, como "filho" de Deus. Os mórmons também respeitam profundamente a *individualidade* e o *livre-arbítrio* humanos (ao que, normalmente, chamam de "livre agência").

5. *Algumas Doutrinas Distintivas do Mormonismo:*
 a. *Materialismo.* Talvez o mormonismo seja o único grupo que se chama cristão e acredita que aquilo que denominamos *espírito* (incluindo o próprio Deus, os anjos e o espírito humano) consiste em uma forma rarefeita de matéria, com base final nos átomos. Eles acreditam que a matéria se manifesta de um modo que cria a ilusão de uma categoria aparentemente distinta, que chamamos de espírito.
 b. *Um Deus Finito.* Conforme diziam meus professores de filosofia, na Universidade de Utah, "o Deus dos mórmons tem problemas todos seus". Os mórmons ensinam que Deus evoluiu a partir de um autêntico espírito humano, mediante a obediência superior à lei. Os homens, por sua vez, podem seguir esse exemplo, e assim se tornar divinos. O Deus dos mórmons é muito poderoso, mas limitado. Os mórmons nunca usam o termo latino *omnis* para descrever Deus. Assim, para exemplificar, para eles Deus não é onipresente. Quanto a esse ponto, Joseph Smith asseverou: "Aquilo que está em toda a parte, mas em parte nenhuma, nada é".
 c. *Politeísmo.* Em *teoria*, os mórmons acreditam na existência de muitos deuses. Todavia, crêem que nossa parte da criação está sujeita a três deuses: o Pai, o Filho e o Espírito Santo. Assim sendo, na *prática*, eles são *triteístas*. Opõem-se à fórmula trinitariana como absurda. O Deus dos mórmons é uma divindade regional. A teoria deles sobre a deidade, quanto a vários particulares, assemelha-se mais às idéias gregas e pagãs do que às idéias dos hebreus.
 d. *Salvação.* Os mórmons crêem que a salvação é obtida mediante a fé, as boas obras, e o batismo. Mas esse batismo, obviamente, é sempre *aquele* aplicado por sua igreja. Nesse sentido, eles são exclusivistas, como a maioria das denominações cristãs e religiões, em um sentido ou outro. Também acreditam que a oportunidade de salvação vai além da morte biológica, mas, segundo a opinião deles, sempre dependente da cerimônia do "batismo pelos mortos". Os membros são batizados em lugar de outras pessoas, já falecidas, razão pela qual eles dispõem dos mais extensos registros genealógicos do mundo. Esse imenso tesouro de registros genealógicos é guardado em câmaras subterrâneas nas Montanhas Rochosas, perto de Salt Lake. Somente o impacto direto de uma bomba atômica poderia estragar tais registros. Eles também crêem que Cristo teve uma missão no hades, a fim de espalhar o evangelho naquele lugar. E ainda que, durante o intervalo entre sua morte e sua ressurreição, ele teve uma missão na América do Norte, entre as tribos indígenas. Assim, ampliam enormemente o conceito da missão de Cristo, embora façam com que tudo seja mediado pelo batismo aplicado pela igreja deles; dessa forma, limitam a generosa missão que atribuem a Cristo. Para eles, a essência da salvação consiste em tornar-se o indivíduo um deus, com sua própria província ou planeta para povoar e governar, tal como faz o *Pai*.
 e. *A Paternidade Literal de Deus Pai.* Muitos (embora nem todos) dentre os mórmons acreditam que Deus Pai tem muitas esposas, e que as almas humanas são produtos de uma procriação espiritual literal. Um filho desses casamentos divinos, por sua vez, pode tornar-se pai de outros e, finalmente, tornar-se um grande deus, com o seu próprio domínio. Isso glorificaria a Deus, o Pai, visto ser óbvio que qualquer filho que age bem, redunda em honra e glória a seu pai.
 f. *A Necessidade das Boas Obras.* Os mórmons frisam as obras de caridade, e as agências mórmons mostram-se muito ativas nesse mister. Não há necessidade de agências de caridade governamentais no estado de Utah, exceto para aqueles que não são mórmons.
 g. *Revelações Constantes.* Os mórmons crêem na necessidade de constante revelação. O presidente da Igreja Mórmon também é o seu Profeta, e é capaz (segundo se acredita) de receber tanto iluminação (inspiração) sobre atos particulares quanto novas revelações, que podem transformar-se em novos livros sagrados. Até o momento (desde Joseph Smith) nenhum dos presidentes mórmons produziu um livro sagrado; mas acredita-se que eles são capazes do feito.

V. Livros Sagrados dos Mórmons e Avaliações do Mormonismo

Os mórmons aceitam a Bíblia como uma coletânea de livros sagrados; mas acreditam, igualmente, que ela foi corrompida na transmissão e nas traduções, pelo que não

SANTOS DOS ÚLTIMOS DIAS

se poderia confiar nela inteiramente. Além disso, acreditam que seus outros livros sagrados ultrapassaram essa revelação mais antiga, e que aqueles novos livros é que devem ser respeitados e seguidos. Esses outros livros sagrados dos mórmons são três: o *Livro de Mórmon, Doutrina e Pactos* e *Pérola de Grande Preço*. Esses são os livros alicerçados sobre as placas de ouro. Há artigos separados sobre o *Livro de Mórmon* e também sobre *Livros Apócrifos Modernos*, primeiro ponto, *O Livro de Mórmon*. Sei que o fato de ter colocado esse livro entre os livros apócrifos ofende a muitos. Mas assim fiz porque essa classificação nos aproxima mais da verdade dos fatos. Como é óbvio, milhões de outras pessoas discordam dessa classificação, e devem ter suas razões para tanto, que espero não haver omitido no estudo a respeito.

Alguns pensam que Joseph Smith escreveu o "material mórmon" mediante *psicografia* (ver a respeito), isto é, por meios psíquicos, mais ou menos como Chico Xavier faz com seus livros, no Brasil. Contudo, o fato é que trechos até extensos do Livro de Mórmon copiam o Antigo e o Novo Testamento palavra por palavra, e segundo a King James Version (em inglês).

Mas quanta psicografia pode estar envolvida no resto, é muito difícil dizer. Pelo menos sabe-se que Joseph Smith possuía poderes psíquicos, fez algumas predições proféticas genuínas, realizou algumas curas e conseguiu exorcismos legítimos. Os críticos também salientam certas fraudes, que andaram misturadas com tudo isso. Outros pensam que Joseph Smith teria sido um *médium* espírita. Mas, apesar de poderem ser frisadas muitas fontes informativas, que transparecem no Livro de Mórmon, também há algumas coisas ali que não podem ser facilmente explicadas. Por isso mesmo, outros simplesmente opinam que Joseph Smith foi inspirado por demônios. Mas também há aqueles que crêem que Deus realizou uma *obra provincial* (que ainda prossegue) na Igreja Mórmon. Para tanto, Joseph Smith teria autoridade a despeito das deficiências doutrinárias de seu sistema. Para esses, o erro consiste em *pensarem* os mórmons que a sua religião é mundial, quando ela teria sido apenas uma revelação provincial, dirigida somente a eles. O que não se pode negar é que os mórmons têm feito grande contribuição educacional e social nos Estados Unidos; mas poder-se-ia questionar até que ponto eles têm contribuído religiosamente de forma hígida e válida. Também não há que duvidar quanto à contribuição *moral* deles, como fé religiosa. Os mórmons, como um grupo, são pessoas *melhores* do que a média da sociedade; mas isso por si só não comprova a veracidade de suas doutrinas religiosas.

Opinião Pessoal. O autor desta *Enciclopédia* oferece aqui uma humilde opinião pessoal sobre a questão. Joseph Smith, sem dúvida, foi um indivíduo extraordinário. Era dotado de poderes psíquicos, embora não tão grandes quanto os de outros místicos que não iniciaram novas religiões. Há boas razões para crer que houve fraudes de mistura com as suas atividades religiosas. As testemunhas do Livro de Mórmon *muito definidamente* viram algo. Joseph Smith apresentou-lhes uma espécie de placas de metal, que continham escrita curiosa. Alguns estudiosos crêem que ele mesmo fez as placas e conseguiu enganar aos próprios familiares e a outros. Conta-se que os caracteres copiados por Joseph Smith, das supostas placas de ouro, cópias essas que ele teria entregue a discípulos seus, foram levados a um professor de certa universidade do estado de Nova Iorque. Esse professor opinou que os caracteres poderiam ter sido copiados de qualquer dicionário que listasse vários alfabetos; mas que, certamente, não havia ligação com nenhuma forma escrita do Egito. Presumivelmente, seriam caracteres em "egípcio reformado". Não posso afirmar nem negar a historicidade desse relato. Seja como for, alguns supõem que os poderes psíquicos de Joseph Smith fossem tão notáveis que ele podia fazer pessoas ver coisas, mediante transmissão telepática, embora não houvesse, por trás delas, realidade física. Sabemos que certos gurus orientais têm demonstrado possuir tal capacidade. Apesar de estar pessoalmente inclinado a crer que a história das placas de ouro não passa de fraude, dizer isso não resolve totalmente o problema de como Joseph Smith foi capaz de produzir aquele material (sendo ele, essencialmente, um homem destituído de boa educação acadêmica), que faz parte das revelações mórmons.

Há também aqueles que afiançam que Joseph Smith não escreveu tais coisas, tendo sido elas criação de seus primeiros associados. Porém, é difícil apresentar evidências convincentes a esse respeito. Apesar de grande parte do Livro de Mórmon ser de qualidade claramente inferior à Bíblia Sagrada, aqui e acolá há excelentes passagens não-bíblicas e, ocasionalmente, aparece alguma idéia que é difícil imaginar que um simples rapazola de fazenda possa ter concebido.

Foi preparada uma tese, na Universidade do Sul da Califórnia, que, ao que se presume, descobriu material autêntico sobre as fontes informativas do Livro de Mórmon. E um de meus professores de filosofia da Universidade de Utah conhecia pessoalmente um professor da Universidade de Brigham Young (a universidade oficial da Igreja Mórmon), que fez pesquisas sobre as fontes informativas do Livro de Mórmon. Esse professor disse que aquele homem não se sentia feliz diante do que descobrira, preferindo silenciar sobre suas descobertas, embora nem por isso tivesse abandonado a Igreja Mórmon. Histórias como essa, naturalmente, não são documentadas e revestem-se de pouco valor, exceto para as pessoas diretamente envolvidas. Talvez a maior debilidade do Livro de Mórmon seja o fato de que, embora a obra se proponha narrar a história de várias tribos indígenas da América do Norte, a arqueologia não tem descoberto absolutamente nada que dê apoio a essa contenção. Isso pode ser contrastado com a história de Israel. Mais de 50 dos reis de Israel tiveram a sua existência confirmada pelas descobertas arqueológicas. Talvez as tribos indígenas específicas referidas no Livro de Mórmon, sendo elas apenas algumas poucas dentro de um território tão vasto, ainda não tenham produzido indícios arqueológicos que comprovassem sua existência. No entanto, o silêncio nunca é um bom argumento.

Quando leio o Livro de Mórmon, para ver se há sabedoria espiritual aí, sempre me sinto desapontado. Isso ocorre principalmente porque, mesmo nos livros representados como de origem a.C., encontro pequenas porções do Novo Testamento, parte de um versículo aqui, parte de outro ali; óbvios empréstimos de expressões e idéias. Às vezes, diversos versículos do Novo Testamento são copiados diretamente. Para mim, fica claro que o escritor conhecia bem o Novo Testamento, e no caminho todo jogava pequenas porções dele no próprio texto. Isto representa anacronismo e o trabalho de uma pessoa claramente d.C., não a.C. Também é fraudulento representar alguma coisa como uma revelação a.C., quando o texto depende, parcial e obviamente, de um documento d.C. Poucos mórmons são estudantes do Novo Testamento, portanto é possível para eles ler o Livro de Mórmon sem notar o tipo de coisa que

SANTOS DOS ÚLTIMOS DIAS – SANTUÁRIO

estou descrevendo. Se fossem, primeiramente, estudantes do Novo Testamento, e depois, leitores do Livro de Mórmon, quase certamente este fator perturbaria os alicerces de sua Igreja.

O autor desta enciclopédia, após de *pesar todas no evidências* que têm chegado à sua atenção, através de vários anos de contato com os mórmons e mediante os seus estudos pessoais, declara-se desapontado diante dos resultados. Talvez seja verdade que Deus fez uma *obra provincial* em Utah, entre os mórmons. Nisso eu ainda posso acreditar. Os caminhos de Deus são misteriosos e as sementes do Logos são plantadas por toda a parte. Deus não se limita às nossas regras e fronteiras denominacionais. Por que motivo ele obedeceria às nossas regras e limites? Porém, não vejo no mormonismo o poder e o apelo que as *religiões universais* devem ter. Outrossim, não parece claro para mim quanta revelação nova e genuína Joseph Smith conseguiu obter. Algumas doutrinas mórmons (listadas anteriormente) não são boas doutrinas (até onde posso ver as coisas), fornecendo-nos más alternativas para as coisas em que já cremos. *Finalmente,* devo dizer que, para eu me tornar mórmon e seguidor de Joseph Smith, seria necessário que Moroni, ou algum outro elevado oficial espiritual, me fizesse uma visita pessoal, informando-me do erro de minhas avaliações sobre o mormonismo. Irmãos e irmãs, este autor respeita os movimentos e ensinos do Espírito de Deus e não requer harmonia com dogmas padronizados. Algumas vezes, os dogmas mostram ser mais nossos inimigos que amigos, porquanto fazem estagnar o aprendizado espiritual. *Precisamos* de progresso e evolução espiritual, tanto em nossas idéias quanto em nossas expressões religiosas. Estou aberto, muito aberto, a tudo isso. Lamento, porém, que o mormonismo não me possa impressionar favoravelmente. Apesar disso, não devemos olvidar uma grande lição que os mórmons podem ensinar: a *tolerância.* Quando meu irmão, missionário evangélico no Congo Belga (atual Zaire), esteve a ponto de perder a vida, quando aquele país obteve sua independência, os mórmons, na cidade de Salt Lake, tiveram reuniões de oração em seu favor. Os mórmons tratam com respeito outras religiões, e faríamos muito bem em aprender com eles essa valiosa lição de solidariedade.

SANTOS PATRONOS

O latim por trás dessa expressão é *patronus,* "protetor", que vem da raiz *pater,* "pai". Um santo patrono é um santo que é escolhido como guardião, guia, intercessor diante de Deus e protetor de algum lugar, pessoa ou grupo. Essa doutrina é ensinada pela Igreja Católica Romana e pelas Igrejas Ortodoxas Orientais. Trata-se de uma extensão da doutrina dos anjos guardiães, com base no pressuposto de que a alma humana, no estado glorificado, possui vastos poderes e pode exercer tais poderes em favor da comunidade terrena dos santos. De fato, esse ensino é uma aplicação da idéia de que a comunidade dos santos (os militantes e os glorificados) não pode ser separada, e que a graça divina flui através da comunidade inteira dos remidos mediante agentes especiais, já glorificados. Outra fonte dessa doutrina é a veneração aos santos. Muitos desses santos são tradicionalmente associados a pessoas e lugares. Há toda uma hierarquia de santos patronos. Assim, São José é o santo patrono da Igreja universal. Alguns santos patronos são concebidos como protetores de lugares específicos, por causa das experiências místicas particulares (incluindo aparições de santos) ocorridas em tais lugares, ou para indivíduos específicos, que eram devotos daqueles santos em apreço.

SANTUÁRIO

Ver *Lugar Santo (Santuário).*

I. Santuário Terrestre (Heb. 9:1)

O termo grego *kosmikos* pode ter vários significados, a saber:

1. Poderia significar "universal"; mas isso seria estranho ao contexto. O tabernáculo terreno não tinha nenhuma aplicação universal, pois estava limitado à nação de Israel.

2. Poderia significar "ordeiro"; e assim se pensaria na "ordem divina" inerente àquela instituição; mas isso também é estranho ao contexto.

3. Alguns pensam que significa "ornamentado", isto é, "divinamente decorado", como se o versículo exaltasse o valor do primeiro tabernáculo; mas dificilmente isso é o que o autor sagrado queria dar a entender.

4. A tradução *terrestre* é boa, contanto que não pensemos, como freqüentemente se faz, que significa pecaminoso ou carnal. O que está em pauta é que esse primeiro tabernáculo era "deste mundo", "terreno". Era apenas uma imitação ou cópia do tabernáculo celestial. Essa interpretação concorda com a ênfase do autor sagrado, em Heb. 8:2 e 10:1. Ele volta ao seu conceito de um mundo em "dois andares", em que este mundo é visto apenas como cópia do tabernáculo celestial. Esse é o ponto de vista metafísico filoplatônico. Essa idéia é amplamente explicada no artigo sobre Hebreus, seção VI, intitulada "Idéias Religiosas e Filosóficas"; e essa idéia influenciou o conteúdo da epístola e as expressões usadas pelo autor sagrado. (Ver também as notas de introdução ao oitavo capítulo e aos trechos de Heb. 8:1 e 10:1 no NTI.)

Ao chamar o primeiro tabernáculo de "terrestre", o autor sagrado deprecia o seu culto, em vez de exaltá-lo; e isso está de acordo com seu propósito de mostrar a superioridade do ministério sumo sacerdotal de Cristo.

II. Descrições

O que está em foco é o "Lugar Santo", pelo que fica literalmente implícito no vocábulo usado. Assim também, a expressão "santuário interior" indica o Santo dos Santos. A raiz dessa palavra é *agos,* que indica "respeito religioso". Tal termo veio a designar os sacrifícios "dedicados a algum deus", ou então algo "amaldiçoado" por uma divindade. Da idéia de sacrifício, adoração e respeito a algum deus é que veio a idéia de que os adoradores tinham de ser puros, limpos, santos. Portanto, normalmente o termo *agios* significa algo "puro" ou "santo", no sentido moderno de "moralmente incontaminado", embora essa palavra com freqüência retenha sua idéia de "separado" do mundo e para Deus. Assim, na adoração do AT, havia um "Lugar Santo" onde a adoração a Deus era efetuada e onde "sacerdotes dedicados" exerciam suas funções. Mas o "Lugar Santo" da primeira aliança não se elevava acima do que é "terreno", pois era apenas uma instituição deste mundo. Finalmente teve de ser substituído pelo lugar celestial. E esse santuário celestial é o modelo segundo o qual foi copiado o santuário terrestre. Mas nem por isso devemos imaginar algum templo "literal", existente nos céus, que teria um compartimento chamado "Santo Lugar". Antes, nos "lugares celestiais" há vários graus de acesso a Deus – o que também estava simbolicamente representado no santuário terreno. Portanto, estão representados no tabernáculo terreno "condições espirituais", estágios de desenvolvimento da alma, não objetos literais. No "Lugar Santo" ministravam os sacerdotes levíticos. As mulheres e os gentios não podiam entrar ali, havendo lugares separados para sua adoração, embora isso representasse um acesso inferior às coisas santas. Além disso, havia o Santo dos Santos, onde somente o sumo sacerdote podia entrar, e apenas uma vez por ano (ver Heb. 9:3).

Notemos aqui o artigo, *"...o lugar santo..."* – que era "terreno", ficando assim distinguido do "Lugar Santo celestial" (ver Heb. 9:11).

O Átrio Exterior. O átrio fechado media, no tabernáculo original cerca de 50 m x 25 m de lado. Antes de entrar no "Santo Lugar", era necessário passar pelo átrio exterior, onde estava o altar dos holocaustos e a pia de bronze. No tempo em que estava armada a tenda da congregação ou tabernáculo, esse altar era comparativamente pequeno e portátil, com cerca de 3 X 3 m de lado. Era feito de madeira de acácia recoberta de bronze, com o seu interior oco (ver Êxo. 28:8). Ali é que os holocaustos eram feitos. Nos vários templos construídos depois disso, esse altar foi se tornando maior. No templo de Herodes tinha 10 m de altura por 30 m de largura e outro tanto de comprimento. A pia existia para várias lavagens, especialmente das mãos e dos pés dos sacerdotes, antes de oferecerem os sacrifícios. Esse item ficava no átrio exterior, entre o altar e a porta da tenda, um pouco desviado do centro, para o sul (ver Êxo. 39:19,21; *Ant. Heb.* (Reland), pt. 1, cap. iv.9). O autor sagrado não inclui esses itens na descrição que apresenta neste ponto.

SÃO VÍTOR, ESCOLA DE

Pode-se dizer que essa escola ocupou o período que vai de 1108 a 1789. Era uma escola agostiniana localizada nos subúrbios de Paris. A escola foi fundada por *Guilherme de Champeaux* (ver a respeito) e conseguiu atravessar incólume a Revolução Francesa. Membros importantes foram o próprio Champeaux e os dois autores filósofos-místicos Hugo e Ricardo de São Vítor. Embora não fossem membros, ilustres visitantes influenciados por essa escola foram Pedro Lombardo e Roberto de Melun.

A expressão mística de São Vítor é algumas vezes usada para aludir aos participantes dessa escola. Essa escola produziu certo número de bispos, abades e vários cardeais. Tornou-se um centro de erudição e piedade, e os eruditos que para ali concorriam eram enriquecidos e enriqueciam o saber. Com o tempo, a abadia de São Vítor tornou-se conhecida como o cálice da flor do *misticismo* (ver a respeito), um poder que se irradiou por toda a Europa e exerceu suas graças sobre muitas mentes. No entanto, aí pelo século XV, a credibilidade da escola havia caído. *O jansenismo* (ver a respeito) obteve ali poderosa cabeça de ponte. O final da escola ocorreu em 1800. A igreja e outros edifícios foram vendidos; a famosa biblioteca foi desmembrada, e, em pouco tempo, tudo havia desaparecido. A glória fora-se para sempre!

SÃO VÍTOR, MÍSTICOS DE

Este é o nome que designa a escola de filósofos místicos que tinha por centro a abadia de São Vítor, nas proximidades de Paris. A abadia e a escola real de São Vítor foram fundadas em 1108 pelo notável líder espiritual *Guilherme de Champeaux* (ver a respeito). Posteriormente, ele se tornou bispo de Châlons, na França.

A Escola de São Vítor proveu o ambiente para o desenvolvimento de notáveis líderes eclesiásticos, entre os quais muitos cardeais, bispos e abades. Os eruditos procuravam esse lugar, visto ter-se tornado um grande centro de estudos eruditos. A Universidade de Paris teve origem, essencialmente, através da agência dessa escola, juntamente com Notre Dame e Santa Gênova. A abadia de São Vítor tornou-se um centro de vários místicos bem conhecidos, e a ela se associou e um misticismo de alto gabarito, razão para o título do presente artigo.

Como é óbvio, essa abadia exerceu considerável influência por toda a Europa, nos campos da erudição e do misticismo. E isso tanto quanto às idéias que dali emanavam como quanto aos vultos que dali saíam para exercer atividades em diversos lugares, ou que passavam sua vida na abadia. Alguns de seus maiores mestres foram Hugo de Blankenburgo (também conhecido como Hugo de São Vítor), considerado o Agostinho de seu tempo (1096-1141); Pedro Lombardo (cerca de 1100-1162), que foi o grande Mestre das Sentenças (comentários e explicações), e Ricardo, o doutor escocês da teologia mística. Pelos fins do século XV, entretanto, a escola caiu em decadência e desrespeito, e seus cânones foram-se amalgamando com o movimento jansenista. Ver sobre *o Jansenismo*.

O fim da escola e da abadia de São Vítor ocorreu durante a Revolução Francesa. Em 1800 foram vendidos a abadia e outros edifícios. A famosa biblioteca foi desmanchada, e, no espaço de poucos anos, tudo desapareceu. Por assim dizer, a glória do Senhor afastara-se dali.

SAPATOS

Ver *Sandálias (Sapatos)*.

SAQUIAS

Nome de um homem que foi o sexto filho de Saaraim e de sua terceira mulher, Hodes. Era descendente de Benjamim (ver I Crô. 8:10).

SARA

Ver *Sarai, Sara*.

SARAFE

No hebraico, "queimadura". Seu nome figura exclusivamente em I Crô. 4:22. Descendente de Judá, por meio de Selá, por algum tempo, governou em Moabe. Depois, porém, retornou a Leém. Sobre este lugar coisa alguma se sabe. O texto hebraico que cerca essa crônica é extremamente difícil de acompanhar.

SARAI

No hebraico, "Yahweh é libertador". Um israelita que se casou com uma mulher estrangeira, na época de Esdras (Esd. 10:40). Seu nome não aparece no trecho paralelo de I Esdras 9:34.

SARAI, SARA

1. *Nome*. A palavra hebraica quer dizer "princesa" ou *mandatária*. Seu nome original era *Sarai*, que significa "Yahweh é príncipe". O nome foi alterado na mesma época em que o de Abrão foi mudado para *Abraão* (ver), quando do estabelecimento da circuncisão como sinal do Pacto Abraâmico (ver sobre *Pactos*). Ver os comentários de Gên. 15.18 no *Antigo Testamento Interpretado*.

2. *Família*. Não temos muitas informações sobre esse tópico, exceto em Gên. 20.12, onde Abraão fala de Sara como sua "irmã, a filha de meu pai, mas não a filha de minha mãe". Alguns interpretam este termo de forma liberal, querendo dizer sobrinha, sendo que Hara era presumivelmente seu pai, meio-irmão de Abraão. Não há como testar esta teoria. Sabemos que os antigos no Oriente casavam até mesmo com irmãs, prática que mais tarde a legislação mosaica proibiu, considerando-a incestuosa (ver Lev. 18.9).

3. *História pessoal*. A história de Sara, logicamente, é

SARAI, SARA – SARÇA ARDENTE

um paralelo rígido à história de Abraão, seu marido. Para maiores detalhes, ver o artigo sobre ele. Sara o acompanhou de Ur a Canaã (Gen. 11.31), e então a Hara e Canaã (Gên. 12.5). O faraó (aparentemente da 12ª dinastia do Reino Médio, cerca de 2000-1775 a.C.) ficou maravilhado com sua beleza e a tomou por mulher. Ela tinha cerca de 65 anos naquela época, portanto podemos dizer apenas que era uma mulher de uma espécie diferente, ou que algum tipo de poder divino a conservou jovem. Mas o faraó nada conseguiu com essa medida, além de problemas, e logo devolveu a mulher a Abraão, reprovando-o por sua inverdade, que a havia a representado como sua "irmã" (apenas uma meia-verdade) (Gên. 12.10-20).

Como Sara não tinha filhos, empregou uma antiga forma de tê-los ao dar a Abraão Hagar para que ela tivesse filhos com ele. Ismael resultou desse relacionamento e tornou-se objeto de ciúme insano, uma vez que nasceu Isaque, filho de Sara (Gên. 16.1-16). Sara forçou Abraão a exilar Hagar e seu filho, e aí começou o problema judaico com os árabes. Maomé declarava ser descendente direto de Ismael e ele pode até ter estado certo sobre isso.

Após a destruição de Sodoma e Gomorra, Abraão foi ao sul e radicou-se em Gerar. O rei filisteu, Abimeleque, repetiu a façanha do faraó e levou Sara a seu harém. Abraão manteve o ato de "ela é minha irmã", provavelmente temendo por sua vida caso contrariasse ao rei. O "nobre filisteu", contudo, avisado em um sonho atribuído a Yahweh, devolveu-lhe a mulher (Gên. 20.1-18).

Veio então o milagroso nascimento de Isaque, aquele que iria continuar a linhagem de Abraão. Ver o livro de Gênesis. O Messias, é claro, estava nesta linhagem (Mat. 1.2). Embora com idades muito adiantadas, Abraão e Sara foram capazes de reproduzir como diz Paulo em Rom. 4.19.

Sara morreu cerca de 37 anos após o nascimento de Isaque, aos 127 anos de idade. Isto ocorreu em Hebrom. Ela foi enterrada na caverna em Macpela, que hoje está nas mãos dos árabes! Portanto, de uma forma limitada, Ismael acabou vencendo no final.

Sara foi, de muitas formas, uma mulher típica, uma grande ajudadora ao marido, mas seus exagerados ciúmes que fizeram com que ela cometesse sérios erros humanitários. Além disso, embora em posição secundária, obedecendo (de modo geral) a seu marido (o que I Ped. 3.6 elogia), ela encontrou maneiras (nem sempre adequadas) de ver cumpridos seus próprios desejos. A lei do amor às vezes era ignorada, o que é verdadeiro para ela e todos nós que continuamos a deixar de cumprir as leis espirituais.

SARAIVA

No hebraico, *barad,* vocábulo que figura no Antigo Testamento por 28 vezes (uma vez como verbo), a saber: Êxo. 9:18,19,22-26,28,29,33, 34; 10:5,12,15; Jó 38:22; Sal. 18:12,13; 78:47,48; 105:32; 148:8; Isa. 28:2,17; Ageu 2:17 e Isa. 32:19 (esta última ocorrência como verbo).

A saraiva consiste em chuva congelada ou vapor congelado, que cai em forma de pedrinhas durante as tempestades. Ocasionalmente, esses pedaços de gelo atingem considerável peso e tamanho, quando então ocorrem grandes destruições. Se as partículas são pequenas, o nome dado é granizo. A saraiva começa como pequenas partículas de gelo duro ou fofo. Fortes correntes ascendentes de ar, com velocidades de até 160 km por hora, sustentam o gelo a flutuar. Essas partículas sobem e descem, formando camadas mais pesadas, ao mesmo tempo que as partículas crescem de volume, até que o vento não mais é capaz de sustentá-las flutuando, e elas caem. Usualmente essas partículas são arredondadas, embora, outras vezes, tenham formato irregular. A saraiva geralmente acompanha tempestades com fortes vendavais, o que aumenta a sua força de destruição. Outras vezes, as saraivas acompanham os tornados. Os relatos sobre o tamanho das pedras de gelo das saraivadas com freqüência são exagerados, mas têm sido encontradas pedras de gelo até do tamanho da mão fechada de um homem.

A Saraiva e a Bíblia. A saraiva é uma das armas naturais de Deus. Israel obteve uma de suas vitórias sobre um exército cananeu mediante a ajuda de uma saraivada (Jos. 10:11), e os israelitas deram o crédito da vitória à intervenção divina, de que tanto precisavam. Uma das pragas do Egito foi uma saraivada com *grandes pedras de gelo* (Êxo. 9:24). Na Palestina, a saraiva é comum e, usualmente, ocorre de mistura com grandes chuvas. Ver Sal. 18:12,13; 78:48; 105:32. Os trechos de Isa. 28:2,17; Eze. 38:22; Hab. 2:17; Apo. 8:7,11; 11:19; 16:21 mencionam a saraiva como uma das maneiras de Deus punir os ímpios. Portanto, pode-se dizer que a saraiva é um símbolo da vingança divina. As passagens no Novo Testamento em que ocorre a palavra "saraiva" (no grego, *chálaza*) são: Apo. 8:7; 11:19; 16:21. No Antigo Testamento também encontramos a palavra hebraica *ebenbarad,* "pedra de saraiva", em Jos. 10:11; Isa. 30:30.

SARÇA ARDENTE

"Chama de uma sarça que ardia", Êxo 3:2; Atos 7:30. Tratar-se-ia da acácia espinhenta, vegetal característico daquela região. As chamas, neste caso, provavelmente faziam parte visual da visão, sendo alguma forma de energia que se tornara visível, para dar a aparência de fogo, atraindo assim a atenção de Moisés, a fim de que apreciasse melhor o fenômeno. Esse tipo de acontecimento é comum nas experiências místicas, porquanto os homens exigem alguma espécie de manifestação visual para que obtenham entendimento; mas isso não significa que o objeto contemplado seja realmente o que parece ser, pois usualmente não é assim. Não obstante, trata-se de um fenômeno real, sem importar a natureza exata da energia que se manifesta nessas oportunidades.

Qual o significado da *sarça ardente?* Muitos sentidos alegóricos têm sido vinculados à sarça ardente, nos escritos judaicos de natureza religiosa, a saber:

1. Seria a representação das nações do mundo. A chama seria Israel. A sarça e a chama existiam juntas. A chama não podia ser extinta pela sarça, mas também não podia consumi-la. Assim sendo, a chama representaria a nação de Israel, possuidora da lei, a Palavra de Deus.

2. A sarça ardente talvez representasse a angústia de Israel, escravizada em terra estrangeira.

3. Filo, filósofo judeu neoplatônico, dizia que a sarça simbolizava a oprimida nação de Israel, ao passo que a chama seria o opressor. (Ver *De Vita Mosis,* 1:1.) Com isso concordam diversos outros escritores judeus. A chama não podia consumir a sarça. Brown em Atos 7:20, juntamente com outros intérpretes bíblicos, aplica a mesma idéia às perseguições movidas contra a igreja cristã, porquanto, embora moribunda, ela continua sobrevivendo (ver II Cor. 4:9 e 6:9).

4. Posto que não nos informam as Escrituras qual é o simbolismo dessa sarça ardente, todas as idéias anteriormente descritas não passam de tentativas. As idéias expressas ali são verídicas, sem importar se a sarça ardente tem ou não tal representação simbólica. É bem possível, todavia, que a sarça ardente tivesse apenas a

Sepulcro de Sara em Macpela
Cortesia, Matson Photo Service

Reprodução Artística de
Darrell Steven Champlin   Arte egípcia — 4000 A.C., antílopes

finalidade de chamar a atenção de Moisés, preparando-o para receber a mensagem do Anjo do Senhor.

5. Referências bíblicas: Êxo. 3:2; Deu. 33:16; Isa. 55:13; Mar. 12:36; Luc. 20:37; Atos 7:30.

SARDES

1. *Termo*. Do grego *Sardeis*, cujo significado se desconhece hoje. À primeira vista, é uma antiga cidade da Ásia Menor ocidental, a cerca de 24 km de Esmirna. Foi a capital da antiga Lídia e situava-se numa estrada que unia Éfeso, Esmirna e Pérgamo ao interior da Ásia Menor.

2. *Alguns Fatos Históricos*. Foi provavelmente fundada em tempos que remontam à Era do Ferro; tornou-se importante centro comercial, estando localizada nas rotas comerciais que ligavam o leste e o oeste através do rico reino de Lídia; passou à capital desse país que é descrito em artigo separado. Obtinha a maior parte de sua riqueza da manufatura têxtil e indústria de jóias. Provavelmente é genuína a tradição que afirma que as moedas foram pela primeira vez cunhadas neste lugar por Creoso, homem muito rico. Sob esse rei, a cidade e o país chegaram à sua época áurea, dando origem ao provérbio: "Tão rico como Creoso", o qual sobreviveu até nosso tempo e cuja descrição não é infundada. Ciro, o Grande, tomou a região de Creoso em 546 a.C. Depois disso Alexandre, o Grande, assumiu controle sobre ela, o que perdurou até cerca de 218 a.C. Os romanos chegaram em 133 a.C. Átalo III estava ciente de que não poderia lutar sucessivamente contra aqueles novos vencedores e assim simplesmente entregou seu reino ao povo romano. Isso evitou o derramamento de muito sangue, e Sardes logo se transformou em um dos centros administrativos dos romanos na Ásia Menor.

3. *Religião*. Os cidadãos ricos de Sardes eram ardorosos adeptos do culto a Cibele, mas não eram exclusivamente patrimônio dela. Adoravam um vasto conjunto de deuses e deusas, entre elas Ártemis. Tal culto e tal dedicação os inspiraram a erigir templos, os quais acabaram descobertos pelas escavações arqueológicas. Para informação sobre isso, ver o artigo sobre *Lídia (País)* ponto 4. O templo de Ártemis estava entre as descobertas mais importantes.

4. *Referências Neotestamentárias*. Esta cidade é mencionada juntamente com seis outras (Éfeso, Esmirna, Pérgamo, Tiatira, Filadélfia e Laodicéia) como recipientes originais do *Apocalipse*. Ver Apo. 2 a 3, e 3:1-6, especialmente, que faz referências específicas a Sardes. Para uma informação completa, ver no *Novo Testamento Interpretado*, a introdução e a exposição aos capítulos 2 e 3. Ver também Apo. 1:11, onde essas cidades são mencionadas pela primeira vez no livro.

SÁRDIO

No hebraico, *odem*; no grego, *sárlion*. No Antigo Testamento figura em Êxo. 28:17; 39:10 e Eze. 28:13. No Novo Testamento, em Apo. 4:3 e 21:20.

Trata-se de uma variedade translúcida de sílica (dióxido de sílica), muito fina. Torna-se marrom ou marrom laranja mediante luz refletida, mas vermelho profundo mediante luz transmitida. É uma subvariedade da calcedônia. É uma pedra semipreciosa (Êxo. 28:17). Na visão de João sobre a Nova Jerusalém, essa pedra decorava o sexto fundamento de suas muralhas (Apo. 21:20).

SARDÔNIO

No grego, *sardónuks*. Só figura em Apo. 21:20. Era uma variedade de calcedônia (ver a respeito), isto é, dióxido de sílica, de grão muito fino. Tal como a ágata, consiste em camadas de diferentes cores, mas, nesse caso, brancas ou brancas azuladas e vermelhas, ou, então, marrons avermelhadas, embora as camadas sejam bem regulares e as faixas retas. Na visão de João sobre a Nova Jerusalém, essa pedra decorava o quinto fundamento de suas muralhas (Apo. 21:20).

SAREA

Sentido desconhecido. Foi um dos cinco escribas que escreviam rapidamente, postos a serviço de Esdras (ver II Esd. 14:24). O nome Sarea aparece na Vulgata Latina, pois o texto grego envolve um hiato, nesse ponto.

SAREÁ

Um dos cinco escribas que escreviam rapidamente a serviço de Esdras (II Esdras 14:24). Entretanto, o nome aparece na Vulgata Latina, mas não aparece no texto grego desse livro apócrifo.

SAREPTA

Em algumas traduções, esse nome também aparece grafado como Zarepta. Houve uma cidade com esse nome, onde Elias residiu durante a última porção da famosa seca de três anos e meio (ver I Reis 17:9, 10). A própria Bíblia, porém, não dá informações suficientes sobre o lugar, permitindo-nos determinar melhor a sua localização. Mas parece ter sido perto de Sidom (e talvez dependente dela). De fato, Josefo (ver *Anti*. 8:13,2) afiança-nos que Sarepta não ficava distante de Tiro e Sidom, entre as duas cidades. Ao que parece, ficava localizada à beira-mar, ao norte de Tiro. Em sua obra, *Onom*, Jerônimo acrescenta a informação de que ela ficava na principal estrada da região. Com base nesses poucos detalhes, alguns a identificam modernamente com Sarafend. Várias antigas ruínas têm sido localizadas ali, como alicerces de edifícios, colunas, lajes etc. Lucas (4:26) apresenta a forma grega do nome, *Sarepta*.

Sarepta, cidade originalmente fenícia, a princípio pertencia a Sidom; mas, após 722 a.C., passou para a órbita de Tiro, quando as duas cidades entraram em conflito, e esta última se saiu vitoriosa. Senaqueribe, da Assíria, incluiu a cidade na relação de lugares que ele capturara, ao invadir a Fenícia, em 701 a.C. Obadias (vs. 20) profetizou que, no dia do Senhor, os habitantes de Israel, que haviam sido deportados pelo rei Sargão, da Assíria, após a queda de Samaria, possuiriam a Fenícia até Sarepta.

SAREZER

No hebraico, "príncipe", ou, como muitos dizem, no acádico "proteger o rei".

1. Um dos dois filhos de Senaqueribe, da Assíria, que assassinou seu pai enquanto ele adorava no templo de Nisroque, em Nínive, no século VII a.C. (II Reis 19.37; Isa. 37.38). Após o assassinato, o homem foi forçado a entrar no exílio no Ararate. O outro participante no assassinato foi Adrameleque.

2. Um dos dois líderes de uma delegação de Judá que foi perguntar ao profeta Zacarias se o povo ainda estava sob a obrigação de celebrar o aniversário da destruição do Templo de Salomão, embora o Segundo Templo já o tivesse substituído, em cerca de 500 a.C. Ver Zac. 7.2.

SARGÃO

1. *Nome e família*. Está em pauta aqui Sargão II, que se envolveu na destruição de Samaria, a capital do reino do norte, e no subseqüente cativeiro. Seu nome em

SARGÃO – SAROTIE

acádico significa "o rei é legítimo". Ele foi sucessor de Salmaneser V (ver) e pai de Senaqueribe. Filho de Tiglate-Pileser III, ele começou a reinar no mesmo ano da morte de Salmaneser (722 a.C.) e governou a Assíria até 705 a.C. Seu nome aparece na Bíblia apenas em Isa. 20.1.

2. *O fim do reino do norte*. Isto ocorreu em 722 a.C., com a queda da *Samaria* (ver). A destruição da cidade foi seguida pelo *Cativeiro Assírio* (ver), no qual grande parte dos habitantes da cidade (bem como do resto do país) foi levada a várias regiões do império assírio. Eles nunca voltaram, embora a Samaria tivesse continuado nos períodos persa, grego e romano como uma província dos respectivos poderes. As pessoas que ficaram na terra misturaram-se com as que foram enviadas para ocupá-la, e da combinação hebraico-pagã nasceram os *samaritanos* (ver).

3. *Estados Subordinados*. Judá e outros reinos vizinhos continuaram como estados subordinados e pagavam tributos à Assíria. Em 711 a.C., Sargão enviou um exército para eliminar uma revolta em Asdode da qual participou Judá.

4. *Rebelião na Babilônia*. O príncipe do local, chamado de marduk-apal-idina, o Merdaque-Baladã da Bíblia, liderou uma rebelião bem-sucedida que permitiu à Babilônia ser independente durante doze anos. Após esse período, Sargão conseguiu reconquistar o domínio, que veio em 711 a.C. A Babilônia, é claro, substituiu a Assíria como o próximo poder mundial, quando a maré do curso da história reverteu a cena.

5. Sargão, um dos maiores soldados que já viveu, continuou com suas campanhas militares que mantiveram a Assíria no topo dos poderes mundiais. Midas, o rei dos musqui frígios, na Ásia Menor, foi um inimigo louvável que finalmente foi eliminado. O estado subordinado de Carquêmia da Síria também se havia rebelado contra o poder Assírio, o que forçou Sargão a destruir o local, que era um antigo centro da cultura hitita. Urartu foi outra de suas vítimas. Os bárbaros poderes indoarianos também sentiram o ardor de seu chicote. Essas pessoas eram chamadas de *cimérios*.

6. *Calmaria*. Depois de 720 a.C., Sargão deixou a Palestina em paz, provavelmente por causa de sua temível reputação ter-se espalhado e de as pessoas temerem promover rebeliões. Mas até 713 a.C. Asdode rebelou-se e Judá, Edom e Moabe estavam envolvidos na disputa. O auxílio egípcio foi prometido, mas não se materializou de forma satisfatória. Ver Isa. 18 e 20. A revolta terminou em desastre, e Sargão pôde dedicar seu tempo à preparação da reconquista da Babilônia.

7. Os registros assírios dos últimos anos de Sargão são escassos. Aparentemente, ele foi assassinado em 704 a.C. e sucedido por seu filho Senaqueribe (II Reis 17; Isa 20.1). Sargão II também foi um construtor, como demonstra abundantemente a arqueologia. Sua capital militar era Cala (Kalhu ou Nimrude). Além de outros trabalhos públicos, ele renovou e embelezou o palácio de Assurbanipal. Depois ergueu seu próprio palácio magnificente em uma nova cidade que ele mesmo construi. Essa cidade recebeu seu nome, *Dur-Sharrukin*, que significa "Sargonsburg". O local foi escavado pela primeira vez em 1845 e então depois mais uma vez pelo Instituto Oriental da Universidade de Chicago. Sargão construiu uma grande biblioteca para abrigar milhares de tabletes cuneiformes localizada em Nínive. Essa biblioteca foi amplamente escavada pelos arqueólogos.

Parece que a linda cidade de Sargão não foi muito usada após sua morte, já que seus sucessores deram preferência a Nínive e a Corsaeade como capitais. Talvez fosse correto dizer que, por causa de sua breve vida, Dur-Sharrukin foi uma falha magnificente.

SARGOM
Ver sobre *Sargão*.

SARIDE
No hebraico, *refúgio*, embora alguns traduzam como "sobrevivente", uma importante cidade do território de Zebulom, aparentemente localizada na fronteira sul (Jos. 19.10). Tell Shaddua marca o local antigo. A cidade ficava ao sudoeste de Nazaré e ao norte da planície de Esdrelom, entre duas montanhas íngremes de onde emergia um wadi.

SAROM
No hebraico, *planície* (I Crô. 5.16; Isa. 33.9; 35.2; 65.10; Can. 2.1).

1. Um rico pedaço de terra entre as montanhas centrais e o Mediterrâneo era assim chamado. Essa terra estendia-se de Jopa (Jafa) em direção ao monte Carmelo, no norte. A terra era proverbialmente fértil e um local no qual havia uma exibição maravilhosa e variada de flores (Isa. 35.2; Can. 2.1). Tinha 9 a 18 km de largura e cerca de 80 km de comprimento, e bom abastecimento de água com riachos e lençóis subterrâneos. Em tempos antigos, a cidade mais importante era Dor (Jos. 11.2; 12.23; I Reis 4.11), que por muito tempo resistiu à dominação de Israel na região. Jope era outra cidade importante deste território, que havia sido fortificado no passado pelo faraó Tutmes III (1490-1435 a.C.). A planície foi tentativamente dada a Dã, mas não foi de fato plenamente ocupada e controlada até a época de Davi, que consolidou e unificou Israel, derrotando as sete pequenas nações para realizar tal propósito: II Sam. 5.17-25; 8.10; 21.15-22; I Crô. 18.1.

Quando os romanos dominaram, toda a província da Judéia foi construída por Augustus, e a Cesaréia, no meio do caminho ao longo da costa de Sharon, foi transformada em um importante porto, de fato, um dos mais importantes da época, juntamente com a costa do Mediterrâneo. A província também era um importante centro da igreja cristã primitiva (Atos 10.1, 24; 11.11; 18.22; 21.8; 23.23, 35; 25.13). Em todos os tempos antigos, representava uma rota favorita das caravanas.

Na Palestina moderna, esta planície, que continua fértil e florida, transformou-se em importante centro para as fazendas de frutas cítricas e o endereço de várias cidades prósperas.

2. Outro local que tem este nome é mencionado em Jos. 12.18. Aparentemente Jerônimo e Eusébio fizeram referência ao local quando falavam de uma cidade localizada entre o monte Tabor e Tiberíades.

3. Também se associa o nome a um distrito de terras de pastoreio a leste da Jordânia (I Crô. 5.16, Transjordânia). Ele pertencia à tribo de Gade, juntamente com Gileade e Basã, mas o local exato da cidade continua em dúvida, e o uso do nome Sarom aqui pode ser uma corrupção de Siriom, que era a terra de pastoreio de Hermom.

SARONITA
O *Sitrai* de I Crô. 27.29 era assim chamado por ser desse local. Ele foi o principal pastor de Davi que realizou sua profissão na planície de Sarom.

SAROTIE
O chefe de uma família de descendentes de escravos

do templo na época de Salomão. Após terminar o cativeiro, ele e sua pequena família, sobreviventes do ataque babilônico, retornaram para ajudar a reconstruir Jerusalém (Esd. 2.57; Nee. 7.59; I Esdras 5.34). O nome não é listado em Esdras e Neemias, embora outros nomes associados ali apareçam.

SARQUEDONO

Sarchedónos é a forma grega do nome de Esar-Hadom, rei da Assíria, em um dos manuscritos gregos de Tobias 1.21.

SARSEQUIM

No hebraico, "chefe dos eunucos". Nome ou título de um príncipe babilônico presente quando da conquista de Jerusalém por Nabucodonosor (Jer. 39:3). As versões grafam a palavra de vários modos – "Nabousachar", "Nabousaraque" e "Sarsacheim" – mostrando que o texto está corrompido. Também pode ser uma corrupção de Nebuzaradã (no vs. 13). Se o trecho de Jer. 39:3 indica três nomes, e não quatro, então devemos compreendê-lo como "Nebo-Sarsequim, o Rabe-Saris". Neste caso, "Nebo-Sarsequim" seria o nome desse príncipe, ao passo que "Rabe-Saris" seria o seu título honorífico. Ver *Sangar Nebo*.

SARTRE, JEAN-PAUL

Suas datas foram 1905-1980. Nascido em Paris, França, estudou na École Normale Supérieure e na Universidade de Freiburgo. Foi prisioneiro de guerra durante a Segunda Guerra Mundial. Tornou-se membro da resistência subterrânea francesa.

Filosoficamente, sofreu as influências de Husserl e Heidegger. Foi o principal existencialista (ateu) da França, orador influente e autor de obras de filosofia, novelas, peças teatrais e ensaios didáticos. No fim da Segunda Guerra Mundial, emergiu como líder dos intelectuais esquerdistas da França. Continuou a declarar-se marxista mesmo depois de haver rompido com o partido comunista. Afirmava que o marxismo e o existencialismo se complementam mutuamente em sua crítica à sociedade, bem como em seu alvo de expressar, nas atividades políticas, a liberdade inerente à natureza humana. Acreditava na adaptação materialista de Hegel, que faz do comunismo a última das tríadas políticas. Contudo, não haveria pontos finais, pois teses e antíteses sempre produzem novas sínteses.

Idéias:

1. Sartre analisou fenomenologicamente a situação do homem e descobriu um grande potencial humano para a liberdade. O potencial humano para a escolha é óbvio e sempre esteve demonstrado em seus atos. Nenhuma limitação pode ser imposta à sua liberdade. Aqueles que argumentam em favor do determinismo são inspirados, saibam-no ou não, pelo desejo de escapar à responsabilidade de escolha.

2. O axioma de Sartre e do *existencialismo* (ver a respeito) em geral é: "A existência antecede à essência". Em outras palavras, a existência, cuja principal característica é a liberdade, forma a essência da natureza humana. O homem e o seu mundo existem, e o homem inventa uma natureza para si mesmo e para o seu mundo. O homem nega a nulidade do mundo com a sua vontade e então forma algo.

3. Sartre lançou mão da asserção de Nietzsche, "Deus está morto", para as suas próprias finalidades. Assim, dizia ele: O homem é livre; Deus não existe; a vontade de Deus nada significa; a capacidade criativa do homem é tudo; não há valores imperiosos vindos de um mundo superior; os valores são de criação humana. Invente o tipo de pessoa que você quer ser, e você será essa pessoa.

4. A escolha boa e certa é a escolha autêntica. Não podemos fazer esse tipo de escolha com base nos sistemas tradicionais. Precisamos formar decisões com boas intenções, não somente em nosso próprio favor, mas também em favor de todos os homens.

5. Assim, ele chegou perto do *imperativo categórico* de Kant (ver a respeito) e deve ter demonstrado fé na capacidade inerente do homem para tomar decisões certas, como parte de sua natureza.

6. As *coisas inanimadas* existem *en-soi*, "em si mesmas". Elas são o que são. Mas o homem existe *pour-soi*, "para si mesmo", pelo que exerce controle sobre a sua essência, o que já não acontece às coisas inanimadas.

7. O homem projeta-se para alvos distantes; é incansável; toma decisões motivado pela *Angst*, "angústia"; é responsável pelas decisões que toma, não diante de Deus, mas diante de si mesmo e da sociedade; ele cria a sua própria moralidade, mas essa moralidade deve ser comunal e não apenas individual. Quando se atinge um alvo, um novo projeto é iniciado; não há fim nesse impulso para a frente; a vontade impele o homem para a frente; a liberdade nunca desiste.

8. A ansiedade é o acompanhamento natural da liberdade e da escolha, e o homem é condenado a ambas as coisas, visto já estar condenado a ser livre. A ansiedade e a liberdade são essências permanentes da existência.

9. O homem necessariamente projeta a idéia de Deus, pois há um ideal em operação. Contudo, Deus é uma contradição de termos. O homem busca a estabilidade do *en-soi* (existência ou essência em si mesma). Ele busca permanência; e as projeções que ele faz acerca da alma e de Deus estão alicerçadas sobre essa circunstância.

10. Para Sartre, as categorias básicas eram o *Nada* e o *Ser*. Nossos muitos desapontamentos ilustram a nulidade que a vida freqüentemente nos oferece. Porém, em sua filosofia não fica claro se o nada deve ser entendido como um estado psicológico, como um estado ontológico, ou como ambas as coisas.

11. Embora afirmando-se um marxista em sua filosofia social, é difícil conciliar com isso sua grande ênfase sobre a liberdade humana. Ademais, suas idéias não seguiam a forma convencional do marxismo. A base dialética inteira do comunismo é o determinismo. Contudo, Sartre tinha uma dialética que tomava seu impulso a partir da escassez que há no mundo, e a qual ele desenvolvia em termos de reações conseqüentes a esse estado, o que inevitavelmente coloca os homens em posição antagônica uns aos outros.

Escritos. Novelas: *The Roads to Freedom; Nausea; The Files*. Livros: *The Transcendence of the Ego; Sketch of a Theory of Emotions; The Psychology of Imagination; Being and Nothingness; Existentialism is a Humanism; Critique of Dialectical Reason; Between Existentialism and Marxism; Life-Situations*.

SARUÉM

No hebraico, *habitação de graça*. Este local foi dado pela primeira vez à tribo de Judá e depois passado a Simeão (Jos. 19.6). Localizava-se no Neguebe, isto é, "país do sul". Em Jos. 15.32 é chamado de *Silim*, e em I Crô. 4.31, de *Saaraim*. E, sem dúvida, é o Srhon dos textos egípcios. Tell el-Far'ah aparentemente marca o antigo local, que fica a pequena distância de Laquis (Tell ed-Duweir). Uma das principais rotas de caravanas passava por ali, estendendo-se do Egito à Palestina. A arqueologia

SARVASTIVADA – SATANÁS

descobriu ruínas e artefatos do período hicsco do Egito, além de fortificações posteriores dos egípcios e dos romanos. Muito material vem da época dos hicscos, o que fez arqueólogos e historiadores supor que Saruem represente Tell el-Far'ah em vez de possibilidades alternativas. O local é um pequeno morro que surge acima do deserto circundante e descansa a noroeste de Berseba.

SARVASTIVADA

A mais antiga forma de *budismo* (ver a respeito) era a escola hinayana. E a Sarvastivada era uma das três principais escolas dentro dessa escola. O artigo geral sobre o budismo presta-nos informações sobre essas divisões.

SASAI

No hebraico, "nobre". Era filho de Bani, que se casou com uma mulher estrangeira, durante o período do exílio babilônico (Esd. 10:40 e I Esdras 9:34). Viveu por volta de 445 a.C.

SASAQUE

No hebraico, "assaltante" ou "corredor". Foi um benjamita, filho de Elpaal, homem que teve onze filhos. Ver I Crô. 8:14,25. Viveu por volta de 1400 a.C.

SAT, CHIT, ANANDA

Brahman estaria acima da intelecção humana. Mas aquilo que podemos dizer a respeito da consciência divina, pode ser dito mediante o uso dessas três palavras, que significam, respectivamente, "ser", "inteligência", "bem-aventurança". Desse modo, a fé hindu pode proporcionar-nos alguma idéia do Ser divino, embora sem pretender oferecer nenhuma descrição racional.

SATANÁS

Esboço:
I. Nome
II. Um Ser Vivo
III. Sua Queda
IV. História do Universo
V. O Problema do Mal
VI. O Plano Redentor
VII. Satanás Limitado e Julgado
VIII. A Queda Gradual de Satanás
IX. Restauração de Satanás?

I. O Nome

Satanás. Palavra hebraica que significa *adversário*. Também é chamado pelo nome diabo, que significa "acusador" ou "caluniador", e também *Belzebu* ou *Baalzebu*, que significa "senhor das moscas", uma referência ao deus de Ecrom (ver II Reis 1:1-6, 16). Alguns acreditam que o nome Belzebu pode ser uma alteração hebraica do nome cananeu Baalzebu, "senhor dos lugares altos". O Novo Testamento aplica o termo ao príncipe ou chefe dos demônios (Ver Mat. 12:24-29). A passagem de Isa. 14:12 intitula Satanás como *Lúcifer*, isto é, "estrela do dia", o filho da manhã, e a alusão especial é ao domínio que ele exerce neste mundo, especialmente através de intermediários. Em Apo. 12:3 ele é chamado de *dragão*, uma menção à sua astúcia, malignidade e veneno. Apo. 12:9 é passagem que fala do dragão como *a antiga serpente*, também referindo-se à sua astúcia, misturada com a sua natureza destruidora.

II. Um Ser Vivo

Sem importar o termo empregado acerca desse ser, em todas as descrições bíblicas está em vista um ser real, vivo, e não meramente um símbolo do mal. Evidentemente foi um dos espíritos criados por Deus (ver Eze. 1:5 e 28:12-14). Ocupava posição extremamente exaltada e muitos acreditam que poder maior que o seu só se encontra no próprio Deus. (Ver Eze. 28:11-15.) A mesma passagem indica que, originalmente, Satanás não era um ser pervertido, mas perfeito em sua personalidade e obras.

III. Sua Queda

É notável e tocante a observação de que Satanás, obviamente inchado de orgulho por causa das perfeições e belezas de seu ser, além de sua vastíssima inteligência, deve ter realmente crido *ser possível* exaltar-se acima do próprio Deus, estabelecendo a si mesmo como a autoridade suprema do universo. (Ver Isa. 14:13,14). O seu plano era ousado, astucioso, incrível. Em tudo isso transparece que o mundo dos anjos, incluindo o próprio Lúcifer, fora dotado de livre-arbítrio perfeito quanto às suas ações, e que nenhum anjo estava forçado a servir e a adorar a Deus, a não ser pelos laços da razão, do amor e do senso de correção moral. A elevada posição de Satanás nos céus é ilustrada pelo fato de que ele deve ter crido possuir bons motivos para esperar obter sucesso no mais ousado de todos os feitos jamais tentados – a derrubada do próprio Deus. Sua revolta começou onde ele se encontrava, na presença de anjos, que também são aceitos como seres dotados de grande poder e inteligência. O trecho de Apo. 12:4 parece indicar o grau do seu êxito, e esse êxito foi realmente retumbante: mediante seu poder e astúcia, ele trouxe para debaixo de sua influência uma terça parte do reino celeste. Nada poderia indicar com maior clareza o poder de Satanás do que essa declaração simples. Quais promessas devem ter sido feitas aos outros anjos, e quais pensamentos devem ter atravessado a mente deles, só podemos conjecturar; mas eles certamente também devem ter compartilhado da idéia de Satanás de que o reino celeste poderia ser derrubado.

A rebeldia e o plano audaz do diabo não se limitaram ao reino celestial, porquanto nem bem Deus realizou a criação terrena, e eis que Satanás foi capaz de propagar sua rebeldia à face da terra, mediante a sua astúcia. E embora nossos progenitores originais tivessem sido alvos da redenção divina, Satanás tem conseguido alcançar muito maior porcentagem de sucesso entre os homens do que entre os anjos. Não obstante, nem mesmo à superfície da terra o diabo tem conseguido provar que o governo de Deus não é justo, e nem que um ser dotado de vontade livre não pode preferir o bem, ao invés do mal. Um de seus argumentos desde o princípio deve ter sido que o governo de Deus não é inteiramente justo e bom. Também deve ter sido um de seus argumentos, desde o princípio, que uma criatura dotada de vontade livre não prefere os caminhos de Deus, ainda que tais caminhos sejam comprovadamente verídicos. Também deve ser verdade que o próprio Satanás estava convicto da verdade de suas próprias opiniões, e que disso continua convicto. Também é possível que no momento, embora tenha sofrido algumas derrotas, em face de alguns notáveis sucessos por ele obtidos, ainda acredite que uma vitória final lhe será possível. Dessa forma, fica salientada outra particularidade ou realidade que é importante observar. Aqueles que resolvem crer na mentira sofrem ilusão, e isso é igualmente verdadeiro tanto entre os anjos como entre os homens. Assim sendo, para uns e outros a verdade deve parecer absurda, e o papel feito à inteligência deles tão-somente aprofunda a ilusão em que estão mergulhados.

IV. História do Universo

A história de como Deus tem tratado dessa rebelião é,

SATANÁS – SATANÁS, QUEDA DE

essencialmente, a história do universo. Deus não tem utilizado de seus poderes infinitamente superiores para subjugar repentinamente essa rebeldia. Isso apenas demonstraria que Deus é mais poderoso, e não necessariamente que ele é mais justo, melhor e mais inteligente. Deus não se assemelha ao mitológico Zeus dos gregos, que empregava o seu raio para abafar qualquer rebelião. Com freqüência se pergunta por que Deus não esmagou instantaneamente a rebeldia de Satanás; e indagação semelhante se ouve com insistência: por que Deus não põe fim ao mal, mas permite a sua continuação? Por que prossegue o sofrimento, até mesmo de pessoas supostamente inocentes?

V. O Problema do Mal

Pelo menos uma resposta pode ser dada a isso. O *mal é permitido* continuar – seja esse mal natural (como o sofrimento causado pelos terremotos, incêndios etc., que são coisas fora do controle da vontade humana), seja moral (males provocados pela vontade maligna do homem) – a fim de que Deus possa demonstrar, em um longo período de tempo, à criação inteira, que o caminho proposto por Satanás é mau, conduzindo a resultados maus, incluindo o sofrimento. A criação em geral jamais poderia ter plena certeza sobre isso a menos que Deus tivesse demonstrado, no decurso da história, que a sua vontade, o seu caminho, tudo é efetuado em total bondade, inteligência e misericórdia. Ele precisa demonstrar que a rebeldia de Satanás tem produzido resultados desastrosos, tanto nos céus como sobre a terra. E também precisa demonstrar que as criaturas, celestiais ou terrenas, que são agentes livres e completos, podem escolher e realmente preferem o bem, fazendo-o pela escolha inteligente, e não por coação.

VI. O Plano Redentor

O *eterno plano de salvação*, traçado por Deus, por intermédio de Cristo, era um propósito divino que antecedia à queda de Satanás, não tendo sido arruinado por essa queda, porquanto a expiação, feita por intermédio de Cristo, era outra provisão para levar adiante os seus propósitos, e também um meio de cuidar dos péssimos resultados da rebeldia satânica. Deus queria, através dessa rebelião, produzir uma nova ordem de seres, filhos de Deus, transformados à imagem de Cristo, seu Filho amado. Essa ordem de seres, no princípio, foi feita um pouco menor do que a dos anjos (o Sal. 8:5 se aplica aos homens em geral; Heb. 2:6-9 aplica essas palavras tanto aos homens como a Cristo). Não obstante, em vários trechos bíblicos descobrimos que o destino do homem crente é muito mais exaltado do que o dos anjos. (Ver Efé. 1:18-23; Rom. 8:28-39; I João 1.1,2). Os homens serão transformados à imagem de Cristo, e isso jamais foi dito com respeito aos anjos. Assim sendo, o homem é a obra-prima da criação de Deus.

Para tanto, tornou-se *necessária* a redenção por intermédio da cruz de Jesus Cristo. A *total identificação* de Cristo com os homens, na encarnação, e a nossa futura total identificação com Cristo, em sua ressurreição e glorificação, são lados da mesma moeda que se completam. Ora, a realização desse plano envolve o julgamento gradual de Satanás. Ele já perdeu a sua glória e sua posição anteriores no céu, mas continua tendo acesso ao trono de Deus. (Em Apo. 12:10 ele aparece como o acusador de nossos irmãos.) A expiação limitou mais ainda o seu poder, conforme fica claro na passagem de Col. 2:14, 15; por isso mesmo, a citação de Luc. 10:18, *eu via a Satanás caindo do céu,* pode dizer respeito à autoridade dada aos homens sobre a terra, bem como à obra da expiação, efetuada na cruz, que provocará a futura queda final de Satanás, quando for expulso do céu e for lançado na geena.

Mas por enquanto Satanás continua exercendo grande poder, embora limitado. A sua astúcia continua sendo a responsável pela destruição das vidas e do testemunho dos cristãos. Porém, no início da grande tribulação, será interrompido o acesso de Satanás ao trono de Deus (ver Apo. 12:7-12). Somente a partir desse ponto é que o diabo começará realmente a compreender que a sua rebeldia está condenada ao fracasso, pelo que se atirará contra os homens da terra, com grande ira e sentimento de vingança. Mas isso servirá, mais ainda, para salientar, perante a criação inteira, a malignidade dos caminhos de Satanás, a insensatez de segui-lo, a loucura de negligenciar a verdade de Deus, a justiça de todas as obras de Deus, e o acerto de todas as suas relações com os homens, realizadas de conformidade com a mais perfeita razão. Será quando de sua expulsão do céu que Satanás começará a revelar-se conforme ele realmente é, embora os homens, cegados por uma ilusão generalizada, não se arrependerão.

VII. Satanás Limitado e Julgado

Quando da segunda vinda de Cristo, Satanás será aprisionado pelo espaço de mil anos, durante o período inteiro do milênio (ver Apo. 20:2). Depois disso, será mister que seja novamente solto, a fim de demonstrar a sua insensatez e maldade (ver Apo. 20:3,7,8), e isso será a demonstração final e conclusiva de sua estultícia e rebelião. Todos os olhos verão, tanto nos céus como na terra, essa grande e milenar verdade. Finalmente o diabo será lançado no lago do fogo, sua moradia eterna (ver Apo. 20:10). Somente então retornará o estado de paz, anterior à rebelião de Satanás; a criação terminada dos "filhos de Deus" se completará, e todos os que adoram e servem a Deus atingirão esse alvo por meio de seu livre-arbítrio e sua escolha inteligente, e isso demonstrará quão retos são os caminhos de Deus, bem como quão inteligente é a sua previsão e sua justiça perfeitas.

VIII. A Queda Gradual de Satanás

Ver o artigo sobre *Satanás, Queda de*.

IX. Restauração de Satanás?

Os universalistas acreditam na restauração de todas as coisas e de todos os seres como o resultado final da missão redentora, universal de Cristo. Efé. 1:10 promete uma restauração cósmica que poderia incluir esta idéia. Ver o artigo sobre *Restauração*, que apresenta os argumentos pró e contra.

SATANÁS, QUEDA DE

I. Estágios Desta Queda

1. Em algum tempo no passado distante, totalmente além da capacidade humana de cálculo, *Lúcifer,* poder angelical dos mais exaltados, por motivo de seu orgulho, veio a cair na transgressão; e assim, por causa de sua revolta contra o Senhor, por motivo de sua própria vontade, que até aquele momento aparentemente só visava o bem, arrastou nessa queda cerca de um terço de todos os poderes angelicais, que passaram a segui-lo, caindo assim, por semelhante modo, no pecado e na rebelião. (Ver os trechos de Isa. 14 e Apo. 12:4.) No entanto, essa queda limitou o poder de Satanás nos lugares celestiais, embora ele tivesse continuado a reter acesso aos lugares mais elevados.

2. As Escrituras também aludem à *expulsão* de Satanás do céu, outra parte integrante de seu julgamento gradual. (Ver Luc. 10:18.) Contudo, esse julgamento é ainda meramente parcial, pois, embora não tenha mais acesso

SATANÁS, QUEDA DE – SATHYA SAI BABA

ao próprio trono de Deus, aos lugares celestiais mais elevados, tem acesso a planos espirituais ainda bastante superiores. O julgamento original contra Satanás provavelmente foi-se tornando mais completo. Toda essa demora é explicada pelo fato de que, mediante sua maneira de tratar Satanás, Deus está gradualmente mostrando, aos homens e aos seres espirituais elevados, que o caminho de Satanás é mau, embora ele possa revestir-se da semelhança de bondade, e que o caminho de Deus é que deve ser deliberadamente preferido por todos os seres dotados de verdadeira bondade, porquanto a suposta bondade de Satanás é uma imitação barata, já que ele não passa da personificação mesma da iniqüidade maligna. Todavia, será preciso um longo tempo para convencer a criação inteira sobre a malignidade dos caminhos satânicos (e assim, realmente, tem acontecido).

3. Quando da vida terrena do Senhor Jesus, houve também *certo aspecto* do julgamento de Satanás e seu reino, mediante o poder demonstrado por Jesus em expulsar os demônios, e, dessa maneira, limitar o poder de Satanás entre os homens. Ora, esse poder Deus também delegou aos homens. A missão terrena inteira do Senhor Jesus limitou o poder de Satanás, porquanto o Senhor exerce uma força contrária, sendo grandiosa para com os que se aproveitam dela.

4. A morte e a ressurreição de Jesus fornecem-nos a *garantia* da vitória final, se porventura essa vitória esteve em dúvida, não somente sobre Satanás, mas igualmente sobre todo e qualquer outro poder maligno; e esse fato é especificamente mencionado no trecho de Col. 2:15. Essa é a alusão particular que temos em João 17:31, embora outros aspectos do julgamento gradual de Satanás talvez também tenham sido referidos indiretamente.

5. Quase no tempo da *segunda vinda* de Cristo, o poder de Satanás estará ainda mais limitado, e ele será expulso das regiões celestes para a terra, quando então perderá todo o direito sobre os altos lugares celestiais. (Ver Apo. 12:9).

6. Tendo produzido sobre a terra toda a confusão que lhe for possível, já *no fim* da atual dispensação, Satanás será sujeitado a um julgamento ainda mais severo, e acabará expulso da terra para o abismo, região sobre a qual nada sabemos dizer, embora esteja fora de qualquer dúvida que essas palavras sejam figuradas e simbólicas. Isso removerá inteiramente a influência de Satanás da face da terra; e condições de ambiente boas e até mesmo perfeitas serão devolvidas aos homens (durante o período do milênio), quando Deus estará testando os homens para verificar se, cercados de uma boa influência e de condições favoráveis, o livre-arbítrio dos homens (livre na natureza) haverá de escolher o bem ou o mal. Alguns escolherão o mal, e Satanás será libertado por algum tempo, a fim de que se manifestem de maneira final, os seus pervertidos desígnios, para que todas as criaturas inteligentes os contemplem.

7. Descendo ainda mais, em sua *derrota final,* Satanás terminará finalmente lançado no lago de fogo, que será sua habitação eterna; e dessa forma a sua influência maléfica será total e permanentemente removida dentre os homens e dos seres angelicais. (Ver Apo. 20:10.) Tudo isso contribuirá para comprovar, universalmente, tanto a maldade inerente de Satanás como a insensatez de segui-lo, a loucura do pecado, a loucura da revolta espiritual contra Deus e a loucura de ter alguém qualquer outro alvo na vida que não seja Deus.

No que diz respeito à declaração específica de João 12:31, está em foco *a quarta possibilidade* dada acima; mas, ao mesmo tempo, o Senhor Jesus provavelmente via as coisas numa espécie de visão panorâmica, incluindo a queda total e final de Satanás, do que a sua própria morte e ressurreição serviram de garantia, porquanto foi nesses grandes feitos de sua vida terrena que Jesus arrebatou de Satanás o poder da morte eterna sobre os homens.

II. Em João 12:31

Aqui figuram *dois* julgamentos, a saber, um do mundo, e outro do príncipe deste mundo, Satanás. Os dois julgamentos estão vinculados, pelo que também o autor sagrado os mencionou juntamente nesta passagem. No que diz respeito ao sentido em que o julgamento deste mundo ocorreria, podemos asseverar o seguinte:

No que consiste esse julgamento?

1. Não foi a destruição de Jerusalém, em 70 D. C. (ver o artigo). Essa destruição, porém, pode ter prefigurado o julgamento referido neste versículo

2. Por certo está em foco o próprio juízo que foi imposto pela missão de Cristo, o qual separa as trevas da luz, a palha do trigo, os corruptos dos puros, os incrédulos dos crentes, segundo se vê em João 3:17,18. Quanto a isso, o juízo divino é discriminador e separador, aguardando um julgamento que ainda jaz no futuro.

3. Também temos aqui o juízo antecipado da cruz, em que os homens, uma vez crendo, seriam salvos, mas, caso a rejeitassem, seriam condenados. A cruz acentuaria a divisão entre os homens, antecipando a divisão final, diante do trono de Deus.

4. Há alusão ao juízo final. (Ver o artigo a respeito.)

5. O julgamento do mal, de Satanás e de suas hostes é aqui indicado. (Ver acerca do "poder de Satanás", em Efé. 6:12 no NTI.) Esse poder foi debilitado na cruz, sua condenação está selada, embora ainda não se tenha consumado.

O trecho de Col. 2:15 se refere especificamente a esse juízo. Não obstante, tal julgamento será parcial, pois o julgamento final deste mundo não ocorrerá senão após o milênio. Nesses sentidos, pois, o julgamento virá contra esse "mundo". (Ver diversos artigos detalhados: *Possessão Demoníaca; Demônio (Demonologia); Mal e Mal Cósmico.* Ver Efé. 6:12.

Agora o Seu Príncipe Será Expulso. O julgamento de Satanás, que aqui recebe o título de "príncipe deste mundo", será gradual. (Quanto a esse título de Satanás, "príncipe deste mundo", ver também os trechos de João 14:30 e 16:11). Somente este quarto evangelho inclui o título, com essas palavras exatas, mas a passagem de Efé. 2:2 diz "príncipe das potestades do ar", o que significa que ele é o governante de poderes espirituais que se agitam em regiões superiores à terra, mas mantém algum contato com este mundo (tal como a camada de "ar" físico tem contato com a "terra" física), especialmente como poderes que influenciam os homens para a maldade. Por semelhante modo, as passagens de Mat. 9:34 e 12:24 chamam-no de "príncipe dos demônios". (Outro tanto se lê no trecho de Mar. 3:22.)

SATHYA SAI BABA

Em vários lugares desta enciclopédia, tenho aludido a Sathya Sai Baba como demonstração de como uma religião vital, e milagres *continuam operando* entre os homens. A vida desse homem mostra que os evangelhos não estão exagerando ou inventando coisas quando se referem aos grandes poderes miraculosos de Jesus. De fato, é seguro dizer que os evangelhos apresentam um mero esboço da questão, dizendo o mínimo acerca do aspecto miraculoso

SATHYA SAI BABA

da vida de Cristo. É isso, essencialmente, que João 20:30,31 afirma: "Na verdade fez Jesus diante dos discípulos muitos outros sinais que não estão escritos neste livro. Estes, porém, foram registrados para que creiais que Jesus é o Cristo, o Filho de Deus, e para que, crendo, tenhais vida em seu nome".

O ceticismo existe no tocante às reivindicações religiosas por várias razões. Algumas pessoas têm *a vontade de não crer*, da mesma maneira que outras têm a vontade de crer. O problema do mal (por que os homens sofrem?) produz um efeito poderoso sobre algumas mentes, levando-as ao ceticismo. Além disso, alguma mentes profundas têm criado admiráveis sistemas filosóficos que parecem obviar a fé religiosa, enquanto que há quem examine as crenças e práticas religiosas, dotado de um conhecimento "provincial", não tendo consciência do que realmente ocorre nas religiões. Um professor universitário, em sua torre de marfim, facilmente pode falar sobre os mitos que a Igreja tem inventado sobre Jesus. E, além disso, ele nunca *viu* um homem miraculoso em operação, razão pela qual não crê em tais "superstições". Mas muitos daqueles que têm visto Sathya Sai Baba em ação não demoram a aprender sobre a natureza provincial do conhecimento de muitos intelectuais. Quando lemos acerca desse homem (como no material que apresento a seguir), percebemos como Jesus pode ter convertido homens *instantaneamente*, e por qual motivo se puseram a segui-lo de pronto, quando a isso foram convidados. O poder da pessoa de Cristo e de sua vida foram tão estonteantes que esse acontecimento tornou-se lugar comum. Por outra parte, Cristo despertava uma imediata e amarga oposição da parte de outros, e isso é sempre o que acontece com qualquer gênio criativo. As pessoas jamais poderão ficar indiferentes de homens assim, em quem reside o sol do intelecto e do poder místico.

Tenho seguido, com profundo interesse, a carreira desse santo homem da Índia. Visto ser ele uma demonstração viva da realidade e contemporaneidade dos milagres, incluo um artigo sobre ele. Meu propósito aqui é combater o ceticismo que nega as realidades fundamentais da fé religiosa. Esse artigo não é polêmico no sentido de que busca fazer uma avaliação do próprio Sai Baba, nem é meu propósito analisar criticamente todas as suas reivindicações. Eu mesmo não aceito várias dessas reivindicações. Contudo, não creio que a maioria dos teólogos ocidentais tenha o conhecimento necessário das religiões orientais para poder fazer um juízo apropriado dos admiráveis feitos produzidos por esse homem. De resto, faltam-lhes até mesmo as experiências místicas para tanto. Uma análise crítica de como Sai Baba realiza seus feitos, bem como a crítica que aborda sua pessoa e suas reivindicações, deixo a outros, na esperança de que haja pessoas qualificadas para essa tarefa.

Meu propósito é apenas mostrar que as grandes reivindicações da fé religiosa, incluindo as daqueles que afirmam a realidade dos milagres e de elevados poderes espirituais, são reivindicações verdadeiras. Ver o artigo intitulado *Milagres*, onde procuro apresentar provas dessa assertiva.

Contudo, não podemos olvidar que os "sinais" não são as coisas que realmente importam nas experiências religiosas. Neste mundo há muito misticismo barato que as pessoas tomam como se fosse a essência mesma da fé. O budismo certamente está correto em sua ênfase sobre a transformação espiritual e moral, encarando, com certa suspeita, os sinais miraculosos e a disposição de alguns que vivem à cata deles. Sai Baba tem minimizado os milagres que realiza, e tem afirmado vigorosamente que o significado de sua carreira não está nesses prodígios, e, sim, nos ensinos que transformam vidas e nas obras de caridade com que procura servir ao próximo. Conforme alguém já disse: "A medida de um homem, afinal de contas, é a sua generosidade". E nisso oculta-se uma verdade freqüentemente ignorada pelas pessoas, que deveriam ser mais sensíveis para com esse fato.

Mas, se os sinais e os prodígios não são o âmago da fé religiosa, têm por função mostrar-nos que existe um grande poder para o qual podemos apelar, o qual nos revigora a fé e nos assegura não estarmos sozinhos neste mundo. O poder de Deus é uma realidade. Esse poder está esperando por nós. Podemos descobri-lo. Porém, mais importante ainda, é que a vida transformada, a obtenção da natureza, da imagem e dos atributos de Cristo, é o maior e o mais desejável de todos os milagres.

Convoco o leitor para que, neste ponto, consulte o artigo intitulado *Rationes Seminales,* equivalente à expressão grega *logoi spermatikoi,* o qual, segundo acredito, tem algo importante a dizer sobre as diversas e universais manifestações do Logos, cuja obra não está limitada a nenhuma esfera, a nenhuma filosofia, a nenhuma religião, nem a algum método que os homens queiram usar.

SAI BABA, HOMEM MIRACULOSO

Pode ele, realmente, fazer objetos desaparecer, produzir alimentos do ar rarefeito e teletransportar seu corpo para lugares distantes? por *Erlendur Haraldsson*

Reimpresso com a gentil permissão de *Fate Magazine,* agosto de 1988

Se você, porventura, estivesse viajando pela Índia, e chegasse a ventilar a questão dos fenômenos, psíquicos – ou «milagres», conforme os indianos tendem por chamar esses fenômenos – então os seus companheiros indianos de viagem provavelmente mencionariam, em primeiro lugar, o nome de Sathya Sai Baba, no caso de você perguntar-lhes se conheciam alguém que realizasse feitos paranormais. Sai Baba é o «homem miraculoso» da Índia.

Sai Baba, atualmente com sessenta e um anos de idade, continua residindo na remota aldeia de Puttaparti, onde nasceu. Puttaparti fica a três ou quatro horas de viagem de automóvel, para quem parte de Bangalores, a maior cidade do interior, no sul da Índia. O cortejo cada vez mais numeroso de peregrinos, devotos e curiosos forçou as autoridades a construir uma estrada decente para veículos, até àquele distrito de população bem pouco densa, onde as minúsculas aldeias estão a «apenas segundos de distância da era da Pedra», conforme alguém as descreveu.

No entanto, naquela área, Sai Baba pôde edificar o maior e mais vital dos movimentos religiosos da Índia moderna. Talvez seja correto afirmar que esse movimento cresceu em torno da pessoa dele. Suas instalações em Puttaparti, chamadas *Prashinti Nilama* (Habitação da Paz), atualmente formam uma municipalidade independente, com um gigantesco salão de reuniões, muitos complexos de apartamentos para abrigar visitantes, vários edifícios de escolas, um hospital e, mais recentemente, até uma universidade que funciona oficialmente.

Sai Baba nasceu em uma família não-brâmane. Aos catorze anos, declarou-se a reencarnação de Sai Baba, a fim de cuidar do bem-estar dos seus devotos. (Sai Baba anterior foi um santo que viveu em uma cidade cerca de 190 km a leste de Bombaim, e foi homem pouco conhecido no sul da Índia, que viveu mais ou menos na passagem do século XX). O fato de Sathya Sai Baba não ter nascido

SATHYA SAI BABA

em uma família brâmane durante foi bastante tempo um obstáculo para seus esforços religiosos, em um país tão profundamente arraigado nas tradições e em um rígido sistema de castas.

Mas, hoje em dia, somente nos Estados Unidos da América há mais de cem grupos que estudam Sai Baba. Seus seguidores e admiradores parecem ter-se espalhado para a maioria dos lugares do mundo. A extraordinária reputação de Sai Baba como operador de milagres tem desempenhado um papel decisivo no crescimento do seu movimento, o qual, na Índia, segundo se acredita, conta com talvez um milhão de pessoas, ou mesmo mais.

Entre 1973 e 1983, fiz oito viagens à Índia – as duas primeiras em companhia do dr. Karlis Osis – a fim de investigar esses rumores, muitos dos quais fazem a pessoa relembrar os tipos de milagres registrados no Novo Testamento. O material que consegui recolher cresceu de tal maneira que só pude fazer justiça ao mesmo escrevendo um livro. Esse livro foi publicado nos Estados Unidos da América com o título de *Modern Miracles* (Ballantine Books, 1988), e na Inglaterra, *Miracles Are My Visiting Cards* («Milagres São os Meus Cartões de Visita», uma declaração atribuída a Sai Baba).

Quando o dr. Osis e eu estávamos no norte da Índia, visitando hospitais universitários, recolhendo observações sobre visões à beira do leito de morte, da parte de médicos e enfermeiras *(At the Hour of Death,* edição revisada, Hastings House, 1986), foram-nos reiteradamente feitos relatos acerca de extraordinários fenômenos psíquicos produzidos por Sai Baba. Pessoas bem situadas na vida, como o reitor de uma faculdade de medicina e um governador de Estado, disseram, muito entusiasmados, ter observado pessoalmente fenômenos muito mais dramáticos do que qualquer coisa que se ouve ser contado na Europa ou na América do Norte.

Foi-nos dito então: «Se vocês querem ver milagres, procurem Sai Baba». E, quando o tempo assim no-lo permitiu, fomos a Puttaparti, onde Sai Baba quase sempre é cercado por centenas ou mesmo milhares de visitantes. Eles se concentram ali buscando ajuda, para obter elevação espiritual, ou simplesmente pelo benefício de ter visto um homem santo, um privilégio que os indianos chamam de seu *darsham*.

Tivemos a boa sorte de poder entrevistá-lo. Muitos aguardam em vão durante semanas, na esperança de obter uma entrevista pessoal. Muitos indianos aproximam-se de Sai Baba como um avatar – uma encarnação da divindade – mas ele sugeriu que nós, cientistas ocidentais, não pensássemos necessariamente assim a respeito dele, embora também tenhamos no nosso interior um Atman ou Cristo. Nosso único interesse eram os fenômenos paranormais. Sai Baba, por sua vez, enfatiza o que é espiritual e ético, mas nos concedeu diversas entrevistas, pelo que tivemos oportunidade de observá-lo bem de perto.

Neste artigo, eu gostaria de dar uma breve descrição sobre os tipos de reivindicação que são feitas, com tão tremenda abundância, acerca de Sai Baba. Grande acúmulo de observações e experiências sobre os poderes aparentemente espantosos de Sai Baba me foram fornecidas em dúzias de entrevistas em profundidade com devotos, admiradores, ex-devotos, além de críticos de Sai Baba, e aqueles que têm tido encontros meramente ocasionais com ele. As reivindicações de fenômenos paranormais obedecem a uma grande variedade, desde materializações de objetos até curas e levitações em corpo de um lugar para outro; ou, então, desde a leitura dos «segredos do coração» até intrusões em sonhos, que então Sai Baba relata ao sonhador, quando chega a encontrar-se com ele.

Esse foi o caso que me foi narrado por Gopal Krishna Yachendra, filho caçula do falecido rajá de Vankatagiri. Seu pai havia ficado profundamente impressionado com Sai Baba. No ano de 1950, ele o convidou para vir ao seu palácio, cerca de 370 km de Puttaparti, onde residia Sai Baba. Ora, era tradicional que se um rajá convidasse alguém a seu palácio, que um dos membros da família do rajá escoltasse esse visitante até a residência do rajá. Assim, o idoso rajá convidou seu filho mais novo, Gopal Krishna, para fazê-lo. Mas o jovem recusou-se a isso, com o breve comentário que ele «não estava interessado em babas, gurus ou swamis».

Na noite seguinte, conforme o próprio Gopal Krishna me contou, teve um vívido sonho com Sai Baba, «que me deu duas mangas para comer. Gosto mais de mangas do que de qualquer outra coisa, e, no sonho, aquelas mangas me pareceram deliciosas». E então despertou com o impulso de ir imediatamente a Puttaparti, o que, realmente, fez. Quando de sua chegada na aldeia, Sai Baba lhe disse: «Bangaru (palavra afetuosa que significa «ouro excelente»), quando você pensou em não vir a Puttaparti, essas duas mangas lhe fizeram correr». E Gopal Krishna disse-me que não havia contado o sonho a ninguém, e que aquela foi a primeira coisa que Sai Baba lhe disse.

Gopal Krishna é líder do Partido Congresso em seu distrito, bem como um dos membros do parlamento estadual de Andrah Pradesh.

Aparecimento e Desaparecimento de Objetos. O aparecimento e o desaparecimento de objetos como jóias, comestíveis e, ainda mais freqüentemente, vibuti (cinzas sacramentais), são os fenômenos mais constantemente relatados, associados a Sai Baba. Aqueles que passaram bastante tempo com ele concordam que o número de objetos que ele produz – aparentemente do ar rarefeito – chega, em média, a entre uma dúzia e duas dúzias por dia. E, algumas vezes, até mais. Isso concorda com as observações que tenho feito a respeito dele. Ao que tudo indica, ele vem fazendo isso desde que manifestou os seus dons, ainda bem jovem, cerca de quarenta e cinco anos atrás. Como é que ele tem feito aparecerem todos esses objetos, dia após dia e ano após ano, permanece um mistério para todos os que o cercam, fazendo sua fama espalhar-se gradualmente para a maioria dos lugares do mundo.

Amarendra Kumar passou alguns anos em companhia de Sai Baba, como assessor pessoal, em uma base de vinte e quatro horas por dia, no começo da década de 1950 e asseverou: «Ele produziu, vindo do nada, alguns comestíveis lindos de ver, maravilhosos, deliciosos, como geléias, maçapão ou tortas. Também fazia aparecer belos doces, como se tivessem acabado de sair do forno, e algumas vezes tão quentes – quentes demais, de fato – como se tivessem acabado de sair de uma frigideira». E com freqüência fazia isso após estar assentado por algumas horas, à beira de algum rio, entoando hinos religiosos ou conversando.

Com freqüência ele dava frutas às pessoas ao seu redor: «Para ele, não havia tal coisa como frutas fora da estação ... A qualquer tempo, em qualquer lugar, ele pode produzir qualquer coisa... Por muitas vezes ele nos deu figos que havia tirado de uma árvore qualquer». Muitas vezes ele perguntava àqueles que o cercavam: «O que vocês gostariam de ter?» E dava aquilo às pessoas. «Algumas vezes, ele produzia coisas tão grandes como objetos entre 25 e 30 cm de altura: ídolos. E bons ídolos. O metal era bom, e as figuras eram extremamente belas».

SATHYA SAI BABA

Esses aparecimentos de objetos parecem ter sido coisa corriqueira para ele, nos primeiros dias de sua carreira. Algumas vezes, ele nem mesmo tocava nas coisas que apareciam. Krishna Kurnar, irmão de Amarendra, que também passou alguns anos em companhia de Sai Baba, relatou: «Algumas vezes nós o persuadíamos jeitosamente. Suponhamos que alguém dissesse: 'Swamiji, não estamos no tempo das uvas. Queremos uvas'. Então ele dizia imediatamente: 'Arranque uma folha', e (depois de a folha ter sido arrancada) havia um cacho de uvas em nossa mão, sem que ele tivesse tocado na folha com a mão».

Dois músicos e cantores profissionais, Lakshmanan e Raman, que também estiveram com Sai Baba por alguns anos, relataram: «Ele produzia tantas coisas, centenas delas, tantas que é difícil relembrar casos individuais». Um desses casos, especialmente vívido, é o seguinte: «De certa feita estávamos fazendo uma refeição com ele, em Madras. Então, ele tomou um grão de arroz de seu prato, segurou-o com uma das mãos, e disse: 'Tragam-me uma lupa'. Quando a lente lhe foi trazida, ele me convidou a olhar para o pequeno grão através da lupa, onde estava gravada a figura de uma jovem com o Senhor Krishna».

Praticamente todas as pessoas que têm um encontro pessoal com Sai Baba o testemunham a produzir alguma coisa com um gesto particular da mão. Já vi isso por dúzias de vezes. Talvez uma de cada três pessoas que o entrevistam se vai com algum presente pessoal da parte dele, como um anel, um pendente, um doce ou algum outro objeto pequeno. De acordo com as crenças indianas, um desses presentes santos (*prasad*) serve de elo entre a pessoa e o guru. E, conforme diz o antropólogo norte-americano Lawrence Babb, esses objetos supostamente «transferem a eficácia de seu poder (como sua graça ou favor), aos seus devotos».

Visto que Sai Baba usualmente tem entrevistas com pequenos grupos de pessoas, pode produzir vários objetos em cada entrevista. E isso é digno de menção, por causa da conexão bíblica com casos de multiplicação de alimentos, oferecendo refeições inteiras para algum grupo de pessoas. Tais incidentes têm sido narrados por certo número de informantes acerca de Sai Baba.

Por ocasião de nossa primeira visita, Sai Baba presenteou o dr. Osis com um lindo anel de ouro. Esse anel tinha uma grande pedra de alguma substância sólida, coberta com uma fotografia colorida esmaltada de Sai Baba engastada no anel. A fotografia, de formato oval, com cerca de 2 cm de comprimento e 1,5 cm de largura, era emoldurada pelo anel. As beiradas do anel, acima e abaixo da pedra, juntamente com quatro pequenos prolongamentos que se estendiam da moldura circular dourada, mantinham a pedra fixa no anel. Assim, a pedra estava engastada firmemente no anel, como se a pedra e o anel formassem um único objeto sólido.

Em uma entrevista, em nossa segunda visita, repetidamente tentamos persuadir Sai Baba a participar de experiências controladas. A certa altura, ele ficou aparentemente impaciente, e disse ao dr. Osis: «Olhe para o seu anel». A pedra havia desaparecido. Procuramos pela pedra no soalho, mas não pudemos achar o menor vestígio dela. A moldura e as projeções do anel não haviam sido danificadas; posteriormente examinamos o anel com uma lente de aumento. Para que a pedra tivesse caído da moldura, teria sido mister que a moldura e ao menos alguma das projeções fossem dobradas, mas nada disso havia sido feito. Outra opção teria sido quebrar a pedra no anel, para que ela caísse aos pedaços.

Quando Sai baba nos fez conscientes da pedra e de sua ausência, estávamos sentados no chão, entre 1,5 e 2 m de distância na sala, e havíamos apertado as mãos ao entrar na sala, mas ele não nos estendeu a mão nem tocou em nós. Sentados de pernas cruzadas no chão, o dr. Osis manteve as mãos sobre as coxas, e eu notei a fotografia no anel, durante a entrevista, e antes de o incidente haver ocorrido. A minha primeira reação foi que a fotografia subitamente se tornou transparente. Duas outras pessoas, o dr. D. Sabnani, de Hong Kong, e a sra. L. Hirdaramani, de Sri Lanka, que havíamos conhecido durante a entrevista, testemunharam ter visto o grande anel de ouro com a fotografia de Sai Baba na mão esquerda do dr. Osis, antes do desaparecimento. Quando a fotografia não pôde ser encontrada, um tanto em tom de brincadeira, observou Sai Baba: «Essa é a minha experiência».

Provavelmente esse foi o caso mais impressionante que pudemos observar juntos, porquanto as mãos de Sai Baba nunca chegaram perto do anel, durante o incidente.

Posteriormente, o dr. Osis consultou um mágico profissional de Nova Iorque, de nome Douglas Henning, considerado um dos mais perfeitos e sofisticados mágicos do mundo. Após ter visto cenas filmadas da atuação de Sai Baba e de haver discutido as nossas observações, ele disse que mesmo com suas artes mágicas jamais poderia duplicar todos os feitos que vira nos filmes. E considerou o caso do anel um incidente acima das habilidades de qualquer mágico. E também disse que os mágicos não podem apresentar objetos a pedido, conforme Sai Baba, ao que parece, faz algumas vezes.

A questão óbvia e crucial é: Como Sai Baba faz essas coisas? Seria por meio de truques de prestidigitação? Nenhum de seus assessores anteriores – nem qualquer outra pessoa, entre dúzias de indivíduos que viveram em companhia dele, ou puderam observá-lo por muito tempo, a quem entrevistei – parecia ter conseguido algum indício de como Sai Baba consegue esses feitos, em interiores fechados, ao ar livre, em um veículo em movimento ou em um vôo de avião, ou em uma visita casual a alguma família. A qualquer tempo, em qualquer lugar, ele parece ser capaz de apresentar «vibuti», ornamentos ou comestíveis, provindos de uma fonte enigmática que, por pilhéria, Sai Baba algumas vezes chama de «os armazéns de Sai».

No livro que escrevi abordo com detalhes as várias explicações que favorecem ou combatem a genuinidade desses fenômenos. De certa feita pedimos que o próprio Sai Baba explicasse os seus feitos. E ele replicou usando de uma analogia: «Todos nós nos parecemos com palitos de fósforos, mas a diferença entre vocês e eu é que há fogo no meu palito».

Teletransportes? As «materializações» de objetos são apenas uma faceta do enigma de Sai Baba. Outra faceta é aquele fenômeno que realmente deixa a mente aparvalhada, da aparente teletransportação, ou seja, o desaparecimento/ aparecimento de si mesmo e do seu corpo.

Diversas pessoas que conviveram com ele, nos anos de sua mocidade, têm testificado sobre esse fenômeno. Declarou a sra. Radhakrishna: «Quando já nos aproximávamos do rio e passávamos por uma colina, que ficava à nossa direita, ele subitamente desapareceu, por várias vezes. Por exemplo, ele estalava os dedos e pedia que os que estivessem em companhia dele fizessem a mesma coisa. E nem bem havíamos estalado os dedos, ele desaparecia dentre nós, e podíamos vê-lo no alto da colina, esperando por nós».

Quase todas as testemunhas testificaram sobre esse fenômeno basicamente da mesma maneira. Todavia, as circunstâncias diferiam. M. L. Leelamma, que atualmente é professora de botânica em um colégio na cidade de Madras, passou muito tempo com Sai Baba, quando ele estava na casa dos vinte anos de idade. Ela contou que, algumas vezes, eles faziam uma brincadeira. Os que estavam ao redor tentavam tocar nele; mas, exatamente quando alguém estava prestes a fazê-lo, ele desaparecia, e então aparecia em algum outro lugar, próximo.

As notícias são que fenômenos miraculosos ocorrem não apenas na presença de Sai Baba, mas também longe dele. Mencionemos, primeiro, casos de seus aparecimentos. Os casos ocidentais de aparições usualmente são breves, sem que a pessoa que apareça diga alguma coisa. Não sucede assim com Sai Baba.

Segundo se noticiou a 13 e a 24 de dezembro de 1964, Baba teria aparecido na residência do diretor de uma escola de treinamento de férias, em Janjeri, Karala, na parte sudoeste da Índia. Teria sido avistado por quarenta pessoas. Fomos capazes de localizar dez testemunhas desse evento. Embora as memórias de algumas delas não fossem mais muito claras quanto a detalhes, elas concordaram quanto a aspectos centrais.

A aparição teria ocorrido em resposta a uma menina fisicamente enferma, com oito anos de idade, Sailaja, que havia orado desesperadamente pedindo ajuda, na noite anterior. A aparição – se é que foi uma aparição – supostamente curou Sailaja, realizou um culto religioso (bhajan), apresentou presentes valiosos, «com um gesto da mão», conforme o costume de Sai Baba, e chegou mesmo a jantar com os circunstantes.

Visto que a aparição mais se assemelhou a uma pessoa de carne e sangue do que a mera aparição, exploramos a possibilidade de Sai Baba ter feito uma visita pessoal, a fim de criar uma aura de publicidade. Após uma longa busca acerca de onde ele teria estado naquele dia, encontramos alguma evidência – registros em um livro de hóspedes e um anúncio impresso acerca de seu discurso – indicando que, naquele 13 de dezembro, ele havia permanecido no palácio de Venkatagiri, que fica no outro extremo da península indiana. Também descobrimos certo número de detalhes que seriam difíceis de explicar se supusesse que o visitante foi um impostor, que estivesse fingindo ser Sai Baba.

Em um outro caso de aparecimento de Sai Baba, alegadamente ele teria ajudado a um negociante enfermo, segurando-o acima da água, depois que caminhara sonâmbulo e havia caído dentro de um poço. Outro homem e sua esposa relataram o caso em que a aparição de Sai Baba assustou a um gatuno que tentava roubar coisas da residência deles, quando visitavam as instalações em Puttaparti, a cerca de 320 km dali. Mais tarde, o gatuno foi apanhado e contou o seu lado da história aos policiais.

Vibuti em Lugares Distantes. O vibuti – cinza sacramental – é, na Índia, símbolo da criação e também da destruição, e talvez um lembrete da natureza efêmera da vida individual. O vibuti é largamente usado na Índia, mas nenhum líder religioso faz uso tão freqüente dele quanto Sai Baba. Ele distribui vibuti com muito mais freqüência do que qualquer outra coisa. Segundo notícias, certas cinzas têm caído de sua testa, em procissões, ou têm jorrado de sua boca e de seus pés como uma marca registrada dele.

Particularmente na Índia, mas também na Europa e na América do Norte, há grande número de salas-santuário nos lares dos devotos de Sai Baba. Esses santuários com freqüência contêm quadros representando Sai Baba, mais ou menos recobertos com vibuti, que supostamente apareceu ali espontaneamente. Isso continua a acontecer dentro do movimento de Sai Baba por quase trinta anos, mas aparentemente tornou-se uma epidemia no começo da década de 1979 e continua a suceder assim.

Em Bangalores, Bombaim, Calcutá, Madras e praticamente todas as cidades da Índia por onde andei investigando, descobri e visitei santuários em salas com fotografias recobertas com vibuti (e algumas delas com kum-kum, espécie de pó, ou com o fluido chamado *amrith*). O mero exame não mostra indícios se essas fotografias produziram vibuti, de maneira paranormal, ou se foi posto ali por outros meios. Em alguns casos nos quais as fotografias tinham sido emolduradas, as cinzas podiam ser vistas dentro e fora do vidro.

Começou a dizer-se que essas substâncias passaram a aparecer inesperada e miraculosamente nas fotografias de Sai Baba, com freqüência nas casas de pessoas nas periferias ou mesmo fora do movimento formal de Sai Baba. Isso aconteceu com um guarda-livros de Calcutá. Na época, ele não era seguidor de Sai Baba; mas comprou uma fotografia dele, que fora pendurada em um canto da alcova onde ele e sua esposa também colocaram certo número de fotografias de homens santos e divindades hindus. Pouco depois, pequenas porções de vibuti começaram a aparecer sobre aquela fotografia. E as manchas foram crescendo até que algumas fotografias se cobriram parcialmente pela substância.

Em outro caso, dois cientistas altamente qualificados do prestigioso All India Institute of Science, em Bangalores, os drs. P.K. Battacharya e K. Venkatessan, disseram ter visto, independentemente um do outro, o vibuti começar a aparecer sobre as fotografias.

É fato sabido que basta alguém jogar vibuti sobre uma fotografia para que um pouco dessa cinza grude sobre ela, pelo que o fenômeno é fácil de falsificar. Contudo, a prodigiosa quantidade dessas reivindicações, muitas delas agora vindas também da América do Norte e da Europa, impõe-se diante dos investigadores como um fenômeno digno de exame.

De certo modo, o fenômeno do vibuti assemelha-se às «madonas que choram» ou aos «crucifixos que sangram», que supostamente têm acontecido nos meios católicos romanos. Também parecida com os fenômenos associados ao catolicismo é a fragrância perfumada – *odor sancti* – que subitamente emana da presença de Sai Baba, em lugares distantes de onde ele se acha. Um industrial de Madras, em viagem de negócios pela Finlândia, relatou-nos um desses incidentes. Ele estava hospedado em um quarto pertencente a uma firma finlandesa quando, subitamente, sentiu aquele agradável aroma típico de Sai Baba.

É simplesmente impossível, em um breve artigo como este, exaurir todos os tipos de fenômenos lançados a crédito de Sai Baba. Para exemplificar, nem discuti aqui sobre os casos de cura. Há até mesmo notícias de duas ressurreições semelhantes à de Lázaro.

Muitos dos fenômenos próprios do culto a Sai Baba parecem terem saído diretamente do Novo Testamento, ou dos maravilhosos contos das Mil e Uma Noites. Dentro da história escrita, provavelmente não há caso similar quanto à variedade de fenômenos e abundância de testemunhos, embora o próprio Sai Baba costume minimizar os fenômenos, geralmente referindo-se a eles como «pequenos itens». A tarefa difícil e importante, disse ele uma vez ao dr. Osis e a mim, é mudar o coração e os hábitos.

A Questão da Genuinidade.

Esses fenômenos são reais? São paranormais?

Antes de passarmos a responder a essas indagações, não

SATHYA SAI BABA – SÁTIROS

devemos olvidar que estamos lidando com uma variedade de fenômenos tão grande que não podem ser classificados todos juntos. Nem mesmo um artigo muito longo seria suficiente para tratar separadamente com cada um deles. Neste artigo, posso expressar somente a minha impressão geral. Convido os leitores interessados a ler o meu livro intitulado Modern Miracles.

Quisemos submeter Sai Baba a experiências controladas, mas ele não consentiu. Por conseguinte, não temos evidências experimentais quanto à genuinidade da produção e transformação de objetos. A questão da prestidigitação, portanto, não pode ser diretamente averiguada. Somente um mágico perito, Fanibunda, de Bombaim, teve ampla oportunidade de observar Sai Baba durante um período de vários anos.

Conforme ele mesmo disse: «Ansioso para descobrir se Baba estava realmente materializando os vários objetos do ar rarefeito, conforme é afirmado pelos seus devotos, ou se ele os produz mediante prestidigitação», ele abordou Sai Baba como um cético, mas acabou convencido da paranormalidade dos fenômenos. «Fui capaz de detectar fraude no caso de dois outros swamis indianos, que afirmavam ser capazes de produzir fenômenos físicos mediante a paranormalidade; porém, fui incapaz de descobrir qualquer fraude em Sai Baba, embora tenha podido observá-lo com muito maior freqüência do que no caso daqueles outros.»

Da década de 1940 até o presente, Sai Baba tem tido certo número de assessores e associados íntimos; na verdade, toda uma sucessão deles. Eles cuidavam de seu aposento, do qual tinham até a chave. Lavavam suas roupas e ocupavam-se de outras tarefas parecidas. Permaneciam em companhia dele dia após dia, e com freqüência até dormiam no mesmo aposento; e alguns permaneceram com ele durante anos. Muito me esforcei para descobrir o paradeiro desses ajudantes, e consegui entrevistar por longo tempo a maioria deles.

Dois deles haviam abandonado o movimento Sai, e alguns o criticaram como indivíduo, e à sua reivindicação de ser um avatar. Porém, quando chegamos à questão de como Sai Baba tem conseguido produzir um interminável jorro de objetos, que tem saído de sua mão por mais de quarenta anos, ninguém é capaz de oferecer indício ou evidência de fraude. Os seus auxiliares sentiam-se tão perplexos quanto as pessoas que só o viram realizar aquele prodígio uma ou duas vezes. Eles o viram produzir frutos fora da estação própria, ou cujas árvores não estavam presentes, bem como vários tipos de objetos, a pedido das pessoas.

Na Índia, acompanhei muitos rumores e estive empenhado em longas conversas com os críticos de Sai Baba, como o ex-reitor da Universidade de Bangalores. O dr. Narasimhajah encabeçou uma comissão de investigação que, a despeito de seus mais decididos esforços, foi incapaz de encontrar alguma prova tangível de engodo. Em 1976, desenvolveu-se uma controvérsia nacional na Índia: Sal Baba é genuíno, ou não? Até mesmo o prestigioso Times of India publicou um editorial sobre a questão. Em resultado, os jornais e os semanários, bem como a Comissão sobre os Milagres, encabeçada pelo dr. Narasimhajah, receberam prodigiosa quantidade de correspondência. Mas, em todas as cartas enviadas, não apareceu indício capaz de lançar luz sobre a incessante produção de objetos da parte de -Sai Baba.

Tudo isso, além de outros particulares que não abordei aqui, sugere fortemente que alguns dos fenômenos de Sai Baba podem ser realmente genuínos; e essa é a razão pela qual são dignos de ser estudados.

Informação sobre o Autor Erlendur Haraldsson. Ele é médico e professor associado de psicologia na Universidade da Islândia. Largamente respeitado como parapsicólogo, dirige pesquisas sobre assuntos como poderes psíquicos extra-sensoriais espontâneos, testes de personalidade vinculados aos poderes psíquicos extra-sensoriais e visões à beira do leito de morte. Haraldsson interessou-se pelos milagres de Sathya Sai Baba quando dirigia pesquisas sobre experiências perto da morte, no norte da índia. Em diversas ocasiões subseqüentes encontrou-se com Sai Baba e foi testemunha de seus ostensivos poderes paranormais.

Famoso na Índia como operador de prodígios, Sathya Sai Baba, com sessenta e um anos, vive na aldeia de Puttaparti, onde encabeça um numeroso movimento religioso.

Em Puttaparti, Sai Baba quase sempre vê-se cercado por centenas ou mesmo milhares de visitantes, que ali se concentram para buscar sua ajuda ou inspiração espiritual.

SATI

Este vocábulo vem diretamente do sânscrito *sati*, "fiel", dando a entender a esposa fiel. A palavra sânscrita *sat*, que vem da mesma raiz, significa "boa", "sábia". Está em foco a prática hindu de a viúva ser morta na pira funerária de seu marido, um dever e um privilégio da mulher, a qual, presumivelmente (pelo menos na maioria dos casos), se submetia voluntariamente a esse terror. Naturalmente, era uma forma de *suicídio* (Vera respeito). Essa prática foi descontinuada no começo do século XIX pelas autoridades britânicas. Ram Mohan Roy opôs-se vigorosamente a ela, até que seus esforços produziram frutos. O governador geral Lord William Bentinck, em 1830, tornou a prática uma ofensa criminal.

Na Índia, a prática era extremamente antiga. Alexandre, o Grande, já a encontrou ao invadir aquele país (século IV a.C.). Aí pelo século VI d.C., a prática tinha assumido ares cúlticos. Pedras memoriais *sati* foram erigidas em muitos lugares. Mediante essa auto-imolação, a mulher supostamente adquiria felicidade para si mesma e para seus familiares em uma existência futura, da qual todos os familiares compartilhariam. Esse ato, incrível é dizê-lo, também tornava famosa a família que sobrevivia!

SATIA SAI BABA
Ver *Sathya Sai Baba*.

SÁTIROS

No hebraico, *sair*, que a Septuaginta chama de *mataia*. A referência é obscura e muito debatida. Ao tentar definir a palavra, os estudiosos deixam-nos uma série de dúvidas: peludo, bodes selvagens, tipos de deuses ou demônios. Talvez estranhos animais que andavam soltos se tornaram os nomes de deuses mais assustadores que perturbavam a vida dos homens. Ver Isa. 13.21; 34.14 e Lev. 17.7. Talvez estejam em vista os espíritos (semideuses) que assombravam locais desertos. Em Mendes, no Baixo Egito, o bode era louvado com rituais sujos que podem ser associados ao Sátiro. Cf. Jos. 24.14, 15 e Eze. 23.8, 9, 21.

Na mitologia grega e romana, Sátiro era um deus repugnante, meio homem, meio animal, que originalmente pode ter sido inspirado por deuses pagãos de Canaã alegadamente controlados por demônios, ou pelas imagens através das quais se manifestavam as entidades demoníacas. De qualquer forma, rituais especialmente repugnantes acompanhavam os cultos a tais deuses.

SATISFAÇÃO – SAUDAÇÃO

SATISFAÇÃO
Ver sobre *Expiação*. A teoria da satisfação é uma das principais dentre as teorias, tendo sido habilidosamente articulada (embora, algumas vezes, de modo duvidoso) por Anselmo. A teoria da satisfação é discutida na segunda seção daquele artigo, ponto quinto. O subponto a brinda-nos com uma visão possível da questão; e o subponto b apresenta-nos outro ângulo possível. O sétimo ponto explica a visão de Anselmo sobre a questão, que ele deu a conhecer em seu escrito *Cur Deus Homo*.

Antes de Anselmo, havia a crua teoria de que a satisfação paga na morte e na expiação de Cristo fora paga ao *diabo*. Presumia-se então que a alma de Cristo serviria de substituta por todas as almas humanas que seriam libertadas, e essa seria a satisfação do diabo. Porém, conforme as coisas sucederam, todos os homens foram libertados, mas a alma de Jesus não era do tipo que o diabo fosse capaz de reter, pelo que Cristo ficou livre, e o diabo saiu-se perdedor em todos os sentidos. Pura tolice!

Para alguns teólogos, a teoria da satisfação também inclui a obediência de Cristo à lei (à qual ele obedeceu por todos os homens, sendo que eles, obviamente, não podiam realizar o feito). A morte sobre a cruz pagou o preço de uma lei violada, pelo que esse seria outro elemento da satisfação. Esses dois tipos de obediência foram então intitulados "obediência ativa" (cumprimento da lei) e "obediência passiva" (satisfação da maldição da lei contra o pecado, na morte de Cristo na cruz). Surgiu em cena a discussão que debatia se a morte de Cristo e a satisfação que isso faz é ou não uma expiação ou uma propiciação. Se fosse uma expiação, faltar-lhe-ia a idéia de *aplacamento*. Se fosse uma propiciação, estaria em foco a idéia de como aplacar a um Deus irado. Os eruditos liberais se opõem à idéia de aplacamento como um crasso antropomorfismo. Porém, muitos pensadores conservadores ignoram isso, crendo que Deus é um tipo de personalidade que pode irar-se (tal como no caso dos homens, feitos à sua imagem e semelhança), e requer aplacamento. Dou uma explicação a respeito nos artigos *Expiação* e *Propiciação*. Ver especialmente o primeiro desses dois, na quarta seção, *Expiação ou Propiciação*.

Base no Antigo Testamento. É perfeitamente claro, no Antigo Testamento, que os sacrifícios tinham por intuito ser uma satisfação pelo pecado. O sistema sacrificial dos hebreus tinha por finalidade reconhecer o pecado e aplacar a Deus com respeito a ele. Pensava-se que Deus se agradava ao ver os homens realizar esses ritos, razão pela qual os perdoaria. Por conseguinte, se ficarmos somente com o Antigo Testamento, então, como é evidente, a expiação de Cristo tem de ser vista como um aplacamento, e estaria em foco apenas uma propiciação. Muitos eruditos cristãos, entretanto, pensam que é ridículo transferir para o Novo Testamento, com sua mensagem muito mais exaltada, os conceitos mais primitivos do Antigo Testamento, tão entremeados de antropomorfismos. Mas os eruditos conservadores continuam convencidos da propriedade dessa transferência de idéias, pelo que o debate prossegue. Todavia, a satisfação dada por Cristo envolve tanto propiciação quanto expiação: é um aplacamento e é uma substituição. "... ele (Jesus Cristo, o justo) é a propiciação pelos nossos pecados, e não somente pelos nossos próprios, mas ainda pelos do mundo inteiro" (I João 2:2). "Àquele que não conheceu pecado, ele o fez pecado por nós; para que nele fôssemos feitos justiça de Deus" (II Cor. 5:21). Assim, Cristo vindicou a lei, quebrada por nossas transgressões, mediante o sacrifício de seu corpo na cruz.

"Os sacrifícios de animais eram apenas cerimoniais ou típicos; e esse ritual é justamente o que foi transferido, no Novo Testamento, para a obra de Cristo na cruz. Essa é a base do ensino teológico de que a culpa pelo pecado foi removida mediante a *satisfação* prestada por Cristo a Deus, contra quem o pecado havia sido cometido. Por essa razão é que Cristo é chamado de Cordeiro de Deus. Quando Deus é propiciado pelo sangue de Cristo, somos remidos da maldição da lei e nos reconciliamos com Deus. O conceito de satisfação, pois, é um conceito teológico que abarca, em sua conotação, todas as principais categorias usadas nas Escrituras para descrever o significado da obra expiatória de Cristo, no que diz respeito a Deus e no que diz respeito aos pecados. A mais crucial passagem, em tudo isso, é Rom. 3:21-26" (B).

SATORI
No budismo *zen*, este vocábulo significa "iluminação". Usualmente está em foco uma iluminação súbita, que é o grande alvo da inquirição religiosa, promovida por essa forma de budismo, sendo ela uma escola mística. Ver sobre *Misticismo* e sobre *Iluminação*.

SÁTRAPAS
No hebraico (derivado de uma palavra persa), a palavra significa "príncipe", "tenente", mas no persa significa "protetor do reino". No sistema persa de governo internacional, o *sátrapa* era um oficial em serviço no exterior. Heródoto forneceu uma lista de 20 sátrapas persas. Em Est. 3.12 a palavra tem o significado de "tenente", e em Dan. 6.2 e 6.1 quer dizer "príncipe". Num sentido secundário, a comissão de Esdras relacionado ao seu ministério em Jerusalém era chamada com este termo (Esd. 8.36).

SATYA SAI BABA
Ver sobre *Sathya Sai Baba*.

SATYASIDDHI, ESCOLA
Uma das escolas do budismo. Ver sobre *Sunya*.

SAUDAÇÃO
1. No grego, *aspasmós* (a forma verbal é *aspadzomai*), palavra usada nas cartas antigas como uma saudação, equivalente ao termo latino *salutare*. Seus sentidos básicos são "saudar", "desejar o bem", "abraçar", "beijar", "alegrar-se". Esta palavra era usada nos encontros e nas despedidas, não apenas em comunicações escritas. A forma verbal é usada sessenta vezes no Novo Testamento, com os significados de "saudar" ou "cumprimentar". Por exemplo: Mat. 5:47; Mar. 15:18; Atos 18:22; I Cor. 16:5,7,8,10; Col. 4:10; I Ped. 5:13. Mas a forma verbal também significa "abraçar", conforme se vê em Atos 20:1 e Heb. 11:13; e "despedir-se", segundo se vê em Atos 21:6. A forma nominal aparece por dez vezes no Novo Testamento, com a idéia de saudação, conforme se pode ver em Mat. 23:7; Mar. 12:38; Luc. 1:28,41,44; Col. 4:18 e II Tes. 3:17.

2. Uma saudação com o desejo pela vida eterna de um monarca, expressa por um súdito seu, era um típico exagero oriental. Em Nee. 2:3 vê-se um uso hebraico; e em Dan. 2:3, um uso aramaico.

3. O termo grego *chaire* (no plural, *chairete*) (ver Mat. 10:12 e Mar. 13:38) significa, literalmente, "alegra-te". A forma infinitiva do verbo, *chairein*, também era usada (ver II João 11 e I Macabeus 10:18,25). A raiz desse verbo

SAUDAÇÃO – SAÚDE

é *chairo,* palavra comum para "alegrar-se", "regozijar"; dessa forma que se deriva a palavra grega para "graça", *charis. Chairo é* palavra usada por setenta e quatro vezes no Novo Testamento, sendo traduzida como "saudações", em Atos 15:23 e 23:26, e como "adeus", em II Cor. 13:11. Em nossa versão portuguesa, essa palavra *é* traduzida como "saúde", em Atos 23:26. Nos trechos de Mat. 26:49 e 27:29, a palavra *é* usada como uma saudação verbal, em um encontro entre duas ou mais pessoas; e isso constituía um uso comum.

4. O ósculo de saudação *é* indicado pelo termo grego *philema* (usado na Septuaginta) em I Sam. 10:1; e, no Novo Testamento, em Rom. 16:16; I Cor. 16:20; II Cor. 13:12; Luc. 7:45; 22:48 e I Ped. 5:14, ou seja, por um total de sete vezes. Usualmente esse ósculo se fazia mediante dois beijos, um em cada face, conforme continua sendo usual nas saudações orientais. Naturalmente, *philema* também pode indicar um beijo afetuoso na boca. Tal beijo pode ser eliminado, ou por falta de tempo (II Reis 4:29; Luc. 10:4), ou por querer o indivíduo evitar qualquer associação com o erro (II João 11). A palavra hebraica correspondente é *nashaq,* que se vê, por exemplo, em Gên. 29:11; Rute 1:14; I Sam. 20:41; I Reis 19:20; Pro. 7:13; Can. 1:2; Osé. 112. Mas no grego há mais dois termos envolvidos com esse tipo de saudação: *philéo,* "mostrar-se amigo" (ver, por exemplo, Mat. 26:48; Mar. 14:44 e Luc. 22:47); e *kataphiléo,* "mostrar-se muito amigo", usado por seis vezes: Mat. 26:49; Mar. 14:45; Luc. 7:38,45; 15:20; Atos 20:37.

5. O termo hebraico *shalom* (no árabe, *salaam*) significa, literalmente "paz", mas era usado como uma saudação (ver I Sam. 1:17). O equivalente neotestamentário é *eirene,* "paz", "tranqüilidade" (ver Mar. 5:34; Luc. 10:5,6; Atos 16:36 e Tia. 2:15,16).

6. *Nas Epístolas Paulinas.* Nessas epístolas encontramos saudações mais elaboradas, embora muito similares umas às outras. Na epístola aos Romanos (1:7), temos: "Graça a vós outros e paz da parte de Deus nosso Pai e do Senhor Jesus Cristo". Encontramos saudações parecidas a isso em I e II Coríntios; Gálatas; Efésios; Filipenses; Colossenses; I e II Tessalonicenses. Porém, quanto à questão da autoria paulina, nas epístolas pastorais, aparece outra fórmula: "Graça, misericórdia e paz"...

7. A primeira epístola de Pedro contém a seguinte saudação: "Graça e paz vos sejam multiplicadas" (I Ped. 1:2b). A segunda epístola de Pedro (II Ped. 1:2) repete essa saudação.

8. A primeira epístola de João não encerra saudação formal. Mas II João (vs. 3), diz: "A graça, a misericórdia e a paz, da parte de Deus Pai e de Jesus Cristo, o Filho do Pai, serão conosco em verdade e amor". Em III João o amado Gaio é saudado com as palavras: "Gaio, a quem eu amo na verdade" (vs. 1).

Era costume oriental exprimir interesse pessoal por outrem em várias ocasiões – em algum encontro fortuito no caminho, na volta de alguma viagem, nas despedidas, quando do nascimento de alguma criança etc. Quando alguém se encontrava com outrem, era costume a saudação "Salve!" (Mat. 26:49); e, em ocasiões de despedida: "Vai-te em paz" (I Sam. 1:17). Essas saudações orais muitas vezes eram acompanhadas pelos atos de ajoelhar, abraçar e oscular. Os setenta discípulos de Jesus, quando enviados a pregar e curar, foram proibidos de fazê-lo, porque o costume consumia tempo demais (Luc. 10:4). Os fariseus gostavam muito de ser saudados, porquanto isso lhes fomentava o orgulho e o senso de importância pessoal (Mat. 23:7). No fim das epístolas paulinas, as saudações são expressas sob a forma escrita, com freqüência, incluindo alguma oração, pedindo a misericórdia especial do Senhor sobre as pessoas endereçadas (I Cor. 16:21; Col. 4:18; II Tes. 3:17).

SAUDAÇÃO ANGELICAL

A saudação feita à Virgem Maria, pelo anjo, quando ele anunciou que ela se tornaria mãe de Jesus (Luc. 1:28). Ver o artigo sobre a *Ave-Maria.* (S)

SAÚDE

Ver o artigo geral sobre as *Enfermidades da Bíblia,* especialmente a quarta seção, *Teologia da Doença.*

1. Palavras Usadas na Bíblia acerca da Saúde

No hebraico, *aruka,* "carne nova", referindo-se a como o organismo repara seus tecidos atingidos, como que por uma nova carne. Ver Isa. 58:8; Jer. 8:22; 30:17; 23:6. No hebraico, *marpe, riput,* que vem da raiz *rapa,* "costurar junto com". Ver Pro. 12:18; 13:17; 16:24; Jer. 8:15. No hebraico, *yesua,* que significa "saúde de meu rosto", representa as idéias de "meu socorro" ou "meu libertador". No hebraico, *salom,* "paz", "algo completo" (ver II Sam. 20:9). E esse vocábulo também era usado na pergunta de cortesia acerca da saúde ou do bem-estar de alguém, como em: "Está tudo bem com você?".

No grego, no Novo Testamento, temos o substantivo *soteria* (Atos 27:34), palavra comumente usada nos papiros do período neotestamentário para indicar as idéias de "saúde" e "segurança", embora o próprio Novo Testamento a utilize com o sentido de "salvação". No grego, *hugiaino,* verbo que significa "estar saudável" (III João 2). Lucas também usou essa palavra para indicar a saúde literal, física (ver Luc. 5:31; 7:10; 15:27), embora Paulo a tivesse usado com o sentido de sã doutrina (ver II Tim. 1:13; 4:3; Tito 1:9 e 2:1).

2. Usos *Metafóricos*

Esses usos são comuns nos casos de todas as palavras acima alistadas. *Aruka* é usada no caso da restauração de Israel (ver Isa. 58:8; Jer. 8:22). *Marpe* e *riput,* acerca do uso sábio da língua (ver Pro. 12:8) e da linguagem empregada por um fiel embaixador (ver Pro. 13:17). *Yesua* (ver Sal. 42:6 e 43:5) a respeito do livramento ou saúde espiritual. *Salém* (ver II Sam. 20:9), para indicar a noção de paz. Quanto ao grego, *soteria* (Luc. 2:30; 3:6; Atos 28:28; Efé. 6:17) é usada para indicar a eterna salvação da alma. A palavra grega comum que significa "Salvador" provém dessa raiz, ou seja, *sotér* (ver Luc. 1:47; Atos 5:31; Efé. 5:23; Fil. 3:20 etc.), em um total de vinte e quatro vezes no Novo Testamento. E *hugiaino* é usada por Paulo para referir-se à sã doutrina, ou seja, a doutrina correta, conforme se viu no primeiro ponto, acima.

3. *Importância da Saúde*

Parece ser verdade que a maioria das pessoas é capaz de sacrificar qualquer coisa, incluindo todo o seu dinheiro, para gozar de boa saúde. Mas a ignorância espiritual impede-as de fazer um sacrifício similar quanto à saúde da alma. Alguns estudiosos têm observado que Jó tolerou bem suas aflições até que seu corpo físico foi atacado, quando então caiu no desespero, emitindo queixumes amargos. Pelo menos para algumas pessoas, a má saúde física é a mais severa de todas as aflições. Por outra parte, pessoas que estão espiritualmente enfermas podem sentir-se felizes em meio à sua miséria espiritual. Grandes indústrias e instituições existem empenhadas na melhoria da saúde física, e grandes filas formam-se quando essa ajuda custa pouco ou nada. Em comparação, as igrejas vivem quase vazias.

4. Saúde, Enfermidade e Pecado

Para ampla discussão sobre a questão, ver o artigo

SAÚDE – SAUL

Enfermidades da Bíblia, quarta seção, *Teologia da Doença.*

5. Medicamentos e Outros Meios de Cura

Muitos medicamentos têm sido criados para curar o corpo enfermo. Alguns deles surgem devido a experiências feitas por pessoas que, através do método do teste e erro, têm permitido a descoberta de remédios úteis. Outros medicamentos devem-se a esforços resolutos dos cientistas. No ramo da saúde espiritual, também há medicamentos, a começar pela provisão de Cristo, que veio ao mundo para redimir os homens de suas misérias espirituais. E também há os meios de crescimento espiritual diários, que transmitem saúde à alma. Ver sobre o *Desenvolvimento Espiritual, Meios do*.

SAUL
I. Nome
II. Família
III. Início de Vida
IV. Vida como Rei de Israel
V. Declínio
VI. Morte

I. Nome

Saul é uma palavra hebraica que significa "solicitado" ou "esmolar". Ele foi o primeiro rei de Israel quando esse país deixou de ser governado por juízes e tornou-se mais semelhante aos países vizinhos. Seu período de reinado foi de 1020 a 1000 a. C., num desempenho trágico de quem dava um passo para frente e dois para trás. D. H. Lawrence, em sua peça *Davi*, colocou as seguintes palavras na boca de Saul: "Sou um homem dado aos problemas e jogado entre dois ventos". Ele foi um gigante, cabeça e ombros acima das do homem comum (I Sam. 9.2), mas como pessoa espiritual nunca pareceu ser capaz de tomar conta de si. I Sam.8 inicia sua história, que se encerra no capítulo 31, onde também acaba I Samuel.

A época dos juízes terminou em corrupção e desorganização. O país estava fragmentado, e os inimigos estrangeiros nunca deram a Israel descanso das matanças praticamente diárias. Esperava-se que a monarquia unisse o país e fornecesse proteção aos cidadãos. Esse sonho tornou-se apenas parcialmente real com Davi e então um pouco mais com Salomão, porém após o reinado deste último *declínio* tornou-se a palavra do dia.

Saul iniciou humilde, mas à medida que o tempo passou ele perdeu controle, tornando-se arrogante e irracional. Era um poderoso matador, como tinham de ser os antigos reis orientais: os governantes eram guerreiros-matadores-reis, e os homens fracos, que evitavam o derramamento de sangue, não chegavam ao topo. A fama de Davi excedeu a de Saul, especificamente porque Saul matou apenas milhares, enquanto Davi matou dezenas de milhares (I Sam. 8.7).

II. Família

Saul era o filho de Quis, da tribo de Benjamim (I Sam. 9.1). Sua genealogia é fornecida em I Crô. 8.33, embora provavelmente contenha lacunas, como ocorre à maioria das genealogias hebraicas. É provável que Saul tivesse irmãos e irmãs, mas não há registro disso. Pelo menos sabemos que ele teve quatro filhos com sua primeira mulher, cujos nomes são fornecidos em I Crô. 8.33 e 9.39. Uma concubina deu a ele outros dois filhos (II Sam. 21.8, 11). E havia também duas filhas, incluindo Mical, que foi mulher de Davi.

III. Início de Vida

Não temos muitos registros sobre a juventude de Saul. O que está disponível vem de I Sam. 9. Sua família parece ter sido influente. Seu pai criava animais, inclusive os asnos que se perderam e fizeram com que Saul saísse à sua procura. Esse incidente uniu Samuel (o profeta) e Saul, o potencial rei, e o profeta o reconheceu como o homem que Yahweh queria para ocupar pela primeira vez o trono de Israel. Ele era um bom espécime fisicamente - bonito, forte e alto - e isso pode ter influenciado a escolha de Samuel.

IV. Vida como Rei de Israel

Saul foi ungido por Samuel como rei numa cerimônia em Gilgal. Embora tenha iniciado humilde, sob pressão tornou-se arrogante e irracional. Ele não tinha o caráter necessário para um ofício real de longo termo, e isso logo se tornou evidente. A necessidade imediata de Saul era enfrentar o assédio de seu povo por parte dos filisteus. Outro desafio foi unificar o país e equipá-lo com as armas adequadas de defesa. Saul começou com um pequeno exército, de cerca de 3 mil homens. Embora os filisteus fossem bem equipados, foram derrotados em Micmas; Jônatas, filho de Saul, foi o herói daquela ocasião (I Sam. 14.1-15). O rei estava obtendo grande sucesso contra os filisteus e adicionou os amonitas e amalequitas à sua lista de vítimas. I Samuel passa de guerra em guerra, de matar a ser morto, à mais matança, o jogo essencial no qual se envolveu Saul.

V. Declínio

No início de sua carreira como rei, de fato, no segundo ano, Saul cometeu a primeira transgressão. Os filisteus haviam reunido um grande exército para guerrear em Micmas. Samuel trabalhava para Saul como um tipo de conselheiro espiritual e, nesse ofício, oferecia os sacrifícios necessários para obter o favor de Yahweh nas batalhas. Em Gilgal, Saul esperou que Samuel chegasse para realizar seus ritos, mas após sete dias ele não apareceu. O tempo estava acabando, portanto Saul decidiu ir adiante com o esforço de guerra, incluindo a questão dos sacrifícios.

Logo depois, Samuel chegou. Saul argumentou que a condição era muito séria, mas Samuel o condenou por sua intrusão no ofício sacerdotal, e profetizou que ele não teria longa carreira como rei e que a realeza não continuaria em sua família (I Sam. 13.1-14). Talvez o principal motivo para isso tenha sido que Samuel se cansara da monarquia que era rejeitada pelos profetas e por Yahweh como contrária a toda a filosofia teocrática. Dispensar Saul poderia ter sido uma tentativa de cancelar o erro.

Guerra Santa. Isto exigia que o inimigo fosse oferecido a Yahweh como uma oferta queimada completa, um *holocausto* (ver). Para tanto, todos os homens, mulheres e crianças, e até mesmo os animais domésticos, deveriam ser massacrados. Muitas vezes, até prédios e colheitas eram destruídos pela fúria do exército da guerra santa. Samuel ordenou que Saul realizasse esse tipo de destruição total contra os inimigos de Israel, não deixando nenhum sobrevivente que pudesse reverter a vitória. Saul não cumpriu as ordens para esse tipo de guerra quando lutou contra os amalequitas. Ele destruiu todas as pessoas, menos o rei, Agague. E também salvou algumas cabeças de gado, alegando que ele os sacrificaria para Yahweh. Samuel, enfurecido por sua desobediência, imediatamente matou o rei dos amalequitas e reiterou a profecia de que Saul não permaneceria muito tempo mais como rei de Israel. Ver I Sam. 15.

Abuso de Davi. Tornou-se público que Davi substituiria Saul como rei. Saul reagiu violentamente e começou a perseguir o pobre homem em toda a região, tentando pôr fim a seus problemas com um assassinato. No processo, Saul matou o sacerdote Aimeleque, que presumivelmente

SAUL – SAULO

apoiava a causa de Davi. Tendo perdido a racionalidade, Saul se transformara em um simples assassino e um assassino potencial. Ver I Sam. 22-25.

A Bruxa (médium) em En-Dor. As coisas foram de mal a pior, e por isso Saul decidiu consultar com uma bruxa psíquica que também era médium. Diante da vitória dos filisteus, Saul, praticamente no desespero, lançou mão do sobrenatural, abandonando Yahweh, já que se sentia rejeitado por Ele. Samuel havia morrido e, portanto, o principal oráculo não podia ser consultado. O rei pediu que a mulher invocasse Samuel, o que ela fez, mas a mensagem entregue foi de condenação. Os filisteus venceriam a batalha, e Saul e seus filhos seriam mortos.

Quanto à discussão se o espírito de Samuel foi ou não foi invocado e compareceu, temos estas respostas: 1. Os críticos dizem que toda a história era apenas folclore popular, e nunca aconteceu. 2. Fundamentalistas rígidos acreditam que a médium teve uma experiência psicológica, mas não espiritual. Isto é, ela achava que Samuel havia ascendido do hades para falar com ela, mas isso foi apenas uma alucinação privada. Ou, segundo alguns, um espírito demoníaco imitou Samuel. 3. É melhor, contudo, reconhecer que a história simplesmente afirma que Samuel se comunicou. Chegaremos a essa conclusão se não insistirmos em alguma proposta teológica de que isso não poderia acontecer. Isso, contudo, não significa um encorajamento à prática de invocar os espíritos, nem nos diz que o envolvimento nessas tentativas é aconselhável. De qualquer forma, Saul havia violado a legislação mosaica sobre espíritos familiares (Lev. 19.31; 20.6, 27; Deu. 18.11). Ver a história em I Sam. 28.7-25. No lado positivo, a história torna-se um texto de prova para a crença na existência e sobrevivência da alma humana. Ver o artigo *Alma* e *Imortalidade.*

VI. Morte

Filisteus e israelitas lançaram-se uns contra os outros na planície de Jezreel (I Sam. 29.1), e os filisteus imediatamente levaram vantagem. Isto forçou os israelitas a fugir para as montanhas de Gilboa, onde ocorreu o grande massacre. Os três filhos de Saul, Jônatas, Abinadabe e Malquisua foram mortos, e Saul terminou mortalmente ferido. Ele implorou que um escudeiro acabasse com sua vida para que o rei não caísse nas mãos do inimigo e por eles fosse torturado e morto, mas o homem negou-se a assassiná-lo. Assim, Saul caiu sobre sua espada, cometendo suicídio, algo raro para uma pessoa de sua etnia. Cumpriu-se a terrível profecia do espírito de Samuel (dada na ocasião da consulta com a médium em En-Dor). Isso encerrou a carreira do promissor mas patético Saul.

SAUL

Para a definição deste nome, ver o artigo acima sobre *Saul,* o primeiro rei de Israel. Três outras pessoas eram chamadas assim no Antigo Testamento. Havia ainda o apóstolo Paulo, cujo nome original era *Saulo.* Sigo em ordem cronológica:

1. Um filho de Simeão com uma mulher cananéia mencionada em Gên. 46.10; Êxo. 6.15 e I Crô. 4.24. Em Núm. 26.13, temos o adjetivo na forma "saulitas", que designa seus descendentes. Viveu em cerca de 1690 a. C.

2. O profeta Samuel teve um ancestral que era chamado assim, como lemos em I Crô. 6.24. O vs. 26 o chama de Joel, portanto temos dois nomes, o que era comum entre os hebreus. Sua época foi cerca de 1650 a. C.

3. Um dos primeiros reis de Edom, o sucessor de Samlá. Ele era de Reobote. Seu nome é dado como Saul, em Gên. 36.37, 38, mas *Shaul* em I Crô. 1.48.

SAULO, MUDANÇA DE NOME PARA PAULO

Atos 13:9: "Todavia Saulo, também chamado Paulo, cheio do Espírito Santo, fitando os olhos nele". Quase incidentalmente chegamos a saber, pela primeira vez, que Saulo também era chamado Paulo.

1. Orígenes favorecia a interpretação de que Saulo adotou um novo nome nessa altura de sua vida, tomando-o por *empréstimo* de seu notável convertido, Sérgio Paulo, tal como um conquistador poderia assumir um nome qualquer como seu título, como o nome de um adversário ou de uma cidade vencida. Tal razão para a mudança do apelativo Saulo para Paulo não é muito provável nesta altura da narrativa, embora Jerônimo tivesse igualmente adotado essa idéia. O mais provável é que a menção da modificação do nome de Saulo para Paulo, aqui, se tenha feito devido ao fato de que outro Paulo fica fazendo parte das circunstâncias, tendo sido ele descrito na história; isso teria levado Lucas a lembrar-se de que Saulo também tinha outro nome.

2. Alguns intérpretes pensam que, nesta seção, o autor sagrado extrai informações de uma nova fonte informativa, e, nessa *outra fonte,* Saulo é chamado Paulo; deste ponto particular por diante, assim aparece o seu nome no livro de Atos. (Ver a introdução do livro de Atos, acerca de suas fontes informativas.) Embora provavelmente esteja correta a teoria sobre uma nova fonte informativa, contudo não parece ser a melhor solução para o problema. Mas, se essa teoria estiver correta, então não passaria de coincidência o fato de o convertido Sérgio e o conversor Saulo serem ambos chamados Paulo.

3. A modificação do nome do apóstolo pode ter-se devido meramente ao instinto do autor sagrado. Exatamente neste ponto de sua vida, pelo menos conforme ele é encarado nesta narrativa, o Saulo do farisaísmo se transformava no grande apóstolo Paulo dos gentios; por conseguinte, parece mais próprio chamá-lo, doravante, por Paulo, um nome *romano.* É bem possível que, na qualidade de cidadão romano, o apóstolo sempre tivesse tido tal nome; e o mais certo é que esse apelativo tenha sido escolhido por ser de *som similar* ao seu nome hebraico, Saulo. O fato de que Lucas mencionou essa designação somente aqui, quando ele já a possuía a todo o tempo, provaria que tal modificação, na narrativa, se deu porque seu notável convertido, Sérgio, também possuía o mesmo nome próprio.

4. Mais provável ainda é aquela interpretação de Agostinho e outros, que afirma que Paulo era o *nome romano* da família do apóstolo, e que tal nome teria sido tomado por empréstimo de qualquer família da qual os progenitores ou antepassados do apóstolo houvessem sido vassalos, antes de a cidadania romana haver sido obtida por sua família. Isso significaria que Saulo *sempre* teve também o nome próprio de Paulo; mas, enquanto esteve vinculado à Palestina, onde se instruiu, jamais empregou tal apelativo. Mas agora que se atirava à evangelização do mundo gentílico, Paulo se tornava um nome próprio mais conveniente para ele.

5. Menos provável é a idéia do nome "Paulo" significar "pequeno" porque esse era seu apelido, por ser um homem de *baixa estatura.*

6. Também menos provável é a idéia de que ele tomou esse nome como seu *nome cristão,* como sinal de ter deixado para trás todas as suas ligações com o judaísmo e tudo quanto isso significava. Alguns esticam essa interpretação para que inclua a idéia de que ele tomou o nome "Paulo", que significa "pequeno", como sinal de *humildade.* Porém, no texto sagrado não há indicação alguma sobre qualquer modificação de nome, e não há nada de especial na própria designação pessoal. Lucas simplesmente mencionou, de

passagem, que Saulo também tinha outro nome próprio; e desse ponto em diante começa a usá-lo em lugar de "Saulo", posto que "Paulo" era mais apropriado em contextos *gentílicos*. (Pode-se observar o costume que tinham os judeus de ser conhecidos por dois nomes, um judaico e outro gentílico, em trechos como Atos 1:23; 12:25; 13:1; Col. 4:11 e Josefo, *Antiq.* xii.9,7).

SAUSA

No hebraico, *nobreza*, *esplendor*, *domínio* (I Crô. 18.16), chamado de *Seva* em II Sam. 20.25, e de *Seraías* em II Sam. 8.17. Em I Reis 4.13 aparece ainda outra variação, a de *Sisa*. Ele é chamado de "secretário" de Davi, isto é, um escriba ou *escrivão*. Os hebreus eram bons historiadores e mantinham bons registros. I Reis 4.3 mostra-nos que os filhos do homem continuaram naquela profissão. O nome do homem pode ser derivado do babilônico *Shamshu* (sol) e talvez indique uma origem estrangeira do homem. Ele teria sido valioso para registrar assuntos externos. Não conhecemos o nome do pai de Sausa, possivelmente porque ele era um estrangeiro, e os hebreus não teriam demonstrado interesse em sua genealogia.

SAUTRANTIKA

Uma das três principais escolas do budismo hinayana. O artigo geral sobre essa religião fornece idéias acerca de suas várias divisões. O grupo sautranka, considerado filosoficamente, mantinha uma espécie de realismo indireto, similar àquele ensinado por John Locke. Os objetos externos são ali *inferidos* com base em cópias mentais, derivadas da percepção dos sentidos. Nessa escola também era ressaltado o conhecimento *a priori*. O pensamento impõe sua forma à realidade (à moda de Kant), ou o pensamento e a realidade mantêm uma espécie de correspondência natural, como as duas metades de um único ovo cozido. Essa escola também contava com uma versão da teoria atômica da realidade.

SAVÉ-QUIRIATAIM

No hebraico, "planície das cidades gêmeas". Esta planície se situava próximo à cidade moabita chamada de *Quiriataim*, daí seu nome (Gên. 14.5). A tribo de Rúben a possuiu pela primeira vez quando ela foi incorporada a Israel (Núm. 32.37; Jos. 13.19). Neste plano, o pequeno rei Quedoriaomer derrotou os emins, uma raça de gigantes. Ele repetiu o feito no caso de outro povo anormalmente alto, incluindo os *zuzins* (Gên. 14.5). Naquele local, Absalão, muito depois, erigiu um pilar memorial (ver a história em II Sam. 18.18 e seu contexto). Josefo localizou o pilar a cerca de 400 m de Jerusalém. Talvez se possa identificar local nas ruínas de *el Teym*, cerca 2 km ao oeste de Medeba.

SAVIAS

Na Septuaginta, *Saouía*. Antepassado de Esdras, de acordo com I Esdras 8:2, mas cujo nome não figura no trecho paralelo canônico de Esdras 7:4.

SAVÓIA, DECLARAÇÃO DE

Vultos congregacionistas, reunidos no Palácio Longo, de Savóia, em outubro de 1658, propuseram uma série de revisões e adições à Confissão de Westminster. Essas revisões e adições foram oficializadas pelo congregacionalismo norte-americano. Cerca de cento e vinte representantes se fizeram presentes à convenção que formulou tais declarações. O poder dos magistrados não foi reconhecido, segundo se via no documento anterior, nem esses magistrados são ali autorizados a intervir nas divergências religiosas entre pessoas em conflito. A visível Igreja Católica não tem ali oficiais administrativos para o corpo inteiro. Seguem-se então trinta artigos "Sobre a Instituição das Igrejas e a Ordem Determinada para Elas". Segundo é dito ali, Cristo teria dado às igrejas particulares (congregações locais) "todo o poder e autoridade que, afinal, se faz mister", e não dotou de poder nenhuma igreja mais extensiva ou universal do que a igreja local. Pastores, mestres, anciãos e diáconos são nomeados por voto de cada congregação local, separados por meio de oração e com a imposição de mãos dos anciãos.

Essa declaração também omitiu as afirmações da Confissão de Westminster sobre os sínodos e concílios. A despeito de suas crenças conflitantes, a Declaração de Savóia não é reputada como um documento oficial para a maioria das igrejas congregacionais, mas ocupa um lugar de respeito e tem exercido certa influência histórica.

SAVONAROLA, JERÔNIMO

Suas datas foram 1452-1498. Monge dominicano e maior pregador da Itália, foi um psíquico que predisse o futuro com sucesso. Seus sermões eram populares e incendiados. Foi reformador moral. Sua predição da invasão da Itália, por parte de Carlos VIII impressionou de tal modo o povo que ele foi capaz de estabelecer em Florença um virtual tipo de governo teocrático, que exerceu enorme impacto sobre a conduta moral das pessoas.

Algumas pessoas têm pensado que Savonarola foi um tipo de quase reformador protestante; mas a verdade é que ele não negava as doutrinas romanistas, excetuando aquela da infalibilidade papal. Ele foi mais um reformador da própria Igreja Católica Romana, cujos ideais eram os do misticismo monástico. Seja como for, sua imensa popularidade e influência excitou a inveja de seus superiores eclesiásticos. Assim, levantou-se forte oposição a ele. Foi excomungado pelo papa, julgado por uma multidão e executado na fogueira. Destarte ele tornou-se um mártir, não de uma denominação cristã oposta a outra, mas em favor da reforma religiosa.

Algo que aparentemente o prejudicou foram os seus três anos de ditadura em Florença, onde ele foi um homem que não era fácil de agradar. Seus sermões ascéticos, pregados com grande zelo e poder, transformaram a buliçosa Florença em uma virtual cidade puritana. Apesar de ele não ser hostil à erudição, sua hostilidade contra outras coisas não contribuiu para que sua popularidade continuasse. Contava com seguidores fanáticos que rebuscavam a cidade atrás de livros frívolos e imorais, jogos de cartas e obras de arte que mostrassem qualquer degeneração – e todas essas coisas eram sistematicamente destruídas. Também proibiu que se entoassem canções profanas. Por assim dizer, queria reformar a Igreja mediante a soda cáustica. E então ele caiu no "equívoco" de atacar vigorosamente o papa Alexandre VII. A princípio, o papa procurou reconciliação, mas isso não abalou em nada a Savonarola. Seus ataques continuaram, mais cáusticos do que nunca. O papa retaliou com a exclusão, e várias ordens religiosas declararam-se contrárias ao quase-reformador. A cidade de Florença foi ameaçada de interdito, caso continuasse abrigando Savonarola. O seu sol estava definitivamente no ocaso. Durante um ano ele desafiou a exclusão e exigiu que um concílio geral fosse convocado para depor o papa. Mas o seu poder diante da população em geral se havia perdido.

SAVONAROLA – SCHILLER

Outrossim, muitos estavam simplesmente cansados de todo aquele puritanismo e anelavam pelas antigas diversões. O homem que tão facilmente despertara as paixões das massas não demorou a ser consumido por essas mesmas paixões. Savonarola foi torturado durante seis dias, antes de ser enforcado e consumido nas chamas. A desumanidade do homem contra o homem havia escrito outra escandalosa e estúpida crônica na "história da Igreja".

Escritos. Savonarola escreveu muitos volumes sobre vários assuntos, sermões, ensaios, poemas, tratados, obras de cunho religioso, político e místico. Ele vinculava grande importância aos sonhos e visões, e suas próprias experiências místicas, sem dúvida alguma, foram uma das razões de sua grandeza, por fugidia que ela tenha sido. Talvez sua obra principal seja *O Triunfo da Cruz.*

SCALA SANCTA

No latim, "escada santa". Assim são chamados os vinte e oito degraus de mármore perto da colina Laterana, em Roma, que foram trazidos de Jerusalém para Roma por Helena, mãe do imperador Constantino.

Foi dito no tocante a esses degraus que perfaziam a escadaria que antes levava ao pretório de Pilatos, em Jerusalém e que por sobre eles Jesus passou, ao ser levado para o julgamento. Porém, quase tudo quanto Helena "descobriu" tem bem pouco valor histórico.

SCHAFF, PHILIP

Suas datas foram 1819-1893. Nascido na Suíça, formou-se em teologia e fez preleções na Universidade de Berlim. Mudou-se para os Estados Unidos da América para ensinar história eclesiástica no Seminário Teológico da Igreja Reformada Alemã em Mercersburg, estado da Pensilvânia.

Schaff interessava-se pela união das igrejas e trabalhou em favor desse ideal com grande vigor. Cria que a Igreja ideal mesclaria os melhores pontos do catolicismo romano e do protestantismo, formando uma espécie de catolicismo evangélico. Naturalmente, foi acusado de heresias, mas isso resultou em nada.

Juntamente com John W. Nevin, ele foi responsável pelo desenvolvimento da teologia de Mercersburg. Ele criticava o revivalismo norte-americano, e desejava uma igreja mais emocionalmente controlada e solene. Em 1870, tornou-se um dos membros do corpo docente do Union Theological Seminary.

Schaff foi escritor prolífico, tendo publicado oitenta obras que o tornaram internacionalmente respeitado. Suas obras principais foram: *Creeds of Christendom* (três volumes); *History of the Christian Church* (sete volumes). Contribuiu com muitas notas valiosas para *o Langes Commentary of the Bible,* as quais com freqüência tenho achado melhores do que os comentários originais. Foi contribuidor e editor de *The Schaff-Herzog Encyclopedia of Religious Knowledge* (três volumes). Participou na preparação da versão revisada da Bíblia em inglês.

SCHELLING, FRIEDRICH WILHELM

Ver **Shelling (Schelling) Friedrich Wilhelm.** Por descuido, erramos a soletração; assim inserimos este artigo fora de ordem alfabética.

SCHENKEL, DANIEL

Suas datas foram 1813 - 1885. Ensinou na Universidade de Heidelberg. Foi um teólogo sistemático de nota, dotado de forte orientação ética. Escreveu apologias e obras polêmicas: três volumes sobre o pensamento protestante; dois sobre dogmática, livros sobre Jesus e sobre o pensamento cristão. enfoque central de sua teologia era a ressurreição. Em seus últimos anos de vida, aproximou-se mais de um cristianismo positivo.

SCHILLER, FRIEDRICH

Suas datas foram 1759 - 1805. Ele foi poeta, dramaturgo e filósofo alemão. Nasceu em Marbach. Educou-se em Stuttgart. Inclinava-se para a medicina, mas terminou escrevendo dramas. Foi amigo e colaborador de Goethe. Ensinou em Jena. Escreveu obras de filosofia e poesia.

Idéias:

1. O pensamento e a atividade estéticos servem de meios para conferir uma harmonia básica à vida humana. Ali combinam-se os fatores basilares da forma de vida e dos sentimentos. A estética possibilita a conciliação entre a moralidade e os sentimentos, e conduz a um ser mais perfeito.

2. A educação na sociedade humana deve incluir a estética, se é que esperamos conseguir desenvolvimento e harmonia morais e sociais.

3. A estética ensina-nos acerca da liberdade moral básica do homem, através da qual ele consegue obter resistência contra o sofrimento. Desse modo, o problema do mal tem uma resposta estética. George Santayana sentiu isso quando se deixou arrebatar pelo senso da beleza em meio ao ceticismo e à incerteza. Resistir à sorte por meio da força de vontade embota o fio de seus golpes.

4. O universo não pode ser conhecido, e isso permite toda espécie de conjetura no que concerne à sua natureza. A liberdade humana está alicerçada sobre essa incerteza. Os poetas conferem aos filósofos os seus princípios básicos.

Escritos. The Aesthetic Education of Man in a Series of Letters; Concerning Grace and Dignity; On the Moral Value of Esthetic Customs; On the Sublime.

SCHILLER, F.C.S.

Suas datas foram 1864 - 1937. Nasceu em Schleswig-Holstein, na Alemanha. Estudou em *Oxford. Ensinou em Cornell, Oxford e na Universidade da Califórnia,* esta nos Estados Unidos da América. Foi humanista e pragmático.

Idéias:

1. Verdade, realidade, beleza e bondade resultam das intenções humanas. Toda verdade é útil; mas nem todas as coisas úteis são verdadeiras. A verdade seria relativa tanto às evidências quanto aos propósitos do investigador.

Se houver algo de constante na verdade, então estará ligado a esses propósitos.

2. Schiller declarava-se seguidor de Protágoras, conforme fez em sua obra intitulada *Humanismo*. Ele afirmava que a verdade e a realidade são criadas pelo homem, e negava que existia algum mundo objetivo que nos constrangesse a qualquer coisa.

3. Ele foi um humanista, aplicando os princípios do humanismo a todos os campos da atividade humana, incluindo a ética, a estética, a metafísica e a teologia.

4. A lógica teria valor quando vinculado ao que é útil e tem valor. As leis da lógica só teriam valor quando resultam no que é prático.

5. O princípio fundamental de sua filosofia era a pessoa humana, uma vez que enriquece seus pontos de vista sobre o humanismo (vide). E isso fez com que Schiller fosse considerado um personalista. Ele frisava a liberdade e a criatividade do homem.

6. Ele acreditava em um Deus finito, o qual, paralelamente ao homem, esforça-se em favor da bondade, em um universo recalcitrante.

Escritos. The Riddles of the Sphinx; Humaniam; Studies in Humanism, Formal Logic; Logic for Use; Must Philosophers Disagree?, Our Human Truths.

SCHIWY, GUNTHER (ESTRUTURALISMO)

Um importante filósofo que defendia certa versão da teoria do estruturalismo, foi Lévi-Strauss, acerca de quem apresento um artigo separado, que adiciona detalhes sobre dessa teoria. Schiwy, por sua vez, aplicou o estruturalismo ao cristianismo. Além de oferecer várias idéias sobre o conceito, demoro-me um pouco a considerar essa aplicação particular do mesmo, por parte de Schiwy.

O estruturalismo é um ponto de vista interdisciplinar, um movimento filosófico cuja idéia central é que todas as sociedades e culturas possuem uma cultura comum, na qual não se vê variantes. "Trata-se mais de um método de abordagem do que mesmo de uma filosofia distinta, com aplicações tanto na lingüística quanto nas ciências sociais. 1. *Na lingüística*. Indica a teoria de que a linguagem pode ser melhor descrita em termos de suas unidades estruturais irredutíveis, como a morfologia, a fonologia, etc. 2. *Nas ciências sociais*. O ponto de vista de que a chave para a compreensão dos fenômenos ali observáveis jaz nas estruturas subjacentes, e nos sistemas de organização social" (F).

No âmbito das ciências sociais, essa teoria emergiu a princípio na França, em resultado dos escritos antropológicos de Claude Lévi-Strauss. A ênfase desse conceito afasta-se das origens e aproxima-se da especificação de estruturas imutáveis das relações, as quais, alegadamente, todos os homens manteriam inconscientemente, antes mesmo de refletirem. Estruturas comuns manifestam-se em todas as áreas da sociedade e do pensamento humano; e assim, aqueles que se ativam em muitos campos de atividade, como as ciências sociais, a lingüística, a psicanálise, a filosofia e a religião, são capazes de descobrir tais estruturas. Muitos nomes, em um grau ou outro, têm estado vinculados ao conceito básico incluindo Vico, Marx, Freud, Jung, De Saussure, Merleau-Pont e Piaget, indivíduos esses considerados pioneiros do estruturalismo, por aqueles que aderem a essa metodologia. Abaixo destacamos, com alguns sucintos comentários, os nomes mais importantes que têm estado envolvidos no movimento.

1. Ferdinand De Saussure. Ele é considerado o fundador da lingüística estruturada. Ele falava sobre a linguagem como o principal *modelo de interpreta*ção da humanidade, e procurou desenvolver a ciência da semiologia, a qual aborda a natureza dos sinais da linguagem e suas leis determinantes. Ele chegou mesmo a declarar que as leis da lingüística desenvolveram-se de forma sincrônica nas diferentes sociedades humanas.

2. Lévi-Strauss. Ver o artigo separado e mais detalhado sobre ele. Ele aplicou a sua teoria às ciências da lingüística e da antropologia. Descobriu similaridades básicas nas mitologias de várias culturas, bem como em seus costumes. O homem emerge, em sua filosofia, como parte da grande estrutura da existência. Ele reputava as estruturas sociais como entidades objetivas, que existem independentes da consciência humana. Várias sociedades, contudo, produzem representações parciais, incompletas das mesmas estruturas. As diversas culturas, em suas religiões, mitos e costumes, procuram ocultar ou mistificar discrepâncias entre cada sociedade em particular e a sua imagem ideal.

3. Jacques Lacan fundou uma escola freudiana estruturalista, em Paris. Ele relacionou a preocupação dos estruturalistas com a linguagem à mente inconsciente das sociedades. A linguagem foi vista por ele como um instrumento que ajuda os homens a muitas estruturas básicas misturadas. O indivíduo é apenas como a voz passiva na gramática. Ele não fala, é falado. Ele não pensa, é pensado. De acordo com seu pensamento, a individualidade humana não tem grande importância.

4. Louis Althusser fez as teorias do estruturalismo extrapolarem para o marxismo, com o intuito de mostrar que a história humana simplesmente está envolvida, de modo inevitável, com certas estruturas, dentre as quais se destaca a estrutura econômica. Dessa maneira, ele justificou o determinismo histórico.

5. Rolan Barthes aplicou essa teoria à crítica literária, tendo descoberto que diferentes estilos de expressão alicerçam-se sobre diferentes expressões e estruturas lingüísticas. A crítica literária aceita, como sua tarefa, decifrar essas estruturas específicas. O pesquisador fica à cata de semelhanças estruturais, a despeito das diferenças lingüísticas.

6. Michel Foucaut aplicou o estruturalismo à filosofia. Ele descobriu que a ordem das palavras é importante, servindo mesmo de chave da compreensão. Asseverava que "todas as disciplinas teóricas estão encarregadas da tarefa de eliminar o humanismo, trazendo à luz o sistema anônimo de pensamento, sem um sujeito, que se faz presente na linguagem de qualquer dada época" (P).

7. Gunther Schiwy aplicou o estruturalismo ao cristianismo. Ele partiu do pressuposto de que a ênfase atemporal desse sistema é naturalmente compatível com a ênfase do cristianismo sobre a eternidade; e nisso encontraríamos uma verdade básica e permanente acerca da realidade.

O estruturalismo minimiza a importância da história, preferindo encontrar significado nos sistemas. Também minimiza o indivíduo e o humanismo, e salienta as estruturas humanas gerais, os poderes que se fazem sentir por trás das massas humanas e suas culturas. As diferenças entre as sociedades humanas são apenas aparentes e superficiais. Seus pontos de semelhança são marcantes e importantes. A passagem linear do tempo é desprezada, e a sincronia ("ocorrências paralelas") é enfatizada. Para os estruturalistas, a história pode ser melhor entendida como uma sucessão de formas. A versão cristianizada dessa teoria supõe que as estruturas percebidas fossem divinamente ordenadas, havendo, por trás delas, um propósito divino.

8. A Psicologia. Antes de começar a ser usado conforme se vê acima, o termo "estruturalismo" era aplicado, pelos psicólogos, para indicar certo tipo de psicologia. Há alguma similaridade de idéias, embora não de maneira formal. A importância recai sobre as estruturas dos fenômenos psíquicos, passíveis de introspecção. (EP F P)

SCHLATTER, ADOLFO

Suas datas foram 1852 - 1938. Foi um teólogo protestante. Nasceu em São Galeno, na Suíça. Ensinou o Novo Testamento em Greifswald, Berlim e Tubingen. Foi destacado erudito hebraísta, que escreveu comentários sobre todos os livros do Novo Testamento, com base nesse pano de fundo, tendo assim elucidado a muitos textos. Ele salientou energicamente como o pano de fundo hebreu-aramaico de Jesus e da Igreja primitiva está por trás de muitas das idéias neotestamentárias. Pesquisava despreocu-padamente, e não exibiu preconceitos, salientando a verdade onde quer que pudesse achá-la. Ele estabeleceu uma moderna teologia da fé, em oposição à apologética, e a todas as transigências antigas e modernas da teologia com a filosofia. Ansiava por preservar o caráter ímpar da mensagem do evangelho; e, no entanto, não conseguiu perceber como o próprio Novo Testamento emergiu (quanto a muitos pontos de vista) do judaísmo helenista, onde estavam em operação várias fontes de pensamento teológico e filosófico. Schlatter foi uma poderosa fonte informativa dos imortais estudos de vocábulos de Kittle.

SCHLEGEL, FRIEDRICH VON

Suas datas foram 1772 - 1829. Ele foi autor e filósofo alemão. Foi um dos líderes do movimento romântico na Alemanha. Nasceu em Hanover. Estudou em Gottingen. e Leipzig. Ensinou em Jena. Foi influenciado pelas idéias de Schleiermacher, Spinoza, Leibnitz e Friedrich Schiller.
Idéias.
1. Schlegel falou sobre o espírito de objetividade segundo o qual a personalidade de um indivíduo é dominada pelo que é material; e também sobre o espírito subjetivo que é a principal característica da livre expressão da personalidade. O primeiro espírito ele identificava com o Iluminismo, pois esse seria a sua essência básica; e o segundo ele vinculava ao romantismo. É no *romantismo* que rebrilha o gênio humano.

2. Ele adotou o conceito da dialética de Friedrich Schiller, que envolve o finito e o infinito, e que leva à síntese das duas coisas. Ver sobre *Schiller, Friedrich. Idéias,* primeiro ponto. A ciência, como uma disciplina abstrata, produz a decadência. É mister pô-la a operar em conjunção com a vida diária. A cultura só permanece vital quando a vida e a ciência são soldadas uma à outra.

3. A transfiguração espiritual é o alvo das belas-artes. A arte também representa idéias e isso é uma função importante dela. Até na tragédia, o mais vexatório dos problemas humanos, pode-se ver *o eterno* surgir dentre a catástrofe temporal, quando o herói é transfigurado por seus sofrimentos.

4. *Sobre a Tragédia.* Haveria três tipos de tragédia: a. representação, que é mera descrição; b. caracterização do quadro total; e c. transfiguração espiritual. O terceiro tipo é a tragédia mais profunda, o objetivo mesmo da adversidade.

Escritos: History of the Old and New Literature; Philosophy of Life; Lectures on the History of Philosophy; Philosophy of Language.

SCHLEIERMACHER, FRIEDRICH

Nascido em 1768 e falecido em 1834, ele foi um filósofo e teólogo alemão que exerceu grande influência. Nasceu em Breslau. Educou-se em Halle. Foi pregador em Berlim. Foi professor de teologia e filosofia em Halle. Foi ministro da Igreja da Trindade, em Berlim. Traduziu as obras de Platão para o alemão. Foi autor de muitos livros, além de ter sido renomado conferencista. Fez progredir a teoria do conhecimento, o raciocínio teológico, a erudição platônica e a teologia sistemática. Sofreu a influência de Kant e Fichte, mas sem se tornar um idealista subjetivo.
Idéias:
1. Para ele, os sentimentos são um aspecto muito importante da religião, e o sentimento principal ai é o de absoluta dependência. O finito depende do infinito. Ele evitava definir a religião em termos de razão e de moralidade, e preferia apresentar suas idéias sobre os sentimentos.

2. O finito faz parte do infinito e depende dele de modo absoluto. O infinito é a totalidade de todas as coisas, aos moldes de Spinoza. Schleiermacher identificava Deus com o mundo, considerado como um todo. Apesar desse panteísmo, em seus escritos teológicos posteriores, ele se identificou com Agostinho e com Calvino.

3. *Proprium.* Cada indivíduo deve encontrar e desenvolver sua diferenciação interior, seu lugar particular na natureza e na história, ou seja, a sua finitude especial dentro do infinito. A isso ele chamava de *proprium,* algo similar à *função,* nos escritos de Aristóteles, ou seja, o ideal que cada indivíduo, mediante a educação e a evolução, torne-se uma pessoa sem igual, com uma função ímpar, para bem da coletividade. O desenvolvimento do *proprium* prové ao indivíduo a sua identidade e a sua unidade de vida. Os indivíduos assim evoluídos e cultivados seriam aqueles que desenvolvem a ética, a sociedade e a religião.

4. *Sobre os milagres,* ele asseverava que todas as causas são naturais, mas que Deus pode trazer à tona conjuntos incomuns de causas, produzindo os eventos extraordinários que chamamos de milagres.

5. A religião seria uma espécie de atividade natural do homem, o qual, por meio da intuição, apreende algo da essência da existência. O lado prático da religião incluiria uma reação emocional (dos sentimentos) a seus discernimentos. Ele dava grande valor a essa reação emocional. Seus sentimentos incluíam o princípio do amor. Nos sentimentos tomamos conhecimento da realidade de Deus; nos sentimentos simpatizamos com nossos semelhantes.

6. As doutrinas sempre dependem da experiência religiosa, e nunca a experiência da crença. Isso posto, a teologia torna-se, em um importante sentido, uma aventura

empírica e uma ciência especialíssima. Apesar de as declarações bíblicas e filosóficas terem o seu devido lugar, a religião, como uma ciência experimental, dispõe de seus próprios informes para efeito de elaboração, não podendo assim ser restringida aos raciocínios filosóficos, e nem ao emprego de textos de prova extraídos das Escrituras como ponto de partida, mas tão-somente como confirmação e orientação. Dessa maneira, não precisamos limitar-nos a rígidas ortodoxias, com suas formulações exatas e suas limitações, que só servem para aprisionar os homens.

7. A experiência religiosa é uma atividade mental ímpar e autônoma, que mana desde o fundo de nosso ser.

8. *Sobre a Autoridade.* A autoridade final, na religião, não são as Escrituras (conforme diz o protestantismo ortodoxo); também não é a razão, natural (segundo preceituam algumas filosofias); e nem é alguma combinação das duas coisas, paralelamente às tradições (conforme diz o catolicismo romano). Antes, é o sentimento religioso intuitivo, combinado com a experiência religiosa dali derivada. "As doutrinas cristãs são exposições dos afetos religiosos cristãos, transmitidas em forma de declarações" *(The Christian Faith,* pág. 76). Naturalmente, os estudiosos liberais protestantes tiraram proveito desse tipo de pensamento. Por essa razão, Schleiermacher veio a ser conhecido como "pai da teologia moderna".

9. *Sobre a Ética.* A maneira como um cristão tem comunhão com Deus, através de Cristo, influencia as suas ações. O alvo da ética é a obtenção da unidade e da paz entre motivos e ideais aparentemente conflitantes. Ele depreciava a aplicação da mera lei, e antecipou os situacionalistas modernos. Antes, exaltava o amor como o maior de todos os princípios éticos. A lei, asseverava ele, não consegue varar para além dos atos, até os motivos. Porém, o amor atinge o âmago de todas as coisas, capacitando-nos a agir de modo digno, com base em corretos motivos. Sua ênfase sobre o amor era tal que ele recusava-se a chamar de *leis* aos dois grandes mandamentos sobre o amor (ver Mat. 22:36-40).

Escritos. *On Revelation and Mythology; On Religion; Speeches to the Cultured Despisers; Soliloquies; Outline of Critique of Previous Ethical Theory; Brief Outline of the Study of Theology; The Christian Faith.*

SCHOPENHAUER, ARTHUR

Suas datas foram 1788 - 1860. Ele foi um filósofo alemão cujo nome tornou-se um sinônimo virtual de *pessimismo,* sobre cuja atitude apresentei um artigo detalhado. Ele nasceu em Danzig. Estudou nas Universidades de Gottingen e Berlim. Teve mestres famosos, como Wolff, Fichte e Schleiermacher. Foi influenciado pelas idéias de Goethe. Ensinou na Universidade de Berlim.

Schopenhauer era homem de estranha personalidade. A fim de exibir sua animosidade contra Hegel (a quem ele chamava de "fanfarrão da filosofia"), marcou suas aulas para o mesmo horário que as dele; mas com isso ele apenas prejudicou a si mesmo. Foi despedido de seu posto; mas uma herança, deixada por seu pai, tornou-se seu sustento adequado. E tirou proveito de seu lazer para viajar, tendo vivido em vários lugares da Europa. O pai de Schopenhauer era um rico negociante que amava muito a liberdade. Quando sua cidade nativa, Danzig, perdeu a independência, tornando-se parte do império da Prússia, ele mudou-se para Hamburgo. Sua mãe foi uma novelista popular de alguma notabilidade. Seu pai tentou forçá-lo a abraçar o mundo dos negócios, mas isso só funcionou durante breve período. Sua inspiração era a filosofia e o estudo. E obteve o grau de doutor em filosofia, na Universidade de Jena.

Após muitas mudanças e percalços, ele voltou a Berlim; mas a cidade foi atingida por uma epidemia de cólera. Hegel morreu de cólera, e Schopenhauer mudou-se para Frankfurt. Ali obteve sucesso e popularidade, tendo permanecido naquela cidade até que a morte o colheu. Assim, sua idade avançada foi o período mais satisfatório de sua vida, embora ele nunca tivesse ficado satisfeito com as suas realizações.

Para ele, Platão e Emanuel Kant foram os maiores filósofos. Também deixou-se influenciar pelo budismo, tendo sido o primeiro filósofo ocidental a dar suficiente atenção àquela filosofia oriental.

Sua personalidade era marcada por estranhos subterfúgios, alimentando o profundo pessimismo que o caracterizava em sua visão da vida. Ao que parece, sua mãe foi envolvida em costumes sexuais duvidosos, encorajada pelo círculo literário em que ela se movimentava. Schopenhauer nunca conseguiu manter relacionamento duradouro com qualquer mulher, e sua obra, *Ensaio sobre as Mulheres,* reflete a sua inimizade por todo o sexo feminino. Ele rompeu relações com sua mãe, e não teve contato algum com ela, durante quarenta e seis anos. Mostrava-se extremamente sensível diante de todas as formas de sofrimento, incluindo o dos animais, que o deixava revoltado. Ele chegou a acreditar que a própria existência é um mal (essa é a definição primária do "pessimismo"), não podendo aceitar qualquer teoria que afirmasse a existência de um Deus justo e benévolo.

Idéias:

1. A filosofia não é uma ciência, mas é alicerçada sobre processos lógicos. As culminâncias da filosofia formam uma arte, uma revelação que opera mediante o discernimento intuitivo. Através da razão obtém-se apenas uma filosofia elementar. Em seu livro, *The Fourfold Root of the Principle of Sufficient Reason,* ele lançou dúvidas sobre a eficácia da razão. A experiência imediata, não-racionalizada, por envolve a vontade, tornou-se a sua principal maneira de tomar conhecimento das coisas.

2. A introspecção (discernimento intuitivo) nos ensina que a *vontade* é primária, sendo a base real de todas as coisas. O próprio corpo do indivíduo é a concretização da vontade.

3. Há uma Vontade Absoluta, à qual denominamos Deus. Todas as demais vontades são derivadas desse poder. Todas as demais coisas são concretizações da Vontade suprema. As vontades, pois, são microcosmos da Vontade macrocósmica.

4. O mundo é uma idéia ou representação da Vontade cósmica. As ações humanas, por um lado, são ideacionais e fenomenais; mas, por outro lado, são volicionais e reais. Daí segue-se que a vontade do homem é cega, quando considerada isoladamente. A vontade expressa na natureza também é cega, um esforço inconsciente. Esse esforço é a vontade de viver, mas, na realidade, é destituído de propósito.

5. O mundo é a representação de coisas individuais, que são feitas como elas são pela Vontade irracional. As grandes características dessa Vontade e das coisas que ela impõe em sua extensão, que é o mundo, são a dor e o sofrimento. Não há nenhum desígnio que se esforce em prol do bem; há somente uma precipitação enlouquecida para continuar a existir a qualquer custo e sob qualquer condição.

6. O espaço e o tempo são individualizações da Vontade

SCHOPENHAUER – SCHWEITZER

cósmica. Assim sendo, nos escritos de Schopenhauer topamos com um total idealismo (vide). Porém, para ele, a razão não é a essência da Idéia divina. Essa essência é uma Vontade insana. Deus seria insano, se quiséssemos chamar a Vontade cósmica ou Vontade Absoluta de Deus.

7. A vontade é a atividade primária, fora do tempo, fora do espaço, sem causa, que se exprime no homem como impulso, instinto, esforço, anelo, desejo, desapontamento e tragédia. A vontade é o verdadeiro "eu" do homem; o seu corpo é apenas uma auto-representação.

8. O mundo consiste em vontade e idéia. A vontade expressa-se por toda parte. Guia a tudo, arruína tudo, azeda tudo.

9. A vontade de existir, de viver, de lutar, de prosseguir, somente produz a tristeza e fomenta todos os males que vemos no mundo, com seus imensos e insensatos sofrimentos.

10. A vida é má por ser egoísta e vil. A vontade torna os homens cobiçosos, intrigantes e ruins, e, no entanto essa vontade é que é a essência de todas as coisas. Portanto, a própria existência é um mal.

11. *Livramento.* Podemos obter um livramento parcial da loucura que caracteriza a nossa vida em uma desprendida contemplação das Idéias, concebidas em termos platônicos. Além disso, na estética podemos obter certa espécie de resignação budista ou passividade, que tende por amortecer as nossas tristezas. Assim como uma pessoa contempla uma obra de arte, assim também ela pode desligar-se de sua individualidade, onde a Vontade operou sua obra nefanda. E assim podemos tornar-nos um puro sujeito cognoscente. Há uma hierarquia de formas de arte. Em seu ponto mais baixo, a arte toma a forma de arquitetura, subindo daí para a escultura, para a pintura, para a poesia lírica e trágica, e atingindo o seu ponto mais alto na música. Esse passo final é o supra-sumo da arte, aquele passo no qual a Vontade expressa-se de modo mais belo. A dor e a alegria são representadas nas artes em uma forma abstrata. Mas, embora obtenhamos assim um livramento temporário, vemo-nos envolvidos na estética, pelo que essa vitória é temporária. Não demora muito para a Vontade apossar-se novamente de nós, fazendo-nos sentir uns miseráveis.

12. A Ética da Compaixão. Essa é a única coisa valiosa na face da terra. Uma nova tentativa. Em nossa busca pela liberação, obtemos outra vitória parcial ao aceitarmos a ética do pessimismo. Temos de reconhecer que todas as coisas são inúteis, com exceção de uma coisa: a simpatia, ou seja, a compaixão. Ter compaixão pelo próximo pode quebrar as cadeias do "ego". Podemos ter compaixão (isto é, amor) pelo próximo quando compreendemos a unidade de todas as coisas. Todos os seres vivem na mesma miséria que nós. Somos um. Quando alguém sente a dor de outrem, com a mesma intensidade com que sente a sua própria dor, então tal pessoa conquistou a dor, mediante a própria dor; mas temos aí uma *dor altruísta,* pelo que isso é algo de valor.

13. As maneiras certas de agir são a renúncia (esperar pouco da vida e negar seus valores); a resignação (aceitar os truques sujos da Vontade suprema); e ascetismo (reduzir os próprios desejos, e juntamente com os mesmos, os desapontamentos).

14. Neste vasto mundo não há atos bondosos senão aqueles inspirados pela simpatia. Somente ao exercer a compaixão é que um homem se vê livre de seu ego insano.

15. Salvação. Apesar de as religiões falarem sobre a vida eterna, o que deveríamos desejar é a morte eterna. Aí encontraremos o sossego. Já vimos como a Vontade cósmica (o deus de Schopenhauer) é insana; portanto, dessa Vontade só podemos esperar mais loucura ainda. Porém, algum dia, talvez Deus resolva cessar em sua louca luta pela vida, preferindo a morte. E então todas as coisas deixariam subitamente de existir, visto que tudo é apenas a projeção da vontade divina. E, nesse caso, finalmente obteríamos a paz que tanto almejamos.

16. Reencarnação e Futilidade. Se as coisas fossem, de fato, tão ruins como Schopenhauer dizia, então a solução final não seria cometermos suicídio? Ele, porém, respondia com um enfático "não"! O suicídio é inútil, visto que a alma realmente *existe* e prossegue em seu insano desejo de viver. Não somente isso, mas a alma sempre volta, em outra reencarnação. Assim, a vida nada resolve; e a morte também nada resolve; e a reencarnação somente aumenta a insanidade. Isso posto, resta-nos esperar pela decisão da Vontade cósmica para deixar de querer viver. Nisso consistiria a salvação. Todavia, não há sinais de que Deus chegue, algum dia, a tomar tão bela decisão! Ah! o pessimismo de Schopenhauer!

Escritos. On the Fourfold Root of the Principle of Sufficient Reason; On Sight and Colors; The World as Will and Idea; On the Will in Nature; The Two Basic Problems of Ethics; Parega and Paralipomena.

SCHWEITZER, ALBERTO

Suas datas foram 1875 - 1965. Ele foi um filósofo, teólogo, médico, missionário e humanitarista alemão. Educou-se em Strasbourg. Foi missionário-médico de fama internacional. Construiu e trabalhou em um hospital, em Lambarene, África Equatorial Francesa. Os historiadores consideram-no um renascentista que obteve grandeza espiritual. No artigo intitulado *Liberalismo,* esbocei várias de suas idéias, que exerceram poderosa influência sobre a teologia de seus dias.

Áreas de Influência e Atividades. Schweitzer foi uma figura universal, que brilhou em várias áreas. 1. Como crítico de música e autor sobre o padrão de vida de Bach, como editor das obras de Bach para órgão (o que ele fez em parceria com C.M. Widor), e como organista concertista, cujas interpretações de Bach foram gravadas, ele exerceu influência sobre a música sacra. 2. Ele foi um teólogo e erudito neotestamentário de nota, cujas interpretações sobre Jesus tiveram alguma influência sobre os círculos teológicos. 3. Como filósofo, ele salientou a reverência à vida e à *vontade de amar,* em lugar do *poder da vontade,* que é labor de almas espiritualmente pobres. 4. Como missionário-médico, ele punha em prática a sua filosofia e teologia, de uma maneira evidente. Seus esforços nesse campo têm levado os historiadores a classificá-lo como um dos mais notáveis humanitários da primeira metade do século XX.

1. Idéias Filosóficas

a. A cultura é uma entidade frágil, que depende da vontade dos homens. O homem é moralmente obrigado a levar avante essa entidade, tendo em vista seu melhor desenvolvimento.

b. O homem pode ter experiências com Deus através da vontade ética que opera nele. Isso pode transformá-lo para melhor, tornando-o um instrumento benfazejo ao próximo, se ele cultivar essas coisas, em vez de alvos e ambições egoístas. A vontade ética é uma força na natureza inteira, e também reside no homem. Essa vontade é a grande característica que define Deus.

c. Jesus foi o maior revelador da vontade ética entre os homens, apesar do fato de que, na opinião de Schweitzer, Jesus tenha sido um sonhador apocalíptico que tentou grandes reformas, mas que estava equivocado em sua fé na iminência do reino de Deus.

d. A *base* de toda ética, como também o fator mais importante, é a *reverência à vida*. Esse princípio, que já havia governado a sua vida, subiu-lhe à mente, de maneira verbal, quando viajava pela África e observava as muitas maravilhas da natureza, tão plena de vida e movimento. Para ele, a reverência à vida tornou-se uma espécie de padrão definitivo da bondade. Ao que parece, ele formava uma visão panteísta da natureza, o que o inspirou em seu modo de pensar.

2. Algumas Idéias Teológicas:

a. O que foi dito acima tem aplicações à teologia de Schweitzer. Restam alguns pontos a serem destacados, segundo se vê abaixo.

b. Em sua obra, *Quest of the Historical Jesus,* ele tomou a posição de que os autores do Novo Testamento não nos deram um guia seguro para compreendermos a Jesus. Antes, eles criaram uma espécie de Jesus teológico, que obscureceu sua historicidade. Ele via em Jesus um reformador e ativista que acabou desiludido em suas tentativas para estabelecer na terra o reino messiânico de Deus. Ele concedia a Jesus uma visão muito estreita, em suas tentativas para fazer todas as coisas ajustarem-se às suas interpretações apocalípticas.

c. O amor é inspirado pela reverência que o indivíduo tem pela vida. Encontramos aí uma autêntica espiritualidade, que anula o insano desejo dos homens pelo poder.

d. *A ênfase sobre o misticismo*. Schweitzer escreveu um livro cujo título é *The Mysticisn of Paul the Apostle,* e que demonstrou certo discernimento quanto ao fato de que a verdadeira base da inspiração e do pensamento religioso são as experiências místicas. Um outro livro seu que exerceu grande influência foi *Paul and His Interpreters.*

Escritos. Paul and His Interpreters; Philosophy of Culture; Civilization and Ethics; Christianity and the Religions of the World, Quest of the Historical Jesus; The Mysticism of Paul, Out of My Life and Thought; Indian Thought.

SCHWENKFELD VON OSSIG, CASPER

Suas datas foram 1490 - 1562. Ele foi um reformador protestante que deu o seu apoio à Reforma Protestante, embora defendendo certas posições doutrinárias que o puseram em dificuldades. Ele não aceitava a máxima dos reformadores de "as Escrituras somente", afirmando que a Palavra viva de Deus é mais ampla do que as Escrituras Sagradas, pois estas, na verdade, são apenas uma representação parcial daquela realidade maior. Ele também negava a teologia sacramental. Essas duas posições impeliram Lutero a referir-se a ele como um perigoso herege.

SCIENTIA MEDIA

No latim, "conhecimento médio". Os homens têm-se sentido perplexos diante da idéia de como Deus pode prever todas as coisas, sem que esse conhecimento prévio force, automaticamente, todas as coisas acontecerem.

Filosoficamente, Agostinho deu solução ao problema, asseverando que "Deus prevê que os homens agirão livremente", pondo assim o pré-conhecimento divino por trás da liberdade humana. Luís de Molina (1535 - 1600) criou uma idéia similar à de Agostinho, chamando-a de *scientia media.* De acordo com essa teoria, Deus prevê acontecimentos hipotéticos contingentes futuros, ao que ele chamou de *futuribilia.* Essas contingências podem ocorrer ou não, pelo que não se tornariam absolutas só pelo fato de Deus tê-las previsto. Contudo, isso não eliminaria a predestinação de certos eventos, embora alivie o conhecimento prévio de Deus de uma presumível predestinação necessária. Os teólogos católicos romanos têm-se utilizado da teoria de Molina.

SCINTILLA CONSCIENTIAE

Ver sobre **Synderesis.**

SCOTISMO

Esse é o nome da filosofia que emergiu do sistema e das atividades de Duns Scotus (que vide). A sua filosofia era uma variedade ou reformulação de idéias agostinianas, em parte modificadas com a ajuda de Aristóteles. Os franciscanos (que vide) têm feito muito para preservar e interpretar a obra de Duns Scotus. A maioria dos scotistas tem sido frades franciscanos, visto que Duns Scotus, o Doutor Sutil, pertencia a essa ordem monástica. De modo geral, eles são devotados aos conceitos do livre-arbítrio, de princípio de distinções formais e do dogma da Imaculada Conceição de Maria. Eles têm criticado acerbadamente a outros sistemas, incluindo o de Tomás de Aquino. Alguns dos primeiros scotistas foram Francisco Mayron (1327) e o papa Alexandre V (falecido em 1410).

SCOTUS ERIGENA, JOÃO

Ver sobre **Erigena, João Escoto.**

SCOTUS, JOÃO DUNS

Ver sobre **Duns Scotus.**

SCRIPTORIUM

Essa palavra latina tem raiz em **scribere**, "escrever", e significa "lugar de escrever". O termo é usado para aludir a algum edifício ou aposento especial, usualmente parte de um mosteiro, onde se preparam cópias e outras coisas, em forma escrita. Isso ocorria especialmente nos dias antigos, quando havia manuscritos bíblicos.

SÉ

Essa palavra vem do latim, **sedes**, "sede". É aplicada pela Igreja Católica Romana a uma sede local ou lugar de autoridade onde um bispo, um arcebispo ou mesmo o papa exercem suas respectivas jurisdições. O vocábulo também pode aludir à própria jurisdição papal ou episcopal, ou à hierarquia clerical deles. Assim, a Santa Sé é a sede do papa, que também é chamada Sé de Roma.

SEA

Ver **Pesos e Medidas.**

SEAL

No hebraico, **requisição.** Esse é o nome de um dos filhos de Bani, que se casara com uma mulher estrangeira, no tempo de Esdras (Esd. 10:29; 1 Esdras 9:30). Viveu por volta de 445 a.C.

SEALTIEL

No hebraico, "Deus é um escudo". Seu nome aparece nos livros de I Crônicas, Esdras, Neemias, Ageu. E, no Novo Testamento, com a forma de Salatiel, em Mateus e Lucas, na genealogia do Senhor Jesus. Viveu em cerca de 536 a.C.

Ver os trechos de Esd. 3:2,8; Nee. 12:1; Ageu 1: 1, 12,14; 2:2,23; 1 Crô. 3:17. Do ponto de vista legal, foi o pai de Zorobabel (ver Luc. 3:27; Mat. 1:12). *Pedaías* foi o pai biológico de Zorobabel (ver I Crô. 3:18,19). Sealtiel morreu sem deixar filho homem, e Pedaías, mediante o casamento levirato (vide), casou-se com a viúva de seu irmão (ver Deu.

SEARIAS – SEBA

25:5-10; Mat. 22:24-28). Ele era filho de Jeconias, não por nascimento natural, mas por direito de herança somente pelo lado materno. O trecho de Luc. 3:27,31 diz que Sealtiel, filho de Neri, era descendente de Davi, através de Natã, e não de Salomão. Jeconias teve outro filho, Assir (que nossa versão portuguesa traduz por "o cativo"), que deixou somente uma filha, a qual, de acordo com a lei das herdeiras (ver Núm. 27:8; 36:8,9) casou-se com um homem de sua tribo paterna, a saber, Neri, da família de Natã, que era da linhagem de Natã. Desse casamento foi que nasceram Sealtiel, Malquirão e vários outros filhos, ou seja, mais provavelmente "netos" de Jeconias, conforme se lê em I Crô. 3:17,18.

As várias passagens bíblicas que falam sobre Sealtiel parecem criar uma contradição, e o que escrevi acima forma uma possível explicação da questão. Mas outros tentam resolver o problema fazendo o Zorobabel de I Crô. 3:19 ser uma pessoa diferente daquela envolvida nas atividades pós-exílicas, referidas nos livros de Esdras e Neemias. Ele pode ter sido um sobrinho do filho do mesmo nome, que aparece em Mat. 1:12.

SEARIAS

No hebraico, "Yahweh decide". Ele era filho de Azei, de Benjamim, e descendente de Saul (1 Crô. 8:38; 9:44). Viveu em cerca de 860 a.C.

SEARIAS

No hebraico, "Yahweh é a aurora". Foi um chefe tribal benjamita, filho de Jeroão (I Crô. 8:26). Viveu em cerca de 1360 a.C.

SEBA

Na Bíblia portuguesa, essa palavra é transliteração de três palavras hebraicas de grafia levemente diferente:

A. Um nome que aparece pela primeira vez, em Gên. 10:7, com a forma de "Sebá", em nossa versão portuguesa. Ali, Sebá e Dedã eram dois filhos de Raamá, filho de Cuxe. No entanto, em Gênesis 25:3, segundo nossa versão portuguesa, "Sabá e Dedã" aparecem como dois filhos de Jacsã, filho de Abraão e Quetura. Em Gênesis 10:28, "Sabá" aparece como filho de Joctã, filho de Éber, que era descendente de Sem. Com base nesses informes bíblicos, parece que Sabá era o nome de uma tribo árabe e, conseqüentemente, descendente de Sem. Mas, o fato de que Sebá e Dedã aparecem como tribos cuxitas, em Gênesis 10:7, parece apontar para uma migração por parte dessas tribos, para a Etiópia. E assim, sua derivação de Abraão (Gên. 25:3), indicaria que algumas famílias localizaram-se na Síria. Na realidade, Sabá era uma tribo joctanita, ou árabe do sul (Gên. 10: 28), e o seu próprio nome, como os nomes de alguns de seus irmãos (para exemplificar, Hazarmavé = Hadramaute) são nomes próprios de lugares no sul da Arábia.

Os sabeus, ou povo de Sabá, apareceram como comerciantes em ouro e especiarias, que habitavam em uma terra distante da Palestina (I Reis 10:1,2; Isa. 60:6; Jer. 6:20; Eze. 27:22; Sal. 72:15; Mat. 12:42), ou, então, como escravos (Joel 18), - ou mesmo como tribos que vagueavam pelo deserto (Jó 1:15; 6:19).

De acordo com as genealogias árabes, Sabá aparece como bisneto de Katan (Joctã), antepassado de todas as tribos do sul da Arábia. Os árabes dizem que ele foi chamado Sabá por ter sido o primeiro homem a fazer prisioneiros de guerra *(shabbah)*. Ele fundou a capital, Sabá, juntamente com sua cidadela, Maribe, famosa por sua poderosa barragem. Ver o artigo sobre os *Sabeus,* onde apresentamos pontos sobre a história, a religião e a civilização desse povo semita.

Sob essa primeira forma da palavra hebraica, temos a considerar três nomes pessoais e um locativo, a saber:

1. Um filho de Raamá, que era descendente de Cuxe, filho de Cão (Gên. 10:7; 1 Crô. 1:9). Seu irmão chamava-se Dedã. Cerca de 2240 a.C.

2. Um filho de Joctã, que era descendente de Sem (Gên. 10:28; 1 Crô. 1:22). Cerca de 2200 a.C.

3. Um filho de Jocsã, que descendia de Abraão e Quetura (Gên. 25:3; 1 Crô. 1:32). Também era irmão de Dedã. Cerca de 1800 a.C.

Não há certeza se essas três personagens eram, realmente, três, ou se eram uma só. A possibilidade de que seja apenas uma pessoa é fortalecida pelo fato de que todos esses nomes estão associados à Arábia, que o primeiro e o segundo têm Dedã como irmão, e que o segundo e o terceiro fazem parte da linhagem de Sem. Que o primeiro deles aparece como pertencente à linhagem de Cuxe e Cão pode indicar a íntima relação entre os africanos (camitas) e os árabes do sul.

4. Um país no sudoeste da Arábia, atualmente chamado Iêmen, a região mais montanhosa e fértil da Arábia. As genealogias da Bíblia consideram a pessoa acima referida (Sabá) como a origem do nome desse país, bem como progenitor de seus habitantes, os sabeus (vide). Esse país obteve riquezas mediante o controle do comércio de perfumes e incenso, que eram artigos importantes na vida comum e na religião do mundo antigo. Caravanas de camelos partiam de Sabá (Jó 6:19) para o norte e para os países da margem oriental do Mediterrâneo, levando mercadorias como ouro, pedras preciosas e incenso, que exploravam no sul da Arábia (Isa. 60:6; Jer. 6:20; Eze. 27:22). Sabá teve duas capitais, Sirwah, e, então Maribe. Em Maribe estão os restos de uma grande represa e as ruínas do templo do deus lua, Ilumquh. Nas milhares de inscrições dos sabeus aparecem os nomes de muitos de seus governadores sacerdotes.

No século X a.C., a rainha de Sabá (vide) visitou Salomão (I Reis 10:1-13; II Crô. 9:1-12). Sua caravana de camelos trouxe à Palestina produtos típicos do comércio de Sabá: ouro, pedras preciosas e especiarias, que ela trocou por presentes que lhe foram dados por Salomão.

Sabá também tem um lugar reservado nas expectativas de Israel quanto ao futuro. Espera-se que Sabá envie presentes ao rei de Israel (Sal. 72:10,15) louvando ao Deus de Israel (Isa. 60:6).

B. Uma outra palavra hebraica, que significa "juramento" ou "acordo", aparece como nome de uma localidade e como nome de duas pessoas, a saber:

1. Uma cidade no território de Simeão, perto de Berseba e Moladá, talvez a mesma Berseba, e que figura somente em Josué 19:2.

2. Um filho de Bicri, um benjamita que se rebelou contra Davi, após a morte de Absalão, e cuja cabeça foi decepada pelos habitantes de Abel. Ele viveu por volta de 1020 a.C. As menções a esse homem aparecem em II Sam. 20:1-22.

3. Um chefe gadita, cujo nome é mencionado somente em I Crô. 5: 13. Viveu por volta de 1700 a.C. De acordo com o vs. 17, sua família foi arrolada nas genealogias oficiais do tempo de Jeroboão II, de Israel, ou reino do norte.

C. Ainda com outra forma, no hebraico, mas também com o sentido de "juramento", precisamos considerar um poço que foi cavado pelos servos de Isaque, perto de Berseba, em Judá, em cerca de 1818 a.C. O nome desse poço aparece somente no trecho de Gên. 26:33. Nesse versículo, lemos: "Ao poço chamou-lhe Seba; por isso Berseba é o nome daquela cidade até o dia de hoje".

SEBÃ – SECA

SEBÃ
No hebraico, **bálsamo**. Uma cidade do território de Rúben, antes pertencente aos amorreus, e antes disso ainda, aos moabitas. Jerônimo dizia que ficava cerca de quinhentos passos de Hesbom, embora vários estudiosos modernos não concordem com isso. Ver sobre *Sibma*. O confronto entre as listas geográficas de Números 32:3, 32:34-48 e Josué 13:16-20 indica que Sebã e Sibma eram nomes diferentes de uma mesma cidade. Embora o local tivesse sido outorgado à tribo de Rúben, com o tempo refluiu às mãos dos moabitas. As referências proféticas chamam atenção para suas vinhas (Isa. 16:8,9; Jer. 48:32). A forma Sebã, em nossa versão portuguesa, aparece somente em Números 32:3.

SEBATE
Décimo primeiro mês do calendário dos hebreus, correspondente aos nossos meses de janeiro e fevereiro. Ocorre somente em Zac. 1:7. Mas também ocorre nos livros apócrifos, em I Macabeus 16:14.

SEBE, CERCA
Para proteger as vinhas dos ladrões, eram feitos cercados (Sal. 80:12,13; Isa. 5:5; Mat. 21:33; Mar. 12:1). Vários materiais eram empregados nesses cercados, como pedras empilhadas sem qualquer argamassa de ligação, ramos espinhentos e arbustos. Ou então eram plantados arbustos espinhentos em redor da área desejada, fechando-a. O trecho de Miq. 7:4 menciona a "sebe de espinhos".
São usadas três palavras hebraicas principais e uma palavra grega, a saber:
1. Gader, "sebe", "cerca", "aprisco". Essa palavra hebraica ocorre por doze vezes, conforme se vê, por exemplo, em Sal. 80:12; Ecl. 10:8; Eze. 13.5; 22:30; Osé. 2:6; Miq. 7:11.
2. Gederah, "sebe", "cerca", "aprisco". Palavra hebraica que aparece por nove vezes no Antigo Testamento, segundo se vê, para exemplificar, em 1 Crô. 4:23; Sal. 89:40; Jer. 49:3; Naum 3:17.
3. Mesukah, "cerca", "sebe", vocábulo hebraico que é utilizado por três vezes: Pro. 15:19; Is. 5:5 e Miq. 7:4.
4. Phagmós, "cerca". Essa palavra grega ocorre por quatro vezes: Mat. 21:33; Mar. 12: 1; Luc. 14:23; Efé. 2:14.

Usos Metafóricos
1. A proteção divina, a sua providencia e o seu governo atuam quais cercas de proteção, que impedem seus filhos de serem espiritualmente prejudicados (Jó 1:10; Isa. 5:2 e Eze. 116).
2. As tribulações, os obstáculos e os empecilhos são comparados com cercas (Lam. 17; Jó 18:8; Osé. 2:6).
3. O caminho seguido por uma pessoa preguiçosa é assemelhado a uma sebe de espinhos. Ela sempre vê quão difícil é fazer qualquer coisa, e tem medo de começar. Atrapalha-se em dificuldades imaginárias, e, finalmente, acaba enroscando-se em dificuldades reais (Pro. 15: 19).

SEBER
No hebraico, **brecha**. Um filho de Calebe e de sua concubina, Maaca (I Crô. 2:48). Viveu em cerca de 1430 a.C.

SEBNA
No hebraico, "que Deus possa sentar", ou como pensam alguns, "juventude" ou "retorno". Talvez o nome seja uma forma abreviada de *Seganias* ou *Sebaniahú*, que parece significar "Retorna agora, ó Senhor!" (I Crô. 15.25 e Nee. 9.4, 5).

1. O tesoureiro do templo, que viveu em cerca de 700 a.C. Ele foi substituído por Eliaquim, filho de Hilquias. Ver Isa. 22:15, a única referência a esse homem.
2. O escriba oficial do rei Ezequias era chamado por este nome. Ele participou nas negociações entre Judá e os assírios agressores no tangente à rendição de Jerusalém àquele poder estrangeiro. Não foi feito nenhum acordo. Então o rei o enviou como numa delegação para consultar o profeta Isaías, instruindo-os a não negociar com a Assíria, pois seu exército poderia simplesmente se retirar, o que de fato aconteceu. A maioria dos estudiosos modernos identifica 1 e 2 como uma única personagem, negando que duas pessoas estejam sendo consideradas.
O último Sebna esculpiu para si uma complexa tumba de pedra, algo que de modo geral apenas a realeza fazia. Isaías opôs-se a esse ato vão e previu que ele jamais usaria a tumba, mas morreria no exílio, na Assíria. Além disso, o profeta fez objeção a suas diretrizes pró-Egito e contrárias à Assíria. Isaías sabia que a devastação que a Assíria traria a Judá seria um julgamento de Yahweh (II Reis 18.29), mas a hora ainda não havia chegado. O Senhor operava de acordo com um cronograma divino. De qualquer forma, a Babilônia era o inimigo devastador, de longo período, a ser enfrentado.
II Reis 19.18-37 mostra que o motivo pelo qual os assírios simplesmente se retiraram foi que o anjo do Senhor bateu neles com tanta força, que em uma única noite 185 mil assírios morreram. Críticos alegam que há algum tipo de praga envolvido aqui (o que poderia ser verdade), mas outros acham que Senaqueribe simplesmente mudou de idéia sobre a invasão e se retirou. Em qualquer caso, o rei foi morto por seus próprios filhos pouco tempo depois (II Reis 19.37).
É interessante observar que o oráculo contra Sebna, em Isa. 22:15-25, é o único daquele profeta contra um indivíduo chamado por este nome. Para detalhes sobre a história, ver II Reis 18-19; Isa. 22:15-25.

SEBUEL
No hebraico, **Deus é renomado**. Na Septuaginta *Soubaé!,* o que talvez explique a forma "Subael", em 1 Crônicas 24:20. O nosso conhecimento acerca de Sebuel limita-se a referências no livro de 1 Crônicas (ver I Crô. 23:16; 25:4; 26:24). Ele é identificado como um levita cuja linhagem é traçada até Anrão (1 Crô. 24:20) e a Gérson, filho de Moisés (I Crô. 23:16 e 26:24). O Sebuel mencionado em I Crô. 25:4, como filho de Hamã, pode ter sido um outro homem do mesmo nome.
Sebuel serviu como levita, na organização governamental de Davi, ocupando funções religiosas. Ele foi escolhido para ser um dos principais oficiais, encarregado da tesouraria (1 Crô. 26:24).

SECA
Esse é um dos piores distúrbios ecológicos da natureza. A despeito de todo o seu avanço científico, o homem continua muito dependente das condições atmosféricas, porquanto a água é a origem de toda a vida biológica. O mundo tem aprendido o quanto depende da chuva. As culturas antigas dispunham de um elaborado sistema de cerimônias e sacrifícios a fim de induzir os deuses, bem como poderes espirituais de todos os tipos, para garantir chuva suficiente para que houvesse boas colheitas. O meu artigo sobre o *Calendário,* na porção que aborda a questão do calendário judaico (ver o gráfico) ilustra como Israel implorava ao Senhor para que viessem chuvas, e como celebrações e orações especiais estavam envolvidas na questão. Quando a seca persiste por tempo suficiente,

SECACÁ – SECULAR

seguem-se a escassez e a fome (I Reis 17: 1). A Bíblia refere-se à seca como uma das maneiras pelas quais Deus castiga os homens por seus pecados.

Usos Figurados. O homem que está sofrendo de má consciência acerca do pecado, ou que é julgado por causa do pecado, é como um homem cuja força se ressecou por causa da seca, no calor do verão (Sal. 3:14). Algo similar é implícito no ensino de Cristo como a água da vida, pois, sem a sua provisão, a alma resseca-se e definha (João 4:14 ss). O Espírito Santo é também a água da vida espiritual (João 7:37-39). Ver o artigo sobre a *Água,* quanto a seus usos metafóricos.

SECACÁ

No hebraico, a palavra significa "matagal" ou "local fechado", uma cidade do deserto de Judá próxima ao mar Morto, mencionada apenas em Jos. 15:61. Era conhecida por ter uma cisterna gigante para o suprimento de água naquele local seco. Ficava perto de Khirbet Qumran, e talvez a Khirbet es-Samrah moderna marque o local antigo. Os arqueólogos escavaram nesse local algumas ruínas significativas que datam da era do Ferro II.

SECANIAS

No hebraico, **Yahweh** é vizinho. Os estudiosos geralmente dividem esse nome em duas formas, de acordo com a grafia exata no hebraico. De acordo com isso, há dois Secanias com o nome grafado com uma forma e há outros sete homens, cujo nome é grafado com uma outra forma em hebraico, a saber:

A. *Primeira forma:*
1. Um sacerdote do tempo de Davi (I Crô. 24:11).
2. Um sacerdote do tempo de Ezequias (II Crô. 31:15).

B. *Segunda forma:*
1. Um descendente de Zorobabel (1 Crô. 3:21,22) e portanto, membro da família real de Judá. Quase certamente ele deve ser identificado com o Secanias de Esdras 8:3, e talvez com o pai de Semaías, em Neemias 3:29. Viveu em cerca de 470 a.C.
2. O filho de Jaaziel, que retornou juntamente com Esdras da Babilônia para Jerusalém, durante o reinado de Artaxerxes (Esd. 8:5). Viveu em torno de 530 a.C.
3. Um outro homem do mesmo nome, cujos descendentes também voltaram do exílio babilônico (Esd. 8:3). Viveu em torno de 530 a.C.
4. Um filho de Jeiel, que foi um dos primeiros a confessar a transgressão de haver tomado esposa estrangeira, e não dentre as filhas de Israel. (Esdras 10:2). Viveu por volta de 44.5 a.C.
5. O pai de Semaías, que ajudou a reparar as muralhas de Jerusalém (Nee. 3:29). Viveu em cerca de 445 a.C.
6. O sogro de Tobias, o amonita, que fez oposição a Neemias (Nee. 6:18). Viveu em cerca de 445 a.C.
7. Um sacerdote que retornou da Babilônia a Judá, em companhia de Zorobabel (Nee. 12:3). Viveu por volta de 530 a.C. Uma substituição de palavras hebraicas, em seu nome, duas letras que podem ser facilmente confundidas, tem produzido a forma Sebanias, em Neemias 10:4 e 12:14. Porém, trata-se do mesmo indivíduo.

SECU

No hebraico, "lugar de observação", o local de um grande poço entre Gibeá e Ramá, que Saul visitou quando tentava encontrar Davi, que estava em fuga (I Sam. 19.22). Talvez a moderna Khirbet Shuweikeh marque o local. As versões dão nomes que refletem incerteza sobre a localização. O manuscrito *B* da Septuaginta tem *en tozephei* (na colina nua), mas este é um erro de escriba. A Siríaca Peshitta (a última revisão) dá a última palavra sobre isso. Mas outras versões dão apoio ao texto massorético com este "local de observação". Ver o artigo *Massora (Massorah); Texto Massorético.* Às vezes as versões (especialmente a Septuaginta) estão corretas contra o texto massorético padronizado, como os Manuscritos do Mar Morto (hebraicos) demonstraram.

SECULAR, SECULARISMO

Esboço:
1. Definições e Caracterização Geral
2. A Secularização da Igreja Cristã
3. União Entre o Secular e o Sagrado

1. Definições e Caracterização Geral

Essa palavra vem do latim, saeculum, "pertencente a uma era". Nos círculos religiosos recebe o sentido de "aquilo que pertence ao mundo de nosso tempo", e que não faz parte do que é sagrado ou espiritual. Definindo melhor, secular é aquilo pertencente à maneira de viver deste mundo, e não à maneira de viver do mundo vindouro; é algo que não comunga com os interesses e as entidades espirituais. Por essa razão, com freqüência essa palavra é contrastada com os adjetivos "religioso" ou "espiritual". As palavras "secular", "secularismo" e "secularização" adquirem seus significados da distinção medieval entre aquilo que ficava sob jurisdição eclesiástica ou monástica e aquilo que não ficava, por serem de competência exclusivamente do Estado.

Até o século XIX, o termo "secularismo" normalmente referia-se à teoria que propugnava a separação entre a autoridade civil e a autoridade eclesiástica. Foi G.H. Holyoake (1818-1906) quem primeiro usou essa palavra ao referir-se ao tipo de atitude anti-religiosa, e daí a palavra veio a tornar-se um sinônimo da negação das realidades sobrenaturais, ou da recusa de reconhecer a autoridade da Igreja. Nesse caso, "secular" tornou-se o oposto de "sagrado".

O secularismo veio a ser uma espécie de movimento tipo humanista. O secularismo procurava aprimorar as condições humanas, sem fazer qualquer alusão à religião ou às reivindicações da igreja. Antes, utilizava-se da pura razão, da ciência e das organizações sociais (não-religiosas) humanas. Destarte, se a caridade era apanágio exclusivo da Igreja, passou a tornar-se também um dos deveres do Estado. A Renascença (vide) deu grande impulso e idealismo a esse movimento.

2. A Secularização da Igreja Cristã

Uma das aplicações do termo que ora estudamos é a referência ao confisco de propriedades da Igreja por parte do Estado, geralmente com propósitos egoístas e indignos. Após o século IV d.C., alguns segmentos da Igreja conseguiram amealhar consideráveis riquezas sob a forma de propriedades. E isso tornou-se uma tentação para alguns governantes civis, como Carlos Martelo, rei da França, no século VIII d.C. Ele apoderou-se de propriedades eclesiásticas em proveito próprio.

Outra forma de secularização foi efetuada pelos reformadores protestantes, os quais suprimiram o monasticismo, fecharam mosteiros e passaram a usar seus edifícios com outros propósitos.

Nos tempos modernos, a secularização tem ocorrido dentro e fora da Igreja, como resultado da separação entre Igreja e Estado, devido a que todos os departamentos de atividade humana–ciências, artes, filosofia, educação e economia–foram livres do controle eclesiástico, embora

SECULAR – SÉCULOS VINDOUROS

não necessariamente da cooperação da Igreja. Muitas dessas funções, antes empreendimentos quase exclusivos da classe religiosa, como obras de caridade e escolas, foram largamente secularizadas.

A secularização de idéias também faz parte desse processo. A visão sobrenaturalista, do mundo foi substituída por idéias seculares e mesmo profanas, e até as próprias escolas religiosas têm encontrado dificuldades em impor cursos de religião aos seus alunos. Outro fenômeno dessa área tem sido o uso de idéias bíblicas, mas de maneiras abertamente seculares, divorciadas da metafísica envolvida. Um notável exemplo disso é como o movimento comunista usa textos de prova da Bíblia em defesa de suas teorias econômicas e sociais, sem envolver qualquer coisa de espiritual, na aplicação de trechos escriturísticos. Mas a aplicação mais ridícula de todas é aquela que reduz Jesus a um líder político e militar, ignorando totalmente seus declarados propósitos espirituais.

O brilhante autor Bonhoeffer, embora homem impelido por fortes propósitos espirituais, em seu livro, *Letters and Papers from Prison*, apresentou uma interpretação não-religiosa de conceitos bíblicos que, segundo ele sentia, a nossa época precisa levar em conta; porém, em nenhum sentido ele promoveu a idéia de uma Igreja secularizada, embora alguns tenham procurado fazê-lo encaixar-se nesse molde. Paulo van Buren publicou um volume intitulado *The Secular Meaning of the Gospel*, que proveu munição para a versão secularizada de conceitos bíblicos e ideais cristãos. O que ele asseverou é que o cristão moderno deve ser um homem também voltado para atividades seculares, dedicado a causas humanistas, dotado de uma visão secular da existência. Arend van Leeuwen *(Christianity in World History)* e Harvey Cox *(The Secular* City) chegaram ao extremo de sugerir que o processo de secularização é resultado direto e correto da fé bíblica, como se o amadurecimento espiritual levasse o indivíduo de uma base espiritual para uma base profana. Na mente de muitas pessoas, foi o que bastou para que idéias acerca de um cristianismo secular, de um Cristo secular, de uma conversão secular, de uma salvação secular e de missões evangélicas seculares substituíssem as antigas noções espirituais ensinadas nas Escrituras Sagradas. Naturalmente, esse tipo de pensamento mescla-se admiravelmente bem com a filosofia do *Deus Morto* (vide).

Entrementes, não há nenhum sinal do esmaecimento da fé religiosa, que faz parte das idéias visionárias desse movimento. O que tem acontecido é que os indivíduos profanos têm-se tornado ainda mais profanos, fazendo de suas profanações a sua religião. Porém, isso não quer dizer que eles não sejam humanitários, de modo positivo, e pelo que podem ser elogiados; mas nem por isso escapam à condenação em face dos absurdos que têm promovido.

3. União Entre o Secular e o Sagrado

Fazendo contraste com essa secularização indevida da Igreja, temos a atitude correta de alguns cristãos, que afirmam que não se deve estabelecer distinção entre o que é secular e o que é sagrado. O homem espiritual não compartimentaliza a sua vida segundo esse critério. Qualquer atividade ou trabalho, se for honroso, embora possa ser chamado de secular, não será tal, se isso fizer parte da vontade de Deus para aquela vida. Nesse sentido, todas as coisas são sagradas. Jesus aceitou tomar uma refeição na casa do fariseu, mas não deixou de lado de fora a sua influência espiritual. Ele trabalhou durante muitos anos como carpinteiro, mas essa foi a vontade do Pai quanto àquele período de sua vida. Sim, todas as ocupações dignas podem ser meios de servirmos ao próximo, permitindo-nos assim cumprir a lei do amor. E não deveríamos ser tentados a chamar isso de secular. Os crentes devem interessar-se por obras de caridade, por serviços sociais, por todas as formas de atividades humanitárias. Esse interesse injeta o sagrado no que é profano.

SECULARIZAÇÃO DA IGREJA

Ver o artigo **Secular, Secularismo,** em seu segundo ponto.

SÉCULOS VINDOUROS; EXPRESSÃO DA ETERNIDADE

Efé. 2:7: *Para mostrar nos séculos vindouros a suprema riqueza de sua graça, pela sua bondade para conosco em Cristo Jesus.*

Nos séculos vindouros. Este versículo mostra-nos claramente o grande "desdobramento da graça", nos lugares celestiais, nas futuras eras eternas. É um erro pensarmos que nos céus impera a estagnação. O ser divino não pode experimentar estagnação. A graça que opera aqui também operará ali; e por toda a eternidade os remidos continuarão a avançar e a prosperar na santidade de Deus, até que cheguemos a compartilhar da própria santidade de Deus Pai, para não sermos menos santos do que ele (ver Mat. 5:48). Ora, isso significa participarmos da natureza perfeita de Cristo (ver Rom. 8:29); e também significa ser divino como Cristo é divino, em sua glorificação (ver II Ped. 1:4); e, finalmente, significa que seremos instrumentos supremos da glória de Deus, de suas obras eternas, seres capazes de tal utilidade (ver Efé. 1:23). Ora, isso tudo ocorrerá nas "eras que se aproximam", conforme essa expressão poderia ser traduzida, aludindo às eras futuras da eternidade. Consideremos, portanto, os seguintes pontos:

1. Isso ocorrerá não agora, mas somente quando da "parousia" ou segundo advento de Cristo. Não estão em foco as "eras vindouras da Igreja terrestre".

2. Estão em foco as várias eras sucessivas, que começarão quando da "parousia".

3. Contudo, essas eras são vistas tão próximas de nós que são descritas como algo que "se aproxima".

4. Alguns intérpretes incluem tanto a era até à *parousia* como as eras que virão depois. Mas os cristãos primitivos não antecipavam nenhum grande período de tempo até o segundo advento de Cristo (ver 1 Cor. 15:51 e I Tes. 4:17); pelo contrário, esperavam isso para breve, até mesmo para seu próprio período de vida terrena. Por conseguinte, a eternidade podia ser facilmente vista como uma sucessão de eras, e tão próximas que estão "se aproximando" agora mesmo. Nesse caso, a terceira possibilidade é a que expressa a realidade dos fatos, a interpretação correta.

"A eternidade é apresentada em analogia como o modo como o tempo é concebido (ver sobre Efé. 1: 10), e não como um infinito não-diferenciado, mas como uma *sucessão de eras*. A expressão 'para todo o sempre', literalmente traduzida do grego seria 'pelas eras das eras' (ver Fil. 4:20), freqüentemente, ou 'até todas as eras' (ver Jud. 25). Da mesma maneira que o propósito abençoador de Deus foi formado 'antes da fundação do mundo' (Efé. 1:4), assim também os seus efeitos se manifestarão por toda a eternidade. (Comparar com Sal. 103:17: 'Mas a misericórdia do Senhor é de eternidade a eternidade,

SECUNDO – SEDUÇÃO

sobre os que o temem...'). E é reiterado o fato de que até o fim, tal como no princípio, a longanimidade de Deus para conosco será demonstrada em 'Cristo Jesus". (Beare, *in loc.*).

SECUNDO

No latim, "segundo". Esse era o nome de um crente de Tessalônica, que fez parte do grupo de auxiliares de Paulo, na sua viagem de Corinto à Ásia Menor (Trôade ou Mileto?), quando esse apóstolo retornava de sua terceira viagem missionária. Ver Atos 20.4.

A função de Secundo provavelmente foi a de ser um delegado (juntamente com Aristarco) de sua igreja, com a tarefa de trazer a parte que cabia àqueles irmãos na coleta para os santos pobres de Jerusalém (ver I Cor. 16:1 ss). Alguns eruditos entendem que o trecho de Atos 20:5 dá a entender que Secundo esteve entre aqueles que serviram a Paulo em Trôade. E outros têm identificado esse homem com o macedônio *Gaio*, mencionado juntamente com Aristarco, em Atos 19:29, não devendo ser confundido com o Gaio de Derbe.

O nome desse homem, em latim, provavelmente indica que ele foi o "segundo" filho de seus pais. Esse nome tem sido confirmado em inscrições achadas em Tessalônica, pelo que esse deve ter sido, ali, um nome bem conhecido.

SEDA, BICHO DA

No hebraico, *meshi*, que ocorre somente por duas vezes (Eze. 16:10,13). No grego, *serikós*, vocábulo que aparece exclusivamente em Apo. 18:12.

É muito duvidoso que o fio retorcido do bicho da seda da China (*Bombyx mori*) fosse conhecido no Oriente Próximo, nos dias do Antigo Testamento. Por esse motivo, muitos eruditos têm preferido pensar em um tipo de tecido de algodão ou de linho, de grande preço, proveniente do Egito.

Quanto ao trecho de Provérbios 31:22, onde aparece o termo hebraico *Shesh*, há traduções que também dizem ali "seda". Nossa versão portuguesa diz "linho fino". Vários estudiosos pensam que se trata de uma substância parecida com o alabastro. É difícil entender como uma mulher poderia vestir-se com uma substância parecida com o alabastro. Parece que essa palavra hebraica tinha mais de um sentido, pois as traduções têm sido forçadas a vertê-la para várias palavras diferentes, como, por exemplo, *mármore*, *linho fino* e *seda*. Ver Ester 1: 6.

Quanto ao termo grego, esse deriva-se de um vocábulo grego que significa "China", *Seres, serikós*. Entretanto, os gregos, no dizer de Pausanius VI.26,6 ss., não tinham certeza sobre a origem da seda. Contudo, sabe-se que a seda chinesa já era conhecida desde o século I a.C. na Ásia Menor.

SEDEUR

No hebraico, fonte de luz. Foi pai de Elizur, que foi o chefe dos rubenitas, quando Israel vagueava pelo deserto do Sinai (Núm. 1:5; 2:1; 7:30,35 e 10:18). Viveu em cerca de 1500 A.C. Foi um dos ajudantes de Moisés, na enumeração do povo.

SEDUÇÃO

Essa palavra vem do latim, **seducere**, "desviar", "levar para um lado". Os sentidos gerais são "induzir ao erro", "engodar para o mal", "encorajar a prática de atos imorais".

A *sedução* pode envolver qualquer departamento da conduta humana, mas a palavra, na maioria das vezes, é empregada dentro de um contexto sexual. Usualmente envolve a exploração da sexualidade feminina com propósitos egoístas. Há vezes em que a sedução equivale moralmente ao estupro, como quando uma mulher realmente é seduzida a fazer coisas que não faria de outra maneira. Mas há casos de *sedução aparente*, em que a mulher coopera e até encoraja o homem, embora, segundo todas as aparências, ela esteja agindo como se estivesse fazendo algo contra sua vontade. Tudo não passa do jogo sexual. Ocasionalmente, até ouve-se falar de uma mulher que acabou seduzindo a um homem. Mas é bastante difícil encontrar casos autênticos dessa ordem, pois, conforme alguém já disse: Os homens gostam de ser seduzidos.

Malandragem e Pressões Extraordinárias

Talvez seja verdade, o que alguém falou: "Todas as mulheres podem ser seduzidas. É questão de método e preço". Por outro lado, devemos nos lembrar que todos os seres humanos são fracos e estão sujeitos às pressões do mundo e de outras pessoas. O homem forte pode ser abalado por receio e chorar sob ameaças contra a vida. Até os criminosos mais violentos e virulentos imploram misericórdia quando suas próprias vidas estão em jogo. Não é nada de surpreender, então, se uma mulher cede a pressões extraordinárias, sejam financeiras, profissionais, amorosas, etc. O ceder pode ser, meramente, o resultado da fraqueza gerada por circunstâncias incomuns.

Algumas Ilustrações

Bertrand Russell nos conta de uma experiência de um filósofo. Esse filósofo-malandro decidiu testar uma mulher da alta classe e de reputação inquestionável. Ele começou a oferecer dinheiro para a mulher ter uma experiência íntima com ele. Ela resistia. Enquanto ela resistia, ele aumentava a quantidade de dinheiro que oferecia. Ele aumentou, aumentou e aumentou. Daí, ela cedeu, só para aprender que todo aquele drama não passava de uma *experiência na ética*. Então, ele teve a coragem de dizer: "Agora, ficou comprovado o que você é. Uma prostituta de classe que recebe altas quantidades de dinheiro. É só questão de preço". Esta conclusão era *absurda*. O que o filósofo demonstrou foi meramente que qualquer pessoa, inclusive aquela pobre mulher, sob circunstâncias *extraordinárias*, pode fazer alguma coisa que é contra a disposição normal dela. Não é preciso fazer uma experiência para comprovar a fraqueza humana.

Outra História

Marilyn Monroe aceitou $10.000 para ter relações com alguém. Quando o marido descobriu, ele se divorciou. Ele não foi o primeiro marido dela, e nem o último. Ficamos surpreendidos diante do fato de que o preço dela era tão baixo, e julgamos que esta sedução não foi por meios extraordinários.

Mais Histórias

Um homem que vendia seguros tinha certo êxito seduzindo mulheres casadas. O método dele era de oferecer um prêmio de seguro falsificado para pagar as despesas do parto. Ele simplesmente manipulava datas, dando às mulheres o seguro, a despeito do fato de que já estavam grávidas antes do início do seguro.

Outro conseguiu seduzir mulheres, oferecendo empregos. Sexo significou uma colocação; sem sexo, não havia colocação.

Seduções Intelectuais

Todos os sistemas filosóficos e teológicos são, de certa maneira, *sedutores*. Nós entregamos as nossas vontades e sacrificamos nossa *individualidade para* ganhar conforto mental e para "pertencer" a um grupo: isto é,

SEERÁ – SEFARDIM

para ganhar *aceitação*. O pioneiro é perseguido, seja na ciência, na filosofia ou na teologia. O sistema nos deduz e nos sacrifica. Ver o artigo intitulado, *Unidade, Afinal, de Tudo no Logos* para uma ilustração do poder sedutor dos sistemas.

Os autores da Bíblia (mormente aqueles do Antigo Testamento) nunca se mostraram puritanos. Na Bíblia há relatos detalhados de sedução e violação. Ver Gên. 34:2 (Diná); II Sam. 13:14 (Tamar); ver também Gên. 19:30-35; 35:22; Deu. 22:23-29; Pro. 6:23-35; 7:4-27; 9:13-18.

Todo pecado envolve seu próprio preço e julgamento, e a verdadeira sedução será severamente punida por Deus. É difícil alguém pecar "em particular", de modo a nunca afetar outras pessoas. O pecado, por muitas vezes, é uma questão coletiva, e quando ofendemos ao próximo, dificilmente escapamos à devida retribuição nesta vida, e certamente não escaparemos à retribuição no outro lado da existência. Ver *Crimes e Punições*.

SEERÁ

No hebraico, *parente*, a filha de Efraim (I Crô. 7.24) e fundadora de duas cidades com o nome Bete-Horom e outra chamada Uzem-Seera. Os antigos locais das primeiras cidades são conhecidos, mas ninguém tem certeza sobre o terceiro. Talvez Bet Sira, 2 km ao sudoeste de Bete-Horom, seja o local. O Efraim do texto provavelmente era um descendente do patriarca que tinha esse mesmo nome. A mulher, *Seerá*, provavelmente viveu em cerca de 1170 a.C., mas alguns a posicionam em um período tão distante quanto 1700 a. C.

SEFÁ

No hebraico, **frutífera**. Um lugarejo, provavelmente erigido em alguma colina, na fronteira oriental ideal de Israel (Núm. 34: 10, 11). Ainda de acordo com outros estudiosos, esse lugar tinha um nome que significava "lugar desnudo", pelo que eles têm pensado em alguma localidade nas serras do Antilíbano. Provavelmente era o lugar do nascimento de Zabdi, o sifmita, que cuidava das vides usadas no fabrico do vinho guardado nas adegas reais de Davi (I Crô. 27:27).

SEFAR

No hebraico, **numeração;** mas no hebraico pós-bíblico, "país fronteiriço". Muitos estudiosos pensam que, mais provavelmente, trata-se de um nome próprio, de origem não-hebraica, de sentido desconhecido. As terras dos descendentes de Jactã, descendente de Sem, iam desde Messa, "indo para Selar, montanha do Oriente" (Gên. 10:30). Se as palavras "indo para Sefar" meramente definem a direção na qual as terras dos joctanitas se estendiam ("indo para Gerar", em Gên. 10:19), então a identificação com o monte Séfer (Núm. 33:23) é possível, embora não seja provável. Visto que os dois locais relacionados com identificações plausíveis (isto é, Hazarmavete e Seba, vide), estão no sul da Arábia, então localidades árabes têm sido usualmente sugeridas, como, por exemplo, Zafar, no sul da Arábia, ou Safari, em Hadramaute. Mas, alternativamente, conforme já vimos acima, tem sido sugerida a tradução "país fronteiriço". Ainda outros estudiosos, destacando o fato de que Gên. 10:30 diz que Sefar era uma montanha no Oriente, e que essa montanha assinalava o extremo oriental das terras dos joctanitas, não aceitam nenhuma identificação no sul da Arábia, porquanto isso seria uma extensão para o sul, e não para o leste ou oriente. A verdade é que ninguém sabe com certeza onde ficava esse monte.

SEFARADE

O sentido dessa palavra é desconhecido, e a localização da região também está cercada de muitas dúvidas. Tem-se pensado na antiga Ibéria ou Geórgia, atualmente no sul da União Soviética, entre a Cólquida e a Albânia; outros têm pensado em Sardes, capital da Lídia, que atualmente faz parte do território turco; ou, então, segundo os Targuns, a versão Peshita, Ben Gannach e Kimchi, a Espanha.

O local é mencionado na Bíblia somente em Obadias 20, como lugar do exílio de certos cativos de Jerusalém. Alguns eruditos pensam que se trata de Saparda, uma região que aparece nos canais assírios de Sargão II, como um distrito a sudoeste da Média. Outros acham que devemos pensar em Sardis, capital da Lídia. A diferença de soletração é lingüisticamente justificável, visto que em uma inscrição bilíngüe em aramaico e lídio, encontrada em Sardis, o nome dessa cidade tem as mesmas três consoantes que se acham em Sefarade. Nas inscrições em persa antigo, Sardis aparece com a forma de *sparda*.

À luz dessa possível identificação, a citação de Sefarade, em Obadias 20, reveste-se de grande importância histórica, porquanto ela indica a existência de uma colônia judaica em Sardis, já desde a época da escrita do livro de Obadias. A importância de Sardis, como centro comercial entre as rotas marítimas do mar Egeu e as rotas continentais, não nos deixa surpreender que ali podiam ser encontrados judeus exilados.

Se essa identificação é autêntica, então os Targuns identificam, equivocadamente, Sefarade com a Espanha. Os judeus da dispersão são divididos pelos próprios estudiosos judeus em *asquenazini* (judeus que foram para países germânicos e eslavos; para eles, Asquenaz são os germânicos e escandinavos); *sefardim* (judeus que foram para países em torno do mar Mediterrâneo, do sul da Europa, do norte da África e do Oriente Próximo; para eles, Sefarade é a Espanha); e *orientais* (judeus que foram para o Iraque, Índia, China, etc). De onde voltarão os exilados de Jerusalém, à sua terra, por ocasião da restauração futura de Israel à Terra Santa? Isso ocorrerá quando da volta do Senhor, conforme se vê em Isa. 49:22; Eze. 20:40; etc. Se a opinião dos Targuns está com a razão, então devemos pensar no extremo ocidental da Europa, e na extensão da mesma, as Américas do Norte, Central e do Sul. A maior colônia judaica que há no mundo é a dos Estados Unidos da América; a segunda maior, a da União Soviética; na América do Sul, a da Argentina e a do Brasil. Ver sobre a *Restauração de Israel*.

SEFARDIM

Ver sobre **Sefarade** (Oba. 20). Existem várias identificações quanto a esse lugar, conforme aquele artigo o demonstra. Uma dessas identificações é a Espanha. Nesse caso, há uma referência aos judeus que viveram em grande número na península Ibérica até, aproximadamente, o fim do século XV, embora até hoje haja judeus espanhóis e portugueses. Porém, alguns eruditos afirmam que os Targuns erroneamente fizeram essa identificação entre Sefarade e a Espanha; mas é mais provável que esses eruditos é que tenham laborado em erro. Em face dessa identificação é que os judeus dispersos pelas terras em redor do mar Mediterrâneo (sul da Europa, norte da África e Oriente Próximo) são chamados sefaraditas, fazendo contraste com os judeus

SEFARVAIM – SEGA

asquenazitas (aqueles que se estabeleceram no centro e norte da Europa; Asquenaz, para os judeus, é Alemanha) e com os judeus orientais (aqueles que se estabeleceram no Oriente Médio e Distante).

SEFARVAIM

Uma cidade ao sul da Mesopotâmia (também chamada Sipara e Sifris), e que Salmaneser teria conquistado, juntamente com outros, em 710 a.C. O termo é de sentido desconhecido, aparecendo no Antigo Testamento por seis vezes: II Reis 17:24,31; 18:34; 19:13; Isa. 36:19 e 37:13. Os naturais da cidade chamados de "sefarvitas", figuram em II Reis 17:31. No hebraico, o nome encontra-se em forma dual (um tipo de plural), mas, como dissemos, os estudiosos nunca conseguiram descobrir-lhe o significado.

Foi dessa localidade que foram trazidos colonos para repovoar o território de Israel, depois que o reino do norte foi deportado pelos assírios (II Reis 17:24). Suas divindades incluíam Adrameleque e Anameleque (vide). O enviado de Senaqueribe mencionou Sefarvaim como um lugar cujos deuses se tinham mostrado impotentes contra os assírios (II Reis 18:34, etc.). Há duas identificações possíveis: 1. a menos provável é Sipar, na Mesopotâmia, conhecida como Sipar de Samás ou Sipar de Anuntum, o que explicaria a forma dual. 2. Saranaim, na Síria, que foi capturada por Salmaneser. A Sibraim referida na Bíblia (Eze. 47:16) talvez aluda a essa localidade. Dessas duas possibilidades, a segunda é a mais provável, visto que se ajusta ao contexto sírio de Sefarvaim (mencionada, como ela é, juntamente com Hamate, que ficava na Síria), bem como ao caráter possivelmente sírio de Adrameleque.

Há estudiosos que apontam para a impossibilidade de se identificar Sefarvaim com Sipar, pois se o rei de Sefarvaim é mencionado em II Reis 19:13, sabe-se que a Sipar bíblica (vide), nunca teve seu próprio rei, como também foi o caso de Acade, com a qual tem sido identificada por alguns durante, pelo menos, mil e duzentos anos antes de Senaqueribe. Outros destacam o fato de que Babilônia e Cuta encabeçam a lista de cidades conquistadas pelo monarca assírio (ver II Reis 17:24), contudo, não indica que Sefarvaim fosse uma cidade babilônica. Antes, como foi dito acima, a composição da lista aponta noutra direção, pois o nome aparece após Ava e Hamate, o que dá a entender que essa cidade ficava na Síria. Os sefarvitas, naturais de Sefarvaim, eram idólatras da pior espécie. Em II Reis 17:31 lemos que, embora tivessem aprendido a temer ao Senhor, queimavam os seus filhos no fogo a Adrameleque e a Anameleque, deuses de Sefarvaim. Não admira, portanto, que os judeus alimentassem tão grande repúdio aos samaritanos, que gerações depois, abandonaram totalmente essas práticas idólatras, tendo chegado a adotar como livros sagrados o Pentateuco dos judeus, posto que com algumas alterações propositais e tendenciosas. Ver sobre *Samaria*.

SEFATIAS

No hebraico, *Yahweh é Juiz* (Yahweh julga). Há dez pessoas chamadas por este nome no Antigo Testamento. A lista está em ordem cronológica:

1. Benjamita da cidade (território) de Harufe, que se uniu aos guerreiros de Davi quando este recuou de Ziclague, fugindo de Saul (I Crô. 12:5). A época foi cerca de 1000 a.C.

2. Davi teve seis filhos nascidos em Hebrom, e Sefatias foi o quinto, filho de Abital (II Sam. 3:4; I Crô. 3:3). Isso ocorreu em cerca de 994 a.C. Davi estabeleceu seu quartel-general em Hebrom, e a todo o lugar que ia ele estabelecia um novo harém, como demonstra o artigo com seu nome.

3. Príncipe da tribo de Simeão, filho de Maaca, que viveu por volta de 960 a.C. Ver I Crô. 21 a 2:3. Davi o indicou como regente de sua tribo nativa.

4. Sexto filho do rei Josafá, de Judá. Foi o irmão de Jeorão, que ascendeu ao poder matando os irmãos (II Crô. 21:2). A "matança de irmãos" era prática comum entre os reis orientais. Viveu em torno de 875 a. C.

5. Filho de Matã, contemporâneo do profeta Jeremias. Foi um dos homens maus que sugeriu ao rei Zedequias lançar Jeremias em uma masmorra por sua alegada atitude pró-babilônica e por ser um encrenqueiro que nunca desistia. Ver Jer. 38 a 1:4. Viveu em torno de 600 a.C.

6. Filho de Reuel (filho de Ibnijas), da tribo de Benjamin. Foi pai de Mesulão, uma das primeiras pessoas a estabelecer-se em Jerusalém após o retorno dos cativos da Babilônia. Ver I Crô. 9:8.

7. Pai de uma família que retornou a Jerusalém para reconstruir a capital após o cativeiro babilônico. Foram contados 370 membros, um número grande de sobreviventes para uma só família. Eles acompanharam Zorobabel (Esd. 2:4; Nee. 7:9).

8. Ancestral de Zebadias que voltou com Esdras do *cativeiro babilônico* (ver), liderando 80 pessoas no retorno (Esd. 8:8), por volta de 536 a.C.

9. Outro Sefatias, líder da família que descendeu dos escravos do templo de Salomão. Membros de sua família retornaram a Jerusalém após o cativeiro babilônico, acompanhando Zorobabel (Esd. 2:57; Nee. 7:59). Isto ocorreu em torno de 536 a. C.

10. Descendente de Perez (Farez) (filho de Judá), cujo descendente distante *Ataías*, de Judá, viveu em Jerusalém na época de Neemias (Nee. 11:4), por volta de 550-536 a. C.

SÊFER

No hebraico, **beleza**. Esse é o nome de um monte defronte do qual os israelitas acamparam, durante o período de suas vagueações pelo deserto (Núm. 33:23,24). Ficava localizado entre Queelata e Harada. Mas, além desse informe bíblico, nada se sabe quanto à sua localização exata.

SEFÔ

No hebraico, **despreocupado**. Ele foi um horita, chefe em Edom. Foi o quarto filho de Sobal, que descendia de Seir (Gên. 36:23 e I Crô. 1:40). Viveu por volta de 1750 a.C.

SEFORIS

No grego, **Sepphourin** ou **Sepphoría**. Talvez venha de um original hebraico, sufula, "passarinho". Era uma cidade poderosamente fortificada, na Galiléia, cerca de oito quilômetros a noroeste de Nazaré. Tornou-se famosa como centro militar, político e cultural. Era uma das principais cidades da Galiléia helênica. Josefo informa-nos que ele, como general judeu que foi, durante a revolta dos judeus, no ano 70 d.C., conquistou a cidade (Vita ix.67,71), e também que, posteriormente, ela foi destruída pelo filho de Varo (Anti. XVII. 10:9). O nome dessa cidade, a despeito de sua fama, não aparece nem no Antigo nem no Novo Testamento, certamente porque não ocorreu ali nenhum episódio que devesse fazer parte do relato sagrado.

SEGA

No hebraico temos a considerar uma palavra, e no grego, duas, a saber:

1. *Qatsar*, "segar", "cortar". Essa palavra hebraica ocorre por vinte e duas vezes com esse sentido agrícola.

SEGA – SEGUINDO A CRISTO

Por exemplo: Lev. 19:9; 23:10,22; Rute 2:9; Jó 4:8; Pro. 22:8; Isa. 37:30; Jer. 12:13; Osé. 8:7.

2. *Therízo*, "segar". Palavra grega que ocorre por vinte vezes, por exemplo: Mat. 6:26; 25:24,26; Luc. 12:24; João 4:36-38; I Cor. 9:11; II Cor. 9:6, Gál.6:7-9; Tia. 5:4; Apo. 14:15,16.

3. *Amáo*, "ceifar". Esse verbo grego aparece somente em Tiago 15:4.

As colheitas, na região sul da Palestina, são feitas quando o grão amadurece, mais ou menos, em meados de abril. Porém, na porção norte e nas regiões montanhosas, são necessárias; mais três semanas para a sega ter início. A colheita da cevada começa juntamente com a festa da páscoa (Lev. 23:9-14; II Sam. 21:9; Rute 2:23), e termina ao começar a colheita do trigo (Gên. 30:14; Êxo. 34:22). A sega do trigo faz-se cerca de duas semanas depois da colheita da cevada. Nos tempos antigos, estendia-se por sete semanas (Rute 2:23). Os frutos de verão, como os figos e as uvas, eram colhidos em agosto e setembro. Em cerca de meados de novembro há a colheita das azeitonas (Deu. 24:20). Os pobres tiravam proveito da lei sobre a respiga das plantações (ver sobre *Respigar*). Por ocasião das colheitas do campo havia grande alegria e festividades. Ver o artigo sobre o *Calendário*, onde há um gráfico que inclui todas as diversas colheitas, as condições climáticas e o período do ano de cada colheita. Ver o artigo geral sobre a *Agricultura*.

Usos Figurados. O termo geral "ceifa" é usado para indicar o julgamento divino (Jer. 51:33; Osé. 6: 11; Joel 13; Apo. 14:15). Mas também pode indicar um período da manifestação da graça divina (Jer. 8:20), ou o tempo em que as pessoas podem ouvir e aceitar o evangelho (Mat. 9:37,38; João 4:35). O fim desta nossa dispensação, que coincidirá com a segunda vinda de Cristo ou "Parousia", será uma espécie de colheita (Mat. 13:39). Os cuidados de Deus são simbolizados pelo orvalho que promove uma boa colheita (Isa. 18:4). O frio, durante o tempo da sega, é sinal de refrigério, visto que o tempo da colheita, na Palestina, coincide com um tempo extremamente quente (Pro. 25:13). Quando caíam chuvas fora de tempo, durante a época da colheita, isso simbolizava as honrarias prestadas aos tolos (Pro. 26:1). A colheita segundo a semeadura simboliza a lei divina da retribuição, um princípio universal (Gál. 6:7,8). Nos sonhos e nas visões, a colheita pode indicar a recompensa final por um trabalho bem-feito, ou o benefício recebido por algo que fora feito. A colheita também pode simbolizar a morte física, pois é então que cada um de nós presta contas por sua vida. Mas também, mais simplesmente, pode representar a abundância material, quando não faltam comestíveis aos homens.

SEGREDO MESSIÂNICO
Ver o artigo sobre **Consciência de Cristo**.

SEGREGAÇÃO
Ver sobre **Apartheid**.

SEGUBE
No hebraico, embora a palavra apareça sob formas levemente diferentes, segundo os manuscritos, o seu sentido é "exaltado". Na LXX, *Segoúb*. Nas páginas do Antigo Testamento tem o nome de duas personagens:

1. O filho mais jovem de Hiel, de Betel, que reconstruiu Jericó, durante o reinado de Acabe (I Reis 16:34). Os *Targuns* afirmam que Hiel ofereceu Segube e seu irmão, Abirão, como sacrifícios de fundação, um rito comum entre os pagãos que viviam na região. Mas, segundo a opinião de alguns estudiosos (como De Vaux), - se esse incidente envolveu um sacrifício de fundação, então, isso era devido à influência fenícia. Tais sacrifícios humanos são confirmados em Gezer, onde três esqueletos foram encontrados debaixo de um alicerce construído em cerca de 1800 a.C. O autor dos livros de Reis considerava a morte dos filhos de Hiel como um cumprimento da maldição de Josué, no sentido de que quem quer que tentasse reconstruir Jericó perderia seus filhos mais velho e mais novo (ver Jos. 6:26).

2. Um filho de Hebrom, neto de Maquir, bisneto de Judá (I Crô. 2:21,22). No caso deste último, a LXX diz *Serouch*, ao passo que o texto grego de Luciano diz *Segoub*.

SEGUINDO A CRISTO
Ver o artigo geral intitulado *Discípulo, Discipulado*. Não há que duvidar que há vários níveis, nessa questão de seguir a Cristo. Consideremos os seis pontos abaixo:

1. *O Nível Popular e Curioso*. As multidões que acompanhavam Jesus para lá e para cá, a fim de seguirem seus milagres, impressionadas e entretidas pelo seu ensino (Mat. 4:25; 8: 1; 12: 15; 19:2; 20:29). Nesse nível não há qualquer profundidade de convicções pessoais. As mesmas multidões tão prontas a segui-lo, não demoraram a desistir assim que perceberam que o verdadeiro discipulado cristão custa bastante. Hoje em dia, em muitas igrejas, as pessoas estão sendo atraídas às suas reuniões mediante espetáculos musicais, bazares e métodos promocionais tolos. Porém, esse tipo de discipulado é superficial e, usualmente, prejudicial.

2. *Discipulado, O Esforço dos Iniciantes*. Alguns homens mostram-se mais sérios do que se vê no primeiro ponto, acima. Chegam mesmo a ingressar em escolas ou seminários teológicos. Separam-se da massa da humanidade (Mar. 1:17; 2:14; 8:34). Os rabinos juntavam discípulos em suas escolas, algo que já vinha sendo feito desde os dias do Antigo Testamento, nas escolas dos profetas. O primeiro capítulo do evangelho de Marcos mostra que certos homens abandonaram suas profissões a fim de dedicarem-se com mais seriedade ao discipulado cristão. Mas a experiência demonstra que mesmo depois de atingirem a esse estágio de seguir a Cristo, alguns homens desviam-se. O sexto capítulo da epístola aos Hebreus é a afirmação clássica da situação, quando discípulos revertem totalmente a seus antigos caminhos.

3. *Quando o Discipulado Torna-se Algo Mais Sério*. Importante, nesse ponto, é a transmissão de um conjunto de doutrinas e experiências, em uma forma de expressão e de poder religiosos. Jesus ensinava mediante a sua palavra e mediante a força de seu exemplo. E o melhor aprendiz é aquele que adquire a natureza de seu mestre, tornando-se uma cópia dele, por motivo de imitação, em algum grau de perfeição. Os doze apóstolos cumpriram uma missão que, na realidade, era a missão de Jesus. Eles expeliam demônios, curavam os enfermos, batizavam os convertidos e ensinavam-nos (João 4:2). E havia outros, que não pertenciam ao grupo imediatamente associado a Jesus, que faziam a mesma coisa; e Jesus os aprovou em seus esforços (Mar. 9:38-41), o que devemos compreender como um ataque contra a atitude do denominacionalismo (vide).

4. *Aprofundamento do Discipulado*. Pedro já representava um poder, quando Cristo estava no mundo; mas, após a paixão de Jesus e sua ressurreição, o poder de Simão Pedro aumentou. Pedro também começou a sofrer mais (Mat. 16:21). Agora o discipulado cristão tornara-se extremamente sério, porque aquele que segue a Cristo precisa negar-se a si mesmo, tomar a cruz e seguir a Jesus

SEGUINDO A CRISTO – SEGUNDA BÊNÇÃO

(Luc. 9:23). O discipulado cristão, a partir desse ponto, é corretamente descrito por meio de uma palavra: *renúncia*. O discipulado cristão que é sempre pleno de felicidade e de prazer é superficial. Paulo confere-nos a sua fórmula para o intenso discipulado cristão, em Filipenses 3:7 ss. Nesse texto, tomamos consciência do fato de que o discipulado, para Paulo, era a sua própria vida, e não algo acrescentado à sua vida. Nos primeiros anos do cristianismo, e também em vários períodos subseqüentes, ser um discípulo cristão era estar à beira do martírio. Todos os apóstolos, excluindo João (mas talvez até ele estivesse incluído), encontraram a morte como mártires.

5. *Alguns Elementos do Discipulado Cristão Sério*. a. total autonegação; b. renúncia; c. exílio voluntário, quando a missão dada ao crente requer tal coisa; d. absoluta obediência às normas do Mestre; e. capacidade de sofrer privações, pobreza e necessidades; f. forças para enfrentar o martírio, se necessário for; g. respeito pela realidade dos mundos eternos, que emprestam motivação para desprezarmos o que é apenas físico; h. um caráter próprio do mundo celeste, santidade, transformação moral e metafísica.

6. *Os Meios do Desenvolvimento Espiritual*. Esses meios incluem: a. o treinamento intelectual nos documentos sagrados e outros livros dotados de poder espiritual, que transmitem a mensagem espiritual; b. a oração; c. a meditação; d. a prática das boas obras; e. a prática da lei do amor; f. o toque místico, mediante o emprego dos dons espirituais, da iluminação e de outras experiências espirituais, que elevam a alma acima deste mundo de banalidades; g. a santificação.

SEGUNDA BÊNÇÃO

Essa é uma doutrina típica das igrejas "holiness", que já existiam antes do movimento carismático generalizado (vide). Pode-se mesmo dizer que essa doutrina teve origem histórica (recente) dentro do metodismo. A idéia é que o Espírito Santo efetua uma segunda operação, que dá santificação e poder, após a primeira bênção da conversão e regeneração inicial. Mas, estritamente falando, muitos cristãos passam não somente por uma segunda bênção, mas por muitas bênçãos adicionais, se quiserem enfatizar as experiências místicas.

Dentro do movimento carismático, a simples e emocional segunda bênção foi substituída pelas línguas, com a subseqüente participação em vários dons espirituais, tudo o que, pelo menos em teoria, confere ao indivíduo muito mais do que os metodistas antecipavam na "segunda benção". Quando as experiências místicas são genuínas, então, na verdade, podemos esperar uma segunda, uma terceira bênção, etc. Mas é ridículo supor que a completa santificação, no sentido de impecabilidade, possa ser obtida desse modo, conforme muitos têm ensinado. Ver o artigo intitulado *Impecabilidade do Homem*, quanto a uma discussão sobre a questão.

Até onde posso ver as coisas, dois grandes erros têm sido cometidos por muitos que fazem parte da Igreja cristã, acerca dessas questões: Primeiro, o de categorizar alguma experiência mística (no caso o falar em línguas extáticas) e então dizer "isto" é uma segunda bênção que *deve ser* buscada por todos os crentes, de forma padronizada, obrigatória. Segundo, por outra parte, supor que a vida cristã tenha por propósito envolver somente a experiência inicial da conversão, seguida por um crescimento gradual e natural sem qualquer experiência mística que faça o crente dar súbitos saltos para a *frente*. Isso não concorda com o quadro sobre a vida cristã, segundo a mesma é retratada no livro de Atos e nas diversas epístolas apostólicas. Essa limitação amortece o poder do Espírito. Sim, precisamos da conversão; precisamos do crescimento espiritual; mas também precisamos de experiências místicas poderosas que nos confiram poderes e graças especiais, que, em seus efeitos, vão muito além da leitura da Bíblia e da oração. Ver sobre o *Desenvolvimento Espiritual, Meios do*.

Apesar de as línguas extáticas poderem servir de experiência especial do Espírito (elas são até um dos dons espirituais; ver I Cor. 12:10), muitos daqueles que têm tido poderosa experiência com o Espírito de Deus têm visto que as línguas não são um aspecto imprescindível. Ademais, a presença das línguas pode levar alguém a pensar, equivocadamente, que ele passou por uma poderosa experiência espiritual, quando, na verdade, a manifestação das línguas é reputada pelo apóstolo como o menor e menos útil dos diversos dons espirituais (ver, por exemplo, I Cor. 14:5). Pode-se mesmo dizer que há quem fale em línguas por mera excitação.

Aqueles que têm passado por experiências místicas profundas com o Espírito de Deus descrevem fenômenos variados. Ver o artigo geral que aborda esse assunto em profundidade, Línguas (Falar *em),* e que historia uma bela experiência ilustrativa, que nos ajuda a definir melhor a questão. Ver também Línguas, Falar *em (Dom de),* que procura fazer um completo exame bíblico da questão.

Não há em reserva, para todos os crentes, uma experiência padronizada com o dom de línguas. O Espírito Santo distribui seus dons conforme lhe "apraz" (I Cor. 12:11). Por isso mesmo Paulo indaga: "Porventura são todos apóstolos... falam todos em outras línguas ..." (I Cor. 12:29,30). E até mesmo entre os que falam em línguas, há mais profundos e mais superficiais. E há experiências místicas que não envolvem línguas, em nenhum sentido, como "sabedoria", "conhecimento", "discernimento de espíritos", "visões", etc. Quanto mais padronizamos e categorizamos as experiências místicas, mais estaremos limitando o poder do Espírito de Deus, o qual atua sobre cada um conforme ele vê ser melhor para cada indivíduo. E o pior aspecto dessa limitação é que ela gera divisões desnecessárias e prejudiciais, devido a sentimentos de superioridade por parte daqueles que manifestam algum dom espiritual e que o exagera quanto à sua importância.

Este tradutor pede vênia para elaborar um pouco, segundo a sabedoria que lhe tem sido dada. O metodismo interessou-se pela "santidade"; os grupos "holiness" acharam que a santidade é obtida quando da segunda bênção. Os pentecostais disseram que o sinal da segunda bênção é o falar em línguas. O erro consiste, portanto, em ligar o batismo no Espírito Santo (ou segunda bênção) à santificação e ao falar em línguas, como causa e conseqüências. É verdade que o Novo Testamento fala em Deus escolher-nos para a salvação, pela santificação do Espírito (II Tes. 2:13). Mas, esse trecho e seus paralelos (como Rom. 1:4) não falam sobre o processo santificador, e, sim, sobre como o Espírito separou-nos para Deus, por ocasião da conversão. Também é claro que o Espírito ajuda-nos na santificação propriamente dita.

Mas, quando Jesus prometeu a vinda do Espírito (o que ocorreu no dia de Pentecoste, daí por diante podendo ser experiência extensiva a todos os crentes-Atos 2:39), ele prometeu que o Espírito conferiria "poder" (ver Atos 1:8), e não "santificação". O processo da santificação, como obra do Espírito, envolve o uso da Palavra da verdade (ver João 17:17). Se o crente não se alimenta da Palavra e nem manifesta uma atitude de obediência à mesma, quando muito será precariamente santificado; e o batismo no

SEGUNDA BÊNÇÃO – SEGUNDO

Espírito não substitui essa outra atuação santificadora do Espírito, mesmo porque é outra a sua finalidade. Os crentes de Corinto tinham a experiência do batismo no Espírito Santo e eram ricos em manifestações de dons espirituais, mas a santificação deles deixava muito a desejar, segundo fica claro nas duas epístolas que Paulo lhes dirigiu.

É patente, pois, que a doutrina extrabíblica da perfeita santificação nesta vida não conta com respaldo bíblico. Essa doutrina diz que o crente pode viver sem pecar, se tiver recebido a segunda bênção. Ora, João estipula: "Se dissermos que não temos pecado nenhum, a nós mesmos nos enganamos, e a verdade não está em nós, (1 João 1:8). É preciso dizer mais?

Um erro doutrinário puxa outro. Por isso, nos meios pentecostais corre livre a idéia de que o sinal do batismo no Espírito Santo é o falar em línguas. E mais, que o falar em línguas é atingir o máximo de crescimento espiritual. Mas no livro de Atos encontramos casos de batismo no Espírito Santo sem línguas, ou então com o acompanhamento de outros dons. Ver, por exemplo, Atos 19:6. E os ensinamentos de Paulo sobre os dons espirituais mostram que, quando alguém recebia línguas, devia orar para que pudesse interpretar, sob pena de seu dom não ser de proveito para outros. Por isso mesmo Paulo recomenda: "Assim também vós, visto que desejais dons espirituais, procurai progredir, para a edificação da igreja" (I Cor. 14:12;). Além disso, muitos pregadores pentecostais tem sido consagrados somente por falarem em línguas. Isso é confundir os dons espirituais (conferidos pelo Espírito) com os dons ministeriais (conferidos pelo Senhor Jesus; ver I Cor. 12:5; Efé. 4:7-11). Não há que duvidar que a questão ainda precisa ser melhor estudada pelo povo de Deus, pois ela envolve pontos difíceis de deslindar; e os erros que se têm multiplicado servem somente para obscurecer esse tão notável aspecto da experiência cristã; e os abusos têm afastado a muitos, por assim dizer "vacinando-os" quanto a essa bênção que faz parte da herança do crente. Que o Senhor nos ajude a entender sua Palavra!

SEGUNDA MORTE

Essa será a morte espiritual, que virá por ocasião do julgamento, após a morte física, a do corpo material, que é a primeira morte. Ver os artigos gerais *Lago do Fogo e Julgamento de Deus dos Homens Perdidos*, na *Enciclopédia*. Visto que a Igreja está dividida quanto à natureza do próprio julgamento, ela também está dividida a respeito do que está envolvido na segunda morte. Alguns defendem a posição pessimista de que o poder da segunda morte é absoluto e irreversível. Mas outros, otimisticamente, pensam em uma futura restauração que poderá reverter o poder da segunda morte, aparando suas arestas mais duras. Ver sobre *Restauração e Mistério da Vontade de Deus*, na *Enciclopédia*, quanto a uma discussão sobre esse último ponto de vista mais otimista.

Na própria Bíblia, a expressão específica segunda morte é achada somente em Apo. 20:14. O autor sagrado fala ali sobre a ira de Deus e seus efeitos. Ver os artigos *Ira de Deus* e *Ira*, em sua segunda seção. Ver Apo. 14:11 quanto ao que diz o autor do Apocalipse sobre a questão. Definidamente, ele não aparece entre os mais iluminados autores do Novo Testamento quanto à questão. A segunda morte é a cólera de Deus, exercida no juízo final, o que é definido mais especificamente como ser lançado no lago do fogo, no mesmo versículo. Naturalmente, isso simboliza o fato de alguém não ter atingido a verdadeira vida em Cristo, a participação em sua vida divina, em sua natureza essencial. Ver João 5:25,26; 6:57; II Pd. 1:4. Mas aqueles que ingressarem nos lugares celestiais, em contraste com isso, desfrutarão da "segunda vida", a participação na própria modalidade de vida de Deus, segundo ela se manifesta na pessoa de Jesus Cristo.

A expressão segunda morte, encontrada no Apocalipse, é de origem rabínica. Um targum (comentário) sobre Deu. 33:6 afirma: "Que Rúben viva nesta era e não morra a segunda morte, com a qual morrem os ímpios no mundo vindouro". E o targum sobre Jer. 6:39,57 encerra uma declaração similar. Todavia, a passagem de Isa. 22:14, em minha opinião, envolve uma possível idéia diferente: "Certamente esta maldade não será perdoada, até que morrais ..." Isso subentende que haverá o perdão da maldade em foco, por intermédio da segunda morte, a qual realizará uma obra de misericórdia, pois o julgamento será remedial, e não apenas retributivo. Essa declaração tem o mesmo tom de I Ped. 4:6, que definitivamente fala em um juízo remedial, de tal modo que a vida será dada através do mesmo, uma vez que as almas tenham pago toda a sua dívida.

A julgar com base na mensagem do "mistério da vontade de Deus" (ver Efé. 1:9,10), os propósitos de Deus exigirão um tempo muito prolongado para se cumprirem. Será mister que venham as "eras vindouras" para que esses desígnios se concretizem. Por conseguinte, a segunda morte, quanto ao tempo, chegará até àquelas eras, exercendo seu rigoroso julgamento. Mas, por igual modo, através dessa severidade, os condenados serão purgados e serão levados a uma vida melhor. De conformidade com o ponto de vista aqui expresso, o julgamento final é uma verdade intermediária, e não uma declaração definitiva sobre as obras de Deus quanto aos não-remidos. A palavra final de Deus é a restauração, segundo as condições do "mistério da vontade de Deus". Esse ponto de vista é mais amplo que a antiga visão sobre o julgamento, tomada por empréstimo dos livros pseudepígrafos (vide), mormente I Enoque, onde as chamas do inferno, foram acesas pela primeira vez, dentro da tradição da literatura bíblica.

SEGUNDA VINDA

Ver o artigo sobre *Parousia*, termo técnico para indicar (a segunda) *chegada* de Jesus, o Cristo à terra.

SEGUNDO

No grego, **Sékoundos** ou **Sekoûndos**, "segundo". Era o nome de um crente de Tessalônica, que, juntamente com outros irmãos, acompanharam Paulo pela Grécia, quando ele já voltava, em sua terceira viagem missionária, para Antioquia da Síria. Se Segundo era um dos delegados a quem foram confiados os fundos doados pela igreja em Tessalônica aos cristãos judeus, então ele pode ter acompanhado o apóstolo aos gentios até Jerusalém (ver Atos 20:4; Rom. 15:25,26 e II Cor. 8:23).

SEGUNDO ADÃO

Ver também **Dois Homens, Metáfora dos**.

Um título de Jesus Cristo que resulta da mistura de "último Adão" (no grego, *o éskatos Adám*) e de "segundo homem" (no grego, *o deúteros ánthropos*), em I Coríntios 15:45-49, embora a idéia incorporada por essa expressão seja proeminente tanto em I Coríntios 15:45-49 quanto em Romanos 5:12-21. Em seu ataque à antropologia

SEGUNDO ADÃO – SEGURANÇA ETERNA DO CRENTE

platônica estática, que ensinava um homem real celeste e muitas cópias terrenas do mesmo, Paulo proclamava uma redenção dinâmica para homens reais da terra, bem como o cumprimento, dentro da história, pelo homem "espiritual" e "celestial", Jesus Cristo (I Cor. 15:45-49). Em contradistinção ao pecado do primeiro homem, o que trouxe a morte e a condenação a todos os seus descendentes, o ato de "justiça" e de "obediência" do Segundo Homem resultou na "graça abundante", que nos confere justificação, retidão e vida eterna (Rom. 5: 12-21).

SEGUNDO NASCIMENTO

Essa expressão tem várias conotações possíveis:

1. *Regeneração* (vide), que consiste em ter nascido de novo, espiritualmente falando. O nascimento físico, de acordo com o qual todos os homens são naturais, ou seja, não-regenerados, o que significa que são pecadores condenados, torna necessário o nascimento espiritual, mediante o qual é conferida a vida eterna à alma.

2. A *reencarnação* (vide) também tem sido chamada de segundo nascimento, ainda que, nesse caso, o conceito em geral envolva a idéia de muitos nascimentos, e não apenas um segundo nascimento, espiritual, após o nascimento físico. Seja como for, estão em pauta nascimentos físicos subseqüentes, e não a regeneração, que já é obra do Espírito de Deus.

3. A *conversão* tem sido chamada assim algumas vezes, porquanto dá início ao processo do segundo nascimento.

4. A *entrada nas dimensões celestes,* que também pode ser considerada um nascimento espiritual, também tem sido denominada por esse nome. De fato, há teólogos que pensam que *essa* entrada é que se deveria chamar, apropriadamente, de segundo nascimento. Esses estudiosos não chamam a conversão de segundo nascimento, como também não denominam assim a regeneração inicial, mas reservam a expressão para indicar a glorificação nas dimensões celestes, quando o indivíduo nascerá na vida espiritual, para além da existência física.

Talvez seja melhor afirmar que o nascimento espiritual, o segundo nascimento, tenha vários estágios, e que aquilo que é iniciado na esfera terrestre seja levado à sua plena fruição nos céus.

5. A *participação na natureza divina* é a essência do segundo nascimento. Ao sermos regenerados, tornamo-nos filhos de Deus no sentido mais literal do termo, porquanto então começamos a participar da natureza e dos atributos divinos, e também de sua plenitude (a pleroma de Efé. 3:19). Ver também Rom. 8:29; 11 Cor. 3:18; Col. 2:9,10; II Ped. 1:4

SEGURANÇA ETERNA DO CRENTE
I. Escrituras em Favor.

1. Rom. 8:32ss: predestinação, eleição, decretos divinos, amor de Deus: são fatores que garantem a segurança eterna.

Esse texto mostra-nos, sem tolerar qualquer exceção, a verdade da doutrina da segurança eterna, tendo sido corretamente usado para sustentar tal ensino. Porque ainda que contássemos somente com essa passagem, se a mesma fosse corretamente compreendida, jamais poderia ter entrado no quadro qualquer dúvida de qualquer espécie. Entretanto, existem e têm existido excelentes intérpretes que têm sido seguidos por crentes sinceros, os quais, com base em outras Escrituras, se têm deixado convencer de que o crente, uma vez salvo, através do *desvio* ou da apostasia, pode vir a perder-se. A maioria desses eruditos tem pensado que estar perdido é estar *perdido para sempre,* pelo menos potencialmente.

A finalidade destas notas expositivas, pois, é a de examinar os vários aspectos desse problema, fazendo uma declaração tentativa sobre o ensinamento bíblico a respeito da questão, o qual se reveste de dificuldades insolúveis para algumas pessoas; ou talvez devêssemos dizer, o qual se reveste de grandes dificuldades para todos nós. Começando pela interpretação do trecho de Rom. 8:32-39, devemos dizer que esta passagem só pode dar apoio à doutrina da eterna segurança do crente, a qual, dentro dos sistemas teológicos, se tem conhecida como o "quinto" ponto do sistema doutrinário calvinista, usualmente sob o título de "perseverança dos santos". É declarado que todos os verdadeiros santos devem "perseverar". De fato, um famoso calvinista, Jonathan Edwards, descobriu que a própria definição de um crente, de conformidade com João 8:31, é aquele que continua na Palavra de Cristo. E a confiança expressa é que todos os verdadeiros eleitos devem necessariamente prosseguir, porquanto a eleição eficaz é um fator que garante a perseverança, através da própria graça de Deus e da operação do Espírito Santo que produziu a eleição inicial.

O escolasticismo fazia a fé ser um fator decisivo na salvação, mas essa fé incluía a confiança nos credos da Igreja. Apontava para uma contínua dependência à autoridade da Igreja, faltando-lhe, portanto, a plena confiança divina, em qualquer instante. Os reformadores viam a fé como atitude da alma que se **apega exclusivamente** em Deus, capaz de infundir uma certeza firme e inabalável em Deus. Mas os arminianos afirmam que o indivíduo pode cair da fé, mesmo quando essa é autêntica, arraigada em Deus. A Confissão de Augsburgo considera a segurança como parte integrante da fé. Para Calvino, a fé inclui a *certitudo salutis*, "certeza da salvação". A Confissão de Westminster não se manifesta com tanta precisão: "Os crentes podem ter a certeza". Para Wesley, a segurança é privilégio de todos os crentes, embora dependa das operações do Espírito Santo.

A questão é um antigo campo de batalha da teologia cristã, com exércitos bem postados de ambos os lados, atrás de seus textos de prova bíblicos.

Outro ponto de vista. Uma vez que uma alma se entrega a Cristo, pode ter a certeza de que foi remida. Mas uma vida má, especialmente se não for assinalada pela lei do amor, o maior de todos os princípios espirituais, pode anular essa certeza, o que também se verifica no caso de abandono da fé. De fato, o indivíduo pode perder a qualidade espiritual necessária para que tenha a segurança ou para que obtenha a salvação. Mas, depois que uma alma entregou-se a Cristo e foi regenerada, ela recebe uma promessa irrevogável, o que, em termos bíblicos, importa em garantia. Portanto, em algum ponto da existência da alma, ou ainda neste mundo, antes da morte biológica, ou após a morte, nas outras esferas, haverá uma renovação e restauração do que se perdera, incluindo nisso a segurança. De acordo com esse outro ponto de vista, a fronteira da morte biológica não determina os destinos finais, sendo esse o sentido do trecho de I Ped. 4:6. Em outras palavras, há uma segurança a longo prazo, mas não necessariamente uma segurança a curto prazo, em todos os casos. Isso está implícito no mistério da vontade de Deus, referido em Efé. 1: 10 (ver as notas, no NTI; como também em I Ped. 4:6).

Essa é a doutrina que afirma, contra o arminianismo, que o crente pode saber, acima de qualquer dúvida, que é salvo. Há Escrituras que ensinam tal segurança, como Col. 2:2; Heb. 6:11; 10:22; 1 João 5:11-13. Em contrapartida, alguns apelam para o trecho de Fil. 3:13 ss., onde o próprio Paulo não se contava *entre aqueles que* já tinham obtido *o que* estava envolvido em seu chamamento. Porém, em II Tim.

SEGURANÇA ETERNA DO CRENTE

1:12 torna-se claro que, algum tempo antes de sua morte, ele chegara a essa certeza. Os arminianos opinam que tal segurança só é possível mediante alguma revelação pessoal, em casos específicos. Pode-se tomar como ponto de partida que os vários trechos bíblicos que têm algo a dizer sobre a questão refletem tanto a certeza como a insegurança. Assim, o problema começou no próprio Novo Testamento, e não nas subseqüentes interpretações da Igreja.

A *confirmação*. Essa tanto é interna quanto externa. O espírito de um homem pode atestar a esse respeito; ou o Espírito Santo pode atestar a respeito, juntamente com o testemunho das Escrituras. Além disso, o viver segundo a lei do amor, em grau significativo, confere ao crente esse tipo de segurança. "Nós sabemos que já passamos da morte para a vida, porque amamos os irmãos; aquele que não ama permanece na morte" (I João 3:14). Essa parece ser a melhor base para a segurança na salvação, dependente do poder, da profundidade e das manifestações permanentes do amor cristão.

Porém, aqueles que defendem o ponto de vista arminiano, de que o crente pode *desviar-se* e assim não perseverar até o fim, ou que acreditam que o crente pode "apostatar" crêem nisso simplesmente porque existem passagens bíblicas que indicam fortemente essa possibilidade. De conformidade com isso, temos a "necessidade" de esforço para mantermos a nossa posição de "eleitos", segundo trechos bíblicos como Luc. 13:24; Col. 1: 19; II Tim. 2: 5; Heb. 6:3 e ss. Para os arminianos, a "segurança eterna" conduz logicamente ao antinomianismo, isto é, a uma vida cuja conduta é "contrária à lei", isto é, uma vida diária frouxa ou pecaminosa. Já para o calvinista, isso não consistiu problema, porquanto ele também inclui no quadro a graça divina que, tendo chamado os indivíduos à eleição, também é capaz de manter em santidade o povo eleito, pois, de outro modo, os culpados de uma vida profana jamais seriam eleitos. Os arminianos voltam à carga, mostrando que as advertências contra a apostasia são reais, e que elas seriam supérfluas se não fossem reais, e se a queda da salvação não fosse possível. Mas os calvinistas retrucam dizendo que tais avisos fazem parte da agência divina na preservação dos crentes, e que essas advertências são sempre eficazes.

Armínio foi um discípulo de João Calvino que fazia objeção às suas idéias fortíssimas sobre a "predestinação", tendo-se oposto a ele quanto a esse particular. Armínio também combatia a outros no tocante a outros pontos, como a "eleição" e a "segurança eterna do crente", que são conseqüências lógicas e naturais daquela primeira doutrina. Portanto, o termo "arminianismo" veio expressar a oposição contrária ao calvinismo, quanto a essas particularidades.

Armínio frisava grandemente o livre-arbítrio humano; e as conseqüências lógicas desse conceito são as idéias que dizem que o ser humano, embora anteriormente pudesse participar da graça divina, por causa de sua perversão ou rejeição à mesma, pode perder os benefícios que dali se derivam. A grande dificuldade desse problema é que há trechos bíblicos que podem ser usados em apoio tanto ao calvinismo como ao arminianismo.

Começando, portanto, pelo trecho de Rom. 8:32-39, precisamos declarar que se dispuséssemos exclusivamente dessa passagem bíblica, teríamos de concluir pela segurança eterna do crente. Em outras palavras, todos quantos se tornam crentes autênticos no Senhor Jesus Cristo fatalmente perseveram até o fim, recebendo a total fruição de sua salvação.

2. João 10:27-29. "*As minhas ovelhas ouvem a minha voz; eu as conheço, e elas me seguem. Eu lhes dou a vida eterna; jamais perecerão, eternamente, e ninguém as arrebatará da minha mão. Aquilo que meu Pai me deu é maior do que tudo, e da mão do Pai ninguém pode arrebatar*".

Dificilmente alguém poderia fazer declarações mais positivas e absolutas em favor da segurança eterna do crente. Esses versículos incluem as idéias da "eleição" e da "chamada eficaz" dos crentes, tudo baseado na vontade de Deus Pai, que é visto aqui como aquele que chama e dá os eleitos para Cristo. Sabemos que ninguém pode vir a Cristo a menos que Deus Pai o atraia; e uma vez que alguém seja atraído pela vontade do Pai, o crente fica em segurança nos braços de Cristo, como também nas mãos do Pai, o que lhe confere uma dupla segurança.

Ora, o resultado natural do fato de que as ovelhas conhecem o Pastor, e que o Pastor conhece as ovelhas, é que elas *o seguem*. E isso assegura-lhes a vida caracterizada pela piedade, exatamente conforme os calvinistas têm sempre argumentado. Pelo menos assim ficaria estabelecido, se isso fosse tudo quanto as Escrituras têm a dizer sobre a questão e se não houvesse trechos bíblicos que indicassem a possibilidade contrária. Por conseguinte, se contássemos exclusivamente com essa passagem do quarto evangelho, poderíamos afirmar, sem qualquer hesitação, e sem admitir qualquer caso excepcional, que essa declaração é absoluta: "... jamais perecerão, eternamente..." E é uma insensatez dizer aqui, conforme alguns têm afirmado, que embora nenhuma outra força possa arrebatar o crente da mão de Cristo, o próprio crente pode sair dessa proteção divina. Pois o próprio texto sagrado obviamente não antecipa qualquer forma de exceção ou possibilidade de perdição. (Quanto a notas expositivas sobre o significado desses versículos, o leitor pode consultar o NTI a respeito dos mesmos).

3. João 6:44,45- *Ninguém pode vir a mim se o Pai que me enviou não o trouxer; e eu o ressuscitarei no último dia. Está escrito nos profetas: E serão todos ensinados por Deus. Portanto, todo aquele que da parte do Pai tem ouvido e aprendido, esse vem a .mim.*

Essa passagem ensina a **eleição divina** com extrema clareza. Somente aqueles que são atraídos pelo Pai é que sentirão poderoso impulso para virem a Cristo. E aqueles que assim se aproximam de Cristo, mediante a vontade e o poder de Deus Pai, certamente participarão da vida da ressurreição, que equivale à vida eterna, no gozo de sua plenitude. Segue-se logicamente, com base na chamada eficaz de Deus, que todos quantos são chamados por Deus necessariamente perseveram até à plena fruição de sua salvação, pois, do contrário, não teriam sido chamados e atraídos pelo Pai, sob hipótese alguma. O que fica subentendido nestes versículos não admite qualquer exceção; e se contássemos com trechos bíblicos como este, sem qualquer outra declaração que lhe desse um colorido diferente, que faz depender da salvação inteira do princípio ao fim, do impulso de vir a Deus até à vida ressurreta, da vontade e chamada de Deus, teríamos de concluir que a segurança espiritual do crente é absoluta. Assim, pois, nenhum dos eleitos teria de perecer, sob qualquer hipótese.

4. Efé. 1:4,5. "*...assim como nos escolheu nele antes da fundação do mundo,, para sermos santos e irrepreensíveis perante ele: e em amor ...*" A eleição é aqui situada não somente como algo dependente da vontade de Deus, mas também antes da própria existência do tempo, antes da existência do próprio homem. Essa escolha foi feita "em Cristo", visando a glória do Filho de Deus, não

132

SEGURANÇA ETERNA DO CRENTE

estando alicerçada sobre a vontade do homem. E teve lugar "em amor". Por conseguinte, não encontramos aqui qualquer indicação de que a eleição só se verificou segundo Deus viu quem, dentre os homens, já vivendo no tempo, haveria de exercer fé. Pelo contrário, tudo depende do "...beneplácito de sua vontade....".

Não obstante, alguns intérpretes têm procurado evitar as conclusões claras sobre esse ensino, dizendo que a "eleição" visa os "gentios" como um povo, e não como indivíduos, sendo, por isso mesmo, "nacional", e não individual. Porém, essa interpretação é apenas uma tentativa de evitar o ensinamento óbvio das várias passagens que ensinam a eleição e a predestinação dos salvos. Note-se, além disso, no nono capítulo da epístola aos Romanos, que "nem todo o Israel" foi escolhido, mas tão-somente o "remanescente". Além disso, Jacó foi escolhido, mas não Esaú. Ora, não há como escapar à conclusão de que a eleição é "individual" e não nacional. Paulo se declarou "separado para Deus" desde o ventre de sua mãe. Certamente isso também expressa eleição individual. Declarações similares são ditas com respeito a João Batista. E isso não expressa casos excepcionais, pois são apresentados como ilustrações da regra geral; e essa regra geral fala sobre eleição individual.. (Quanto a maiores detalhes, sobre essa questão, ver no NTI a exposição sobre estes versículos).

5. Fil. 1:6. ....Estou plenamente certo de que aquele que começou boa obra em vós há de completá-la até ao dia de Cristo Jesus...

Essa declaração tem sido aceita como algo que tem aplicação apropriada a todos os crentes, não havendo razão alguma para pensarmos que alguns deles não sejam incluídos na mesma. A obra aqui mencionada, e que se verifica nos crentes, sem dúvida alude ao processo geral da redenção, que se evidencia através da santificação progressiva. O término completo e perfeito dessa obra é antecipado para o dia de Cristo Jesus, que provavelmente é uma referência à "parousia" ou segunda vinda de Cristo, mas que também envolve o estado eterno que esse evento inaugurará. A porção importante desse versículo, no que diz respeito ao problema da "segurança eterna do crente", não diz respeito tanto à confiança que é exibida quanto ao resultado bem-sucedido que transparece neste versículo, porquanto a confiança humana pode sofrer derrotas e desilusões. Pelo contrário, diz respeito ao fato de que o "agente" dessa obra é obviamente divino, isto é, aquele, palavra essa que mui provavelmente se refere ou ao Espírito Santo ou a Deus Pai. Sim, aquele que começou no crente a obra da redenção, há de terminá-la, e isso tira das mãos dos homens a questão da segurança eterna do crente, deixando-a inteiramente nas mãos de Deus Todo-Poderoso. 6. 1 Ped. 1:5. "...que sois guardados pelo poder de Deus, mediante a fé, para salvação preparada para revelar-se no último tempo..." O poder resguardador se encontra fora do homem, a saber, na pessoa de Deus, através da mediação da fé, que faz parte da experiência pessoal de todos quantos são verdadeiramente de Cristo. Neste versículo, a "...salvação..." tem um aspecto escatológico, isto é, é encarada em sua plena fruição final, no último dia, o que mui provavelmente se refere à segunda vinda de Cristo, quando será inaugurado o estado eterno. Naquela oportunidade, aquilo que o crente possui agora apenas em parte, se concretizará plenamente; e isso está garantido pelo poder de Deus.

II. Fazendo contraste com essas passagens bíblicas, precisamos considerar outras passagens, abaixo discriminadas, que indicam a real possibilidade do desvio ou da apostasia fatal. Essas passagens são:

1. Luc. 13:24. "...Respondeu-lhes: Esforçai-vos por entrar pela porta estreita, pois eu vos digo que muitos procurarão entrar e não poderão..."

Col. 1:22,23. "...agora, porém, vos reconciliou no corpo da sua carne, mediante a sua morte, para apresentar-vos perante eles santos, inculpáveis e irrepreensíveis, se é que permaneceis na fé, alicerçados e firmes, não vos deixando afastar da esperança do evangelho que ouvistes, e que foi pregado a toda criatura debaixo do céu, e do qual eu, Paulo, me tornei ministro..."

II Tim. 2:5. "...Igualmente o atleta não é coroado, se não lutar segundo as normas..."

A entrada na vida eterna, por intermédio da porta estreita, a fruição dos efeitos salvadores da expiação, a apresentação final dos crentes como santos e destituídos de qualquer culpa ou mácula, o término da corrida espiritual, tudo é posto na dependência à perseverança dos crentes, segundo esses versículos. Assim, é com muita razão que se poderia indagar se tais advertências não fossem válidas, e se o desvio não fosse um perigo verdadeiro, por qual razão tais advertências teriam sido feitas? A resposta ordinária que dão os que crêem na "segurança eterna do crente" é que elas fazem parte dos meios pelos quais Deus preserva os seus santos. logicamente falando, entretanto, tais meios seriam ilusórios, a menos que seja realmente real o perigo que essas advertências apontam para nós. Portanto, a interpretação mais fácil e natural desses versículos é que eles nos avisam acerca de um perigo real de desvio, e também de que dos crentes é requerido o exercício do livre-arbítrio, o qual pode escudar-se na graça divina ou rejeitá-la.

Não poderia haver sistema moral sem o concurso do livre-arbítrio humano, pois, se um indivíduo não tem a capacidade de determinar as suas próprias ações, então também não pode ter qualquer responsabilidade. O homem, pois, foi criado por Deus dotado de livre agência, e se o homem vem a ficar prisioneiro de impulsos inferiores é porque, pouco a pouco, ele cedeu aos impulsos de sua natureza inferior, bem como às influências deletérias do reino das trevas. Ora, o indivíduo que cede a tais impulsos pode destruir, pelo menos temporariamente, a imagem de Cristo em si mesmo. Pois a experiência humana demonstra amplamente que crentes anteriormente sinceros e intensos podem cair tanto no desvio para um estado moral pior do que quando foram salvos, quanto na apostasia relativa à fé no próprio Senhor Jesus. Não podemos solucionar tal problema declarando simplesmente que tais indivíduos "realmente nunca antes foram salvos". Isso pode aplicar-se a certos casos, mas existem muitos casos que não são tão fáceis de explicar como essa declaração quer dar a entender.

2. 1 Cor. 9:27. *"...Mas esmurro o meu corpo, e o reduzo à escravidão, para que, tendo pregado a outros, não venha eu mesmo a ser desqualificado.."*

A palavra *"...desqualificado..."* é uma tradução possível. Outras traduções dizem "desaprovado". Mas o vocábulo grego também pode significar "inútil", "vil", "que não passa no teste". A interpretação calvinista. comum sobre esse versículo é que o apóstolo Paulo se preocupava com a perda de sua recompensa, o coroamento celestial por haver completado a sua missão, e não se preocupava com a própria salvação. Já a interpretação arminiana comum vê a possibilidade da perda da salvação devido a uma vida diária negligente, especialmente devido ao lapso para pecados corporais e morais.

SEGURANÇA ETERNA DO CRENTE

O décimo capítulo da primeira epístola aos Coríntios, que se segue imediatamente após essa declaração paulina, diz-nos que a incredulidade do povo de Israel, na sua experiência no deserto, que consistiu de sua "idolatria" e de seus pecados morais, por causa do que também foram julgados, se deveu ao fato óbvio de que não estavam alicerçados sobre aquela "Rocha" que se seguia, que era Cristo Jesus. Alguns daqueles israelitas, pois, terminaram "destruídos pelo destruidor", e Paulo diz-nos claramente que tais ocorrências servem-nos de exemplo, para o qual devemos atentar, a fim de não chegarmos a um fim similar. Ele diz aos "amados" que "fujam da. idolatria" (ver I Cor. 10:15), ficando subentendido claramente que, se não evitarem a idolatria, haverão de sofrer o mesmo juízo sofrido por Israel. Parece, portanto, que as advertências que aparecem no contexto da presente passagem dizem respeito a muito mais do que à mera perda dos galardões.

Não podemos desprezar essas advertências, como se elas meramente quisessem dizer que o crente é salvo dos perigos "aparentes", os quais, naturalmente, não são verdadeiros perigos. Pois a verdade é que as falhas visadas nesta passagem constituíam perigos reais para Israel, como são perigos reais para o crente. E pelo mesmo motivo que não podemos reduzir o sentido dessas advertências como se elas fossem apenas um aviso para os "gentios", ou seja, para a igreja cristã, como uma comunidade humana, e não para os indivíduos que constituem essa comunidade. O que fica implícito no contexto é perfeitamente claro, é possível para o crente desviar-se, chegando a cair em juízo severo de Deus, não menos do que aconteceu ao povo de Israel.

3. Heb. 6:4-6. "*É impossível pois, que aqueles que uma vez foram iluminados e provaram o dom celestial e se tornaram participantes do Espírito Santo, e provaram a boa palavra de Deus e os poderes do mundo vindouro, e caíram, sim, é impossível outra vez renová-los para arrependimento, visto que de novo estão crucificando para si mesmos o Filho de Deus, e expondo-o à ignomínia...*"

Não há que duvidar que essa é a mais poderosa passagem bíblica que mostra que aqueles que são crentes podem cair de sua posição em um desvio tão radical para o pecado que perdem seu estado de regeneração e se afundam na apostasia, o que indica a negação de sua fé anterior em Cristo. A fim de dar a entender que esse versículo ensina claramente tal possibilidade e isso não apenas como um mero "caso hipotético" (conforme dizem alguns intérpretes), vários estudiosos têm procurado suavizar o sentido dessa expressão bíblica sobre a iluminação espiritual, a possessão do dom celestial da salvação e a presença habitadora do Espírito Santo. Tais estudiosos solicitam-nos que creiamos que expressões tão vigorosas podem descrever aqueles que receberam instruções sobre o caminho do retorno a Deus, através de Cristo, mas que na realidade nunca entraram nesse caminho. Porém, qualquer pessoa que leia esses versículos destituída de preconceitos não pode deixar de chegar à conclusão de que são descritos ali crentes autênticos, e não meros professos.

Alguns intérpretes calvinistas têm aceitado essa realidade, acima descrita; mas logo a seguir procuram eliminar a advertência contra o perigo real dizendo que isso representa apenas um *caso hipotético*, e não algo que realmente pode acontecer, ainda que a própria advertência possa servir para impedir que os crentes caiam em tal apostasia. Mas essa interpretação é contrária ao sentido simples do texto sagrado. Já outros intérpretes supõem que esses versículos falem sobre a *apostasia* e não sobre o mero "desvio", os quais acrescentam que apesar de a apostasia ser uma possibilidade, o número real de tais casos é extremamente diminuto, de tal maneira que fica praticamente intacto o número de pessoas que poderiam ser apropriadamente descritas por essas declarações que temos nessa passagem bíblica. Para eles, a recuperação espiritual de tais pessoas é *impossível*, porquanto essa declaração bíblica é aceita em sentido absoluto.

Entretanto, segundo o parecer da **maioria** dos intérpretes, a possibilidade de alguém vir a perder a salvação não significa a total impossibilidade de readquiri-la, e dizem que isso só é impossível enquanto os culpados estão "de novo crucificando" o Filho de Deus, o que é uma tradução possível. Assim sendo, enquanto tais pessoas se encontram nesse estado, enquanto cometem tal ato, a recuperação espiritual delas é impossível; no entanto, podem cessar tal atitude, sendo renovadas em sua salvação. Isso importa em uma melhor interpretação do que ver nesses versículos um pequeno número de desviados em potencial, porquanto o texto em foco visa a uma advertência geral, que parece ter a intenção de atrair a atenção de todos os crentes. Qualquer pequena modificação de interpretação que porventura aceitemos (ver comentários completos a respeito no NTI em Heb. 6:4-6), parece perfeitamente claro que o autor da epístola aos Hebreus (sem importar quem foi ele) cria na distinta possibilidade do crente vir a perder a sua salvação. Isso nos deixa ante o dilema de procurar encontrar solução reconciliadora com a idéia tão claramente ensinada, em passagens como o décimo capítulo do evangelho de João ou o oitavo capítulo da epístola aos Romanos, que parecem não permitir tal possibilidade.

4. II Ped. 1:9,10. "*Pois aquele a quem estas causas não estão presentes* (a frutificação espiritual, mencionada no oitavo versículo) *é cego, vendo só o que está perto, esquecido da purificação dos seus pecados de outrora. Por isso, irmãos, procurai com diligência cada vez maior, confirmar a vossa vocação e eleição; porquanto, procedendo assim, não tropeçareis em tempo algum ...*"

Esse autor sagrado evidentemente não considera a *eleição* no sentido absoluto que diz que nenhum dos eleitos poderá falhar *finalmente*, uma vez que tenha sido posto na lista dos eleitos; pois, para Pedro, um indivíduo confirma a sua eleição continuando na graça, utilizando-se dos meios da piedade e da frutificação espiritual, tendo assim os seus pecados perdoados. Além disso, para tanto, é mister a *diligência*. Esses versículos, por semelhante modo, têm recebido uma interpretação desonesta e distorcida, a fim de que os mesmos digam aquilo que não dizem, ficando evitada a implicação óbvia de que é possível para o crente cair da fé.

5. II Ped. 2:20,21. "*Portanto, se, depois de terem escapado das contaminações do mundo, mediante o conhecimento do Senhor e Salvador Jesus Cristo, se deixam enredar de novo e são vencidos, tornou-se o seu último estado pior que o primeiro. Pois, melhor lhes fora nunca tivessem conhecido o caminho da justiça do que, após conhecê-lo, volverem para trás, apartando-se do santo mandamento que lhes fora dado...*"

As idéias implícitas nestes dois versículos são perfeitamente claras. É uma interpretação errônea aquela que pensa que estão aqui em foco crentes que o são apenas em nome, e não na realidade, os quais teriam sido iluminados apenas parcialmente, embora nunca tivessem verdadeiramente vindo a Cristo. O sentido mais óbvio é que é o correto. A verdade é que há pessoas que podem

SEGURANÇA ETERNA DO CRENTE

chegar ao conhecimento do "Senhor e Salvador Jesus Cristo", tendo chegado a conhecer "o caminho", mas que posteriormente se deixaram "derrotar", tendo assim entrado em um estado espiritual pior do que aquele que tinham antes de sua conversão. A experiência humana demonstra que isso realmente sucede, e não infreqüentemente.

6. Rom. 11:21,22. *"Porque se Deus não poupou os ramos naturais, também não te poupará. Considerai, pois, a bondade e a severidade de Deus: para com os que caíram, severidade; mas para contigo, a bondade de Deus, se nela permaneceres; doutra sorte também tu serás cortado..."*

A fim de escaparem da clara advertência que Paulo faz aqui aos crentes gentios, alguns estudiosos têm interpretado que esse aviso foi dirigido aos gentios como um todo e não aos gentios individualmente; daí concluem que esses versículos dão a entender somente que os gentios, como uma grande comunidade humana, à semelhança do povo de Israel, podem perder os privilégios que Deus dá aos homens que ele traz a Cristo. Porém, a verdade é que aquilo que se aplica a uma comunidade necessariamente se aplica a cada indivíduo que faz parte dessa comunidade. Assim, pois, Paulo fazia tal advertência à igreja local de Roma, e não meramente a alguma comunidade indefinida de gentios. Paulo não teria feito a eles essa advertência se os homens, uma vez enxertados na árvore da vida, através da própria perversão deles, não pudessem separar-se da mesma. Não obstante, a despeito desse perigo perfeitamente real, de alguma 'maneira, a promessa da segurança eterna, que o crente desfruta em Cristo, igualmente é real e absoluta. As notas abaixo oferecidas procuram encontrar a reconciliação para esse ensino paradoxal, isto é, um ensino que aparentemente entra em contradição consigo mesmo, mas tão-somente devido à nossa incapacidade intelectual de acompanhar dois lados extremos de uma única grande verdade divina.

7. João 15:5,6. *"Eu sou a videira, vós os ramos. Quem permanece em mim, e eu nele, esse dá muito fruto; porque sem mim nada podeis fazer. Se alguém não permanecer em mim, será lançado fora à semelhança do ramo, e secará; e o apanham, lançam no fogo e o queimam...."*

Duas interpretações têm sido desenvolvidas, as quais procuram evitar a severa advertência contida nestes versículos. Uma delas é a que diz que os ramos que são tirados da videira na realidade nunca pertenceram à mesma, embora tivessem toda a aparência de que pertenciam a ela. Porém, é óbvio que tal interpretação é gratuita, não fazendo parte do texto sagrado nem mesmo por sugestão. A outra interpretação é aquela que diz que o "ser cortado" e o ser "lançado fora" não se refere à "salvação", mas tão-somente à produção de fruto. Porém, essa segunda interpretação também é incorreta, porquanto o contexto inteiro dessa passagem fala sobre como os homens possuem em si mesmos a vida de Cristo, por estarem vinculados a ele como à fonte da vida, tal como um ramo está vinculado à sua respectiva vinha, e assim possui "vida" em si mesmo. E o resultado natural dessa vida é a "frutificação", apesar de que isso é um tema secundário, um corolário da questão fundamental. de permanecer alguém em Cristo, possuindo assim a vida espiritual em si mesmo. Por conseguinte, não permanecer em Cristo é morrer, enfrentando severas penalidades. O Senhor Jesus, pois, parece ter ensinado a possibilidade real de um indivíduo qualquer vir a perder aquilo que já obtivera, tendo assim de enfrentar o juízo.

8. Fil. 2:12. *"....Assim, pois, amados meus, como sempre obedecestes, não só na minha presença, porém, muito mais agora na minha ausência, desenvolvei a vossa salvação com temor e tremor ..."*

A palavra-chave desta passagem é aquela traduzida por desenvolvei. Em vez de tal tradução, algumas versões preferem dizer "ponde em ação", com o sentido de que os crentes devem exteriorizar em sua conduta diária a salvação que possuem no homem interior. A tradução inglesa de Williams diz "continuai operando, até o ponto final, a vossa salvação"(aqui vertida para o português). No grego, o verbo envolvido significa, "realizar", "fazer algo", "produzir", "criar". É óbvio, portanto, que para levarmos a salvação a bom termo é mister um espírito atento, o esforço pela obediência a Cristo, e isso no espírito de "temor e tremor". É claro, por conseguinte, que em cada passo dado ao longo desse caminho, coisa alguma é automática, mas depende de como a graça divina consegue levar a vontade humana a submeter-se e conformar-se com a vontade de Deus. Pois Deus força a vontade humana, que é de sua própria criação, e que assegura que os seus filhos realmente participarão de sua natureza moral, conhecendo o bem e o mal, mas gratuitamente aceitando o bem e vivendo de acordo com o mesmo, porque o bem é bom, e porque isso é espiritualmente vantajoso para a alma. Ora, essa é uma lição que os homens precisam urgentemente aprender. Alguns indivíduos, entretanto, tendo começado bem na sua caminhada, após algum tempo caem à beira do caminho, não chegando a aprender essa lição necessária e neles a graça de Deus operou em vão; pelo menos até que, em algum ponto futuro, Deus os traga de volta a si mesmo. É verdade que Deus imprime a sua vontade sobre todos, mas também é verdade que o homem, como ser moral e responsável que é, pode resistir à vontade de Deus, embora com resultados extremamente desastrosos.

Assim fizemos a apresentação dos principais textos bíblicos que ensinam as doutrinas tanto da eleição e segurança incondicionais como aquelas outras doutrinas, aparentemente contraditórias com a primeira, que ensinam a possibilidade real do crente desviar-se de Cristo. Como, pois, reconciliar esses dois pontos de vista? Apresentamos abaixo quatro interpretações possíveis:

III. Quatro Interpretações principais.

1. Contradição. Para alguns, não há mistério no assunto. Esses esclarecem que alguns dos autores sagrados criam na "segurança eterna do crente", ao passo que outros acreditavam na possibilidade do "desvio", tal corno sucede na moderna igreja cristã. Ora, isso significaria que os próprios autores sagrados estavam divididos sobre essa magna questão, exatamente conforme ocorre na atualidade. Vinculada usualmente a essa interpretação aparece a declaração de que tais divergências não nos devem surpreender, e que aquilo que um autor ou outro criam não representa necessariamente a verdade real da questão. Não deveríamos pensar que todos os problemas de ordem espiritual e moral são solucionados nas Escrituras, e nem que todas as suas declarações são necessariamente verazes. Pois os próprios autores sagrados, ainda no dizer desses intérpretes, apesar de serem homens santos e piedosos, também buscavam a verdade. Assim, pois, de conformidade com essa primeira interpretação tentativa, o problema permanece essencialmente sem solução, porquanto não se encontra qualquer declaração bíblica como a resposta dogmática para o problema.

2. Há a teoria da negligência. Existem eruditos que preferem olvidar um bom número de passagens bíblicas, aceitando outras que parecem ensinar aquilo que acreditam expressar a verdade. Esses aceitam os trechos que gostam,

SEGURANÇA ETERNA DO CRENTE

e eliminam as passagens que não gostam. Assim é que os intérpretes calvinistas muito se alegram com aquele grupo de trechos bíblicos que ensinam as doutrinas da eleição divina e da eleição e segurança eterna do crente; no entanto, mostram-se desonestos em sua interpretação relativa àquelas outras passagens bíblicas que parecem ensinar a idéia contrária do livre-arbítrio humano e da possibilidade do desvio da fé. Os intérpretes arminianos, por semelhante modo, mostram-se igualmente desonestos, porquanto frisam os trechos bíblicos que ensinam a doutrina do livre-arbítrio humano, mas diminuem o valor e a natureza absoluta daquelas outras passagens bíblicas que ensinam a eleição incondicional e a segurança eterna do crente. A maioria dos intérpretes e teólogos advoga um lado ou outro dessa "teoria da negligência". Em outras palavras, negligenciam os versículos que não se coadunam com os seus sistemas preconcebidos, ou, pelo menos, interpretam-nos erroneamente.

3. Há a teoria do paradoxo. Outros intérpretes crêem que ambas as doutrinas são verdadeiras, pois expressam algum aspecto da verdade revelada, ainda que não as possamos explicar adequadamente, da mesma maneira que não sabemos reconciliar o problema do "livre-arbítrio humano" e do "determinismo divino". Tais doutrinas formam um "paradoxo", isto é, um ensino que aparentemente contradiz a si mesmo. O problema da "segurança" e do "desvio" é meramente uma subcategoria do problema mais profundo do "livre-arbítrio humano" e do "determinismo divino". De alguma maneira ambas as doutrinas são verdadeiras, mas não temos nenhuma maneira certa de explicá-las. Mas a "teoria do paradoxo" aceita ambos os pontos de vista.

Os intérpretes que aceitam essa posição são capazes de pensar, ao mesmo tempo, com base em duas ordens distintas de idéias. E ficam aguardando maior luz sobre como essas duas ordens diferentes podem ser verdadeiras ao mesmo tempo, embora pareçam tão contrárias entre si. A verdade é que essa terceira interpretação é melhor do que as duas anteriormente mencionadas. Pois a conseqüência lógica do "livre-arbítrio humano" (que certamente é uma doutrina ensinada nas Escrituras) é a possibilidade da queda, porquanto o "não" cair depende parcialmente da reação humana à graça divina, mesmo depois da regeneração inicial. Por outro lado, a conseqüência lógica da "eleição divina" tanto a perseverança final do crente como a segurança absoluta em Cristo, porquanto Deus é o agente tanto da "chamada" como da "perseverança". Ambas essas idéias são verdadeiras, embora, no presente, não saibamos dizer como essas duas verdades se harmonizam entre si.

A grande vantagem dessa terceira interpretação é que ela nos permite uma interpretação completa e honesta de todos os trechos que tratam da matéria. E a única desvantagem é que nos deixa sem qualquer reconciliação entre os lados extremos. Entretanto, por que se pensaria que devemos compreender todas as verdades bíblicas com perfeição? Isso é impossível, pois as verdades bíblicas refletem pensamentos divinos, altíssimos e profundíssimos, e não meros pensamentos humanos. Assim, por igual modo, Jesus é declarado Deus e homem, ao mesmo tempo, nas páginas da Bíblia. E quem já conseguiu harmonizar entre si esses conceitos de divindade e de humanidade, existentes em Cristo, de modo a produzir uma explicação totalmente compreensível? Não obstante, continuamos afirmando tanto a divindade como a humanidade de Jesus Cristo.

4. A segurança eterna do crente é absoluta, mas a possibilidade da queda é relativa. É posição especulativa do presente autor que ambos os ensinos são verdadeiros, embora de diferentes maneiras. Não se pode imaginar que a promessa de segurança eterna, feita pelo Senhor Jesus, possa vir a falhar; e essa promessa transparece clara e poderosamente em passagens como o décimo capítulo do evangelho de João e o oitavo capítulo da epístola aos Romanos. Cristo prometeu, incondicionalmente, a segurança eterna de todos os crentes. Não podemos suavizar tal ensinamento. Todavia, tanto as Escrituras como a própria experiência humana comum demonstram que, algumas vezes, crentes verdadeiros podem desviar-se e cair a um lugar onde perdem totalmente o interesse pelas verdades espirituais, e que alguns deles chegam ao extremo da apostasia, isto é, perdem completamente a fé.

Contudo esse *desvio (ou* apostasia) pode ser considerado *como relativo,* isto é, representa um estado temporário da alma, e não uma situação que caracterizará finalmente o indivíduo. Podemos concluir, portanto, que um crente pode desviar-se nesta vida. No entanto, deste lado da existência ou do outro lado daquilo a que chamamos de morte física, tal crente voltará ao Senhor Jesus.

Pode-se igualmente especular, a exemplo do que fizeram certos pais alexandrinos da igreja cristã, como Clemente, Justino Mártir e Orígenes, ou como fizeram Lutero e vários eruditos das denominações luterana e anglicana, que as questões finais da salvação não são necessariamente determinadas nesta existência física, mas antes, podem ser fixadas ao longo da existência eterna da alma. De fato, os pais alexandrinos da igreja criam que essas questões do destino eterno da alma só serão resolvidas quando do julgamento final, e que, além disso, há um *mundo intermediário* em que as almas potencialmente se perdem ou são salvas. Ora, essa era uma doutrina judaica comum, pelo que também não se trata de nenhuma novidade. Antes, é um aspecto teológico que tem sido negligenciado em várias seções do cristianismo, ou mesmo tem sido rejeitado por vários setores da igreja cristã. Isso não significa, entretanto, que tal doutrina não seja verdadeira. O apoio bíblico à eliminação do "mundo intermediário" que envolve a humanidade inteira, embora é muito forte; e alguns estudiosos modernos do ramo da parapsicologia indicam a existência desse "mundo intermediário", onde as questões eternas não ficam ainda decididas. Admite-se que em vista de não possuirmos ainda grande compreensão a respeito, quando queremos manusear essas questões, entramos no terreno da teologia especulativa. Essa entrada, entretanto, é legítima, porquanto pode servir de fonte de muita luz necessária, sobre certos assuntos vitais. Caem em erro crasso aqueles que pensam que já conhecemos tão profundamente a verdade divina que nada mais resta ser aprendido. Ver o artigo sobre a *Descida de Cristo ao Hades* e as implicações da missão dele naquele lugar.

Fazendo um apanhado abreviado dessa questão, a posição destes intérpretes é que o "desvio" é uma possibilidade *relativa*. Em outras palavras, isso pode ocorrer e realmente ocorre e aquele que se desviou pode experimentar a morte física estando nesse estado decaído; entretanto, em algum ponto, na longa história da alma, a promessa de segurança absoluta, feita pelo Senhor Jesus, se cumprirá. Tal crente será reconduzido aos pés de Cristo, e a sua salvação será levada à sua total fruição, porque a promessa de segurança feita por Cristo é absoluta, e nenhum dos eleitos pode finalmente perder-se.

O oitavo capítulo da epístola aos Romanos, por conseguinte, é uma grande coluna bíblica em *defesa* da verdade da segurança eterna do crente, e nos confere um consolo que acolhemos de coração aberto. Sim, o crente pode ser derrotado; mas essa derrota é tão-somente

SEIO - SEIR

temporária. Se aplicarmos os meios espirituais que nos foram proporcionados, não teremos necessidade de cair. Desde esta vida terrena poderemos desfrutar de uma salvação abundante, conforme deve ser o desejo de todo o crente sincero e autêntico. Portanto, mostremo-nos diligentes em confirmar ainda reais nossa chamada e eleição.

SEIO, BAÍA

Visto que no grego a palavra **kólpos** é traduzida em português por "seio" e "baía", estamos coligindo aqui as duas idéias. O termo aparece por seis vezes no Novo Testamento (Luc. 6:38; 16:22,23; João 1:18-, 13-23-1; Atos 27:29). Em nossa versão portuguesa, a palavra "seio" não aparece em Luc. 6:38 e em João 13-23. Em Lucas 16:22,23 e em João 1:18 encontramos a tradução "seio". Em Atos 27:39, aparece a tradução "baia".

1. Seio. No sentido metafórico em que a palavra é usada nos trechos acima designados, a idéia é a da intimidade que alguém desfruta com outra pessoa (Gên. 16:5; II Sam. 118); cuidado e vigilância (Isa. 40:11). A expressão no "seio deles", que figura em algumas versões em Sal. 79:12 (mas não em nossa versão portuguesa), indica o seio como sede dos pensamentos e reflexões.

2. Baía. No trecho de Atos 27:29 está em foco uma bala na ilha de Malta, onde afundou o navio no qual Paulo viajava. Essa baía é tradicionalmente identificada como a baía de São Paulo, acerca de treze quilômetros a noroeste da aldeia de Valeta.

SEIO DE ABRAÃO

Três expressões eram comumente usadas, entre os judeus, para expressar o futuro estado de *bem-aventurança*, a saber: 1. o jardim do Éden (ou paraíso); 2. o trono da glória, e 3. o seio de Abraão. Na parábola do rico e de Lázaro (ver Luc. 16:20 ss) é usada a terceira dessas expressões, a qual também era a mais comumente usada entre as três.

De conformidade com a teologia judaica, esse paraíso ou "seio de Abraão" fazia parte do *hades* (vide), como a porção boa do mesmo. Ver também sobre o *Sheol*. A teologia de Lucas não transparece bem desenvolvida, nesse ponto. Falta-lhe a visão paulina da grande expansão dos lugares celestiais, distintos de algum bom compartimento do hades. Seja como for, a expressão "seio de Abraão" transmite a idéia de consolo, paz e segurança, visto que Abraão, como progenitor da nação judaica, naturalmente preocupava-se com o bem-estar de todos os seus descendentes.

Ocasionalmente, a idéia de filiação é usada como sinônimo de "salvação" pelo que ser alguém um "filho de Deus" exprime a essência do que significa estar salvo. Ver sobre Filiação. Um homem justo (ou justificado) é um filho espiritual de Abraão, alguém que está sendo transformado à imagem do Filho (ver Rom. 8:29; II Cor. 3:18), alguém que terminará por participar de toda a plenitude de Deus (ver Efé. 3:19 e de sua natureza divina (ver II Ped. 1:4). Lucas não incluiu esses augustos elementos em seus escritos, e a Paulo coube revelá-los. No entanto, a filiação era um importante conceito judaico sobre a salvação, no período intertestamentário, ou seja, entre o Antigo e o Novo Testamento. Na qualidade de hóspede favorecido do céu, Lázaro descansava no seio de Abraão. A sua alma sobrevivia à morte física (ver sobre *Imortalidade*). Essa sobrevivência não conhece a interrupção da consciência, o que mostra que a doutrina do sono *da alma* é falsa.

SEIOS

No hebraico temos três palavras principais: *Dad,* palavra que figura por quatro vezes (exemplos: Pro. 5: 19 e Eze. 218); *shad,* palavra que aparece em vinte lugares (por exemplo: Gên. 49:25; Sal. 22:9; Can. 1: 13; Eze. 213); e *shod* (para exemplificar: Jó 24:9); esta última figurando por três vezes. Além disso, temos os vocábulos hebraicos *chadin, "peito"* ou *"tórax"* (somente em Dan. 2:32); *chazeh,* "tetas", pois aponta para a glândula mamaria dos animais (por exemplo: Êxo. 29:26; Lev. 7:30,31,34); atin, "veias" (somente em Jó 21:24); e *lebab, "coração"* (palavra que figura por cerca de duzentas e quarenta vezes, embora se deva traduzi-la por peito em Naum 17). No grego temos duas palavras: Stéthos, "peito" ou "seio", que aparece por cinco vezes: Luc. 18:lj; 23:48; João 13:25; 21:20 e Apo. 15:6; e mastós, "seio", que figura por três vezes: Luc. 11:27; 23:29 e Apo. 1: 13.

O termo aramaico *hadi,* "peito", equivale ao termo grego *stéthos,* o lugar onde o punho fechado bate, em sinal de consternação ou tristeza (Luc. 18:13), ou sobre o qual alguém se inclina, em tristeza (João 13:25). Nas Escrituras, o termo pode significar tanto a parte anterior inteira do tórax, entre o pescoço e o abdome - onde as costelas e o externo provém proteção para os órgãos vitais do coração e dos pulmões, como pode limitar-se à glândula mamária feminina.

1. Um sinal de beleza. A linguagem empregada em Cantares 8:8-40 demonstra que os seios femininos eram muito apreciados por sua beleza. O texto também demonstra uma certa preocupação com as dimensões dos seios, de tal modo que a atração física de uma mulher, para o seu marido, depende bastante dos seios, de seu formato e dimensões. *A* atração física é um detalhe também enfatizado em Pro. 5:19. Estudos psicológicos mostram que as mulheres se preocupam consideravelmente com a questão. Os seios são símbolos do arquétipo da Grande Mãe, a fonte de toda vida e de todos os seres vivos, bem como da idéia da pessoa *inteira.* Os seios são órgãos sexuais secundários, um potente símbolo sexual.

2. Sentidos psicológicos. Os psicólogos têm provado que as mulheres tem uma preocupação especial com seus seios, incluindo formato e dimensões; e que os homens também participam desse interesse. Portanto, qualquer enfermidade deformante dos seios é considerada uma ameaça à figura da mulher, em sua integridade, bem como uma destruição de sua feminilidade.

3. *Usos figurados.* a. Os seios de uma virgem, pressionados e apalpados, simbolizam os abusos que a idolatria inflige a um povo (Eze. 23:3,8; Osé. 2:2). b. Bater no peito simboliza grande aflição (Naum 2:7; Luc. 23:48). c. Total vitória, obtida sobre um adversário, é retratada pelo ato de sugar o leite de um seio materno (Isa. 60:16). d. O império persa, dentro do sonho de Nabucodonosor, interpretado por Daniel foi simbolizado pelo peito e pelos braços de prata da grande estátua, denotando sua prudência, humanidade e o valor de suas riquezas materiais (Dan. 2:32).

SEIR

No hebraico, *áspero, cabeludo, desgrenhado.* No Antigo Testamento, é o nome de uma pessoa, de uma cadeia montanhosa e de um território:

1. *Seir, a pessoa,* um horeu, cujos filhos foram Lotã, Sobal, Zibeão, Aná, Disom, Eser e Disã. Ver Gên. 2.21, 22 e I Crô. 1.38. Essas pessoas descendiam distantemente de Esaú. Não se sabe se o homem deu à terra onde vivia o nome Seir ou se seu nome derivaria do local. A época em que ele viveu não pode ser determinada com precisão.

SEIR – SEITA

2. *Seir, a cadeia montanhosa*. Essa cadeia de montanhas encontra-se próximo ao mar Morto, a leste do vale de Arabá. Estende-se do wadi Armom, indo ao sul, até as regiões próximas à Ácaba moderna. A primeira menção ao local é encontrada em referência à campanha militar de Quedorlaomer, rei de Elão. Os horeus habitavam o local naquela época (Gên. 14.4 ss.). Essas pessoas são relativamente bem conhecidas através dos tabletes cuneiformes escavados pelos arqueólogos em Nuzu e outros sítios arqueológicos. Tal povo invadiu o norte da Mesopotâmia em cerca de 1780-1600 a.C. e paulatinamente se espalhou por boa parte da Palestina e da Síria. Por ordem de Yahweh, os israelitas tiveram de deixar em paz os territórios que pertenciam aos horeus, pois haviam sido dados por Deus como posse a Esaú e seus descendentes (ver Deu. 2.5).

No que diz respeito a montanhas, essa cadeia não impressiona muito, variando entre 180 m e 1.800 m acima do nível do mar. A área era importante para os habitantes, inclusive para os hebreus, pois lucrativas rotas comerciais a cruzavam. Pontos importantes da área incluíam Petra e o monte Hor. Os íngremes penhascos dessa cadeia de montanhas assinalam a fronteira oeste de Edom, ao passo que suas faldas se estendem até a fronteira oriental de Edom. Os termos "Seir", "monte Seir" e "terra de Seir" são usados intercambiavelmente, praticamente como sinônimos, e todos se referem ao próprio Edom. Ver II Crô. 25.11; 20.10 e Gên. 36.30.

A largura desse trato montanhoso entre Arabá e o deserto do leste não excede mais de 24 a 32 km. Contraste isto com as Montanhas Rochosas que entre Denver, no Estado do Colorado, e Salt Lake City, ocupam 1.000 km!

Foi esta região que Isaque descreveu a seu filho, Esaú, como o local onde ele iria viver, bem como onde habitaram seus descendentes, depois dele:

Longe dos lugares férteis da terra será a tua habitação; longe do orvalho do alto céu (Gên. 27.39).

3. *A terra de Seir*. Este pedaço de terra localizava-se a sudeste de Berseba. Quando Esaú deixou sua casa, radicou-se neste território abandonado, que se tornou conhecido como "a terra de Seir". Ver Gên. 32.3. Foi ali que Esaú e seu irmão alienado, Jacó, tiveram o encontro fatal quando Jacó retornava de Padã-Arã (Gên. 31.18). O local não era, é claro, a área montanhosa de monte Seir, mas, naquela época, também assumiu o nome de Seir. A longo prazo, Esaú e seus descendentes ocuparam a área montanhosa assim chamada (Gên. 35.27, 29; 36.1-8). A distância entre a terra chamada de Seir e o monte Seir era (é) de uns 100 km, portanto, na verdade, estamos lidando com a mesma área geral. Até hoje, traços do nome Seir são encontrados em nomes de locais da região mais ao sul. A planície *Es Seer* é um exemplo (Seer correspondendo a Seir).

4. *Outro Seir*. Este lugar situava-se a oeste de Jearim. A única referência ao local está em Jos. 15.11, onde são dados outros nomes geográficos que nos fornecem o local exato. Trata-se de um cume de pedra elevado, com vários picos agudos, a sudoeste de *Kureyet el Enabe*. O terreno é árido e abandonado.

SEIRÁ

No hebraico, *distrito coberto de madeira, emaranhado, áspero, cabra*, um local nas montanhas de Efraim que fazia fronteira com Benjamim. Foi ali que Eúde se refugiou, depois de ter matado Eglom (Juí. 3.26). A matança ocorreu em Jericó (Juí. 3.27) e provavelmente o local não ficava longe dali. A compreensão correta do texto poderia ser que Eúde fugiu para a "floresta da região montanhosa de Efraim".

SEIS PRINCÍPIOS BATISTAS

Há uma pequena denominação evangélica, de orientação batista, nos Estados Unidos da América do Norte, chamada de Batistas Gerais dos Seis Princípios. Eles afirmam ser o tipo original de igreja batista, organizada naquele país por Roger Williams (vide). Tomando como seu texto de prova a passagem de Hebreus 6:1,2, eles supõem que há seis grandes princípios cristãos que seriam: o arrependimento, a fé, o batismo, a imposição de mãos, a ressurreição dos mortos e o juízo eterno. A posição do grupo é essencialmente arminiana, o que o distingue da maior parte dos grupos batistas, que são calvinistas.

SEISCENTOS E SESSENTA E SEIS

Ver uma explicação completa deste número no artigo, **Sinal (Marca) da Besta (Anticristo)**.

SEITA

Ver também **SEITAS**.

No grego, **airesis,** palavra que ocorre por nove vezes no Novo Testamento: Atos 5:17; 15:5; 24:5,14; 26:5; 28:22; 1 Cor. 11:19; Gál. 5:20 e II Ped. 11. É desse vocábulo grego que temos a transliteração portuguesa "heresia". O verbo grego, *airéo*, significa "tirar", "escolher". Portanto, aquilo que é tirado ou escolhido, em sentido religioso ou político, é uma heresia, um partido ou uma seita. Quando essa palavra aparece no Novo Testamento, não devemos, contudo, pensar em "heresia", conforme esta palavra portuguesa é modernamente compreendida na linguagem eclesiástica. Antes, seu sentido é escola, partido ou grupo de pessoas que se separa de outras pessoas, por escolha própria.

Há três instâncias dessa palavra, referentes ao movimento cristão primitivo, onde transparece a idéia de opróbrio. Assim, por ocasião do julgamento do apóstolo Paulo diante de Félix, Tertulo acusou esse apóstolo de ser "...o principal agitador da seita dos nazarenos" (Atos 24:5). Em sua réplica, Paulo entitulou o cristianismo de "...o Caminho, a que chamam seita ..." (Atos 24:14). E os judeus de Roma, disseram a Paulo: "...é corrente a respeito desta seita que por toda parte é ela impugnada" (Atos 28:22).

A palavra "seita" também é empregada para indicar o partido dos saduceus (ver Atos 5: 17), e o partido dos fariseus (ver Atos 15:5 e 26:5). Em nossa versão portuguesa, o vocábulo grego é também traduzido por partido", em 1 Cor. 11:19, por "facções", em Gál. 5:20, e por "heresias", em II Ped. 2:1.

Portanto, se no grego helenista o sentido da palavra envolvida era de doutrina ou escola de pensamento, no vocabulário cristão esse vocábulo adquiriu, desde bem cedo, o matiz pejorativo de doutrina que não concorda com o ensino ortodoxo da Igreja cristã, um uso similar ao que recebeu, em certos casos, a palavra grega *didaché*, "ensino", "doutrina", conforme se vê, por exemplo, em Apo. 2:15, que fala sobre "a doutrina dos nicolaítas". Não sabemos dizer, com certeza, o que estava envolvido nessa falsa doutrina, a menos que interpretemos a palavra "nicolaítas" de acordo com suas raízes gregas, que significam "dominadores do povo". O aparecimento desses dominadores foi previsto pelos apóstolos. Ver por exemplo, Atos 20:29,30 e I Pedro 5:2,3. Embora a opinião dos evangélicos seja suspeita, talvez seja melhor pensarmos na classe clerical, em oposição aos leigos, um desenvolvimento

SEITAS – SELA

extrabíblico que já estava bem firmado no século III d.C. O ideal neotestamentário é o do sacerdócio de todos os crentes (ver 1 Ped. 2:9 e paralelos). Porém, não tardou muito a surgir um ministério falso, baseado em idéias pagãs e judaicas, composto de "sacerdotes" que formavam uma classe à parte e superior ao corpo laico. O grande erro do "clero" é que seus membros julgam-se "intermediários" entre Deus e os homens, indispensáveis à economia divina, quando o ensino do Novo Testamento é a igualdade de todos os crentes, que têm idênticos direitos de acesso direto a Deus, por intermédio do único Mediador, Jesus Cristo. Ele mesmo disse: "...ninguém vem ao Pai senão por mim" (João 14:6). A palavra "senão" mostra-nos que ficam eliminados todos os intermediários secundários, sejam eles "padres", ou "santos". E, em 1 Timóteo 2:5, Paulo confirma isso, quando escreve: "...há um só Deus e um só Mediador entre Deus e os homens, Cristo Jesus, homem..." Quanto a maiores detalhes, ver o artigo sobre *os Niicolaitas*.

SEITAS

Esboço:
1. Seitas Heréticas
2. Denominações que são Seitas
3. A Fragmentação e as Seitas
4. A Tolerância e as Seitas

1. Seitas Heréticas

A palavra portuguesa *seitas* vem de *secta*, de *sequi*, "seguir". Portanto, designa algum grupo de pessoas que segue alguma doutrina ou modo de vida específicos. Um uso comum desse termo é a designação de alguma "seita herética". Quase todos os cursos teológicos de origem fundamentalista dão cursos que tencionam identificar e combater não-cristãos ou seitas cristãs heréticas. Alguns missionários têm chegado mesmo a dedicar suas vidas à luta contra as seitas, promovendo assim um negativismo caracterizado pelos ataques cortantes e cáusticos diários. Isso é feito a interesse da "defesa da fé", o que pode ser ou não o caso, dependendo de quão boa e completa é a definição de fé que alguém segue. Por outro lado, a maior parte das seitas heréticas, assim chamadas, é exclusivista. São entidades, com freqüência, exclusivistas e hostis que desfecham seus ataques contra o cristianismo central como apostatado, ultrapassado ou inadequado. E assim, grupos que se autodenominam cristãos dividem-se em campos hostis, empenhados em uma batalha contínua.

2. Denominações que são Seitas

Um outro uso do termo "seitas" é aquele que designa qualquer subgrupo de pessoas, dentro de alguma religião organizada, como foi o caso dos fariseus e dos saduceus, que faziam parte do judaísmo. Nesse segundo sentido, as denominações cristãs são *seitas*. Essa é uma aplicação justa do termo, pois, na verdade todas essas denominações são representantes parciais da verdade, e, não, conforme imaginam, alguma exposição especial ou melhor do cristianismo. Ajuda-nos a pensar mais corretamente quando nos lembramos que todas as denominações não passam de seitas, pelo que não nos deveríamos preocupar muito em participar da polêmica em que tantas pessoas se deleitam, combatendo-se mutuamente. Embora essas seitas denominacionais tenham suas vantagens e desvantagens, todas elas são representações parciais da verdade bíblica, apesar da arrogância que tão freqüentemente assinala certas seitas cristãs.

3. A fragmentação e as Seitas

Todos sabemos da imensa fragmentação que tem tido lugar no protestantismo. Na verdade, daí tem resultado muitas seitas, quase todas da variedade fundamentalista. Ainda que, para os grupos fragmentados, esse uso da palavra "seita" seja digno de objeção, até onde é possível ver, o vocábulo é aplicável. Uma seita geralmente é um grupo cismático que se dividiu de algum grupo maior, para então desenvolver-se em uma igreja organizada, até que, finalmente, vem a ser uma denominação separada. A capacidade do protestantismo de continuar subdividindo-se em seitas deixa a todos boquiabertos. E também admira como cada um dos novos grupos assim formados embala a ilusão de ser algo melhor que os outros. Esses grupos encontram sua autoridade em alguma doutrina considerada melhor, com base em uma suposta interpretação superior das Escrituras. E todos esses grupos, de alguma maneira, não largam a regra das "Escrituras somente", quanto à sua fé e prática, ao mesmo tempo em que conseguem salientar novos itens da fé (que usualmente consideram mais aproximado do cristianismo primitivo) e novas práticas, às quais também emprestam uma aura de antiguidade. Mas o pior das seitas cristãs é a atitude de criticismo que mantém contra outros grupos cristãos, sem falarmos no exclusivismo que caracteriza praticamente todas essas divisões.

4. A Tolerância e as Seitas

As diversas denominações cristãs não se notabilizam pela tolerância que demonstram para com outras denominações. E o mesmo pode ser dito com relação às seitas. Um nível acima da tolerância está a compreensão, e um nível acima da compreensão está o amor. No entanto, a maioria dos cristãos nem ao menos aprendeu ainda a ter tolerância. Ver o artigo sob esse título. Esse grande pluralismo que predomina na Igreja cristã seria uma situação viável se ao menos houvesse tolerância.

SELA

No hebraico "rocha" ou "penhasco". No grego *pétra*, "rocha".

1. Em composição com Rimom (vide), Etã (vide) e Hamalecote (ver Sela Hamalecote).

2. Uma localidade não-identificada, no território dos amorreus (Juí. 1:36).

3. O nome semítico para Petra, capital da antiga nação de Edom (vide).

A. Descrição. Petra é acessível hoje em dia pelo leste, partindo-se da moderna aldeia de El Ji, através do wadi Musa. Esse wadi estreita-se até tornar-se no "Siq" ou "Gargalo", dificilmente alcançando 1,80 m de largura, mas com paredes laterais que se elevam até 80 m de altura. Nos tempos antigos, uma represa protegia o "Gargalo" das enxurradas súbitas. Um aqueduto cortado na rocha, ao lado esquerdo, antigamente levava água até Petra. Após ultrapassar o "Tesouro de Faraó", o wadi abre-se, transformando-se em um vale, com cerca de mil quatrocentos metros, onde ficava localizada a cidade baixa. Algumas importantes ruínas dali são o Castelo de Faraó, o Templo Peripteral, o Palácio e o Grande Teatro.

Mais algumas estruturas de vários tipos e estilos encontram-se nas colinas próximas e nas ravinas. Entre as mais famosas estão os túmulos e os templos escavados nas paredes das ravinas. Os lugares elevados, usados na adoração, também são significativos, particularmente aquele em Zibb Atuf.

B. História. À parte das pedreiras dos habitantes das cavernas, as mais antigas evidências de habitação são os remanescentes de uma fortaleza iduméia e de cerâmica iduméia encontrados em um certo lugar alto, Umm el-Biyara, que provavelmente, é a Sela original. É provável

SELA – SELEMIAS

que Amazias tenha precipitado desse lugar alto os seus prisioneiros edomitas (II Crô. 25:12). Durante o tempo dos nabateus. Petra tornou-se o ponto focal do comércio terrestre entre a Arábia e certas localidades do noroeste. Após haver sido anexada por Roma, em 106 d.C., a cidade de Palmira assumiu esse papel e, pelos fins do século III d.C., Petra havia perdido inteiramente a sua importância econômica. No século IV d.C., Petra tornara-se a sede de um bispado cristão. Para todos os propósitos práticos, as conquistas árabes do século VII d.C. puseram fim à história de Petra. Após o século XIII, até mesmo o antigo local da cidade havia sido esquecido, até haver sido redescoberto por Burchardt, em 1812.

SELA

A palavra aparece somente no Antigo Testamento. Há três palavras hebraicas envolvidas: Merkab, "selar"; palavra usada por uma vez com o sentido de "carro" (I Reis 4:26), e por duas vezes com o sentido de "selar" (Lev. 15:9 e Can. 3:10). Chabash, "preparar"; palavra usada por trinta e três vezes, mas com o sentido de "preparar" o animal para ser montado em Gên. 22:3; Núm. 22:21; Juí. 10:10; II Sam. 16:1; 17:23; 19:26; I Reis 2:40; 13:13,23,27; II Reis 4:24. Kar, palavra usada por catorze vezes, mas apenas por uma vez indicando, possivelmente, uma sela dotada de grandes bolsas (em Gên. 31:34).

É possível que a sela tenha sido uma antiga invenção persa, usada tanto para acomodar melhor o cavaleiro como para proteger as costas dos cavalos de coisas que poderiam feri-los. No primeiro sentido é usada a palavra em Lev. 15:9, onde a regra atinente à imundícia envolve também a "sela" usada pela pessoa cerimonialmente impura. Ordinariamente, conforme se aprende na história de Abraão, quando ele subia ao monte Moriã em companhia de Isaque (Gên. 22:3), ou no relato sobre Balaão, que foi amaldiçoar o povo de Israel (Núm. 22:21), geralmente, eram os asnos que eram selados. Em uma instância, quando Labão perseguia suas filhas fugitivas (Gên. 31:22), há alusão a um único camelo selado (Gên. 31:34), que os estudiosos pensam ser de um tipo munido de bolsões, onde Raquel havia escondido os ídolos do lar, pertencentes a seu pai, os quais eram muito importantes para ele. Ver Idolos do Lar.

SELÁ
Ver **Música e Instrumento Musicais**.

SELÁ
No hebraico, paz. Há duas pessoas e um acidente geográfico com esse nome, nas páginas do Antigo Testamento, a saber:

1. Um filho de Árfaxade, da linhagem de Sem e pai de Éber (Gên. 10:24; 11:12-15; I Crô. 1:18,24; Luc. 3:35).

2. O filho mais jovem de Judá e Sua, uma cananéia, que fora prometido, de acordo com a lei, mas que não fora dado em casamento a Tamar, sua cunhada viúva. Ela se casara com Er, o primogênito de Judá (Gên. 38:2-5,14,26; 46:12; I Crô. 2:3; 4:21). A família dos selanitas (Núm. 26:20), que talvez sejam os mesmos silonitas, referidos em Neemias 11:5; descendia dele. Ele viveu por volta de 1700 a.C.

3. Nome de um poço em Jerusalém, perto do jardim do rei, comumente chamado Siloê e, nos dias modernos, Silwan (Nee. 3:15; Isa. 8:6). Na primeira dessas duas passagens, açude de Hasseláw.

SELEÇÃO NATURAL

Ver o artigo intitulado *Evolução*. Os homens na tentativa de anular o princípio divino do desígnio, como fator controlador da existência inteira, inventaram essa expressào, a qual dá a entender que a natureza, por meio de alguma regra indefinível, ou mesmo sem qualquer regra que possa ser estabelecida, de alguma maneira faz suas seleções naturais, de forma harmônica com a idéia da sobrevivência dos mais aptos. Dessa maneira prosseguiria o processo evolutivo, dispensando a ajuda do desígnio traçado pela Mente divina. Presumivelmente, é dessa maneira que os acontecimentos não teriam necessidade de qualquer causa diretora; antes, tudo sucederia ao acaso, sem qualquer propósito fixo de antemão. Mas, aqueles que são capazes de pensar e não se mostram preconcebidos contra a fé religiosa percebem que essa teoria fracassa a cada ponto. Pois, quando se emprega a palavra "seleção", isso já subentende inteligência e desígnio. Destarte, se realmente operasse algum princípio dessa natureza, o mesmo teria que funcionar ao menos de acordo com as *leis naturais*, leis essas que são governadas por uma inteligência superior.

Posição modificada é a dos evolucionistas teístas, os quais pensam que a Mente divina estabeleceu as leis naturais; e que, dessa maneira, à seleção natural foi outorgado o poder necessário para o seu funcionamento. Essa posição mitigada alicerça-se sobre o fato de que é necessário muito maior *fé* para a crença de que todas as admiráveis coisas sucedem impelidas pelo puro acaso, do que para a crença de que alguma grande Mente divina está por detrás da operação inteira. O artigo geral intitulado *Evolução* entra nos pormenores dessas questões.

SELEDE

No hebraico, "exultação". Um jerameelita. Era o primogênito de Nadabe, de Judá. Ele faleceu sem filhos (I Crô. 2:30).

SELEMIAS

No hebraico, "Yahweh recompensa" ou "restaura". Nove pessoas do Antigo Testamento são assim chamadas. Essas são listadas abaixo em ordem cronológica:

1. Porteiro que cuidava da entrada leste do tabernáculo. Filho de Zacarias, comandava o portão do norte (I Crô. 26:14). É chamado de *Meselemias* em I Crô. 9:21, de *Salum* em I Crô. 9:17, 31, e de *Mesulão*, em Nee. 12:25. Era um descendente distante de Coré, da tribo de Levi. Viveu em torno de 960 a. C.

2. Avô de Jeudi, que foi enviado pelos governantes para convidar Baruque a ler o manuscrito das profecias de Jeremias para eles (Jer. 36:14). Sua época foi cerca de 606 a. C.

3. Filho de Abdeel, que, juntamente com outros, recebeu ordens de Jeoaquim para prender Baruque e Jeremias, algo que acabou por não acontecer (Jer. 36:26). A época era cerca de 580 a. C.

4. Pai de Irias, que foi um guarda da porta de Benjamim que prendeu Jeremias, acusado de tentar desertar para o lado dos babilônios (Jer. 37:13). Viveu por volta de 586 a. C.

5. Pai de Jucal, líder dos judeus que acusou Jeremias ante o rei Zedequias, afirmando que ele era um espião da Babilônia e estava ferindo a causa de Judá em uma época crítica (Jer. 38:1). Viveu em torno de 580-590 a. C.

6. Filho (ou descendente) de Bani, viveu na época de Esdras (ver Esd. 10:39), em torno de 450 a. C.

7. Outro filho (ou descendente) de Bani na época de Esdras (Esd. 10:41), que viveu em cerca de 450 a. C.

8. Pai de Hananias, que ajudou a reconstruir as paredes de Jerusalém após o retorno do restante do cativeiro babilônico (Nee. 3:30). Viveu por volta de 445 a. C.

SELES – SELÊUCIA

9. Sacerdote indicado por Neemias para servir como tesoureiro dos dízimos levíticos. Neemias deu aos levitas serviços religiosos melhores do que eles tinham anteriormente (Nee. 13:13). Viveu em cerca de 445 a.C.

SELES

No hebraico, "poderoso". Era filho de Helém e cabeça de um clã da tribo de Aser (I Crô. 7:35). Viveu em cerca de 1600 a.C.

SELÊUCIA

1. *Localização e Características.* - No grego, *Seleukía*. A Selêucia ficava nas costas da Spiria, na extremidade nordeste do mar Mediterrâneo, cerca de oito quilômetros ao norte da boca do rio Orontes. Antioquia, capital da Síria, cidade real dos reis selêucidas, ficava afastada do mar apenas alguns quilômetros depois que seu curso para o norte, entre as cadeias do Líbano, se volta nitidamente para o leste. O intenso desflorestamento das cadeias do Líbano, que começou treze séculos a.C., quando os ocupantes fenícios de faixa costeira tomaram consciência de que havia um mercado internacional para a madeira de cedro ali abundante, tem produzido um problema de erosão que ainda não foi adequadamente resolvido até os nossos próprios dias. Isso explica a grande quantidade de sedimentação depositada no mar pelo rio Orontes. Por causa dessa erosão, a construção do porto artificial de Selêucia, um tanto mais ao norte da desembocadura do rio Orontes, mostrou ser uma medida sábia. De conformidade com os remanescentes ainda visíveis, esse porto artificial era formado por dois quebramares de pedra, dos quais aquele mais ao sul era mais extenso e chegava a envolver, à distância, o quebramar mais ao norte, o que provia uma entrada protegida dos ventos, além de impedir que os sedimentos depositados pelo rio Orontes se acumulassem ali. Ainda assim, o sedimento depositado ao longo da costa, pelo fluxo do rio, finalmente, entupiu a saída de Selêucia para o mar. Atualmente, o local desse porto é um baixo plano, formado por aluvião ali depositado, onde alguns poucos fragmentos dos quebramares de pedra podem ser distinguidos.

2. *Porto para Antioquia.* Selêucia, planejada para servir de porto para Antioquia, era uma das nove cidades que refletiam o nome de Seleuco, o primeiro governante que pertencia à dinastia que dirigiu a Síria e territórios adjacentes, a partir do começo do século III a.C., até que os romanos obtiveram o controle da porção oriental do Mediterrâneo, dois séculos e meio mais tarde.

3. *Reino Selêucida.* Um dos mais notáveis fenômenos da história foi a transformação do padrão político do Mediterrâneo oriental, devido às rápidas conquistas militares de Alexandre, o Grande, bem como a divisão dos territórios por ele subjugados pelos seus sucessores, os generais que herdaram porções desses territórios. Seleuco, que tomou o título de Nicator, era um dos generais menos importantes de Alexandre, mas que, ousadamente, apossou-se das satrapias nortistas centrais do império de Alexandre. Seleuco, pois, fundou o reino selêucida da Síria, em 312 a.C. Foi em 301 a.C. que ele construiu o porto de Selêucia. Seleuco e Antíoco eram nomes selêucidas comuns. Por essa razão há várias cidades chamadas Selêucia e Antioquia, espalhadas pelo mapa do reino helenista.

4. *Itens de sua História.* A Selêucia da Síria era conhecida como Selêucia Piéria, a fim de distingui-la de uma outra Selêucia, existente na área da Mesopotâmia, e ainda de uma outra, na região mais próxima da Cilícia. O adjetivo Piéria, com toda a probabilidade, preserva o nome de algum antigo porto fenício, ultrapassado pela cidade superior de Selêucia. Todavia, não há provas arqueológicas que comprovem essa opinião. O monarca sírio tencionava que seu porto fosse uma fortaleza capaz de guardar um dos principais acessos a seu reino. Apesar de toda a sua força, baseada em fatores naturais ou criados pela engenharia humana, cerca de meio século mais tarde, o porto de Selêucia foi capturado por Ptolomeu III Evergetes, que lançara um ataque contra a Síria, provavelmente, iniciado na ilha de Chipre (I Macabeus 11:8). Faltando-lhe a natureza compacta do Egito dos Ptolomeus, a Síria encontrou dificuldades em controlar os diversos territórios e as tortuosas fronteiras de seus povos e províncias dispersos e heterogêneos, e viveu em prolongada rivalidade com o outro estado sucessor do império de Alexandre, no Egito. Todavia, a Síria não sofreu retrocesso mais sério do que essa destruidora invasão do coração de seu reino, pelo terceiro monarca Ptolomeu. E o porto de Selêucia continuou nas mãos egípcias por mais de trinta anos, servindo de grande ameaça para a integridade da capital do reino selêucida, Antioquia. Todavia, o porto de Selêucia foi recapturado por Antíoco, o Grande, em 219 a.C., embora tenha caído novamente no poder dos Ptolomeus, em *146* a.C., posto que por breve período. Os capítulos escritos por Políbio sobre o cerco de Selêucia, pelas tropas de Antíoco, contêm uma lúcida descrição da importância militar desse porto e de sua topografia.

5. *Tempos Helenistas.* A recuperação do porto de Selêucia por parte de Antíoco, antes nas mãos de seu rival egípcio, fazia parte do programa desse monarca militar de recapturar e consolidar todas as variegadas regiões do reino selêucida; e era óbvio que ele haveria de querer recuperar o porto de Selêucia, antes de mais nada. De fato, ele considerava esse porto um símbolo de todo o seu sucesso militar. Conta-se que, em 205 a.C., ele entrou triunfalmente em Selêucia, como se fora um segundo Alexandre, com um corpo de exército montado em elefantes e muito despojo. Provavelmente, foi por causa dessa festiva ocasião que esse monarca assumiu o antigo título real dos governantes acaemenidas, tendo-se chamado de "o grande rei". Daí por diante, seu título comum tornou-se "Antíoco, o Grande". Durante o seu governo, o porto de Selêucia foi grandemente embelezado; as suas fortificações foram ainda mais fortalecidas, para que o porto se tornasse ainda mais capaz de cumprir suas funções defensivas, protegendo Antioquia, a capital.

Foram essas campanhas militares de Antíoco, o Grande, em seus esforços por reobter o controle de todas as áreas antes dominadas pela Síria-Selêucida, que o levaram ao confronto direto com os romanos, os quais, despertados para seus empreendimentos internacionais mediante a segunda guerra púnica, tinham chegado à conclusão de que sua busca por fronteiras estáveis só seria plenamente satisfeita se tais fronteiras chegassem até os reinos helenistas do extremo oriental do mar Mediterrâneo. Portanto, o grande erro político de Antíoco foi não perceber o poder emergente de Roma, e seu vital interesse pela porção oriental do Mediterrâneo. Antíoco levou suas conquistas demasiadamente para o Ocidente e foi decisivamente derrotado pelos romanos. Mediante o tratado assinado em Apaméia, às margens do rio Orontes, em 188 a.C., o reino selêucida da Síria deixou de ser uma grande potência no mundo mediterrâneo, embora tivesse retido a sua posição de potência continental no Oriente Médio. O porto de Selêucia continuou sendo uma das principais fortalezas dos sírios. Afinal de contas, os

SELÊUCIA – SELEUCO

romanos não estavam tanto à busca de conquistas territoriais, mas apenas queriam conseguir uma fronteira oriental estável pelo menos por enquanto. Foi mais de um século mais tarde que os romanos apareceram com forças consideráveis no âmago do império sírio.

6. *Tempos Romanos.* O senado romano investiu Pompeu com poderes especiais, em 66 a.C., para criar ordem na região cada vez mais caótica do mediterrâneo oriental. Os três anos de Pompeu no Oriente foram notável feito militar e administrativo. Os armênios e pônticos haviam chegado perto de Jerusalém, mas a Selêucia, graças às suas fortificações de um século antes, continuava intacta. Por essa razão, após ter recuperado rapidamente todos os territórios a oeste do rio Eufrates. Pompeu concedeu à cidade de Selêucia a posição de *cidade livre*. Com Pompeu terminou o reino selêucida, e a Síria foi transformada em uma província romana. Selêucia continuou sendo cidade livre, dentro das fronteiras provinciais, por ser um porto de acesso essencial para os romanos penetrarem naquelas terras orientais. E os romanos fortificaram Selêucia ainda mais, para agir como porto, como base e como cabeça de ponte. Isso deu início a um século de significativo desenvolvimento para a cidade de Selêucia. Em uma época de navegação meramente costeira, o porto servia de escala obrigatória para os navios que navegavam entre Roma e as províncias romanas orientais.

7. *Nos Dias Cristãos.* Foi de Selêucia que Paulo e Barnabé velejaram para a ilha próxima de Chipre (Atos 13:4), na primeira viagem missionária cristã. Meio século mais tarde, Inácio, bispo de Antioquia, passou por Selêucia, a caminho de Roma, onde foi martirizado. Parece que Paulo retornou a Antioquia por meio do porto de Selêucia (ver Atos 14:26); mas, era tão conhecido que esse porto era o grande meio de acesso à capital da província da Síria que esse detalhe nem ao menos é mencionado. Também é provável que foi de Selêucia que Paulo, em sua segunda viagem missionária, velejou, em companhia de Silas (Atos 15:40,41). Barnabé e Marcos devem ter usado o mesmo porto (Atos 15:39). Dali, em dia claro, a ilha de Chipre pode ser avistada, à distância. Os navios da época, em dia de bom vento, apesar das correntes marítimas contrárias, podiam ir do porto à ilha em menos de vinte e quatro horas.

Selêucia continuou sendo cidade livre, privilégio esse confirmado pelo imperador Vespasiano, no ano 70 d.C. Esse era o grande porto militar romano, da área oriental do império, e houve renovadas tentativas para melhorar as condições de um porto não muito satisfatório. Vê-se isso pelos traços de engenharia romana, que ali ficaram até hoje. Um dos principais traços é um túnel com cerca de 200 m de comprimento, destinado a desviar as águas que desciam das colinas para longe das instalações portuárias. Nesse túnel há os nomes inscritos tanto de Vespasiano quanto de Tito, seu filho, o imperador seguinte. Por certo, durante a revolta dos judeus, o porto de Selêucia deve ter assumido um papel militar ainda mais importante para os romanos, pois Cesaréia, o outro porto importante da costa oriental do Mediterrâneo, ficava perto demais da cena do conflito.

8. *Arqueologia.* A cidade de Selêucia apresenta um esplêndido desafio para a arqueologia moderna. A Universidade de Princeton vem-se interessando pela área desde 1932, tendo efetuado importantes trabalhos de escavação nas vizinhanças de Antioquia. Mas a cidade de Selêucia permanece quase intocada pelas pás dos arqueólogos. Somente durante dois anos, antes da Segunda Guerra Mundial, foi feito algum trabalho arqueológico nessa cidade, quando foram trazidos à luz traços arqueológicos como algumas casas, a porta do mercado e um templo dórico, além de uma igreja cristã memorial, pertencente ao século V d.C., intitulada o Martiriom. Ao governo libanês, que controla a área, caberia efetuar pesquisas arqueológicas de maior monta.

SELEUCO

No grego, Séleukos. Foi nome de seis monarcas helenistas da Síria, quatro dos quais revestem-se de maior importância para os estudiosos da Bíblia.

1. Seleuco I Nicator, "conquistador", cerca de 358-280 a.C. Era filho de um nobre da Macedônia e tornou-se amigo de Alexandre, o Grande, nas campanhas militares deste, pelo Oriente. Após a morte de Alexandre, tornou-se governante da Síria e da Babilônia, quando o império de Alexandre se desmembrou em quatro pedaços. Todavia, em 316 a.C., perdeu seus domínios e foi forçado a fugir para o Egito. Entretanto, com a ajuda de Ptolomeu, ele reconquistou a babilônia, a Média e a Susiana. Isso mareou o começo da dinastia selêucida, que perdurou até 65 a.C. O trecho de Daniel 11:5 refere-se a ele como o príncipe do rei do sul que se tornou mais forte que o rei. Em várias campanhas militares, ele se apossou da Síria e da Cilícia. Em 28 a.C., ele tomou a Ásia Menor de Lisímaco. Fundou certo número de cidades famosas, entre as quais Antioquia do Orontes, Laodicéia, Selêucia, Edessa e Beréia. Estabeleceu muitos judeus nessas cidades, outorgando-lhes o direito de cidadania (Josefo, Anti. x13,1). Fundou sua nova capital em Antioquia e casou-se com a filha de Demétrio, embora sem repudiar sua anterior esposa bactriana, Apama. Embora fosse um rei do Oriente, tinha atitudes tipicamente ocidentais. Aspirava reunificar o império de Alexandre, conquistando o trono da Macedônia; mas, na tentativa, foi assassinado por Ptolomeu II.

2. Seleuco II Calínio, "glorioso vencedor", 265-226 a.C. Era filho mais velho de Antíoco II e pai de Antíoco III. O trecho de Daniel 11:6-9 alude à maneira como ele obteve o trono, bem como aos eventos subseqüentes. Sua mãe era Laodice, de quem seu pai divorciou-se para se casar com Berenice, filha de Ptolorneu II e irmã de Ptolomeu III. Após esse casamento, Antíoco II voltou para Laodice, mas apenas para ser envenenado por ela. Em 247 a.C., ela nomeou rei a seu filho, Seleuco II. Houve refregas por interesses políticos, enfraquecendo o império, e a Báctria e a Pástia se perderam. O irmão mais jovem de Seleuco, Antíoco Hierax, com apoio da mãe, conseguiu dominar temporariamente a Ásia Menor. Seleuco acabou falecendo em um acidente. A seu filho, Antíoco, o Grande, coube a tarefa de restaurar o reino.

3. Seleuco III Soter, "salvador", cerca de 245-223 a.C. Ele e seu irmão e sucessor, Antíoco, o Grande, são referidos em Daniel 11: 10 como filhos de Seleuco II. Ele reinou apenas por dois anos, tendo morrido misteriosamente em campanha contra Ãtalo, de Pérgamo, na tentativa de reconquistar a Ásia Menor.

4. Seleuco IV Filopater, "amigo do pai", cerca de 218-175 a.C. Era filho de Antíoco, o Grande, e irmão de Antíoco IV Epifânio. Manteve um reino de extensão territorial limitada, observando escrupulosamente os termos da Paz de Apaméia, firmados com Roma. Esse acordo proibia novas aventuras na direção oeste, sob a pena de pesadas multas. Permaneceu em termos amigáveis com os outros dois poderes independentes do oriente, o Egito e a Macedônia. Mas acabou assassinado em conluio arquitetado por Heliodoro, seu primeiro-ministro, e foi sucedido no trono por seu irmão, destinado a ser figura muito simbólica no período

SELLARS – SELO

intertestamentário, com projeções para a futura carreira do anticristo. Ver o artigo especial sobre Antíoco IV Epifânio.

Seleuco IV Filopater é mencionado em Daniel 11:20 como "...um que fará passar um exator pela terra mais gloriosa do seu reino; mas em poucos dias será destruído, e isto sem ira nem batalha". Embora, no começo de seu reinado, ele tivesse contribuído com boa fatia das despesas com o templo de Jerusalém, mais tarde ele tentou apossar-se dos tesouros ali guardados, através de Heliodoro e de Simão, um oficial judeu, talvez porque devia grande soma em dinheiro a Roma, segundo se vê em II Macabeus 3:4

SELLARS, ROY WOOD

Suas datas foram 1880 - 1973. Era canadense, mas tornou-se um filósofo norte-americano. Ensinou na Universidade de Michigan durante quarenta e cinco anos (1905 -1950)! Ele é lembrado como um dos principais líderes do movimento chamado *Realismo* Crítico, (vide). Ver também sobre *Realismo*.

Idéias:

1. O objeto percebido é independente daquele que o percebe. Ele dava início ao processo de tomada de conhecimento com o que chamava de *realismo natural* do ser humano comum. O homem, nas ruas, sabe que o que ele vê não é uma parte de si mesmo (sua *idéia*, como no *Idealismo*; vide). Seu conhecimento avança então para o exame crítico daquilo que ele vê.

2. Nossa análise mostra-nos que nossa consciência de um objeto não envolve, realmente, aquele objeto, mas os informes dados pelos sentidos, ou seja, as percepções. Porém, nossa análise pode fornecermos algumas informações sobre um objeto assim divisado, ainda que, forçosamente, essas informações sejam sempre incompletas. É óbvio que os cientistas utilizam-se dos *sensa*, aprimorados mediante o uso de instrumentos de precisão; mas eles continuam investigando muitos mistérios que circundam a matéria e a natureza do universo.

3. O instrumento humano da tomada de conhecimentos evoluiu até o ponto em que os informes colhidos correspondem, até certo ponto, à realidade.

4. *Níveis do Ser*. Esses níveis procedem da matéria inerte até à mente. Sellars acreditava que a mente está alicerçada sobre a matéria, embora sem poder ser reduzida às qualidades da matéria inerte. Todos os seus níveis da realidade eram considerados, por ele, materiais.

Escritos: Critical Realism; Essays in Crítical Realism; Evolutionary Naturalism; Philosophy of Physical Realism.

SELLARS, WILFRID S.

Ele nasceu em 1912. Minhas fontes informativas não falam sobre a data de seu falecimento. Mas ele era filho de Roy Wood Sellars, sobre quem tenho apresentado um artigo. Ele deu prosseguimento à filosofia de seu pai, com alguns pensamentos adicionais. Ver sobre *Realismo* Crítico e *Realismo*. Ele é um daqueles raros casos em que um filho leva avante os interesses de seu pai. Wilfrid Sellars nasceu em Ann Arbor, Michigan. Educou-se na Universidade de Michigan, na Universidade de Buffalo e em Oxford. Ensinou em Iowa, Minnesota e Pittsburg.

Idéias:

1. Ele estabelecia distinção entre o realismo do bom senso (o que o homem nas ruas acredita em sua visão ingênua das coisas) e o realismo científico (o que a ciência tem descoberto mediante a percepção dos sentidos, ajudada por instrumentos de precisão). No primeiro caso, forma-se uma visão prática do mundo, embora muito inadequada; e, no segundo, muitas coisas vêm a ser conhecidas. No entanto, para ele, os homens de ciência têm-se envolvido na investigação sobre partículas imperceptíveis, onde se encontra a base de toda a realidade. Essa pesquisa, como é óbvio, nunca chegará a qualquer coisa como uma conclusão, visto que a ciência das partículas atômicas envolve muitos mistérios, a maioria dos quais, pelo menos no presente, deve permanecer assim, pois não há meio de se achar uma solução para os mesmos.

2. O realismo do bom senso e o realismo científico pelo menos concordam no tocante a uma proposição básica: o mundo lá fora é real, inteiramente à parte de nossa percepção do mesmo; e assim, através de nossos sentidos, podemos obter algum conhecimento da realidade. Sellars argumentava que o ciência merece receber lugar de primazia na aquilatação de arcabouços concetuais de qualquer espécie. Isso significa que aquilo que poderemos vir a conhecer no futuro deve emergir das investigações científicas.

3. Ele não aceitava o que chamava de "mito do dado" ou seja, que qualquer conhecimento nos seja simplesmente *dado*, seja por qual meio for. Essa posição, pois, anulava qualquer intuição e revelação, dentro de seu sistema. E assim ele dava prosseguimento ao seu sistema, sem reconhecer que o mesmo é provincial. No entanto, devemos reconhecer que a maioria dos homens tem um conhecimento provincial, e não-global, moldado por sua cultura e educação. Sellars não acreditava que pudéssemos romper a barreira do pensamento ligado à linguagem, e o pensamento e a linguagem associados à percepção dos sentidos. Quanto a esses itens, ele acreditava que todo o conhecimento que pudéssemos ter seria alcançado. Embora não possamos estabelecer um contato cognitivo com a realidade, pelo menos podemos seguir o conhecimento com as limitações de nossos sentidos, com a ajuda de instrumentos e então da analogia. O jogo da linguagem busca o conhecimento e obtém um sucesso parcial. A comunidade dos inquiridores ajuda na busca e amplia o leque dos conhecimentos. Nesse jogo da obtenção de conhecimentos, a ciência deve tomar a iniciativa.

Escritos: Science, Perception and Reality; Philosophical Perspectives; Science and Metaphysics; Essays on Philosophy and its History.

SELO

I. Termos
II. Caracterização Geral
III. Tipos
IV. Dos Vizinhos de Israel
V. Hebreus
VI. Usos Literais
VII. Usos Figurativos

I. Termos

O principal termo hebraico é *hotham*, palavra genérica para todos os tipos de selos. A principal palavra grega é *sphragis*, que serve à mesma função. Uma transliteração alternativa de *hotham* é *chotham*.

Chatham (selar, terminar): Deu. 32.34; Jó 9.7; Isa. 8.6 servem como exemplos.

Chotham (sinete, selo): Êxo. 28.11; Jer. 22.24; Ageu 2.23.

Chothemeth (sinete, selo): Gên. 38.25.

Izqa (sinete): Dan. 6.17.

Tabbaath (afundar, sinete, anel): Gên. 41.42; Êxo. 25.12, 14, 15, 26, 27; 39.16.

Sphragis (selo): Rom. 4.11; I Cor. 9.2; II Tim. 2.19; Apo. 5.1, 2, 5,9.

SELO

Sphragizo (selar): Mat. 27.66; João 3.33; 7.27; Rom. 15.28.

II. Caracterização Geral

O selo era um instrumento portátil usado para carimbar documentos ou fazer impressões em barro e outros materiais. A impressão servia para autenticar um documento ou uma assinatura. Selos deste tipo permanecem em uso em algumas regiões do Oriente. Em alguns lugares, na antigüidade, o selo tinha tal importância que nenhum documento sem selo era considerado legal ou autêntico. Em tempos modernos, a assinatura de uma pessoa (às vezes exigindo a autenticação de um agente legal) tomou o lugar dos selos. Cofres, portas de casas, depósitos de bens de valor e tumbas eram selados a fim de desencorajar a violação.

III. Tipos

1. Os *selos de carimbo*, que faziam impressões em vários tipos de material, eram um método de selar que data do século IV a. C. Pedras preciosas, anéis e amuletos muitas vezes eram instrumentos que portavam a imagem a ser impressa. A superstição supunha que a autoridade e o poder poderiam ser transmitidos pelo selo, algo que ia bem além da *autenticação* fornecida pelo ato.

2. *Selos de cilindro*. Este tipo de selo parece ter surgido a partir da feitura de bobinas de barro que às vezes eram decorativas e continham figuras de animais, deuses, flores etc. Os cilindros eram rolados em material macio, no qual as figuras eram impressas. Esse tipo de selo já existia antes de 3000 a. C. e seu uso espalhou-se por todo o Oriente, sendo o mais comum e popular até cerca de 1000 a. C. Os cilindros eram feitos de vários tipos de materiais, como argila, pedra, metal, marfim, cerâmica resinada, pedras preciosas. Havia pedras preciosas que davam "sorte" e os que davam "azar". Às vezes as autoridades usavam selos de cilindros em um cordão pendurado no pescoço. Outros cilindros eram presos ou colocados nas dobras das roupas.

3. *Selos de escaravelhos e amuletos* eram populares no Egito. Este era um tipo de selo de carimbo. Alguns besouros egípcios botavam ovos em excrementos de animais e então rolavam essas fezes em bolas para proteger as larvas. Para os egípcios, esta era uma lembrança do sol, um objeto sagrado para Rá, o deus-sol. Ou se acreditava que o próprio sol era um deus. O escaravelho (um grande besouro preto) tornou-se sagrado para os egípcios, como um emblema da vida eterna. Era natural que os selos de carimbo fossem feitos na forma de escaravelhos. Esses besouros chegavam a ser enterrados com os mortos e colocados nas bandagens das múmias. A mensagem era: a morte será conquistada pela vida eterna.

4. *Cabos de jarras* às vezes eram selos de carimbos, usados principalmente para a assinatura de documentos ou para impressões em argila macia, que, quando seca, tornava-se um selo. As mercadorias eram seladas com tal argila, assim como os documentos. Artefatos deste tipo de selo foram descobertos datando dos séculos V e IV.

IV. Dos Vizinhos de Israel

1. *Egito*. Selos de escaravelhos, geralmente na forma de jóias, eram os mais populares no Egito. Alguns eram verdadeiros trabalhos de arte, não apenas utilitários para o processo de selagem. A arqueologia descobriu esses objetos remontando a até 2500 a. C. Os mais humildes eram de argila, mas alguns eram feitos de pedras preciosas, cerâmica ou porcelana. Os selos eram usados para fazer impressões ou às vezes eram amarrados aos documentos com cordões.

2. *Mesopotâmia*. Foi em Uruque (o Ereque bíblico, a Waraka moderna) que o selo de cilindro foi introduzido, em cerca de 3200 a. C. Muitos desses selos eram embelezados artisticamente. O Instituto Oriental da Universidade de Chicago produziu estudos monumentais sobre este tipo de selo. O Professor Frankfort estucou cerca de 1.000 desses selos descobertos apenas no Iraque. Um selo de Darius, o Grande, representa o rei andando em sua carruagem de duas rodas, correndo entre duas palmeiras de tâmaras. Muitos selos de cilindros contêm figuras e escritos. Na Mesopotâmia, o selo do cabo de jarra era um tipo comum, tendo sido introduzido por volta de 2500 a. C.

V. Hebreus

Jó 38:14 menciona o uso de selos através do emprego de argila. O selo de anel é mencionado em Gên. 38:18. É provável que este selo tenha ficado suspenso do pescoço, da mesma forma que muitos árabes modernos carregam seus selos ainda hoje. Anéis gravados eram usados pelos hebreus, como demonstrado na descrição do peitoral do sumo sacerdote em Êxo. 28:11, 36; 39:6. O trabalho do gravador era uma profissão distinta (Ecclus. 38:27).

VI. Usos Literais

1. *Proteção*. Achava-se que o selo, especialmente o amuleto, tinha poder mágico que poderia proteger a coisa que estava sendo selada.

2. *Para indicar posse*. A propriedade de uma pessoa era carimbada com um selo especial que indicava a posse. Tais selos têm sido encontrados com datas tão longínquas quanto a idade neolítica.

3. *Autenticação*. Documentos escritos de todos os tipos, cartas, notas de venda, recibos, comunicações oficiais, eram autenticados por selos, pelo método de carimbo, ou por selos de argila (carimbados), amarrados a objetos. Judá entregou a Tamar seu selo pessoal, como um tipo de promessa de intenções (Gên. 38:18). Ver ainda Gên. 41:42; Nee. 9:38; 10:1; Est. 8:8 e I Macabeus 6.15.

4. *Marcas comerciais*. Trabalhadores que faziam objetos, como objetos de cerâmica, identificavam seu trabalho usando selos. Algumas dessas identificações informavam ao comprador quem ou qual "empresa" havia feito o objeto.

5. *Ritualístico*. Grandes selos foram descobertos inscritos com nomes de deuses e reis no principal templo da Babilônia. Tais selos atrairiam (esperançosamente) a atenção e o favor dos deuses.

VII. Usos Figurativos

1. O dia e a noite vêm e vão, da mesma forma que uma pessoa rola um selo de cilindro para fazer sua impressão (Jó 38:14). Isto é, o tempo em movimento muda as coisas.

2. O selo no coração da pessoa amada significa aquele que a ama. O amante faz uma impressão no coração da pessoa amada para estabelecer entre eles uma relação permanente e de grande valor (Can. 8:6).

3. Um relacionamento valioso e duradouro é retratado pelo selo (Ageu 2:23; Jer. 22:24). Tal relação pode florescer e apagar, dependendo de seu valor intrínseco.

4. O selo fala de algo que é permanente (Isa. 8:16);

5. O selo fala daquilo que está confirmado (João 6:21; Rom. 4:11);

6. Ou o selo fala daquilo que deve ser mantido em segredo (Dan. 8:26; 12:4, 9), até que chegue o momento conveniente para a revelação.

7. O selo pode simbolizar o que é desconhecido ou talvez impossível de saber pelos homens, mas conhecido pelo Senhor, que se manifesta em Jesus, o Cristo (Apo. 5:2-8).

8. Selar as nuvens significa cobri-las para que sua luz deixe de chegar ao homem (Jó 9:7), e isso pode referir-se a como a sabedoria de Deus está escondida do homem comum, que não é capaz de entender as ações de Deus.

9. O selo do Deus vivo é o selo da salvação, isto é, um homem está seguro sob o selo e por ele é redimido, enquanto

SELO – SEM

outros estão fora do poder salvador do selo, portanto sob julgamento (Apo. 7:2-8).

10. A existência do Espírito Santo é como o selo que protege, mantém e salva (Efé. 1:13; 4:30; II Cor 1:22).

11. As fundações de Deus são inscritas com os selos apropriados (II Tim. 2:19). A construção mística dos santos porta as inscrições divinas adequadas, que falam de firmeza, durabilidade e segurança através do decreto da salvação. Portanto, os crentes devem ter confiança no trabalho de Deus, que criou o prédio espiritual.

12. A circuncisão era um sinal do selo ou Pacto Abraâmico (Rom. 8.11).

13. A manutenção da celebração do sábado era o sinal ou o selo do Pacto Mosaico (Êxo. Cap. 19).

14. O apostolado de Paulo foi selado, ou confirmado, como um trabalho autêntico de Deus através da conversão das pessoas à fé cristã (I Cor 9.2).

SELO DE CONFISSÃO

Essa expressão refere-se à obrigação muito estrita, por parte dos sacerdotes católicos romanos, de conservar em segredo tudo quanto lhes for confessado, a menos que os próprios penitentes queiram que seja conhecido o que tiverem dito no confessionário, ou não se importarem com a questão. Assim, um padre não pode utilizar a informação recebida com nenhum propósito, mesmo que seja para proteger sua vida da ameaça de morte.

SELOMI

No hebraico, "Yahweh é paz". Foi o pai de um príncipe da tribo de Aser, Abiúde, que ajudou na distribuição das terras de Canaã, a oeste do rio Jordão, entre as tribos de Israel (Núm. 34:27). Viveu em cerca de 1500 a.C.

SELOMITE

No hebraico, "pacífico", "perfeito", "completo". A palavra é a forma feminina do termo hebraico *shelomi*. A forma masculina é *Selomote*. Ver o número 3 da lista a seguir e o artigo separado sobre a forma masculina. Alguns dizem que *Selomote* é o plural de *shelomi*. Os nomes obviamente são confundidos e apresento artigos separados sobre os dois. A lista é apresentada em ordem cronológica.

1. Filha de Dibri, da tribo de Dã. Foi mãe de certo homem que acabou apedrejado por blasfêmia (Lev. 24:11). Viveu por volta de 1440 a. C.

2. Primeiro filho de Simei, que era um líder dos gersonitas. Viveu na época de Davi, por volta de 950 a. C. A versão portuguesa dá o nome *Selomote*.

3. Levita, líder dos jizaritas (I Crô. 24:22). Em Crô. 24:22, é chamado de Selomote, mas, em I Crô. 23:18, o nome é Selomite. Embora diferentes, as denominações geram confusão. Ver o parágrafo introdutório a esta lista.

4. Levita, filho de Zicri, isto é, descendente distante do homem que na época de Davi foi um dos tesoureiros do santuário (I Cor. 26:25-28). A versão portuguesa dá seu nome como *Selomote*. Viveu em 1015 a. C.

5. Uma criança perdida de Reoboão com sua mulher Maacá (II Crô. 11:20). Viveu em torno de 935 a.C.

6. Filha de Zorobabel (I Crô. 3:19), que viveu por volta de 536 a. C.

7. Filhos de Selomite, de acordo com uma interpretação do texto, juntamente com um filho de Josifias (Esd. 8:10), retornaram do cativeiro babilônico com Esdras. Provavelmente, contudo, houve uma omissão no versículo. O verdadeiro texto seria: "Dos filhos de Bani, Selomite, o filho de Josifias... retornou... ". É assim que está escrito na Septuaginta. A época era cerca de 530 a. C.

SELOMOTE

Este nome foi confundido com *Selomite*. Ver o primeiro parágrafo sob *Selomite*. A versão em português confunde totalmente as duas ortografias.

1. Gersonita (uma família de levitas), filho de Simei (I Crô. 23:9). Viveu em cerca de 1015 a. C.

2. Na versão em português, jizarita chamado Selomote e m I Crô. 24:22, mas Selomite em I Crô. 23:18. Viveu por volta de 1015 a. C.

3. Ver o número 4 sob *Selomite*.

SELOS

Ver sobre **Selo**.

SELOS CILÍNDRICOS

Ver o artigo sobre a Escrita. A arqueologia tem descoberto um significativo número de pequenos selos cilíndricos, feitos de pedra, de argila queimada ou de alguma outra substância dura. Esses selos estampam toda a espécie de cenas, religiosas ou seculares, divinas ou humanas. Selos de vários tipos eram usados para assinalar identidade pessoal, propriedade ou segurança (I Reis 21:8; Jó 14:17; 41:15), como também para comunicar mensagens. Um selo era rolado sobre argila mole, a qual, quando endurecia, retia o carimbo que fora posto pelo selo. As mudanças nos desenhos dos selos ajudam os arqueólogos a datarem as coisas, visto que certos tipos de selos caracterizavam certos períodos de tempo. Os selos mais antigos que conhecemos datam do quarto milênio a.C. Os selos tiveram uma história de cerca de três mil anos, tendo sido usados como modos de identificação e de comunicação antes do invento da escrita. Os selos tipo carimbo, do período persa, terminaram substituindo os selos cilíndricos. Durante algum tempo, esses dois tipos de selos conviveram um com o outro. Os selos dos anéis de selar também eram um tipo popular (Jer. 22:24; Hab. 2:23).

SELUMIEL

No hebraico, "Deus é a minha paz ou bemestar". Ele era filho de Zurisadai. Foi o principal oficial da tribo de Simeão, terminado o êxodo. Ele ajudou no recenseamento historiado no primeiro capítulo do livro de Números, bem como em outras ocupações importantes (Núm. 1:6; 2:12; 7:36,41; 10:19). Nos livros apócrifos, seu nome aparece como Salamiel, filho de Salasadai, dentro da genealogia da heroína Judite (Judite 8:1). Viveu em cerca de 1490 a.C.

SEM

O significado desta palavra hebraica é disputado. Adivinhações incluem "nome", "filho", ou um nome derivado de *sumer*, que nos levaria a entender que ele descendeu dos povos muito antigos da Mesopotâmia. Mas até onde a história nos revela, os semitas (descendentes de Sem) eram da região montanhosa da Armênia. Alguns alegam que esses povos surgiram no Egito e migraram à Suméria.

É do nome de Sem que temos a palavra *semitas* e, presumivelmente, a referência aos que falam as línguas semíticas. Gên. 7:13 nos diz que ele e sua mulher estavam entre as oito pessoas que escaparam do dilúvio, sendo este o filho mais velho de Noé (Gên. 5:32; I Crô. 1:4). Ver o artigo separado sobre o *Dilúvio de Noé*. Ele nasceu quando seu pai tinha 500 anos de idade, em uma data indeterminada, mas alguns apontam 5000 a.C. Ele tinha 98 anos de idade quando veio o dilúvio. Dois anos depois, nasceu seu filho Arfaxade (Gên. 11:10), que figurou na linhagem ancestral

SEMA – SEMAÍAS

de Jesus, o Cristo (Luc. 3:36). Ver a Tabela de Nações em Gên. 10:21-31, para detalhes sobre os nomes de seus filhos, cujos descendentes presumivelmente ocuparam as terras da Pérsia, Assíria, Caldéia, Lídia, Síria. Os críticos supõem que Sem tenha sido apenas o "legendário" pai dessas etnias. Ver Gên. 5:32; 6:10; 9:18-27; 10:1, 21, 22, 31; 11:10, 11; I Crô. 1:1, 17, 24.

SEMA

No hebraico, "ouvindo", "relatório", "rumor", "fama", ou, possivelmente, "Ele (Deus) ouviu". No Antigo Testamento, uma cidade e quatro pessoas eram chamadas assim.

1. Filho mais jovem de Hebrom e pai de Raão, descendente distante de Calebe da tribo de Judá (I Crô. 2:43, 44). Viveu por volta de 1500 a.C.

2. Benjamita que viveu em Aijalom, líder do clã que ajudou seu povo a derrotar os filisteus que ocupavam Gate (I Crô. 8:13). No vs. 21 ele é chamado de Simei. Era filho de Elpaal.

3. Filho de Joel, da tribo de Rúben (I Crô. 5.8), pai de Azaz. É chamado de Simei em I Crô. 5.4. Viveu em torno de 1230 a.C.

4. Sacerdote que ficou ao lado direito de Esdras quando ele leu a lei para o povo (Nee. 8.4). Naquela época, de renascimento nacional, a lei de Moisés estava sendo reinstituída para os que haviam voltado do cativeiro babilônico. Em I Esdras 9.43, ele é chamado de *Samus*. Viveu em torno de 445 a.C.

5. Vila ao sul de Judá, mencionada entre Amã e Moldã, assim, presumivelmente, próxima a elas (Jos. 15.26). Talvez possamos identificar este local com Sebá, que estava no extremo sul da tribo. Cf. Jos. 19.2.

SEMAA

No hebralco, **fama**. Ele foi um gibeonita, pai de Aiezer e Ioás, os quais foram fazer parte das forças proscritas de Davi, em Ziclague (I Crô. 12:3), Viveu por volta de 1080 a.C.

SEMAÍAS

No hebraico, "Deus ouve", o nome de 26 pessoas no Antigo Testamento e de 3 nos livros apócrifos. Listo-as em ordem cronológica, à medida que isto é possível de ser feito. Algumas datas dadas são incertas.

No Antigo Testamento

1. Pai de Sinri, ancestral de Ziza, líder da tribo de Simeão na época de Ezequias, rei de Judá (I Crô. 4:37). Viveu em um período indeterminado.

2. Avô de Bela, líder da tribo de Rúben, chamado de Sema em I Crô. 5:4, 8. As datas referentes a ele são desconhecidas.

3. Profeta que viveu durante o reino de Reoboão, o filho de Salomão que ocupou o trono quando o pai morreu. Este profeta avisou a Reoboão que não guerreasse com o recém-formado reino do norte, que, sob a liderança de Jeroboão, havia-se separado do sul. Ele exigiu que irmão não lutasse contra irmão (I Reis 12:24). Reoboão foi sábio o suficiente para aceitar o conselho. Depois, quando o Egito se lançou contra Judá, o profeta disse a Reoboão que isto estava acontecendo por causa de sua rebelião e apostasia contra Yahweh. O rei se arrependeu (temporariamente) e isto evitou a dominação egípcia, mas Judá tornou-se um virtual subordinado do Egito, pagando-lhe pesados tributos. I Reis 12:22; II Crô. 11:2; 12:5, 6, 15 dizem-nos que este profeta, juntamente com Ido, escreveu uma história sobre o reino de Reoboão, mas esta foi perdida, a não ser, é claro, que parte dela ou todo o documento tenha sido incorporado aos livros históricos bíblicos que tratam dos reis.

4. Filho ou descendente de Elizafã, chefe de uma família de levitas. Participou da cerimônia do transporte da arca da aliança a Jerusalém na época de Davi, em torno de 1000 a. C. Ver I Crô. 15:8, 11.

5. Filho de Natanel, um levita, escriba na época de Davi, que determinou a rota de serviço para os sacerdotes do tabernáculo (I Crô. 24:6), cerca de 1000 a.C.

6. O filho mais velho de Obede-Edom, uma família de porteiros nos portões do tabernáculo em Jerusalém durante o reino de Davi. Teve vários filhos conhecidos pela força e que também estiveram envolvidos nos cultos do tabernáculo (I Crô. 26:4), em torno de 1000 a. C. "... foram varões valentes" (vs. 6).

7. Um levita enviado pelo rei Josefá de Judá para ensinar a lei de Moisés ao povo nas cidades do reino do sul. Viveu por volta de 940 a. C. Ver II Crô. 17:8.

8. Levita, filho ou descendente de Jedutum, que recebeu ordens do rei Ezequias de Judá primeiro para santificar a si mesmo através dos ritos adequados, e depois para limpar o templo (II Crô. 29.14). Viveu em torno de 700 a. C.

9. Levita que serviu a Judá na época de Ezequias, rei de Judá. Recebeu a incumbência de distribuir ofertas entre os sacerdotes nas cidades do reino do sul (II Crô. 31.15). Viveu em cerca de 700 a. C.

10. Levita que contribuiu com grande quantidade de gado a ser sacrificado na Páscoa no 14º ano do reinado do rei Josias, de Judá (II Crô. 35:9). Viveu por volta de 620 a. C.

11. Pai do profeta Urias de Quiriate-Jearim. Previu a queda e a destruição de Jerusalém e foi morto pelo rei Jeoiaquim de Judá por ser encrenqueiro (Jer. 26:20). Viveu em cerca de 620 a. C.

12. Sacerdote de Judá que retornou do cativeiro babilônico com Zorobabel. Foi ancestral de Jeonatã, que foi o chefe de uma família de sacerdotes nos dias de Neemias (Nee. 12:6, 18, 34). Sua época foi por volta de 520 a. C.

13. Falso profeta de Judá que foi levado ao cativeiro babilônico na época de Jeremias, o profeta. Ele falsamente profetizou que o cativeiro não duraria muito e arrogantemente pediu que o sacerdote Sofonias refutasse Jeremias por proclamar que Judá permaneceria na Babilônia por longo tempo. Jeremias respondeu dizendo que esse homem e seus filhos jamais sairiam do exílio (Jer. 29:24-32). Sua época foi cerca de 520 a. C.

14. Pai de Delaías, um dos líderes de Judá que falou ao rei Jeoiaquim sobre as profecias negativas de Jeremias no tangente ao cativeiro babilônico (Jer. 36:12). Viveu em torno de 620 a. C.

15. Filho de Secanias, líder da tribo de Judá, descendente distante do rei Davi. Secanias foi o porteiro do portão leste de Jerusalém. Semaías ajudou a reparar os muros nos dias de Neemias (Nee. 3:20; I Crô. 3:22). Sua época foi cerca de 520 a. C.

16. Filho de Hassube, filho de Azricão, levita e descendente distante de Merari, filho de Levi. Foi um dos primeiros levitas que voltaram do cativeiro babilônico para novamente viver em Jerusalém. Ele ministrou no Segundo Templo (I Crô. 9:14; Nee. 11:15). Sua época foi cerca de 450 a. C.

17. Filho de Galal (filho de Jedutum) e pai de Obadias, que tinha a responsabilidade de realizar orações e cultos de ações de graças no Segundo Templo, na época de Neemias, por volta de 450 a. C. (ver I Crô. 9:16 e Nee. 11:17).

18. Descendente de Adonicão, que retornou do cativeiro babilônico com Esdras (Esd. 8:16). Sua época foi cerca de 450 a. C.

SEMAÍAS – SEMÂNTICA

19. Um dos vários homens que Esdras enviou a Ido, em Casífia, solicitando que ele mandasse levitas para servir no Segundo Templo (Esd. 8:16). Sua época foi cerca de 450 a. C.

20. Filho ou descendente de Harim, o sacerdote, que estava entre aqueles que foram forçados a divorciar-se de suas mulheres estrangeiras na época de Esdras (cerca de 450 a. C.). Ver Esd. 10:21.

21. Outro descendente de Harim, o sacerdote, que estava entre aqueles forçados a divorciar-se de suas mulheres pagãs na época de Esdras (cerca de 450 a. C.). Ver Esd. 10:31.

22. Filho de Delaías que convidou Neemias para encontrar secretamente com ele no Segundo Templo, para que pudesse dar-lhe informações sobre os homens que planejavam matá-lo. Neemias, contudo, percebeu que o homem havia sido contratado por seus assassinos potenciais para assustá-lo e assim deter o trabalho de reconstrução das muralhas de Jerusalém. Dessa forma, Neemias recusou o convite (Nee. 6:10). A época foi por volta de 450 a. C.

23. Sacerdote de Judá que assinou o acordo solene de tornar a lei de Moisés o guia para as pessoas que haviam retornado do cativeiro babilônico (Nee. 10:8). A época foi por volta de 450 a. C.

24. Líder de Judá que participou da cerimônia da dedicação das muralhas reconstruídas de Jerusalém na época de Neemias, por volta de 450 a. C. Ver Nee. 12:34.

25. Avô de Zacarias, um dos sacerdotes que tocou trombeta na cerimônia de dedicação das muralhas reconstruídas de Jerusalém, após o cativeiro babilônico e a reconstrução do Segundo Templo em torno de 450 a. C. Ver Nee. 12:35.

26. Levita que tocava instrumentos musicais durante o culto de dedicação das muralhas reconstruídas de Jerusalém na época de Neemias, em torno de 450 a. C. Ver Nee. 12:36, 42.

Nos Livros Apócrifos:

1. Líder dos levitas que, em companhia de Conanias e Natanel, seus irmãos, deram ofertas liberais de animais sacrificiais para a Páscoa quando o rei Josias promoveu suas reformas (II Crô. 35:9; I Esdras 1:9). Viveu em torno de 620 a. C.

2. Filho de Ezora que havia desposado uma mulher pagã durante o cativeiro babilônico e teve de divorciar-se quando o povo retornou a Jerusalém (I Esdras 9:34). Viveu em torno de 450 a. C.

3. Conhecido de Tobias que era chamado de "o grande Semaías" (Tobias 5:13). Viveu em torno de 400 a. C.

SEMANA
Ver sobre *Calendário*.

SEMANA SANTA

Esse título refere-se à semana anterior à Páscoa que começa com o domingo de Ramos. Vários incidentes ocorridos na última semana de vida de Jesus são assim comemorados, culminando com a celebração da ressurreição. Conforme isso é comemorado pela Igreja Católica Romana, inclui a Quinta-Feira Santa (vide), a Sexta-Feira Santa (vide), o Sábado Santo (quando, tradicionalmente, ocorrem cerimônias de batismo) e o dia da Ressurreição. Em certo sentido, a Semana Santa é uma expansão da Páscoa, a qual, em sua forma mais antiga e formal não incluía nada dessas celebrações. Os cristãos, através de uma liturgia solene e de práticas devocionais, comemoram a paixão, a morte e a ressurreição de Cristo. Durante os três primeiros séculos da história do cristianismo, a páscoa foi a única festividade universalmente observada pelos cristãos. No século IV d.C. porém, a liturgia foi expandida para incluir a Sexta Feira Santa e o Sábado Santo, o dia em que Jesus repousou por inteiro no túmulo. Então começou a ser comumente observada a quaresma; mas, no começo, somente três dias do que atualmente chama-se de Semana Santa ou Semana da Paixão eram celebrados. Finalmente, a semana inteira tornou-se um período de solenes celebrações religiosas. Damos artigos separados sobre *Sexta-Feira Santa, Quinta Feira Santa e Lava-pés.*

O Sábado Santo é observado tranquilamente até altas horas da noite, quando tem início a vigília da Páscoa. Consiste na bênção do fogo novo, no acender de velas da Páscoa, na leitura de trechos seletos das Escrituras, em atos de batismo e na renovação de votos batismais. A missa jubilosa da ressurreição encerra as celebrações dessa semana.

Na Igreja Oriental há consideráveis variações nas observâncias vinculadas à Semana Santa; mas o espírito da questão assemelha-se muito ao que sucede nos ritos romanistas. A Igreja Anglicana conta com ritos muito parecidos com os da Igreja Católica Romana. Algumas denominações protestantes observam somente a Sexta-Feira Santa e o Domingo da Ressurreição.

SEMANAS, FESTA DAS
Ver sobre *Festas Judaicas.*

SEMÂNTICA

Esta **palavra portuguesa vem do grego, semainein,** "significâr". O termo grego *sema* quer dizer "sinal", "marca". Na *linguística*, a semântica é o estudo dos significados das formas da linguagem, especialmente o desenvolvimento e as modificações dos sentidos das palavras e sentenças. Na *lógica*, a semântica aborda a relação entre os sinais ou símbolos, com aquilo que eles denotam ou significam. Na *filosofia da linguagem*, o termo é usado para designar a tentativa de encontrar definições verdadeiras. O termo grego *semantikós*, de onde se deriva diretamente o vocábulo português, significa "sentido significativo".

A semântica envolve-nos na filosofia da linguagem, na gramática, na linguística e na lógica, e, na verdade, também na inteira teoria do conhecimento. Visto tratar-se de um assunto tão amplo, também se vê naturalmente envolvida a fé religiosa. Questões de verdade e falsidade, de métodos de argumentação, de averiguação e prova, estão envolvidas. Tanto a semântica lógica quanto a semântica linguística são relevantes para a teologia, havendo mesmo questões teológicas que dependem de questões de significado, no seu sentido lógico.

A semântica linguística tem sido empregada na busca do sentido de textos bíblicos em hebraico e em grego. Um serviço prestado pela semântica linguística foi a identificação do grego helenista, que incluía a maioria das palavras que alguns estudiosos antes tinham opinado pertencer somente ao Novo Testamento. O resultado disso foi uma maior compreensão do Novo Testamento grego, em contraste com o grego clássico. Naturalmente, certas palavras que aparecem no Novo Testamento original precisam ser entendidas em relação ao pano de fundo hebraico, pelo que uma comparação com os usos no grego helenista (koiné) nem sempre resolve problemas de significação. As palavras, sem importar quais sejam as suas conexões linguísticas, nem sempre podem ser definidas verbalmente. Há o envolvimento de conceitos, fazendo as palavras assumirem significados especiais ou mesmo

SEMÂNTICA – SEMEADURA

isolados, em face das idéias que elas costumavam expressar.

As definições dadas às palavras pelos dicionários nem sempre conferem os significados que um autor qualquer tencionou. Precisamos examinar suas sentenças e seu envolvimento, e não meramente vocábulos isolados, contidos nessas sentenças. Também devemos pensar em sua formação teológica e cultural. Para exemplificar, as "regiões inferiores da terra" (Efé. 4:9) não podem significar, nos contextos antigos, a *sepultura,* conforme alguns têm imaginado. Antes, há uma referência, nessas palavras, à idéia de muitos antigos (hebreus, gregos e romanos), que acreditavam que o "hades" acha-se literalmente localizado no centro da terra, e que esse lugar consistia em alguma espécie de câmaras subterrâneas. Há uma grande falácia nas traduções literais, que acompanham palavra por palavra, pressupondo que tal rigidez faz desenterrar sentidos profundos. Os grupos de palavras (ou expressões idiomáticas) precisam ser entendidos em seu conjunto, e não como palavras isoladas.

SEMARIAS

No hebraico, "preservado por Deus" ou "aquele que Yahweh guarda".

1. Habilidoso arqueiro (guerreiro) da tribo de Benjamim que abandonou o rei Saul e juntou forças com Davi em Ziclague, quando este fugia do enfurecido rei que buscava matá-lo (I Crô. 12:5). A época era em torno de 1000 a. C.

2. Filho de Reoboão, rei de Judá. Sua mãe foi Maalate (II Crô. 11:18, 19). A época era em torno de 970 a. C.

3. Filho ou descendente de Harim, que havia desposado uma mulher pagã durante o cativeiro babilônico e foi forçado a divorciar-se quando os cativos retornaram a Jerusalém (Esd. 10:32). A época foi em torno de 450 a. C.

4. Filho de Binuí que havia desposado uma mulher pagã durante o cativeiro babilônico e foi forçado a divorciar-se quando os cativos retornaram a Jerusalém (Esd. 10:41). A época foi em torno de 450 a.C.

SEMEADOR, SEMEAR

Ver sobre *Agricultura.*

SEMEADURA E COLHEITA, LEI DA

Gál. *6:7: Não vos enganeis; Deus não se deixa escarnecer; pois tudo o que o homem semear, isso também ceifará.*

Considerações preliminares:

A metáfora baseada na vida agrícola:

a. Comparar essa metáfora com o trecho de Gál. 5:22. Muitos dos leitores originais de Paulo, estavam perfeitamente cônscios do labor árduo envolvido na produção de uma safra abundante. Sabiam que a safra produzida tinha paralelo direto com o labor dispendido.

b. Também sabiam que as ervas daninhas e as enfermidades podiam ameaçar ou mesmo destruir completamente a colheita.

c. Além disso, sabiam bem como uma colheita abundante poderia ser obtida, se fossem envidados os esforços apropriados, e quão agradável, encorajadora e preciosa poderia ser uma colheita assim.

Características Dessa Lei

a. Ela não é contrária ao princípio da graça. De fato, a graça a requer, pois aquele a quem muito é dado, muito é requerido. A graça nos confere os meios para colhermos abundante safra espiritual.

b. Essa lei regulamenta a liberdade cristã e nosso relacionamento com os crentes mais fracos. Ninguém pode servir a si mesmo, exibindo seus direitos, e esperar ter uma boa colheita. Essa lei envolve "responsabilidade" na vida, e não o desregramento (conforme se vê no contexto presente).

c. Ela tem vinculações com o tribunal de Cristo (ver II Cor. 5:10).

d. Ela se relaciona com as recompensas e as *coroas* (ver o artigo a respeito, ver II Tim. 4:8).

e. Ela não permite a idéia de estagnação espiritual. Quando entrarmos no estado eterno, de conformidade com aquilo que tivermos feito, receberemos certo nível de glorificação. Todavia, esse estado estará perenemente sujeito a aprimoramento, pois todos os eleitos, finalmente, terão toda a plenitude de Deus (ver Efé. 3:19); pois, do contrário, o corpo de Cristo seria enfermiço e imaturo, o que significa que a glória de Cristo ficaria diminuída.

Considerações

1. O julgamento será de conformidade com as obras dos homens. Sempre é declarado, no caso de crentes e incrédulos igualmente, que os homens serão julgados de acordo com suas obras. Isso faz parte da lei universal da colheita segundo a semeadura. (Ver o artigo sobre as *Obras).* A própria natureza da liberdade, conforme o N.T. olha para as coisas, mostra que é preciso envolver uma correta moralidade, porquanto se ela chegar a ser perdida, o indivíduo imediatamente será reduzido à posição de escravo do pecado, de Satanás e do próprio "eu".

2. *Temos aqui uma lei.* Paulo ilustra isso com base no mundo natural. Todos sabem, sem importar se são agricultores ou não, que um homem só pode colher aquilo que semear. *A* semente que ele lançar na terra determinará o tipo de planta que crescerá; e a sua diligência determinará a extensão do crescimento e da fruição de sua lavoura. A negligência e a semeadura de sementes defeituosas naturalmente resultarão em ausência de safra ou em uma colheita inferior. Se alguém plantar ervas daninhas, naturalmente só colherá ervas daninhas. Além disso, existem outras leis naturais que também entram em cena, como a lei da gravidade. O poder da lei da gravidade é permanente, e tudo neste mundo está sujeito à mesma, enquanto daqui não for tirado. Seria realmente de estranhar que, no mundo espiritual, certas leis não funcionassem. Paulo já nos mostrou duas dessas leis espirituais, a saber: um homem será julgado segundo as suas obras; e um homem colherá aquilo que semear.

Semeai um hábito, e colhereis um caráter.

Semeai um caráter, e colhereis um destino.

Semeai um destino, e colhereis... Deus. (Prof. Huston Smith).

3. Qual é a *necessidade dessa* lei? Sem essa lei, não poderia haver esperança alguma da verdade e da bondade serem vencedoras na guerra contra a falsidade e a maldade. Essas leis garantem a vitória final do bem sobre o mal. Também nos asseguram, a nós que nos encontramos na luta em prol da vida piedosa, que essa maneira piedosa de viver é digna de ser vivida, a despeito de quaisquer vantagens temporárias que a vida de pecado nos oferecer. Essas leis nos dão a certeza de que a luta contra o mal vale a pena; pois, de outra maneira, nunca poderíamos ter certeza de que não há vantagem vivermos para o próprio eu e para a carne. Precisamos ter a certeza de que em algum lugar, em algum tempo, os piedosos serão herdeiros do reino eterno de Deus, de que os piedosos triunfarão. Ora, essas leis garantem tal resultado para nós.

4. *Provas da existência de Deus e da alma.* As leis morais servem de provas tanto da existência de Deus como da existência da alma. É óbvio que, nesta esfera terrena, a

SEMEADURA E COLHEITA, LEI DA

justiça nem sempre é feita, que a recompensa nem sempre é recebida. Por conseguinte, deve haver uma esfera, além da morte física, onde a justiça impere. Deve haver um Juiz, dotado de capacidade e poder suficientes, bem como de inteligência, capaz de fazer os homens receberem a retribuição positiva e negativa, segundo suas obras boas ou más, respectivamente. Ora, Deus é exatamente esse ser. Além disso, deve haver aqueles que receberão a recompensa ou o castigo; porquanto, em caso contrário, o mundo será um autêntico caos. Ora, a imortalidade garante isso. Todo o ser humano sobrevive à morte física, estando sujeito então ao castigo ou à recompensa eternos. A lei moral garante a imortalidade. E somente essa proposição concorda com a razão e a intuição, para nada dizermos sobre a revelação divina. Essa é uma verdade tremenda, à qual devemos dar cuidadosa atenção, visto que todo o nosso bem-estar depende dela. Cada dia que amanhece é uma nova oportunidade de semearmos o bem, assim como de recolhermos o bem-estar. Por semelhante modo, cada dia pode ser desastroso para nós, pois podemos estar fazendo aquela espécie de semeadura que finalmente nos prejudicará eternamente. A vida, assim sendo, não é nenhum jogo. Antes, é uma questão seríssima, com regras fixas sérias, às quais, todos nós precisamos nos sujeitar.

5. *A vida não é nenhum jogo.* O que se conclui do ponto anterior é que a vida não é um jogo, porquanto existem leis e regras bem definidas que controlam a existência. O resultado não depende de meras chances. Antes, quaisquer que sejam os resultados, tudo é conseqüência do que fazemos e daquilo em que nos tornamos. Não, a vida não é um jogo. Pelo contrário, é um investimento. Algumas pessoas se arriscam durante a vida inteira como se fossem viciadas no jogo. Consideremos, nesse particular, a parábola dos "talentos", em Mat. 25:14-29. Um homem recebeu cinco talentos. Esse não foi jogar com os mesmos, mas antes, investiu-os. Um outro homem recebeu dois talentos. Esse também não se pôs a jogar; antes, investiu a importância de que fora encarregado. E o seu investimento mostrou-se frutífero, porquanto duplicou os seus recursos. Um terceiro homem, porém, que recebera apenas um talento, resolveu não investi-lo. Simplesmente guardou-o em lugar oculto; mas isso era contrário à confiança que seu senhor depositara nele. Sabia que seu senhor era homem severo e exigente; no entanto resolveu "jogar" com a possibilidade de que, de alguma maneira, embora estivesse fazendo o que sabia que desagradava ao seu senhor, haveria de pelo menos não perder o seu talento. E sua esperança era de que seu senhor fosse não "justo", mas, de alguma maneira, "condescendente", agindo de forma contrária a toda a justiça. Porém, seu jogo e especulação falharam. Seu senhor ficou muito indignado com ele e lhe tomou seu único talento;. e um severo castigo foi o que aquele homem recebeu. O senhor daqueles três homens não se deixou zombar. O servo desviado e infiel não pode modificar as regras. Outro tanto sucede com todos os homens, universalmente; todos recebem um depósito sagrado, uma missão sem-par a cumprir, nesta vida terrena e por toda a eternidade. Cada ser humano será chamado a prestar contas exatas de como ele usou ou abusou de seu elevadíssimo privilégio de possuir a vida, e até mesmo a vida eterna.

Quando eu chegar ao fim do meu caminho,
Quando eu descansar no fim do dia da vida,
Quando 'bem-vindo!' eu ouvir Jesus dizer,
Oh, isso será a aurora para mim!
Quando, em sua beleza, eu vir o Grande Rei,
Unidos aos seus remidos, para entoar seus louvores,
Quando eu unir a eles os meus tributos,
Oh, isso será a aurora para mim!
Aurora amanhã, aurora amanhã,
Aurora na glória, espera por mim;
Aurora amanhã, aurora amanhã,
Aurora com Jesus, pela eternidade.
(W.C. Poole).

6. *Importância da atitude acolhedora dos aprendizes, no ensino.* Paulo muito se preocupava com a "apostasia", dos crentes gálatas. Não sabia ele até que ponto essa apostasia tinha ido. Porém, sabia que o fato de estarem se voltando para os falsos mestres e para as doutrinas errôneas só poderia ser-lhes prejudicial, e que teriam de colher uma safra amargosa. Queria que não se enganassem a si mesmos, e nem fossem iludidos por outros. Faz extraordinária diferença aquilo em que alguém acredita, pois isso é capaz de determinar o que alguém faz. Os crentes gálatas haviam negligenciado o diligente ministério de ensino do apóstolo Paulo; e isso não podiam fazer sem se prejudicarem, porquanto ele era o ministro de Deus a eles enviado, e eles tinham a responsabilidade de dar atenção à sua mensagem.

Não vos enganeis. No grego temos a palavra "planao", que significa "levar alguém a desviar-se"; "desviar-se" (na voz passiva), ainda que, nos escritos de Paulo, sempre signifique "enganar". (Ver I Cor. *6:9; 15: 33; 11* Tim. *3:13* e Tito *3:3).* O engano em que os crentes gálatas laboravam era tanto autoprovocado como *induzido* por outros. Permitiam que os falsos mestres os iludissem, e eles mesmos permitiam, propositadamente, que os seus sentidos se embotassem, o que os levava a se desviarem do caminho de Cristo.

7. *Torcendo o nariz para Deus:* "...de Deus não se zomba..." No grego é *"mukterizo",* que, literalmente, significa "torcer o nariz para", ou seja, "ridicularizar", ou, em alguns casos, "ignorar". No presente texto, essa palavra parece não significar "ridicularizar", e, sim, indicar um tipo de atitude que procura ignorar as leis de Deus com impunidade. Trata-se de uma espécie de tentativa de ser mais "esperto" do que Deus de evadir-se da punição natural e necessária por motivo dessa forma de ação. Porém, conforme o apóstolo dos gentios nos assegura, ninguém pode escapar dessa maneira, e a própria razão e a intuição nos dão a certeza da mesma verdade, para nada dizermos acerca da revelação divina.

8. *Contribuindo para o sustento dos ministros da Palavra.* Este versículo segue-se imediatamente à ordem de darmos aos ministros do evangelho o seu sustento devido. Essa é uma das coisas exigidas dos crentes; e, se for negligenciada por eles, redundará em juízo. Porém, se um crente semear apropriadamente nesse particular, será apropriadamente recompensado em sua colheita, tanto na forma de bênçãos materiais como na forma de vantagens espirituais. Isso faz parte integrante do sentido do versículo, ainda que o verdadeiro sentido seja universal, aplicando-se a todas as questões da vida diária. Assim, pois, aquele que semear liberalmente, também colherá liberalmente, e aquele que semear com parcimônia também colherá com parcimônia. (Comparar com o trecho de II Cor. *9:6,* que fala sobre o mesmo tema da liberalidade nas nossas ofertas para o trabalho de Deus).

9. *A colheita é certa e exatamente de acordo com a semeadura.* No dizer de Rendal *(in loc.):* "Ninguém pode usar de desonestidade com Deus, porquanto ele conhece todos os pensamentos e intuitos do coração".

10. Zombar de Deus é ato que só existe, realmente, na intenção do homem. Na realidade, porém, ninguém pode zombar do Senhor. Não existe tal coisa. E essa verdade

intensifica o impacto do presente versículo.

11. Ceifará. Uma das verdades envolvidas nessa palavra é a da "ceifa", no fim da presente ordem de coisas. Mas cada dia certamente envolve a questão da colheita segundo a semeadura. O sentido escatológico, entretanto, parece ocupar a posição central aqui. (Comparar com Mat. *13:39*).

Este sétimo versículo forma uma das medidas que nos *salvaguardam* a santidade e a liberdade em Cristo. A santidade nos é garantida pela lei universal da colheita segundo a semeadura, o que pode ser aplicado a todos os seres humanos. (Ver as notas expositivas, em Gál. *5:15* no NTI, acerca das várias salvaguardas, no contexto geral desta passagem).

SEMEBER

No hebraico, "esplendor do heroísmo". Era rei de Zeboim, uma pequena cidade-estado da época de Abraão. Ele *e* outros quatro reis, seus aliados, foram derrotados no vale de Sidim, por uma coligação de reis orientais (Gên. *14:2).* Viveu em cerca de *1920* a.C.

SEMEDE

No hebraico, "vigia", embora o sentido seja incerto. Foi cabeça de um clã da tribo de Benjamim. Descendia de Saaraim. Após o exílio babilônico, ele repovoou as cidades de Ono e Lode (I Crô. *8:12).* Viveu em cerca de 445 a.C.

SEMEI

Esse nome, no original grego, aparece com grafias levemente diferentes. Aparece como um ancestral de Jesus, segundo a genealogia de Lucas *(3:26).*

SEMELHANÇA

Esse termo designa um dos princípios básicos do *Associacionismo* (vide). Um objeto mental, devido à sua semelhança, pode invocar outra imagem mental. Russell referiu-se a essa função mental como algo universal, e como indispensável à vida mental.

SEMENTE, SEMENTEIRA

1. *Os Termos.* O hebraico é *zera* e o grego, *sperma* e *sporos*. A Bíblia apresenta usos tanto literais como figurativos desses termos. As palavras aplicam-se a sementes de plantas que geram produtos agrícolas e também aos homens, a semente de procriação, e o fruto dela, o próprio homem. Os descendentes de um homem são as suas sementes.

2. *Sementeira.* A época do plantio na Palestina ocorre após a estação quente, quando as primeiras chuvas (ver *Chuva*) amolecem o solo. Figurativamente, está em vista o esforço para produzir na estação correta e sob as condições adequadas, que são as dádivas de Deus para qualquer empreendimento.

3. *Separação.* Israel não podia plantar várias sementes juntas, mas apenas aquelas de uma colheita, em algum local específico (Lev. 19:9; Deu. 22:9). Isto os lembrava de sua separação espiritual para Yahweh, falando especificamente contra casamentos mistos com pagãos, que representavam a mistura das sementes.

4. *Principais tipos de sementes e colheitas:* trigo, cevada, centeio e vários legumes. Colheitas de cevada maturavam primeiro, 10 semanas após a semeadura e imediatamente antes da Páscoa. Outras colheitas maturavam cerca de seis semanas mais tarde.

5. *A palavra de Deus.* Em Luc. 8:11, Jesus fala da "semente" como a palavra de Deus. A metáfora agrícola tornou-se popular no cristianismo. A semente é plantada, germina e assim a verdade cria raízes no coração humano. A semente espiritual torna-se um povo espiritual (I Ped. 1:23). Há uma semente corruptível que produz a carnalidade e o caos. Ver os artigos *Agricultura* e *Agricultura, Metáfora de.*

SEMI-ARIANISMO

Essa é a posição que dizia que o Filho *é semelhante* ao Pai (no grego, *homoiousian,* "de natureza similar"; vide). Nesse caso, o Filho nem seria diferente do Pai (no grego, *heteroousian,* "de natureza diferente"), conforme dizia o *arianismo* comum (vide), e nem seria idêntico ao Pai (no grego, *homoousian,* "da mesma natureza").

O concílio de Nicéia (vide) decretou essa última das três posições, a qual se tornou, desde então, o padrão da ortodoxia. Ver o artigo geral intitulado *Cristologia,* onde é oferecida uma descrição das inúmeras idéias que existem, na teologia, acerca da natureza de Cristo, por meio das quais os homens tentam explicar o que constitui, em sua essência, um mistério.

SEMIDA

No hebraico, "fama do conhecimento". Ele foi um gileadita, descendente de Manassés, cujo nome encontra-se no segundo recenseamento feito por Moisés, ainda no deserto (Núm. 26:32; Jos. 17:2; 1 Crô. 7:19). - Ele foi pai de Aiã, Siquém, Liqui e Anião, bem como o ancestral epônimo dos semidaítas, que se estabeleceram no território de Manassés, no tempo de Josué. Viveu em cerca de 1450 a.C.

SEMIPELAGIANISMO

Ver o artigo geral chamado *Pelagianismo.* O semipelagianismo era uma doutrina defendida em vários mosteiros gauleses dos séculos V e VI d.C., afirmando que o homem precisa de uma ajuda divina especial para vencer o pecado original, e que essa ajuda lhe era oferecida, embora o homem precisasse dar o primeiro passo. Por outro lado, os que acreditam em uma predestinação estrita negam a capacidade de o homem dar esse primeiro passo. No entanto, a verdade é que as Escrituras conclamam o homem a fazer exatamente isso, considerando o homem uma criatura responsável, dotada de livre-arbítrio, sem com isso negar a verdade da predestinação. Ver os artigos intitulados *Determinismo, Livre-Arbítrio* e *Predestinação.*

SEMIRAMOTE

No hebraico, "fama do mais alto". Há dois homens com esse nome, nas páginas do Antigo Testamento:

1. Um músico levita que proveu música quando a arca da aliança estava sendo transferida da casa de Obede-Edom para Jerusalém (I Crô. 15:18,20), e que ajudou no aspecto musical do culto, diante da arca, depois dessa ocasião (I Crô. 16:5). Viveu em cerca de 1015 a.C.

2. Um levita que foi incumbido de ensinar a lei nas cidades de Judá (II Crô.17:8). Viveu em cerca de 910 a.C.

SEMITAS

1. *Usos iniciais do termo.* A palavra "semitas" foi usada pela primeira vez por Johann Gottfried Eichhorn, em 1787, em seu livro *Introdução ao Antigo Testamento,* sem aderência às definições bíblicas no tangente a quais nações descenderam de Sem, o filho de Noé. Ele chamou os seguintes povos de *semitas:* habitantes da Fenícia, Síria, das regiões do Tigres e Eufrates. Foi apenas em 1871 que o termo passou a ser usado estritamente para referir-se aos descendentes de Sem. A. L. Scholozer apelou à história

SEMITAS – SEMITAS, RELIGIÃO DOS

da Tabela de Nações de Gên. 10 para montar sua lista. Alguns estudiosos, contudo, estão seguros de que os descendentes de Sem não correspondem inteiramente àqueles que falam as línguas semíticas. *Elão*, por exemplo, que é listado em Gên. 10:22, não fazia parte de um povo que falava uma língua semítica. Outras confusões entram aqui: pessoas chamadas de descendentes de *Cão*, como os cananeus e os sidônios, eram semitas lingüísticos. Compreendemos que a Tabela de Nações de Gên. 10 não é um registro científico, o que, sem dúvida, está além do conhecimento de seu autor. A lista não é totalmente etnológica, mas falha em considerações geográficas.

2. *As linguagens semíticas, semitas do leste*: babilônico e assírio; *semitas do noroeste*: dialetos aramaicos; dialetos cananitas como o hebraico, fenício, moabita e ugarítico; *semitas do sul*: dialetos arábico e etíope. Os dialetos de todos esses povos (exceto o acádico e o etíope) eram escritos da esquerda para a direita e, originalmente, empregavam apenas consoantes. O acádico e o etíope foram os primeiros a empregar vogais. O ugarítico era registrado em escrita cuneiforme e da esquerda para a direita. Essas línguas compartilham grande porção de palavras de gramática semelhante.

3. *Local geográfico original*. Não há resposta certa a este problema, mas o Crescente Fértil, desde o início da civilização, fornece evidências, através de descobertas arqueológicas, de ter sido o lar dos povos semíticos. Estudiosos modernos não limitados pela Tabela das Nações classificam os povos que falavam línguas semíticas como sendo os verdadeiros (cientificamente falando) semitas: os povos da Síria, Iraque, Jordânia, Israel, Arábia, muito da Turquia, Líbano e o norte da África. As migrações, é claro, "semitizaram" grandes partes de praticamente todos os continentes, particularmente os movimentos dos judeus e dos árabes.

4. *Religião*. Ver artigo separado sobre os *Semitas, Religião dos*.

SEMITAS, RELIGIÃO DOS
Esboço:
1. O Termo Semitas
2. Idiomas Semíticos
3. Religião dos Semitas

1. O Termo Semitas
Esse termo foi usado pela primeira vez por A.L. Scholozer, em 1781; e desde então tornou-se um vocábulo universalmente empregado. Baseia-se sobre o trecho de Gên. 10:22, onde é dito que os filhos de Sem foram Elão, Assur, Arfaxade, Lude e Arã. As áreas envolvidas são as regiões dos rios Tigre e Eufrates: Elão, um país ao sul da Babilônia, às margens do golfo Pérsico; Assur, a antiga Assíria; Arfaxade, os atuais judeus e árabes; Lude, na Ásia Menor. Arã, os sírios e outros. Na opinião de alguns, os descendentes de Sem (com base em quem surgiu o termo) não correspondem exatamente aos povos semitas. Assim, Elão não teria sido um povo semita.

Os cananeus, incluindo os sidônios (ver Gên. 10:15), como descendentes de Cão, embora fossem semitas. Mas talvez tenha havido uma antiga conexão racial, semito-camita, conforme é sugerido pelas similaridades entre os seus idiomas. A tabela das nações, no décimo capítulo do Gênesis, não é inteiramente etnológica, pois pelo menos em parte é geográfica. Apesar de tais dificuldades, podemos obter uma idéia regularmente boa de quem eram os antigos povos semitas. Não há certeza de que centro os semitas se espalharam, mas o chamado Crescente Fértil (vide) parece ser tão boa hipótese como qualquer outra. Atualmente, a designação "povos semitas" segue linhas lingüísticas, incluindo os habitantes da Síria, do Iraque, da Jordânia, de Israel, da Arábia e de uma elevada porcentagem da Turquia, do Líbano e do Norte da África. A influência semita sobre o mundo ocidental deve-se principalmente aos judeus, um dos povos semitas. Os árabes, também semitas, têm influenciado a África, e, historicamente, o sul da Europa.

2. Idiomas Semíticos
a. Do Oriente: Acádico, babilônio e assírio; b. do Norte: Aramaico, siríaco, mandeano (linguagem em que foi escrito o Talmude babilônico), inscrições em aramaico, aramaico palestino, judaico e cristão, palirene, nabateu, cananeu ou amorreu (fenício, ugarítico-Ras Shamra-hebraico, moabita, púnico (Cartago); c. do Sul: Árabe, árabe clássico, dialetos modernos, inscrições em mineano e saberano, etíope.

3. Religião dos Semitas
Seria melhor falarmos em "religiões dos semitas", face à grande variedade de povos semitas que ocupavam uma extensa região geográfica, e que, naturalmente, não tinham uma única religião, mas muitas. Não obstante, é digno de atenção que as três grandes religiões monoteístas originaram-se entre os semitas: o judaísmo, o cristianismo e o islamismo. O monoteísmo é importante porque assinalou uma espécie de novo começo no pensamento religioso. Houve desenvolvimentos similares na religião egípcia e entre pensadores como Xenófanes e Platão, estes da cultura grega; mas essas foram instâncias comparativamente isoladas de monoteísmo. E. Renan afirmou que "a tenda dos patriarcas semitas foi o ponto de partida do progresso religioso da humanidade".

Antes do advento do monoteísmo, houve grande variedade de formas religiosas, que os eruditos têm chamado de totemismo (W. Robertson Smith); adoração aos ancestrais (Herbert Spencer); polidemonismo (J. Wellhausen); e, naturalmente, o animismo, do qual todas as antigas culturas compartilharam, em seus estágios iniciais de desenvolvimento religioso. Naturalmente, o politeísmo é mais antigo que o monoteísmo. O primeiro passo de afastamento para longe do politeísmo foi o henoteísmo (vide), que é a noção de que apesar de existirem muitos deuses, só somos responsáveis diante de um deles. Isso envolve um monoteísmo prático, embora um politeísmo teórico. E mesmo entre os hebreus, conforme pensam alguns especialistas, não se estabeleceu um verdadeiro monoteísmo senão já no tempo de Moisés. Esses acreditam que antes de tudo predominou entre eles o politeísmo, e em seguida, o henoteísmo. As dificuldades enfrentadas por Moisés para manter sua gente longe da idolatria foram causadas pelo fato de que todo o pendor da raça era para o politeísmo e a idolatria. Na verdade, os israelitas só se expurgaram da idolatria com o cativeiro babilônico!

O polidemonismo (divindades secundárias em grande número, conforme o sentido original da palavra grega *daemon*), com uma expressão animista, era comum entre os antigos povos semitas, bem como de muitos outros povos da antiguidade. Eles consideravam as pedras, as árvores, os mananciais, os montes e outros lugares e formações da natureza como residências de espíritos. Cada um desses poderes era chamado *il* ou *el* (um poder, uma força). Como é sabido, *El* veio a tornar-se uma das três designações principais dadas a Deus, na religião hebraica; esse nome é formativo de muitos nomes próprios em

SEMITAS, RELIGIÃO DOS – SENAQUERIBE

hebraico, como Israel, Ismael, Daniel, Miguel, etc. Alguns pensam que a narrativa sobre Hagar (ver Gên. 16:13,14), que foi salva da morte pelo poder divino, no deserto, significa que, naquele lugar, ela encontrou um el. Outro tanto aplicar-se-ia, conforme alguns eruditos, à pedra que figura conspicuamente na história sobre Jacó (ver Gên. 31:33; 35:7,15). Além disso, temos o nome Betel, o lugar onde o Deus Todo-Poderoso veio visitar Jacó, estabelecendo o rumo de sua vida futura.

El foi crescendo em importância até desalojar divindades locais. Nos poemas fenícios (nos tabletes de Ras Shamra), *El* aparece como o "pai de anos", a divindade suprema. Usando de algum sincretismo, Filo de Biblos identificava-o com *Kronos*. Entre os árabes, El finalmente veio a tornar-se *Allah (ou* Ilah), o único Deus. No livro de Jó, *El* aparece como o único verdadeiro Deus.

Outros nomes divinos também devem ser considerados. Mui provavelmente, representam antigas divindades do panteão politeísta, mas que os patriarcas hebreus aplicaram ao verdadeiro Deus. *Adonai* era o Deus de Abraão (ver Gên. 15:2). *Yahweh foi* nome que Deus aplicou a si mesmo, em sua teofania a Moisés (ver Êxo. 6:3). Mas esse nome não aparece isolado na cultura hebréia, pois também figura na literatura de outros povos do Oriente Próximo. Ver o artigo geral intitulado *Deus, Nomes Bíblicos de*.

As religiões semíticas não estabeleciam a clara distinção, prevalente entre nós, entre preceitos morais e preceitos cerimoniais. Aquilo que, segundo era crido, fora imposto ao clã (e, finalmente, à nação), sem importar se ritual, cerimonial ou sacrificial, era recebido como de obrigação moral e espiritual. Sacerdócios foram formados para a realização apropriada das obrigações religiosas, além de proverem liderança religiosa e política para o povo. Peregrinações e festas que consolidavam as culturas, a princípio não requeriam qualquer sacerdócio formal; mas, à medida que iam crescendo as populações, foi-se fazendo mister algum tipo de autoridade centralizada. Os primeiros sacerdotes dos semitas eram adivinhos, conforme é confirmado por abundantes evidências arqueológicas; e esse detalhe foi incorporado nos sacerdócios que se seguiram, como uma importante função que se esperava daqueles líderes religiosos.

"A integridade do clã era garantida pelo governo férreo dos costumes ancestrais, onde não se fazia qualquer distinção entre obrigações ou tabus sociais, legais, éticos e religiosos. Foi dentre começos assim crus que surgiu o politeísmo dos reinos semíticos civilizados, e, mais tarde, as grandes religiões monoteístas" (E). Ver os artigos separados sobre *Judaísmo* e sobre *Israel,Religião de*.

SEMUEL

No hebraico, "ouvido por Deus". De acordo com nossa versão portuguesa, há somente um homem com esse nome exato, a saber, um filho de Tola, cabeça de um clã da tribo de Issacar (I Crô. 7:2). Seus descendentes eram homens aguerridos nos dias de Davi. Há outros dois homens com o nome de "Samuel", mas que algumas versões dão como Semuel. Esses homens são:

1. Samuel, filho de Amiúde, representante da tribo de Simeão, quando da divisão das terras de Canaã (Núm. 34:20). Viveu em cerca de 1450 a.C.

2. Samuel, filho de Elcana e pai de Joel, referido em I Crônicas 6:33. Seu neto, Hemã, foi um dos cantores levitas.

SENAÃ

No hebraico, "cerca de espinhos". Nos livros apócrifos, na LXX, *Sanaás*. Era um clã ou uma família que se encontrava entre os exilados que voltaram da Babilônia em companhia de Zorobabel (Esd. 2:35; Nee. 7:38; em I Esdras 5:23, Senaás ou Annaás). Senaã ajudou a reconstruir as muralhas de Jerusalém (Nee. 3:3). É possível que ele seja o mesmo "Hassenua", referido em I Crônicas 9:7 e Neemias 11:9, como um clã de Benjamim. Nesse caso, essa forma entre aspas seria a forma correta do nome.

SENADO, SENADOR

Termos

Hebraico: *zagen* (idoso, ancião). O termo de modo geral se refere meramente a um homem de *idade adiantada*, mas com certa freqüência fala de homens mais velhos com autoridade religiosa e política e, ocasionalmente, do corpo regente, o sinédrio, isto é, o corpo inteiro de anciãos que agia como um tipo de suprema corte em Israel. Alguns exemplos são: Gên. 50:7; Êxo. 3:16; 4:29; Lev. 4:15; Núm. 11:16, 24, 25, 30; Deu. 5:23; Jos. 7:6; Juí. 2:7; I Sam. 4:2, 4 9; I Crô. 11:3; II Crô. 5:2.4; Sal. 105:22.

Grego: *gerousia* (primogenitura); *geron*, velho, (apenas em João 3:4). Um "corpo deliberativo" emprega os primeiros desses termos (ver Atos 5:21). Está em vista o sinédrio judaico.

Latim: senatus (*senado*, assembléia dos *antigos*, de *senex*, homem velho). O Senado Romano original era composto por 100 membros. Depois, o número subiu a 300 e incluiu um elemento da plebe que quebrou o domínio exclusivo de políticos. Na época do Império, Júlio César elevou o número a 900. Augusto fez o número retornar a 600 e adicionou exigências de idade e propriedade aos membros potenciais. *Tarefas*. Sob o Império, o Senado manteve a religião do Estado; propriedades e finanças supervisionadas pelo governo; províncias senatoriais controladas; tarefas legislativas, incluindo a ratificação das decisões do imperador; nomeação de todos os magistrados, exceto os cônsules.

SENAQUERIBE

Ver o artigo geral sobre a *Assíria* e também o artigo sobre *Salmaneseres*, muitos dos quais tinham algum tipo de relacionamento com a história de Israel.

Sargão II é mencionado no Antigo Testamento somente em Isa. 20:1. Mas as escavações feitas em seu esplêndido palácio, em Dur Sarruquim ou Corsabade, com muitas descobertas, fizeram dele um dos mais bem conhecidos reis assírios. Seu filho Senaqueribe sucedeu-o ao trono em 704 a.C., governando a Assíria até 681 a.C. As crônicas da Babilônia informaram que ele foi assassinado pelo próprio filho. Seu filho mais jovem, não envolvido no assassinato, teria perseguido seus irmãos rebeldes, presumivelmente comparsas no crime, até o sul da Armênia. Senaqueribe foi um construtor, não apenas um guerreiro, tendo erguido palácios, portões e templos em Nínive. Também concebeu aquedutos e represas. Prisioneiros, entre os quais havia judeus, foram forçados a ajudar nessas obras.

O nome Senaqueribe deriva do acádico Sinahhe-erriba, que significa "o pecado tem aumentado ou substituído os irmãos perdidos". Seu nome mostra que ele não era o filho mais velho de Sargão II, embora tenha ocupado seu lugar no poder. Um homem corajoso diante de circunstâncias difíceis, foi uma escolha lógica para o poder, deixando os outros filhos de Sargão de escanteio.

História. Ele serviu como o administrador no interior assírio enquanto seu pai realizava campanhas militares para aumentar a glória do Império. Depois de Sargão ter sido

SENAQUERIBE – SÊNECA

morto em batalha, Senaqueribe dissociou-se da imagem e das obras de seu pai, pois considerava a morte paterna um sinal de desprazer divino. Ele deixou a recém-construída capital e, ao contrário do costume assírio, omitiu sua genealogia nas inscrições oficiais. Transformou a antiga Nínive em capital e logo a embelezou com grandes avenidas, construiu aquedutos para trazer água dos morros, e plantou árvores e jardins.

Senaqueribe fez várias campanhas militares em terras estrangeiras, principalmente contra a Babilônia, para checar suas expansões de limites e avanços que ameaçavam o bem-estar da Assíria. Seus sucessos em batalha detiveram, por algum tempo, a ameaça. A vitória da coroação ocorreu em Musezibe-Marduque na Babilônia. Ele cercou a cidade por nove meses. Quando a capturou, massacrou brutalmente os habitantes, levou o grande ídolo do deus Marduque de volta a Nínive e, assim, alcançou um período de paz.

Em 701 a.C., ele liderou uma expedição à Palestina para restabelecer o pai de Ecron, que havia sido deposto por seus súditos. Sua ocupação de Láquis foi ilustrada vivamente por afrescos feitos no palácio real em Nínive. Tendo obtido significativa vitória em Láquis, decidiu aterrorizar Jerusalém e o rei Ezequias de Judá. Os anais assírios contam-nos que ele prendeu o rei da Judéia "como um pássaro em uma gaiola". Ezequias fez a paz ao pagar um pesado tributo, mas essa não é a história que a Bíblia conta. Ver II Reis 18-19 e Isa. 36-37. Segundo esses relatos, uma intervenção divina, através do anjo do Senhor, deixou 185.000 assírios mortos nos portões de Jerusalém, o que obrigou Senaqueribe e seu exército (ou o que sobrava dele) a simplesmente voltar para casa (II Reis 19:35-37). Pouco depois esse rei foi assassinado por seu próprio filho. Tentativas de reconciliar os relatos dos anais assírios e da Bíblia são as que seguem: 1. Os registros assírios estão corretos. Mas foi inventada uma história supernatural para aliviar a vergonha de Judá e fornecer um relato teológico mais aceitável. 2. Os dois relatos não são do mesmo evento: a primeira ameaça do exército assírio ocorreu em algum momento antes de 689 a.C. e é a história mencionada nos registros daquele país. Outra invasão ocorreu após essa data, e é aquela mencionada na Bíblia. Tal invasão malsucedida ficou fora dos anais porque representava uma vergonha para o Império Assírio. 3. O que é descrito na Bíblia foi de fato uma devastadora *praga* que um historiador judeu considerou um ato de Deus, rotulando-a como o "anjo do Senhor". 4. Uma história contada por Heródoto (ii.141) é vinculada por alguns à questão. De acordo com esse relato, uma grande infestação de camundongos do campo ocorreu, e a multidão dessas criaturas devorou os porta-flechas e os arcos dos inimigos, assim como as correias que mantinham seus escudos na altura do peito. O exército debilitado tentou lutar, mas sem as armas, sofreu grande perda. Essa história, contudo, é mais difícil de acreditar do que as outras já apresentadas. De qualquer modo, seja qual for o *modus operandi* da derrota do exército de Senaqueribe, foi eficaz. O exército assírio foi barrado nos portões de Jerusalém. Além disso, sabemos que a intervenção divina às vezes ocorre, portanto deixemos a história da Bíblia ficar como está e não nos preocupemos com a interpretação dos detalhes.

Em casa, Senaqueribe realizou um governo firme mas humano. Sua mulher, Naquia-Zakutu, que tinha forte sentido estético, encorajou o embelezamento de Nínive e a realização de programas úteis de construção. Isso ele fez com habilidade singular. Construiu um palácio para si que não teve rivais, mas não esqueceu o bem comunitário. A arqueologia descobriu este lugar e ele foi aberto à visitação pública em 1965. Evidentemente Senaqueribe inventou novas técnicas arquitetônicas, fez novos canais, introduziu o plantio de algodão na Assíria.

Sua morte (II Reis 19:37) resultou do violento assassinato por parte de um de seus filhos. Alguns dizem que dois filhos estavam envolvidos, e isso provavelmente está correto. Senaqueribe foi morto enquanto louvava no santuário do deus Nisroque. Seus assassinos fugiram para Ararate, e outro filho, Esar-Hadom, reinou em seu lugar. Os registros assírios não mencionam a história posterior de seus filhos exilados e há contradições no tangente aos últimos dias e à morte de Senaqueribe. Seu neto, Assurbanipal diz que ele foi "esmagado" entre as figuras das deidades protetoras", o que significaria uma morte acidental ou um eufemismo para um "assassinato esmagador".

SENAZAR

No hebraico, derivado (transliterado) do acádico (babilônico), "Sin (o deus-lua) é protetor". Este era o nome de um dos filhos de Jeconias (Conias), irmão de Salatiel (I Crô. 3:18), que viveu cerca de 606 a. C. Ele era tio de Zorobabel.

SENÉ

No hebraico, "espinheiro" ou "arbusto". Era o nome de uma das projeções rochosas que ficava na "passagem de Micmás" (I Sam. 14:4). Essa era uma via de acesso importante às terras altas da Judéia. O wadi Qelt está situado em suas partes mais baixas. Foi ali que Jônatas e seu escudeiro subiram para examinar o acampamento dos filisteus (I Sam. 14:4) quando eles se preparavam para a batalha. Josefo parece referir a este lugar como o último acampamento de Tito antes de seu ataque a Jerusalém. O local ficava (fica) cerca de 11 km ao nordeste de Jerusalém. Talvez o wadi es-Suweinit marque o antigo local.

SÊNECA, LUCIUS ANNEUS

Suas datas foram 3 - 65 d.C. Ele foi um filósofo romano de convicções estóicas. Nasceu em Córdoba, na Espanha. Foi educado por filósofos estóicos romanos, e acabou por tornar-se um dos líderes dessa escola filosófica. No império romano, atingiu a posição de questor e durante algum tempo, foi mestre de Nero, que veio a tornar-se imperador. Durante o governo de Nero, tornou-se cônsul, e era considerado em grande estima. No entanto, posteriormente foi acusado de ter-se envolvido em uma conspiração contra o imperador, e foi forçado a cometer suicídio, por ordem de Nero.

Sêneca foi pensador influente e habilidoso escritor. Influenciou certas idéias da Igreja primitiva, e seus escritos continuaram a ser lidos com entusiasmo pelos estudantes das obras clássicas. À semelhança dos filósofos romanos em geral, ele não foi um pensador original. Porém, tal como Epicteto e Marco Aurélio, ele era dotado de considerável habilidade na expressão de suas idéias. Ele foi um mestre devotado dos ideais éticos e religiosos, e escreveu com maestria sobre problemas morais. Seus ensaios e suas cartas eram muito lidos pelos antigos cristãos; mas, na atualidade, somente os estudantes dos clássicos, com raríssimas exceções, familiarizam-se com sua impressionante contribuição literária.

Idéias:

1. Sêneca preferia o ideal estóico romano, que consistia em moderação e vida impoluta, em vez da apatia dos estóicos gregos.

2. Para ele, as principais virtudes são a moderação, a compaixão e a justiça. Muitas de suas declarações fazem-nos

lembrar de Paulo. Não há que duvidar que tanto ele quanto Paulo valeram-se do fundo dos filósofos estóicos romanos quanto a várias de suas idéias e declarações sobre questões morais. As cartas apócrifas de Paulo e Sêneca mostram que os dois eram, de alguma maneira, identificados na mente dos antigos. Ofereço um artigo separado, chamado *Paulo e Sêneca, Cartas de,* que ilustra esse ponto.

3. O ideal da universalidade, "eu sou um cidadão do mundo", exerceu influência sobre as leis romanas, levando-a a mostrar-se mais liberal para com os estrangeiros, e facilitando a obtenção da cidadania romana pelos mesmos.

4. As doutrinas estóicas foram importantes na preparação do caminho para o cristianismo, o qual precisava medrar em um solo mais universal, congraçando os povos.

5. As leis naturais tornaram-se, finalmente, uma importante consideração na filosofia moral. E foram os filósofos estóicos que desenvolveram essa idéia na antiguidade. Esse conceito também exerceu influência sobre as leis romanas.

6. O exaltado conceito da natureza humana fazia parte importante do estoicismo.

7. "A mensagem (de Sêneca) era a insistência estóica de mistura com nuanças que mostravam alguma semelhança com a moralidade cristã. Devemos seguir a virtude, desconfiando das emoções e vencendo o mal com o bem. Visto que todos os seres humanos são irmãos, devemos praticar a benevolência universal" (P).

Escritos: *Investigações Físicas; Sátira sobre a Morte de Cláudio; Doze Diálogos; Cartas a Lucílio.*

SÊNECA E PAULO
Ver sobre **Paulo e Sêneca, Cartas de.**

SENHOR
Esboço:
1. Grande Número de Usos: o Teísmo
2. Palavras Hebraicas Envolvidas
3. A Palavra Grega Envolvida

1. Grande Número de Usos: o Teísmo

"Senhor" é a tradução portuguesa mais comum para as palavras bíblicas que indicam os nomes divinos. Ver o artigo geral *Deus, Nomes Bíblicos de.* A palavra "Senhor" aparece por oito mil vezes na Bíblia portuguesa como um nome de Deus, no Antigo Testamento, e por cerca de setecentas vezes no Novo Testamento, onde, na maioria das vezes, refere-se ao Senhor Jesus.

A grande freqüência com que essa palavra é usada mostra até que ponto a Bíblia é um livro teísta. O teísmo ensina que Deus não somente é a fonte originária da vida que criou, mas também está permanentemente interessado pela sua criação; ele recompensa e castiga; ele guia os homens e manifesta-se a eles. Em contraste, o Deus concebido pelo *deísmo* (vide), apesar de também ser a fonte de toda a vida, é uma personagem ou uma força divorciada de sua criação, pois permitiu que as leis naturais governassem a criação. Ver o artigo sobre o *Teísmo.*

2. Palavras Hebraicas Envolvidas

a. *Yahweh.* Embora esse nome divino esteja vinculado à idéia de autoexistência, de vida divina necessária, a origem de toda outra vida, geralmente foi traduzido como Deus ou Senhor, simplesmente. No artigo *Deus, Nomes Bíblicos de,* oferecemos completas descrições a respeito.

b. *Adon,* um antiqüíssimo nome de Deus que denota "propriedade", "controle", ser "senhor de escravos". Esse termo é aplicado a Deus como o proprietário e o dirigente da terra inteira (Êxo. 23:12; Sal. 114:7); mas também é freqüentemente empregado para indicar os senhores e proprietários humanos, como aqueles que possuíam escravos (ver Gên. 24:14; 39:2,7), ou um rei que governava os seus súditos (Isa. 26:13), ou um marido que dirigia a sua esposa (Gên. 18:12). Também era bastante usado como pronome de tratamento, conforme fazemos com a palavra portuguesa "senhor".

c. *Adonai,* "Senhor", talvez a forma plural de *Adon.* Esse nome aparece sobretudo no Pentateuco. Tem os mesmos sentidos de *Adon,* tendo sido usado por mais de trezentas vezes no Antigo Testamento. Essa palavra, quanto às suas letras vogais (no hebraico, seus sinais vocálicos), em combinação com as letras consoantes do nome divino *Yahweh* (no hebraico, *Yhwh),* deu um pseudônimo de Deus, *Jeová* (vide), que os hebreus de épocas posteriores começaram a usar para evitar de pronunciar o verdadeiro nome de Deus. Para eles, o tetagrama YHWH era o nome inefável de Deus.

d. *Adonai Yahweh* aparece em combinação, sendo usualmente traduzido por Senhor Deus. Ocorre por muitas vezes (ver Êxo. 34:23).

e. *Baal,* "senhor", "mestre". Refere-se a divindades pagãs ou a senhores humanos, maridos, peritos em suas artes ou ofícios, mas nunca ao Deus do Antigo Testamento.

f. *Shalish,* "senhor", homem dotado de autoridade (II Reis 7:2,17).

g. *Seren,* termo usado para indicar oficiais filisteus, segundo se vê nos livros de Josué, Juízes e I Samuel. Essa palavra também apontava para nobres babilônicos (Dan. 4:36; 5:1,8,10,23; 6:17).

h. *Mare,* "mestre" (ver Dan. 2:10).

i. *Rab,* "chefe", "capitão" (Dan. 2:10).

j. *Sar.* Um título nobiliárquico, indicando alguma pessoa importante durante o período medo-persa (Esd. 8:25).

3. A Palavra Grega Envolvida

Na Septuaginta e no Novo Testamento, a palavra grega traduzida por "Senhor" é *kúrios.* Essa palavra grega foi usada como tradução de dois termos hebraicos, *Yahweh* e *Adonai.* No Novo Testamento, Deus Pai é endereçado como o Senhor dos céus e da terra (ver Mat. 9:38; 11:25; Atos 17:24; Apo. 4:11). Entretanto, mais comumente, o termo grego *kúrios* é usado no Novo Testamento para indicar o Filho, Jesus Cristo. Jesus, na sua qualidade de Messias, é assim chamado (ver Atos 10: 36; Rom. 14:8; I Cor. 7:22; 8:6; Fil. 2:9-11). A invocação de Jesus como Senhor tornou-se fundamental na adoração cristã (I Cor. 1:2,3; 12:3; Rom. 10:9). Esse título de Jesus, "Senhor", tornou-se parte comum das orações dos cristãos (ver Atos 7:59,60; 22:840; II Tes. 1:16). Algumas parábolas usam essa palavra quando falam acerca de Jesus, o Messias, em sua autoridade. Ver Mat. 24:45-51; 25:13-30; Luc. 12:35-38. Ele é o Senhor da casa (Mar. 13:35); ele é o Senhor do sábado (Mar. 2:28); ele é o Senhor de todos (Atos 10:36); ele é o Senhor da glória (I Cor. 2:8; Tia. 2:1); ele é o Senhor dos Senhores (Apo. 17:14; 19:16); ele é o "meu Senhor e meu Deus" (João 20:28).

Níveis de uso, no tocante a Jesus: a. Senhor, rabi, um título de respeito; b. seu ofício messiânico; c. sua divindade, como nos títulos exaltados, acima mencionados. Na maioria das vezes, quando os discípulos dirigiam-se a Jesus como Senhor, eles entendiam o tratamento no primeiro desses sentidos. A teologia cristã, porém, desenvolveu os outros dois usos, embora tenhamos precedente para esse uso exaltado do título em alguns dos livros pseudepígrafos, sobretudo I Enoque, onde o Messias aparece, como uma figura e um poder

SENHOR – SENHORA ELEITA

celestiais, e não meramente um homem que viria cumprir alguma missão humana especial.

O Título Conforme Usado para Homens. Nesses casos, o termo grego *kúrios* tem apenas a força de um pronome de tratamento respeitoso, "senhor", podendo também ser um título de algum oficial ou governante. Os oficiais militares, bem como todos os oficiais, também são chamados "senhores". O marido é o "senhor" de sua mulher (I Ped. 16). Como pronome de tratamento comum, temos essa palavra grega em Mat. 25:11; João 12:21; 20:15; Atos 16:30; Apo. 7:14. Outro tanto era dito acerca dos proprietários (ver Gál. 4:1; Mat. 20:8; Luc. 20:13).

SENHOR (PROPRIETÁRIO)

Essa palavra portuguesa aparece em textos que, em nossa Bíblia portuguesa, falam sobre algum *proprietário ou senhor* (humano ou divino), *instrutor ou déspota* (soberano). Neste artigo, seguimos os vocábulos hebraicos e gregos com seus respectivos significados:

1. *Adon,* palavra hebraica de sentido geral, que pode indicar qualquer tipo de dirigente, possuidor ou proprietário. Assim eram chamados os proprietários de escravos (Gên. 24:14,27; 39:2,7); um governante que tivesse súditos (Isa. 26:13); um marido que era o senhor de sua mulher (Gên. 18: 12); qualquer tipo de governante que merecesse respeito (Gên. 45:8); um ancião, pai ou irmão mais velho de uma família, que era o dirigente da mesma (Gên. 31:35; Núm. 12: 11); alguém que era possuidor de alguma coisa (I Reis 16:24).

2. *Baal,* palavra hebraica que indica qualquer tipo de senhor, humano ou divino: o proprietário ou chefe de uma casa, como o marido e pai de família (Gên. 20:3; Deu. 22:22); um proprietário de terras (Juí. 9:2; I Sam. 23:11); o proprietário de uma casa (Juí. 19:22); o deus pagão Baal, uma divindade do noroeste semítico, deus da tempestade, e que, gradualmente, se tornou a principal divindade dos fenícios, e cujo culto foi uma influência tão corruptora em Israel.

3. *Rab,* palavra hebraica que significa "grande" ou "chefe". Em Dan. 1:3 lemos sobre o "chefe dos seus eunucos". Também se lê sobre o "chefe dos magos", em Dan. 4:9 e 5:11.

4. *Sar,* palavra hebraica que envolve a idéia de líder ou comandante. Pode referir-se a uma pessoa ou a um lugar. Em I Reis 22:26 a alusão é a uma cidade; em Gên. 39:22 refere-se a um carcereiro; em Êxo. 2:14 e Isa. 23:8 a um príncipe. Gên. 21:22 exibe a palavra, no sentido de um comandante.

5. *Oikodespótes,* palavra grega que significa "dono da casa" ou "chefe de família". Essa palavra é usada por treze vezes nas páginas do Novo Testamento: Mat. 10:25; 13:27,52; 20:1,11; 21:33; 24:43; Mar. 14:14; Luc. 12:39; 13:25; 14:21 e 22:11.

6. *Didáskalos,* "professor", "mestre". Essa é a palavra neotestamentária equivalente ao termo hebraico *rabi.* É um título comum aplicado a Jesus, o grande Mestre. Esse termo aparece por cinqüenta e oito vezes no Novo Testamento, segundo se vê, por exemplo, em Mat. 8:19; 9:11; 12:38; 22:16,24,36; Mar. 4:38; 5:35; 9:17; 10:17,20; João 1:38; 8:4; 11: 28; 20:16; Atos 13: 1; Rom. 2:20; I Cor. 12:28,29; I Tim. 2:7; II Tim. 1: 11; 4:3; Heb. 5: 12 e Tia. 3: 1.

7. *Kathegetés,* "professor", "instrutor". Essa palavra aparece somente por uma vez, em Mat. 23:8-10. *Um só é o nosso mestre; e todos nós somos irmãos.*

8. *Epistátes,* "posto acima de", "supervisor". Pode substituir a palavra hebraica *rabi.* É usada como sinônimo de *didáskalos.* A palavra é usada somente por Lucas, em todo o Novo Testamento: Luc. 5:5; 8:24,45; 9:33,49; 17:13. A forma verbal, *epístamai,* significa "saber", "conhecer". Um cognato dessa palavra *epistemologia,* a teoria do conhecimento.

9. *Kubernétes,* palavra grega que significa "piloto", "mestre do navio". Ver Atos 27:11 e Apo. 18:17. O substantivo *kubérnesis,* que nossa versão traduz por "socorros", em I Cor. 12:28, segundo vários estudiosos, aponta para o dom ministerial do "pastor", como aquele que dirige a Igreja local.

10. *Kúrios,* a palavra grega mais comum para "senhor", tanto os humanos quanto o próprio Deus. Essa palavra conota possessão de autoridade. A raiz, *kúros,* significa "poder", "autoridade". É usada por nada menos de setecentas e quarenta e nove vezes no Novo Testamento, sendo usada como um título comum do Senhor Jesus. Ocorre pela primeira vez em Mat. 1:20, referindo-se a Deus, e sua última ocorrência fica em Apo. 22:21, o último versículo, da Bíblia: "A graça do Senhor Jesus seja com todos".

11. A transliteração para o grego da palavra hebraica *rabi* é usada no evangelho de João. Ver João 4:31; 9:2; 11:8. Mat. 26:25,49 tem um uso similar. O trecho de Mat. 23:7 usa a palavra como título dos mestres judeus, onde se aprende que o Senhor Jesus ensinou que não devemos cobiçar tais títulos.

SENHOR, CEIA DO
Ver *Ceia do Senhor* e *Eucaristia.*

SENHOR, DIA DO
Ver *Dia do Senhor.* Ver também *Domingo, Dia do Senhor.*

SENHOR, MESA DO
Ver sobre **Ceia do Senhor e Eucaristia.** A referência a respeito encontra-se em I Cor. 10:21. A liturgia da Igreja Ortodoxa Oriental e da comunidade anglicana prefere a expressão "Santa Mesa", referindo-se à Ceia do Senhor. É que no latim, o termo *mensa,* "mesa", refere-se à tampa superior do altar; e essas comunidades, tal como também o faz a Igreja Católica Romana, pensam que a Ceia do Senhor é um sacrifício, posto que incruento (sem derramamento de sangue). Isso explica o nome "missa", que significa "sacrifício". Para os protestantes e evangélicos, entretanto, a *Mesa do Senhor* é apenas um sinônimo da Ceia do Senhor, que apenas comemora o único e todo suficiente sacrifício do Senhor Jesus, na cruz do Calvário.

SENHOR, ORAÇÃO DO
Ver sobre *Oração do Senhor.* Ver também o artigo geral sobre *Oração* e *Oração Sumo Sacerdotal.*

SENHOR DOS EXÉRCITOS
Ver sobre *Yahweh Sabaoth.* Ver também *Deus, Nomes Bíblicos de,* seção III, número *11, Yahweh Sabaoth.*

SENHORA ELEITA
É possível tomar uma ou outra dessas palavras, ou mesmo ambas, como se fossem um nome próprio, ou seja, "à eleita Kuria", ou "à senhora Eleita", ou "à Eleita Kuria". Alguma dama bem conhecida por sua piedade, em cuja casa a igreja se reunia, ou que exercia grande influência em certas congregações locais da Ásia Menor, talvez como "diaconisa", pode ser apontada aqui; e é assim que alguns

SENHORA ELEITA – SENIR

intérpretes encaram a questão. A maioria dos estudiosos, entretanto, acredita que o uso dessas palavras é metafórico, e que a própria igreja local é a senhora eleita.

A idéia de que *Eleita* era um nome próprio feminino, e, por conseguinte, que a 2ª epístola de João foi escrita a uma crente piedosa, foi pela primeira vez proposta por Clemente de Alexandria; e no mesmo escrito ele se refere à Babilônia como lugar de destino desta epístola. Porém, é mais provável que isso se originou devido à confusão com a primeira epístola de Pedro. Pelo menos é verdade que o termo grego "kuria" (forma feminina para "*kurios*", "senhor"), tem sido encontrado como nome próprio. (Ver Plutarco, *Mor. 271D;* Epicteto, *Ench. 40; Cass. Dio. 48,44; Papiro de Oxyrinchus 112, 1,3,7, 744).* O próprio vocábulo, quando não é nome próprio, significa "senhora", "dama". No português, em tempos modernos, ocasionalmente aparece o nome próprio "Dona", embora geralmente seja apenas um pronome de tratamento. Há alguma evidência, porém, que tanto "kurios" como "kuria" eram nomes usados afetuosamente; e, nesse caso, a mulher aqui referida pode ter sido chamada assim como prova de ternura e respeito. Essa palavra também era usada como título de cortesia; e, nesse caso, isso significaria que uma mulher, e não uma congregação local, está em foco neste ponto.

Alguns estudiosos têm chegado ao extremo de identificar a mulher em questão, **Maria**, mãe de Jesus, e Marta têm sido as sugestões mais freqüentes. Outros têm argumentado que o trecho de João *19:27* mostra que a mãe de Jesus foi entregue aos cuidados do apóstolo João; e a tradição vincula esse apóstolo à Ásia Menor. Portanto, é possível que Maria, finalmente, veio também a residir ali. Naturalmente, tudo isso é apenas conjectura, sendo altamente improvável que Maria pudesse ter vivido até que esta epístola foi escrita. Pois então teria quase cem anos de idade ou mais. Consideremos os pontos abaixo:

1. Contra a idéia de que esta epístola foi escrita para algum indivíduo, tem-se salientado que o conteúdo da mesma mostra que ela foi escrita a uma comunidade, porquanto são abordados problemas comunitários, e não-individuais. Porém, isso não é uma objeção fatal, porquanto uma pessoa que fosse importante naquela comunidade, poderia aparecer na saudação, como honraria, ao passo que os problemas tratados poderiam versar sobre a comunidade inteira.

2. Poder-se-ia apontar para o quarto versículo como passagem que mostra que obviamente esta epístola foi escrita para uma comunidade, e não apenas para um indivíduo, porquanto os *filhos* da eleita, como é patente, são membros da igreja. Contudo, ela, por ser elemento liderante e importante da comunidade, poderia ser considerada como "mãe" da igreja, tal como um apóstolo poderia ser considerado "pai" espiritual de uma comunidade cristã.

3. A forte expressão de amor, que aparece no primeiro versículo, mais apropriado poderia ser aplicada à *amada igreja.* Contudo, se havia alguma crente especialmente piedosa, que muito significava para a congregação, é bem possível que ela fosse chamada por essa maneira afetuosa, sobretudo, se, naquela ocasião, ela já fosse uma mulher idosa, uma verdadeira "matriarca".

4. Alguns estudiosos destacam que o intercâmbio entre o singular (no versículo quinto), referindo-se à "senhora", daí para o plural (nos versículos oitavo e décimo), e novamente para o singular (no décimo terceiro versículo) indica que nenhum indivíduo em particular está em foco. Todavia, isso poderia ser facilmente esclarecido, dizendo-se que naqueles trechos em que é usado o "singular", a mulher está em foco, ao passo que, quando é usado o "plural", então a "igreja" e os "filhos" estão em pauta.

5. Poderíamos pensar que os *filhos* são aqui "literais" ou "figurados". Alguns procuram basear um argumento em favor da "senhora" como se fosse a própria "igreja", no fato de que seus "filhos" (literais) dificilmente poderiam ser o objeto desta epístola. Por conseguinte, ela mesma deve ser a "igreja". Porém, isso não representa um bom argumento. Pois não teríamos dificuldade em supor que uma senhora literal não pudesse chamar a igreja local de seus "filhos", se porventura ocupasse uma posição importante naquela comunidade, sendo, por assim dizer, a mãe da igreja naquela localidade.

Em favor da idéia de que está aqui em foco uma mulher literal, contra o uso metafórico da expressão *senhora eleita,* há a observação de que dirigir-se a alguém a uma igreja, tachando-a de *senhora eleita,* pelo menos é algo incomum, embora essa não seja uma instância singular. A simples leitura da epístola poderia indicar que uma mulher real é aqui endereçada, e que seus "filhos" são os membros individuais da igreja. Se porventura assim não foi, então a "Senhora" precisa ser reputada à igreja como "idéia abstrata", ao passo que seus "filhos" seriam ainda os membros dessa igreja. Naturalmente, isso é possível, embora não seja tão natural como pensar que a "senhora" foi alguma matriarca da comunidade da igreja, ao passo que seus filhos eram os membros da comunidade religiosa. Em I Ped. 5:13, encontramos uma igreja local ser chamada de "co-eleita", sendo esse o único paralelo possível do N.T. ao suposto uso "metafórico" da presente passagem.

Precisamos admitir que a maioria dos comentadores pensa que a "senhora" representa o uso metafórico da "igreja". A posição tomada por esta enciclopédia é que nenhuma mulher literal é aqui endereçada. Seja como for, é impossível resolver tal questão, embora não seja muito importante como entendemos isso, e, sim, qual é a mensagem da epístola.

SENHORES DOS FILISTEUS

Senhores, nesse caso, vem do termo hebraico *seren,* cuja forma plural é *seranim.* Os senhores ou líderes das cinco cidades filistéias de Asdode, Asquelom, Ecrom, Gate e Gaza estão em pauta. Ver Jos. 13:3; Juí. 13; 16:5,8,18,27,30; I Sam. 5:8,11; 6:4,12,16, 18; 7:7; 29:2,6,7; I Crô. 12:19. Alguns eruditos crêem que o termo hebraico *seren* originalmente veio de um termo indo-europeu, talvez cognato do vocábulo grego túranos, "tirano". Seu uso sugere a idéia de "senhor", embora sua conotação exata nos seja desconhecida. Seja como for, estão em foco pequenos reis locais, ou líderes de pequenas cidades-estados, ou, talvez, líderes de cidades isoladas, com seus arrabaldes. Essa palavra hebraica é aplicada somente aos governantes filisteus em questão, em todas as suas ocorrências no Antigo Testamento.

SENIR

Há estudiosos que pensam que o sentido desse nome é desconhecido, mas outros opinam que significa "pico" ou "monte nevado". A palavra hebraica aparece por quatro vezes: Deu. 3:9; I Crô. 5:23; Can. 4:8 e Eze. 27:5. No acádico, a palavra aparece como *saniru;* e, no árabe, *sanirun.* Esse era o nome que os amorreus davam ao monte Hermorn (vide), segundo se vê em Deu. 19. Houve época em que o apelativo era empregado para indicar porções mais amplas de cadeia do Antilíbano, conforme, talvez, se veja em Eze. 27:5. Não obstante, o uso do hebraico também distingue entre o monte Hermom e o monte Senir (ver Can. 4:8), e também entre aquele e os montes de Baal-Hermom (I Crô. 5:23). Muitos estudiosos têm-se sentido inclinados a pensar que picos individuais dos três cumes do monte Hermom eram assim chamados, em tempos posteriores.

SENSAÇÃO – SENSAÇÕES ESPIRITUAIS

SENSAÇÃO

Na linguagem comum, esse termo refere-se às sensações físicas como o frio, o calor, a pressão, a sede, a coceira, a dor, etc. Ou, então, pode aludir às entidades mentais, próprias de cada indivíduo. Pode-se dizer que as sensações existem através da percepção dos sentidos, mas, com freqüência, elas são coloridas pelas atitudes mentais daqueles que as percebem. Naturalmente, há sensações extra-sensoriais, as quais são bastante misteriosas. Como poderíamos explicar as sensações que temos nos sonhos? Apesar disso, com freqüência, a palavra "sensação" é usada como sinônimo da percepção dos sentidos. Ver sobre *Percepção*. Com freqüência, a palavra "sensação" também envolve o sentido de algum estímulo externo, sendo assim uma espécie de percepção mediada através de nossos aparelhos dos sentidos.

Algumas Idéias dos Filósofos

1. As sensações seriam o recebimento de imagens de objetos, atomicamente provocado.
2. Os idealistas, como os platonistas de Cambridge, afirmavam que existem sensações espirituais que podem levar a pessoa à verdade acerca de Deus. Talvez eles estivessem referindo-se aos "discernimentos intuitivos".
3. Para Emanuel Kant, as sensações seriam o conteúdo da intuição dos sentidos, apreendido pela faculdade da sensibilidade.
4. Parmênides, bem como várias das religiões orientais, ensinavam ou ensinam que as sensações são ilusórias, não sendo interpretações da realidade. Algumas vezes, essa posição é chamada de sensacionalismo (vide). No entanto, na opinião de outros, essas ilusões são as únicas coisas que podemos saber, sendo essa a substância própria de nosso conhecimento (conforme se vê na filosofia de Mach; vide).
5. Ward, em seu livro, *Genetic Psychology*, ensinava que três estágios assinalam a marca desde uma sensação até uma idéia. Esses estágios seriam: a. estágio sensório, que envolve diferenciação, retenção e assimilação de estímulos que nos são dados pelos sentidos; b. um estágio integrativo, no qual as sensações tornam-se coisas percebidas; c. o aparecimento de idéias ou imagens, acompanhadas com fios de memória daquilo que ele chamava de *malha de idéias*. Porém, tudo isso parece ser uma maneira fantasiosa de dizer que, mediante a analogia, passamos de uma sensação para uma idéia.
6. Plekhanov assevera que as sensações simbolizam a realidade, mas não a reproduzem. Isso posto, todo conhecimento seria simbólico.
7. As sensações levam aos dados dos sentidos (a percepção), a base mesma do conhecimento empírico, dentro da filosofia de muitos pensadores.
8. Hartshorne falava das sensações como *sentimentos* sobre alguma coisa; e, assim sendo, ele aludia à atribuição de *qualidade* aos informes dados pelos sentidos, desde o próprio começo.

SENSACIONALISMO

Dentro da linguagem popular, esse vocábulo indica tornar as coisas sensacionais ou chocantes, mediante o exagero. Algumas vezes, entretanto, as coisas são sensacionais por si mesmas, sem precisar de nossos exageros. Nesse contexto, o sensacionalismo significa uma grande excitação dos sentimentos ou das emoções.

Na filosofia, contudo, sensacionalismo significa: a. que os sentimentos são o único critério do bem; b. que os sentimentos ou sensações são a base de todo o nosso conhecimento; c. que as sensações são o único mundo que conhecemos, sem importar se há ou não um mundo externo, real e diferente do que aquele que nos é retratado por nossas sensações; d. uma abordagem idealista ao sensacionalismo é aquela que diz que nossas idéias são as sensações da realidade que podemos ter, e que só essas sensações são reais, ou, pelo menos, que são a única realidade que podemos conhecer.

O sensacionalismo radical, como o de *Mach*, considera as sensações como os componentes reais e finais deste mundo. Assim, não seriam meramente sinais de uma outra realidade; seriam a própria realidade.

SENSAÇÕES

As **sensações** são um estado de consciência não perceptual (e talvez, igualmente, não-conceptual), semelhante às emoções. Ver o artigo sobre as *Emoções*. As sensações podem dar uma vaga aparência de alegria ou de tristeza, ou mesmo de outras emoções, sem que haja alguma descrição específica ou detalhada. As emoções do temor, do alívio, da ira, da alegria, da confiança, da distração, etc., poderiam ser chamadas de *sensações*, além de ser evidente que elas exercem manifestações psicossomáticas inegáveis, como a aceleração das batidas cardíacas, e a aceleração ou retardamento do ritmo da respiração. Algumas supostas sensações são equivalentes às paixões. Emanuel Kant, entretanto, compreendia as sensações como uma faculdade básica da mente.

As pessoas que dão importância aos estados e às experiências místicas, tendem por dizer "sinto", em vez de "creio". Isso exprime uma espécie de *compreensão intuitiva* sobre alguma coisa, em vez de uma descrição empírica ou racional da mesma.

Aristóteles. As sensações fazem parte da tomada de consciência, caracterizada pelo despertamento dos apetites, incluindo aqueles que são sensuais ou irascíveis.

Descartes. As sensações são maneiras de ser da substância pensante. Envolvem a ideação.

Condillac. Tal como muitos empiristas, para ele as sensações são apenas noções vagas, vinculadas às percepções dos sentidos.

Schopenhauer pensava que tanto a razão quanto as sensações são manifestações da vontade primária. Theobald Ziegler pensava que as sensações são mais básicas do que a vontade e a razão, pensando que estas é que se derivam daquelas.

SENSAÇÕES ESPIRITUAIS

John Smith (1616-1652) minimizou a religião racional, de acordo com a qual o indivíduo preocupa-se com provas racionais acerca de Deus e da imortalidade. Segundo ele pensava, mais importante do que isso é o cultivo e a execução das Idéias Inatas, vinculadas à excelência moral e à espiritualidade. Ele tinha confiança no poder da alma para comunicar seus valores à mente consciente. Isso posto, ele exortava as pessoas a dar ouvidos às *sensações espirituais* (a voz das idéias inatas), que se originam na alma.

Smith estava convicto de que "a verdade está dentro de nós", sendo capaz de comunicar-se conosco quando o indivíduo torna-se sensível a essa possibilidade e a cultiva. Somente uma alma purificada seria uma alma iluminada. A vereda do conhecimento, assim sendo, seria a vereda da excelência moral. A epistemologia não pode ser divorciada da ética.

John Smith nasceu em Achurch, na Inglaterra. Educou-se em Cambridge e foi um dos chamados "platonistas de Cambridge".

SENSO – SENTIDO DAS ESCRITURAS

SENSO

Esse vocábulo pode ser mero sinônimo da percepção dos sentidos, com tudo quanto nisso está envolvido. Ver o artigo *Percepção*. Porém, algumas vezes é empregado, conforme se vê no realismo crítico (vide); para indicar a nossa consciência do que nos mostram os nossos sentidos, e não a nossa consciência dos *próprios objetos da* nossa percepção. Em outras palavras, a, palavra senso envolve um elemento subjetivo: "Conhecemos o mundo conforme somos, e não conforme ele mesmo é". "Isso posto, senso tende por ser entendido como as experiências particulares e individuais, e não como os objetos públicos, (F).

David Hume e Santayana falavam sobre a necessidade de fé animal para crermos naquilo que percebemos. A percepção dos sentidos é notoriamente enganosa, e a ciência tem demonstrado quão inexata e precária é essa percepção. Mediante a ajuda de instrumentos, nossa percepção pode melhorar, mas os cientistas e filósofos continuam buscando o conhecimento da "coisa em si", ou seja, da essência real das coisas. Os sensos dão-nos uma certa interpretação dessa essência, embora não nos outorgue um conhecimento direto e decisivo a respeito. Eis a razão pela qual filósofos e teólogos voltam-se para a razão, e as experiências místicas como alternativas e melhores maneiras de tomarmos conhecimento das coisas.

SENSO (BOM)

Na compreensão dessa idéia, precisamos considerar ao menos dois pontos:

1. Para Aristóteles, o termo indica aquela faculdade da natureza humana que integra os informes dados pelos cinco sentidos, conferindo-nos uma apreensão unificada das coisas *sensientes*.

2. Na filosofia em geral, refere-se às noções comuns das massas acerca da vida, que não são sujeitas ao exame crítico. Na filosofia, o bom senso aparece aliado ao realismo ingênuo, o qual diz que o mundo realmente é aquilo que parece ser. Ver o artigo sobre o Realismo *do Bom* Senso. Os nomes dos filósofos associados a essa idéia são: Thomas Reid (que vide), William Hamilton (que vide) e G.E. Moore, (que vide). Em certo sentido, a defesa dessa idéia é, ao mesmo tempo, a defesa de que a linguagem ordinária é apropriada para exprimir o conhecimento. Aqueles que criticam essa posição, entretanto salientam que a realidade é algo extremamente complexo, e que o bom senso é a maneira popular de se evitar o exame crítico.

SENSO MORAL

Trata-se de um sentimento ou **Intuição** moral acerca do que é certo ou errado, acerca de estados ou atos. Essa intuição, presumivelmente, ocorre *a priori*, isto é, antes e mais profundamente que a percepção dos sentidos e seus impulsos. O processo intuitivo desperta reações positivas e negativas a atos ou estados propostos, que já existem. O prazer e a dor seriam Indicadores Intuitivos ou emocionais que abririam caminho. Esses sentimentos servem tanto para capacitar o indivíduo a distinguir o certo do errado quanto para prover os motivos apropriados ao comportamento.

SENSUAL

No grego *psuchikós*, "animal", no sentido de relativo à alma. O vocábulo grego aparece por seis vezes: 1 Cor. 2:14; 15:44,46; Tia. 3:15 e Jud. 19. A palavra grega dá a entender a pessoa mais impelida pelas emoções do que pelo intelecto, não tendo o sentido moderno que se dá à palavra "sensual", que indica a preocupação exagerada com as questões sexuais. Nossa versão portuguesa traduz essa palavra por "natural", "animal" ou "sensual", o que demonstra a dificuldade que tradutores e revisores têm encontrado com o termo grego. A passagem que melhor ilustra o uso desse termo é I Cor. 15:44-6, onde *psuchikós* é traduzido por natural. A idéia é que, por enquanto, nossos corpos são mais impulsionados pela alma, a sede das emoções, ao passo que, quando ressuscitarmos, nossos corpos serão mais impulsionados pelo espírito. Incidentalmente, isso parece indicar uma distinção entre a alma e o espírito, se não no tocante à natureza, pelo menos no tocante à função. Portanto, uma pessoa assim, de acordo com o ensinamento neotestamentário, encontra-se em estágio de desenvolvimento espiritual baixo, em relação ao elevado estado espiritual dos glorificados. Ver o artigo sobre Dicotomia ou Tricotomia? A posição deste tradutor é que se considerarmos a natureza essencial, o homem é dicotômico: composto de uma parte material e de uma parte imaterial; mas, se considerarmos as funções, o homem é tricotômico: a porção imaterial deve ser dividida em alma e espírito, cada um com suas funções diversas. Somente assim pode ser justificada a distinção feita por Paulo, nesse citado trecho; e o apóstolo não faria uma distinção artificial para explicar uma questão tão importante, quanto à realidade da ressurreição e da glorificação.

SENTENÇA PROTOCOLAR

Essa expressão tem uma importância capital para o Positivismo Lógico (vide). Indica sentenças que descrevem diretamente experiências obtidas através da percepção dos sentidos. Essas sentenças são consideradas a base de toda verdadeira ciência. Otto Neurath (vide) e Carnap (vide) salientaram a importância dessas sentenças; e Carnap argumentava que elas podem ser expressas na linguagem da física. Naturalmente, essa Idéia fornece-nos uma estreita base para o conhecimento, pois o conhecimento pode ser adquirido através de outros meios, como a razão, a intuição e as experiências místicas. Ver o artigo intitulado Conhecimento e a Fé Religiosa, O.

SENTENÇAS

Esse vocábulo traz-nos à memória os famosos Quatro Livros de Sentenças, de Pedro Lombardo, além de outras obras que receberam o mesmo título. O termo Sentenças, nesse contexto fala sobre comentários e análises. A obra de Lombardo consiste em textos e opiniões dos pais da Igreja e de outras autoridades, que são ali analisados, comparados e criticados, e que ele completou com suas conclusões e avaliações. Ver o artigo separado sobre *Pedro Lombardo*.

SENTIDO DAS ESCRITURAS

Os próprios intérpretes rabínicos perceberam que nem sempre é possível interpretar literalmente os textos do Antigo Testamento. Os místicos judeus (sobretudo os cabalistas) viam sentidos místicos nos textos, e as porções proféticas do Antigo Testamento para eles não tinham sentido se fossem literalmente interpretadas. Os seguidores da interpretação alegórica, da escola de Alexandria, pensavam que certos trechos do Antigo Testamento são ofensivos (como o sacrifício de Isaque), pensando que se deve emprestar significados morais e alegóricos aos mesmos. Ver o artigo chamado *Alegoria*, mormente em seu quarto ponto, *Interpretação Alegórica e Interpretação Literal*.

Orígenes (vide), um dos pais alexandrinos, desenvolveu uma tríplice teoria de interpretação bíblica: 1. literal, 2. moral; 3. espiritual. A terceira parte ele dividiu

SENTIDO DAS ESCRITURAS – SEPARAÇÃO DO CRENTE

posteriormente em alegórica e anagógica, envolvendo a descoberta de verdades espirituais ocultas em textos que podem ser entendidos literalmente, para todos os propósitos práticos. O termo *anagógico* também pode ser usado para descrever a vida futura. Ver o artigo geral sobre a *Exegese*. Esses princípios governaram a interpretação bíblica até o alvorecer da Reforma Protestante. Mas a maioria dos reformadores tem-se constituído de literalistas empedernidos, e quase todos os crentes evangélicos têm mantido esse modo de interpretação, incluindo nisso o Apocalipse, um livro repleto de simbolismos apocalípticos!

SENTIDOS, DADOS DOS
Ver sobre **Percepção**, especialmente II. 13.

SENTIDOS, PERCEPÇÃO DOS
Ver sobre **Percepção**.

SENTIMENTALISMO
Essa é a posição que diz que a natureza humana é basicamente boa, e que ela pode ser influenciada e modificada pelo poder da simpatia. Essa ênfase surgiu no século XVIII, tendo-se tornado um tema básico de livros e de dramas teatrais. Exemplos literários disso foram os livros *Homem de Sentimentos*, de Mackenzie, *Pâmela*, de Richardson, e *O Vigário de Wakefield*, de Goldsmith.

SEOL
Ver sobre **Sheol**.

SEOM
No hebraico, "grande" ou "ousado". Era o nome de um rei dos amorreus que Israel consegui derrotar em 1450 A.C. Ele e seu povo representavam um obstáculo que os hebreus tinham de remover para realizar a conquista da Palestina (Canaã). Alguns estudiosos dão a seu nome o significado de "varredura". Quando Israel chegou ao rio Arnom, a leste do mar Morto, descobriu que os amorreus haviam recentemente conquistado a área. Moisés pediu permissão para passar pelo território, prometendo ficar no Caminho do Rei. Em vez de dar permissão, Seom reuniu seu exército e atacou. A batalha ocorreu em Jaaz, e Seom sofreu uma derrota sonora. Seu território foi invadido pelos conquistadores do rio Arnom até Hesbom, a capital. A terra foi adicionada ao território de Ogue (outro rei dos amorreus), que foi derrotado em Basã, mas acabou com as tribos de Rúben e Gade quando foi feita a divisão da terra.
O memorial. O sucesso inicial dos israelitas tornou-se um memorial que foi recontado em histórias e canções. Cantores de Basa Ballad fizeram dessas canções parte de seu repertório padrão (Núm. 21.27-30). Moisés recontou a história para inspirar confiança nos israelitas a fim de que continuassem como um povo distinto, obedecendo à lei que os tornava quem eram (Deu. 1.5; 2.24-37; 3.1-11; 29.7; 31.4). Josué referiu-se à questão como uma vitória significativa que deveria ser repetida pelo exército invasor hebreu (Jos. 12.2, 5; 13.10, 21, 27). Jefté usou a história para tentar assustar os amorreus de sua época (Juí. 11.12-18).
Posteriormente, a Transjordânia era chamada, alternativamente, de "o país de Seom, rei dos amorreus" (I Reis 4.19). Os escritores dos Salmos continuaram a recontar a história (135.11; 136.19), como o fez Jeremias em seu oráculo contra Moabe (Jer. 48.45).

SEORIM
No hebraico, "temor", "angústia". Era o nome de um sacerdote do quarto turno sacerdotal, que atuava no templo de Jerusalém, no período posterior ao exílio babilônico (I Crô. 24:8).

SEPARAÇÃO DO CRENTE; A Vida de Separação
Esboço:
I. Regras Gerais
II. Versículo-Chave: II Cor. 6:14
III. Implicações
IV. O Jugo Desigual
V. Princípios Notáveis
VI. Sociedade com a Iniquidade
VII. Comunhão com as Trevas
VIII. Uma Carta Separada?
IX. Sumário

I. Regras Gerais
Rejeição à comunhão com os incrédulos, que é uma transigência (I Cor. 6:14-7:1).
Aqueles que imitassem o amor de Paulo haveriam de amar seu Deus e a seu Cristo, bem como haveriam de abominar aquilo que ele também abominava. O apóstolo esperava que os seus filhos espirituais, (ver o décimo terceiro versículo de II Cor.6) compartilhassem de seus afetos e aversões, de suas vinculações e separações, no que dizia respeito ao bem e ao mal. Se porventura amassem a ele e ao seu Mestre, estariam prontos para tomar tais atitudes com alegria. Portanto, o laço geral de comunhão e amor, na igreja, requer uma certa separação comum de tudo quanto é prejudicial, incluindo as associações inconvenientes. É normal que uma família (em que os filhos são influenciados pelos seus genitores) compartilhem de determinados ideais comuns, apreciações e aversões, bem como de certos preconceitos, e, às vezes, até mesmo de certos elementos prejudiciais. A família divina naturalmente não compartilhará de qualquer coisa prejudicial; mas o apóstolo dos gentios esperava que os seus membros tivessem um alicerce comum no que diz respeito ao mal, no que tange às associações comprometedoras. O décimo oitavo versículo deste capítulo reitera o conceito da paternidade de Deus, bem como as exigências a nós impostas, no tocante a essa particularidade. Contudo, ainda outros motivos de separação do mal, no caso do crente, são ventilados, a saber:
1. Existe uma *distinção natural*, sobre bases morais, entre o crente e o incrédulo (ver o décimo terceiro versículo).
2. O crente representa certo aspecto da "justiça de Deus", a implantação da natureza moral divinal, o que o incrédulo não possui; por isso, mesmo, certas formas de associação com os incrédulos podem corromper a expressão de justiça dos crentes (ver o décimo quarto versículo).
3. O crente representa a luz, mas o incrédulo representa as trevas. Algumas formas de associação com os incrédulos podem empanar a luz da glória do Senhor Jesus, na vida do crente.
4. Há certas modalidades de associação que requerem sociedade, *comunhão íntima*. Um crente não pode estabelecer tais associações com incrédulos, porquanto não existe base firme para a comunhão necessária a tais relações (ver o décimo quarto versículo).
5. O crente e o incrédulo são representantes de reinos diferentes e opostos um ao outro, impossíveis de serem reconciliados. Portanto, não podem associar-se com certa intimidade sem provocar um conflito. (Ver o décimo quinto versículo).

SEPARAÇÃO DO CRENTE

6. Os crentes em Cristo não podem concordar sobre as questões mais importantes da fé com os incrédulos, os quais não recebem e nem respeitam a Jesus de Nazaré como o seu cabeça; por esse motivo não podem associar-se mui intimamente em empreendimento algum. (Ver o décimo quinto versículo).

7. A comunhão entre o crente e o Espírito de Deus é tão intima que o Senhor faz do crente um templo seu. Habita o Espírito Santo nos crentes, individualmente (como aqueles que pertencem a Cristo) e coletivamente (como igreja). Portanto, um crente não pode ter qualquer conexão com a idolatria, em nenhuma de suas variadas formas, de modo a reconhecer poderes e influências estranhas de natureza religiosa.

A presença permanente do Espírito do Senhor requer na de santidade que não pode ser mantida se o crente insistir em suas associações más. O templo de Deus é corrompido Por essas associações intimas com os incrédulos. (Ver o décimo sexto versículo).

8. O crente faz parte do povo de Deus. Isso fala sobre possessão e direitos diversos. Não pertencemos a nós mesmos, mas antes, fomos comprados por grande preço; e isso requer uma conduta agradável ao proprietário dos templos que são os remidos. (Ver I Cor. 6:19,20, que fala sobre o mesmo terna, ainda que mais diretamente). (Ver o décimo sexto versículo).

9. Há uma promessa de serem recebidos em comunhão especial com o Senhor aqueles crentes que se separarem de associações *comprometedoras* com o mundo. (Ver o décimo sétimo versículo). A paternidade de Deus, para com os seus filhos, exige essa separação; os membros da família santa têm um alto padrão a ser mantido. (Ver o décimo oitavo versículo).

II. Versículo-Chave. II Cor. 6:14
Não vos prendais a um jugo desigual com os incrédulos; pois que sociedade tem a justiça com a injustiça? ou que **comunhão tem a luz com as trevas?**
Paulo não diz aqui que os crentes não podem associar-se aos incrédulos. Alguns dos membros da igreja cristã de Corinto haviam compreendido algumas instruções apostólicas sob essa luz, conforme se vê em I Cor. 5:10 e ss. Paulo os avisara a não "manterem companhia" com os "fornicários" ou pessoas imorais. Contudo, ele certamente não indicava os incrédulos, porque, nesse caso, seria virtualmente necessário aos crentes saírem do próprio mundo, porquanto quase todos os habitantes deste mundo se fazem culpados de alguma forma de pecado moral. Pelo contrário, se alguém que se diz crente tornar-se culpado dessas formas de pecado, deve ser excluído da comunhão, pública e particular, pelos demais crentes, a fim de que aprenda a seriedade do pecado e, finalmente, chegue ao arrependimento. Paulo não proibia associações dos crentes com os incrédulos em muitíssimas outras coisas, já que tal separação seria impossível. No entanto, condenou certas relações intimas.

III. Implicações
1. *O matrimônio*. Essa associação é por demais íntima, pelo que também exige intensa cooperação e comunhão, da parte de ambos os cônjuges, sendo ideal uma relação harmoniosa e produtiva (sobretudo do ponto de vista espiritual). Mas esse ideal é impossível no caso de casamentos mistos, isto é, de pessoas de convicções religiosas diferentes, como se dá no caso de crentes e incrédulos.

2. Talvez *sociedades comerciais* mais intimas devam ser evitadas entre o crente e o incrédulo.

3. Certamente que qualquer *companheirismo religioso*

intimo, no seio da igreja cristã, não pode ser mantido entre um crente e um incrédulo. Isso se aplica tanto no âmbito da igreja local como no terreno das denominações e convenções. Os incrédulos não devem ser membros de alguma igreja evangélica o que lhes daria regalias religiosas idênticas às dos verdadeiros crentes e nem devem os incrédulos exercer autoridade na igreja. E nem devem os crentes fazer parte de denominações que misturam crentes e incrédulos, ou que comprometem o testemunho e a pureza do evangelho e seu Cristo.

4. É possível que Paulo também proibisse certas formas de *amizade pessoal e coletiva* com indivíduos e grupos que levem um crente a diminuir, transigir ou macular o seu testemunho cristão, especialmente em clubes e certas amizades particulares com incrédulos em que estes estão em posição de influenciar adversamente os crentes. Isso seria uma espécie de jugo particular contraído impensadamente, e que deve ser evitado. Talvez possamos pensar no exemplo de ser um crente membro de certos clubes sociais, cuja influência dependa do tipo de organização e seus propósitos. A distinção entre tipos, e, por conseguinte, de associações, deve ser questão sujeita à avaliação consciente e honesta dos crentes.

5. Este texto parece falar especificamente contra certas associações dos crentes coríntios, que tinham amigos pagãos, no que tange às práticas idólatras, que conduziam à imoralidade. Isso podemos supor com base nas "coisas impuras", referidas em II Cor. 6:17, bem como com base nas contaminações do corpo", mencionadas em II Cor. 7:1. Este texto pois, poderia ser pelo menos parcialmente paralelo ao sexto capítulo da primeira epístola aos Coríntios, que ataca especificamente suas associações, que levavam a práticas sexuais pecaminosas. O vs. 16, do capítulo 6 de II Cor., que menciona a idolatria, toma essa observação conclusiva.

Também existem certas associações que contaminam o corpo e o espírito, segundo se vê em II Cor. 7:1; e essas são as associações que precisam ser evitadas.

IV. O Jugo Desigual
A metáfora sobre o "jugo desigual" mui provavelmente se deriva de Deut. 22:10, onde várias combinações desnaturais de animais são proibidas. Ali se veda a combinação de animais de diferentes raças em várias formas de trabalho. Por exemplo, um boi não podia ser atrelado ao arado juntamente com um jumento. Deus tornou distintas as espécies de animais e o homem não deve juntar aquilo que naturalmente é separado. (Com essa idéia se pode comparar o trecho de Lev. 19:19, onde há uma advertência contra ser o indivíduo enganado ao ponto de expandir o seu coração para com o paganismo). Paulo se dispôs a agir como um pagão, no que diz respeito a coisas moralmente independentes (ver I Cor. 9:21 e Gál. 2:19), mas proibiu aquelas formas de associação que levam um crente a conformar-se, de alguma maneira, com os incrédulos.

O jugo desigual não se refere a alguma forma de "desigualdade", como se o crente, em qualquer associação, fosse o elemento "melhor, do par, e assim tivesse a necessidade de dar a essa associação a sua superior qualidade, ao passo que o lado incrédulo, naturalmente, corrompesse a associação de alguma maneira. É possível que assim realmente aconteça em muitas oportunidades, mas não é isso que está em foco em II Cor. 6:14. Pelo contrário, a diferença quanto ao tipo é a ênfase. É verdade, não obstante, que o próprio texto mostra que esses jugos desiguais quanto a tipos diferentes naturalmente conduzem à corrupção moral do crente, e não ao aprimoramento moral dos incrédulos.

SEPARAÇÃO DO CRENTE

"Havia tanto uma falsa como uma verdadeira amplitude. O partido mais baixo, em Corinto, talvez pensasse ser questão indiferente se alguém contraísse matrimônio com um pagão ou com um cristão, se alguém escolhesse um amigo intimo dentre os adoradores de Afrodite ou de Cristo. Contra esse dilatamento o apóstolo se sentiu forçado a protestar". (Plumptre, in loc.).

V. Princípios Notáveis

1. Essa separação deve ser feita em uma atitude de consagração a Deus (ver II Cor. 6:17 e Sal. 4:3). Não pode ser uma negativa em um vácuo.

2. A igreja assume uma qualidade gloriosa quando se separa e se santifica para Cristo (ver Efé. 5:26).

3. A própria salvação é impossível para o indivíduo que se recusa a ser inimigo de forças estranhas, que guerreiam contra a alma (ver I Ped. 2:11).

4. Com quem devo me deixar acompanhar? Com quem me identificarei? Cumpre-nos aplicar esta regra simples: "Que espécie de companhia ou circunstância tende a levar-me a calar no que concerne à minha lealdade a Cristo? Essa é a espécie de companhia que me convém evitar, excetuando o "propósito", de evangelizar e de transformar.

5. Paulo queria que soubéssemos que existem inimigos que nos pretendem destruir. Ele baixou mandamentos tendentes à separação, não com o intuito de entravar, mas a fim de ajudar-nos a cumprir nossas respectivas missões. Aquele que poluir-se com muitos males e com associações erradas, não conseguirá realizar grande coisa na promoção da nossa santa causa.

VI. Sociedade com a Inqüidade

No original grego, a palavra aqui traduzida por *sociedade*, é "metoche", que significa "partilha" "participação". A retidão, o caráter essencial de Deus, transmitido aos crentes, não pode ter qualquer participação comum com a "iniqüidade" ou, conforme diria uma tradução mais literal desse vocábulo grego, "desregramento" (no grego, "anomia"). A retidão expressa aquele estado e caráter do crente que se aproximou de Cristo, que está sendo paulatinamente transformado pelo seu Santo Espírito. (Ver o artigo acerca da *Justiça de Deus*). Ora, essa justiça ou retidão haverá de ser plenamente compartilhada pelos crentes, afinal. (Ver Mat. 5:48). Esse é o grande alvo da vida cristã.

Minha alma, põe-te em guarda,
Dez mil adversários se levantam;
As hostes do pecado muito oprimem
Para fazer-te descer dos céus.
(George Heath).

Incrédulos é palavra que, neste caso, se refere aos "pagãos inconversos", porquanto não há aqui qualquer alusão especial aos falsos apóstolos, que se opunham a Paulo. (Comparar com 1 Cor. 6:6; 7:12 o ss; 10:27; 14:22 e ss). Aqueles que não confiam no evangelho e que permanecem em seus antigos caminhos pecaminosos, e que são corruptores' em potencial daqueles que se esforçam por atingir a retidão, quando os primeiros se unem em relações errôneas a estes últimos.

VII. Comunhão com as Trevas

No original grego, *comunhão* é "koinonia", que significa *associação, companheirismo, relação intima*, conforme aquelas coisas descritas nas notas expositivas anteriores, como o matrimônio, sociedades comerciais, certas associações em clubes, e, acima de tudo, no presente texto, associações do crente com as práticas idólatras que conduzem a pecados de natureza sexual.

A "luz" é um elevado conceito, ilustrado pela metáfora da mesma. Também lemos que Deus Pai *habita em luz inacessível* (I Tim. 6:16); e isso fala não somente de sua elevada exaltação na justiça, mas, provavelmente, de suas condições reais nos lugares celestes, que não pemitiriam a aproximação de qualquer homem mortal, e nem mesmo de espíritos inferiores. Tais seres seriam consumidos talvez de uma maneira que uma ciência bem avançada poderia esclarecer.

Por conseguinte, "luz" expressa a natureza da esfera onde Deus habita, como uma esfera onde não podem ser admitidos seres que ainda não receberam uma elevadíssima perfeição. Nenhum homem poderá jamais entrar na presença de Deus, se não for perfeito. Não obstante, essa palavra também expressa o caráter essencialmente santo de Deus, onde não se pode encontrar a menor falha. Jesus Cristo também é chamado "luz". (Ver o artigo sobre Luz). Cristo é a luz mais resplandecente que o homem mortal pode contemplar; e mesmo assim foi necessário que o Filho de Deus viesse até nós em formas sombreadas, em que a sua glória e magnificência apenas ocasionalmente puderam ser percebidas. Mas os seus ensinamentos iluminaram a vereda do princípio ao fim, até o trono de Deus. Ele veio a fim de iluminar os homens. E os seres humanos que são realmente iluminados assimilam a natureza dessa luz" que é Cristo, não sendo meramente iluminados. Eles também se tornam "luzes", isto é, participam totalmente da perfeita santidade de Deus.

Semeai um pensamento, e colhereis um ato.
Semeai um ato, e colhereis um hábito.
Semeai um hábito, e colhereis um caráter.
Semeai um caráter, e colhereis um destino.
Semeai um destino, e colhereis... Deus.
(Prof. Huston Smith)

Não nos devemos esquecer que o vocábulo "luz" também subentende a majestade, a glória e o poder de um ser, e não meramente as suas qualidades de pureza e santidade. Por intermédio de Cristo os homens também recebem majestade, glória e poder. Os remidos, uma vez iluminados e transformados em luz, dificilmente podem ter qualquer comunhão ou companheirismo intimo com as trevas, porquanto as trevas representam tudo quanto é baixo, degradante, perverso e hediondo.

VIII. Uma Carta Separada?

Alguns estudiosos acreditam que esta seção não pertencia à epístola original, que incluía os capítulos primeiro a sexto da segunda epístola aos Coríntios, conforme a encontramos atualmente, e, sim, a uma epístola perdida" (mencionado em I Cor. 5:9). Em outras palavras, a nossa seção sobre a *separação* talvez fizesse parte daquela epístola, tendo sido a razão pela qual alguns crentes exageraram tanto na questão da separação entre o crente e o incrédulo; e. subseqüentemente, Paulo teve de esclarecer-se melhor, esclarecimento esse visto em I Cor. 5:10 e ss. Sabemos bem que a segunda epístola aos Corintios não é uma unidade, porquanto os capítulos décimo a décimo terceiro foram uma "epístola severa", que precedeu na escrita aos capítulos primeiro a nono da mesma. Quanto a um estudo completo sobre a "Correspondência de Paulo com Corinto", quantas missivas foram, etc., ver a seção IV do artigo sobre I e II Coríntios.

IX. Sumário

"1. Nas Escrituras, a separação é *dupla:* 'de' tudo quanto é contrário à mente de Deus; e *para* o próprio Deus. O princípio subjacente é que, em um universo moral, é impossível Deus abençoar plenamente e usar os seus

161

SEPARAÇÃO DO CRENTE – SEPTUAGINTA

filhos, que estão comprometidos em cumplicidade com o mal. O jugo desigual é qualquer coisa que une um filho de Deus e um incrédulo em um propósito comum. (Ver Deut. 22:10). 2. A separação do mal implica: a. Separação quanto ao desejo, motivo e ato, separação do mundo, no sentido ético adverso deste presente sistema mundano (ver Apo. 118); e b. Separação entre crentes e crentes, especialmente no caso de mestres falsos, que são vasos para desonra (ver II Tim. 2:20,21 e II João 9:11). 3. A separação não é de 'contato' com o mal, no mundo ou na igreja, e, sim, da cumplicidade e da conformidade com o mesmo (Ver João 17: 15;II Cor. 6:14-18 e Gál. 6:1). 4. A recompensa da separação é a plena manifestação da divina paternidade (ver II Cor. 6:17, 18); comunhão e adoração sem empecilhos (ver Heb. 13:13-15), e serviço frutífero (ver II Tim. 2:21), do mesmo modo que a conformação com o mundo importa na perda dessas coisas, ainda que não da salvação. Aqui, como em tudo o mais, Cristo é o modelo. Ele foi 'santo, inculpável, imaculado, separado dos pecadores' (Heb. 7:26); e no entanto, em contato com os fariseus, que ilustram o conceito mecânico e ascético da separação (ver Mat. 17), mesmo ao buscar a salvação deles, Jesus foi por eles julgado como quem havia perdido o seu caráter nazireu (ver Luc. 7:39). Comparar com I Cor. 9:19-23 e 10: 27. (C. 1. Scofield, *Reference Bible,* nota sobre II Cor. 6:14, aqui traduzida para o português).

No livro *The Judges's Story,* o juiz da história contada por Charles Morgan diz à sua enteada: 'Pergunta a ti mesma em que trabalho, com que companhia e em que lealdade a tua própria voz se faz clara ou é abafada. E, de acordo com a resposta, assim governa a tua vida. (Nova Iorque, Macmilian Co. 1947, pág. 183).

Na presente passagem neotestamentária há cinco indagações, quatro delas organizadas em pares, destacando quão incongruente é a vinculação dos crentes com os incrédulos, o que é prejudicial para a expressão e o desenvolvimento cristãos, a saber: 1. Que comunhão tem a justiça com a iniqüidade? 2. Que comunhão tem a luz com as trevas? 3. Que acordo e união pode ter Cristo com Belial? 4. O que um crente pode ter em comum com os incrédulos? 5. Como podem o templo de Deus e o templo idólatra ter qualquer acordo comum? (GI IB LAN NTI)

SEPARAÇÃO ECLESIÁSTICA
Ver sobre **Separação do Crente.**

SEPARAÇÃO MARITAL
Ver o artigo sobre *Separação do Crente,* o qual inclui comentários acerca do jugo desigual no matrimônio. Outros sentidos vinculados a esse título são "divórcio" separação legal ou "separação legal dos cônjuges". Ver meu artigo geral sobre o *Divórcio.*

A separação marital com freqüência é um divórcio *real,* embora sem as formalidades processuais. Na verdade, o casamento termina quando há separação definitiva. De algumas vezes, a separação marital pode ser mantida no recinto de um lar onde vivem ainda o homem e a mulher, mas sem qualquer comunicação entre os dois. Eles mantém assim o *divortium a mensa et thoro,* "divórcio de cama e mesa", embora vivendo sob o mesmo teto. Conheci um caso em que essa foi a condição essencial durante seis anos. A esposa trabalhava durante o dia, e o marido durante a noite, de tal modo que podiam passar duas semanas sem que ao menos se vissem. Isso sucede quando um dos cônjuges ou ambos querem evitar o estigma do divórcio oficial, ou quando talvez não queiram gastar o dinheiro necessário para terminar oficialmente sua condição de casados. Por isso mesmo, surgem casos em que homem e mulher vivem separados, com ou sem o intuito final de obter um divórcio formal.

A *separação legal* pode ser substituta do divórcio, ou pode ser uma medida temporária antes do divórcio formal, ou, talvez, da reconciliação, afinal. Há pessoas que não toleram seu estado de casadas, mas também não aceitam o divórcio oficial, razão pela qual existem esses esquemas de convivência separada na mesma casa. Em alguns países a separação legal anda bem próxima do divórcio, de tal modo que o sexo entre as duas pessoas é considerado impróprio; e, segundo a lei canônica (da Igreja Católica Romana), imoral. Mesmo, assim, a prática do sexo com outras pessoas é considerada adultério, ainda que, para todos os propósitos práticos, o casamento já se dissolveu.

O concílio de Cartago (407 d.C.) decretou que o casamento é indissolúvel, mas permitiu a separação legal nos casos de convi-vência intolerável. Mas as pessoas assim envolvidas teriam que viver sem a prática do sexo. O concílio de Trento (1563) reafirmou a indissolubilidade do matrimônio, fazendo do casamento um sacramento que não pode ser anulado. Mas a separação legal, sem o divórcio e sem direitos sexuais, foi mantida. Esse tipo de separação legal é um divórcio real, mas sem o direito de as pessoas terem atividades sexuais e sem poderem casar-se novamente.

O trecho de I Cor. 7:10,11 é salientado como texto de prova em prol da prática da separação dos cônjuges, sem divórcio e sem o direito a novo casamento. Quase todos os exegetas católicos e protestantes têm afirmado a legitimidade dessa interpretação. Ela segue o ideal expresso por Jesus, ao qual, aparentemente, a Igreja adicionou a cláusula, "exceto em casos de adultério". Quando essa condição existe, mesmo assim o cônjuge inocente não pode casar-se de novo (de acordo com a interpretação de alguns); mas, de conformidade com a interpretação de outros, um novo casamento é possível nesse caso. Em meu artigo, intitulado *Divórcio,* abordei as diversas interpretações das passagens bíblicas envolvidas. Naturalmente, o trecho referido, em I Coríntios, não antecipou a separação legal, embora o espírito da questão seja o mesmo.

É provável que a passagem de I Cor. 7:10,11 antecipe um divórcio genuíno, sem o direito a um segundo casamento. Segue-se então a exceção paulina: se um cônjuge crente é abandonado por seu cônjuge incrédulo, então o crente tem o direito a um segundo casamento. Pois se o irmão ou a irmã "em tais casos não fica sujeito à servidão" (vs. 15), então a única interpretação sã é que esse pode contrair novas núpcias. Mas tal indivíduo, via de regra, não deve fazer parte do ministério. Ver 1 Tim. 3:2.

SEPTUAGINTA (LXX)
1. *Caracterização Geral.* O significado da palavra é "setenta" no grego. O nome (muitas vezes abreviado com o numeral romano LXX) deriva da lenda do segundo século a. C. de que 72 anciãos de Israel traduziram o Pentateuco Hebraico para o grego em meros 72 dias! Presumivelmente, este feito fantástico teria sido realizado em Alexandria, no Egito. Pelo menos a substância da lenda, de que as versões mais antigas no grego do Antigo Testamento hebraico foram produzidas no terceiro século, por judeus que falavam grego, é verdadeira. A LXX é, sem dúvida, a mais importante versão da Bíblia hebraica. Foi provavelmente preparada em Alexandria por vários tradutores que trabalharam entre os séculos III e I a. C. Conforme ocorre a todas as obras de autores variados, seu material difere bastante quanto ao nível lingüístico e à qualidade literária. A edição de Orígenes, a *Hexapla* (ver),

demonstrou a corrupção do texto grego mediante influências do hebraico, de modo que seu grego helenístico não é um representante puro da história da língua daquele período. Há mais de dois mil manuscritos da LXX, a maioria redigida do século II até o século XVI d. C. Todos foram cuidadosamente catalogados por estudiosos bíblicos.

A descoberta dos Rolos do Mar Morto incluíram alguns manuscritos da Septuaginta. Esses manuscritos gregos antecedem por vários séculos todos os manuscritos hebraicos do Antigo Testamento, exceto os manuscritos hebreus dos Rolos do Mar Morto. Ver o artigo *Mar Morto, Manuscritos do*. Críticos textuais sempre suspeitaram de que a LXX deveria ser altamente respeitada como um auxílio para descobrir as leituras originais no Antigo Testamento hebraico no caso de variantes. Meu próprio trabalho com variantes dos Manuscritos do Mar Morto, no livro de Isaías, sugere que cerca de 5% do texto massorético padronizado não é representativo dos manuscritos originais. A LXX freqüentemente concorda com os manuscritos hebreus dos Rolos do Mar Morto contra o texto padronizado. Ver o artigo *Massora (Massorah); Texto Massorético*.

2. *A Septuaginta e o Cânon do Antigo Testamento*. Evangélicos, sem conhecimento e perspectiva histórica, falaram coisas tolas sobre o chamado "Cânon Católico" do Antigo Testamento, ignorando que a Septuaginta contém os livros que sempre fizeram parte do Cânon Alexandrino. Alguns fazem objeção a esse termo, mas devemos lembrar que a Septuaginta não conteria estes livros extras se eles não tivessem sido aceitos pelos judeus da *Diáspora* (dispersão) que tinham, como uma de suas capitais, Alexandria (onde a LXX provavelmente foi produzida). Na época de Jesus havia três cânones: o dos *Saduceus*, que aceitavam apenas o primeiro dos cinco livros, a Torá; o Pentateuco, dos *Judeus Palestinos*, incluindo aí os fariseus, que aceitavam os 39 livros da Bíblia Protestante; e o dos *Judeus da Diáspora*, que aceitavam os livros apócrifos e alguns outros que não fazem parte da Bíblia Católica. Ver o artigo geral sobre o *Cânon do Antigo Testamento*, onde são oferecidos detalhes abundantes sobre a questão. É evidente, então, que o cânon dos judeus da Diáspora (o Alexandrino) é o que a Igreja Católica Romana seguiu, em sua maioria, enquanto os protestantes adotaram o cânon palestino. Como em todas as questões controversas, cada homem que se denomina cristão deve respeitar as opiniões, crenças e costumes dos outros homens. Embora alguns livros apócrifos sejam definitivamente inferiores a outros livros do Antigo Testamento, eles contêm muitas preciosidades de conhecimento e ensinamento que os protestantes ignoraram para seu próprio prejuízo.

3. *A Septuaginta no Novo Testamento e os Primeiros Pais Cristãos*. O Novo Testamento faz várias citações do Antigo como seu principal livro-texto, e quase todas delas vêm da Septuaginta. O hebraico clássico, exceto pelo uso restrito à elite, era uma linguagem morta, mas o grego helenístico (falado amplamente até em Jerusalém) estava em seu ponto alto. O Novo Testamento foi escrito no *Koine* (grego comum) da época, o idioma universal. Era natural, portanto, que a versão da Septuaginta do Antigo Testamento fosse empregada para citações pelos autores do Novo Testamento.

Os primeiros pais cristãos continuaram a usar a Septuaginta para suas citações do Antigo Testamento. Ver o ponto 9 do artigo *Cânon do Antigo Testamento*, que fornece informações detalhadas, além de um gráfico ilustrativo. Esses pais citaram os livros apócrifos do Antigo Testamento, não meramente os considerados canônicos pelo padrão palestino. De fato, o próprio Novo Testamento tem muitas alusões e reflexões sobre esses livros. Quando eu era estudante na faculdade teológica, foi-me ensinado que o *Novo Testamento* nunca cita os livros apócrifos do Antigo Testamento. No entanto, quando escrevi o *Novo Testamento Interpretado* e tive de repassar versículo por versículo pelo Novo Testamento, fiquei surpreso ao descobrir as muitas citações diretas e indiretas dos livros apócrifos. Visto que os escritores do Novo Testamento como um todo usavam a versão Septuaginta em suas citações, isso não deveria causar surpresa. O propósito deste artigo não é enfatizar o problema do cânon nem glorificar os livros apócrifos. Não obstante, quando falamos da Septuaginta, não podemos deixar nenhum desses assuntos de fora.

4. *Influência*. Apesar de seu texto desigual (com alguns bons tradutores, outros não tão bons), de suas às vezes óbvias adições ao texto original e da freqüente reprodução demasiado livre do hebraico, não há como deixar de enfatizar a influência que esta tradução tem tido, iniciando em sua própria época entre os judeus da Diáspora, e nos séculos posteriores na Igreja cristã.

"A Septuaginta foi a forma primária da Bíblia para as comunidades de judeus helenizados e, assim, foi usada pela maioria dos primeiros cristãos. Quando a Bíblia é citada no Novo Testamento, é quase sempre a partir da versão Septuaginta, que elevava seu status para os teólogos cristãos" (Michael D. Coogan).

À parte de a Septuaginta ser citada com tanta freqüência no Novo Testamento, ela exerceu profunda influência naquele documento; nas palavras e frases empregadas, os ecos verbais são abundantes. Como diz Swete, algumas das grandes palavras teológicas da idade apostólica parecem ter sido preparadas para as conotações cristãs pela Septuaginta. "Não apenas o Antigo Testamento, mas a versão Alexandrina do Antigo Testamento, deixou sua marca em cada parte do Novo Testamento, até mesmo nos capítulos e livros onde ela não é citada distintamente. Não é demais dizer que, em sua forma e expressão literária, o Novo Testamento teria sido um livro amplamente diferente se escrito por autores que conhecessem apenas o Antigo Testamento no original, ou o conhecessem em outra versão grega que não a Septuaginta" (Henry Barclay Swete, *An Introduction to the Old Testament in Greek*).

SEPULCRO
Ver sobre Sepultamentos, Costumes de, e Túmulo.

SEPULCRO, IGREJA DO SANTO
1. *Termo*. Do grego *taphos*, "sepultura", "túmulo"; *nema*, "um memorial", "monumento"; refere-se a uma igreja antiga que foi construída sobre o pretenso túmulo de Jesus.

2. *Localização*. Esta igreja situa-se no monte a noroeste de Jerusalém. Está dentro do atual muro norte da Velha Cidade. Se estava ou não fora dos muros de Jerusalém nos dias de Jesus, é uma controvérsia com resultado indefinido. Naturalmente, Jesus tinha de ser sepultado fora dos muros, especialmente em virtude de haver sido executado como inimigo do estado romano e de ser odiado pelas autoridades judaicas no tempo em que jamais se permitiria que sua sepultura ficasse dentro dos muros da cidade. Sabemos, porém, que o local foi usado durante dois séculos. Também estavam localizados ali o fórum romano, os templos de Júpiter, Juno e Vênus. A pergunta a ser formulada

SEPULCRO, IGREJA DO SANTO – SEPULTAMENTO, COSTUMES DE

é se tais estruturas teriam sido construídas sobre um antigo terreno destinado a sepulturas.

3. *Descoberta.* O bispo Macário foi autorizado pelo Imperador Constantino, cerca de 325 d.C., a investigar o local. Tendo demolido os templos pagãos, o bom bispo descobriu uma caverna que imediatamente, e sem nenhuma razão plausível, denominou de local do túmulo de Jesus. Constantino ordenou que se construísse ali uma igreja, que foi concluída em 335 d.C. A igreja atravessou períodos de destruição com subseqüentes reedificações, e até hoje existe ali uma pequena recordação do original.

4. *A informação que a Bíblia fornece* do túmulo de Jesus não é suficiente para indicar algum sítio específico. A dificuldade de qualquer identificação cresce mediante o fato de que os romanos terraplenaram totalmente toda a área em 70 e 135 d.C. Um candidato mais provável é o túmulo de Gordon, descoberto em 1867. Ver o artigo sobre *Túmulo de Gordon*, na *Enciclopédia de Bíblia, Teologia e Filosofia*.

SEPULCRO DOS REIS; SEPULCRO DE DAVI

As passagens de I Reis 2: 10 e Nee. 3:15, 16 parecem indicar que os reis de Israel (nação do norte) e de Judá (nação do sul) foram sepultados em uma área especial próxima de Jerusalém. A maior parte dos reis de Davi e Ezequias, foram sepultados na cidade de Davi (a cidadela existente em Jerusalém), embora as informações bíblicas indiquem que vários deles tiveram seus sepulcros particulares. Ver sobre Asa (II Crô. 16:14); Ezequias (II Crô. 32:33); Manassés (II Reis 21:18); Amom (II Reis 21:26); Josias (II Reis 32:30 e II Crô. 35:24). Outros daqueles monarcas faleceram fora da Palestina: Jeoacaz, no Egito; Joaquim e Zedequias na Babilônia. Ainda outros não foram admitidos à área real de sepultamentos devido a pecados especiais ou vidas corruptas que levaram (II Crô. 21:20; 24:25; 26:23; 28:27).

O trecho de Atos 2:29 refere-se ao sepulcro de Davi, conhecido no primeiro século da Era Cristã. Josefo alude a uma terceira muralha que passava perto das cavernas sepulcrais dos reis (Guerras 5.4,2). Não se sabe, contudo, qual a localização exata disso, hoje em dia. O chamado Túmulo, dos Reis de Judá, localizado na parte norte de Jerusalém, na verdade é a sepultura de Helena, rainha de Adiabene, um distrito na Alta Mesopotâmia. Josefo mencionou esse lugar, em **Anti.** 20.2,1,3. Esse túmulo foi construído talvez dez ou vinte anos antes da queda de Jerusalém, que ocorreu em 70 d.C. Dos vinte e dois monarcas de Judá, que reinaram em Jerusalém entre cerca de 1000 e 590 a.C., onze, ou exatamente a metade, foram sepultados em um hipogeu na cidade de Davi. Mas os túmulos autênticos dos reis são de localização desconhecida em nossos dias.

SEPULCRO SANTO

O relato bíblico afiança que o corpo de Jesus, após a sua crucificação, foi depositado em um túmulo escavado na rocha, pertencente a José de Arimatéia. Ver Mat. 27:57 ss. O túmulo de Gordon tem a possibilidade de ser o verdadeiro lugar do sepultamento de Jesus. Mas aquele que é chamado de Santo Sepulcro, identificado pela mãe do imperador Constantino e sua delegação, não se ajusta aos informes que nos são dados nos evangelhos, pois nem mesmo estava localizado fora das muralhas de Jerusalém. Sobre o local escolhido pela mãe de Constantino, foi erigido um templo cristão. A Igreja do Santo Sepulcro, pois, foi dedicada, em 335 d.C.

Antes disso, um templo pagão dedicado a Vênus, construído por Adriano, em 135 d.C., ocupava o local que incorporava uma colina. Essa igreja cristã foi incendiada pelos persas, em 614 d.C.; mas um outro templo cristão veio a substituir o primeiro, preservando o estilo original. No século XI, esse templo foi destruído por ordens do califa Haquim. Após a queda de Jerusalém diante das cruzadas, foi construída uma basílica de estilo romanesco, que foi dedicada em 1149. Esse é o edifício que os turistas e peregrinos visitam atualmente. Esse templo é usado por vários grupos cristãos, cada um com sua área reservada, pois esse templo é considerado propriedade comum de todos os cristãos. Ver sobre o *túmulo de Gordon*.

SEPULTAMENTO, COSTUMES DE

Os ritos e os costumes vinculados à necessidade de os vivos desembaraçarem-se dos mortos são tão universais quanto o fenômeno da própria morte. Consideremos os seguintes pontos a respeito:

1. **O Protesto.** Os homens sempre protestaram contra a tragédia da morte. Multidões procuram adiar ao máximo a data da morte, dependendo para isso dos meios mais diversos como a superstição, a medicina moderna e as forças espirituais. Até mesmo as pessoas muito enfermas preferem continuar sofrendo do que morrer. E mesmo diante da morte como fato consumado, os costumes de sepultamento dos povos demonstram que os homens continuam protestando. Entre muitos povos antigos e contemporâneos, os cadáveres são sepultados juntamente com objetos que dão a entender que aquele que morreu, de alguma maneira, talvez possa levar, consigo os tais objetos. As culturas primitivas sepultam seus mortos com algum alimento, na esperança de que o espírito da pessoa morta possa tirar disso alguma vantagem. Porém, as práticas de sepultamento também servem de símbolos de esperança, e com freqüência são uma declaração de fé na imortalidade. No mínimo, usualmente servem de símbolos de respeito.

2. **A Morte é Inevitável.**

Talvez a mais crítica indagação de todas seja esta: "Por que os homens morrem?" As religiões e as culturas, de modo geral, sempre encararam a morte como o maior mal físico que há, e, com freqüência, como a porta para um infortúnio ainda pior, nos mundos espirituais. Quiçá o confucionismo seja a única religião a falar sobre a *boa morte*, que põe fim a uma vida plenamente vivida. Os pensadores antigos, seguidos por muitos modernos, simplesmente não podiam acreditar que a morte possa ser o fim correto de uma vida terrena. Em face disso, a morte era por eles explicada como um equívoco, como um castigo dos deuses. O Antigo Testamento praticamente principia com a narrativa da queda de Adão como a causa da morte, e o Novo Testamento dá continuação a essa noção (ver Romanos 5); a Bíblia inteira vê a morte como um possível prelúdio para a morte espiritual, um estado ainda pior do que a morte física. Entretanto, as Escrituras prometem ao homem espiritual a melhoria de condições na vida espiritual, se ele tiver atingido, deste lado da existência, um estado espiritual apropriado. Não obstante, os teólogos tem-se mostrado atônitos diante da morte, a despeito daquelas indicações bíblicas da sua causa.

Que dizer sobre as raças pré-adâmicas, aquelas que certamente existiram antes da cronologia bíblica que remonta até 6000 ou 7000 a. C.? Qual foi a causa da morte, e até do desaparecimento dessas raças? A resposta real seria a evolução dos corpos físicos, que simplesmente possuem células defeituosas, que perdem seu poder de regeneração, e, finalmente, serão destruídas como qualquer objeto físico fatalmente é destruído? Os teólogos liberais

SEPULTAMENTO, COSTUMES DE

Sepulcro de Ezra

Sepulcro de Raquel

SEPULTAMENTO, COSTUMES DE

Sepulcro de Absalão

Lamentações

Exterior de um sepulcro

Lamentações com instrumentos de percussão

Interior do sepulcro dos reis

Ritos de sepultamento

SEPULTAMENTO, COSTUMES DE

consideram que a história da queda de Adão é uma lenda piedosa, que procura responder a uma indagação para a qual não há resposta. Os mágicos antigos consideravam as enfermidades e a morte como truques de um inimigo qualquer, que podiam ser contrabalançados por encantamentos mágicos e ritos diversos. A maioria daqueles que aceitam a inevitabilidade da morte, e que aceitam ou rejeitam uma ou outra das teorias a respeito da morte, transferem suas esperanças para além-túmulo, na esperança da imortalidade (que vide), e desse modo, esperam poder reverter a maldição da morte.

O temor da morte é um grande e constante inimigo (Heb. 2:15), e aqueles que dizem que não temem a morte, provavelmente são pessoas que supõem que não terão de enfrentar a morte dentro de pouco tempo. Por outro lado, faz parte da experiência humana comum o fato que, uma vez que uma pessoa aproxima-se da hora de sua morte, sem importar a denominação religiosa, desaparece o temor da morte. Na verdade, chegado o instante da morte, muitas pessoas alegram-se por fazê-lo, sentindo-se até mesmo ansiosas para morrer. Não obstante, sem importar quais circunstâncias estejam envolvidas, trata-se de um momento solene, aquele em que sepultamos nossos entes queridos, ao mesmo tempo em que imaginamos que, algum dia, nossos filhos e filhas estarão fazendo a mesma coisa a nosso respeito. Como esse desembaraço dos cadáveres se efetua, muito revela sobre o homem e a sua cultura.

3. Métodos de Desembaraço do Corpo Morto

a. Cremação. Essa não era uma prática comum entre os judeus, pois, no Antigo Testamento inteiro, encontramos somente duas instâncias da mesma. Saul e seus filhos foram cremados, talvez por causa da grande desfiguração que sofreram, o que excluía a possibilidade de lhes serem conferidas honras reais de qualquer espécie (I Sam. 31:12). O caso mencionado em Amós 6: 10 talvez trate daqueles que morreram de pestilência, razão pela qual a cremação pode ter sido uma medida sanitária, para evitar que outras pessoas fossem contaminadas pela praga. A idéia que os antigos faziam da ressurreição, imaginando que os corpos mortos seriam, de algum modo, devolvidos à vida (ver o artigo sobre a ressurreição, onde se inclui uma discussão sobre a natureza do corpo ressuscitado), excluía, entre os hebreus, a prática da cremação. É difícil imaginar que as chamas possam destruir o corpo morto mais completamente do que séculos de decomposição e absorção pelo solo; mas essa era a crença primitiva. Na Índia, a cremação sempre foi a principal maneira de os vivos desembaraçarem-se dos cadáveres, dos mortos. Ali, a crença na imortalidade da alma é tão vigorosa que a cremação do corpo é considerada, de alguma maneira, uma medida apropriada; porquanto libertaria a pessoa, final e absolutamente, de sua tenda física desgastada. Na verdade, há certa evidência psíquica de que é recomendável que a alma que parte se sinta inteiramente livre de qualquer noção de vinculação ao corpo físico; e, desse ângulo, a cremação é um método superior a qualquer outro. Em certo sentido, também é o método mais higiênico.

A cremação também era um método grego comum de se desembaraçarem dos seus mortos; mas Tácito (Hist. 5.5) revela-nos que os judeus eram contrários figadalmente a esse método. Quanto à prática da cremação, entre os gregos, ver Sófocles, *Elect.* 1136-1139; *Thus.* 1.134,6; Platão, *Faedo* 115E. Os romanos, igualmente, praticavam a cremação de mortos. Ver Cícero, De Leg. 2.22,56.

b. Sepultamento. Esse é o método mais universal dos vivos desembaraçarem-se dos mortos, mostrando-se comum na maioria das culturas ao redor do globo. Na antigüidade, os ricos mandavam escavar seus túmulos na rocha. Os pobres eram meramente lançados em uma cova, no solo. Cavernas e outros lugares naturais de refúgio, eram usados. A maioria das religiões exige o sepultamento como sinal de respeito, e alguns povos antigos, como os gregos, supunham que a alma precisava disso para obter passagem pronta e imediata para o outro mundo. Ver Gên. 23:4; Deu. 21:23; II Reis 11: 15 e Rom. 6:4 ss.

e. Modos de sepultamento. A maneira mais comum consiste em deitar o cadáver de costas, dentro de um caixão, ou envolto em panos. Porém, algumas culturas sepultam os mortos em posição acocorada ou sentada, ou então de pé ou mesmo na posição fetal. Em alguns casos, a direção para que fica voltado o rosto da pessoa morta é considerada importante. A direção leste é a direção favorita, nesses casos, porquanto ali surge o sol a cada novo dia, um símbolo do Novo Dia e da imortalidade (que vide). Mas outros povos fazem o rosto do falecido ficar voltado para sua casa, para onde vive o seu clã, ou para alguma cidade santa. Em várias culturas antigas, costumava-se pôr alimentos, bebidas, utensílios, objetos de valor, armas e lembretes de amigos, etc., no sepulcro dos mortos. Alguns desses objetos apenas demonstravam respeito para com as pessoas mortas, mas outros desses objetos mostravam que os povos antigos antecipavam uma vida no além-túmulo. É interessante observar que os sepulcros dos homens de Neandertal também mostram objetos, sepultados juntamente com os cadáveres, que mostram que eles antecipavam uma outra vida; e penso que eles estavam com a razão, embora essa espécie seja considerada proto-humana, uma raça de habitantes das cavernas, que teria vivido antes do Homo sapiens, que é a nossa própria raça.

d. Receptáculos para os mortos. Além de caixões comuns, havia esquifes sofisticados, feitos de bronze, de ouro ou de prata. Também eram usadas grandes urnas de barro, esquifes de terracota e sarcófagos de mármore, para os ricos. As escavações onde seriam postos os cadáveres eram apenas buracos. Porém, havia algumas forradas com rochas ou tijolos, como também havia túmulos com várias dependências. Os lugares de sepultamento com freqüência eram usados por várias vezes, quando os ossos anteriormente postos eram queimados, para dar lugar a novos cadáveres.

e. Companhias para os mortos. Em várias culturas antigas havia o costume de sepultar os mortos com as esposas, os cavalos, os servos e até os cães dos falecidos, a fim de que contassem com a companhia dos familiares, no outro lado da existência. Posteriormente, o costume passou a ser sepultar efígies dos familiares dos falecidos, bem como formas simbólicas de suas posses materiais.

f. Comendo os mortos! Uma maneira econômica de os vivos desembaraçarem-se dos mortos consiste em comê-los. Esse costume continua sendo praticado, pelo menos por alguns indígenas do norte do Brasil, os quais moem os ossos dos mortos e bebem-nos com água. Isso é considerado um ato de respeito!

g. Exposição às intempéries. Algumas culturas até hoje expõem os seus cadáveres sobre uma plataforma, deixando que as aves de rapina venham devorá-los. Na antiga Pérsia, os mortos eram dados aos cães ou às aves, para lhes servirem de alimento. Os modernos persas retêm esse costume, expondo seus mortos em torres de silêncio, para benefício das aves de rapina.

h. Descarnamento. No Tibete, uma forma de disposição dos mortos consiste em ir-se tirando a carne dos ossos, dando-a para os animais comerem. Em seguida, os ossos são sepultados ou esmigalhados, ou então misturados à ração dos animais domésticos.

SEPULTAMENTO, COSTUMES DE – SER

i. *Sepultamento na água*. Várias culturas sepultam seus mortos na água, nas florestas ou em lugares desérticos. Alguns povos usam barcos para transporte dos cadáveres, e então esses barcos e os mortos são afundados juntos, ou então o corpo é lançado na água e o barco é incendiado.

j. Parece que *as cavernas* sempre foram usadas como cemitérios.

l. *Nenhum sepultamento*. Em algumas culturas, os criminosos e os suicidas são deixados insepultos, ou então, se são sepultados, o ato é feito sem qualquer cerimônia acompanhante.

m. *Sepultamento em terreno não santo*. Em muitas culturas cristãs, os membros regulares da igreja são sepultados em terreno santo, ou cemitérios da igreja; mas tal sepultamento é negado aos não-batizados, aos suicidas e aos criminosos.

4. Rituais de Sepultamento

Esses ritos variam muito de cultura para cultura, embora alguns elementos sejam comuns: a. Festejar é um ritual comum que acompanha o velório, e também o pós-sepultamento. Tenho ouvido dizer que algumas culturas choram por ocasião dos nascimentos e casamentos, mas regozijam-se e festejam por ocasião dos funerais; porém, não fui capaz de encontrar a origem da informação para documentá-la. Seja como for, festejar é uma característica quase constante nos sepultamentos, na antigüidade e em nossos dias. Uma razão para isso é distrair os parentes do morto; mas, diante da morte, surgem sentimentos difíceis de serem suprimidos. As pessoas, por muitas vezes, envergonham-se desses sentimentos. Por qual motivo? 1. Porque, em seus corações, eles sabem que a vida prossegue para o morto. 2. Porque eles sentem-se felizes que foi o outro, e não eles, que morreram. Festas anuais comemoram a data da morte dos parentes, em certos lugares. b. O ritual de purificação também é uma característica comum dos costumes de sepultamento. A lei judaica mostrava-se elaborada quanto a esse ponto. Ver Lev. 11:24; 21:1,11; 22:4; Núm. 5:2; 6:6; 19:11 ss. (especialmente esta última referência). c. A preparação do corpo por parentes e amigos, é outro costume usual. Ver Gên. 46:4; Mar. 5:40; Mat. 27:57-60; Atos 5:6 e 8:2. d. Lamentação. Esse aspecto fazia parte importante do processo de sepultamento, envolvendo grande pranto. Ver Atos 8:2. Ou então choro. Ver Jer. 54:8; 49:3. A família do morto participava dessas manifestações (I Sam. 25:1,2; II Sam. 1: 11, 12), e lágrimas eram vertidas até mesmo ritualmente, no momento apropriado (Jer. 9:17,18; Mal. 2:13; Luc. 7:32). Carpideiras profissionais eram contratadas, acompanhadas pela música de flauta (Gên. 23:2; Jer. 9:17; Mat. 9:23; Luc. 7:12,13). O costume envolvia sessões sete dias após o falecimento (Gên. 50:10), e no caso de pessoas importantes, até trinta dias após o falecimento (Núm. 20:29; Deu. 34:8).

5. Lugares de Sepultamento

As culturas antigas, da Idade da Pedra e Calcolítica, costumavam sepultar seus mortos sob os pisos de suas casas; mas, em Israel, o costume era sepultá-los do lado de fora das muralhas das cidades (Lev. 21:1; Luc. 7:12), por temerem a contaminação cerimonial. Porém, no Antigo Testamento havia casas de sepultamento (I Sam. 25:1; I Reis 2:34; II Reis 21:18; II Crô. 33:20), sendo difícil explicar o costume nisso envolvido, face à lei cerimonial vigente.

6. Ocasião do Sepultamento

Entre os judeus, como também entre os povos em geral do Oriente Próximo, era usual sepultar os mortos no mesmo dia do seu falecimento (Deu. 21:23), ou no máximo, dentro de um período de vinte e quatro horas, devido a problemas sanitários e à questão da impureza cerimonial (Núm. 9:10,14; Gên. 23:4; João 11:17; Mat. 27:57-60).

7. Cuidados com os Mortos

Evidências provindas da Idade da Pedra e Calcolítica, bem como da era do Bronze, mostram que os povos muito antigos já exerciam cuidados com seus mortos, incluindo cuidado com os ossos e com importantes objetos postos juntamente com os cadáveres. Porém, o apressado sepultamento de Absalão (II Sam. 18:17) demonstra que pouco ou nada foi feito nesse sentido. O cadáver usualmente era lavado (Can. 9:37), e, algumas vezes, ungido com aromáticos (Mar. 16:1; João 19:29), e então envolto em tiras de pano. Ver o artigo sobre o Sudário de Cristo. O embalsamamento não era uma prática judaica, e os casos que envolveram Jacó e José (Geri. 50:2,26) são excepcionais, devido à influência egípcia.

8. Visitação aos Túmulos e Sepulcros

A fim de mostrar respeito pelos finados e reviver memórias, os lugares de sepultamento eram visitados durante as primeiras semanas após o enterro. Membros da família e amigos envolviam-se nessa prática, e as mulheres mostravam-se especialmente ativas, decorando os sepulcros com flores e derramando lágrimas sobre os mesmos. (João 11:31).

9. A Esperança Sobre o Além

Pôr-do-sol e estrela vespertina,
E uma clara chamada para mim!
Que não haja lamentos no porto,
Quando atirar-me em alto-mar.
Não haja a tristeza das despedidas,
Quando eu tiver de embarcar.
Pois, mesmo que de nosso tempo e lugar
O dilúvio me leve para longe,
Espero ver meu Piloto face a face,
Depois que tiver cruzado a barra.
  (Alfred Lord Tennyson).

As esperanças mundanas que os homens abrigam
Tornam-se cinzas - ou prosperam por um pouco apenas,
Como a neve sobre a face arenosa do deserto,
Brilhando por uma hora ou duas antes de ir-se.
  (Edward Fitzgerald)

Nosso nascimento é apenas um sono e um olvido:
A Alma que se ergue conosco, a Estrela de nossa vida,
Teve algures a sua origem,
E vem de muito longe:
Não no total esquecimento,
E nem em completa nudez,
Mas trilhando nuvens de glória chegamos
Da parte de Deus, que é nosso lar.
  (William Wordsworth).

Ver os artigos seguintes: Imortalidade; Reencarnação; Ressurreição. (AM CAL E G IB S Z)

SEPULTURA
Ver sobre **Sepultamentos, Costumes e Túmulo**.

SEQÜESTRO
Ver sobre **Crimes e Castigos**.

SER (TORNAR-SE: VIR-A-SER)
Para facilitar a exposição dessa questão, dividiremos o artigo em três pontos principais:

1. Ser. Aquilo que *realmente* é, em contraste com aquilo

SER – SER SUBLIMINAL

que está se tornando, ou que, potencialmente, pode ser, ou que está vindo à existência. Várias conotações são dadas à idéia de ser, como ser absoluto, aquilo que não pode ser modificado, ou aquilo que é perfeito. Parmênides supunha que o verdadeiro ser é imutável, e que qualquer modificação é ilusória, o que exprime a posição de várias religiões orientais. O próprio Parmênides, naturalmente, sofreu influências das religiões orientais. Platão permitia um tipo secundário de ser, característico do mundo dos particulares (o nosso mundo e seus objetos). Porém, as coisas que estão em estado de fluxo, são menos reais do que o mundo das formas ou idéias, o qual é a origem do ser do mundo em fluxo, além de ser imutável. Os materialistas, por sua vez, estão certos de que o único ser que existe é este mundo de objetos materiais, que estão em constante estado de modificação. Aristóteles ensinava que a factualidade concretiza-se potencialmente. Ilustrava com um carvalho, que estava potencialmente na bolota. E isso demonstraria que o ser está sempre em mutação (tornar-se em algo). O real absoluto é aquilo que concretizou totalmente a sua própria potencialidade, ou seja, a factualidade de toda a sua existência.

Os filósofos da Idade Média, seguindo a orientação imprimida por Aristóteles, ensinavam que Deus é "factualidade pura", não havendo Nele qualquer potencialidade não-concretizada. Portanto, Ele é imutável e perfeito. E também é o Ser necessário e independente, visto ser a fonte originária de todos os demais seres, possuidor da vida em Si mesmo. Deus não é um Ser, mas é o Ser-em-Si-mesmo (*ipsum esse*). Existe por seu próprio ato puro (actus purus). Na qualidade de Ser-em-Si-Mesmo, Ele é "o Deus acima do Deus do teísmo", de conformidade com Tillich (que vide). Para esse filósofo contemporâneo, era difícil conceber o Deus antropomórfico da Bíblia como uma real descrição da deidade. Todavia, Deus é o *misterium tremendum*, que não é esclarecido pelas nossas análises racionais. Por um lado, o Ser de Deus é transcendental e insondável. Por outro lado, ele é uma pessoa envolvida na história humana. Se enfatizarmos demasiadamente o primeiro lado, perder-nos-emos nas densas sombras do panteísmo, ou nos obscurantismos da especulação filosófica. E, se salientarmos demasiadamente a qualidade pessoal de Deus, terminaremos com um conceito antropomórfico de Deus, segundo o qual Deus não é "a Pessoa", mas apenas uma pessoa entre muitas outras.

O mistério de Deus ultrapassa o alcance da atual compreensão humana, pelo que todas as nossas tentativas para descrever Deus terminam em fracasso. Somos mais felizes na descrição das obras de Deus do que na descrição de seu ser. O sistema conhecido como teologia de processo (ver o artigo) procura afastar-se dos conceitos clássicos de Deus como imutável, como substância eterna, para um conceito mais dinâmico (mais ao sabor dos hebreus). Deus tornar-se-ia conhecido através de Suas atividades, pelo que Ele seria *actus purus*. De acordo com esse conceito, a idéia de ser necessariamente inclui a idéia de tornar-se. Alguns teólogos existenciais contrastam as palavras "existência" e "ser". Para eles, só Deus é ser; todas as outras coisas existem. Portanto, haveria dois tipos diferentes de ser. De acordo com essa posição, apenas confunde a questão falar sobre a existência de Deus, visto que tal termo (conforme nós o compreendemos) não pode ter aplicação a uma forma de vida que transcende às nossas descrições.

2. O ser e o homem. Um homem é um ser eterno, mas pode vir a tornar-se imortal. Essa imortalidade é definida pela forma de vida possuída pelo Filho de Deus. Na transformação do crente segundo a imagem de Cristo, o indivíduo passa a participar da natureza divina (Rom. *8:29* e II Ped. 1:4). Isso ocorre através do poder transformador do Espírito, que leva o crente de um estágio de glória para outro, que lhe é superior, de modo contínuo e eterno (II Cor. *3:18*). Nesse sentido, o homem também é um *actus purus,* estando envolvido na dinâmica de um processo divino de evolução espiritual. Quando o homem adquire o ser necessário de Deus, tornando-se possuidor de vida em si mesmo, torna-se verdadeiramente imortal (ver João *5:25,26*).

3. O tornar-se. O processo dinâmico que envolve o homem é descrito acima, sob o segundo ponto. Na filosofia, essa expressão, "o tornar-se", é usada com o propósito de descrever a passagem dos eventos dentro do tempo, em que qualquer coisa vem à existência ou desaparece da existência. Está em foco um processo, uma transformação em boa ordem, em contraste com a imutabilidade. Esse contraste é exemplificado mediante a comparação das idéias de Parmênides com a idéia de fluxo, de Heráclito. Ambas as categorias fazem-se presentes nas idéias de Platão: o aspecto parmenideano nas formas e idéias, e o fluxo heracliteano nos particulares (objetos em fluxo, no mundo material).

A idéia do vir-a-ser, exposta por Hegel, surgiu ante a tensão causada entre a tese e a antítese, que envolve toda a existência. Essa tensão seria solucionada pela sua síntese. Ver a respeito de Hegel. (C E EP F MM)

SER INDEPENDENTE

Somente Deus tem vida em Si mesmo, somente ele se auto-sustenta. Todos os seres e todas as coisas são dependentes, pois recebem a sua existência como um dom de Deus e continuam existindo em razão da mesma graça sustentadora. Isso é típico da teologia cristã. Entretanto, algumas fés religiosas e filosofias supõem que todas as coisas são necessárias e independentes. Assim, alguns filósofos gregos, como Aristóteles, acreditavam na eternidade da matéria. Para eles, a matéria sofreria mutações, mas não teria começo e nem fim. Ver os artigos *Ser Necessário e Necessidade*.

SER NECESSÁRIO

Usualmente, essa expressão é ligada à idéia de independência, dando a entender que Deus é o Ser necessário e independente. Deus é *necessário* porque não pode deixar de existir; e é *independente,* porque ele é a fonte originária de seu próprio ser, sem depender de quem quer que seja. Essa noção pode ser contrastada com a dos seres desnecessários e dependentes, que são todos os seres fora de Deus, os quais, não fora a sua graça dadivosa, poderiam desaparecer instantaneamente da existência, pelo que sempre viverão na dependência a ele. Um dos cinco argumentos de Tomás de Aquino em favor da existência de Deus alicerça-se, sobre essa qualidade de Deus, em contraste com os seres contingentes, que são todos os seres criados. Ver o artigo intitulado *Cinco Argumentos em Prol da Existência de Deus,* terceiro argumento.

SER SUBLIMINAL

O termo **subliminal** indica, literalmente, "verga inferior". A verga é uma peça horizontal de uma abertura de porta ou de janela. Daí, o termo passou a indicar algo elevado, grandioso, que provoca admiração. A sublimação pode significar algo que torna algo em uma essência pura. William James falou sobre o "eu", subconsciente ou subliminar, como aquele setor da essência humana que é capaz de entrar em contacto com a vida divina *(Varieties, 511* ss). Desse modo, as experiências místicas aparecem

SER SUBLIMINAL – SERAÍAS

como um direito e um poder da alma humana. F.W.H. Myers introduziu o termo, na década de 1890, a fim de designar a porção principal do eu que jaz por baixo do limiar da consciência, mas que influencia constantemente nossos pensamentos e atos. Os materialistas, por sua vez, dão à idéia uma interpretação cerebral, referindo-se às influências ocultas sobre a mente subconsciente, mas que fazem parte da experiência humana comum, através da percepção dos sentidos, e que não requer qualquer explicação misteriosa. Complexos de idéias, de emoções, os mecanismos dos sonhos, etc., tudo ainda pouco compreendido, ou seja os nossos processos mentais, de acordo com alguns psicólogos pioneiros, formam o ser subliminal. Freud considerava que esse ser consiste em estados psíquicos inconscientes.

A fé religiosa ensina-nos que, na realidade, há um grande "eu" oculto por baixo das vicissitudes, das atividades materiais e cerebrais, e que o homem, na verdade, é capaz de sentir as atividades e influências divinas em sua alma, a verdadeira essência do ser humano.

SERA

No hebraico, "abundância". Era filha (e provavelmente seus descendentes chegaram a ser um clã) de Aser (Gên. 46:17; Núm. 26:46 e I Cró. 7:30). Juntamente com seus irmãos, Imna, Isvá, Isvi e Beerias, ela foi para o Egito, em companhia de seu avô, Jacó (Gên. 46:17).

SERAFINS (TERAFINS)

A crença na existência dos anjos é de data remota, entre os hebreus, visto que Abraão tinha essa crença. Ver Gên. 16:1-13; 21:17-19; 22:11-16. A mais antiga evidência arqueológica acerca dos anjos (até hoje encontrada) parece ser a estela de Ur-Nammus, de cerca de 2250 a.C., onde anjos aparecem a esvoaçar por sobre a cabeça desse rei, quando ele orava. Visto que Abraão chegou naquela região pouco depois desse tempo, sem dúvida estava familiarizado com a angelologia, desde a juventude. Mas não sabemos quão complexas eram suas noções a respeito, embora saiba-se que, entre os persas, essa doutrina chegou a ser muito elaborada. essa elaboração foi tomada por empréstimo pelo judaísmo, e daí passou para o cristianismo. Ver o artigo geral sobre os *Anjos*, onde oferço maiores detalhes a respeito.

A Bíblia reconhece certas divisões entre os anjos, falando sobre os querubins e os serafins. Os informes bíblicos acerca da aparência e das atividades dos serafins limitam-se ao trecho de Isa. 6:2,6. Cada um deles tinha seis asas; tinham rosto, mãos e pés. Com duas asas cobriam o rosto; com duas os pés; e com duas, voavam. A descrição assemelha-se a um humanóide com seis asas. Alguns estudiosos ligam os serafins com demônios alados, com grifos guardiães ou com serpentes aladas de fogo (Núm. 21:6-9; Deu. 8:15; Isa. 14:29; 30:6), embora tal conexão esteja longe de ser clara.

O nome *serafins* significa "nobres" ou "afogueados", e este último significado sugere aquela teoria, embora não a prove. Alguns eruditos ligam-nos com serpentes voadoras que constituiriam os braços do trono de madeira de Tutancamom. Em Núm. 21:6 e Deu. 18:15, as "serpentes abrasadoras", (no hebraico, *sarap*) eram serpentes venenosas, cuja picada ardia como fogo, o que nos dá uma outra possível conexão com aquela idéia.

O relato bíblico parece associar os serafins à adoração a Deus, como condutores dessa adoração. Nesse caso, seriam uma ordem angelical que existe justamente com essa finalidade. A cena descrita, naturalmente, é a de uma sala do trono com seu trono, uma cena bastante comum nas religiões antigas, sem dúvida de natureza antropomórfica.

As investigações arqueológicas acerca da XII Dinastia egípcia, no túmulo de Beni-Hasã, revelaram dois grifos alados, cujos nomes, escritos em egípcio demótico, era *seref*. Estavam estacionados como guardas do sepulcro, e a similaridade do nome sugere seres angelicais, os serafins, embora a conexão verbal não nos diga nada sobre os seres bíblicos assim denominados. Mais parecidos com a descrição bíblica, ao ponto de não fornecer base para acasos, são os serafins representados em artefatos fabricados na Mesopotâmia. Foram descobertos em Tell Halaf. Estes artefatos têm sido datados de cerca de 1000 a.C. Parece patente que Isaías participou de uma tradição a respeito de anjos, e não inventou a noção dos serafins, embora suas elaborações tenham sido um tanto diferentes. Está envolvido um empréstimo cultural.

Seja como for, as Escrituras ensinam a existência dos serafins, uma ordem de anjos com funções específicas na adoração ao Senhor Deus. Provavelmente, tanto serafins quanto *querubins* (vide) estão relacionados aos "seres viventes" de Apo. 4:6-8. Uma última explicação é que o termo hebraico *seraphim* está no plural. Em português, porém, costuma-te dizer serafim (o singular) e serafins (o plural).

SERAÍAS

No hebraico, "Yahweh é príncipe", ou, de acordo com outros, "guerreiro de Deus", ou "Yahweh prevaleceu". Este é o nome de onze pessoas no Antigo Testamento, que listo em ordem cronológica até onde é possível determinar:

1. Sacerdote que teve seu ministério na época do rei Davi, pertencendo ao quarto turno, em cerca de 1000 a.C. Ver I Crô. 24.8.

2. Escriba que agiu como secretário de Davi quando este assumiu o trono, em cerca de 1000 a.C. Dois de seus filhos seguiram seus passos e foram secretários do rei Salomão. Também era chamado de *Seva* (II Sam. 20.25) e Sisa (I Reis 4.3), além de Sausa (I Crô. 18.16).

3. Avô de Jeú, líder da tribo de Simeão. Viveu no século IX a.C. Ver I Crô. 4.35.

4. Sumo sacerdote de Judá durante o reino de Zedequias, o rei. Depois da destruição do templo, o rei babilônico o executou (II Reis 25.18, 21; I Crô. 6.14; Jer. 52.12, 27). Sua época foi em torno de 597 a.C.

5. Capitão do exército que acompanhou Gedalias quando este se tornou governador das cidades após o cativeiro babilônico. Sua época foi em torno de 590 a.C. Ver II Reis 25:23 e Jer. 40:8.

6. O rei Jeoiaquim ordenou que um homem com este nome, juntamente com outros, prendesse o profeta Jeremias e seu escriba Baruque, considerados desordeiros simpáticos à Babilônia. A época foi em torno de 600 a. C. Ver Jer. 36:26.

7. Príncipe de Judá que serviu como camareiro, ou camareiro mor, sob o rei Zedequias, tendo acompanhado o rei no cativeiro babilônico. Jeremias instruiu-o a levar para a Babilônia um rolo de suas profecias de destruição e, depois de ler o rolo, jogá-lo no rio Eufrates, onde ele, naturalmente, afundaria até o leito do rio. Isso simbolizava a futura destruição da Babilônia, quando chegasse sua hora de cair através da agência dos medos e persas, que seriam os próximos reis da região. A época foi cerca de 597 a.C. Ver Jer. 51:59-64.

8. Um dos líderes dos judeus enquanto esses estavam no cativeiro babilônico. Ele retornou a Jerusalém com Zorobabel. Também era chamado de Azarias. Ver Esd. 2:2; Nee. 7:7; 12:1, 12.

168

SERÁPIS – SÉRGIO PAULO

9. Pai de Esdras, o escriba (Esd. 7.1) que viveu por volta de 600 a.C.

10. Sacerdote que, após o cativeiro babilônico, assinou o pacto que prometia a volta dos judeus ao cumprimento da lei mosaica (Nee. 10.2). A época era em torno de 450 a.C.

11. Sacerdote que voltou à Jerusalém após o cativeiro babilônico, em torno de 450 a.C. Ver I Crô. 9:11; Nee. 11:11.

SERÁPIS

Transliteração grega da palavra egípcia *Osíris-Ápis*, que se refere ao touro sagrado de Mênfis. Os egípcios consideravam o nome desse deus apenas outro nome de Osíris, o deus do submundo, equivalente ao hades dos gregos. Os ofícios do deus incluíam a fertilidade, e essa divindade, que alcançava um *status* semelhante ao de Zeus, foi originalmente instituída por Ptolomeu I (cerca 323-383 a.C.) em Alexandria. Os navegantes o adoravam como o protetor daqueles que viajavam pelo mar.

SEREBIAS

No hebraico, *Yahweh é originador*, ou talvez, como dizem alguns, "o calor que queima de Yahweh".

1. Levita que retornou da Babilônia para servir na Jerusalém restaurada depois de Esdras ter apelado ao profeta Ido por reforços para os cultos a Yahweh. Ele recebeu a tarefa de carregar de volta a Jerusalém os vasilhames de ouro e prata que haviam sido roubados do templo. dirigiu os cultos de ação de graças no Segundo Templo e ajudou a explicar ao povo as exigências da lei mosaica. Viveu em cerca de 530 a.C. Ver Esd. 8.18, 24; Nee. 8.7; 9.4; 10.12.

2. Talvez um homem diferente chamado com o mesmo nome, um levita que retornou do exílio babilônico junto com Josué e Zorobabel (Nee. 12.8). Ele estava encarregado do ministério da música no Segundo Templo, e sua época foi em torno de 530-500 a.C. Muitos identificam este homem com o número 1.

SEREDE

No hebraico, "escape" ou "livramento". Seu nome aparece exclusivamente em Gên. 46:14 e Núm. 26:26. Foi o filho mais velho de Zebulom, e antepassado da família dos "sereditas", conforme esta última referência.

SERES

No hebraico, *união* ou *raiz*, filho ou descendente de Maquir (I Crô. 7.16), que viveu por volta de 1400 a.C. Era neto de Manassés e líder daquela tribo.

SÉRGIO PAULO

Atos 13:7: *que estava com o procônsul Sérgio Paulo, homem sensato. Este chamou a Barnabe e Saulo e mostrou desejo de ouvir a palavra de Deus.*

"Chipre, após ter sido uma província romana imperial, originalmente ligada à Cilícia, no ano de 22 a.C., se tornara uma província senatorial. Lucas, pois, com sua costumeira exatidão nas questões históricas, corretamente chama seu governador não pelo título de *procurador*, e, sim, de *procônsul.* (Comparar Atos 18:12 acerca de Gílio, em Corinto)". (G.H.C. Macgregor, *in loc*).

Sérgio Paulo. O encontro que Paulo e Barnabé tiveram com esse personagem ocorreu por volta de 47 d.C. O seu nome sugere que era membro de uma antiga família senatorial romana. Se porventura era ele o L. Sergius Pauilus, mencionado no *Corpus Inscriptionum Latinarum* VI.31.545, então ele foi um dos curadores das margens do rio Tigre, sob o imperador Cláudio. Há uma outra inscrição, *Inscriptiones Graecas ad res Romanas pertinentes*, iii.930, encontrada em Soli, na ilha de Chipre, que se refere ao procônsul Paulo, ao passo que uma outra inscrição, descoberta em Antioquia da Pisídia, em honra a L. Sergius Pauilus, *propraetor* da Galácia, em 72-74 d.C., provavelmente celebra seu filho.

No entanto, existem intérpretes das Escrituras que pensam que sabemos menos a respeito do procônsul Sérgio Paulo do que pensávamos que sabíamos. Lake, em *Beginnings of Christianity, V.* págs. 455 e s , acredita que a inscrição encontrada em Soli, na ilha de Chipre, segundo dissemos acima, não faz alusão a ele. Plínio, o Velho, tendo escrito cerca de vinte anos mais tarde, menciona um certo Sérgio Paulo como alguém interessado pela história natural; e este, igualmente, tem sido identificado com o personagem do livro de Atos, mas Isso Lake também nega como identificação válida.

A única referência aparentemente inatacável ao procônsul Sérgio Paulo, fora das Sagradas Escrituras, parece ser uma inscrição encontrada em Roma, *Corpus Inscriptionum Latinaruam, VI.* no 31545, conforme foi mencionado acima". No entanto, essa inscrição não o vincula à ilha de Chipre, embora ilustre a importância de sua pessoa e de sua família em Roma. Contudo, não temos motivo algum para duvidar, seja como for, que essa alusão é feita a Sérgio Paulo, como procônsul de Chipre, por essa altura da história dada por Lucas. Essa referência é genuína, porquanto a arqueologia tem demonstrado que Lucas sempre se mostra muito exato nessas questões.

Não sabemos até que ponto o procônsul Sérgio Paulo se tornou crente, porque nada nos é dito acerca de seu batismo; nem há mesmo em torno dele qualquer lenda antiga, posto saber-se que essas lendas se esforçem por desenvolver informes em redor de qualquer pessoa ou acontecimento de destaque. Alguns estudiosos, por isso mesmo, têm pensado que Lucas e Paulo se deixaram iludir pela recepção cortês da palavra que o procônsul demonstrou, como também pela sua admiração ante o feito sucedido com Barjesus, como se essas atitudes tivessem sido provas cabais de sua fé cristã, quando, na realidade, era atitude típica de qualquer oficial romano mostrar-se sempre muito cortês. Nada de certo se pode adiantar sobre essa questão, entretanto, por falta de qualquer informação adicional a seu respeito. Também, é verdade que a palavra *creu* (ver o décimo segundo versículo deste mesmo capítulo) nem sempre é usada em sentido absoluto, para indicar um autêntico discipulado cristão, nas páginas do N.T., contrariamente do que geralmente se verifica na moderna literatura evangélica. Pode-se notar que, no oitavo capítulo deste livro lemos que Simão Mago declaradamente "abraçou a fé" (Atos 8:13), tendo sido até mesmo batizado; no entanto, não foi ele jamais um crente verdadeiro, e nem o texto sagrado o apresenta como tal.

Sérgio Paulo era "homem inteligente", isto é, dotado de entendimento, o que alude à sua inteligência e discernimento naturais.

Com base nessas palavras *(homem inteligente)* parece que Sérgio Paulo era bem versado na filosofia natural; e, provavelmente, por essa razão (especialmente em face do fato de que ele deve ter percebido a loucura do politeísmo) cultivava amizade com Barjesus, que além de transmitir-lhe informações sobre os princípios básicos da filosofia natural, poderia instruí-lo no conhecimento sobre o verdadeiro e único Deus, conforme contido na religião judaica. O fato de que ele mandou chamar Paulo e Barnabé, pregadores de uma religião que professava ser uma

169

SÉRGIO PAULO – SERMÃO DA MONTANHA (MONTE)

graduação melhorada do judaísmo, é justamente o que se poderia esperar da parte de tão curioso investigador da verdade (Bloomfield, em Atos 13:17).

Em Chipre se buscava por algo melhor. Existe uma interessante inscrição, descoberta em Golgoi, na ilha de Chipre, provavelmente datada do segundo ou terceiro século de nossa era, que exibe o anelo, por parte de alguém, por conhecer melhor a Deus. Diz como segue:

Tu, o Deus único,
O maior, o mais glorioso
Nome,
Ajuda a nós todos, te rogamos.

À base dessa inscrição aparece o nome Hélios, que significa Sol. Mui provavelmente, isso indica a adoção da adoração a Mitras, ou o sol, como símbolo visível da divindade. Essa forma de adoração, que foi conhecida pelos romanos inicialmente nos tempos de Pompeu, conduziu os romanos ao recebimento geral do Dies Solis (domingo), como o primeiro dia da semana entre os romanos, o que, até mesmo no caso de Constantino, se misturou com os primeiros estágios de seu progresso na direção da fé em Cristo. Pelo menos parece razoável supormos que Deus pode utilizar-se de diversas idéias, já aceitas pelo povo, como degraus para que os homens atinjam uma fé mais elevada, a verdadeira.

SERMÃO
Ver sobre **Homilética (Homilia)**.

SERMÃO DA MONTANHA (MONTE)
I. Título e Unidade
II. Características Literárias
III. Conteúdo
IV. O Primeiro Grande Discurso do Evangelho de Mateus
V. Os Nomes
VI. Fontes do Material de Mateus
VII. Harmonia Desta Seção
VIII. Comparação das Duas Narrativas

I. Título e Unidade
"Jesus, pois, vendo as multidões, *subiu ao monte* ... e ele se pôs a ensiná-los..." (Mat. 5:1, 2). A afirmação de que Jesus subiu a um monte para ensinar o povo introduz o bloco de material, Mateus 5 a 7, que é um de cinco blocos ou compêndios de ensinos de Jesus em Mateus. Discuto as fontes do material na seção VI, e a questão da *harmonia* na seção VII. Entretanto, não há razão alguma para duvidar que este sumário do ensino de Jesus é de fato autêntico: ele pronunciou essas palavras. Não há também razão para crer que temos aqui *uma unidade*, ou seja, um sermão pregado *em uma única ocasião*. O leitor que percorrer versículo por versículo na exposição dos Evangelhos descobrirá que os mesmos ditos estão ligados a diferentes circunstâncias históricas nos diferentes Evangelhos. Concluímos que às vezes os acontecimentos históricos ligados aos ditos eram recursos literários artificiais, sendo, pelo menos em algumas ocasiões, não mais que tentativas dos escritores dos Evangelhos de *recuperar* os acontecimentos originais que ocorreram ao mesmo tempo que os ensinos foram apresentados. Demonstro isso oportunamente nas seções VI, VII e VIII.

II. Características Literárias
As características literárias deste bloco de material revelam Jesus como um orador hábil, capaz de empregar vários tipos de discursos que enriqueciam suas mensagens. Seu principal método de ensino empregado eram as "parábolas" (ver o artigo). Provavelmente, outro método secundário era o *discurso* supremamente exibido no Evangelho de João. Nos capítulos 5 a 7 do Evangelho de Mateus, Jesus usou a forma *poética*, com paralelos em 6:9-13. Ele recorreu a muitas ilustrações, ou ao método *pictórico*, como, por exemplo, ao falar de um oficial romano que carregava sua bagagem por uma milha (5:41). Em seguida, alguns dos ditos estão na forma de *provérbios*, como em Mat. 5:29, 30.

III. Conteúdo
Os discursos agrupados em um só bloco cobrem grande número de temas, o que um único sermão, enunciado numa só ocasião, dificilmente poderia fazer. Apresento isso na forma de esboço.

1. *As bem-aventuranças* (com paralelo em Luc. 6:17-23, onde o número é menor): 5:3-12. Estes ditos nos informam certas verdades básicas sobre a espiritualidade e o viver espiritual, sendo "qualidades da alma" do homem piedoso. Há um artigo separado sobre esta matéria. Ver *Bem-aventuranças* na Enciclopédia de Bíblia, Teologia e Filosofia.

2. Os ditos de Jesus contrastados com a compreensão comum da lei de Moisés: 5:17-48. Os temas são homicídio, adultério, divórcio, juramentos, retaliação e amor ao próximo.

3. *Os elementos do culto*: 6:1-18. As colunas do culto judaico eram esmolas, oração e jejum. Jesus comentou sobre esses elementos, espiritualizando-os, e mostrou que o culto genuíno deve ser uma devoção exclusiva a Deus, que tem resultado em nossas atitudes e atos em relação a outros.

4. *Temas variados* demonstrando elementos da vida espiritual: o homem bom evita a crítica dirigida a outros (Mat. 7:1-5); o homem bom deve ser discreto quando apresenta seus ensinos aos profanos (7:6); o homem bom deve ser uma pessoa de oração ardorosa (7:7-11); a regra áurea: trate os outros como você quer que os outros o tratem (7:12); metáforas que contrastam o bom e o mau: as duas estradas (7:13, 14); os dois frutos (7:15-23); os dois fundamentos (7:24-29).

IV. O Primeiro Grande Discurso do Evangelho de Mateus(5:1-7:29)

Jesus subiu ao monte, pois o que tinha a dizer transcende à vida comum do vale inferior, onde os homens estavam acostumados a reunir-se (cf. sua subida ao monte da transfiguração, em Mat. 17:1, bem como a outorga de seu mandamento final, em Mat. 28:16). Por igual modo, Moisés recebeu a lei em um monte (ver Êxo. 19). Cristo apresenta aos homens o caminho da vida.

O Evangelho de Mateus é o evangelho dos logoi ou ensinos de Jesus. O autor apresenta esses ensinos em cinco grandes discursos de Jesus, como se tivessem sido ministrados em cinco ocasiões distintas, como discursos formais dirigidos às massas ou aos seus discípulos. Os sermões se compõem de aforismos, máximas e instruções de tão elevada qualidade que têm sido lembrados, e entesourados através dos séculos. É impossível crermos que Jesus tivesse feito apenas cinco discursos principais, ou que essas cinco seções necessariamente representem apenas cinco acontecimentos históricos separados. Antes, segundo o seu plano geral de apresentação, o autor agrupa os ensinos em blocos distintos, firmando talvez em palavras proferidas e repetidas por muitas vezes; e em volta desses blocos de ensinos edificou o seu evangelho e a sua cronologia de acontecimentos históricos. O confronto com Marcos e Lucas revela que Mateus nem sempre segue a mesma ordem cronológica daqueles, e isso ele faz propositadamente, na maioria dos casos, devido ao seu propósito principal, não de preservar a ordem dos eventos, mas de apresentar, da melhor maneira possível, os ensinos

O SERMÃO DO MONTE

••• ••• •••

Jesus ensinava, dizendo:

Bem-aventurados os pobres...os que choram...
os mansos...os que tem fome...os misericordiosos...os limpos de coração...os pacificadores...os que sofrem...
Exultai e alegrai-vos.

...
Vós sois o sal da terra.
...
Vós sois a luz do mundo.
...
Dá a quem te pedir.
...
Sede vós perfeitos.
...
Não andeis inquietos.
...

Buscai primeiro o reino de Deus,
e a sua justiça, e todas estas
coisas vos serão acrescentadas.
...
Não julgeis, para que não
sejais julgados.
...
Entrai pela porta estreita.

...
A multidão admirou da sua doutrina.

••• ••• •••

SERMÃO DA MONTANHA (MONTE)

de Cristo. O Sermão do Monte, em Mateus, é o Sermão da Planície, em Lucas; e além disso, nota-se que cada um expõe o material do discurso em diferentes circunstâncias históricas. Em Lucas, o material desse sermão é apresentado mais tarde no ministério de Jesus, após certo número de milagres e depois de haver selecionado todos os doze apóstolos. Em Mateus, o sermão aparece antes dos milagres, e após haver escolhido apenas quatro dentre os doze discípulos. Tais considerações, porém, não afetam a autenticidade dessas palavras ou ensinos, mas apenas indicam que detalhes dessa natureza não são importantes para o autor, e que este usou o material de que dispunha do modo mais vantajoso para o plano de apresentação que tinha em mente. As cinco grandes seções desse evangelho são as seguintes: 1. Caps. 5-7. O Sermão do Monte; a Nova Lei; os Conceitos do Reino; Instruções aos herdeiros do reino. 2. 9:35-11:1. Ensinos que indicam a necessidade de caráter formado no trabalho e na conduta dos discípulos especiais. 3. 13:1-58. Mistérios do reino dos céus, dirigidos às multidões. 4. 18:1-19:2. Grande texto sobre as crianças; Problemas comunitários; Relações na igreja; Discurso dirigido aos discípulos. 5. 24:1-26:2. Descrição das condições no fim da dispensação; o "Pequeno Apocalipse" ou profecias de Jesus. Esse discurso também se dirigiu aos discípulos. Portanto, em volta desses blocos capitais de ensinos é que o evangelho de Mateus foi erigido. O livro contém outros ensinos não incluídos nessas seções, mas estas representam a essência dos logoi de Jesus.

A seção de Mat. 5:1-7:29 é das mais famosas e notáveis no evangelho inteiro. O reino de Jesus requeria uma nova lei, bem como um novo legislador; e em Jesus e suas palavras encontramos ambas as coisas. Sua mensagem se dirige ao Novo Israel (a igreja) e não ao antigo Israel, o que transparece nos escritos de nosso evangelista. Portanto, rejeitamos aqui o ensinamento hiperdispensacional que atribui esse primeiro discurso a Israel ou adia sua aplicação até o milênio. Antes, visa a conduta cristã ideal, porquanto a igreja cristã é o Novo Israel. Sem dúvida esse é o intuito do autor, ao expor ele o seu material. Naturalmente, Jesus, proferiu essas palavras aos ouvidos de israelitas, mas conforme elas são usadas pelo evangelista, certamente se aplicam ao Novo Israel. O evangelho de Mateus é um documento cristão.

"Até este ponto da narrativa, Jesus chamara apenas quatro discípulos especiais, e aparentemente o discurso lhes foi dirigido; mas Mateus na realidade tinha em mira as multidões, e o sermão tem por escopo aplicar-se a todos os cristãos". (Sherman Johnson, in loc.).

V. Os Nomes

Muitos nomes têm sido empregados para expressar a natureza geral do evangelho de Mateus, tais como eclesiástico, legalista ou judaico; mas logo a primeira seção de ensinos revela-nos que o maior interesse do autor se centraliza na vida espiritual e moral da comunidade cristã. Essa vida espiritual deve ser de mais elevado nível do que aquela evidenciada por alguns representantes do judaísmo, isto é, a justiça cristã deve ultrapassar a dos escribas e fariseus. (5:20). A justiça descrita pelo autor é mais profética do que rabínica. (Ver *Studies in Matthew*, B.W. Bacon). Quanto à bibliografia sobre o evangelho de Mateus, ver o artigo sobre *Mateus*. É digno de nota que o último discurso termina com essa mesma nota de justiça transcendental. Por conseguinte, na realidade, no Sermão do Monte temos uma nova espécie de *Tora* (ver o artigo a respeito) e não apenas um novo "halakah" ou compêndio de leis.

VI. Fontes do Material de Mateus

É evidente que a fonte "M" foi usada como base de pelo menos parte do material encontrado nesse discurso. Partes do mesmo contêm um tipo de interesse rabínico invertido, ou seja, o autor deseja expressar o seu descontentamento ante alguns aspectos do farisaísmo, especialmente sua interpretação sobre alguns conceitos da lei. Deseja mostrar que a interpretação de Jesus sobre a mesma lei reflete um ideal muito mais elevado e um alicerce moral muito mais seguro, para os adeptos do reino dos céus. Porém, a fonte "Q" igualmente serviu de base, poste que se pode ver que parte do *Sermão da Planície*, dado por Lucas, oferece material paralelo. (Ver Luc. 6:20-49). Lucas também contém porções do Sermão do Monte. Mas em outros trechos é apresentado sob circunstâncias históricas diferentes. (por exemplo, Mat; 5:13-Luc. 14:34; Mat. 5:18-Luc. 16:17; Mat. 5:25,26-Luc. 15:58; Mat. 5:32-Luc. 16:17. Ver a lista mais completa, na discussão seguinte, acerca da *harmonia* dessa seção). O Sermão da Planície de Lucas, contém algum material da fonte "L", o que se evidencia pelo fato de que relata quatro "ais" não contidos em Mateus (Luc. 6-.24-26), além de palavras introdutórias que não têm paralelo em Mateus (Luc. 6:39,45). Quanto a uma ampla discussão sobre as fontes dos evangelhos e à explicação dos termos aqui usados, ver o artigo intitulado o *Problema Sinóptico*. Tanto o autor deste evangelho quanto Lucas introduzem seus sermões após uma súmula de curas notáveis, e é provável que a fonte "Q" o fizesse de forma similar. As evidências sobre a fonte "Q", isto é, material em comum, entre Mateus e Lucas, e que Marcos não inclui, podem ser vistas na seguinte tabela comparativa.

MATEUS	LUCAS	MATEUS	LUCAS
5:1-3,6,11,12	6:20-23	7:21,24-27	6:46-49
5:46-48	6:32,33,36	8:5-10	7:1-9
7:1-5	6:37,38,41,42	8.13	7:10
7:16-18	6:43,44		

Os ensinos anteriores são apresentados na mesma ordem por Mateus e Lucas. Em outros lugares, porém, a ordem é levemente modificada, mas a fonte "Q" mui provavelmente continua sendo a fonte originária. Embora seja impossível ter certeza, o mais provável é que Lucas tenha preservado a ordem original:

MATEUS	LUCAS
5:39-41	6:29,30
5:44	6:27,28
5:45	6:35

VII. Harmonia desta Seção

Muita discussão e controvérsia têm havido em torno da harmonia desta seção: O Sermão do Monte, com Luc. 6:20-49, O Sermão da Planície. É óbvio que pelo menos em parte, ambos os autores expõem um sermão que teria sido feito alegadamente na mesma ocasião. Há, porém, algumas notáveis diferenças cronológicas e de conteúdo. Já notamos que Lucas usa partes do sermão de Mateus em outros lugares que não têm conexão com as ocorrências apresentadas como parte integrante daquela ocasião. A discussão abaixo apresenta as principais idéias dos intérpretes em relação à harmonia entre Mateus e Lucas nesse ponto:

1. Os sermões são idênticos, e o de Lucas é uma condensação do de Mateus. Ou é possível que o sermão de Mateus seja uma expansão do de Lucas. É difícil aceitar essa idéia ao observarmos que Lucas alude a uma "planície" como localidade geográfica do sermão, ao passo

SERMÃO DA MONTANHA (MONTE)

que Mateus situa o incidente sobre um monte. Dizer que Lucas se refere a um "lugar plano", em uma das vertentes do monte, é esperar demais da credulidade do leitor, e essa interpretação reflete uma mentalidade que requer harmonia a qualquer custo. Também é claro que as circunstâncias e a ocasião dos sermões são diferentes. Em Lucas, o incidente é apresentado mais tarde no ministério de Jesus do que em Mateus. Antes da ocorrência em Mateus, Jesus teria escolhido apenas quatro dos doze discípulos; em Lucas, todos os doze já haviam sido selecionados. Em Lucas, mais milagres e outros acontecimentos já haviam tido lugar do que aparece em Mateus. A principal dificuldade dessa interpretação é que ela insiste sobre "uma só ocasião", tanto para Mateus como para Lucas. Essa idéia e aquela outra que seria impossível que os dois autores apresentassem seus sermões como se tivessem ocorrido em diferentes períodos do ministério de Jesus, e de que de alguma maneira as ocasiões precisam ser reconciliadas, criam obstáculos intransponíveis para a interpretação e a harmonia; os principais obstáculos são esses mencionados aqui.

2. Outros interpretam que aqui temos duas partes do mesmo sermão, parte do qual foi proferida no monte, e outra parte na planície, é outra interpretação forçada, e as objeções contra a primeira interpretação também se aplicam a esta. Essa idéia só serve para explicar as diferenças entre o "monte" e a "planície" bem como as diferenças no material, mas em nada contribui para esclarecer por que os dois autores apresentariam seus sermões em ocasiões totalmente diversas e sob circunstâncias tão díspares. Por exemplo, suponho que seria necessário dizer (a fim de apoiar uma harmonia exata) que entre as duas partes do sermão, Jesus escolheu os outros oito discípulos, idéia manifestamente absurda.

3. Alguns interpretam que os sermões, de fato, são dois discursos diferentes, proferidos em duas ocasiões distintas. Isso solucionaria os problemas de harmonia pois ela já não seria necessária, já que os incidentes não seriam os mesmos. Então esperaríamos, naturalmente, que algo do conteúdo fosse diferente e que as ocasiões fossem distintas. A dificuldade em torno dessa idéia é que parece óbvio, pelos textos, que os autores de fato procuram apresentar o mesmo "sermão" ou ensinos que se encontram na fonte "Q". É difícil crermos que Jesus tenha feito dois sermões quase idênticos, seguindo a mesma ordem de declarações (ver à súmula do parágrafo anterior, que demonstra a existência da fonte "Q"). Ainda é mais difícil crer que esses dois sermões continuaram existindo lado a lado, como tradição oral, e que finalmente foram copiados e preservados na tradição escrita, e que então Mateus registrou um deles e Lucas registrou o outro. As possibilidades contrárias a essa série de eventos são por demais remotas.

4. A verdade em torno dessa dificuldade parece ser a seguinte: Mateus expôs um compêndio dos ensinos de Jesus. Lucas, usando a mesma fonte "Q" introduziu um compêndio similar, mas então preferiu apresentar apenas uma porção do material de que dispunha. Em outros lugares, porém, apresentou outros assuntos comuns à mesma fonte. Não podemos saber com certeza se "Q" inteira, em uma das seções, tinha a quantidade de material que Mateus apresenta nos capítulos 5-7, ou se o autor preferiu fazer uma seleção dentre várias seções, usando materiais diversos, para então reuni-los numa só seção de seu livro. Além do material da fonte "Q" o autor do evangelho de Mateus também adicionou material da fonte "M". Lucas agiu de modo similar. Usou essencialmente a mesma fonte "Q" que se encontra em Mateus, porém, utilizou-se uma parcela menor da mesma nessa seção, usando novamente a mesma fonte em outros trechos para apresentar os ensinos de Jesus, ainda que sob circunstâncias históricas diferentes. A fonte "L" também foi usada por Lucas, que apresenta assim um material misto. As objeções contra essa idéia são, essencialmente, as tentativas para provar que estamos abordando apenas uma ocasião e um único sermão. Esse é o erro cometido pelos harmonistas, pois essa tese carece de provas.

É óbvio, não só nesta seção, mas também no caso dos outros quatro principais discursos deste evangelho, que o autor tem o propósito de apresentar um compêndio dos ensinos de Jesus, e que em torno desses sermões ele reuniu os elementos históricos de sua exposição. É difícil crermos que Jesus tenha feito apenas cinco discursos principais, e isso em cinco localidades e ocasiões distintas. Antes, parece óbvio que esses sermões realmente representam muitos sermões, feitos em muitas ocasiões e circunstâncias variadas. O tratamento dado a Jesus por Lucas e trechos do Sermão do Monte, que ele dispersa no contexto de seu livro, sob várias oportunidades históricas, demonstra exatamente isso. É possível e quem poderia negá-lo? que Jesus tenha feito um sermão ou sermões que contivessem muitos dos elementos dos capítulos 5-7 de Mateus, em um monte ou em uma planície. Portanto, pode-se falar legitimamente do "Sermão do Monte", e nem Mateus e nem Lucas fazem violência contra a credulidade de seus leitores ao apresentarem os seus sermões (embora sejam essencialmente compêndios), como se tivessem sido proferidos em ocasiões específicas, presos a ocasiões distintas; pois, de fato houve muitos sermões que incluíram essas declarações e instruções, proferidos em "monte" ou "planícies". Entretanto, também é óbvio que os autores desses evangelhos não se preocuparam meticulosamente com detalhes de tempo e de geografia, segundo alguns harmonistas, nos querem fazer crer. Ao assim dizermos, de forma alguma atacamos a autenticidade dos logoi apresentados dessa maneira. Reputamos autênticos os "logoi" ou seja, Jesus de fato proferiu essas palavras. Quem dentre os seus discípulos teria a energia mental necessária para pôr essas palavras nos lábios de Jesus? As palavras conferem com o que sabemos sobre a personalidade e a grandeza de Jesus. Quanto à questão geral da *harmonia*, temos de concordar com Alford, que disse (comentário sobre Mat. 8:25) "Muito labor inútil teria sido evitado se as mentes dos homens tivessem sido encaminhadas para a inquirição diligente sobre as dificuldades reais dos evangelhos, ao invés de gastar-se tanto tempo a coser teias de aranha". Ver no NTI as notas sobre esse versículo e a citação latina de Agostinho, acerca do mesmo problema. Quanto a uma discussão detalhada sobre a dificuldade da harmonia dos evangelhos, ver o artigo intitulado *Historicidade dos Evangelhos*.

VIII. Comparação das Duas Narrativas

1. Dos 107 versículos contidos em Mateus, Lucas tem apenas 30.

2. Das oito *bem-aventuranças* de Mateus, Lucas tem apenas quatro; mas Lucas acrescenta quatro *ais* não contidos em Mateus (ver Lucas 6:24-26).

3. Lucas tem algumas poucas palavras introdutórias que não se acham em Mateus (Lucas 6:39,45).

4. Certo número de versículos de Mateus, sobre o

SERMÃO DA MONTANHA (MONTE) – SERPENTE, ENCANTAMENTO DA

Sermão do Monte, é usado em diferentes lugares por Lucas, sem qualquer vinculação a qualquer sermão proferido em um monte ou em uma planície:

MATEUS	LUCAS
1. 5:13	14:34
2. 5:18	16:17
3. 5:25,26	12:58
4. 5:32	16:18
5. 6:9-13	11.-2-4
6. 6:19-21	12:33,34
7. 6:22,33	11:34-36
8. 6:24	16:13
9. 6:25	12:22,23
10. 6:26-34	12:24-31
11. 7:7-11	11:91-13
12. 7:13	13:13
13. 7:22,23	13:25-27

Observa-se, de modo geral, que os *logoi* desse sermão não apresentam conceitos inteiramente novos. Jesus empregou as idéias do V.T. e de vez em quando se utilizou de citações rabínicas. A habilidade especial de Jesus consistia em reconhecer e selecionar material de valor especial da tradição judaica, deixando de lado os pontos fracos, inúteis e absurdos. Jesus imortalizou o que havia de melhor nos ensinos do judaísmo. Essa seção, *O Sermão do Monte*, tem sido chamado por alguns de o *mais nobre e elevado código moral jamais compilado* (paráfrase de The New Testament as Literature, *The Gospel According to Matthew*, por Buckner B. Trawick, pág. 44). Temos aqui, portanto a *Nova Lei*, a Nova Tora, o *Sinai* do Novo Testamento.

SEROM
No grego, Séron. Foi o governador de Cele-Síria e comandante das tropas sinas, nos tempos de Antíoco IV Epifânio. De acordo com o trecho de I Macabeus 3:13-23, ele foi derrotado por Judas Macabeu, em Bete-Horom.

SERPENTE
Ver sobre **Serpentes (Serpentes Venenosas)**.

SERPENTE, A ANTIGA
Título de Satanás. Ver Apo. 12:9.
Ele é "homicida" desde o princípio (ver João 8:44). E ele foi o "começo" (ou "iniciador") mesmo do pecado, segundo se lê no evangelho de Nicodemos. Encontramo-lo, primeiramente, no livro de Gênesis, onde ele já aparece como um ser maligno. O décimo quarto capítulo do livro de Isaías pinta suas atividades antes da existência da terra; e ali ele já é um poder pervertido e grandemente destruidor. Ele tem estado solto por longo tempo, dotado do caráter de "serpente", um dos constantes símbolos que a humanidade tem usado para indicar um poder astucioso e destruidor, que ataca sem misericórdia. Por isso é que Satanás é aqui chamado de "a antiga serpente".
O grande dragão, na qualidade de inimigo mortal de Cristo, desde há muito dera início a seu esporte assassino, na qualidade de antiga serpente. A serpente do paraíso transformou-se no grande dragão do inferno". (Lange, *in loc.*).
Satanás tanto é a "serpente" como é o dragão. O "dragão" é um animal semelhante à serpente, nas histórias antigas. Esses dois vocábulos, no grego, *drakon* e *ophis*, são usados na Septuaginta como termos intercambiáveis para "leviatã", ou seja, "monstro-marinho". Trata-se do "antigo dragão" ou da "antiga serpente", que são expressões rabínicas. É um ser malicioso e invejoso (ver Sap. ii.24; En. xx.7 e Testamento de Rúben 5), devendo ser identificado com a serpente do terceiro capítulo do livro de Gênesis, segundo essas referências o demonstram.
"Na qualidade de destruidor, ele é um 'leão que ruge'; e na qualidade de enganador, ele é uma "serpente". (Fausset, *in loc.*). Mas, na qualidade de "Serpente", ele também é um destruidor, pois é gigantesco e tem um tremendo poder em sua cauda. (I IB NT I RO)

SERPENTE DE BRONZE
No hebraico, *nachas*, que tem o significado de *sutil* (Gên. 3:1). O termo completo para *serpente de bronze* é *nachash nechosheth*, que ocorre apenas em II Reis 18:4. Bronze significa *cobre*. Para detalhes da história que relata como Moisés fez uma serpente dessa para cura, ver Núm. 21:4-9. O comentário do livro apócrifo *Sabedoria* resume a situação ao dizer: "Eles ficaram perturbados por um curto período, pois talvez fossem reprovados por terem um *sinal de salvação*. Aquele que se virasse a ela (à serpente de bronze) não era salvo por ela, mas pelo Senhor (Yahweh), que é Salvador de todos" (ver 16:5, 12). Ver o comentário do Novo Testamento sobre a história que se aplica à missão salvadora de Cristo (João 3:14, 15). Israel, sempre culpado de uma variedade de infrações, começou a reclamar do suprimento de alimentos. Como punição, as pessoas foram atacadas por cobras, mas, para acabar com a punição, a serpente de bronze foi feita. Uma mera olhada na direção do animal curava. As pessoas dos tempos antigos criam no poder de cura das serpentes, e talvez isso tenha influenciado a réplica de bronze. A serpente de bronze (cobre) tornou-se um objeto de louvor e teve de ser destruída na época do rei Ezequias.

Usos figurativos:
1. Poderes destrutivos, especialmente do tipo maligno.
2. Satã como o poder destrutivo (Apo. 12:9; II. Cor. 11:3).
3. Malícia (Sal. 58:4; 140:3).
4. O poder destrutivo do vinho (Pro. 23:31, 32).
5. O mal ou a calamidade inesperada, como uma serpente escondida em um buraco (Ecl. 10:8). Ver ainda Mat. 3:7.
6. Alguém que fala demais, bobo como uma serpente não treinada (Ecl. 10:11).
7. Inimigos que assediam (Isa. 14:29; Jer. 8:17).
8. Hipócritas (Mat. 23:33).
9. O prudente (Mat. 10:16).
10. A missão salvadora de Cristo (João 3:14, 15).
11. A proteção supernatural é tipificada quando alguém pode manusear uma serpente e não sofrer nenhum mal (Mar. 16:18).s

SERPENTE, ENCANTAMENTO DA
Do hebraico, *sussurrar*, referindo-se ao alegado poder dos encantadores de serpentes, que conseguiam (conseguem) colocar uma cobra em algum tipo de estado hipnótico ao sussurrar com ela ou através do uso de um instrumento musical. Por esse processo, o animal uma vez perigoso torna-se dócil e inofensivo. Ecl. 10:11 infere que algumas espécies de cobras estão sujeitas a essa pacificação, enquanto Sal. 58:4, 5 e Jer. 8:17 sugerem que outras espécies não podem ser encantadas. A referência em Jeremias transforma as cobras que não podem ser domadas nos *inimigos de Judá*, os quais estavam prontos para agredir e fazer mal àquele povo. Os ímpios que nunca ouvem conselhos e nunca se arrependem são como "cobras surdas" que não podem ser encantadas (Sal. 58:4,5).

SERPENTE, PEDRA DA – SERPENTES

SERPENTE, PEDRA DA (PEDRA DE ZOELETE)

A tradução na passagem onde ocorre essa expressão (I Reis 1:9), é insegura quanto ao seu significado. Algumas traduções, como a nossa versão portuguesa, deixam a expressão bem parecida com a do hebraico, "pedra de Zoelete". Mas o sentido poderia ser "pedra do que se arrasta", a serpente estando em pauta. Mas esse termo, Zoelete, também pode significar "escorregadio", dando a entender algo que "escorrega enquanto avança", o que novamente aponta para a serpente. Seja como for, essa era a designação de uma penha próxima de En-Rogel, como também de uma fonte que havia perto de Jerusalém, no vale do Cedrom. Foi ali que Adonias ofereceu sacrifícios, quando procurou, sem sucesso, ser o sucessor de seu pai, Davi, no trono.

Alguns estudiosos têm sugerido que a idéia de "escorregadio" refere-se à própria penha, de superfície lisa, nada tendo a ver com serpentes. Mas outros opinam que o lugar talvez estivesse vinculado à adoração à serpente.

SERPENTE TORTUOSA

Ver sobre a *Astronomia*.

SERPENTES (SERPENTES VENENOSAS)

I. Terminologia
II. Gênesis 3
III. Mitos
IV. Serpentes na Bíblia e na Palestina
V. A Serpente de Bronze (Cobre)
VI. Usos Figurativos

I. Terminologia

1. *Hebraico*: *zachal* (temível, arrastar-se), Deu. 32:23; *nachash* (serpente), Gên. 3:1, 2, 4, 13, 14; Êxo. 4:3; Núm. 21:6, 7, 9; Ecl. 10:8, 11; *saraph* (requeimante) Núm. 21:6, 8; Deu. 8:15; Isa. 14, 29, 30:6; *tannin* (serpente), Êxo. 7:9, 10, 12.

2. *Grego*: *ophis* (serpente), Mat. 7:10; 10:16; 23:33; Mar. 16:18; I Cor. 10:9; II Cor. 11:3; Apo. 9:19.

II. Gênesis 3

O relato de Gênesis sobre a serpente tentadora que tinha o dom da fala e aparentemente andava nada diz sobre o Ser arquimaligno, Satã, cuja doutrina foi um desenvolvimento posterior do judaísmo que dificilmente seria antecipada no primeiro livro da Bíblia. Em outras palavras, Satã em Gên. 3 é uma interpretação posterior do texto, não uma idéia do próprio texto. Cf. Apo. 12.9 e II Cor. 11.3. Como as pessoas sentem instintivamente que as cobras são traiçoeiras e perigosas, por causa de seus ataques repentinos e às vezes fatais, era natural que a história em Gênesis viesse a ser interpretada como "Satã na forma de uma cobra". Os antigos também acreditavam que as cobras eram astutas e sutis, características que combinam com a doutrina de Satã. Liberais e críticos, é claro, visualizam o assunto como apenas outro mito usado nas histórias que relatavam eventos pré-históricos.

III. Mitos

Provavelmente devemos entender que Gên. 3 esteja descrevendo uma cobra real, não a manifestação de um ser superior de qualquer tipo naquela forma particular. Em alguns lugares do Oriente, a cobra era louvada juntamente com outros animais, como o touro. Tal idéia provavelmente influenciou a interpretação judaica posterior de Gên. 3. Podemos corretamente classificar todas essas noções como mitos.

Então, acredita-se em coisas místicas relacionadas a cobras comuns. Sal. 140:3 reflete a crença de que serpentes têm línguas afiadas que podem causar mal e sob seus "lábios" é que está o veneno. As pessoas não estavam cientes das glândulas especiais de veneno que contêm veneno que é injetado através dos canais nos dentes. As habilidades das cobras têm sido exageradas. Elas têm de se enrolar para poder dar o bote, e nesse ato elas se estendem em apenas 2/3 de seu comprimento. Claro, ninguém esquece que elas podem enrolar-se outra vez e dar outro bote em um curto espaço de tempo, portanto a limitação de 2/3 pode facilmente ser eliminada. Pessoas que acampam e caçadores supõem que, se colocarem uma corda ao redor da barraca, as cobras não passarão por cima dela, e portanto não entraram na barraca. As cobras, contudo, não estão cientes desse limite, mas, tudo bem, a corda ao redor da barraca pode dar algum nível de falso conforto e, de qualquer maneira, não atrairá as cobras.

No passado cria-se que as cobras se alimentavam ao "lamber" com a língua (Miq. 7:17), mas a verdade é que elas engolem suas presas inteiras. Pelo menos é verdade que, se você encarar uma cobra e tiver sorte o bastante de dispor de algum tipo de instrumento à mão, deve bater na cobra *em qualquer lugar*, e ela enrolará. Quando ela enrolar, você pode então conseguir dar-lhe uma boa cacetada na cabeça. Esse pingo de "conhecimento verdadeiro" já salvou muitas vidas. O resto é essencialmente notícia ruim ou mito. A única boa notícia é que a maioria das espécies não é venenosa.

IV. Serpentes na Bíblia e na Palestina

É quase sempre impossível identificar, com alguma clareza, as espécies de cobra mencionadas na Bíblia. Aristóteles foi a primeira pessoa a extensivamente classificar os animais, aplicando certo critério de padrões no tangente aquilo que distingue uma espécie da outra. Ele foi, portanto, o pai da zoologia, mas os hebreus não eram zoólogos nem se destacavam em nenhum outro tipo de ciência. O resultado é que as passagens bíblicas que falam de cobras não nos informam sobre as espécies. A maioria das referências a essa criatura insidiosa na Bíblia é figurativa. Ver a seção VI do presente artigo para maiores detalhes.

O Oriente Médio, incluindo a Palestina, tem uma variedade incrível de cobras. Algumas são minúsculas, alcançando apenas uns 30 cm de comprimento, mas outras chegam a atingir o tamanho temeroso de mais de 2 m, pequenas para os padrões africanos ou sul-americanos, mas grandes o suficiente para assustar os homens. Por outro lado, o poder do veneno que uma cobra injeta não é determinado por seu tamanho, Apenas seis cobras da Palestina são venenosas, mas elas estão distribuídas na maioria das áreas do território, portanto não é possível escapar do temor de encontrá-las. Além disso, algumas dessas cobras são noturnas, enquanto outras são diurnas, o que complica a vida de presas potenciais e também do homem. As cobras, como uma classe, têm "sangue frio", portanto não conseguem aquecer a si mesmas através de exercício nem por outro meio "particular". Elas devem manter sua temperatura corporal, entre 15º C e 25º C, através de fontes externas de calor. Algumas hibernam quando as temperaturas externas atingem níveis intoleráveis. Outras fogem a regiões mais altas ou mais baixas devido às variações de temperatura.

V. A Serpente de Bronze (Cobre)

Para este assunto, ver o artigo separado intitulado *Serpente de Bronze*.

VI. Usos Figurativos

Para este assunto, ver o artigo separado *Serpente de Bronze*, última parte, que lista onze usos figurativos.

SERPENTES ABRASADORAS – SERVETO

SERPENTES ABRASADORAS

No hebraico, *nachash saraph*. A referência é às víboras do deserto que atacaram o povo de Israel, no deserto, quando estavam jornadeando em torno do território de Moabe (Núm. 21:4-9). No sétimo versículo desse mesmo capítulo, elas são chamadas apenas *nachash*, "serpente". A espécie particular de víbora poderia ter sido a *Echis carinatus*, que significa, literalmente, "víbora das planícies arenosas". Em outros contextos, a mesma expressão hebraica é traduzida, em nossa versão portuguesa, por "serpente voadora" (Isa. 14:29) e por "serpente volante" (Isa. 30-6).

O termo hebraico *saraph*, traduzido nesses três trechos por "abrasadora", "voadora" e volante", na verdade é cognato da palavra hebraica que, em português, é traduzida por "serafins", uma ordem de seres angelicais (ver Isa. 6). É possível, por conseguinte, que o uso do termo hebraico *saraph*, em Núm. 21:6, tenha o intuito de indicar algo de incomum, ou mesmo de sobrenatural, naquele ataque de serpentes, no deserto. Por outra parte, a palavra pode apenas ter tido vários empregos, aparentemente distintos um do outro. Ver o artigo sobre as *Serpentes*.

SERRA

No hebraico há duas palavras, ambas com esse sentido: *megerah*, usada por três vezes (II Sam. 12:31; I Reis 7:9; I Crô. 20:3); e *massor*, usada somente em Isa. 10:15. A palavra não aparece no Novo Testamento, mas a LXX a traduz por *prízo*, "serra".

A serra era de uso comum no mundo do Oriente Próximo. Um baixo-relevo egípcio da quinta dinastia (2560-2420 a.C.) mostra dois carpinteiros com longas serras, preparando tábuas. Também era um dos implementos familiares dos carpinteiros e lenhadores israelitas (Isa. 10: 15). Eram serrados metais e pedras, e não somente madeira. As evidências arqueológicas demonstram egípcios da décima segunda dinastia (1989-1776 a.C.) usando serras de bronze com dentes de esmeril, para cortar granito. Na construção do templo de Salomão, algumas das pedras de maior valor foram "serradas para o lado de dentro, e para o de fora" (I Reis 7:9). O trabalho de serrar era árduo e, com freqüência, os cativos em períodos de guerra eram mandados para as serrarias (II Sam. 12:31; I Crô. 20:3). Por causa de sua dificuldade, muitos antigos preferiam usar grandes blocos de pedra nas construções, para minimizar o trabalho da serra. A serra era, igualmente, um terrível instrumento de execução capital (ver Heb. 11:37). Há tradições no sentido de que Isaías sofreu o martírio sendo "serrado ao meio".

SERRA DA JUDÉIA

Expressão que aparece no livro apócrifo de Judite, em sua forma grega, *à príon tês Ioudaías*. Ali, Holofernes trouxe um enorme exército de Níniye à Palestina: "Então ele veio à beira de Esdrelom, perto de Dotã, defronte da grande serra da Judéia" e ali acampou durante um mês, enquanto esperava a chegada de suprimentos (Judite 19). Alguns tem sugerido que a expressão deve envolver algum erro textual; mas, nesse caso, ninguém sabe dizer como corrigir o texto.

SERUGUE

No hebraico, "firmeza" ou "força". Seu nome aparece em Gên. 11:20-23; I Crô. 1:26 e Luc. 3:35 (no grego, sua forma é *Serouch*). Foi pai de Naor e bisavô de Abraão. Por isso mesmo, aparece na genealogia de Jesus, em Lucas, que retrocede até Adão.

SERVA

No hebraico, há duas Palavras envolvidas e, no grego, urna, a saber:

1. *Amah*, "criada". Esse vocábulo hebraico aparece por cinqüenta e seis vezes, como, por exemplo, em Êxo. 23:12; Juí. 19:19; Rute 19; I Sam. 1:11,16; 25:24,25,28,31,41; II Sam. 6:20; 14:15; I Reis 1:13,17; Sal. 86:16; 116:16.

2. *Shiphchah*, "serva". Um termo hebraico que ocorre por sessenta e uma vezes, como se vê, por exemplo, em Gên. 16:1; 25:12; 29:24,29; I 30:4; 33:1,2; 35:25; 35:26; Rute 2:13; I Sam. 1:18; 25:27, II 28:21,22; II Sam. 14:6,7,12,15,17,19; II Reis 4:2,1,6; Pro. 30:23; Isa. 14:2; Jer. 34:11,16; Joel. 2:29.

3. *Doule*, "serva", "escrava". Palavra grega que, nessa forma feminina, só aparece por três vezes em todo o Novo Testamento: Luc. 1:38,48; Atos 2:18 (citando Joel 12).

Os versículos que contêm esses termos, com freqüência referem-se a escravas. Mas algumas delas, naturalmente, tornavam-se concubinas do senhor da casa. Algumas delas tomavam-se meios para prover filhos, quando a esposa do dono da casa era estéril. Ver Gên. 16: 1; 25:12; 29:24,29; 30:4; Êxo. 23:12; Juí. 19:19. Essas duas palavras hebraicas também, eram usadas por mulheres, para referirem-se a si mesmas, quando estavam diante de pessoas importantes, ou queriam assumir uma posição de humildade, embora elas não fossem servas ou escravas em nenhum sentido. Ver Rute 2:13; 19; I Sam. 28:21; I Reis 1:13,17. Uma mulher piedosa era serva de Deus e da humanidade. Ver I Sam. 1:11 e comparar com Sal. 86:16 e 116:16. Maria, mãe de Jesus, referiu-se à sua própria pessoa como serva (Luc. 1:38,48).

SERVETO, MIGUEL

Suas datas foram 1511-1553. Nasceu em Navarra, na Espanha. Foi advogado, médico e teólogo. Estudou em Saragoça, Toulouse e Paris. Era conhecido por Melanchthon, Lutero e Calvino. Este último tentou mudar as opiniões de Serveto quanto às suas heresias. Fracassando na tentativa, preparou-lhe armadilhas para que fosse preso e executado, se chegasse a ir a Genebra, na Suíça. Entrementes, Serveto tornou-se famoso no campo da medicina. Foi o primeiro homem a entender a circulação do sangue pelos pulmões. Porém, era-lhe impossível não se manifestar quanto a assuntos teológicos.

Serveto atacou vigorosamente a doutrina da Trindade, e também negava as duas naturezas (a divina e a humana) de Cristo, em uma única pessoa. Também asseverava que o Filho e o Espírito Santo, são manifestações de uma única essência divina, e não pessoas separadas. Opunha-se ao batismo infantil e argumentava em favor do livre-arbítrio, em contra posição à predestinação radical, tão comum durante o período da Reforma Protestante. Objetava ao uso da força em questões de crença e de conscitricia. Embora rejeitasse a doutrina da imortalidade da alma, acreditava na ressurreição, garantindo a imortalidade do indivíduo no além.

Serveto foi condenado pelas autoridades eclesiásticas em Roma, em Lyons, na França, e fugiu para Genebra, onde esperava receber uma acolhida simpática, mesmo que não efusiva. O que Serveto não sabia era que Calvino já dera ordens para a sua apreensão, se chegasse a aparecer em Genebra, porquanto queria tirar-lhe a vida. E assim surgiu a sua diabólica oportunidade. Serveto foi detido e encarcerado. Foi julgado e condenado, e então morto na fogueira. O próprio Calvino quis mostrar-se "misericordioso", e recomendou que Serveto fosse decapitado! O ódio ganhara outro triunfo; a teologia provocara outro homicídio. As palavras do gentil e inofensivo Jesus foram ignoradas.

SERVETO – SERVIÇO

A história revela-nos que Calvino mandou executar mais de sessenta pessoas por motivo de divergências teológicas. Muitos outros foram aprisionados, e um certo número foi banido, às vezes por causa das coisas mais triviais. Mas o nome de Miguel Serveto é o que causa maior lástima e é o mais lembrado, por ter sido o mais célebre das vítimas de Calvino. Porém, houve muitas outras vítimas de seu rancor teológico. Gostamos de desculpar essa ferocidade dizendo que Calvino foi um produto de sua época; mas o homicídio continua sendo, homicídio, sendo pior do que a heresia, em qualquer época.

Ó Deus... que carne e sangue fossem tão baratos!
Que os homens viessem a odiar e matar,
Que os homens viessem a silvar e decepar a outros
Com línguas de vileza
...por causa de...
"teologia".
(Russell Champlin)

SERVIÇO

A principal palavra hebraica a ser considerada é *abodah*, que ocorre por cerca de cento e vinte vezes, de Gên. 29:27 à Eze. 44:14. Há pelo menos quatro outros sinônimos hebraicos, todos com o mesmo sentido. No grego, precisamos levar em conta quatro palavras, alistadas abaixo:

1. *Douleía*, "serviço escravo", que ocorre em Rom. 8:15,21; Gál. 4:24; 5:1 e Heb. 2:15.

2. *Diakonia*, "ministração", "serviço", que aparece por trinta e três vezes: Luc. 10:40; Atos 1:16,25; 6:1,4; 11:29; 12:25; 20:24; 21:9; Rom. 11:13; 12:7; 15:31; I Cor. 12:5; 16:15; II Cor. 3:7-9; 4:1; 5:18; 6:3; 8:4; 9:1,12,13; 11:8; Efé. 4:12; Col. 4:17; I Tim. 1:12; II Tim. 4:5,11; Heb. 1:14 e Apo. 2:19.

3. *Latreia*, "serviço reverente ou religioso", que aparece por cinco vezes: João 16:2; Rom. 9:4; 12:1; Heb. 9:1,6.

4. *Leitourgia*, "serviço público", que é usada por seis vezes: Luc. 1:23; II Cor. 9:12; Fil. 2:17,30; Heb. 8:6; 9:21.

Naturalmente, nessa exposição das palavras usadas, estamos apresentando somente os substantivos e não os verbos respectivos.

Os conceitos bíblicos proeminentes, acerca do serviço, são de natureza religiosa, ainda que também haja alusões ao serviço meramente secular. Porém, o conceito atinge seu clímax no aspecto espiritual do serviço cristão, conforme se vê abaixo:

1. Serviço Secular. A primeira referência a esse tipo de serviço diz respeito ao serviço prestado por Jacó a Labão, em troca de suas esposas (Gên. 30:26-29). A próxima alusão é ao serviço prestado por José a Faraó (Gên. 41:46). Em seguida, temos menção ao trabalho escravo bem conhecido prestado pelos israelitas, no Egito, antes do êxodo, que fez "amargar a vida com dura servidão, em barro e em tijolos, e com todo o trabalho no campo; com todo o serviço em que na tirania" eles serviam (Êxo. 1:14). Jamais esquecido dessa dura servidão, Moisés determinou leis que proibiam a escravidão de israelitas por outros israelitas, e que regulamentavam o serviço de trabalhadores assalariados (Lev. 25:52). Um outro tipo de serviço secular era o serviço militar (Núm 4:30,35,39,43; 31:12; II Tim. 2:4). Um belo exemplo de serviço doméstico foi aquele de Marta, que servia as mesas (Luc. 10:40; João 12:2).

2. Serviço Ritual. Dentre as duas variedades de serviço religioso, a mais antiga é a da adoração, vinculada ao sacerdócio, ao tabernáculo, ao altar ou ao templo de Jerusalém. O Antigo Testamento contém numerosas referências a esse tipo de serviço. Moisés intitulou a páscoa de serviço memorial (Êxo. 12:25 ss;115). As taxas cobradas por ocasião do recenseamento eram investidas no custeio da adoração na tenda da congregação (Êxo. 30:16). Moisés consagrou os levitas para que servissem ao Senhor (Êxo. 32:29). Dos levitas procediam os sacerdotes, responsáveis pela "tenda da congregação e o santuário" (I Crô. 23:32;f. Núm. 8:11,15), e para fazerem "o serviço dos filhos de Israel na tenda da congregação" (Núm. 8:19; cf. 8:24-26; 16:9; 18:4-6, 21-23,31). Esse serviço sacerdotal atingiu um ponto culminante notável na época de Zacarias (Luc. 1:23). Não somente o ato de adoração era chamado "serviço", conforme acontece até os nossos dias, mas também estavam envolvidos todos os utensílios do serviço do tabernáculo, para a tenda da congregação (Êxo. 39:40).

3. Serviço Espiritual. À medida que a revelação divina foi progredindo, o serviço foi adquirindo um sentido mais amplo e novo. O serviço cristão, por exemplo, requer uma dimensão horizontal, isto é, de homem para homem "....tal como o Filho do homem, que não veio para ser servido, mas para servir e dar a sua vida em resgate por muitos" (Mat. 20:28). Desse modo, Jesus estabeleceu exemplo e precedente para serem seguidos por todos os seus discípulos, de todas as épocas. Jesus nos deixou esse exemplo sobretudo em sua vida, morte e drama (João 13:3-17). Declarou ele: "Se alguém me serve, siga-me, e onde eu estou, ali estará também o meu servo. E, se alguém me servir, o Pai o honrará" (João 12:26). Os cristãos primitivos não tardaram a apreender o conceito ensinado por Jesus de um total serviço religioso, incluindo o evangelismo e a ação missionária. Paulo esclareceu: "E também há diversidade nos serviços..." (I Cor. 12:5). Esse apóstolo chegou a agradecer a Jesus Cristo. "Sou grato para com aquele que me fortaleceu, a Cristo Jesus nosso Senhor, que me considerou fiel, designando-me para o ministério" (I Tim. 1:12), e se ufanava de seus cooperadores, nesse serviço cristão, Ver II Cor. 8:23. É muito apropriado que a primeira ordem de serviçais cristãos, que apareceu logo depois dos apóstolos, tenha sido a dos diáconos (Atos 6:1 ss). Que esse serviço não era apenas secular, apesar de terem sido escolhidos para servir às mesas, se depreende do fato de que Paulo deixou instruções claras, altamente espirituais, acerca da escolha dos diáconos, em I Tim. 18-13.

No original grego, é *diakonia*, que normalmente quer dizer, no N.T., serviço espiritual, embora algumas vezes seja indicação das ministrações físicas aos enfermos e necessitados. Porém, até mesmo essa ministração física é de ordem espiritual, pois servir a outros dessa maneira, na realidade, é servir a Cristo, conforme encontramos em Mat. 25:35 e ss. (Ver ainda Atos 1:25; 6:4; 20:24; Rom. 11:3; I Tim. 1:12; II Tim. 4:5, II, quanto a outras ocorrências dessa palavra). O "trabalho do ministério" é limitado, neste contexto, àquilo que é realizado em favor da igreja através do exercício dos dons ministeriais, embora a menção dos "evangelistas" mostre que o trabalho entre os não-convertidos também é um aspecto vital para a igreja.

Efé. 4:12 não se refere a "ofícios eclesiásticos e suas funções", porquanto nada tão formal está em pauta aqui. Destacam-se aqui meramente os ministérios espirituais na igreja, que visam o benefício mútuo que nos é apresentado como o ideal. São focalizados aqui tanto o ministério público como o particular, no seio da igreja, pois os dons são exercidos com toda a naturalidade. Quem quiser ser grande, que seja o escravo de todos, um serviço de instrumento dedicado ao Senhor, conforme o próprio Senhor Jesus indicou em Mat. 20:26. O Senhor Jesus foi o exemplo supremo de como se deve ser um servo (ver Mat. 20:28), porquanto veio para servir e não para ser servido.

SERVETO – SERVO

Porém, os diáconos foram apenas o começo de um serviço ministerial diversificado. Mais tarde, o Espírito do Senhor inspirou a Igreja primitiva a desdobrar o ministério apostólico. Referindo-se a isso, ensina Paulo, em Efésios 4:11-13: "E ele mesmo (Cristo) concedeu uns para apóstolos, outros para profetas, outros para evangelistas, e outros para pastores e mestres, com vistas ao aperfeiçoamento dos santos, para o desempenho do seu serviço, para a edificação do corpo de Cristo, até que todos cheguemos à unidade da fé do pleno conhecimento do Filho de Deus, à perfeita varonilidade, à medida da estatura da plenitude de Cristo..." Essa passagem, juntamente com seus paralelos, mostra-nos o alvo do serviço cristão, que é elevadíssimo, somos cooperadores do Senhor, quando ministramos fielmente, contribuindo cada um com sua parcela, para levar a bom termo o plano de Deus relativo à sua Igreja. Esse plano é que todos os remidos tragam estampada, em suas próprias pessoas, a natureza divina do Filho bendito de Deus. Ver também II Cor. 3:18 e II Ped. 1:3,4. Não há serviço tão exaltado, e de tão imensas conseqüências, como o serviço que prestamos ao Senhor Jesus Cristo! Essa é uma das glórias do ministério cristão!

SERVIÇO À VISTA

No grego, *ophthalmodoulía*, palavra grega que aparece somente por duas vezes: Efé. 6:6 e Col. 3:22. Nossa versão portuguesa, nessas duas passagens, a traduz, respectivamente, por servindo à vista. e por "sob vigilância". Em ambos os casos, a lição espiritual é perfeitamente clara. Não devemos fazer as coisas meramente para agradar aos homens, para sermos elogiados por eles. A expressão, em ambos os casos em Efésios e em Colossenses "originalmente apontava para o serviço prestado pelos servos ou escravos. Paulo recomendava que os escravos servissem de boa mente e com sinceridade. Contudo, torna-se mister fazer a aplicação espiritual desse uso. Tal admoestação também é aplicável ao relacionamento moderno entre patrões e empregados. Ver o artigo sobre *Emprego*.

Nas igrejas evangélicas de hoje vê-se muito de espetáculo teatral. O pregador com freqüência é um ator, e as pessoas envolvidas mais diretamente fazem parte do espetáculo, a fim de impressionarem a outras pessoas e a elas mesmas, mutuamente. Os conjuntos musicais acrescentam o toque teatral final, de tal modo que abertamente, sem qualquer disfarce, as igrejas transformam-se em um navio de espetáculos, ao invés de um navio de vida. Muita gente se mostra ostensiva em seu culto religioso. Jesus, porém, proibiu tal prática (Mat. 6:3).

SERVIÇO SOCIAL

No tocante à obra social e à religião, ver sobre o *Evangelho Social*.

SERVIDÃO

No hebraico temos três palavras, e no grego uma, saber:
1. *Abduth,* "servidão". Palavra usada por três vezes (Esd. 9:8,9; Nee. 9:17).
2. *Abodah,* "serviço". Palavra usada por cerca de cento e cinqüenta vezes. Por exemplo: Êxo. 1: 14; 6:6,9; Deut. 26:6; Nee. 5:18; Isa. 14:3; I Crô. 6:48; II Crô. 8:14; Eze. 29:18; 44:14.
3. *Ebed,* "servo". Palavra usada por cerca de setecentos e setenta vezes. Por exemplo: Êxo. 13:3; 13:14; 20:2; Deu. 5:6; 6:12; 8:14; 115; Jos. 24:17; Juí. 6:8; I Sam. 3:9; II Sam. 2:12; I Reis 1:2,9,19,26,27,33,47, 51; Sal. 19: 11,13; Pro. 11:29; Ecl. 2:7; Isa. 14:2; 66:14; Jer. 2:14; Dan. 1:12; Mala. 1:6; 4:4.
4. *Douleia,* "servidão", "escravidão". Palavra grega usada por cinco vezes. Ver Rom. 8:15,21; Gál. 4:24; 5:1; Heb. 2:15. Mas, se o substantivo é raro, o adjetivo doulos, "escravo", aparece por cerca de cento e vinte e cinco vezes, e nossa versão portuguesa quase sempre abranda pra "servo".

Na Bíblia, a servidão, quando *literal,* indica a servidão nacional de Israel e a servidão de indivíduos isolados. 1. *Nacional.* Essa condição figura de forma proeminente na história de Israel, com três períodos destacados de servidão: o período egípcio, o período assírio e o período babilônico (ver os artigos). Ver trechos como Êxo. 1: 14; 13:3,14; Esd. 9: 8; Nee. 5: 18. A servidão egípcia foi arranjada pela providência divina, a fim de cumprir uma série de desígnios, provendo-nos também uma ilustração gráfica da redenção. Os cativeiros de Israel também foram juízos divinos que nos mostram o que o pecado e o desvio podem fazer a uma nação ou a um indivíduo. 2. *Individual.* Muitas pessoas tornavam-se escravas de outras, como Hagar, serva de Sara (Gên. 16:1), e Ziba, servo de Saul, que tinha quinze filhos, mas também vinte escravos (I Sam. 9: 10). Em tempos de guerra, muitos povos conquistados foram reduzidos à servidão. Também temos a triste condição enfrentada por certos judeus que, forçados pela pobreza e pelas privações, vendiam seus filhos e suas filhas como escravos (Nee. 5:5). O caso de José, que foi vendido por seus irmãos como escravo, é um notável exemplo de degradação entre comunidades que não deveriam atingir tal estágio de degradação (Gên. 37). Muitos cristãos, na Igreja primitiva, continuavam a manter escravos, conforme a carta Filemom nos permite ver. Quanto à instituição da *escravidão* e suas horríveis implicações morais, ver o artigo separado sobre esse assunto.

Metafóricos. a. No Egito, Israel aparece como o filho de Deus cativo no mundo, mas então remido quando do êxodo. b. O povo de Israel, cativo na Assíria ou na Babilônia, aparece como o filho de Deus sendo castigado em virtude de suas prevaricações e desvios, mas que, finalmente, foi restaurado. c. O crente altamente dedicado ao Senhor é escravo de Cristo, procurando cumprir a vontade do seu Senhor acima de qualquer outra coisa (Rom. 1: 1). d. O jugo da lei, o formalismo e o orgulho humano são empecilhos à vida espiritual (Gál. 4:3,9,24,25; 6: 1). e. A sujeição da criação à decadência, em contraste com a liberdade dos filhos de Deus (Rom. 8:21). f. O espírito de servidão, em contraste com a liberdade do Espírito (Rom. 8: 15). g. O temor da morte, que escraviza os homens (Heb. 2: 15). h. Os falsos mestres, com suas corrupções morais e doutrinárias, os quais prometem liberdade, e, na verdade, escravizam seus discípulos em seus falsos sistemas (II Ped. 2:19). (B NTI Z)

SERVO

1. A Palavra

A palavra hebraica mais usada é *ebed,* "servo", "escravo". Ela ocorre por quase setecentas e sessenta vezes no Antigo Testamento. Na Septuaginta e no Novo Testamento, essa palavra é traduzida por *doúlos,* "escravo", *país,* "criado", e, menos freqüentemente, por *therápon,* servo de algum deus e *oikétes,* "escravo criado em casa". Outras palavras hebraicas usadas podem ser traduzidas por "jovem", "servo do templo", "trabalhador assalariado (em distinção a um escravo)". E outras palavras hebraicas incluem: *diákonos,* "ministro ou ajudante"; *misthios ou misthotós,* "mercenário", e *uperétes,* "ajudante", "assistente".

SERVO

2. Usos no Antigo Testamento

Essa terminologia é, freqüentemente, usada (sobretudo *ebed*) no Antigo Testamento para se referir a escravos (ver sobre *Escravo* e sobre *Escravidão*). Um "servo", nesse sentido, era considerado mera propriedade, embora também possuidor de determinados direitos (quanto a leis referentes à proteção e aos direitos dos escravos, ver Êxo 21:1-11; Lev. 25:39-55; Deu. 15:1-18). Entretanto, em algumas instâncias, fica melhor a tradução "servo" do que a tradução "escravo", porquanto a idéia diz respeito a serviço ou obediência prestados, em um sentido muito mais geral do que se conhece, nos tempos modernos, sob o regime escravagista. Um servo podia ser qualquer pessoa entregue a alguém mais poderoso do que ela, como um mordomo de confiança (Gên. 24:2), um soldado no exército (Jer. 52:8), um oficial da corte real (II Sam. 8:14, 15), ou um rei vassalo (II Reis 17:3). Um servo dependia de seu senhor, por quem era protegido (II Reis 16:7), ao mesmo tempo em que concordava defender os interesses de seu senhor, em ocasiões de necessidade (II Reis 10:3). Portanto, esse sistema foi copiado bem de perto pelo sistema medieval feudal. A relação entre um servo e o seu senhor podia envolver uma espécie de pacto (por exemplo, Jos. 9:6 ss), voluntariamente firmado mediante as palavras: "Somos teus servos" (Jos. 9:8; II Reis 10:5), ou, então: "Serei teu servo ..." (II Sam. 15:34).

A terminologia usada pelos servos, quando se dirigiam a seus senhores, é usada conspicuamente em passagens onde alguém fala como servo de Deus. Assim, Elias proclamou a sua lealdade a Deus com as palavras "... eu sou teu servo ..." (I Reis 18:36). Os juizes e os reis se dirigiam ao Senhor como qualquer servo dirigir-se-ia a seu senhor terreno (ver Juí. 15: 18; I Sam. 3:9; 14:41; 23:10,11). Aqueles que oram a Deus, com freqüência, dirigem-se a ele chamando-se "servos" de Deus (por exemplo, II Sam. 7:19 ss; 7:27 ss; Sal. 19:11,13; 27:9; 31:16. Ou, então, apelam para o relacionamento que, no passado, havia entre Deus e Moisés, o "teu servo" (I Reis 8:53; Nee. 9:14), ou entre Deus e Davi (I Reis 8:24,25; Sal. 132:10; 89:39). Por sua parte, Deus reconhecia a pessoa que Lhe era leal como "meu servo". Por exemplo: Moisés (II Reis 21:8; Mal. 4:4), Calebe (Núm. 14:24), Davi (II Reis 19:34; Eze. 34:23; 37:24), Jó (Jó 1:8), Zorobabel (Ageu 2:23), ou, então, figuras messiânicas cujos nomes não são dados (Isa. 52:13; Zac. 3:8). Os profetas são chamados de servos de Deus, tanto individualmente (I Reis 14:18; II Reis 14:25; Isa. 20:3; 22:20), quanto como um grupo (II Reis 17:13,23; Eze. 38:17; Amós 3:7; Zac. 1:6). No sentido mais amplo, os servos de Deus são o povo de Deus. Todos os fiéis de Israel eram considerados como servos de Deus (Isa. 65:9), ou, então, coletivamente, "Israel, meu servo" (Isa. 41:8,9; 44:1,2; Sal. 136:22).

Já que o relacionamento entre um senhor e seu servo se alicerçava sobre uma forma de pacto, era apenas natural que o "povo" de Deus e os servos, de Deus fossem considerados, com muita freqüência, conceitos paralelos, conforme se vê, por exemplo, em Deu. 32:36; Sal. 135:14; cf. Nee. 1:6; Sal. 105:25; Isa. 63:17. E, visto que a aliança fora mediada ao povo de Deus através de "servos" individuais, como, por exemplo, os patriarcas, Moisés, os reis de Israel e os profetas, não é surpreendente que, algumas vezes, o povo apareça associado a um único "servo", considerado representante do povo diante do Senhor (para exemplificar: I Reis 8:30,52,59,66; cf. Nee. 1:11; Sal. 78:70,71). Interessante observar que se ausenta conspicuamente, nas páginas do Antigo Testamento, a idéia de que um "servo de Deus", que exerça liderança sobre Israel, em algum sentido também era "servo do povo". Nem a noção moderna de "servo público", e nem o ideal católico romano de "servo dos servos de Deus" têm qualquer analogia explícita nas páginas do Antigo Testamento. A maior aproximação de tal conceito talvez seja o conselho que os conselheiros mais idosos deram a Reoboão, em I Reis 12:7: "Se hoje te tornares servo deste povo, e o servires, e, atendendo, falares boas palavras, eles se farão teus servos para sempre". Porém, esse conselho não foi ouvido pelo afoito Reoboão. Talvez ele nem estivesse acostumado com tal idéia.

O leque de significados da idéia de "servo", no Antigo Testamento, pode ser melhor ilustrado em Lev. 25:42, onde a palavra hebraica *ebed* é usada em dois sentidos diferentes: "Porque são meus servos, que tirei da terra do Egito; não serão vendidos como escravos". A redenção da escravidão no Egito foi o começo da aliança. Ser alguém um servo, dentro do pacto, não é a mesma coisa que ser um "escravo" de Deus, mas significa ser parte de seu povo e de seus filhos (Êxo. 4:22,23).

3. Uso no Novo Testamento

No Novo Testamento, tanto quanto no Antigo, a palavra "servo" pode referir-se ao povo de Deus em geral (ver Apo. 2:20; 193), aos profetas de Deus em particular (Apo. 10:7; 11:18), ou a um profeta e seu povo, juntamente (Apo. 1:1). "Teu servo" pode continuar sendo uma auto designação daqueles que se dirigem a Deus em oração (Luc. 2:29; Atos 4:29; cf. o uso que Jesus faz das palavras "teu Filho", em João 17:1). Moisés e Davi (Apo. 15:3; Luc. 1:69; Atos 4:25), bem como a comunidade de Israel (Luc. 1:54), continuavam sendo chamados "servos" de Deus. Porém, mais tipicamente ainda, esse título era aplicado a Jesus Cristo (Mat. 12:18; Atos 3:13,26; 4:27,30; cf. Fil. 2:7). Um ponto decisivo nesse desenvolvimento é a identificação de Jesus Cristo com o Servo Sofredor, referido em Isaías 52:13-53:12, por causa de sua morte expiatória (cf. Mar. 10:45; I Ped. 2:24,25).

a. Terminologia no Novo Testamento

Quanto à terminologia, o Novo Testamento é diferente da Septuaginta, porquanto distingue entre os termos gregos *doúlos* e *pais* com muita freqüência (embora nem sempre). O primeiro desses vocábulos é usado para indicar um "escravo", ao passo que o último dá a entender uma "criança", um "criado", um "filho". Os escritores do Novo Testamento puderam falar sobre a escravidão ao pecado (João 8:34; Rom. 6:16), mas também puderam aludir, em sentido positivo, à servidão a Jesus Cristo ou à justiça Rom. 6:16; I Cor. 7:23. Entretanto, o próprio apóstolo dos gentios indica que essa linguagem uma metáfora excepcional (Rom. 6:18). Quando ele e outros escritores sagrados chamavam-se de "servos de Jesus Cristo", não estavam pensando na metáfora da escravidão, mas no uso veterotestamentário de, um pacto, dentro do qual o Senhor controlava o pensamento dos seus servos. Portanto, chamar-se "servo", nas páginas do Novo Testamento, é um simples corolário da confissão de Jesus Cristo como "Senhor". Sabemos que esse vocábulo (no grego, kúrios) é tradução dos títulos divinos Yahweh e Adonai, empregados ambos para indicar a relação de Salvador e Senhor de escravos, como se pode ver depois de Abraão e Moisés. Incidentalmente, isso é uma comprovação da deidade de Jesus Cristo, pois, em muitas citações, quando esses títulos são aplicados a Deus, no Antigo Testamento, são aplicados a Jesus Cristo, no Novo Testamento, sem qualquer tentativa de mitigação.

b. Contraste com o Antigo Testamento

Em contraste com o Antigo Testamento, um "servo de

SERVO – SERVO DO SENHOR

Jesus Cristo" também é explicitamente encarado como um servo da comunidade inteira dos remidos (Mar. 10:43,44; II Cor. 4:5). Uma vez mais, o fato decisivo nessa alteração na aplicação é a pessoa de Jesus Cristo, que reverteu os padrões usuais de autoridade (tanto pagãos quanto judaicos), primeiramente por meio de seus ensinamentos, e também porque foi ele quem cumpriu, em sua própria pessoa, o papel de Servo do Senhor (Mar. 10:35-45; Mat. 23:8-12; João 13:1-17). Esse assunto, entretanto, é melhor esclarecido no verbete Servo do Senhor (vide).

c. Escravidão. Ver o artigo com este título.

Todavia, se os "servos do Senhor", no Novo Testamento, são muito mais concebidos como aqueles que fazem parte do Novo Pacto, como seus beneficiários, não se faz inteiramente ausente a idéia de servidão doméstica, a única forma de escravidão que transparece nas páginas do Novo Testamento. Isso fica bem claro em uma expressão como "a família de Deus" (Efé. 2:19). O caráter legal do "jugo de escravidão" (Gál. 5: 1), não fora inteiramente esquecido. As idéias de carta de alforria e de adoção na família de Deus enchiam os primeiros cristãos de santa ufania, dentro dessa mesma corrente de pensamento, segundo se vê em Rom. 8: 15-17 e Gál. 4:5-7. Uma das mais interessantes conclusões lógicas que se pode tirar daí é que, embora nunca tivessem atacado diretamente a instituição da escravatura (o que tem levado muitos comentadores bíblicos a estranharem, e com toda a razão), " menos indiretamente, na prática ou por analogia, eles deixaram claro que tal instituição fazia parte da ordem de coisas que estava desaparecendo, à medida que se fosse propagando o reino de Deus, influenciando as atitudes e os sentimentos da sociedade em geral, conforme, o tem feito no tocante a tantas outras instituições e costumes. Se Paulo, para exemplificar, não determinou que Filemon desse a liberdade ao seu ex-escravo, Onésimo, que se convertera sob o ministério de Paulo, depois que fugira de seu senhor, nem por isso deixou de sugerir que, dali por diante, Filemom deveria desistir de seu senhorio sobre Onésimo, tratando-o -não já como escravo; antes, muito acima de escravo, como irmão caríssimo ..." (Filemom 1:1-6). Os apóstolos não pregavam o transtorno das instituições vigentes, e, sim, a eliminação gradual dessas instituições por meios pacíficos, ou seja, através da influência lenta mas segura do evangelho. As condições sociais de nossos dias, apesar de longe da perfeição (que só no tempo do milênio, ou governo milenar de Cristo, chegarão a um ideal verdadeiramente utópico), devido à influência do cristianismo bíblico, ao longo dos séculos, são muito melhores do que no século I d.C., sobretudo naqueles países que tem estado mais diretamente sob a influência cristã, ou seja, a influência ocidental, embora não devamos confundir uma coisa com a outra. Civilização ocidental não é a mesma coisa que cristianismo!

SERVO DO SENHOR

I. Terminologia
II. Usos no Antigo Testamento
III. Modos de Interpretação
IV. Algumas Referências Gerais
V. Idéias do Judaísmo Posterior
VI. O Servo do Senhor no Novo Testamento

I. Terminologia

No hebraico, *ebed Yahweh*, isto é, o servo do Eterno (Deus). Pessoas temporais são capazes de servir ao Divino, que é atemporal e, isso dá significado à vida delas, incluindo um toque do outro mundo para o qual os homens rumam.

No grego, *doulos kuriou*, isto é, o *escravo do senhor*; e *pais kuriu*, criado do Senhor. No grego, *Kurios*, começando na Septuaginta e estendendo-se ao Novo Testamento, ocupa o lugar de Yahweh (o Eterno). Isto tem o significado básico de "autoridade suprema", "senhor", "controlador", perdendo o sentido que Yahweh de modo geral tem e sendo mais como o hebraico *El*, o *Poder*.

II. Usos no Antigo Testamento

A expressão *ebed Yahweh* pode referir-se a qualquer tipo de servo dos cultos hebraicos ou do governo (a teocracia), mas às vezes tem significado especializado, "servo especial", "ministro", "anjos", "profetas".

Alguns usos especiais. Quatro passagens em Isaías, 42.1-4; 49.1-6; 50.4-9 e 52.13-53.12, são chamadas *Cânticos do Servo de Yahweh*. Alguns especialistas aumentam a lista, considerando que 42.5-7; 49.7; 50.10,11 e 61.1 ss. merecem a mesma classificação. Naturalmente, alguns pensam que essas referências são messiânicas, mas outros vêem nelas o "profeta" especial, ou o homem sagrado. O termo pode ser menos específico e/ou não-messiânico. Moisés e Davi são servos especiais (Gên. 26.24; Êxo. 14.31; II Sam. 7.5; Isa. 20.31; Amós 3.7). Qualquer verdadeiro profeta pode ser chamado de "o servo de Yahweh", ou de "El", ou qualquer um que faça alguma contribuição valiosa à vida religiosa ou civil. Para maiores detalhes sobre isso, ver a seção IV desse artigo.

III. Modos de Interpretação

Se ficarmos apenas com a idéia de um *Servo Especial*, ignorando, pelo momento, as referências gerais que podem incluir muitos tipos de pessoas, então temos as seguintes interpretações:

1. *Interpretações coletivas*. O servo é a nação, Israel (Isa. 49.3) Uma nação inteira deve passar por sofrimento redentor, ou, como supõem alguns, um resto de tal nação é o servo e será redimido. Ou o servo é o "Israel Ideal" do profeta.

2. *Interpretações individuais*. Algumas passagens definitivamente falam de um indivíduo, de seu nascimento, obediência, sofrimento, morte e triunfo, e tal indivíduo poderia ser uma grande personagem do passado como Moisés, Jeremias, Ciro, Zorobabel, o próprio Isaías, ou algum contemporâneo do profeta. Naturalmente, todas essas passagens de Isaías são interpretadas de forma messiânica por vários estudiosos cristãos.

3. *Símbolo mitológico de culto*. As passagens do "Servo do Senhor" contêm uma referência mitológica à morte e ressurreição simbólicas de um rei, que, por sua vez, descansou no mito babilônico do deus que morria e ressurgia, Tammuz. Por extensão, tais passagens poderiam falar do Rei, o Messias, com base em outras referências culturais, como os mitos babilônicos. Se esse fosse o caso, até mesmo mitos antigos poderiam ser proféticos e representar o *logoi spermatikoi*, as "sementes do Logos", manifestando-se em outras culturas.

4. *Referências diversas*. Não há motivo para limitar a interpretação a um único modo de pensamento. Vários textos "servos" poderiam indicar uma variedade de coisas: Israel, o rei, servos especiais como profetas de destaque, o Messias etc. Servos inferiores poderiam encontrar sua plenitude *no Servo*. Israel (a nação) poderia indicar um Servo especial daquela nação, o Messias, isto é, a personalidade corporativa (a nação) poderia ser resumida em seu Filho Maior. Como o *Logos* deve finalmente reunir todas as coisas em si mesmo (Efé. 1.9, 10), também o pode o Servo, que é uma manifestação de tal Logos.

SERVO DO SENHOR – SERVO, O MAIOR

IV. Algumas Referências Gerais
O servo de Yahweh pode ser:

1. Qualquer adorador sincero dos cultos a Yahweh: Nee. 1.10; indivíduos específicos, como Daniel (Dan. 6.20); Abraão (Sal. 105.6, 42); Josué (Jos. 24.29).

2. Um ministro, profeta, líder de estado, isto é, qualquer um cuja missão seja fazer algo que de alguma forma beneficie a obra da vontade de Deus: Nabucodonosor (Jer. 27.6; 43.10); um anjo (Jó 4.18); um profeta (Esd. 9.11; Jer. 7.25); Moisés (Deu. 34.5); um apóstolo (Rom. 1.1; Tia. 1.1; II Ped. 1.1).

3. Mais particularmente, o Messias (Isa. 42.1; 52.13; Mat. 12.18). Ele foi pensado por Yahweh (Isa. 50.40); sofreu por Sua vontade (53.10); padeceu, mas manteve Sua fé (Isa. 49.4; 50.7-9); obedeceu em todas as coisas (50.4-5); foi vitorioso (42.4; 50.8, 9). Observe que todas essas referências são retiradas de Isaías, onde temos *canções especiais*.

V. Idéias do Judaísmo Posterior

1. No *judaísmo helenístico*, os versos do "servo de Yahweh" no Antigo Testamento não eram interpretados de forma messiânica, porém mais em linha com o modo geral, como descrito sob a seção IV.

2. No *judaísmo palestino*, por outro lado, a interpretação messiânica existiu lado a lado com os rabinos não-messiânicos que não conseguiam conciliar a idéia do sofrimento com o Messias. O Targum em Isa. 52.13-53.12 é explicitamente messiânico, mas manipula o texto para transferir o sofrimento aos gentios, a Israel ou aos ímpios de modo geral, um truque ou "exegese" genial que se tornou *eisegesis*: ver no texto aquilo que se deseja ver, em vez de retirar dele aquilo que ele realmente ensina.

VI. O Servo do Senhor no Novo Testamento

Interpretes cristãos do Antigo Testamento estavam ansiosos por encontrar textos de prova quanto a Cristo, o Servo Sofredor. "... importa que se cumpra em mim isto que está escrito: E com os malfeitores foi contado. Pois o que me diz respeito tem seu cumprimento" (Luc. 22.27). Ver ainda Mar. 10.45; 14.24. Esses versos enfatizam o propósito redentor. E nisso estava envolvido o sofrimento do Enviado (Mat. 26.24; Mar. 9.12; 14.21, 49; Luc. 18.31). Considere ainda a voz celestial que aprovou Jesus como o Messias (Mar. 1.11). Jesus foi chamado de *pais theou* (Atos 3.13, 26). Ver ainda Atos 4.27, 30. Ver também as alusões à idéia de Servo em I Ped. 2.21-25; 3.18; I Cor. 15.3; Fil. 2.6-11; Rom. 4.25; 5.19; II Cor. 5.21. O uso "Cordeiro do Senhor" em João 1.29, 36 faz-nos lembrar de Isa. 53.7.

SERVO, O MAIOR Entre os Homens

1. Em Mat. 23:11: *Mas o maior dentre vós há de ser vosso servo*.

O maior dentre vós. Os vss. 11 e 12 repetem a substância de Mat. 20:26,27 e de Mat. 18:4.

Os apóstolos devem ter tido muitas ocasiões de observar as ações cruéis e sem misericórdia dos oficiais romanos, os quais exerciam o poder de vida ou morte e que não hesitavam em afastar, assassinar, roubar ou pilhar quem quer fosse, contanto, que tais ações contribuíssem para sua vantagem pessoal. A história. da Palestina, relativa a esse tempo, revela muitos *homicídios insensatos*. Pilatos foi um dos principais ofensores nesse particular. Herodes, o Grande, juntamente com seus sucessores, foram homens de paixão incontrolável, inclinados ao ódio, porquanto assassinaram seus próprios filhos e suas esposas, para não falarmos de outras vítimas.

Os apóstolos tinham visto até mesmo oficiais inferiores, como os centuriões, exercerem o controle de vida ou morte. Tinham visto o povo, premido sob grande necessidade, a clamar àqueles tiranos: "Benfeitor! Benfeitor!" Tinham visto várias revoltas dos judeus contra tais homens; mas todas essas revoltas fracassaram, e a maioria dos participantes desses levantes pereceu, geralmente por meio da crucificação.

A história universal revela-nos o caso do rei Canuto, homem tão soberbo que esperava que até a própria maré lhe prestasse obediência. Era soberano tão grande que as pinturas apresentam-no a descer o rio Dee em um embarcação impelida a remos por seis reis tributários. Imagine-se um homem tão importante que fazia de outros monarcas remadores seus!

Ora, os apóstolos estavam familiarizados com todas essas coisas; no entanto, em seu próprio círculo, entre eles mesmos, não era muito diferente disso. Não, não exerciam violência física, mas os seus espíritos algumas vezes se mostravam violentos. Odiavam-se uns aos outros e se indignavam por causa dos outros. Imitavam homens iníquos e sem Deus. Por isso foi que Jesus os levou a um lado e mostrou-lhes essas verdades. É como se Jesus lhes houvesse dito: "Esse é o tipo de ação que podeis observar neste mundo; mas tais coisas não terão lugar entre vós, como autoridades em meu reino". Jesus deixou claro que o seu reino não se caracterizaria pela brutalidade dos reinos deste mundo, e que os seus primeiros –ministros não deveriam agir como os monarcas e centuriões terrenos. Por isso é que Jesus afirmou: Não é assim entre vós (Mat. 20:26).

Jesus já os tinha preparado para expressões morais *superiores*, embora algumas vezes ainda se olvidassem disso. Jesus introduziria novas leis espirituais, as quais refletiam a bondade, a misericórdia e o amor de Deus, virtudes essas que os seus seguidores deveriam demonstrar uns para com os outros, fazendo contraste direto com o que os apóstolos podiam ver diariamente neste mundo. Buttrick diz (in loc.): "A idéia de grandeza que o mundo faz é como uma pirâmide o grande homem avulta no pico, enquanto a maior parte dos demais luta por subir para o próximo nível superior, onde há menos iguais e mais subordinados. Porém, a idéia de Cristo sobre a pirâmide se assemelha a uma pirâmide invertida: quanto mais perto alguém está do vértice, mais a sua carga, e maior número de pessoas transporta com amor sobre os seus ombros. Os passos da humilhação do crente estão eloqüentemente descritos em Fil. 2:6-8. Na cruz, Jesus atingiu o vértice dessa pirâmide invertida, pois foi ali que levou os pecados do mundo. Entre os irmãos da fé cristã aquelas perguntas pagãs, "Qual é o salário dele? Qual é a sua posição social?", devem desaparecer. Convém que façamos novas perguntas, como: "Ele está se esquecendo de si mesmo? Mostra-se ele sensível para com os sofrimentos dos pobres, dos criminosos, dos aflitos? Está ele pronto a ser o último, contanto que assim honre a Cristo?" Aqui, pois, temos uma citação que bafeja o hálito do espírito de Cristo, e que ilustra, de forma admirável, o que Jesus queria dizer nesse versículo. O Senhor empregou os termos servo e escravo; e, no cap. 18 de Mateus, empregou "crianças". Com esses vocábulos procurou ele ensinar aos apóstolos o verdadeiro conceito de grandeza - a grandeza espiritual. Disse-lhes que aqueles que têm esses títulos é que são verdadeiramente grandes, contanto que o seu serviço seja genuíno; e que é a essas posições que devem procurar galgar. Se tiverem de ser ambiciosos, que ambicionem servir aos outros, porquanto, "ninguém chegará ao céu a

SERVO, O MAIOR – SERVOS DE SALOMÃO

não ser apoiado no braço de alguém que ajudou". Em outras palavras, a medida da verdadeira grandeza deve ser humildade profunda e amor aos outros. Jesus usou a palavra "escravo", que indica uma posição inferior à de "servo", porquanto o escravo não tem vontade própria, e é propriedade alheia. Grande é o homem que perdeu de tal modo sua vontade própria e que se torna escravo em benefício de outros.

Quem quiser ser o primeiro. Em ambos os casos (Mat. 20:26 e 27) o verbo "será" embora futuro no grego, segundo a tradução indica, provavelmente foi usado como *imperativo*, conforme ocasionalmente sucede na gramática grega. Jesus não estava meramente dando um conselho, mas afirmou qual deve ser a característica da grandeza autêntica. O padrão de Napoleão tem-se demonstrado por tempo demasiadamente longo entre nós. Jesus quer que os seus seguidores sejam grandes não menos que eles o desejam; mas quer que sejam realmente grandes. Aqueles que, como Napoleão, enchem as páginas da história de ódio, violência e opressão *não são* realmente os grandes. Sim, é fato triste que os maiores *homicidas* da história do mundo são considerados, infelizmente, os melhores de todos. Porém, Jesus fala de maneira diferente, de forma totalmente divorciada de conceitos mundanos e carnais. Assim sendo, os últimos é que serão os primeiros, porquanto o escravo é que é verdadeiramente o rei do mundo. Certamente é verdade que quando o cardeal Wolsey se despediu com um "Adeus! um longo adeus a toda a sua grandeza!", na realidade ele deixava de lado a sua mesquinhez, e, começava a palmilhar pela vereda da autêntica grandeza. (Shakespeare, *Rei Henrique VIII*, ato III, cena 2). A aristocracia do reino de Cristo é formada de servos e escravos, isto é, daqueles que se despedirem de sua própria grandeza e tomaram sobre si mesmos a grandeza do humilde Jesus. Quão contrário é isso às nossas próprias naturezas, pois todos nós somos possuídos pelo espírito de Napoleão, julgando a tudo segundo padrões terrenos! Quão repleta está ainda a igreja de ódio, contenda, descontentamento e de muitos conflitos, com que todos procuramos reter nossas posições superiores! Quantas igrejas se têm despe-daçado na esterilidade, tornando-se repugnantes aos sentidos, quando homens se assenhoriam de outros homens, por traírem o espírito de Cristo e desejarem governar ou arruinar! Quão grande é a lição que ainda devemos aprender, antes de expressarmos verdadeiramente a Jesus em nossas vidas, perante este mundo e na igreja! Quão equivocados temos estado em nossa compreensão sobre as exigências da ética cristã! Quão bem sabemos o que Jesus disse, e no entanto, quão raramente praticamos aquilo que ele ordenou! Paulo deixou-nos exemplo, porquanto embora fosse grande à sua maneira antes de converter-se, tornou-se servo de todos, a fim de que ao menos pudesse conquistar alguns para Cristo. Ao assim fazer, tornou-se principal entre os homens embora continuasse se considerando o último dos apóstolos; ou, mais ainda, o menor dentre os menores de todos os santos.

2. Em Mat. *23:12: Qualquer, pois, que a si mesmo se exaltar, será humilhado; e qualquer que a si mesmo se humilhar, será exaltado.*

No livro de Thomas Stamford Raffles, *Memoirs of the Lifie and Ministry of the Rev. Thomas Raffies*, D.D. LL.D. (Londres: Jackson, Walford and Hodder, *1864*, pág. *292)*, temos a conversa que houve com o rajá Rammohun. Roy, no lar do Dr. Thomas Raffles, de Liverpool, e que ilustra a falta de fraternidade que impera na religião organizada: "Dizeis que sois todos um em Cristo, todos irmãos, todos iguais nele ... Ide à catedral de Calcutá, ali vereis uma grande cadeira de carmesim dourada é para o governador geral ... Então há outras cadeiras de carmesim, douradas são para os membros do concílio; então há outros assentos de carmesim são para os comerciantes ... então há os bancos nus para o povo comum e para os pobres ... Se (algum pobre) sentar-se na cadeira do governador geral, partir-lhe-ão a cabeça! No entanto, todos sois *um* em Cristo".

O rajá observou isso com grande propriedade mas não precisamos ir a uma catedral para ver essas condições. Grande número de igrejas estão nessas condições, pois estabelecem distinções, ainda que não haja ali cadeiras recobertas de veludo carmesim. O carmesim talvez esteja apenas na mente dos homens.

O apelo aqui contido em favor da humildade não era contrário a muitos ensinos expressos pelo judaísmo, sendo perfeitamente possível que esta declaração de Jesus tivesse *muitos paralelos* nos escritos e nos sermões dos rabinos. Certamente se trata de um ensino freqüentemente repetido no N.T. (ver Mat. *18:4; 20:26;* Luc. *14: 11; 18:14;* Rom. *12:16;* Tia. *2,3* e *4).* Esse princípio da ética ensinada por Jesus, que se repete com freqüência, salienta não só o caráter universal do modo de Deus tratar com os homens, mas também destaca a pronta humilhação dos orgulhosos fariseus, sendo um notável paralelo da passagem de Eze. *21:26,27.* Essas palavras também têm paralelo em Luc. *14:11* e *18:14.* Essa afirmativa era proverbial, e parece que era comumente usada entre os judeus. Como exemplo disso, temos a seguinte declaração do Talmude (T.Bab. Erubin. foi. *13:2* e *54:1):* "Quem humilhar-se, será exaltado pelo Deus bendito; e quem exaltar-se, será humilhado pelo Deus santo e bendito". É evidente que o princípio básico por detrás dessa máxima é que o homem que está sempre na presença de Deus e que é observado por Deus, não é digno de exaltar-se acima de seus semelhantes, pois isso compete exclusivamente a Deus. Um exaltado homem mortal é um tipo de insulto, tanto a Deus como aos seus semelhantes, porquanto é algo contrário à natureza tencionada do mundo.

SERVOS DE SALOMÃO

Ver os artigos separados sobre *Escravidão* e *Escravo, Escravidão.* Estamos desapontados que a Bíblia (Antigo e Novo Testamentos) não se tenha posicionado contra isso, um dos maiores males já inventados pela humanidade: um homem pertence a outro homem e é reduzido à posição de um animal de trabalho. Logicamente, é verdade que o princípio do amor no Novo Testamento foi o principal fator que finalmente "pôs fim" a essa prática. Pelo menos em muitos lugares a prática continua, pois há os "escravos de salário" nos países pobres: pessoas que trabalham por muito pouco, presas à sua miséria de educação e ou oportunidade.

Salomão, apesar de toda a sua sabedoria, rendeu-se ao absurdo moral tanto de uma classe de escravos como de uma classe de escravos de salário. E cobrou pesados impostos para sustentar sua luxuosa operação federal. As traduções tornam a questão obscura ao falar do *servo* em vez do *escravo*. Todos os subordinados de um rei oriental poderiam ser escravos, mas certas classes, como as de povos conquistados, estavam sujeitas a essa prática humilhante. Mão-de-obra barata inspirou a redução de povos conquistados ao nível de animais de carga. A tradução da expressão hebraica "os servos de Salomão" diz respeito a uma classe, isto é, os escravos do Estado que não tinham nenhuma esperança de liberdade, nem

SERVOS DE SALOMÃO – SETE

mesmo no ano do jubileu. Foi Davi, pai de Salomão, que reduziu alguns dos inimigos de Israel ao ponto de serem transformados em escravos. Mas sua atividade nesta linha foi pequena em comparação com a de seu filho. Davi transformou os amonitas em escravos (II Sam. 12.31), mas Salomão reduziu à escravidão toda a população cananita, quer dizer, aquilo que sobrava deles após os massacres realizados em guerra. Foram, especificamente, esses povos conquistados que passaram a ser conhecidos como os *escravos de Salomão*. Ver I Reis 9.27; II Crô. 8.18; 9.10. Essa forma especial de escravidão continuou durante toda a monarquia, e até mesmo depois do cativeiro babilônico lemos sobre os descendentes desse povo antigo (Esd. 2.55-58; Nee. 7.57-60; 11-3). Eles, juntamente com os *Netinim* (ver), continuaram com essa prática humilhante em Israel. Os netinim eram escravos que serviam ao templo, fazendo as tarefas cansativas, pesadas e sujas. O ponto inicial da história dos escravos de Salomão provavelmente é encontrado em I Reis 5.13, 14; 9.20, 21 e II Crô. 8.7, 8.

SESÃ

No hebraico, *livre, nobre*, o filho o descendente de Isi, líder da tribo de Judá, que viveu em torno de 1400 a.C.. Não tendo tido filhos homens para serem herdeiros, sua linha foi perpetuada por sua filha Alai, que casou com o escravo egípcio, Jara. Ver I Crô. 2.31, 34, 45. Ver a linha de descendência descrita em I Crô. 2.25-41. Nasceu deste casamento um filho, que continuou na linhagem que alguns supõem ser a da Alai do texto.

SESAI

No hebraico, "livre", "nobre". Ele aparece como um dos três filhos do gigante Enaque, que vivia em Hebrom quando os israelitas, enviaram espias para explorar os pontos fracos da Terra Prometida (Núm. 13:22; Jos. 15:14; Juí. 1:10). Quando, algum tempo depois, os israelitas invadiram a terra de Canaã, Sesai foi derrotado em batalha, conforme se vê em Jos. 15: 14 e Juí. 1: 10. Sesai viveu em torno de 1450 a.C.

SESAQUE

Um nome críptico da Babilônia, que alguns estudiosos pensam ser uma alusão aos portões de ferro da cidade ou aos seus ídolos. Em algumas versões, o nome figura somente em dois trechos de Jeremias (25:26; 51:41). Em ambas as passagens a palavra não aparece na Septuaginta. Alguns eruditos dizem que ela não faz parte do texto original de Jeremias, mas teria sido uma adição feita por editores posteriores. Isso é um fenômeno raro no Antigo Testamento, pois os judeus contavam com a classe profissional dos escribas, copistas; que tinham o máximo cuidado na transcrição. Outro tanto não se pode dizer quanto ao Novo Testamento, que foi copiado, muitas vezes, por amadores. Ver sobre os Manuscritos. Nossa versão portuguesa não traz esse vocábulo nos trechos onde aparece em algumas outras traduções.

SESBAZAR

Transliteração hebraica do acadiano, que alguns consideram significar "Deus sol, *guarda* (proteger) o senhor (filho)"; mas alguns pensam ter o sentido de "Oh, Shamash, proteja o pai". Outros supõem que a palavra tenha origem persa e signifique "adorador do fogo". Sesbazar viveu no século VI a. C. Era um membro da tribo de Judá que, depois do cativeiro babilônico, liderou uma companhia de pessoas de volta a Jerusalém. O decreto de Ciro, o rei da Pérsia, em 538 a. C., permitiu esse retorno. Ele foi colocado no comando para trazer de volta os vasilhames de ouro e prata do templo que os babilônicos haviam roubado. Embora um dos textos que o mencionam declare que ele se tornou governador de Jerusalém, seu nome desapareceu e dizem que Zorobabel ocupou tal cargo. Alguns então identificam os dois nomes como sendo do mesmo homem, mas tal teoria falha ante a menção de Esd. 6.18, indicando que se trata de duas pessoas diferentes. Alguns persistem com a teoria da identificação, supondo que o texto em Esdras seja errôneo ou defeituoso. Ver os textos a seguir: Esd. 1.8, 11; 5.14, 16; Zac. 4.9. O leitor perceberá que os atos dos "dois" homens coincidem, mas não há forma absoluta de provar que eles foram a mesma pessoa.

SESSENTA

Ver sobre os **Números**.

SETAR

No hebraico, "estrela", ou "comandante". Ele foi um dos sete príncipes da corte de Assuero, que tinha direito de acesso direto e imediato à presença do monarca persa, exceto quando este estivesse em companhia de uma de suas esposas (Est. 1:14). Embora grafado à moda hebraica, provavelmente esse nome era de origem persa. Setar viveu em cerca de 510 a.C.

SETAR-BOZENAI

No persa, "estrela do esplendor", oficial persa que viveu em cerca de 445 A. C. Ele ficou perturbado com a reconstrução, pelos judeus, do Segundo Templo, portanto escreveu a Dario, rei da Pérsia, para checar se Zorobabel de fato tinha autorização para realizar seu programa de construção. O rei respondeu que havia tal autorização e Zorobabel deveria ser auxiliado. Assim, Setar-Bozenai juntou suas forças com as de Zorobabel para apressar a construção. Ver Esd. 5.3, 6; 6.6, 13.

SETE (DIVINDADE EGÍPCIA)

Dentro do panteão egípcio, Sete era o deus dos reis do Alto Egito, como também o deus das trevas e inimigo de *Horus* (vide). No Baixo Egito, Sete era o deus-sol ou deus-firmamento. De acordo com o mito de Osíris, foi Sete quem assassinou a seu irmão, Osíris. Então fez o corpo deste ser espremido dentro de uma caixa, que foi lançada às águas do rio Nilo. Chegou a ser considerado inimigo do Egito; mas, com a passagem do tempo, acabou sendo adorado por muitos. Os *hicsos* (vide) edificaram-lhe um templo. Ver o artigo geral chamado *Deuses Falsos*.

SETE (FILHO DE ADÃO E EVA)

1. No hebraico, *fundador, compensação* ou *broto*. De data desconhecida, devido à natureza precária das genealogias iniciais. O nome do terceiro filho de Adão e Eva, que nasceu após seu filho mais velho, Caim, ter matado Abel. Na época de seu nascimento, Adão tinha 130 anos de idade. Sete foi o pai de Enos (Gên. 5.6, 7) que nasceu quando seu pai tinha 105 anos, de acordo com o Pentateuco Hebreu e Samaritano, mas 205 anos segundo a Septuaginta. Às vezes as versões preservam uma leitura original quando o texto massorético está errado, especialmente a Septuaginta. O nome *compensação* (se esse é o significado correto) pode implicar que ele nasceu como uma compensação pela morte de Abel, mas a palavra parece ambígua. Talvez Sete derive de *shath*, que significa *nomear* ou *determinar*. Ver Gên. 4.25; 5.3-8; I Crô. 1.1; Eclesiástico 49.16 e Luc. 3.38.

SETE – SETE CARTAS

2. Outra pessoa com esse nome é mencionada em Núm. 24.17, mas a derivação correta aí pode fazer com que o nome signifique *tumulto*, apesar de a versão portuguesa dar seu nome como sendo o mesmo nome do filho de Adão. Esse Sete foi ancestral de um povo mencionado por Balaão. Talvez Albright estivesse correto quando identificou este povo com o *Swtw*, dos textos egípcios, mas não temos como identificá-los com alguma certeza, nem temos nenhuma informação sobre eles.

SETE (SETENTA)
Ver sobre **Número (Numeral, Numerologia)**.

SETE CABEÇAS
Sete cabeças e dez chifres, Apo. 12:3. Muitas interpretações diferentes têm sido atribuídas a esse item da descrição do dragão, as quais sumariamos aqui: Não podemos deixar de vincular essas características às da descrição de Dan. 7:7, a terrível besta de uma cabeça, com dez chifres. O "chifre" era símbolo de poder, pelo que essa fera terá completo "domínio mundial", o que talvez seja efetuado por meio de governantes terrenos. A besta saída do mar (ver Apo. 13: 3) é descrita exatamente como o "dragão", quanto a esse aspecto. Apesar de não querermos identificá-los entre si totalmente, dificilmente podemos escapar à conclusão de que o poder do dragão se manifestará através da besta salda do mar, até onde aquele se relaciona aos homens, nos últimos dias, sem importar qualquer outro tipo de poder que possa ter, em relação a outras esferas da existência fora da terra. Lembremo-nos que o Apocalipse foi escrito a fim de revelar as condições que haverá nos últimos dias, imediatamente antes da "parousia" ou segundo advento de Cristo. Portanto, não é mesmo de estranhar que o anticristo seja retratado de modo parecido com o dragão, já que ambos representam o poder de Satanás. O anticristo será o "falso Cristo" de Satanás, o seu mediador à face da terra. Portanto, o que for dito sobre o poder de Satanás é automaticamente dito também acerca do anticristo.

O que significam as sete cabeças?

1. Simbolicamente, significam completa sabedoria, um intelecto tremendamente poderoso; mas tudo não passará da sagacidade de Satanás, que chegará perto de aniquilar a humanidade, durante o período da tribulação, tão grande será o mal e a destruição que ele operará no mundo.

2. O simbolismo também salienta quão temível é esse dragão. Não temos aqui nenhum monstro ordinário; ele é temível e poderoso, conforme eram os legendários monstros de muitas cabeças.

3. O trecho de Apo. 17:9, 10 (conforme também fica implícito em Apo. 13:3) diz-nos, especificamente, que as cabeças são *sete montes*, e também *sete reis*. Isso os identifica com os "imperadores romanos". Ambas as passagens evidentemente contêm a tradição do "Nero reencarnado" como o "anticristo". Seja como for, as cabeças são governantes terrestres, por meio de quem Satanás operará na terra. Historicamente falando, o vidente João via Satanás operando por intermédio desses governantes, especialmente por serem instrumentos da perseguição contra a igreja. Profeticamente falando, vemos o anticristo e o império romano revivido, a federação de dez reinos por ele encabeçada, satanicamente controlada, o que servirá, não somente para detrimento da igreja, mas também toda a humanidade.

4. Metafisicamente falando, as "sete cabeças" transcendem a qualquer "poder terreno", pois estão relacionadas a Satanás, o dragão, falando de seu grande poder em todas as dimensões, incluindo a dimensão espiritual. Por meio de Roma e do anticristo (isto é, histórica e profeticamente falando), Satanás fará descer esse poder até os homens.

5. Os "sete montes" identificam a cena toda com a cidade de Roma, pois aquela cidade estava edificada sobre as "sete colinas", as quais são até hoje famosas.

SETE CANDEEIROS
Sete Candeeiros, Apo. 1:20. Podemos ver nesses candeeiros os seguintes sentidos simbólicos:

1. São candeeiros os portadores da luz (ver Mat. 5:14,16) e representam a totalidade da igreja de Deus (ver Apo. 1:20).

2. Os próprios candeeiros são *iluminados* (ver Efé. 1: 17,18). O Espírito Santo é quem os ilumina, pois ele é o azeite das lâmpadas. Sendo iluminados, esses candeeiros se *tornam luzes* (ver Mat. 5:14).

3. Eles dão luz a outros, luz essa que é a "palavra da vida" (ver Fil. 2:15,16 e Apo. 2:5). Cumpre-lhes fornecer luz a um mundo tenebroso, pois do contrário, serão removidos.

4. São feitos de ouro, indicando preciosidade. Pertencem a Deus. São os guardiães de sua bondade e poder. No oriente antigo, ao ouro se vinculava certo senso de "caráter sagrado", e até mesmo de "divindade". E assim os remidos, por fazerem parte da igreja de Cristo, tornam-se recipientes da plenitude de Deus, (ver Efé. 3:19 e Col. 2: 10), da divindade (ver II Ped. 1:4). É disso que consiste o evangelho. Transforma os homens em "ouro". O ouro também é usado metaforicamente para falar do autêntico caráter cristão (ver Apo. 3:18). O ouro é um metal que fala de grande valor, duração, incorruptibilidade e força (ver Isa. 13:12; Lam. 4:2; II Tim. 2:20 e Jó 36:19).

5. Os candeeiros são sete em número, o que fala de sua participação nas perfeições divinas, além de representarem a igreja universal. São a pluralidade na unidade. São uma entidade com uma manifestação plural, tal como o antigo candeeiro de Israel tinha sete hastes. Alguns intérpretes supõem que sete candeeiros separados estão em foco nesta visão. Se assim realmente sucede, então a unidade continua pressuposta, porquanto só existe uma única igreja.

6. Embora componham uma unidade, cada candeeiro também se destaca; cada igreja individual, a expressão local da igreja universal é reputada responsável pela sua própria pureza e uso da luz de Deus, a fim de iluminar a comunidade onde se encontra. "Cada igreja local tem agora seu próprio candeeiro, a ser retido ou removido de seu lugar, segundo suas próprias obras" (Alford, in loc.).

7. O candeeiro original foi posto no lugar santo, no Tabernáculo. A igreja se encontra sobre terreno santo, pois o Espírito Santo está conosco, estando destinado aos céus.

SETE CARTAS
Cartas às Sete Igrejas (Apo. 2-3).

I. Importância dessas sete cartas. Os capítulos dois e três do Apo. "coisas que são" (ver Apo. 1;19) que consistem de cartas enviadas por Cristo às sete igrejas da Ásia Menor, ocupam cerca de um oitavo do volume do livro inteiro, fornecendo-nos muitas, excelentes e profundas instruções. Devido à importância que esses capítulos têm, dentro deste livro, e devido ao espaço que ocupam, não deveriam ser examinados superficialmente, por mera curiosidade acerca do futuro. Aquilo que somos agora, aquilo que dizemos no presente, com as instruções do Espírito Santo, determina o que seremos no futuro. Alguém já disse acertadamente: "Sempre haverá, no coração humano, a tendência de ocupar-se com a dispensação em que não nos encontramos".

SETE CARTAS – SETE CHIFRES

Naturalmente, cremos que o restante do Apocalipse (capítulos quarto a décimo nono), descreve acontecimentos sobre a nossa própria época, pelo que o livro inteiro se reveste de especial importância para nós.

II. Importância dos seus ensinamentos morais. O evangelho tem seus **imperativos** morais. Não pode haver salvação sem a transformação moral, conforme é claramente ensinado em II Tes. 2:13. (Ver o artigo sobre a Santificação). Nada menos de oito livros do N.T. foram escritos contra a falsa "mensagem" dos gnósticos, que não continha imperativo moral, a saber: Colossenses, as três epístolas pastorais, as três epístolas joaninas e a epístola de Judas. Bastaria isso para mostrar-nos a importância da "santidade". De fato, sem a santificação ninguém jamais verá a Deus (ver Heb. 12:14). Por isso é que os capítulos à nossa frente, que mostram as exigências morais do discipulado cristão, são valiosos e devem ser motivo de nosso estudo sério.

Em seus últimos dias de vida, Bengel recomendava muito aos que privavam com ele que meditassem cuidadosamente sobre essas mensagens às igrejas. Dizia ele: "Dificilmente haverá algo tão apropriado para afetar-nos e purificar-nos" (Hengstenberg).

III. Caráter geral dessas sete cartas. No dizer de Joseph A. Seis, em sua introdução às Sete Epístolas: "Essas cartas se constituem exclusivamente das próprias palavras de Cristo. Mas, diferentemente das parábolas, foram ditadas dos céus, depois que ele foi ressuscitado e glorificado. Talvez sejam os únicos registros não condensados de seus discursos que chegaram até nós. São apresentados de modo tão impressionante e são particularmente dirigidos às igrejas, de modo que fica entendido que há nessas cartas algo de solenidade e importância incomuns. Chegam até nós com a admoestação, sete vezes reiterada, de que devemos ouvi-las e guardá-las no coração. Já que temos ouvidos para ouvir, nos é recomendado que ouçamos o que o Espírito diz às igrejas. Portanto, é de estranhar que não haja outra porção das Santas Escrituras, de igual proeminência, que a igreja dê menos atenção. As parábolas de Cristo são continuamente relembradas diante de nós: as discussões sobre as mesmas são intermináveis. Mas raramente o povo de Deus é convidado a considerar essas cartas de Jesus".

IV. Elementos comuns nas sete cartas. Cada uma dessas missivas contém os seguintes elementos:

1. A ordem de escrever ao anjo de cada assembléia local.
2. Algum título sublime do Senhor Jesus Cristo, dotado de significado particular, com elementos instrutivos, importante para a igreja local para a qual foi escrita a carta em questão.
3. Um recado direto ao "anjo" da igreja, com as palavras, "conheço tuas obras", o que lhe assegura que Cristo vigia e se preocupa com o conhecimento completo acerca das condições de cada comunidade local.
4. Promessas aos vencedores; advertências aos seus membros indiferentes, ou que caem em algum erro específico, do qual se recusam a recuperar-se.
5. O solene refrão: Quem tiver ouvidos para ouvir, que ouça. Isso tenciona fixar a atenção sobre o que é dito, para que se dê plena obediência à instrução assim transmitida.
6. É o "Espírito" quem profere as palavras de cada carta; pelo que não se trata de meras mensagens humanas.
7. Cada uma delas envolve uma mensagem profética, que se adapta a um período especial da história da igreja.

V. Interpretação acerca do significado de intuito das sete cartas às sete igreja. Consideremos sobre isso os pontos abaixo:

1. Essas cartas foram enviadas às igrejas locais reais da Ásia Menor, que havia naquela época, e nas quais imperavam as condições ali descritas. Essas cartas, pois, são "historicamente" orientadas, pois as "coisas que são" foram escritas do ponto de vista do autor sagrado.

2. Essas cartas representam condições que se verificam em qualquer época da história da igreja, pelo que elas são "universalmente" orientadas.

3. Essas cartas expõem os erros, os triunfos e as condições morais que caracterizam a igreja em qualquer de suas épocas, em suas assembléias locais. São instruções "desligadas da passagem do tempo". Tais instruções são tanto *eclesiásticas* (aplicáveis à "igreja local", em suas necessidades e condições) como *pessoais* (no que se aplica às necessidades dos crentes individuais).

4. Essas cartas são aparentemente proféticas quanto a sete estágios da história da igreja, que talvez se devam arrumar como segue:

a. Êfeso, a igreja apostólica (século I d.C.).
b. Esmirna, a igreja perseguida (séculos II e III d.C.).
c. Pérgamo, a igreja sob favor imperial (312 a 500 d.C.).
d. Tiatira, a igreja da Idade das Trevas (500 d.C. ao século XVI).
e. Sardes, a igreja da Reforma e da Renascença (séculos XVI a XVIII).
f. Filadélfia, a igreja das missões modernas (séculos XIX até primórdios do século XX).
g. Laodicéia, a igreja do tempo do fim (meados do século XX até à vinda de Cristo, sendo essa a igreja morna).

VI. Natureza da Igreja.
(Ver o artigo geral sobre a **Igreja**.)

VII. Por que razão são salientadas 7 Igrejas locais em particular? Na Ásia Menor, havia cidades e Igrejas mais importantes, nos dias do vidente João, do que algumas das que são aqui alistadas. Por que o autor sagrado selecionou essas *sete* excluindo as outras? É possível que não tenha havido qualquer razão específica, ou pode ser que elas tivessem necessidades especiais, que exigiam atenção, mais do que as igrejas locais de outras áreas. Ou então foram escolhidas porque dentro da ordem em que foram mencionadas, começando e retornando a Éfeso, com que, no mapa, fica formado um círculo geográfico, pelo que elas representariam a igreja inteira. Seriam elas o "círculo perfeito" da igreja, por assim dizer. Naturalmente, além desses raciocínios, supomos que o Espírito Santo orientou essa escolha, porque, as condições ali existentes eram particularmente instrutivas para todas as épocas, ao passo que outra espécie de condições não seria tão "universal" e impressionante.

O próprio número "sete" sugere "perfeição". Trata-se de uma perfeita e completa mensagem de Cristo às suas igrejas.

SETE CHIFRES

Tinha sete chifres, Apo. 5:6. Cristo é muito mais que o "Cordeiro a ser sacrificado". Diferentemente dos cordeiros comuns, ele aparece com sete chifres. Nas páginas do A.T., o "chifre" com freqüência serve de símbolo de poder. Assim é que a fera terrível de Dan. *7:7,20* exibe sete chifres; o carneiro, que figura em Dan. *8:3,* tinha dois grandes chifres; e o bode, em Dan. *8:5,* trazia um único grande chifre, que posteriormente foi substituído por quatro chifres menores, dentre os quais surgiu ainda um outro "pequeno chifre". Em I Enoque *90:9* são descritos cordeiros dotados de chifres, e o Messias, no trigésimo sétimo versículo daquela mesma passagem é retratado como um touro branco, dotado de grandes chifres, (ver I Sam. *2:10; 1* Reis *22:11;* Sal. *112:9* e Luc. *1:69,* quanto aos "chifres", como símbolo de poder e autoridade). Satanás, em Apo. *13:1,* é retratado como quem

SETE CHIFRES – SETE DIADEMAS

é dotado de chifres. O anticristo, em *Apo. 13: 1*, aparece com "dez chifres", provavelmente indicativos de sua federação de dez nações, que o ajudarão em seus desígnios. A mulher escarlata, em *Apo. 17:3*, aparece montada em uma fera dotada de sete cabeças e dez chifres, que são idênticos aos "chifres" controlados pelo anticristo. Em um animal qualquer, os chifres servem de arma de defesa e de ataque, e essa figura simbólica se baseou nesse fato zoológico.

Cristo, pois, é mais do que humilde e manso, mais do que um sacrifício; ele é também poderoso, embora seja um Cordeiro, porquanto conseguiu cumprir os propósitos de Deus em favor dos homens mediante seu grandioso poder. Somente se estivesse investido de êxito, em sua missão terrena, é que ele podia surgir em cena como o Verbo e o Senhor celestial, cumprindo o restante de sua missão eterna no tocante aos homens. Particularmente neste contexto, vemo-lo em seu poder escatológico. Ele abrirá o livro dos juízos divinos contra os blasfemos e rebeldes. Ele purificará a terra. Ele trará ao mundo a justiça, mediante o julgamento.

Sete. Os chifres são "sete" em número, para dar a entender que o poder de Cristo é completo, *perfeito.* Portanto, ele se mostra totalmente eficaz naquilo que empreende. Seu poder também lhe foi "divinamente" conferido; é possuído como que pelo ser "divino", conforme o número sete certamente indica.

SETE DECLARAÇÕES DA CRUZ

Não pode haver certeza absoluta sobre a ordem dessas declarações, posto que precisamos extraí-las dos diversos evangelhos, e os mesmos não nos fornecem precisas indicações de tempo. Todavia, a ordem delas parece ter sido a seguinte:

1. A oração de Jesus, rogando perdão para os seus inimigos, o que provavelmente foi proferida quando estava começando a sua crucificação (Luc. 23:34),
2. A promessa ao assaltante arrependido (Luc. 23:43).
3. A entrega de sua mãe aos cuidados do discípulo amado (João 19:26,27).

Essas três primeiras declarações foram feitas antes de sobrevirem as trevas, e cada uma delas mostrou a preocupação de Jesus por outros, o que, por si mesmo, é algo muito instrutivo acerca da natureza e da personalidade de Jesus. (No tocante aos pormenores dessas declarações, ver no NTI a exposição em cada referência indicada).

4. Pouco antes de sua morte, houve o clamor de desamparo, provavelmente quando ainda havia trevas, ou pouco depois dessas se terem dissipado (Mar. 15:34 e Mat. 27:46).
5. O grito de angústia física - "Tenho sede" (João 19:28).
6. O grito de vitória (João 19:30).
7. O grito de resignação (Luc. 23:46).

Estas últimas quatro declarações de Jesus diziam respeito a ele mesmo. Exposição de cada uma delas pode ser encontrada nas referências indicadas no NTI.

Além daquilo que já foi mencionado, o que é ilustrado pelas declarações de Mat. 27:50 devemos observar que Jesus entregou o seu espírito ao Pai (ver também Luc. 23:46: "Pai, nas tuas mãos entrego o meu espírito"). Isso, naturalmente, subentende que a personalidade humana não se compõe de um elemento simples, a que chamamos de matéria. Também existe uma porção espiritual, que sobrevive e que pode ser separada do corpo. Em outras palavras, a imortalidade é um fato. (Ver o artigo sobre a *Imortalidade da Alma*).

Após a sua morte, mas antes de sua ressurreição, o espírito de Jesus teve um ministério importante no Hades. (Ver o artigo sobre a *Descida de Cristo ao Hades*).

SETE DIADEMAS

Nas cabeças, sete diademas, Apo. 12:3. Cristo apareceu com "muitos diademas" (ver Apo. 19:12), pelo que não é de estranhar que Satanás usasse sete diademás. (Ver Apo. 13:1, onde se lê sobre os "dez diademas" do anticristo, um para cada "chifre"). Neste caso, os diademas se equiparam ao número das "cabeças". As "cabeças" são soberanos, pelo que usam coroas, ou diademas. Os "chifres" também são soberanos, razão por que usam coroas, ou diademas. A variação numérica não se reveste de grande significação. O "sete" fala da "perfeição". O senhorio de Satanás se alicerça sobre uma completa maldade; o número "dez" fala do governo terreno, do curso completo do governo terreno. Esse também está debaixo do domínio satânico, pelo que aparece aqui "coroado" com o poder e a autoridade de Satanás. A coroa (neste caso, "diadema") é o símbolo do governo, do poder, da autoridade, "investidos" sobre um indivíduo qualquer. O próprio Satanás exerce o governo supremo do mal. Mas ele exerce esse governo, na terra, por meio de soberanos humanos, que se deixam envolver pela sua influência satânica. Nos últimos dias, Satanás exercerá "domínio completo" sobre a terra, conforme o número das coroas (ou "diademas"), "sete" ou "dez", nos indica. Aqueles soberanos usarão as coroas, mas Satanás é que será o real soberano da terra, durante o período da tribulação. Aqueles soberanos serão apenas seus títeres.

1. Satanás é aqui apresentado como um adversário temível. Sua sabedoria consumada é utilizada a serviço do mal; e ele sempre encontra seu "homem" ou seus "homens" para que o manifestem na terra. Quão necessária se faz, pois, "toda a armadura de Deus" (ver Efé. 6: 11 e ss).

2. O contexto geral, entretanto, a despeito de representar a horrenda força e sabedoria de Satanás, mostra que Jesus Cristo triunfará, finalmente; e juntamente com Cristo triunfarão os seus seguidores. Nenhum mal final pode sobrevir a um homem verdadeiramente bom. Deus determinou que as coisas sejam assim.

3. "O homem de Patmos percebeu claramente que o âmago do mal é a vontade maligna. O coração da entrega pessoal à maldade é o mais negro de todos os problemas morais. Esse tipo de mal nunca consiste de um mal-entendido. Não se trata das boas intenções confusas. Mas é a franca e completa devoção ao mal, exatamente porque o mal é mau. Tudo isso é simbolizado pelo "grande dragão vermelho". É uma ambição apaixonada e inspiradora pela iniquidade que varre o firmamento inteiro. É a própria natureza dessa vontade maligna não somente desejar um trono, mas também desejar o trono do qual não pode participar. Gostaria de apossar-se até mesmo do trono de Deus. E nada pode aplacar essa vontade maligna. O desejo de estabelecer condições de paz com aquilo que deve ser derrubado, é de ocorrência freqüente na história... O símbolo do grande dragão vermelho é bastante repulsivo e maldoso, mas representa algo que não pode ser totalmente ignorado (Hough, *in loc.*).

A Cabeça da Serpente
A cabeça da serpente se levantou,
Com olhos maliciosos e furtivos,
Com boca nociva a zombar,
A violentar toda inocência, a espumar seu ódio,
A desejar vil perversidade.
A cabeça da serpente se levantou,
Tão bela, em todo o seu intricado desenho,
Encantadores são seus prazeres, aos que todos resignam,
Nada tão alegre, nem tão saudável,

SETE DIADEMAS – SETE ESPÍRITOS

Tão preciosos os seus benefícios, pode estar errado,
Correta e justamente a ela o mundo se amontoa.

A cabeça da serpente se levantou,
Eis em seus olhos a sabedoria dos séculos,
Por que não buscar suas vantagens?
A ela damos alegre lealdade, a ela adoramos,
Posto que satisfação dá a todos, de seu vasto tesouro.
A cabeça da serpente se levantou,
sua tentadora beleza........ é feiúra vil;
sua alegria e seus prazeres ......horrenda desgraça;
sua sabedoria e gênio depravado.... apagam a
piedade.
(Russell Champlin)

SETE DONS DO ESPÍRITO

Ver os artigos gerais intitulados *Dons Espirituais* e Dom. De acordo com a teologia escolástica, as graças santificadoras do Espírito, Santo são: sabedoria, entendimento, conselho, fortaleza de espírito, conhecimento, piedade e temor do Senhor. Ver Isa. 11:2. Essas graças, como é óbvio, são diferentes dos *dons carismáticos*, descritos no décimo primeiro capítulo de 1 Coríntios, no décimo segundo capítulo de Romanos, etc. Além disso, encontramos os *nove* aspectos do fruto do Espírito, segundo se vê em Gal. 5:22,23.

SETE ESPÍRITOS DE DEUS, Apo. 1:4

Muitas idéias e interpretações circundam esse tema. Há um sumário possível, como se segue:

1. Muitos intérpretes vêem aqui uma combinação de angelologia com idéias astrais. Essas coisas são semelhantes, mas não são idênticas às "sete estrelas" de Apo. 1:16 e 11. Os antigos criam que elevados poderes espirituais ("aeons" ou poderes angelicais) habitavam nos planetas e estrelas, ou então que seus corpos eram exatamente esses corpos celestes. Não tinham conceito de um universo puramente material, conforme atualmente se ensina nas escolas. Poucos antigos tinham qualquer idéia das tremendas dimensões dos corpos celestes. Por isso, era-lhes fácil supor, por exemplo, que Vênus fosse um ser celestial vagabundo, uma entidade consciente, ou que esse objeto luminoso fosse o corpo de algum ser espiritual. E outros antigos, que viam os planetas como algo pertencente à ordem desta terra, supunham que seres celestiais "habitavam" em tais esferas, e, portanto que exerciam poderes diversos sobre os homens. Além disso, supunham eles que a vida humana seria dirigida e influenciada por tais seres.

É possível que esses sete espíritos representem sete exaltados poderes cósmicos, que estariam sujeitos ao controle e às ordens de Cristo. Teriam sido referidos em linguagem "astrológica", ainda que – o próprio autor sagrado não tivesse idéias astrológicas. (Ver Col. 2:8 e as notas expositivas ali existentes, no NTI, sobre o "elemento astrológico", que havia no judaísmo posterior, ver também o artigo sobre *Adivinhação*).

2. Alguns intérpretes pensam que esses "sete espíritos" são os mesmos *sete arcanjos* das especulações judaicas, referidos em Eze. 9:2; Tobias 12:15; I Enoque 20:1-8; III Enoque 17:1-3 e Testamento de Levi 8:2. Alguns autores crêem que esses arcanjos foram identificados e talvez tenham tido origem na comparação com os sete Amestia-Spentas da antiga religião persa. Outros percebem certa identificação entre esses arcanjos e os sete planetas da teologia astral babilônica, a saber, o sol, a lua e cinco dos planetas que podem ser vistos a olho nu. De acordo com as idéias populares da época, esses corpos exerceriam controle e influência sobre as vidas dos homens. No contexto do escrito de João, o vidente, encontraríamos o ensinamento que diz que todos os "poderes celestes", sem importar sua espécie e poder, estão sob a autoridade de Cristo (ver Apo. 11), pelo que seriam seus agentes de controle e autoridade sobre este mundo. É possível que João desejasse transmitir essa mensagem, sem dar a entender qual é a sua crença sobre a "realidade" desses espíritos, ou qual seria seu relacionamento com a astrologia contemporânea. Antes, dizia ele, simbólica e misticamente, que, em Cristo, está investida toda a autoridade. Pode-se notar, em II Enoque 30:14 que os anjos são referidos como se fossem estrelas, ao mesmo tempo que, em 1 Enoque 41:5,7, às estrelas é atribuída uma existência "consciente".

3. Também há os estudiosos que vêem aqui tão-somente uma alusão aos "sete Espíritos de Deus", ou seja, uma espécie de alusão mística ao Espírito Santo, quiçá do ponto de vista das *perfeições* de seu poder e de suas operações, representadas pelo número sete. O trecho de Isa. 11:2 é aludido, onde, presumivelmente, o Espírito Santo, em sua atuação em sete aspectos, por assim dizer é "sete espíritos em um". Ou seja, ele é: 1. O Espírito do Senhor; 2. da sabedoria; 3. do entendimento; 4. do conselho; 5. do poder; 6. do conhecimento; e 7. do temor ao Senhor. O máximo que se pode dizer em apoio a essa interpretação é a observação que está em foco o Espírito Santo então o Deus triunfo é visto a saudar as igrejas – o Pai (aquele que era, é e será), o Filho (Jesus Cristo; ver o quinto versículo), e o Espírito Santo (em suas sete diferentes manifestações de poder). Entretanto, Charles *(in loc.)*, um dos maiores expositores de todos os tempos do livro de Apocalipse, objeta essa interpretação ao dizer que a mesma ignora o "meio ambiente" daquela época. Trata-se de uma interpretação suspeita, pois procura aliviar o autor sagrado de fazer alusão às idéias comuns à época "cristianizando" seus pensamentos, em acordo com o meio ambiente da *cristandade moderna*, quanto a seu pensamento cosmológico. Em outras palavras, torna o autor sagrado igual a nós, que vivemos na era moderna, não tendo nós as idéias antigas do cosmos e seus poderes, Nada há de estranho nas antigas idéias cosmológicas serem transferidas para documentos antigos, como se dá no caso do Apocalipse.

Na tradição judaica há certa conexão entre o grande candeeiro de ouro, de sete hastes, com os sete planetas (ver Josefo, Anti. iii.6,7; Guerras dos Judeus v.5.5). Nesta última referência também encontramos alusão aos "doze pães" da apresentação, que simbolizariam os doze sinais do Zodíaco. Evidentemente foi com, base em idéias assim que certos pensadores judaicos do período helenista escreveram alicerçados em conceitos do cosmos próprios da cultura greco-romana.

4. Há um outro ponto de vista que diz que os "sete espíritos" são uma ordem *sui generis* de seres celestiais, que não podem ser identificados com os arcanjos. Isso poderia ter algum apoio na observação de que havia outros seres similares, como é o caso dos vinte e quatro anciãos e os quatro animais "cheios de olhos" (ver Apo. 4:4,6). Esta idéia é melhor, segundo penso, do que a suposição de que o Espírito de Deus é aqui aludido.

5. Ou poderíamos entender os sete espíritos como meras alusões místicas e simbólicas ao próprio Cristo, sem que se pense em quaisquer seres literais. Esses espíritos são os sete olhos do Cordeiro, ou seja, as sete "formas básicas da revelação do Logos ou Cristo celeste no mundo, portanto, ideais de Cristo, lâmpadas de Deus, olhos de Cristo" (Lange, in loc., o qual assim rejeita a interpretação do "Espírito em sete aspectos"). (Ver Apo, 4:5 e 5:6). O

SETE ESPÍRITOS – SETE PECADOS MORTAIS

Cordeiro tem sete chifres, sete olhos, e esses são os sete espíritos de Deus. Poder-se-ia argumentar, porém, que embora referidos desse modo, por serem totalmente sujeitos à autoridade de Cristo, cumprindo missões sob suas ordens, são eles seres reais. Poder-se-ia também indagar com razão se fosse apresentado meramente como os chifres ou os olhos do Cordeiro, ou como as meras "lâmpadas" diante do "trono" (ver Apo. 4:5).

O leitor pode ver que não há qualquer acordo entre os intérpretes acerca da "identidade" desses sete espíritos. Podem ser seres reais ou meros símbolos; e o autor sagrado pode ter aludido aos mesmos como se fossem seres reais, utilizando-se da linguagem astrológica de sua época, embora quisesse apontar somente para a auto-revelação de Cristo, na qual ele é visto como quem controla tudo no cosmos. O que eles significam é perfeitamente claro, embora não se possa dizer o mesmo quanto à sua identidade. A segunda dessas cinco interpretações é a mais provável, ao passo que a quinta explica o que isso "significa", embora não o que seja. A quarta interpretação soluciona bem o problema, mas talvez corte o nó, sem desatá-lo. Com isso quero dizer que ficaria eliminada qualquer necessidade de referência astrológica, ficando também evitada a fraqueza inerente à interpretação das "sete formas" de manifestação do Espírito de Deus. No entanto, não leva em conta possíveis alusões a antigos conceitos e à literatura antiga.

Diante do seu trono. Encontram-se nos mais elevados céus, o que dá a entender sua autoridade e glória. Considerando-se que mais adiante são apresentados como "reveladores", devemos supor que trazem revelações vindas do trono de Deus, especificamente acerca da majestade e senhorio de Cristo, que os controla. São lâmpadas (ver Apo. 4:5) perante o trono, pelo que falam da iluminação divina e da iluminação da presença divina. São os chifres e olhos do Cordeiro (ver Apo. 5:6), sendo enviados por toda "terra", presumivelmente a fim de testificarem sobre o Cordeiro, em sua glória e missão, bem como sobre o julgamento vindouro. (Quanto a outras referências a "seres diante do trono", ver Apo. 5:5,6,10, e 7:9).

SETE ESTRELAS
Ver sobre *Astronomia*.

SETE OBRAS DE MISERICÓRDIA: ESPIRITUAIS E CORPORAIS

Quanto a obras de caridade, muito temos que aprender dos católicos romanos e dos espíritas. Ordens religiosas inteiras da Igreja Católica Romana dedicam-se a obras de caridade e misericórdia. Tomás de Aquino conferiu um poder oficial e autoritário a essa atitude, em sua *Summa Thealogica*, II, 2:32. Ele preparou uma lista especial de sete obras espirituais de misericórdia: ensinar aos ignorantes; aconselhar aos que estão na dúvida; consolar aos tristes; reprovar os pecadores; perdoar os ofensores; tolerar os opressores e agitadores; orar em favor de todos. Essas atividades abordam questões espirituais. No tocante a questões físicas (as obras corporais), encontramos outras sete atividades: alimentar os famintos; dar de beber aos sedentos; vestir os nus; abrigar os desabrigados, visitar os doentes e prisioneiros; redimir os cativos; sepultar os mortos.

Uma base bíblica para essa questão é o trecho de Mat. 25:35-44, que ensina que atos caridosos, mesmo que para o menos significante dos seres humanos, é algo feito para o próprio Cristo, que é o Irmão Mais Velho de todos os homens. A Igreja Católica Romana considera essas questões tão fundamentais que ensina que elas fazem parte da lei *natural* (vide), para nada ser dito sobre a moralidade preceituada nas Santas Escrituras. Durante a Idade Média, vários autores aceitaram a tarefa de dar explicações sobre esses atos de misericórdia, o que fez surgir uma literatura especializada bem desenvolvida.

SETE OLHOS DO CORDEIRO

Sete olhos que são os sete espíritos de Deus, Apo 5: 6. Ver o artigo sobre os *Sete Espíritos de Deus*. Ver também Apo. 3:1 e 4:5 quanto a referências ao mesmo fato. Já que antes aparecem "sete tochas" diante do trono de Deus (ver Apo. 4:5), e que agora lemos acerca dos "sete olhos" do Cordeiro, é duvidoso que esteja em pauta o "Espírito de Deus", porquanto isso parece reduzi-lo até certo ponto. Antes, temos aqui seres angelicais de elevada ordem, que atuam como poderes nas mãos de Cristo, realizando aquilo que ele quiser. Ou, se assim não for, terão de ser apenas características da pessoa de Cristo. Esses "olhos-espíritos" iluminam os homens e os anjos; possuem "discernimento", já que são os "olhos" de Cristo. Agem como extensões de sua "sabedoria", que a tudo "vê" e de tudo "sabe". Também são símbolos da "consciência" do Filho de Deus. Esse significado certamente está envolvido no simbolismo dos "sete olhos". Trata-se da visão perfeita., do "discernimento" total e divino. O trecho de Zac. 4: 10 pinta Yahweh como quem tem sete olhos, e mui provavelmente essa foi a origem da figura simbólica que aqui temos. No livro de Zacarias, os olhos de Yahweh "percorrem toda a terra". O mesmo sucede no caso dos olhos do Cordeiro. Ele sabe a quem convém poupar; e o seu julgamento será severo e feroz, embora também sirva para curar, já que a perfeita sabedoria assim fará.

Seus olhos são "enviados" por toda a terra. A Cristo não falta conhecimento sobre as condições terrenas, e ele sabe como cuidar desses problemas. Esse simbolismo faz-nos lembrar dos muitos olhos dos quatro seres viventes (ver Apo. 4:8) como também do "pequeno chifre" de Dan. 7:8, que tinha olhos como os de um homem. Nesses casos, são focalizadas as qualidades da sabedoria e de total discernimento, tanto acerca do bem como acerca do mal. No caso do Cordeiro, o total discernimento trará à tona o julgamento divino, porquanto o Cordeiro é quem abrirá o livro de julgamento, o livro de sete selos. No entanto, nenhum julgamento divino poderá ser feito sem um propósito em mira, sem visar resultados benéficos finais, porquanto o julgamento divino é apenas o dedo da mão amorosa do Senhor.

Tal como em Apo. 1:4, alguns pensam que os "sete espíritos" (agora chamados de "sete olhos" de Cristo) são o Espírito Santo. Nesse caso, o Espírito de Deus deve ser encarado como o instrumento da onisciência e do poder discernidor de Cristo.

SETE PALAVRAS DA CRUZ
Ver sobre *Sete Declarações da Cruz, As*.

SETE PECADOS MORTAIS

Na literatura patrística, achamos várias listas de pecados mortais. Algumas vezes eles são em número de oito: glutonaria, fornicação, avareza, ira, depressão (*tristitia*), preguiça (*aceedia*), vanglória e orgulho. Gregório, o Grande, falava em sete pecados capitais: orgulho (origem dos demais pecados), inveja, ira, depressão, avareza, glutonaria e sensualidade. Essa lista de Gregório tornou-se a lista prevalente.

Cada um desses pecados capitais era subdividido em

SETE PECADOS MORTAIS – SETE SELOS

pecados secundários. A obra escrita, de nome *Penitenciais*, além de outros livros de tendências ascéticas, prescrevia como as pessoas deveriam tratar com esses pecados, a fim de livrar-se dos mesmos. Além disso, os chamados *sete salmos penitenciais* (vide) eram utilizados em referência àqueles vícios.

De acordo com a explicação cristã, o orgulho conduz aos demais pecados. E o pecado em geral é interpretado como algo que ocorre porque o indivíduo não reconhece ou não sente adequadamente a autoridade de Deus, faltando-lhe o temor ao Senhor. Um pecado mortal, se não for perdoado, conduz ao juízo eterno.

Pecados Veniais. A doutrina católica romana divide os pecados em mortais e veniais. Os primeiros seriam aqueles graves, deliberadamente cometidos. Eles resultariam em morte espiritual, razão pela qual são chamados mortais. Em comparação com eles, os pecados veniais seriam aqueles comparativamente leves, praticados sem deliberação. Naturalmente, biblicamente falando, todos os pecados são mortais, a menos que sejam perdoados, embora a Bíblia distinga pecados graves de pecados mais leves. Como é evidente, nem todos os pecados envolvem a mesma malignidade, e nem exercem o mesmo efeito deletério sobre a alma. Ver o artigo geral intitulado *Pecado*.

A Igreja tomou sobre si mesma o encargo de alistar os pecados que condenam a alma, os pecados graves que não se caracterizam pela frivolidade, e que devem ser perdoados, se a alma tiver de ser salva. Naturalmente, todo pecado condena, mas também é verdade que certos pecados são piores do que outros. Os sete pecados mortais, segundo a Igreja Católica Romana, são: orgulho, cobiça, concupiscência, inveja, glutonaria, ira e preguiça. Alguns preferem denominá-los pecados capitais, principais ou raízes, e não mortais; mas, de acordo com o pensamento católico romano, esses pecados são contrastados com os pecados veniais, que são menos graves e seriam cometidos de maneira não–premeditada. Os pecados mortais refletem o que há de mais vil e pecaminoso no homem, mostrando como os seus instintos primários têm-no feito pecador, e o quanto ele precisa de perdão e de transformação, para não ser a criatura que ele é.

Gregório, o Grande, deu-nos a exposição clássica sobre esses pecados, no seu livro *Moralia*, comentando sobre Jó, especialmente o trecho de 31:45. Os sete pecados mortais foram então adicionados às sete virtudes cardeais (vide), obtendo-se assim um padrão simplificado de moralidade.

SETE SALMOS PENITENCIAIS

Esses são os Salmos de números 6, 32, 51, 102, 130 e 143. Ao que se presume, foi Agostinho, em seu leito de morte, quem falou especificamente sobre esses sete Salmos como dotados especialmente de natureza penitencial. E a Igreja passou a usá-los liturgicamente com finalidades penitenciais, e começaram a ser entoados. Algumas vezes, esses Salmos penitenciais são contrapostos pelos sete pecados mortais, respectivamente. Assim, o orgulho estaria ligado ao Salmo 32; a ira ao Salmo 6; a inveja ao Salmo 130; a avareza ao Salmo 102; a glutonaria ao Salmo 39; a preguiça ao Salmo 143; e a sensualidade ao Salmo 51.

SETE SELOS

A Visão dos Sete Selos (Apo. 6:1-8:6)

Adam Clarke (in loc.) expressa sua frustração, por não poder compreender o restante do livro de Apocalipse, com a seguinte afirmativa: "Segue-se agora a porção menos inteligível desse misterioso livro, sobre o qual tanto se tem escrito, mas tudo em vão. É natural que os homens desejem ser sábios; quanto mais difícil for um tema, mais deve ser ele estudado. A esperança de descobrir algo que seja aproveitado pelo mundo e pela Igreja tem impelido os homens mais eruditos a empregarem seus talentos e a consumirem o seu tempo nessas insondáveis predições. Mas, qual tem sido a utilidade de todo esse labor erudito e bem-intencionado, para a humanidade? Poderia a hipótese explicar a profecia, ou a conjectura encontrar uma base sobre a qual a fé pode alicerçar-se? E que avanço temos feito até aqui, nos esforços por explicar os mistérios desse livro?"

Calvino também reconheceu o problema, preferindo nada escrever sobre o Apocalipse. Na igreja primitiva, em algumas localidades, o Apocalipse não obteve posição canônica por muitos séculos, provavelmente devido à imensa dificuldade para entendê-lo. (Ver a seção II no artigo sobre Apocalipse, a respeito desse particular).

Entretanto, isso não nos deveria desencorajar, porquanto é patente que qualquer predição pode ser extremamente obscura, quando o tempo de seu cumprimento ainda está distante, embora possa tornar-se surpreendentemente clara quando chega a época de sua realização. A convicção deste escritor é a de que todas as profecias que temos à nossa frente, nos capítulos sexto ao décimo nono, serão cumpridas dentro dos próximos cinquenta anos ou menos. A maior parte dessas predições certamente relata o período da grande tribulação por que passará a terra, nos últimos dias. Os místicos contemporâneos já começam a prever coisas perfeitamente paralelas às predições do Apocalipse. Isto é, essencialmente, uma "profecia" acerca dos "últimos dias", e não um manual da história eclesiástica escrita de antemão. Portanto, rejeitamos aquela interpretação que busca encontrar esses eventos preditos espalhados na história eclesiástica. Pelo contrário, haverão de concentrar-se em um único período, de breve duração, o qual precederá de imediato à "parousia" ou segunda vinda de Cristo. Como guia para os pensamentos do leitor, oferecemos um artigo sobre o tema, a *Tradição Profética e a Nossa Época*, onde aparecem, de forma não complicada e destituída de símbolos, as profecias relativas aos últimos dias, que incluem os dias preditos no Apocalipse. Portanto, acreditamos que uma imensa luz de entendimento tem sido focalizada sobre as profecias que passamos agora a considerar. Desnecessário é dizer que o Apocalipse continua envolvido nas brumas do mistério em muitos pontos, não havendo acordo entre os comentários sobre nenhum desses pontos; não obstante, o "quadro em geral", é perfeitamente claro.

Seria útil se o leitor, neste ponto, consultasse o artigo sobre o livro, em sua seção XIII, intitulada "Conceitos e Métodos de Interpretação", bem como em sua seção X, "Ponto de Vista Geral do Conteúdo e Análise", com conceitos de arranjos, que envolvem as predições aqui contidas. Essas seções mostram como o livro tem sido manuseado por vários intérpretes, dotados de diferentes mentalidades e pontos de vista.

Os Sete Selos. Desses selos é que o restante do livro de Apocalipse se vai desdobrando. Alguns estudiosos pensam que a questão deve ser encarada de um ponto de vista "telescópico": os sete selos representam sete julgamentos, um após outro. Do último julgamento é que se derivariam as sete trombetas, que também representariam outros juízos sucessivos. Destes últimos é que se derivariam os "ais", outros julgamentos sucessivos. Finalmente, desses "ais" se derivariam as "taças". Isso, pois, significaria que os

SETE SELOS – SETE TAÇAS

capítulos sexto a décimo nono nos fornecem uma longa série de juízos divinos, que se seguiriam em ordem cronológica, como as diversas seções de um telescópio que se vão estendendo. Há também os eruditos que pensam que os selos contêm todos os juízos, e que as demais séries de "sete", como as trombetas, as taças, etc. seriam meras repetições de detalhes desvendados, pertencentes e inerentes aos selos.

Alguns eruditos pensam que os "selos" são paralelos aos "anjos", o que significa que os capítulos sexto a nono seriam paralelos aos capítulos catorze a dezesseis, em que uma série nos daria o ponto de vista terreno, e a outra o ponto de vista celestial. Além disso, as trombetas (que seriam um desdobramento do sétimo selo) seriam paralelas às taças, de tal modo que os capítulos oitavo a décimo seriam paralelos ao capítulo dezesseis. Contudo, diferentes idéias sobre esses mesmos juízos são apresentadas pelos estudiosos. Se esses paralelos realmente existem, não podemos afirmar com plena confiança. O que se pode dizer com relativa confiança é que há muitos juízos descritos nos capítulos que se seguem, que ocorrerão imediatamente antes da volta de Cristo, não estando eles dispersos ao longo da história da humanidade, como se quase todos eles já pertencessem agora ao passado. A seção X do artigo sobre o Apocalipse procura expor diante do leitor os tipos de teorias que são mencionados acima. A exposição apresentará os juízos divinos do ponto de vista telescópico. Em certo sentido, naturalmente, até mesmo de acordo com o ponto de vista "telescópico", os "selos" incorporam em si mesmos o Apocalipse inteiro, já que o sétimo selo contém as sete trombetas, e a sétima trombeta contém as sete taças. Desse modo, para todos os efeitos práticos, termina a descrição dos juízos divinos, anteriores à segunda vinda de Cristo, porquanto os capítulos dezessete e dezoito são descrições detalhadas do julgamento que sobreviria à Babilônia (mencionada pela primeira vez em Apo. 16:19).

Em favor do método futurista de interpretação, que o autor desta enciclopédia defende, deve-se salientar que o vigésimo quarto capítulo do evangelho de Mateus (o pequeno apocalipse, como é chamado), com seus paralelos (Marcos 13 e Lucas 21), apresentam essencialmente o mesmo quadro que se vê nos capítulos sexto a décimo nono do Apocalipse, embora não de forma simbólica e ornada. Certamente, o Senhor tencionava que suas predições fossem compreendidas como revelações dos acontecimentos que antecederão imediatamente ao seu segundo advento, e não acontecimentos que estão espalhados por toda a era da igreja.

Consideremos, acerca disso, os seguintes quadros comparativos: Mat. 24:6,7,9,29 (Mar. 13:7-9,24,25 e Luc. 21:9-12,25,26). Apo. 6:2-17 e 7:1 em comparação com as passagens acima.

1. Guerras
2. Conflitos internacionais
3. Terremotos
4. Fomes
5. Perseguição contra os justos
6. Sinais nos céus, eclipses do sol e da lua, deslocamento das estrelas, abalo dos poderes celestiais.

Se fizermos a comparação sugerida acima, veremos que tem lugar o mesmo padrão geral do juízo. Charles, em sua introdução ao décimo sexto capítulo do Apocalipse (pág. 157 do *International Critical Commentary*), supõe que o vidente João tenha dependido dos evangelhos sinópticos quanto ao esboço de seu livro, neste ponto, embora tivesse vazado tudo em linguagem mística e simbólica. Também cremos que os "sete selos" do Apocalipse são essencialmente paralelos aos sete ais, do evangelho de Lucas. Naturalmente, o material não é totalmente paralelo, porquanto há adições aqui e ali; mas o "quadro geral" é o mesmo, e isso é o que nos interessa. Nenhuma predição bíblica foi dada para satisfazer nossa curiosidade sobre o que sucederá. Antes, foi dada para consolar e instruir àqueles que terão de atravessar os eventos preditos. Assim, pelo que foi escrito nos livros sacros, eles compreenderão que Deus não os abandonou, mas continua a guiá-los, de tal modo que nada precisarão temer, por mais horrendos que vierem a ser os acontecimentos ao seu redor.

Uma pergunta se faz necessária aqui: a Igreja passará por esses tão severos julgamentos? "Sim!" (Ver o artigo sobre o *Arrebatamento*, com razões "pró" e "contra" essa idéia). Lembremo-nos que o Apocalipse foi escrito para as "sete igrejas", isto é, para a "igreja universal". Foi escrito especificamente a fim de consolar uma igreja debaixo de perseguição, e esta era tão intensa que ameaçava até a existência daquela entidade. Não foi escrito a fim de assegurar aos cristãos da época de Domiciano que eles escapariam à sua ira ou dos turbulentos acontecimentos da época. Portanto, a "igreja" perseguida pelo anticristo, o qual promoverá a mais feroz de todas as perseguições religiosas de todos os séculos, não escapará aos terríveis acontecimentos futuros preditos; antes, terá de atravessar aquele período. Tão-somente uma parte da igreja "será protegida" em meio às perseguições, mas não tirada do meio delas. Isso haverá de purificar a igreja, preparando a "noiva" para sair ao encontro do Noivo celeste. Será o "banho da noiva" comentado em Efé. 5:26,27 no NTI, sem o qual uma noiva antiga não saía ao encontro do noivo. "No mundo passais por aflições; mas tende bom ânimo, eu venci o mundo" (João 16:33). Não existem palavras mais significativas para a nossa presente geração, em todo o N.T., do que essas; nossos filhos crescerão vendo o cumprimento cabal das mesmas.

Acreditamos que a tribulação vai durar cerca de 40 anos (o número místico de provação), não somente os sete anos tradicionais. O número sete pode significar um tempo (dentro dos 40 anos) que tem aplicação especial para a nação de Israel. Pode ser que a igreja escapará deste período, mas certamente, antes disto, vai enfrentar o anticristo, Ou o número sete pode ser simbólico para "o ciclo completo" de angústia.

SETE TAÇAS

Juízos das Sete Taças, Apo. 15:1-16:21

Este décimo quinto capítulo age como elaborada introdução para os juízos das sete taças. O autor sagrado estava cônscio de que em breve terminaria seu livro de Juízo, a fim de introduzir a última série de "sete", com uma impressionante *cena celestial*, da mesma maneira que outras séries haviam sido introduzidas. Isso pode ser comparado com os capítulos 4 e 5, que introduzem todos os juízos existentes no livro, mas, especificamente, o juízo dos *selos*, no qual todos os demais estão contidos potencialmente. Assim também, no seu oitavo capítulo, antes dos juízos das trombetas, temos (no primeiro versículo) um estranho silêncio nos céus. Nesses capítulos temos várias cenas "celestes", antes das descrições dos próprios juízos, os quais são impostos por Deus, que é o Senhor dos lugares celestiais. Esse livro não descreve qualquer coisa acidental ou meramente terrena. Diz-nos como Deus, uma vez mais, fará intervenção na história humana; e, dessa vez, a fim de inaugurar a era áurea ou milênio, mediante a queda do anticristo e toda a impiedade que ele personifica. Essa intervenção será a mais decisiva de todas quantas têm havido na história, porquanto colocará

SETE TAÇAS – SETENTA, MISSÃO DOS

Cristo na devida posição de total senhorio, com total fruição de sua missão.

"Outra série de calamidades, as *sete pragas das taças* da cólera de Deus, está próxima a sobrevir à terra. Essas calamidades são similares, em caráter e propósito, às pragas dos sete selos (ver Apo. 6:1-8:6), às pragas das sete trombetas (ver Apo. 8:7-11:19), e, sobretudo, a estas últimas. Um período de preparação antecedeu cada uma dessas séries. Na primeira, tivemos a aclamação do Cordeiro, como digno de romper os selos do rolo de condenações (ver Apo. 54-14). Na segunda, quando da abertura do sexto selo (ver Apo. 8:1-6), houve a preparação para o toque das sete trombetas. Então um outro anjo se pôs de pé sobre o altar, misturando incenso com as orações dos santos, no incensário de ouro. Após essa mistura fragrante ter subido até Deus, o anjo encheu o incensário com brasas do altar, e lançou-o sobre a terra, provocando certo número de distúrbios celestes e terrestres. Depois dessa preparação, os sete anjos passaram a tocar suas trombetas. De certo modo, a preparação para as sete pragas é reiteração do que houve no caso das pragas das sete trombetas" (Hough, in loc.).

No artigo sobre o *Apocalipse*, em sua sessão X, intitulada, "Conceitos de Arranjos", pudemos mostrar como as trombetas e as taças apresentam uma espécie de perspectiva paralela, uma terrena e outra celestial, dos mesmos juízos. Alguns crêem que esses juízos são exatamente idênticos, mas parece que os juízos das taças vieram mais tarde, a despeito de suas similaridades ao juízo das trombetas. O capítulo que ora consideramos, cronologicamente falando, segue-se ao décimo terceiro capítulo (porquanto o décimo quarto capítulo interrompeu a ordem de apresentação a fim de mostrar quadros contrastantes entre os adoradores do Cordeiro e os do anticristo, formando uma espécie de parênteses).

SETE UNIDADES ESPIRITUAIS

Ver sobre *Unidades: As Sete Unidades Espirituais*.

SETE VIRTUDES CARDEAIS

A Igreja medieval alistava-as como fé, esperança, caridade (amor), justiça, prudência, controle–próprio e constância. Dessas virtudes dependeriam a fé e a conduta moral do crente. O adjetivo "cardeal" vem do latim, *cardo*, "coração".

Pode-se dizer que essas virtudes são divididas em dois grupos. as virtudes *teológicas* (a tríade paulina, I Cor. 13:13) e as virtudes *naturais* ou morais. As quatro últimas eram as mais prezadas pela cultura grega. Platão pensava que elas correspondem à constituição natural da alma, conforme segue: a prudência corresponderia ao poder e à graça do intelecto; o controle–próprio corresponderia a corretos sentimentos humanos; a constância corresponderia à vontade humana; a justiça corresponderia à maior das virtudes sociais, que devem regular toda a conduta humana, pública ou privada. Então o cristianismo adicionou a tríade cristã a essa ética grega sumariada (que passaram a ser entendidas do ponto de vista cristão).

Alguns intérpretes arrogam-se o direito de fazer as três virtudes distintamente cristãs corresponderem às qualidades humanas fundamentais, a saber: a fé corresponderia ao intelecto; a esperança aos desejos ou sentimentos; e o amor corresponderia à vontade. Desse modo, as virtudes são definidas como aquela excelência moral em que o homem inteiro, interior e exterior, privado e público, é corretamente orientado para desfrutar de comunhão com o seu Criador, e então conduz-se corretamente em relação ao próximo. Naturalmente, fica entendido, dentro do contexto cristão, que todas as virtudes genuínas são cultivo do Espírito Santo, e não meramente qualidades humanas de valor, embora, como é óbvio, também sejam isso.

SETENTA

Ver sobre *Sete (Setenta)*.

SETENTA DISCÍPULOS

Ver *Setenta, Missão dos*.

SETENTA, MISSÃO DOS

Ver Lucas 10:1-24. O evangelho de Lucas, no capítulo 10, apresenta uma *grande complexidade* de fontes informativas, e não é fácil traçar as declarações aqui encontradas em relação à suas respectivas origens. A maior parte desse material procede da fonte informativa Q, até o vs. 30, embora a aplicação dada por Mateus, sobre esta seção, diga respeito aos *doze*, ao passo que Lucas aplica as mesmas declarações aos setenta. Não há motivos para alguém duvidar que ambas as missões foram uma realidade, embora somente Lucas mencione a missão dos setenta. A questão por que Mateus omitiu a narrativa dessa missão não é fácil de responder, mas resposta menos satisfatória parece ser que realmente não houve tal missão, como alguns intérpretes declaram. O melhor que podemos dizer parece ser que essa missão dos setenta pertenceu ao último período do ministério de Jesus, onde os registros são comparativamente escassos, tendo envolvido partes da Peréia e da Judéia embora certamente tivesse sido outra parte do circuito pela Galiléia. Isso constituiu o terceiro circuito galileu. O primeiro foi feito por Jesus em companhia de quatro pescadores; o segundo se compôs dos doze apóstolos, seguidos mais tarde por Jesus, quando eles partiram de dois em dois. Aqui, igualmente, Jesus também enviou os setenta discípulos de dois em dois, tendo seguido mais tarde.

Pode-se salientar, igualmente, que posto os doze não terem feito parte desse circuito, veio o mesmo a ocupar uma posição menos importante na tradição evangélica. É bem provável que Lucas soube do fato, incluindo os detalhes oferecidos nesta seção, mediante as suas investigações pessoais.

O Simbolismo do Número Setenta

Os judeus acharam significados importantes nos números. O número das nações do mundo (Gên. 10) foi setenta; Moisés designou setenta presbíteros para o ajudar a governar Israel no deserto (Núm. 11:16,17,24,25); o número do sinédrio, o corpo governante mais alto de Israel (em tempos posteriores), foi fixado em setenta; a Septuaginta (LXX), a tradução da Bíblia hebraica, para o grego, recebeu seu nome da tradição de que setenta tradutores fizeram aquela tarefa. É possível que Jesus tenha escolhido setenta discípulos especiais, seguindo o exemplo de Moisés.

Ver os artigos separados que fornecem mais informações: *Jesus e Problema Sinóptico*.

O gráfico abaixo mostra como Lucas empregou o seu diversificado material.

LUCAS 10	MATEUS
Vs. 1	
Vs. 2	9:37,38 (João 4:35)
Vs. 3	10:16
Vs. 4	10:9,10, com leves variações
Vss. 5 e 6	10:11-13, com leves variações
Vs. 7	10:11, com grande variação
Vss. 8 e 9 (Lucas somente)	
Vss. 10 e 11	10:13,14

SETENTA, MISSÃO DOS – SEVENE

Vs. 12	10:15
Vs. 13	11:20,21
Vs. 14	11:22
Vs. 15	11:23,24
Vs. 16	10:40
Vss. 17-20 (Lucas somente)	
Vss. 21,22	11:25-27
Vss. 23,24	13:16,17
Vss. 25,26	22:35, com diversas adaptações
Vs. 27	22:36-40
Vss. 28-42 (Lucas somente)	

Por conseguinte, parece que o material que é reunido em um único bloco, no evangelho de Lucas, é disperso em seis diferentes capítulos no evangelho de Mateus. Tudo isso mostra o desígnio de cada autor no arranjo de seu material, porquanto cada um deles tinha um propósito diverso ao apresentar as informações onde e como desejavam fazê-lo.

Problemas de harmonia não têm nenhum efeito sobre a veracidade da fé cristã, nem anulam a historicidade dos evangelhos. Somente perturbam os harmonistas restritos que esperam mais dos evangelhos do que os próprios evangelistas intencionaram fornecer.

SETENTA SEMANAS
Esboço:
I. Elementos da Profecia
II. Diversas Interpretações
III. Gráfico e Observações

I. Elementos da Profecia
Ver Dan. 9:24-27. O profeta decretou 70 semanas (para serem calculadas em anos, um dia representando um ano) para cumprir um período crítico na história de Israel. Os elementos a serem alcançados:
1. Acabar com a transgressão através da missão do Messias. / 2. Pôr um fim aos pecados. / 3. Efetuar a reconciliação. / 4. Trazer a retidão eterna. / 5. Selar a visão profética. / 6. Ungir o Mais Santo, o Messias.

II. Diversas Interpretações
1. *Liberal-crítica*. A "profecia" foi escrita como história e não como profecia. As 70 semanas começaram em 538 a.C. com o decreto de Ciro e terminaram em 172 a.C. com o assassinato do sumo sacerdote Onias III que tinha sido deposto em 175 a.C. Os três anos e meio mencionados pelo profeta designaram o intervalo entre sua queda e morte. Os vss. 26 e 27 descrevem o ataque de Antíoco Epifânio contra Jerusalém. Esta interpretação não contém 490 anos, mas não devemos procurar nenhuma precisão nestas coisas. A profecia não é messiânica. Intérpretes de uma época posterior inventaram esta visão da questão.

2. *Tradicional*. Intérpretes que levaram seriamente o elemento profético deste trecho de Daniel, entenderam que a profecia é messiânica e que fala do período de tempo que começou com o decreto de Artaxerxes que enviou Esdras de volta a Jerusalém (c.485 a.C.). A última semana, supostamente, começou com o batismo de Jesus. Alguns iniciam o período com o decreto de Ciro (538 a.C.).

3. *Dispensacionalista*. De modo geral, estes intérpretes seguem as idéias da interpretação tradicional. Mas eles fazem um grande parêntese entre as semanas 69 e 70, preservando a última semana para depois do arrebatamento da igreja. Esta semana será (segundo a idéia deles) o tempo do poder do anticristo (vide) em Jerusalém.

III. Gráfico e Observações
1. Este gráfico representa o ponto de vista dos dispensacionalistas.

2. A objeção principal contra esta interpretação é que a separação da semana 69 da semana 70 (com um grande hiato no meio) é artificial.

3. Contra isto, os dispensacionalistas acham razões para entender a profecia desta maneira, comparando Daniel com o Apocalipse (ver 11:2,3 e 13:5), onde, aparentemente, encontramos a semana de número setenta.

4. Os liberais continuam rejeitando o elemento messiânico do trecho, achando tudo já cumprido na história antiga, mas os conservadores acham que ele é claramente profético e messiânico.

É significante que pelo menos alguns intérpretes da tradição rabínica consideraram a profecia messiânica e predisseram o tempo do Messias (corretamente) através do uso da mesma.

SETUR
No hebraico, "oculto", "secreto". Foi um aserita, filho de Micael, que esteve entre os homens enviados por Moisés para espiar a terra de Canaã (Núm. 13:13). Visto que somente Calebe, de Judá, e Oséias (ou Josué), de Efraim, prestaram relatório confiante, Setur foi um dos incrédulos que levaram o povo de Israel a recusar-se a conquistar a Terra Prometida naquela geração.

SEVA
No hebraico auto-satisfeito. Nas páginas do Antigo Testamento há dois homens com esse nome:
1. O secretário real da administração de Davi (II Sam. 20:25), que servia como secretário particular do rei e como secretário de Estado. Ele era o responsável pela correspondência, pela redação, pela custódia de documentos e pelo registro crônico dos acontecimentos. Parece que esse mesmo indivíduo é referido nas Escrituras, em outros trechos, por diversos nomes: Seraías (II Sam. 8:17), Sisa (I Reis 4:3) e Sausa (I Crô. 18:16). Os estudiosos pensam que, dentre todas essas formas, a verdadeira era a última, Sausa, e que as outras formas eram apenas variantes. Na Septuaginta, a forma desse nome também difere muito. R. de Vaux sugere que o ofício de Seva ou Sausa era uma cópia em miniatura do ofício existente no Egito. Outros eruditos têm sugerido também que Davi importou, do Egito, pessoal habilitado para preencher certos cargos da burocracia governamental. Viveu em cerca de 1030 a.C.

2. Um filho de Maaca, concubina de Calebe (I Crô. 2:49). Ele foi pai de Nacbena e de Gibeá. Viveu em torno de 1450 a. C.

SEVENE
O nome dessa cidade egípcia ocorre na Bíblia somente em Ezequiel 29:10 e 30:6. Ficava localizada à margem direita do rio Nilo, no local da moderna Aswan, cerca de 885 km ao sul da cidade do Cairo, na primeira catarata daquele rio e bem defronte da ilha de Elefantina. Toda a região foi tremendamente transformada, quanto à sua topografia, devido à ereção de uma nova represa pouco mais acima do antigo sítio de Sevene. A área daquela catarata assinalava a fronteira sul do Egito, durante grande parte da história antiga daquele país. Oito quilômetros mais ao sul de Aswan fica o local de uma outra represa, mais antiga; e ainda mais oito quilômetros para o sul, isto é, rio acima, fica a nova Alta Represa de Sadd el Aali, que é extremamente importante para os projetos agrícolas e industriais do Egito moderno.

A ilha de Bigá, ainda acima da antiga represa, aparece nos textos antigos como a fronteira sul do Egito. Ali havia

SEVENE – SEXO

uma fortaleza e alguns templos. Filae, antigamente conhecida como "Pérola do Egito" é famosa por seus templos, quase todos da época da dominação grego-romana. Foi ali que a religião dos antigos egípcios celebrou seus últimos cultos pagãos, rio século VI da era cristã.

Na ilha de Elefantina havia uma cidade que era considerada a cidade localizada mais ao sul de todo o Egito, bem como o ponto extremo sul daquele país. Essa ilha conta com muitos monumentos que datam do Reino Antigo em diante. Vários templos pertencentes à época do Novo Reino foram derrubados no começo do século XIX, e suas pedras foram usadas em outras construções. Os estudiosos da Bíblia estão familiarizados com a existência de uma colônia judaica na ilha de Elefantina. Um papiro escrito em aramaico, pertencente ao século V a.C., provê interessantes informações a respeito de um templo judaico ali, além de mencionar os filhos de Sambalate, o adversário de Neemias (ver Nee. 4:1,7; 6:1,5,14), e o sacerdote Joanã (Nee. 12:22,23). No lado leste da ilha há um famoso e antigo nilômetro, isto é, um medidor da altura das águas desse rio. Essa medição era importantíssima para a agricultura egípcia, pois o rio estava sujeito a transbordamentos.

Aquela mencionada como a primeira catarata do Nilo, rio acima, era importante como obstáculo às viagens e aos transportes, pelo que a região era importante estratégica e comercialmente. De fato, a palavra Sevene (no egípcio, swnw) está relacionada ao termo egípcio swn.t, "comércio". Na qualidade de cidade de fronteira, Elefantina era o ponto inicial das expedições que partiam para a Núbia; e, durante os dias do Reino Antigo, diversos de seus residentes serviram em ocupações oficiais, como líderes de caravanas ou como líderes de expedições militares.

Vários túmulos de figuras notáveis se encontram na margem ocidental, defronte de Aswan, em Qübbet el Hawa. Esses túmulos pertencem à época do Reino Antigo (principalmente da VI Dinastia), à época do Reino Médio, e também à época do Novo Reino. Mais para o sul ficam o arruinado mosteiro cóptico, de São Simeão e o moderno mausoléu de Aga Khan, um potentado egípcio de poucas décadas passadas.

A cidade de Sevene não adquiriu importância maior senão já nos tempos saítas, mas, gradualmente, foi ultrapassando em importância a cidade da ilha, até tornar-se a mais importante cidade de todo aquele distrito. Atualmente, a cidade que a substituiu, Aswan, continua sendo uma importante cidade do sul do Egito. Ruínas de templos continuam existindo na cidade, mas as escavações têm sido impedidas principalmente devido à presença de edificações modernas.

Aquela região toda foi consagrada a Quinum, o deus de cabeça de carneiro, que as lendas dizem ter sido o criador da humanidade, em sua roda de oleiro. Na região das cataratas do Nilo havia uma tríada divina, composta dos deuses Quinum, Satis e Anúquis.

Mais para sudeste de Aswan ficam as antigas pedreiras de onde era extraído o excelente granito usado em edificações e obras de arte do antigo Egito. Ali eram extraídas e cortadas as pedras usadas em templos, túmulos, estruturas diversas, obeliscos, colossos e sarcófagos. Essas pedras de granito eram transportadas por embarcações para locais determinados, ao longo do rio Nilo. Nessa pedreira até hoje há um obelisco imenso e não-terminado, com quase 42 m de comprimento.

Á cidade de Sevene, como já dissemos, só aparece na Bíblia por duas vezes, ambas no livro de Ezequiel, nas declarações proféticas desse escritor contra o Egito. É possível que em ambas as referências (ver acima) haja indicações da extensão geográfica do Egito. Assim, em Ezequiel 29:10, as palavras "... desde Migdol até Sevene, até as fronteiras da Etiópia ...", indicam que o Egito inteiro será sujeitado a "completa desolação". E o trecho de Ezequiel 30:6 afirma que o orgulho dos egípcios cairá por terra, quando o Egito inteiro for desolado pela guerra.

SEXO

I. Caracterização Geral
II. Observações do Antigo Testamento
III. Tipos de Casamento
IV. No Período Greco-romano
V. Observações do Novo Testamento

I. Caracterização Geral

Embora a palavra *sexo* não seja mencionada na Bíblia, o tema ocupa um espaço muito amplo nessa coleção de documentos, e tudo o que há de bom e de ruim relacionado a isso é descrito de forma explícita. Os hebreus não eram um povo puritano. Na verdade, eram um povo do vinho, das mulheres e da canção. Confinar o sexo dentro do casamento exigia a instituição do concubinato, que, de modo geral, tinha regras muito frouxas, portanto o ideal (da Criação) de um homem para uma mulher na prática quase nunca teve efeito. Apenas as mulheres estavam limitadas a um único homem. O ideal original de Gên. 1.26-28 era que houvesse uma união entre um homem e uma mulher e que essa união tivesse um propósito da procriação, pois era *obrigação* deles "frutificar e multiplicar". Jesus aprovou o plano original como sendo parte do esforço contra o abuso (Mat. 19.4.8).

Os casamentos restritos tinham por propósito produzir a "raça de Abraão" (culminando nos hebreus e então nos judeus) como um povo distinto, que participou dos diversos pactos (Abraâmico, Mosaico, Palestino etc.; ver o artigo *Pactos*). Havia um propósito espiritual que não poderia ser cumprido se as leis do casamento permitissem a livre mistura com outros povos, pois isso anularia um povo especial a longo prazo. A ameaça da extinção da linhagem biológica de um povo era o temor comum dos povos antigos do Oriente Médio e pragas de tratados sempre traziam esse temor à tona. Ver Deu. 28.18, 32; Jos. 6.26; Sal. 109.13. Um motivo para o medo era que a continuação da linhagem, família ou raça de uma pessoa possibilitava um tipo de imortalidade biológica nos dias em que a doutrina da imortalidade da alma ainda não havia sido desenvolvida. Leis de herança (ou famílias e tribos dentro de uma nação) eram um reforço da esperança da imortalidade biológica.

O *concubinato* era um auxílio ao desejo da "grande raça" e, enquanto fosse confinado a uma tribo ou nação à qual alguém pertencia, era prática favorecida. Mas o adultério ameaçava a pureza de linhagens específicas de famílias e tribos, e o casamento misto com estrangeiros tendia a ser um tipo de suicídio coletivo.

A *virgindade antes do casamento* era fator crucial para mulheres no Antigo Testamento, mas aparentemente não era respeitada para homens. Isso ajudava a evitar a confusão das linhagens familiares e, em sua essência, servia aos mesmos propósitos das leis contra o adultério.

A *procriação* era tratada como um bem sem qualificação, contanto que mantida dentro das leis indicadas acima. O casamento era considerado o estado normal para homens e mulheres. O celibato era

SEXO

absolutamente estranho à mentalidade hebraica e judaica e, longe de deixar um homem mais qualificado espiritualmente, era considerado um dano ao homem e à sociedade. Os líderes judeus eram quase necessariamente homens casados, e a família era muito mais importante do que alguma piedade artificial e pessoal que possa ter sido promovida através do celibato.

II. Observações do Antigo Testamento

1. Ao criar o homem e a mulher, Deus foi a origem da sexualidade humana (Gên. 1.27), sexualidade que alguns sedutores perverteram para servir como desculpa para seus excessos, mas que outros corretamente empregam para demonstrar que nada há de errado com o sexo *per se*.

2. A criação do homem e da mulher implica uma diferença de estado e ordem que é declarada abertamente em Gên. 3.16 e reiterada em termos claros por Paulo em I Cor. 11.3 e por Pedro em I Ped. 3.1.

3. No casamento, os dois parceiros têm obrigação de prover satisfação sexual um ao outro, ato que pode estar subordinado à procriação (Gên. 1.22, 28; 8.17), ou meramente dar prazer, que é um fator necessário à saúde e à manutenção de um ego respeitável (I Cor. 7.5).

4. A família é o objeto do sexo (Esd. 8.1-14), algo ilustrado pela quase obsessão demonstrada pelos hebreus e judeus em relação às genealogias.

5. O homem é o líder da família não meramente por motivos tribais, mas também para liderança e desenvolvimento espiritual (Gên. 3.16; Êxo. 12.1-6; 20.12; Deu. 6.20-25).

6. O pai era o sacerdote da unidade da família até que foi desenvolvido um sacerdócio formal. Quando isso aconteceu, apenas homens eram sacerdotes aceitáveis e isso foi limitado ainda mais aos descendentes de Levi, através de Arão (Êxo. 19.22; Lev. 1.11).

7. Líderes espirituais especiais, os profetas, eram, de modo geral, homens, mas havia exceções a essa regra (Êxo. 15.20; Juí. 4.4; II Reis 22.14; II Crô. 34.22; Nee. 6.14; Isa. 8.3).

8. A distinção entre homens e mulheres era mantida de diversas formas, incluindo a regra de que a mulher não podia usar roupas masculinas e de que os homens não poderiam usar roupas tipicamente femininas (Deu. 22.5). Em um momento posterior, os estilos de cabelo também foram objeto de regras (I Cor. 11.14), mas a história nos mostra que na maioria dos povos os homens usavam cabelos longos, exceto entre os egípcios, que não gostavam de cabelos. Os homens não podiam cortar os cabelos laterais, pois esse era o estilo de cabelos pagão (Lev. 21.5). Apenas na Diáspora (dispersão) foi que os homens judeus imitaram os estilos romanos para os cabelos, incluindo o corte, mas as mulheres continuaram mantendo cabelos longos. As tribos gregas mantinham práticas de cabelos longos e curtos para homens. A declaração de Paulo em I Cor. 11.14 reflete-se a costumes posteriores, não aos do Antigo Testamento.

9. A criação da mulher a partir da costela (Gên. 2.21, 22) ilustra o papel dominante do varão e também que a mulher deveria ser uma "ajudante" do homem (2.20). A mulher existia para propósitos utilitários e encontrava sua plenitude nesse serviço. O principal serviço da mulher era ter filhos e educá-los (Gên. 3.14-16).

10. As mulheres podiam e deveriam ter ocupações diferentes, mas sempre centradas na família (Pro. 31.10-31). Elas poderiam ganhar dinheiro, mas trabalhando em casa.

11. A Bíblia culpa as mulheres pela entrada do pecado no mundo (Gên. 3.1-6) e isso levou à degradação da mulher na psique hebraica e judaica, a ponto de alguns rabinos chegarem a duvidar de que as mulheres tivessem alma. Até mesmo a dor do parto era atribuída ao pecado (3.15-16), não a uma característica inadequada da anatomia feminina para o parto.

III. Tipos de Casamento

1. *Monogamia* era o ideal original, mas ele foi logo perdido, pois os homens passaram a praticar casamentos plurais e concubinato (Gên. 1.27; caps. 15-16). A poligamia de Abraão sem dúvida refletia uma instituição já estabelecida, não uma exceção para a geração de um herdeiro.

2. *Poligamia*. Casamentos plurais e concubinato logo dominaram o cenário doméstico, que, na história bíblica, começou com Abraão e dominou todos os patriarcas, com a possível exceção de Isaque, já que não se menciona especificamente que ele tenha tido mais de uma mulher. As mulheres mais afluentes tinham escravas, que automaticamente se tornavam parte do "círculo familiar" e estavam disponíveis aos homens, como no caso ilustrado de Jacó (Gên.30.1-5). Raquel contava os filhos de sua escrava como se fossem dela e como uma dádiva de Deus (30.6). Portanto, foi assim que Israel, a nação, se originou de duas esposas, Raquel e Lia, e de suas escravas, Bila e Zilpa. O negócio da poligamia floresceu e, de fato, abusaram dele, como foram nos casos de Davi e Salomão (I Sam. 25.29-43; 27.3; II Sam. 3.2-5). Isto resultou em adultério espiritual (Deu. 17.17; I Reis 11.1-7).

3. *Endogamia*. Essa palavra significa limitar o casamento à tribo, à casta ou ao grupo social, e essa foi a forma de casamento exigida de Israel (Êxo. 34.15-16; Deu. 7.3-6; Jos. 23.11-13), mas o casamento misto com estrangeiros era praticado comumente a despeito da consternação dos profetas. Considere-se o caso de Sansão (Juí. 13-16) e o caso radical do rei Salomão (I Reis 11.1-7). A *exogamia* (casamento fora da família, casta, tribo ou nação) tornou-se prática comum entre os judeus da Diáspora, mas foi denunciada violentamente e anulada após o retorno dos exílios do cativeiro babilônico (Esd. caps. 9-10; Nee. 10.28-30). Cf. o relato em Atos 16.1-3; 24.24.

4. A *homossexualidade*, a *bestialidade* e a *contracepção* eram proibidas diretamente ou por inferência. Dou um artigo detalhado sobre o *Homossexualismo* na *Enciclopédia de Bíblia, Teologia e Filosofia*. Ver ainda os artigos *Bestialidade* e *Onã*. Tais práticas eram consideradas destrutivas para o relacionamento do casamento. Cf. as atitudes de Paulo em Rom. 1.26-27.

5. *Sexo antes do casamento e adultério*. A atividade sexual do homem antes do casamento não foi assunto de crítica no Antigo Testamento, mas a da mulher trazia a ela sérios problemas. A atividade sexual de uma mulher antes do casamento, independentemente de ela ganhar ou não dinheiro por seus atos, era chamada pelo mesmo nome em hebraico, *zana*, que pode comumente ser traduzido usando a palavra *fornicação*. Mulheres que fizessem isso seriam consideradas cidadãs de segunda categoria, e a filha de um sacerdote foi queimada por esse motivo (Lev. 21.9, cf. Gên. 38.24). O adultério, é claro, foi proibido tanto a homens como a mulheres, mas os casamentos plurais e o concubinato não eram classificados como adultério. Adultério era manter relações sexuais entre pessoas casadas e outras. Ver Êxo. 20.14, 17; Lev. 18.20; 20.10; Núm. 5.11-31; Deu. 22.22-29; Mat. 5.32.

6. *Incesto*. Lev. 18 é uma denúncia detalhada de diversos tipos de incesto e, no *Antigo Testamento Interpretado*, no início desse capítulo, forneço um gráfico que ilustra tipos

SEXO – SEXTA-FEIRA SANTA

de incesto e as várias punições dadas a tal ação. O incesto era (é) uma forma agravada de adultério (na maioria dos casos). O capítulo 20 dá outros detalhes sobre o problema do incesto.

7. *Estupro*. Na maioria dos casos, esse mal é incestuoso, tanto na Bíblia como em tempos modernos no Brasil, mas de qualquer forma é condenado. Ver o artigo sobre *Crimes e Castigos* (II.d.4) para maiores detalhes. O estupro é um dos tipos mais violentos de opressão social. A sedução é uma forma não-violenta de estupro. Todas essas práticas violam o ideal do casamento.

Para uma declaração mais detalhada, ver o artigo sobre *Matrimônio*, que trata com os tópicos desta seção de forma mais completa.

IV. No Período Greco-romano

Embora Filo (20 a. C. a 50 d. C.), o estudioso judeu helenizado, tenha colocado o adultério no topo da lista dos Dez Mandamentos, afirmando que era o mais sério de todos os pecados (*De Dec.* 121, 131), teve pouco apoio para essa tese tanto na sociedade pagã (greco-romana) como na sociedade judaica da época. O mesmo autor também condenou qualquer forma de atividade sexual que não fosse exclusivamente para a procriação (Spec. Leb. 3.32-36). Tal atitude exagerada foi seguida pelos essênios, muitos dos quais aderiram ao celibato, supondo que qualquer forma de atividade sexual fosse poluente (Apol. 14-17; Josefo, *Guerras*, 2.8.120-21; *Ant*. 18.121). A raridade de esqueletos de jovens e mulheres nos cemitérios de Qumran demonstra que a maior parte daquela comunidade (que provavelmente incluía muitos essênios) praticava o que pregava. Por outro lado, o pagão daquela época não via mal algum na fornicação e, embora condenasse o adultério, não se considerava atado às próprias regras. E, assim, a abstinência radical andava lado a lado com a promiscuidade quase total.

V. Observações do Novo Testamento

O Novo Testamento preservou as atitudes judaicas do Antigo Testamento relativamente ao sexo. Mas também podem ser observadas as radicalizações das idéias de Filo e dos essênios. Jesus condenou as atitudes por trás dos atos, incluindo os pecados sexuais, e assim apresentou um código ético mais profundo (Mat. 5.27-32; 15.19-20). Embora seu código tivesse mais percepção, também apresentava mais misericórdia, o que é ilustrado por Seu desejo de perdoar em vez de participar na matança da mulher adúltera (João 8.1-11).

Paulo foi um pioneiro nos direitos da mulher, ignorando as antigas atitudes judaicas de "homens apenas para a maioria das coisas". Ver Gál. 3.28: "Não há judeu, nem grego; não há escravo nem livre; não há homem nem mulher; porque todos vós sois um em Cristo Jesus". Paulo injetou um significado místico na união do casamento, sugerindo haver uma combinação de energias vitais que transformava duas pessoas numa só, de uma forma indefinida mas real, mística (Efé. 5.31, 32). Ainda assim, o homem continua sendo o líder da mulher, bem como Cristo é o líder do homem (Efé. 5.23).

Como há um tipo de união mística e compartilhamento de energia no ato sexual, o cristão deve tomar cuidado com tal união com uma mulher lasciva (I Cor. 6.15). O corpo de um homem tornou-se um templo para o Espírito, assim ele deve evitar infrações externas (I Cor. 6.14-16).

Não pode haver dúvida sobre o fato de que Paulo pensava que a vida de celibato era superior à vida de casado para aquele que busca espiritualidade intensamente (I Cor. 7.1, 7-9), e tais visões também eram atribuídas a Jesus (Mat. 19.10-12). Essas atitudes provavelmente refletem as de Filo e a dos essênios, que tiveram grande influência no pensamento judaico-cristão do primeiro século. Ver Mat. 8.21-22; 10.34-37; 19.10-12; Luc. 8.19-21. Os primeiros cristãos, como os essênios, supunham viver às vésperas do esforço final entre a escuridão e a luz, portanto os apelos feitos a uma vida celibatária eram convincentes para alguns, como foram os chamados "sentimentos antifamiliares". Condições para continuar a vida como sempre deixaram de existir para uma igreja que era continuamente perseguida. Novos caminhos espirituais eram buscados para o seguidor ávido. Um desses caminhos era esquecer o casamento e o sexo e devotar-se às questões espirituais sem os empecilhos das coisas comuns. Levando coisas aos extremos, alguns fundaram monastérios e ordens monásticas como sistemas de apoio para os "seguidores superiores".

Por outro lado, para *poucos seletos*, a vida monástica pode ser o melhor caminho. A filosofia ensina que todas as *generalizações* são falsas. Desse ponto de vista, podemos presumir que generalizar a prática do celibato e forçar isso em um sacerdócio geral também é prática precária. Ver na *Enciclopédia de Bíblia, Teologia e Filosofia* o artigo *Celibato*, para um tratamento completo do assunto.

SEXTA-FEIRA, DIA DA CRUCIFICAÇÃO

Ver sobre *Dia da Crucificação, Sexta-Feira*.

SEXTA-FEIRA SANTA

O dia tradicional da crucificação de Jesus é a *sexta-feira*. O exame cronológico dos informes bíblicos confirma isso. Temos apresentado um artigo separado sobre o assunto, com uma completa discussão sobre os problemas envolvidos. Ver sobre *Dia da Crucificação, Sexta-Feira*. Esse dia é comemorado mediante ritos e observâncias especiais, na maioria das denominações cristãs, embora não entre as igrejas evangélicas.

O título em português, "Sexta-Feira Santa", é aplicado a esse dia por causa do respeito pela santa realização da missão de Cristo, na expiação, mediante a qual nos é oferecido o perdão dos pecados, e que faz parte importante da santidade. Não se conhece a origem desse costume. Todavia, refere-se à grande realização de Cristo, em sua missão expiatória. A liturgia seguida nesse dia inclui a leitura da história da paixão, nos evangelhos; orações solenes; a veneração da cruz e missas apropriadas. Ver o artigo geral sobre *a Expiação*. Ver também o artigo intitulado *Calendário Eclesiástico*.

QUINTA-FEIRA SANTA

Esse é o nome comumente dado ao dia de quinta-feira, antes da Páscoa. As observâncias tradicionais incluem a comemoração da última ceia e parte da paixão, com a cerimônia do lava-pés. No décimo terceiro capítulo de João, temos o *mandamento* de Jesus aos seus discípulos, para realizarem essa cerimônia, a qual, para vários segmentos da Igreja, constitui uma ordenança mandatória. Ver o artigo separado sobre o Lava-pés. Em inglês, esse dia intitula-se *Maundy Thursday*, onde Maundy é termo que se deriva do latim *mandatum*, referindo-se à ordem dada por Jesus. Esse dia também inclui as bênçãos com óleos especiais e a reconciliação de penitentes públicos. As Igrejas Oriental e Ocidental contam com cultos e ritos formais; as igrejas evangélicas não observam esse dia em qualquer sentido especial, embora alguns ramos tenham dado grande importância ao lava-pés posto que não realizado nesse dia, mas antes, a intervalos variados, dependendo da escolha de cada agrupamento.

Na Igreja Católica Romana, é tradição que o papa lave os pés de estudantes seminaristas, algo que esses estudantes valorizam grandemente pelo resto da vida! Porém, não haveria no ato qualquer valor, se Jesus não nos tivesse deixado esse exemplo de humildade, que mostra com qual atitude ele realizou o ato de redenção.

SEXTÁRIO

Ver o artigo geral intitulado *Pesos e Medidas*. O sextário era uma medida para líquidos, mencionado em Lev. 14:10, onde se lê que, para a purificação da lepra havia certa medida de azeite, com outros ingredientes, para serem oferecidos por sua purificação. O sextário era uns doze avos do bato, ou seja, cerca de 1,8333 litros.

SEXTO EMPÍRICO

Filósofo cético greco-romano que viveu nos séculos II e III d.C. Nasceu na Grécia e residiu em Alexandria, no Egito, e em Roma. Proveu aos pósteros muitas informações sobre a filosofia grega. Defendeu os pensadores e éticos como Pirro, e outros; mas sempre conseguia apresentar os pontos de vista contrários.

1. Todo conhecimento nos vem através da percepção dos sentidos, embora nos seja impossível determinar a exatidão das funções envolvidas. É claro que os informes assim obtidos sofrem distorções, além de serem incompletos. Condições como enfermidades, sonhos, alcoolismo, etc., aumentam as distorções; porém, mesmo quando estamos com saúde e em plena luz do dia, é difícil dizer quão acurada é a percepção de nossos sentidos.

2. A razão precisa corrigir os juízos que obtemos através dos sentidos; porém, precisamos de novos raciocínios para corrigir os raciocínios anteriores, e isso nos leva a cair em um círculo vicioso.

3. Os silogismos não nos dão a verdade dos fatos, porque, para começar, precisamos de uma série de proposições não-provadas.

4. Empírico noticiou que alguns diziam que Deus é infinito, ao passo que outros o consideravam finito. Mas, segundo ele afirmava, o conceito de um Ser infinito transcende ao nosso conhecimento e não se combina com a nossa experiência humana. O mal existente no mundo é incompatível com a alegada Perfeição de Deus, e isso parece apontar para um Deus finito, e não absolutamente perfeito.

Escritos: *Esboços Pirrônicos; Contra os Dogmáticos; Contra os Professores; Sobre a Alma* (perdido).

SHABBETHAI ZVI BEN MORDECAI

Suas datas foram 1626 - 1676. Nasceu em Esmirna e faleceu na Albânia. Foi um místico e asceta judeu que perdeu inteiramente o equilíbrio ao proclamar-se o Messias longamente aguardado. As coisas complicaram-se quando um grande número de pessoas lhe deu crédito. Ele surgiu em cena em uma época em que os homens buscavam desesperadamente alguma ajuda. Cem mil judeus haviam sido massacrados entre 1648 e 1658. E então apareceu Shabbethai com suas fantásticas reivindicações.

Shabbethai viajou extensamente, proclamando sua mensagem de esperança. Alguns de seus discípulos eram ricos e poderosos, o que deu grande impulso ao movimento. Até mesmo dois colegas estudantes de Spinoza caíram nesse ardil messiânico. Shabbethai foi a Constantinopla, na Turquia, com o propósito de conquistar o sultão, por meio de um milagre, pois nenhuma outra coisa conseguiria convencê-lo. O sultão, entretanto, não teve qualquer dificuldade em detê-lo e encarcerá-lo. Enquanto Shabbethai apodrecia na prisão, e seus seguidores oravam por seu livramento, um outro suposto Messias apareceu em cena, na Galícia, e muitos judeus puseram-se a segui-lo, como que fascinados. Shabbethai definhava na prisão. Finalmente, para salvar a própria vida, abraçou o islamismo! Mas isso desagradou profundamente aos seus seguidores.

Na tentativa de reter consigo os seus seguidores, Shabbethai tentou fazer o duplo papel de judeu e islamita, ao mesmo tempo! Mas isso não satisfez nem a judeus e nem a maometanos. Finalmente, os turcos cansaram-se de seus contínuos concluios e o baniram para Dulcingo, na Albânia, onde veio a falecer. Ver o artigo intitulado *Pseudo-Messias*.

O maior problema acerca de homens desse naipe é que usualmente eles acreditam naquilo que dizem sobre si mesmos – auto-ilusão – e, por algum tempo, atraem a crença de outros.

SHAKESPEARE, WILLIAM

Ver sobre **Tragédia** segundo ponto.

SHAMMAI (ESCOLA RABÍNICA)

Ver também sobre Hillel. Floresceram duas escolas rabínicas no primeiro século da Era Cristã, cada qual representante de uma interpretação diferente da lei mosaica. A escola de Hillel inclinava-se para o liberalismo; a de Shammai era de tendências conservadoras. Essas escolas refletiam as diferenças de opinião que giravam em torno de centenas de questões. Ficamos conhecendo indiretamente acerca da existência delas, no Novo Testamento, por causa da questão do divórcio. A interpretação de Shammai era que o divórcio só é permissível em casos de adultério. Essa era a linha interpretativa mais radical, incorporada em Mat. 5:32.

A declaração original de Jesus, dada em Mar. 10: 11, 12, não permitia nenhuma exceção, seguindo o ideal da questão, e não qualquer medida de ordem prática. Os adeptos da escola de Shammai usualmente eram inflexivelmente severos em suas interpretações, ao passo que os seguidores da escola de Hillel geralmente eram por demais liberais. A escola de Shammai, durante algum tempo, prevalecia quando era mister tomar decisões sobre pendências; mas, a partir do ano 100 d.C., a escola de Hillel chegou à ascendência.

SHANKARA (SHANKARACHARYA)

Ele foi um notável filósofo indiano, cujas idéias merecem a nossa atenção, não meramente por causa do que ele ensinava, mas por ter sido um dos principais intérpretes da filosofia e do pensamento religioso da Índia. Nasceu em Kaladi, no sul da Índia, em 780 d.C., e faleceu em 820 d.C.

Conforme tão freqüentemente sucede com os principais líderes religiosos, admiradores encontraram para ele uma ascendência divina. Ele foi declarado um *avatar*, uma encarnação divina, no caso específico, do deus Siva. Sua missão especial foi opor-se ao budismo e ao dualismo, e estabelecer o ensino monista "correto" acerca de Brahman como a única realidade, e tudo o mais como dependente dessa realidade. Naturalmente, ele envolveu-se em muitas controvérsias por toda a Índia. Mas, nesses entrechoques, quase sempre ele conseguiu emergir vitorioso. Estabeleceu quatro centros de instrução religiosa, nos quatro distintos distritos da Índia. A seus discípulos foi dada a incumbência de perpetuar essa obra, naqueles centros.

SHANKARA – SHASTRAS

Idéias:

1. O "eu" é o ponto de partida para todo o conhecimento. O conhecimento é sempre do sujeito, e não do objeto. Assim, conhecer o próprio "eu" libera, ou seja, confere *moksha* (liberação ou salvação).

2. O próprio "eu", ou *atman*, consiste em consciência não–diferenciada; é ser, conhecimento e bem-aventurança. O "eu" não é prejudicado em coisa alguma com a destruição do corpo, pois esse corpo físico não é o "eu". E o "eu" individual ou alma não tem realidade à parte de Brahman, pois este último, afinal, é a única realidade que existe.

3. *Maya*, ou "ilusão" é uma espécie de realidade, embora trate-se somente de uma conveniência temporária. Quando alguém atribui realidade a qualquer coisa que não seja o eu, em Brahman, na verdade fá-lo por ignorância sobre a real natureza da realidade. Brahman é a alma do mundo, e nele todas as almas existem, derivando dele o seu ser.

4. O "eu" individualizado é produto da avidya, ou seja, de uma "perspectiva falsa" acerca das coisas, de uma idéia equivocada sobre o ser.

5. O "eu" universal é individualizado por objetos existentes no mundo dos fenômenos; mas essa individualização é mera ilusão.

6. Como é que todos nós, inicialmente, tomamos as aparências como se fossem a realidade? A resposta dele é que todos somos afligidos pela *nesciência*, ou seja, "erro de julgamento", uma parte natural da ilusão da qual participamos. A *nesciência*, pois, produz a avidya, "perspectiva falsa", e também a maya, "ilusão".

7. A figura simbólica da serpente – corda. Um homem cujo conhecimento é deficiente assemelha-se a um homem que, ao tropeçar em uma corda, fica aterrorizado, por pensar que acaba de tropeçar em uma serpente. E corre dali, apavorado. Ele sofreu de nesciência. Passamos por este mundo como pessoas que vêem miragens.

A Versão Cristã. O ponto de vista cristão sobre a questão é que a alma individual, quando vier a participar da natureza divina, tornando-se membro da família divina, obterá uma consciência divina e comunal absoluta. À semelhança de Deus, a alma então saberá tudo e será tudo, por ter assumido o ser e os atributos de Deus. A bem da verdade, fará isso em proporção finita, embora real. E, assim, embora não mais continue a haver individualidade, conforme hoje a conhecemos, a existência do indivíduo prosseguirá, sob uma forma imensamente superior. Talvez essa fosse a verdade que Shankara sentia e buscava. Seja como for, parece que essa verdade tem sido descrita de várias maneiras nas filosofias e religiões, e precisamos deixar a questão imperfeitamente descrita, visto que as verdades envolvidas na mesma são tão vastas que, no presente, não somos capazes de apreendê-las. Ver Col. 19, 10; Efé. 3:19; II Ped. 1:4; II Cor. 3:18 e Rom. 8:29.

8. No "eu" individualizado estamos nos aproximando de Brahman, neste mundo ilusório dos fenômenos; mas todas essas coisas são, por assim dizer, miragens de Brahman. A nesciência consiste numa falsa visão, que aflige aos não–iluminados.

9. O homem é abençoado quando ultrapassa essa ilusão e chega à realidade, porquanto somente Deus é verdadeiramente real. Nossa realidade encontra-se nele, e não em nós mesmos, como indivíduos separados.

10. O estágio final. Para Shankara, a identificação final com o Eu Superior não seria a destruição da alma. Antes, seria o aperfeiçoamento dela. Mas ele concebia esse aperfeiçoamento como a perda do conhecimento objetivo, embora tendo apenas o conhecimento subjetivo, de si mesma. Contudo, ele não abordou o problema se o "eu" ou alma reterá alguma forma de individualidade no após-vida, quando todas as coisas estiverem unidas ao Eu Cósmico ou Superior.

Nos escritos de Platão também não fica claro se a alma reterá ou não conhecimento, ao unir-se ao mundo dos Universais, de onde manou (ver sobre os *Universais*). Há duas interpretações acerca dessa particularidade. Uma delas insiste que o "eu" é inteiramente absorvido, continuando somente o Eu Cósmico, não-diferenciado. Mas a outra fala na participação no "eu" comunal ou cósmico, quando então a alma receberá uma consciência universal. Nesse caso, o "eu" tornar-se-ia um "super-eu", cônscio da imensa e inefável transformação pela qual terá passado.

SHAO YUNG

Suas datas foram 1011 - 1077. Ele foi um filósofo chinês da linha neoconfuciana. Viveu em Lo-Yang. Estava ligado aos taoístas. Foi amigo de famosos eruditos. Trabalhou no serviço público e como juiz de milícia.

Idéias:

1. O Grande Final representa a unidade e o absoluto; dele é que vem toda a diversidade que conhecemos. O yin e o yang são as forças contrárias da atração e da repulsão que criam essa diversidade. O Grande Final usa essas forças sem se envolver diretamente sob a forma de manifestações.

2. As forças yin *e* yang *envolvem* números. Esse conceito contribuiu para o Livro das Mudanças, que contém seus sessenta e quatro hexagramas que governariam a vida. Ver o artigo sobre o *Livro das Mudanças*, nome do guia de I Ching, ou modo de adivinhação e instrução espiritual. O "quatro" é ali visto como o número básico, havendo dezesseis conjuntos de quatro, que alcançam o número crítico "sessenta e quatro".

3. Combinando suas idéias de progresso necessário e de envolvimento numérico, ele formulou uma filosofia da história que opera através de ciclos de números infinitos. Cada ciclo teria 129.800 anos. Cada ciclo consistiria em períodos alternados de crescimento, expansão e decadência (ou contração).

Escritos: *Princípios Supremos que Governam o Mundo*.

SHASTRAS

Uma palavra sânscrita que significa "livro sagrado". Quatro classes de escrituras hindus são assim chamadas: *sruti, smríti, purana* e *tantra*, sobre as quais temos apresentado artigos separados. Elas são caracterizadas aqui de modo abreviado:

1. *Sruti*. Nome do mais elevado tipo de revelação divina, como os *Vedas* (vide). O Bhagavad-Gita também é assim chamado, algumas vezes.

2. *Smríti*. São os escritos considerados inspirados, mas de qualidade e autoridade inferiores, em relação a outros. As leis de Manu (vide) e os Épicos hindus pertencem a essa categoria.

3. *Purana*. Um livro de poesia religiosa. Há dezoito desses poemas, pertencentes ao século IV d.C., embora algum material mais antigo tenha sido incorporado. Várias seitas populares adotaram um ou mais desses poemas como fonte de pensamento e autoridade. Por exemplo, a fé vishnavita, alicerçada sobre a *Vishnu purana*.

4. *Tantra*. Esses são escritos místicos que, em sua maior parte, pertencem aos séculos VII e VIII d.C. As seitas shiyitas (especialmente aquela denominada Shakta) usam-nos como sua fonte de autoridade e adoração. Esses escritos são bastante diversos e celebram mais de uma divindade. A principal delas é conhecida como Kali ou Durga, esposa de Shiva, que algumas seitas veneram de modo especial.

SHEKINAH

SHEKINAH

I. O Termo
II. Motivos para o Uso do Termo
III. Shekinahs do Antigo Testamento
IV. Usos no Talmude
V. Shekinahs do Novo Testamento

I. O Termo

No hebraico, *moradia* ou *presença*, ou "aquilo que vive". Esse termo não é encontrado na própria Bíblia, mas descreve amplamente as situações bíblicas de manifestação divina. Apareceu pela primeira vez nos *Targuns* (traduções, comentários dos rabinos) e no *Talmude*. Do uso aprendemos algo sobre o que os hebreus pensavam de como Deus se manifesta no mundo. Tanto os judeus da Palestina como os da Babilônia empregaram a palavra para expressar a inerência e a atividade divina em contraste com as idéias teóricas de Sua natureza. Em outras palavras, o termo nos lembra sobre como Deus está com os homens, em vez de como Ele é transcendente e está acima deles, o Desconhecido Essencial. Termos alternativos são "a glória de Deus", "a palavra de Deus", ambos sugerindo como Deus se manifesta, mas não dizendo muito sobre a natureza divina.

II. Motivos para o Uso do Termo

O uso desse termo provavelmente foi ocasionado: 1. pela reverência: um homem diz o que ele pode sobre como Deus se revela sem se envolver em investigações proibidas; 2. pela necessidade de visualizar Deus como quem cuida do homem, ou seja, Ele está próximo, e não é uma deidade distante, sem interesse no homem; 3. por um veículo para expressar o conceito do *teísmo* em vez do *deísmo*: em outras palavras, o Criador ainda está presente em Sua criação para intervir, recompensar ou punir. Isto é, Ele não abandonou Sua criação aos cuidados de uma lei natural, impessoal; 4. para evitar o *antropomorfismo*. Mas o termo assumiu, em muitos escritos, um significado quase independente (significado pessoal), porquanto o que estava sendo evitado recorria como um virtual Ser Presente com atributos humanos. Em outras palavras, em um esforço de falar sobre Deus como um Ser pessoal que tinha atributos humanos, muitos autores criaram um Ser pessoal, que se manifestava, a ser descrito em termos humanos o quanto mais possível. Nos escritos iniciais, este Ser não era visto como um *intermediário*, mas isso, por fim, também se tornou parte da doutrina.

III. Shekinahs do Antigo Testamento

1. A *glória de Deus* era uma expressão alternativa; e a *palavra de Deus* foi a mensagem que a manifestação trouxe (Lev. 26.11, 12). Ambas as expressões assumiram fortes conotações teístas.

2. A *face de Deus*, que naturalmente traz com ela óbvias descrições antropomórficas. Ver Núm. 6.25; Deu. 1.17, 18.

3. A *arca da aliança* era o local para a manifestação da Presença ou Shekinah (Núm. 10.35, 36).

4. A *nuvem* que guiou Israel no deserto foi uma manifestação de Shekinah (Êxo. 13.21, 22).

5. A glória de Deus que se manifestou no tabernáculo, em locais sagrados, oráculos, altares e, finalmente, no templo, era Shekinah. Houve então manifestações a indivíduos na forma de visões e sonhos, o aparecimento do anjo do Senhor (Êxo. 13.21; 14.19, 24), e especialmente as experiências de Moisés no monte Sinai (Êxo. 24.15-18), onde o Shekinah se manifestava. Ver ainda a experiência de Abraão em Gên. 18; e a de Hagar em Gên. 16.7-14. A experiência de Jacó em Betel é outro excelente exemplo (Gên. 28).

IV. Usos no Talmude

A variedade de experiências místicas descritas sob a seção III, que as pessoas na época do Antigo Testamento tinham, eram rotuladas de *Shekinah* pelos Targuns e pelos autores responsáveis por escrever o *Talmude*. O *Mishna*, a parte mais antiga do *Talmude* (ver) apenas usa a palavra duas vezes. Ela data de 135 - 220 d.C. Uma parte posterior do documento, chamada de *Haggadah*, contém o volume de tais referências. Ela fala sobre a presença de Deus como a "luz eterna". Deus enche a terra com Sua presença da mesma forma que o faz o sol no mundo físico. A *glória de Deus* brilha nesse mundo, de modo geral, e então com poder em certas ocasiões, e tal *glória* é de Shekinah (*Aboth d'Rabbi Nathan* II). A luz brilhou no tabernáculo, mas fez seu lar no templo. Embora o Shekinah não estivesse no Segundo Templo, continuou a brilhar no mundo, de modo geral, trazendo a presença de Deus ao homem. Ver o artigo *Misticismo*, uma palavra que a teologia e a filosofia usam para falar do homem a experimentar o divino, os poderes e os seres (incluindo os anjos) mais elevados que ele mesmo. Toda a teologia, é claro, baseia-se em tais experiências, pois a própria *revelação* é uma subcategoria da experiência mística.

V. Shekinahs do Novo Testamento

Embora o Novo Testamento não empregue o termo, há momentos do fenômeno de manifestação da Presença Divina em maneiras especiais.

1. As diversas aparições de "anjo do Senhor" (como em Luc. 2.9), podem ser assim consideradas.

2. A glória do Senhor brilhou na face de Jesus Cristo, e Ele mesmo pode ser considerado o Shekinah (II Cor. 4.6).

3. Então nós, observando Sua face, como em um espelho, somos transformados em Sua imagem pelo trabalho do Espírito de Deus (II Cor. 3.18). Esta é a mensagem mais alta do Evangelho, a participação no divino, para que os homens possam assumir a natureza divina (II Ped. 1.4). Essa participação é, logicamente, finita, mas como há um infinito que deve ser preenchido, deve haver ainda um preenchimento infinito. Este é um processo eterno, não um acontecimento único.

4. A transfiguração de Jesus foi um exemplo notável do Shekinah. Enquanto Ele orava, Seu corpo e Sua roupa se transformaram em um branco intenso (Luc. 9.29; Mat. Cap. 17). Pedro interpretou o evento como um prenúncio da Segunda Vinda (II Ped. 1.16, 18).

5. O Apocalipse de Pedro mistura esse evento com a glória de Sua *ascensão* e talvez Atos 1.9 deva ser visto como outra manifestação da glória divina.

6. A visão de Paulo de Jesus na estrada à Damasco foi uma manifestação óbvia da *glória* (Atos 9.3-6; 22.6-11; 26.12-16).

7. O *Logos* que vivia entre os homens na encarnação do Filho (João 1.1, 14) é o *Shekinah* que vive continuamente e agora pode ser visto como um intermediário entre Deus e o homem, conceito que o termo não tinha nem nos escritos do Talmude nem nos Targuns.

8. Talvez possamos classificar o primeiro milagre de Jesus (João 2.21) como um momento especial da presença manifesta entre os homens, então Seus *milagres* continuaram a acontecer com esse tipo particular de poder divino e glória entre os homens.

9. João 17, a *oração de sumo sacerdote* de Jesus, fala sobre a manifestação especial do Filho entre os homens para transformá-los e fazer deles filhos de Deus e irmãos do Filho, o Cristo.

10. A voz que veio do céu (João 12.28) foi um Shekinah audível que foi rotulado o *Bath Qol* pelos intérpretes

SHEKINAH – SHELLING

hebreus. Ver na *Enciclopédia de Bíblia, Teologia e Filosofia* o artigo *Bath Kol (Qol)*, para maiores detalhes. No hebraico, o termo significa "filha de voz". Os Targuns e o Talmude usam o termo para significar a Voz Divina que revelou as coisas aos homens.

11. A *ressurreição* de Jesus foi uma manifestação especial da glória e todos os evangelhos dão descrições do evento. Ver Mat. 28. O anjo do Senhor desceu do céu e rolou a pedra para trás do túmulo, em outro ato divino de glória.

12. Cristo é o *brilho da glória de Deus* de acordo com Heb. 1.3. Ele é chamado de "Senhor de glória" em Tia. 2.1, e o "Espírito de glória" em I Ped. 4.14 é sua testemunha. O Pai é a Glória Majestosa, de acordo com II Ped. 1.17.

A afirmação teísta. De modo geral, os vários modos de manifestação do Shekinah afirmam que Deus não apenas criou mas também está sempre presente em Seu mundo. Ele não o abandonou e continuamente intervém nas atividades dos homens, recompensando, disciplinando e controlando-as. A doutrina do *deísmo* que afirma que Deus abandonou Sua criação, e que a lei natural que tomou Seu lugar é contradita. Claro, há uma lei natural que está em sua instituição, mas a experiência humana mostra que Poder e Glória às vezes se manifestam entre os homens para lembrar que eles não estão sós e que o destino humano transcende o limite físico. De um total de 250 milhões, cerca de 15 milhões de americanos passaram por *Experiências Perto da Morte* (ver o artigo sobre isso na *Enciclopédia*) e, presumivelmente, o mesmo percentual reina entre outras populações. Essa é uma experiência que dá ao homem um relance da glória de Deus e de sua própria espiritualidade essencial: o homem é um ser espiritual, não muito inferior aos anjos, e destinado a compartilhar com a divindade. Quando os homens experimentam o Shekinah, são lembrados desses fatos. Devemos ainda ter em mente que tais experiências se destinam a pessoas de todas as épocas. Não há coisas limitadas à época da Bíblia.

SHELDON, W.H.

Ver o artigo sobre *Polaridade*. Sheldon pensava que é imprescindível aplicar esse princípio a qualquer questão metafísica. As idéias metafísicas, com freqüência, envolvem contradições aparentes e paradoxos. E a tendência dos homens é ignorar ou rejeitar aquilo que não se ajusta precisamente ao sistema parcial que os indivíduos adotam. Mas os pólos distintos das questões geralmente falam sobre distintos aspectos de uma questão qualquer, e a verdade não pode ser obtida truncando-se alguma das idéias ou pólos aparentemente contraditórios.

SHELER, MAX F.

Suas datas foram 1874-1928. Ele nasceu em Munique, na Alemanha. Educou-se em Jena, onde ensinou, como também em Munique, Colônia e Frankfurt. Foi influenciado pelas idéias de Brentano, Eucken e Husserl. Aplicou o método fenomenológico aos instintos e emoções. Os estágios de seu pensamento, por ordem, foram: fenomenologia, filosofia religiosa (após a sua conversão ao catolicismo romano), vitalismo e panteísmo.

Idéias:

1. Haveria três tipos de conhecimento: o conhecimento científico de particulares; o conhecimento fenomenológico das essências; o conhecimento metafísico do ser.

2. Ele ampliou a fenomenologia para o estudo do valor. Essa questão, juntamente com preceitos e conceitos, tem pólos objetivos, e não apenas pólos subjetivos.

3. A hierarquia de valores: valores dos sentidos, valores da vida, valores espirituais (estéticos, éticos e epistemológicos), valores religiosos. Os valores são objetivos e não-temporais.

4. O conhecimento metafísico pode ser obtido através da fenomenologia, e do exame científico. Ele aplicava a antropologia filosófica às suas pesquisas. Interessante é a sua descrição da pessoa humana: ela é um ser concreto e essencial que traz, em si mesmo, a base do lado espiritual e intencional de seus atos. O conceito da pessoa humana leva-nos a pensar sobre a Pessoa Divina, visto que há uma espécie de unidade básica que unifica o humano e o divino. Contudo, em seu período final de elocubrações, ele afastou-se do pensamento católico e adotou uma explicação panteísta de Deus.

SHELLEY, PERCY BYSSHE

Suas datas foram 1792 - 1822. Ele foi um notório poeta romântico inglês cujo envolvimento em idéias filosóficas e teológicas teve alguma influência, e isso torna-o merecedor de alguns comentários. Ele valia-se de conceitos de Platão, Spinoza e Berkeley, principalmente, mas o idealismo transcendental, aos moldes de F.W.J. Schelling, foi a maior influência que aceitava. Shelley expressou uma espécie de ateísmo, de acordo com o qual argumentava que as idéias religiosas são meras metáforas, e não asserções de fatos. Deus, segundo ele, poderia ser melhor explicado como o símbolo da *Alma do Mundo* e não como uma Pessoa divina, em qualquer sentido em que as pessoas usam o termo "pessoal". Sua idéia de Deus como a alma do mundo foi um aspecto importante em sua poesia.

SHELLING (SCHELLING), FRIEDRICH WILHELM

Por descuido, erramos a soletração; assim inserimos este artigo aqui, fora de ordem alfabética.

1775-1854; nasceu em Leonberg, Wurtemberg, Alemanha; educou-se em Tubingen com seus colegas Helb e Holderin; ensinou em Jena, Wurzburgo, Munique, Erlangen e Berlim; filósofo do movimento romântico (ver sobre o *Romantismo*). Figuras influentes desse movimento foram seus amigos, entre eles Goethe, Schiller, Novalis e Schlegel. Hegel foi considerado um discípulo seu, durante algum tempo.

Schelling era dotado de uma mente aberta que o ajudou em suas buscas por novas definições da verdade. Veio a tornar-se líder entre outros do movimento idealista.

Idéias:

1. A filosofia teria cinco estágios: a. O idealismo subjetivo (com Fichte como figura influente). b. A filosofia da natureza, que opera sobre o método científico, mas onde a natureza é encarada como vitalista, autocriadora e impulsionada pelo método dialético. c. O idealismo objetivo (transcendental), onde é importante a discussão sobre o Absoluto. Temos aí, igualmente, a sua teoria da arte, que assevera que a arte é a união entre sujeito e objeto, entre espírito e natureza. Algo também foi dito por ele acerca do *problema do mal* (vide). A tragédia é vista como uma colisão da aceitação do castigo, por parte do herói, reunindo assim o real e o ideal. d. A filosofia da identidade. O Absoluto reúne em Si mesmo todas as diferenças. Spinoza e Bruno foram as principais influências sobre ele, neste ponto. e. A filosofia positiva. Temos nisso o estágio final do pensamento e dos estudos que tentam descrever o

SHELLING – SHEOL

Absoluto. Faz-se o contraste entre Deus e o universo, embora Deus reúna em si mesmo todas as polaridades fundamentais. Jacob Boehme e o neoplatonismo serviram-lhe de influência nesse estágio.

2. Uma forma de hilozoísmo ou *pampsiquismo*. Todas as coisas seriam vivas. Não haveria tal coisa como natureza inanimada, porquanto na matéria crassa haveria um conjunto de "eus" dormentes. A natureza compor-se-ia de uma série de níveis (chamados *Potenzen*, "Potências"). Cada um desses níveis envolveria, crescentemente, uma forma mais exaltada de vida, com suas próprias novidades e surpresas. Dessa maneira, a natureza mover-se-ia na direção da consciência, sendo essa uma das mais importantes realizações da natureza.

3. A natureza toda faz parte de uma dimensão inconsciente, de tal maneira que tudo quanto existe na consciência origina-se ali. A criatividade artística é oriunda do inconsciente e raia como a luz, na dimensão consciente.

4. Schelling aplicava a tríade "tese-antítese-síntese", concebida por Fichte, tanto à natureza quanto à história. *Estágios da história:* tese (a sociedade primitiva, onde a sorte ou acaso controlava tudo); antítese (a era romana, quando o homem começou a reagir à sorte, mediante atos voluntários; permanecemos nesse estágio); síntese (quando será conseguido o equilíbrio que mesclará o existente com o ideal; então a criatividade humana haverá de impor-se, fazendo dobrar-se o acaso).

5. Importância da Mitologia. Para Schelling, essa atividade teria as suas próprias leis, sendo a força principal por trás da história de qualquer povo. A mitologia de um povo determinaria sua sorte. Os mitos influenciariam a capacidade da criação dos povos. Como todas as outras coisas, a mitologia também passa por um processo evolutivo.

6. Deus evoluiria através do princípio da trindade, a tríade divina. De certo ponto de vista, o Absoluto consiste em vontade primitiva.

7. O Problema do Mal. A fonte originária do mal é o desejo de existir, do que procedem muitos problemas e circunstâncias adversas. Porém, finalmente esse princípio funde-se com o amor de Deus, e produz a síntese. O desejo de existir dá origem tanto à liberdade do homem e a sua criatividade quanto aos seus erros e pecados.

8. Deus une todas as polaridades, mas sem perturbar a unidade essencial. O absoluto e o relativo convergem para Deus, como também o que é necessário e contingente e o que é eterno e temporal. A nulidade e o ser opõem-se um ao outro, e nisso achamos o princípio da *eterna contrariedade*, uma essência do próprio ser.

9. No estágio final de sua filosofia, Schelling procurou formular um teísmo especulativo no qual os problemas da soberana liberdade humana e da criativa personalidade de Deus ocupam um lugar central em qualquer filosofia antiidealista. Por uma parte, haveria as realidades a priori (religião, mitologia, mundo final, imortalidade). Por outra parte, temos uma filosofia positiva como a de um Deus vivo e seus atos criativos, bem como a síntese da fé e do conhecimento. Sua filosofia final aproximava-se da essência básica do *existencialismo* (vide). Mas, à semelhança de Hegel, situava a sua filosofia no final de um processo histórico, onde seria conseguido um ponto de vista absoluto, onde desapareceriam as contradições da existência.

Escritos: *On the I as Philosophical Principle; Ideas for a Philosophy of Nature; On the World Soul; First Sketch of a System of Nature Philosophy; System of Transcendental Idealism; On the True Idea of Nature Philosophy; Philosophy and Religion; Of Human Freedom; Introduction to Mythology; The Philosophy of Mythology; The Philosophy of Revelation.*

SHEOL

I. O Termo, Transliterações e Traduções
II. Sheol, uma Doutrina Progressiva
III. A Habitação dos Mortos
IV. A Habitação de Almas Desincorporadas, Conscientes
V. Sheol e a Imortalidade
VI. Sheol, Local de Esperança, um Estado Intermediário

I. O Termo, Transliterações e Traduções

A etimologia desta palavra hebraica é incerta, mas ela comumente se refere a *buraco*, *abismo*, câmara subterrânea sob a superfície da terra, túmulo, mundo infernal. Alguns dizem que a palavra significa "mundo invisível", mas isso é uma indicação, não uma tradução direta. A palavra também é transliterada como *Seol* e recebe uma variedade de traduções, como indicado acima. Traduzi-la como *inferno* é errôneo, embora em épocas pós-canônicas da literatura judaica *Sheol* tenha sido mesclado com *Geena* (ver), tornando-se, assim, alegadamente um local de punições e sofrimentos de natureza grave. A Septuaginta fornece a palavra *Hades* (ver), pois o conceito grego desse local melancólico era semelhante ao sheol dos hebreus.

Sua alegada derivação de *shaal*, "perguntar" ou "buscar", é dúbia, mas, se essa for a idéia correta, então presumivelmente a referência é à "pergunta" contínua do túmulo a receber novos corpos, ao desejo insaciável do submundo de engolir a alma de homens. Sheol (Seol) é o monstro de boca aberta, o "lar" dos mortos, conscientes ou inconscientes, o local sem retorno (Isa. 5.14; Jó 7.10; 10.21; 30.23). A teologia hebraica antiga não é muito útil, na verdade, não é muito profunda como metafísica antropológica, e nunca fez uma afirmação realmente clara no tangente à esperança humana, exceto pela minúscula minoria dos homens, e ainda assim, a afirmação não foi muito brilhante.

II. Sheol, uma Doutrina Progressiva

Dizer *sheol* não é pronunciar uma única idéia, mas sim colocar um rótulo em uma doutrina progressiva que avançou de um estágio a outro.

1. Originalmente significava apenas *túmulo* e não fazia nenhuma referência a uma pós-vida de qualquer tipo, boa ou ruim. Este significado estava em linha com a teologia hebraica geral, que no *Pentateuco* não contemplava nenhum tipo de vida posterior, nenhuma felicidade para os bons, nenhum tormento para os maus. Essa coleção de documentos não promete uma vida após a vida de glória aos que obedecem à lei, nem ameaça o desobediente com algum tipo de "inferno". Recompensa e punição devem ocorrer "agora", neste mundo. Grande parte do judaísmo ainda hoje declara que "o morto está morto", querendo dizer com isso que não há vida após a morte nem para os bons nem para os maus. Nos Salmos e nos Profetas, a esperança de imortalidade começa a entrar no pensamento hebraico. Mas foi nos livros pseudepígrafos e apócrifos que a esperança mais se desenvolveu. Então o Novo Testamento adicionou dimensões significativamente maiores à doutrina.

A maioria das referências ao *sheol (seol)* no Antigo Testamento fala apenas do túmulo. Os seguintes versos ilustram isso clara e inequivocamente.

2. *Progressão*. O primeiro passo além do significado simples de "túmulo" foi a noção de que fragmentos

SHEOL

psíquicos humanos vão ao sheol e flutuam de um lado a outro como fantasmas sem consciência. Da idéia do fantasma sem consciência, a doutrina prosseguiu a falar de almas reais no sheol (hades), dos bons e dos maus, e é em Luc. 16 que encontramos a doutrina. No Antigo Testamento, contudo, a felicidade para os bons e o tormento para os maus não formam uma idéia promovida sobre o sheol, a não ser que consideremos que as passagens que contrastam o céu e o "inferno" signifiquem algo assim (ver Jó 11.8; Sal. 139.8; Amós 9.3). Ver ainda Pro. 23.14 nessa conexão, onde está em vista o "lar dos maus".

Ao preparar a publicação do *Antigo Testamento Interpretado*, descobri os seguintes versículos nos quais *sheol (seol)* significa mais do que túmulo. O leitor que tirar o tempo para ler a exposição sobre esses versículos no trabalho mencionado será iluminado sobre as maneiras em que a doutrina progrediu além da *idéia de túmulo*. Ver Sal. 16.10; 88.10; 139.8; Jó 10.21, 22; 26.5; Isa. 14.6; Pro. 5.5; Eze. 31.14, 18. As referências dessa natureza não são abundantes, contudo são suficientes para mostrar que estava em desenvolvimento uma doutrina da vida após a vida e da imortalidade da alma. O maior desenvolvimento, contudo, teve de aguardar pela elaboração dos livros pseudepígrafos e apócrifos, isto é, pelo judaísmo do período intertestamentário. Sal. 16.10, embora messiânico, pode ser uma visão ao fato de que Cristo desceu ao sheol, mas depois voltou, pelo poder de Deus, o que implica que o mesmo pode ocorrer a outros homens, através de Sua graça, exatamente o que ensinamos através de I Ped. 3.18-4.6. Em outras palavras, Sua descida até aquele lugar foi redentora e restauradora e "... o Evangelho foi pregado aos mortos".

Após os escritos canônicos, *sheol* mesclou-se com *geena* e essa mescla transformou-se no "local" que era de punição dos ímpios. Luc. 16 mostra que o "sheol posterior" também era a habitação dos justos. Ainda não havia nenhum elemento como o "céu" cristão, um "local" completamente separado, em tal versão da vida após a vida. Contudo, escritos pseudepígrafos, como I Enoque, apresentavam vários céus, como os de Paulo em II Cor. 12 e João 14.1.

III. A Habitação dos Mortos

Retornamos aqui à idéia de que "o morto está morto" e "morto" significa *inexistente*. Sheol é a *terra do silêncio*, onde não há almas para louvar a Deus e nenhum pecador para lançar pragas (Sal. 94.17; 115.17). Nenhum "homem" no hades (sheol) pode louvar a Deus, pois lá nenhum homem tem inteligência, consciência ou espiritualidade (Sal. 6.5). Não há milagres nem ajuda de salvação naquele lugar (Sal. 88.10-12). Os mortos nada sabem (Jó 14.21; Ecl. 9.5, 10). Tudo isso está em linha com a teologia hebraica original e primitiva (como no Pentateuco), onde não havia nenhum tipo de vida após a morte.

IV. A Habitação de Almas Desincorporadas, Conscientes

Agora o morto não está morto; há transição. A teologia hebraica moveu-se nessa direção em alguns locais no Antigo Testamento, como ilustro na seção II. A soberania de Deus exige que os homens sejam recompensados pelo bem que fizeram ou paguem pelo mal, e é apenas nesta forma que pode haver algum conceito são de justiça. "Os mortos tremem debaixo das águas, como os que ali habitam" (Jó. 26.5). Ver Isa. 38.10, que é uma possível referência a almas conscientes no submundo. Para versículos do Antigo Testamento que ensinam sobre uma vida após a morte (sobrevivência da alma, e presumida imortalidade), ver sob *Alma, IV.7, Revelação*. Se há uma vida após a morte, e se as almas vão ao sheol para viver tal estado, então elas são almas reais, não meramente fantasmas, e estão conscientes. Kant desenvolveu um *argumento moral* em favor da existência e sobrevivência da alma e da existência de Deus. Seu argumento é como segue: está claro que neste mundo não é feita justiça. Os bons não recebem sua recompensa adequada, e os maus não pagam adequadamente pelo mal que fizeram. É evidente, então, que a alma tem de existir e os homens devem viver além da morte biológica para que possam receber a recompensa ou punição apropriada e *seja feita justiça*. Deve ainda haver um Juiz com o poder e o conhecimento necessários para julgar tanto os bons como os maus. A tal Poder e Inteligência chamamos de Deus. A teologia no Antigo Testamento dirigia-se a tal compreensão, e os versículos aqui e ali refletem uma crescente teologia sobre a metafísica antropológica.

O progresso da teologia da vida após a morte estava limitado por idéias cruas que davam conta de que o sheol se situava abaixo da superfície da terra, sendo uma caverna subterrânea escura de algum tipo. Sheol, em vez disso, é um estado de ser, não uma localização geográfica.

V. Sheol e a Imortalidade

Um corolário importante da idéia de que o sheol contém almas vivas e conscientes é o que demonstra a existência e a sobrevivência de almas. Isso não provaria a imortalidade, pois as almas, como os corpos, poderiam ter um fim. Não obstante, alvas vivas no sheol *implicam* a doutrina da imortalidade. Jó 19.25-27, embora não fale diretamente do sheol, representa a esperança além-túmulo de uma vida na qual o Redentor pode ser conhecido e louvado. Em Jó, contudo, isso parece ser realizado através da ressurreição, não através de almas sendo levadas para o sheol. Ver na *Enciclopédia de Bíblia, Teologia e Filosofia* o artigo *Imortalidade*, onde apresento diversos comentários sobre o assunto.

VI. Sheol, Local de Esperança, um Estado Intermediário

Cristo levou Seu evangelho ao sheol (hades), como fica claro em I Ped. 3.18-4.6. Ele pregou aos mortos Seu evangelho, não uma mensagem de condenação. Assim, os perdidos receberam a pregação das boas novas e puderam receber os benefícios da redenção. Esta doutrina mostra que o hades se tornou um campo de atividade missionária. Assim opera o grande amor de Deus! A morte biológica não termina o dia da oportunidade. Deus não tem pressa, embora os teólogos possam ter. Ver na *Enciclopédia de Bíblia, Teologia e Filosofia* o artigo chamado *Descida de Cristo ao Hades*, onde forneço detalhes sobre esta doutrina. O Cristo (o Logos) tinha, e tem, uma missão tridimensional: na terra; nos céus; e no hades. Sua missão dispersou até mesmo a sombra do sheol. Ver também o artigo *Hades*.

Se almas perdidas podem ser tiradas do hades, então esse é obviamente um estágio intermediário. Os crentes vão imediatamente à presença do Senhor, e não ao sheol (hades), o que significa que para eles tal lugar deixou de existir, embora as evidências sejam que ele ainda existe para os ímpios. Alguns interpretam I Ped. 3.18-4.6 como "boas almas" são libertadas do sheol e "agora" não mais param ali na jornada da alma. Mas o significado da descida de Cristo ao hades é maior: mesmo os maus agora têm uma saída. A antiga idéia hebraica de que o sheol é um local sem retorno (Isa. 5.14; Jó 10.21; 30.23, 7.10) está ultrapassada, e é exatamente o que poderíamos esperar da graça de Deus em operação, pois o *amor* é o maior princípio, que rege a todos os outros. Seu amor chega ao mais alto céu *e* ao mais baixo inferno.

SHEPHELAH – SIÃO

SHEPHELAH
I. O Termo
II. Localidade
III. Observações Históricas

I. O Termo
Shephelah é o termo hebraico que significa *terras baixas*, e a maioria das transliterações fornece uma tradução da palavra em vez de uma transliteração. A versão portuguesa de modo geral fornece a palavra *vale* ou *planície*. A King James Version segue o mesmo modo de lidar com a palavra exceto no livro apócrifo I Macabeus, onde em 12.38 é fornecida uma transliteração, ou seja, *Sephela*.

II. Localidade
Shephelah era (é) um pedaço de terra de morros baixos entre a planície costeira e os morros altos centrais de Judá e Samaria. Ali platôs rochosos e morros alcançam 500 m acima do nível do mar. A elevação um tanto moderada dessa parte da Palestina deu à região seu nome, *terras baixas*. A área agia como um tipo de zona de "tampão" entre a planície costeira da Filistéia e as terras altas de Israel. Antigamente um tipo de vegetação cobria a maior parte da área que consistia basicamente em arbustos. A área não era adequada para empreendimentos agrícolas.

III. Observações Históricas
1. A conquista da terra pela tribo de Judá teve início nos morros do leste, ao redor de Belém. Essa tribo então se espalhou a *Shephelah*.

2. Um grupo de fortes dos cananitas no norte da área não abriu espaço ao avanço de Israel, portanto o território continuou nas mãos desse povo, incluindo as cidades de Gezer, Saalbim e Aijalom.

3. Lutas pelo poder fizeram com que os israelitas e cananeus periodicamente trocassem partes do Shephelah. Os "povos do mar" (os cananeus) nunca deram um descanso a Israel até que Davi aniquilou a maioria deles, e os que ele não aniquilou, confinou.

4. Os filisteus dominaram parte do leste de Shephelah. As batalhas de Sansão com esse povo iniciaram nessa área, quando a tribo de Dã estava sendo pressionada (Juí. 15.9 ss.).

5. A casa de Eli foi derrotada na batalha nessa área (I Sam. cap. 4).

6. Silo foi derrotada por esse povo. Antes o centro do norte de Israel (Sal. 78.60; Jer. 7.12, 16; 26.6, 9), Silo nunca recuperou seu antigo status, e o tabernáculo foi movido para outro lugar (Quiriate-Jearim, I Sam. 7.1, 2).

7. Por cerca de 150 anos os filisteus dominaram a área e desenvolveram siderúrgicas e outras indústrias na região.

8. Saul e depois Davi tentaram quebrar a resistência desse povo no Shephelah. Foi ali que Davi destruiu a Golias.

9. Depois de tomar Jerusalém, o poder de Davi cresceu a ponto de paulatinamente toda a área ter caído sob o seu controle (II Sam. 8.1). O que não foi destruído tornou-se um tipo de estado vassalo pagando tributos.

10. Depois da época de Davi, as forças pagãs mais uma vez venceram batalhas ali e retomaram parte da área. Ver I Reis 14.25-28; II Reis 14.11-23; II Crô. 28.18. O pêndulo do poder balançou de um lado para outro até o cativeiro babilônico, quando todo o Israel, incluindo Judá, caiu ante um poder superior e perdeu a maioria de seu território. Shephelah foi sempre um tipo de zona de "tampão" no qual forças em conflito se confrontavam quase constantemente.

SHIGGAION
Ver sobre *Música e Instrumentos Musicais*.

SHIITAS
Ver sobre *Maometanismo*.

SHIVA (SIVA, CIVA)
Esse é o grande deus do hinduísmo, o objeto central da adoração da seita shivaite ou saiva do *hinduísmo* (vide). Juntamente com *Brahma* (o Criador) e com *Vishnu* (o Preservador), Shiva forma a tríade hindu. Ver o artigo *Tríades (Trindades) na Religião*. Por ser considerado o Destruidor, Shiva representa esse aspecto da expectativa e crença religiosa. Seu símbolo universal é a *linga*, o emblema da energia ativa criadora, em todos os aspectos da existência. Nandi, o touro, com freqüência. aparece associado à sua adoração. Porém, nos círculos de tendências mais filosóficas, ele é representado como o filósofo-asceta, sentado em atitude contemplativa.

Historicamente, Shiva parece estar associado ao deus da tempestade das antigas escrituras vedas, a saber, *Rudra*. Descobertas arqueológicas recentes têm demonstrado a grande antigüidade de seu culto, a ponto de ter ficado claro que Shiva era conhecido e adorado até mesmo pelo povo pré-ariano que vivia à margem do rio Indo. Assim, ele foi adotado no panteão dos imigrantes, e acabou por ocupar a posição principal no panteão hindu, pelo menos no caso de muitos seguidores dessa religião.

SHUNYAVADA
Palavra sânscrita que significa "crítica", mas que, no seu uso, transmite mais a idéia de "indescritível". Esse é o nome de uma das mais importantes escolas do *budismo* (vide). O principal conceito promovido por essa escola é que a realidade está fora do alcance do entendimento humano, pelo que é indescritível. Um nome alternativo dessa escola é *Madhyamikas*, que indica aqueles que seguem a vereda intermediária de Buda. Essa escola sofreu a influência dos antigos mestres Ashvaghosa e Nagarjuna.

SIA
No hebraico, *congregação*. Nome de um dos servidores do templo, cujos descendentes retornaram à Palestina, em companhia de Zorobabel, terminado o exílio babilônico (Nee. 7:47; Esd. 2:44; I Esdras 5:29). Viveu por volta de 530 a.C.

SIÃO
I. O Termo
II. Aplicação Ampla
III. Simbolismos e Teologia
IV. A Arqueologia e Sião

I. O Termo
O significado do nome é desconhecido, mas suposições o conectam com a palavra hebraica *erigir*; ou "estar seco"; ou com a palavra arábica para *crista*; ou com a palavra hurriana para *riacho*, uma possível referência a Geom. Todos esses possíveis derivativos se associam a alguma característica da cidade, mas, considerando-se que o local era originalmente uma fortaleza jebusita, a idéia de um *forte* é a mais provável. Não há uma palavra semita para "proteção" que seja semelhante à palavra Sião, e essa foi provavelmente a referência original.

II. Aplicação Ampla
1. A referência original limita-se à fortaleza jebusita localizada na crista de um morro no canto sudeste de Jerusalém. O local também era chamado de Ofel (II Crô. 27.3).

2. Depois de Davi conquistar o local, renomeou-o como "a cidade de Davi" (II Sam. 5.9).

SIÃO – SIBMA

3. Jerusalém logo se expandiu ao norte e incluiu o que se tornou o monte do Templo, mas *Sião* ainda se aplicava à cidade de Davi ao sul. Ver I Reis 8.1.

4. Depois de escritos os livros bíblicos, o termo passou a incluir o morro ao sudoeste de Jerusalém.

5. Mas, simbolicamente, o termo passou a referir-se à cidade de Deus e ao local do templo, de modo que o monte do Templo (o monte Moriá) era abarcado pelo termo Sião.

6. Então o termo passou a aplicar-se a toda a cidade de Jerusalém, com seus diversos morros. De fato, Sião tornou-se sinônimo de Jerusalém (Isa. 40.9; Miq. 3.12).

7. Dali por diante, os habitantes da cidade passaram a ser chamados por esse título (Jer. 51.35).

8. O termo *filha de Sião* passou, finalmente, a referir-se ao povo de Deus, Israel em geral (Jer. 6.23). Sem dúvida, daí vem a denominação do movimento sionista moderno, pois o povo disperso foi chamado de volta a *Israel*.

III. Simbolismos e Teologia

1. O povo especial escolhido de Israel, os verdadeiros eleitos e privilegiados eram os de Sião, de onde a autoridade de Yahweh se espalhava entre o povo. Aqui temos a "fonte de bênção" na teologia hebraica.

2. Sião era chamada de "a habitação de Yahweh" (Sal. 132.13).

3. Era apontada como "o morro sagrado" (Sal. 2.6).

4. A *salvação* de Deus foi colocada ali (Isa. 46.13), e essa foi uma provisão da glória para todo o Israel, cujo povo é chamado de a *glória* de Yahweh.

5. Alguns líderes exageraram e passaram a pensar que Sião fosse um refúgio certo em épocas de problemas, um local que não poderia ser invadido com sucesso (Isa. 14.32; 31.4, 8, 9; 33.1-5; 37.22, 32-35; 46.13; 52.1, 2, 7, 8).

6. Mas Judá (e Jerusalém), em sua idolatria-adultério-apostasia, anulou as expectativas positivas dos profetas e passou a merecer a invasão babilônica e o cativeiro. Portanto, muitas aflições atingiram o local (Jer. 4.21; 6.23). Yahweh abandonou-o (Jer. 8.19) e Miquéias previu sua derrota total (3.10-12).

7. Yahweh passou a odiar a antes adorada cidade (Jer. 14.19; 30.17).

8. A destruição e o cativeiro chegaram em 586 a. C. e, dali para frente, e os exilados apenas poderiam chorar ao lembrar de Sião (Sal. 137.1).

9. Mas esses eventos dramáticos não terminaram com a história de Sião. Ocorreu ali uma nova história após o exílio, e outra história escatológica ainda estaria por ocorrer. A restauração foi prevista (Isa. 12.6; 59.20), pois o Messias ainda deve reinar (Sal. 2.2, 7, 12; 110.2). Cf. Isa. 35.9, 10, que procura a redenção.

10. Heb. 12.22 emprega o nome para referir-se ao *novo pacto* em Jesus.

11. II Esdras (13.36) fala de Sião como a *Jerusalém celestial* destinada a tomar o lugar da Jerusalém terrestre, tema abordado em Apo. 21.1-17.

12. A Igreja de Jesus Cristo dos Santos dos Últimos Dias (Mórmons) chamam o centro de sua fé, a cidade de Salt Lake City, em Utah, EUA, de Sião, pois é ali que se encontram seu templo e seus principais cultos religiosos.

IV. A Arqueologia e Sião

Sião, no significado mais amplo de cidade de Jerusalém, é o melhor sítio arqueológico ilustrado do mundo. Todas as suas características geológicas e geográficas foram identificadas, e a maioria de seus sítios específicos de construção foram investigados com evidências positivas. Os jebuseus construíram uma fortaleza no local e eram os habitantes dali antes de Davi tê-la conquistado e batizá-la como "cidade de Davi". Suas principais características são o Poço de Geom, o Vale da Virgem, o Poço de Jacó (En-rogel), o ribeiro Cedrom, o vale chamado pelo mesmo nome, o vale de Hinom, o Jardim de Getsêmani, o sistema de suprimento de água, além de muitas construções. Elas já foram ilustradas pelas escavações arqueológicas, por suas inscrições e referências literárias. A Jerusalém original tinha a forma de uma enorme pegada humana de cerca de 400 m de comprimento e 100 m de largura.

Para maiores detalhes, ver o artigo sobre *Jerusalém* e especificamente a seção VI, *Jerusalém e Arqueologia*. A seção III, *Situação Geográfica e Topográfica*, também contém informações essenciais. Na seção IV são apresentadas ilustrações das principais características da cidade na época de Neemias e de Jesus.

SIÃO, FILHA DE

No hebraico, *bath sion*, título dado pelos profetas aos habitantes de Jerusalém. O termo emprega o uso mais amplo da palavra *Sião*, referindo-se à cidade toda, e não somente à parte sudeste, o antigo forte dos jebuseus. Ver o artigo *Sião*, I. *O Termo* e II. *Aplicação Ampla*. A expressão "filha de" personifica os habitantes de Jerusalém como se fossem as descendentes mulheres do local, do mesmo modo que falamos sobre uma cidade como "ela". Mas Lam. 2.10, falando sobre as "mais velhas da filha de Sião", mostra que a população inteira está em vista quando se usa a expressão. Sal. 137.8 apresenta expressão análoga, "filha de Babilônia", e Isaías aplica o termo a vários outros povos, como os habitantes de Sidom, Tarso e Galim etc. Uma expressão alternativa é "filha de Jerusalém", que Isaías usa seis vezes. Jeremias apresenta "filha de Sião" onze vezes em Jeremias e Lamentações. Outros profetas também empregaram o termo, como Miquéias, Sofonias e Zacarias. Ver as referências a seguir que ilustram os usos: Jer. 51.35; Zac. 2.7; Sal. 125.1; Isa. 35.10, Mat. 21.15; João 12.15 e Heb. 12.22. O plural "filhas de Sião" geralmente indica as habitantes mulheres, como em Isa. 3.16, mas os subúrbios e as vilas que pertenciam à cidade principal também eram chamados assim. O leitor que deseja localizar todos os usos dos termos descritos neste artigo podem fazê-lo usando uma concordância completa da Bíblia.

SIBECAI

No hebraico, "Yah intervém", onde o nome divino é o mesmo que *Yahweh*, o *Eterno* (Deus). Formas de tal nome básico eram Yah, Yahu e Yeho. Para maiores detalhes, ver o artigo sobre *Deus, Nomes Bíblicos de*, particularmente sob III.8, *Yahweh*. Sibecai era o nome de um dos trinta poderosos guerreiros de Davi, guarda-costas seus que se tornaram o núcleo do exército quando Davi assumiu o trono. Sibecai era nativo da cidade de Husate e recebe o crédito de ter matado o gigante Safe durante um dos muitos conflitos de Israel contra os filisteus (II Sam 21.18; I Crô. 20.4). Ver ainda I Crô. 11.29 e II Sam. 23.27. O *Mebunai husatita* dentre essas referências pode ter sido uma corrupção do nome desse homem. Os nomes hebreus estão mais próximos em forma do que as traduções portuguesas indicariam.

SIBMA

No hebraico, *frieza*, da raiz semítica que significa "estar frio", sendo a forma arábica *shabima*, nome de uma vila a leste do Jordânia. Alguns especialistas fornecem a tradução *bálsamo*. A cidade se situava no território da tribo de Rúben e é chamada de *Seba* em Núm. 32.3. Originalmente pertencia a Moabe, mas foi capturada pelos amorreus sob Siom (Núm. 21.26). Finalmente, a cidade caiu sob o domínio de Rúben. Ver Núm. 32.38 e cf. Jos. 13.19. A

Igreja de São Pedro Monte Sião
Igreja Dominicana
-Cortesia, Matson Photo Service

MONTE DAS OLIVEIRAS — Cortesia, Matson Photo Service

cidade ficou famosa por seus finos vinhos (Isa. 16.8, 9; Jer. 48.32). O local não foi identificado com certeza absoluta, mas ficava na área do platô da Transjordânia e pode ser identificado corretamente com a região de Nebo, Jazer e Hesbom. A Qurn el-Kibsh moderna pode marcar o sítio antigo, onde foram realizadas várias escavações arqueológicas. Talvez estivesse situada entre Nebo e Hesbom, onde está localizado o wadi Salmah.

SIBOLETE
Ver sobre **Chibolete**.

SIBRAIM
No hebraico, **colina dupla**. Um lugar que, segundo a descrição do livro de Ezequiel (47:16), ficava na fronteira norte da terra de Canaã, entre Damasco e Hamate, provavelmente perto de Hums. Sua localização exata é desconhecida.

SICAR
1. *Nome e Localização*. Este nome é uma transliteração grega do hebraico *shekar*, o qual se refere a algo inebriante, ou seja, bebida forte. Se essa é a verdadeira derivação, não há como saber por que a área (cidade) foi assim chamada. Visto que a identidade do lugar não foi determinada com absoluta certeza, é também impossível ser dogmático acerca de sua antiga localização. Se a vila moderna chamada *Askar* demarca o local antigo, então podemos dizer que ficava cerca de 3 km a nordeste de Nablo, cerca de 1 km ao norte do poço de Jacó e a uma curta distância a sudeste de Siquém.
2. *Menção Neotestamentária*. A única menção deste lugar, na Bíblia (se não pode ser identificado com Siquém), é João 4:4, 5. Aparece em conexão com a história da mulher samaritana que encontrou Jesus perto deste lugar quando saiu a tirar água no poço de Jacó. Ver o relato em João 4:1-29.
3. *Identidade*. Jerônimo, em certo ponto de seu *Onomasticon*, distingue Sicar de Siquém, porém em outras obras de sua autoria identifica os dois nomes como se referindo à mesma vila de Samaria, e presume que Sicar surgiu do erro de um escriba, tornando-se assim um nome alternativo para Siquém. O arqueólogo W. F. Albright aceitou a idéia de que *Askar* demarca o sítio antigo; e, se esse é o caso, então a localização que apresentei sob o ponto 1 é a correta. Entretanto, contra isso há a observação de que Askar (El-Askar) fica longe demais do poço de Jacó para ser o local. A identificação de Sicar com Siquém é também problemática, visto que esta deixou de existir em 107 a.C, quando ela e o templo samaritano sobre o monte Gerizim foram destruídos. Em contrapartida, é possível que se tenha construído uma vila no local. Aliás, há evidência arqueológica de que houve habitação contínua ali desde 107 a.C. até os tempos romanos. O debate prossegue e, presentemente, só nos restam conjeturas.

SICÍLIA
A ilha da Sicília, separada da bota italiana por um estreito, chamado Messina, que aproxima mais ainda as terras italianas do continente africano, não aparece na Bíblia nem uma vez. Mas, em sua viagem a Roma, como prisioneiro, o apóstolo Paulo e seus companheiros de jornada estiveram em Siracusa, um porto siciliano, por três dias. Ver Atos 28:12. Ver sobre *Siracusa*. Nada mais nos é dito sobre esse porto.

Os estudiosos dizem que os primeiros habitantes da ilha foram os sículos, de origem indo-européia, dos quais também se deriva o nome da ilha, Sicília. A isso juntou-se uma camada fenícia, que ocupou o sul e o oeste da ilha, especialmente quando a Cartago fenícia, nas costas africanas, cerca de 190 km a sudoeste da ponta oeste da ilha, tornou-se importante. No século VIII a.C. começou o grande influxo da colonização grega. Siracusa foi fundada por colonos gregos em 734 a.C., tendo-se tornado uma das maiores cidades do mundo mediterrâneo. Os colonos gregos não tardaram muito a entrar em choque com os colonos fenícios e cartagineses. No ano de 480 a.C. os gregos obtiveram uma decisiva vitória em Himera, o que deu motivo à penetração da cultura helênica por toda a ilha. De fato, essa penetração chegou a boa parte da porção sul da bota italiana. Houve tempos em que toda aquela região era chamada Magna Grécia.

Foi quando o século IV a.C. estava para iniciar-se que Atenas atacou Siracusa, tendo sofrido um desastre, em suas forças de terra e de mar, do qual nunca se recuperou completamente. Era natural, além disso, que Roma e Cartago contendessem pela ilha da Sicília, os romanos atacando para o sul, e os cartagineses arremetendo para o norte. Após a vitória de Roma, quando da segunda guerra púnica (218-210 a.C.), a ilha tornou-se parte, finalmente, do sistema de províncias romanas, tendo-se tornado a principal fornecedora de trigo dos italianos pelo espaço de cento e cinqüenta anos.

O cristianismo penetrou na Sicília desde bem cedo. As catacumbas e primeiros templos cristãos de Siracusa só perdem em importância para aqueles da capital do império.

SICIOM
Palavra grega que significa "cidade dos pepinos", com diversas formas como Sikuon, Kukuon e Sikion. A cidade localizava-se cerca de 18 km a nordeste de Corinto. Ela não aparece na Bíblia canônica, mas é encontrada em I Macabeus 15.23.

Fatos. Fundada por Argos, a cidade obteve independência em cerca de 660 a.C. através dos esforços de Ortagoras; subseqüentemente foi governada por tiranos; tornou-se um poder a ser reconhecido sob os Cleistenes; aliou-se a Esparta na guerra do Peloponeso (431-404 a.C.); sob Aratô, tornou-se uma democracia e pertenceu à Confederação Acaeana da época; posteriormente tornou-se uma região que promovia a arte e várias indústrias, como ilustrado por escavações arqueológicas e descrito na literatura antiga como a de Strabo (vii. 6.23) e Plínio (*Nat. His.* Xxxv.151,152). Depois de 146 a.C. (destruição de Corinto pelos romanos), a cidade tornou-se o local dos jogos atléticos do istmo. Ela é mencionada em I Macabeus 15:23, quando Lúcio, cônsul romano (como representante do senado), escreveu aos habitantes do local (e de outras regiões próximas), pedindo que fossem amigáveis aos judeus. Filo (*Legatio ad Gaium*, 281) informa-nos que muitos judeus se haviam estabelecido na área. A época em que a carta de Lúcio foi escrita foi em torno de 139 a.C.

SICLO
Ver sobre **Dinheiro**.

SICLO REAL
Ver sobre **Dinheiro**.

SICLO SAGRADO
Ver sobre **Dinheiro**.

SICLOS DE PRATA
Ver sobre **Dinheiro**.

SICÔMORO – SIDGWICK

SICÔMORO
O nome desta árvore deriva das palavras gregas *syke* (figo) e *mora* (amoreira). O termo utilizado no Novo Testamento é *sukomorea*; seu nome científico é *Acer pseudo platanus*. A árvore é uma espécie que está sempre verde e tem galhos fortes que se espalham muito, o que facilita muito que alguém suba nela (considere o caso de Zaqueu, Luc. 19.4). O fruto que a árvore produz não é um figo de fato, mas pequenas frutas que crescem agrupadas e parecem com pequenos figos, daí o nome *pseudo* no termo científico. Amós (7.14) cultivava esta fruta paralelamente à criação de animais domesticados. Bastante trabalho está envolvido no cultivo desta fruta, pois ela só amadurece se cada fruto for perfurado com um instrumento pontudo em determinado estágio de seu desenvolvimento. Amós ocupava-se furando os frutos, certamente um trabalho entediante, mas foi recompensado com uma colheita abundante.

SICROM
Uma localidade, na fronteira norte de Judá, entre Ecrom e Baalá, como quem ia na direção do mar (Jos. 15:11). O sítio é desconhecido, mas, provavelmente é o moderno Tell el-Ful, um pouco mais ao norte do vale de Soreque.

SICUTE E QUIUM
Esses nomes aparecem no texto de Amós 5:25, de acordo com nossa versão portuguesa. Trata-se de uma questão muito debatida, no tocante ao sentido de tais palavras. Procuraremos deslindá-la.
Sentido dos Termos. Em um livro babilônico, de encantamentos, torna-se patente que *Sakkuth* e *Kaiwan* eram nomes intercambiáveis dados ao deus Saturno. Mediante um jogo de palavras, parece que tanto um quanto outro desses apelativos foram alterados, para adquirirem um novo sentido, talvez pejorativo. Assim, sakkuth também pode ser vocalizado como sukkot, dando-lhe o sentido de "tabernáculos" ou "tendas". Isso transparece na citação feita por Estêvão, em Atos 7:43: "...e acaso não levantastes o tabernáculo de Moloque ... ?" Tal possibilidade é refletida na LXX, que Estêvão, quase certamente, estava citando de memória. Por igual modo, a alteração de *kaiwan* para *kiyyun*, em Amós, teve por intuito injetar na palavra os sons vocálicos da palavra hebraica para abominável, isto é, *shiqqus*, a fim de mostrar o quão abominável era. Voltando à citação feita por Estêvão, lemos: "... e a estrela do deus Renfã..." (a LXX diz, em Amós 5:26, *rephan*). Parece que isso se deriva de *repa*, um dos nomes egípcios aplicados ao deus Saturno. Mas, por que Estêvão também falou em "Moloque"? Em primeiro lugar, porque assim diz a LXX. E, em segundo lugar, porque Moloque, geralmente, era adorado em tendas. Ver o artigo sobre *Moloque*. E, em terceiro lugar, porque tanto Moloque quanto Saturno eram nomes do deus sol. Sumariando, temos na passagem duas referências à mesma divindade pagã. Saturno, cujas festividades, entre os romanos, as Saturnálias, eram assinaladas por excessos de comidas e bebidas e grande licenciosidade. Para melhor entendermos a questão, diremos ainda que uma mesma divindade era, às vezes, conhecida por vários nomes, dependendo do povo que se esteja pensando e da época. Assim, muluk era adorado em Mari, em cerca de 1800 a.C. Os textos acádicos falam em malik. Os amonitas chamavam-no milkom (cf. I Reis 11:5). Os fenícios lhe davam o nome de molok. Os gregos chamavam esse deus de Kronos. Os romanos, *Saturno*.
A adoração aos corpos celestes sempre foi uma ameaça real a Israel, pelo que esse povo foi repetidamente advertido e condenado por essa causa (Deu. 4:19; II Reis 17:16, para exemplificar). Durante o período da dominação assíria, sobretudo após o reinado de Salmaneser III (858-824 a.C.), tal culto tornou-se extremamente popular. Amós, portanto, advertiu o povo de Israel de que tal devoção só poderia trazer ruína ao povo de Deus.
Não tem sido fácil o deslindamento dessas antigas questões, por parte dos estudiosos e tradutores. Nossa versão portuguesa segue descobertas arqueológicas a respeito e textos de várias traduções e revisões modernas, em outros idiomas. No entanto, no texto de Amós 5:26, nessa versão portuguesa dá a impressão de que estão em pauta três divindades pagãs: "...Sicute, vosso rei, Quium, vossa imagem, e o vosso deus estrela ..." Mais acertada seria a tradução "Sicute, vosso rei, Quium, vosso deus estrela, as vossas imagens, que fizestes para vós mesmos", pois só estão em pauta duas divindades, ou melhor, dois nomes diversos de uma mesma divindade.

SIDDUR
Esse é o nome do livro judaico de oração comum usado na adoração do ano inteiro. Essa palavra significa "arranjo (de orações)".

SIDE
Palavra grega que designou a cidade de Panfília, conhecida por seu excelente complexo portuário, partes do qual ainda existem. Outras ruínas antigas foram escavadas naquele local, embora a maioria dos achados derive do período romano e do período bizantino antes de Cristo. Uma grande população judaica viveu ali durante séculos. Em relação aos estudos bíblicos, ela é lembrada (em I Macabeus 15.23) porque o cônsul romano Lúcio escreveu ao povo que ali vivia, solicitando que entregassem a Roma certos arruaceiros judeus que se refugiaram naquele local. Ela se situava próximo ao local do deságue do rio chamado de Eurimedom, onde hoje está localizada a cidade moderna de Eski Adalia. Em épocas posteriores, a cidade tornou-se foco da atividade pirata. Antíoco, o Grande, lutou contra as forças navais de Rodes ali, mas sustentou amarga derrota.

SIDGWICK, HENRY
Suas datas foram 1838 - 1900. Ele foi um filósofo, cientista político e economista britânico. Nasceu em Skipton, Yorkshire. Educou-se em Cambridge, onde também veio a tornar-se professor. Foi um dos fundadores da Sociedade de Pesquisas Psíquicas, que deu início à investigação científica da existência da alma e sua sobrevivência ante a morte biológica. No terreno da filosofia, tornou-se mais bem conhecido por seu trabalho sobre assuntos éticos, e sua principal publicação a respeito foi seu livro *Methods of Ethics*, que passou por muitas edições.
Idéias:
1. A filosofia pode ser dividida em dois campos bem latos: a filosofia teórica e a filosofia prática. A primeira visa a unificar o conhecimento científico; e a última visa a unificar o conhecimento moral.
2. A ética pode ser dividida em três grandes ramos: o intuicionismo, de onde podemos derivar conceitos genuínos. Ali encontramos descrições de grandes alvos como a benevolência, a prudência e a justiça, que são princípios auto-evidentes e não requerem provas empíricas. O egoísmo, onde o homem busca a felicidade e o bem-estar pessoais, algumas vezes às custas do próximo. O utilitarismo, onde o homem busca aquilo que funciona bem em favor do bem

SIDIM – SIGNIFICADO

maior de todos. Mas Sidgwick, porém, rejeitava a forma estritamente empírica do utilitarismo, acreditando que a intuição deve ser levada em conta aqui, para descobrimento e desenvolvimento de seus princípios. Também não concordava que o prazer seja o alvo dos atos morais. Mais importantes, para ele, são os princípios auto-evidentes acima mencionados. Contudo, ele ensinava que aqueles que puserem em prática esses princípios serão felizes.

3. Apesar de essas três abordagens estarem inter-relacionadas, não podem formar uma única filosofia da ética. Todavia, podem ser mantidas em harmonia umas com as outras. Se contássemos com maiores provas em favor do teísmo, e também com um contato mais vital com a presença e o poder divinos, então poderíamos, talvez, unir esses três campos; mas, por enquanto, isso deve permanecer como um mero ideal.

4. Seus esforços em favor da abordagem científica da alma têm produzido fruto, e têm sido continuados por muitas nobres figuras. Ver o meu artigo sobre a *Parapsicologia*.

Escritos Principais: *Method of Ethies; Outline of the History of Ethics; Principles of Political Economy; Scope and Method of Economic Science; Practical Ethics; Philosophy, Its Scope and Relations; The Philosophy of Kant and Other Lectures.*

SIDIM, VALE DE

Possíveis significados da expressão são "o vale dos campos", indicativo de que essa teria sido uma fértil área agrícola antes da destruição de Sodoma e Gomorra com a qual ela estava associada. Talvez o nome tenha vindo da palavra hitita que significa *sal*, em linha com esse mineral encontrado comumente na localidade. A única referência bíblica ao local ocorre em Gên. 14.3, que fala da vitória de Quedorlaomer e seus aliados sobre os reis de Sodoma e Gomorra e outras cidades que se aliaram àqueles locais. Alguns supõem que o antigo sítio esteja agora submerso na parte sul do mar Morto. Como ocorre no caso de qualquer lago salgado, o nível da água varia com o fluxo (maior ou menor) de seus afluentes, portanto em períodos de seca a água baixa, enquanto em períodos de chuvas mais abundante sobe consideravelmente, e não há saída para nivelar as águas. De qualquer forma, em torno do século XX a.C., a área toda passou por um violento cataclismo: cidades inteiras foram destruídas, e algumas, sem dúvida, ficaram submersas. A região estava repleta de covas de betume, material usado pelos egípcios para o embalsamamento. Ainda hoje são encontradas covas desse tipo na área.

SIDOM

No hebraico, *fortificada*. No Antigo Testamento, a única menção a essa cidade fica em Gên. 10:19, na lista dos descendentes de Canaã. É evidente que essa cidade derivava seu nome do primogênito de Canaã, de nome Sidom (Gên. 10: 15). No Novo Testamento, a cidade é mencionada por doze vezes: Mat. 11:21,22;15:21; Mar. 3:8; 7:24,31; Luc. 4:26; 6:17; 10:13,14; Atos 12:20; 27:3. Mas, se no Antigo Testamento a cidade só figura em Gênesis 10: 19, seus habitantes, os "sidônios", são mencionados em Deu. 19; Jos. 13:4,6; Juí. 3:3 e I Reis 5:6.

Os cananeus, pois, habitavam numa faixa do norte para o sul, desde Sidom até Gaza, acompanhando a beira-mar do Mediterrâneo. A captura de Laís, pelos descendentes de Davi, parece haver sido facilitada porque era cidade distante de Sidom, sob cuja proteção aparentemente vivia (Juí. 18:28).

No Novo Testamento, com freqüência, Sidom é mencionada juntamente com Tiro, quase como se fosse uma fórmula fixa. Uma visita feita por Jesus à região de Tiro e Sidom é registrada nos evangelhos (Mat. 15:21 e Mar. 7:31), quando o Senhor ministrou à mulher siro-fenícia. Esse foi o único episódio registrado, do ministério de Jesus, fora das fronteiras da Palestina. Quando criticou as cidades da Galiléia, por causa de sua incredulidade, Jesus as comparou com Tiro e Sidom, declarando que estas teriam correspondido mais prontamente ao evangelho do que Corazim e Betsaida (Mat. 11:21,22; Luc. 10:13,14).

Fora dos evangelhos, vemos que os habitantes de Tiro e Sidom tiveram dificuldades com Herodes, mais ou menos na época de sua morte (Atos 12:20). Na viagem de Paulo a Roma, quando sofreu naufrágio, um dos portos abordados foi Sidom (Atos 27:3).

A moderna cidade libanesa de Sidom está edificada sobre as ruínas da antiga cidade com esse nome. Fica cerca de quarenta e oito quilômetros ao sul de Beirute e cerca de quarenta e oito quilômetros ao norte de Tiro. Essa localização dificulta imensamente as escavações arqueológicas. Outros dados históricos sobre a cidade de Sidom podem ser melhor acompanhados no verbete *Fenícia*. Ver também sobre *Tiro* e sobre *Biblos*, outras importantes cidades antigas da Fenícia.

SIENE

Ver sobre **Sevene**.

SI FALLOR, SUM

No latim, "se estou enganado, eu sou", uma declaração de Agostinho, usada para refutar o ceticismo extremo que duvidava até da existência do próprio "eu". Descartes cunhou uma declaração diferente, mas de intuito semelhante: Cogito, ergo sum, "Penso, portanto existo". Ver o artigo separado sobre esse assunto. Talvez Descartes tenha tomado a idéia emprestada de Agostinho, embora provendo uma forma diferente de expressão.

SIFI

No hebraico, "Yahweh é plenitude". Foi um príncipe simeonita, que descendia de Semaías. Tinha um filho com o nome de Ziza. Viveu em cerca de 830 a. C. Seu nome é mencionado somente em I Crô. 4:37.

SIFMITA

Um nativo de Sefã, como foi o caso de Zabdi, que Davi nomeou para cuidar das adegas reais. Ver I Crô. 27:27.

SIFMOTE

No hebraico, "frutífera". Era uma das cidades de Judá, com cujos habitantes Davi dividiu os despojos de Ziclague (I Sam. 30:28). Foi visitada por Davi na época em que ele andava fugindo do rei Saul. A identificação dessa cidade é incerta.

SIFRÁ

No hebraico, "beleza". Era uma das duas parteiras hebréias, a quem o Faraó, rei do Egito, ordenou que matassem. todos os meninos que nascessem aos israelitas (Êxo. 1: 15). Ela viveu em cerca de 1570 a.C.

SIGNIFICADO

Ver o artigo geral intitulado *Conhecimento e a Fé Religiosa*, - que fornece informes sobre como chegamos, variegadamente, a conhecer as coisas, e como isso se

SIGNIFICADO – SIGNOS

relaciona à fé. Ver também os dois artigos chamados *Verdade e Epistemologia*. O artigo sobre o conhecimento inclui as várias teorias da verdade diretamente vinculadas ao presente artigo.

Definição. Significado é aquilo que se tenciona dizer; uma declaração que transmite alguma espécie de mensagem; um alvo; aquilo que se pretende dar a entender; conotação. O significado, com freqüência, está associado a valor. Algo tem significado se tem valor para a pessoa; e não tem significado se é destituído de valor. No sentido espiritual, o significado aponta para os valores espirituais, e o que os mesmos significam para nós. A vida não tem significado algum sem Deus e a alma; e aqueles que pensam ao contrário, assim pensam porque, em suas mentes subconscientes, sabem que a verdade de Deus e da alma são autênticas, participando do sentido desses conceitos, mesmo que resistam a essas realidades em sua mente consciente.

Várias Idéias Filosóficas:

1. *Na Linguagem*. Os significados são derivados das relações lingüísticas, pois é a linguagem que transmite os nossos pensamentos, intenções e conhecimentos. Quanto a isso, há dois critérios importantes. Um deles é o da verificação. Ver o artigo separado intitulado *Verificação, Critério de*, quanto a detalhes a esse respeito. O problema que há quanto a isso é o seu caráter dedutivo, que nos pode envolver em uma longa série de verificações, que sugerem, mas não chegam a alguma conclusão satisfatória. Por essa razão, Karl Popper (vide) salientou o fator da falsificação. Um bom caso que falsifica uma teoria pode eliminar uma multidão de verificações tentativas, que somente sugerem a verdade que pode haver nela. Todavia, a falsificação também está sujeita a abusos. Visto que as teorias podem conter verdades parciais, ou mesmo verdades totais, embora defeituosas em suas descrições, sendo apenas parcial o conhecimento que temos delas, por isso mesmo, um caso de falsificação não requer, necessariamente, a sua rejeição. Talvez requeira revisão e modificação parcial. Além disso, há aqueles casos em que as proposições podem ter significados extras, indicando que nem verificações nem falsificações são adequadas para descrever uma proposição, visto que ela se reveste de sentidos inesperados e desconhecidos.

2. *Informes Dados pelos Sentidos*. Os empiristas pensam que a base de todo significado é a percepção dos sentidos. Essa percepção dá origem a idéias, e as idéias fornecem-nos conceitos sobre os significados. Essa idéia é útil, sendo empregada pelas ciências; mas temos aí sempre uma percepção parcial, pois nossos sentidos não são fidedignos, e também porque podemos tomar conhecimento das coisas por outros meios que não os nossos sentidos.

3. *Pragmatismo*. Não nos devemos impressionar em demasia com a lingüística. Também não nos devemos preocupar muito com a potência ou debilidade da percepção dos sentidos, e nem com as reivindicações dos metafísicos e dos teólogos. O que precisamos é de praticabilidade e de funções. Se uma idéia opera bem e produz algo de útil, então, reveste-se de significado e de valor. Em caso contrário, de que vale tal idéia? As conseqüências práticas de uma idéia são muito mais importantes do que qualquer teoria envolvida. Essa é a posição do pragmatismo.

4. *Produção de um Efeito*. Uma declaração tem significado se produz algum tipo de efeito sobre o ouvinte. Essa é uma declaração de H.P. Grice, que emitiu, assim uma idéia pragmática. Quando um ouvinte reconhece a intenção de uma declaração, especialmente se a mesma exerce sobre ele e seus atos um efeito, através desse reconhecimento ele declara, implicitamente, que aquela declaração reveste-se de significado.

5. *Significado Espiritual*. A metafísica tem significado se é verdade que existem seres e forças espirituais, e se mantêm para conosco uma relação que produz alguma diferença em nossas vidas, tanto agora quanto no após-túmulo. A fé religiosa aceita esse tipo de significado, com base na experiência pessoal. A vida espiritual justifica-se diante do homem que a põe em prática. Nenhum argumento é necessário, embora eles possam ser interessantes e úteis. As experiências místicas são a base do significado, na fé religiosa. Isso começa pelas declarações inspiradas dos profetas, que, então, são preservadas nos livros sagrados. Mas o misticismo (vide) também é uma questão particular, em que os indivíduos envolvidos encontram significado, porquanto certos aspectos da verdade são assim comunicados, e as vidas são transformadas mediante essas experiências.

SIGNIFICADO EXISTENCIAL

Pode-se entender essa expressão de duas maneiras diversas:

1. Nas proposições, qualquer declaração que dê a idéia da existência de alguma coisa, pode ser assim chamada, uma "declaração com significado existencial". Quando alguém diz: "Há um homem no escritório", fica entendido que essa afirmação subentende a existência de um homem naquele lugar, ou que sua existência é presumível. Tal declaração, pois, pode presumir a existência de uma pessoa, embora não a declare, de fato.

2. Na vida diária, qualquer coisa que tenha um significado existencial é algo que produz algum efeito sobre o próprio ser do indivíduo, isto é, algo revestido de importância básica e urgente. Assim, poderíamos dizer: "A obtenção daquele emprego tinha um significado existencial para mim".

SIGNOS DO ZODÍACO

No hebraico, *mazzaroth*. Essa palavra hebraica ocorre somente uma vez em toda a Bíblia, sendo aquilo que os eruditos chamam, no grego, um *hapax legómenon*. Ver Jó 38:32. Ocorre dentro de um paralelismo poético, em oposição à constelação da Ursa, pelo que, mui provavelmente, refere-se a algum fenômeno sideral. Uma forma variante dessa palavra ocorre também em II Reis 23:5, onde algumas traduções dizem "sinais do zodíaco". Essa outra palavra hebraica é mazzaloth, e nossa versão a traduz por "planetas" e ainda outras dizem ali "constelações". Portanto, é provável que o termo refira-se a alguma constelação, embora seja impossível determinar exatamente o que está em foco.

No livro de Jó, essa palavra ocorre no contexto da repreensão do Senhor à ignorância de Jó, o que o levou ao arrependimento, embora ele não estivesse sofrendo tanto por motivo de algum pecado. John Gill, in loc., liga mazzaroth às "recâmaras do sul", sobre as quais se lê em Jó 9:9, com as suas estrelas. A palavra ali usada, "recâmaras" dá a entender que essas estrelas estão ocultas da visão humana naquela porção do céu. Ele acreditava que esse vocábulo hebraico tem sua raiz no termo hebraico *nazar*, "separação" porquanto essa área do firmamento fica distante de nós mediante uma "insuperável distância". Ou, alternativamente, estão em foco os doze sinais do Zodíaco, cada qual aparecendo em seu próprio período do ano, não pelo poder dos homens, mas pelo poder de Deus. Ver Isa. 40:26.

SIKHISMO – SILO

SIKHISMO

Trata-se de um movimento reformador dentro do *hinduísmo (vide)*. Teve começo na Índia, em cerca de 1500 d.C. O guru Nanak foi a principal força impulsionadora do movimento. Ele reuniu outros líderes hindus em torno de si, formando um total de nove outros gurus. Finalmente, os gurus humanos foram substituídos por escrituras canonizadas, que receberam o nome de Granth.

Os reformados contradizem o politeísmo do hinduísmo, mostrando-se estritamente monoteístas; e também rejeitam todas as formas de idolatria e a idéia de encarnações divinas. Todavia, retêm a reencarnação como um dogma básico. Quanto ao lado prático, eles rejeitam o sistema de castas, denunciam o uso de bebidas alcoólicas, repelem o uso do tabaco, condenam severamente a calúnia, a hipocrisia e as peregrinações religiosas. As virtudes positivas que eles recomendam são: a lealdade, a gratidão, a filantropia, a justiça, a imparcialidade, a verdade, a honestidade e o pacifismo. Este último princípio, entretanto, tem sido esquecido em tempos de perseguição, e virtudes militares têm sido destacadas como parte da necessidade de autodefesa.

SILA

Um lugar de localização indefinida, citada em conexão com o assassinato do rei Joás (II Reis 12:20). Sabe-se que essa palavra hebraica significava estrada. Sua associação com Mílo sugere que pode ter sido um setor da cidade de Jerusalém, ou, então, uma descida que havia nas proximidades da mesma.

SILAS

1. *Nome*. Este nome parece ser uma transliteração do aramaico *Sheila*, donde também se derivou o nome Saul. É uma forma abreviada de *Silvano*. A palavra aparentemente se relaciona ao latino *Silva*, que indica *floresta* ou *florestas*. Alguns crêem que deriva do latim, não do aramaico ou do hebraico. Se o aramaico-hebraico é a raiz do nome, então ele significa "pediu", ou "alguém que continua pedindo", possivelmente uma referência ao modo como as mulheres pedem ao Poder Divino que lhes dê filhos.

2. *Sumário de Informação*. Este homem foi um representante da igreja cristã primitiva em Jerusalém. Ele e Judas Barsabás foram enviados a Antioquia para relatar sobre o decreto apostólico que foi elaborado em Jerusalém concernente às obrigações para com a lei mosaica dos gentios ingressantes na igreja (Atos 15:22). Tendo cumprido essa missão, regressaram a Jerusalém (Atos 15:32), e Silas foi escolhido para acompanhar Paulo em sua segunda viagem missionária. Esse versículo o chama de *profeta*, como se tivera parte ativa no ministério verbal, ainda que subordinado a Paulo. Silas acompanhou Paulo através da Macedônia (essencialmente as áreas da Grécia moderna) até Beréia, e então a Corinto (Atos 18:5). Depois disso, nada mais se sabe a seu respeito, embora ele seja mencionado nas cartas paulinas. Ver 2 Cor. 1:19; 1 Tes. 1:1, 2; 2 Tes. 1:1; compare com 1 Ped. 5:12. Comumente se admite que o Silas de Atos é o Silvano das Epístolas. Em Atos, não se diz muito sobre o homem até que ele e Paulo foram açoitados e lançados na prisão em Filipos. Ali suas orações venceram, e eles foram postos em liberdade, e o carcereiro e sua família se converteram, compondo uma das histórias favoritas do Novo Testamento. Ver Atos 16:12-40. Atos 16:37 mostra que Silas provavelmente era cidadão romano, ainda que tivesse sangue judeu. O uso do pronome "nós" nas Epístolas (1 Tes. 5:27; 2 Tes. 3:17) pode indicar a participação de Silas na composição de algumas epístolas de Paulo; porém, mais provavelmente significa que ele agia como amanuense de Paulo. Silas também esteve associado a 1 Ped. (ver 5:12), o que talvez signifique que o grego da obra, evidentemente além da capacidade literária de um judeu da Galiléia, possa ser atribuído a Silas, que preparou a cópia final da carta. Visto que 1 Pedro contém algumas similaridades com Hebreus, alguns atribuem sua autoria a Silas; mas, como disse Orígenes, "somente Deus conhece quem escreveu Hebreus".

3. *A Principal Lição Espiritual da Vida de Silas*. Ele era um homem de "segundo lugar", porém alguém que executava sua tarefa de tal maneira que acabava distinguindo-se. Acompanhou o grande mestre, Paulo, e complementou seus labores. Em contraste com outros mencionados por Paulo em suas cartas, não era uma pessoa ciumenta que se revoltava só porque não estava representando o papel de protagonista. A obra ministerial é uma tapeçaria de variados matizes. Nem todos podem ser o ouro ou o brilhante. Todas as cores são necessárias para produzir o melhor efeito possível.

SILÉM

No hebraico, "recompensa". Foi o quarto filho de Naftali (Gên. 46:24), e fundador de uma família tribal ou clã chamada Silvano – simãode "os silemitas" (Núm. 26:49; I Crô. 7:13). Ver também sobre *Salum*. Viveu em torno de 1690 a.C.

SILI

No hebraico "guerreiro" ou "dotado de dardos". Ele foi pai de Azuba, mãe do rei Josafá (I Reis 22:42; II Crô. 20.31). Cerca de 920 a.C.

SILIM

No hebraico, "fontes". Era uma cidade que foi outorgada à tribo de Judá, uma parte de suas possessões territoriais em Canaã (Jos. 15:32). Saruém (Jos. 19:6) e Saaraim (I Crô. 4:31), mui provavelmente, são outros nomes do mesmo local. A diferença de grafia entre Silim e Saruém pode ser explicada lingüisticamente como uma troca entre o "l" e o "r", que podia ser observada em vários idiomas semíticos. Ver sobre *Saruém*.

SILO

I. O Termo e a Localização
II. Observações Históricas
III. A Silo de Gên. 49.10
IV. A Arqueologia e Silo

I. O Termo e a Localização

O significado da palavra é desconhecido, mas é interpretado como "até que ele (Judá) venha a *Shiloh*" (isto é, *local de paz*). Presumivelmente, a palavra deriva do termo hebraico *shalah*, ou "descansar". Em Silo, Israel encontrou descanso, e se, há uma referência messiânica em Gên. 49.10, está na idéia de que é no Messias que será encontrado o descanso.

Juí. 21.19 descreve sua posição geográfica como ao norte de Betel, a leste da estrada que ia desse local a Siquém (isto é, Nablus) e ao sul de Lebona. O antigo local é marcado, evidentemente, pela moderna *Seilun*. Estava no território de Efraim e ficava cerca de 32 km ao nordeste de Jerusalém.

II. Observações Históricas

Há 33 referências a Silo no Antigo Testamento, mas a primeira na versão portuguesa é diferenciada das outras por ter sido escrita Siló, em vez de Silo. A forma acentuada aparenta ter sido o nome de uma pessoa, não de um local,

SILO – SILOÉ

e eu discuto na seção III os problemas aí envolvidos.

1. Josué, depois da conquista da terra por Israel, a princípio estabeleceu seu lar em Gilgal, mas depois mudou para Silo (Jos. 14.6; 18.1). O tabernáculo foi erigido ali, e a cidade tornou-se um importante santuário. Ela provavelmente não havia sido ocupada pelos cananeus, portanto era considerada não-poluída. Além disso, sua posição geográfica centralizada, a cerca de 15 km de Betel, lhe concedia certo "prestígio sagrado".

2. Mensageiros enviados dali foram buscar descrições da Terra Prometida. Ao retornar, a sorte foi tirada para determinar a divisão da terra entre as sete tribos que ainda não haviam recebido herança (Jos. 18.1; 19.51).

3. Na época dos juízes, o local reteve seu lugar como o centro dos cultos a Yahweh. Ver Juí. 18.31.

4. Havia outros santuários em Israel, especialmente o de Betel, e por um período a arca da aliança ficou localizada ali (Juí. 20.26, 27).

5. Silo era um local de festividades religiosas. A cada ano se realizava uma celebração com banquetes e danças em louvor a Yahweh (Juí. 21.19 ss.).

6. Silo perdeu seu status de supremacia na época de Samuel. Os malvados filhos de Eli ocuparam os cargos de sacerdotes pouco antes da destruição do local, e o abuso da lei mosaica foi uma das causas espirituais da queda do santuário. A *arca da aliança* (ver) foi capturada pelos filisteus e levada à terra deles (I Sam. 4.3, 4, 12).

7. Antes disso, Yahweh apareceu a Samuel em Silo, e um novo início, incluindo a monarquia, logo ocorreria (I Sam. 3.21).

8. O centro do culto a Yahweh foi removido (em cerca de 1050 a.C.), mas é possível que o local tenha continuado como um santuário de ordem menor, o que pode ser subentendido pela visita da mulher de Jeroboão à casa do profeta Aías. Ela buscava cura para um filho doente. Ver I Reis 14.1-4. O julgamento caiu sobre a casa de Jeroboão, começando com a morte do filho.

9. O complexo de adoração em Silo incluía um templo, e Jeremias dá a entender que em seus dias as ruínas da destruição ainda podiam ser vistas. O Templo em Jerusalém sofreria o mesmo destino, e por um motivo semelhante: a apostasia do povo (Jer. 7.12, 14; 26.6, 9). Isso ocorreu por volta de 500 a. C.

III. A Silo de Gên. 49.10

A versão portuguesa distingue esse título com o acento sobre o *o*. A referência é problemática e várias interpretações foram vinculadas ao versículo:

1. *O Messias*. O termo é considerado um nome pessoal por alguns. Se esse fosse o caso, então ele era chamado de o "pacificador", o que parece ser o significado do termo. A comunidade do mar Morto acreditava que o nome se referia ao poder real de Davi, a ser continuado, em contraste com a linhagem de reis hasmoneanos que governou sobre eles. O rei da linha davídica renovada seria um rei de característica messiânica.

2. Em objeção a Silo como nome próprio de uma pessoa (em outros lugares, o nome não é usado nesse sentido), alguns estudiosos supõem não haver distinção entre a Silo de Gên. 49.10 e as outras 32 referências do Antigo Testamento. Gên. 49.10 apenas significaria que o reino de Judá deveria continuar "até" Silo. Mas Silo então assumiria um significado metafórico, indicando "Israel" em geral, da mesma forma que um dos significados de *Sião* era Israel inteiro. Em termos práticos, Silo ainda seria conquistada, mas, quando isso ocorresse, o governo de Israel se estenderia até tal local.

3. Uma terceira interpretação deriva do relato da Septuaginta, que evita a idéia do nome próprio por completo. No hebraico, *asher lo* é transliterado como "de quem é". A tradução portuguesa seria, então, lida como segue: "O cetro não se arredará de Judá, nem o bastão de entre seus pés, até que venha aquele *de quem é* (ou então, aquele a quem ele pertence)". Cf. Eze. 21.27, que diz algo semelhante. Com esta tradução, o versículo ainda pode ser considerado messiânico.

Há outras idéias, mas a verdade é que ninguém de fato sabe o que Gên. 49.10 está ensinando.

IV. A Arqueologia e Silo

Escavações arqueológicas identificaram o local antigo como Khirbet Seilum. Além disso, as indicações são que a área não era habitada pelos cananeus na época de Josué, o que teria tornado aceitável como santuário para o louvor a Yahweh. Há evidências, no entanto, de uma ocupação pagã em período posterior (isto é, em cerca de 1050 a 1200 a. C.). Arqueólogos provaram que ocorreu uma destruição completa do local, o que está em linha com o registro da Bíblia. Em épocas posteriores, foi construído ali um muro, bem como uma ou mais sinagogas e uma igreja cristã. Isto significa, sem dúvida, que por longo período dali por diante, as pessoas lembraram que Deus colocou Seu dedo naquele local de modo especial. Ver outros detalhes no artigo sobre a *Arca da Aliança*.

SILOÉ

No hebraico significa *envio*. Em nossa versão portuguesa também aparece com a forma de Hasselá, somente em Nee. 3: 15. No grego, *siloám*, que aparece somente por três vezes, em Luc. 13:4; João 9:7,11. Com a forma de Siloé, porém, nunca aparece no Antigo Testamento, fora de Isaías 8:6. O termo é aplicado tanto a um açude quanto a uma torre (ver sobre *Siloé, Torre de*) da época da Jerusalém bíblica. Modernamente, esse mesmo nome é dado às águas que percorrem um túnel que vertem para aquele açude. Sabe-se que, no tempo do rei Acaz, a torrente corria ao pé da vertente leste da colina sudeste de Jerusalém (ed-dahurah), o que significa que ficava fora das muralhas da cidade, levando as águas da fonte de Giom, antes de serem usadas para a irrigação dos jardins do rei e outros trechos cultivados, passando pela extremidade sul dessa colina e daí para um grande tanque que ficava na porção sudeste da cidade (as "águas do açude inferior" de Isa. 22:9). Esse canal era superficial, pelo que, em ocasião de ataque militar, se tornava muito vulnerável, e Jerusalém ficava destituída de seu único recurso de água potável. Foi por essa razão que, como defesa contra os ataques dos assírios, que culminaram com a campanha de Senaqueribe, em 701 a.C. (cf. II Crô. 32:4), o rei Ezequias, de Judá, construiu o túnel das águas de Siloé, que conduzia até o vale central Tiropoeano (vide), em Jerusalém. Esse túnel tem forma retangular, em seu perfil, com uma média de 60 cm de largura e 1,80 m de altura. Visto que é sinuoso, percorre 534 m para cobrir uma distância real de 332 m. Talvez isso tenha sido feito para evitar trechos de rochas mais densas, ou então para evitar outras construções subterrâneas, como túmulos, além do fato de que as equipes que trabalhavam em ambas as extremidades, durante as escavações do túnel, devem ter-se esforçado por entrar em contato uma com a outra. Isso provocou até mesmo desníveis no chão do túnel. Esse túnel de Ezequias, pois, veio substituir um mais antigo (II Crô. 32:30). Na época de Jesus, o açude onde o túnel desembocava era cercado por uma colunata, construída por Herodes, o Grande (que é o tanque de Siloé, de João 9:7, e onde também é interpretado o nome do tanque, "Enviado"). Foi ali que, a

SILOÉ – SILSA

mando de Jesus, o cego de nascença foi lavar-se, e voltou vendo, depois que o Senhor aplicou saliva aos olhos dele. Por esse motivo, alguns cristãos antigos diziam que esse tanque é símbolo de Cristo e do batismo cristão, embora a Bíblia nunca tenha tencionado emprestar ao mesmo esse simbolismo.

Foi descoberta uma inscrição em 1880. Imediatamente do lado de dentro do portal sudoeste. Essa inscrição foi escavada da rocha e removida para o museu de Istambul, na Turquia. Essa inscrição foi feita em letras hebraicas (fenícias) arcaicas, relatando os esforços dos escavadores para chegarem uma equipe à outra, até que o fizeram, a uma profundidade de cerca de cem metros abaixo do solo. Não há dúvida de que, para a época, foi uma notável obra de engenharia, quando ainda não havia recursos modernos como explosivos, escavadoras mecânicas, prospecção do solo, etc., e tudo tinha de ser feito como um laborioso trabalho manual.

Apesar de que esse açude de Siloé ficava fora das muralhas da cidade, como uma cisterna coberta, mediante túneis de acesso adicionais escondidos, parece que Ezequias conseguiu trazer a água "para dentro da cidade", conforme se lê em II Reis 20:20. Muitos pensam que isso se fazia através de alguma extensão ainda não descoberta do túnel, que passava sob as fortificações de Sião, a sudoeste (cf. o "outro muro por fora", referido em II Crô. 32:5). Por sua vez, parece que Isaías aludiu a essa extensão quando registrou acerca de "um reservatório entre os dois muros, para as águas do açude velho" (Isa. 22:11). Esse "açude velho" talvez seja uma referência a um original "açude superior" (ver Isa. 7:3), próximo à fonte de Giom. Sabe-se que um açude inferior, (Isa. 22:9), modernamente conhecido por Kirbet elHanira, na extremidade sul da cidade de Jerusalém, de antes dos dias de Ezequias, recebia água dali, através de um canal superficial, que aparece com o nome de "águas de Siloé", em Isa. 8:6. Até hoje pode ser acompanhado o curso dos seus primeiros sessenta metros, com um levíssimo desnível descendente, o que explica as palavras de Isaías 8:6, "que correm brandamente". Nos tempos pós-exílicos o próprio açude inferior veio a ser chamado Hasselá, que tem o mesmo significado que Siloé (ver Nee. 3:15), e que parece ter continuado a ser usado para aliviar as águas do açude mais recente, construído por Ezequias.

É perfeitamente compreensível que, já nos dias do cristianismo, o nome "Siloé" tenha sido transferido para o açude mais novo, feito por Ezequias. Josefo refere-se à pegé, "fonte" com cuja palavra apontou para a saída do túnel de Ezequias (Guerras 5:4, 1 e 2).

A torre de Siloé (ver artigo separado a respeito), que ruiu ao custo de dezoito vidas (Luc. 13:4) deve ter ficado nas vertentes do monte Sião, em seu lado oriental.

Uma igreja cristã bizantina comemorativa, foi construída bem a noroeste desse reservatório, em cerca de 440 d.C., a mando da imperatriz Eudóxia, juntamente com pórticos elaborados ao redor do açude. Porém, restam apenas alguns fragmentos visíveis dos mesmos, e o próprio açude fica agora a 5,5 m abaixo do nível do terreno circundante. O atual açude de Siloé, que tem o título de Birket Silwan, pode ser atingido mediante um trecho de degraus de pedra. Mede cerca de 15 m de comprimento por 4,90 m de largura. Uma pequena mesquita foi construída sobre as ruínas do antigo templo cristão. E o nome Silwah acabou vinculado à vila árabe do outro lado do vale do Cedrom, mais ao oriente.

SILOÉ, TORRE DE

No grego, o púrgos en tã Siloám, "a torre em Siloé" (ver Luc. 13:4).

Presume-se que essa torre ficava localizada na porção suleste da antiga cidade de Jerusalém. Enquanto ainda continuava de pé, devia ser um marco territorial bem conhecido, a julgar por sua designação, nesse trecho do Novo Testamento. Essa torre deveria ficar nas proximidades do açude de Siloé (ver sobre Siloé), que é bem conhecido quanto à sua localização exata, até os nossos dias. A queda da torre de Siloé, em cujo acontecimento pereceram dezoito homens, ainda estava bem fresca na memória dos ouvintes de Jesus. Tem havido debates sobre a identidade desses dezoito homens, embora isso seja questão sem importância. Uns teorizam que seriam trabalhadores que estavam fazendo obras na torre ou em algum outro projeto nas proximidades; e outros pensam que seriam prisioneiros que tinham sido encerrados na torre. O que Jesus deixou claro é que a morte daqueles homens não foi causada pela retribuição divina contra alguma pecaminosidade maior que a dos demais habitantes de Jerusalém. Isso aponta para a existência de segundas causas. Os judeus atribulam tudo à determinação divina (ver sobre o Determinismo), o que complicava o problema do mal, tanto em seu aspecto moral quanto em seu aspecto natural, além do que eliminava o fator da responsabilidade moral do homem. Essa opinião assemelha-se à idéia de **maktub** ou destino, dos islamitas.

SILOÉ, VILA DE

Apesar dessa pequena comunidade árabe não ser mencionada nas Escrituras, existe atualmente uma aldeia de Siloé (Silwan), situada do lado oposto do vale onde fica a fonte de Giom. Perto dessa vila foi encontrada pela arqueologia uma inscrição em hebraico, em um túmulo. Talvez se trate da inscrição de Sebna, o mordomo do rei, que foi repreendido por Isaías; (ver Isa. 22:15,16). Alguns estudiosos pensam que a torre de Siloé (vide), que ruiu, matando dezoito pessoas (Luc. 13:4), ficava localizada no local atualmente ocupado pela vila de Siloé. Mas há quem localize essa torre perto do açude de Siloé. Isso mostra que a arqueologia não tem podido identificar nem mesmo fragmentos dessa torre.

SILONITA

Esta palavra é um adjetivo pátrio, dando a entender alguém natural de Silo. O termo aparece em I Reis (11:29; 12:15; 15:29); I Crônicas (9:5) e II Crônicas (9:29 e 10:15). O adjetivo é aplicado a dois homens diferentes, no Antigo Testamento:

1. Aías, um profeta natural de Silo ou que atuava naquela cidade (I Reis 11:29; II Crô. 9:29). Ele rasgou a túnica de Jeroboão em doze pedaços, tendo profetizado que dez das tribos de Israel lhe seriam entregues nas mãos, para governá-las.

2. Um membro de uma família judaica que retomou à Palestina, após a exílio babilônico (I Crô. 9:5; Nee. 11:5). Eram pessoas cujos antepassados haviam residido em Silo, que, ao retomarem do exílio, estabeleceram-se em Jerusalém. Por causa de certas diferenças na listagem dos grupos, nessas passagens bíblicas, alguns intérpretes sentem que o nome deveria ser grafado como "Selé" (exatamente conforme o encontramos em nossa versão portuguesa) (cf. Gên. 38:5 e Núm. 26:20).

SILSA

No hebraico, "poder" ou "heroísmo". Ele foi cabeça do clã de Zofá, da tribo de Aser (I Crô. 7:37). Viveu em torno de 1500 a.C.

SILVANO – SIMÃO

SILVANO
Ver sobre **Silas**.

SILVANO, ENSINAMENTOS DE
Uma obra literária de origem gnóstica, descoberta em 1946 em Cenobósquiom, no Alto Egito. Trata-se de um tratado abstrato atribuído internamente a Silvano, companheiro de Pedro e de Paulo. Pode ser encontrado no código VII. Ainda não se determinou com exatidão a data provável de sua produção, e nem se sabe de seu autor verdadeiro. O que é indiscutível é que não pode ter sido escrita por Silvano ou Silas, que Paulo chegou a chamar de "apóstolo", juntamente consigo mesmo, em I Tes. 2:6.

SILVESTRE I, PAPA
As datas de seu pontificado em Roma, foram 314-335. Ele era o bispo de Roma quando Constantino mudou Roma de um estado pagão para um estado com governo cristão. Seu antecessor foi Miltíades (bispo de Roma entre 311 - 314 d.C.). Esses dois viram terminar as muitas décadas de perseguição romana contra os cristãos, e estiveram envolvidos na grande transição na qual a cristandade obteve grande influência política. Silvestre I mantinha relações de amizade com Constantino, e isso facilitou em muito a transição.

O documento falso, "Doação de Constantino", fabricado na Idade Média, mediante o qual a Igreja teria recebido propriedades e poderes mediante uma concessão do imperador Constantino, nem foi necessário para essa modificação histórica, mesmo houve tal doação, ainda que não de maneira e nem exatamente conforme se supôs séculos mais tarde. Ver sobre a Doação de Constantino. O relato que diz que Silvestre batizou pessoalmente a Constantino não passa de uma ficção. Mediante seu delegado, Hosius (acompanhado de dois padres), Silvestre I presidiu o concílio de Nicéia. E também teria efetuado dois concílios em Roma, condenando as heresias de Ário e de outros. Também aprovou os decretos do concílio de Arles (314 d.C.), acerca dos donatistas.

O *Liber Pontificales* afirma que Silvestre consagrou a basílica de São Pedro, erigida por Constantino. Outros edifícios foram construídos por sua ordem, como o laterano (antes um palácio imperial), que foi convertido na catedral de Roma; a igreja de São Paulo Fora das Muralhas, e a basílica do Palácio Sessoriano (Santa Croce). A obra Constitutio Sylvestri (Cânon de Silvestre), a ele atribuída, na realidade foi uma fabricação do século VI d.C. Todavia, alguns estudiosos pensam que o primeiro Martiriológio foi compilado em seus dias. Sua festa religiosa é celebrada no Ocidente; e, no Oriente, pelos gregos e sírios.

SILVESTRE II, PAPA
Seu nome verdadeiro era Gerberto. Suas datas aproximadas foram 940 - 1003. Foi eleito papa em 999, e foi o primeiro francês a ocupar o ofício. Quando ainda era bem jovem, ingressou no mosteiro de São Gerardo, em Aurillac. Depois, estudou na Espanha. Tornou-se célebre erudito nos campos da matemática e das ciências naturais. Ensinou em Reims. Tornou-se arcebispo de Reims, mas esse ofício acabou anulado. Acompanhou Oto III, imperador do Santo Império Romano, à Itália, e ali tornou-se o tutor privado do imperador na disciplina da matemática. Posteriormente, o imperador nomeou-o arcebispo de Ravena, na Itália. E, quando Gregório V faleceu, Silvestre II sucedeu-o como papa.

Uma vez papa, promoveu missões católicas a países eslavos, e criou ofícios eclesiásticos naqueles lugares. Segundo consta, enviou uma coroa de ouro a Estêvão, rei da Hungria. O fato de ter-se tomado papa não fez cessar seus interesses científicos. Escreveu compêndios sobre teologia, matemática e ciências naturais. Fabricou relógios, um globo e um astrolábio. Seus conhecimentos científicos eram tão notáveis que acabou sendo considerado mágico.

SILVESTRE III, ANTIPAPA
Tornou-se antipapa em 1045, tendo tomado o lugar de Benedito IX. Até então fora bispo de Sabina. Porém, no espaço de poucos meses, acabou expulso, e Gregório VI tomou o seu lugar. O concílio de Sutri removeu-o de todo ofício eclesiástico, e fê-lo internar-se em um mosteiro.

SILVESTRE IV, ANTIPAPA
Governou entre 1105 e 1111. Ocupou o ofício papal enquanto Pascal II esteve envolvido em seu longo conflito, acerca das investiduras, com os imperadores do Santo Império Romano, a saber, Henrique IV, Henrique V e Henrique I, da Inglaterra.

SIM
Ver sobre **Sin**.

SIM, DESERTO DE
Ver sobre **Sin, Deserto de**.

SIMÃO
Uma forma diminutiva de **Simeão**. "Deus ouviu". Mas alguns pensam que significa "nariz arrebitado". Nas páginas do Novo Testamento encontramos nada menos de dez homens com esse nome, a saber:

1. Simão, cognominado Pedro; "pedregulho" ou Cefas, palavra aramaica que significa "pedra" (Mat.4:18; 16:17,18). Ele era nativo de Betsaida, às margens do lago da Galiléia (João 1:44). Era filho de Jonas (Mat. 16:17), que alguns estudiosos pensam corresponder a João. Era pescador, juntamente com seu irmão, André, que o conduziu até Cristo, depois que o próprio André conhecera o Messias. Simão Pedro tornou-se o mais proeminente dos 12 apóstolos, *um primus inter pares* (primeiro entre iguais), um dos líderes da Igreja primitiva, em Jerusalém, e, posteriormente, autor de duas epístolas do Novo Testamento, que trazem o seu nome, I e II Pedro. Ver sobre Pedro, Simão.

2. Um outro dos doze discípulos de Jesus, Simão, cognominado de "o cananeu" (Mat. 10:4; Mar. 3:18), a fim de ser distinguido de Simão Pedro, e não que ele fosse um cananeu ou fosse natural de Caná da Galiléia porquanto era um zelote ou entusiasta. Em Lucas 6:15 e Atos 1:13 ele é corretamente chamado de o zelote, visto que era membro daquele partido político de judeus patriotas que se opunham com tanto empenho ao governo dos romanos sobre a Palestina, e apelavam fanaticamente para a violência, em seu ódio contra o jugo estrangeiro.

3. Um irmão do Senhor (Mat. 13:15; Mar. 6:3). Acerca dele, o Novo Testamento nada nos informa, além desse fato.

4. Um leproso que residia em Betânia, em cuja casa Maria ungiu a cabeça de Jesus com ungüento muito dispendioso, e que o Senhor considerou uma preparação para sua morte e sepultamento (Mar. 14:3-9; cf. João 12:1-8).

5. Um fariseu em cuja casa uma mulher pecadora da cidade ungiu os pés de Jesus com suas lágrimas e com ungüento. A crítica de Simão, somente em seus pensamentos, contra o ato praticado por uma mulher de

má fama, de tão baixa reputação, fez Jesus narrar uma parábola que ensinava a Simão, bem como a todos nós, a relação entre o perdão e a apreciação pessoal (Luc. 7:36-50). Jesus elogiou a mulher por seu amor e fé, e, com muito tato, repreendeu Simão, por sua falta de amor e fé.

6. Um homem de Cirene, no norte da África, que foi compelido a carregar a cruz de Jesus Cristo (Mat. 27:32; Mar. 15:21; Luc. 23:26). Marcos o chama de "pai de Alexandre e de Rufo", que eram figuras bem conhecidas dos leitores do evangelho de Marcos (provavelmente na igreja cristã de Roma; cf. Rom. 16:13). Por causa dessa relação, dificilmente Simão teria sido um homem de cor negra, mas antes, foi um dos muitos judeus que viviam em Cirene, mas que, naqueles dias, estava em Jerusalém, talvez a negócios.

7. O pai de Judas Iscariotes (João 6:71; 12:4; 13:2 26).

8. Ver sobre Simão, o Mago, acerca do qual damos um verbete separado.

9. O curtidor de Jope, em cuja casa Simão Pedro permaneceu por "muitos dias" (Atos 9:43; 10:6, 17,32). Sua casa ficava à beira-mar, fora das muralhas da cidade, porquanto as peles e os couros preparados por eles faziam os curtidores serem considerados cerimonialmente imundos para os judeus.

10. Um dos profetas e mestres da igreja de Antioquia, que impuseram as mãos, a mando do Senhor, sobre Paulo e Barnabé, para a obra missionária (Atos 13:1,2). O seu sobrenome, Níger, "negro", sugere uma origem africana. Se ele era natural de Cirene, tal como Lúcio (Atos 13: 1), então é concebível que ele tenha sido o mesmo Simão que transportou, por certo trecho do trajeto, a cruz de Jesus (Mar. 15:21).

SIMÃO, O CANANEU
Ver sobre **Simão**, ponto 2.

SIMÃO MACABEU
Ver o artigo geral sobre Hasmonianos(Macabeus).

1. *Família e Independência de Israel*

Foi o terceiro e último filho de Matatias que governou a Judéia, em resultado da revolta dos Macabeus. Simão Macabeu sucedeu seu Irmão Jônatas, tendo governado a Judéia entre 142 e 135 a.C. Sob Judá (ou Judas, forma grega do mesmo nome), foi obtida a liberdade religiosa, após as perseguições movidas por Antíoco IV Epifânio. Judas e seus partidários desejavam obter total liberdade política, embora ele tenha falecido antes de poder concretizar-se o seu ideal. E, quando Jônatas tornou-se o governante seguinte, o partido helenizante foi expulso, e os Macabeus assumiram, finalmente, o controle, com pulso firme. Sob Simão Macabeu, pois, os judeus tornaram-se inteiramente independentes do império sírio-seléucida.

2. *Relação com Demétrio*

O império sírio estava dividido em duas facções, a de Trifo e a de Demétrio. O primeiro era tutor do jovem rei Antíoco VI. Trifo fê-lo assassinar e fez-se coroar rei. Mas Simão era leal a Demétrio, embora sob a condição de que este reconhecesse a liberdade dos judeus. Os judeus, pois, foram isentados por Demétrio de pagar todas as taxas e tributos, o que significou que agora a Judéia estava politicamente livre. As datas judaicas começaram a ser contadas a partir do ano em que Simão se tornara "Sumo Sacerdote e Príncipe dos Judeus". Simão aproveitou se, então, da guerra civil síria para ampliar um pouco mais os seus territórios. Gazara (Gezer) a oeste de Jerusalém, foi conquistada, e dali foram expulsos seus habitantes gentios, tendo sido postos ali "homens que observavam a lei" no dizer de I Macabeus 13:43-48.

3. *Feitos Militares*

Houve mais um feito militar de Simão, a conquista da cidadela de Jerusalém, até então em mãos sírias, cuja guarnição teve de capitular pela fome. Isso deu autêntica liberdade a Jerusalém. Essa conquista teve lugar em maio de 142 a.C., revestindo-se de grande valor estratégico e simbólico. Não havia mais um único soldado inimigo na Judéia.

Simão também notabilizou-se em sua administração da justiça e no restabelecimento da lei judaica. Afinal, foi estabelecida a paz, e os judeus puderam voltar a atenção para o embelezamento do templo e para o estabelecimento de um governo viável.

4. *Governo de Simão*

Matatias e seus filhos tinham chegado ao poder na Judéia mediante uma revolução popular contra os governantes sírios. Eles não tinham quaisquer direitos ao trono. Mas a legitimidade foi dada a Simão. No terceiro ano de seu governo, em setembro de 141 a. C., uma grande assembléia declarou que Simão era o sumo sacerdote, o comandante militar e o governador civil "para sempre, até levantar-se um profeta fiel" (I Macabeus 14:41). Seu domínio civil e eclesiástico foi declarado hereditário. Isso deu origem à dinastia hasmoneana.

5. *Embaixada a Roma*

Foi por esse tempo que Simão enviou uma embaixada a Roma, procurando obter o reconhecimento oficial romano. Os romanos enviaram de volta, como presente, um escudo de ouro de mil minas. Os romanos, mediante o senado, reconheceram a liberdade territorial dos judeus, informando de sua decisão os governos do Egito, da Síria, de Pérgamo, da Capadócia, da Pártia e de numerosos estados menores das regiões gregas e da Ásia Menor. Os judeus malfeitores, que haviam fugido da Judéia, foram repatriados. Todavia, esse foi o começo da dominação romana na Palestina. Os romanos ficaram somente à espreita de uma boa oportunidade para intervir; mas isso não ocorreu enquanto Simão era vivo. No entanto, chegamos ao Novo Testamento e à Palestina nas mãos firmes dos romanos. Sabe-se a sobejo que foi por permissão de Pôncio Pilatos, governador romano da Judéia, que Jesus de Nazaré foi crucificado, após um julgamento religioso e outro civil nos quais a inocência de Jesus teve de ser reconhecida. "Ora, os principais sacerdotes e todo o Sinédrio procuravam algum testemunho falso contra Jesus, a fim de o condenarem à morte. E não acharam, apesar de se terem apresentado muitas testemunhas falsas (Mar. 26:59,60). "Apresentastes-me este homem como agitador do povo; mas, tendo-o interrogado na vossa presença, nada verifiquei contra ele dos crimes de que o acusais. Nem tão pouco Herodes, pois no-lo tornou a enviar. É, pois, claro, que nada contra ele se verificou digno de morte" (Luc. 23:14,15).

6. *Morte Violenta*

Mas, voltando a Simão, tal como seus irmãos, ele teve morte violenta, às mãos de seu traiçoeiro genro, Ptolomeu. Em uma festa oferecida por este, Simão e dois de seus filhos foram mortos à traição. Um terceiro filho de Simão, João Hircano, que não estava presente ao banquete, sobreviveu para tornar-se o próximo sumo sacerdote dos judeus.

SIMÃO MAGO
No grego, **Símom, o mágos**. Esse foi o mágico espertalhão que Filipe e os apóstolos Pedro e João conheceram em Samaria.

1. *O Relato de Atos 8.9-24*

SÍMBOLO, SIMBOLISMO

Tendo descrito o martírio de Estêvão, Lucas diz que os cristãos foram "dispersos pelas regiões da Judéia e Samaria" (Atos 8: 1), e que eles "iam por toda parte pregando a palavra" (Atos 8:4). E, então, ele volta a atenção particularmente para a atuação de Filipe, na cidade de Samaria, a capital da província do mesmo nome. Deus estava com ele, e as multidões acudiam, "vendo os sinais que ele operava" (Atos 8:6). Estava iniciada a segunda fase da evangelização, conforme Jesus predissera que aconteceria, em Atos 1:8: "... sereis minhas testemunhas tanto em Jerusalém, como em toda a Judéia e Samaria, e até aos confins da terra". No ministério do evangelista Filipe, pois, Lucas refere-se a dois incidentes notáveis: seu encontro com Simão Mago, e, após a evangelização de Samaría, e a evangelização do eunuco etíope.

No caso de Simão, Lucas sumariou muito material informativo. Ali ficamos sabendo que Simão, mediante suas artes mágicas, havia conseguido atrair muitos seguidores na cidade de Samaria. O título que ele assumiu: "o poder de Deus, chamado o Grande Poder" (Atos 8:10), encontra símiles em outros casos parecidos, dos quais as crônicas históricas nos falam.

SÍMBOLO, SIMBOLISMO
I. Definições e Usos
II. Origens
III. Símbolos da Bíblia
IV. Sonhos e Símbolos
V. Artigos para Consulta

I. Definições e Usos

A palavra "símbolo" é uma combinação de duas palavras gregas transliteradas, *syn* (com) + *ballein* (lançar), isto é, *comparar* uma coisa com outra ao lançá-las uma junto com a outra. Símbolo é algo que sugere outra coisa mediante um relacionamento, uma associação, como, por exemplo, um leão simbolizando a coragem. A *metáfora* usa o verbo ser: a Babilônia, o leão, devorou Judá. Empregando um *símile*, poderíamos dizer, a Babilônia, *como* um leão, devorou Judá: símiles usam *como* e *igual*, mas têm a mesma função de uma metáfora. *Parábola* é uma história que ilustra um ou mais princípios, sejam morais, espirituais, mundanos ou práticos. *Alegoria* é um tipo de parábola na qual *animais* personificam pessoas ou coisas. A mente humana está equipada com uma variedade de modos comparativos e ilustrativos para tornar os significados mais claros. As metáforas são numerosas na Bíblia. Ver no *Índice* da *Enciclopédia de Bíblia, Teologia e Filosofia* uma extensa lista de tais usos.

O Antigo Testamento não tem uma palavra que possa ser transliterada diretamente como *símbolo*, mas *oth* (sinal) chega perto (ver Gên. 1.14; 9.13). Há também *mopheth* (uma maravilha, em Êxo. 4.21). No Novo Testamento temos *semeion* (sinal, Apo. 12.1, 3; 13.13) e *teras* (prodígio, Mat. 24.24; Atos 2.19, 22, 43). Essas coisas podem funcionar como símbolos de poder divino, ou como lembretes de que Deus dá *sinais* aos homens para atrair sua atenção. Usar símbolos significa transmitir idéias e ensinar lições.

II. Origens

A mente humana foi constituída para empregar símbolos, metáforas, símiles, parábolas e alegorias. O símbolo é provavelmente uma função tanto espiritual (alma) quanto cerebral. Geralmente há algumas semelhanças entre o objeto empregado como símbolo e seu paralelo. Um riacho cheio e com fortes corredeiras pode fazer-nos lembrar de um animal feroz, portanto o animal torna-se um símbolo do riacho. Sem dúvida, alguns símbolos presentes nos sonhos e visões são revelatórios, dados ao homem por alguma fonte divina exterior, ou, em casos drásticos, resultado da ação de poderes negativos ou demoníacos. Nesses casos, os símbolos podem confundir a mente, o ser e até certo ponto tornar-se impossíveis de ser descritos, de modo que a comunicação se dá através das sensações, e não por meio da lógica.

III. Símbolos da Bíblia

A maioria dos símbolos bíblicos são inspirados na vida diária e em objetos comuns e físicos. A luta entre o bem e o mal, entre o claro e o escuro, está ligada à *guerra* (Sabedoria de Salomão 5.17-20; Efé. 6.11-17; I Tim. 6.12; Apo. 12.17). O *fogo* pode simbolizar a Teofania divina (manifestação de Deus através de anjos etc.). Na literatura apocalíptica, os símbolos às vezes podem ser *estranhos*, mas isto está em linha com o lado mais escuro da psique humana. Portanto, temos animais temerosos e criaturas fantásticas que têm pouca semelhança a criaturas comuns. A numerologia também entra em cena, e os números tornam-se símbolos misteriosos de algo, como o 666 do anticristo, O Um ou o Três de Deus, e o sete da perfeição.

Personagens da Bíblia tornam-se símbolos do bem e do mal ou de outras qualidades, como coragem, fé, sabedoria etc. Adão, Abel, Caim, Abraão, Moisés, Noé, Salomão simbolizam coisas através da essência de suas ações. Alguns nomes podem ser símbolos, como o divino "Eu Sou", ou o tetragrama sagrado, YHWH, que significa o Deus Eterno. Emanuel é "Deus está conosco" e *christos* é aquele que foi abençoado, que tem a função de Messias e Salvador. Os ofícios dos profetas, sacerdotes e reis simbolizam os elevados ofícios do Filho. Partes do corpo humano, como o olho, a mão, o coração, os rins e os intestinos, simbolizam estados morais e espirituais e também verdades. E, é claro, todos os sacrifícios e ofertas no Antigo Testamento têm significado na pessoa e no ministério de Jesus, o Cristo, como o livro de Hebreus explica extensivamente.

Há, então, os sinais dos pactos, tais quais a *manutenção do sábado* como símbolo do pacto mosaico, e a circuncisão como símbolo do pacto abraâmico.

Certas *ações* simbolizavam verdades espirituais e morais, como a compra, por Jeremias, do campo em Anatote (Jer. 6-44), que demonstrou sua fé na restauração de Judá do cativeiro babilônico. Oséias ilustrou a falta de fé de Israel em Yahweh ao casar com uma mulher prostituta (Osé. 1.2, 36-9; 3.1-3).

No Novo Testamento, o rito do *batismo* (Rom. 6.3-4) simbolizava a dedicação total de uma pessoa a Cristo, sendo enterrada e levantando-se com Ele, em completa identificação. A *eucaristia* (I Cor. 11.23 ss.) ilustra a participação do crente nos benefícios e nas exigências da expiação. Os *milagres* de Cristo e de Seus apóstolos eram sinais ou símbolos do poder maior que toca a vida dos homens para transformá-las. O *domingo* tornou-se um sinal do poder da ressurreição que ajuda uma pessoa a levar uma vida nova (Apo. 1.10). A *cruz* de Jesus tem muitos simbolismos, incluindo a morte para o mundo que possibilita uma nova vida; a dedicação total a uma causa; a expiação, o sofrimento vicário; um ponto de tropeço dos que não são crentes. Ver os artigos sobre *Cruz* na *Enciclopédia de Bíblia, Teologia e Filosofia*, especialmente na seção II, *Simbolismos Neotestamentários*, e *Cruz de Cristo, Efeitos*, onde apresento muitas idéias com referências.

IV. Sonhos e Símbolos

Uma pessoa pode ter de 20 a 30 sonhos por noite,

SÍMBOLO, SIMBOLISMO – SÍMBOLO E CONHECIMENTO

passando cerca de 2,5 horas de seu período de sono sonhando. O sonho fornece uma linguagem de sinais primitiva, que muitas vezes é ilógica e difícil de decifrar. A questão é complicada pelo fato de que um símbolo pode significar mais de uma coisa, da mesma forma que uma palavra em um dicionário pode ter mais de uma definição. As pessoas em estado consciente podem não ser capazes de interpretar seus símbolos, mas a mesma pessoa hipnotizada os entenderá nessa forma alterada de consciência. No homem, os símbolos dos sonhos são acompanhados pela linguagem, mas a linguagem empregada é muitas vezes tão misteriosa quanto os próprios símbolos. Embora a maioria dos símbolos dos sonhos envolva apenas o "cumprimento do desejo" (como dizia Freud), sonhos psíquicos (incluindo precognição) e sonhos espirituais têm como objetivo fazer crescer nossa espiritualidade. Forneço um artigo detalhado sobre *Sonhos* tanto no *Dicionário* do *Antigo Testamento Interpretado* como na *Enciclopédia de Bíblia, Teologia e Filosofia*.

V. Artigos para Consulta

Ver sob os títulos *Símbolo, Simbolismo, Tipos* na *Enciclopédia de Bíblia, Teologia e Filosofia*. Esses artigos incluem abordagens teológicas e filosóficas do assunto e dão muitas informações que não foram apresentadas aqui.

SÍMBOLO, SIMBOLISMO, TIPOS

Esta enciclopédia oferece vários artigos que estudam a questão dos símbolos, como segue:
Símbolo; Simbolismo (que entra significativamente na questão dos símbolos da Bíblia)
Símbolos, Histórico-Cristãos
Símbolos e o Conhecimento
Símbolos na Filosofia

A ordem de apresentação dos artigos é essa. Ver os artigos Tipos, Tipologia e Alegoria. No Índice, ver Metáfora, Metáforas (Símbolos) onde uma lista extensiva delas é apresentada.

SÍMBOLOS E O CONHECIMENTO

A própria linguagem humana consiste em símbolos. Isso posto, a verdade é que tudo quanto se diz é mediado por símbolos. Ficamos por demais impressionados com o nosso conhecimento quando levamos os símbolos por demais a sério. Porém, quando entendemos que aquilo que dizemos meramente simboliza a verdade, e não, necessariamente, a própria realidade, então isso nos mantém na humildade e isso nos propicia o avanço espiritual. Toda verdade que conhecemos nos é apresentada por meio de parábolas. Procuramos entender Deus e usamos uma linguagem que descreve o homem; e então, dizemos que "Deus é como isso, embora em grau infinito". Mas, não fica claro quanta verdade podemos exprimir a respeito de Deus, usando esses antropomorfismos.

Penso que é auto-evidente que nossas teologias e filosofias nos oferecem uma visão fragmentada da verdade. Nosso conhecimento é parabólico. Em suas religiões, os homens fazem os símbolos da verdade parecerem concretos. E então, partindo dos símbolos concretizados, eles produzem dogmas. Os sistemas religiosos (as denominações formam-se em redor de dogmas) são formados mediante esse processo. Os dogmas são estagnados. E o seguinte absurdo passa a ser proferido: A minha fé religiosa (o meu sistema) é a revelação final de Deus, até o amanhecer da eternidade. Esse processo nos distancia da verdade, em vez de aproximar-nos dela, e sempre será contaminado pelo orgulho humano.

Um homem qualquer tem uma visão sobre alguma espera celestial. Embora algum contato genuíno com outra dimensão possa ter sido alcançado, porque aquela dimensão é, realmente, outro tipo de realidade, que aquele homem nunca antes havia experimentado (portanto, para a qual ele não possui descrições), a sua visão forçosamente usa símbolos que se acham dentro das categorias de coisas que ele já conhece. Conseqüentemente, se um homem ver uma habitação celeste, fatalmente verá edifícios feitos de pedras preciosas, ruas de ouro e portões de pérolas. Tudo isso pode ser glorioso, mas está relacionado a coisas que o homem já conhece, enquanto que a realidade daquela habitação pode ser, de fato inteiramente diferente dos símbolos utilizados. Se um homem descrever entidades espirituais (incluindo o próprio Deus), tais entidades serão, inevitavelmente, descritas em termos antropomórficos. Porém, na verdade, tais entidades pertencem a uma ordem de realidade totalmente diversa, que nossas mentes não são capazes de descrever ou mesmo entender muito bem. Daí surge a necessidade de alguma representação parabólica que utiliza símbolos que adquirem algum sentido para nosso tipo de mentalidade. Portanto, tal visão é uma parábola, e não uma representação direta da realidade do além. E a informação assim fornecida pode ser expressa como segue: "Existem, realmente, realidades mais altas e gloriosas do que a nossa. A alma humana tem um destino que está envolvido nessas realidades". Essas realidades nos são apresentadas sob a forma de símbolos, que podem revestir-se de algum significado. Porém, não nos deixemos enganar. Não teremos visto e nem entendido a natureza daquilo que é totalmente diferente.

Os símbolos orientam-nos na direção de algum conhecimento mais elevado, mas esses símbolos não são a substância desse conhecimento. Aquele que continua honestamente a inquirir pela verdade, receberá uma iluminação crescente. Aquele que faz estagnar a verdade, ele mesmo ficará estagnado quanto ao seu conhecimento. Até mesmo as palavras isoladas, que nos falam de profundas verdades, são em si mesmas, parabólicas. Isso é assim porque não compreendemos direito o sentido dos vocábulos, e porque temos a tendência de usá-los de uma maneira trivial e restrita. Entre as palavras parabólicas poderíamos mencionar: Deus, Cristo, julgamento, destino, desígnio, vida eterna, céus, inferno, verdade. Existem ainda muitos outros termos. As palavras permitem-nos compreender algo, mas as implicações dessas palavras são tão vastas que muita riqueza de significação perde-se na mera manipulação das palavras e da linguagem.

Os Sistemas Estagnam e Obscurecem a Verdade

Os sistemas, incluindo as denominações religiosas, limitam a verdade, fazendo-a encaixar-se em moldes apertados. Retiram todo mistério da verdade, transmutando-a em meras coisas humanas, que podem ser entendidas pelas limitadas faculdades humanas.

Os sistemas são quais províncias. Uma província, em um país, é apenas parte do total. Mas, se os cidadãos daquela província forem bastante arrogantes, poderão enganar-se ao ponto de pensar que eles são "o povo". Assim, podemos afirmar que os sistemas são provinciais em sua abordagem da verdade, estabelecendo falsos padrões de julgamento sobre o que é a verdade. Vêem a verdade conforme são, e não da maneira como ela é. As pessoas têm a tendência de aderir a credos limitados, desejando obter conforto mental. E qualquer coisa que perturbe esse conforto mental será rotulado como falso, como uma heresia. Mas, não nos enganemos: algum dia tais pessoas terão que enfrentar o problema do conhecimento pleno, pondo de lado as cadeias autoritárias que os têm prejudicado. Quando isso acontecer, então, a

SÍMBOLO E CONHECIMENTO – SÍMBOLOS HISTÓRICOS

iluminação estará a caminho, porquanto isso exigirá mentes abertas, como é claro. As mentes fechadas agradam aos homens; as mentes abertas convidam à iluminação.

Uma visão que ilustra quão inadequados são os sistemas e a união que, finalmente, Impor-se-á:

De súbito, um vale escuro, abriu-se diante de mim, e antes de eu poder registrar qualquer coisa na mente, fui absorvido por ele. Uma iluminação mental prontamente informou-me que o vale simbolizava a essência da rebeldia, do pecado e da morte. O lugar não tinha qualquer colorido, mas estava coberto de cinzas e sombras sinistras. Montanhas altas e íngremes fechavam o vale, cobertas por lúgubres nevoeiros, não mostrando formas distintas. Fui obrigado a atravessar o vale; mas, quando comecei a fazê-lo, seu terror encheu a minha alma. Seus elementos sombrios estendiam-se como se fossem vivos, e me agarraram. Senti que minhas forças vitais estavam sendo estranguladas. As essências melancólicas do vale me foram sufocando como se fossem outras tantas criaturas nojentas, cujos tentáculos me seguravam e oprimiam. Comecei a divisar multidões de tropas, e ouvi o trovão blasfemo de estampidos e explosões de bombas. Corpos apodrecendo, montões de lixo e milhares de coisas imundas emanavam odores repugnantes, que tomaram conta do meu olfato. Testemunhei inúmeras mortes, e ouvi os soluços dos desolados. Grande desespero engolfou-me.

De súbito, vi emergir uma gigantesca bola de fogo na extremidade oposta do vale. Sua radiação luminosa, desde aquela distância, era uma visão assustadora. Porém, compreendi que nada precisava temer daquelas chamas. Com alegria, observei que a bola de fogo ia consumindo cada miséria existente no vale. Então, as chamas difundiram-se na forma de luz e calor radiantes, engolfando toda a minha visão. O próprio vale foi consumido. E também fui consumido com o vale, porquanto senti a desintegração de cada célula do meu ser.

O furor de um vento ardente levou-me para cima e para o além, e pude descansar em um lugar onde reinava a paz. Uma luz dourada envolvia tudo o que existia ou pode existir, formando uma unidade harmoniosa. Eu sabia que o fogo que havia consumido o vale, bem como a áurea luz de paz, eram aspectos de uma mesma força. Para além do desespero, da contenda, da complexidade e da dispersão, existe um Deus, misterioso nas suas operações, dotado de amor indescritível. Eu sabia que todas as coisas e todos os seres devem, afinal, descansar Nele, porque não podem existir fragmentos isolados do Total, afinal de contas. Objetos de uma beleza ofuscante passaram diante dos meus olhos, cristais intrincados, diamantes que haviam captado todos os arco-íris, cálices muito ornados, todos a rebrilhar com um resplendor sobrenatural.

Para minha surpresa, o brilho áureo passou a formar um círculo giratório em grande velocidade. Eu observava, pasmado, porquanto sabia que alguma importante mensagem estava prestes a ser-me comunicada por aquele círculo luminoso. Eu via todas as nações, raças e povos, bem como todas as épocas, serem varridos para dentro do círculo giratório, que ganhava uma assustadora velocidade. A roda radiante parecia estender-se até o infinito. Em suas bordas, eu via os símbolos de todas as religiões e filosofias do mundo. Mas, a despeito da velocidade de rotação do círculo, cada símbolo conservava a sua independência. Cada um desses símbolos convidava-me com grande força compelidora. Mas, exatamente no momento em que eu já cedia a seu apelo, notei as deficiências de cada símbolo, e afastei-me. Em seguida, o círculo luminoso ganhou ainda maior impulso, e os símbolos não puderam manter-se nítidos uns dos outros, tendo sido absorvidos pela voracidade do brilho áureo. Tudo foi inundado pelo calor da bondade e do amor, até que, afinal, reinou uma unidade abençoada. Naquele instante, entendi: por aquela Unidade é que eu havia almejado e procurado durante toda a minha vida. Ali estava a essência mesma de minha busca, embora eu não soubesse bem pelo que estivera procurando.

Um amor todo-acolhedor: Deus como se fosse um fogo no vale, Deus no círculo áureo e rebrilhante, Deus em ti, Deus em mim, Deus em tudo, finalmente, quando o mistério de sua vontade estiver consumado descansaremos em Deus, afinal.

Aquela visão falava tanto da morte quanto do renascimento final para todos. Foi-me mostrando que todos os nossos sistemas são incompletos e terão de ser absorvidos, em última análise, por uma Grande Unidade. Aquela visão não teve a intenção de ensinar que não devemos fazer parte de algum sistema; meramente mostrou a natureza fragmentar e transitória de nossas teologias e filosofias. De fato, a maior força na terra, hoje em dia, é a Cristo-Consciência. Foi ali que o Logos implantou as suas mais vigorosas sementes. Essa força impele-nos na direção da Unidade, ainda que, no estado atual das coisas, ela possa habitar em vários sistemas distintos. Inspirado, Paulo ensinou a substância daquilo que agora declaro:

"Consideremos o mistério da vontade de Deus, isto é, o que ele pretende realizar, por fim. Deus tinha um propósito na missão de Cristo, e esse propósito estava envolvido no mistério. Deus tinha um plano, e a concretização desse plano é a substância mesma do mistério. Quando todas as eras do tempo tiverem contribuído com a sua parcela, surgirá uma nova ordem de existência. Essa Nova Ordem será uma Unidade Todo-Acolhedora, uma Unidade de todos os seres e de todas as coisas em Deus" (ver Efé. 1:9,10). Ver sobre o *Mistério da Vontade de Deus*. A natureza fragmentar do ser, com parcelas da verdade espalhadas por inúmeros sistemas, reduz o nosso conhecimento a meros símbolos e parábolas. Nossos símbolos são instrutivos e importantes, mas grandes Realidades jazem para além dos mesmos, e que só gradualmente revelam-se aos inquiridores. Ver o artigo intitulado *Rationes Seminales (Logoi Spermatikoi)*.

A revelação divina limita-se às faculdades de recepção humanas, e enquanto persistir essa condição, teremos de contentar-nos com um mero conhecimento simbólico.

SÍMBOLOS, HISTÓRICO-CRISTÃOS

Os símbolos sempre foram importantes para a fé religiosa. Até onde posso ver as coisas, estão por trás da teologia sacramental. Ver sobre *Sacramentos*. Quando os homens exageram a importância dos símbolos, estes tornam-se sacramentos. As realidades com freqüência são pouco compreendidas, ou são tão complexas ao ponto de não poderem ser reduzidas a fórmulas. É nesse ponto que os homens inventam símbolos que fazem as realidades tomarem alguma forma compreensível. Para o indivíduo religioso, símbolos como a cruz, a âncora, uma torre de igreja, a mão erguida, a mão estendida para abençoar, o sacrifício de um animal, o altar de um templo, etc., podem falar muito. Grandes acontecimentos também podem ser representados por símbolos, como uma coluna, uma bandeira, uma inscrição ou desenhos geométricos.

Nossas reações fisiológicas aos símbolos podem ser complexas, sutis e não bem-entendidas, racionalmente falando. Uma pilha de pedras é um símbolo cru para indicar um acordo, como o pacto que foi estabelecido entre Labão e Jacó. Trata-se de um símbolo simples, mas os eventos

SÍMBOLOS HISTÓRICOS – SIMEÃO

por trás do mesmo foram complexos e carregados de emoção. Podemos dizer a uma criança "Eu te amo", e essas simples palavras transmitem muita vida, muitos sentimentos profundos, muitos planos para o futuro. Um símbolo que envolva questões religiosas pode despertar a fé e direcionar a nossa atenção e as nossas reações.

O Visível e o Invisível. As grandes coisas essenciais da fé religiosa são aquelas que não podem ser vistas, mas que podem ser simbolizadas por alguma coisa. Nosso conhecimento e nossa fé esforçam-se por penetrar nas realidades eternas e invisíveis, e os símbolos ajudam-nos nesse esforço. Diz II Cor. 4:18: "... não tentando nós nas cousas que se vêem, mas nas que se não vêem, porque as que se vêem são temporais, e as que se não vêem são eternas". Os credos e confissões de fé são uma espécie de símbolo, reduzido à forma escrita. São símbolos de nossa fé, e os poucos itens ali representados indicam nossas expectativas.

Marcas Identificadoras Cristãs. Nos dias de perseguição contra os antigos cristãos, foram usados símbolos e sinais para representar alguma verdade que os pagãos perseguidores não entendiam. Assim, a sigla grega IHS era abreviatura da palavra Jesus (no grego, IHSOUS); XPI era abreviação de XPISTOS (Cristo). Seiscentos e sessenta e seis (666) era abreviação do nome do futuro anticristo, representado por Nero César ou Domiciano. Babilônia era símbolo da cidade de Roma. Os ofícios e obras de Cristo eram representados como sendo ele a Porta, o Caminho, o Pão da Vida, a Água da Vida, etc.

Em anos posteriores, os cristãos chegaram a usar as artes para incorporar símbolos em suas edificações. Apareceram xilogravuras, pinturas, letras e vitrais. O Senhor Jesus, em meio a outras personagens, em alguma pintura, era representado cercado por uma nuvem nimbus ou nuvem luminosa, em torno de sua cabeça, ou por um simples círculo. Sua cruz foi ornada de raios, que dali emanavam. Os evangelhos eram representados por animais, por empréstimos extraídos do livro de Ezequiel: Marcos, o boi; Mateus, o querubim; Lucas, o leão; e João, a águia. A suposta superioridade de Pedro era assinalada pelo fato de ele brandir duas chaves. André aparecia deitado sobre uma cruz; e Paulo brandia uma espada e segurava um livro. Isaías segurava uma serra (relacionada ao seu martírio). Noé segurava uma cópia em miniatura da arca. Estêvão aparecia com pedras lançadas aos seus pés. A arte da era medieval multiplicou esses símbolos. O simbolismo dos números foi exagerado a um ponto absurdo. Ver o artigo intitulado *Número (Numeral, Numerologia).*

Outros Símbolos Significativos:
Deus: o olho que a tudo vê, o braço poderoso estendido, a nuvem luminosa.
Cristo: o peixe, a porta, o caminho, a sigla IHS ou o simples X para representar a palavra "Cristo".
A Estrela: a epifania de Cristo.
A Âncora: a esperança cristã.
O Pavão: a ressurreição com sua variada beleza.
A Borboleta: a imortalidade.
O Pássaro: a alma.
A Cruz: símbolo geral do cumprimento da missão de Cristo e sua expiação, o cristianismo em geral, um símbolo de bênção e proteção.
A Mão Imposta: bênção, cura, consolação.
O Batismo: purificação, identificação com Cristo, união com Cristo, regeneração.
A Ceia do Senhor: a expiação, a futura esperança na parousia, a comunhão com Cristo, a nutrição espiritual.
O Pão: a eucaristia.
A Água: o Espírito Santo e a purificação pela Palavra.

O Peixe merece uma atenção especial. As letras gregas IXTHUS (que formam a palavra "peixe", no grego), revestem-se todas de significação: I (Jesus); X (Cristo); THU (Deus), S (Salvador).

SÍMBOLOS NA FILOSOFIA

Nosso vocábulo **símbolo** vem do grego, **súmbolon**, "um lançar junto", dando a entender algum "sinal", alguma "marca" que infere alguma coisa. Essa palavra era usada com o sentido de "acordo" ou "sinal".

Nas religiões, os símbolos são comumente considerados como representações materiais, verbais ou místicas de realidades ou verdades transcendentais. Nos sistemas lógicos ou científicos, o termo normalmente é usado no sentido de algum sinal abstrato. Ver os artigos separados *Símbolo, Simbolismo; Símbolos Histórico-Cristãos; Símbolos e o Conhecimento, Os.*

Idéias dos Teólogos e Filósofos:

1. *O pensamento cristão antigo* tomava seus símbolos por empréstimo das Escrituras, mormente do Novo Testamento. Importantes símbolos cristãos são a água, o pão, o vinho, a cruz, o peixe, etc. Comentei o suficiente sobre isso, no artigo chamado *Símbolos Histórico-Cristãos.*

2. *Vários teólogos* têm reconhecido a natureza simbólica dos dogmas e das doutrinas que procuram dizer alguma coisa, ainda que de forma fragmentar, acerca de seres e realidades eternos. Comentei longamente sobre essa situação no artigo *Símbolos e o Conhecimento, Os.*

3. *Peirce* falava sobre os símbolos da linguagem, afirmando que se trata de palavras cujas conotações são convencionadas por grande número de pessoas. Assim é que surgiriam os idiomas humanos.

4. *Bertrand Russell* considerava as classes como símbolos incompletos, que podem ser substituídos por descrições.

5. *Urbano* falava sobre símbolos que operam através da arte e da religião. Esses seriam capazes de penetrar na realidade, contendo algo do caráter das coisas simbolizadas.

6. *Cassier* considerava o homem um animal que usa símbolos. Os sistemas humanos de conhecimento da filosofia, da religião e da matemática, contêm diferentes conjuntos de símbolos. Os sinais científicos seriam extensivos, ao passo que os símbolos dos mitos e religiões seriam *intensivos.*

7. *Tillich* usava a palavra "símbolo" dentro de um contexto teológico. Os símbolos, para ele, participam da realidade que simbolizam, embora de modo parcial e imperfeito. Conforme as idéias teológicas vão-se desenvolvendo, os símbolos nascem, perduram por algum tempo e então morrem, e então são substituídos por melhores símbolos.

8. *Susanne Langer* também reputava o homem um "animal que usa símbolos". As definições dos dicionários eram para ela, "representações simbólicas". Mas os símbolos usados pela arte, pela filosofia e pela religião eram por ela rotulados de "símbolos não-consumados", porquanto os seus significados acham-se em estado de fluxo e desenvolvimento.

SIMEÃO

Esta é uma palavra hebraica que significa "audição", possivelmente com a idéia de "(Deus) ouviu". O *on* do hebraico (*ão* em português) é um diminutivo que indica um nome pessoal. A raiz é *shama*, "ouvir". A idéia é de que Yahweh ouviu o chorar da mãe por um filho e concedeu-lhe um descendente.

SIMEÃO – SIMEI

1. Este foi o nome do segundo filho de Lia, uma das mulheres de Jacó (Gên. 29.33). A época foi em torno de 1925 a.C. Este homem cooperou na terrível empreitada de vender o irmão José para ser escravo no Egito. Outro evento notável em sua vida foi a matança de Siquém, que havia seduzido e violado a irmã dele, Diná (Gên. 34.25-31). Este ato forçou Jacó a mover a família para o sul, para Betel, a fim de evitar a vingança do povo de Siquém. Quando os filhos de Jacó foram ao Egito, buscando grãos em uma época de fome, José, o irmão que havia sido vendido como escravo mas havia assumido um alto cargo naquele país, reteve Simeão como refém para garantir que, quando os outros retornassem, trouxessem Benjamim, o único irmão completo de José (os únicos dois filhos da favorita Raquel). Ver Gên. 42.24, 26. A família inteira, incluindo Simeão, estabeleceu-se no Egito, a terra da abundância na época, e, assim, a nação de Israel desenvolveu-se naquele local e teve de ser libertada por Moisés de seu primeiro cativeiro. A bênção no leito de morte e o pronunciamento de Jacó sobre Simeão indica que ele era um homem esperto, mas cheio de raiva e crueldade (Gên. 49.5-7).

2. A *tribo chamada Simeão* foi formada por descendentes desse homem, idéia negada por liberais e críticos que supõem não haver como indicar um único progenitor para essa ou para qualquer das doze tribos de Israel. De qualquer forma, através da conquista da Terra (Palestina) por Israel, foi alocada à tribo de Simeão uma área ao sul que incluía Berseba. O status independente da tribo logo foi perdido, quando ela se mesclou com outras tribos. O censo feito em Núm. 1 e 26 mostra que esta tribo perdeu mais de 27 mil membros. A herança dessa tribo foi muito limitada; ela recebeu certas vilas dentro dos limites de Judá (Jos. 19.2-9; cf. 15.20-63). Para informações gerais, ver o artigo *Tribo (Tribos de Israel)*. Ver ainda *Tribos, Localização das*, especificamente a seção IV.1, que trata da tribo de Simeão e dá mais detalhes do que os fornecidos aqui.

3. Um israelita que foi forçado a divorciar-se de sua mulher pagã depois do retorno de Judá do cativeiro babilônico, quando Esdras e Neemias forçaram o cumprimento da lei mosaica para a Nova Israel. Ver Esd. 10.31.

Outras pessoas chamadas de *Simeão* levam-nos além da época do Antigo Testamento:

1. Um bisavô de Judas Macabeu I (I Macabeus 2.1).

2. Um ancestral de Jesus, o Cristo, mencionado em sua genealogia em Luc. 3.30.

3. Um israelita justo e devoto que tinha o dom da profecia e recebeu as informações de que não morreria até que tivesse pessoalmente visto o Messias prometido. Isto ocorreu como registrado em Luc. 2.29-32. Sua famosa oração deu origem à fórmula de despedida, *Nunc Dimittis*: "Senhor, agora deixe seu servo ir embora". Tendo visto o "Senhor", o Messias de Yahweh, ele estava pronto para partir desta vida, e realmente o fez, cheio de alegria. É uma bênção especial da graça de Deus quando um homem pode cumprir toda a sua missão e "voar", sabendo que seu trabalho foi realizado com sucesso. Oh, Senhor, conceda-nos tal graça!

4. O nome de um profeta e professor do Novo Testamento na Antioquia (Atos 13.1). Seu nome gentio era Niger. Ele provavelmente era um judeu por nascimento e o nome alternativo facilitava a circulação no "mundo externo" controlado por poderes pagãos. Juntamente com outros, ele era sensível à liderança do Espírito no comissionamento de Paulo e Barnabé para a viagem missionária no mundo gentio. Foi ali que nasceram as missões estrangeiras.

5. Tiago (Atos 15.14) usou este nome para designar Pedro, que também era chamado de *Simão* (Mat. 4.18; 10.2; 13.55).

SIMEÃO

No hebraico, **audição**. Na Septuaginta, **Sumeón**. Embora, no hebraico, encontremos a mesma forma que aquela usada para indicar o nome de um dos filhos de Jacó, algumas traduções fazem uma diferença na grafia, quando se trata de dar o nome a um homem referido em Esdras 10:31. Nossa versão portuguesa, entretanto, grafa o nome de ambos da mesma maneira. O Simeão do livro de Esdras aparece como um dos filhos de Harim. Ele aceitou divorciar-se de sua esposa estrangeira, após o retorno para a Palestina, dos exilados judeus para a Babilônia. Esdras acusou os transgressores de serem culpados, solicitando a lealdade deles à lei, despedindo suas esposas estrangeiras. Muitos dos ofensores eram levitas e outros pertenciam aos "de Israel". Simeão pertencia a este último grupo (Esd. 10:31). O livro apócrifo de I Esdras (9.32) o chama de Simão Chosomeu. Viveu por volta de 445 a.C.

Ainda um outro Simeão é referido em I Crônicas 4:20, como cabeça de uma família ou clã de Judá (I Crô. 4:20). No hebraico, porém, seu nome é grafado de uma outra forma, numa palavra que significa "testador". Ele viveu em cerca de 1400 a.C.

SIMEATITAS

Nome de uma das três famílias de escribas que residiam em Jabez (I Crô. 2:55). Os nomes das outras duas famílias são os tiratitas e os sucatitas. Todos eles eram descendentes de Calebe. Jabez é identificada como uma dentre um grupo de cidades nas vizinhanças de Belém e do vale de Elá. Essas cidades ou aldeias também eram habitadas pelos queneus, que provinham da linhagem de Hamate, pai da casa de Recabe. A passagem é um tanto obscura, visto que os queneus eram uma tribo seminômade de trabalhadores em metais, que foram notados, a princípio, no wali Arabah, na direção do Tell Arad (Núm. 24:21; Juí. 1:16). Eles parecem ter penetrado na Palestina em companhia da tribo de Judá (cf. I Sam. 15:6), o que explica por que se estabeleceram entre eles. Casamentos mistos entre judeus e recabitas, e o uso ampliado de nomes, talvez expliquem certas obscuridades restantes.

SIMEI

No hebraico, "pessoa famosa", "alguém reconhecido", ou, como dizem alguns, "Yahweh é a fama". Para outros, o significado é "Ouça-me!".

1. Filho de Gérson, que, por sua vez, era filho de Levi (Núm. 3.18; I Crô. 6.17,29; 23.7, 9, 10; Zac. 12.13). Em I Crô. 6.29 ele é chamado de filho de *Libni*, descendente de Merari, um dos ramos de sacerdotes. Pode haver algum erro primitivo no texto. Em outros lugares, ele é citado como irmão de Libni. Ver I Crô. 6.17 e 23.7.

2. Filho de Gera, da tribo de Benjamim, da casa de Saul. Quando Davi fugia de Absalão, este homem rogou-lhe uma praga, não querendo ter nada que ver com "Davi como rei". O homem chegou a ponto de jogar pedras nos companheiros de Davi, e Abisai quis cortar sua cabeça com uma espada. Davi, sentindo de alguma forma que essa praga era merecida, não permitiu que ele levasse a cabo sua intenção sangrenta. Quando Davi chegou ao poder, o homem teve de arrepender-se rapidamente e humilhar-se diante do rei. Davi poupou-lhe a vida (II Sam. 19.16-23). Mas, antes de morrer, Davi avisou seu filho, Salomão, a respeito desse homem, que o confinou atrás dos muros de Jerusalém, um tipo de exílio dentro do próprio país, alertando-o de que, se ele passasse daquele ponto, morreria. Por três anos o acordo funcionou, mas depois disso, em busca de escravos fugitivos, o homem se aventurou além

dos muros. Quando voltou, foi executado imediatamente (I Reis 2.38-46). Sua época foi em torno de 950 a. C.

3. Homem que deu apoio ao pleito de Salomão pelo trono quando Adonias quis tomar o poder (I Reis 1.8).

4. Filho de Elá, oficial do rei Salomão, que viveu em cerca de 950 a. C. Ver I Reis 4.18.

5. Filho de Pedaías e irmão de Zorobabel, que viveu em cerca de 503 a. C. (I Crô. 3.19).

6. Filho de Zacur, que tinha uma família muito numerosa (I Crô. 4.26, 27). Viveu por volta de 1200 a. C.

7. Membro da família de Rúben, filho de Gogue (I Crô. 5.4).

8. Levita da linhagem de Gérson, filho de Jaate (I Crô. 6.42).

9. Filho de Jedutum, líder da 10ª divisão de cantores durante a época de Davi, em torno de 950 a. C. (I Crô. 25.17).

10. Levita, filho de Hemã, que participou da cerimônia de purificação do templo na época do rei Ezequias (II Crô. 29.14), por volta de 720 a. C.

11. Levita que, com seu irmão Conias, estava encarregado das ofertas trazidas ao templo na época do rei Ezequias (II Crô. 31.12, 13), em torno de 719 a. C.

12. Levita que viveu na época de Esdras (cerca de 450 a. C.). Ele havia casado com uma mulher pagã durante o cativeiro babilônico e foi forçado a divorciar-se quando Judá foi restaurado à Jerusalém (Esd. 10.23).

13. Outro homem que havia casado com uma mulher pagã durante o cativeiro babilônico e teve de divorciar-se quando os exilados retornaram à Jerusalém (Esd. 10.38). Era filho de Bani, que viveu em cerca de 450 a. C.

14. Filho de Quis, da tribo de Benjamim, ancestral de Mordecai (Est. 2.5). Viveu em alguma época antes de 518 a. C.

SIMÉIA

Para os significados desse nome hebraico, ver sob *Simei*. Algumas versões não distinguem entre as pessoas chamadas *Simei* e aquelas chamadas *Siméia*, portanto há confusão em algumas listas. Os que fazem a distinção, pelo menos em algumas traduções portuguesas, têm a forma de Siméia.

1. Irmão mais velho de Davi (I Crô. 2.13), chamado de Samá em I Sam. 16.9. Foi o pai de Jonadabe (II Sam. 13.3, 22). Homem esperto, no sentido negativo, ajudou Amom a cometer incesto com sua meia-irmã Tamar. Para outras observações bíblicas que mencionam esse homem, ver I Sam. 16.1-13 e 17.13. Ele viveu por volta de 1050 a.C.

2. Filho de Davi que tinha um nome alternativo, Samua (II Sam. 5.14; I Crô. 14.4). Ver I Crô. 3.5 para o nome *Siméia*. Viveu em torno de 1000 a. C.

3. Levita do ramo de Merari (I Crô. 6.30). Seu ministério de música foi muito importante para Davi, que ativamente o apoiou, dando-lhe um cargo de autoridade entre os cantores do templo. A época desse homem foi em torno de 1000 a. C.

4. Levita do ramo de Gérson, membro dos músicos profissionais que serviram no templo (cerca de 1000 a. C.)

5. Descendente de Jeiel e Gibeom, membro da tribo de Benjamim (I Crô. 8.29-34), que viveu por volta de 1100 a. C.

SÍMILE

No grego, *omoiótes* (ver Heb. 4:15 e 7:15), "similaridade", e *omoíosis* (ver Tia. 3:9), "semelhança". O advérbio *ómoios*, que aparece por quarenta e cinco vezes, desde Mat. 11:16 até Apo. 21:18, é usado nos evangelhos para introduzir as comparações ou símiles feitas por Jesus, acerca da natureza do reino dos céus (Mat. 13:24; 18:23; 22:2; 25:1), embora, em Mateus 11:16, a comparação seja com "esta geração". Aparentemente, em Mar. 4:30, faz a equiparação entre uma comparação e uma parábola.

Nas epístolas, a palavra grega *ómoios* expressa a realidade da encarnação. Deus enviou seu filho em semelhança de carne pecaminosa (Rom. 8:3). Ele nasceu à semelhança de homens pecaminosos (Fil. 2:7). Ele precisava tornar semelhante aos seus irmãos, em todos os sentidos (Heb. 2:17). E também foi tentado à nossa semelhança, embora sem ter incorrido em pecado (Heb. 4: 15). Embora muitos tenham pensado que "semelhança" aponta para alguma "diferença" restante, certamente o intuito dessas passagens bíblicas é ensinar que a natureza de Cristo concordava, em tudo, com a verdadeira humanidade. Essas passagens destacam a realidade da realização de Cristo em favor dos homens, incluindo a intercessão e o cuidado contínuos de Cristo pelos que lhe pertencem.

O pecado inclui a troca da glória de Deus por imagens "como" de homens e animais (Rom. 1:23-a verdadeira glória trocada por "verdadeiras" imagens). Os homens amaldiçoam a outros homens, criados à semelhança de Deus (Tia. 3:9; cf. Gên. 1:26). Os crentes estão unidos a Cristo em uma morte como a dele, e também ressuscitarão à sua semelhança (Rom. 6:5). Isso aponta para uma verdadeira similitude, por força de uma verdadeira união. Ver também os artigos sobre *Parábola*; *Imagem de Deus*; e *Kenosis*.

SIMILITUDO DEI

No latim, "semelhança de Deus", refere-se a Gên. 1:26, onde é ensinado que o ser humano foi assim criado. Os eruditos modernos pensam que os dois termos, "imagem" e "semelhança", devem ser entendidos como meros sinônimos, um elemento do paralelismo poético, tão comum no hebraico, e que aparece até mesmo na prosa daquela cultura. Porém, outros teólogos têm argumentado que há uma diferença no sentido dos vocábulos. Para eles, imagem referir-se-ia à porção permanente da natureza humana que é cópia da natureza divina. E semelhança (no latim, *similitudo*) presumivelmente referir-se-ia a como o homem vai adquirindo mais e mais o caráter divino, mediante o desenvolvimento espiritual. Ou então, este último termo pode aludir ao relacionamento que o homem tinha com Deus, estando ainda no estado de inocência. Seja como for, a "semelhança" pode ser perdida, e, de fato, foi perdida em razão do pecado; mas, a imagem é um aspecto permanente do ser humano essencial. Esse conceito, pois, tornou-se importante na controvérsia entre o livre-arbítrio e o determinismo (ver os artigos a respeito). A verdadeira participação na imagem de Deus, que não foi perdida em função do pecado, garante um genuíno exercício do livre-arbítrio, inerente à natureza essencial do homem, a despeito da queda no pecado e da natureza humana pecaminosa, daí resultante.

SIMONIA

Esse termo indica a venda de ofícios e cargos eclesiásticos, ou a compra de privilégios, prestígio e ofícios religiosos, com o acompanhamento natural da negligência do exame que busca ver se o candidato está qualificado ou merece as posições assim obtidas. A expressão deriva-se do relato sobre Simão Mago, o qual tentou comprar, da parte dos apóstolos, o dom do Espírito Santo (ver Atos 8:9-24).

SIMPATIA

Essa palavra vem de vocábulos gregos que significam,

SIMPATIA – SIMUL JUSTUS

literalmente, "sofrer juntamente com". Assim, simpatizar com alguém é compartilhar de seus sofrimentos. Pelo menos esse é o aspecto fundamental da questão. O termo latino correspondente é *compasio*, e tem precisamente a mesma significação. Temos ouvido falar sobre um professor de ioga que simpatizava tão intensamente com outras pessoas que se ouvisse dizer que alguém fora açoitado, apareciam marcas de chicotada em seu corpo. Não são muitas as pessoas que sabem o que é simpatizar intensamente.

Uma definição de dicionário diz que a simpatia é "a qualidade de ser afetado pelo estado de outrem, com sentimentos correspondentes; um sentimento de companheirismo; uma afinidade ou susceptibilidade mútua; uma reação a tal relacionamento" (WA). O Grande Simpatizador, naturalmente, é Jesus, o Logos encarnado. Um trecho bíblico que ilustra isso de modo vívido é o trecho de Mateus 11:28,29. Ele prometeu "descanso" aos sobrecarregados e oprimidos, porque o seu coração reage favoravelmente à situação dos tais. E o próprio Schopenhauer, que desprezava a quase tudo, fazia elevada opinião da simpatia. Na verdade, ele reputava a simpatia a única coisa de real valor na vida humana. Naturalmente, a simpatia é um dos aspectos do amor (vide). E aquele que simpatiza com o próximo, já começou a cumprir a lei do amor.

A simpatia, quando genuína, não consiste apenas em sentir-se mal diante do sofrimento alheio. Antes, é uma força ativa que impele aquele que simpatiza a procurar aliviar situações tanto quanto estiver ao seu alcance. A simpatia é uma das raízes do altruísmo, e, como tal, é oposta ao egoísmo. Entretanto, a maioria das pessoas é tão egoísta e egocêntrica que a simpatia não é uma das forças que as impulsiona.

Uma notável passagem bíblica sobre a "simpatia" é a de I Ped. 18, que diz: "Finalmente, sede todos de igual ânimo, compadecidos, fraternalmente amigos, misericordiosos, humildes..." Ver o artigo separado *Altruísmo e Egoísmo*.

SÍMPLICES

No *hebraico*, "pethi", que tem uma variedade de significados, negativos e positivos: por um lado, bobo, ignorante, inocente; no lado positivo, sem culpa, sem maldade, sem sofisticação no tangente ao mal e alguém que não planeja maldade. Ver Sal. 19.7; 116.6; Pro. 1.4, 22, 32; 7.7; 8.5; 27.3,12.

No *grego*, "akakos", sem maldade, ingênuo, inocente. Ver Rom. 12.8; II Cor. 8.2; 9.11, 13; Efé. 6.5.

Usos: alguém que rejeita o temor de Deus (Pro. 1.32); um homem bobo (Pro. 8.5); um herdeiro da loucura (Pro. 14.18); alguém que permanece em suas maneiras bobas até o julgamento (Pro. 21.11); um homem que é facilmente atraído por uma prostituta (Pro. 7.7); um homem enganado facilmente (Rom. 16.18, 19); sem culpa, como era Cristo (Heb. 7.26). Outra palavra grega traduzida como símplices, *aplotes*, quer dizer simples ou sincero, puro. Ver II Cor. 11.3 e Efé. 6.5.

SIMPLICIDADE

Esse é o estado e a atitude de quem é simples, destituído de complicações. Esse conceito tem tido alguma importância para a filosofia e a teologia embora de modos diferentes. A navalha de Ockham (vide) é uma de suas formas. Supõe-se que a verdade seja melhor obtida quando o indivíduo segue o caminho mais simples e ignora a multiplicação de entidades metafísicas e outras complicações.

Parcimônia é outro vocábulo usado para indicar essa abordagem. Isso posto, a simplicidade torna-se uma espécie de critério da verdade. Por outra parte, deve-se notar que quanto mais aprendemos sobre a verdade, em todos os seus ramos, tanto mais vamos vendo quão complexa é a verdade, e como, usualmente, só conseguimos apossar-nos de uma parte da mesma, quando muito.

Entre os evangélicos usualmente ouvimos dizer que o evangelho é tão simples que até uma criança pode entendê-lo. Mas, apesar dessa declaração servir para encorajar o evangelismo dos simples, incluindo-se nisso as crianças, pelo que tal afirmação tem o seu valor, o fato é que a salvação é uma questão complexa, que aborda profundos mistérios que nenhuma mente humana até hoje conseguiu sondar. Portanto, o evangelho está longe de ser simples. Geralmente, essa alegação de simplicidade é mais um meio de obtenção de conforto mental, que nos libera da necessidade de pesquisar e organizar os pensamentos, e não uma maneira realmente válida de chegarmos à verdade de Deus.

A Simplicidade na Moralidade. Quanto à moralidade, a simplicidade é mais produtiva do que quanto à questão das verdades metafísicas. Deveríamos abordar as questões morais com uma mente simples, sem complicações, quanto à questão dos raciocínios e argumentos morais que tentam desculpar o mal que praticamos. Além disso, deveríamos ter as mentes abertas e francas que as crianças manifestam, permitindo que nossos poderes intuitivos digam-nos o que é bom e o que é mau. Jesus recomendou que fôssemos como criancinhas, quanto às questões espirituais (ver Mat. 8:3). As ovelhas, enviadas para estar entre os lobos, por uma parte devem ser prudentes como as serpentes, mas, por outra parte, devem ser simples como as pombas (ver Mat. 10.16). Os crentes não devem ter aquela sofisticação maliciosa que os malignos têm, trocando o bem pelo mal, invertendo os valores, no sentido espiritual e moral.

Jesus falou a respeito do "olho... bom", fazendo contraste com as complicações e distorções do mal (ver Mat. 6:22,23). O grego original, *aplóos*, *aplótes*, literalmente significa "sem dobras" referindo-se à singeleza mental, à ausência de malícia, à pureza de propósitos. Deus agrada-se do indivíduo que busca agradá-lo, não sendo o alvo desse indivíduo o dinheiro, as possessões materiais, o prestígio, a fama, etc.

Paulo aludiu à simplicidade que temos em Cristo, enfatizando as questões morais. Ver II Cor. 11:3. De nós é requerido que tenhamos mentes abertas, que não se desviem de nossa devoção ao Senhor, o Cristo. Mas os ímpios facilmente se desviam maliciosamente.

Essa mesma palavra grega, *aplótes*, pode significar "generoso", no tocante às questões monetárias (ver Rom. 12:8). A generosidade é a verdadeira medida de um homem, e não a lista de doutrinas nas quais ele acredita. Um homem não deveria deixar-se motivar por sutilezas mediante as quais ele encoberta sua capacidade como se fosse liberalidade. Ver Tia. 1:5.

SIMUL JUSTUS ET PECCATOR

No latim, "ao mesmo tempo justo e pecador". Lutero e outros usaram essa expressão para indicar aquele estado do homem que ocorre quando o pecador converteu-se, tendo assim obtido uma nova natureza, embora continue retendo consigo a sua velha natureza, o que lhe empresta uma dupla natureza moral e metafísica. Porém, a natureza e os atos pecaminosos não lhe são imputados, em vista de uma nova posição em Cristo, posto que continuam sendo

SIN – SINAGOGA

bem reais e um grande vexame para o indivíduo sério quanto à sua inquirição espiritual. Assim sendo, o crente enfrenta a desagradável situação de ser inteiramente pecador em sua velha natureza, mas inteiramente justo em sua nova situação em Cristo. A justificação (vide) é que lhe dá esse privilégio, e a santificação é uma questão prática, que procura fortalecer o lado bom, ao mesmo tempo em que tenta enfraquecer (mas nunca extinguir) o lado mau.

Os metodistas imaginaram que uma autêntica santificação poderia destruir o lado mau do regenerado, e que isso lhe seria dado como uma espécie de segunda vitória ou segunda bênção. Porém, eles mesmos macularam esse conceito ao suporem que aquela vitória pudesse ser perdida quase prontamente, mediante um renovado ataque do lado mau da pessoa. Os eruditos liberais e evolucionistas, por sua vez, pensam que a complexa teologia vinculada à essas questões é uma carga pesada, visto que o real problema do homem é que ele continua a trazer a sua selvagem herança animal, ao mesmo tempo em que progride no seu lado espiritual o que faz do ser humano uma dualidade natural. Somos, ao mesmo tempo, pecadores e santos. E a experiência humana demonstra isso a sobejo.

Os teólogos continuam lutando com esse paradoxo. A morte física é acolhida como uma maneira de levar essa luta ao seu fim. Em termos práticos, espera-se que a santificação (vide), mediante o poder do Espírito de Deus, seja suficientemente real de modo que o crente, apesar de continuar caído, e até de, ocasionalmente, fazer de si mesmo um insensato, de modo geral obtenha a vitória no Espírito, o que determina seu modo usual de expressão.

SIN

Vigésima primeira letra do alfabeto hebraico. Aparece no começo de cada verso da vigésima primeira seção do Salmo 119. Visto que os judeus não usavam algarismos para representar quantidades, essa letra representava o número trezentos.

SIN (CIDADE)

Ver sobre **Pelúsio**.

SIN, DESERTO DE

Há menção a dezenove diferentes desertos, no Antigo Testamento, cada um deles chamado por seu respectivo nome. O deserto de Sin, provavelmente, deriva o seu nome do deus lua, Sin. Não deve ser confundido com o deserto de Zin (vide), que ficava no norte do Neguebe. O deserto de Sin ficava mais para o sul, na rota seguida pelos israelitas entre o Egito e o monte Sinai (ver Êxo. 16:1; 17:1; Núm. 33:11,12). Usualmente é identificado com o moderno Debbet er-Ramich, na porção sudoeste da península do Sinai. Mas há quem o identifique com a planície costeira de el-Markhah. Como sua posição depende da fixação do monte Sinai, que é incerta (ver o artigo a respeito), é impossível determinar o local exato do deserto de Sin. Todas essas sugestões, pois, são meras opiniões, tão dignas de crédito como quaisquer outras opiniões.

SINABE

Rei da cidade–estado de Admá, que se aliou a quatro outros governantes sul-palestinos em uma rebelião contra Quedorlaomer, mas que foi esmagado por Quedorlaomer e seus três aliados (Gên. 14:2). Viveu em torno de 1910 a.C. Não se sabe, entretanto, qual o sentido de seu nome.

SINAGOGA

Esboço
 I. A Palavra e Descrições
 II. Origem da Sinagoga
 III. Oficiais da Sinagoga
 IV. Centro da Sociedade
 V. Arquitetura e Funções das Sinagogas
 VI. O Culto nas Sinagogas
 VII. Sinagoga de Cafarnaum do Primeiro Século Descoberta pela Arqueologia

I. A Palavra e Descrições

Sinagoga é palavra grega que significa trazer com, ou seja, assembléia, que era o lugar onde a assembléia se congregava. O termo aparece 57 vezes no N.T. Usualmente o edifício tinha forma retangular, talvez medindo 21 por 15 metros, com colunas em três lados e um balcão para mulheres (essa é a descrição de uma sinagoga escavada em Cafarnaum). Provavelmente as dimensões variavam, dependendo do número de pessoas que assistiriam às reuniões. A destruição das sinagogas pelos romanos, em cerca de 70 d.C. (até mesmo na Galiléia) foi tão completa que não há certeza de que qualquer das sinagogas escavadas date de antes do século II d.C.

Embora a sinagoga fosse e continue sendo uma instituição tipicamente judaica, a palavra que a designa é grega, *sunagogé*, "congregação". Todavia, ela corresponde ao vocábulo hebraico *moed*, que ocorre por mais de duzentas e dez vezes no Antigo Testamento. Entretanto, *moed* do Antigo Testamento não era exatamente a *sunagogé* do Novo Testamento, porquanto as sinagogas foram criadas durante o período intertestamentário, depois que o templo de Salomão fora destruído pelos babilônios, e onde o culto judaico foi profundamente modificado, pois na sinagoga não se processavam sacrifícios cruentos, conforme sucedia no templo de Jerusalém, o único lugar autorizado por Deus para os mesmos.

A arquitetura das primeiras sinagogas é outro ponto a considerar. Elas se assemelhavam, extraordinariamente, ao estilo das construções pagãs gregas e romanas. No entanto, a formação da congregação assemelhava-se mais à formação das congregações israelitas do Antigo Testamento. Para que pudesse ser organizada uma sinagoga tornava-se mister que houvesse dez homens que se reunissem para adorar, sem importar o número de mulheres. Esses homens podiam ser adultos ou meninos de doze anos ou mais, que tivessem passado pela cerimônia de iniciação da responsabilidade religiosa.

O Período do Novo Testamento. O vocábulo sinagoga é usado nos evangelhos por mais de trinta vezes, mas uma freqüência ainda maior ocorre no livro de Atos. Tanto na literatura talmúdica quanto no Novo Testamento fica entendido que os líderes das sinagogas formavam a liderança válida, o corpo executivo do judaísmo, sem importar se estivessem em Jerusalém ou em Corinto. As inscrições que têm sido encontradas pelos arqueólogos, nas sinagogas desenterradas, mostram que o propósito delas era a "leitura da lei", e que elas deveriam também ser usadas como albergues para os judeus em trânsito. Em todas essas inscrições transparece a cultura helenista. Os evangelhos mencionam certo número de pequenas aldeias da Galiléia, bem como as sinagogas onde Jesus ensinou (Mat. 4:23; 9:35; Luc. 4:16,33). Às vezes têm sido achadas outras construções ao lado das sinagogas, e os estudiosos pensam que as mesmas serviriam como tribunais de lei, escolas, bibliotecas e mercados. Interessante é observar

SINAGOGA

que os homens, e não as mulheres, é que tomavam a parte mais ativa na sinagoga. Mas, o mais importante legado que as sinagogas do século I d.C. nos deixaram foi a forma e a organização que serviram de modelo para a Igreja apostólica.

II. Origem da Sinagoga

Provavelmente as sinagogas tiveram origem no primeiro cativeiro, em substituição ao templo, quando o povo não tinha acesso a tal lugar de adoração. A sinagoga, então, tornou-se parte da vida religiosa dos judeus. No tempo de Jesus havia sinagogas em qualquer vila, e em Jerusalém seu número era de cerca de quatrocentos e cinqüenta. Além dos cultos regulares aos sábados e em dias especiais, os judeus se congregavam no segundo e no quinto dias da semana, para orar e ler as Escrituras.

III. Oficiais da Sinagoga

Os líderes das sinagogas eram: 1. os chefes (Luc. 8:49; 13:14; Atos 18:8,17). Eram os responsáveis pelo arranjo dos cultos e pela execução da autoridade na comunidade. 2. Os presbíteros (Luc. 7:3; Mr. 5:22; Atos 13:15), que evidentemente formavam um concílio sob a autoridade dos "chefes". 3. O "legatus" ou *angelus ecclesiae*, que operava como leitor das orações e como mensageiro. 4. O assistente (Luc. 4:20), que preparava e cuidava dos livros, limpava a sinagoga, fechava e abria suas portas, etc. A sinagoga era usada como escola religiosa para as crianças, bem como para reuniões especiais.

IV. Centro de Sociedade

Em qualquer lugarejo onde houvesse pelo menos dez homens adultos, havia uma sinagoga. A sinagoga servia de escola comunitária, lugar de concílios locais religiosos e políticos, e como igreja ou centro de adoração. Os seus líderes eram os anciãos. O líder principal era o chefe, que dirigia a adoração. Em seguida, na ordem da importância, havia o mestre, que era encarregado do edifício e que dirigia semanalmente a escola. Também executava as decisões tomadas pelos outros anciãos, tanto sobre questões políticas como religiosas. Algumas vezes as sinagogas contavam com um intérprete, que traduzia o hebraico antigo para o aramaico coloquial, que era o idioma do povo comum. Jesus tanto podia pregar em uma sinagoga como ser expulso dela, de acordo com a disposição do chefe, que nomeava os pregadores. Jesus utilizou-se extensamente das sinagogas em seu ministério de ensino, e evidentemente era largamente aceito como mestre nas regiões da Galiléia. Mas a sinagoga, como instituição, decepcionou-o em sua missão, e finalmente lhe fez oposição. Talvez o seu ensino fosse por demais revolucionário, e sua exigência de justiça fosse por demais difícil. Não eram capazes de apoiar suas palavras ou de acolher os seus ensinos. Que lição temos aqui para as igrejas modernas!

V. Arquiteturas e Funções das Sinagogas

O estilo arquitetural permaneceu praticamente sem modificações, por toda a Idade Média, como fora nos dias greco-romanos. Esse estilo seguia um desenho greco-coríntio, – com colunas diante do pórtico, e também com colunas no interior, em fileiras, a fim de dar apoio ao teto em forma de cúpula.

Quanto à localização, o Talmude recomendava que as sinagogas fossem construídas com a fachada dando frente para Jerusalém. Era costumeiro serem edificadas em alguma pequena elevação. Algumas vezes, eram construídas perto de alguma água. Debate-se até hoje, entre os eruditos, se as sinagogas locais eram construídas como modelos ou miniaturas do grande templo de Jerusalém, ou se eram antes concebidas, em seu plano, como centros de estudos, com participação bastante ativa por parte da congregação. Não sei dizer quanto às sinagogas antigas; mas, quanto às dos tempos modernos, elas só poderão ser consideradas modelos miniaturas do templo de Jerusalém se essa cópia for muito estilizada, pois o plano é bastante diferente. E note-se que o papel geral das sinagogas atuais ficou mais ou menos fixo desde os fins do primeiro século da era cristã. Esse estilo assemelha-se ao das basílicas, com uma fachada maciça e bem ornamentada. Como é claro, a qualidade do material e a profusão dos ornamentos dependiam sempre da capacidade econômica dos membros de cada congregação.

Deveríamos observar, todavia, alguma diferença entre os judeus asquenazitas e os judeus sefarditas (do centro e oriente europeu e das terras ao redor do mar Mediterrâneo, respectivamente), quanto às suas sinagogas, em face de seus diferentes panos de fundo culturais. Assim, as sinagogas germânicas e russas seguem mais ou menos o estilo gótico e romanesco de construção, ao passo que as sinagogas espanholas e portuguesas (algumas das quais são as mais magníficentes que jamais foram erigidas), sofreram forte influência dos estilos mediterrâneos, pelo que contam com cúpulas com arabescos, assemelhando-se, embora de longe, com as mesquitas islâmicas. No entanto, no moderno mundo ocidental, muitas sinagogas seguem avanços estruturais próprios da arquitetura moderna, variando muito quanto ao seu estilo, ainda que o plano geral continue sendo seguido de perto.

Quanto ao uso religioso e educacional das sinagogas, temos a dizer que, desde o Antigo Testamento, a religião judaica sempre deu um grande valor à educação, tanto de seus membros como dos filhos dos mesmos. Em uma época em que ainda não havia escolas "seculares", a sinagoga era a escola que todos os meninos judeus conheciam desde pequenos. As escolas para estudos pré-rabínicos, as yeshivot, eram freqüentadas por adolescentes promissores. Visto que a responsabilidade primária de um judeu adulto, na sinagoga, era ler, a leitura era a principal disciplina ensinada nas sinagogas; e o grande alvo dessa disciplina era a leitura da Tora. Há indícios de que as primeiras lições seguiam mais ou menos o método da memorização; mas os alunos mais avançados liam os rolos bíblicos existentes nas sinagogas, guiados pelo *hazzan*.

VI. O Culto nas Sinagogas

1. A Shema. A recitação da shema e as bênçãos que eram proferidas em seguida formavam a porção central do culto mais simples na sinagoga, do qual podiam fazer parte um mínimo de dez homens judeus, devidamente inscritos. Fazia parte das tradições orais a idéia de que esse culto de oração, que frisava o monoteísmo de Yahweh, foi instituído pelo próprio Moisés. As dezoito breves orações que compõem a bênção geral, certamente, são mais antigas que a era cristã, e até são anteriores ao período aramaico. As orações, nesse culto, sempre eram seguidas pelo "Amém", geral, proferido por toda a congregação.

2. *As Escrituras e o Sermão*. A leitura da Tora inteira (o Pentateuco) em hebraico sempre foi o ato central da adoração congregacional, tendo sido efetuada de várias maneiras através dos séculos, até os nossos próprios dias. A Tora estava dividida em 154 ou 155 seções, e era lida em sua inteireza durante um período de três anos, quando então se reiniciava o ciclo. Há evidências no Novo Testamento, bem como nos escritos de Filo e de Josefo, que esse sistema estava em vigor ainda nos dias de Jesus, bem como nos dias da Igreja primitiva. Era esse sistema que dava oportunidade aos freqüentes convites, feitos a Paulo, para pregar nas sinagogas (ver Atos 13:14-41, etc.). O culto, provavelmente, terminava com alguns cânticos por parte de toda a congregação. Qual o valor que então se dava a algum sermão formal, não se sabe dizer, com

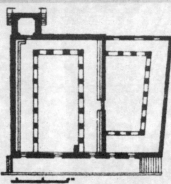

SINAGOGA DE CAFARNAUM
Século III

Cortesia, John F. Walvoord

Sinagoga de Cafarnaum
Cortesia, Levant Photo Service

SINAGOGA

base nos informes bíblicos, mas fica claro, com base nos discursos dos reis e dos profetas do Antigo Testamento, que não eram desconhecidas exortações alicerçadas sobre a Tora.

Posteriormente, os rabinos parecem haver adotado o tipo de apelo pessoal, em sua homilética, que já havia sido adotado pelos cristãos. E um ponto que não deve fugir à nossa observação é que na sinagoga não havia o sacerdotalismo que chegou a desenvolver-se pouco depois da era apostólica, nos círculos cristãos. E os reformadores do século XVI não deixaram de notar isso, em seus contatos com as sinagogas judaicas, em resultado da Renascença. A grande importância que se dava nos cultos das sinagogas, ao livro de Salmos, tanto quanto nas congregações cristãs reformadas da França, da Suíça e da Holanda, talvez tivesse origens comuns.

3. Jejuns e Festividades. As festas religiosas da religião judaica, nos dias do Antigo Testamento, seguiam o ano agrícola. Visto que, depois de iniciada a dispersão dos judeus, era impossível que todos os judeus retornassem a Jerusalém para as grandes festas religiosas, muitas das festas congregacionais dos judeus eram efetuadas nas sinagogas da *diáspora* (dispersão) (vide). Todavia, a maioria das festas do calendário judaico é de origem posterior, tendo aparecido já nos tempos em que a sinagoga era uma instituição bem formada. As cerimônias antigas, referentes ao Dia da Expiação, são celebradas em forma muito modificada, mas ao nível doméstico, com o nome de *Pesah*, "páscoa", nos meses de março-abril. Mas, nas reuniões sociais efetuadas nas sinagogas, com maior freqüência, são os feriados do estado de Israel que são observados na atualidade, como, por exemplo, o dia da Independência de Israel, o quinto dia do mês de Iyar (14 de maio), e quase todas as celebrações em Israel são derivadas da Europa central, por influência dos judeus asquenazitas, que são a maioria da população israelense.

4. Administração. Quando as sinagogas dos judeus começaram a ter também o papel de escolas, isso fez com que as atividades nas mesmas ocupassem todos os sete dias da semana, sem nenhuma folga. O resultado disso foi o desenvolvimento de um corpo de educadores profissionais, professores e administradores, capazes de fazer o sistema funcionar a contento. Muitas comunidades, existentes nos mais variados lugares do mundo, são grandes centros comunitários que provêm o mais diversos serviços sociais, sem falarmos no culto religioso formal. A supervisão tradicional das sinagogas, às mãos de uma junta de "anciãos", não se modificou em quase nada através de longa história dessa instituição. Uma das poucas alterações foi a criação de um corpo separado de encarregados financeiros. Não acompanhando o que costumeiramente ocorre nas igrejas cristãs, um rabino é o chefe executivo da sinagoga, em todos os casos.

As sinagogas desempenharam um papel chave, em todos os países por onde os judeus foram dispersos, divulgando entre os pagãos o elevado ideal monoteísta. Apesar do fato de que a mensagem da sinagoga era parcial, e, algumas vezes, preconcebida contra os gentios (e com muita dose de razão), o fato é que as sinagogas pavimentaram o caminho para os pregadores cristãos. Assim, Paulo, ao chegar a uma cidade, procurava pela sinagoga judaica, por onde iniciava a sua prédica. E o Senhor Jesus foi quem lançou as bases para essa prática seguida pelos mensageiros do cristianismo (ver Mat. 4:23; Luc. 4:44 e Atos 13:5).

VII. Sinagoga de Cafarnaum do Primeiro Século Descoberta Pela Arqueologia

É declaração padrão dos arqueólogos que a destruição de sinagogas judaicas, por parte dos romanos, no século I d.C., foi algo tão completo que nenhuma sinagoga tem sido encontrada pelos pesquisadores, pertencente àquele século. Mas hoje essa situação foi revertida. A própria sinagoga de Cafarnaum, onde Jesus ensinou, foi encontrada pelos arqueólogos. Dois frades franciscanos, Estanislau Loffreda e Vergílio Corbo, que também eram arqueólogos, removeram cuidadosamente o entulho de vinte séculos, em Cafarnaum, e foram recompensados com a sensacional descoberta de uma sinagoga, onde, mui provavelmente, Jesus ensinou. A descoberta feita por eles ilustra várias passagens dos evangelhos, adicionando outro importante capítulo à arqueologia bíblica.

Os dois frades escavaram o solo de Cafarnaum, uma aldeia conhecida pelos antigos israelitas como *K'far Nahum*, "aldeia de Naum". Ver meu artigo sobre *Cafarnaum*, quanto a detalhes. Essa aldeia ficava localizada às margens do mar da Galiléia, em sua parte norte, não distante do lugar onde o rio Jordão ali despejava as suas águas. Na direção sudoeste, do outro lado do mar da Galiléia, ficava Tiberíades, que o rei Herodes ordenara ser construída em honra ao imperador Tibério. Cafarnaum nunca foi tão impressionante quanto Tiberíades, e o trabalho de escavação daqueles dois frades mostrou seu estado relativamente humilde. As escavações feitas por eles identificaram a rua principal, uma avenida cujo eixo é norte-sul, pavimentada em parte de seu percurso com pedras de basalto negro, comuns na região. Além disso, várias ruas laterais, imediatamente adjacentes à sinagoga, também tinham sido pavimentadas. Aqueles arqueólogos calcularam que Cafarnaum, nos dias de Jesus, contava com cerca de mil habitantes, divididos em famílias, abrigadas em residências modestas. Como em todos os lugares pobres, ali as famílias tendiam por amontoar-se, várias gerações ocupando uma mesma casa, talvez com dois aposentos. Muitas casas, trazidas à luz pela arqueologia, em Cafarnaum, tinham apenas um único aposento. Não é de estranhar, pois, que os evangelhos digam-nos que a sogra de Pedro e o irmão deste, André, viviam com ele e sua esposa, na mesma residência. A pobreza forçava esse tipo de arranjo. Algumas casas de Cafarnaum foram construídas com as mesmas pedras de basalto negro que tinham sido usadas para pavimentar as ruas da aldeia.

A Via Maria. A poucos metros ao norte da aldeia, os dois frades franciscanos descobriram os restos da antiga Via Maria, uma estrada imperial romana que passava perto de Cafarnaum. Essa estrada, chamada de "o caminho do mar" (no latim, Via Maria), começava no Egito e acompanhava as margens do mar Mediterrâneo, e, a certa altura, atravessava diagonalmente o território de Israel, antes de atravessar a Alta Galiléia, na direção norte. Isso posto, o poder romano passava bem perto da localidade. Mateus estivera atarefado ali como cobrador de impostos (publicano), o que serviu de desagradável lembrete do domínio romano sobre o povo judaico. No sétimo capítulo de Lucas lemos sobre o centurião cujo servo paralisado precisou da ajuda do Senhor Jesus. Esse centurião mantinha um bom relacionamento com o povo judaico, e construíra para eles uma sinagoga (ver Luc. 7:5). Mui provavelmente, essa foi a sinagoga escavada por aqueles dois arqueólogos. Nenhuma outra casa de adoração foi encontrada naquela humilde aldeia judaica, pelo que é provável que fosse a única ali existente, nos dias de Jesus. Os alicerces da construção foram feitos das mesmas pedras de basalto negro, antes mencionadas, obviamente um material de construção básico naquela área. Essa sinagoga ficava localizada em nível bem abaixo de uma outra

SINAGOGA – SINAGOGA DE SATANÁS

sinagoga, do século IV d.C., e que foi construída no mesmo local, ocultando o notável edifício por baixo dela. Essa sinagoga do século IV d.C. era feita de pedra calcária branca, uma edificação comparativamente suntuosa. Mas a sinagoga do século I d.C. era bastante espaçosa, considerando-se a pequenez e humildade de Cafarnaum. Media cerca de 18 m x 21m.

O frade Loffreda não ficou surpreso diante das dimensões da antiga sinagoga de Cafarnaum, explicando que na pequena aldeia onde ele nascera, na Itália, havia uma igreja bem grande. Além disso, é na minúscula Aparecida do Norte, cidade moderna, no estado de São Paulo, que existe uma das maiores basílicas católicas romanas do mundo. Considerando-se sua área total construída, ela ainda é maior que a basílica de São Pedro, em Roma! É perfeitamente possível que o centurião romano de Cafarnaum tenha posto seus soldados a trabalhar na construção daquela sinagoga, tal como Salomão empregara mão-de-obra estrangeira para construir o primeiro templo de Jerusalém. Restos de cerâmica, encontrados em Cafarnaum, têm sido datados como pertencentes ao século I d.C., e moedas também daquele período têm sido achadas na área. Outros artefatos confirmam sua antigüidade; e assim, nesse descobrimento, encontramos uma vitória da arqueologia mui significativa. Foi naquela sinagoga que Jesus deixou seus ouvintes atônitos diante de sua autoridade e doutrina (ver Mar. 1:21-28).

Jesus teve algo a ver com aquele centurião romano, o construtor daquela sinagoga, e cujo criado foi por ele curado (ver Mat. 8:8). O centurião exprimiu a sua humildade e fé, pedindo que Jesus tão somente dissesse uma palavra. Na sua opinião, não era preciso que Jesus viesse à sua casa, muito humilde para acolher Àquele a Quem tudo e todos obedeciam! Talvez seja apropriado que, hoje em dia, os católicos romanos, ao receberem a hóstia, recitem as palavras: "Senhor, não sou digno de receber-te; mas, diz apenas uma palavra, e serei curado". Se não estão mesmo recebendo a Cristo, o qual é recebido espiritualmente, mediante a fé, e não através de algum rito religioso, pelo menos estão recordando as palavras do centurião romano!

As notícias do descobrimento das ruínas da sinagoga de Cafarnaum logo se espalharam. Muitos peregrinos viajaram até o local, buscando a presença do Senhor. O frade Loffreda testifica: "É bastante comum virem aqui os turistas. E, encontrando um lugar tranqüilo e sombreado, lêem os evangelhos no lugar onde se narra a história do centurião. Isso como que lhes aumenta o entendimento, emprestando certa perspectiva à história. Isso dá ao relato dos evangelhos um maior significado". É conforme diz certo hino: "Hoje andei por onde Jesus também andou, e ali senti a sua presença". Meus amigos, isso é válido para todos os cristãos. (Informações básicas extraídas do artigo "The Streets Where Jesus Preached", publicado na revista *Fate*, edição de março de 1987).

SINAGOGA, A GRANDE

Este não é um assunto bíblico, mas uma tradição dos judeus sobre um suposto grande conselho da época de Esdras e Neemias. Ouvimos falar a respeito nos escritos do Talmude, Pirke Aboth, 1.1, 2. A referência em II Macabeus 14.28 fala apenas de uma grande reunião, mas não faz referência a um conselho na época de Esdras. Presumivelmente, esse conselho era constituído por 120 membros; foi iniciado por Esdras e persistiu até a ascensão dos gregos ao topo do poder mundial. Como não há menção de tal corpo legislativo e regente nos livros apócrifos, nem em Josefo, e como nenhum outro historiador que lidasse com a questão judaica, como Filo, tratou do assunto, alguns especialistas duvidam que ele tenha existido. Isto significa que o comentário do Talmude em Neemias 8-10 continha embelezamentos e exageros. Os ajudantes de Esdras, embora possam ter formado um conselho, provavelmente não chegavam a 120 em número, nem ao grande corpo regente e legislativo no qual o Talmude os transformara.

SINAGOGA DE SATANÁS
I. Identificações
Ver Apo. 2:9, 3:9.

1. Essas palavras poderiam apontar para judeus por nacionalidade. Nesse caso, o vidente João falaria da oposição movida por eles, o que, paralelamente às perseguições oficiais, causava grandes sofrimentos para a Igreja. O livro de Atos fornece-nos muitos exemplos de como os judeus se uniram aos pagãos, na perseguição contra a Igreja.

2. Mas provavelmente, porém, não há aqui menção a judeus por nacionalidade, e, sim, ao "falso Israel espiritual', aos gnósticos, que assediavam a igreja e procuravam tomá-la. Portanto, em Apo. 2:6,15,16,20 vemos como os perturbadores gnósticos vinham degradando a Igreja, querendo transformá-la em um templo pagão; e por essa razão foram chamados de "sinagoga de Satanás".

O vocabulário do N.T. faz a Igreja cristã ser o verdadeiro Israel, sem importar a nacionalidade de seus membros. (Ver Gál. 3:7). E Paulo escreveu: "...porque nem todos os de Israel são de fato israelitas." (Rom. 9:6). Ser um verdadeiro israelita, um príncipe de Deus, não é algo baseado em questões raciais, pois depende da realidade espiritual, em que o indivíduo compartilha da devoção de Abraão a Deus, de sua santidade e de seu destino. As observâncias externas, os ritos e as tradições não fazem de nós "judeus", conforme Paulo ensina em Rom. 2:28,29. É a qualidade íntima da espiritualidade que nos torna filhos de Abraão. Trata-se de uma questão do "espírito", e não da "letra"; não vem "dos homens", e sim, "de Deus". Em Cristo, pois, são eliminadas as distinções e as vantagens raciais (ver Gál. 3:28). Todos são "um", e essa "unidade" forma o "Novo Israel", o povo celeste, que pertence ao "reino".

II. Detalhes

1. *Sinagoga*. À igreja pervertida não é aplicável o título honorável de "igreja". Era uma falsa igreja, e, por conseguinte, uma "sinagoga"; pois tomara o partido de Satanás, em sua oposição à Igreja de Cristo. Por conseguinte, esse termo, "sinagoga", tem aqui um sentido pejorativo, o que é mais intensificado mediante sua identificação com Satanás. Era algo satânico (sem importar se a alusão fosse aos gnósticos ou aos judeus de raça) porque: 1. opunha-se à Igreja de Cristo e a perseguia; 2. corrompia a natureza moral da igreja, permitindo que os padrões pagãos, sobretudo quanto às questões sexuais, se tornassem a ética oficial da igreja.

2. *Satanás*. Por toda a parte o N.T. confirma a existência de um poder tremendo, o do arcanjo do mal, Satanás, não menos que confirma a realidade e a glória de Deus, o pináculo de todo o bem. (Ver o artigo sobre *Satanás*). A história toda, humana ou não, de acordo com certo ponto de vista, é a descrição da luta entre o bem (Deus) e o mal (Satanás). Todos os homens precisam escolher a quem servirão. Dentro do processo histórico, Deus convence os homens de que precisam escolher o bem por ser bom, por lhes ser vantajosamente bom. Mas os homens precisam de longo tempo para aprender essa lição, pelo que também o processo histórico é longo e repetitivo.

3. *A si mesmos se declaram judeus*. Essas palavras talvez

salientem o fato de que apontavam orgulhosamente para a sua literal ascendência judaica, conforme os judeus estavam acostumados a fazer, pensando que isso, automaticamente, lhes conferia as promessas e a salvação prometida a Abraão. Mas também poderia falar sobre a jactância altiva dos mestres gnósticos, os quais se reputavam "o Israel espiritual", embora tal jactância fosse inútil e falsa.

4. *Mas mentem.* No caso dos "judeus literais", os quais faziam tais afirmações, a "mentira" consiste do fato de que, apesar de serem judeus na carne, não o eram espiritualmente falando, o que os levava a tomar o partido no paganismo, em sua perseguição contra a igreja cristã. No caso dos mestres gnósticos, porém, não tinham esses o direito de se considerarem o Israel físico e nem o Israel espiritual.

III. Como Judeus: Perseguições e Reações

Sinagoga de Satanás. Essa é uma mui amarga adição à idéia de que não eram judeus autênticos. O estado espiritual daquela gente era pior que à primeira vista. Tinham-se tornado até mesmo adoradores ativos e agentes de Satanás. A hostilidade contra os cristãos, por parte dos judeus, transparece nessa designação. Não tenhamos dúvida de que surgiu um verdadeiro anti-semitismo. Não é fácil alguém sofrer graciosamente. O resultado natural é a malquerença. Somente um indivíduo altamente desenvolvido no espírito, como Jesus, pode impedir isso. Nem mesmo Paulo mostrou estar acima dos ressentimentos. Ver Atos 23:3 e ss. Ver Apo. 3:9 quanto a outra ocorrência dessa expressão; e comparar isso com Apo. 2:13,24, onde Satanás é visto como quem exerce influência sobre certos lugares onde havia também a Igreja cristã, o que dá a entender que ele exerce certo poder sobre a própria Igreja. Jesus acusou certos líderes judaicos de estarem em liga com o próprio Satanás (ver João 8:44). Por semelhante modo, em Esmirna, os crentes vieram a considerar a comunidade judaica como apóstata e inegavelmente apanhada na manobra do diabo, tornando-se assim um dos meios para a prática de suas más inclinações.

Notemos a relutância do vidente João por chamar a comunidade religiosa judaica de "Igreja" (ou "assembléia"). Eles formavam uma sinagoga, e esta apanhada nas malhas do mal. Somente na passagem de Tia. 2:2 é que a Igreja cristã também é chamada de "sinagoga".

Os judeus incrédulos tomaram o partido de Satanás, no conflito entre a igreja cristã e o império romano pagão. Alegremente ajudaram às autoridades romanas a esmagarem à Igreja. Satanás dominava o paganismo. Aquele que ajudasse a este último, com razão, era considerado debaixo da influência satânica.

"Um oxímoro cortante. Não era uma sinagoga do Senhor (ver Núm. 16:3, etc.), mas o extremo oposto a isso". (Lange, in loc.).

Evitando o anti-semitismo. Devemos nos lembrar de alguns fatos quando discutimos assuntos como aquele apresentado neste versículo. Em primeiro lugar, a Nova Israel, a Igreja, originalmente, era composta essencialmente de judeus. Portanto, nenhuma acusação geral pode ser feita contra o Israel. Em segundo lugar, a porcentagem de judeus que perturbaram a Igreja era relativamente pequena. Certos versículos do Novo Testamento falam em generalizações. Esta expressão sempre abre a porta para interpretações exageradas.

SINAI

De acordo com o trecho de Êxo. 3:1, o lugar era Horebe. As relações entre essas duas localidades têm deixado os intérpretes um tanto perplexos, e as tradições posteriores identificam-nas entre si. O mais provável é que se tratassem de dois picos diferentes da mesma cadeia de montanhas. A palavra *Sinin,* de onde se deriva o vocábulo *Sinai,* significa a casca fina de certas plantas do deserto, ou uma espécie de acácia nodosa e espinhenta, que ainda medra em certas regiões do deserto do Sinai. É justamente a «sarça» mencionada em Êxo. 3:1, em torno da qual surgira um estranho fogo que não a consumia. Por conseguinte, a montanha, ou mesmo a área em redor, derivou o seu nome da vegetação típica que cobria a localidade.

Por sua vez, *Horebe* quer dizer *«terra seca»*, uma região qualquer caracterizada por um solo ressequido e duro. Podemos supor, portanto, que essas duas características topográficas distintas se evidenciavam naquela área, e que dois picos montanhosos separados, mas contínuos, estão aqui em foco. Todavia, isso é apenas uma conjectura, embora pareça ser a melhor explicação para as duas designações desse lugar. Contudo, existem intérpretes que pensam que o mesmo pico era conhecido pelos dois nomes.

É possível que tanto a acácia espinhosa como a terra ressequida e dura caracterizasse essa localidade de tal maneira que ambas as designações vieram a ficar associadas à mesma área. Essa era justamente a opinião que Jerônimo e diversos estudiosos bíblicos, através dos séculos, têm concordado com ela. (Ver *De locis Hebraicis,* fol. 92, Jerônimo). Alguns antigos intérpretes judeus concordam igualmente com essa conjectura de Jerônimo, como o rabino Eliezer, o qual afiança-nos que «Horebe» era o nome mais antigo da área, embora *Sinai* também viesse a ser aplicado à mesma, posteriormente. (Ver *Pirke Eliezer,* cap. 41; Aben Ezra sobre Êxo. 3:2). Além disso, Josefo se refere a essa montanha, usando ambos os nomes, alternadamente. (Ver Josefo. *Antiq.* 1,2, cap. 12 e seção 1).

Embora a identificação moderna da área exata nos seja incerta, a idéia mais comum é aquela que diz tratar-se de Gebel Musa, monte em cujo sopé se acha localizado o mosteiro de Santa Catarina, onde foi feita a importantíssima descoberta do manuscrito Aleph, um de nossos manuscritos bíblicos mais antigos, por Tischendorf, em 1844. (Quanto à informações sobre esse manuscrito, ver o artigo sobre *Manuscritos).*

Ali, por igual modo, foi descoberto o mais importante dos manuscritos siríacos do N.T. intitulado *Sinaítico.*

Esse mosteiro de Santa Catarina possui a maior coleção mundial de manuscritos bíblicos. A segunda maior coleção similar é a da biblioteca do patriarca grego, em Alexandria. Essa montanha é de granito e porfírico e se eleva a uma altura de cerca de 2.246 metros. Outros picos elevados caracterizam a mesma cadeia montanhosa, os quais, em períodos diversos da história, têm sido variegadamente identificados com o bíblico monte Sinai.

SINAI, DESERTO DO

O deserto do Sinai ficava na porção norte da península do Sinai. Aparece nas páginas do Antigo Testamento por treze vezes diferentes: Êxo. 19:1,2; Lev. 7:38; Núm. 1:1,19; 3:4,14; 9:1,5; 10:12; 26:64; 33:15,16. Não há que duvidar que o deserto do Sinai era a região agreste em torno do monte Sinai. Tendo chegado o povo de Israel ao deserto do Sinai, «subiu Moisés a Deus, e do monte o Senhor o chamou...» Êxo. 19:3). Ver sobre *Sinai, Monte.*

SINAI, MONTE

I. Termo e Localização Geográfica
II. Observações Bíblicas
III. Tentativas de Identificação
IV. Depósito de Manuscritos Bíblicos

SINAI, MONTE – SINAL (MARCA)

I. Termo e Localização Geográfica

O significado da palavra *Sinai* é desconhecido, mas há diversas sugestões e possíveis derivações. Alguns supõem que quisesse dizer "espinhoso", a partir da palavra *seneh* (arbusto espinhoso), em referência aos muitos desfiladeiros e ravinas do monte que, com um pouco de imaginação, podem relembrar um conglomerado de arbustos espinhosos. Mas essa poderia ser uma referência ao deus-lua *Sin*, cujo culto havia-se espalhado por toda a Arábia. Outros supõem que a palavra signifique *lamacento, barrento* ou *brilhante*. O local exato do monte no qual a Lei foi dada não pode ser determinado, mas foi próximo à península triangular ou mesmo na própria península que fazia fronteira com o norte pelo mar Mediterrâneo, a oeste pelo golfo de Suez, e a leste pelo golfo de Ácaba. O terreno se eleva gradativamente à medida que se aproxima do platô Ijma, que fica próximo ao centro da península. A região ao sul torna-se montanhosa antes de descer e nivelar-se na costa. As montanhas da área são ricas em cobre, e a mineração tem sido realizada ali desde o quarto milênio a. C. A área pode ser dividida em três partes: a do extremo sul, a vizinhança do Sinai; o deserto de Tih, onde Israel vagueou por 40 anos; o Neguebe, ou país do sul onde Abraão, Isaque e Jacó uma vez viveram. O Sinai fica no centro da península que está entre os dois "chifres" do mar Vermelho. O monte é uma massa de granito e de outros tipos de rocha, com ângulos agudos que chegam a atingir altitudes de 3 mil m. Como o Sinai é o deserto mais próximo ao Egito, é provável que em alguma parte daquela região estivesse localizado o monte Sinai (ver Núm. 33.8-10; Deu. 1.1; Josefo, *Apion*, 2.2.25).

Designações. Às vezes esse monte é chamado apenas de "a montanha de Deus" (Êxo. 3.1; 4.27); ou *Sinai* (presumivelmente das fontes *J* e *P* do Pentateuco); ou *Horebe* (presumivelmente das fontes *E* e *D* do Pentateuco). Essas variações podem referir-se ao mesmo monte, ou podem estar em vista montanhas diferentes (picos altos). Talvez, como dizem alguns, Horebe tenha sido a designação original, porém mais tarde o monte foi chamado de *Sinai*, assumindo tal nome por causa da península. Outros dizem que Sinai é o nome mais antigo, e Horebe seria mais recente, ou que os dois nomes designavam dois picos posicionados proximamente. Ver as observações adicionais no artigo sobre *Horebe*, que trata do problema. Ver ainda *J.E.D.P.(S.)* no *Dicionário do Antigo Testamento Interpretado* ou na *Enciclopédia de Bíblia, Teologia e Filosofia*.

II. Observações Bíblicas

A maioria das referências a esse local está no Pentateuco, onde ele é mencionado 31 vezes. Ver Êxo. 16.1 e Deu. 33.2 para mais exemplos; depois ver Juí. 5.5; Nee. 9.13; Sal. 68.8, 17; Atos 7.30, 38; Gál. 4.24, 25.

Deixando Elim, os israelitas chegaram ao deserto de Sim e dali a Refidim, onde montaram acampamento (Êxo. 16.1 ss.; 17.1). No terceiro mês após o êxodo, alcançaram o deserto do Sinai (19.1). Ali Moisés recebeu uma comunicação preliminar de Yahweh, lembrando-o da orientação passada e garantindo-lhe que haveria *orientação no futuro*. Oh, Senhor, concede-nos tal graça! (19.36). Yahweh convocou o povo a reunir-se para um comunicado direto. Ocorreu uma manifestação divina no Sinai e nenhum homem pôde aproximar-se por temer por sua vida. As pessoas deixaram o acampamento para encontrar com Yahweh, mas permaneceram na parte inferior do monte (19.17). Relâmpagos, trovões e um terremoto informaram ao povo que Yahweh estava próximo. As pessoas moveram-se, assim, a uma distância maior, pois as manifestações eram grandes demais para suportar (20.18).

Moisés recebeu as tábuas da lei duas vezes, inclusive os dez mandamentos e outras revelações que instruíam sobre o culto a Yahweh (Êxo. cap. 20; 31.18; cap. 34; Lev. 7.36). Assim foi estabelecido o *Pacto Mosaico*, o maior evento na história de Israel e no qual se baseou toda a história subseqüente. Ver as observações introdutórias a Êxo. 19 no *Antigo Testamento Interpretado*, para maiores detalhes sobre esse pacto, e ver também o artigo *Pactos*. Ver Juí. 5.5; Nee. 9.13; Sal. 69.8, 17; Mal. 4.4; Atos 7.30, 38. Elias visitou Horebe em uma época de desânimo e depressão (I Reis 19.4-8). Paulo falou a respeito do Sinai como símbolo da aliança da Lei, enquanto Jerusalém, que está acima, representa a liberdade trazida pelo Evangelho de Cristo. Israel transformou-se em uma nação distinta pelo que aconteceu no Sinai. Ver Deu. 6.

III. Tentativas de Identificação

1. O *monte Serbal* no wadi Feiran foi uma suposição até a época de Eusébio. Mas a área não tem espaço suficiente para abrigar o acampamento de um grande número de pessoas (6.000.000?).

2. *Jebel Musa* (a *montanha de Moisés*) tem sido a suposição mais popular, que data das declarações de monges bizantinos feitas no século IV d. C. Este monte localiza-se próximo ao Monastério de Santa Catarina. Não há, contudo, nenhuma evidência que dê apoio a tal suposição. Jebel Musa faz parte de uma pequena crista que se estende por cerca de 3 km. Ela tem dois picos altos, um chamado Ras es-Safsaf (cerca de 2 mil m de altura) e outro chamado Jebel Musa (cerca de 2,5 mil m).

3. Jebel Musa é rejeitado por alguns, que afirmam que próximo a esse lugar ficavam as minas de cobre e turquesa do Egito e não é provável que Israel tenha chegado perto desse local. Assim, eles apontam para *Jebel Helal*, um pico de cerca de 700 m que se situa aproximadamente 45 km ao sul de El'Arish.

4. O candidato mais recente para a identificação do monte Sinai é o *monte Seir*, no sul da Palestina, próximo a Mídia. A atividade vulcânica dessa montanha poderia explicar os acontecimentos que se deram durante a entrega da Lei. Logicamente, a teofania não precisa de vulcões para sua atividade, e esse é o único aspecto em favor dessa identificação.

IV. Depósito de Manuscritos Bíblicos

O mosteiro de Santa Catarina no monte Sinai tem a maior coleção de manuscritos bíblicos do mundo. O manuscrito denominado *Aleph*, ou *Codex Sinaiticus*, foi descoberto lá em 1844 e tornou-se um dos mais valiosos do mundo, tanto do Antigo como do Novo Testamento. Ver uma descrição a respeito no artigo sobre *Manuscritos*.

SINAIS DOS CÉUS

Ver sobre **Astronomia**.

SINAL (MARCA)

A palavra hebraica mais usada é *oth*, "marca". Usada por setenta e nove vezes, desde Gên. 1:14 até Eze. 20:20. Outras palavras hebraicas são: *Athin*, "sinal"; usada por três vezes, em Dan. 4:2,3; 6:27. *Mopheth*, "maravilha"; usada por trinta e quatro vezes (por exemplo: I Reis 13:3, 5; Eze. 12:6, 11; 24:24,27). *Tsiyyun*, "marco"; usada por três vezes, em Eze. 39:15; 11 Reis 23:17; Jer. 31:21. *Mattarah*, "rampa de alvo"; usada por três vezes, em I Sam. 20:20; Jó 16:12; Lam. 3:12. *Miphga*, "alvo", que aparece somente em Jó 7:20. *Tav*, "marca", que aparece em Eze. 9:4,6. *Qaaqa*, "cruz", que aparece somente em Lev. 19:28. No grego encontramos quatro vocábulos:

SINAL DA BESTA

Semeíon, "sinal"; usado por setenta e duas vezes, de Mat. 12:38 até Apo. 19:20. *Cháragma*, "impressão"; usado por oito vezes, de Atos 17:29 a Apo. 20:4. Sete vezes só no Apocalipse. *Stígma*, "punção"; usado somente em Gál. 6:17. *Skopós*, "alvo", usado somente em Fil. 3:14.

Muitas marcas eram feitas a fim de indicar propriedade, distinção, etc. Assim sendo, lemos sobre a marca feita por Deus na testa de Caim, com o propósito de protegê-lo de possíveis vingadores de sangue (Gên. 4: 15). Ezequiel viu uma espécie de sinal, na forma da letra hebraica tau, semelhante a uma cruz latina, na testa de certos indivíduos importantes de sua época (Eze. 9:4,6). Paulo aludiu aos estigmas recebidos em perseguições sofridas por amor a Jesus, como sinais de sua dedicação e fidelidade ao ministério do evangelho (Gál. 6:17). Quando da Grande Tribulação futura, às pessoas que não forem de Cristo será aplicada uma certa marca, na testa ou na mão direita, identificando-as como seguidoras do anticristo (Apo. 13:16,17).

SINAL (MARCA) DA BESTA (ANTICRISTO)

Ver Apo. 13:16,17; 14:9,11; 15:2; 16:2; 19:20;, 20:4. Desnecessário é dizer que a marca ou sinal da besta (o anticristo) tem sido alvo de um vasto número de interpretações. De imediato, porém, podemos eliminar aquelas que têm procurado fazer com que o nome de algum papa, ou seu ofício, tenha o valor numérico de seiscentos e sessenta e seis. E também podemos desconsiderar aquelas tentativas que procuram salientar alguma figura protestante, como Lutero (mediante a manipulação de letras e algarismos), como se ele fosse o anticristo. Ademais, devemos anular as interpretações que fazem de alguma personagem política ou religiosa do passado como se fosse o anticristo. Um exemplo ridículo desses é o que faz de Joseph Smith (fundador do mormonismo) o anticristo. Os comentários que se seguem dão alguma idéia do que estava envolvido na primitiva numerologia cristã a respeito desse ponto.

A resposta mais simples é aquela que faz o nome **Nero César** ser reduzido a seiscentos e sessenta e seis. Esse número, pois, tornou-se um símbolo de sua pessoa e das expectações de que ele seria curado de seu ferimento mortal (ele cometeu suicídio), reunindo em torno de si dez monarcas partos. E então voltaria para cometer matricídio, ou seja, destruir a cidade de Roma. Essa era a idéia que havia por detrás das expectativas cristãs de que Nero seria o anticristo, expectativas essas que alguns chamam de mito ou lenda do Nero redivivo. Portanto, foi apenas natural que seu nome tivesse sido reduzido a um número, e que seiscentos e sessenta e seis era esse número. Se tomarmos esse ponto de vista simples, então talvez evitemos muita dor de cabeça, tentando resolver o enigma.

Apo. 13:17: para que ninguém pudesse comprar ou vender, sendo aquele que tivesse o sinal, ou o nome da besta, ou o número do seu nome.

Não é claro aqui se a marca é equivalente ao nome do anticristo ou ao número que representa o seu nome, ou se duas coisas separadas, servindo à mesma finalidade, estão em foco. O que é claro é que aqueles que queiram negociar, comprando ou vendendo, terão alguma forma de identificação, a tatuagem do nome da besta, o seu número, ou alguma espécie de marca. A maior parte dos eruditos pensa que a marca será igual ao nome ou ao número da besta. Este versículo quase certamente também indica que o número está diretamente relacionado ao nome, isto é, o valor numérico do nome. Lembremo-nos que os antigos, como os hebreus, os gregos e os latinos, usavam letras em lugar de algarismos, porquanto letras ou combinações de letras tinham valores numéricos. Portanto, todo nome tinha um valor numérico. A arqueologia tem descoberto nomes de moças, em valores numéricos, inscritos em muros, por rapazes que estavam enamorados delas. Da circunstância que essa prática era tão generalizada, e que certamente isso era familiar para o vidente João, é certo que devemos reconstituir o "nome" do anticristo com base no valor numérico de "seiscentos e sessenta e seis". Contudo, esse conhecimento não tem impedido o surgimento de muitas interpretações diferentes.

"...comprar ou vender..." Provavelmente isso inclui tanto o comércio como as atividades de exportação e importação, mas também a compra de simples alimentos e outras comodidades essenciais para a vida diária. As possibilidades dessa tirania não têm limites, e a morte à míngua é a sua única alternativa. Os homens que não quiserem aceitar o jugo de Cristo, a fim de obterem uma vantagem eterna, aceitarão as imposições do anticristo, a fim de obterem vantagens temporais. Os crentes autênticos, entretanto, repelirão essas vantagens temporais, preferindo o sofrimento e o martírio, a fim de obter as vantagens eternas. Essa marca da besta certamente distinguirá os crentes verdadeiros dos falsos cristãos, os justos dos profanos, os bons dos iníquos.

Historicidade deste versículo. Não há qualquer evidência de sanções econômicas radicais e generalizadas contra os cristãos, nos tempos do culto ao imperador. No entanto, ali há provas de que havia "boicote social" dos cristãos, incluindo alguns fatores econômicos. Assim é que Eusébio, na sua *História Eclesiástica* (V. 1.5), fala de uma perseguição que teve lugar algum tempo após 177 d.C., dizendo: "O diabo esforçou-se, por toda a maneira, de praticar e exercitar seus servos contra os servos de Deus, não somente impedindo-nos a entrada em casas, banhos e mercados, mas também proibindo-nos de sermos visto em qualquer lugar". Esse tipo de situação talvez fosse mais comum, e talvez mais severa, em alguns lugares da Ásia Menor, quando o vidente João escreveu o Apocalipse. Profeticamente falando, este versículo informa-nos que o anticristo se ocupará em tremenda guerra econômica contra todos quantos se recusarem a prestar-lhe lealdade. Naqueles dias, somente os crentes verdadeiros, sustentados pela graça divina, permanecerão fiéis a Cristo e não cederão à pressão exercida pelos perseguidores.

Nomes e Números. "O método da numeração mística era igual entre os gregos pagãos, os gnósticos, os pais da igreja e os cabalistas judeus. Júpiter era invocado sob o número "717", contido nas letras e arche (o começo). Os gnósticos afixavam às suas gemas e amuletos o termo místico *abrasaks ou abrakjas*, sob a idéia de que havia alguma virtude em seu número, '365' por ser o número de dias do ciclo solar. Barnabé e Clemente de Alexandria falavam sobre a virtude do número '318', por ser a abreviação do nome e de Jesus crucificado, IHT. Nos versos *pseudo*-sibilinos, escritos por cristãos, perto do fim (provável) do segundo século, há enigmas versificados que dão o número e requerem nomes próprios. A tradução de uma dessas versões é o nome 'Jesus', como segue 'Ele virá à terra, vestido de carne como um homem mortal. Seu nome contém quatro vogais e duas consoantes; duas das primeiras têm o mesmo som. E eu declararei o número inteiro. Pois esse nome exibirá, para os incrédulos, oito unidades, oito dezenas e oito centenas', (Vincent, em Apo. 13:17). (Ver *Oráculos Sibilinos* 1.324 e ss. Portanto, o nome de Jesus é "888" em contraste com o nome do anticristo, que é "666"). O cálculo é feito como segue: i

SINAL DA BESTA

(que vale 10); e (eta, que vale 8); s (sigma, que vale 200); o (ômicron, que vale 70); u (upsilon, que vale 400); s (sigma, que vale 200); portanto, *Iesous* (Jesus), vale 888. Isso nos dá uma idéia de como a coisa funcionava, dando-nos um modo paralelo de calcular o valor de seiscentos e sessenta e seis, reduzindo esse número a um nome.

Apo. 13:18: Aqui há sabedoria. Aquele que tem entendimento, calcule o número da besta; porque é o número de um homem, e o seu número é seiscentos e sessenta e seis.

"... *Aqui há sabedoria* ..." Os leitores sabem como calcular o número, pelo que podem usar dessa sabedoria para chegar à conclusão de quem é o anticristo. O vidente João podia dizer francamente quem é ele; mas preferiu usar um código, a fim de não provocar mais tribulação contra os cristãos, além do que já sofriam. Trata-se de algo parecido com a "Babilônia", usada por Pedro acerca de Roma, já que aludia amargamente a Roma, devido à perseguição desta contra os crentes. (Ver 1 Ped, 5:13). O vidente João, porém, também poderia indicar aqui uma espécie de sabedoria divina que seria dada aos crentes, mediante a qual reconheceriam os sinais dos tempos e encontrariam a solução para os problemas difíceis, como o da perseguição e sua origem, o culto ao imperador.

"... *o número da besta* ..." Conte-se o seu número, e daí se constitua o seu nome – isso é o que João quer dizer.

"... *pois é número de homem* ..." Não podemos ter certeza sobre o que isso significa. Pode ser "humano", em contraste com o que é divino; o cristo maligno, um mero homem, em contraste com o Cristo divino; um homem em contraste com Deus; ou o número seis, que é símbolo da humanidade, ao passo que o três, e o "sete" são símbolos da divindade. O autor sagrado poderia estar usando um criptograma que se perdeu, mas algo dessa ordem deve ter sido usado aqui. Alguns intérpretes vêem nisso a simples idéia como os homens usualmente computam, isto é, como se calcula, conforme os métodos humanos, já bem sabidos. Todavia, as outras idéias parecem mais prováveis. O certo é que algum "Indivíduo específico" está em foco. O "666" é o número do indivíduo específico que procuramos identificar.

Qual será o significado desse número, seiscentos e sessenta e seis? Abaixo apresentamos um breve sumário das idéias expostas a respeito:

1. O vidente João usou um criptograma que nos é desconhecido hoje em dia, pelo que é impossível recuperar o que ele quis dizer. A maior parte dos intérpretes, porém, continua tentando entendê-lo.

2. O vidente João usou um "símbolo" numérico que hoje se desconhece, pelo que não se pode recuperar o seu significado, embora o futuro deixe as coisas perfeitamente claras.

3. O próprio João, ao receber o número em visão mística, não sabia o que o mesmo significava. E nem nós podemos sabê-lo, enquanto o cumprimento da profecia não revelar seu significado.

4. O número denota uma pessoa específica, e sua identificação deve ser descoberta em alguma espécie de cálculo numérico, mediante o qual o número é transformado em um nome. Essa é a idéia mais comum, embora se usem vários métodos, através de que diversos resultados são conseguidos, até mesmo pelos mesmos métodos, pois diferentes nomes podem ser constituídos com base no total "seiscentos e sessenta e seis", através de várias combinações de letras. O comentário no NTI sobre vs. 17, (o parágrafo imediatamente antes das notas sobre a "Variante Textual"), mostra-nos como os Oráculos Sibilinos transformavam a palavra "Jesus" em "oitocentos e oitenta e oito". Mas há outras palavras, com diferentes valores das letras, que também totalizam esse número. Portanto, temos as seguintes sugestões:

a. Lateinos (império romano). Chega-se a esse resultado adicionando-se t (300); s (200); 1 + o (100); n (50); i (10); e (5); a (1). Similarmente, em grego, a expressão o *reino latino*, totaliza. "666". Em razão deste último resultado os intérpretes protestantes pensam tratar-se da Igreja de Roma através dos séculos.

b. *Teitan*, ou *Titã*, equivalente grego do termo hebraico, *tiamat*, ou seja, "Caos primitivo", obtido da mesma maneira a que chegamos a "lateinos", ilustrado no ponto "a" acima. "Tito", o general do exército romano quando da destruição de Jerusalém, nos anos 70 d.C, poderia ser assim designado; mas ele não perseguiu aos cristãos.

Alguns intérpretes, notando que um "indivíduo específico" mais provavelmente está em foco aqui, rejeitam as interpretações "impessoais" dadas acima, porque se fundamentam sobre as palavras, "é número de homem".

c. Os intérpretes têm feito seus cálculos usando valores latinos ou valores gregos e até mesmo hebraicos, pelo que soluções largamente diferentes são atingidas. Os nomes que têm esse valor numérico, "666", mediante esses métodos tão diversos de cálculo, são Adonicão (no hebraico, "o Senhor ergue-se"), Nero, Diocleciano, Lutero, Calvino, vários nomes de papas, os jesuítas, Napoleão, Balaão, César, etc.

d. A solução mais provável é a seguinte: O nome desejado é "Neron Caesar", em que o cálculo é feito à base do valor das letras gregas, "Neron Kaisar", transliteradas do hebraico, de acordo com o valor das letras hebraicas. Isso dá o total "666". Aparentemente, é o Nero *redivivo*, que aparece de vez em quando no corpo da exposição sobre o anticristo, que está aqui em foco. (Ver as notas expositivas no NTI sobre isso em Apo. 11,12,14, e em 17:9 e ss, cujas notas expositivas também contêm informes sobre a lenda do Nero ressuscitado,). Que isso é correto é consubstanciado pelo fato de que o equivalente hebraico das palavras gregas transliteradas também é ,"666"; e o autor sagrado, pensando sempre em termos do hebraico, naturalmente deve ter calculado assim o número. Além disso, sem o "n" final de "Neron", ou seja, "Nero", que é a forma latina desse nome, o valor seria 616, conforme o número figura em alguns manuscritos, e ao que Irineu alude como uma variante ou alternativa para o número representativo do anticristo em seus dias, o que se reflete em alguns manuscritos.

Pode-se chegar à mesma conclusão de outro modo, sugerido por Loymeyer, em seu comentário (Tubingen: J.C.B. Mohr, 1926, *"Handbuch zum Neuen Testament"*, págs. 115-116). De acordo com a numerologia pitagoreana, o "666" é chamado número triangular, sendo a soma dos números de "1" "36", inclusive; além disso, o "36" é, em si mesmo, a soma dos números de "1" e "8". Portanto, o "666" se reduz ao "8"; e esse é o número significativo em Apo. 17: 11, pois o anticristo será um dos sete, mas também será o oitavo imperador romano, de acordo com os cálculos do vidente João. Portanto, "8" é o temível número demoníaco do anticristo. Pelo método aqui usado, é similar ao "666" e aponta para o mesmo indivíduo. Poderíamos supor, assim sendo, que o "666" é um "número humano" equivalente ao demoníaco "8". Seja como for, o presente versículo, bem como aqueles que aparecem em Apo. 13:2,12,14 e 17:11, apontam para o "Nero redivivo" como o anticristo. Tudo isso é muito engenhoso, mas não dispomos de meios para saber se o vidente João se deixou

SINAL (MILAGRE)

envolver pela numerologia pitagoreana ou não. Entretanto, embora não saibamos dizer com certeza se essa forma de numerologia nos leva à solução correta, o que já foi dito acerca do "Nero redivivo", faz bom sentido.

5. O teólogo sueco Petrelli aplicou esse número a Joseph Smith, fundador do mormonismo; mas isso é apenas uma curiosidade histórica e interpretativa.

6. Alguns místicos modernos têm dito que o anticristo nasceu a 5 de fevereiro de 1962. Talvez seja uma coincidência curiosa que adicionando os números da data desse ano, temos $1 + 9 + 6 + 2 = 18$, que é três de $6 = 666$. Não sabemos se isso se reveste de significação, mas confiamos que o anticristo já está vivo. E nós e certamente nossos filhos, teremos de defrontar-nos com ele.

7. O número 666, no sentido profético, pode ter um significado ainda desconhecido, que somente o futuro pode nos revelar.

SINAL (MILAGRE)

Ver o artigo separado sobre *Milagres*.
I. Termos e Sinônimos
II. Caracterização Geral
III. Atos Sobrenaturais
IV. Significados

I. Termos e Sinônimos

No hebraico, *oth* (sinal, milagre, portento), usado 79 vezes no Antigo Testamento. Exemplos: Gên. 1.14; Êxo. 4.8, 9, 17, 28, 30; Núm. 14.1; Deu. 4.34. Jos. 4.26; Eze. 4.3; 20.12, 20.

No grego, *semeion*, usado 73 vezes no Novo Testamento. Exemplos: Mat. 12.38, 39; 16.1, 3, 4; João 2.11, 18, 23; Rom. 4.11; I Cor. 21.22; Apo. 12,1, 3; 13.13, 14; 19-20.

Sinônimos: No hebraico, *motheph* (maravilha); Deu. 28.45, 46; *nes* (insígnia, emblema, advertência): Núm. 26.10; *maseth* (sinal, tocha, aviso): Jer. 6.1; *tisiyyun* (monumento, marcador), às vezes usado para significar eventos que ensinam algo; um "ato de Deus" significava prender a atenção dos homens: Eze. 39.15.

No grego, Teras (sinais, maravilhas), na Septuaginta, Deu. 4.34; 6.22; 13.1; No Novo Testamento, *dunamis* (poder, um ato de poder especial): Mat. 6.13; 7.22; Mar. 5.30; Luc. 1.17, 35; Rom. 1.4, 16, 20; I Tes. 1.5; Heb. 1.3; Apo. 1.16; 3;8; *ergon* (trabalho, feito): Mat. 11.2; João 5.20; *teras* (portento): Mat. 24.24; Mar. 12.22; João 4.48; Heb. 2.4.

Essas palavras são usadas para falar de ocasiões nas quais os trabalhos divinos fazem maravilhas (positiva ou negativamente) entre os homens para chamar sua atenção de modo que sua vida e busca espiritual possam ser melhoradas. Há ainda os "sinais e maravilhas de julgamento", que têm como objetivo disciplinar, pois todos os julgamentos de Deus são remediais, não meramente retributivos.

II. Caracterização Geral

As várias palavras listadas sob a seção I denotam um evento miraculoso, ou pelo menos obviamente extraordinário, que pode ter manifestado o poder divino. Este poder entra na cena humana de acordo com o ensinamento do *teísmo*, de que o Criador não abandonou Sua criação, mas intervém, recompensa ou pune de acordo com as ações dos homens. Ele está presente na criação e torna Sua presença conhecida através de Suas obras. Um contraste com o *deísmo*, que supõe que o Poder Criador (pessoal ou impessoal) abandonou a criação ao governo das leis naturais. Ver ambos os termos no *Dicionário*. A experiência humana ensina que o divino às vezes entra em ação entre os homens e faz uma repentina e surpreendente diferença. Ver o artigo geral sobre *Milagres* para maiores ilustrações. Ver ainda sobre *Cura* e *Curas pela Fé*. O poderoso trabalho que pode ser atribuído ao poder divino através da intervenção é um "sinal" ou uma "amostra" da presença de Deus e evidencia Seu trabalho entre os homens. Sinais e maravilhas denotam, assim as provas ou demonstrações do poder e da autoridade da Presença Divina (Mat. 12.38; João 4.48; Atos 2.22). Milagres (sinais) atestam a autoridade do Messias ou de um profeta ou mestre (Mat. 16.1; 24.30). Sinais são "milagres que ensinam".

III. Atos Sobrenaturais

O sinal ou o milagre que ensina primeiro ensina algo sobre a estrutura metafísica do mundo. Há o *natural* e o *sobrenatural*, e eles às vezes interagem pela agência de algum ato prodigioso que se revela além do poder de realização humana. O próprio homem é um ser multidimensional de vastos poderes, os quais às vezes consegue usar. Uma cura pode ser extraordinária, mas totalmente humana, pois não vai além daquilo que um homem pode fazer se aprender a manipular suas energias espirituais. Mas há poderes mais elevados que o homem, como os anjos e o próprio Deus, que podem realizar coisas que ultrapassam totalmente aquilo que pode ser esperado da natureza humana em qualquer nível. *Sinais*, isto é, milagres que ensinam, são relances ocasionais de uma dimensão superior da existência. Sobrenatural é o que procede de forças que vão além da natureza ou do mundo visível e observável. Há poderes além daquilo a que chamamos de natureza.

IV. Significados

1. O *sinal* (milagre) dá uma indicação de como o homem está envolvido em uma criação multidimensional que tem esferas e atividades naturais e sobrenaturais.

2. As *superstições* aparecem quando os homens inventam falsas origens para atos prodigiosos, ou criam histórias que incluem atos que de fato não aconteceram. A existência de superstições, contudo, não anula a coisa real. Fenômenos naturais são explicados através de crenças supersticiosas. A ciência lentamente remove tais explicações ao provar esses fenômenos como naturais. Mas tal atividade não anula os poderes e as obras que estão além da natureza.

3. Os homens buscam orientação por meio de *sinais* (eventos incomuns ou mesmo milagres). Acaz recebeu um sinal divino (Isa. 7.10, 14; 8.18; 19.20; 20.3). O rei Ezequias também recebeu seus sinais (Isa. 37.30; 38.7,22). Gideão recebeu "sinais de direcionamento" para cumprir sua missão (Juí. 6.17 ss.). Oh, Senhor, concede-nos tal graça! Os judeus, um povo sempre orientado espiritualmente, gostava de sinais e os buscava com freqüência (Mat. 12.28), mas um tom espiritual negativo pode anular tais manifestações.

4. *A atividade de Deus* entre os homens às vezes se revela através de sinais especiais que incluem eventos prodigiosos (Nee. 9.10; Sal. 78.43; Jer. 21). O poder de Deus é revelado aos homens. "Clama a mim e responder-te-ei, e anunciar-te-ei coisas grandes e ocultas que não sabes" (Jer. 33.3).

5. *Seres humanos ou anjos*, ou entidades demoníacas, às vezes podem fazer um milagre que não é explicado naturalmente, como os mágicos que se opunham a Arão e Moisés (Êxo. 8.7). Eles eram limitados, contudo, e acabaram confessando que o que Arão e Moisés haviam

feito era por causa do "dedo de Deus" (Êxo. 8.19), além de seus poderes. Satã, através de suas agências, é capaz de "maravilhas" que às vezes têm a intenção de enganar os homens e obter sua adesão. Ver II Tes. 2.9; Apo. 13.3; I João 2.26. Os oponentes de Jesus atribuíam Seus milagres ao poder de Satã (Mar. 3.21-27). No lado positivo, os anjos, poderes bons e mais altos, sujeitos a Deus, às vezes intervêm e fazem milagres que poderiam ser a principal fonte de tais acontecimentos no mundo de hoje. Alguns supõem que os anjos estivessem ativos na própria criação. Ver o artigo sobre *Anjo* para maiores detalhes. Ver especialmente as seções X e XI daquele artigo.

6. O *Logos* (que se manifestou em Jesus, o *Cristo*) é o intermediário entre Deus e o homem e, naturalmente, é o realizador de milagres divinos e o responsável pela criação original (Gên. 1.1). Os Evangelhos são o registro histórico dos milagres de Cristo. Ver os artigos *Logos* e *Jesus* na *Enciclopédia de Bíblia, Teologia e Filosofia*. De interesse especial é o artigo sobre o *Problema Sinóptico*, que lista os milagres de Jesus.

A crença nos milagres de Cristo faz com que se aceite a Sua autoridade (João 5.36). O mesmo é verdadeiro quanto ao testemunho dos apóstolos (Heb. 2.4).

SINAL DA CRUZ

O sinal da cruz é um gesto de religiosidade antiquíssimo. Data, pelo menos, do século III d.C., visto ser mencionado no livro apócrifo de Atos de Paulo e Tecia, que pertence àquele século. Muita superstição tem-se apegado a seu poder e importância. Sem dúvida, começou como um gesto que buscava proteção e poder; mas logo propriedades mágicas foram atreladas ao mesmo. Esse sinal é traçado com o polegar sobre a testa, o peito, e de ombro a ombro. E empregado para simbolizar bênção, a absolvição de pecados e um pedido silencioso de proteção. Mas também é um gesto que pede cura, um ato associado ao exorcismo, um gesto que indica que uma pessoa ou coisa foi separada como santa, um ato que busca o poder e a bênção de Cristo.

SINAL DE ASSERÇÃO

O sinal, introduzido por Frege, para distinguir entre a mera declaração ou nomeação de uma proposição e tê-la como veraz. O sinal indica que o indivíduo considera verdadeira a proposição em discussão. No uso moderno, o sinal metalinguagem (ver o artigo) para indicar sentença que se segue pode ser: a. deriva axiomas da teoria; b. derivada de pressupostos, isto é, trata-se de um teorema lógico. Escrito entre sentenças ou conjuntos de sentenças, esse sinal é um símbolo metalingüístico usado para indicar que o que ocorre à direita pode ser derivado, ou pode ser afirmado com base no que ocorre à esquerda. (F P)

SINAL E SÍMBOLO

Tal como existe no caso de todas as palavras importantes, não se tem podido divisar uma definição universal e satisfatória para esses vocábulos. Terminamos apresentando meras descrições. A palavra sinal é derivada do termo latino *signum*. O termo grego correspondente é *semeion*. A teoria dos sinais chama-se semiótica, que se deriva daquele termo grego que acabamos de mencionar.

Idéias Sobre os Sinais:

1. Os gregos tinham certa variedade de sentidos ligados à palavra semeion. Os músicos usavam-na para indicar as notas musicais. Os médicos usavam na para indicar os sintomas das enfermidades. Filodemo de Gedara aludiu à "inferência" de que é dotada a linguagem dos sinais.

2. Ao desenvolver-se a lógica, já na Idade Média, esse termo passou a ser usado para indicar os termos de linguagem.

3. Locke desenvolveu a teoria dos sinais na lógica, em seu método empírico, e fez da lógica a principal área de aplicação dos sinais.

4. Lady Elby estudou os diferentes elementos que contribuem para o significado das palavras, chamando-os de sinais ou "significações".

5. Peirce chamava a lógica de semiótica, uma doutrina formal de sinais. Ele abordou a questão dividindo a linguagem em gramática pura lógica propriamente dita e retórica pura, em todas elas os sinais são importantes.

6. Charles Morris dividiu a semiótica em sintática, semântica e pragmática, e muitos lógicos têm aceito essa divisão. Ele também falava em semiótica pura e em semiótica descritiva. A primeira é uma análise dos sinais, e a segunda é um estudo dos sinais existentes.

7. Reid usou a distinção feita por Ockham entre os sinais convencionais (isto é, as palavras individuais, faladas ou escritas) e os sinais naturais, os quais já se referem aos efeitos que os objetos exercem sobre nós.

8. Chang Tung-Sun supunha que passamos dos sinais para os símbolos, e que os sinais são uma espécie de começo do desenvolvimento dos símbolos.

9. Na fé religiosa e na linguagem que a expressa, é muito importante essa questão dos sinais e dos símbolos. Alguns teólogos pensam que toda linguagem, incluindo a teológica, é simbólica e parabólica, e que literalizar as experiências e a linguagem é o mesmo que se afastar um tanto da verdade, e não uma maneira melhor de nos aproximarmos dela. Essa idéia admite tanto a fraqueza de nossa linguagem quanto de nosso conhecimento. Só podemos fazer uma pálida idéia das grandes verdades porque isso está de acordo com nosso presente estado de humilhação. As visões também são parabólicas, não devendo ser tomadas como representações literais da realidade, pelo que a própria revelação opera através de parábolas, pelo que não deveríamos ficar muito preocupados com detalhes específicos quanto a essas coisas. Visões de céus com ruas de ouro, muralhas ornadas de jóias, etc., são realidades belas, esplêndidas, mas meras parábolas, e não podemos interpretá-las literalmente. Por igual modo, visões de chamas, no caso dos ímpios, são parábolas de juízo que castiga e purifica, pois almas imateriais nada sofreriam envoltas em fogo literal. Seria a mesma coisa que querermos jogar uma pedra no sol.

SINCERIDADE

No grego *eilikrinéia*, "transparência", "clareza solar", "não–adulteração". Esse substantivo aparece por três vezes: I Cor. 5:8; II Cor. 1:12; 2:17. O adjetivo *eilikrinés*, "transparente", "sincero" figura por duas vezes: Fil. 1: 10 e 11 Ped. 3: 1. A idéia desses vocábulos é que a pessoa que se caracteriza por essa virtude não tem o que esconder, especialmente no tocante à sua atitude para com Deus e para com o seu povo. Israel deveria tomar posição clara como um povo separado para Deus e distinto de todos os outros povos. Essa idéia também aparece no Sermão da Montanha, onde ele diz: "Ninguém pode servir a dois senhores; porque ou há de aborrecer-se de um, e amar ao outro; ou se devotará a um e desprezará ao outro. Não podeis servir a Deus e às riquezas" (Mat. 6:24). Nas suas epístolas, o Novo Testamento frisa a antítese entre a vida em nossa velha natureza e a nossa nova vida em Cristo.

A sinceridade, segundo o ensino neotestamentário, é uma atitude toda-abrangente, e não alguma virtude entre outras. Em Filipenses 1:10 está em pauta a pureza requerida quando do julgamento encabeçado por Cristo, o que requer o nosso atual desenvolvimento no amor e no conhecimento, preparando-nos para discernir entre o que é apenas bom e o que é verdadeiramente excelente. O trecho de II Pedro, também tem em vista a perspectiva escatológica. O crente de mente sincera crê nas promessas divinas sobre o retorno de Cristo, não adotando a atitude zombeteira dos incrédulos, que escarnecem de tudo quanto não entendem. Em I Coríntios aprendemos que os crentes devem participar da comunhão em atitude de sinceridade e verdade, em contraposição com a atitude da maldade e da malícia. E, em II Corintios, Paulo atribui a si mesmo essa virtude cristã, mostrando que ele não mercadejava com a Palavra de Deus, mas antes, vivia na própria presença de Deus e dos homens com toda a transparência, sem fingimentos e sem segundas intenções. Singeleza de motivos e a pregação do evangelho precisam caminhar de mãos dadas. Qualquer atitude diferente disso resultará em naufrágio espiritual.

SINCERO
Ver sobre **Sinceridade**.

SINCRETISMO

Palavra derivada do grego, *sunkretizo*, "combinar". Ao que parece, Plutarco foi a primeira pessoa a usar essa palavra. Ele a empregou para indicar os esforços harmonizadores dos neoplatonistas, que incorporavam várias linhas de idéias no tapete de seu pensamento. O sincretismo pode ser superficial ou profundo. É superficial quando uma mente preguiçosa, não desejando investigar em profundidade, meramente ajunta peças de sistemas já existentes, servindo uma salada indigesta de idéias. Mas, quando o sincretismo é profundo, dá-nos discernimento quanto a vários sistemas que contem fragmentos da verdade, e como, juntando esses fragmentos, podemos obter um quadro melhor da própria verdade.

Uma das utilidades do sincretismo consiste em misturar elementos aparentemente dispares, conferindo-lhes pequenas distorções, panos de fundos ou interpretações. Pessoas que respeitavam Platão e Aristóteles tentaram harmonizá-los. Tais esforços produziram interessantes, mas dúbios resultados. Os neoplatonistas mostraram-se ambiciosos em seus esforços sincretizadores. Tentavam harmonizar as idéias essenciais das religiões do mundo, à base das semelhanças discerníveis entre suas várias divindades.

O Sincretismo e a Igreja Cristã:

1. *O próprio Novo Testamento* é um documento sincretizado. Quanto mais o estudamos, mais isso se torna claro. O Antigo Testamento é sua principal fonte informativa; mas outra fonte, embora secundária, é o pensamento judaico-helenista, através de sua literatura, os livros apócrifos e pseudepígrafos. Aqui a influência se faz sentir em duas áreas principais: a tradição profética e a doutrina do Messias. Apesar de haver poucas citações diretas, há muitas idéias tomadas por empréstimo. Meu artigo sobre I Enoque demonstra isso com abundância. Algumas das obras pseudepígrafas parecem-se tanto com o Novo Testamento, em certos trechos, que os eruditos têm-nas datado como provenientes da Era Cristã. A descoberta dos Manuscritos do Mar Morto puderam ajudar a datá-las como pertencentes a antes da Era Cristã, tornando-se assim evidente a sua influência indireta sobre o Novo Testamento.

Mas também foram tomadas por empréstimo certas idéias gregas, conforme se vê na doutrina do Logos e na epístola aos Hebreus, com seu mundo em dois níveis. A doutrina da alma (no Novo Testamento combinada com a idéia da ressureição) é, essencialmente, um desenvolvimento do pensamento grego. E há outros pontos de correspondência. Nada disso, porém, nega que o Novo Testamento é uma revelação divina; tão-somente mostra que qualquer revelação incorpora idéias de outros sistemas, contanto que essas idéias sejam compatíveis e úteis.

2. *Os primeiros pais da Igreja*, especialmente aqueles da porção oriental da cristandade, tentaram combinar o cristianismo com a filosofia grega, com base na hipótese de que o Logos plantara algumas de suas sementes nos melhores aspectos dessa filosofia, especialmente dos escritos de Platão. A doutrina cristã veio a ser expressa nos termos da filosofia grega. Ver sobre *Alexandria, Teologia de*.

3. *Na Idade Média*, a teologia escolástica. Na era medieval, os escritos de Aristóteles foram revestidos de grande prestígio, e sua filosofia foi usada para exprimir a teologia cristã. Ver sobre o *Escolasticismo*, bem como o detalhado artigo sobre Aquino, Tomás de (Tomismo). Platão, porém, não foi esquecido, pelo que o sincretismo da época continuou a incluir suas idéias na teologia. Ademais, houve o acúmulo das tradições da Igreja, muitas vezes extrabíblicas, se não mesmo antibíblicas.

4. *A Reforma Protestante* produziu a fragmentação da Igreja Ocidental. A Igreja Oriental se separa de Roma, em 1054. Várias tentativas foram feitas para unificar os credos das igrejas separadas, na tentativa de promover a unidade organizacional. Tais tentativas, porém, foram bem-sucedidas apenas temporária e teoricamente. Pelos meados do século XVII, quando os dogmas dos vários ramos das Igrejas Reformadas se fixaram, tais tentativas passaram a ser vistas como fúteis. Foi a partir de então que o termo sincretismo adquiriu uma conotação negativa, porque as pessoas, em sua arrogância, passaram a pensar em seus sistemas como tão perfeitos que não haveria necessidade de "combiná-los" com outros sistemas. E o vocábulo passou a ser usado como meio de censurar aqueles que queriam minimizar os padrões doutrinários, para efeito de unidade. Os esforços unionistas para reunir vários grupos dos protestantes alemães, na porção final do século XVII, foram chamados de *controvérsias sincretistas*.

5. Nos tempos modernos, o termo sincretismo passou a ser usado para descrever tanto os esforços para unir ramos da cristandade quanto as tentativas para harmonizar o cristianismo com fés ou filosofias não-cristãs.

6. Um *conceito teológico-filosófico básico*, que encoraja o tipo correto de sincretismo: o conceito do Rationes Seminales (*Logoi Spermatikoi*) (vide). Essa idéia pressupõe que o Logos implanta suas sementes por toda a parte. E assim, até nos lugares mais inesperados, podemos encontrar as mais preciosas jóias de conceito e pensamento ou de prática. Isso posto, qualquer busca pela verdade necessariamente se utiliza de algum sincretismo. O artigo acima mencionado fornece detalhes sobre a questão. As obras do Logos (o Filho de Deus) são vastas e complexas. Podem ser vistas por toda parte, compondo uma grande força por detrás do Mistério da Vontade de Deus (vide), que busca obter a unidade final de todas as coisas em redor do Logos, chamado o Cristo, em sua encarnação. Naturalmente, também existe um sincretismo barato, que meramente combina fatores por motivo de conveniência ou ignorância, não sendo, realmente, uma maneira adequada de inquirir pela verdade.

SINDÉRESE

Esse termo português significa "fagulha de

consciência", "preservação" "resguardo cuidadoso". Foi Jerônimo que introduziu esse vocábulo na teologia, na sua tentativa de explicar os quatro seres viventes do trecho de Ezequiel 1:4-15. Ali achamos o homem, o leão, o boi e a águia. Jerônimo interpretou esses símbolos como segue: o homem (a parte racional humana); o leão (a parte irascível do homem); o boi (os apetites humanos); a águia (a fagulha de consciência que restaria no homem). A águia, pois, representa a idéia de que o homem tem um resto de consciência da existência de Deus, podendo reagir positivamente a ele, apesar de estar morto em seus pecados.

A expressão latina usada para indicar a alegada centelha divina restante no homem é *scintilla conscientiae*. Jerônimo e outros têm sentido que isso teria sido preservado no homem, por haver sido criado à imagem de Deus. Tomás de Aquino, apesar de ter aceito a idéia, deu-lhe um novo sentido, dizendo que a sindérese consiste em um *habitus*, uma característica inerente ao homem, onde residiriam os primeiros princípios do raciocínio prático.

É curioso que os animais simbólicos de Ezequiel 1:4-15 acabaram sendo emblemas, no parecer de outros teólogos cristãos, dos quatro evangelhos: o homem (o querubim) representaria Mateus; o leão representaria Lucas; o boi representaria Marcos; e a águia representaria João. E isso deitou abaixo a sindérese de Jerônimo. A verdade é que nem a Bíblia ensina a idéia de "centelha", nem os animais da visão de Ezequiel representam os quatro envangelhos!

Importância da Sindérese na Teologia Moral. A teologia moral reteve a idéia de sindérese, que seriam as qualidades inatas, intelectuais e morais do homem, que o capacitariam a intuir os princípios gerais e básicos do raciocínio moral, e em vista dos quais ele é responsável por seus atos, diante de Deus, inteiramente à parte da regeneração. Mas a centelha divina de Jerônimo não mais desempenha aí qualquer papel na moralidade humana. A intuição moral humana não foi destruída com a queda no pecado, mas tão somente sua capacidade de querer, realmente, o bem. Essa intuição moral não dependia da presença de Deus com o homem, e nem foi reduzida a mera centelha com a queda. A intuição moral faz parte inata do homem. O que o homem perdeu, com a queda, foi o poder da escolha contrária (vide), ou seja, a capacidade de reverter o seu estado moral. Foi o que também sucedeu a Satanás e seus anjos. Tendo escolhido o mal, eles tornaram-se "maus".

Mas Deus, em sua misericórdia para com o homem, muda as predisposições humanas, sem fazer qualquer violência à livre-vontade humana (elemento que precisa ser preservado a todo custo, se tivermos de falar em responsabilidade do homem). Antes, como que através de uma conquista amorosa, Deus reverte a caminhada rebelde do homem perdido. Destarte, uma vez convertido, um pecador, antes "escravo do pecado" (João 8:31-36), torna-se 'servo da justiça" (ver Rom. 6:15-23, especialmente o vs. 18). Esse ensino bíblico é repisado em vários verbetes desta enciclopédia. Ver sobre *Consciência* e *Livre-Arbítrio*, que lançam luzes sobre essa espinhosa questão da teologia e da filosofia.

SINDICATOS
Ver sobre **Ofícios e Profissões**.

SINEAR
No hebraico, **shinar**, cujo sentido é desconhecido. No grego da Septuaginta, *Senaár* ou *Sennar*. Uma das designações, talvez a mais antiga, para indicar o território da Babilônia. O nome aparece em Gên. 10:10; 11:2; 14:1,9; Isa. 11:11; Dan. 1:2 e Zac. 5:11.

Esboço:
1. Identificação
2. Os Sumérios
   A. Sua Origem
   B. Sua Escrita
3. História
4. Usos Bíblicos do Nome

1. Identificação
Essa é dada logo na primeira referência onde o nome aparece, Gênesis 10:10, que diz: "O princípio do seu reino foi Babei, Ereque, Acade e Calné, na terra de Sinear". Isso significa que onde foram erigidas essas antiqüíssimas cidades, aí era a terra de Sinear. A princípio, a questão parece tão simples quanto isso. Todavia há fatores de complicação. O mais difícil de deslindar é que a porção sul do território, tradicionalmente considerada como a antiga terra de Sinear, isto é, a Babilônia, era chamada Suméria, ao passo que a porção norte desse mesmo território era chamada Acádia (devido à sua capital, Acade). Apesar de Sinear parecer ter alguma ligação com a Suméria, os estudiosos mostram que não há qualquer vinculação possível entre os dois nomes. A identificação da terra de Sinear com a Acádia, já não é tão difícil, mesmo porque Acade é a terceira cidade mencionada no trecho de Gênesis 10:10. O que dificulta a aceitação simples e sem discussão dessa segunda identificação é que nenhum equivalente do termo hebraico *shinar* tem sido encontrado nos textos antigos da própria Babilônia. E o termo Suméria, usado desde 2350 a.C. para indicar a região, é atualmente usado para descrever a totalidade da antiga Babilônia, antes que a dinastia semítica viesse a tornar-se dominante na Babilônia. Antes dessa dominação semítica, os sumérios foram os primitivos habitantes da região.

2. Os Sumérios
A. *Sua Origem*. Os primeiros povos que imigraram para o vale dos rios Tigre e Eufrates chamavam a si mesmos de "povos de cabeça negra". Todavia, seu lugar de origem é desconhecido e isso tem dado origem a diversas teorias. Visto que eles empregavam o mesmo ideograma para indicar terra e montanha, é possível que seu lugar de origem tivesse sido nas proximidades das montanhas do Cáucaso, e que eles tenham sido os originadores das torres templos, semelhantes a montes (ver sobre Zigurates). Porém, visto que primeiramente eles ocuparam o que se tornou a porção sul da Babilônia, e não a porção norte, ou seja, aquela que ficava mais perto do mar, outros estudiosos pensam que eles vieram mais do Oriente, por via marítima, o que pode explicar por que, à semelhança dos semitas, que também chegaram a habitar na mesma área geral, eles não eram reforçados por novas ondas migratórias periódicas.

B. *Sua Escrita*. O sumério não tem nenhuma ligação conhecida com qualquer língua antiga ou moderna. É uma língua não-semítica, aglutinativa, que muitos estudiosos classificam como uma língua turaniana, com afinidades turco-chinesas, segundo a opinião de muitos. Não obstante, as línguas semíticas das populações que vieram misturar-se com os sumérios, terminaram absorvendo muitos termos de origem sumeria. No século IV a.C., a escrita dos sumérios era pictográfica; mas essa forma de escrita não tardou a ceder lugar para uma escrita polissilábica bem desenvolvida, que empregava mais de quatrocentos sinais diferentes. A literatura ali produzida mostrou ser muito influente, visto que essa mesma forma de escrita foi

SINEAR – SINÉDRIO

aproveitada por povos de línguas semíticas, como o assírio e o babilônico (acádico), ou o sírio e o palestino, como também por povos de línguas não-semitas, como o elamita, o cassita, o hitita, o hurriano e o persa antigo. E os informes arqueológicos provenientes de diferentes períodos de ocupação, mostram que havia um povo ímpar, que residia nas principais cidades.

3. História

Os estudiosos da história dos sumérios geralmente dividem-na em três períodos: a. período anterior; b. período clássico; e c. renascença suméria. Forneceremos ao leitor apenas os dados suficientes para que ele possa acompanhar essa história em seus lances principais.

O "período anterior", gira em torno do dilúvio. De acordo com os mais antigos registros que têm sido encontrados, oito reis diferentes reinaram em cinco cidades diversas e então "o dilúvio varreu a terra". Todavia, nenhuma correlação é possível entre esses reis e os patriarcas antediluvianos (Gênesis 5). As vidas desses reis teriam sido imensas. Basta dizer que o reinado conjunto deles foi de 241.209 anos! Terminado o dilúvio, uma nova lista de reis, com setenta e oito nomes de monarcas, fala em cidades capitais como Quis, Ur, Ereque, Mari e outras. Que esses reis foram personagens históricas, não se pode duvidar, visto que há restos epigráficos e arquitetônicos que atestam a presença deles naquela região.

O *período clássico* vai de 2700 a 2150 a.C. Nesse período a civilização suméria se desenvolveu com a organização do trabalho, devido à necessidade de irrigação e de defesa militar. Há evidências de certa forma de governo democrático, que não demorou a entrar em choque com o poder crescente da classe sacerdotal. Houve muita riqueza material na época, confirmada pelos riquíssimos túmulos reais encontrados em Ur. Um dos grandes líderes da época, de nome Urukagina, efetuou reformas sociais com uma legislação que buscava desburocratizar as questões públicas, que pesavam muito sobre os pobres, as viúvas e os órfãos. Não demorou muito, entretanto, para que a Suméria acabasse nas mãos do poderoso semita Sargão, de Acade. Isso pôs fim ao período clássico sumério. Isso também unificou a Babilônia, o norte e o sul, como uma nação predominantemente semita.

O período da renascença suméria deu-se após um período de mediocridade sob governantes gutianos, até que foram derrubados, já em 2120. Após alguns anos de ajustamentos perturbados, foi inaugurada terceira dinastia de Ur (2113-2006 a.C.), quando houve uma prosperidade econômica e literária sem-par sob a hegemonia sumeriana. É desse período que nos chegou o código de Ur-Namu, o mais antigo código legal que chegou ao nosso conhecimento. Os feitos arquitetônicos também foram notáveis. Ur foi virtualmente reconstruída. Outras cidades beneficiadas foram Uruque, Eridu e Nipur. Em cada um desses lugares foi erigido um zigurate e templos arruinados foram restaurados. Um contemporâneo de Ur-Namu, chamado Gudea, de Lagase, marchou na direção da Síria e da Anatólia de onde trouxe material de construção para embelezar sua própria capital. Após Ur-Namu, houve vários reis da mesma dinastia. Um deles, de nome Isbi-Irra, fez uma tentativa sem êxito de conseguir ajuda dos elamitas contra os semitas ocidentais, diante dos quais a cidade caiu, em 2006 a.C. Samu-Iluna, filho do famoso Hamurabi, na sua tentativa de se livrar do domínio semita, só provocou a total destruição da cidade. Daí por diante, a Suméria ficou, definitivamente, sob as mãos de governantes semitas, excetuando breves intervalos, até que caiu sob o tacão de Ciro, o persa, já em 539 a.C.

4. Usos Bíblicos do Nome

Conforme dissemos acima, Sinear é usado como nome, na Bíblia, para descrever o território onde estavam as cidades de Babel, Ereque, Acade e Calné, que faziam parte do reinado de Ninrode (Gên. 10: 10). Esse foi o lugar onde chegaram imigrantes vindos do Oriente e ali edificaram a cidade e a torre de Babel (Gên. 11:2). Um rei de Sinear, de nome Anrafel, fez parte da coligação armada que atacou Sodoma e Gomorra (Gên. 14:1), mas que acabou sendo derrotada pelos homens de Abraão (Gên. 14:12-17). Uma excelente capa proveniente de Sinear (embora nossa versão portuguesa diga "babilônica") (Jós. 7:21), foi poupada e escondida por Acã, perto de Jericó, o que resultou na sua execução. Foi para a terra de Sinear que Nabucodonosor levou os cativos de Jerusalém (Dan. 1:2), de onde também um profeta previu que voltaria um remanescente fiel (Isa. 11:11). Zacarias 5: 11 indica que Sinear era um lugar distante e iníquo.

Tudo quanto dissemos acima tende por demonstrar que o equivalente babilônico da "terra de Sinear" não se encontra na Suméria. Isso também fica implícito no fato de que, no siríaco, a palavra *Sen`ar* apontava para a região em redor de Badgá, o que, segundo muitos estudiosos pensam, na antiguidade incluía a planície onde se encontram, em nossos dias, as ruínas da cidade de Babilônia. Disso conclui-se que, com toda a probabilidade, Sinear é a região norte da Babilônia. Se os estudiosos aceitassem a Bíblia naquilo que ela afirma, sem tentarem outras explicações, não haveria necessidade de tanto debate e de tantas opiniões contraditórias. Gênesis 10:10 seria o suficiente para indicar que Sinear, para os hebreus, era um sinônimo de Babilônia. Afinal, a cidade, de Babel ficava na terra de Sinear, segundo esse versículo. E Babel ficava na Babilônia.

Os sumérios, a despeito de sua tão significativa civilização, que influenciou os babilônios, os persas, os gregos, e que chegou a deixar marcas no Antigo Testamento, chegaram a se misturar com os semitas do norte da Babilônia, e com semitas recém-chegados, vindos de outras regiões; mas não podemos confundi-los com os habitantes da terra de Sinear.

SINÉDRIO

I. Termos
II. Caracterização Geral
III. Descrição da História
IV. Competência; Jurisdição
V. No Novo Testamento

I. Termos

Esta palavra foi alterada pelos aramaicos, tendo derivado do grego *sunedrion*, que significa "conselho" ou "sessão de assembléia". As duas partes da palavra são *sun* (com) + *edra* (assento). "Sentar junto" para um propósito específico (isto é, entrar em conselho) é o significado essencial decorrente. A palavra não é encontrada no Antigo Testamento, mas ocorre 22 vezes no Novo Testamento, que listo no final da seção V deste artigo. O sinédrio, como corpo regente, foi mencionado pela primeira vez sob a palavra grega *gerousia* (anciãos) na época de Antíoco, o Grande (223-187 a. C.). Este termo se aplica à regra do corpo aristocrático dos anciãos.

II. Caracterização Geral

Da forma usada nos Evangelhos e em Atos, a palavra significa "conselho". O conselho judeu assim chamado no Novo Testamento era um corpo aristocrático, aparentemente controlado pelos saduceus, mas que incluía os principais anciãos, e o sumo sacerdote atuava como

SINÉDRIO

uma espécie de presidente. Jesus sofreu amarga oposição por parte desse corpo regente, e as referências feitas no Novo Testamento de modo geral se situam no contexto de oposição. Ver Mat. 26.29; João 11.47; Atos 4.5-22; 5.17-43; 6.12-15.

Esse corpo regente retrocede tão distante quanto Antíoco, o Grande, e era um tipo de corpo judicial e administrativo na Palestina romana. Quando Pompeu envolveu-se em uma disputa doméstica entre dois irmãos hasmoneanos (por volta de 66 a. C.), os romanos decidiram governar a Palestina diretamente. O território foi dividido em cinco conselhos (*synedria*, Josefo, *Ant*. 14.5.91; *Guerras* 1.8.170). Todavia, além desses conselhos, os judeus tinham seu próprio corpo regente conhecido pelo mesmo nome. O conselho judeu ficava sob o controle dos romanos, não tendo questões de vida e morte sob sua jurisdição, mas podendo tratar de assuntos menos importantes com a aprovação romana. A maioria dos problemas "judeus" podia ser resolvida por esse corpo, o que livrava os romanos de consideráveis problemas na Palestina.

No período rabínico (em torno de 200 d. C.), *Sinédrio* tornou-se uma palavra técnica para referir-se à corte rabínica. O Mishna devota um tratado inteiro a isso. Esse documento foi a primeira codificação da lei rabínica. Ver sob *Talmude*.

III. Descrição da História

1. O *Sinédrio* obteve poder na época da supremacia grega, mas os rabinos tentaram traçar sua história até o conselho de Moisés, os 70 anciãos que eram seu braço direito para propósitos de governo. As grandes lacunas existentes na história hebraica e judaica impossibilitam rastrear a origem desse conselho.

2. A primeira menção clara a tal corpo regente remonta à época de Antíoco, o Grande (223-187 a. C.), quando tal corpo era então chamado de *gerousia* (no grego, *anciãos*). Esse conselho aristocrático era formado por donos de terra e homens com poder militar e político, liderados pelo sumo sacerdote.

3. Esse corpo regente continuou a funcionar sob os hasmoneanos, retendo as características mencionadas acima no tangente à *gerousia*. Ver II Macabeus 1.10; 4.44 e 11.27. Ver ainda o artigo geral *Hasmoneanos (Macabeus)*.

4. A *gerousia* aparentemente continuou na época de Pompeu, e o sumo sacerdote era chamado de *governador* (Josefo, *Ant*. xx.10). O território da Palestina foi dividido em cinco distritos, sobre os quais havia um *sinédrio* (Josefo, *Guerras*, i.8.5). O *Sinédrio* judeu assumiu um papel subordinado.

5. César indicou Hircano II (o sumo sacerdote) para sua antiga posição como *etharch*, e o Sinédrio judeu ganhou assim mais poder, estendendo à Galiléia (Josefo, *Ant*. xiv. 9, 3.5). Foi nesse momento que o corpo regente assumiu pela primeira vez a designação *sinédrio*, deixando para trás seu antigo nome, *gerousia*, hoje perdido nas páginas da história.

6. Herodes, o Grande, iniciou seu reinado ao ordenar a execução de todo o *Sinédrio* (Josefo, *Ant*. xiv. 9.4), que obviamente não estava cooperando com seus planos e às vezes tinha a audácia de criticá-lo. Assim, Herodes formou um novo Sinédrio, compatível com seus atos e idéias.

7. Após a morte de Herodes, o Sinédrio parece ter ficado restrito a Jerusalém.

8. Sob os procuradores romanos, o Sinédrio ganhou mais poder. *Pôncio Pilatos* (ver) foi o procurador romano da Judéia, da Samaria e de parte da Iduméia, entre 26 e 36 d.

C. Nessa época Jesus teve de enfrentar o Sinédrio Judeu como um poder hostil. Ver a seção VI para maiores detalhes sobre o período, quando, aliás, esse corpo regente judeu também chamado pelo nome de presbitério (Luc. 22.55; Atos 22.5) e pelo termo mais antigo *gerousia* (Atos 5.21).

IV. Competência; Jurisdição

No sentido mais amplo, o Sinédrio tinha poder sobre todo o mundo judeu, funcionando como a Suprema Corte de Israel. Relativamente aos pagãos, seu poder aumentava e diminuía, como demonstra a discussão na seção IV. Na época judia, seu poder era limitado às 11 toparquias da Judéia, governando essencialmente apenas sobre Jerusalém. Mesmo esse poder era sujeito à aprovação romana. Embora Jesus estava na Galiléia, o Sinédrio não poderia (legalmente) tomar nenhuma medida contra ele, mas muitos daqueles que O perseguiam certamente eram enviados por esse corpo regente. Observe que o Sinédrio tinha poder de emitir mandatos às congregações (sinagogas) em Damasco, e, embora isso não fosse oficial da perspectiva romana, as sinagogas sentiam-se constrangidas a obedecer (ver Atos 9.2; 22.5; 26.12). Portanto, enquanto a sua *lei* não era a lei da terra, era, por assim dizer, a lei da "igreja", o que pode tê-la tornado viável a despeito de qualquer coisa que os romanos dissessem. As comunidades judaicas distantes poderiam recusar-se a obedecer, mas isso certamente lhes custaria caro. O Sinédrio era mais do que um corpo que tratava de questões religiosas e teológicas. Também tinha poder sobre questões civis relacionadas aos judeus, sempre com a aprovação romana necessária, de forma que o corpo não podia ser acusado de traição. Relativamente às questões da Lei Mosaica, a qual tornou Israel uma nação distinta, a palavra do Sinédrio era a palavra final. Era o fator que traria a execução de Jesus pela "lei romana", mas presumivelmente inspirada por infrações à Lei Mosaica (ele foi acusado oficialmente de blasfemo pela Suprema Corte judaica).

Durante as sessões, os membros sentavam-se formando um semicírculo, para que todos os presentes pudessem ficar de frente a frente. Dois escrivães, um à direita e outro à esquerda, registravam os procedimentos e os votos. O homem a ser julgado aparecia humilhado, em roupas de lamentação. Os argumentos de defesa eram apresentados, e depois seguiam-se os de acusação. Discípulos estudantes poderiam falar por ele, mas não contra ele, algo que era a prioridade dos encarregados, membros do corpo regente. Uma absolvição poderia ser dada no mesmo dia do julgamento, por maioria simples, mas não uma condenação, com a qual 2/3 tinham de concordar. O quorum mínimo era de 23 pessoas. Essas informações derivam do *Mishna*.

V. No Novo Testamento

Na época do Novo Testamento, o Sinédrio era formado pelo sumo sacerdote em poder (atual); por outros sumo sacerdotes que já haviam servido; por membros de famílias privilegiadas; por anciãos, isto é, líderes de famílias ou clãs; e pelos escribas. Tanto os saduceus quanto os fariseus estavam representados. O Mishna diz que o número total era de 70 membros. Para maiores detalhes sobre seus poderes, ver a seção V. As observações do Novo Testamento dão conta de que Jesus apareceu diante do Sinédrio acusado de blasfêmia (Mat. 26.65; João 19.7). Pedro e João foram acusados de serem falsos profetas e enganadores do povo (Atos caps. 4 e 5). Estêvão, acusado de blasfêmia, foi executado (Atos 6.13 ss.). Paulo foi acusado de violar a Lei de Moisés (Atos 23). O Sinédrio tinha o direito de ordenar que os ofensores fossem presos e perseguidos se não estivesse envolvida a pena de morte (Mat. 26.47), mas

SINERGISMO

evidentemente ultrapassava sua autoridade e ocasionalmente realizava uma execução sem a autorização do governo romano, como foi o caso de Estevão. João 18.31 mostra que o poder de execução não era legal. Atos 22.30 mostra que o Sinédrio era consultado pelas autoridades romanas antes de tomar certas medidas. Cf. ainda Atos 23.15, 20, 28. Tais observações mostram que esse corpo tinha muitos poderes, e, quando não o tinha, era capaz de convencer Roma a agir segundo sua vontade, ou poderia até agir drasticamente (ilegalmente) sem ser responsabilizado por seus atos.

Referências no Novo Testamento: Mat. 5.22; 10.17; 26.59; Mar. 13.9; 14.55; 15.1; Luc. 22.66; João 11.47; Atos 4.15; 5.21, 27, 34, 41; 6.1, 15; 22.30; 23.1, 6, 15, 20; 28; 24.20.

SINERGISMO

Essa palavra vem do termo grego composto que significa "trabalhar junto com". No contexto teológico essa palavra significa que a salvação do indivíduo é o resultado final de um esforço cooperativo do indivíduo com Deus. Pelágio (cerca de 400 d.C.) asseverou que a vontade humana tem total competência para observar a lei de Deus. Ele era homem moral e dotado de férrea vontade, conhecido por sua incomum piedade. Mas, sua própria condição de caráter cegava-o para a fraqueza dos homens em geral; e isso exerceu certos efeitos sobre seus raciocínios teológicos. Seja como for, o tipo de sinergismo que ele propunha fazia a salvação do homem depender, pelo menos em parte, das obras humanas. E também exaltava mais o ser humano do que muitos teólogos julgam ser possível fazer-se. Agostinho opôs-se vigorosamente a ele, enfatizando a fé e a graça como agentes da salvação.

Também devemos levar em conta o semipelagianismo (vide) que ensina que o homem precisa primeiramente preparar-se condignamente para receber a graça divina, exibindo fé, esperança e amor, tudo o que estaria dentro do escopo das capacidades humanas. Esse ensino tornou-se generalizado na Idade Média, e hoje faz parte da doutrina oficial da Igreja Católica Romana. Muitas seitas cristãs, hoje em dia, promovem certa forma de sinergismo. Mas, não menos errado é o calvinismo extremado, que reduz o homem a nada e pensa que o processo de salvação é automático, dispensando a necessidade até da pregação do evangelho.

No caso de pessoas já crentes, Paulo ensinou uma correta forma de sinergismo, conforme se vê, por exemplo, em Fil. 2:12,13: o ... desenvolvei a vossa salvação com temor e tremor; porque Deus é quem efetua em vós tanto o querer como o realizar, segundo a sua boa vontade.

A palavra aqui traduzida por desenvolver definidamente vai além do que o calvinismo supõe. A passagem, naturalmente, mostra que até esse ato vem da parte de Deus; porém, quais fatores da predisposição humana se originam na vontade e no esforço humano não são definidos, embora certamente essa seja uma idéia ali implicada. O evangelho depende da "reação humana favorável", e fica subentendido que a vontade humana pode corresponder de forma genuína. É claro que essas palavras foram dirigidas a crentes, cuja vontade já havia sido transformada pelo poder de Deus; mas o calvinismo extremado não reconhece nem mesmo que o crente tem a responsabilidade de reagir favoravelmente à expressa vontade divina.

A doutrina bíblica que diz que o homem foi criado à imagem de Deus dá a entender que, apesar da queda, essa imagem não pode ter sido anulada com o pecado, sob pena de o homem não haver sido criado à imagem de Deus. Portanto, é correto dizermos que a vontade do homem coopera com a vontade divina, e a questão dos galardões certamente está envolvida em tudo isso. Essa questão dos galardões envolve a questão da glorificação (vide). Ora, a glorificação consistirá na salvação futuramente bem desenvolvida. Além disso, há um sentido em que a graça e as obras da fé são *sinônimos*. Se considerarmos tais obras como resultantes das operações do Espírito, e não como aquelas obras meramente humanas, tendo em vista o merecimento diante de Deus, então as obras da fé serão a graça em operação. Por isso, não costumo dizer que as obras seguem-se à salvação, quando apresento essa definição. Antes, costumo dizer que essas obras da fé são a salvação, porquanto envolvem a idéia de estarmos sendo transformados à imagem de Cristo. De acordo com o princípio sinergista, essas obras de fé são, ao mesmo tempo, obras do Espírito e obras humanas. Ver o artigo sobre a *Graça*, onde elaboro mais esse conceito. Seja como for, quanto mas falamos a esse respeito, mais inadequadas são as nossas explicações. Mas talvez as explicações aqui dadas não sejam tão inadequadas quanto aquelas confiantes declarações do sinergismo pelagiano ou das declarações do calvinismo radical, que anulam a responsabilidade humana e não reconhecem que o homem precisa reagir favoravelmente à iniciativa divina.

O problema que enfrentamos é o mesmo com que nos deparamos ao tentar explicar como o determinismo (vide) e o livre-arbítrio humano (vide) atuam juntos, ou podem coexistir, sendo ambas noções verdadeiras. Em conexão com isso, ver o artigo intitulado *Polaridade*. Certas questões fazem-nos envolver em problemas que ainda não vemos com clareza, devido ao nosso pequeno entendimento sobre as questões espirituais. Posições isoladas, como o sinergismo puro dos pelagianos ou como o calvinismo radical, não dão solução a esses problemas. Procuro uma melhor solução no artigo chamado *Graça*, que o leitor deveria examinar. E se algum leitor sentir que tais explicações são inadequadas, então pelo menos poderei consolar-me no fato de que todas as explicações que têm sido oferecidas sobre a questão, sem importar quem as tenha apresentado, são inadequadas. Que alguma forma de sinergismo é verdadeiro, é óbvio, mas como chegar a essa forma, já é algo que não é fácil de precisar.

Este co-autor e tradutor quer dar aqui a sua opinião. Como pastor e pregador do evangelho que sou, tenho procurado solucionar a questão da seguinte maneira: O indivíduo não-regenerado deve cooperar com a vontade divina expressa, mas não pode. Ele está morto em seus pecados e não tem qualquer reação espiritual positiva. O indivíduo regenerado, por sua vez, já pode cooperar com a vontade divina, mas nem sempre o faz. Ele recebeu "vida" e assim pode reagir espiritualmente. As exortações bíblicas servem para despertar no regenerado a consciência de que ele agora precisa conjugar sua vontade à vontade divina expressa nas Escrituras. Daí resulta que devemos saber distinguir entre apelos feitos ao homem não-regenerado (apelos esses que, apesar de sua sinceridade e honestidade, não encontram eco) e apelos feitos ao homem regenerado (apelos esses que o homem regenerado pode atender ou não a decisão cabe ao crente). Se o crente atender, terá obedecido ao Senhor e receberá uma bênção; se não atender, terá desobedecido ao Senhor e terá de ser disciplinado. Após ter dito isso, quero ajuntar que a questão é mais complicada do que pode parecer à primeira vista, visto envolver a transcendental questão do relacionamento do homem com o seu Criador infinito. E aí nossas mentes negam-se a prosseguir além de certo ponto finito. Conforme diz o pastor Champlin, em vários pontos da enciclopédia, aceitemos todos os fatores bíblicos envolvidos, mesmo que não consigamos harmonizá-los

SINERGISMO – SÍNODOS DE CARTAGO

racionalmente! A pior solução é defender somente ou o lado divino ou o lado humano da questão.

O Monergismo:
Essa é a idéia radicalmente oposta ao **sinergismo**. O monergismo pode atuar de dois modos diferentes: uns pensam que o homem chega a merecer sua salvação através de seus próprios esforços; e outros pensam que o Espírito Santo faz tudo, sem qualquer participação humana. Na primeira variedade de monergismo, Deus é passivo e o homem é ativo; na segunda, Deus é ativo e o homem é passivo. Mas a Bíblia ensina que, na salvação (que não envolve apenas a justificação, mas envolve também o processo inteiro da santificação, da perseverança, e até da glorificação final), Deus e o homem mostram-se ativos.

Melanchthon, erudito e teólogo luterano, defendia certa forma de sinergismo, ao afirmar que o Espírito Santo, a Palavra de Deus e a vontade humana cooperam com suas respectivas parcelas na regeneração humana. Mas Lutero, fundador do luteranismo, seria um teólogo monergístico, embora ele mesmo nunca tenha usado essa palavra. Portanto, Melanchthon via os dois lados da questão (embora não tivesse podido solucionar adequadamente a mesma); mas Lutero só via um dos lados (na tentativa errada de encontrar uma solução que salvasse a doutrina da justificação pela fé, sem o concurso das obras humanas).

SINETE

Ver o artigo geral sobre *Selo*.
1. *Chotham* (Gên. 38.18; Êxo. 28.11, 21, 36; 39.6; Ageu 3.23). O anel de sinete que Judá deu à sua nora para garantir o pagamento de favores sexuais, inconsciente de que ela era sua nora. A história mostra que indivíduos, não apenas reis e grandes autoridades, tinham anéis pessoais de sinete com os quais "autenticavam" documentos. Mostra também a atitude relaxada de homens hebraicos em relação à prostituição. A mesma palavra foi usada em conexão com a gravação de imagens em pedra. Tais anéis eram as posses mais valiosas de seus donos (Jer. 22.24; Ageu 2.23).
2. *Chothemeth* (Gên. 38.25), sinônimo do item 1, com o significado de "dispositivo de selagem",.
3. *Izqa* (palavra aramaica encontrada apenas em Dan. 6.17), que significa anel sinete. Está em vista o *anel real* que selou o covil de leões ao qual Daniel foi lançado. O covil foi selado, mostrando que aquela era a vontade do rei e nenhum homem poderia reverter o processo.
4. *Tabaath* (Gên. 41.42; Êxo. 25.12, 14, 15, 26, 27; 39.16, 17, 19-21; Isa 3.21), anel comum usado como uma jóia e decoração. Esse tipo de anel era muito usado pelas mulheres mais ricas e poderia ser feito de metais e pedras preciosas.

Funções: servir como jóia; ou como a assinatura de uma pessoa; ou para oficializar um documento. As impressões eram feitas em argila ou em outra substância macia; o anel podia ser usado no dedo ou amarrado ao redor do pescoço.

SINEUS

Esse povo é mencionado apenas por duas vezes na Bíblia: Gên. 10: 17 e I Crô. 1: 15. Seria uma tribo de cananeus que vivia ao norte do Líbano, ou, então, em Trípoli ou Ortosia, entre Trípoli e Arca. Jerônimo sabia de um lugar chamado Sin, não longe de Arca; e Estrabão referiu-se a uma fortaleza conhecida, Sina, no monte Líbano. Todavia, a identificação dos sineus é problemática, nada tendo sido estabelecido em definitivo quanto a isso.

SINGELEZA DE CORAÇÃO

Ver o artigo sobre *Simplicidade*, paralelo à idéia contida no presente artigo. Uma expressão sinônima é "singeleza mental". Tanto a mente quanto o coração apontam para o centro dos pensamentos, dos sentimentos e dos propósitos humanos. O homem é exortado a amar a Deus com singeleza mental, sem a duplicidade de vida e de motivos que caracteriza os ímpios. Ver Mat. 22:37. Compete ao crente desenvolver sua salvação, da mesma maneira (ver Fil. 2:2-12 ss). Mas ambas as tentativas precisam ser inspiradas e cultivadas pelo Espírito Santo, se tiverem de ser autênticas e eficazes. Porém, isso não põe, de lado o esforço humano, com base em seu livre arbítrio.

Em tudo isso manifesta-se um paradoxo que não tem solução. O crente precisa servir a Cristo como se fora seu escravo, sua vontade absorvida pela vontade divina, com coração singelo e sincero (ver Efé. 6:5; Col. 3:22). Isso pode ser contrastado com o homem dúplice, que está sempre com problemas espirituais (ver Tia. 1:7; 4:8). A esse homem falta uma fé genuína, e ele praticamente nada conhece da transformação espiritual em Cristo. E a comunidade cristã deve caracterizar-se por idêntica atitude, sem as complicações das racionalizações e das ambições carnais (Fil. 2:2). Tanto no caso do indivíduo como no caso da coletividade cristã, o segredo consiste em possuir a mente de Cristo (ver I Cor. 2:16). Nossa mente deve estar fixa no Espírito (ver Rom. 8:6). Paulo falou sobre a transformação do ser mediante a renovação mental, em Rom. 12:2, que certamente é um conceito relacionado àquele outro.

SINIM, TERRA DE
Ver sobre **Siene**.

SINO
Ver sobro **Campainha, Sino**.

SÍNODO SANTO

O czar Pedro, o Grande, em 1721, substituiu o *patriarcado* do ramo russo da Igreja Ortodoxa Oriental pelo Sínodo Santo. Este se tornou um dos departamentos do governo centralizado e, através do mesmo, o czar exercia sua autoridade combinada (civil e religiosa), determinando os deveres que os membros desse sínodo deveriam cumprir. Desse modo, o Estado passou a determinar grande parte dos negócios e das normas da Igreja. Porém, quando o czarismo caiu, devido à entrada do comunismo na Rússia, foi restaurado o governo eclesiástico patriarcal, embora sob o controle do Estado comunista.

De acordo com isso, o governo eclesiástico preservou três ramos principais de autoridade, a saber: o Sínodo Santo, o Concílio Eclesiástico Supremo e o Patriarcado. Uma organização similar a essa encontra-se em outras igrejas ortodoxas nacionais. A administração patriarcal é compartilhada com o Sínodo Santo, composto de doze metropolitanos. Desse modo, ficou muito limitado o poder do patriarca. De fato, o sínodo tornou-se a instituição governamental mais poderosa da Igreja Oriental. Comunidades ortodoxas na Rutrânia, na Iugoslávia, na Bulgária e em outros países seguem esse princípio essencial. Ver o artigo geral sobre *Ortodoxa Oriental, Igreja*.

SÍNODOS DE CARTAGO

Cartago, no mundo antigo, tornou-se uma grande cidade, e seu prestígio fez dela o principal centro da Igreja cristã da

SINÓPTICO – SIOM

África do Norte (que vide). Reuniões freqüentes de bispos e do clero eram efetuadas ali, desde cerca de 220 d.C., até sua queda diante dos vândalos, em 439 d.C. Após sua recuperação, ela continuou sendo um importante centro, até que os muçulmanos a invadiram, no século VII d.C. Os sínodos de Cartago trataram das questões do batismo ministrado por grupos heréticos, da readmissão à igreja dos hereges e dos desviados. Uma atitude um tanto independente foi tomada em relação a Roma. As mais influentes figuras ligadas a esses sínodos foram Cipriano e Agostinho (que vide). Importantes decisões foram tomadas, no que diz respeito aos donatistas e pelagianos.

SINÓPTICO

Essa palavra vem do grego *sun*, "junto com", e *ópsis*, "visão", dando a entender uma visão conjunta sobre algo, uma visão de um mesmo ângulo. Esse adjetivo é aplicado aos evangelhos de Mateus, Marcos e Lucas porque seus pontos de vista sobre a vida de Cristo concordam e são praticamente, os mesmos (muito material é ali compartilhado, tendo o evangelho de Marcos como principal registro histórico utilizado pelos outros dois evangelhos) de João contrasta com os três primeiros, pois vê Cristo por outro ângulo. Se os três primeiros tentam fornecer uma espécie de biografia, João destaca lances isolados da vida de Cristo, substituindo as parábolas daqueles evangelhos por diálogos e discursos. Oferecemos um detalhado artigo intitulado *Problema Sinóptico*, que ventila os evangelhos sinópticos, juntamente com muitas outras ilustrações sobre como eles vêem a vida de Jesus "pelo mesmo ângulo".

SINÓPTICO, PROBLEMA
Ver sobre **Problema Sinóptico**.

SINÓPTICOS, EVANGELHOS
Ver sobre **Problema Sinóptico**.

SINRATE
No hebraico "vigia". Ele foi o nono filho de Simei, da tribo de Benjamim (I Crô. 8:21). Viveu em torno de 1300 a.C.

SINRI
No hebraico, "vigilante".
1. Pai de Jedaías, filho de Semaías, líder da tribo de Simeão que viveu em torno de 900 A. C. (I Crô. 37), no rico vale de Gedor.
2. Pai de Jediael, um dos "trinta" poderosos guerreiros de Davi que agiu como seu guarda-costas e depois como núcleo de seu exército (I Crô. 11.45), por volta de 1000 a. C.
3. Levita, filho de Hosa. Era do ramo de Merari de sacerdotes e a ele foi atribuído o serviço de porteiro do tabernáculo na época de Davi, por volta de 1150 a. C. Ver I Crô. 26.10.
4. Levita do ramo gersonita, filho de Elisafã, que participou nas reformas religiosas da época do rei Ezequias (II Crô. 29.13). Viveu em cerca de 730 a.C.

SINRITE
No hebraico, "vigia", a forma feminina de *Sinri*. Era mãe de Jeozabade, um dos assassinos de Joás, rei de Judá (II Crô. 24.26). Foi chamada de *Somer* em II Reis 12.21. A época dessa moabita foi em torno de 840 a. C.

SINROM
No hebraico, "vigia", "guarda".
1. Filho de Issacar e neto de Jacó (Gên. 46.13; I Crô. 7.1), pertencia à linhagem de Lia. Era um líder do clã chamada sinronita (Núm. 26.24). Sua época foi em torno de 1700 a. C.
2. Vila da tribo de Zebulom (Jos. 19.15) que havia sido uma cidade cananéia antes da conquista da terra por Israel. Essa cidade juntou-se à confederação de Jabim contra Josué (Jos. 11.1-5). Seu nome completo era Sinrom-Merom (Jos. 12.20). Foi identificada tentativamente com a moderna Tell es-Semuniya, onde escavações arqueológicas descobriram ruínas da época do Bronze Médio e Posterior.

SINROM-MEROM
Este é, provavelmente, o nome mais completo da cidade de *Sinrom* (ver acima). A Septuaginta transforma os dois nomes em cidades diferentes, mas essa separação não tem autoridade real, sendo apenas a opinião dos tradutores daquela versão.

SINSAI
No persa, "ensolarado", escriba ou secretário oficial de Reum, um tipo de governador que regia sobre a província de Judá. Ele também tinha autoridade sobre a colônia de Samaria (Esd. 4.8, 9, 17, 23). Escreveu uma carta a Artaxerxes para tentar persuadi-lo a proibir a construção do Segundo Templo em Jerusalém. Sua carta obteve sucesso temporário, acarretando o adiamento por um período (Esd. 4.17-24; I Esdras 2.25-30). Depois o trabalho foi retomado na época de Dario (Esd. 6.1012). Talvez ele fosse aramaico, pois sua carta foi escrita em aramaico. Por outro lado, tal idioma era quase universal naquela parte do mundo.

SÍNTESE
Essa palavra portuguesa vem de *sun*, "junto com" e *títhemi*, "pôr" "colocar". Na filosofia, esse vocábulo tem sido usado para aludir ao raciocínio dedutivo. Hoje em dia, porém, é mais usado em contraste com as noções de tese e antítese. De acordo com esse parecer, a tese, naturalmente, tem o seu contrário, a antítese. E seria justamente devido a essa oposição que daí resulta a síntese. Mas a síntese torna-se uma nova tese (ainda de acordo com Hegel), e o processo continua *ad infinitum*.

Essa noção tinha grande importância nas filosofias de Fichte e Hegel. Nos artigos acerca deles ilustro amplamente essa idéia. O marxismo, por sua vez, fez da questão um princípio essencialmente econômico, nada mais tendo a ver com a expressão do Espírito Absoluto (que era a idéia hegeliana original). Mas os teóricos comunistas convenientemente olvidaram que, uma vez atingida a síntese comunista, esta tornar-se-á uma nova tese, forçando o comunismo a desaparecer para ceder lugar a alguma outra coisa! Ver o artigo separado sobre a *Dialética*.

SÍNTIQUE
No grego **suntúche**, "afortunada". A mulher desse nome era membro da igreja cristã de Filipos. Ela e Evódia trabalharam cooperando com o apóstolo Paulo. Porém, quando o apóstolo escreveu a sua epístola aos Filipenses, essas duas irmãs; tinham entrado em choque uma com a outra. Por esse motivo, Paulo exortou-as: "Rogo a Evódia, e rogo a Síntique, pensem concordemente no Senhor" (Fil. 4:2,3).

SIOM
No hebraico "exaltada". No grego **seón**. Uma das diversas designações dadas ao monte Hermom (Deu. 4:48).

SIOM – SIQUÉM

SIOM
No hebraico **shi'on**, de sentido desconhecido. Na Septuaginta, *Sioná* ou *Seián*. Era uma cidade fronteiriça de Issacar (Jos. 19:19). Entre os locais modernos que têm sido sugeridos como possível identificação, o mais largamente aceito é o de 'Ayum esh-Sha'in, cerca de cinco quilômetros a leste da cidade de Nazaré, na antiga Galiléia. Uma outra localidade sugerida é Sirim, cerca de vinte e três quilômetros a suleste do monte Tabor.

SIONISMO
Essa palavra vem do hebraico, *tsiyon*, "Jerusalém", "Sião". "Esse é o nome que se dá ao movimento da volta dos judeus à sua terra de origem, movimento que, finalmente, resultou no estabelecimento do estado de Israel. O movimento tem raízes no messianismo antiquado, mas desenvolveu-se até tornar-se um movimento social e nacionalista, e não meramente religioso. Como movimento, começou na segunda metade do século XIX, e prosseguiu no século XX. Os escritos de Henrich Graetz, Leo Pinsker, Theodor Herzl e Chaim Weizmann foram instrumentos que popularizaram o ideal entre os judeus, inspirando-os a entrar em ação. Em 1927, a Declaração de Balfour, do governo inglês, sancionou o programa promovido por Theodor Herzl, e a Segunda Guerra Mundial deu-lhe ímpeto e urgência, em vista das incríveis perseguições sofridas pelos judeus durante os anos imediatamente anteriores a essa guerra e durante a mesma. Conforme foi determinado pela providência divina, isso conduziu à entrega da Palestina a Israel. E assim foi finalmente estabelecido o estado de Israel. Os eruditos da Bíblia, até onde posso ver as coisas, estão corretos quando dizem que o sionismo foi o instrumento usado por Deus para cumprir as antigas profecias acerca do retorno de Israel à terra de seus antepassados. Isso está armando o palco para os eventos preditos para os últimos dias. Nesses eventos, Israel converter-se-á ao seu Messias, Jesus de Nazaré, tomando-se um centro cristão, mui provavelmente no começo do século XXI, para então ser cabeça das nações. As profecias ainda têm muita coisa a ser cumprida, mas um bom começo já foi dado.

SIOR
No hebraico, "turvo", "lamacento", também transliterado como *Shior*. Possivelmente o nome do Nilo, ou de parte desse rio, localizado próximo à cidade de Ramsés (de acordo com alguns) ou de Qantir, cerca de 24 km ao sul de San el-Hagar. Alguns opinam que um riacho perto do wadi el Arish está em vista. O nome hebraico do rio pode ter sido sugerido pelo *Shi-hrw* egípcio, que significa lago ou poço de Horus, o deus-sol egípcio. As referências em Jos. 13.3 e I Crô. 13.5 parecem favorecer o wadi mencionado acima como o local desse rio. Ele formava o limite sul do império de Davi. Ver o artigo a respeito desse wadi sob *Ribeiro do Egito*. Ver ainda Isa. 23.3 e Jer. 2.18.

SIOR-LIBNATE
Um riacho que servia. de marco de fronteira das terras entregues à tribo de Aser (Jos. 19:26). Esse riacho tem sido variegadamente identificado como o Nahr ez-Zerqa, o Belus, e outros. Sua identificação, entretanto, permanece incerta. A Septuaginta considera Sior e Libnate como pontos geográficos diferentes um do outro.

SIQUÉM
No hebraico, "ombro" ou "crista", o nome de três pessoas e de uma cidade no Antigo Testamento.

1. Filho de Hamor, o heveu que seduziu Diná, filha de Jacó, e foi depois assassinado (vingado) pelos irmãos dela, Simão e Levi (Gên. 34; Jos. 24.32; Juí. 9.28). A época foi em torno de 1730 a. C.

2. Nome de um homem da tribo de Manassés, descendente distante de José, da família imediata de Gileade, e líder de um clã dos siquemitas. Sua família é mencionada em Jos. 17.2. Ver também Núm. 26.31. Viveu em torno de 1450 a. C.

3. Filho de Semida, da tribo de Manassés (I Crô. 7.19), que viveu por volta de 1400 a. C.

4. *Siquém, a cidade*
I. Nome
II. Observações Geográficas
III. Observações Bíblicas
IV. Arqueologia

I. Nome
Ver os significados sob 1, pessoas (acima). A versão portuguesa padronizou o nome, exceto em João 4.5, onde é fornecido *Sicar*. Alguns supõem que a cidade tenha recebido o nome do homem número 1, acima, mas é provável que a localização geográfica da cidade explique isso. Ela se situa em uma ladeira ou em uma *crista*, ou *encosta*, do monte *Gerizim* (ver). É provável que o nome próprio das pessoas tenha derivado do nome da cidade ou do acidente geográfico que nomeou o local. O nome antecede as fontes israelitas e também é encontrado em referências literárias extrabíblicas, o que implica que ele, como a própria cidade, é muito antigo. O nome é encontrado em textos egípcios que datam do século XVIII A. C. e nas cartas de Amarna. Várias formas do nome são encontradas nos documentos. Ver o artigo *Tell el-Amarna* na *Enciclopédia*.

II. Observações Geográficas
A cidade era localizada em uma passagem que corre entre o monte Ebal ao norte e o monte Gerizim ao sul. Uma estrada atravessava a área e conectava o lado leste do Jordão com o mar Mediterrâneo. Próximo à cidade, essa estrada cruzava outra que ia de norte a sul e era conhecida como o Caminho do Carvalho do Divino. A área era fértil e bastante irrigada. Escavações arqueológicas demonstraram que Teel Balatah marca o antigo local, não o sítio da cidade romana posterior de Neapolis ou Nablus, que alguns estudiosos por muito tempo confundiram com o local antigo.

III. Observações Bíblicas
1. Em sua primeira viagem à Palestina, Abraão acampou neste local e construiu um altar sob o carvalho de Moré (Gên. 12.6). O território, naquela época, pertencia aos cananeus.

2. Quando Jacó chegou ali, depois de sua estadia na Mesopotâmia, o local estava nas mãos dos heveus (Gên. 33.18; cap. 34). Hamor era o chefe daquele povo na época.

3. Jacó comprou daquele líder parte de um campo que depois foi herdado, como patrimônio especial, por José (Gên. 33.19; Jos. 24.32; João 4.5). É provável que seu campo fosse localizado na planície fértil chamada de Mukhna. Foi ali que Jacó cavou o famoso poço que recebeu seu nome. Isso lhe permitiu ter uma fonte de água independente.

4. A sedução (estupro) de Diná, filha de Jacó, fez com que seus irmãos se vingassem por ela, massacrando os habitantes de Siquém (Gên. 34.1 ss.).

5. Depois da conquista da terra, o território ao redor de Siquém foi dado a Efraim (Jos. 20.7).

SIQUÉM – SÍRIOS DA MESOPOTÂMIA

6. A cidade tornou-se uma cidade de refúgio (Jos. 21.20,21).

7. Por uma época, ela se tornou um centro para o ensino da Lei; *bênçãos* eram dadas de Gerizim, e cursos em Ebal (Deu. 27.11; Jos. 8.33-35).

8. Naquele local, Josué proferiu sua palestra de despedida ao povo, pouco antes de morrer (Jos. 24.1,25).

9. Depois da morte de Gideão, Abimeleque, seu filho renegado, proclamou-se rei naquele local (Juí. 9). Mas seu reino durou apenas três anos; a cidade foi destruída e a terra foi misturada com sal para que se tornasse estéril (Juí. 9.25-45).

10. A cidade levantou-se novamente, apesar dessas medidas drásticas. Roboão foi abençoado como rei de Israel nesse local (I Reis 12).

11. Foi ali que as Dez Tribos renunciaram à linhagem real de Davi e transferiram a aliança a Jeroboão I (I Reis 12.16); por um período, essa foi a capital do reino do norte.

12. Na época do cativeiro assírio (722 A. C.), Siquém foi uma vítima especial (II Reis 17.5, 6; 18.9 ss.).

13. Salmaneser colonizou o local com pagãos para garantir o genocídio que havia sido cometido (II Reis 17.24). Outra leva de estrangeiros foi enviada por Esar-Hadom (Esd. 4.2). O remanescente de Israel que permaneceu na terra uniu-se em casamento com os pagãos, dando origem aos samaritanos.

14. Os samaritanos reergueram Siquém como centro religioso e transformaram o monte Gerizim em local sagrado que se tornou um rival de Jerusalém.

15. A história da mulher no poço em João 4 reflete a antiga divisão entre o norte o sul, e a instituição de um sistema religioso antagonista e separado.

IV. Arqueologia

Escavações feitas por arqueólogos alemães entre 1913 e 1934 demonstraram que a cidade era um lugarejo muito antigo, de modo geral próspero (2000-1800 a.C.) e muito fortificado em torno de 1400 a 1200 a.C. Foram escavadas fortificações da Idade do Bronze junto com um muro de 10 m de altura que datava entre os séculos XVII e XVI. Um templo significativo foi construído ali no século XI, que foi descrito através de descobertas arqueológicas. Talvez Abimeleque tenha sido responsável por essa estrutura (Juí. 9). Foram descobertos vários tabletes de argila com inscrições em acádico (babilônico). Mais escavações foram realizadas em 1956 e 1957 por uma equipe da *Drew University - McCormik Theological Seminary.*

SIRÁ, POÇO DE

No hebraico, "poço de desvio". Esse foi o lugar de onde Joabe convocou Abner, a fim de matá-lo à traição (II Sam. 3:26). Josefo ajunta que Abner se encontrava em uma localidade chamada Besira quando foi chamado por Joabe. Ele localizou esse lugar e vinte estádios de Hebrom (Anti. 7. 1, 5). A mais provável identificação é com a moderna 'Ain Sarah, cerca de dois quilômetros e meio a noroeste de Hebrom.

SIRACUSA

1. *Nome*. Esta palavra é plural, de origem incerta, e refere-se à capital da ilha chamada *Sicília*. Essa ilha forma um triângulo abrupto, e Siracusa se localizava na costa oriental, próxima à parte sul da ilha. Era um porto daquela área, cerca de 160 km a partir da ponta da bota italiana. Ver sobre a *Sicília*.

2. *Algumas Notas Históricas*. A cidade foi fundada mais ou menos em 735 a.C. por Corinto, e representava importância econômica e militar como colônia coríntia. Derrotou os cartagineses em Himera em 480 e os atenienses cerca de 415 a.C. Sob Gelon e Hieron I, seu sucessor, a cidade floresceu; mas sob Dionísio I (430-367) degenerou-se em tirania e sua glória feneceu. Dionísio II nada fez, embora fosse instruído por Platão sobre como governar. Timoleão melhorou as coisas, porém não contornou a situação, e após sua morte (289 a.C.) a cidade, como uma grande entidade independente, desapareceu. Em 212 a.C., os romanos a tomaram. As coisas então melhoraram e ela veio a ser uma importante cidade governamental. Foi emancipada pelos francos em 280 d.C.

3. *Siracusa e a Bíblia*. A única menção ao lugar na Bíblia é Atos 28:12, que nos informa que Paulo passou três dias ali quando o navio de Alexandria, no qual ele viajava, fez uma parada em seu percurso de Malta a Puteoli.

SIRAQUE, FILHO DE

Ver sobre **Eclesiástico**.

SIRAQUE, JESUS BEN

Ver sobre **Jesus Ben Siraque**.

SIRAQUE, LIVRO DE BEN

Ver sobre o **Eclesiático**.

SÍRIA

Ver sobre Arã, Arameus

SÍRIA DE DAMASCO

Em outras versões aparece sob a forma de Arã-Damasco, conquistada por Davi (ver II Sam. 8:5,6).

SIRIANO

Ele foi um filósofo neoplatônico do século V,d.C. Atuou em Atenas. Foi discípulo de Plutarco e seu sucessor como cabeça da escola, em 432 d.C. Fiel ao método usual do sincretismo, ele misturava idéias de Platão, Aristóteles e dos mistérios órficos, visando a chegar a seu tipo particular de salada filosófica. Ver sobre o Sincretismo. Acreditava que era necessário o estudioso entender Aristóteles, antes de entender Platão.

SIRIOM

Nome que os fenícios de Sidom davam ao monte Hermom (Deu. 3:9). No paralelo poético de Salmos 29:6, aparece em associação com o Líbano: "Ele os faz saltar como um bezerro, o Líbano e o Siriom, como bois selvagens". Idêntica associação ocorre no material proveniente de Ugarite: O Líbano e as suas árvores, o Siriom, o mais precioso de seus cedros, (Ball e Anate 6.20,21).

A ocorrência desse termo, como um paralelo da cadeia do Líbano, sugere que esse nome denominava toda a cadeia do Antilíbano. (Ver também sobre *Siom).*

SÍRIOS DA MESOPOTÂMIA

No hebraico, *Arã dos dois rios*. Esse título ocorre no título do Salmo 60 e como Mesopotâmia em Gên. 24:10; Deu. 23:4; Juí. 18,10; I Crô. 19:6. Segundo indica o termo Mesopotâmia, essa é uma área limitada por dois rios, a saber, o alto rio Eufrates, no oeste, o rio Habur, no leste. Era nessa área que existia a cidade de Harã, onde Terá estabeleceu-se, após deixar Ur (ver Gên. 11:31). A região também era chamada Padã-Arã, sendo a localidade onde o servo de Abraão foi buscar esposa para Isaque (ver Gên. 24:10). Após a morte de Josué, Israel foi entregue nas mãos de Arã-Naaraim durante oito anos (ver Juí. 18-10, onde

SIRO-FENÍCIA – SÍSERA

nossa versão portuguesa também diz Mesopotâmia). Posteriormente, os amorreus alugaram cavaleiros e carros de guerra nessa região, para lutarem contra Davi (ver I Crô. 19:6). (OC S Z)

SIRO-FENÍCIA

No grego, *surophoinikissa*. Esse adjetivo descreve uma mulher que o Senhor Jesus encontrou, em uma viagem que ele fez pela região de Tiro e Sidom (Mar. 7:24-26). Essa palavra grega mostra-nos que suas origens raciais eram os fenícios que residiam na Síria. Um outro grupo de fenícios, chamados cartagineses ou libio-fenícios, provinham do norte da África. Marcos, referindo-se a uma categoria ainda mais ampla, diz que ela era grega ou gentia, isto é, não judia. Um outro detalhe ainda é acrescentado por Mateus. Este, escrevendo a leitores judeus, refere-se a essa mulher como uma cananéia, o mais antigo nome da tribo que ocupava as terras baixas que, posteriormente, tornaram-se a Fenícia (Mat. 15:22). As pequenas dificuldades que ela precisou enfrentar para obter um pedido da parte do Senhor Jesus ilustram muito bem o fato de que os judeus eram os principais beneficiários do ministério de Cristo, quando de seu primeiro advento, ao passo que os gentios eram beneficiários secundários. Isso Paulo confirma, tanto em sua prática de anunciar o evangelho primeiramente aos judeus, nas sinagogas, e somente então aos gentios, quanto em declarações nesse sentido, conforme se vê, por exemplo, em Rom. 1: 16: "Pois não me envergonho do evangelho, porque é o poder de Deus para a salvação de todo aquele que crê, primeiro do judeu e também do grego,"

SIRTE

Palavra que aparece só uma vez na Bíblia, em Atos 27:17, de significação incerta. Era nome dado às águas rasas da costa norte da África, entre a Tunísia, a Tripolitânia e a Cirenaica.

Atualmente, o golfo de Sidra forma a extremidade sudeste da baía, conhecida como Sirte Maior. O golfo de Gabes, conhecido, como Sirte Menor, forma a extremidade sudoeste. Sempre foi um lugar de navegação difícil. Mas as lendas exageravam as dificuldades, talvez a fim de proteger o comércio fenício, assustando outros navegadores. Os marinheiros que levavam Paulo a Roma fizeram de tudo para evitar que fossem arrastados para aqueles baixios perigosos (Atos 27:17).

SISA

No hebraico, "distinção", "nobreza". Seu nome aparece somente em I Reis 4:3, onde somos informados de que ele foi o pai de Eliorefe e Alas, que foram secretários de Salomão. Viveu em torno de 1040 a. C.

SISAQUE

I. Nome e Posicionamento Histórico
II. Observações Bíblicas
III. Arqueologia

I. Nome e Posicionamento Histórico

Está em vista o faraó egípcio *Sheshonk I*, cujas datas foram em torno de 935-914 a. C. Ele foi o fundador da XXII dinastia líbia e o primeiro faraó citado nominalmente na Bíblia. O significado de seu nome é incerto. Vários de seus sucessores retiveram seu nome, que se tornou uma identificação de dinastia, não meramente um nome pessoal.

II. Observações Bíblicas

Os ancestrais desse homem haviam entrado no Egito como soldados líbios mercenários, mas seus descendentes constituíram uma família dominante que, a longo prazo, forneceu uma linhagem de reis ou faraós. A família assumiu os traços egípcios em linguagem e cultura. Os interesses dessa família real estenderam-se a locais distantes e próximos e, finalmente, ao interior da Palestina. Talvez ele tenha sido o faraó que conquistou Gezer (I Reis 9.16), mas muitos estudiosos acham que Siamom tenha sido o responsável por isso. Em todo caso, Sisaque manteve um olho na Palestina. Ele abrigou os inimigos israelitas de Judá, inclusive Jeroboão, que fugiu para o Egito (I Reis 11.40) para escapar da ira de Salomão.

Quando Roboão assumiu o poder de Salomão, seu pai, em seu quinto ano, Sisaque invadiu a Palestina, primeiro ao norte e depois ao sul. Registros egípcios mostram que essa invasão tinha objetivos amplos, embora a Bíblia fale apenas no saque a Jerusalém (I Reis 14.25, 26; II Crô. 12.2-12). A ofensiva estendeu-se a pontos tão distantes quanto o mar da Galiléia, ao norte, e várias pessoas foram levadas cativas. O Egito não tinha poder para invadir e ocupar a terra. Dinheiro era o nome do jogo. Sisaque precisava de recursos para financiar seu programa de construção. E talvez ele tenha tentado assumir o controle das rotas comerciais do mar Vermelho ao Mediterrâneo, o que pode ter sido conseguido através da destruição das cidades ao longo dessa rota.

III. Arqueologia

O corpo recoberto de ouro de Sisaque foi recuperado, intacto, em sua câmara de enterro em Tanis, em 1938. Em Carnaque (antiga Teba) foi descoberta uma *estela* triunfal que continha um registro de suas conquistas militares. Essa estela lista várias cidades que ele capturou, inclusive algumas cidades de Judá. Somos informados que suas conquistas estenderam-se até a planície costeira e até Esdrelom, para não falar na Galiléia. Ambos os reinos, do norte e do sul, sofreram sua ira, inclusive Jerusalém, sem dúvida, embora essa parte da estela recuperada não mencione o local. Ver o último parágrafo da seção II para detalhes sobre as citações bíblicas referentes a essa invasão. Outra estela foi recuperada em Megido, e um afresco triunfal exibe cativos de Sisaque, que foram levados em suas incursões à Palestina. Seus trabalhos de construção foram apenas um dos incontáveis capítulos tristes da história de Israel.

SÍSERA

I. Nome e Referências Bíblicas
II. Pano de Fundo Histórico
III. A História da Bíblia

I. Nome e Referências Bíblicas

Sísera é a palavra hebraica para "mediação" ou "exibição", mas a palavra cananéia da qual o termo hebraico se originou significava "líder". Alguns consideram o nome de significado incerto.

Este homem é mencionado nas seguintes passagens: Juí. 4.2, 7, 9, 12, 13, 14, 15, 16, 17, 18, 22; 5.20, 26, 28, 30.

II. Pano de Fundo Histórico

Jabim, rei de Hazor, havia conquistado e tratado mal os israelitas por cerca de 20 anos (Juí. 4.23). As forças dos cananeus eram muito mais sofisticadas do que as de Israel, contando com 900 carruagens de ferro (Juí. 4.2, 3), enquanto Israel tinha uma humilde infantaria que estava mal equipada para lutar contra inimigos sofisticados. Sísera era o principal general de Jabim quando ocorreu a batalha decisiva entre os dois povos. Josefo (*Ant.* V.5.1) pinta um quadro ainda mais negro das chances de vitória de Israel ao afirmar que o exército cananeu tinha 3 mil carruagens, 10 mil cavalheiros e 300 mil homens de infantaria. Os vinte anos de constante opressão haviam paralisado o comércio de Israel e atrapalhado qualquer forma de vida normal. Uma vitória militar parecia fora de questão antes de a profetisa Débora aparecer para provocar o povo a tomar a ação decisiva.

III. A História da Bíblia

Com o encorajamento de Débora, Baraque formou um exército de 10 mil soldados para atacar Sísera, que estava estacionado em Harosete-Hagoim, provavelmente localizado em um estreito vale, com cerca de 1,5 km de largura, onde o rio Quisom flui da planície de Esdrelom para a planície de Acre e daí para o mar Mediterrâneo. Juí. 4.15 dá ao "Senhor" (Yahweh) o crédito de reverter a batalha a favor de Israel no rio Quisom. Alguns estudiosos especulam que era uma época seca e que pesadas chuvas tornaram o local um "mar de lama" que anulou as carruagens e as forças superiores dos cananeus. De toda forma, Israel causou pesadas perdas ao inimigo, e Sísera, tentando salvar sua vida, fugiu a pé no sentido norte. Ele se refugiou na tenda de Jael, mulher de Heber, o queneu. A mulher recebeu o homem com a hospitalidade oriental usual, mas, quando ele adormeceu, matou-o enfiando uma estaca da tenda através de sua têmpora (Juí. 4.17-22). O ato quebrou as regras da hospitalidade oriental, mas também o controle que Jabim tinha sobre Israel, de modo que por um período a tormenta parou. Mas os cananeus sempre voltavam para atormentar mais, uma constante na história de Israel até que Davi derrotou todos os seus inimigos, aniquilando-os ou confinando-os a áreas restritas.

Pensa-se que a famosa *Canção de Débora* seja um relato da mesma história, mas de um ponto de vista mais primitivo (Juí. 5). Ela conta a história de como a mãe de Sísera aguardava seu retorno com ansiedade, mas inutilmente, pois o homem forte estava morto na tenda de Jael. A versão da história chama Sísera de "rei", não de general de um rei, mas isso era por *licença poética* que permite que a história não receba tratamento exato.

Outro homem que tinha esse nome era o ancestral de uma família de escravos do templo que retornou com Zorobabel a Judá depois do cativeiro babilônico (Esd. 2.53; Nee. 7.55). Eram os remanescentes de *Netinim* (ver).

SISINES

No grego, **Sisinnes**. Governador de Coele-Síria e da Fenícia, na época do rei persa, Dario. Ele fez objeção à reconstrução do templo de Jerusalém, sob a liderança de Zorobabel. Mas Dario ordenou-lhe desistir de qualquer resistência contra os judeus (I Esdras 6:3,7,27; 7:1). Em Esdras 5:3 e 6:6 ele é chamado Tatenai (vide).

SISMAI

No hebraico, "Yahweh é distinguido". Ele pertencia à tribo de Judá, da família de Hezrom, e da casa de Jerameel (I Crô. 2:40). Viveu por volta de 1280 a.C.

SISTEMA

Essa palavra vem do grego *sun*, "junto com", e *ístemi*, "postar-se", "pôr". Uma definição léxica é a seguinte: "Uma combinação ou arranjo ordeiro, de parcelas, formando um todo; especificamente aquelas combinações de acordo com algum princípio racional... Na ciência e na filosofia, uma ordeira coletânea de princípios, fatos, e fenômenos logicamente relacionados" (WA).

Também há organizações que são sistemas, combinando seus princípios fundamentais e exibindo partes e funções que se propõem a cumprir os princípios em pauta. As denominações evangélicas e cristãs em geral são sistemas. Primeiramente, criam-se sistemas credais, e então as organizações religiosas correspondem a esses sistemas.

Idéias:

1. As filosofias e as ciências caracterizam-se por dados e conteúdos específicos, reunidos até formarem um todo harmônico, usualmente com base em alguns princípios básicos convencionados, que atuam como diretrizes.

2. Um sistema é uma série de fatores dotados de coerência interna e de unidade, providas ambas as coisas por regras que governam as combinações e transformações permissíveis.

3. Todos os idiomas formam sistemas, incluindo desde as línguas vernáculas, às línguas mortas e às línguas artificialmente criadas, como aquelas empregadas pela lógica e pela matemática.

4. *Usos e Deficiências dos Sistemas*. Visto que todos os sistemas dependem da congruência em torno de princípios adredemente combinados, as verdades que não fazem parte dessa congruência naturalmente ficam de fora. E então a inclusão de aparentes anomalias só pode ser obtida mediante modificações do sistema, algo que os criadores de sistemas abominam. Por isso mesmo, entende-se que os sistemas teológicos são sistemas fechados. O princípio de coerência (vide) domina tudo. Não obstante, é ridículo reduzir a teologia a um único sistema, razão pela qual o conforto mental torna-se mais importante do que a verdade dos fatos. A despeito disso, torna-se mister contarmos com sistemas que nos ajudem a organizar nossos pensamentos, facilitando o estudo. Mas nenhum sistema, por mais útil que seja, deve ser tido como uma declaração final da verdade. Aí reside a debilidade dos sistemas teológicos, que se cerram e teimosamente repelem tudo quanto não possa se encaixar dentro de seus limitados moldes.

SISTEMA PATRIARCAL

Ver o artigo separado sobre *Sistema Matriarcal*. Apesar de haver alguns genuínos exemplos de sistema matriarcal, o sistema que tem prevalecido quase universalmente é o sistema patriarcal. Certamente, a história de Israel ilustra o sistema patriarcal. Esse sistema provê a força por detrás das tradições, instituições e formas religiosas, e hierárquicas de Israel, sem falar em seu modo de pensar. A unidade doméstica era o *bet ab*, a "casa do pai". Ver Gên. 38:11; Juí. 6:15; 18:1,11; 1 Sam. 9:20,21; Núm. 1:20-43. A história e a organização nacionais estavam baseadas nos pais, os chefes dos clãs, que vieram a ser os patriarcas da nação. O Pentateuco, talvez mais particularmente o código sacerdotal (ver o artigo intitulado J. E. D. P. (S.), onde P. (S.) refere-se a esse código), traça a história da raça humana inteira partindo de um único progenitor, Adão. Dali, setenta nações segundo se vê em Gên. 2,5 e 10 derivam sua origem dos três filhos de Noé: Sem, Cão e Jafé.

No tocante a questões religiosas, o sacerdote original era o pai da unidade da família. Quando foi formada uma casta sacerdotal especial, esta alicerçou-se sobre os membros masculinos da tribo de Levi, e dos descendentes masculinos diretos de Aarão. Ocasionalmente, surgiu alguma profetisa em Israel; mas em sentido algum o ofício profético era controlado ou perpetuado por mulheres.

Dentro da questão familiar, o casamento significava (entre outras coisas) que a mulher tornava-se possessão de seu marido. Assim, um homem podia possuir várias mulheres. O marido era chamado *bael*, "senhor". Ser chefe de uma casa significava ser possuidor da casa com tudo

SISTEMA PATRIARCAL – SIZÍGIA

quanto havia nela, incluindo as mulheres, os filhos e os servos (ver Gên. 31:43; 46:26). A autoridade do homem era absoluta, excetuando algumas raras ocasiões, quando a esposa era a personalidade mais forte e podia manipular as coisas, extra-oficialmente pelo menos, segundo Sara, algumas vezes, foi capaz de fazer, ou como se deu com Raquel. Com a passagem do tempo, surgiram algumas restrições à autoridade do homem. Por exemplo, um homem podia vender sua filha, mas somente enquanto ela fosse menor de idade (ver Êxo. 21:7-11; Lev. 19:29; Núm. 30:445). A dissolução do casamento era uma questão relativamente fácil; mas a iniciativa tinha de partir do homem. A esposa não podia pedir o divórcio, embora pudesse exercer pressões para que o homem tomasse tal iniciativa. Ver o artigo separado sobre o *Matrimônio*. Os casamentos eram arranjados e ordenados de acordo com as preferências do homem. Ver Lev. 18; Deu. 22:20,21. A poligamia satisfazia o impulso sexual masculino, além de prover ao homem a oportunidade de obter poder e glória através de muitos filhos, os quais eram grandemente valorizados pelas famílias. Mas as mulheres israelitas não podiam casar-se com vários homens ao mesmo tempo. Os filhos desses casamentos com várias esposas eram distinguidos uns dos outros mediante o uso dos nomes das mães.

A herança seguia a linhagem masculina, porquanto a propriedade ficava nas mãos dos homens. Por ocasião da morte de um chefe de família, a herança passava para os seus filhos homens (ver Núm. 27:8-11). Só havia uma exceção a isso quando não havia filhos, mas somente filhas, que então recebiam a herança paterna, embora elas tivessem de casar-se dentro de sua própria tribo (ver Núm. 27:8; 36:6 e ss; Tobias 6:12; 7:13). Se não houvesse nem filhos e nem filhas, então a herança passava para algum irmão do falecido; e, no caso de não haver irmão para algum tio paterno. Se não houvesse tio paterno, passava para o parente mais próximo (Núm. 27:9-11), mas sempre dentro da linhagem paterna. Ver o artigo separado sobre *Herança*.

SITIM
I. Nome e Referências Bíblicas
II. Geografia (duas localidades) e Observações Bíblicas

I. Nome e Referências Bíblicas
No hebraico, *acácias*, região nas planícies de Moabe, citadas nos seguintes trechos no Antigo Testamento: Núm. 25.1; Jos. 2.1; 3.1; Joel 3.18; Miq. 6.5.

II. Geografia (duas localidades) e Observações Bíblicas
1. O último local onde Israel acampou a leste do Jordão antes de entrar na Palestina: Núm. 25.1; Jos. 3.1; Miq. 6.5. O nome completo desse local era *Abel-Sitim* (Núm. 33.49). Foi desse mesmo local que Josué enviou os 12 espiões para verificar se Israel seria capaz de conquistar o território com sucesso (Jos. 2.1). As identificações modernas incluem Tell el Kefrein e Tell el-Hammam, mas é impossível decidir qual (se algum) dos dois está correto.

A história negativa que a maioria dos espiões contou evitou a invasão da Terra Prometida, mas, após 40 anos de vagueações, Israel voltou ao mesmo ponto e, dessa vez, avançou, cruzou o rio Jordão e iniciou a conquista (Jos. 3.1).

A *árvore shiita*, na versão portuguesa chamada de *sita*. O local descrito acima era rico desse tipo de madeira. *Sitim* (o local) é o plural da palavra, e *sita* (o singular) é o nome da árvore. A madeira é mencionada 26 vezes no Antigo Testamento. Havia duas espécies: a *acácia seyal* e a *acácia tortilis*. Essa árvore era praticamente a única na Palestina que se adaptava bem às áreas muito secas. O *tortilis* era (é) uma madeira de grão fino e marrom, excelente para a feitura de móveis e tão natural que a arca da aliança, o altar e as mesas do tabernáculo foram feitos dessa madeira.

2. Vale deserto próximo ao Jordão, provavelmente no lado oeste, acima do mar Morto. As árvores de acácia também cresciam ali. Joel (3.18) usava o nome para referir-se a um vale muito seco. Em sua profecia, as águas jorravam do templo para regar o local e torná-lo fértil, o que, por sua vez, falava de bênçãos espirituais que viriam, a longo prazo, à Palestina, apesar secura corrente. Talvez esteja em vista a Idade do Reino (ver ainda Zac. 14.8 e Eze. 47.1-12). Alguns estudiosos identificam 1 e 2.

SITNA
No hebraico, "briga", "contenda". Nome do segundo poço cavado pelos servos de Isaque, nas proximidades de Gerar (Gên. 26:21). Esse nome reflete o conflito que ocorreu quando os criadores de gado de Gerar disputaram com os criadores de gado de Isaque acerca dos direitos à água potável dos poços. Embora a localização exata desse poço seja desconhecida, sabe-se que ficava perto de Reobote (Gên. 26:22).

SITRAI
No hebraico, "Yahweh está decidindo". Esse homem era um sarotita que foi o principal pastor dos rebanhos que pastavam em Sarom (I Crô. 27:29). Viveu em cerca de 1015 a.C. Nossa versão portuguesa diz "gados", por duas vezes, nessa referência de I Crônicas. No hebraico, a palavra *baqar* aponta para qualquer tipo de gado domesticado na época.

SITRI
No hebraico, "Yahweh é proteção". Era neto de Coate e filho de Uziel. Também era primo de Moisés (Êxo. 6:22). Viveu em cerca de 1530 a.C.

SITUAÇÃO DE FRONTEIRA
Vem do alemão, *Grenzsituation*, termo usado por Jaspers (que vide) aludindo àquelas situações que estabelecem os limites do ser histórico do homem, a saber, a morte, os sofrimentos, os conflitos e o senso de culpa. (P)

SIVÃ
Terceiro mês do calendário judaico, correspondente aos nossos meses de maio e junho. ver sobre *Calendário*.

SIZA
No hebraico, "esplendor" Ele foi um rubenita, um dos heróis de guerra ao serviço de Daniel. Seu nome aparece somente no trecho de I Crô. 11:42. Viveu em torno de 1060 a.C.

SIZÍGIA
Esse termo português vem diretamente do grego, e tem o sentido de "arrumar em pares" ou "pôr sob jugo". A palavra grega para "jugo", "canga", é *zúgon*.

Nos estudos cabalísticos há uma acentuada ênfase sobre as sizígias, ou "pares" que caracterizariam todas as coisas: certo e errado; direita e esquerda; luz e trevas; pureza e impureza; macho e fêmea, etc.

Outrossim, no pensamento chinês encontramos a idéia de forças ou energias contrárias, o yin e o yang (vide). Ver o artigo que versa sobre a *Polaridade*, quanto às implicações da questão de pares, na teologia sistemática.

SKÁNDALON (ESCÂNDALO)

O vocábulo grego por detrás do português "escândalo" é o grego *shándalon*, "causa de tropeço"; mas, em seu uso moderno, a palavra indica uma repetição maliciosa e constante de bisbilhotice, com as usuais falsas declarações de mistura com verdades. O termo também pode indicar a vergonha causada por uma conduta imprópria. De acordo com as definições legais, um escândalo consiste em difamação maliciosa através da palavra falada ou impressa. Com freqüência, também está envolvida a veiculação de notícias falsas, ou, então, em que a verdade é misturada com a falsificação. E as pessoas apreciam, como poucas outras coisas, um escândalo a respeito do qual possam comentar. Essa atividade é contrária às instruções bíblicas sobre o mal uso da língua (ver Col. 4:6; Tia. 12; Mat. 12:36,47).

No Novo Testamento, predomina o sentido do termo grego. Somos advertidos contra pessoas que provocam escândalos e fazem outras pessoas tropeçarem, ou seja, pecarem, acreditarem em doutrinas falsas, porem obstáculos diante do próximo, ou fazerem as pessoas mudarem a conduta para pior. Ver Mat. 18:6-9; Rom. 16:17. O próprio Jesus, sem querer fazê-lo, tomou-se um escândalo (algo que fazia outras pessoas tropeçarem), mediante suas reivindicações messiânicas, que foram repelidas por seus contemporâneos. Ver I Cor. 1:23,24.

Ver o artigo geral chamado *Linguagem, Uso Apropriado da*.

SKANDHAS

Ver o artigo geral sobre *Budismo*. Pode constituir uma surpresa para muitas pessoas que Buda não tenha ensinado a reencarnação da entidade, mas somente das skandhas, ou seja, dos estados mentais e dos inúmeros elementos que compõem uma personalidade, mas que não fazem parte de uma alma ou entidade metafísica. Skandha é um termo que significa "agregado" referindo-se aos inúmeros atores que compõem uma personalidade, como suas características, desejos, vícios, virtudes, etc. Esse agregado encontrar-se-ia em estado de fluxo. Existe a identidade pessoal, mas não uma identidade permanente, segundo o budismo. Talvez possamos dizer que, na opinião de Buda, o que se reencarna é uma "bagagem" de uma série de entidades, mas uma mesma entidade não passa de um corpo para outro. Entretanto, o budismo posterior adotou a idéia de reencarnações sucessivas de uma única alma, que passaria de um corpo para outro.

SMITH, ADAM

Suas datas foram 1723-1790. Ele foi um economista e um filósofo moral escocês. Nasceu em Kirkealdy e educou-se em Glasgow e Oxford. Ensinou em Glasgow. Viajou extensamente. Tornou-se Comissário de Alfândega da Escócia, e passou o resto de sua vida em Edimburgo.

Idéias:

1. Embora fosse aluno de Francis Hutchesun, opunha-se a ele quanto às idéias morais. Hutcheson advogava a chamada teoria do senso moral, que diz que sabemos, intuitivamente, o que é certo e o que é errado. Mas Smith preferia pensar na simpatia como centro de seu sistema. Simpatizando, compartilharia de experiências, esperanças e aflições comuns. Quando compartilhamos com alguém, ajudamos e somos ajudados. A virtude ele identificava com o que é meritório e apropriado. A prudência e a benevolência fazem parte de uma completa expressão da virtude.

2. Mas, se a simpatia deve orientar todos os nossos atos éticos, as vantagens pessoais devem regulamentar a economia. Os homens trabalham e produzem melhor quando há proveito ou lucro óbvio. Mas Smith também acreditava que os homens, na busca de sua própria vantagem, são "levados por uma mão invisível" a compartilhar com outros, pelo que a simpatia, como que voluntariamente, vem a entrar nas questões econômicas. Entretanto, a experiência mostra que um grande número de pessoas, embora trabalhe em proveito próprio, pouco sabe do que é simpatizar com outros e compartilhar com o próximo. Seja como for, o sistema de auto-interesse , propugnado por Smith, defende o livro intercâmbio, e não o protecionismo por parte das forças do governo. O labor produtivo é a chave para a multiplicação das riquezas entre os povos, e não o controle exercido pelo governo. E o labor produtivo é melhor promovido quando o auto-interesse é um dos ingredientes.

Escritos: *Theory of Moral Sentiments; The Wealth of Nations*.

SMITH, JOHN

Ver sobre **Sensações Espirituais**.

SMITH, JOSEPH JR.

Temos exposto artigos detalhados sobre o mormonismo e sobre o livro de Mórmon. Ver *Santos dos Últimos Dias (Mórmons) e sobre o Livro de Mórmon*. Esses artigos oferecem as informações essenciais sobre Joseph Smith. O que aqui apresento é apenas um breve esboço biográfico.

Joseph Smith Jr. nasceu em Sharon, condado de Windsor, em Vermont, nos Estados Unidos da América do Norte, a 23 de dezembro de 1805, e morreu em Cartago, estado de Illinois, a 27 de junho de 1844. Dotado de disposição religiosa desde a adolescência, durante o período de um reavivamento religioso em Manchester, Ontário, estado de Nova Iorque (atualmente condado Wayne), ele orou pedindo orientação sobre a qual denominação ele deveria juntar-se. Mas teria sido instruído a não se unir a qualquer grupo já formado.

Três anos mais tarde, segundo ele afirmava, apareceu-lhe um anjo, chamado Moroni, que lhe falou sobre um livro gravado em tábuas de ouro, contendo todo o evangelho eterno. E foi-lhe ordenado que o escavasse. E também foram-lhe dados óculos especiais, que lhe permitiram fazer a tradução dessas placas. Elas estariam na colina de Cumorá, cerca de seis quilômetros de Palmira, entre essa cidade e a cidade de Manchester. As inscrições supostamente tinham sido feitas em "egípcio reformado". Então João Batista deu-lhe o sacerdócio de Aarão enquanto que Pedro, Tiago e João conferiram-lhe o sacerdócio de Melquisedeque!

Em abril de 1830, Joseph Smith organizou a Igreja Mórmon (ver sobre Santos dos Últimos Dias (Mórmons), em Fayette, condado de Sêneca, no estado de Nova Iorque, e foi o primeiro profeta reconhecido dessa organização. Irrompeu a perseguição contra ele e sua igreja, em Nauvoo, estado de Illinois, do que resultou seu primeiro encarceramento, e então o seu assassinato, por parte de uma multidão, que invadiu a prisão onde ele estava. Isso teve lugar em Cartago, estado de Illinois, a 27 de junho de 1844.

O *Livro de Mórmon* foi publicado em 1830, e o livro *Doutrina e Pactos*, em 1835, pelo que a nova fé quase desde o começo contou com suas próprias escrituras. Narro o restante da história nos artigos acima referidos.

SÔ

Esse rei do Egito é mencionado nas páginas da Bíblia somente em II Reis 17:4. Ele tem sido identificado com Sib'e, um general egípcio por ocasião da batalha de Rafia

SOA – SOBERANIA DE DEUS

(cerca de 720 a.C.), ou então com Sabaca, rei do Egito (cerca de 716-701 a.C.). A primeira dessas identificações, com Sib'e ou Sive, é possível. Porém, estudos recentes indicam que o nome, nos registros assírios, deveria ser lido como Re'e, e não como Sib'e. Já "Sabaca" oferece maiores dificuldades fonéticas, além do que ele viveu muito tarde para ajustar-se cronologicamente. O contemporâneo de Oséias era Tefnact, de Sais (cerca de 730-720 a.C.).

Uma sugestão feita mais recentemente pelos especialistas é que a palavra "Sô" refere-se não a um monarca, mas a uma cidade, Sais. Nesse último caso, o trecho de II Reis 17:4 deveria dizer: "... porque enviara mensageiros a Só, ao rei do Egito..."

SOA

No hebraico, **rica**. Esse nome designa um povo, mencionado em Ezequiel 23:23, juntamente com outros lugares, como Babilônia, Pecode e Coa, além dos assírios, como um dentre muitos povos que, de futuro, haveriam de levantar-se contra Judá. O povo de Soa não tem sido identificado com grande grau de certeza; porém, o mais provável é que se trate dos *Sutu*, um povo nômade que, por algum tempo, viveu a leste do rio Tigre e também no deserto da Síria. Os assírios viviam em estado de guerra quase constante contra eles, mas eles nunca foram inteiramente dominados.

SOALHO

No hebraico, *qarq*, "soalho", "fundo". Essa palavra hebraica ocorre por sete vezes: Núm. 5: 17; I Reis 6:15,16,30; Amós 9:3; I Reis 7:7. Essa palavra indica o piso de algum edifício. No sexto capítulo de I Reis há alusão ao piso do templo de Jerusalém. Os soalhos eram feitos de madeira, de cerâmica ou de pedras. Mas, nas casas das classes pobres, usualmente eram feitos apenas de terra batida. O fundo do mar também pode ser classificado nessa categoria (Amós 9:3), embora o português prefira, para isso, a palavra "fundo".

SOÃO

No hebraico, "berilo verde". Ele foi um levita, descendente de Merari. Era filho de Mazias (I Crô. 24:27). Viveu por volta de 1700 a.C.

SOBABE

No hebraico "retorno". Há dois homens com esse nome, nas páginas do Antigo Testamento:

1. Um filho de Calebe e sua esposa, Azuba (I Crô. 2:18), que viveu em torno de 1540 a.C.

2. Um dos quatro filhos de Davi e Bate-Seba, que nasceram em Jerusalém (II Sam. 5:14; I Crô. 15; 14:4). Viveu por volta de 1020 a. C.

SOBAI

No hebraico, "Yahweh é glorioso". Foi cabeça de uma família de porteiros do templo de Jerusalém, após o retorno dos exilados na Babilônia. Ele voltou em companhia de Zorobabel (Esd. 2:42; Nee. 7:45), Viveu em cerca de 530 a.C.

SOBAL

No hebraico *vaguação*. Há dois ou três personagens com esse nome, no Antigo Testamento:

1. Um *filho* de Seir, o horeu, chefe de um clã dos habitantes horeus de Edom (Gên. 36:20,23,29; I Crô. 1:38,40). Viveu em torno de 1820 a.C.

2. O antepassado de uma família calebita da tribo de Judá, e também antepassado de muitos habitantes de Quiriate-Jearim (I Crô. 2:50,52; 4:1,2). É possível que esse homem seja o mesmo Sobal descrito acima, no primeiro ponto.

3. Um dos filhos de Judá, e que veio a ser pai de Reaías (I Crô.4:1,2). Viveu em cerca de 1670 a.C.

SOBEQUE

No hebraico **livre**. Esse foi o nome de um chefe judaico, signatário do pacto estabelecido por Neemias (Nee. 10:24). Viveu em cerca de 445 a.C.

SOBERANIA DE DEUS

Ver os artigos separados sobre *Determinismo e Livre-Arbítrio*.

O termo soberania, denota uma situação em que uma pessoa, com base em sua dignidade e autoridade, exerce o poder supremo, sobre qualquer área, em sua província, que esteja sob a sua jurisdição. Um "soberano" pois, exerce plena autonomia e desconhece imunidades rivais.

Quando é aplicado a Deus, o termo indica o total domínio do Senhor sobre toda a sua vasta criação. Como Soberano que é, Deus exerce de modo absoluto a sua vontade, sem ter de prestar contas a qualquer vontade finita. Conforme se dá com outras idéias teológicas, o termo não figura nas páginas da Bíblia, embora o conceito seja reiterado por inúmeras vezes. Para tanto, as Escrituras apelam para a metáfora de "governante e súditos". Embora expresse essa idéia de outras maneiras, é principalmente nas doxologias ou atribuições de louvor que aparece o conceito. Poderíamos citar aqui uma passagem do Antigo e uma do Novo Testamentos, como prova disso. "... até que conheças que o Altíssimo tem domínio sobre o reino dos homens, e o dá a quem quer" (Dan. 4:25). "Assim, ao Rei eterno, imortal, invisível, Deus único, honra e glória pelos séculos dos séculos. Amém" (I Tim. 1:25).

A soberania de Deus consiste em sua onipotência, expressa em relação ao mundo criado, mormente no tocante à responsabilidade moral das criaturas diante dele. Visando a um fim benfazejo, e executando o seu plano eterno para a criação inteira e para os homens Deus exerce autoridade absoluta, amoldando todas as coisas e todos os acontecimentos à semelhança do que o oleiro faz com o mesmo monte de barro amassado. Ver Rom. 9:19 ss. Embora, erroneamente, quanto aos seus motivos, o suposto objetor, postulado por Paulo, expressou uma verdade inconteste: Pois quem jamais resistiu à sua (de Deus) vontade?" (vs. 19). Além de mandar na sua criação sem que alguém possa intervir nas decisões divinas, a Bíblia nos ensina que essa soberania é exercida tendo em vista galadoar a piedade e castigar a rebeldia. E o que se vê em trechos como o de Romanos 11:22, que diz: "Considera!, pois, a bondade e a severidade de Deus; para com os que caíram, severidade; mas para contigo, a bondade de Deus, se nela permaneceres; doutra sorte também tu serás cortado". Isso nos permite chegar à conclusão de que Deus não age arbitrariamente, movido pelo capricho, quando determina todas as coisas segundo os ditames de sua soberana vontade.

Porém, se rebrilha mais intensamente esse governo de Deus sobre as questões morais do bem e do mal, nem por isso devemos esquecer que as próprias forças da natureza lhe estão sujeitas de maneira absoluta. Em sua vida terrena, Jesus mostrou a sua divindade, precisamente, exercendo total controle sobre as forças naturais. Acalmada a tempestade e tranqüilizado o

SOBERANIA DE DEUS – SOBRENATURALISMO

vendaval, os discípulos de Jesus perguntavam uns aos outros: "Mas quem é este, que até os ventos e o mar lhe obedecem?" (Mat. 8:27). Ver também Mat. 5:45 e 6:30, que mostram que o controle de Deus desce até às coisas que consideraríamos destituídas de importância.

Entretanto, a soberania de Deus cria problemas para nós, com a nossa limitada compreensão, quando a colocamos lado a lado com as atividades humanas. O homem agiria por compulsão divina ou agiria livremente? No primeiro caso, temos o problema do determinismo (vide); e se o homem age livremente, sem qualquer controle divino, onde ficou a soberania de Deus? A solução é pensar que o homem atua como um livre agente, mas sempre dentro dos limites estabelecidos pela soberania divina. Deus, pois, refreia os excessos do livre-arbítrio, dirigindo os atos humanos de tal modo que cheguem a resultar naquilo que sua sabedoria tem por alvo. A liberdade de ação do homem só vai até onde Deus lho permitiu. Em Gênesis 2:15, aprendemos que o homem recebeu domínio sobre a natureza terrestre. E os próprios monarcas da terra governam como delegados, por mandato divino (I Sam. 15: 11 e II Crô. 1:9). Por isso mesmo, os governantes podem ser destituídos de suas funções. Todavia, se, por uma parte, Deus limita o alcance das ações humanas, por outro lado ele mesmo se restringe quanto à sua soberania, quando isso se faz mister. De outra sorte, não haveria espaço para o livre-arbítrio humano. É nessa altura que entram em nossas cogitações a paciência de Deus, as renovadas oportunidades de arrependimento que Deus dá aos desobedientes, o adiamento dos castigos divinos contra o mal e até mesmo o aparente retardamento do retorno de Cristo a este mundo. É conforme diz o escritor sagrado: "Não retarda o Senhor a sua promessa, como alguns a julgam demorada; pelo contrário, ele é longânimo para convosco, não, querendo que nenhum pereça, senão que todos cheguem ao arrependimento", (II Ped. 3:9) o problema do determinismo versus o livre-arbítrio humano tem causado perplexidades teológicas desde longa data. Assim, ao refutar o erro de Palágio, Agostinho inclinava-se tanto para o extremo direito (da soberania divina) que parecia negar qualquer liberdade humana. Em conflito com Erasmo de Roterdã, Calvino caiu no mesmo desequilíbrio. Em seu afã por preservar a idéia da iniciativa divina, Calvino criou um sistema teológico, que vários de seus seguidores levaram a um ponto ainda mais extremado, que virtualmente nega aos o homem tem vontade livre. Nesse caso, destituído de livre-arbítrio, seria uma injustiça o homem ser condenado, por praticar aquilo que estaria impossibilitado de evitar. Portanto, o calvinismo (especialmente quando radical), (vide), exprime, quando muito, uma meia-verdade. E o arminianismo cai precisamente no erro contrário, quando exalta o livre-arbítrio humano, sem levar em conta que este é, necessariamente, limitado pela vontade planejadora de Deus. Isso nos permite chegar à conclusão lógica de que tanto o calvinismo quanto o arminianismo são visões parciais da verdade, a qual se acha na correta relação entre a soberania de Deus e o livre-arbítrio humano. Deus usa o livre-arbítrio do homem sem destruí-lo, mas como nós sabemos.

Tudo isso suscita o princípio teológico da polaridade (vide). Em outras palavras, existem verdades complexas, formadas pelo relacionamento entre duas verdades menores. Em nosso estudo, a soberania de Deus e o livre-arbítrio humano seriam os dois pólos opostos de uma verdade espiritual maior.

SOBI

No hebraico, **Yahweh é glorioso**. Foi filho de Naás, de Rabá, um amonita. Sobi e dois companheiros, Maquir, de Lodebar, e Barzilai, de Rogelim, trouxeram provisões para Davi e seus homens, quando estes fugiam de Absalão e dos que o apoiaram na sua rebelião (II Sam. 17:27-29). Quando os líderes de Absalão rejeitaram o conselho de Aitofel, preferindo o parecer de Husai, então Davi e seus seguidores conseguiram escapar de um encontro imediato com as forças de Absalão e assim tiveram tempo de se prepararem melhor. E, quando Davi e seus homens acamparam em Maanaim, receberam ajuda da parte de Sobi e seus companheiros. As provisões, incluindo mantimentos, trazidas por Sobi e seus associados, foram suficientes para satisfazer as necessidades dos homens de Davi, enquanto se preparavam para o seu próximo movimento. Sobi viveu em cerca de 1020 a.C.

SOBOQUE

No hebraico, **expansão**. Esse nome aparece em II Samuel 10:16,18. Ele foi um dos generais sírios que atuavam sob as ordens do rei Hadadezer.

Soboque foi o comandante das forças sírias que combateram contra Davi, em Helã. Esse ataque de Soboque foi uma tentativa síria para reverter duas derrotas anteriores dos sírios, às mãos de Israel. As forças sírias de Hadadezer haviam sido derrotadas em Reobe e Zobá. E, novamente, quando Israel esteve envolvido em conflito com os amonitas, estes procuraram obter a ajuda dos sírios. Joabe, general israelita, saiu-se vitorioso da refrega, e os sírios, amargurados diante da derrota, apelaram para as suas forças que estavam para além do rio Eufrates, as quais sob as ordens de Soboque, atacaram Davi, em Helã. Os homens de Davi, entretanto, feriram Soboque, de modo que ele morreu. E, então, os sírios fugiram (II Sam. 10:16,18). No trecho paralelo de I Crônicas 19:16,18, Soboque é chamado Sofaque. Ele viveu por volta de 1040 a.C.

SOBRENATURALISMO

Esboço:
1. Definições
2. Na Maioria das Religiões
3. Na Filosofia
4. Na Teologia Cristã
5. Informes Históricos e Controvérsias Sobre o Sobrenaturalismo

1. Definições

Esse termo vem do latim, *super*, "acima", "além", e *natura*, "natural". O *sobrenaturalismo* é a idéia que diz que não podemos explicar a existência meramente levando em conta a natureza física. Também não podemos limitar os meios de investigação aos nossos sentidos físicos, que detectam e descrevem a natureza.

"O sobrenatural refere-se à dimensão existente acima e além do campo das experiências dos sentidos; à crença de que por detrás do mundo das experiências ordinárias, do dia-a-dia, existe o mundo espiritual, divino. Com freqüência, aponta para aquilo que transcende aos poderes da natureza, ou para aquilo que as causas naturais não podem produzir, (B). Platão, e talvez a maioria das religiões, parte do pressuposto de que os poderes sobrenaturais deram origem à natureza, e que agora controlam o mundo natural. Platão chegou mesmo ao extremo de supor que o mundo natural é uma espécie de cópia do mundo superior (sobrenatural).

O sobrenaturalismo, com freqüência, é oposto ao

243

SOBRENATURALISMO

naturalismo. Este último assevera que toda existência pode ser explicada em termos do que é natural e físico. O naturalismo, com freqüência (embora não necessariamente) é um sinônimo de materialismo (vide).

2. Na Maioria da Religiões

Ali afirma-se a realidade das dimensões sobrenaturais, embora as religiões tenham díspares opiniões sobre essas dimensões. As religiões mais primitivas defendem a crença em espíritos e deuses de toda sorte, tanto bons quanto maus, poderes que animam ou matam, dão a vida ou destroem, todos dotados do mau hábito de intervir na vida humana. Acredita-se ali que esses poderes exercem influências diversas sobre os homens e sobre os poderes da natureza física. Tornam-se, por conseguinte, objetos de temor, respeito, e, algumas vezes, afeto, e, com freqüência, são adorados. Os espíritos desencarnados fariam parte do mundo sobrenatural.

3. Na Filosofia

Nesse campo a questão é explicada de modo mais sofisticado. Ali ouvimos falar em forças cósmicas, no Absoluto, nas Idéias e Formas. Naturalmente, os filósofos teístas falam acerca de Deus, deuses, espíritos, poderes angelicais, demônios, etc. Mas, seja como for, a idéia fundamental é que existe uma vida ou existência espiritual de alguma espécie, essencialmente diferente daquilo que chamamos de "natural". Usualmente, o sobrenaturalismo inclui a idéia de que essa espécie de existência pode ser melhor abordada e entendida através do misticismo e da fé, havendo dificuldade de abordagem (se é que isso é possível) através da razão e da percepção dos sentidos. Quase sempre essa idéia fala sobre uma existência não material, fazendo contraste com a materialidade da natureza, conforme é vista em nosso mundo. O mundo sobrenatural usualmente figura como algo transcendental, em contraste com este mundo físico; mas concebe-se como reais os meios de comunicação entre essas duas realidades, a sobrenatural e a natural. O homem, que seria tanto natural quanto sobrenatural, caminha entre esses dois mundos, tendo experiências com ambos, conforme insistem as doutrinas da existência da alma e de sua sobrevivência ante a morte física.

4. Na Teologia Cristã

Ali aceita-se a realidade da imaterialidade, bem como uma miríade de seres espirituais, formando reinos de anjos e de demônios, espíritos de natureza definida e indefinível, dimensões imateriais da existência a que poderíamos dar o nome de "lugares", por falta de um vocábulo melhor. E, naturalmente, há a divina Triundade, formada por Pai, Filho e Espírito Santo, que encerram em Si mesmos a mais elevada forma de vida, a infinita, como fonte originária de toda existência, sustentadora de tudo quanto existe de material ou de imaterial.

Tal como diversas outras religiões, o cristianismo tem enfatizado o conhecimento revelado (a revelação), bem como os Livros Sagrados, que são nossa principal fonte de conhecimentos sobre as realidades espirituais. Na teologia cristã, a razão humana tem um papel a desempenhar; mas Deus não pode ser apreendido somente pela razão. Também precisamos da intuição e das experiências místicas. O cristianismo, postula a intercomunicação de dois reinos natural e sobrenatural, bem como do Logos (o Cristo) como o principal comunicador do conhecimento de Deus e o Mediador da salvação, através do que os homens podem vir a fazer parte das dimensões sobrenaturais.

5. Informes Históricos e Controvérsias Sobre o Sobrenaturalismo

1. Do ponto de vista antropológico, os primórdios do sobrenaturalismo estão perdidos nos arquivos esquecidos da história da humanidade. Porém, onde quer que comece a história, ali já aparece o sobrenaturalismo.

2. Na história, naturalmente, os sistemas do deísmo, do naturalismo e do materialismo são idéias contrárias ao sobrenaturalismo.

3. Na teologia cristã, o termo veio a ser associado à revelação bíblica, utilizado para combater os naturalistas e os pagãos de todas as variedades.

4. Antes dos ataques dos racionalistas, a Bíblia era considerada a suprema autoridade e o manual do sobrenaturalismo. Mas, com o advento do racionalismo (vide), onde a razão com freqüência substitui a fé, tomou-se mister os apologistas defenderem antigas posições e conceitos. Os racionalistas acreditam na unidade essencial de toda a realidade, ao passo que os sobrenaturalistas advogam a idéia de que a natureza de Deus é fundamentalmente diferente da natureza do mundo criado. Isso posto, as operações divinas neste mundo, embora devam ser esperadas, são eventos extraordinários. Pascal foi o primeiro pensador a desenvolver, claramente, uma linha de defesa em favor do sobrenaturalismo, em contraposição ao racionalismo.

5. No século XVIII, os nomes mais importantes associados à defesa do sobrenaturalismo foram J.A. Bengel, o erudito e comentador bíblico luterano, e várias figuras que pertenciam à escola pietista, I.C. Lavater, J.G. Hamann e os líderes do grupo dos morávios, que trouxeram seus pontos de vista à Inglaterra e à América do Norte. Naturalmente, de modo geral, os evangélicos alinhavam-se entre os defensores do sobrenaturalismo, entre os quais podemos citar Wesley e Whitefield. Entre os anglicanos e outros anglo-saxões, poderíamos mencionar William Law, Paley, o bispo Butler e Jonathan Edwards. Esses usaram argumentos racionalistas para demonstrar a fraqueza do racionalismo, apelando para argumentos que transcendiam à razão, como fatores necessários à teologia, incluindo o misticismo e sua subcategoria, a revelação.

6. As filosofias de Kant, Hegel e Schleiermacher proveram material para atacar as idéias básicas do racionalismo e da religião natural. E isso forçou os homens a depender mais do misticismo, da revelação e da fé quanto às suas doutrinas religiosas. E se a filosofia de Emanuel Kant nada fez para fomentar o biblicismo, pelo menos forçou os homens a postularem princípios e idéias teológicas de acordo com o espírito da fé.

7. O surgimento da crítica bíblica, na segunda metade do século XVIII, e que se tornou muito vigorosa nos séculos XIX e XX, fez os homens duvidarem da Bíblia como a inerrante e única autoridade por detrás da fé religiosa. Apesar disso, muitos estudiosos liberais não abandonaram o sobrenaturalismo, embora buscassem outros meios para consubstanciar suas doutrinas. Entretanto, os mais radicais entre eles tendem por duvidar do que é sobrenatural, transformando a fé religiosa em mero humanismo.

8. O *existencialismo* (vide), quando aplicado à teologia, mostrou ter pouca paciência com meios autoritários de estabelecimento da verdade, falando mais em termos de um Deus transcendental, que só podemos atingir através da fé e das experiências místicas. O existencialismo ateu, por outra parte, descobre apenas o desespero, em um mundo ímpio e sem Deus.

9. No século XX, o sobrenaturalismo tem-se desenvolvido essencialmente de acordo com quatro linhas diversas:

a. O *Biblicismo*. Temos aí a ênfase sobre a Bíblia como a mais importante ou mesmo a única fonte informativa (e

SOBRENOME – SOBRE-SER

alegadamente sem erros) e autoridade acerca de crenças religiosas. Quase todos os grupos evangélicos conservadores tomam essa postura, e os católicos romanos conservadores, embora admitindo outras autoridades, sem dúvida são biblicistas.

b. O *Confessionalismo*. Certas confissões básicas são aceitas com base na idéia da autoridade, especialmente bíblica e institucional; essas confissões requerem a fé. A razão é minimizada, e muito do confessionalismo depende da revelação quanto à delimitação da verdade. No confessionalismo, o sobrenatural geralmente é aceito sem discussão.

c. O *Sacramentalismo*. Os católicos romanos, os ortodoxos gregos e os anglicanos; frisam a importância dos sacramentos (vide); e esse tipo de teologia, naturalmente, inclui a crença no sobrenatural.

d. *A teologia apocalíptica e pré-milenar*, uma expressão comum nos grupos cristãos evangélicos, tem sido aceita por um tão grande número de pessoas que pode ser considerada uma das maiores representantes do sobrenaturalismo do século XX. Naturalmente, entre esses estão eruditos conservadores confirmados, dotados de fortes convicções acerca da realidade do sobrenatural. (AM B C E EP ID P)

SOBRENOME

Neste verbete consideraremos uma palavra hebraica e três palavras gregas:

1. *Kanah*, "sobrenome" ou "dar títulos lisonjeadores". Esse termo hebraico aparece por quatro vezes: Isa. 44:5; 45:4; Jó 32:21 e 32:22.

2. *Epikaléomai*, "dar um sobrenome". Palavra grega usada por trinta vezes: Mat. 10:25; Atos 1:23; 2:21 (citando Joel 15); 4:36; 7:59; 9:14,21; 10:5; 11:13; 12:12,25; 15:17 (citando Amós 9:12); 18:32; 22-16; 25:11,12,21,25; 26:32; 28:19; Rom. 10:12,13, 14; 1 Cor. 1:2; II Cor. 1:23; II Tim. 2:22; Heb. 11:16; Tia. 2:7 e I Ped. 1:17.

3. *Kaléo*, "chamar". Palavra grega usada por cento e quarenta e sete vezes, desde Mat. 1:21 até Apo. 19:13.

4. *Epitíthemi ónoma*, "dar um nome". Expressão grega usada somente por duas vezes: Mar. 3:16,17.

Um sobrenome é algum nome ou alcunha, aplicado uma pessoa, denotando alguma característica individual que a distingue, No Antigo Testamento, o termo hebraico *kanah* tem sido traduzido de modo bem pouco coerente nas traduções em geral. Como o leitor pode verificar, o termo aparece somente no livro de Isaías e no livro de Jó. Nas duas ocorrências do livro de Jó, a verdadeira tradução deve ser "dar título lisonjeador" ou coisa parecida, conforme faz a nossa versão portuguesa.

No Novo Testamento, o vocábulo grego *epikaléo* ocorre como um particípio na voz passiva, *epikletheís*, quase sempre vinculando um apelativo judaico com outro de origem grega ou romana, conforme pode ser visto, por exemplo, em Atos 10:5: "... manda chamar Simão, que tem por sobrenome Pedro". No entanto, em quase todos os casos, no Novo Testamento traduzido, o nome adicional e o particípio de explicação não se encontram nos manuscritos mais antigos e mais exatos. Não há que duvidar que, originalmente, esses casos representavam antigas glosas, cujo intuito era meramente identificar o indivíduo mencionado no texto, por seu nome mais comumente conhecido. Mas, no decurso da transmissão de alguns nomes de família, nos manuscritos, esses comentários adicionais passaram a fazer parte do próprio texto copiado. Só no livro de Atos há nove dessas ocorrências, dirigidas aos leitores gentílicos, com explicações parentéticas que encorajam, ainda mais adições explicativas. Mas, em todos os casos assim, a identificação é correta e ajuda aos leitores.

SOBRE-SER

As religiões orientais dispõem de uma concepção muito mais complexa sobre a natureza humana do que aquilo que se vê no Ocidente. Falamos em dicotomia ou tricotomia como se isso exaurisse os requisitos da descrição da natureza humana. Ver os *artigos Dicotomia e Tricotomia*. Porém, além das idéias que nos chegam do Oriente, as pesquisas no campo da parapsicologia têm tendido por confirmar essas noções mais complexas sobre a natureza humana. No Oriente, um homem é concebido como seu corpo (o veículo físico); a sua vitalidade (energia intermediária que liga o corpo com a alma); a alma (uma porção imaterial do ser); e o sobre-ser (a parte essencial do ser). Esta última é a parte transcendental do ser, o homem real.

O sobre-ser controla a alma, da mesma maneira que a alma e a vitalidade controlam o corpo. Esse conceito assemelha-se ao do anjo guardião do cristianismo, contanto que levemos em conta que, na perspectiva oriental, esse ser é, na realidade, o aspecto de outro-mundo do próprio ser do indivíduo. Isso significa que não chegamos à descrição mais elevada de um ser humano quando falamos em sua alma ou em seu espírito, mas somente quando falamos em seu sobre-ser. E também acredita-se que esse ser superior pode controlar mais de um corpo de cada vez, envolvendo uma espécie de bilocação, ou mesmo multilocação. Para algumas pessoas, isso apresenta um problema de identificação pessoal. Mas, se imaginarmos a palma da mão como símbolo do sobre-ser, e os dedos da mão como corpos-almas individuais, então poderemos ver como essa multiplicidade forma, realmente, uma unidade. Não consideramos a palma da mão e seus dedos como entidades separadas, ainda que, em outro sentido, o sejam. No entanto, há uma grande unidade vital entre a palma da mão e seus dedos, pois, coletivamente, chamamos a eles de mão. Por semelhante modo, um sobre-ser pode controlar vários corpos-almas, embora o complexo forme uma unidade, vital, e, de fato, um único ser. Falamos em Deus como um Ser onipresente, e não achamos problemática a questão de sua identidade, a despeito de suas imensas habilidades. Por igual modo, o ser humano pode ser encarado como uma pessoa verdadeiramente imensa, embora um de seus fragmentos (como se fosse um dedo considerado isoladamente), um corpo-alma, localizado em algum lugar específico, possa não ser considerado grande coisa.

Os místicos fornecem-nos algumas evidências no sentido de que a vitalidade é ocasionalmente vista em branco-e-preto, embora parecida com o corpo físico; a alma, por sua vez, é colorida, e usualmente assume um formato humano; mas o sobre-ser é visto como um campo de força (energia) ou de luz. Talvez alguma visão mais perscrutadora pudesse distinguir algum formato também no sobre-ser. Seja como for, a verdade é que estudos assim envolvem-nos em muitos mistérios. Todavia, parece que esse conceito do sobre-ser envolve alguma verdade. Na doutrina da transformação dos remidos à imagem de Cristo (ver Rom. 8:29; 11 Cor. 3:18), antecipamos algum gigantesco processo, mediante o qual a alma humana virá a compartilhar da natureza e dos atributos divinos (ver II Ped. 1:4; Efé. 3:19). E a doutrina das religiões orientais é que o homem já é um ser muito maior do que é imaginado no Ocidente.

SOBREVIVÊNCIA – SOCIALISMO

Parte dessa doutrina envolve a questão da iluminação. As religiões orientais enfatizam o misticismo subjetivo, isto é, o contato se faz com o "eu" superior do próprio indivíduo. Mas, no Ocidente, enfatizamos o misticismo objetivo, quando entramos em contato com "seres externos", como Deus, Cristo, o Espírito Santo, os "santos", os guias angelicais, etc. Ver o artigo geral sobre o *Misticismo*. É evidente que esse é o tipo de misticismo ensinado na Bíblia, um misticismo objetivo, externo. O cristianismo ensina o contato místico com o Espírito Santo; assim chegamos a "conhecer" a Cristo; e quem conhece a Cristo, o Filho, também conhece ao Pai. Ver João 14:7 e 17. A doutrina do sobre-ser, pois, parece ter uma importante aplicação na questão da iluminação e da espiritualidade em geral. Emerson (vide) opinava que o indivíduo pode obter forças e discernimento da parte de seu sobre-ser. Naturalmente, essa idéia ele derivou das religiões orientais.

SOBREVIVÊNCIA

Algumas vezes, essa palavra é usada para significar "a sobrevivência da alma ante a morte biológica". Temos oferecido extensos artigos sobre essa questão, nesta enciclopédia. Sob o título, *Imortalidade*, apresentamos quatro artigos importantes. Ver também sobre *Alma*, quanto a argumentos gerais em favor da existência da alma e sua sobrevivência diante da morte física. Ver, especificamente, *Experiências Perto da Morte* e *Parapsicologia*, que adicionam impressionantes evidências em favor da sobrevivência.

SOBREVIVÊNCIA DOS MAIS APTOS

Herbert Spencer cunhou essa expressão para descrever os resultados dos princípios de Darwin sobre a seleção natural (vide), uma vez postos na prática. Naturalmente, essa idéia (embora sem a expressão) é bastante antiga, podendo ser achada entre os filósofos gregos (até mesmo pré-socráticos) e romanos. Não há que duvidar que o romano Lucrécio disse algo similar. Ele acreditava que o mundo é oriundo de um caos atômico (embora não do nada). Formas vivas ter-se-iam desenvolvido a partir da vida vegetal, daí atravessando um processo de complexidade, até chegar aos animais superiores. Algum critério de sobrevivência, que poderíamos chamar "dos mais aptos" teria orientado a natureza nesse processo, tendo determinado quais espécies sobreviveriam, e quais seriam extintas. Como é óbvio, muitas espécies têm perecido e continuam a desaparecer. O homem tem acelerado esse processo, mediante suas matanças indiscriminadas de animais. Ver o artigo geral intitulado *Evolução* quanto a uma completa discussão acerca das teorias envolvidas.

SÓBRIO, SOBRIEDADE

O termo grego *nephálios* significa "sóbrio" no tocante a bebidas alcoólicas, mas sua forma verbal é usada de forma figurada, no Novo Testamento, para indicar um espírito bem-equilibrado, autocontrolado. Ver I Tes. 5:8; II Tim. 4:5; I Ped. 1: 13; 4:7 e 5:8. O trecho de Tito 2:2 exibe a forma adjetivada dessa palavra, a qual, naquele contexto, pode incluir a idéia de sobriedade literal, abstinência de bebidas intoxicantes. O termo grego *agkráteia* significa "autocontrole"; mas algumas traduções traduziram-no, "auto-sóbrio". Ver Atos 24:25; Gál. 5:23; I Cor. 7:9; 9:25; Tito 1:8; 2:2; I Ped. 1:13; 4:7; 5:8; II Tim. 4:5; II Ped. 1:6. Também devemos pensar no termo grego *sophronéo* (e seus derivados), que algumas vezes é traduzido por "sóbrio", mas que tem o sentido de mente sã, razoabilidade, bom juízo, moderação, prudência e castidade. Ver Mar. 5:15, Luc. 8: 35; Rom. 12:3; II Cor. 5:13; I Tim. 2:9,15; 3:2; Tito 1:8; 2:3,5,12. O homem sábio livra-se dos excessos das massas humanas e conserva uma mente sóbria, bem-equilibrada e razoável.

SOCIALISMO

Ver o artigo detalhado intitulado *Comunismo*. E, quanto à influência exercida pelo comunismo sobre a comunidade religiosa, ver *Teologia da Libertação*.

Esboço:
I. Definições
II. Raízes Anti-religiosas
III. Raízes Contra uma Sociedade Livre
IV. O Socialismo e o Materialismo
V. Perspectiva Histórica e Filosófica do Socialismo

I. Definições

O termo latino básico por detrás desse termo é socio, "compartilhar" "unificar". *Societas* significa "sociedade". No socialismo, a idéia é uma associação voluntária de indivíduos com finalidades comuns, dotados de uma partilha dos bens e dos meios de produção dos mesmos, contradizendo o ideal capitalista. Na prática, porém, o socialismo reduz-se ao *estatismo*, ou seja, uma oligarquia que possui e controla tudo, e onde o povo participa somente de nome. No socialismo, o ideal é o controle das propriedades, exercido pelo povo, juntamente com o controle dos meios de produção e distribuição; mas, na prática, as massas nada têm a ver com qualquer participação genuína por parte do povo. O socialismo e o comunismo distinguem-se somente quanto ao grau da alegada participação pública e quanto à natureza militarista e fascista que a maioria dos estados comunistas tem adotado a fim de forçar as pessoas e as instituições a aceitarem o "ideal" dos líderes.

Um outro ideal do socialismo é que as atividades da sociedade em geral não tenham por alvo o lucro, mas o uso público e individual das riquezas, como bens comuns. Uma promessa do socialismo é a participação igualitária dos bens, mas essa nunca foi posta em prática em qualquer sociedade, comunista, socialista ou capitalista. Visto que os homens diferem em sua inteligência, habilidades e ambições, naturalmente participam em graus variados nas posições e nas riquezas materiais. Mesmo que alguém conseguisse igualar hoje, à força, todos os homens, amanhã já seriam todos diferentes, naturalmente, uns dos outros.

Parte da participação igualitária que o socialismo busca impor é a instituição de um estado que busque o bem-estar geral. Presumivelmente, os serviços e benefícios seriam ali distribuídos de forma igual para todos, e os pobres teriam acesso aos benefícios, como, para exemplificar, serviços médicos e salários e pensões para os trabalhadores e aposentados condignos. Mas, na prática, tudo isso permanece sendo um mero ideal. Os benefícios médicos tendem por ser deficientes, na medicina socializante, e filas formam-se, esperando um atendimento superficial, ao passo que aqueles que têm dinheiro consultam médicos particulares, que realmente examinam os enfermos, com diagnósticos precisos e com prescrições específicas.

É verdade que pequenos países, relativamente falando, dotados de populações homogêneas e sem problemas de territórios remotos, como a Suécia, têm feito o socialismo funcionar em um grau bastante razoável. Porém, países mais extensos, com populações heterogêneas e uma pobreza com raízes profundas, não têm conseguido ao menos aproximar-se, com seu socialismo, dos países capitalistas, no que diz respeito a uma sociedade afluente.

SOCIALISMO

Na verdade, a tendência atual, nos países capitalistas, tem sido copiar algumas idéias socialistas, que parecem ser úteis; e os países socialistas estão retomando ao capitalismo, pelo menos em algumas áreas, que permitem seus sistemas funcionarem melhor. Isso é assim porque nenhum sistema criado pelo homem é livre de defeitos. Temos nisso uma espécie de polaridade política (vide), onde as idéias têm a oportunidade de ser postas em prática, sem importar os títulos restritivos com que os homens têm rotulado muitas coisas.

II. Raízes Anti-religiosas

A tendência de afastamento do autoritarismo eclesiástico, durante o período que se seguiu à Reforma Protestante, deu origem, já no século XVIII, à soberania popular. E foi essa tendência que lançou as sementes do socialismo. Publicações como os *Federalist Papers* e *Wealth of Nations*, serviram de instrumentos de propagação das novas idéias. E no século XIX aprofundaram-se as raízes de uma sociedade socialista utópica.

III. Raízes Contra uma Sociedade Livre

Uma sociedade livre é aquela em que, entre outras coisas, há uma economia livre, no máximo regulamentada pelo governo, mas dependendo da iniciativa privada, sem grandes intervenções governamentais, segundo o molde capitalista. Fazendo contraste com isso, o socialismo centraliza o controle nas mãos do governo, o qual, por uma decorrência natural, fica dependente de uma pesada burocracia, que entra tudo. As sociedades livres também promovem, o livre intercâmbio de idéias e informações, do que, com freqüência resulta alguma oposição ao governo. Por sua parte, os governos socialistas sentem-se ameaçados pela liberdade dos indivíduos, e costumeiramente tentam controlar o fluxo de idéias, distorcendo-lhe o sentido. Assim, uma imprensa livre caracteriza as sociedades livres, mas nas nações socialistas a imprensa só publica o que o governo quer, ou, pelo menos, sob rígida censura.

IV. O Socialismo e o Materialismo

"A ideologia que facilita o Estado planejado não foi criação de Karl Marx. Já existia, sob a forma do materialismo do século XIX. De acordo com essa ideologia, o homem é apenas o produto final de forças naturais e sociais, habitando um universo que não reflete a mão criadora de Deus, mas antes, sendo apenas uma organização mecânica de partículas materiais. Para essa ideologia não existe qualquer finalidade transcendental para os homens servirem, e nem há qualquer necessidade da salvação da alma. Antes, a humanidade será regenerada mediante a mera alteração de seu meio ambiente, transformando o indivíduo em mero serviçal do Estado. De acordo com a escatologia socialista, finalmente o Estado ir-se-á tornando paulatinamente desnecessário, após o que os homens desfrutarão de um paraíso terreno. É patente a distorção da visão cristã das coisas, nessa exposição. O socialismo precisa de uma religião secular que sancione a sua autoridade política, pelo que substitui a ordem moral tradicional por um código que subordina o indivíduo à coletividade. Essa inversão de valores tenciona fomentar o bem-estar econômico; mas a tentativa é inútil. O socialismo promete distribuir a abundância a todos, mas fica totalmente perdido quando se trata de produzir essa abundância. Um estudo clássico, feito pelo eminente economista Ludwig von Mises (*Socialism*, 1922), demonstra a impossibilidade de qualquer cálculo econômico em uma economia planejada, e a experiência confirma a escassez crônica de bens de consumo que aflige as nações socialistas" (H).

Os chineses parecem não estar acreditando muito no seu sistema socialista. A revista Time (edição de abril de 1988) traz uma interessante reportagem a esse respeito. Os chineses fizeram uma experiência: permitiram que uma de suas províncias continuasse a ser governada segundo os rígidos padrões maoístas, enquanto que em outra, contígua, voltasse a haver a livre iniciativa. Resultado: na província comunista há falta de tudo, mormente de comestíveis; e na província que está livre para seguir métodos capitalistas há grande abundância de tudo, desde alimentos até artigos eletrônicos e eletrodomésticos. Perguntamos: Diante do sucesso capitalista nessa experiência na China, as populações das demais províncias chinesas continuarão preferindo o regime socialista por quanto tempo mais? A verdade é que nas sociedades socialistas ninguém trabalha muito. Para quê? Se tudo é de todos, os outros que produzam, e eu que aproveite do que os outros produzirem. Essa é a tendência constante da natureza humana!

V. Perspectiva Histórica e Filosófica do Socialismo

1. O termo socialismo, foi usado pela primeira vez, ao que parece, na França, em 1831, em um artigo de autoria de Alexander Vinet. Ele conclamava a que se traçasse um novo sistema econômico que se postasse a meio caminho entre o individualismo e o coletivismo. Pierre Leroux e Louis Reybaud também usaram o vocábulo na década de 1830, e disseram ter sido os seus criadores.

2. Saint-Simon usou o termo, e atualmente, é considerado o fundador do socialismo francês. Ele também mostrou-se ativo na década de 1830.

3. Na Inglaterra, mais ou menos na mesma época, Robert Owen propugnou uma associação voluntária de comunidades para que viessem, trabalhassem, produzissem e estudassem juntas.

4. Pouco tempo mais tarde, Fourier, um socialista francês, promoveu um sistema mais semelhante ao de Owen do que o de Saint-Simon.

5. Proudhon acreditava que, finalmente, o Estado seria eliminado, e promovia a anarquia na tentativa de ajudar esse processo. Seu ideal era uma ordem social harmônica que fosse o resultado da destruição e da mudança do regime vigente.

6. Em um ensaio seu (A Organização do Trabalho), Louis Blanc cunhou o famoso "slogan": "A cada qual segundo suas necessidades, de cada qual segundo a sua capacidade". Ele advogava "oficinas sociais" em substituição às guildas comerciais.

7. Karl Marx (vide) criticou Proudhon e, em parceria com Engels, popularizou o termo "socialismo utópico", que enfatizava meios pacíficos, evolução e persuasão para consecução de suas finalidades. Eles distinguiam claramente entre o socialismo e o comunismo. Para eles, socialismo seria um estágio anterior, preparatório do comunismo, e pelo qual o comunismo tem de passar. Assim, o comunismo seria uma espécie de *causa final*, enquanto que o socialismo seria um meio para realização dessa finalidade, ou, em termos aristotélicos, uma causa eficiente. Marx insistia que tanto no estágio do socialismo quanto no estágio do comunismo, deve haver uma ditadura do proletariado. De fato, na prática, isso foi reduzido à ditadura de uma elite governamental, que pouco tem a ver com as classes trabalhadoras, a não ser com os dominadores e os dominados.

8. Na Inglaterra, o chamado socialismo fabiano adquiriu raízes em resultado das atividades de George Bernard Shaw e de H.G. Wells. Em outras nações européias formaram-se partidos socialistas, o que também tem sucedido nos Estados

SOCIEDADE ABERTA – SOCIEDADES BÍBLICAS

Unidos da América do Norte, e em vários outros países, como o Brasil. Todos esses acontecimentos vem-se desenrolando a partir de 1860. (AM E EP H P)

SOCIEDADE ABERTA

Essa expressão indica uma sociedade cuja estrutura e cujas leis permitem que seus membros avancem para o nível que suas habilidades pessoais o permitirem. Uma sociedade assim caracteriza-se por liberdade de crença, expressão, reunião, oportunidade e empregos suficientes. Não é o governo quem, realmente, regulamenta ou restringe essas questões. Mosca (vide) acreditava que uma sociedade aberta seria a mais estável das sociedades. Popper (vide) argumentava em prol de uma sociedade aberta, apesar dos exageros e perigos que se ocultam por detrás de um regime assim. Ele pensava que o pluralismo sempre é mais operacional e produtivo do que o monismo. É verdade que uma sociedade aberta terá mais vícios e abusos em seu seio; mas também terá maior liberdade, que é a mais preciosa possessão e o mais básico direito do homem. E mil vezes melhor a vida onde impera a liberdade, com todos os seus abusos, do que uma sociedade fechada, destituída de liberdade, cuja arregimentação consegue eliminar alguns vícios, mas cria outros, muito piores!

SOCIEDADE DE AMIGOS

Ver os artigos separados sobre *Fox, George* (fundador dessa sociedade) e sobre os *Quacres*, um nome alternativo. Essa sociedade foi fundada por George Fox, nascido em 1624 e falecido em 1691. Eles constituem mais um caminho do que um sistema de crenças que pode ser chamado de ortodoxo. São um grupo fraternal, que enfatiza a experiência religiosa e a necessidade da iluminação, ou seja, o recebimento do que eles chamam de "luz interior". Ver o artigo geral sobre o Misticismo. Eles põem de lado as formas externas rituais e sacramentalistas e buscam a realidade espiritual que essas coisas meramente simbolizam. Ver o artigo separado sobre a *Luz Interior*. O trecho de Efésios 1:18 e passagens paralelas representam uma importante declaração neotestamentária sobre o assunto. A luz interior (a doutrina distintiva da Sociedade de Amigos) é interpretada segundo moldes cristológicos. A integridade pessoal dos membros dessa sociedade tem conduzido à sua larga aceitação e crescimento, a despeito da frouxidão de seu credo. Além da sua ênfase sobre a experiência religiosa, têm realizado uma importante obra social no tocante à reforma das prisões (Elizabeth Fry, 1780-1845), à educação em nível elementar (Joseph Lancaster, 1778-1838), à filantropia, ao alívio em nível internacional, ao serviço de ambulâncias em estado de guerra (eles são pacifistas confirmados), à limpeza das favelas, sem falar em vários outros esforços semelhantes. A grande lição que eles têm ensinado à Igreja é que "a ortodoxia não é suficiente"; é preciso que haja o toque místico, a comunhão divina na vida, e obras práticas daí resultantes.

O nome *Sociedade de Amigos* não foi usado para indicar os seguidores de George Fox senão já no século XIX. Antes disso, eles eram chamados *quacres*, pelas razões que são explicadas no artigo sobre Fox, George, sob Idéias, quinto ponto. Esse nome é utilizado por pessoas que não fazem parte do movimento, embora alguns dos amigos também usem o termo para indicar os tremores que, algumas vezes, manifestam-se entre os membros, em suas reuniões religiosas. A exposição clássica das crenças dos quacres está contida no livro de Robert Barclay, de longo título em inglês, *Apology for the True Christian Religion, as the same is set forth and preached by the People called in Scorn 'Quakers'* (1678).

Ocorreram divisões entre os grupos quacres originais, quando a influência dos crentes evangélicos levou alguns deles a tomarem uma postura mais ortodoxa. O livro de Harold Loukes, intitulado *The Quaker Contribution*, 1965, oferece-nos uma narrativa mais atualizada sobre o movimento.

SOCIEDADE DE JESUS

Ver sobre **Jesuítas**.

SOCIEDADE PARA PESQUISAS PSÍQUICAS

Ver o artigo geral sobre a **Parapsicologia**.

SOCIEDADES BÍBLICAS

Uma Sociedade Bíblica é uma organização local ou nacional cujo propósito é o de tornar as Escrituras Sagradas disponíveis ao maior número possível de pessoas. O trabalho dessas sociedades inclui tanto a tradução como a distribuição de Bíblias e porções bíblicas. Até tempos recentes, esse tipo de trabalho era de iniciativa exclusivamente protestante. Os católicos romanos tradicionalmente opunham-se a tal labor, temendo que se a Bíblia fosse posta nas mãos das massas, a interpretação oficial católica não mais se poderia manter. Tanto isso é verdade que uma sociedade bíblica católica romana, fundada em 1805, foi suprimida pela hierarquia romana em 1817. Contudo, de poucas décadas para cá, essa posição suicida foi abandonada, desde o Concílio do Vaticano II. E antes mesmo disso, em 1966, o papa Paulo VI, declarou-se favorável ao trabalho desenvolvido pelas sociedades bíblicas, tendo encorajado a possibilidade de cooperação, entre os vários ramos da cristandade, no esforço da divulgação da Bíblia Sagrada.

O trabalho das sociedades bíblicas é um autêntico esforço missionário. De modo geral, essas atividades não visam lucro, e as Bíblias, com freqüência, são distribuídas a um preço abaixo do custo. Além disso, as sociedades bíblicas não imprimem comentários às margens das Bíblias que distribuem.

Origens. Tentativas esporádicas e informais foram feitas pelos primeiros grupos protestantes para fazer a Bíblia chegar às mãos do povo. Porém, a primeira sociedade bíblica a ser organizada foi criada na Alemanha, em 1710, com o propósito de "prover a Palavra de Deus aos pobres, a um preço acessível". E o movimento que atualmente se chama Sociedade Bíblica, com seu aspecto internacional, começou em 1804, com a formação da *British and Foreign Bible Society*. Essa foi uma das muitas organizações similares que surgiram, geradas pelos esforços evangelísticos de João e Charles Wesley. Dali, as sociedades locais espalharam-se por toda a Inglaterra. O movimento passou para a América do Norte, onde, em dezembro de 1808, foi organizada, na Filadélfia, a primeira sociedade bíblica norte-americana. A American Bible Society foi fundada em Nova Iorque, em 1816. Sociedades nacionais congêneres foram formadas na Finlândia (1812), na Suécia, na Dinamarca, na Holanda (1814), na Islândia (1715), na Noruega (1816) e na Escócia (1860). A famosa Sociedade Wurttemberg foi organizada em Stuttgart, na Alemanha, em 1812. O movimento espraiou-se, de tal modo que muitos países ao redor do mundo ficaram contando com suas respectivas sociedades bíblicas. A United Bíble Societies foi fundada em Londres, em 1946, como uma forma de cooperação e consolidação de sociedades bíblicas já existentes. A Sociedade Bíblica do Brasil faz parte desse grupo.

O Trabalho das Sociedades Bíblicas. As sociedades

SOCIEDADES SECRETAS – SOCIOLOGIA DA RELIGIÃO

bíblicas têm ajudado a imprimir e a distribuir Bíblias em inúmeros idiomas e dialetos. Têm sido publicadas Bíblias em Braille (para benefício dos cegos) em mais de trinta idiomas, e também têm sido gravadas leituras da Bíblia em diversos idiomas. Pelo menos um dos livros da Bíblia – o evangelho de João – tem sido publicado em mais de 1.250 línguas e dialetos.

Domingo da Bíblia. A fim de estimular o interesse pela Bíblia e por sua distribuição, as sociedades bíblicas promovem o chamado Domingo da Bíblia. Então há cultos que enfatizam a necessidade e o valor da leitura bíblica regular, e contribuições são recolhidas para financiamento do trabalho das sociedades bíblicas. Essas sociedades são, quase sempre, auto-sustentáveis, sendo mantidas por ofertas voluntárias de indivíduos e de igrejas. As sociedades bíblicas mais antigas, porém, procuram ajudar as mais recentes, em "terras missionárias". (AM E)

SOCIEDADES SECRETAS

Na igreja batista em que cresci, sempre foi uma questão explosiva essa que debate se o crente pode ou não ser membro de organizações secretas, como a maçonaria, por exemplo. Mas, se a palavra oficial é que assim não deve ser, alguns diáconos eram maçons. E, no Brasil, é bastante conhecido o fato de que muitos pastores protestantes e evangélicos seguem a maçonaria.

Longa é a história das sociedades secretas, seculares ou religiosas. As religiões misteriosas e os gnósticos fornecem-nos antigos exemplos de associações religiosas com suas iniciações secretas, compromissos e doutrinas e práticas esotéricas. Com freqüência, esses grupos tentam proteger os seus segredos por meio de ameaças (físicas ou espirituais), para protegerem-se daqueles que, doutra sorte, ousariam revelar esses mistérios. Os ritos de iniciação têm por finalidade destacar os membros das massas os homens; e, nas sociedades religiosas secretas, isso usualmente envolve a promessa de alguma espécie de salvação para os membros, ao passo que os não-membros são sujeitos a alguma espécie de juízo ou aniquilamento. O cristianismo primitivo foi erroneamente acusado, por parte de alguns romanos, de ser uma sociedade secreta. Mas as investigações formais, como as de Plínio, o Moço (vide), sempre mostraram a falsidade de tais acusações.

Características Identificadoras das Sociedade Secretas:

Iniciações secretas ou exclusivistas, tabus, vestimentas especiais, linguagem secreta, sinais, doutrinas misteriosas, propósitos secretos, exclusivismo, promessas elevadas para os membros, como o respeito tanto desta vida como da vida vindoura; desprezo pelos não-membros, com profecias de condenação.

Na cultura ocidental contemporânea, a maçonaria é a maior e mais bem conhecida das sociedades secretas. Ela pode traçar suas origens de volta ao século XVI, embora só tivesse sido formalmente organizada no século XVIII. Atualmente, a maçonaria é uma organização ou confraternidade internacional, que envolve ritos simbólicos de iniciação e outros, e cujos membros são ensinados a guardar certos segredos. Há mesmo quem pense que a maçonaria é uma espécie de religião disfarçada.

Objeções, na Igreja, Contra as Sociedades Secretas:

1. A ligação a uma dessas sociedades produz um jugo desigual, uma violação ao princípio cristão da separação. Ver o artigo *Separação do Crente*.
2. Essas sociedades tornam-se substitutas da Igreja, e desviam as mentes dos homens da obra do evangelho e do desenvolvimento da vida cristã.
3. É um erro o crente ocultar parte de sua vida, que assim não fica sujeita ao escrutínio da comunidade cristã.
4. Algumas sociedades secretas promovem causas erradas e defendem idéias erradas, como o racismo, algum tipo de salvação pelas obras, além de um exclusivismo que abafa o apelo universal da fé cristã.
5. O crente que pertence a tais sociedades é forçado a fazer juramentos que não se coadunam com os ensinamentos de Jesus sobre a questão.
6. Algumas sociedades secretas, em seu pervertido fanatismo, lançam-se à prática de atos condenáveis. A Klu Klux Klan é o supremo exemplo disso.
7. As sociedades secretas que se dedicam a obras de caridade podem ser elogiadas por isso. Mas o crente deve praticar suas obras caridosas através das agências da Igreja, que existem com essa finalidade.

SOCINIANISMO

Ver os artigos separados sobre *Socínio, Laélio* e *Fausto*.

1. Aspectos Históricos

Esse sistema, considerado heterodoxo, surgiu em resultado do trabalho e da influência de Laélio e Fausto Socínio, que se desviaram dos ideais do protestantismo. Lançou raízes primeiramente na Polônia, tendo sido organizado em 1556, como a Igreja Reformada Menor da Polônia. Mantinha uma faculdade e uma publicadora em Racov, advogando seus pontos de vista, que logo se disseminaram por toda a Europa. O documento isolado mais importante do movimento foi o Catecismo Racoviano, publicado em 1605.

2. Doutrinas

Ênfase sobre a humanidade de Jesus, às custas de sua deidade. Foi rejeitada a doutrina trinitariana do credo Niceno. Foi encorajada a separação entre a Igreja e o Estado, como também o pacifismo e a não-resistência. Outras idéias repelidas foram a predestinação, o pecado original, a expiação por substituição penal e a justificação pela fé. Foi então defendida uma forma de salvação pelas obras. O movimento demonstra afinidades com o arianismo, com o pelagianismo e com o cristianismo humanista de Erasmo de Roterdã. Ensinavam os socínios a ressurreição, mas somente dos justos.

3. Anos Posteriores

Em 1638, o movimento foi suprimido em Racov, e então, aí por 1658, em toda a Polônia. Exilados socínios fixaram-se na Transilvânia, na Prússia Oriental e na Holanda. Da Holanda, certos adeptos do movimento transferiram-se para a Inglaterra. Esse movimento tornou-se uma espécie de precursor do *unitarismo* (vide). Em 1774, foi formada em Londres a primeira igreja unitária, ou sociniana, e muitos não-conformistas uniram-se a ela. Até hoje persiste a denominação, embora com pouca influência. (AM B E)

SOCIOLOGIA DA RELIGIÃO

Esboço:
 I. Definições
 II. Escolas Principais
 III. Como as Condições Sociais Criam Crenças
 IV. A Sociologia e a Ética

I. Definições

A **sociologia** tem sido definida como o estudo genérico e comparativo de todas as interações e inter-relacionamentos que existem entre os seres

SOCIOLOGIA DA RELIGIÃO

humanos. "A ciência da origem, desenvolvimento, estrutura e funcionamento dos grupos sociais" (C.A. Ellwood).

Essa palavra foi usada, pela primeira vez, em 1838, por Auguste Comte, a fim de designar uma divisão de sua obra intitulada *Cours de philosophie positive*. Comte é geralmente reconhecido como o fundador dessa ciência. O vocábulo vem do termo latino *socius*, "companheiro", e do termo grego logos, "estudo", "raciocínio". Uma definição de dicionário é a seguinte: "É a ciência que trata da origem e da evolução da sociedade humana e dos fenômenos sociais, do progresso da civilização e das leis que controlam as instituições e funções humanas" (WA).

A Sociologia da Religião:
Esse estudo é a aplicação da sociologia às questões religiosas. Estão envolvidos aqui dois aspectos bem amplos. Do ponto de vista sociológico, refere-se ao grupo com que um homem convive, manifestando-se às interações e inter-relações que ocorrem no seio da sociedade humana; e, do ponto de vista religioso, refere-se às crenças humanas em alguma divindade ou divindades superiores ao ser humano, e das quais os homens se consideram dependentes. Naturalmente, as crenças estão envolvidas na ética, visto que, muito da conduta humana resulta das convicções religiosas. Assim sendo, a ética torna-se um lado importante da sociologia da religião. "... a sociologia da religião tem sido definida como um estudo dos processos e resultados das associações humanas, naquilo em que as crenças religiosas dos homens são afetadas" (E).

II. Escolas Principais

As escolas envolvidas correspondem às atividades da sociologia em geral, do pensamento empírico, da teoria evolucionária, das ideologias políticas, etc. Seis escolas básicas são mencionadas e brevemente descritas, abaixo:

1. *A Escola Empírica.* A indução é usada por essas escolas, onde a estatística aparece como ferramenta importante, de onde são extraídas conclusões acerca das crenças, da conduta e das interações das pessoas. Assim, pequenas informações, que podem ser quantificadas, presumivelmente refletiriam como as crenças das pessoas desenvolvem-se a partir de condições sociais.

2. *A Escola Evolucionária.* As tendências básicas da evolução são examinadas como o desenvolvimento que parte dos ritos para as religiões éticas, ou então da abordagem teológica e metafísica para a abordagem positivista de Comte. Mas outros acompanham esse desenvolvimento passando pelos estágios do feudalismo, da aristocracia, dos sacerdócios e finalmente, da democracia, onde as igrejas, livres de forças autoritárias (como uma igreja ou um governo centralizado), se desenvolvem livremente. De modo geral, essa escola acompanha o desenvolvimento das religiões partindo da fase mágica para a fase científica.

3. *A Escola Funcionalista.* Essa escola enfoca sua atenção sobre as diferenças sociais e sobre a compartimentalização da religião, que daí resulta. O envolvimento de instituições, com suas contribuições resultantes, é examinado e explicado. A religião é vista como uma espécie de vestimenta mental dessas instituições. A sociedade, segundo essa escola, exprime-se através dos ritos e da mágica. Quanto a certas questões importantes, a religião vem a ser a autoconsciência da sociedade. Os símbolos religiosos são as afirmações dessa autoconsciência, sem importar se esses símbolos são totens, estandartes ou livros sacros. "Essa ênfase amplia claramente a definição de religião, fazendo incluir nessa definição todos os tipos de material ideológico e simbólico". (C). As crenças no sobrenatural tornam-se forças que atuam sobre a sociedade, sendo parte do caminho ou vida dessa sociedade.

4. *A Escola Marxista.* Essa escola destaca a história e seus conflitos sociais, que podem provocar mudanças. Outras escolas frisam a harmonia social como o principal fator de mudança. Na escola marxista, a religião é tratada como uma força que não contribui para o bem do povo, uma força usada pelas classes dominantes para oprimir as classes dominadas. As crenças religiosas são consideradas superstições prejudiciais, que servem somente para escravizar os homens.

5. *A Escola Fenomenológica.* Doutrinas específicas desenvolvem-se como resultado de situações locais e nacionais, que envolvem as esperanças e aspirações do povo, seus conflitos, seus retrocessos e suas vitórias. Em outras palavras, os fenômenos sociais criam as crenças, e as crenças de grupos criam religiões específicas. Os fenômenos naturais ficam assim naturalmente envolvidos. As forças da natureza, benévolas ou destrutivas, também criam crenças. A morte faz os homens anelarem pela imortalidade; o poder do relâmpago e do trovão sugere a existência de divindades poderosas. A benevolência da primavera sugere a existência dos deuses bondosos da agricultura.

6. *A Escola de Weber e Troelstsch.* Para Weber, o interesse principal eram as tensões que ocorrem entre os valores religiosos e os valores de outras considerações, como os da economia, da estética, da política, ou mesmo os valores eróticos. Além disso, temos de levar em conta o poder da religião, capaz de produzir profundas mudanças sociais. Por exemplo, o protestantismo é encarado como uma força que foi necessária para o nascimento do mundo moderno, com os seus novos conceitos de liberdade, iniciativa pessoal e democracia. A Igreja pode exprimir-se de duas maneiras diferentes, dentro de uma dada situação social. Por uma parte, pode preservar a tecitura de uma sociedade e de uma maneira de viver tradicionais; e, por outra parte, pode abrigar seitas que protestam contra as condições vigentes, e assim pode servir de uma influência revolucionária em potencial.

III. Como as Condições Sociais Criam Crenças

Como é óbvio, muitos sociólogos não crêem que as crenças religiosas verdadeiramente repousem sobre revelações divinas, ou sobre algum poder teísta residente no mundo, Antes, eles vêem causas sociais para as crenças. Assim, o povo de Israel, atirado para lá e para cá por guerras e derrotas militares, cativado por potências estrangeiras, teria inventado o conceito do Messias como uma maneira ilusória de reverter essa situação, conferindo esperança aos israelitas. Os primitivos cristãos teriam adotado essas crenças, e a crucificação de Cristo teriam-nos feito transferir o poder do Messias para algum século futuro, de onde teria emanado a crença na parousia (vide), ou segunda vinda de Cristo. Antigos povos de vida pastoril naturalmente teriam imaginado um céu onde a alma descansa em campos verdejantes de abundância, o que explicaria a crença nos campos elísios, entre os antigos gregos. Porém, caçadores, como eram os ameríndios, teriam imaginado um céu onde a caça sempre é abundante, os chamados "felizes campos de caça". Os judeus, odiados e perseguidos, teriam inventado um inferno de fogo, para eliminação de seus inimigos. Os cristãos, igualmente perseguidos, teriam reafirmado prontamente a crença na existência de tal inferno. Assim,

SOCIOLOGIA DA RELIGIÃO – SOCORROS

embora pareça óbvio que as crenças originám-se em certas condições sociais, com a formação de desespero ou de esperanças futuras, também é verdade que essas condições não são a única fonte de crenças e nem a revelação genuína pode ser negada ante essas observações. Tal como sucede a qualquer outra verdade, precisamos rebuscar, selecionar e cultivar. Devemos fazer o trabalho de mineração e refino, em nossos estudos sociais. Ver também os artigos *Revelação e Misticismo*.

IV. A Sociologia e a Ética

Os atos giram em torno das crenças, pelo que a conduta de alguém sempre está relacionada às suas convicções básicas, religiosas ou não. Porém, estará a ética alicerçada somente sobre condições sociais? Alguns sociólogos acreditam afirmativamente; mas outros estão convencidos de que existem regras superiores a essas, que precisam ser observadas, porquanto a regra pragmática nem sempre é adequada. Auguste Comte não foi o criador das idéias basilares do positivismo (vide). Antes, arranjou-as de maneira tal que isso deu origem a um novo campo de pesquisas filosóficas, que tem exercido grande influência sobre a ciência e a filosofia. O positivismo, pois, ensina que os padrões éticos dos homens surgiram mediante o processo evolucionário, e que esse processo tem ultrapassado à religião sobrenatural. Ora, seria tarefa da ciência determinar as normas éticas, as quais devem ser humanistas, e não teísticas. Também deveriam ser práticas e funcionais, e não meramente teóricas.

Herbert Spencer enfatizava a natureza evolucionária das crenças e práticas humanas. Ele postulava uma forma de determinismo como fundamento de sua filosofia. Lester Ward, por sua vez, negava esse poder, e via o homem como um ser dotado de autodeterminação. Contudo, o homem é que formaria suas próprias práticas, em consonância com aquilo que é produtivo e benéfico para a humanidade em geral. Sumner enfatizava a idéia de que os padrões humanos de conduta resultam da tentativa e erro, e não dos ditames impostos por alguma deidade. Os costumes podem fazer com que qualquer coisa pareça certa ou errada, segundo seu ponto de vista, além de estarem em estado de fluxo. O homem seria sempre o padrão de certo ou errado.

Emile Durkheim muito fez para desvencilhar a sociologia de qualquer consideração teísta. Ele falava sobre os fatos sociais, que predominam na vida social, e dizia que esses fatos governam a vida humana, e não supostos fatos divinos. Um fato social é uma descoberta empiricamente demonstrável que resulta da existência humana, e não de revelações vindas do alto. A estatística é usada para demonstrar e descrever os fatos sociais.

A idéia de "dever" das crenças religiosas foi assim substituída pelos descobrimentos feitos pela evolução e pelo pragmatismo. O instrumento a ser usado é a ciência, e não alguns livros sagrados. Mas as pessoas religiosas continuam a confiar em fatos e poderes sobrenaturais básicos, como seus guias de conduta; e assim o conflito prossegue. (AM C E EP H)

SOCIOLOGIA DO CONHECIMENTO

Esse título refere-se à disciplina que procura descobrir as causas sociais das crenças que as pessoas têm. Estritamente falando, o mérito dessas crenças não entra em discussão. Em outras palavras, as crenças seriam causadas por causas sociais, podendo ser verdadeiras ou falsas, mas a sociologia do conhecimento não tenta determinar essa questão. Além disso, não seria verdade que demonstrar que uma crença tem alguma causa social seja a mesma coisa que demonstrar que essa crença é falsa ou verdadeira. No entanto, alguns daqueles que militam nesse campo têm ensinado que tais crenças são, *ipsó* facto, falsas, meramente porque atrás delas há condições sociais. Essa atitude tem levado alguns religiosos conservadores a lutar contra a sociologia, como se esta fosse uma ameaça em potencial à fé cristã. Essa atitude é absurda; os abusos não anulam a ciência.

SOCÓ

No hebraico, "cerca de espinhos" ou "lugar espinhoso".

1. No distrito mais ao sul do terreno montanhoso de Judá, chamado *Estemote*, havia 11 cidades, e uma delas se chamava Socó (Jos. 15.48). Talvez Khirbet Shuweikeh, localizado cerca de 15 km ao sudoeste de Hebrom, marque o antigo sítio.

2. Parte baixa de Judá, habitada pelos filhos de Esdras. Reoboão fortificou o local após a revolta das dez tribos (II Crô. 11.7). Golias foi morto ali, num dos 12 distritos administrativos de Salomão. Socó situava-se no lado norte do wadi Es-Sunt, ou, como dizem alguns, em Khirbet 'Abbad. As versões fornecem diversos nomes semelhantes para os quais a versão portuguesa padronizou um único termo. Alguns estudiosos o local identificam com a Khirbet Shuweikeh moderna, situada cerca de 25 km a sudoeste de Jerusalém. Ver ainda I Sam. 15.35, 48; I Reis 4.10; II Crô. 28.18.

3. Uma cidade na planície de Sarom também tinha esse nome. Na época de Salomão, o local era governado por Ben-Hesede (I Reis 4.10). Esse local ficava cerca de 18 km a nordeste de Siquém, mas a posição exata é desconhecida.

4. Nome do filho de Heber na genealogia dos "filhos de Judá" (I Crô. 4.18). Mas o termo pode designar um local, pois alguns outros nomes nessa genealogia são denominações de locais. Ver Jos. 15.48-58. No caso de uma pessoa, ela provavelmente recebeu seu nome do distrito mencionado sob o número 1. O costume de chamar uma pessoa por um *segundo nome*, isto é, pelo nome da cidade ou área onde ela vivia, é antigo e persistiu até a Idade Média; por exemplo, Tomás de Aquino (Aquino é nome de um local).

SOCORROS (AJUDAS)

No grego *antilempsis*, que vem da forma verbal *antilambenesthai*, que significa "levar a carga em lugar de outrem". Trata-se de um ato de amor e simpatia, que deveria ser cultivado na comunidade cristã. Ver o artigo geral sobre o *Amor*. Ver também sobre *Compaixão e sobre Misericórdia*. A forma nominal encontra-se em I Cor. 12:28, onde está em foco o dom espiritual de socorros. Ver o artigo sobre os *Dons Espirituais*, seção IV. Charismata, 4. Ver também Dons de Ajudas. O ofício do diácono (vide) foi criado para facilitar esse serviço. Sua finalidade era cuidar das necessidades físicas dos pobres e dos menos afortunados. Podemos supor que alguns indivíduos prosperam financeiramente com o propósito específico de poderem mostrar-se generosos, para benefício de outros, com suas riquezas materiais. O dom de socorros não se refere a algum ofício eclesiástico, embora o diaconato seja um ofício, que deve ser exercido mediante o dom de socorros. O trecho de I Tes. 5:14 ordena-nos: "...consolais os desanimados, amparais os fracos e sejais longânimos para com todos". Sem dúvida isso inclui atuações próprias de quem exerce o dom de "socorros". É um erro pensar que esse dom alude somente a questões financeiras, embora isso pareça ser a essência desse dom. Paulo afirmou que trabalhava com as próprias mãos, a fim de poder ajudar aos necessitados (Atos 20:35), o que nos dá a impressão de que ele usava seu dinheiro para ajudar aos pobres, e que parte de seus labores materiais era dedicada a esse mister. Ver o artigo separado sobre *Ajudas*, quanto a um estudo mais completo a respeito.

SÓCRATES

Foi um filósofo grego. Foi mestre de Platão; e este, por sua vez, foi mestre de Aristóteles. Juntos, esses três representam aquilo que os historiadores da filosofia chamam de "filosofia grega clássica". Antes deles, a filosofia grega é classificada como pré-socrática. Com Aristóteles, chegaram ao fim os grandes sistemas especulativos da filosofia clássica. E, a partir deles, encontramos as várias escolas e filósofos que trabalharam sobre as idéias daqueles três, criando sistemas ecléticos, embora não sendo pensadores originais.

Sócrates nasceu em Atenas. Suas datas foram, aproximadamente, 469 - 399 a.C. Seu pai foi escultor, e sua mãe, parteira. Essa última circunstância deu-lhe a metáfora de ser ele um parteiro que dava à luz novas idéias. Ver o artigo intitulado *Maiêutico*, que explica essa metáfora. Ao dar início às suas atividades filosóficas, parece que começou aliado dos sofistas (vide), para depois fazer-lhes oposição. Um importante fator em tudo isso foi a mensagem que ele teria recebido do oráculo de Delfos, que lhe dissera para "compor música", o que ele interpretou metaforicamente como ser "filósofo", visto que, para ele, a filosofia era a "mais bela música de todas". Uma outra característica incomum de sua carreira era o deus *daemon*, o que, no grego clássico, significava um espírito ou divindade secundária, ou talvez, em nosso vocabulário, um anjo guardião. Essa influência, segundo ele mesmo esclareceu, nunca lhe dava conselhos positivos, mas sempre o advertia a não fazer certas coisas. É um exagero dizer-se que ele foi um "médium" espírita, embora pudesse entrar em estado de transe por longos períodos, quando buscava solução para algum problema ético. Seria melhor tachá-lo de filósofo-místico, visto que essas duas palavras descrevem as principais características de Sócrates.

Somos informados que, fisicamente, Sócrates era um homem bastante feio, com feições leoninas e nariz muito curto. Vestia-se desmazeladamente e era muito frugal em seus costumes. Mas, como todos sabem, tinha uma mente inquiridora, gostava de debater, no que se mostrava um especialista. Se cultivava um ceticismo suave quanto às realidades metafísicas, tinha fé nas grandes realidades espirituais, embora não as afirmasse de maneira dogmática. Era homem tolerante, indulgente, genial, muito espirituoso e de bom humor constante. Sabia dominar-se, e vivia conforme ensinava os outros. Conforme disse Platão a respeito dele: " ... o melhor dentre os que até então conhecêramos, e, mais ainda, o mais sábio e o mais justo". É com as palavras assim citadas que termina o diálogo *Fédon*.

Sócrates viveu durante o período de Pericles e da guerra do Peloponeso. Esse evento deu-lhe um senso de missão, acerca da salvação de Atenas. Sócrates era dotado de poderoso senso de dedicação ao que fazia, e era incansável em sua pregação filosófica. Não podemos olvidar que a melhor parte da filosofia grega era, de fato, ao mesmo tempo, a melhor expressão religiosa do período clássico da Grécia, e que os filósofos antigos promoviam suas idéias mais ou menos como hoje fazem os evangelistas quanto à sua fé religiosa. Sócrates foi um filósofo sério, intensamente interessado na solução de problemas éticos, em contraste com os sofistas, que eram totalmente pragmáticos.

Para dizer a verdade, ele fez de si mesmo um indivíduo inconveniente, indo de pessoa em pessoa com suas incansáveis perguntas e exames, para ver se haveria alguma pessoa sábia em Atenas. Porém, nunca foi culpado das acusações de que o acusaram, como de ateu e corrompedor da juventude. Não obstante, foi condenado pela assembléia ateniense, e fizeram-no beber cicuta. Isso posto, Sócrates tornou-se um dos maiores e mais inesquecíveis mártires da história. Na ocasião, Sócrates já tinha mais de setenta anos de idade, e sua missão estava terminada, pelo que o destino tomou conta dele. Fêdon, um dos diálogos de Platão, é uma das mais dramáticas peças da literatura mundial a ver com a Grécia, registrando as últimas horas do grande filósofo, e como ele enfrentou corajosamente a morte, sondando o que a sorte teria em reserva para ele e para todos os homens, com suas penetrantes perguntas.

Separando Sócrates de Platão. Sócrates nada escreveu mas os seus biógrafos, Platão e Xenofonte sem dúvida, forneceram-nos os fatos essenciais. É provável que os primeiros diálogos platônicos tenham apresentado razoavelmente bem as idéias de Sócrates, enquanto que os diálogos posteriores de Platão, por terem explorado uma pesada metafísica (como a doutrina das Formas ou Idéias), sem dúvida representam o pensamento mais amadurecido de Platão. Os diálogos que se pensa representarem o melhor pensamento socrático são *Apologia*, *Crito* e *Fêdon*; mas, no campo da ética, não há razão para duvidarmos de que aquilo em que Sócrates acreditava foi bem exposto (com adornos) em outras obras platônicas. Essencialmente, Sócrates foi um filósofo moral, que não nutria um interesse maior pela metafísica. Suas idéias éticas, com diferentes aplicações, exerceram grande influência sobre Platão, sobre os filósofos cínicos, estóicos, cirenaicos e epicureus. E moralistas renascentistas, como Erasmo de Roterdã, valeram-se de subsídios fornecidos por Sócrates, quanto a algumas de suas idéias. Dou uma detalhada descrição da ética de Sócrates no artigo geral intitulado *Ética*, em sua terceira seção.

Idéias e Informações

A *Apologia* de Platão informa-nos que o oráculo de Delfos asseverara que Sócrates era o homem mais sábio da Grécia. Mas Sócrates não acreditou nisso e lançou-se à investigação. Suas inquirições intermináveis examinaram pessoas de várias classes, e ele teve grande dificuldade para encontrar muita sabedoria entre os homens. E Sócrates foi forçado a admitir, no fim, que verdadeiramente, ele era o homem mais sábio da Grécia. Ele não podia afirmar qualquer coisa de fora daquele país, visto que suas investigações não tinham extrapolado para além de suas fronteiras. No entanto, Sócrates reconhecia que nada sabia; porém, ele tinha um talento especial para procurar a verdade, mediante os seus profundos diálogos. Seu lema tornou-se: "Conhece-te a ti mesmo". Ele acreditava que ser sábio é ser virtuoso. Segundo ele, se alguém soubesse realmente alguma coisa, agiria em harmonia com tal conhecimento. Além disso, para ele o ser humano é dotado de considerável capacidade, e, presumivelmente, dotado de natureza metafísica. E assim, se chegasse a conhecer-se a si mesmo, naturalmente tornar-se-ia mais justo, visto que reagiria diante de sua própria grandeza. As respostas jazem em nosso interior, e a inquirição e os estados místicos podem fazê-las vir à tona. Um outro importante conceito que ele defendia foi expresso através do lema: "A vida não-examinada não é digna de ser vivida". E foi assim que Sócrates lançou-se ao fanático exame de qualquer indivíduo que se atravessasse em seu caminho. As sessões

SÓCRATES

formais de exame deram origem aos diálogos de Platão. Talvez Platão não fosse um simples transmissor daquilo que ouvia, visto ser provável que ele conseguia injetar seus próprios pensamentos nas idéias emitidas por Sócrates. Mas também, conforme dissemos acima, a essência dos primeiros diálogos platônicos consistia nos conceitos socráticos.

O Moscardo. Esse inseto é uma espécie de mosca que gosta de ferrar cavalos e outros animais. Quando ferroa a um homem, a dor é intensa. É uma mosca grande da família Tabanidae, e gosta de atormentar cavalos e vacas. Ora, Sócrates era como um moscardo entre os homens, e suas ferroadas tornaram-se famosas por toda a cidade de Atenas. Os homens de mais idade queixavam-se, e até gritavam algumas vezes em altos brados, enquanto os jovens sentiam-se deliciados. Mas, além de ser um moscardo, ele era um parteiro espiritual e intelectual da *maiêutica* (vide).

O Método Socrático. Temos aí o método dialético de exame e ensino, gloriosamente ilustrado nos diálogos platônicos. Aquele que nunca os leu, quando o faz pela primeira vez, recebe a agradável surpresa de ver o quão habilidosamente esse método faz aflorar à superfície importantes idéias. Esses diálogos são prenhes de sagacidade, contendo excelentes inquirições filosóficas. Naturalmente, os lógicos profissionais têm sido capazes de perceber falácia nos mesmos, mas isso não macula sua beleza e graça em geral.

Elementos do Método Socrático. 1. O mestre deve demonstrar grande paciência com seus estudantes, quando os questiona, procurando alguma conclusão decente para os problemas que virem à tona. Sócrates evitava dizer aos alunos o que ele pensava sobre essa conclusão. Em alguns poucos diálogos platônicos, não se chega a qualquer conclusão, pelo que podemos supor que Sócrates (ou Platão, conforme o caso) ainda não tinha qualquer conclusão fixa sobre a matéria em discussão. 2. O aluno era gradualmente levado a entender qual era a resposta, e era o próprio aluno quem, finalmente, a proferia. 3. Podemos supor que a doutrina da reminiscência (vide) era uma idéia socrática, e não meramente uma idéia platônica. Isso significa que a alma já sabe quais são as respostas; elas estão armazenadas no próprio homem. Segundo os termos platônicos, esse conhecimento mana do fato de que a alma já esteve no mundo das Idéias ou Formas, sendo dotada de grande ou mesmo ilimitado conhecimento, que pode ser extraído por meio dos diálogos. Naturalmente, Platão acrescentou a intuição e as experiências místicas como instrumentos úteis para extração desse conhecimento. Não sabemos se Sócrates também acreditava nesses outros meios, embora, em seu próprio caso, o fator místico participasse dessa busca por respostas para os problemas morais. Seja como for, sem importar o método de extração, o que se sabe acaba aflorando na mente consciente. 4. *A ironia de Sócrates.* O mestre fingia ignorância, ao conduzir seus alunos para que dissessem aquilo que ele queria ouvir. 5. *O senso de cumprimento de missão.* Sócrates dizia-se cônscio da orientação divina, pelo que suas indagações não eram superficiais.

O Problema Socrático. Esse é o nome dado à inquirição sobre quanto das idéias de Sócrates está embutido nos diálogos platônicos, e quanto pertence ao próprio Platão. Comentei sobre isso acima.

Aristóteles reconheceu que Sócrates contribuíra para a filosofia quanto a duas coisas importantes: Os argumentos indutivos e as definições universais. O método dos diálogos é indutivo, e nesses diálogos Sócrates buscava provar definições universais quanto a importantes questões éticas, como: no que consiste a piedade? (que se vê no diálogo *Eutifro*; no que consiste o controle-próprio? (que se no diálogo Carmides); no que consiste a amizade? (o que se vê no diálogo *Lísis*).

A Ética. Esse era o enfoque principal das investigações de Sócrates, conforme Aristóteles afirmou. Dei detalhes sobre a questão no artigo geral Ética, em sua terceira seção. Um importante aspecto era a sua doutrina de que "conhecimento é virtude" o que significa que se um homem verdadeiramente chegar a conhecer a verdade, ele a seguirá, pois, alegadamente, ninguém faria alguma coisa que sabia ser prejudicial a si mesmo. Mas, apesar dessa regra ter um valor óbvio, muitas pessoas, em sua perversidade, mesmo quando sabem o que é certo, mostram-se autodestruitivas. Portanto, essa crença de Sócrates era ingênua. O "bem", sobre o qual Sócrates falava é aquilo que conduz um indivíduo à verdadeira felicidade, e, sem a bondade e a justiça não há tal coisa como a felicidade. Há um prazer na prática do bem, mas a justiça é mais importante que o prazer.

Nos diálogos *Crito* e *Fédon* é-nos ensinado o importante princípio que sempre é melhor sofrer do que praticar o mal. Essa doutrina distingue claramente Sócrates dos filósofos sofistas, que eram pragmáticos. Naturalmente, Sócrates acreditava que, no outro lado da existência, prevalece a justiça, e que recompensas ou castigos apropriados garantem a vitória final do bem sobre o mal. No entanto, ele mostrou-se dogmático: mesmo que não exista um outro lado da existência, e mesmo que nesse outro lado da existência as injustiças não sejam corrigidas, ainda assim é melhor praticar o bem do que o mal, embora isso faça o indivíduo padecer. Aquele que age de acordo com essa regra, fortalece-se espiritualmente e torna-se um homem melhor. Mas aquele que se acovarda e pratica o mal, a fim de evitar a dor, debilita-se espiritualmente e mostra-se prejudicial para si mesmo, em última análise. Sócrates argumentava contra o suicídio, e não há que duvidar que sua linha de raciocínio de que é melhor sofrer do que praticar o mal, era uma consideração dentro desse argumento.

A Alma Imortal. Homero concebia a alma como uma espécie de fantasma que adeja por sobre o indivíduo, mas não dotada de raciocínio, pelo que não possuiria vida real, conforme poderíamos definir o termo "vida". Porém, Platão, Xenofonte e Isócrates expuseram sólidas doutrinas da alma, sendo razoável pensarmos que Sócrates também assim pensava. Naturalmente, é verdade que ele mantinha um ceticismo brando acerca das realidades metafísicas. No entanto, ele afirmava a existência da alma de forma cautelosa, não-dogmática. O diálogo *Fédon* apresenta excelentes argumentos racionais em favor da existência da alma, que nunca serão ultrapassados, embora a filosofia posterior tenha acrescentado muitos subsídios. Mas, não sabemos quanto desse diálogo pertence a Sócrates e quanto pertence a Platão. Seja como for, porém, podemos supor que certa essência do mesmo pertencesse a Sócrates, embora talvez não os raciocínios fantasiosos, que já pertenceriam a Platão. Mas, de qualquer maneira, essa doutrina está definidamente ligada aos motivos pelos quais o homem deve praticar o bem. A vida presente não é a única consideração na ética. Outrossim, o fortalecimento da alma deve ser nossa principal preocupação, e a prática do bem promove esse fortalecimento, ao passo que a prática do mal é a grande inimiga de todo homem, tanto agora quanto no outro lado da existência. Um dos resultados dessa maneira de pensar é que assim damos valor ao sofrimento, uma idéia que os filósofos sofistas repudiavam.

SÓCRATES – SODOMA

A idéia da imortalidade da alma como a noção das Idéias ou Formas aparecem ambas no diálogo *Fédon*. Mas a maioria dos filósofos duvida que a segunda dessas doutrinas pertencesse, realmente, a Sócrates. Quanto à questão dos Universais (vide), Sócrates parece ter defendido o conceito conceptualista (ver sobre o *Conceptualismo*), ao passo que Paulo desenvolveu isso até chegar ao realismo (vide). Ver também o artigo geral sobre os *Universais*, quanto a uma discussão completa a esse respeito.

O Homem Como Objeto da Ciência. Sócrates promoveu uma forma de humanismo, entendido em bom sentido. Os sistemas éticos variam de indivíduo para indivíduo, porém, em um nível subjacente há o homem imutável, que é forçado a conhecer-se a si mesmo, daí tirando proveito.

A Alma Boa. A alma, uma vez expurgada de excesso, de tal modo a poder agir apropriado e virtuosamente, era o grande ideal de Sócrates. A mente humana, devidamente educada, buscaria a virtude, de acordo com a crença de Sócrates. A sabedoria é o grande alvo desses ideais. Os ideais devem dominar os atos; e esses ideais atuam mediante a atração, e não pela força. As idéias existem fora do tempo, no mundo dos conceitos, bem como na Mente Universal (vide).

A Influência de Sócrates. Platão, Aristóteles e as diversas escolas socráticas sentiram fortemente a influência de Sócrates. Ver o artigo separado *Escolas Socráticas*. Aristóteles pensava em Sócrates como o fundador da ciência da ética. Sócrates pavimentou o caminho para certos conceitos fundamentais do estoicismo, e o cristianismo veio a proclamar os princípios da universalidade, da providência divina e da fraternidade dos homens. (AM BENT E EP MM)

SOCRATES, ESCOLAS DE
Ver sobre **Escolas Socráticas**.

SODI
No hebraico, "Yahweh determina". Era o pai de um dos espias enviados por Josué. Pertencia à tribo de Zebulom (Núm. 13:10). Viveu por volta de 1492 a.C.

SODOMA
I. Nome e Referências Bíblicas
II. Local
III. Observações Bíblicas
IV. Seu Pecado Condenado
V. Seu Julgamento

I. Nome e Referências Bíblicas
O significado do nome *Sodoma* é incerto, mas provavelmente deriva do Vale de *Sidim*, que em hitita quer dizer *sal*. O nome fala das planícies de sal e das covas de betume de um vale que ficava próximo ao mar Morto, onde se situavam Sodoma e Gomorra. O local é mencionado mais de 50 vezes na Bíblia, na maioria das quais relacionado à incomum natureza pecaminosa que foi punida com julgamento incomum. Exemplos: Gên. 10.19; 13.10, 12, 13; 14.2, 8, 10, 11, 12; 14.17, 21; 19.1, 4; Deu. 29.23; Isa. 1.9, 10; Jer. 23.14; 49.18; 50.40; Eze. 16.46, 48; Amós 4.11; Sof. 2.9; Mat. 10.15; Rom. 9.29 (com o nome grego do local, *Sodoma*); II Ped. 2.6; Jud. 7; Apo. 11.8.

II. Local
Na história da guerra de Abraão contra o rei do leste (Gên. 14), Sodoma e Gomorra são mencionadas entre as "cinco cidades" no *vale de Sidim* (junto com Admá, Zeboim e Zoar). As passagens que mencionam essas cidades concordam em localizá-las ao longo da costa sul do mar Morto. Jamais foi encontrada alguma evidência arqueológica da existência dessas cidades nos locais onde pensamos que devem ter existido. Talvez estejam sob águas rasas do sul do mar Morto, como supõem alguns. A arqueologia descobriu no lado sudeste do mar Morto cemitérios em Bab edh-Dhra e Numéria que mostram que em uma data muito antiga havia lugarejos na área, muito antes da época em que Israel dominou o território.

III. Observações Bíblicas
O local é mencionado mais de 50 vezes, como demonstro na seção I. Gên. 14 registra a história da guerra de Abraão contra os reis do leste. Ló optou por morar ali, mas fugiu quando o julgamento divino atingiu o local, como registrado em Gên. 19. Os capítulos 18 e 19 explicam por que a reputação de Sodoma era tão ruim. Até mesmo as entidades enviadas pelo Senhor (que visitaram Abraão) reuniram muitas reclamações e prepararam uma punição severa para um povo muito mau (Gên. 18.20, 21). Dois anjos visitaram Ló no local e acabaram vítimas de agressão homossexual, mas os agressores foram atingidos por cegueira. Ló teria dado suas filhas virgens a eles, mas o toque dos anjos as salvou, e eles então pronunciaram que o julgamento estava por vir. O capítulo 19 registra tudo isso, assim como o julgamento, que lembra uma erupção vulcânica, mas pode ter sido uma teofania em operação.

A maioria das outras referências ao local denuncia sua característica pecaminosa e a maldade de seus habitantes. A quantidade de material dedicado à história não é muito grande, mas os profetas de épocas posteriores não se cansaram de mencionar o local como exemplo número um do mal que exigia severa intervenção divina.

IV. Seu Pecado Condenado
A palavra *sodomita*, significando *homossexualidade*, demonstra que o principal pecado do local era perversão moral, sexual, mas isso não deve ocultar de nós o fato de que o povo do local era pecador notório que participava em todas as classificações da má conduta. De fato, eles praticavam uma *prostituição cultual*, não apenas uma prostituição sexual literal. Ver sobre *Sodomita* após este artigo. Eles eram homens *consagrados* ao mal e aos vícios não-naturais. O artigo dá os detalhes. Sodoma e Gomorra tornaram-se poderosos símbolos do mal humano que exige retribuição divina. De fato, elas são exibidas como virtuais *arquétipos* do pecado. Esse tema se repete continuamente nos profetas (Isa. 1.9; Jer. 23.14; Eze. 16.44-58; Amós 4.11). Até mesmo o Novo Testamento não ignorou o tema: Mat. 10.15; Luc. 10.12; Rom. 9.29; II Ped. 2.6; Apo. 11.8. Mas aqueles que rejeitavam a Jesus, apesar de Seus ensinamentos maravilhosos e poderosos milagres, eram ainda piores do que esses, pois disse Jesus: "Em verdade vos digo que, no dia do juízo, haverá menos rigor para a terra de Sodoma e Gomorra do que para aquela cidade" (Mat. 10.15, em referência a qualquer cidade ou vila que rejeitasse a mensagem de Jesus, fosse dada por Ele mesmo ou por Seus discípulos; o cap. 10 descreve a primeira missão dos Doze Apóstolos). Paulo condenou fortemente o pecado sodomita, seja por homens, seja por mulheres, em Rom. 1.25-28. O apóstolo nos conta que esse pecado resultou de um julgamento divino de homens que mudaram a verdade de Deus em mentira e envolveram-se em idolatria de diversos tipos. Estudos atuais indicam que existe de fato um "terceiro sexo", homens e mulheres que nascem homossexuais. Isso, por si só, não justificaria seus atos, pois, como sugere Paulo, o julgamento divino faz com que os homens sejam perversos para que possam receber

SODOMA – SOFAQUE

a punição que merecem, de uma forma mais vívida, por causa de "outras" perversões, especialmente a de abandonar Deus ou adorar ídolos e coisas criadas, em vez de adorar o Criador. Tendo dito isso, não demos ao assunto um tratamento completo e justo. Ver o artigo sobre *Homossexualismo*, que entra em detalhes.

V. Seu Julgamento

Primeiro, como arquétipos do pecado, essas pessoas mereciam o julgamento que receberam, de forma que o relato se torna uma história clássica do princípio do *carma*, isto é, a operação da *Lei da Colheita Segundo a Semeadura*. Ver o artigo com esse título no *Dicionário* e na *Enciclopédia de Bíblia, Teologia e Filosofia*. Sob a seção IV, forneço uma lista de referências das Escrituras sobre o tema do pecado de Sodoma e do julgamento resultante.

Segundo, qual foi a natureza desse julgamento? Se uma *teofania* (ver) estava envolvida, então não havia necessidade de terremotos e erupções vulcânicas. Por um lado, nada há de antibíblico em "acontecimentos naturais" serem instrumentos da retribuição divina. A área ao sul do mar Morto apresenta tanto atividade vulcânica como de terremotos, como demonstram as evidências geológicas, de modo que forças naturais poderiam estar em operação. A doutrina do teísmo e da punição, continuando ativa no mundo, permite que sejam empregados acontecimentos naturais pelo planejamento divino, se não diretamente por uma intervenção espetacular. Ver o artigo *Teísmo* no *Dicionário* e no *Antigo Testamento Interpretado*.

Terceiro, o caos faz parte de nosso mundo, e alguns eventos acontecem sem nenhuma razão. Por outro lado, esse *caos* ("futilidade" nas palavras de Paulo, Rom. 8.20), embora sem causa divina direta, torna-se um instrumento da vontade divina para fazer com que os homens virem os olhos para o divino, buscando a liberação de acontecimentos ridículos, destrutivos. Claro, a história de Sodoma não se encaixa nessa terceira categoria de eventos trágicos.

Podemos rir? Quando eu era estudante de pós-graduação, meu professor de grego contou uma história "engraçada" certo dia. Havia uma empresa dos Estados Unidos interessada em abrir um cassino. Onde? Na extremidade sul do mar Morto! Mas um dos encarregados anulou o plano ao declarar: "Ah, não vamos envolver-nos *naquilo* de novo!". Por outro lado, em 1953 uma cidade foi fundada na área e batizada de *Sodoma*. Está localizada na margem oeste do mar Morto, um pouco ao norte de Jebel Usdum. Pessoas corajosas!

SODOMA, MAR DE
Ver sobre **Mar Morto**.

SODOMA, VINHA DE
Ver sobre **Vinha de Sodoma**.

SODOMIA
Ver sobre **Crimes e Punições**.

SODOMITA

1. *O nome*. A palavra hebraica é *qadesh*, que significa "separado", "santo", mas, com uma pequena alteração do significado original, passou a representar "dedicado" a enormes pecados, como um *devotado* da perversidade. A palavra grega é simples, *arseokoitai*, isto é, homem que tem relações sexuais com outro homem, "homossexual".

2. *As pessoas envolvidas*. O termo, é claro, refere-se aos primeiros dos habitantes de Sodoma, jovens e velhos que estavam envolvidos pesadamente no homossexualismo: "... assim os moços como os velhos, sim, todo o povo de todos os lados" (Gên. 19.4 e contexto). Ló, em sua fraqueza, ofereceu a esses perversos filhas virgens que eles prontamente rejeitaram! Por extensão, a palavra significa qualquer pessoa que seja ativa de forma homossexual. Ver Gên. 19.5 e cf. Rom. 1.27. Pode haver uma referência aos ritos religiosos; portanto, como as mulheres estavam envolvidas na prostituição sagrada, para o sustento de templos pagãos, é possível que homens também fossem *consagrados* a deuses e deusas, ganhando dinheiro para ajudar a financiar o "ministério". Uma de minhas fontes afirma que esse tipo de prostituição homossexual sagrada se espalhava pela Síria, Frígia, Assíria e Babilônia. Asterote (Astarte) (ver) era a principal deusa envolvida. Dar dinheiro a um homossexual em troca de relações era chamado de "o preço de um cão" (Deu. 23.18), tão degradante era considerado. Os homossexuais eram chamados de *kinaidos* pelos gregos, palavra derivada de *cão*, para lembrar a forma canina (sem restrições) na qual eles praticavam a atividade sexual. Compare esse uso com Apo. 22.15.

O estado atual da ciência e religião praticamente nos impossibilita lidar com este problema de qualquer forma inteligente ou eficaz. Se de fato há um "terceiro sexo", então reverter isso, em muitos, se não na maioria dos casos, pode ser uma tarefa impossível. Se o terceiro sexo existe, pois, porque há por trás dele algum tipo de julgamento divino sobre os pecadores, entendemos que, a longo prazo, o problema pode ser anulado por meios espirituais, o que talvez exija intervenção divina direta. Se o estado do terceiro sexo existe por causa de alguma anomalia física ou fisiológica, ou por acidente, então talvez a ciência algum dia possa reverter isso, especialmente se for passado pela genética de pai a filho. Se *alguns* homossexuais são assim por causa de *condicionamento social*, então esse grupo minoritário pode ser curado pela psicoterapia ou por treinamento religioso, incluindo a "conversão". A maioria dos problemas mais difíceis tem múltiplas causas e exige múltiplas soluções, e esse é, sem dúvida, o caso da homossexualidade.

Legislação bíblica. A sodomia é condenada com termos severos pela lei mosaica (Deu. 23.17) e por Paulo (Rom. 1.27; I Cor. 6.9), que não conseguia ver lugar para os homossexuais no reino de Deus.

Percentuais. Estudos demonstram que os verdadeiros homossexuais constituem cerca de 4% da população, mas a *bissexualidade* pode atingir o assombroso percentual de 20%.

Misericórdia e amor. Seria errado completar um artigo como esse sem fazer com que a luz da misericórdia e do amor brilhasse no problema. A perseguição, o ódio e a discriminação contra os homossexuais obviamente devem ser condenados por qualquer homem que se proclame seguidor de Cristo. Todos nós cometemos pecados igualmente sérios, mas não perdemos a aceitação social por causa disso. Ainda essa semana (outubro de 1998) houve um caso na Universidade de Wyoming em que um estudante homossexual foi espancado até a morte por dois estudantes heterossexuais, e suas namoradas participaram no *crime*, que é como devemos chamar o que fizeram. Os legisladores agora estão discutindo leis mais específicas contra o "crime de ódio", algo semelhante ao que Brasil fez contra a discriminação racial.

SOFAQUE
Forma alternativa do nome Soboque (vide), em I Crônicas 19:16,18.

SOFERETE – SOFISTAS

SOFERETE
No hebraico, "erudição". Ele era chefe de uma família de netinins ou "servos de Salomão", que voltaram do exílio babilônico, em companhia de Zorobabel. Ele é mencionado em Nee. 7:57 e Esd. 2:55. Nos livros apócrifos, ele é mencionado em I Esdras 5:33. Viveu por volta de 536 a.C.

SOFIA
Transliteração, para o português, da palavra grega *sophía*, "sabedoria". Foi vocábulo muito importante na filosofia grega, tendo desempenhado papel central no gnosticismo (vide). Mas, em lugar da "sabedoria" dos gregos, o evangelho prefere o conceito do "amor-sabedoria", com a mediação da "fé", impulsionado pela missão de Cristo. Ver o artigo geral sobre a *Sabedoria*. Esse artigo é bem detalhado e acompanha o conceito da sabedoria desde o Antigo até o Novo Testamentos.

SOFISMA
Deriva-se da palavra grega para "sabedoria", *sophia*, mas relacionado à maneira de pensar dos filósofos sofistas (vide), que pouco se interessavam pela verdade objetiva, buscando aplicações pragmáticas do pensamento humano, geralmente através de métodos ludibriadores. A palavra sofisma é equivalente virtual de "falácia" ou "refutação aparente". Platão e Aristóteles usaram essa palavra, e o último deles compilou uma lista de "refutações sofistas" (no grego, *sophistikoi elenchoi*). Conforme foi usado por Platão e Aristóteles, esse termo refletia o baixo conceito em que eles tinham os sofistas. De acordo com a terminologia moderna, um sofisma é um argumento falso, intencionalmente usado, a fim de confundir ou enganar. Algumas vezes, as pessoas empregam argumentos assim por haverem abandonado qualquer busca séria pela verdade, supondo que se realmente existe algo de veraz, não dispomos de meios para sondá-lo e descobri-lo.

SOFISTAS
O Termo
A base dessa palavra é o vocábulo grego *sophía*, "sabedoria". Os sofistas eram aqueles que professavam transmitir sabedoria meramente aparente, porquanto não acreditavam em qualquer sabedoria verdadeira. Na verdade, eram antigos filósofos pragmáticos, com uma grande dose de ceticismo. O termo terminou por designar um grupo de mestres de Atenas, do século V a.C. Abaixo apresento uma lista dos principais sofistas, com breves descrições.

Os sofistas abandonaram a busca pela verdade absoluta e objetiva, concentrando todos os seus esforços no pragmatismo (vide). Eles especializavam-se em linguagem, retórica, educação e questões de filosofia social e de ética pragmática. Abandonaram as especulações metafísicas, justamente por serem ateus ou agnósticos. Em certo sentido, eles foram os primeiros professores universitários, porquanto "vendiam" seus conhecimentos.

Sócrates objetava terminantemente à venda de conhecimentos; e os governos modernos, de modo geral, têm aceito a regra socrática, e não o ponto de vista dos sofistas, pagando de modo inadequado seus professores. E até outros filósofos combatiam essa popularização da filosofia, que a transforma em uma atividade remunerada. Alguns sofistas eram oradores públicos do mais alto gabarito, e, em certo sentido, foram os precursores dos advogados. Também é verdade que eles preparavam funcionários públicos para seu trabalho e tiveram uma contribuição positiva para a filosofia da linguagem, para a retórica e para a lógica.

Principais Sofistas:

1. *Protágoras*. Apresentei um artigo separado acerca dele. Foi o mais famoso dos filósofos sofistas. Acreditava na relatividade do conhecimento e na impossibilidade da busca por verdades ou valores absolutos. Usava mitos como meios de ensino. Platão opunha-se vigorosamente a ele. Seu lema tornou-se famoso em todo o mundo: "O homem é a medida de todas as coisas". Com base nisso, ele ensinava um humanismo pragmático, relativista.

2. *Pródico* (vide). Tem sido chamado de "precursor de Sócrates", em face de sua influência positiva e negativa sobre ele. Preocupava-se com aspectos da filosofia da linguagem, bem como com a sociologia da religião. Tem sido considerado o inventor do mito de Héracles ou Hércules.

3. *Hipias* (vide). Foi um filósofo de conhecimento verdadeiramente enciclopédico, que salientava haver uma clara distinção entre a natureza conforme ela realmente é (como se pudéssemos saber no que ela consiste) e a mera convenção a respeito. Não obstante, acreditava na lei natural em contraste com o convencionalismo. Contribuiu para a matemática e a linguagem.

4. *Górgias* (vide). Foi um cético de primeira linha, que duvidava da existência de sua própria pessoa, quanto mais do que ficava fora dele. Especializou-se (embora, aparentemente, ele não existisse) na retórica, tendo-a transformado em uma verdadeira arte da persuasão.

5. *Lícrofon*. Foi estudante de Górgias. Tornou-se conhecido por sua curiosa idéia de que podemos aclarar melhor as coisas se eliminarmos do nosso vocabulário o verbo "ser (estar)". Seu principal interesse era a manipulação da linguagem com vistas à persuasão.

6. *Trasímaco* (vide). Foi mencionado em um dos diálogos de Platão por causa de seu conceito da justiça como apanágio dos mais fortes. A justiça seria aquilo que o mais forte quer que seja. Ele estabelecia a distinção entre a justiça natural e a justiça convencional. Seu dito: "poder é direito", tornou-se uma noção sofista comum acerca da justiça humana. Na verdade, assim sucede nas defeituosas e injustas sociedades humanas.

7. *Cálicles* (vide). Ele enfatizava a superioridade da lei natural em relação à lei convencional. Requeria que os homens se desfizessem de seus convencionalismos sociais, como ato que concorda com os ditames da natureza.

8. *Antífom* (vide). Ele afirmava que a autoridade das leis humanas depende da convenção e do artifício. A autoridade da natureza, em contraste, é intrinsecamente obrigatória. Também afirmava que as idéias ou formas são convencionais, e não naturais, pelo que defendia a visão nominalista dos universais (vide, para maiores explicações).

9. *Crítias* (vide),. Declarou que os estados sociólogos é que produziram as religiões, e que o temor é uma emoção humana básica que leva uma pessoa a ser religiosa. O principal fator formativo em uma sociedade, de acordo com ele, seria o temor do castigo, por parte do Estado ou dos deuses.

10. *Crátilo* (vide). Ensinava o princípio de fluxo, proposto por Heráclito. A única coisa constante seria a mudança. Platão, em seu diálogo intitulado *Crátilo*, aceitou a descrição de fluxo extremo que caracteriza este mundo físico, onde parece não haver conhecimento certo e nem permanência. Porém, no mundo das Idéias (correspondente à nossa realidade material), encontraríamos a verdade e a imutabilidade. Mas, naturalmente, Crátilo, por ser um filósofo sofista, não contemplava qualquer outro mundo além do físico.

SOFONIAS – SOFONIAS, LIVRO DE

SOFONIAS

No hebraico, "Yahweh escondeu", "tesouro", ou, como pensam alguns, "Yahweh é trevas". Outros ainda dizem que o significado é "Yahweh protege", ou *Zafom é Yahweh*. Zafom era uma divindade cananéia que alguns identificaram com o Yahweh de Israel. Esse pode ter sido o significado original que veio a ser substituído por outros em épocas posteriores. De toda a forma, quatro personagens bíblicas são chamadas assim:

1. Levita do ramo coatita de sacerdotes. Hemã, descendente distante, serviu no ministério da música no tabernáculo. Sofonias também era um servo no ministério da música no tabernáculo. Ele foi um ancestral de Samuel, o juiz e profeta (I Crô. 6.36).

2. O autor do livro com o mesmo nome, que estava ativo na primeira parte do reinado de Josias, em torno de 630 a.C. Ver Sof. 1.1. Ele é o único profeta/escritor cuja genealogia remonta a *quatro gerações*, informações dadas em Sof. 1.1. Suas profecias foram dirigidas contra Judá e Jerusalém apóstatas. Em sua época, o reino do norte havia há muito sido feito cativo na Assíria. Ele foi um contemporâneo de Jeremias, juntamente com quem fez discursos veementes contra a idolatria, o adultério e a apostasia existente na época. Os profetas de Judá tinham-se tornado homens obscenos; seus conselheiros, enganadores; seus sacerdotes, presos em formas idólatras de cultos, especialmente a adoração das estrelas; seus juízes e mercadores, gananciosos; e os líderes religiosos, hipócritas e idólatras. Sofonias também denunciou os oráculos contra os povos vizinhos (Sof. 2.7, 9). Ele enfatizou o temeroso "dia do Senhor", que poderia ser uma retribuição contra todos os pecadores, tanto em Judá como fora dela. Depois de um grande expurgo, haveria uma restauração em Sião. Mesmo as nações pagãs participariam dessa renovação de toda a humanidade. Para maiores detalhes e referências, ver a introdução ao livro de *Sofonias*.

3. Filho do sacerdote Maaséias (Jer. 21.1). Ele também foi um sacerdote e conselheiro do rei Zedequias nos dias finais do reino de Judá, antes de a Babilônia pôr fim à confusão em que o reino do sul se havia transformado em sua apostasia generalizada. Esse homem, contudo, se opunha a Jeremias e à sua política "maleável" com relação à Babilônia. Ele favorecia a revolta, mas Jeremias percebeu que isso fracassaria, apenas provocando um massacre intolerável do povo. Quando veio o ataque babilônico, esse homem, juntamente com outros encarregados, foi levado a Ribla e executado, exatamente como havia previsto Jeremias. Ver II Reis 25.18; Jer. 21.1; 29.25, 29; 37.3; 52.24, 27.

4. Pai de Josias, em cuja casa em Jerusalém o profeta Zacarias ordenou que Josué, filho de Jeozadaque, o sumo sacerdote, deveria ser consagrado como líder dos cativos que retornaram a Judá após o cativeiro (Zac. 6.10, 14).

SOFONIAS (LIVRO DE)

Obra literária de um profeta que descendia do rei Ezequias. Viveu nos dias de Josias, rei de Judá. Em qualquer lista dos doze Profetas Menores, o livro de Sofonias sempre ocupa o nono lugar, sempre antes de Ageu e depois de Habacuque.

Esboço:
1. Unidade
2. Data
3. Pano de Fundo Histórico
4. Propósito
5. Conteúdo

1. Unidade. A maioria dos críticos admite que o primeiro capítulo do livro de Sofonias é, realmente, obra do profeta desse nome; mas quase todos opinam que os capítulos segundo e terceiro do livro contêm ou poemas posteriores ou ampliações proveniente do período pós-exílico, que teriam sido acrescentados aos oráculos autênticos de Sofonias. Quanto aos detalhes, os intérpretes também demonstram pouca concordância entre si. A principal dificuldade, porém, é que a maioria dos estudiosos não acredita em profecias preditivas genuínas, mas apenas em *vaticinium ex eventu* (profecia após o evento ocorrido), além de pensar que a teologia esperançosa, na história da religião de Israel, evoluiu somente já no período pós-exílico. Mas a primeira dessas opiniões não se coaduna com o testemunho explícito da própria Bíblia, e o segundo desses pressupostos tem paralelos até mesmo na forma de profecias extrajudaicas do antigo Oriente Próximo, como as do Egito e as que aparecem nas cartas provenientes de Mari, onde aparecem predições que seguem o modelo de ameaças e de promessas. Isso demonstra que esse modelo não foi criação posterior de Israel após o exílio.

2. Data. De acordo com a introdução do próprio livro de Sofonias, esse profeta atuou durante o reinado de Josias (640-609 a.C.). Com base no estado da moral e da religião, em sua época (Sof. 1:4 ss, 8,9,12 e 3:1, 3-7), pode-se inferir que suas atividades, mais precisamente ainda, ocorreram antes da grande reforma religiosa de 621 a.C. (cf. II Reis 23:4 ss). Os informes que, de acordo com certos críticos, indicariam uma data um tanto posterior para o livro, podem ser devidamente explicados como segue: a. os filhos do rei, mencionados em Sof. 1:8, adeptos a costumes estrangeiros, não podem ter sido os filhos do rei Josias, porquanto, Josias ainda era jovem demais para isso. Antes, devemos pensar em seus irmãos ou parentes próximos. b. A alusão àqueles que continuavam servindo aos ídolos, no versículo seguinte, designa quão completa seria a destruição deles–Yahweh haveria de varrer de Israel todo e qualquer vestígio da adoração a Baal.

Os críticos também postulam uma data posterior para o livro de Sofonias porque eles vinculam a predição de Sofonias sobre o grande Dia de Yahweh (ver desde Sof. 1:1) com as invasões dos povos citas, que atacaram a Assíria em 632 a.C. Porém, é evidente que uma invasão que teve consequências relativamente pequenas não pode ser equiparada àquilo que as Escrituras em geral, e o próprio livro de Sofonias, em particular, dizem sobre o Dia do Senhor. A opinião desses críticos é simplesmente ridícula. Portanto, se aceitarmos o testemunho do próprio Sofonias, ele pregou nos dias do reinado de Josias. Muitos eruditos conservadores pensam que Sofonias estava terminando a sua carreira profética quando Jeremias estava começando a sua. Jeremias foi chamado como profeta no décimo terceiro ano do reinado de Josias. Ver Jer. 1:2.

Cabe aqui a pergunta. Por que os críticos sempre entendem que os livros da Bíblia foram escritos depois das datas onde eles se ajustam, de acordo com os próprios informes encontrados nesses livros? Em que esse adiamento serviria à causa desses críticos? Por que nenhum deles jamais tentou atribuir a qualquer livro da Bíblia uma data mais antiga do que geralmente se supõe? A resposta é simples. É que eles são impulsionados pela incredulidade, mormente quanto à possibilidade de Deus revelar aos seus profetas, de antemão, os acontecimentos futuros. Os críticos sempre querem dar a entender que os livros proféticos são apenas livros históricos. Suas predições referir-se-iam ao passado e não ao futuro. Quanto mais

SOFONIAS

tarde eles puderem datar esses livros, melhor para as crenças deles. Contra isso levantam-se os estudiosos sérios, que crêem no fenômeno da profecia preditiva como uma autêntica manifestação do Deus vivo. Não precisamos apelar para aquele esquema. Aceitamos o que os livros da Bíblia dizem a seu próprio respeito, sem tentar qualquer distorção. Para nós, essa atividade seria desonesta. Não estamos querendo comprovar nenhuma teoria. Queremos aceitar a verdade!

3. Pano de Fundo Histórico. As condições religiosas do reino de Judá deterioraram-se de modo marcante, após a morte do rei Ezequias. Os judeus cada vez mais se inclinavam para a adoção de costumes assírios, que então exerciam grande influência cultural sobre a Palestina. As práticas religiosas degeneradas, antes da grande reforma religiosa de Josias, transparecem, com certos detalhes, no trecho de II Reis 23:4-20.

Os estudiosos têm debatido muito sobre o pano de fundo político do livro de Sofonias. Se Isaías (39:6), Habacuque (1:6) e Jeremias (10:4) especificaram "que os babilônios seriam a vara de castigo usada por Yahweh, os quais haveriam de destruir temporariamente o reino de Judá, Sofonias somente diz que o próprio Deus aplicaria essa punição, mas sem determinar o instrumento usado por ele para isso. Por causa desse silêncio de Sofonias, dois povos têm sido sugeridos pelos estudiosos como esse instrumento: os citas ou os babilônios. E, visto que a invasão cita ocorreu em data posterior, essa invasão é preferida pelos críticos que não acreditam em profecias preditivas. O erro dessa opinião é visto claramente, no fato de que Judá nunca foi atingida pelos citas, ao passo que os babilônios levaram a nata da nação judaica para o exílio, em 586 a.C. Isso tanto é testemunho bíblico (ver, por exemplo, II Crô. 36:17 ss), quanto é testemunho da própria história. Os citas, por sua vez, somente perturbaram a Ciaxares, rei medo, por ocasião do cerco de Nínive. Depois, marcharam contra o Egito; mas não o atacaram e retornaram a seus lugares de origem, sem jamais terem atacado a Palestina.

4. Propósito. Sofonias predisse a queda de Judá e de Jerusalém, como acontecimento inevitável (Sof. 1:4-13), em face da degeneração religiosa que ali se havia instalado. Todavia, esse julgamento local é visto pelo profeta contra o pano de fundo do quadro maior dos últimos dias, que as Escrituras também chamam de Dia do Senhor (Sof. 1:4-18 e 2:4-15). Por conseguinte, o propósito central do autor sagrado foi, principalmente, o de despertar os piedosos que se voltassem de todo o coração para o Senhor, a fim de escaparem da condenação quando do futuro dia do juízo (Sof. 2:1-3), tornando-se parte daquele remanescente que haverá de desfrutar das bênçãos do reino de Deus (Sof. 3:8-20). Isso significa que o livro não é obsoleto para nós; antes, à medida que se aproximarem os últimos dias, mais e mais o livro irá tendo aplicação e se tornará útil para nossa meditação e orientação. Todos os livros proféticos (e também, em menor grau todos os demais livros bíblicos) têm um decisivo aspecto escatológico, que não podemos desprezar. No seu conjunto, eles formam o quadro que Deus nos queria dar acerca dos dias finais desta dispensação, que abrirão caminho para uma nova era "áurea", o milênio ou reinado de Jesus Cristo à face da terra!

5. Conteúdo
O esboço do livro de Sofonias é muito simples, quanto a seus detalhes principais, a saber:

A. Introdução (1:1)
B. O Juízo Universal (1:2-3:7)

1. Sobre a criação inteira (1:2,3)
2. Sobre Judá (1:4-2:3)
3. Sobre as nações gentílicas (2:4-15)
4. Sobre Jerusalém (3:1-7)
C. O Estabelecimento do Reino (3:8-20)
1. Destruição da oposição gentílica (vs. 8)
2. O remanescente purificado (vss. 9-13)
3. As bênçãos do reino (vss. 14-20)

Destacaremos alguns pontos, dentro desse esboço:

- *Quanto ao juízo divino sobre a criação inteira* (1:2,3). A destruição antecipada por Sofonias ainda será mais abrangente do que os efeitos do dilúvio de Noé–uma total destruição é o fim deste cosmos caído no pecado (cf. II Ped. 3:10; Apo. 21:1). Antes disso, o colapso das civilizações em seqüência servirá de arauto que anunciará o juízo final sobre o mundo inteiro. Uma das causas do juízo é que os homens, em sua imensa teimosia e rebeldia, têm arruinado cada instituição divina. Poderíamos citar o matrimônio (Gên. 2:18-25) e o governo humano (Rom. 13:14).

- *Sobre Judá* (1:4-2:3). Esse juízo, que ocorreu em 586 a.C., foi o primeiro rebate acerca do juízo final. O rigor divino contra Judá corresponde aos privilégios maiores dessa nação (Deu. 4:7,8,32 ss; Rom. 9:4,5).

- *Sobre as nações gentílicas* (2:4-15). Nenhuma nação do mundo escapará ao juízo divino. Este será verdadeiramente universal. Isso é destacado pelo fato de que o profeta refere-se a nações gentílicas a oeste, a leste, ao norte e ao sul do território de Judá.

- *O estabelecimento do reino* (3:8-20). O trecho começa falando sobre o fim de toda uma civilização, de toda uma era, ou, usando a linguagem teológica, de toda uma dispensação: "...a minha resolução é ajuntar as nações e congregar os reinos, para sobre eles fazer cair a minha maldição e todo o furor da minha ira; pois toda esta terra será devorada pelo fogo do meu zelo" (3:8).

O resultado de tão severo juízo contra as nações foi predito como se lê nos versículos doze e treze: Mas deixarei no meio de ti um povo modesto e humilde, que confia no nome do Senhor. Os restantes de Israel não cometerão iniquidade, nem proferirão mentira, e na sua boca não se achará língua enganosa; porque serão apascentados, deitar-se-ão, e não haverá quem os espante". Portanto, abatida a altivez dos povos, formar-se-á uma nova civilização, na qual o povo de Israel haverá de resplandecer. E, no dizer do resto do trecho, até o fim do livro, Deus reivindicará a causa de seu povo de Israel contra todos os que o afligiram através dos milênios. Isso importará na restauração de Israel. O profeta conclui seu livro, prevendo: "Naquele tempo eu vos farei voltar e vos recolherei; certamente farei de vós um nome e um louvor entre todos os povos da terra, quando eu vos mudar a sorte diante dos vossos olhos, diz o Senhor" (Sof. 3:20). Ver **Restauração de Israel. Bibliografia**. ALB AM E I IB ID YO Z

SOFONIAS, APOCALIPSE DE

Três livros receberam esse título:

1. O primeiro conhecemos através de cotações e referências de Clemente da Alexandria (cerca de 190 d. C.). Esse era um livro pseudepígrafo judeu, e o escritor não hesitou em atribuí-lo ao antigo profeta Sofonias. Mas os antigos faziam tais declarações por convenção literária, para exaltar o mestre e possivelmente obter uma circulação melhor para seus trabalhos. Mas poucos, provavelmente, levavam essas declarações a sério. Esse trabalho é semelhante à Ascensão de Isaías e descreve uma jornada do profeta ao quinto céu (presumivelmente um dos *sete*

SOFRIMENTO, NECESSIDADE DE

locais gloriosos), como nos conta I Enoque.

2. Um livro posterior, de origem cristã, chamado pelo mesmo nome, é representado por apenas duas páginas existentes que datam do século V d. C. O idioma é o copta saídico. O profeta vê anjos de aparência terrível e uma alma sendo espancada por causa de suas transgressões. Uma cena semelhante é descrita no Apocalipse de Pedro, um trabalho pseudepígrafo do Novo Testamento. Esse livro em particular tem algumas cenas comuns com o livro listado acima sob o número 1.

3. Um livro escrito em copta armímico, que pertence ao século IV d. C., composto por 18 páginas. Pode pertencer ao livro descrito sob o número 2, mas por causa de sua identificação incerta é chamado de Apocalipse Anônimo. A parte desse livro preservada é essencialmente uma descrição dos sofrimentos no inferno.

Todos esses três livros são *pseudepígrafos*, isto é, escritos como se fossem de autoria de uma pessoa bem conhecida, no caso o profeta Sofonias, que não eram seus verdadeiros autores. Daí o nome pseudo, ou falso. Ver sob *Pseudepígrafos*, na *Enciclopédia de Bíblia, Teologia e Filosofia*.

SOFRIMENTO, NECESSIDADE DE

1. Torna-nos mais conscientes do fato de que somos criaturas dependentes. Somente Deus é independente de uma lei para si mesmo. Todos os demais seres dependem de sua bondade e poder. Enfermidades severas, choques severos, tristezas avassaladoras, angústias, desapontamentos – todas essas coisas ensinam-nos a depender de nosso Deus, e não de nós mesmos.

2. As tribulações também nos aproximam mais dos outros seres humanos, em grau maior do que qualquer outra experiência humana. As tribulações unem as igrejas e as famílias, e até mesmo as comunidades e as nações assumem unidade de propósitos em meio à tribulação.

3. As tribulações ajudam-nos tanto a compreender como a ajudar a outras pessoas que também estejam em tribulação. Tais dificuldades tornam-nos melhores e mais sábios conselheiros e guias.

4. As tribulações e perseguições podem servir-nos de excelente disciplina, ensinando-nos os valores espirituais que nos convêm, pois, em meio a essas aflições, aprendemos a reconhecer o que é importante e vital, distinguindo-o do que não se reveste dessas qualidades. Por igual modo, quando estamos sofrendo tribulações profundas, podemos aprender lições de humildade, e assim somos espiritualmente fortalecidos.

5. As tribulações, e até mesmo as perseguições, podem ser resultados de uma semeadura má e mesmo insensata. Nesses casos, a tribulação serve-nos de punição. Nisso vemos a aplicação da lei divina e universal da colheita segundo a semeadura. Tomemos por exemplo a experiência de Israel e suas perseguições, por parte de diversas nações estrangeiras. Aquelas experiências dos israelitas com freqüência foram castigos e medidas disciplinares aplicadas por Deus. Alguns eruditos, por essa mesma razão, têm pensado que as severas perseguições sofridas pelo apóstolo Paulo foram resultantes, pelo menos em parte, da semeadura que agora colhia; pois, embora judicialmente perdoado do que fizera, tinha de recolher os efeitos maléficos de ter sido amargo e incansável perseguidor da igreja de Cristo. E o ponto de vista desses eruditos mui provavelmente está com a razão. A experiência humana prova a sua veracidade. Conheci em Manaus, no estado do Amazonas, Brasil, o diácono de uma igreja que procurava ter uma vida piedosa. No entanto, trazia no corpo uma grave enfermidade física que resultava de sua vida anterior de dissipações mundanas. Faleceu comparativamente jovem; perdoado de seus pecados, é verdade, mas sem ter podido escapar dos *inevitáveis resultados* dos mesmos, fisicamente falando.

6. As tribulações e perseguições podem ensinar-nos algo sobre a *seriedade e a malignidade do pecado*. Homens maus perpetram ações desumanas contra os seus semelhantes, ações baseadas no ódio, no egoísmo e na cobiça. Porém, podemos aprender a odiar a maldade observando os seus péssimos resultados, em nossas vidas e nas dos outros. Grande parte da perseguição que há nas modernas igrejas evangélicas não se deriva do exterior, e, sim, de seu próprio meio. Um chamado crente se volta contra outro, ou alguns membros de uma igreja se voltam contra o pastor. É até mesmo verdade que, algumas vezes, pessoas inocentes e impotentes são perseguidas pelos oficiais de uma igreja, por motivo de ofensa sem importância, ao passo que membros de prestígio, ou seus familiares, não sofrem nenhuma medida disciplinar.

7. A tribulação pode expurgar tanto o pecado como outros elementos estranhos de nossas vidas, elementos esses que, apesar de não serem pecaminosos em si mesmos, servem de obstáculos ao nosso progresso e ao nosso bem-estar espiritual. O bisturi da tristeza e da tribulação é muito mais afiado do que o fio expansivo da felicidade, e pode desarraigar falhas de caráter e de ação com muito maior prontidão do que qualquer sentimento de euforia.

8. As tribulações e perseguições podem produzir *uma entrada mais jubilosa*, em nossa herança celestial, do que poderia ter sido de outro modo, se não houvéssemos experimentado a adversidade. Rom 8: 18, entre outras coisas, ensina-nos exatamente isso.

9. Nossa expressão espiritual é aprofundada e fortalecida pelas tribulações, de uma maneira que é praticamente impossível ser duplicada por outros meios. Os sofrimentos deixam uma boa marca, e não má, naquele que os sofreu com paciência, se tais sofrimentos puderam ensinar-lhe a ter simpatia para com outras pessoas, bem como a exercer confiança para com Deus. Uma "alma profunda" é aquela que já sofreu. Uma "alma superficial", por outro lado, é aquela que ainda não experimentou o sofrimento. A "alma profunda" é melhor, tanto para o seu próprio benefício como para benefício do próximo.

10. Devemos nos lembrar que até o próprio Jesus "...aprendeu a obediência pelas coisas que sofreu" (Heb 5:8). Outrossim, ele foi "aperfeiçoado" através do sofrimento (ver Heb. 2:10). Ora, se o próprio Cristo precisou experimentar o sofrimento, quanto mais os seus discípulos!

11. O sofrimento, conforme nos mostra Rom 8:18, é uma espécie de garantia da magnitude da glória que se seguirá, pois, a despeito da profundeza do sofrimento, fica-nos assegurado que o mesmo jamais poderá ser tão grande como a glória que, necessariamente, se seguirá. Paulo, pois, pensava tanto sobre a grandeza como sobre a certeza da glória futura; e é o sofrimento que nos faz lembrar essas realidades.

12. Ninguém pode disputar acerca da "realidade" do sofrimento, e essa realidade, por si mesma, serve de *garantia da realidade* da glória futura de que usufruiremos.

As Escrituras nos asseguram que, de alguma maneira, o "problema do mal" redundará em bem, e que o bem ultrapassará grandemente o mal; e isso é uma declaração que reflete uma fé profunda na providência e plano eterno de Deus. Ver o artigo sobre o *Problema do Mal*.

SOFRIMENTO – SOL

SOFRIMENTO E O PROBLEMA DO MAL
Ver o artigo detalhado sobre o *Problema do Mal*. Se existe um Deus bondoso, todo–poderoso, que prevê tudo, como é que tanta maldade e sofrimento existem no mundo?

SOFRIMENTO NO JULGAMENTO
Ver *Julgamento de Deus dos Homens Perdidos*; e, *Julgamento do Crente por Deus*. Ver também a misericórdia de Deus no julgamento, ilustrada no artigo, *Descida de Cristo ao Hades*.

SOFRIMENTO REMEDIAL DOS PERDIDOS
Quase certamente I Ped. 4:6, e o conceito geral da missão de Cristo no Hades (ver *Descida de Cristo ao Hades*), ensinam que o julgamento dos perdidos tem o propósito de restaurar e remediar, não meramente de castigar. Ver o artigo sobre *Restauração* que explica as idéias envolvidas.

SOFRIMENTO VICÁRIO
Ver *Expiação*, II. 7.

SOFRIMENTOS COMO BENEFÍCIOS
Ver o artigo **Sofrimento, Necessidade do**.

SOGRA
Ver sobre a **Família**.

SOL
I. Termos e Referências Bíblicas
II. A Origem de Toda a Vida
III. Observações Bíblicas
IV. Em Outras Literaturas e Culturas
V. Usos Figurativos

I. Termos e Referências Bíblicas
No hebraico, *shemesh*, que significa "brilhante"; *charcah*, aparentemente de uma raiz que significa "coçar" ou "raspar", mas como isto pode significar "sol" é difícil de entender, a não ser que um de seus usos, *placa vermelha*, por associação com o vermelho do *calor*, esteja em vista; *chammah* significa "calor" e, por implicação, o "sol"; *ore*, que significa "iluminação", "brilho", "claro", "dia" e o "sol". O total de referências ao sol no Antigo Testamento chega a 120. Alguns exemplos incluem: Gên. 15.12, 17; 19.23; Êxo. 16.21; 17.2; Lev. 22.7; Deu. 4.19; Juí. 5.32; 9.33; I Sam. 11.9; Ecl. 1.3,5 9, 14.

No grego, *helios*, a única palavra no Novo Testamento para referir-se ao sol. Ela é usada cerca de 33 vezes. Alguns exemplos: Mat. 5.45; 13.6, 43; Mar. 1.32; 4.6; Luc. 4.40; Atos 2.20; I Cor. 15.41; Efé. 4.26.

II. A Origem de Toda a Vida
Os antigos eram completamente ignorantes sobre distâncias astronômicas e sobre o tamanho dos corpos celestes, mas tinham completa ciência de que a vida, como nós a conhecemos na terra, é impossível sem o sol. Este conhecimento provocou a transformação do sol em deus e a sua adoração em muitas culturas. Ver o artigo separado sobre *Sol, Adoração ao* na *Enciclopédia de Bíblia, Teologia e Filosofia*.

O sol é a origem da vida, como nós a conhecemos, de duas formas óbvias: sem seu calor, tudo congelaria imediatamente; e todo o suprimento de água da terra deriva da evaporação das águas dos oceanos, o que é afetado pelo sol. A água evaporada sobe ao céu, forma nuvens, é carregada pelas correntes de ar à terra e dali é depositada em lagos e córregos e diretamente na terra. Então volta novamente aos oceanos, e o ciclo começa mais uma vez.

III. Observações Bíblicas
1. O sol não era a fonte da *luz primitiva* que existiu antes de sua criação (Gên. 1.3). Esse é um assunto misterioso e convido o leitor a consultar a exposição sobre esse versículo no *Antigo Testamento Interpretado*.

2. De acordo com o relato de Gênesis, o sol, a lua e os corpos celestes, de modo geral, foram feitos no *quarto dia*, depois das plantas, árvores etc., que sabemos que dependem da luz do sol para viver (o sol foi feito no *terceiro dia*, vss. 11-13)! Para o trabalho do quarto dia, ver os vss. 14-18. Essa ordenação dos dias que faz com que a terra exista antes dos céus, incluindo o sol, revela a natureza primitiva do relato e alerta-nos a não tentar extrair ciência dele. A idéia de que o sol etc. existia antes e apenas *passou a brilhar* no quarto dia é obviamente um "drible" filosófico à questão. Além disso, a *Luz* do vs. 3 definitivamente não vem do sol, mas sim de algum tipo de Luz Divina, primitiva, muito separada da criação das coisas materiais.

3. O sol e a lua foram feitos em benefício da terra, para serem as luzes maior e menor para sua iluminação. Os hebreus não tinham nenhuma idéia sobre o tamanho dos dois corpos, e imaginavam que eles ficassem relativamente próximos à terra (como aparentam estar), não que tivessem algum tamanho gigante.

Ver os artigos gerais sobre *Criação*; *Cosmologia*; *Cosmogonia* e *Astronomia* para maiores detalhes sobre as idéias hebraicas a respeito da origem das coisas.

4. O sol era um item da criação de Deus, não um deus a ser adorado. A adoração do sol é rigidamente proibida na lei mosaica (Deut. 4.19). Após o êxodo, Israel entrou em contato com povos que adoravam o sol. Isso é refletido nos nomes dos locais *Bete-Semes* (a casa do sol, Jos. 15.10) e *En-Semes* (a fonte do sol, Jos. 15.7). No Egito havia a adoração a *Rá*, o deus-sol, a principal deidade do panteão egípcio. E na Babilônia havia *Utu* (masculino), enquanto os cananeus tinham seu *Sps*, uma deusa. Assim, o sol era transformado em deidades tanto masculinas como femininas. A teologia hebraica rejeitou todas essas invenções férteis e reduziu o sol a *algo criado*, em vez de a um deus das coisas.

5. Como algo criado, pensava-se que o poder de Deus, trabalhando através do homem, seria capaz de deter o movimento do sol e atrasá-lo por um tempo, assim temos o *dia longo* de Josué (Jos. 10.12, 13), o que tem dado muito trabalho aos intérpretes. De modo geral, é declarado que o que aconteceu foi uma paralisação temporária da revolução da terra (um feito praticamente tão grande quanto parar o sol!) ou um milagre de reflexão, nenhum dos quais o autor do Pentateuco poderia ter antecipado como explicação. Ver o artigo sobre o *Dia Longo de Josué* para detalhes sobre uma variedade de interpretações que a história atraiu.

6. Os antigos acreditavam que o sol se movia ao redor da terra, e não o contrário, pois certamente ele *parece* fazê-lo. Ver Jos. 10.13; II Reis 20.11; Sal. 19.6; Ecles. 1.5; Heb. 3.11. Os hebreus acreditavam que o sol fazia um *circuito* diário, inconscientes de que a terra gira em seu próprio eixo, criando essa ilusão.

7. Na ausência de máquinas do tempo artificiais criadas pelo homem, os antigos transformaram o sol no determinador dos cálculos do dia e da noite e dos estados. A alvorada e o pôr-do-sol formavam os dias. Então havia três períodos do dia solar: a. quando o sol esquentava, lá pelas 9h (I Sam. 11.9; Nee. 7.3); b. o sol duplo ou forte, isto é, o do meio-dia (Gên. 43.16; II Sam. 4.5); c. a parte fresca do dia, antes do pôr-do-sol, quando o sol está pronto para se retirar pelo dia (Gên. 3.8).

8. *O estabelecimento dos hemisférios e das direções.*

SOL – SOL, SIMBOLISMO

As posições do sol eram usadas para fazer esses cálculos. O sol levanta no leste, se põe no oeste (Isa. 45.6; Sal. 50.1). Se se estiver de frente para o sol quando ele se levanta, o norte fica à esquerda, e o sul, à direita. Os hebreus não falavam de meias-direções, como o sudeste, nordeste etc.

9. No Novo Testamento, o *helios* determina os relógios do dia (Mar. 1.32) e está envolvido em acontecimentos catastróficos causados divinamente (Apo. 1.16; Mat. 24.29). O Novo e o Antigo Testamento têm vários usos metafóricos ou figurativos que explico sob a seção V.

IV. Em Outras Literaturas e Culturas

Em épocas posteriores, havia cultos de adoração ao sol, como o mitraísmo e outros cultos persas. O sol é uma figura central em I Enoque 41.3-9. No mundo greco-romano, o sol é uma das principais deidades, se não a principal. Sócrates achava que a lua era um deus, e que mais poderoso ainda era o sol como uma deidade. Tais idéias influenciaram ainda a arte cristã. Jesus muitas vezes é retratado em pé na frente de um escudo solar, chamado de *clipeus*, e também em sua carruagem solar, uma imitação direta dos retratos pagãos do deus-sol fazendo seu circuito diário no céu. Alguns cristãos primitivos falam ainda de Jesus com todos os atributos do disco solar, conforme definido pelas fontes pagãs. A Reforma contribuiu para refutar todos esses simbolismos pagãos.

V. Usos Figurativos

1. O favor de Deus é como o sol em chamas (Sal. 84.1).
2. A lei de Deus brilha como o sol (Sal. 19.7).
3. A vinda de Cristo é como o brilho do sol (Mat. 17.2; Apo. 1.16; 10.1).
4. Poderes supremos são como o sol em sua glória (Gên. 37.9).
5. A pureza da noiva em Cantares (6.10).
6. A glória dos santos do futuro (Dan. 12.3; Mat. 13.43).
7. O triunfo dos santos (Jos. 5.31).
8. Símbolo de calamidades (Eze. 32.7; Joel 2.10, 31; Mat. 24.29; Apo. 9.2).
9. Símbolo de grande força (Sal. 19.5).
10. Símbolo de destruição prematura (Jer. 15.9; Amós 8.9).
11. Bênçãos perpétuas (Isa. 60.20).
12. Vergonha pública (II Sam. 12.11, 12; Jer. 8.2), com a idéia da exposição.
13. A pessoa do Salvador (João 1.9; Mal. 4.2)
14. Glória e pureza dos seres celestes (Apo. 1.16; 10.1; 12.1)

SOL, ADORAÇÃO AO

Era apenas natural que o homem não-regenerado incluísse, em suas miríades de formas de idolatria, a adoração ao sol, a fonte de toda energia para a vida física, sem o que vida alguma de natureza física poderia existir neste mundo. Mitos relativos ao sol podem ser encontrados nas mitologias de todas as raças e povos. Símbolos solares são igualmente bem disseminados, e ocorrem desde as culturas neolíticas. Alguns têm mesmo pensado que a adoração ao sol é a mais antiga das religiões humanas. O sol tem recebido uma incansável e variegada atenção por parte das religiões dos homens, bem como de seus mitos e de sua ciência, e nem toda essa atenção reveste-se da forma de adoração. Calendários elaborados, com base nas relações entre o sol e a terra, têm existido desde tempos remotos. Nas culturas mais avançadas, como a babilônica e a maia, desenvolveu-se uma astronomia surpreendentemente avançada, que incluía observações sobre os movimentos do sol, da lua e das estrelas, no tocante à terra. Naturalmente, isso acabou misturando-se com a fé religiosa dos homens. Ver sobre *Astrologia*, quanto a descrições. Tais atividades foram importantes no desenvolvimento da astronomia e da matemática.

A adoração ao sol ocupa um papel proeminente na história do Egito, do México e do Japão. Importantes descobertas científicas, nos campos da matemática e da astronomia, acompanharam a fé religiosa. No Egito, mui provavelmente as pirâmides estavam associadas à adoração ao sol, conforme se verifica por sua orientação. O deus-sol, Ra (vide) teve uma longa história através das muitas dinastias egípcias que se sucediam quase interminavelmente. No século XIII a.C., Iquinaton estabeleceu no Egito um monoteísmo passageiro que girava em torno do Aton. Ele era representado por um disco com raios, que alguém segurava na mão.

A adoração ao sol espalhou-se do Oriente para o Ocidente e achou lugar até mesmo na Grécia e em Roma. Os maias representavam o deus-sol como um jaguar. Sacrifícios humanos faziam parte desse culto. Calendários exaustivos foram preparados, e a matemática servia de importante ciência auxiliar. Os ameríndios contavam com suas próprias formas de adoração ao sol, distintas da adoração que se via no México.

A mitologia religiosa do Japão fazia a família real japonesa descender da deusa–sol, Amaterasu. Essa tradição manteve-se por nada menos de vinte e seis séculos, sem interrupção. Há muitos cultos solares, quase todos eles incluindo a idéia de luta pela sobrevivência em um lugar de clima adverso, onde impera a necessidade de benevolência da parte do sol para que os homens possam sobreviver.

Os cultos ao sol incluem ainda o inevitável tema da sobre-vivência, dependente da luz e do calor. Porém, os deuses–sol aparecem empenhados em todas as formas de função divina, julgando as almas dos homens, promovendo guerras contra povos inimigos, etc.

SOL, CAVALOS DO

Ver o artigo sobre *Sol*.

SOL, CIDADE DE

Ver os artigos sobre as duas *Heliópolis* na *Enciclopédia de Bíblia, Teologia e Filosofia*. Alguns manuscritos do texto massorético, em Isa. 19.18, apresentam *ir-ha-heres*, "cidade do sol", enquanto a maioria apresenta *ir-hares* (com uma letra hebraica diferente para o *h*), "cidade de destruição". Ver sob *Massora (Massorah); Texto Massorético*. Talvez a pequena alteração que transformou *sol* em *destruição* tenha tido por objetivo ser uma sátira, consignando a cidade à destruição. O contexto é o oráculo *contra* o Egito, e essa teria sido uma alteração natural dos escribas. Esperava-se que Yahweh derrubasse o Egito e outros estados pagãos (Jer. 43.13). Com o passar do tempo, apareceu o verdadeiro Sol no Egito, com a disseminação do judaísmo e finalmente do cristianismo, tendo a Alexandria ocupado o centro em ambos os casos. A espiritualidade, a lei de Deus, é o sol que ilumina o homem (Sal. 19.7). Cristo é um sol para animar e orientar, de fato, o Sol da Retidão traz a cura em suas asas (Mal. 4.2; Apo. 1.16).

SOL, SIMBOLISMO NOS SONHOS E NAS VISÕES

O sol pode simbolizar a vida e a fonte da vida, a luz da consciência, o intelecto; o sol escaldante pode simbolizar o excesso de intelectualismo, que tende por tornar as coisas calculadas, secas e áridas. Nos climas quentes, uma pessoa pode sonhar com o sol como uma ameaça à vida, por causa do excesso de calor. Porém, nos climas frios, o sol fala sobre energia criativa, vida e senso de cumprimento.

O *Nascer do Sol*. Representa o começo da vida, o despertar da consciência, novas realizações, juventude, esperança, progresso, crescimento. E, na Bíblia, o sol nascente representa a vinda de Cristo (ver Mal. 4:2).

O *Pôr-do-Sol*. O declínio de qualquer coisa, o processo da aproximação da morte, a própria morte, a idade avançada.

Um Sol Negro. Morte ou insanidade, o amortecimento da inteligência e das forças criativas, a depressão.

O *Nascer do Sol* e o *Pôr-do-Sol*. Os ciclos da vida, a reencarnação, estágios de desenvolvimento, a evolução de qualquer coisa, períodos adversos na vida, de mistura com períodos luminosos de sucesso.

Pai e Pai Divino. O sol fala do princípio masculino, humano ou divino, tal como a lua simboliza o princípio feminino, humano ou divino. O sol pode simbolizar o Sábio ou o Profeta, dentro dos arquétipos de Jung.

O sol pode simbolizar o *Filho de Deus*, especialmente porque, em inglês, as duas palavras são homófonas.

O sol parece mergulhar no mar, no ocaso, e então, horas depois, surgir. Isso simboliza o *renascimento espiritual*, que ocorre em ciclos.

O princípio de iluminação é simbolizado pelo sol, incluindo a idéia de esclarecimento de mistérios e a revelação de segredos; a revelação da verdade, sem importar se essa verdade é desejada, buscada, ou não.

SOLA FIDE, SOLIFIDIANISMO

Nome latino da doutrina da justificação pela fé somente (sola fide), em Cristo, à parte das boas obras. A expressão surgiu na tradução de Lutero, no trecho de Rom. 3:18. Naquele versículo, ele adicionou "somente" à palavra "fé". Se o grego não dá apoio a essa tradução (apesar do fato de que Lutero a defendia acerbadamente), a idéia geral da doutrina lhe dá apoio. Assim, se ele cometeu um erro de tradução, não cometeu um erro de conceito. Lutero via a fé como um dom de Deus (ver Efé. 2:8), dependente da fé salvadora, posta "em Cristo". Melanchthon procurou reconciliar católicos romanos e protestantes quanto a esse ponto, e juntos produziram uma nova declaração, em Regensburgo, em 1541, que satisfez a ambos. Porém, a cúpula da Igreja Católica Romana rejeitou esse esforço. Nos modernos círculos católicos romanos, a posição de Lutero tem sido defendida, pois, afinal, essa é a posição de Agostinho. Lutero foi um monge agostiniano, antes de converter-se. Ver o artigo geral sobre a *Justificação*, bem como aquele intitulado *Fé*.

SOLDADO

Ver sobre *Exército* e sobre *Guerra*.

SOLDADURA

No hebraico, **debeq**, "junção". Essa palavra é usada por três vezes no Antigo Testamento: Isa. 41:7; I Reis 22.34 e II Crô. 18:23. Mas, somente na primeira dessas referências poderíamos pensar em soldadura, porquanto nas outras passagens está em foco alguma junta da armadura do rei de Israel. Acabe, por onde um dardo atirado ao acaso entrou e o feriu, matando-o. A idéia de soldadura, porém, envolve a ligação de duas peças de metal, de tal modo que se tornem uma só, sem qualquer fenda para entrada de um dardo ou flecha.

SOLIDARIEDADE

Essa palavra, que faz parte da ética cristã, tem dois significados principais: 1. No tocante à missão e expiação de Cristo, indica que Cristo tornou-se o substituto do homem, em solidariedade a ele, tendo cumprido sua missão terrena em benefício dos homens. Assim, a retidão de Cristo nos é lançada na conta, e assim chegamos a participar de sua natureza e imagem (ver Rom. 8:29; II Cor. 3:18), ou seja, de toda a plenitude de Deus (ver Efé. 3:19) e da natureza divina (ver II Ped. 1:4). 2. No que envolve a relação do homem com os seus semelhantes, esse termo é outra maneira de falar sobre o cumprimento da lei do amor. Quando nos mostramos generosos com o próximo, estamos demonstrando solidariedade. Solidariedade significa coerência e unidade de natureza; comunhão de interesses e participação nos ideais e benefícios de outros. Ver também sobre o *Amor*.

SOLIPSISMO

O latim por trás desse termo português é *solus*, "sozinho", e *ipse*, "o próprio eu". A idéia é que a pessoa ou mente individual, até onde ela está envolvida, ou até onde a pessoa pode provar, é a única que existe. Todas as demais pessoas e coisas podem ser um produto de sua própria mente, conforme se verifica durante os sonhos. O *solipsismo epistemológico* refere-se ao "dilema do conhecimento do próprio eu". Até onde posso determinar, tenho bases para crer que somente eu existo. Ou seja, até onde vai o meu conhecimento, só eu existo. É possível que outras pessoas existam, mas não posso afirmá-lo com certeza absoluta. Porém, temos aí apenas um subjetivismo extremado e um pseudodilema. Por sua vez, o solipsismo metafísico redunda do dilema de conhecimento: uma pessoa qualquer pensa que é a única entidade em existência. Alguns filósofos usam o *solipsismo metafísico* para anular o solipsismo epistemológico. Utilizam-se de um argumento do reductio ad absurdum. Acreditar que só eu existo é tão absurdo que também é absurdo dizer que só posso ter conhecimento de minha própria existência.

Idéias Sobre o Solipsismo:

1. Um ceticismo extremado pode levar certos homens ao solipsismo. Em contraste com isso, Agostinho e Descartes usaram sua própria existência óbvia, como também a existência de outras pessoas, a quem percebiam, para estabelecer a verdade das realidades básicas, em contraposição ao ceticismo extremado.

2. Na ética, o termo tem sido usado para indicar a posição do egoísmo (vide). Assim, interessar-se alguém somente por si mesmo é um solipsismo moral, e tão absurdo quanto as outras formas de solipsismo.

3. Bradley acreditava que as pessoas deixam-se envolver no absurdo que diz "somente eu existo", quando não se mostram devidamente cônscios do Absoluto.

4. Santayana não encontrava qualquer maneira racional de anular o solipsismo, argumentando que transcendemos a esse dilema através da fé animal.

5. Perry confessou que temos um problema de solipsismo epistemológico, mas fazia objeção ao salto que se deve dar daí para o solipsismo metafísico.

6. Wittgenstein argumentava contra o solipsismo epistemológico e contra o solipsismo metafísico, com base na crença que não pode haver tal coisa como uma linguagem de um único indivíduo. A comunidade que fala um idioma prova a existência daquela comunidade.

SOMA

Originalmente, essa palavra referia-se a uma planta que era a matéria-prima com a qual se fabricava uma bebida alcoólica usada como libação aos deuses vedas. A partir daí, o vocábulo veio a designar um deus específico, que se tornou uma das principais divindades do hinduísmo veda. O nono livro do Rig-Veda foi dedicado a essa divindade.

SOMATISMO
Ver sobre **Kotarbinski**, segundo ponto.

SOMBRA
I. Os Termos
II. Usos Literais
III. Usos Figurativos
IV. O Tabernáculo como uma Sombra

I. Os Termos
No hebraico, 1. *tsel*, "sombra" ou "defesa" (Gên. 19.8; Juí. 9.15, 36; II Reis 20.9-11; Sal. 17.8; Isa. 4.6; 16.3; Eze. 17-23; Jon. 4.5,6).; 2. *tselel*, "sombra" (Jó 20.22; Can. 2.17; 6.4); 3. *tselatsal*, "sombra" ou "sombreado" (Isa. 18.1).

No grego, 1. *aposkiasma*, "sombra" (Tia. 1.17); 2. *skia*, "sombra" (Mat. 4.16; Mar. 4.32; Luc. 1.79; Atos 5.15; Col. 2.17; Heb. 8.5; 10.1).

II. Usos Literais
O Rei Ezequias pediu que a *sombra* do relógio solar fosse invertida (que andasse na direção oposta) como um sinal de Deus (II Reis 20.10). As pessoas doentes sobre as quais a *sombra* de Pedro passou foram curadas (Atos 5.15). O restante das referências da Bíblia é figurativo.

III. Usos Figurativos
1. Fala-se da morte como uma sombra, pois a morte é vista pelos homens como uma experiência de tristeza, remorso e dor, ausência de luz e iluminação (Sal. 23.4).

2. O túmulo (Jó 10.21; 12.22; 16.16; Isa. 9.2; Jer. 2.6).

3. Uma sombra que passa rapidamente representa quão rapidamente acaba a vida humana (I Crô. 29.15; Jó 8.9; 14.2; Sal. 102.11).

4. Uma sombra pode proteger uma pessoa do calor do sol, e Yahweh é uma grande rocha que lança sombra refrescante em uma terra fatigada (Isa. 32.2; 49.2; Can. 2.3; Sal. 17.8; 63.7; 91.1).

5. No Pai, que é Luz, não pode haver sombra de mudança, isto é, variação ou falta de fé (Tia. 1.17).

IV. O Tabernáculo como uma Sombra
O santuário sagrado e seu conteúdo eram apenas sombras de coisas maiores por vir na época do Messias (Heb. 8.5; 10.1), o que significa que o Antigo Testamento prefigurou (ou pré-sombreou) o Novo Testamento. Os ritos, símbolos e prédios do Antigo Testamento (como o tabernáculo e o templo) lançam como se fossem sombras, nas quais uma realidade maior poderia ser discernida. Dizendo o mesmo em outras palavras, podemos falar em "tipos".

SOMER
No hebraico, "vigilante". Há dois homens com esse nome, nas páginas do Antigo Testamento:

1. O pai (ou mãe) de Jeozabade, um dos assassinos de Joás, rei de Judá (II Reis 12:21; II Crô. 24:26). Ver, igualmente, sobre *Simeate*. Viveu em cerca de 870 a.C.

2. Um descendente de Aser, filho de Heber (I Crô. 7:22). As evidências mostram que ele viveu por volta de 1600 a.C.

SONHOS
A ciência dá cada vez maior importância aos sonhos, nos campos da psicologia e da psiquiatria. A religião também dá grande valor aos sonhos. Escrevi um livro sobre o assunto, com título em português *Como Descobrir o Sentido dos Seus Sonhos*, publicado pela Nova Época Editorial Ltda de São Paulo, Estado de São Paulo. O leitor que estiver interessado sobre a questão encontrará nesse livro informações históricas, científicas, psíquicas e espirituais acerca dos sonhos. Muitas teorias se têm desenvolvido sobre o assunto, e, neste artigo, ofereço apenas algumas idéias representativas. A quantidade de material escrito sobre o assunto dos sonhos, na atualidade, é bastante extensa. De modo geral, porém, as enciclopédias e os dicionários bíblicos comentam quase de passagem sobre a matéria, apresentando ao leitor algumas teorias que já se tornaram obsoletas diante da ciência.

Esboço:
I. O Que é um Sonho? Definições
II. Algumas Idéias Antigas Sobre os Sonhos
III. Os Sonhos na Bíblia
IV. Os Sonhos nos Estudos Científicos
V. Sonhos Psíquicos
VI. Sonhos Espirituais

I. O que é um Sonho? Definições
Meus amigos, ninguém sabe ainda o que é sonhar. Todas as definições fracassam em algum ponto. Mas talvez várias dessas definições nos possam dar uma razoável descrição a respeito.

I. *Bergson* supunha que haja um elo direto entre a percepção dos sentidos e a memória. De acordo com essa definição, um sonho seria uma atividade mental que emprega o armazém de percepções gravadas no cérebro, envolvendo a memória e reconstruindo cenas. Sem dúvida, muitos sonhos estão envolvidos nesse tipo de atividade. Mas até mesmo isso tem aspectos misteriosos, porquanto não sabemos como a memória é entesourada no cérebro humano. Além disso, sempre haverá o problema da mente como distinta do cérebro. É patente que a mente, e não somente o cérebro, está envolvida nos sonhos. Sonhar é uma função mental que pode ultrapassar o fundo de informações armazenadas no cérebro.

Ainda recentemente tive um sonho lúcido que pode ilustrar o ponto. Um sonho lúcido é aquele em que a pessoa sabe que está sonhando, e pode exercer algum controle sobre ele. Nesse sonho, pois, eu caminhava ao longo de uma rua muito enfeitada, com muitos desenhos coloridos. E as construções de um e do outro lado da rua, embora humildes, também tinham desenhos de variadas cores. Eu sabia que estava sonhando, e parei para admirar a cena. Pensei: "Como é que a minha mente pode inventar tudo isso?" Olhei para as coisas que via e notei quão perfeitas elas eram, não menos perfeitas do que no estado de vigília. No sonho, tudo era perfeito em suas sombras e intrincados detalhes. Poderia ser tudo aquilo somente o banco de memória do meu cérebro, reorganizado? Ou a mente tem participação ativa nos sonhos? Sabemos que até mesmo a simples percepção, no estado de vigília, vai muito além do que realmente a gente vê. O cérebro (ou a mente) inventa coisas, adicionando detalhes às informações captadas pelos olhos. Portanto, podemos afirmar que até mesmo a percepção, quando estamos despertos, envolve um pouco de alucinação. Tenho tido sonhos onde ouço admiráveis peças musicais. Isso complica o problema, porque creio que a qualidade da música que tenho tido em meus sonhos ultrapassa a tudo quanto está armazenado em minha memória. Após um sonho assim, desperto com um senso de admiração, completamente fascinado pelo que acabei de ouvir no sonho. Identifico sonhos assim como

SONHOS

espirituais, porquanto esse tipo de coisa, a extrema beleza dos sons e das cenas, sempre acompanha algum tipo de mensagem que recebo, alguma forma de discernimento especial ou de projeção para o futuro. Meus próprios sonhos me têm convencido de que há muito mais coisa envolvida nos sonhos do que meros novos arranjos de percepções anteriores, armazenadas na memória, embora isso possa ser suficiente para explicar a maioria dos sonhos. Estou convencido de que, nisso, está envolvida a mente, e não apenas o cérebro.

2. *Fromm* diz que um sonho é uma expressão significativa de qualquer tipo de atividade mental quando estamos dormindo. Isso afirma apenas o óbvio, e não nos transmite qualquer idéia sobre o real *modus operandi* dos sonhos.

3. *Freud* declarava que um sonho é o cumprimento de algum desejo, mesmo em casos onde esse elemento não seja óbvio. Mas, nos seus últimos anos de vida, ele entendeu que certo tipo de sonho não se ajusta a essa teoria, ou seja, o sonho traumático, que alguém revisa continuamente, trazendo à tona alguma experiência desagradável. Os soldados, por exemplo, nunca se livram dos sonhos sobre as batalhas em que tomaram parte. Todavia, Freud sentia que sempre se pode achar, nos sonhos, algum desejo que o sonhador está satisfazendo. Em casos óbvios, uma pessoa quer algo, como dinheiro ou posição, e então sonha sobre essas coisas. Porém, em casos não tão óbvios, temos o exemplo do jovem médico que, em seus sonhos, via-se processado pelas autoridades, por haver enganado no pagamento de seu imposto de renda. Ninguém quer enfrentar um tribunal e ser ali condenado. Mas aquele jovem médico tinha poucos pacientes e ganhava pouco dinheiro. Portanto, ele inventava aqueles sonhos (conforme Freud assegurava), porque, se ele tivesse de enfrentar uma acusação por ter enganado em sua declaração de imposto de renda; é que teria de estar ganhando muito mais dinheiro do que realmente sucedia.

4. *O sonho fisiológico*. Alguns pesquisadores supõem que os sonhos nada mais sejam do que a reação mental a algum estímulo fisiológico. Isso, realmente, pode suceder. Se respingarmos um pouco de água sobre o rosto de uma pessoa que dorme poderemos fazê-la sonhar que está chovendo. Talvez ela até invente um sonho muito dramático, como estar se debatendo sob um grande dilúvio. As experiências em laboratório têm mostrado que muitas reações e sonhos elaborados ocorrem em face de estímulos externos. Mas isso sucede no caso apenas de alguns poucos sonhos, e não de todos eles.

5. *Os sonhos sem sentido*. Alguns pesquisadores supõem que os sonhos não tenham qualquer significado, sendo apenas reprocessamentos mentais de eventos que já aconteceram ou poderão ainda acontecer. Provavelmente, alguns sonhos não passam disso.

6. *Possibilidade de loucura momentânea*. Alguns poucos estudiosos têm ido ao extremo de pensar que um sonho é uma insanidade temporária, e que todos nós gostamos de enlouquecer parte do tempo. É possível que esse estado tenha algum valor terapêutico, talvez não. Mas, apesar de alguns sonhos serem insensatos, isso dificilmente pode explicar a essência dos sonhos. Outrossim, muitos sonhos loucos não o são realmente, se conseguirmos compreender os símbolos envolvidos. De fato, alguns dos sonhos mais estranhos são os mais significativos, uma vez que compreendamos os nossos próprios símbolos nos sonhos. A linguagem dos sonhos é extremamente simbólica e primitiva, e há um paralelo direto entre os símbolos dos sonhos e os símbolos das visões, talvez até significando as mesmas coisas na maioria das vezes. Trata-se de uma linguagem pictórica, e não verbal, mostrando-se muito sutil, mas não insana.

7. *Os sonhos didáticos*. Jung supunha que os sonhos tratem daqueles assuntos pelos quais nos interessamos vitalmente, através de símbolos, e que precisam ser entendidos, não tendo o intuito de ocultar. Os sonhos, pois, nos diriam como restaurar o equilíbrio em nossas vidas, quais coisas nos são prejudiciais, quais coisas precisamos desenvolver ou cultivar. Os sonhos nos trazem mensagens espirituais mediante as quais somos encorajados a aprimorar as nossas vidas.

8. *Freud*, além de postular a idéia do cumprimento do desejo, ensinava que os símbolos dos sonhos têm por intuito ocultar, e não revelar. Ele cria que os sonhos extraem toda espécie de coisas terríveis do subconsciente, pelo que os sonhos distorceriam esse material, para não ficarmos chocados com o que vemos, porquanto dentro de todos nós, mesmo que sejamos crianças, as coisas mais monstruosas se agitam e buscam expressar-se. Um sonho, pois, provê uma válvula de escape para essa energia negativa, tornando-a aparentemente real nos sonhos; mas não oculta seu verdadeiro sentido de todos nós, mediante imagens loucas, distorcidas. É provável que alguns sonhos sejam apenas isso; mas não muitos deles. Jung contradizia essa opinião, ao afirmar que as imagens dos sonhos têm a finalidade de revelar, e não de esconder. Contudo, precisamos aprender a compreender a linguagem de nossos sonhos, o que, para a maioria das pessoas é algo tão misterioso como um idioma estrangeiro desconhecido.

9. *Freud* também pensava que um sonho é um guardião do sono. Isso quer dizer que, mediante distorções, não ficamos assustados com aquilo que vemos nos sonhos, e assim continuamos a dormir, imperturbáveis. Porém, as pesquisas modernas têm mostrado que sonhamos em ciclos, e que, no fim de cada ciclo há um breve período de vigília, o que, evidentemente, tem o propósito específico de dar-nos a oportunidade de relembrar e interpretar os nossos sonhos.

10. *Os sonhos que resolvem problemas*. A maioria dos pesquisadores acredita que os sonhos têm uma função de resolvedores de problemas, pelo menos no caso de alguns sonhos. Adler não achava que é importante lembrarmos os nossos sonhos, porquanto sua função seria fornecer-nos uma espécie de condicionamento psicológico, que nos ajudasse a enfrentar e resolver os nossos problemas. Porém, tem sido demonstrado que os sonhos que lembramos transmitem mensagens específicas, pelo que é útil lembrarmos dos nossos sonhos, a fim de podermos interpretar suas mensagens gerais ou específicas.

11. *Os sonhos psíquicos*. Os estudos em laboratório têm mostrado que os sonhos podem ser influenciados pela telepatia. Um sonho compartilhado por duas pessoas não é incomum. Disso podemos concluir que há uma espécie de intercomunicação entre as pessoas, quando dormem, e que as pessoas que estão intimamente relacionadas, como os membros de uma família, ou pessoas que trabalham juntas, estão envolvidas em um tipo de esforço de equipe, em sua vida. Portanto, compartilhar de alguns sonhos pode ajudar-nos. Isso tem sido um elemento importante em algumas culturas, para as quais esse aspecto dos sonhos é muito importante e sério.

12. *Os sonhos espirituais*. A maioria das religiões supõe que os sonhos possam ser um veículo de comunicações divinas. A Bíblia registra certo número de sonhos dessa natureza. Os sonhos espirituais têm sido vinculados ao dom da profecia, como um irmão mais fraco do mesmo. Assim,

O SONHO DA ESPOSA DE PILATOS

ÁREA DO TEMPLO — Cortesia, Matson Photo Service

SONHOS

os jovens vêem visões, e os homens de mais idade têm sonhos; mas, supostamente com a mesma finalidade: comunicar alguma mensagem espiritual. Ver Atos 2:17.

13. *Os sonhos como parte de nossa herança espiritual.* Nem todos os sonhos espirituais são uma comunicação divina, de qualquer tipo direto. Antes, os próprios sonhos fazem parte da nossa espiritualidade. Naturalmente, nem todos os sonhos cabem dentro dessa categoria. Alguns deles são apenas cumprimentos de desejos, conforme Freud dizia. Outros resultam apenas de estímulos físicos, como após uma refeição muito lauta, ou por causa de alguma impressão táctil ou auditiva. Há sonhos francamente sensuais, meramente porque somos animais sexuais, acordados ou dormindo. Os sonhos aparecem em vários níveis. Alguns são meros reflexos da vida diária, e podem representar-nos envolvidos em toda a espécie de atividade duvidosa, sobre o que a consciência pouco nos acusa, porquanto, segundo dizemos, "foi apenas um sonho". Esses sonhos não nos censuram moralmente. Muito pelo contrário, podem até encorajar-nos a atos negativos. Mas, em um nível mais profundo, alguns sonhos nos censuram moralmente; e, em níveis ainda mais profundos, alguns deles nos fornecem orientação espiritual. Edgar Cayce defendia a moralidade dos sonhos, quando disse: -O sonho é aquele período durante o qual a alma faz uma avaliação sobre a maneira como ela tem agido, entre um período de descanso e outro; fazendo comparações, por assim dizer, que aquilatam a harmonia, a paz, a alegria, o amor, a longanimidade, a paciência, o amor fraternal e a bondade– frutos do Espírito Santo; ou então aquilatando o ódio, as palavras duras, os pensamentos descaridosos e a opressão que são frutos podres de Satanás. Os sonhos da alma ou abominam aquilo que ela tem experimentado, ou entram na alegria do seu Senhor.

II. Algumas Idéias Antigas Sobre os Sonhos

1. *Os antigos povos orientais*, incluindo os judeus, davam grande valor aos sonhos, supondo que eles tivessem o intuito de fazer-nos comunicações divinas. O Antigo Testamento exprime essa idéia, mas também outras, as quais descrevo na secção III. *Os Sonhos na Bíblia.* Os intérpretes de sonhos eram altamente estimados no Egito, conforme a narrativa de José nos assegura (Gên. 40:41). Outro tanto sucedia na Pérsia, na época de Daniel (ver Daniel 7). Três idéias principais podem ser extraídas dos sonhos entre os povos orientais: a. os sonhos como revelações divinas; b. os sonhos como reflexos da vida normal do indivíduo, incluindo problemas de saúde física ou mental, presumivelmente com o intuito de dar-nos um meio de melhorá-la; c. os sonhos de conhecimento prévio, como avisos ou encorajamentos acerca de certos atos.

2. *Na cultura grega.* Hipócrates pensava que os sonhos são úteis para diagnosticar os males físicos. Sócrates tinha um sonho que se repetia; dizendo-lhe para "fazer música", que ele interpretava como "sê um filósofo", visto que, para ele, a filosofia era a mais linda música. Platão antecipou alguns elementos da teoria freudiana, supondo que os sonhos reflitam toda a espécie de répteis horrendos que se ocultam na mente humana, e que são combatidos mediante o processo da santificação moral. Aristóteles mencionou a idéia comum de que os sonhos são comunicações divinas; mas terminou supondo que os sonhos, até mesmo os de conhecimento prévio, usualmente (se não mesmo sempre) sejam acidentais, ou seja, são coincidentes. Entretanto, ele reconhecia também o valor da teoria futuramente chamada Adleriana (ver I. 11), que diz que um sonho pode criar estados emocionais que afetam nossa vida desperta, *condicionando nossos atos.*

3. *Na cultura romana.* Como era usual, os romanos também tomaram por empréstimo o que a cultura grega dizia sobre os sonhos, sem grandes modificações. Eles praticavam a incubação a fim de provocar sonhos supostamente espirituais e significativos. Isso era feito permanecendo a pessoa em algum lugar sagrado, como um templo ou um santuário, na esperança de ter um sonho durante a noite, estando naquele lugar. Os sonhos assim obtidos eram considerados espiritualmente significativos, podendo ser interpretados pelo próprio indivíduo ou por algum sacerdote. A incubação era praticada em nada menos de trezentos templos do mundo greco-romano. Cícero, porém, mostrava-se cético quanto ao método, preferindo o ponto de vista aristotélico dos sonhos. No entanto, ele não se mostrou coerente sobre a questão, porque uma das razões pelas quais ele se aliou a Otávio, quando houve a luta pelo poder, em Roma, foi que um sonho lhe dissera que Otávio seria vitorioso nesse conflito. O sonho realizou-se, mas não na época certa. Marco Antônio obteve sucesso em um apelo que fez, e Cícero e seus irmãos foram executados.

4. *No islamismo.* Tanto os antigos quanto os modernos adeptos do islamismo dão muito valor aos sonhos. Maomé afirmou que os sonhos são um dos quarenta e seis aspectos da missão profética. O Alcorão tem muitas alusões aos sonhos divinos, proféticos. A interpretação dos sonhos é um exercício religioso dentro desse sistema. Entretanto, julga-se que diferentes classes de pessoas teriam diferentes níveis de sonhos, alguns mais valiosos do que outros. Portanto, os governantes e os santos seriam aqueles que têm os sonhos mais profundos, enquanto que as pessoas comuns teriam sonhos mais corriqueiros. Entre as mulheres, as mães seriam as que têm sonhos mais significativos.

III. Os Sonhos na Bíblia

1. *No Antigo Testamento.* Os sonhos ali relatados envolvem instruções e revelações espirituais. Ver os sonhos de Jacó (Gên. 28:12 ss; 31: 11 ss), de José (Gên. 37:5; 41:1 ss), e de Daniel (Dan. 1:7; 2:1 ss, cap. 7). Ver também o princípio ensinado em Joel 2:28. Há trechos, como Núm. 12:6 e Jó 33: 15, que ensinam que a vontade de Deus é revelada por meio de sonhos. Os falsos profetas julgavam-se dotados de sonhos significativos, ou então contavam sonhos que nunca tiveram (Deu. 13:1-3; Jer. 23:25-28; 29:8). Contudo, os sonhos, de acordo com Eclesiastes 5:7, podem ser vazios e sem sentido.

2. *No Novo Testamento.* Podemos evocar os sonhos de advertência dados a José, que salvaram a vida de Jesus (Mat. 1:20); os sonhos dos magos, com o mesmo propósito (Mat. 2:12,13); as instruções dadas a José, para retornarem a Nazaré, o que propiciou a formação de Jesus, em seus primeiros anos de vida terrena, naquela cidade (Mat. 2:18); o sonho da esposa de Pilatos, que pode ter sido orientado por Deus ou não, mas que sem dúvida foi muito significativo (Mat. 27:10); e a declaração sobre a utilidade espiritual e profética dos sonhos, em Atos 2:17. Com base nessas referências, chegamos a entender que os sonhos são tidos, no Novo Testamento, como revestidos de uma importante função, mas certamente sujeitos a outras funções espirituais, como a função profética.

IV. Os Sonhos nos Estudos Científicos

É impossível exagerarmos a importância dos sonhos em relação ao desenvolvimento da *psicoterapia.* Freud experimentou a hipnose, mas descobriu muitas armadilhas e inexatidões nas análises resultantes da mesma. E terminou encarando os sonhos como a estrada real que leva à mente

SONHOS

inconsciente. Em seus estudos ele descobriu os sonhos psíquicos e os sonhos compartilhados. E, principalmente através desses estudos, veio a crer na validade e naturalidade dos fenômenos psíquicos. Jung fez experiências idênticas, e, embora tivesse chegado a conclusões diferentes das de Freud, quanto ao sentido dos sonhos, usou extensivamente os sonhos em seus estudos e análises de pacientes.

Quando Freud publicou o seu livro, *A Interpretação dos Sonhos*, em 1900, tiveram início os estudos científicos sobre os sonhos. Muita coisa, porém, tem acontecido desde então. Muitos cientistas têm voltado a atenção para os sonhos. Os pontos abaixo descrevem algumas dessas descobertas. Fatos sobre os sonhos, descobertos pelas pesquisas científicas:

1. A descoberta de que os olhos da pessoa entram em uma fase de movimentos rápidos, durante os sonhos, em contraste com os momentos sem sonhos, tem ajudado os pesquisadores a capturarem muitos sonhos, despertando a pessoa no meio de um sonho. Isso foi descoberto na Universidade de Chicago, em 1953.

2. Essa descoberta possibilitou saber se o número e a freqüência dos sonhos. Sabe-se agora que a pessoa comum tem entre vinte e trinta sonhos a cada noite, embora bem poucos sejam lembrados, e com freqüência, nenhum.

3. Alguns sonhos ocorrem quando não há movimentos rápidos dos olhos; mas usualmente, nesse estado, a conceitualização está tendo lugar, sem quaisquer imagens visuais. O cérebro nunca descansa.

4. Os sonhos ocorrem em ciclos. A noite é dividida em uma série (de quatro a seis) de ciclos, de cerca de noventa minutos cada. Os sonhos ocorrem em uma porção do fim de cada um desses ciclos, começando com a duração de apenas cerca de dez minutos, mas aumentando em duração, à medida que a noite progride. Nada menos de duas horas podem ser gastas em sonhos, a cada noite. A pessoa comum, portanto, passa cerca de cinco anos sonhando, durante sua vida terrena.

5. Todas as pessoas sonham, embora nem todas possam lembrar seus sonhos, depois que acordam.

6. Os sonhos, ao passar a pessoa de um ciclo para outro, geralmente reiteram os mesmos temas, embora possa haver modificações nas imagens e símbolos empregados.

7. Os sonhos, embora variando em sua simbologia, reaparecem nas noites seguintes. Parece que a função principal é a solução de problemas; mas os sonhos também dissipam emoções prejudiciais, ou, pelo menos, ajudam-nos a solucionar problemas difíceis, permitindo nos ajustarmos às circunstâncias que não podemos alterar.

8. Os sonhos psíquicos são uma realidade, e representam fenômenos dessa espécie, que podem ser repetidos. Os sonhos compartilhados por duas pessoas são bastante comuns.

9. Os sonhos podem ser influenciados pela hipnose ou pela telepatia.

10. Todas as pessoas têm sonhos com imagens coloridas, embora talvez não se lembrem do fato. Isso só não ocorre com as pessoas cegas de nascença, ou cuja visão não possa distinguir as cores. Mas mesmo assim, algumas dessas pessoas conseguem ter sonhos coloridos (incluindo pessoas cegas de nascença), por razões misteriosas e desconhecidas, a menos que a alma se faça presente nesses sonhos, de alguma maneira.

11. Sonhar parece ser uma necessidade tão grande quanto comer e beber; visto que a privação de sonhos pode resultar em drásticas conseqüências (até mesmo na morte, conforme se tem verificado com estudos feitos com animais, ou em casos de desordens psíquicas, no caso de seres humanos).

12. *Os sonhos lúcidos*. Nesses sonhos, a pessoa sabe que está sonhando. Alguns cientistas estão fazendo grande esforço para aprender como provocar esses sonhos, utilizando, por exemplo, leves choques elétricos. Eles têm podido reunir alguma evidência em favor da idéia de que se alguém sonhar e souber que está sonhando, pode utilizar-se desses sonhos com propósitos criativos, literários, psíquicos e científicos. Sabemos que os sonhos são dotados de poder criativo, visto que algumas invenções e descobertas têm sido feitas por meio de sonhos, como também algumas notáveis peças musicais têm se originado em sonhos com impressões auditivas. Essa ciência dos sonhos ainda está no começo, mas é bem possível que os homens descubram como utilizar-se de seus sonhos para toda forma de atividade criativa, um exercício que poderia fazer sair da garrafa o gênio do espírito humano.

13. *Os sonhos têm variados aspectos*. A maioria das teorias que os psicólogos têm sugerido acerca dos sonhos tem algum valor, embora essas teorias sejam parciais: A verdade sempre é assim. Obtemos uma faceta da verdade e supomos que descobrimos a essência da verdade. Porém, quando reunimos muitos aspectos, derivados de certa variedade de fontes, usualmente nos aproximamos da essência de alguma coisa, ao passo que os sistemas que dogmatizam os vários aspectos envolvidos permanecem unilaterais e fragmentares.

V. Sonhos Psíquicos

Algumas pessoas religiosas supõem que todos os fenômenos psíquicos de algum modo estejam envolvidos com forças demoníacas. Se isso é uma verdade, então todos somos controlados ou possuídos por demônios, porquanto todos somos psíquicos, enquanto estamos sonhando. Os ciclos dos sonhos tendem por trazer à nossa atenção os três aspectos temporais de nossa vida: nos primeiros ciclos, há uma revisão do passado; nos ciclos intermediários há uma revisão do presente; e finalmente, nos ciclos finais, há uma previsão do futuro, especialmente quando o raiar do dia já se aproxima. A função psíquica mais comum conhecida pelos homens é o sonho de conhecimento prévio. Eu mesmo tenho tido muitos desses sonhos. Em alguns poucos casos, tenho sido capaz de predizer o dia de algum acontecimento, juntamente com seu modo de concretização. Conheço outras pessoas que têm tido o mesmo tipo de experiência. Os estudos sobre os sonhos, feitos em laboratório, têm descoberto muitos sonhos dessa ordem, em uma grande variedade de pessoas, que não exibem nenhum sinal de estarem sob influência ou possessão demoníaca. Os estudos têm mostrado que as pessoas pressentem a aproximação da morte, às vezes com um ano de antecedência, mesmo quando morrem acidentalmente, e, portanto, não há quaisquer causas físicas, quando elas têm esses sonhos. O quinto capítulo do meu livro sobre os sonhos, Como Descobrir o Sentido dos Seus Sonhos, que consiste em vinte e três páginas, relata muitos sonhos psíquicos de outras pessoas ou meus mesmos. As provas sobre esse tipo de sonhos são avassaladoras e convincentes. Tudo isso faz parte de nossa herança espiritual. Com freqüência, somos capazes de resolver melhor os problemas se, mesmo subconscientemente, temos consciência de onde seremos levados por algum curso de ação. Ver a praia à distância algumas vezes ajuda-nos a dar o passo seguinte. No Centro Médico Maimônides de Brooklyn, Nova Iorque, nos Estados Unidos da América, o Dr. Stanley Krippner, e Montague Ullman, médico, em cooperação com Charles Honorton, têm apresentado um vasto acúmulo de provas irrefragáveis de que os fenômenos psíquicos ocorrem quando o indivíduo está dormindo. Eles têm demonstrado a facilidade em que a telepatia pode influenciar ou mesmo criar o conteúdo dos sonhos.

SONHOS – SONO

Os sonhos psíquicos incluem as variedades telepática, psicométrica, precognitiva, retrocognitiva e a projeção da psique.

VI. Sonhos Espirituais

Já pudemos verificar que muitas culturas tem acreditado nos sonhos como um modo de comunicação e ajuda espirituais. A terceira seção relaciona a questão aos pontos de vista da Bíblia. Nos pontos abaixo, procuramos mostrar a natureza dos sonhos espirituais:

1. Um sonho espiritual pode ter uma função reveladora, similar à das visões, conferindo-nos uma idéia sobre o futuro ou comentando sobre questões espirituais importantes.

2. É espiritual aquele sonho que nos provê iluminação sobre algum problema, que nos ajuda em nossa inquirição espiritual ou nos confere algum conhecimento metafísico.

3. Se um sonho nos ajuda a realizar certos atos que fazem parte do cumprimento de nossa missão na terra, então esse sonho é espiritual.

4. Se um sonho nos confere instruções morais que nos ajudam a viver mais em consonância com os princípios espirituais, então esse sonho é espiritual.

5. Em algumas religiões, os sonhos são considerados parte integrante do ofício profético. Alguns documentos sagrados têm sido produzidos assim, pelo menos em parte. Seja como for, um profeta pode ter sonhos como um elemento de seu ofício, conforme fica subentendido em Atos 2:17. Também é significativo que os símbolos dos sonhos e os símbolos das visões são os mesmos. Por conseguinte, uma visão, pelo menos em alguns casos, pode ser um sonho vívido, estando a pessoa desperta. Assim como os místicos têm que aprender a desconfiar de suas visões, assim também os sonhadores não devem permitir que os seus sonhos os guiem sem a necessária disciplina da investigação. Bem poucas vezes em minha vida tenho tomado alguma decisão importante somente por causa de algum sonho. Um sonho, para mim, faz parte de um quadro maior de orientação, tudo o que forma um quadro muito complexo. Os vários elementos se contrabalançam ou suplementam. (CHE DRE FREU JU)

SONO

1. *As Palavras e seus Usos*

Três palavras hebraicas e duas palavras gregas estão envolvidas neste verbete, a saber:

a. *Shakab*, "deitar-se". Palavra hebraica que é usada por pouco mais de duzentas vezes com esse sentido ou sinônimo. Para exemplificar: Gên. 28:11; Êxo. 22:27; Deu. 24:11,12; II Sam. 7:12; 11:9; I Reis 1:21; 2:10; 11:21; 21:18; 24:6; II Crô. 9:31; 12:16; 14:1; 16:13; 21:1; 32:33; 33:20; Jó 7:21; Pro. 6:9,10,22; 24:33.

b. *Yashen*, "dormir". Um verbo hebraico que ocorre por dezoito vezes. Para exemplificar: Gên. 2:21; 41:5; I Reis 18:27; 19:5; 16 3:13; Sal. 15; 4:8; Pro. 4:16; Isa. 5:27; Jer. 51:39,57; Eze. 34:25; Dan. 12:2; Osé. 7:6.

c. *Shenah*, "sono". Substantivo hebraico que aparece por vinte e duas vezes: Gên. 28:16; 31:40; Juí. 16:14,20; Jó 14:12; Est. 6:1; Sal. 76:5; 90:5; Pro. 3:24; 4:16; 6:4,9,10; 20:13; 24:33; Ecl. 5:12; 8:16; Jer. 31:26; 51:39,57; Dan. 2:1; Zac. 4:1.

d. *Upnós*, "sono". Palavra grega que é usada por seis vezes: Mat. 1:24; Luc. 9:32; João 11:13; Atos 20:9 e Rom. 13: 11.

e. *Katheúdo*, "dormir". Verbo grego que aparece por vinte e uma vezes: Mat. 8:24; 9:24; 13:25; 26:40,43,45; Mar. 4:27,38; 5:39; 13:36; 14:37,40,41; Luc. 8:52; 22:46; Efé. 5: 14; 1 Tes. 5:6,7, 10. Essa idéia de dormir ou de sono é empregada na Bíblia de três modos distintos: como alusão ao sono natural, como alusão à indolência espiritual, e como alusão ao estado da morte, antes da ressurreição final.

2. *Sentido Físico*

Nada há de incomum quanto ao uso desse vocábulo em seu sentido físico, literal. Assim, depois que Jacó sonhou com a escada que descia do céu à terra, ele simplesmente acordou do seu sono (Gên. 28:16). Quando Êutico caiu da janela, durante o longo sermão de Paulo, isso se deveu ao típico cansaço humano, à perda de concentração e ao sono (Atos 20:9). Apenas em um ou dois casos, em toda a Bíblia, o sono foi aprofundado por razões sobrenaturais. Isso é registrado, por exemplo, quando do relato da formação de Eva (Gên. 2:21,22). E Saul e seus homens estavam tão ferrados no sono, em certa ocasião, que Davi e Abisai puderam tirar a lança e a jarra de água de perto da cabeça do monarca benjamita (II Sam. 26:12).

3. *Os Preguiçosos*

Salomão se mostrava muito abrasivo quando falava sobre os preguiçosos. Evidentemente, ele era um homem ativo, e não simpatizava nem um pouco com a atitude de indolência. Ele falava em pobreza como fruto que será recolhido por aqueles que apreciam demasiadamente o sono, indagando: "O preguiçoso, até quando ficarás deitado? Quando te levantaras do teu sono? Um pouco para dormir, um pouco para toscanejar, um pouco para encruzar os braços em repouso. Assim sobrevirá a tua pobreza como um ladrão, e a tua necessidade como um homem armado" (Pro. 6:9-11).

4. *Usos Metafóricos*

a. *Falta de Vigilância Espiritual*

Jesus Cristo, quando instruía os seus seguidores sobre a sua segunda vinda, exortou-os a serem fiéis e vigilantes, "... para que, vindo ele inesperadamente, não vos ache dormindo" (Mar. 13.36). E Paulo ao exortar os crentes no tocante à vida diária deles, advertiu-os acerca da grandiosidade da tarefa de que estavam encarregados, dizendo-lhes: "E digo isto a vós outros que conheceis o tempo, que já é hora de vos despertardes do sono; porque a nossa salvação está agora mais perto do que quando no princípio cremos, (Rom. 13:11). Paulo exorta-nos a tomar consciência da necessidade de buscar a vitória moral, não nos deixando vencer pela indolência espiritual dos que se deixam vencer pelo pecado, conforme também vemos nos três versículos seguintes. O mesmo escritor sagrado, ao referir-se à luz que foi outorgada às vidas dos crentes, comparou esse processo a quem desperta do sono (Efé. 5: 14).

b. *A Morte Física*

Quando o sono é usado para simbolizar a morte física, o quadro dado é o de um sono temporário, que terminará por ocasião da ressurreição. Alguns interpretam isso como se fosse um sono literal, e falam sobre o sono da alma, como se esta, realmente, dormisse. Outros ainda vão um pouco além, dizendo que esse sono deve ser compreendido como a cessação da existência. Segundo eles, as almas não somente dormiriam quando ocorre a morte física, mas também deixariam de existir. Como explicar, então, que elas virão a participar do juízo final? Esses que assim pensam imaginam uma engenhosa solução: as almas seriam momentaneamente ressuscitadas, para presenciarem o seu próprio julgamento e ouvirem a sentença condenatória, e o castigo no inferno consistiria em, nada mais nada menos, que a sua eterna cessação da existência, o que significa que o sofrimento das perduraria, quando muito, por alguns breves instantes. Entretanto, Jesus deixou claro: "E irão estes (os que estavam à sua esquerda) para o castigo

SONO – SONO DA ALMA

eterno, porém os justos para a vida eterna", (Mat. 25:46). Jesus não haveria de enganar-se ou de querer nos enganar. Ele mostrou que a alma continua perfeitamente consciente de si mesma e do seu meio ambiente, no relato sobre Lázaro e o rico. No hades, o rico sofria, aquilatava sua situação, lembrava-se de seus irmãos ainda vivos e apelava para Lázaro e raciocinava com ele. E Lázaro, embora tivesse, evidentemente, também não estava dormindo, nem deixara de existir, pois o rico pediu à Abraão que mandasse Lázaro deixar cair algumas gotas de água em sua boca. Mesmo que o senhor Jesus tivesse falado parabolicamente, não temos o direito de distorcer o quadro, dizendo que Lázaro e o rico estavam dormindo ou tinham deixado de existir, porque ambos haviam morrido. A verdade é que a doutrina do "sono da alma" é um ensino extrabíblico, não podendo ser encontrado nas páginas da Bíblia, por mais que alguns queiram distorcer as instruções escriturísticas.

c. *Estado Depois da Morte*

Quanto ao estado temporário das almas, entre a morte e a ressurreição, Paulo discute a questão em I Coríntios 15. É evidente que essa referência à morte física como um "sono" é figurada. A alma não se cansa e nem precisa da recuperação do sono, como se dá com nossos corpos físicos. Passagens como Lucas 16:24; 23:43; II Coríntios 5:8 e Apocalipse 6:9,10 demonstram que, em nenhum momento, nem aqui e nem no outro lado da existência, as almas perdem a consciência, caem em sono literal ou deixam de existir.

d. *Esperança no Julgamento*

O Novo Testamento não deixa o homem sem esperança no julgamento. De fato, Cristo, na sua descida para o hades, pregou o evangelho às almas perdidas daquele lugar. Ver I Ped. 3:18-4:6. I Ped. 4:6 fala, especificamente, que ele pregou as boas novas naquele lugar. Este ensino também nega que a morte seja um sono. Ver o artigo sobre *Descida de Cristo ao Hades*. Ver também, *Restauração*.

SONO DA ALMA

Essa expressão, embora largamente usada, encerra uma autocontradição. Tal doutrina nega a existência da alma, e depende da ressurreição para "trazer novamente à existência" uma pessoa que morrera biologicamente. Conforme disse-me um pregador adventista do sétimo dia, de certa feita, apontando para o seu próprio corpo: "Isto é tudo quanto existe em mim". Ele queria dizer que o homem, conforme agora o conhecemos, é somente o seu corpo, e que não existe alma como entidade que possa ser distinguida do corpo físico. Essa era também a posição original dos hebreus. E mesmo quando, no desenvolvimento da revelação, já no livro de Salmos e nos Profetas, surgiu a doutrina da alma, ficando bem firmada no pensamento hebreu, muitos judeus continuaram pensando daquela maneira primitiva. Porém, desde o começo, o cristianismo tem defendido a realidade da alma e sua sobrevivência diante da morte biológica. Mas também tem combinado esse conceito com o conceito da ressurreição, pensando que o corpo físico é um veículo especial da alma, para que ela se expresse na esfera material. Os pais alexandrinos da Igreja especularam que haverá muitos corpos ressuscitados, compatíveis com a alma, em seu progresso na transformação da imagem de Cristo. Naturalmente, a Bíblia faz total silêncio sobre isso, falando somente de um corpo natural e de um corpo espiritualizado.

Acerca da **alma**, diz B (ver as abreviaturas, quanto à sua identificação): "Há uma disparidade de conceito entre a *nephesh* geralmente traduzida por "alma", nas diversas traduções do Antigo Testamento, e a *psuché*, "alma", do Novo Testamento. A diferença básica está no fato de que a *nephesh*, diferente da *psuché*, não é uma entidade espiritual que existe distinta do corpo... A *nephesh* é apenas o indivíduo na totalidade de sua "personalidade". Após a morte física, a *nephesh* deixa de existir, perdurando somente enquanto o corpo é um corpo (ver Jó 14:22; comparar com II Reis 23:16-18; Amós 2:1). Os habitantes de sheol nunca são chamados almas, no Antigo Testamento". E, naturalmente, o Pentateuco não ensina nem a sobrevivência da alma e nem a ressurreição como uma esperança para após a vida neste mundo. Temos de concluir que, quanto a esse aspecto (como quanto a outros também), a teologia do Pentateuco era deficiente, por ser incompleta, não descrevendo bem a natureza humana. Foi preciso a revelação continuar, nos Salmos e nos Profetas, para que essas idéias viessem à tona. Não podemos olvidar a revelação divina. Tanto é assim que ela não cessa no Pentateuco, mas prossegue, chegando mesmo a exigir as novas revelações dadas por Jesus Cristo e seus apóstolos. Por essa razão é que o cristianismo bíblico deixa para trás o conceito hebraico primitivo sobre a alma, levando esse conceito a novas alturas, nunca alcançadas no Antigo Testamento, quando o combinou com as idéias neotestamentárias que envolvem a ressurreição do corpo.

Poderíamos observar que os defensores da idéia do "sono da alma" crêem em uma "ressurreição da alma e do corpo", ao passo que o Novo Testamento ensina a "ressurreição do corpo", revestindo uma alma que nunca deixara de existir. Até nisso, o nosso modelo é Cristo. Ao morrer na cruz, ele não ficou dormindo na alma, mas desceu ao Hades e ali pregou o evangelho. Ver I Ped. 3:18-4:6.

A fonte *B* chama essa doutrina do sono da alma, não exatamente uma "heresia" em face da exeguidade de informes bíblicos sobre o estado intermediário preferindo rotulá-la de "aberração". Alguns anabatistas defendiam essa doutrina, mas a comunidade anglicana, em seus artigos teológicos, denunciou essa posição.

Argumentos dos que crêem no "Sono da Alma":

1. O silêncio do Antigo Testamento (no Pentateuco) sobre a alma, e a escassez de informes atinentes até mesmo no Novo Testamento.

2. A unidade da personalidade humana, segundo é vista na doutrina hebraica da *nephesh*, que não dá espaço para um elemento material, como é a alma, capaz de viver separadamente do corpo.

3. O sono usualmente é um sinônimo para morte, e as Escrituras que se referem à morte como um sono (ver João 11:11-13; I Cor. 11:30; 15:51; I Tes. 4:14; 5:10) subentendem a cessação da vida, conforme a conhecemos, e a entrada no nada, até que a reversão ocorra, por ocasião da ressurreição.

4. As passagens bíblicas que podem ser encontradas em apoio à vida de uma alma desincorporada refletem apenas crenças populares, e não são declarações dogmáticas.

Argumentos Contra o "Sono da Alma"

Esses são muitos e variados, extraídos tanto das Escrituras Sagradas quanto da razão (filosofia) e da ciência. Tenho apresentado muitos artigos sobre esse assunto, preferindo convidar o leitor a examiná-los do que apresentar um sumário insatisfatório aqui. Ver os seguintes artigos:

Alma. Os versículos bíblicos que ensinam sobre a alma, sua existência e sua sobrevivência diante da morte biológica aparecem na quarta seção desse artigo, sob o título *Revelação*, sétimo ponto. Nesse artigo, são apresentados muitos argumentos, além das razões bíblicas ventiladas.

Imortalidade. Tenho apresentado uma série de artigos sob esse título, que expõem argumentos científicos e filosóficos.

Experiências Perto da Morte. Esse é um artigo científico-filosófico que procura descrever o que sucede no processo da morte física e que prova, de modo abundante, que a consciência não cessa diante da morte física.

Projeção da Psique. Esse é um artigo que mostra que mesmo enquanto um homem está fisicamente vivo, a sua alma imaterial é capaz de projetar-se para fora do corpo, retendo a consciência, observando e experimentando tanto a dimensão material quanto a dimensão imaterial, e retornando com a memória das mesmas.

Contra-Argumentos aos Argumentos em Favor do "Sono da Alma":

Respondo aqui aos quatro argumentos alistados mais acima:

1. É verdade que os antigos hebreus, durante o período patriarcal, segundo isso é refletido no Pentateuco, não acreditavam na alma como entidade distinta do corpo. Mas também é verdade que eles não criam em qualquer coisa como a ressurreição generalizada. De fato, na lei de Moisés não há qualquer apelo à vida após-túmulo, como meio de advertência aos ímpios, e nem como meio de prometer bênçãos aos justos. Porém, o relativo silêncio das Escrituras cessa aí. Nos Salmos, nos Profetas, e, sobretudo, no Novo Testamento, aparece claramente a doutrina da imortalidade da alma. Ver o artigo sobre os *Salmos* quanto a uma demonstração da doutrina naquele livro, décima seção, segundo ponto. No artigo intitulado *Alma* (iv.7), apresento uma lista de versículos sobre o assunto, que refuta abundantemente o argumento que afirma o silêncio da Bíblia sobre a questão.

2. A unidade da personalidade humana com o corpo físico é somente uma unidade conveniente para manifestação da alma na esfera terrestre. E quando o espírito rompe com a materialidade, essa unidade é alegremente interrompida. O corpo espiritual restaurará a unidade, mas esse corpo não será puramente material. Se assim fora, não poderia sobreviver em uma dimensão puramente espiritual. A doutrina hebraica de *nephesh* era incompleta. Ela foi completada pela doutrina neotestamentária da *psuché*. Porém, forçoso é confessar que mesmo assim não há explicações bíblicas metafísicas sobre a natureza da alma. Na vontade de Deus, a Bíblia mostra-se deficiente quanto a esse ponto, e a ciência muito tem feito para definir melhor a natureza do complexo humano. Além disso, certas religiões orientais têm algum valioso discernimento que a Bíblia não contém. Isso assim ocorre porque a Bíblia não foi escrita nem para ensinar ciência e nem filosofia, e, sim para ensinar o relacionamento humano com Deus e ser um roteiro da caminhada da alma para as dimensões celestiais. Meus vários artigos sobre a *Imortalidade* provêem informações valiosas sobre esse assunto. Ver também os artigos *Sobre-Ser* e *Problema Corpo Mente* quanto a outras sugestões, que merecem a nossa atenção.

3. A palavra "sono", para suavizar a idéia brutal da morte, provavelmente foi uma idéia que surgiu devido a dois fatores: a. a antiga idéia hebraica envolvida na palavra *nephesh*. Podemos até admitir que, no Pentateuco, a idéia era que, realmente a alma dormia na morte, ou mesmo deixava de existir (para todos os efeitos práticos, neste mundo). Como o ensino a respeito ainda estava em seu primeiro estágio, no Pentateuco, ali nem ao menos a idéia da ressurreição aparece para iluminar um pouco esse lúgubre quadro. Mas o resto da Bíblia lança maiores luzes a respeito, mormente no Novo Testamento, onde se aprende claramente que a morte física não deixa a alma inconsciente, e, muito menos, fá-la morrer também. b. Quando uma pessoa morre, parece estar dormindo. Assim sendo, foi apenas natural que o termo "sono" tivesse sido usado para indicar a morte física, como eufemismo, o que se verifica até no Novo Testamento. Mas outras passagens qualificam esse eufemismo, mostrando que a cessação da existência da alma, diante da morte, nunca foi ensino antecipado ou dogmaticamente declarado. Se é verdade que o Novo Testamento não nos dá muitas informações sobre o mundo intermediário, o que ali aprendemos é adequado para demonstrar a existência da alma como distinta do corpo, e sua consciência plena, após a morte física. Ver os artigos detalhados *Estado Intermediário* e *Mortos, Estado dos*.

4. Chamar de "crenças populares" tudo quanto se lê na Bíblia em favor da sobrevivência da alma ante a morte física é um erro, uma idéia que primeiro precisa ser provada. Tal contenção é ridícula, quando se faz o exame do que as Escrituras ensinam acerca da sobrevivência da alma. Ver o artigo *Alma* (iv.7).

A doutrina do "sono da alma" labora como se a revelação bíblica tivesse terminado juntamente com o Pentateuco, sendo uma interpretação antiexegética, por não levar em conta tudo quanto a Bíblia ensina sobre os estados da alma. Quando levamos em conta tudo quanto a Bíblia ensina a respeito, tal doutrina mostra-se como ela realmente é: capenga e absurda. Se a alma não somente dorme, mas também até deixa de existir, como pode dormir? Quem não existe, não dorme! Ademais, a filosofia e a ciência têm lançado totalmente no descrédito essa pequena demonstração de um ensino ultrapassado e tendencioso. Negar as realidades da alma e seu destino em nada suaviza a condenação dos perdidos. Essa negação é somente uma fuga, que coisa alguma altera.

SÓPATRO

No grego, **Sópatros**. Este crente é mencionado somente em Atos 20:4. Nesse versículo ficamos sabendo que ele era filho de Pirro. Era bereano da Macedônia. Acompanhou Paulo desde a Grécia, juntamente com outros crentes quando o apóstolo estava levando as ofertas dos crentes gentios para os santos pobres de Jerusalém. –Seu nome é uma forma variante de *Sosípatro* (ver Rom. 16:21), que poderia referir-se ao mesmo homem.

Alguns manuscritos adicionam, após o verbo inicial do versículo, "acompanharam-no", as palavras até à Ásia. Nossa versão portuguesa põe essas três palavras entre colchetes, mostrando a dúvida que gira em torno delas, se deveriam ou não ser incluídas no texto sagrado. Na verdade, não há como determinar se Sópatro acompanhou ou não o apóstolo até Jerusalém.

SOPRO DE JESUS DO ESPÍRITO

Soprou sobre eles, João 20:22. Isso nos sugere o simbolismo do trecho de Gên. 2:7, onde vemos que, Deus outorgou ao homem o dom da vida, soprando em suas narinas. Embora essa ação tenha sido simbólica, segundo a maneira dos profetas hebreus (ver Eze. 37:5), por outro lado não pode haver dúvida alguma que no caso aqui em foco o Senhor transmitiu para os seus discípulos alguma forma de energia, embora houvesse sido uma transferência preliminar, que seria ampliada e aperfeiçoada no dia de Pentecoste.

Interpretações

1. Seria meramente um *anúncio simbólico* sobre a futura vinda do Espírito Santo. Mas essa interpretação não é suficiente como explicação do texto, especialmente levando em conta os tempos verbais aoristos que existem no texto original. Também não fica suficientemente explicada a autoridade que foi dada aos discípulos naquele momento, conforme é descrito em João 20:23.

2. Nessa ocasião o Senhor teria transmitido aos seus discípulos os dons da santificação e do apostolado ou ministério, embora não ainda os dons plenos do Espírito Santo, que se concretizariam no dia de Pentecoste. Parece-nos que temos aqui pelo menos uma parte do sentido tencionado.

3. Alguns estudiosos perdem o alvo inteiramente de vista, afirmando que sobre os discípulos Jesus teria soprado um "espírito santo", e não o "Espírito Santo". Esses estudiosos baseiam o seu argumento na falta do artigo definido, antes de "Espírito Santo", no original grego. Porém, trata-se de um argumento extremamente falho, porquanto, no grego helenístico (do qual o N.T. é um dos seus grandes representantes), o artigo era usado de forma mais ou menos livre, sendo omitido ou inserido, de acordo com o costume dos diferentes autores. Outrossim, seria por demais difícil explicar o que seria esse "espírito santo" exceto a influência divina verdadeira. Neste ponto ficaria criada uma forma de doutrina que não é apresentada em nenhuma parte deste quarto evangelho, e nem em todo o restante do N.T. ou da Bíblia.

4. *A interpretação correta*, todavia, envolve uma questão de quantidade, de intensidade. Nesta altura da narrativa, houve uma doação preliminar do Espírito Santo, que era a promessa e a garantia de que seria concretizada aquela doação mais completa, quando o Senhor Jesus fosse glorificado. Essa doação do Espírito Santo, em seu total poder, não poderia anteceder de forma alguma à ascensão de Jesus e a sua glorificação. Porém, o Senhor quis mostrar que esse presente divino estava garantido, concedendo aos seus seguidores algo do poder que haveriam de receber mais tarde em plena medida.

5. Também é possível o argumento que diz que este texto do evangelho de João na realidade *equivale* à narrativa sobre o dia de Pentecoste, no segundo capítulo do livro de Atos; porém, a quarta interpretação, acima, mui mais provavelmente é a que expressa a realidade do caso.

6. A interpretação correta deste versículo requer que se reconheça o ofício especial do apostolado, conforme também é enfatizado no vs. 23 deste mesmo capítulo; porquanto aqueles discípulos receberam uma comissão e uma missão especiais, fato esse que ninguém pode negar. Entretanto, estender essa comissão e missão a um clero de qualquer denominação cristã, e afirmar que esse grupo de homens foi quem recebeu os direitos e prerrogativas aqui enunciados, é uma interpretação exagerada e sem fundamento, sendo mais uma interpretação dogmática e eclesiástica do texto que, originalmente, não expressava essa tradição eclesiástica tão pronunciada. (Ver o artigo sobre os *Apóstolos*).

Assim sendo, no começo, Deus transmitiu vida aos homens, soprando neles algo de si mesmo. Por semelhante modo é que Deus ressuscita os homens e os eleva para uma expressão mais alta e mais útil na existência. O alvo final é a infusão absoluta da natureza divina, a fim de que os remidos possam ser verdadeiramente chamados "Filhos de Deus", porquanto então haverão de participar da natureza divina, tal como Cristo, na qualidade de "Logos" eterno, dela participa.

SOREL, GEORGES

Suas datas foram 1847 - 1922. Foi um filósofo social que se julgava o metafísico do socialismo. Mas Lenin tachou-o de "confusionista". Em contraste, Croce respeitava-o quanto às suas habilidades de análise, e considerava-o de estatura mental não menor que a de Karl Marx.

Idéias:

1. A violência é uma maneira legítima e até necessária para impor mudanças sociais. Há violência mental no entrechoque de idéias, e há violência física no entrechoque das classes da sociedade. A violência é justificável quando serve a uma boa causa, tendo em vista alguma boa finalidade.

2. Os movimentos sociais elaboram mitos sobre o futuro, e, naturalmente, favorecem a si mesmos como agentes que realizam aquilo que prometem. Nessa declaração, Sorel não mostrou paciência diante da tríade de Hegel: tese, antítese e síntese. Essa tríade, presumível e inevitavelmente, fará o comunismo ser imposto, finalmente, à humanidade. Todavia, de acordo com Sorel, os mitos sociais desempenham seu papel como agentes inspiradores, e são mais importantes que o mero pensamento utópico. Esses mitos sempre representam as aspirações daqueles que os criam, e nada têm a ver com um verdadeiro determinismo. Contudo, a crença em mitos pode ser causa de mudanças sociais.

3. Ética. Haveria uma ética dos produtores e outra dos consumidores. A primeira seria mais significativa e criativa. A burguesia entrou em decadência, em seu afã consumista, e precisa ser substituída, como uma questão de justiça. Essa classe perdeu a integridade que se torna necessária para alguém tornar-se um bom produtor.

4. Declínio Final. Qualquer sistema político que seja criado está condenado a se desgastar, finalmente, desaparecendo, tal como o próprio universo está desgastando-se lentamente. Em outras palavras, todos os sistemas e movimentos políticos têm sua época, para em seguida sumir na voragem do tempo, como um relógio de corda, que acaba parando. Qualquer sistema político é apenas um "arranjo social" temporário, que os homens inventam em sua aspiração por algo melhor.

SOREQUE

No hebraico, "vinha seleta". Essa palavra ocorre, exclusivamente, em Juízes 16:4. Indicava tanto um vale quanto um ribeiro entre Asquelom e Gaza, não muito longe de Zorá. Era nesse vale que habitava Dalila, amante de Sansão (Juí. 16:4).

Esse vale era um dos três estreitos vales paralelos que corriam na direção leste-oeste, que cruzava a Sefelá (o platô rochoso que se estendia de Aijalom a Gaza). As cidades de Estaol e Zorá ficavam ao norte desse vale, e Timna, onde Sansão buscou esposa (Juí. 14:1), ficava mais para sudoeste, perto da entrada do mesmo. Atualmente, o vale é conhecido como wadi es-Sarar, que começa cerca de vinte e um quilômetros a sudoeste de Jerusalém, e corre na direção noroeste por cerca de trinta e dois quilômetros, aproximando-se do mar Mediterrâneo. Visto que Bete-Semes foi separada como cidade levítica, nos dias de Josué (Jos. 21:6); a proximidade à entrada sueste desse vale exigiu que essa cidade fosse pesadamente fortificada, para defendê-la dos ataques dos filisteus.

A traição de Dalila, contra Sansão, certamente constituiu uma ameaça contra essa importante fortaleza dos israelitas.

SORLEY, WILLIAM RITCHIE

Suas datas foram 1885 - 1935. Foi professor de filosofia moral em Cambridge. Foi historiador político, crítico da ética naturalista, poderoso defensor de argumentos morais em favor da existência de Deus.

Sorley foi um idealista que fez vigorosa oposição ao naturalismo. Os valores ensinam-nos muita coisa acerca da realidade, servindo de frutífera maneira de defini-la. As pessoas têm seu valor intrínseco, e, por intuição, sabem quais são os verdadeiros valores. As coisas possuem valor instrumental. Deus é a grande Fonte dos valores, e o raciocínio filosófico a respeito leva-nos a entender um pouco melhor essa Fonte. Essa Fonte é um Deus pessoal, no qual os valores encontram a sua origem e a sua significação. Deus existe para conservar os valores. Contudo, Sorley via evidências em favor de um Deus finito, e não em favor de um Deus infinito. A conservação divina dos valores é o que garantiria a sobrevivência da alma, diante da morte biológica.

Escritos: *The Ethics of Naturalism; Recent Tendencies in Ethics, Moral Values and the Idea of God; A History of English Philosophy.*

SORTES

Essa palavra aparece por dezesseis vezes nas páginas do Antigo Testamento e por três vezes no Novo Testamento. Ver o artigo geral sobre a *Adivinhação*. Havia vários métodos de lançamento de sortes; e o relato bíblico deixa claro que a vontade de Deus, algumas vezes, alegadamente ou de fato, era determinada por meio de tais métodos. Alistamos abaixo os tipos propostos de adivinhação:

1. *O Urim e o Tumim* (ver Êxo. 28:30; Deu. 318; Esd. 2:63). De acordo com o que pensam alguns intérpretes, esses objetos eram pequenos seixos, guardados no peitoral das vestes sumo sacerdotais de Israel. Um deles indicaria "sim", e o outro, "não". Ao que se presume, o sumo sacerdote metia a mão no peitoral, e tirava uma das pedras. Isso determinava o "sim", e outro, "não" a qualquer pergunta importante que se fizesse. Mas outros eruditos supõem que as pedras envolvidas eram diamantes ou outras pedras preciosas quaisquer, usadas para induzir uma espécie de transe hipnótico, em cujo estado a pessoa receberia a resposta.

2. *Exemplos Bíblicos de Lançamentos de Sortes*. Aarão, no dia da Expiação, mediante o lançamento de sortes escolhia o bode a ser usado como "azazel", para levar sobre si, simbolicamente, os pecados do povo. Esse animal era enviado ao deserto, o que representava que os pecados do povo tinham desaparecido. Ver Lev. 16:7-10,21,22. A Mishnah informa-nos como as sortes eram lançadas. Peças de madeira, com os sinais próprios para indicar um resultado, eram postas dentro de uma caixa. Em uma peça estava escrito: "para o Senhor"; e na outra: "para Azazel". A caixa era sacudida e o sumo sacerdote enfiava a mão e retirava uma das peças. A sorte "para o Senhor" significava que o bode seria sacrificado. A outra sorte, "para Azazel", (a palavra hebraica significa "bode expiatório"), indicava que o bode seria enviado para o deserto. Essa palavra, "azazel", vem de uma raiz que significa "remoção total".

3. A divisão da terra da Palestina, após a conquista, foi efetuada mediante o lançamento de sortes (Jos. 14:2; 18:6; I Crô. 6:54 ss). O texto bíblico, entretanto, não revela como as sortes eram lançadas, mas podemos supor que era usado o mesmo método que indicamos, acima, no segundo ponto.

4. O culto do templo (quem deveria realizá-lo, o quê e quando) e também os porteiros, eram escolhidos por sortes. Ver I Crô. 35:7,8; 26:13 ss. Havia muitas sortes envolvidas nessa questão, provavelmente com os nomes das pessoas envolvidas marcados nessas sortes; ou, então, havia alguma maneira complexa de se fazer a seleção, mediante a qual se tomavam as decisões. Provavelmente, retirar as sortes de dentro de uma caixa era o método usado.

5. A culpa de suspeitos de algum crime era estabelecida por meio de sortes (ver Jos. 7:14; I Sam. 14:42). O livro de Provérbios mostra-nos o elemento de "fé" envolvido nessa questão do lançamento de sortes. Diz o trecho de Pro. 16:33: "A sorte se lança no regaço, mas do Senhor procede toda decisão".

6. No Novo Testamento. O fato de que uma questão tão importante como a escolha do discípulo que substituiria a Judas Iscariotes no apostolado foi resolvida mediante o lançamento de sortes, tem perturbado a muitos intérpretes. Temos visto, porém, que a prática era bastante comum no Antigo Testamento, até mesmo no tocante a importantes questões religiosas; e, assim sendo, não é surpreendente que os apóstolos tivessem lançado mão desse método. Talvez o método consistisse em pôr os nomes escritos dos candidatos em uma caixa com boca aberta. Então a caixa era sacudida, até que um dos nomes saltasse fora. Ou, então, um dos apóstolos simplesmente metesse a mão na caixa e retirasse um dos nomes, ao acaso. Ver Atos 1:26. A única outra referência neotestamentária a essa prática aparece em Mateus 27:35, onde lemos que os soldados romanos lançaram sortes para determinar quem ficaria com as vestes de Jesus.

7. *Em Outras Culturas*. A prática de lançar sortes era bastante generalizada, não estando limitada à cultura hebréia. Há referências a ela em *Lívio* (23:3), *Sófocles* (*Atas*, 1285) e *Josefo* (*Anti*. 6:5).

8. Condenação e Aprovação. O Antigo Testamento condena a prática da adivinhação, por parte dos povos pagãos (Lev. 19:26; Deu. 18:9-14; II Reis 17:17; 21:6). Mas aprovava o lançamento de sortes, por parte de Israel, conforme fica demonstrado acima. Quase todas as formas de adivinhação são ineficazes, dependendo, na verdade, do puro acaso. Ocasionalmente, ouve-se falar em algo de significativo que ocorre nessa área. Provavelmente estão envolvidas forças que nem são divinas e nem demoníacas. Não obstante, para o crente, há outras maneiras de determinar a vontade divina, envolvendo a oração, os sonhos, a intuição, as visões e o arranjo das circunstâncias. Sinais assim podem dar-nos convicção quanto à resposta divina, e são preferíveis a jogos e sortes, como o lançamento de sortes, para determinação da vontade de Deus. O autor desta enciclopédia tem sido capaz de resolver seus problemas mais prementes mediante o uso da oração tradicional. Quando não há resposta a algum problema, através da oração, enfito, precisamos apelar para a razão, que também é um dote divino, tomando decisões em consonância com conclusões alicerçadas sobre o exame racional.

SORTES, FESTA DAS

Ver sobre *Purim*. O termo "sortes", que caracteriza essa festividade, surgiu devido à circunstância que Hamã, ao planejar o aniquilamento dos judeus, na época da dominação persa, lançou sortes a fim de determinar o melhor tempo para executar o seu plano (Ester 17; 3:12 ss).

SOSÍPRATO – SPENGLER

SOSÍPRATO
No grego, *Sosípatros*, que significa "que salva o próprio pai". Paulo chama Lúcio, Jasom e *Sosípatro*, de seus "parentes". Nesse caso, deveríamos entender parentes como "compatriotas" (Rom. 16:21; cf. Rom. 9-3-5). Todos os três enviaram saudações aos cristãos de Roma. Sópatro (vide) é uma forma variante de Sosípatro. Lingüisticamente, pelo menos, portanto, é possível que se trate de um só homem chamado de duas maneiras levemente diversas pelos escritores sagrados: Lucas (Atos 20:4), e, aqui, Paulo.

SÓSTENES
No grego, *Sosthénes*. Nas páginas do Novo Testamento há dois homens com esse nome, a saber:

1. Um dos presidentes da sinagoga judaica de Corinto, durante a primeira visita que Paulo fez àquela cidade (Atos 18:17). Tendo sucedido a Crispo, que se convertera ao cristianismo, *Sóstenes* foi agarrado e espancado pela multidão diante do tribunal de Gálio, procônsul da Acaia, que evitou que os judeus perseguissem injustamente a Paulo. *Sóstenes* foi vítima ou de sentimentos antissemitas, por parte de arruaceiros gregos, ou de seus próprios compatriotas judeus, despeitados por não haver convencido o procônsul a tomar providências contra o apóstolo.

2. Um crente que se tornou coenviador, juntamente com Paulo, da primeira epístola aos Coríntios. Se a palavra "irmão" (I Cor. 1:1) significa que Sóstenes agora era um convertido, então talvez ele seja o mesmo Sóstenes referido em Atos 18:17. Mas, se eles não eram a mesma pessoa, então nada mais se sabe sobre esse outro Sóstenes, a não ser o que já dissemos.

SÓSTRATO
No grego, *Sóstratos*. Ele é referido somente no livro apócrifo de II Macabeus 4:27 ss. Não é conhecido em qualquer outra fonte literária. De acordo com esse livro apócrifo, ele era governador da cidade de Jerusalém, na época de Antíoco, IV Epifânio. Ele tentou obter do sumo sacerdote, Menelau, a quantia em dinheiro que este último prometera pagar ao rei, se fosse nomeado sumo sacerdote;, mas Menelau recusou-se a isso. Em resultado disso, tanto Menelau quanto Sóstrato foram convocados para comparecerem diante do rei.

SOTAI
No hebraico, "Yahweh está se afastando". Ele era chefe de uma família dos servos de Salomão, cujos descendentes voltaram do cativeiro babilônico em companhia de Zorobabel (Esd. 2:55; Nee. 7:57). Seu nome é omitido no trecho paralelo de I Esdras 5:33. Viveu por volta de 536 a.C.

SOTERIOLOGIA
Esse termo está alicerçado sobre a palavra grega *sotería*, "livramento", "salvação". Foi um termo criado no século XIX para referir-se à teologia da salvação. Historicamente, esse estudo tem sido dividido em dois grandes segmentos: 1. A soteriologia objetiva, que trata da obra remidora de Cristo; 2. a soteriologia subjetiva, que aborda a obra do Espírito Santo, o qual torna uma realidade, no indivíduo, aquilo que a missão de Cristo proveu. para os homens. Um outro contraste é aquele que compara a *soteriologia*– que alude à obra remidora de Cristo –e a *cristológia* –que já se refere à sua pessoa.

A soteriologia inclui as grandes subdivisões da obra remidora de Deus na revelação e na predestinação; a expiação no sangue de Cristo; as operações da graça divina;
a obra do Espírito; e o destino final do homem, que é a sua transformação segundo a imagem de Cristo e a sua glorificação. Ver os artigos separados sobre Salvação; Restauração e Redenção.

SOVELA
No hebraico, **furadeira** (ver Êxo. 21:6 o Deu. 15:17). Era instrumento usado para fazer pequena perfuração. Certamente os israelitas copiaram a ferramenta que tinham encontrado no Egito. Várias formas desse antigo instrumento são preservadas nos museus modernos. Os instrumentos encontrados, usados para fazer perfurações em couro, no lóbulo da orelha, etc., têm cerca de 15 cm de comprimento, com uma ponta cônica. (Ver também II Reis 12:9). (S)

SPENCER, HERBERT
Suas datas foram 1820-1903; filósofo inglês; nasceu em Derby; essencialmente auto-didata; trabalhou como engenheiro e redator; especializou-se na filosofia e aplicou a teoria da evolução a muitos campos do conhecimento. Foi ele quem inventou a expressão "sobrevivência do melhor adaptado" (em inglês, "survival of the fittest").

Idéias:

1. A ciência é essencialmente uma atividade na qual a descoberta de leis ou regularidades nos fenômenos é alcançada através de métodos empíricos. Cada ciência tem um campo específico, limitado, mas, afinal, uma unificação total deve surgir. A evolução é uma forma operadora no processo de cada ciência e é uma ferramenta para a unificação final de todo o conhecimento.

2. O princípio da evolução serve para aumentar a complexidade; as entidades mais complexas são também as mais inteligentes. A inteligência emerge da simplicidade e se desenvolve na complexidade. No contexto social, a simpatia e outros fatores positivos das relações humanas, também se desenvolvem na complexidade do processo da evolução.

3. No campo da ética, Spencer era um utilitarista. Ver sobre o *Utilitarismo*. O código de comportamento de um povo também é um processo evolutivo que tem sua complexidade e que produz inteligência, boas idéias e boas práticas, mediante o método de teste e erro. O dever e o altruísmo são subprodutos desse processo. As sociedades, tal como os organismos físicos, têm um ciclo de nascimento e morte, pelo que sempre poderemos esperar mudanças. Os prazeres e os benefícios são as principais coisas buscadas pelos homens, mas o altruísmo deve controlar a busca, sob pena de a dor vir ser o resultado.

4. Na teologia, Spencer foi um agnóstico, embora falasse sobre o grande Desconhecido que está por detrás do processo evolutivo, que seria uma espécie de figura divina desconhecida, que espera por maior definição.

Escritos: Social Statistics; The Principies of Psycology; Essays on Education; First Principles; Principles of Biology; Principles of Ethics; Man Versus the State; Autobiography.

SPENGLER, OSWALD
Suas datas foram 1880-1936. Filósofo da história nascido na Alemanha, em Blankenburgo. Educou-se em Munique, Berlim e Halle. Sofreu a influência de Goethe e Nietzsche, no campo do relativismo.

Idéias:

1. Ao enfatizar o relativismo cultural, ele asseverava que não há tal coisa como história universal ou humanidade. O que existiria, na verdade, seriam culturas

em vários estágios de desenvolvimento. Essas culturas obedeceriam a ciclos de cerca de mil anos. Cada cultura tem sua primavera, verão e inverno, e, então, desaparece da cena mundial. A primavera seria um tempo de mitos e de misticismo; o verão seria um tempo de rebeldia contra o passado; o inverno seria um período de materialismo, ceticismo e pragmatismo.

2. A civilização, propriamente falando, aparece perto do fim de um ciclo de cultura, e assim uma certa riqueza é adicionada à vida humana. O estado expande seu poder e controla grandes áreas mediante o avanço tecnológico. As potencialidades daquela cultura são atingidas. Mas então o fim daquela sociedade já não está distante.

3. Dez culturas ou sociedades. Para Spengler, teria havido dez culturas ou sociedades, das quais as cinco mais importantes foram: a greco-romana, a árabe, a ocidental, a russa e a maia. Ele acreditava que as sociedades ocidentais estão no estágio do inverno; mas a Rússia está no estágio do verão.

4. Os relacionamentos culturais são mais importantes que a mera cronologia. Se classificarmos os homens por seus tipos e chamá-los de contemporâneos, ignorando datas, obteremos alguns interessantes paralelos: Nicolau de Cusa, Lutero e Calvino foram contemporâneos de Dionísio, da cultura greco-romana; os jansenistas e os puritanos aparecem juntos; Galileu, Bacon e Descartes são os pré-socráticos da cultura ocidental; Voltaire e Rousseau correspondem a Buda, Sócrates e Al-Kindi. Emanuel Kant e Goethe correspondem a Platão e Aristóteles.

5. Ele antecipava um império mundial administrado pela Alemanha, fazendo o realismo cético triunfar sobre o racionalismo e o romantismo.

6. Spengler era um completo relativista. Todo sistema de pensamento ou valor, sendo culturalmente determinado, necessariamente é destituído de validade universal.

Escritos: *The Decline of the West*.

SPEUSIPO (ESPEUSIPO)

Suas datas foram 407-339 a.C. Foi filósofo grego, nascido em Atenas. Era sobrinho de Platão. Ingressou em sua academia em 387 a.C. Acompanhou Platão em viagens a Siracusa. Foi biólogo. Tomou-se o líder da Academia, por ocasião do falecimento de Platão (347 a.C.). Serviu como tal até sua morte, em 339 a.C., quando então foi sucedido por Xenócrates. Deu continuidade às especulações de Platão sobre as Idéias ou Formas. E alguns pensam que a associação dessa noção com os números (antecipando a teoria atômica) foi feita por Espeusipo, e não por Platão. O sistema numérico também recebeu uma aplicação teológica, pois o número Um foi feito paralelo da Razão Divina, que produz a bondade.

SPINOZA, BARUQUE (BENEDITO)

Suas datas foram 1632-1677. Foi um filósofo judeu. Nasceu em Amsterdã, na Holanda. Era de origem judaico-espanho-portuguesa. Recebeu treinamento rabínico. Mas acabou sendo desligado da sinagoga, acusado de ateísmo, em 1656.

Spinoza trabalhava fabricando lentes, mas devotava muito de seu tempo à filosofia. Viajou muito e mudou freqüentemente de endereço. Dava muito valor à solidão, à privacidade e ao isolamento. Defendia vigorosamente a liberdade de pensamento e expressão. Recusou trabalhar como tutor bem pago, posição que lhe fora oferecida por Luís XIV, bem como um professorado na Universidade de Heidelburgo, por temer que lhe fossem impostas limitações ao seu pensamento e às suas inquirições intelectuais e espirituais.

Sua permanência em Amsterdã, tradicionalmente um lugar tolerante, foi causada por sua fuga, com seus familiares, devido a perseguições católicas romanas. Porém, até mesmo na tolerante Holanda as suas Idéias provocavam hostilidade. Assim, foi atacado por teólogos cristãos, em face de seus pontos de vista radicais sobre a Bíblia. Conforme já vimos, antes havia sido desligado da sinagoga, em face de um alegado ateísmo. No entanto, era homem de prodigiosa atividade intelectual e de profundo zelo, e chegou a ser alcunhado de homem intoxicado por Deus.

Idéias

1. *A unidade da substância*. Haveria apenas uma substância, a saber, a totalidade da realidade, ao que ele emprestava uma natureza panteísta.

2. *O Deus único* é a substância única e absoluta, a totalidade da realidade; ele existe de forma eterna e necessária. É sua própria causa, *causa immanens* e causa sui. Ele é um Ser infinito, com uma infinidade de atributos. Dentre esse imenso e incrível número de atributos, os homens reconhecem apenas dois: pensamento e extensão. O pensamento fornece-nos as chamadas coisas espirituais, não-materiais; e a extensão fornece-nos a materialidade. No entanto, essas coisas são apenas atributos da única Essência, e não são coisas separadas e distintas, embora assim pareçam ser para o homem.

O Problema Corpo-Mente. Pode-se ver, por essa exposição, que Spinoza tomava uma posição monista, não distinguindo entre uma essência física e uma essência espiritual, exceto que as duas coisas seriam diferentes atributos de uma só Substância. Isso, naturalmente, envolve-nos em especulações acerca do *Problema Corpo-Mente* (vide; em sua terceira seção, Teoria do Duplo Aspecto; ver também sobre o Mônismo e Dualismo Aparente). Naquela seção discuto longamente sobre a teoria de Spinoza.

3. Visto que Deus e substância são a mesma coisa, cria-se assim a unificação da inquirição filosófica e da fé religiosa.

O alvo de todo o esforço humano é a obtenção do conhecimento. Temos aí a sabedoria, ou seja, o amor intelectual a Deus,. Mas essa identificação também iguala Deus com a natureza, quando tentamos caracterizar a realidade total.

Duas Maneiras de Entender Deus: Natura naturata, "natureza naturada", ou seja, a realidade que se segue, por necessidade, da natureza de Deus; e natura naturans, "natureza naturante", ou seja, Deus como causa livre, como essência eterna e infinita. Esta última é a base da primeira.

4. *Forças Principais no Homem*. O homem está envolvido em um intenso *conatus*, "esforço", o que alude aos seus apetites e desejos. Essa é a virtude primordial do homem. Quando alguém satisfaz um desejo, sente-se feliz, o que é psicologicamente satisfatório. Mas, quando um desejo não é satisfeito, o homem entristece-se. O amor é a felicidade unida à idéia de alguma causa externa, ou seja, ao objeto desse amor. O ódio consiste na tristeza vinculada a alguma causa externa de tal emoção. A esperança é a expectativa pela felicidade. O temor é a antecipação da tristeza. O bem é aquilo que favorece a preservação do ser. O mal é aquilo que se opõe a essa tendência.

5. O *conatus* ou "esforço" também tem suas aplicações espirituais: busca a salvação intelectual. Seus processos são: a. A vida intelectual começa na imaginação. A imaginação combina ou funde imagens mentais, formando universais. Esse processo concretiza imagens e livra o

SPINOZA

homem de seu fluxo de idéias e imagens. b. *A ciência resulta da formação de idéias universais*. Nesse empreendimento, o homem eleva sua compreensão, expandindo-a de forma a entender as leis científicas. As idéias distintas: são conhecidas como auto-evidentes; são idéias necessárias; e então, mediante a dedução, o indivíduo começa a desdobrar a natureza da realidade. As idéias, quando verdadeiras, têm poder, e são conhecidas intuitiva e empiricamente. c. O homem está destinado a viver "sob o aspecto da eternidade" e nisso consiste amor intelectual a Deus, o terceiro estágio do esforço e do desejo. Esse estágio Spinoza chamava de *scientia intuitiva*. O indivíduo chega a intuir ou sentir as qualidades universais das coisas ao seu redor. Desse modo, ele traz a eternidade para dentro do tempo, em uma espécie de experiência mística subjetiva. Ela eleva-se acima do conceito de duração, ligado à chamada existência física. Fica intoxicado com Deus. A imortalidade torna-se uma qualidade de sua vida, sentida a cada momento da vida. E isso substitui o constante e insistente envolvimento do homem no tempo.

A verdade torna-se disponível para o homem e pode ser alcançada porque o homem faz parte da essência eterna de Deus, neste lugar e neste tempo. A dedução e a intuição são ambas instrumentos eficazes para o descobrimento da verdade. A dedução opera reunindo idéias que são auto-evidentes. Então, mediante a coerência, essas idéias podem ser usadas para produzir outras idéias, fazendo crescer o nosso conhecimento. Ver sobre *Coerência, Teoria da Verdade*. As idéias verdadeiras dão provas da falsidade das idéias falsas, pelo que o processo de selecionamento, para distinguir o verdadeiro do falso, é perfeitamente viável. À medida que um homem vai crescendo na verdade, vai vivendo mais e mais sob o aspecto e a influência da eternidade. A eternidade está nele, e ele é um fragmento da mesma. Viver sob o aspecto da verdade é alcançar "o amor intelectual a Deus", e isso na própria consciência, o que é uma poderosa força operativa.

O homem atinge o nível mais alto desse "amor" no terceiro estágio de conhecimento, que Spinoza chamou de *scientia intuitiva*, "conhecimento intuitivo", onde as coisas começam a ficar claras e a alma aprofunda-se nas verdades de Deus. O homem pressente as qualidades universais de todos os objetos, e sente a essência eterna do ser em si mesmo. Destarte, a eternidade é trazida para dentro do tempo. A intuição toma-se algo presente, e talvez até uma experiência constante.

6. *A substância Deus é absolutamente infinita*, e compreende em si mesma todas as coisas. Seus atributos são inumeráveis, mas só conhecemos dois: extensão e pensamento. Essas são as duas maneiras básicas da manifestação de Deus. É um erro, à moda de Descartes, dividir a existência em categorias rígidas: substância material e substância imaterial. Pois elas seriam apenas manifestações de uma única substância divina, básica. Temos aí a contribuição de Spinoza para a solução - *do Problema Corpo-Mente* (vide), sobre o que escrevi um extenso artigo.

Ver especialmente sua terceira seção, *Teoria do Duplo Aspecto* (Monismo; Dualismo Aparente).

7. Há somente uma substância, que compreende a totalidade da realidade, e essa substância é divina. Portanto, temos aí uma forma de panteísmo (vide). Mas essa substância única tem muitos modos de manifestação, conferindo-nos aquela pluralidade que conhecemos na criação, embora essa pluralidade exista unida por uma única essência ou substância.

8. *O Determinismo e o Paralelismo*. Todas as coisas são determinadas pela vontade de Deus, e as coisas são como elas devem ser. A extensão e o pensamento conservam um paralelismo, pois são manifestações da mesma vontade de essência. Para cada evento físico, há um correspondente evento mental. As coisas podem ser interpretadas de duas maneiras e a mente é uma dessas maneiras. A realidade só pode ser o que é porque Deus não incorre em equívocos. Deus é livre, porque determina todas as coisas com base em seu próprio ser, não estando sujeito a outrem.

9. A Liberdade Humana. Embora todas as coisas estejam determinadas, ainda assim o homem é livre, por ser ele parte de Deus; e as coisas são determinadas por uma escolha que não depende de outra coisa senão da vontade divina. O homem participa dessa vontade, e faz parte da escolha e da liberdade. Conforme pode-se ver, Spinoza dava à liberdade uma definição especializada, que faz da liberdade e do determinismo uma mesma coisa, e não fatores contraditórios. Porém, muitos filósofos sentem que ele não deu solução ao dilema do livre-arbítrio versus determinismo, pelo menos no que tange ao homem.

10. *A sabedoria* é o alvo mesmo da existência. A verdadeira racionalidade, a intuição, e, finalmente, as experiências místicas, cooperam juntamente para dar ao homem sabedoria, em seus pensamentos e ações. A anarquia ameaça a vida humana, mas a razão retifica as coisas. O homem precisa ter a liberdade de explorar e pesquisar. A intolerância amortece o espírito e é um agente da morte. As pessoas religiosamente intolerantes são as que mais devem ser evitadas, pois onde houver maior pesquisa pela verdade maior deve ser a tolerância para com as idéias alheias.

Visto que a liberdade e a tolerância são tão importantes, a democracia é a melhor forma de governo. Todos os sistemas totalitários ferem a própria essência do ser humano. De fato, o estado deve assegurar e garantir o direito de o indivíduo ser diferente, de pensar de modo diferente, de manter idéias diferentes.

11. A Ética. A obtenção da sabedoria (ver o décimo ponto, acima) é um dos fatores importantes da ética de Spinoza. Para ele, a ética depende de leis fixas, e não da tentativa humana de constituir sistemas que dependam de fatores variáveis em constante mutação (pragmatismo, vide). A ética seria algo tão fixo como a geometria e as leis do mundo físico. Os princípios éticos são atingidos mediante a razão, a intuição e as experiências místicas. Esses princípios são descobertos por esses meios, e não produzidos por eles.

Quando um homem é governado por suas paixões, é apenas um escravo. A pessoa verdadeiramente boa é alguém capaz de controlar sua vida e suas circunstâncias. A sabedoria liberta-nos, e a sabedoria é a essência da bondade de Deus. Esforçamo-nos atrás do amor intelectual de Deus, e quanto mais chegamos a possuí-lo, maior é a sabedoria e a bondade que possuímos. Deus vive por nosso intermédio, e descobrimos Deus em nós mesmos. Se pudéssemos ver todas as coisas conforme Deus as vê, agiríamos como Deus age. O indivíduo é um modo de Deus. Deus é conhecido no pensamento puro; e quando chegamos a isso, também temos a moralidade de Deus. Não existem em Deus o bem e o mal, o certo e o errado; mas o homem, em sua experiência corrompida das coisas, força essas idéias sobre Deus. A bondade, a maldade, o certo e o errado existem somente em relação aos interesses humanos. As coisas que tendem por beneficiar-nos são boas; e as coisas que tendem por prejudicar-nos são más. O maior bem, para o homem, consiste no autocumprimento, na direção do amor de Deus. O homem bom desenvolve um tipo de indiferença para com os interesses egoístas, e também um vívido interesse para com o altruísmo. O que é harmônico beneficia; o que é contencioso prejudica e é um mal.

A tolerância é saudável, a intolerância é espiritualmente doente. A vida existe para ser vivida, pelo que as pessoas deveriam ocupar-se nos esportes, nas peças teatrais, nas diversões e em toda forma de atividade saudável. A saúde do corpo promove a saúde do espírito; mas tudo deve ser feito com moderação.

Bibliografia. BENT E EP F P MM

SPRANGER, EDWARD

Suas datas foram 1882-1963. Foi um filósofo alemão, nascido nas proximidades de Berlim. Ensinou em Leipzig, Berlim e Tubingen. Sistematizou e completou a obra de (vide). Desenvolveu uma elaborada teoria das tipológias, mais ou menos aos moldes de Weber (vide), procurando assim aumentar a nossa compreensão sobre a psicologia. Ele entendia que nossas inquirições têm, como seu principal objetivo, a explicação acerca do espírito, pelo que deveriam ter um caráter humanístico–hermenêutico. Abaixo damos uma relação dos principais tipos por ele descobertos.

Os *tipos de indivíduos*. O homem econômico, o homem estético, o homem social o homem político e o homem religioso. Mas esses tipos mesclam-se uns com os outros, pois pouquíssimas pessoas pertencem somente a um desses tipos puros. A isso Spranger acrescentou um estudo sobre o espírito objetivo e o espírito subjetivo, conforme fora sugerido nas filosofias de Hegel e de Dilthey.

O interesse da filosofia e da psicologia de Spranger era ajudar às pessoas a atingirem a maturidade, mediante suas funções naturais dinâmicas, as quais operam através dos tipos e misturas de tipos. Um homem pode ir melhor a um lugar se conhece o caminho, e Spranger tentou destacar esse caminho mediante a análise dos tipos humanos. Esse conceito tem exercido considerável influência sobre as idéias psicológicas e sobre aplicações clínicas dessas idéias.

SPURGEON, CHARLES HADDON

Suas datas foram 1834-1892. Ele foi um batista inglês. Foi um pregador popular dotado de surpreendente substância e eloqüência em seus sermões. Alguns têm-no considerado o mais eloqüente pregador cristão desde o apóstolo Paulo. O mínimo que podemos dizer sobre ele é que foi o mais notável pregador do século XIX. Foi um forte fundamentalista, que se retirou da União Batista, em 1887. O Rev. Bill Barkley, da Biblioteca Evangélica de São Paulo, tem tido como seu projeto especial oferecer aos leitores da língua portuguesa as obras essenciais de Charles Spurgeon, pelo que agora essas obras são disponíveis para aqueles que quiserem tomar conhecimento de prédicas homiléticas muito eficazes.

Um dos segredos de Spurgeon era seu profundo conhecimento e uso de comentários bíblicos. Ele escreveu um volume intitulado *Commenting and Commentaries*, que é um manual orientador para pastores e estudantes de todos os níveis. Comenta sobre mais de mil e quatrocentos comentários no idioma inglês. Um apêndice desse volume é um índice de textos bíblicos que contém referências e comentários sobre textos bíblicos, utilizados em mais de dois mil e oitocentos sermões pregados por Spurgeon.

Uma outra característica da obra de Spurgeon, e que não deve ser esquecida, é que, como pastor, ele conhecia por nome cada indivíduo de sua vasta igreja, tendo o cuidado de visitar pessoalmente a todos eles, periodicamente, tendo conhecimento de seus problemas e de suas necessidades especiais. Em outras palavras, além de ser um grande pregador, foi também um grande pastor e cristão. A verdade é que essas coisas nem sempre andam de mãos dadas. Alguns grandes pregadores têm mostrado ser cristãos deficientes.

STANLEY, ARTHUR PENRHYN

Suas datas foram 1815-1881.1 Foi um clérigo inglês e professor em Oxford, na Inglaterra. Foi deão de Westminster, cuja amizade com a rainha Vitória conferiu-lhe uma influência especial acima de seus companheiros. Ele foi um clérigo anglicano da facção liberal. Ver o artigo intitulado *Comunhão Anglicana*. Advogava a causa da tolerância, e salientava a necessidade de ir além da mera compreensão simpática, incluindo o amor. Escreveu vigorosamente em favor dos princípios latitudinários. Os *latitudinários* (vide) procediam da Igreja baixa e buscavam compreensão e amor, e não mera tolerância (vide). O ideal deles era dar uma maior latitude à teologia, evitando assim a estreiteza de visão do calvinismo e do rígido e intolerante catolicismo romano.

Os melhores e mais bem conhecidos escritos de Stanley foram seus estudos a respeito das Igrejas Orientais e seu livro História da Igreja Judaica. Spurgeon (vide) fazia objeção a certas idéias de Stanley, mas admitiu que "seu conhecimento é tão amplo quanto seus pontos de vista". Minha mãe, que, embora norte-americana, tinha suas raízes ancestrais na Inglaterra, descendente dos Bruce, embora não de linhagem direta, afirmava que Stanley foi meu bisavô pelo lado materno. Mas não posso provar ou negar a afirmação dela.

É impossível este co-autor e tradutor ficar calado aqui. Se o Dr. Russell N. Champlin não é bisneto biológico de Arthur P. Stanley (nada havendo que impeça o fato), sem dúvida ele é seu herdeiro espiritual; pois, se não é conhecido como um latitudinário, sem lisonja alguma é homem dotado de visão muito ampla quanto às questões religiosas e filosóficas, e igualmente prega mais do que a tolerância religiosa, pois encarece a necessidade do amor em todo relacionamento humano.

STOICHEIA Ver Elementos (Espíritos Elementares)

STIGMATA Ver Estigmas (Stigmata).

STRATÃO (ESTRATÃO)

Foi um filósofo grego. Nasceu em Lampsaco, nos meados do século III a.C. Foi discípulo de Teofrasto, membro da escola de Liceu. Tornou-se o cabeça daquela escola. Interessava-se, acima de tudo, pelas ciências naturais, tendo trabalhado mais na física e na medicina, embora também exercesse influência sobre outras áreas de estudo durante o período alexandrino.

Advogava certa forma do atomismo (vide), combinando idéias de Aristóteles e de Demócrito. Mas, em oposição a este último, acreditava que os átomos são infinitamente divisíveis, dotados das propriedades de calor e de frio. Mantinha uma visão mecânica da existência, e pensava que a alma e o corpo formam uma unidade. Também cria em certa forma do *epifenomenalismo* (vide), supondo que os eventos psíquicos estão fundados sobre processos físicos, não podendo existir sem estes últimos. Ele afirmava que o universo é final e auto-sustentado, não havendo qualquer causa divina "externa" ao universo, como explicação de sua existência e continuidade.

STRAUSS, DAVID

Suas datas foram 1808-1874. Foi um filósofo e historiador da religião e natural da Alemanha. Ele é um daqueles nomes associados ao ceticismo alemão. Educou-se em Balubeuren, Berlim e Tubingen: Ensinou em Tubingen. Sofreu influências da esquerda hegeliana.

Referia-se ao cristianismo como um mito, produto da invenção humana inconsciente, na tentativa de descrever o Absoluto em termos sensíveis. Não levava a sério a historicidade das narrativas sobre Jesus. Portanto, para ele, Jesus era a representação da encarnação do espírito da humanidade no mundo. O próprio cristianismo era tido por ele como um estágio preliminar do pensamento que encontrou o seu ponto culminante na filosofia de Hegel.

Escritos: *The Life of Jesus; Christian Dogma; The Christ of Belief and the Jesus of History.*

Ver o artigo intitulado *Ceticismo*; e, por via de contraste, *Sathya Sai Baba*, um moderno homem santo cuja vida e cujas obras negam as conclusões a que têm chegado os céticos.

STREETER, BURNETT HILLMAN

Suas datas foram 1874-1937. Foi um teólogo inglês e erudito do Novo Testamento. Foi importante autor de obras para facilitar o estudo do Novo Testamento. Foi cônego de Hereford; foi reitor do Colégio da Rainha, em Oxford. Foi professor universitário por nada menos de trinta e oito anos. Foi um líder intelectual da comunidade anglicana. Seu *magnum opus* foi *The Four Gospels; a Study of Origins.* Foi ele quem desenvolveu a chamada "teoria dos quatro documentos", no que concerne à origem dos evangelhos sinópticos, que discuti e ilustrei com riqueza de pormenores no artigo sobre o *Problema Sinóptico.* Apesar de certos aspectos dessa teoria estarem ultrapassados, fez uma duradoura contribuição para o nosso entendimento sobre as fontes originadoras dos evangelhos sinópticos.

Outra importante obra de Streeter, que teve sua mensagem para todos quantos quiseram ouvir, foi o seu livro *The Primitive Church: Studied with Special Reference to the Origins of Christian Ministry.* Uma das mensagens centrais desse livro foi que, na Igreja primitiva, não prevalecia qualquer tipo de governo eclesiástico, pelo que seria errado buscar textos de prova para consubstanciar o governo eclesiástico, a ordem e os costumes de qualquer dada denominação. Um dos resultados disso parece ser a diminuição da arrogância denominacional. Um outro resultado é que isso ajuda a instaurar a unidade, que é superior a essas considerações do governo eclesiástico, ordem e costumes prevalentes. E em seu livro, *Reality: a New Correlation of Science and Religion,* Streeter, procurou demonstrar que não existe qualquer conflito necessário entre a ciência e a fé religiosa. Os interesses dele eram muito amplos, e ele investigou as reivindicações das fés religiosas não-cristãs, tendo descoberto nelas muitas coisas aproveitáveis, que faríamos bem em não ignorar. Suas publicações intituladas. *The Message of Sadhu Sundar Singh; The Buddah and The Christ,* enfatizam essas questões. E também escreveu *Concerning Prayer; Immortality; The Spirit e Adventure,* cada uma das quais entrou com sua contribuição específica.

STRONG, AUGUSTUS HOPKINS

Suas datas foram 1836 - 1921. Foi educador e teólogo batista. Foi presidente do Rochester Theological Seminary, entre 1872 e 1912. Foi o autor de uma obra de teologia sistemática da qual me tenho beneficiado pessoalmente, e a qual, em sua forma traduzida, também tem sido usada no Brasil. Seu título em inglês é Systematic Theology (3 vols.). Strong foi um pensador evangélico criticado pelos ultrafundamentalistas de sua época, mas sua exposição teológica é muito equilibrada. Este co-autor e tradutor também aprecia muito a obra de Strong. A proposta de Strong de uma grande universidade de orientação batista, na cidade de Nova Iorque, estimulou o movimento que, finalmente, resultou na formação da Universidade de Chicago.

SUA

Na nossa versão portuguesa há três pessoas com esse nome, mas refletindo palavras hebraicas de grafia diferente, a saber:

1. Com o sentido de *prosperidade*, nome de um cananeu de Adulão, cuja filha Judá tomou como esposa. O nome dela, entretanto, é mencionado apenas como "a Cananéia". Seu pai, Sua, é mencionado em Gên. 38:2,12 e I Crô. 2:1 Sua viveu em torno de 1730 a.C.

2. Ainda com o sentido de *prosperidade*, esse nome aparece como o apelativo de um dos filhos de Sofa (I Crô. 7:36). Sua tinha onze irmãos, com os nomes de Harnefer, Sual, Beri, Inra, Bezer, Hode, Samá, Silsa, Itrã e Beera. Visto que ele aparece em primeiro lugar nessa lista de nomes, parece que ele era o primogénito. Viveu em torno de 1500 a.C.

3. Com o sentido de *depressão*, um filho de Abraão e Quetura, cuja posteridade habitou em território idumeu. Seu nome figura em Gên. 25:2 e I Crô. 1:32. Viveu por volta de 1800 a.C. Alguns estudiosos pensam poder ver reflexos de seu nome em lugares corno *Sakkaia*, a leste de Basã, em *Sichan*, em Moabe, e em *Siajcha*, a leste de Aila. Mas parece que isso alicerça-se apenas sobre conjecturas. Ver também sobre *Suá.*

SUA MULHER, JUDIA

Essa expressão, que ocorre em nossa versão portuguesa, em I Crô. 4:18, tem causado alguma confusão em outras versões. Nelas, a palavra "judia" é interpretada como se fosse o nome próprio da mulher, e não como um adjetivo gentílico. Mas, quase todos os eruditos concordam que a tradução correta seria algo como: "E sua mulher, judia, deu à luz a Jerede…" segundo se vê em nossa versão portuguesa.

SUA, SUDE

No grego, **Souá** ou **Soúd**. De acordo com I Esdras 5:29, esse era o nome de uma das famílias dos servos do templo, que retornaram do exílio babilônico em companhia de Zorobabel. A mesma lista também aparece nos livros canônicos de Esdras e de Neemias, sob a forma de *Sia* (ver Esd. 2:44 e Nee. 7:47). O dever dos servos do templo consistia em aliviar os levitas das tarefas manuais mais pesadas, associadas ao templo de Jerusalém. No contingente encabeçado por Zorobabel, retornaram trezentos e noventa e dois desses servidores do templo.

SUÁ

Em nossa versão portuguesa, esse nome aparece como tradução de uma palavra hebraica que também significa "depressão" (ver sobre Sua, terceiro ponto), embora com grafia levemente diferente. Nas páginas do Antigo Testamento há duas pessoas com esse nome:

1. Suá, irmão de Quelube, descendente de Calebe, filho de Hur. Seu nome aparece somente no trecho de I Crônicas 4:11. Viveu em cerca de 1430 a. C.

2. Suá, uma mulher da tribo de Aser, filha de Heber e irmã de Jaflete, Somer e Hotão. Ela é mencionada somente em I Crônicas 7:32. Viveu em torno de 1600 a. C.

SUÁ

No hebraico, "depressão". Foi um dos filhos de Dã

SUAL – SUBIU

(Núm. 26:42). No trecho de Gênesis 46:23 ele é chamado Husim. Ele é o ancestral dos suamitas. Viveu em torno de 1700 a.C.

SUAL

No hebraico, **raposa**. Esse é o nome de um homem e de uma região geográfica, nas páginas do Antigo Testamento, a saber:

1. Um dos filhos de Zofa, da tribo de Aser. (I Crô. 7:36), Ele viveu em torno de 1500 a.C.

2. Uma região nas vizinhanças de Ofra, para onde foi um dos três destacamentos de filisteus, estando eles acampados em Micmás (I Sam. 13:17). A manobra, em três pontas de lança, fazia parte da retaliação dos filisteus em face do ataque lançado por Jônatas, filho de Saul, contra seu posto avançado de Geba. Dois desses destacamentos foram para o leste e para o oeste, ao passo que o terceiro dirigiu-se para o norte, na direção de Ofra. Visto que a terra de Saul ficava na direção de Ofra, evidentemente essa terra ficava ao norte de Micmás, possível que essa cidade deva ser identificada com Saalim (vide), que significa "raposas", o território por onde andou Saul, ao buscar os asnos perdidos de seu pai (I Sam. 9:4).

SUAREZ, FRANCISCO

Suas datas foram 1548-1617. Foi um filósofo escolástico espanhol. Nasceu em Granada. Educou-se em Salamanca. Tornou-se jesuíta. Ensinou em Segóvia, Valadoli, Alcalá, Salamanca e Roma. Começou sua carreira de filósofo como tomista, mas foi-se desfazendo de muitos conceitos do sistema tomista, ao longo do seu caminho, incluindo algumas das provas clássicas de Tomás de Aquino acerca da existência de Deus, que ele considerava desnecessárias à fé religiosa, além de serem falhas em seu método. Foi o mais importante filósofo escolástico do século XVI.

Idéias:

1. Não haveria qualquer conflito entre a filosofia e a teologia. A primeira ajuda a última no esclarecimento de certas idéias. O debate e a crítica são positivos quando corretamente levados a efeito. A fé cristã provê o campo de unidade onde convergem a filosofia e a teologia.

2. Se os efeitos das atividades de Deus no mundo podem prover (teoricamente) uma clara demonstração de sua existência, essa demonstração não pode ser entendida por nossas mentes finitas. Portanto, torna-se necessário um poder maior, que vá além da racionalidade humana.

3. Ele elaborou o problema da individualização, e apresentou a solução que diz que o indivíduo é um composto de dois tipos distintos de unidade, uma de material e outra formal, ou seja, matéria e forma. A individualidade da coisa é uma *função* da unidade particular da matéria e da forma, obtida em uma dada instância. Existiriam tantas unidades formais quanto haveria indivíduos.

4. *Congruísmo*. Esse termo indica que a graça divina conduz os eleitos a entregarem-se, infalivelmente, a Deus e ao seu plano de redenção; mas isso, ao mesmo tempo, é compatível ou congruente com o fato e com as funções do livre-arbítrio humano. Os teólogos continuam tentando explicar como isso pode ser, e o próprio Suarez não nos forneceu muitas luzes acerca disso. Ver os artigos chamados *Determinismo e Livre-Arbítrio*. Ver também sobre *Polaridade*.

Escritos: *As Disputas Metafísicas*.

SUÁSTICA

A raiz dessa palavra é o sânscrito **svasti**, "bem-estar", "fortuna", formado por *su*, "bom" e *asti*, "ser". A cruz de pontas dobradas, formada de vários modos, é um símbolo muito antigo e bem generalizado, podendo ser encontrada tanto no hemisfério oriental quanto no ocidental. Tem sido achada em culturas tão diversas quanto às dos índios navaho, da América do Norte, de várias tribos caucasóides, das tribos siberianas e em vários lugares como a Índia e Pérsia, a China, o Japão e a América do Sul. A evidência mais antiga pertence à Idade do Bronze (a época de Davi), descoberta na Europa.

Na Alemanha moderna tornou-se o emblema do estado nazista, adquirindo assim uma fama negativa eterna, mormente entre os judeus asquenazitas, seis milhões dos quais foram massacrados no espaço de poucos anos.

SUBAS

No grego, **Soubás**. Foi chefe de uma família dos "Filhos dos servos de Salomão", que retornaram. do exílio em companhia de Zorobabel (I Esdras 5:34).

Esse nome não figura nas listas paralelas, em Esd. 2:57 e Nee. 7:59.

SUBDIÁCONO

Ver o artigo geral **Diácono**. Os subdiáconos, dentro da Igreja Católica Romana, são aqueles que recebem a mais baixa das três Ordens Principais, que culminam no sacerdócio. Eles ajudam aos diáconos no altar, entoam a epístola durante a Alta Missa Solene e lavam os paramentos sagrados usados por ocasião da celebração da missa.

SUBIDA DE ACRABIM

No hebraico, *maalch-acrabbim*, "subida dos escorpiões". Esse era o nome de um monte que foi assim chamado devido à exagerada população de escorpiões que infestava a área. Ficava no extremo sul do mar Salgado (ver Núm. 34:4; Jos. 15:3). Tem sido identificado como a íngreme subida pelo passo de *Es Sufah*. Embora algumas versões digam Maalé-Acrabim, nossa versão portuguesa diz "subida de Acrabim".

SUBIU ÀS ALTURAS (Efé. 4:10)

I. Interpretação

Subiu às alturas. De que maneira se pode entender essas palavras?

1. Isso só pode indicar a ascensão de Cristo aos lugares celestiais. (Ver Atos 1:6).

2. Espiritualmente interpretada essa declaração, segundo o contexto do a.T., mui provavelmente ela indica a ação de Deus, que se postou no monte Sião, depois que seus inimigos foram derrotados e subjugados por ele. Essa interpretação "espiritual" do a.T., embora não seja de natureza messiânica, é um fato real, não contradizendo a interpretação messiânica, porquanto foi no Messias que Deus exibiu supremamente o seu poder, triunfando sobre os seus inimigos. No contexto do a.T., a devolução da "arca" ao templo de Jerusalém, arca essa que representava a "presença de Deus", depois que Deus deu a Davi descanso e triunfo em suas campanhas militares (ver II Sam. 6:7 e I Crô. 15:25), talvez esteja em foco.

Mas, ainda outros eventos históricos específicos têm sido identificados como se tivessem sido aludidos neste passo bíblico, a saber: a. Alguma vitória ou vitórias não-historiadas de Davi. b. A colocação da arca no templo, no período de Salomão. c. A vitória de Josafá e Jeorão sobre os moabitas (ver II Reis 3). d. A vitória sobre os assírios, no tempo de Ezequias. e. A consagração do templo da época da restauração. f. O retorno do cativeiro. g. Vários acontecimentos posteriores, como as vitórias durante as guerras dos Macabeus. Porém, a idéia de que é aqui celebrada alguma vitória de Davi, é a mais provável.

No que concerne ao problema, muito debatido, se o próprio Salmo 68 deve ser compreendido como uma alusão à ascensão do Messias, deve-se dizer que não havia maneira de o próprio autor ou de seus leitores terem pensado em tal tema, porquanto tal coisa estava inteiramente fora de seu campo de experiência e conhecimento. A despeito disso, não há razão alguma para negarmos que esse Salmo seja de natureza messiônica e profética, ou que a ascensão de Cristo seja o seu tema, ao considerarmos o mesmo de acordo com aquele ponto de vista.

II. A descida de Cristo no Hades e a sua subida tinham o mesmo propósito

Ele subiu para encher todas as coisas

1. Ele ampliou seu poder e sua graça até os céus. Nenhum lugar pode estar fora de seu alcance, e nem deixar de ser por ele beneficiado.

2. Ele precisa ser "tudo para todos", conforme algumas traduções dizem, no caso desta expressão. Ele desceu e subiu com esse grande propósito em mente, a fim de produzir tal unidade. Portanto: a. A descida e a subida são ambas restauradoras em sua natureza, compartilhando do mesmo propósito.

b. Ambas as coisas fazem com que Cristo seja a cabeça de tudo, o centro em redor do qual todas as coisas convergem.

c. Ambas as coisas ensinam que coisa alguma está fora do alcance de seu poder e amor, o que sobe acima das mais elevadas estrelas e desce até o mais profundo inferno.

d. Onde a presença de Cristo se faz sentir, a sua graça se mostra viva. Onde essa graça está viva, todos se beneficiam, ainda que não da mesma maneira para todos, e com a mesma intensidade.

Ver os artigos sobre a *Descida de Cristo ao Hades; a Missão Universal de Cristo e a Restauração*.

SUBJETIVISMO
Ver sobre **Objetivismo, Subjetivimo**.

SUBLAPSARIANISMO (INFRALAPSARIANISMO)
Essa palavra vem do latim, *sub*, "sob", e **lapsus**; "queda". A idéia por trás da palavra é que Deus não decretou a queda de Adão e seus descendentes, mas tão-somente a previu. Isso posto, a eleição e a reprovação teriam ocorrido após o fato da queda no pecado, dependendo desse fato, mas não existindo por decreto divino antes da ocorrência. Essa idéia deve ser contrastada com o *Supralapsarianismo* (vide). De acordo com esta última noção, o decreto divino foi que causou a queda e a reprovação, bem como a eleição, e isso tudo antes da existência do homem.

Muitas disputas giram em torno dessas duas idéias, a primeira favorecendo o livre-arbítrio, e a segunda, a predestinação. Ver os artigos *Determinismo e Livre-Arbítrio*. Há muitas posições intermediárias dentro dessa controvérsia lapsariana. Alguns daqueles que defendem a posição supralapsariana, por exemplo, fazem a reprovação (vide) ser passiva, ou seja, Deus meramente não teria escolhido os não-eleitos, não envolvendo isso alguma condenação ativa que deixou os não-eleitos sem qualquer alternativa. Meu artigo intitulado *Reprovação* entra nos detalhes sobre essa questão. Ver também o artigo *Predestinação*.

De acordo com o sublapsarianismo (também chamado infralapsarianismo), os decretos divinos foram baixados especificamente com o propósito da redenção em mente, ao passo que o supralapsarianismo contempla ou um Deus ativamente condenador ou um Deus passivamente condenador, no tocante à redenção da grande maioria dos homens. Armínio (e os arminianos em geral) e os calvinistas humanistas holandeses apegavam-se ao sublapsarianismo, enquanto que os calvinistas estritos ou radicais defendiam o campo oposto. O sínodo de Dort manifestou-se em favor do supralapsarianismo.

É difícil imaginar um Deus cujo propósito é condenar ou deixar de lado a maioria dos homens, quando, o tempo todo, o evangelho diz que Deus amou o mundo.

SUBORDINAÇÃO
Esse termo é usado para aludir à posição inferior que o Filho e o Espírito Santo assumem, voluntariamente, em relação ao Pai, dentro das inter-relações da Triundade. Alguns estudiosos têm feito o termo referir-se à essência metafísica do Ser divino; mas outros pensam somente nas posições relativas das três Pessoas da Triundade. A segunda dessas interpretações satisfez, essencialmente, à formulação nicena da consubstancialidade (*homoousía*), ou seja, igualdade de natureza, visto que deixava intacta aquela idéia, embora subentendendo que, no tocante à posição ou função, o Filho sujeita-se ao Pai. É isso que ensina o trecho de I Cor. 15:28: "Quando, porém, todas as cousas lhe estiverem sujeitas, então o próprio Filho também se sujeitará àquele que todas as cousas lhe sujeitou, para que Deus seja tudo em todos".

Uma boa parte da controvérsia cristológica gira em torno da questão de como devemos definir a subordinação. A encarnação de Cristo obviamente envolveu o Logos em uma subordinação, conforme afirma claramente o trecho de Filipenses 1.8. Ver os artigos *Humilhação (Humildade) de Cristo e Humanidade de Cristo*. O artigo *Cristologia* revela os vários fatores envolvidos no longo conflito para definir a natureza do Logos encarnado.

SUBORNO
No hebraico temos duas palavras: *Kopher*, "cobertura", palavra que figura por treze vezes (para exemplificar: I Sam. 12:3; Amós 5:12). *Shochad*, "suborno", "recompensa", vocábulo que aparece por vinte e três vezes (por exemplo: I Sam. 8:3; J6 15:34; Sal. 26: 10; Isa. 33: 15). A palavra não aparece no grego, embora a idéia esteja lá, como se vê, por exemplo, em Atos 24:24,26.

O termo hebraico *kopher* envolvia a idéia de dinheiro da redenção; podia também ser usado em um mau sentido, quando indicava o dinheiro que um homem poderia usar para escapar da punição capital (I Sam. 113). Nos trechos de II Reis 17:8 e Pro. 6:35, o suborno é visto como um meio para alguém escapar do castigo merecido, ou como meio de alguém perverter a justiça (I Sam. 8:3; Eze. 22:12). Além disso, há casos de suborno que são usados para condenar pessoas inocentes (Sal. 153; Isa. 5:23). A lei de Moisés proibia o suborno (Êxo. 23:8; Deu. 16:19). Os profetas denunciaram essa prática vergonhosa (Isa. 1:23; Amós 5: 12). Porém, conforme sempre é verdade, governantes e juízes deixavam-se corromper pelas peitas (Êxo. 18:21; Isa. 1:23; Miq. 3:11 e II Crô. 19:7). Tal prática corrompe a mente (Ecl. 7:7). Os filhos de Samuel deixavam-se subornar (I Sam. 8:3). Porém, o homem aprovado por Deus não usa de tais artifícios (Sal. 15:27). O Antigo Testamento, embora declarando errônea essa prática, não fixava qualquer pena específica contra a mesma. (G HA I)

SUBSISTÊNCIA – SUBTÂNCIA

SUBSISTÊNCIA

Essa palavra portuguesa vem do latim, **subsistere**, formado por *sub*, "sob", e *sistere*, "postar-se". Os mesmos vocábulos latinos, naturalmente, estão por detrás da palavra portuguesa "substância"; mas alguns filósofos e teólogos fazem distinção entre subsistência e substância. É verdade que esses dois termos têm sido usados como sinônimos. Mas, quando são distinguidos, as definições mais comuns asseguram que "substância" refere-se ao tipo de existência e essência dos seres, ao passo que "subsistência" alude ao tipo de existência de entidades abstratas, universais, proposições lógicas, fórmulas, tipos simbólicos, leis, etc. Usualmente, a subsistência indica alguma realidade não-temporal, não-espacial, onde a existência indica uma localização espaço-temporal. Deve-se observar, porém, que se a lista de coisas que subsistem pode sugerir mais uma existência mental, lógica, suposta, ao falarmos sobre os Universais, o termo "subsistência" já indica um modo superior de existência, que ultrapassa a síndrome do espaço-tempo. As coisas materiais existem e possuem uma substância definível. As coisas imateriais subsistem e são dotadas de uma espécie de essência indefinida.

Alguns filósofos têm usado o vocábulo "subsistência" para referirem-se às substâncias (tipo metafísico de existência), fazendo contraste com os meros acidentes das coisas materiais, que têm alguma duração, para então deixarem de existir, ao passo que as coisas que subsistem são eternas.

Idéias dos Filósofos:

1. No tomismo, a subsistência aparece como uma perfeição positiva relacionada à essência, e não à existência. Seria aquele poder que individualiza as substâncias. Haveria duas formas de subsistência: uma forma imperfeita, relativa às espécies; e outra perfeita, relativa à natureza substancial de cada indivíduo.

2. Descartes usou a palavra para indicar a maneira de existência de alguma substância (vide), em contraste com os meros acidentes.

3. Kant asseverava que a relação substância–acidente envolve "subsistência e inerência", respectivamente. Os acidentes são inerentes às substâncias, e as substâncias subsistem em seus acidentes. A palavra "inerência" indica a porção essencial ou permanente de algo. "Inerente", nesse contexto, significa algo permanentemente unido.

4. Meinong contrastava a existência com a subsistência: os universais subsistem (têm uma existência independente do tempo e do espaço; os objetos físicos existem). Russell aferrava-se essencialmente às mesmas distinções.

5. Santayana referia-se às essências como subsistentes, e essa subsistência seria obra do espírito.

6. Montague rotulou sua filosofia de "realismo subsistente", na distinção de declarações verdadeiras ou falsas. Assim, as declarações falsas falam meramente do que é subsistente. Mas as declarações verdadeiras falam de uma subsistência existencial.

7. Os teólogos, algumas vezes, dizem que Deus é subsistente, e não existente, a fim de distinguir entre seu tipo de essência e existência daquilo que é próprio de todos os outros seres e objetos. Nesse sentido, os remidos, quando chegarem a compartilhar da vida e da essência divinas (tipo de ser) deixarão de existir e começarão a subsistir.

8. Há pensadores que dão uma definição inteiramente diferente à subsistência, aplicando-a à idéia de existência imaginária, como aquela dos personagens das obras de ficção, que não existem na realidade. Para alguns, os sonhos também devem ser classifica dos como tal.

SUBSTÂNCIA
Definição Geral

Essa palavra portuguesa vem do latim sub, "sob", e *stare*, "estar". O latim, por sua vez, é paralelo do termo grego *hupóstasis*, formado por *upó*, "sob", e *istasthai*, "estar". Filosoficamente, o termo tem sido usado para aludir àquela essência das coisas que é real e imutável, a qual subjaz às coisas e dá apoio à realidade, quando a percebemos com nossos sentidos, plena de acidentes, vicissitudes e alterações. Popularmente, falamos sob a substância de algo, dando a entender "aquilo que é mais real", ou seja, "a essência" de alguma coisa.

"Aquilo que existe por si mesmo, não sendo alguma modificação e nem estando em relação com alguma outra coisa. Aquilo que constitui a natureza essencial de alguma coisa; aquilo que faz algo ser o que é. O *substrato* inferior, que dá apoio aos atributos e predicados; o apoio permanente e auto-idêntico das mudanças e das diferentes e sucessivas qualidades através das quais uma coisa pode ser modificada" (MM).

Naturalmente, esse tipo de definição tem feito alguns filósofos pensarem que a substância é algo de natureza espiritual, que seria a coisa ou "eu" reais, em contraste com as coisas materiais associadas àquilo que é espiritual. Para os pensadores materialistas, por outra parte, a substância é a verdadeira realidade do átomo, que continuamos procurando entender, em contraste com as descrições (algumas verdadeiras e outras falsas) que já possuímos a respeito do átomo.

Idéias dos Filósofos:

1. *Aristóteles* inventou uma explicação extremamente complexa para substância, que era o fulcro e alicerce de suas especulações metafísicas. Ofereço uma descrição completa, no artigo sobre ele, em sua terceira seção, *Metafísica*. Nesse conceito estão envolvidas as idéias de causas, categorias e movimentos. Ao prestar exames orais sobre filosofia, com vistas a obter o grau de mestre, uma das perguntas que me foram feitas era: O que Aristóteles queria dizer com substância? Respondi afirmando o que Platão entendia por *realidade*. A resposta não foi muito boa, e causou alguma reação entre os professores. Quando cheguei ao exame oral de filosofia, visando ao grau de doutor, eu sabia quase tudo sobre o que Aristóteles queria dizer com "substância"; mas, dessa vez, naturalmente, não me foi feita a pergunta.

2. *As discussões medievais provocaram* debates elaborados sobre a questão "substância", enfatizando aquilo que é substancial e o que é acidental. A substância é a essência de algo; e os acidentes são aquelas coisas que se apegam às substâncias, mas que não fazem parte delas, como elementos necessários. Os acidentes são inerentes às substâncias, mas não fazem parte da essência das mesmas. Assim, a cor de alguma coisa, seu peso, suas configurações geométricas, etc., são meros acidentes. A complexidade da análise medieval apenas complicou o conceito.

Como nos escritos de Aristóteles, a substância primária (substan-tiva prima), o sujeito individual da predicação, era considerado o sentido primário do termo. Seu sentido secundário era a segunda substância (substância secunda), cuja análise girava em torno da noção da essência ou *quidditas* da primeira substância. A primeira substância seria, portanto, caracterizada por existência e essência, ao passo que a segunda substância seria caracterizada somente por essência".(P)

Foi assim que a primeira substância passou a ser encarada como existência adicionada à essência"(P).

3. *Guilherme de Ockham*, sempre impaciente diante das complicações metafísicas, usou a sua navalha (ver sobre *Navalha de Ockham*) para simplificar as noções medievais. Ele restringiu o significado do termo somente às substâncias primárias, antecipando assim a moderna maneira de manusear o problema.

4. *Descartes* asseverava que os sujeitos que contêm propriedades, qualidades ou atributos podem ser chamados, com, toda a razão, substâncias. Porém, influenciado pela filosofia medieval, ele acrescentou a idéia de que uma substância deve ser capaz de existir por si mesma (ou seja, deve ser *independente*). A partir desse ponto, ele sentiu ser necessário distinguir entre substâncias *finitas* e *infinitas*. Somente Deus é verdadeiramente auto-existente e independente. Isso posto, Deus é infinito, possuidor de substância primária, ao passo que todas as coisas e todos os seres fora de Deus são **finitos**, são substâncias secundárias.

5. *Spinoza* argumentava em prol da existência de uma única Substância, sendo ela divina. Em seguida, ele pensava que todas as coisas são meras expressões dessa substância única, criando assim uma certa forma de panteísmo. Todas as coisas seriam apenas um modo de ser da Substância Eterna.

6. *Leibnitz* encontrava a substância real na Grande Mônada, da qual as mônadas inferiores são apenas expressões. As mônadas inferiores também teriam a sua existência garantida por seu caráter como centros de força não-extensíveis. Mas isso também indicava uma variação do panteísmo.

7. *Locke* falava sobre a substância como o substrato subjacente das mudanças. A natureza real disso seria "algo que desconheço"; mas, dessa substância dependeriam todas as demais qualidades e acidentes. Nosso conhecimento estende-se somente até às essências observáveis, conhecidas pela percepção dos sentidos. Talvez haja uma essência real e imutável, possuída por seres e coisas, embora ela permaneça desconhecida e misteriosa para nós. Dessa maneira, como uma tentativa, ele evitava o materialismo crasso, abrindo a porta para uma explicação de coisas que ainda desconhecemos; mas, para todos os efeitos práticos, Locke era um filósofo empírico.

8. *Berkeley* dizia que toda substância é de natureza espiritual, e não material. Assim sendo, as chamadas coisas materiais seriam apenas epifenômenos daquilo que é espiritual. Ver sobre o *Idealismo*.

9. *David Hume* acreditava que a declaração de Locke de que a substância é algo que desconheço, é uma insensatez, pois a substância não pode mesmo vir a ser conhecida, não sendo digna de ser descrita com palavras ocas. Ele chegou a afirmar que todas as substâncias estão acima de nossa capacidade de investigação, sem importar se elas são espirituais ou materiais. Ver sobre o *Ceticismo*. Foi essa idéia que armou o palco para os pontos de vista do *Positivismo Lógico* (vide).

10. *Emanuel Kant* garantia que tanto a substância quanto os seus acidentes fazem parte de nossa criatividade mental, ou seja, seriam conceitos (categorias) a priori da mente, podendo corresponder ou não à realidade. Seriam meras conveniências mentais. Assim sendo, a idéia de "substância" seria apenas uma maneira de o homem pôr em ordem as suas experiências, e não, necessariamente, uma descrição verdadeira da realidade.

11. O *fenomenalismo* procura entender a realidade sem postular uma categoria chamada "substância". Em lugar da mesma, haveria um complexo relativamente estável de qualidades que nos ferem os sentidos.

12. *Santayana* assumia um ponto de vista um tanto parecido com o de Kant sobre a questão, ao supor que a questão "substância" é um elemento organizador que o ser pensante postula a fim de ser capaz de falar de forma inteligível sobre idéias acerca de si mesmo e do mundo.

13. *Whitehead* objetava o modo de expressão que encerra as noções de sujeito e predicado, e preferia falar sobre uma ontologia dos eventos.

Importantes Idéias Teológicas Ligadas no Conceito da Substância:

1. Deus é a Substância das substâncias, a origem da existência das substâncias, a base sobre a qual elas continuam a existir.

2. Somente Deus é Substância independente; todas as demais substâncias são dependentes.

3. Contudo, na redenção, as substâncias secundárias.(no caso os remidos) podem assumir a natureza da Substância primária, vindo a participar da própria natureza divina (ver II Ped. 1:4). Dessa maneira, os homens deixarão de ser apenas perenes, para tornarem-se eternos, tal como *Deus é eterno*.

4. Deus subsiste, todas as demais coisas apenas existem. Na glorificação final, os remidos também chegaram a subsistir. Ver o artigo sobre Subsistência.

5. A doutrina formalizada da transubstanciação (vide), ensinada pela Igreja Católica Romana, repousa sobre a distinção entre substância e acidentes. De acordo com essa doutrina, o corpo, o sangue, a alma e a divindade de Cristo acham-se substancialmente no pão e no vinho, ante as palavras de consagração, durante a missa. Todas as propriedades pertinentes ao pão e ao vinho, como cor, sabor, etc., são meros acidentes. O artigo sobre essa doutrina fornece explicações adequadas sobre essa aplicação da discussão sobre *substância*.

6. A doutrina da Triuindade também pode ser envolvida nessa discussão, visto que uma das explicações é que Pai, Filho e Espírito Santo compartilham de uma mesma substância ou essência, sem qualquer diferença, embora difiram seus modos de expressão. Porém, como é extremamente difícil pode exprimir-se através de Três Pessoas, debates intermináveis circundam qualquer tentativa de explicação acerca da *Trindade* (vide). (AM C E EP P MM).

7. O *substancialismo* ensina que a alma é uma substância distinta e eterna, com uma história e um destino separados do corpo físico. Ver sobre o *Problema Corpo-Mente*, seção VII.

SUBSTANCIALISMO

Ver sobre o **Problema Corpo-Mente**, em sua sétima seção.

SUBSTITUIÇÃO

Ver sobre **Expiação**, II. Principais Teorias, sétimo ponto.

SUBÚRBIOS

Este verbete envolve três temos hebraicos, a saber:

1. *Migrash*, "lugar de tanger o gado", "subúrbio". Palavra que aparece por cento e dez vezes, conforme se vê, por exemplo, em Lev. 25:34; Núm. 35:2-5,7; Jos. 14:4; 21:2,3,8,11,13; I Crô. 5:16; 6:55,57-60,64, 67.81; II Crô. 11:14; Esd. 27:28; 45:2; 48:15,17.

2. *Parvar*, "subúrbio" ou "casa aberta de verão". Esse termo ocorre apenas por uma vez, em II Reis 23:11. No entanto, nossa versão portuguesa traduz essa palavra por "átrio", que talvez diga respeito ao sentido possível da palavra de "casa aberta de verão", embora de modo impróprio.

SUBÚRBIOS – SUCESSÃO APOSTÓLICA

De acordo com a primeira dessas palavras hebraicas, os "subúrbios" eram os lugares, nas cercanias das cidades, para onde era tangido o gado. Portanto, originalmente, não havia a idéia de bairros Periféricos elegantes ou favelados, conforme se vê, na atualidade, nos Estados Unidos da América do Norte (no caso de bairros elegantes), e no Brasil (no caso de bairros pobres). Antes, o vocábulo indicava espaços abertos, em redor das muralhas de uma cidade. Somente mais tarde na história essas áreas começaram a ser ocupadas, quando certos grupos populacionais particulares foram proibidos de residir intramuros. Por isso é que em Josué 21:2, lemos sobre a solicitação de que os subúrbios fossem dados "para os nossos animais". E, em II Crônicas 31:19, lemos sobre o sacerdotes que "moravam nos campos dos arredores das suas cidades".

Que essas áreas "suburbanas", ou seja, dos arredores das cidades muradas, desempenhavam um papel importante na vida e na economia das comunidades urbanas da Palestina pode ser demonstrado pela inclusão de subúrbios em cada cidade designada às tribos de Israel. Ver Jos. 21:1 e I Crô. 6. Ver também sobre *Cidade*.

SUCATITAS

Uma família de escribas, contada entre outras duas famílias de escribas, os tiratitas e os simeatitas, que vivia em Jabez de Judá, descendente de Calebe (I Crô. 2:55).

SUCESSÃO, ORDEM DE

Leibnitz (vide) definia o tempo como "ordem de sucessão", em contraste com o espaço, que ele definia como "a ordem da co-existência". Ver o artigo geral intitulado *Tempo e Espaço, Filosofia do*.

SUCESSÃO APOSTÓLICA

Declaração geral. A expressão significa que o ministério da Igreja é transmitido mediante a imposição de mãos, vinda dos apóstolos através dos bispos ou pastores. Somente esse tipo de ordenação é considerada válida. As ordenanças, e outras interpretações, também dependem dessa sucessão quanto à sua validade. Essa doutrina, de várias maneiras, é mantida pela Igreja Católica Romana, pela Igreja Ortodoxa e pela Igreja Anglicana, além de algumas poucas outras. A maioria das igrejas protestantes repele a idéia, não reconhecendo a autoridade exclusiva dos bispos, ou a validade única desse modo de ordenação ou consagração, ou a limitação da graça divina a esse único canal. Os protestantes vêem a idéia inteira como extraneotestamentária, crendo que a autoridade dada aos apóstolos (Mat. 17:17 ss.; João 20:22,23) foi outorgada a eles, e não ao ministério posterior da Igreja, porquanto ocupavam um oficio sem-par, que não poderia ser transmitido. O trecho de Tito 1:5, entretanto, implica no começo da sucessão apostólica, pelo menos na opinião de alguns. Ver as notas sobre esse versículo no NTI.

Originalmente, o termo não estava limitado à validade sacramental ou autoridade administrativa, mas garantia um ensino autêntico e autoritário. A necessidade de uma autoridade tornou-se mais sentida quando as contracorrentes existentes na Igreja, como os gnósticos (que estavam dentro e fora da Igreja) começaram a criar confusão. Tornou-se então mister dizer: "É segundo esta autoridade que te ensino e lidero". Era natural que a autoridade e os ensinos dos apóstolos se tornassem o padrão, e que os primeiros líderes cristãos se reivindicassem possuidores da autoridade dos apóstolos. Não se sentia que o apelo à correta interpretação das Escrituras era suficiente pois cada grupo, contracorrente e heresia na Igreja primitiva afirmava estar interpretando corretamente a Bíblia, em contraste com as interpretações inadequadas ou mesmo errôneas de outros. Em outras palavras, considerada em si mesma, a Bíblia não era autoritária, requerendo a proteção da organização e da tradição eclesiásticas para preservação da pura mensagem. De outra sorte, qualquer pessoa que dissesse: "Este ensino está na Bíblia", teria tanta autoridade quanto outra qualquer. Surgiram denominações com variadas interpretações, cada qual dizendo estar mais perto da verdade. A doutrina da sucessão apostólica, pois, teve o intuito de impedir a fragmentação da Igreja. Por essa razão, a idéia recebeu muita atenção, no século II d.C., quando os gnósticos surgiram como grupo poderoso.

A tripla corda protetora: 1. As Escrituras apostólicas; 2. em conseqüência, a regra da fé dos apóstolos, dali derivada; 3. a sucessão apostólica. Esta última assumia duas formas: a. sucessão de quem ocupava um oficio para o seu sucessor; b. sucessão do consagrador para a pessoa consagrada. A primeira dessas formas era o conceito mais antigo. Aqueles que acreditam nessa doutrina supõem que a autoridade pode ser traçada de volta ao longo dos que têm ocupado o oficio: os apóstolos para seus sucessores imediatos, estes para outros sucessores, e assim por diante, formando uma corrente ininterrupta. No caso da Igreja Anglicana, Canterbury faz sua sucessão retroceder ao arcebispo Ramsey, então ao arcebispo Fisher, então ao arcebispo Temple, finalmente chegando a Agostinho; então de Agostinho a Gregório, que o enviou, e afinal, de Gregório a Pedro e Paulo. Segundo esse ponto de vista, esses ocupantes do oficio acham-se na sucessão dos apóstolos, embora eles mesmos não sejam sucessores dos apóstolos. Em outras palavras, cada bispo não deve ser considerado um outro apóstolo, ou membro do colégio apostólico. Contrastemos com isso a opinião dos mórmons, os quais dizem que os doze apóstolos de sua agremiação são, em todos os sentidos da palavra, "apóstolos".

Primeiras declarações. Eusébio, *His. Ecl.* ii.1:2; iii.11; vi.29:4, aludindo à sucessão em Jerusalém, falou sobre Tiago, que "foi encarregado do trono do episcopado", e sobre Simeão, que foi "achado digno do trono da comunidade, naquele lugar", e de Fabiano de Roma, o qual "foi guiado ao trono episcopal". Algumas vezes, a seleção do ocupante era feita pela comunidade cristã, embora a ratificação fosse feita pela imposição de mãos dos bispos. Essas declarações parecem aludir à primeira forma de sucessão, isto é, de ocupante para ocupante.

O segundo conceito, de natureza sacramental, é subentendido nos escritos de Hipólito, no começo do século III d.C. A imposição de mãos era encarada como maneira especial de outorgar dons e graça, mediante a consagração divina, e não meramente como uma transferência de oficio de uma pessoa para outra. Portanto, a graça divina era vista como transmitida através da legítima consagração de um oficial para outro. Presume-se que um elo quebrado nessa sucessão destruiria a validade da sucessão, dali por diante. Isso posto, as ordens anglicanas têm sido postas em dúvida mediante a assertiva que Mateus Parker (arcebispo de Canterbury, 1559-1575) não fora devidamente consagrado, acusação essa que os anglicanos, naturalmente, negam.

Agostinho defendia o conceito sacramental. Em face do cisma e a fim de suavizar o caminho para a unidade, ele argumentava que um ato de batismo realizado em

SUCESSÃO APOSTÓLICA – SUDÁRIO DE CRISTO

comunidades separadas, por oficiais autorizados, era válido para sempre. Se alguém viesse a fazer parte de um movimento cismático, mas depois quisesse retornar à corrente central da Igreja, o rebatismo tanto seria desnecessário quanto errado. Então ele ampliou a idéia para abarcar as ordenações realizadas pelos cismáticos. Um homem devidamente ordenado reteria, sem qualquer prejuízo, a graça e os dons espirituais que lhe fossem outorgados. Essa idéia foi ainda mais expandida pelos teólogos escolásticos, os quais criam que as santas ordens conferem à pessoa um caráter indelével, a saber, a *potestas ordinis*, o poder pertencente à ordem; e no caso de bispos, esse poder lhes confere a capacidade de transmitir as santas ordens a outros. Tal poder jamais se perderia, mesmo que um bispo fosse excomungado. Por conseguinte, em termos de sucessão apostólica, o que é transmitido por essa sucessão é o caráter permanente do episcopado.

Posição da Igreja Católica Romana. A igreja de Roma assevera que somente os que mantêm comunhão com o papa estão dentro da Igreja, embora outros cristãos, fora da Sé romana, possam ter verdadeiras ordens e verdadeiros sacramentos, como é o caso da Igreja Ortodoxa Oriental. Tal consideração, contudo, não inclui a Igreja da Inglaterra. Por sua vez, os anglicanos, que consideram a sucessão apostólica corno fator essencial à Igreja, não acreditam que os inúmeros grupos protestantes tenham preservado uma sucessão apostólica válida, pelo que também estariam errados quanto a organização eclesiástica, quanto as funções e quanto aos conceitos.

Os protestantes, que limitam às Escrituras a sua base de autoridade, afirmam que o complexo desenvolvimento histórico do conceito de sucessão apostólica é evidência, por si mesmo, de que a base da autoridade foi violada por essa doutrina. Para eles, a questão deveria ser resolvida dentro do próprio Novo Testamento. O problema que daí surge é se o Novo Testamento pode ser interpretado ou não em favor dessa doutrina. Vários grupos cristãos respondem à afirmativa que tal doutrina é neotestamentária, embora desenvolvida em tempos posteriores. Outros grupos, porém, negam que o Novo Testamento possa ser assim interpretado. Contra as interpretações protestantes alguns também objetam no sentido de que afirmar que o Novo Testamento é nossa única fonte de autoridade (as Escrituras somente), exprime um dogma criado em prol da simplificação, que evita o exame e a busca árdua pela verdade porque o próprio Novo Testamento não se declara como a única autoridade. Os homens têm feito essa declaração em lugar do Novo Testamento, e não com base no mesmo. Com que autoridade fazem isso? O problema, do ponto de vista polêmico, parece não ter solução, pelo que é uma questão de consciência individual e coletiva. Faremos isto ou aquilo porque sentimos que isso agrada a Deus; creremos nisto ou naquilo porque cremos que isso está mais em consonância com a vontade divina. Parece que a questão estaca nesse ponto, finalmente. Tal como em qualquer outra controvérsia, o amor deveria ser fluente, e o ódio eliminado. (AM B C E R SW)

SUCOTE

No hebraico, "tendas", o nome de duas cidades no Antigo Testamento.

1. Este era o nome de um local na Palestina, a princípio talvez apenas um acampamento, e depois uma vila. Jacó construiu currais para seu gado ali e uma casa para si mesmo depois que ele e seu irmão gêmeo, Esaú, se separaram e iniciaram vidas independentes (Gên. 33.17; Jos. 13.27). Foram estabelecidas fundições de bronze ali na época dos reis (I Reis 7.46; II Crô. 4.17). Gideão, em perseguição aos midianitas, encontrou oposição ali (Juí. 8.5, 8, 15-16). O local foi identificado com a Tell Deir'alla moderna, ou com Tell Akhsos, que fica cerca de 2 km ao norte do rio Jaboque (Nahr es-Zerka). Em Sal. 60.6 e 108.7, esse local simboliza a ocupação vitoriosa da Terra Prometida por Israel e um exemplo para alcançar outras vitórias.

2. Este era o nome do primeiro local onde Israel acampou depois de deixar Ramessés (Êxo. 12.37; 13.20; Núm. 33.5,6). Nessas passagens estão em vista um distrito, não uma vila. Talvez o antigo *Tuku* egípcio seja o local em questão, mas as investigações modernas parecem favorecer Tell el-Maskhutah, um forte próximo ao wadi Tumeilat, na fronteira leste de uma terra de *Gósen*, onde Israel havia vivido por tantos anos enquanto no Egito. Ver o artigo sobre esse local.

SUCOTE-BENOTE

No hebraico, *tendas de meninas*. Esse era o nome de uma divindade, que os samaritanos, provenientes da Babilônia, fizeram e adoravam. Ver II Reis 17:30.

Depois que os assírios derrotaram a nação nortista de Israel, levando para o exílio à maioria de seus habitantes, eles enviaram para as terras desocupadas povos provenientes de várias regiões da Alta e da Baixa Mesopotâmia.

Os estudiosos encontram grandes dificuldades para ligar o nome dessa divindade às fontes informativas extrabíblicas, que falam sobre Sarpanitu, como deusa consorte de Marduque, especialmente quanto à primeira porção desse nome, *Sar*, ou *Zir*. Mas, apesar de essas dificuldades, parece que "Sucote-Benote" é uma corruptela de Sarpanitu ou Zir-Banitu, deusa babilônica.

SÚCUBO

Ver sobre **Íncubo e Súcubo**.

SUDÁRIO DE CRISTO

Preservo abaixo este artigo conforme o mesmo foi publicado no *Novo Testamento Interpretado*, para que o leitor verifique como a questão foi manuseada, e como tantas pessoas acreditam que aquela peça de linho foi a verdadeira mortalha de Jesus. Parece haver várias impressionantes provas científicas de sua possível autenticidade; e mesmo depois que ficou demonstrado que pertence à Idade Média, há mistérios que continuam a circundar a questão, mormente quanto ao método de sua produção. Atualmente, os estudiosos consideram-na uma incomum peça de arte cristã, produto de algum gênio. É nesse ponto que se acha essa questão do sudário.

Testes Científicos: o Carbono-14. Em outubro de 1988, o Vaticano publicou os resultados dos testes sobre o sudário. O sudário de Turim, alegada mortalha de Jesus, pertence à Idade Média, e tem apenas cerca de setecentos anos (quase mil e trezentos anos depois de Cristo). O teste do carbono-14 desmentiu a antigüidade do sudário, e serviu também para provar, ao público, uma vez mais, a confiabilidade desse teste científico. Equipes independentes de Oxford, na Inglaterra, de Zurique, na Suíça, e do Arizona, nos Estados Unidos da América, receberam vários pedaços do manto, misturados com outras tiras, também de tecidos antigos. Nenhuma das equipes sabia se estava medindo a idade do sudário ou se apenas datava panos antigos, com idade já conhecida. Ao fim dos trabalhos, as três tiras do sudário foram datadas unanimemente com uma idade não superior a 723 anos,

L. Bonnat. **Ele sofreu a perda**

Rubens. **A descida da cruz**

O Sudário de Turim é o Sudário de Cristo?
Ver o artigo, *Sudário de Cristo*.

A despeito dos testes de carbono-14, as controvérsias sobre o Sudário de Turim continuam. Alguns pesquisadores acreditam que este teste é um reflexo de *um período* da história do Sudário, e não de sua *origem*. Há alguma evidência de que o pano contém manchas de sangue humano. A investigação continua. Talvez, algum dia uma resposta definitiva, positiva ou negativa, será obtida. No momento, o que é certo é que o pano apresenta mistérios para os quais não existem, ainda, respostas.

••• •••

SUDÁRIO DE CRISTO

enquanto que as tiras de outros tecidos também foram datadas corretamente. O teste do carbono-14 revela, na verdade, a data aproximada da morte do organismo ao qual estava fixado. No caso, data, com margem de erro não superior a cinco por cento, a época em que foi colhido o linho que serviu para tecer o sudário. O carbono-14 é um isótopo radioativo do carbono normal que está presente no ar que se respira. Assim que a planta ou animal morre, pára de absorver esse isótopo radioativo. Portanto, esse isótopo pode ser usado como um relógio, devido a certa propriedade dos materiais radioativos.

Um átomo desse tipo é instável e tende a decair, ou seja, transformar-se em um átomo normal, no caso, o carbono comum. Os cientistas conhecem, com precisão, o tempo que uma amostra radioativa leva para decair até o normal. Sabe-se que em 5.770 anos, a metade dos átomos de carbono-14 presentes numa atmosfera decai em carbono estável. É com base na proporção entre o carbono normal e o carbono radioativo, presentes no material analisado, que os cientistas determinam a sua idade.

Falsificação? O sudário de Turim não é uma falsificação, se é que seu fabricante não tencionava enganar o mundo com sua engenhosa arte. Mas isso é algo que só o tal fabricante sabia. Se ele não tinha o intuito de enganar, então a sua produção é apenas uma notável peça de arte cristã medieval, produzida mediante técnicas que atualmente não entendemos. A imagem ali impressa não foi pintada, e sua data não explica a qualidade dessa imagem. Alguns afirmam que é difícil imaginar como alguém, na Idade Média, poderia ter produzido tal imagem. Quando o sudário começou a circular, um bispo da área onde foi descoberto advertiu o Vaticano de que era obra de algum engenhoso artista, mas que nada tinha a ver com o sudário de Cristo. Segundo temos visto, aquele bispo estava com a razão. Mas esse conhecimento não dissipa o mistério do seu modo de produção. Talvez a ciência agora volte a sua atenção para essa questão de produção.

Argumentos em favor da autenticidade do Sudário continuam.

Frank C. Tribbe, membro da Academy of Religion and Psychical Research, é um perito na história e natureza do sudário. Ele rejeita o resultado dos testes de Carbono 14. Em um artigo escrito por ele, publicado no *Journal of Religion and Psychical Research*, de abril de 1989 (pp. 65.73), 25 argumentos são apresentados. Ofereço uma amostra:

1. A imagem no sudário não foi superposta sobre o pano, como por pintura. Está dentro das fibras do linho, como em fotografia.

2. Os testes de Carbono 14, mesmo se acurados, podem representar um período da história do pano, produzido por poluentes.

3. O linho se originou do Oriente, não da Europa, o que é demonstrado pelo tipo de material e pelo modo de tecer utilizado. O pólen no pano é de origem oriental.

4. O barro encontrado no sudário é de um tipo raro (*travertine argonite*), conhecido somente em cavernas perto de Jerusalém e Damasco.

5. A imagem do sudário (um negativo fotográfico) pode ser vista somente a uma distância de mais do que dois metros, e não mais do que cinco. Um artista não poderia ter visto seu próprio trabalho, se não tinha braços mais longos do que dois metros!

6. Provas feitas pela N.A.S.A., com equipamento eletrônico, revelam uma imagem de três dimensões que não seria possível com uma pintura ou qualquer outra imagem superposta.

Estes e outros argumentos que Tribbe apresenta me convencem de que a solução deste problema ainda não foi encontrada. O Sudário de Turim apresenta muitos mistérios. Certamente, os debates continuarão.

Esboço:
I. *Informações Preliminares*
II. Um Corpo Embaixo Daquele Pano
III. Uma 'Semelhança Verdadeira'
IV. Energia Radiante
V. A Iluminação da Fé

I. Informações Preliminares

Do lado de fora da catedral de estilo florentino em Turim, Itália, a fila se estende por mais de dois quarteirões. Dentro, peregrinos em grupos de 100 se alinham silenciosamente em frente de uma vitrina à prova de bala, dramaticamente iluminada, montada sobre o altar. O objeto de sua curiosidade sossegada é um linho de 14 pés de comprimento contendo uma imagem vaziamente discernível de um homem aparentemente crucificado. Conhecido como o Santo Sudário de Turim, e acreditado por muitos como sendo a real veste funerária de Jesus Cristo, a relíquia é a mais famosa da cristandade e o desafio mais irritante para a ciência moderna.

Para marcar o 400º aniversário da chegada do sudário em Turim, a relíquia foi colocada em uma rara mostra pública, a primeira em 50 anos. Quando a exibição se encerrar a 7 de outubro, mais de 3 milhões de pessoas deverão ter passado em testemunho. As reações delas são, pode-se dizer, variadas. "Eu era capaz de ver a face de Cristo", proclamou uma freira espanhola na semana passada. "Tudo é loucura", encolheu os ombros um estudante francês de 18 anos de idade. "Para mim é somente outra peça de roupa".

Os veredictos mais cruciais, entretanto, não serão dados até o final da exibição. Se o arcebispo de Turim, Anastásio Ballestero, consentir, grupos de cientistas convidados para ir à cidade pelo Centro Internacional de Sindonologia (estudos de sudário) começarão a conduzir experiências altamente delicadas sobre a antiga, mas durável da roupa. Armados com equipamentos sofisticados da era espacial, os cientistas colherão dados que, eles esperam, finalmente desvendarão os segredos do sudário. Testes anteriores já foram desgastados pelo ceticismo natural de alguns cientistas. Diz Kenneth Stevenson, o coordenador da unidade americana de sindonologistas: "Baseados na evidência científica da data, a maioria de nós concordaria que ele é a autêntica roupa funerária de Jesus Cristo".

Para o observador normal ver não é necessariamente acreditar. Para o olho nu, o sudário revela duas linhas paralelas de marcas chispadas, os resultados de um fogo quase desastroso no século XVI, compondo o contorno assombreado de um corpo humano em direção ao centro do linho. Mas como o seu primeiro fotógrafo – um advogado italiano – descobriu há 80 anos, o sudário age como um filme fotográfico. Quando o pano é fotografado, o negativo fornece uma imagem positiva de detalhe fino. Grandes aplicações de negativos em exibição em um anexo da catedral mostram uma figura masculina de aproximadamente 5 pés e 11 polegadas de altura, deitada em repouso com suas mãos cruzadas sobre seu pélvis e seus pés cruzados nos tornozelos. Ele é barbado e seu longo cabelo está enrolado em trança–uma moda entre os homens judeus nos tempos bíblicos.

Os detalhes anatômicos acentuadamente precisos têm impressionado os físicos. A face e o corpo são marcados por ferimentos e lesões em misteriosa correspondência com os relatos evangélicos do flagelo e crucificação de Jesus.

SUDÁRIO DE CRISTO

A parte posterior está coberta com sinais de marcas em forma de halteres sugerindo açoitamento por um flagelador romano. Ambos os ombros estão machucados pelo peso de um objeto pesado, como uma cruz. Os punhos e os pés estão furados e, entre a quinta e a sexta costela no lado direito do corpo há urna ferida inclinada que poderia ter sido feita por uma lança. Um grupo final de detalhes distingue o homem do sudário de um criminoso romano comum crucificado. Existem aparentes manchas de sangue na linha do cabelo e fronte, como se fossem causadas por urna coroa de espinhos.

II. Um Corpo Embaixo Daquele Pano

Pesquisadores já dissolveram a explicação mais óbvia para a imagem do sudário–de que seja uma fraude perpetrada por algum astuto pintor medieval. Análise química falhou em descobrir mesmo uma única partícula de tinta. Além disso, tal artista deveria ter sido não somente exímio estudante de anatomia e patologia, como também teria que entender os princípios de fotografia cinco séculos antes da invenção da câmera. Em adição, estudos recentes usando um analisador de imagem da agência espacial dos EUA, demonstraram que as marcas contêm informação tridimensional sobre o homem do sudário, um efeito que nem pinturas nem técnicas fotográficas convencionais poderiam atingir. É tecnicamente impossível, de acordo com a nossa pesquisa, para um falsário fornecer uma perfeita tridimensional imagem em um pedaço de pano", diz Stevenson. "Além disso, nós podemos concluir que havia um corpo embaixo daquele pano".

As questões–chaves levantadas pelo sudário são:
Quantos anos ele tem? De onde ele veio? E o mais intrigante de tudo, como a imagem nele foi formada? Dados históricos confiáveis mostram que o sudário foi pela primeira vez colocado em exibição no século XIV, na França, pela viúva, necessitada, de um homem chamado Geoffrey de Charny. Foi uma rápida retirada, entretanto, depois que um bispo reclamou que um sudário com tal imagem poderia não ser autêntico porque não está mencionado no Evangelho.

Nos anos recentes, exames cuidadosos do material do sudário colocaram sua manufatura no Oriente Médio do tempo de Cristo. Em um estudo de nove anos do pó tirado do sudário, o criminologista suíço Max Frei descobriu concentrações de pólen semelhantes àquelas encontradas quase que exclusivamente no Mar Morto na área da Palestina. "Se o sudário for genuíno, o que eu acredito que seja, teria 2000 anos de idade" conclui Frei.

III. Uma 'Semelhança Verdadeira'

A pesquisa do Frei dá crédito à teoria das origens do sudário proposta por Ian Wilson da Grã-Bretanha, um jornalista histórico largamente respeitado. Em seu livro recentemente publicado, *"O Sudário de Turim"*, Wilson argumenta que a relíquia bem que poderia ser o legendário *Mandylion*, um pano misterioso que os cristãos orientais ortodoxos há muito consideraram como portador de "semelhança verdadeira" com Cristo. Wilson acredita que o sudário foi levado por um discípulo de Cristo para *Edessa* (agora Urfa na região Anatoliana de Turquia) algum tempo antes de 50 d.C., como um brinde para o rei cristão da cidade. Depois que a cidade caiu no paganismo, o sudário desapareceu até o sexto século, quando foi descoberto em uma cavidade de uma parede da cidade e recebeu o nome de MANDYLION. Em 944, o Mandylion foi levado para Constantinopla onde se tornou parte da coleção do imperador bizantino.

Wilson sugere que os bizantinos possam não ter entendido que eles reverenciavam a imagem facial que era um sudário em toda extensão porque ele estava dobrado para que somente a face ficasse visível e então esticado em uma estrutura e circundado com uma moldura decorativa. Ele também sugere que a razão pela qual muitos retratos de Jesus depois do sexto século se assemelhassem entre si é por todos terem sido inspirados pelo Mandylion, que desapareceu no século XIII. Como Wilson reconstrói sua história subseqüente, o Mandylion pode ter sido transportado por um Cavaleiro Templário e ancestral de Geoffrey de Charny, cuja viúva o colocou brevemente em exibição. Finalmente, em 1453, o sudário foi levado para a Casa de Savóia, que o manteve desde então.

IV. Energia Radiante

Para os cientistas, o único método seguro de determinar a data do sudário é através de um teste carbono 14, que os oficiais da igreja têm há longo tempo rejeitado porque poderia danificar uma grande parte do pano. Cientistas americanos, entretanto, estão aperfeiçoando uma forma de teste de carbono 14, que exigiria somente 5 milímetros de amostra. Enquanto isto, outros cientistas deram ao arcebispo de Turim uma longa lista de solicitações. Alguma esperança de expor o sudário a uma microexperiência de íon, que pode achar vestígios de uns 30 elementos em um único fio de cabelo humano, para provar sem dúvida a ausência de tinta. Um teste envolvendo análise de ativação de nêutron poderia determinar se há sangue humano no pano. Em complementação, os cientistas esperam conduzir experiências no sudário usando raios X fluorescentes e fotomicrografia, assim como examinar o avesso do pano com instrumentos óticos flexíveis.

O último enigma, é claro, é justamente que processo imprimiu a imagem humana no sudário. Confrontado com nenhuma outra explicação, alguns cientistas concluíram que pode ter sido causado por um flash de energia radiante. O químico-térmico Ray Rogers do Latoratório Científico Los Alamos - um dos 30 *sindonologistas* que examinou o sudário - sugere que a imagem tenha sido impressa por uma intensa queima de luz ou "fotólise flash" - um conceito que enreda confortavelmente a pintura tradicional de um brilhante Cristo ressuscitado saindo do túmulo.

V. A Iluminação da Fé

Ironicamente, tais conclusões vêm de cientistas precisamente quando muitos teólogos se tornam relutantes em afirmar a ressurreição física de Jesus. O Evangelho testemunha que a crença de um discípulo duvidoso foi reavivada somente depois de ele ter colocado sua mão no ferimento da lança de Cristo ressuscitado. Se o sudário de Turim aparecesse como a roupa funerária de Jesus, sem dúvida ajudaria a escorar o compromisso cristão dos *"Tomés"* duvidosos de hoje. Mas ainda tal dúvida não provaria conclusivamente que a Ressurreição ocorreu. Este é um mistério que sempre exigirá a iluminação da fé.

Artigo usado pela gentil permissão de *Newsweek Magazine*, 18 de set., 1978.

Outras Informações

A mortalha de Turim: Há algumas evidências científicas convincentes de que esse pano de certa feita envolvera o corpo de um homem crucificado, e muitos o têm aceito como a mortalha autêntica de Cristo, embora nenhum grupo eclesiástico lhe tenha dado sanção oficial. Atualmente se encontra encerrada em um cofre-forte, por trás do altar da catedral de S. João Batista, em Turim, na Itália. Tem estado ali por mais de duzentos e cinqüenta anos. Tem 4,20 m de comprimento e 9,90 m de largura, feito de linho, onde se estampam os contornos frontal e dorsal de um homem crucificado. São Nino, do século IV d.C., diz-nos que Pedro guardara a mortalha de Cristo; mas em seus próprios dias, não sabia se esta havia sido descoberta ou não. A tradição revela que trezentos anos mais tarde, apareceu em Jerusalém, onde foi vista pelo bispo Arculfus. Ficou ali guardada por quatrocentos anos. No fim do século XI encontrava-se em Constantinopla; e após o saque da cidade, pelos cruzados, desapareceu para reaparecer na França. A partir desse ponto, há uma história razoavelmente curada e historicamente digna de confiança a respeito dessa mortalha. Era propriedade dos duques de Savóia, ancestrais do rei Vítor Emanuel, da Itália. No século XIV, houve a primeira controvérsia eclesiástica sobre ela. Em 1898, o cavaleiro Pia, um rico fotógrafo amador recebeu autorização para fotografá-la, e, para seu espanto, quando a imagem estampada na mortalha ficou revertida na chapa negativa, pareceu o retrato de um homem crucificado. A mortalha se transformara em uma chapa fotográfica negativa, através dos elementos químicos pelo corpo que antes envolvera. Subseqüentemente se comprovou, mediante testes feitos em panos de linho, que essa imagem negativa poderia ser produzida usando-se os elementos químicos emitidos por uma pessoa em grande padecimento. Os ferimentos nas mãos (realmente nos pulsos), as marcas dos espinhos, os ferimentos nos pés, a ferida no lado, tudo é claramente visível. As reações químicas gravadas no pano de linho indicam que a pessoa ali contida estava realmente morta, mas que pouco depois a pessoa deve ter deixado os panos (ou deve ter sido tirada dos mesmos), pois do contrário o processo fotográfico negativo teria sido borrado pela continuação das reações químicas. O corpo que ali esteve contido tinha aproximadamente 1,73 m de altura. Jamais poderemos saber se essa mortalha foi aquela em que o corpo de Jesus foi enrolado; mas é possível que se trate de uma das poucas relíquias que possuímos da vida de Cristo. (Extraído de *Between Two Worlds*, de Nandor Fodor, págs. 265-268).

SUDÁRIO DE TURIM
Ver sobre **Sudário de Cristo**.

SUDIAS
Forma alternativa para Hodavias (I Crô. 5:24), nos livros apócrifos.

SUDRA
Esse é o nome da mais inferior das quatro castas tradicionais da sociedade indiana. Seus membros ocupam-se em trabalhos braçais humildes, que ninguém mais haveria de querer fazer. Porém, ainda baixo deles, na escala social, acha-se a casta dos intocáveis, embora os sudras já sejam tão humildes que é difícil estabelecer qualquer distinção entre essas duas castas.

A crença hindu na reencarnação (vide) encoraja as pessoas a aceitarem sua baixa posição social como algo merecido. Mas, nos tempos modernos, alguns filósofos hindus têm posto em dúvida todo esse sistema de castas, exigindo uma maior dignidade humana do que aquela refletida no sistema de castas. Ver o artigo geral intitulado *Castas*.

SUETÔNIO
Seu nome latino era Gaius Suetonius Tranquillus, que se tornou um dos famosos escritores romanos. Nasceu no trágico "ano dos quatro imperadores" (69 d.C.), e faleceu em cerca de 140 d.C. Foi um dos poucos escritores romanos que nasceu na cidade de Roma. Pertencia à classe eqüestre, era praticante de direito e, por algum tempo, foi secretário particular do imperador Adriano, que reinou entre 117 e 138 d.C.

Suetônio deixou muitas obras, dentre as quais a mais famosa, Vida dos Césares, que sobrevive até nós quase intacta, no tocante aos imperadores romanos Júlio César a Domiciano. Essa obra exerce imensa influência desde a antigüidade. A historiografia romana, precisamente por causa dela, tornou-se muito mais biográfica. Embora não tivesse sido nenhum grande historiador, Suetônio se esforçava por escrever com objetividade. O material por ele coligido reveste-se de imenso valor histórico, embora um tanto tendencioso e injusto em certos lances. Para os estudiosos do Novo Testamento, Suetônio é uma figura muito interessante por haver feito referências a Cristo (ao qual, erroneamente, chamou de Crestos), além do fato de que ele confirma a expulsão dos judeus, da cidade de Roma, por ordem do imperador Cláudio (ver Atos 18:2 e *Cláudio* 25:4).

SUFÃ
No hebraico, "serpente". Era um dos filhos de Benjamim, filho mais novo de Jacó. Seus descendentes eram chamados *sufamitas* (Núm. 26:39). Supim e Hupim, em lugar dos *sufamitas*, aparecem em I Crônicas 7:12 como filho de Ir, da tribo de Benjamim.

Sesufá ("serpente"), filho de Bela, é o nome desse descendente de Benjamim, em uma outra lista genealógica (I Crô. 8:5). De acordo com as diversas listas genealógicas sobre a tribo de Benjamim, parece haver uma tendência para o emprego de pares de nomes de sons similares, com a ocorrência de algumas variações. Para exemplificar, na lista do livro de Números, encontramos *Sufã* e os *sufanitas* (Núm. 26:39), como também *Hufã* e *sufamitas*. No sétimo capítulo de I Crônicas, encontramos as formas mais abreviadas de Supim e Hupim, como também Husim (I Crô. 7:12). Mupim e Hupim aparecem entre os filhos de Benjamim (Gên. 46:21). Parece ter havido a tendência para a simplificação e estilização dos nomes próprios. Isso explica, talvez, como Sesufá veio a assumir a forma de *"Sufã"*, uma forma estilizada posterior do mesmo nome. *Sufã* viveu em cerca de 1630 a.C.

De acordo com o trecho de I Crônicas 8:1-5, Sesufá aparece não como filho de Benjamim, e, sim, como seu neto, filho de Bela. Isso não é para admirar nas listas genealógicas antigas, onde alguém podia aparecer como filho quando, na realidade, era seu descendente. Assim, teríamos Benjamim, Bela e Sufã, nessa ordem, cada um filho do anterior.

SUFÃ
No hebraico, "tempestade" Assim diz a nossa versão portuguesa em Núm. 21:14. De acordo com esse trecho bíblico, era uma região dos moabitas, citada no livro das Guerras do Senhor. Nossa versão portuguesa diz ali: "Vaebe em Sufã...", o que tem causado confusão para muitos leitores da Bíblia em português. Os estudiosos vêm em nosso socorro esclarecendo que Vaebe seria uma cidade localizada na região de Sufã. A sua associação com o ribeiro do Amon sugere que a região ficasse a oriente do mar Morto, na área onde corriam o Amon e seus tributários. A versão portuguesa sem dúvida segue a Revised Standard Version, que diz "Waheb in Suphah". As versões mais antigas pensavam que se tratava de uma alusão ao mar Vermelho (*yam Suph*).

SUFE
Essa palavra ocorre somente em Deuteronômio 1:1, dentro da expressão hebraica *yam suph*, "mar de canas". Esse mar é de localização incerta, sabendo-se apenas que

SUFICIÊNCIA DA RAZÃO – SUICÍDIO

foi ali que Moisés expôs a lei de Deus diante do povo de Israel. A associação desse mar com Parã, com Hazarote, com Arabá, com o vale do Jordão e com o mar Morto, que se prolonga para o sul na direção do golfo de Ácaba, sugere que sua identificação com o mar Morto deva estar certa. Essa tem sido a interpretação de algumas versões, como é o caso da King James Version, em inglês.

SUFICIÊNCIA DA RAZÃO

Leibnitz afirmava que coisa alguma pode ocorrer sem uma razão suficiente que lhe dê impulso. Ademais, coisa alguma existiria sem alguma razão suficiente. Esse princípio tem sido usado como aliado ou elemento do argumento de causa, a fim de defender a idéia da existência de Deus, como também para ajudar na defesa da idéia de desígnio na criação, em contraste com a idéia do caos. Naturalmente, todas as formas de determinismo (vide) aceitam esse conceito. Ver o artigo separado sobre o *Argumento Cosmológico*.

SUFISMO

Essa designação parece derivar-se do termo árabe *suf*, "lã". A referência diz respeito às vestes de lã usadas pelos ascetas que criaram o sistema religioso. Pode-se fazer retroceder essa palavra até o século II d.C., quando surgiu, ainda de maneira informal, aquele sistema religioso. Suas ênfases recaem sobre o ascetismo e o misticismo. Após o surgimento do islamismo, os sufistas identificaram-se à divisão xiita desse movimento.

O sufismo busca Allah através do amor, da renúncia pessoal e das experiências místicas. Oferece orientações que pretendem permitir a seus adeptos a união com Deus. Como medidas preliminares, há uma lista de arrependimento, abstinência, pobreza, paciência, confiança, e, como é óbvio, a prática da lei do amor, sem a qual bem pouco pode ser realizado no campo espiritual.

O amor é a chave da ética sufista. Tal como acontece com outras formas de misticismo, o sufismo tornou-se panteísta em sua expressão. A partir desse movimento (o que sucede com outros movimentos místicos) surgiu uma poesia grandiosa, que alguns consideram a mais elevada realização da literatura persa. A peça poética mais brilhante chama-se *Sufi*. A começar no século XII, o sufismo misturou-se com o hinduísmo, no norte da Índia, sendo assim produzida uma outra versão do hinduísmo místico.

SUGESTÃO

Essa palavra é usada em vários contextos com implicações morais e espirituais. A lavagem cerebral, por exemplo, usa sugestões de tipo violento, reforçada por procedimentos incomumente cruéis. O hipnotismo (vide) usa sugestões que podem resultar em atos úteis ou prejudiciais. Esse ponto tem sido muito debatido, mas parece que se sugestões forem apresentadas como não deve ser, atos errados podem daí resultar. Assim, um médico que convença a uma mulher sob hipnose de que ele é o marido dela, não terá dificuldades em obter favores sexuais da parte dela. Ou um homem, sob sugestão hipnótica, se for solicitado a matar a alguém que é caracterizado (falsamente) de ser um perigoso espião, a serviço de alguma potência estrangeira, não hesitará em fazê-lo, por razões patrióticas. Por outra parte, a auto-sugestão, com ou sem ajuda da hipnose, pode melhorar o quadro mental que uma pessoa faz de si mesma, ajudando-a a agir melhor e com maior determinação, podendo interromper algum hábito que há muito a vinha vexando.

Sugestões são usadas em conexão com os estados alterados de consciência, que já não são a mesma coisa que os estados hipnóticos. Elas fazem parte da meditação de alguns, e coisas úteis têm sido obtidas por esse intermédio. Uma sugestão pode provocar sonhos instrutivos, que dêem orientações necessárias. Os propagandistas usam de sugestões, abertas ou sutis, no alardeamento de seus produtos, e as evidências comprovam a eficácia da prática.

A eficácia da sugestão depende da autoridade asseverada pela pessoa que a faz, ou pela determinação do próprio indivíduo, quando se trata de auto-sugestão. A idéia de autoridade chega à mente subconsciente, onde exerce um poder que pode ser transmitido à mente consciente. A maioria das pessoas está sujeita ao poder da sugestão; e as crianças em grau extremo. Não é fácil mantê-la "convertida" mais tarde na vida, quando ela começa a tomar suas próprias decisões.

Drogas são usadas para intensificar a sugestibilidade. Drogas como a escopolamina e o tiopental de sódio podem produzir estados hipnóticos quando as sugestões exercem considerável poder. Em algumas formas de neurose, de psicose, ou de simples exaustão, aumenta o poder da sugestão. Até a má nutrição (que debilita o sistema) favorece a eficácia das sugestões.

Sugestibilidade Negativa. É curioso como, com freqüência, as crianças e certos tipos esquizofrênicos sentem sugestões, com um forte desejo de fazer o contrário do que é sugerido. No caso das crianças, suponho que essa reação deva-se ao desejo de liberdade e independência, condições essas de que as crianças não desfrutam muito, tentando obtê-las o máximo possível.

SUICÍDIO

Esboço:
I. Definições e Causas
II. Idéias dos Filósofos a Respeito
III. Idéias dos Teólogos a Respeito
IV. Relações com a Eutanásia

I. Definições e Causa

O suicídio é "a autodestruição, mediante a supressão intencional da própria vida" (E). Essa autodestruição usualmente se faz mediante meios súbitos e violentos; mas também deve ser reputado suicídio genuíno o debilitamento proposital do próprio corpo, a exposição proposital a enfermidades fatais, embora esses métodos sejam mais demorados. Uma outra definição é a de "auto-assassínio", e a maior parte das religiões aceita essa noção.

Podemos classificar o suicídio em dois tipos bem distintos: o convencional e o pessoal. O convencional ocorre como resultado da tradição e da opinião grupal ou pública. Um exemplo bem conhecido desse tipo de suicídio é o hara-kiri dos japoneses, o qual, sob certas circunstâncias, é chamado de "honroso", tomando ares de nobreza. Um nobre japonês, ao enfrentar a desgraça, ao tirar a própria vida é tido como alguém que praticou um ato louvável. A história mundial encerra muitos exemplos de mulheres suicidas, quando os costumes requerem que as mulheres sigam seus maridos na morte provocada. Entre os esquimós, o suicídio dos indivíduos idosos e incapacitados era e continua sendo algo sábio e esperado. Isso alivia a tribo de cargas desnecessárias, em uma sociedade onde a simples sobrevivência já é um problema grave. Entre muitos povos há suicídios convencionais. A coisa chegou a um extremo que, na Índia, por exemplo, tal prática foi proibida pelos britânicos, em 1828, no tocante ao *sati*, ou seja, o sacrifício de uma viúva hindu, sobre a

SUICÍDIO

pira fúnebre de seu marido. Esse vocábulo, *sati*, significa "esposa fiel", pois fazia parte da noção de fidelidade à disposição de morrer ante a morte do esposo. Suicídios convencionais têm feito parte das práticas de muitas culturas antigas no Japão, na China, na Índia, e na porção noroeste da Europa.

Os suicídios pessoais, por sua vez, são atos de iniciativa individual. Não resultam de qualquer costume, mas usualmente são provocados por algum senso de desespero. Além disso, atualmente várias drogas usadas pelas pessoas produzem impulsos suicidas.

Alguns dados estatísticos, nos Estados Unidos da América do Norte, apontam uma taxa de suicídio de 10,6 pessoas para cada cem mil habitantes, anualmente. Essa porcentagem varia de ano para ano, embora não muito. Naquele país, a faixa de idade com maior incidência de suicídios é aquela entre os 45 - 54 anos. Esse país aparece no décimo quinto lugar entre os de maior taxa de suicídio do mundo. Mas os alucinógenos têm aumentado muito a taxa de suicídios entre os jovens, na maioria dos países do mundo. Entre 1950 e 1960, a taxa de suicídios entre crianças até os catorze anos de idade aumentou nada menos de trezentos por cento. Desde então, esse aumento tem sido alarmante. Organizações têm sido formadas exatamente com o propósito de ajudar às vítimas em potencial do suicídio. Uma pesquisa recente em uma grande (mas não identificada) cidade do estado de Massachussetts demonstrou que vinte por cento dos jovens daquela cidade já havia infligido contra si mesmos alguma forma de castigo corporal, embora sem chegar ao nível de gravidade do suicídio. Sem dúvida, não se deve pensar em causas econômicas naquele caso. Antes, por trás de tudo isso está o abuso com drogas de todas as variedades.

Causas. Com freqüência, as causas do suicídio são bastante óbvias; mas, algumas vezes, não há causas aparentes. Talvez os sociólogos estejam com a razão ao afirmarem que o suicídio é uma espécie de auto-recolhimento, tendo as mesmas causas de qualquer outra fuga, exceto que se trata de algo radical e permanente. Assim, o suicídio é uma fuga de qualquer situação intolerável, como problemas financeiros, problemas amorosos, problemas sociais, desgraça pessoal, sentimentos de temor e de inadequação. Certamente é verdade que há pessoas que simplesmente não têm a fortaleza nervosa para tolerar as modernas condições de vida, incluindo a situação criada por uma sociedade impessoal, mecanicista, onde parece que ninguém se importa se alguém vive ou morre. As neuroses e os desequilíbrios mentais entram com sua parcela nos casos de suicídio. Alguns suicídios, mui provavelmente, são assassinatos simbólicos. O suicida queria que outrem morresse ou sofresse, mas voltou-se contra si mesmo. Ou, então, mesmo sem qualquer idéia de sofrimento infligido a outrem, o indivíduo de mente desequilibrada pode imaginar que feriu a outra pessoa com a sua própria destruição. Talvez esse tipo de suicídio pareça um caminho mais fácil, diante da própria consciência, em vez de matar a pessoa odiada. Também devemos pensar na causa das "grandes reversões" quando as esperanças e ambições de alguém são destruídas, quando aquilo pelo que alguém tanto lutou é subitamente perdido, ou fica fora do alcance, de forma aparentemente permanente. As pessoas que vivem somente para o dinheiro podem sentir que a continuação da vida torna-se insuportável quando desaparecem as riquezas materiais, ou quando o dinheiro esperado não é ganho.

Em alguns poucos casos, que aqui destacamos, o suicídio é uma forma de auto-expiação. Um indivíduo pode ter cometido algum grave erro, ou pode ter acumulado muitos erros, e está levando consigo uma pesada sensação de culpa, e acaba se matando. Uma pessoa que não mais se respeite pode se matar, em atitude de desespero. Também há casos de suicídio resultantes de um senso distorcido de altruísmo. "Minha esposa ficaria melhor sem mim", pensa um homem. Talvez esse homem faça um seguro de vida em favor de sua esposa, em vez de tirar a própria vida; mas outros fazem exatamente o oposto. Também há pessoas que não se dispõem ou talvez mesmo não possam enfrentar a idade avançada e seu declínio físico, mental e financeiro. Entretanto, é significativo que as taxas de suicídio não têm declinado, em muitos países, à medida que a prosperidade bafeja suas respectivas populações. De fato, os próprios meios que as pessoas empregam para produzir a prosperidade material também servem para desequilibrar seus sistemas nervosos, do que resultam suicídios. A quantidade de dinheiro que uma pessoa tem ou deixa de ter não parece ser uma causa principal de suicídios, embora exerça sua influência quanto a isso.

Há casos reais de nobre suicídio. Ocasionalmente, lemos sobre alguém que sacrificou a própria vida a fim de salvar a outra pessoa. Talvez a outra pessoa se estivesse afogando ou prestes a sucumbir em um incêndio. Mas eis que alguém se dispôs a perder a própria vida a fim de salvá-la. Nenhuma idéia de culpa pode ser vinculada a essa forma de perda da própria vida.

Talvez, generalizando, possamos asseverar que o suicídio é uma espécie de pervertida solução para os problemas da vida. O suicídio pode ser uma maneira das pessoas exprimirem ódio, anularem o senso de culpa, fugirem de seus problemas, escaparem da solidão, cancelarem o temor ou a dor física, expiarem por sentimentos de culpa ou proverem meios de subsistência a outrem.

II. Idéias dos Filósofos a Respeito

1. *Sócrates* negava que o homem tenha o direito de cometer suicídio. Segundo ele raciocinava, o homem é propriedade dos deuses, e a vida e a morte dependem deles, e não da vontade humana. Ele pensava que sempre será melhor sofrer do que cometer um mal, e o suicídio é um mal, pelo menos na maioria dos casos.

2. *Os estóicos*, em contraste com Sócrates, glorificavam o suicídio como demonstração suprema da independência do homem, ou como mostra de apatia acerca de seus temores comuns (o maior dos quais é o temor da morte). Mediante o suicídio, o homem também dá uma demonstração prática do controle que exerce sobre a vida, através da razão. Esse sistema sentia que há razões adequadas para o suicídio, afirmando que os homens bons saberão quando chegam tais circunstâncias. Entre essas razões estaria o desejo de escapar dos anos de declínio, ao mesmo tempo em que se provaria a imortalidade da alma, em parceria com a apatia acerca do corpo e suas exigências.

3. *Schopenhauer*, embora pregasse uma doutrina de futilidade e desespero, opunha-se ao suicídio sob a alegação de que esse ato representa os desejos do indivíduo, e não um verdadeiro ato de renúncia. O suicídio, pois, refletiria uma falta de disciplina. Outrossim, ele acreditava em uma fútil forma de reencarnação. Assim, o indivíduo que se suicida é forçado a voltar, encontrando situações tão ruins ou mesmo piores do que aquelas de que esperara escapar.

4. *Alberto Camus*, embora reconhecendo o absurdo envolvido, muitas vezes, na própria vida, argumentava que o suicídio é uma reação inadequada para esse absurdo. A

SUICÍDIO

verdadeira reação humana seria "viver" em plena consciência aquele absurdo.

III. Idéias dos Teólogos a Respeito

Na teologia, a vida é dom de Deus, e devemos ter cuidado acerca de como tratamos esse dom. Os primeiros pais da Igreja permitiam o suicídio somente em circunstâncias muito específicas e limitadas; mas a maioria dos teólogos cristãos tem classificado o suicídio como uma forma de homicídio. Agostinho negava que o suicídio seja legítimo, sob qualquer circunstância, e Tomás de Aquino o secundou. Ele expunha estes três princípios gerais contra tal ato: 1. O suicídio é desnatural e contrário ao amor, que o indivíduo deveria ter para consigo mesmo e para com o próximo. 2. É também uma ofensa contra a sociedade, pois ninguém vive para si mesmo, como também ninguém morre para si mesmo. 3. O suicídio usurpa o poder de Deus, o único que pode tomar as decisões acerca de quando o homem deve viver ou morrer. Os teólogos católicos romanos, naturalmente, têm tomado a posição de Tomás de Aquino, como também os teólogos protestantes conservadores. Alguns estudiosos protestantes têm promovido a eutanásia, uma questão crítica em nossos próprios dias. Ver sobre a *Eutanásia*.

Razões Morais contra o Suicídios:

1. *O sexto mandamento*, Êxo. 20:13 (comparar com Gên. 9:6), é um texto de prova geral contra o suicídio, porquanto todos sentem que o suicídio é uma forma de homicídio, envolvendo os mesmos fatores que aqueles acerca do homicídio em geral.

2. *O argumento baseado no desígnio.* Há um tempo de nascer e um tempo de morrer. O indivíduo não tem o direito de perturbar esse cronograma, nem quanto ao próximo e nem quanto a si mesmo.

3. *O argumento baseado no altruísmo.* A maioria dos suicidas poderia ter revertido suas tendências autodestrutivas se tivessem começado a importar-se com outras pessoas e servi-las. Nisso encontrariam muita razão para continuar vivendo. O suicídio interrompe a oportunidade de o indivíduo viver a lei do amor, em benefício do próximo.

4. *O argumento baseado na tristeza e no opróbrio.* Poucos suicídios deixam de entristecer as pessoas associados aos suicidas; e quase todos os casos de suicídio envolvem vergonha. Portanto, usualmente o suicídio é um ato egoísta, próprio de quem não se importa com outras pessoas.

5. *Uma distorção de valores.* A pessoa que acaba suicidando-se cultivou uma vida caracterizada por valores distorcidos. O fracasso do indivíduo em obter certas coisas, ou a perda de coisas já obtidas, ou a angústia mental resultante de falsos padrões jamais poderá justificar aquilo que é moralmente equivalente ao homicídio.

6. *A preciosidade da vida humana* é tal que o suicídio alinha-se entre as grandes imoralidades da experiência humana. A vida é um dom de Deus e não pode ser tratada com negligência. Ninguém tem o direito de cortar a vida de outrem, e nem mesmo a sua própria vida, a qual é dom de Deus tanto quanto a vida de outrem.

7. *O cumprimento da missão de cada um* requer que a vida seja usada em toda a extensão possível. Há lições a serem aprendidas e coisas específicas a serem realizadas. O senso de missão sempre deveria incluir um serviço altruísta em favor do próximo, ou seja, o viver segundo a lei do amor. O suicídio, pois, destrói a missão e o amor.

Quando o Suicídio é Permissível?

Alguns filósofos e teólogos têm argumentado que o suicídio é permissível, em algumas circunstâncias:

1. Um espião que esteja servindo a seu país, contra algum poder mau, se chegar a cair em mãos do inimigo, fará um nobre serviço se vier a sacrificar a sua vida, de modo a não ser forçado a dar informações que prejudicariam a muitas pessoas. Nesse caso, o suicídio é um ato de amor e compaixão, não pelo próprio indivíduo, mas por outras pessoas.

2. Aqueles que tentam salvar a vida alheia, como nos casos de acidentes e emergências, ou como quando alguém se apresenta voluntariamente para experimentar drogas perigosas que põem a vida em risco, estão cumprindo um nobre serviço. Ninguém acha falta no indivíduo que se afoga na fútil tentativa de salvar a outrem, mesmo que, desde o começo, fossem mínimas as possibilidades de sobrevivência, o que envolve certa forma de suicídio.

3. Alguns líderes espirituais pensam que se uma pessoa está com uma enfermidade terminal, sofrendo muitas dores, não é errado cortar a própria existência, mediante um ato de suicídio. Naturalmente, isso envolve a *eutanásia*, que é questão muito debatida pelos filósofos morais e pelos teólogos. Usualmente, em tais casos, a dor é o grande fator decisório. Se uma enfermidade terminal não produz grande sofrimentos, e o que a vítima passa é apenas uma forma inútil de vida (de acordo com a avaliação da própria vítima), então quase todos os envolvidos mas não todos deixam de apoiar a eutanásia. Uma pessoa paralisada, para exemplificar, mas que não sofra dores, poderá pensar que sua vida é apenas uma carga para outras pessoas, uma carga inútil. E então poderá ansiar por fim a tal futilidade. Poderá faze-lo com razão? Essa pergunta é muito debatida, e eu mesmo não tenho uma resposta insofismável para a mesma.

IV. Relações com a Eutanásia

A palavra "eutanásia" significa, literalmente, "boa morte", ou seja, relativamente destituída de dor, uma morte infligida por motivo de misericórdia. A própria pessoa pode pedir para ser morta, mediante alguma droga que faça um trabalho rápido e fácil. Ou os parentes de uma pessoa podem solicitar que isso seja feito. A eutanásia pode ser de dois tipos: *ativa* e *passiva*. Na eutanásia passiva não se tomam medidas heróicas para salvar a vida de uma pessoa; não são empregados equipamentos médicas para salvar a vida. Na eutanásia ativa aplica-se algum medicamento ou droga que provoque uma morte rápida.

Alguns estudiosos são contra ambas as variedades de eutanásia, por acreditarem que a vida, quaisquer que fossem as condições, deveria ser prolongada a todo custo. Porém, nem todos compartilham dessa atitude. Alguns filósofos morais e teólogos favorecem a eutanásia ativa. Há médicos que a põem em prática, mesmo sem qualquer autorização, e, ocasionalmente, ouvimos falar de enfermeiras que tomam a questão na própria mão e, secretamente, põem fim a uma vida de sofrimentos intensos.

Não é fácil julgar a moralidade de alguns casos, quando dor excruciante está envolvida. Tomei conhecimento de um caso assim, nas circunvizinhanças de onde eu e minha família morávamos, em Salt Lake City, Utah. Certa família tinha uma filha adolescente que estava sujeita a ataques de coração que provocavam dores horríveis. A vida da jovem era um reinado de terror. Certo dia, o médico estava assistindo a garota, em uma daquelas crises. Ele disse aos pais dela: Posso fazer parar essa dor; mas, se eu fize-lo, ela não voltará! (ou seja, ela morreria). Os pais da menina nada disseram; mas só se entreolharam. Após alguns instantes, assentiram ambos com a cabeça, um para o outro. E então o pai, sem dizer uma palavra, deu seu consentimento com um gesto de cabeça. O médico aplicou uma injeção fatal. A dor passou, e a alma da garota foi libertada. Assim, três pessoas tomaram uma vida nas mãos, a fim de fazer cessar a dor.

Agiram erradamente? Algumas pessoas dizem que "sim"; e outras dizem que "não". Estou inclinado a dizer que "não", embora não tenha certeza. Ver o artigo geral chamado *Eutanásia*. Naturalmente, a garota foi morta por um ato de misericórdia; mas, se a própria menina tivesse sido consultada e tivesse dado seu consentimento, então aquilo já teria sido suicídio. Talvez a moralidade, em qualquer desses casos, tivesse sido uma e a mesma coisa. (AM B E EP H P)

SUI GENERIS

Essas palavras latinas significam "de sua própria espécie" dando a entender algo que não pode ser posto dentro de alguma classe de coisas ou de idéias. A natureza de Deus é algo que pode ser chamado de *sui generis*. Em certo sentido, todas as almas são *sui generis*, visto que todas elas têm um propósito e uma missão ímpares, se isso for devidamente cultivado. Ver o artigo sobre Novo Nome e a Pedra Branca, o, quanto a esse ensinamento sobre as almas.

SUJEIÇÃO ÀS AUTORIDADES HUMANAS

I. Instruções de Paulo –Rom. 13:1-10

Rom. 13: 1: *Toda alma esteja sujeita às autoridades superiores; porque não há autoridade que não venha de Deus; e as que existem foram ordenadas por Deus.*

A teologia judaica concordava de modo perfeito com essa forma de declaração, pelo menos em termos gerais e quanto à sua filosofia básica. Segundo o sistema teológico judaico, Deus era tão fortemente salientado como a grande e única causa que, virtualmente, não havia lugar para quaisquer causas secundárias. Deus, pois, era considerado não somente a causa primária, mas também o princípio total de causa, como causa primária, formal, eficiente e final. Nele é que todas as coisas teriam origem e nele todas as coisas encontrariam o seu alvo. (Ver Rom. 11:36). Nele todas as coisas encontram o seu plano (causa formal), e através dele todas as coisas são produzidas ou realizadas (causa eficiente). Naturalmente, de acordo com tal ponto de vista, o poder civil nacional, estadual ou citadino, só podia ser encarado como um poder delegado por Deus. Se assim não fosse, então o que haveria causas estranhas à pessoa de Deus, e isso a teologia judaica não podia aceitar.

Observemos esta passagem, abaixo citada, extraída do livro Sabedoria de Salomão, escrita em cerca de 50 a.C. a 40 d.C. que reflete o pensamento judaico sobre os governantes terrenos:

"Pois vosso domínio vos foi dado da parte do Senhor. E vosso senhorio do Altíssimo. Ele examinará vossas obras e sondará vossos planos. Pois sendo servos de seu reino, não julgastes retamente, e nem observaste a lei, e nem seguistes à vontade de Deus. Ele virá contra vós terrível, e repentinamente, pois um juízo severo atingirá os que estão em lugares altos".

II. Detalhes e Implicações da Doutrina

1. *Limites*. A obediência aos governantes humanos, em tempos quando a igreja não está sendo diretamente atacada, pode ser exagerada. Durante a Alemanha nazista, quando os judeus estavam sendo destruídos aos milhões, sabemos, através do testemunho de muitos que os cristãos da Alemanha, embora tivessem plena consciência dos horrores praticados por seu próprio governo contra seus cidadãos de origem judaica, não levantaram protesto algum, por medo e por não quererem envolver-se. E quando, finalmente, surgiram os primeiros protestos por parte de líderes cristãos alemães, contra a conduta desumana e brutal dos governantes nazistas contra os judeus, esses protestos foram tardios demais, além de muito debéis. Para crédito dos cristãos alemães, devemos dizer que alguns poucos eclesiásticos alemães sofreram por causa da oposição que fizeram contra as perseguições contra os judeus. Assim, embora o quadro então dominante fosse tão negro, aqui e ali estamparam alguns lampejos de luz.

As explanações do apóstolo dos gentios, pois, têm aqui um alcance limitado, embora isso de forma alguma dê razão àqueles que procuram proteger-se de todo o envolvimento na justiça social, ocultando-se por detrás de suas palavras tão gerais, que nos recomendam a obediência ao Estado. Tal obediência, de conformidade com os princípios éticos cristãos, não pode ser absoluta, a menos que as circunstâncias sejam relativamente favoráveis a essa espécie de obediência. O que Paulo queria era resguardar os crentes de seus dias contra a rebeldia insensata e contra a falta de respeito para com os governantes, com o propósito de preservar a paz entre a Igreja e o Estado, a fim de que o evangelho pudesse prosperar.

2. *Comparações*. Com este décimo-terceiro capitulo da epístola aos Romanos podemos comparar o trecho de I Ped. 2:13-17, que reflete os pontos de vista petrinos sobre essa mesma questão. Surpreende-nos deveras que, mesmo após as severas perseguições contra o cristianismo terem começado, quando o governo imperial romano se transformara em um horrível monstro, e não mais protetor da nova religião de Cristo, os cristãos, de modo geral, continuavam mantendo o senso de dever e de respeito no que tange ao governo. Essa passagem da primeira epístola de Pedro foi escrita praticamente uma geração mais tarde que este décimo terceiro capitulo da epístola aos Romanos, o que nos permite entender que nem mesmo tão contrárias circunstâncias não haviam podido abalar a boa conduta geral dos crentes primitivos, no que diz respeito à obediência devida ao governo.

3. O crente, pois, que está se tornando cidadão do país celestial, nem por isso cessa de ser cidadão do país de seu nascimento ou do país que tenha adotado como seu. Está na obrigação, por conseguinte, de prestar às suas autoridades o devido respeito e obediência. E, se porventura não agir assim, estará labutando contra o senhorio de Deus, e não meramente contra a autoridade delegada aos homens, e isso servirá tão-somente para lançar opróbrio contra o governo de Deus e o nome de Jesus Cristo.

4. *A Lei do Amor*. Ora, tudo isso é apenas a expansão do ensinamento que aparece no décimo segundo capitulo desta epístola, acerca do amor cristão. O crente, portanto, tem a obrigação de cuidar do bem-estar de todos, incluindo a obrigação de amar a seus próprios inimigos, tudo com base no princípio do amor cristão. Assim sendo, não pode ignorar as leis do Estado, visto terem sido baixadas com o fim de preservar a ordem e o bem-estar da população em geral. Aquele que desconsidera essas leis, desrespeitando concomitantemente os líderes de sua nação, estado ou cidade, desconsidera igualmente o bem - estar da população. Ora, tal atitude sem dúvida não é ditada pelo amor cristão, amor esse que deve governar todas as ações do crente. Acima de todos, o crente deve ser uma pessoa patriota, visto ter mais razões e motivos para sê-lo que qualquer outra pessoa.

5. O exemplo de Jesus. Nada disso é contrário às alterações. Mas essas alterações devem ocorrer de forma ordeira, de conformidade com a lei, e não mediante a violência. O Senhor Jesus foi um pacifista, no que tange ao governo de seus próprios dias terrenos. Queria produzir

SUJEIÇÃO – SULAMITA

grandes transformações sociais, mas somente através de meios espirituais. Isso porque corações humanos transformados produziriam uma sociedade mais justa. Afinal de contas, a única transformação social permanente é aquela produzida através de homens transformados em seu coração. Todas as outras modificações sociais são artificiais e temporárias, exigindo supressão e violência para que sejam mantidas, conforme também a história mundial testifica abundantemente. A moralidade cristã, entretanto, pode produzir transformações sociais mediante a sua influência benéfica, mesmo quando os homens não são conduzidos aos pés de Jesus Cristo em grande número. Ora, é na direção dessa forma de transformação social que os crentes devem esforçar-se. Não obstante, a salvação das almas se reveste de muitíssima maior importância que qualquer alteração social, por mais importante que seja essa forma de alteração dentro de sua respectiva categoria.

6. *Comentários*. Sanday e Headlam oferecem-nos os seguintes pensamentos adicionais, no tocante aos propósitos desta seção do decimo terceiro capítulo da epístola aos Romanos: "O apóstolo agora passa dos deveres do crente individual para com a humanidade em geral para os deveres do crente para com certa esfera definida, a saber, para com os governantes civis. Apesar de nos aferrarmos ao que foi dito, acerca da ausência de um sistema claramente definido ou de um propósito bem definido nestes capítulos, podemos observar uma linha mestra de pensamento, através desses capítulos, que é a promoção de relações pacíficas em todas as relações da vida. A idéia do poder civil bem pode ter sido sugerida pelo versículo dezenove do capitulo anterior, que diz que esse poder civil é um dos ministros da ira e da retribuição divinas (ver Rom. 12:4). Seja como for, a justa posição dessas duas passagens serve para nos lembrar que a condenação à vingança e retaliação individuais não se aplica à ação do estado, ao pôr as leis em vigor, porquanto o estado, nesse sentido, é ministro de Deus, sendo a justa justiça de Deus que opera através do mesmo".

7. O chamado *direito divino dos reis* é apoiado nesta seção, embora não em sentido absoluto, como imaginam tolamente alguns que têm pervertido e distorcido as palavras do apóstolo dos gentios neste particular. Alguns intérpretes têm pensado que essas instruções paulinas têm uma aplicação muito mais extensa e especializada (ao mesmo tempo) do que elas podem ter, conforme já tivemos ocasião de ilustrar nos comentários mais acima. Porém, quando o anticristo subir ao poder, obrigando os homens a aceitarem o seu ímpio domínio, começando sua tentativa de destruir a Igreja de Deus e a verdadeira fé revelada, será necessário que os homens piedosos lhe façam oposição. Paulo não poderia mesmo ter pensado de outra maneira, ainda que, excluindo a idéia absoluta ele teria confirmado o "direito divino dos reis".

8. *Um caso do futuro*. Esperamos ver o anticristo ainda em nossa geração. Seja como for, quando o anticristo aparecer, teremos a obrigação moral de nos opormos a ele, cada um à sua maneira, cada um em sua posição social, conforme as suas oportunidades individuais e conforme ditarem as necessidades. Em tempos normais, entretanto, devemos tomar a sério as mandamentos paulinos aqui exarados, acerca de nossas obrigações para com o governo civil. (1B ID LAN NTI)

SUJEIÇÃO DA CRIAÇÃO
Uma Sujeição Misericordiosa: Romanos 8:20

1. O pecado foi que provocou o caos. Há apoio rabínico para ambas as idéias de que o pecado de Adão e os pecados dos homens, coletivamente considerados, produziram o julgamento divino contra o cosmos. (Ver Rom. 5: 12 quanto ao "caos" provocado pelo pecado, ver Gên. 3:17, 18 e II Esdras 7:11,12,25).

2. Entretanto, foi o próprio Deus quem sujeitou a criação inteira à inutilidade e ao caos. Isso foi certa medida de juízo, mas não destituída de misericórdia, conforme fica demonstrado pelo texto à nossa frente. O trecho de Rom. 11:32 afirma o princípio do bem através do julgamento., e de maneira enfática. Deus sujeitou a criação à vaidade, à inutilidade, como um juízo remedial. Que os juízos divinos não são meramente retributivos, torna-se claro por essa circunstância, o que é reiterado em I Ped. 4:6 onde se acha esse tema.

3. A passagem de II Esdras 13:26 contém o princípio da liberação da criação através do Messias; e o trecho de Isa. 65:17 também o contém. (Ver Apo. 21:1 e Isa. 55:12,13, nessa conexão).

Por outro lado, não há qualquer motivo para limitarmos o sentido da palavra criação que aqui aparece, apenas ao mundo dos homens e ao seu meio ambiente material. Também é doutrina bíblica comum que a queda dos anjos provocou gigantescas perturbações nas dimensões celestiais, tendo sido enganado um terço do total dos seres angelicais, tendo seguido a Satanás. (Ver Apo. 114). Outrossim, na pessoa de Cristo, conforme lemos no primeiro capítulo da epístola aos Efésios, haverá a restauração da dignidade perdida nos céus, verdade essa que, por igual modo, fica entendida em Heb. 9:23, onde a "purificação" da contaminação causada pelo mal, nos lugares celestiais, é especificamente aludida.

SUL

Definir as direções, em uma época que desconhecia a bússola, constituía um problema difícil. As direções leste e oeste podiam ser vinculadas ao nascer do sol e ao pôr-do-sol. A direção norte, quando uma pessoa se postava com o rosto voltado para o nascer do sol como era comum fazer, era chamado de direção "esquerda". E a direção sul, logicamente, era a direção "direita". Entretanto, mais comum ainda era chamá-lo de *Negeb*, "ressecado", porquanto descrevia a região semidesértica, que ficava na região sul de Israel. Na atualidade, no moderno estado israelense, o nome *Negeb* indica toda aquela região.

No Novo Testamento, o termo grego *nótos* indica tanto o ponto cardeal "sul" quanto o "vento sul" (cf. Luc. 12:55). Esse vocábulo grego aparece por sete vezes: Mat. 12:42; Luc. 11:31; 12:55; 13:29; Atos 27:13; 28:13 e Apo. 21:13.

A fronteira sul do reino de Israel (ou de Judá, mais tarde), era um tanto indefinida, porquanto consistia em uma região desértica e erma, não havendo qualquer característica topográfica precisa. Logo adiante vagueavam tribos aguerridas, como a dos amalequitas. O antigo povo de Israel aprendeu a esperar daquele lado um estado permanente de conflito armado. E também era dali que vinham efeitos climáticos desfavoráveis à agricultura. Ver sobre Tempestade. Eliú referiu-se ao "pé de vento", que soprava da direção sul (Jó 37:9). E o trecho de I Samuel 30:1 reflete as condições de fronteira perturbada que havia no sul de Israel.

SULAMITA

No hebraico, "mulher de Sulém". Há uma variante Sunamita, que significa "mulher de Suném". Nossa versão portuguesa prefere a primeira forma (Can. 6:13). Os estudiosos variam de opinião se Sulamita é o nome ou o título de uma donzela. O intercâmbio entre o "l" e o "n" é comum nos idiomas semíticos. Portanto, não devemos estranhar a variante. À luz desse fato, tem sido sugerido que visto que Abisague (em I Reis 1:14,15; 2:17-22) é chamada de "sunamita", talvez ela tenha sido a mesma que é chamada "sulamita" em Cantares 6:13. Era comum os reis da antigüidade herdarem o harém do monarca anterior, tendo sido esse o motivo pelo qual Absalão cometeu incesto com as concubinas de seu pai, estando este ainda vivo (II Sam. 16:22), quando tentou eleger-se rei de Israel. Mas Salomão, na qualidade de sucessor de Davi, deve ter ficado com Abisague, juntamente com outras mulheres do harém de Davi.

Uma outra mulher "sunamita", isto é, natural ou habitante de Suném, foi a mãe do menino que o profeta Eliseu ressuscitou (II Reis 4:8 ss). Era uma mulher rica que preparou para o profeta um aposento sobre o eirado. O menino, provavelmente vítima de insolação, foi ressuscitado pelo profeta.

Alguns estudiosos também têm proposto que sulamita seria um título feminino correspondente ao nome masculino Salomão. Um outro caso seria "Judite", a forma feminina de Judá. Nesse caso, sem qualquer emenda gramatical, o nome "sulamita" poderia ser grafado como "Selomita". Ora, o nome hebraico "Shelomith" aparece no grego como "Salomé", o que significaria "Solomonesa", "rainha" ou "princesa". Porém, temos de admitir que nisso tudo há um inequívoco elemento de especulação.

SULCO

O sulco é a pequena valeta feita no chão pela ponta de um arado. A palavra hebraica *telem* indicava "campo arado". Na antigüidade, o arado algumas vezes era feito de madeira. Após os dias de Davi, começaram a ser feitos arados de metal, embora continuassem sendo feitos arados de madeira. Ver Sal. 129:3; 1 Sam. 14:14; J6 31:38; 39:10; Osé. 10:4 e 12: 11. Quando os sulcos ficavam cheios de água, isso servia de sinal das bênçãos divinas (Sal. 65: 10). O ato de fazer sulcos no chão simboliza a preparação para o próprio trabalho, o cultivo dos próprios ideais. A idéia de cultivo pode representar a reprodução das espécies, visto que um sulco pode representar, nos sonhos e nas visões, os órgãos sexuais femininos externos. O ato de tornar a arar pode indicar a tentativa de refazer alguma coisa, de melhor maneira, tornando-a mais proveitosa e útil.

SUMATEUS

Juntamente com os itritas, os puteus e os misraeus, dos quais descenderam os zoratitas e os estaoleus, os sumateus eram uma das famílias calebitas que habitaram em Quiriate-jearim (I Crô. 2:53).

SUMÉRIA
I. Nome
II. Localidade
III. Observações Históricas
IV. A História da Inundação Suméria
V. Religião

I. Nome

O nome *sumério* é *kengir*; o acádico é *sumeru*. O significado é incerto. Estudiosos mais antigos identificaram essa palavra com o termo bíblico *Sinar*, de Gên. 10.10, mas estudiosos modernos rejeitam essa idéia. Há, contudo, algumas palavras emprestadas no hebreu da linguagem da Suméria: *henkal* (local, templo); *tipsar* (escriba); *mallah* (marinheiro); mais vários nomes de especiarias, plantas, minerais e outros produtos. Alguns estudiosos também insistem que várias idéias do Antigo Testamento se originaram desse povo, que foram recompensados pelos hebreus.

II. Localidade

A *Suméria* é o nome dado para identificar as planícies inferiores da Mesopotâmia. Juntas, a *Suméria* e a *Acádia* ocuparam toda a terra entre os rios Tigre e Eufrates, abaixo de sua convergência mais próxima perto de Bagdá. A Suméria ocupava uma área entre a cidade de Nipur (Niffer) ao nordeste e a linha costeira do Golfo Pérsico ao sudeste. Rio acima de Nipur localizava-se a terra dos acadianos. Nessa área relativamente restrita surgiu a Babilônia posterior e maior.

Centros culturais da Suméria eram Quis (Tell el-Ohemir); Quide Nun (Jembet Nasr); Nipur (Niffer); Lagase (Telloh); Uruque (Warka); Ur (Tell Muqayyir); Eridu (Abu Shahrain); Surupaque (Fara); Larsa (Senkere) e Uma (Jocha). Apenas dois desses nove centros (cidades) são mencionados no Antigo Testamento: *Ereque* (Uruque) e Ur. Este último local era o lar de Abraão antes de sua visita histórica à Palestina. Foi na Suméria que surgiu a primeira civilização conhecida do mundo. Sua cultura estava destinada a influenciar os povos de nações e impérios posteriores, inclusive os hebreus. O moderno Iraque essencialmente ocupa o antigo território denominado Suméria.

III. Observações Históricas

1. A origem dos sumérios é incerta, mas esse povo afirmava ter vindo de *Dilmum*, isto é, das *ilhas* e da costa arábica do Golfo Pérsico. Eles falavam de *Eridu* como sua primeira cidade, localizada à beira norte do Golfo. Parece que alguns traços dessa tradição em Gên. 4.17b podem ser traduzidos como segue: "E ele (Enoque) tornou-se o (primeiro) construtor de uma cidade e ele a chamou com o nome de seu filho (Irad)."

2. *Escavações arqueológicas* demonstraram que o Iraque foi habitado por povos razoavelmente sofisticados no período de 3300 a 3000 a. C. Habitações desses povos antigos foram encontradas em Eridu, Ur, Nipur, Quis, Adabe, Culabe, Larsa e Isin. O povo (ou melhor, a mistura de povos) que constituiu os sumérios presumivelmente chegou à região em torno de 3300 a 2800 a. C.

3. *Estátuas* que representam os sumérios mostram um povo de nariz curto e reto, além de cabeça longa. Outras características, como nariz grande, olhos saltados e pescoço grosso, são bastante comuns em todas as estátuas da época para identificar os sumérios tão especificamente. Os antropólogos supõem que este povo fosse, de fato, uma mistura de povos, possivelmente de origem armênia e mediterrânea predominantemente.

4. A linguagem suméria desafia a classificação. Linguagens conhecidas da área não parecem ser refletidas (convincentemente) no sumério. Os babilônicos, é claro, eram obviamente semitas em origem, o que não pode ser dito definitivamente a respeito dos sumérios. Se houve migração de um povo chamado assim distintamente, ela provavelmente ocorreu do norte e do oeste do mar Cáspio. Mas talvez esse povo simplesmente tenha sempre estado ali, e fosse formado por uma mistura de povos que chegaram e deixaram a área.

5. Os *principais ingredientes* da civilização que emergiu na Suméria incluem a escrita e a fundação de cidades com construções significativas. Assim, uma civilização urbanizada se misturou a uma agrícola. Reinados eram uma instituição importante, e foi desenvolvido o artesanato,

SUMÉRIA – SUMMUM BONUM

além da metalurgia e de outras habilidades industriais. Uma documentação rica foi registrada em tabletes cuneiformes que ainda hoje estão sendo estudados.

6. A peça mais conspícua de historiografia suméria é a famosa *Lista de Reis da Suméria,* que lista onze cidade e seus respectivos regentes. São fornecidos os nomes dos reis, a duração de seus reinados e algumas anotações biográficas. As histórias começam em épocas legendárias e terminam com comentários sobre a cidade de *Isin,* que existiu em torno de 1790 a.C., um ano antes de Hammurabi, da Babilônia. Os *regentes* antidiluvianos (oito ao todo) e seus sábios *conselheiros* assemelham-se às histórias das linhagens de Sete e Caim em Gên. caps. 5 e 6, respectivamente.

7. Aparece então uma história de dilúvio, depois da qual se continuou o reinado em muitas cidades. Ver mais sobre isso sob a seção IV deste artigo.

8. De cerca de 2300 a.C. a 2150 a.C., os sumérios foram sujeitos aos acadianos (babilônicos). Sua cidade, *Acade,* deu a eles seu nome diferenciador. Alguns supõem que Sargom e seu neto Naram-Sin possam ter fornecido o modelo bíblico de Ninrode, o construtor de cidades e caçador, e de Acade de Gên. 10.8-12.

9. Os sumérios reafirmaram-se sob regentes locais com Gudea de Lagache, que deixou consideráveis heranças literárias e esculturais. Naquela época, Ur era a capital da confederação de cidades (cerca de 2100 a 2000 a.C.).

10. *Ur* caiu por volta de 2000 a.C. e ficou a cargo de *Isin* continuar com as tradições e realizações da Suméria.

11. Dali os babilônios assumiram, herdando a civilização da Suméria e construindo sobre ela.

IV. A História da Inundação Suméria

É uma pena que essa história esteja preservada em um único fragmento, mas esse fragmento contém detalhes suficientes para convencer os estudiosos de que há paralelos entre esse relato e o de Gên. caps. 6-8. A maioria dos estudiosos de hoje acredita que ambas as histórias (suméria e bíblica) têm base em relatos ainda mais antigos, e que o relato sumério é o mais antigo dos dois.

Depois da inundação, o reinado continuou na Suméria, primeiro na cidade de Quis, então em Uruque (o Ereque da Bíblia, Gên. 10.10). O épico de *Enmerakar e o Senhor de Aratta* tem partes que nos lembram da história bíblica da confusão de idiomas (Gên. 11). A construção de *Zigurate* (ver) era uma característica comum de cidades sumérias. Ver sob *Torre de Babel.* Definitivamente parece ter havido um intercâmbio de histórias entre os sumérios e os hebreus, bem como entre eles e outras culturas.

V. Religião

Os sumérios eram um povo irremediavelmente politeísta, cuja característica especial era o deus padroeiro protetor de cidades. Cada cidade tinha seu próprio deus-chefe. Esse deus era alojado em seu próprio templo, vestido com roupas finas e alimentado com ofertas diárias, além de entretido com o canto de hinos e louvores. Em épocas de guerra, o objetivo dos inimigos era roubar a imagem especial do deus da cidade, o que, presumivelmente, debilitava o povo daquela cidade. Havia festivais especiais, dentre os quais a celebração do Ano Novo e os banquetes eram os mais proeminentes. Parte das atividades do dia era a cerimônia sagrada do casamento, na qual o rei era unido em casamento com Inana, a deusa do amor e da reprodução. O papel dessa deusa era realizado pelos sumos sacerdotes. A união terrena-celeste tinha como objetivo garantir o favor dos poderes das alturas e resultar na fertilidade da terra e dos animais domesticados. Havia uma doutrina de deuses que morriam e surgiam para lidar com a aparente morte da natureza durante o inverno e o seu ressurgimento durante a primavera. O mais conhecido desses deuses era *Dumizide* (o verdadeiro filho), chamado pelos povos semitas de Tamuz. Teólogos dos sumérios envolveram-se em uma cosmologia e uma teologia complexa e especulativa, mas os leigos não davam nenhuma atenção a essa parte da religião da Suméria.

SUMMA THEOLOGICA

Esse título, em latim, significa, "compêndio teológico". É um sumário e exposição de idéias teológicas. Dentro do contexto cristão, são ali esboçadas e explicadas as principais verdades da fé cristã. Ver os artigos *Summae* e *Aquino, Tomás de.*

SUMMAE

No latim, **sumna** (forma plural), "sumário", "compêndio". A Idade Média viu a produção de vários tipos de *summae,* a começar pelo século XII. Foram compiladas coletâneas das opiniões dos pais da Igreja. Hugo de São Vítor compilou uma summae de sentenças e comentários (*Summa Sententiarum*) que continha seus ensinamentos filosóficos e místicos. Além disso, houve as summae de Pedro Lombardo, Alexandre de Hales e Roberto de Melum. A Roberto Grosseteste credita-se uma obra chamada *Summa Philosophae;* e a Lambert de Auxerre, uma outra, de nome *Summa Cogicae.* Tomás de Aquino, por sua vez, produziu as significativas obras intituladas *Summa Contra Gentiles* e *Summa Theológica.* Esta última exerceu tremenda influência sobre a história dos dogmas eclesiásticos. Está dividida em três partes. De modo geral, a primeira parte trata de Deus; a segunda parte aborda o homem em seu relacionamento com Deus; e a terceira parte é cristológica. Tomás de Aquino não conseguiu terminar, em vida, a terceira parte, de modo completo.

SUMMUM BONUM

No latim, "supremo bem". Usualmente é expressão usada no contexto do "alvo da vida humana, indicando o mais alto nível de existência e expressão que ele pode atingir. No contexto da redenção, o *summum bonum* é aquilo que os salvos haverão de atingir, ou seja, a questão central, a coisa mais desejada.

A expressão pode ser um sinônimo de "valor máximo". Porém, os valores máximos não são, necessariamente, algo ligado à redenção. Há valores finais menores e preliminares, como, por exemplo, a busca pela felicidade, pelo prazer, pela utilidade, etc., que não estão ligados aos valores absolutos da existência humana, tendo em vista o após-túmulo. Ver o artigo chamado *Valores Finais,* que aborda tais questões. Alisto ali dezenove idéias dos filósofos e teólogos a esse respeito.

Os filósofos que têm usado a expressão *summum bonum* têm identificado variadamente o que a mesma significa: Sir Thomas More fazia do "prazer" o *summum bonum* humano. Peirce assevera que a direção da vida humana deveria ter essa qualidade, e acreditava que a ética e a estética são nossos melhores instrumentos de sua realização. C.I. Lewis pensava que podia encontrar seu *summum bonum* nas "experiências de valor" produzidas nas atividades morais, cognitivas e estéticas. Outras idéias aparecem no artigo intitulado *Valores Finais.*

O Summum Bonum Teológico:
Os hindus buscam participar da natureza divina; os budistas procuram o Nirvana; os judeus procuravam alcançar o sexto (ou sétimo) céu, tendo recebido a natureza

SUMMUM BONUM – SUMO SACERDOTE

angelical. Nos evangelhos sinópticos, o *summum bonum* não é visto como a mesma coisa que era vista por Paulo. Naqueles livros neotestamentários, o *summum bonum* é visto como estar livre do pecado e seus efeitos, a participação no estado imortal, livre de dores e caracterizado pela glória celeste. Talvez fosse obtida a igualdade com os anjos (segundo se vê em Luc. 20:36). Essa noção também aparece em I Enoque, e provavelmente era comum entre os primitivos cristãos da era anterior a Paulo.

Para Paulo, o summum bonum transcendia a essa noção, apesar do fato de ser esse o alvo que se ouve pregado na maioria das igrejas cristãs evangélicas de nossos dias. Paulo concebia uma salvação na qual a alma humana chega a participar da imagem e natureza de Cristo, nosso Irmão mais velho (ver Rom. 8:29), mediante a transformação operada pelo Espírito, levando-nos de um estágio de glória para outro (II Cor. 3:18). Isso faz a alma participar de toda a plenitude de Deus (Efé. 3:19), o que envolve a participação em sua natureza e em seus atributos, posto que em sentido finito, pois somente Deus é infinito. Ver Col. 2:9,10 e 11 Ped. 1:4. Assim, o *summum bonum* paulino é a participação da alma humana na natureza divina (não na mera natureza angelical). Ofereço dois artigos detalhados sobre o assunto. Ver *Transformação Segundo a Imagem de Cristo e Divindade, Participação na, Pelos Homens*.

A Visão Beatífica. Os teólogos cristãos têm falado sobre o *summum bonum* como a visão beatifica. Nessa visão beatifica, o homem atinge a união com Deus. Essa visão, porém, não consiste meramente em ver a Deus. Consiste na união com Deus, em sua natureza e essência. Isso requer aquela total transformação mística sobre a qual comentei no parágrafo anterior. Ver o artigo separado intitulado *Visão Beatífica*.

SUMO SACERDOTE

Esboço:
I. História
II. Vestes dos Sumos Sacerdotes
III. Natureza dos Deveres do Ofício Sumo Sacerdotal
IV. Lições e Tipos Espirituais do Ofício

I. História

O **sumo sacerdote** ocupava o ofício eclesiástico mais elevado do sistema religioso dos judeus. As tradições bíblicas apresentam-no como alguém que descendia de Aarão; mas que isso sempre aconteceu não pode ser historicamente demonstrado. Os eruditos de inclinações liberais supõem que o ofício sumo sacerdotal só começou em 411 a.C.; mas há passagens bíblicas que certamente indicam que o ofício era muito mais antigo do que isso. Para admitirmos essa data tão posterior, teremos de supor duas coisas: Primeira, que as porções da Bíblia que abordam a questão foram escritas posteriormente; Segunda que o próprio ofício não antecedeu, por muito tempo, as narrativas escritas. O que podemos dizer é que a formalização do ofício resultou de um desenvolvimento de responsabilidades, embora a essência do ofício retroceda, verdadeiramente, até Aarão. Uma vez estabelecida a adoração no templo de Jerusalém, o sumo sacerdote tornou-se o principal ministro eclesiástico do judaísmo, oficiando durante as grandes festividades e observações religiosas, como no dia da Expiação. Além disso, ele presidia o Sinédrio (vide), o que lhe emprestava grandes poderes não somente eclesiásticos, mas também políticos. Todavia, o ofício sumo sacerdotal chegou ao fim quando os romanos destruíram a cidade de Jerusalém e seu templo, quando o Sinédrio também foi dissolvido.

O ofício sumo sacerdotal teve suas origens mais primitivas nos dias em que qualquer homem podia edificar um altar, onde quer que Deus se tivesse dado a conhecer. Aquele que se tornasse associado aos ritos do altar levantado tornava-se conhecido como um levita, isto é, alguém vinculado a um lugar, ou então como um *kohen*, ou "sacerdote". De um sacerdote esperava-se que ele fosse um revelador da vontade divina, como um mediador entre Deus e os homens. Além disso, encontramos a primitivíssima instituição em que o chefe de uma casa também era o sacerdote de sua família. Quando as formas religiosas passaram a ser institucionalizadas, um grande sacerdote ou sumo sacerdote, tornou-se necessário, afim de organizar as funções religiosas do povo, preservando, promovendo e protegendo as instituições religiosas. No século VIII a.C., os levitas surgiram como uma classe distinta, ocupando-se, essencialmente, da direção da adoração religiosa em Israel.

É no *código sacerdotal*, chamado S pelos eruditos, que encontramos a kohen hagadol, ou "sumo sacerdote". Os eruditos liberais datam essa fonte do Pentateuco no século V a.C., quando, para eles, conseqüentemente, teria surgido o ofício sumo sacerdotal. Ver o artigo sobre o Código Sacerdotal, quanto a comentários sobre essa presumível fonte independente dos livros de Moisés. Porém, mesmo se admitirmos que esse material é de data comparativamente tardia, isso não provaria que as coisas ali referidas, no tocante a instituições religiosas, só tivessem começado naquele tempo. A tradição do próprio sumo sacerdote parece ser antiqüíssima, e o próprio Aarão ocupou o ofício, sob sua forma mais primitiva.

A posição do sumo sacerdote de Israel atingiu seu ponto de maior influência em 105 a.C., quando o sumo sacerdote, Aristóbulo I, também assumiu o título de *rei*. Em 63 a.C., Roma tomou sobre si mesma a tarefa de nomear os sumos sacerdotes; e, desse ponto em diante da história, houve mudanças freqüentes no ofício, o qual começou como uma posição hereditária e vitalícia.

Alguns informes Históricos Cronológicos:

1. Aarão foi o primeiro sumo sacerdote de Israel. Depois tabernáculo foi erigido, de acordo com os planos divinos, e sacerdote de Israel que os ritos tiveram início (Êxo. 18; 24:12-31; 35:1 - 40:38), Aarão e seus filhos foram solenemente consagrados a seus ofícios sacerdotais respectivos, por Moisés (ver Lev. 8:6). Isso teve. lugar por volta de 1440 a.C. As elaboradas descrições das vestes do sumo sacerdote, que aparecem em Êxo. 28:3 ss, certamente indicam um ofício distintivo, superior ao dos sacerdotes.

2. Por ocasião da morte de Aarão, o ofício passou para seu filho mais velho, Eleazar (Núm. 20:28). Então os descendentes de Finéias passaram a ocupar a linhagem de onde o ofício era herdado (Juí. 20-28),

3. Por razões desconhecidas, o ofício sacerdotal foi entregue a Eli, que pertencia à linhagem de Itamar. Isso continuou até que Salomão mudou o sistema e nomeou Sadoque, na pessoa de quem o encargo passou novamente para os descendentes de Eleazar (I Reis 2:26 ss).

4. Os sumos sacerdotes antes de Davi, sete em número, foram os seguintes: Aarão, Eleazar, Finéias. Eli, Aitúbe (1 Crô. 9:11; Nee. 11: 11; 1 Sam. 14:3), Alas e José. Josefo assevera que o pai de Buqui a quem ele chamou de José (mas que na Bíblia é chamado de Abiezer, equivalente a Abisua), foi o último sumo sacerdote da linhagem de Finéias, antes de Sadoque.

SUMO SACERDOTE

5. Nos dias de Davi havia dois sumos sacerdotes, a saber, Sadoque e Abiatar, que parecem ter brandido igual autoridade (I Crô. 15:11; II Sam. 8:17; 15:24,25). Alguns estudiosos têm conjeturado que Sadoque era um aliado importante de Davi, embora tendo sido nomeado por Saul. Davi não perturbou a situação, mas a sucessão coube, por direito, a seu amigo, Abiatar. Diplomaticamente, Davi deixou ambos no cargo; mas o Urim e o Tumim, com a estola sacerdotal, permaneceram com Abiatar, o qual, por isso mesmo, ficou encarregado dos serviços especiais que circundavam a arca da aliança.

6. Nos tempos de Salomão há certas dificuldades históricas, pois é difícil reconciliar os dados históricos existentes. Josefo (Anti. 10:8,6) diz que quem ocupava o ofício sumo sacerdotal, nesse tempo, era Sadoque; mas o trecho de I Reis 4:2 diz que era Azarias, que era neto de Sadoque. Temos de supor, assim sendo, que há algum defeito nos registros históricos, que não nos permitem precisar a situação que envolvia o ofício sumo sacerdotal nos dias de Salomão. Mas, considerando-se todos os fatores, parece ter havido quinze sumos sacerdotes que foram contemporâneos dos reis de Judá. Seja como for, os sumos sacerdotes dessa série terminaram com Seraías, que foi aprisionado por Nabucodonosor e executado em Ribla, por ordem daquele monarca caldeu (II Reis 25:18), ao tempo do cativeiro babilônico.

7. Por causa do cativeiro, passaram-se cerca de cinqüenta e dois anos sem alguém para ocupar o ofício sumo sacerdotal em Israel. Jeozadaque (ver Ageu 1:1,14) deveria ter herdado o ofício de seu pai, Seraías; mas Jeozadaque viveu e morreu durante o período do cativeiro babilônico. Então o ofício foi ocupado por seu filho, Josué (vidé), depois que um remanescente do povo de Israel regressou a Jerusalém, em companhia de Zorobabel. A Bíblia alista os sucessores dele, chamados Joiaquim, Eliasibe, Jeoiada, Joanã e Jadua. Jadua foi sumo sacerdote de Israel na época de Alexandre, o Grande, tendo sido sucedido por seu filho, Onias I, e este por seu filho, Simão. Quando Simão faleceu, quem veio a ocupar o ofício foi seu irmão, Eleazar, visto que seu filho, na época, ainda era um jovem menor de idade. Foi durante o reinado de Eleazar que teve lugar a famosa tradução do Antigo Testamento para o grego, chamada Septuaginta ou LXX.

8. Menelau, o último dos Onias, trouxe desgraça ao ofício sumo sacerdotal. E o ofício ficou vago por sete anos. E então Alcimo ocupou o cargo, embora também tivesse sido uma infame personagem.

9. Em seguida veio o período dos hasmoneanos (vide). Essa família era do turno sacerdotal de Joiaribe (I Crô. 24:7), que havia retornado do cativeiro babilônico com Zorobabel (I Crô. 9: 10; Nee. 11:10). Eles ocuparam esse ofício até 153 a.C., quando a família foi destruída por Herodes, o Grande. Aristóbulo, o último sumo sacerdote dessa linhagem, foi assassinado por ordem de Herodes, embora eles fossem cunhados. Isso ocorreu em 35 a.C.

10. Roma começou a nomear os sumos sacerdotes de Israel, de acordo com os ventos do poder e do favor político. Houve nada menos de vinte e oito sumos sacerdotes desde o reinado de Herodes, o Grande, até à destruição do templo de Jerusalém, pelo general Tito, em 70 d.C. Esse período foi de cerca de cento e sete anos; assim, na média, houve um novo sumo sacerdote a cada três ou quatro anos! O Novo Testamento, por sua vez, fornece-nos alguns dos nomes de pessoas envolvidas nesse ofício, como Anãs, Caifás e Ananias, sobre quem damos artigos separados. O sumo sacerdote que deu a Paulo cartas que lhe permitiam perseguir e encarcerar a judeus cristãos chamava-se Teófilo, filho de Anano. Ver Atos 9:1,14.

Panias foi o último dos sumos sacerdotes. Ele fora nomeado pelo lançamento de sortes, pelos zelotes, dentre o turno de sacerdotes que Josefo chamou de Eniaquim, provavelmente, uma forma corrupta de Jaquim.

II. Vestes dos Sumos Sacerdotes

Ver o artigo separado, intitulado Sacerdotes, Vestimentas dos.

III. Natureza dos Deveres do Ofício Sumo Sacerdotal

Qual é a natureza e quais são os deveres do ofício sumo sacerdotal?

1. O sumo sacerdote precisava descender diretamente de Arão, o primeiro sumo sacerdote levítico.

2. Não podia ter defeitos físicos (ver Lev. 21:16-23).

3. Não podia contrair matrimônio com viúva, estrangeira ou ex-meretriz, mas somente com uma virgem israelita (ver Lev. 21:14). Mais tarde isso foi modificado, permitindo-lhe casar-se com a viúva de outro sacerdote. (Ver Eze. 44:22).

4. Ele tinha de dedicar-se a seu trabalho, não podendo abandoná-lo nem mesmo ante a morte de um membro de sua família, como pai ou mãe. (Ver Lev. 21:10-12). Parece que as calamidades públicas eram uma exceção (ver Judite 4:14, 15 e Joel 1: 13).

5. Estava obrigado a observar regras de dieta, acima dos israelitas comuns (ver Lev. 22:8).

6. Precisava lavar mãos e pés antes de servir (ver Êxo. 30:19-21).

7. Originalmente, ele queimava o incenso sobre o altar de ouro, como um de seus deveres; posteriormente, porém, isso ficou ao encargo de outro sacerdote. (Ver Luc. 1:8,9).

8. Repetia, a cada manhã e a cada tarde, a oferta de manjares que ele oferecera no dia de sua consagração (ver o décimo nono capítulo do livro de Êxodo).

9. Cumpria-lhe efetuar as cerimônias do grande Dia da Expiação, entrando no Santo dos Santos uma vez por ano, a fim de fazer expiação pelos pecados do povo (ver o vigésimo primeiro capítulo do livro de Levítico).

10. Cumpria-lhe arrumar os pães da apresentação a cada sábado, consumindo-os no Santo Lugar (ver Lev. 24:9).

11. Precisava abster-se das coisas santas se ficasse impuro por qualquer razão, ou se contraísse lepra (ver Lev. 22:14).

12. Qualquer pecado que ele cometesse teria de ser expiado por sacrifício oferecido por ele mesmo (ver Lev. 4:3-13).

13. Por igual modo, oferecia sacrifício pelos pecados de ignorância do povo (ver Lev. 22:12-16).

14. Cumpria-lho proferir a validade da lepra curada (ver, Lev. 13:2.59).

15. Cabia-lhe certo direito legal de julgar casos (ver Deut. 17:12), especialmente quando não houvesse juiz disponível.

16. Deveria estar presente quando da nomeação de algum novo governante, intercedendo subseqüentemente em seu favor (ver Núm. 27:19-20). Havia ainda outros deveres secundários que ele compartilhava com os sacerdotes inferiores.

Vários desses itens prestam-se para a aplicação espiritual a Cristo, ao passo que outros não têm essa serventia. O ponto central, frisado no livro de Hebreus, se relaciona ao fato de que o sacerdote fazia sacrifício pelos pecados do povo. Esse é o começo da abertura do acesso a Deus, até à sua presença imediata, no Santo dos Santos (ver Heb. 10:19 e ss).

IV. Lições e Tipos Espirituais do Ofício Sumo Sacerdotal

Ver dois artigos separados, intitulados *Sacerdotes, Crentes Como* e *Sumo Sacerdote, Cristo Como*.

Aarão, como sumo sacerdote de Israel, era um tipo de

SUMO SACERDOTE, CRISTO COMO

Cristo. Os tipologistas vêem muitos símbolos do ofício messiânico e salvatício de Cristo nas funções, vestes e ritos efetuados pelo sumo sacerdote aarônico. O Novo Testamento refere-se a Cristo como sacerdote segundo a ordem ou categoria de Melquisedeque (Heb. 5:6; 6:20; e 7:21); mas Ele também executou o seu ofício segundo o padrão e a autoridade do sacerdócio aarônico. Cristo é o Mediador Único das bênçãos divinas, e nomeia todos os crentes como sacerdotes, a fim de participarem plenamente de sua espiritualidade é posição.

SUMO SACERDOTE, CRISTO COMO
Esboço:
I. Detalhes de Heb. 8:1-10:18
II. Sumário de Idéias
III. Sumo Sacerdote no Lugar de Arão e Melquisedeque
IV. A Superioridade de Jesus

I. Detalhes de Heb. 8:1-10:18

Estendendo-se até o vigésimo - oitavo versículo deste capítulo, encontramos uma analogia (entre os sacrifícios no santuário terrestre e aqueles efetuados no santuário celestial) que reenfatiza diversos pontos já discutidos, mas agora mencionados novamente, como sumário. A esses pontos foi adicionada a afirmação de crença, por parte do autor sagrado, na "parousia" ou segunda vinda de Cristo, no vigésimo oitavo versículo.

1. Há dois santuários, o terreno e o celestial. O terreno era apenas uma cópia ou imitação do celestial. Nisso se vê, uma vez mais, a metafísica em "dois andares" do autor, em que as idéias de Filo e de Platão foram cristianizadas. Na terra, tudo apenas cópia dos elementos existentes nos céus. Essa idéia era comum no judaísmo helenista. E os judeus tinham idéias literais a esse respeito; imaginavam um templo celeste literal, com todas as peças de mobiliário e alguma forma de sistema de sacrifícios, segundo os moldes do templo terreno. O autor sagrado, porém, não vê nada tão cru e materialista como isso, mas apenas que o templo terreno, seus ritos, etc., simbolizavam alguma realidade superior. Assim, o próprio templo (ou a tenda, antes dele) indicaria os céus, uma pluralidade de esferas celestes, cada uma com seu nível mais elevado de acesso. (Ver Heb. 7:26). O Santo dos Santos fala sobre a presença de Deus, sobre como os homens podem obtê-la, juntamente com a transformação de vida e de ser, necessária para a admissão àquele lugar (Ver-as, notas expositivas no NTI em Heb. 8:5, e toda a seção IV no artigo sobre o tratado, intitulado *Idéias Religiosas e Filosóficas*, as descrições sobre o conceito metafísico do autor sagrado).

2. Cristo é o Sumo Sacerdote do santuário celeste, e não do terrestre, como se dava com os sacerdotes aarônicos. Este capítulo inteiro foi calculado para ensinar isso. O ministério de Cristo não só é melhor, mas também ultrapassou e abrogou todo outro sacerdócio terreno. Dentro da antiga dispensação havia uma lei, seu sacerdócio e seu pacto. Em Cristo entretanto, tudo isso foi eliminado. Agora há uma nova lei, um novo sacerdócio e um novo pacto (ver os capítulos sétimo a nono deste tratado). Sendo essa a verdade da questão, pode-se supor corretamente que o ministério de Cristo é superior àquele que era realizado no antigo tabernáculo. Sim, é tão superior que o antigo tabernáculo perdeu toda a razão para sua existência. E, na realidade, só existia para funcionar como tipo simbólico do novo.

3. O acesso provido no ministério de Cristo é real, e não simbólico e dá-nos o direito de penetrar no mais alto céu, o Santo dos Santos celeste. Já o antigo acesso era apenas simbólico, em que o sumo sacerdote nunca foi reputado como precursor de ninguém até à presença de Deus. Seu serviço se reduzia a um ato simbólico de expiação de pecados. (Ver Heb. 6:20 e 10:19).

4. Cristo ofereceu um único sacrifício, mas foi um sacrifício muitíssimo melhor do que a soma total de todos os milhares e milhares de sacrifícios levíticos. Pois todos eles tão-somente simbolizavam o sacrifício de Cristo. (Ver os versículos 25 e 26 deste capítulo).

5. O sacrifício de Cristo foi eficaz - eliminou o pecado; foi o sacrifício da sua própria pessoa. Ver Heb. 7:27.

6. O ministério de Cristo jamais terminou: ele voltará. E mesmo agora está empenhado em uma eterna intercessão. Mas, finalmente, tudo quanto ele fizer estará completamente divorciado do problema do pecado. Esse problema será solucionado completa e absolutamente, de tal modo a não permanecer uma questão espiritual, sem qualquer vinculação com a inquirição espiritual. (Ver o 28º versículo deste capítulo).

7. É declarada aqui a necessidade de purificar o santuário celestial. O sacrifício de Cristo mostrou-se eficiente e final quanto a esse mister. (Ver o versículo 23º deste capítulo).

"Após a breve digressão do 22º versículo, o escritor sagrado focaliza agora o aparecimento de Cristo, no santuário perfeito dos céus, munido do perfeito sacrifício (ver os versículos 25º em diante), o qual, por ser perfeito e absoluto, não precisa de repetição". (Mofatt, in loc.).

II. Sumário de Idéias

1. Ele entrou nos verdadeiros céus, no real Santo dos Santos; os sacerdotes terrenos manuseavam apenas com sombras e símbolos (ver Heb. 4:14).

2. Ele ofereceu o verdadeiro sacrifício, ao passo que os demais ofereciam apenas sacrifícios simbólicos (ver Heb. 9:23 e ss).

3. O sacrifício de Cristo foi final; os deles eram simbólicos (ver Heb. 9:25 e ss).

4. Sua expiação foi eficaz, a expiação oferecida por eles era apenas uma representação simbólica (ver Heb. 9:28).

5. Ele foi Sumo Sacerdote maior e mais elevado que Arão, por ser o Filho de Deus (ver Heb. SA-7:28).

6. Ele administrou um melhor pacto (ver Heb.8:1-13).

7. Ele ministra em um melhor santuário (ver Heb. 9:142).

8. Seu sacrifício é melhor que o de todos, por ser o fim de todos os sacrifícios (ver Heb. 9:13-10:18).

9. Seu ministério se alicerça sobre melhores e mais permanentes promessas (ver Heb. 10: 19-113).

Cristo, pois, é visto como nosso caminho de acesso a Deus Pai. Os crentes judeus são aqui avisados a não perderem sua obra intercessória em favor deles, afastando-se de Cristo, retornando às suas anteriores formas religiosas, que serviam somente para apontar para Cristo simbólica e profeticamente.

III. Sumo Sacerdote no Lugar de Arão e Segundo a Ordem de Melquisedeque.

O ofício sumo sacerdotal, no tocante a Cristo, envolve tanto Arão quanto Melquisedeque. Posto que nossas informações sobre Melquisedeque são tão escassas, quase todos os tipos simbólicos sobre o ofício de Cristo se acham no sacerdócio aarônico.

Quais são as idéias envolvidas no sacerdócio de Cristo, que é conforme a ordem de Melquisedeque? Ei - las:

1. Cristo é o rei- sacerdote, tal como Melquisedeque (ver Gên. 14:18 e Zac. 6:12,13).

2. Cristo é o rei justo de Salém, ou Jerusalém (ver Isa. 11:5 e 6:9).

SUMO SACERDOTE, CRISTO COMO – SUNDAY SCHOOL

3. Ele é eterno, não havendo registro de seu início no tempo (ver João 1:1), nunca tendo sido nomeado por homem algum para seu ministério (ver Sal. 110:4; ver também Heb. 7:23-25 e Rom. 6:9).

Vê-se, pois, que a obra de Cristo seguiu o padrão do sacerdócio arônico, mas que a alusão a Melquisedeque fala sobre sua autoridade real, sobre sua eternidade, sobre a natureza perene de sua obra, idéias essas que não estavam vinculadas ao sacerdócio arônico. Desse modo, certos aspectos de superioridade são atribuídos ao sacerdócio de Cristo, que é segundo a ordem de Melquisedeque.

IV. A superioridade de Jesus

Eis cinco particulares que mostram que Jesus é superior como Sumo Sacerdote:

1. Nele mesmo, ele é melhor sacerdote que os sacerdotes arônicos (ver Heb. 8:1-6, como uma unidade; o sétimo capítulo contém muitos argumentos a respeito; ver também Heb. 4:15-7:28, como uma unidade).

2. Sua esfera de atividades é no santuário celeste, e não na cópia terrena, onde labutavam os sacerdotes arônicos. Portanto, seu ministério é "melhor" que o deles, e não apenas a sua própria pessoa. (Ver Heb. 8:2-5).

3. Ele ofereceu melhor sacrifício (ver Heb. 8:3 e ss), a saber, a si mesmo (ver Heb. 7:27).

4. Ele é o Mediador de um pacto melhor, o "novo pacto" (ver Heb. 8:6).

5. Seus labores sacerdotais se baseiam sobre promessas superiores (ver Heb. 8:6). Todos esses aspectos mostram a superioridade do ministério de Cristo, que agora é introduzido, ao passo que, antes disso, até este ponto no tratado, a ênfase recaíra sobre a superioridade da pessoa de Cristo.

SUNAMITA

Variante de **Sulamita** (vide).

SUNDAY, WILLIAM ASHLEY

Popularmente, ele era conhecido como Billy Sunday. Suas datas foram 1862 - 1935. Foi o maior evangelista norte-americano, depois de Dwight L. Moody e antes de Billy Graham. Os Estados Unidos da América produzem, a grosso modo, um poderoso evangelista, de significação internacional, a cada geração.

Billy Sunday ficou órfão em tenra idade. Trabalhando, estudou em Nevada, estado de Iowa, tendo passado algum tempo estudando na Universidade Northwestern, perto de Chicago. Foi jogador profissional de baseball de times de Chicago, Pittsburgo e Filadélfia. Abandonou o baseball e tomou-se secretário – assistente da YMCA, em Chicago, e então, no ano de 1896, começou sua carreira de evangelista. Foi consagrado como ministro presbiteriano. Durante duas décadas demonstrou considerável poder. Algumas de suas campanhas foram bastante elaboradas, utilizando grandes coros e até orquestras.

Billy Sunday foi um pregador de fogo, que denunciava o pecado, especialmente o alcoolismo, e, devido a seus esforços evangelísticos, segundo cálculos, houve centenas de milhares de convertidos. Contudo, a canção popular "Chicago", tem um verso que se jacta de que "Chicago was the town Billy Sunday could not shake down" o que, traduzido para o português significa que Billy Sunday teve pouca influência em Chicago. Mas em outras grandes cidades, como Filadélfia, a sua influência sobre o mundo do crime tornou-se tão grande que foi possível diminuir as forças policiais da mesma. Seu poder esteve no auge durante a Primeira Grande Guerra; mas, depois disso, começou a declinar, embora tivesse continuado a pregar até a sua morte, por muitos anos depois da guerra.

SUNDAY SCHOOL (ESCOLA DOMINICAL)

Amigos, confesso que me esqueci de escrever sobre a Escola Dominical, ao compilar os artigos para a letra E. Por isso, estou tornando a liberdade de usar o título inglês, *Sunday School*. E há uma justificativa para isso, pois a Escola Dominical foi, de fato, uma invenção inglesa.

Esboço:
1. Origens
2. Evolução no Currículo e nos Métodos
3. A Filosofia da Escola Dominical

I. Origens

A Igreja Católica Romana e as Igrejas Ortodoxas Orientais comumente mantêm escolas paroquiais, e parte da educação ali oferecida é, naturalmente, de cunho religioso. Muitos grupos protestantes, em contraste com isso, tradicionalmente têm dependido do sistema de escolas públicas no que concerne à educação secular. Assim, foi apenas natural que, como meio de ensinar a Bíblia às crianças, a Escola Dominical tenha sido de criação protestante. Ademais, tem sido sempre típico da ênfase protestante salientar os estudos bíblicos, o cerne mesmo da Escola Dominical.

Os historiadores afiançam que foi Robert Raikes (cerca de (1785 - 1811) quem originou o movimento da Escola Dominical. Foi dono de jornal, em Glaucester, na Inglaterra, que se interessou especialmente por prover educação bíblica para crianças. Ele procurava atingir, especialmente, as crianças dos cortiços ingleses muitas delas já empregadas e trabalhando tempo integral. Antes que a educação bíblica pudesse ser eficaz, foi mister ensinar aquelas crianças a ler e escrever; e assim alfabetização faria parte da tarefa. Destarte, a Escola Dominical começou como uma espécie de instituto bíblico infantil, que operava em separado das atividades normais da Igreja. Mas, finalmente, veio a tomar-se parte integrante das funções das igrejas locais, aos domingos.

A experiência de Raikes foi saudada com entusiasmo, e em breve havia escolas dominicais em muitos lugares da Inglaterra e dos Estados Unidos da América. Mas a sua idéia já era cópia de outro movimento, mais antigo. Carlo Barromeu em cerca de 1550, estabelecera, durante sua vida, nada menos de setecentas e quarenta e três escolas para crianças, visando à instrução religiosa. Ele foi arcebispo católico romano de Milão, na Itália. Quando aquele arcebispo faleceu, essas escolas tinham mais de quarenta mil alunos. E assim, em um sentido inegável, Carlo Barromeu. foi o antecipador do movimento da Escola Dominical. Porém, foi Raikes quem deu ao conceito um impulso e uma aplicação mundiais, e isso entre os grupos protestantes e evangélicos. Quando Raikes faleceu, calculou-se que as Escolas Dominicais, por todo o mundo, estavam provendo instrução bíblica para nada menos de quatrocentas mil crianças.

Outras importantes figuras do movimento também devem ser mencionadas. Guilherme Fox (1736 -1826) muito fez para aplicar a filosofia da Escola Dominical. Foi ajudado na empreitada por vários filantropos, que supriram o dinheiro necessário. Finalmente, ele abriu cerca de trezentas escolas, suprindo-as com livros, material de ensino e professores. Os eclesiásticos, a princípio, opuseram-se ao movimento, pois, no começo, não fazia parte da Igreja organizada, e também porque eram principalmente leigos que se envolviam no ensino. Porém,

SUNDAY SCHOOL

as boas idéias têm uma maneira de impor-se. Ainda recentemente, visitei uma igreja anglicana de Salt Lake City, em Utah, nos Estados Unidos da América; e, o domingo em que ali estive, assinalou o término de uma Escola Dominical especial e da Escola Bíblica de Férias, e os lideres da igreja estavam satisfeitos com seu extenso trabalho entre as crianças.

João Wesley foi uma grande força por detrás da propagação do conceito da Escola Dominical. Suas datas foram 1703 - 1791. A Igreja Metodista deveu muito de seu fenomenal crescimento inicial às suas Escolas Dominicais, estabelecidas primeiramente na Inglaterra, e então nos Estados Unidos da América, e em seguida, pelo mundo inteiro.

Nos Estados Unidos da América, a primeira Escola Dominical reconhecida foi a escola bíblica fundada por William Elliot. Ela funcionava aos domingos à tarde, e não pela manhã, e estava localizada em sua fazenda. Porém, após algum tempo, o trabalho foi transferido para a Igreja Oak Grove, no condado de Accomac, estado de Virgínia. Essa foi a mais antiga Escola Dominical nos Estados Unidos da América.

No começo do século XIX, foram fundadas muitas Escolas Dominicais nos mais diversos lugares dos Estados Unidos da América, e o crescimento delas foi nada menos que fenomenal. Várias uniões formais de Escolas Dominicais foram organizadas, para ensino tanto de crianças quanto de adultos. Não demorou para que as igrejas protestantes e evangélicas tivessem adquirido uma nova função, a saber, ensinar a Bíblia aos seus membros, em regime semanal. Em 1824, a União Americana da Escola Dominical contava com escolas em dezessete dos vinte e quatro estados norte-americanos então existentes, pelo que o movimento já era praticamente universal naquela nação norte-americana. E não demorou muito para que várias denominações evangélicas fundassem suas próprias Escolas Dominicais, que se tornaram uma extenção doutrinadora das igrejas. Mesmo assim, a Escola Dominical continuou sendo dirigida principalmente por leigos, embora não sem alguma ajuda mais profissional.

As Missões Estrangeiras. Foi apenas natural que as atividades missionárias, evangélicas , em todas as porções do mundo, levassem o conceito da Escola Dominical a muitos lugares. Infelizmente, no Brasil, muitas igrejas agora têm somente a Escola Dominical, aos domingos pela manhã, tendo anulado o culto regular da manhã. Isso foi algo que os fundadores do movimento da Escola Dominical nunca haviam antecipado; e podemos ter a certeza de que não concordariam com essa prática. A Escola Dominical não tem por propósito substituir o culto do domingo pela manhã, e não deveríamos permitir que houvesse tal substituição. Muitas igrejas não adoram pela manha, e à noite somente evangelizam. Disso tem resultado uma igreja local enferma. É óbvio que há outras causas dessa debilidade espiritual, mas essa é uma das causas que precisamos denunciar. Os fundadores do movimento da Escola Dominical não tencionavam que ela servisse de causa de fraqueza espiritual.

Este co-autor e tradutor tem traduzido séries inteiras de revistas de Escola Dominical, pelo que deseja dar aqui sua contribuição construtiva. Segundo tenho observado, outra deficiência não antecipada pelos fundadores do movimento da Escola Dominical é que essas revistas tornam-se, para todos os efeitos práticos, os únicos estudos bíblicos que as igrejas fazem. Ora, em face da riqueza da doutrina cristã, é forçoso admitir que nem mesmo um ciclo inteiro de revistas de Escola Dominical consegue cobrir toda a vasta gama dos ensinamentos bíblicos. Mas, que se vê nas igrejas? Terminado um ciclo, geralmente de três anos, o ciclo é reiniciado, repassando todas as lições antes dadas, ad infinitum. Resultado: os membros das igrejas aprendem um limitado número de idéias, levando para casa a impressão falsa de que a doutrina cristã resume-se naquilo que sua denominação particular lhes oferece, através de suas revistas de Escola Dominical. Não admira que haja tantos crentes bitolados! O ideal seria que os pastores, ou alguma comissão de crentes bem preparados, fosse preparando de antemão novas séries de lições, ampliando os horizontes, escavando novos tesouros da Palavra de Deus. Todavia, poucos têm o treinamento teológico para tanto. Segundo vejo as coisas, em face dessa situação, as revistas de Escola Dominical tornaram-se um mal necessário. Mas, melhor com elas e pior sem elas!

2. Evolução no Currículo e nos Métodos

No começo do movimento, ensinava às crianças a ler e escrever, e então a Bíblia lhes era ensinada com proveito. Essa função foi sendo abandonada, à medida que as escolas públicas se foram ocupando da alfabetização. Assim, a Bíblia tornou-se, virtualmente, o único material exposto na Escola Dominical, ainda que algumas igrejas sejam capazes de desperdiçar muito tempo com anúncios e relatórios, contando o dinheiro recolhido e quantos alunos freqüentam, divididos por classes, a Escola Dominical. Entrementes, a educação religiosa tem assumido um escopo mais amplo, e escolas regulares têm-se tornado uma das funções de muitas igrejas. Isso tem feito a Escola Dominical tornar-se mais especializada. Várias denominações têm uma literatura especial (revistas), bem como alguma forma de apresentação sistemática de estudos bíblicos (ver os ciclos referidos no último parágrafo do primeiro ponto, origens).

Naturalmente, a literatura de Escola Dominical tem assumido ares propagandísticos, visto que, além de estudos bíblicos, aparecem ensinos preferidos por esta ou aquela denominação. Em alguns grupos mais liberais, muito material extrabíblico é acrescentado a essa literatura, algumas vezes expondo pontos de vista radicais, do interesse especial desta ou daquela facção ideológica.

O ensino da Escola Dominical também tem ficado mais sofisticado, com auxílios audiovisuais, "slides", filmes, apresentações teatrais e até marionetes e outros chamarizes, para atrair a atenção das crianças. Muitas igrejas têm ônibus para transportar as crianças de suas áreas para a igreja. Outras, oferecem às crianças chocolate, sorvetes e guloseimas, coisas essas que fatalmente atraem as crianças. Pessoalmente, não tenho nada a objetar ao oferecimento dessas coisas às crianças. No entanto, conheci uma igreja cuja Escola Dominical usava um "Golias" moderno, um homem com cerca de 2,45 m de altura, para atrair as crianças. Ele era crente, um lutador profissional, e as crianças vinham aos montes, para vê-lo representando Golias. As crianças são crianças, dentro ou fora da Escola Dominical, e deixam-se atrair por coisas que nada têm a ver com a Bíblia. Nos lugares mais humildes, até mesmo balas e confeitos servem para atrair as crianças. Há pessoas que objetam a esses métodos como se fossem "suborno", mas algo inocente assim é legítimo, se a questão é atrair crianças para que venham ouvir um pouco sobre a Bíblia.

3. A Filosofia da Escola Dominical

A qualquer preço e de qualquer modo, devemos levar a Bíblia às crianças. O mundo lhes está oferecendo tantas coisas inúteis, ou mesmo prejudiciais, como certos programas infantis pela televisão. As instituições sociais e os meios de comunicação em massa mostram-se corruptos com seu extremo mundanismo, invertendo valores diante das mentes impressionáveis das crianças. Os lares muito raramente provêem um estudo sistemático da Bíblia e de princípios religiosos. A Escola Dominical, pois, serve de extensão ensinadora para muitas igrejas. O mundo é destrutivo, e poucos lares, e estamos falando sobre lares evangélicos, fazem muito para contrabalançar essa influência. A Escola Dominical, pois, é uma força contrabalançadora.(AM BENS E)

Ver o artigo separado sobre *Educação Cristã*.

SUNÉM

Em hebraico, "desnivelada", identificada com *Sulam* (Solem), localizada no sopé do Pequeno Hermom, uma cidade no território da tribo de Issacar (Jos. 19.18). Era a cidade natal de Abisague (I Reis 1.3) e o lar de uma mulher cujo filho foi trazido de volta à vida por Eliseu (II Reis 4.8-37). O nome dessa cidade aparece também em uma lista compilada por Tutmes II (1490-1436 a. C.), sendo um dos locais conquistados por suas campanhas militares. Nas cartas de Tell el-Amarna, ela aparece com o nome de Shunama, que nos conta que ela caiu ante as forças de Labaya, uma personagem desconhecida.

SUNI

No hebraico "afortunado",. Ele foi um dos sete filhos de Gade, filho de Jacó (Gên. 46:16; Núm. 26: 15). Ele se tomou o antepassado dos sunitas. Viveu por volta de 1700 a.C.

SUNITAS

O mundo Islâmico está dividido em dois grandes agrupamentos, os sunitas; e os xiitas. O primeiro é o grupo maior, de tendências ortodoxas, defensor da Sunna (vide). Eles aceitam os quatro califas (vide) como os legítimos sucessores do Profeta (Maomé). A maioria dos muçulmanos da Turquia, da Arábia e do Norte da África pertence a esse partido. Os xiitas são, essencialmente, o ramo persa do islâmismo. Eles consideram Ali e seus seguidores como os ministros divinamente ordenados por Deus (os califas), e continuam aguardando por uma figura messiânica, um grande e verdadeiro líder futuro, o imam ou *mahdi*. Têm uma multidão de santos e de festas religiosas. *O sufismo* e o *bahaísmo* (vide) surgiram dentre essa seita.

SUNNA

Essa palavra vem do árabe e significa "uso",", tradição", termo usado para aludir às tradições religiosas do islâmismo, onde aparecem como divinamente inspiradas. O vocábulo foi a princípio usado sobre as declarações e escritos do próprio Maomé. Mas depois também foi aplicado àquelas tradições que vieram a suplementar o Alcorão (vide).

SUOR

O ato de suar ou transpirar é mencionado tanto no Antigo quanto no Novo Testamentos, envolvendo duas palavras hebraicas e uma grega, a saber:
1. *Zeah*, "suor". Palavra hebraica que figura apenas por uma vez, em Gên. 3:19.
2. *Yeza*, "suor", "transpiração". Termo hebraico usado por somente uma vez, em Eze. 44:18.
3. *Hidrós*, "suor", vocábulo grego usado, igualmente, apenas por uma vez, em Luc. 22:44.

O "suor", é apresentado na referência do livro de Gênesis como uma das calamidades impostas ao homem como castigo por seu pecado e queda. Se o trabalho no jardim do Éden era ameno, após a expulsão o homem teria que lutar contra a própria natureza, porquanto a terra produziria, naturalmente, apenas cardos e abrolhos. Esse fato não pode ser negado. A agricultura, desde então, sempre foi um dos mais cansativos labores humanos. Mesmo em nossa era mecanizada, o homem tem que lutar contra as intempéries, como a seca, as inundações, a geada, etc., e também contra as pragas das mais variadas formas.

Em Ezequiel, lemos que os sacerdotes tinham de se vestir de modo a não lhes escorrer o suor pelo corpo. É que as vestes sacerdotais eram consideradas sagradas, só podendo ser usadas enquanto ministravam, após o que tinham de mudá-las; por roupas comuns. Essas instruções foram minuciosamente impostas no tocante aos sacerdotes zadoquitas (ver Eze. 44:15 ss).

No Novo Testamento, a única menção ao suor é aquela da cena da agonia do Senhor Jesus no horto, às vésperas de sua crucificação. Lemos ali: "E, estando em agonia, orava mais intensamente. E aconteceu que o seu suor se tornou como gotas de sangue, caindo sobre a terra" (Luc. 22:44). O fenômeno não é desconhecido para a ciência, que pode ser observado até mesmo corriqueiramente, em certas ocasiões de grande dor ou aflição. Note-se que Jesus não suou sangue. Lucas diz que o seu suor o se tornou *como* gotas de sangue. Um cunhado deste tradutor, quando rapazinho, quebrou um braço. Um vizinho prestativo, mas sem conhecimento médicos, ofereceu-se para pôr o osso no lugar, visto que não houvera fratura exposta, e nem havia alguém responsável na casa que o enviasse a um hospital devidamente aparelhado. No dia seguinte, o braço estava horrivelmente inchado. Quando, finalmente, meu cunhado foi levado a um médico, este teve que pôr o osso no lugar. A operação foi extremamente dolorosa. Meu cunhado dava urros de dor, e seu corpo ficou ensopado de suor, que brotava de todos os poros, como grandes gotas que pingavam.

A palavra grega *hídrós* é comum no grego clássico, de Homero em diante, indicando grande tensão ou dor, dando a entender intenso sofrimento físico ou mental. A luta do Senhor Jesus contra Satanás, diante de Deus, no Getsêmani, em tudo cumpriu a maldição do suor, imposta sobre o homem caído. No entanto, há casos de suor sangüinolento, que a ciência médica chama de hematidrose.

SUOR DE SANGUE

Lemos em Lucas 22:44. "E aconteceu que o seu suor se tornou como gotas de sangue caindo sobre a terra". Antes de mais nada, devemos observar que o versículo anterior a esse, que alude ao anjo que veio confortar o Senhor Jesus, no horto do Getâniani, bem como esse versículo quarenta e quatro, não figuram nos melhores manuscritos do Novo Testamento. Todavia, há alguma evidência textual de peso, sem falarmos em forte apoio dos escritos patrísticos. É possível que a informação ali inserida fizesse parte da tradição oral, como um informe flutuante que, finalmente, encontrou lugar no texto de Lucas. Nesse caso, poderia representar um incidente genuíno na vida de Jesus, embora não originalmente incluído no evangelho de Lucas. Todavia, outros eruditos vêem a questão como um acréscimo apócrifo. E há aqueles que vêem o relato como parte integrante do evangelho original de Lucas, omitido por escribas posteriores, talvez por motivos doutrinários, pois faria Jesus parecer por demais humano, ou por motivo de respeito. Seus sofrimentos não precisariam ser descritos mediante tão vívidos detalhes! Quanto a notas expositivas completas sobre essa variante textual, ver o NTI naquela referência de Lucas.

SUOR DE SANGUE – SUPERSTIÇÃO

Se as palavras em foco são autênticas, sem importar se faziam parte ou não do evangelho original de Lucas, mesmo assim permanece de pé a indagação a respeito do que esteve envolvido no incidente. Há diversas opiniões a esse respeito: a. A expressão poderia indicar a abundância do suor, sem indicar que houvesse a mistura com qualquer sangue. O texto diz que o suor de Jesus se tornou como gotas de sangue.. b. Por outro lado, um suor misturado com sangue em momentos de grande aflição física e mental, é um evento cientificamente provado. O sangue, violentamente agitado pela aflição, pode atravessar as paredes das veias, sem rompê-las. Esse fenômeno chama-se diapedese ou hematidrose. c. Em qualquer dessas possibilidades, não devemos perder de vista o ponto ressaltado na narrativa: a agonia de Jesus foi extremamente violenta. Ele era um homem que se defrontava com uma imensa angústia, e reagiu como outros homens teriam reagido em seu lugar. Dizer que sua angústia não era nem mental e nem física, somente porque ele estava diante da possibilidade de ter de levar sobre si os pecados do mundo, é docetizar o acontecimento, é ignorar a autêntica humanidade de Cristo (ver o artigo). A combinação dos fatores divino e humano em Jesus constitui um grande mistério; mas não solucionamos tais mistérios ignorando um dos lados da questão. Conseguimos eliminar o mistério dos mistérios encontrando razões racionais e teológicas que esclareçam as misteriosas questões. (GT NTI S UN)

SUPEREGO

Ver o artigo geral sobre **Freud**, que explica os principais termos, incluindo "superego". Ver, especialmente, I. Idéias, quarto ponto.

Algumas vezes, o termo superego é sinônimo de Sobre-Ser, sobre o que oferecemos um artigo em separado.

SUPEREROGAÇÃO

Essa palavra vem do latim, *supererogare*, "pagar além do necessário". Na teologia moral, significa fazer mais do que aquilo que Deus requer. O termo teve sua origem no texto de Luc. 10:35, segundo a Vulgata Latina, "quodcumque supererogaveris"; porém, somente durante a Idade Média tornou-se um termo técnico para indicar obras que, voluntariamente, ultrapassam os requisitos morais básicos. Entre essas obras estão os votos de pobreza, celibato e obediência, através das quais homens sérios em sua religiosidade procuram ir além dos deveres morais daquilo que se espera deles em sua vida espiritual.

A teologia católica romana supõe que nos casos de indivíduos especialmente santos, tais obras em excesso são postas à disposição de outros, formando assim um mérito excedente que pode beneficiar a outros. Daí temos o alegado "tesouro de méritos", bem como a possibilidade das indulgências (vide), que os grupos protestantes e evangélicos repelem, por serem idéias extrabíblicas.

Pode-se indagar, com toda a razão, se a lei do amor conhece qualquer excesso de boas obras, se existe tal coisa como "pagar além do necessário". A idéia da transferência de boas obras de uma pessoa para outra é contrária ao ensino bíblico da responsabilidade do indivíduo. A única transferência da qual todos os homens podem beneficiar-se é aquela que Cristo proveu para nós, em sua vida, expiação e ressurreição (e isso por ser ele o único de sua espécie, o Deus-homem), incluindo seus ministérios no Hades e nos céus.

SUPERPESSOAL

Quando é aplicado a Deus, esse adjetivo indica que Deus está tão acima dos homens, e é tão misterioso, que é errado aplicar a ele características de personalidade, que sempre indicam apenas os atributos humanos expandidos a um grau superior. Essa atividade é considerada um crasso antropomorfismo (vide), ou seja, a atribuição, a Deus, de qualidades pertencentes aos homens, em um grau mais elevado. Os teólogos acreditam que essa maneira de descrever Deus limita-o de modo ridículo, e dificilmente pode representar a verdade acerca dele. A maioria dos livros sagrados é de natureza antropomórfica. Mas isso deve-se aos limites do conhecimento e da linguagem humanos. Porém, quando os homens descrevem a Deus como um super-homem, podemos ter a certeza de que tais descrições são apenas conveniências e condescendências, e não verdadeiras descrições da deidade. Nos diversos idiomas, temos os pronomes "ele" e "ela". Deus é chamado de "ele", o que começa a demonstrar nossa ignorância e limitações, porquanto o ele de Deus dificilmente pode parecer-se com o ele de um homem.

Quando falamos acerca de Deus, vemo-nos reduzidos ao uso de termos simbólicos. As evidências dão-nos razão para crer em seu imenso poder e inteligência, mas, quando muito, falamos em parábolas quando falamos acerca de Deus. Alguns têm usado o termo "impessoal" quando falam sobre Deus, mas esse adjetivo também é inadequado. Talvez o melhor vocábulo, afinal, seja superpessoal. Assim, Deus não é uma *pessoa*, no sentido em que um ser humano o é; mas ele também não é impessoal, como se fosse apenas alguma força cósmica. Antes, ele é superpessoal. Esse é um vocábulo melhor que os dois outros; mas nem assim teremos dito muita coisa a respeito da natureza ou essência de Deus. Mas isso não nos deveria surpreender, visto que o nosso conhecimento, no tocante à pessoa de Deus, é extremamente limitado. Fazemos melhor papel quando tentamos descrever as obras de Deus. Ver o artigo geral sobre *Deus*, e também *Pessoa, Deus Como Uma*.

SUPERSTIÇÃO

Esse termo deriva-se do latim, *supersto*, "pairar por cima", "ameaçar", dando a entender algum tipo de temor ou receio religioso, em face do desconhecido, ou de forças naturais potencialmente negativas, como os deuses, a sorte, o destino, etc.

"Uma superstição é... uma crença, prática ou atitude que é julgada como algo que 'paira por cima', ou que vai além das normas aceitáveis", sendo assim considerada indigna de aceitação", (B, que dá uma pequena torção à palavra, em relação ao seu sentido normal). Um certo léxico define a palavra como segue: "Uma crença fundada sobre sentimentos irracionais, especialmente um temor assinalado pela credulidade; e também qualquer rito ou prática que sejam inspirados por tal crença" (WA). O exclusivismo entra no quadro. Um grupo religioso pode considerar supersticioso a outro grupo, sem deixar de ser supersticioso ele mesmo. O não-adepto de algum sistema específico rotula da "superstição" as crenças de outrem, sem importar se suas próprias crenças repousam sobre a credulidade. Todos os sistemas religiosos incorporam algum tipo de superstição, embora isso não consubstancie a crença de alguns antropólogos que, para todos os efeitos práticos, equiparam a fé religiosa à superstição, tornando sinônimos os vocábulos "religião, e superstição". As crenças supersticiosas com freqüência são assinaladas por crenças em presságios, encantamentos, sinais, ritos específicos e outros elementos que repousam sobre a fé em coisas irracionais.

Apesar de que o termo usualmente é aplicado às religiões, Spencer escreveu a respeito de superstições

SUPERSTIÇÃO – SUPOSIÇÃO

políticas, sendo seguro afirmar que todos os campos do conhecimento têm suas próprias superstições, ou seja, crendices, alicerçadas sobre a irracionalidade. A palavra também pode ser largamente definida como "preconceito destituído de reflexão prévia".

Os teólogos liberais, ao se defrontarem com as crenças e tradições da fé fundamentalista, aí mais vezes referem-se a essas coisas como se fossem superstições. E, naturalmente, algum ramo do cristianismo com freqüência apoda de "superstição", aquilo que é crido e seguido como tradições por outros ramos, se tais noções são consideradas destituídas de base bíblica. Os eruditos liberais, além disso, consideram supersticiosas certas porções da Bíblia, o que nos mostra que o vocábulo tem uma aplicação deveras ampla.

Poderíamos definir uma superstição como uma crença no sobrenatural, mas motivada pela ignorância, pelo temor, refletindo uma visão irracional da realidade. Esse vocábulo também pode indicar as práticas que resultam dessas crenças. A magia negra, a bruxaria, os ruídos supostamente produzidos por espíritos, e coisas semelhantes, podem ser consideradas manifestações da atitude supersticiosa.

Uma das provas de que os antigos israelitas, como qualquer outro povo, não eram infensos às superstições mais tolas, é que o Antigo Testamento proíbe a adivinhação mediante a consulta aos mortos, por meio de um necromante (no dizer de Lev. 19:31, alguém que possuía um "espírito familiar" segundo certas versões portuguesas), além de proibir a bruxaria, os augúrios, a feitiçaria, etc. (II Reis 21:6).

Nos tempos do Novo Testamento, a palavra latina *superstitio*, e seu paralelo grego *deisidaimonía* (usada exclusivamente em Atos 25:19), eram empregadas de maneira um tanto imprecisa, dificultando a determinação de seu significado exato. Naquela referência do livro de Atos, lemos que Festo disse a Agripa que Paulo estivera envolvido em disputas com os judeus acerca de algumas questões referentes à sua própria religião. Nessa passagem, a palavra que em nossa versão portuguesa aparece como "religião" é exatamente a palavra grega em foco. Naturalmente, isso representa uma interpretação da palavra, e não uma tradução. Essa interpretação está baseada sobre a idéia de que parece improvável que o governador recém-chegado, tenha designado a religião judaica como uma superstição, no sentido moderno do termo, porquanto isso constituiria uma ofensa. O mesmo comentário pode ser aplicado ao trecho de Atos 17:22; onde Paulo disse aos atenienses: "Senhores atenienses! Em tudo vos vejo acentuadamente religiosos", e onde "religiosos" é interpretação do substantivo grego *deisidaímon*.

Superstição, no sentido moderno, é uma praga para o cristianismo. Os missionários e pastores da Igreja Evangélica têm feito bastante oposição às práticas supersticiosas. Em nosso Brasil, onde há um forte sincretismo entre o catolicismo romano e o fetichismo africano, muito temos que combater as tendências supersticiosas de nossa gente. Essas inclinações, entretanto, têm-se mostrado tão renitentes que até mesmo entre certos grupos evangélicos, sobretudo de origem pentecostal, transparecem. crendices de fundo supersticioso, de mistura com muitos outros elementos negativos, que exigem urgente reforma. Deve-se observar, contudo, que não podemos generalizar. Há pentecostais que são crentes autênticos, lavados no sangue de Cristo, que nada têm de supersticiosos.

Quanto à Igreja Católica Romana, herdeira de muitas superstições da Idade Média, ou até mais antigas, os protestantes e evangélicos têm-nas combatido sem sucesso. Mudanças reais vêm mediante a conversão, que é capaz de vencer essa tendência tão humana, própria do homem em seu estado de perdição. Uma ilustração: Quando Paulo e Barnabé, mediante o poder de Cristo, curaram a um coxo, em Listra, os habitantes do país queriam adorá-los como se fossem Júpiter e Mercúrio. Porém, Paulo e Barnabé protestaram imediatamente e com veemência contra o ato supersticioso, dizendo: "Senhores, por que fazeis isto? Nós também somos homens como vós, sujeitos aos mesmos sentimentos, e vos anunciamos o evangelho, para que destas cousas vãs vos convertais ao Deus vivo, que fez o céu, a terra, o mar e tudo o que há neles ..." E, versículos mais adiante, acrescentou o autor sagrado: "Dizendo isto, foi ainda com dificuldade que impediram as multidões de lhes oferecer sacrifícios" (Atos 14:8-18). Sim, as tendências supersticiosas são quase invencíveis, resistindo à razão com a sua falta de lógica e com sua subserviência às forças malignas.

SUPIM

No hebraico "serpente". Há dois homens com esse nome, nas páginas do Antigo Testamento:

1. Um benjamita que, com seu irmão Hupim, eram filhos de Ir (I Crô: 7:12, 15). Viveu por volta de 1700 a.C.

2. Um porteiro que cuidava do lado ocidental das muralhas de Jerusalém (1 Crô. 26:16). Viveu em cerca de 1010 a.C.

SUPORTE

Palavra portuguesa que é tradução de um termo hebraico usado por dezessete vezes no Antigo Testamento. Nos livros de Êxodo e Levítico é usado para indicar o pedestal da bacia de bronze e do altar dos holocaustos (ver Êxo. 30:18,28; 31:9; 35:16; 38:8; 39:39; 40:11 e Lev. 8:11). Bezaleel dissolveu os espelhos das mulheres de cobre, bronze polidos, e com o material, fez o suporte da bacia de bronze. O suporte da bacia e a própria bacia foram ungidos, quando foram instalados, segundo se vê na penúltima dessas referências.

Nossa versão portuguesa omite uma frase inteira em 1 Reis 7:29, onde no original hebraico, aparece o mesmo termo hebraico de que falamos, *ken*. Essa frase é: "e sobre as molduras havia um suporte acima", a qual deveria ser inserida entre "querubins" e "nas molduras". E dois versículos adiante (I Reis 7:31), a mesma palavra hebraica é traduzida em nossa versão portuguesa como "pedestal". Esse trecho do sétimo capítulo de I Reis fala sobre as dez bacias do templo de Salomão, em Jerusalém. Nos cantos das bacias havia eixos, o que significa que elas eram móveis. Podemos ler sobre suportes com rodas, em Chipre, dando a entender uma disposição similar naqueles objetos. (FOR)

SUPOSIÇÃO

Vem do latim **da**, "para" e sugere "tomar". Indica o ato de aceitar pacificamente a verdade de uma proposição, por amor a um argumento alicerçado sobre essa proposição.

Usos: 1. Boetio e mais tarde os lógicos latinos, usavam a palavra para indicar a premissa menor de um silogismo. 2. Em sua Lógica, Mill usou o termo em um duplo sentido: a. para designar as verdades matemáticas que servem de ponto de partida em uma prova; e b. para designar o ponto inicial de qualquer dedução, sem Importar a veracidade ou falsidade da declaração. Nesse último sentido é que o termo é mais comumente empregado. Portanto, a suposição usualmente é aceita como o termo de significação menos específica dentro da família de termos que inclui: axioma, hipótese e postulado. (P)

SUPRALAPSARIANISMO

Essa palavra vem do latim, *supra*, "antes", "acima", e *lapsus*, "lapso", "queda". De acordo com essa posição, o decreto divino da eleição teria ocorrido antes da queda, independente da mesma. Acredita-se que o decreto elegedor precede até à própria criação.

Ver o artigo detalhado sobre *Infralapsarianismo* (*Subla-psarianismo*), que inclui informações sobre o supralapsarianismo, a doutrina oposta. Ver também sobre *Lapsarianismo e Infralapsarianismo*. Ver também sobre *Predestinação, Eleição e Reprovação*. Por igual modo, ver o artigo acerca do *Livre-Arbítrio*, que provê um contraste aos conceitos do calvinismo radical (vide).

O sínodo de Dort manifestou-se em favor do supralapsarianismo. Seu conceito básico é que os decretos de Deus, no tocante à eleição e à reprovação não teriam sido provocados pela queda do homem no pecado, mas antecedeu a esse evento, independente do mesmo. Deus teria elegido eternamente a alguns, inteiramente - à parte da queda eventual - da humanidade no pecado. Quando essa queda ocorreu, Deus simplesmente deu prosseguimento ao seu plano original. A queda no pecado requereu a expiação em prol dos eleitos, pelo que o plano eleitor não foi perturbado, mas tão-somente foi adicionada a idéia de expiação (ver Gên. 15; mas, em contraposição, ver Apo. 13:8). Ver sobre o *Determinismo*. A posição supralapsariana radical inclui a reprovação ativa, e até mesmo o decreto da queda no pecado, de tal modo que tudo quanto acontece deve-se à vontade ativa de Deus, como causa única. Ora, isso faz Deus a causa do mal. Mas certos teólogos não vêem isso. Por causa dessa dificuldade, alguns teólogos supralapsarianos supõem que a reprovação é passiva. Para eles, Deus não teria decretado a perdição dos homens, mas tão-somente permitiu que processos perversos se encarregassem disso. O absurdo da posição radical é que o amor de Deus, o maior poder na criação, fica inativo, nada significando para as massas, contra muitos versículos do Novo Testamento, incluindo famosas passagens como João 3:16 e I João 3:2. Essa idéia radical também é contrária à missão tridimensional de Cristo, mediante a qual ele alcança todos os homens, embora nem sempre da mesma maneira. Cristo teve urna missão sobre a terra; outra no Hades; e ainda outra nos céus. *Ver sobre Descida de Cristo ao Hades e Missão Universal de Cristo*. Ver também sobre *Restauração*.

Ao examinarmos qualquer questão teológica, cumpre-nos o dever de ansiar por ver as coisas pelo prisma otimista. Em primeiro lugar, porque esse é o prisma das Escrituras (ainda que, em alguns lugares, e em alguns autores, transpareça também o ponto de vista pessimista). Deveríamos escolher o melhor das duas posições. Em segundo lugar, sempre devemos nos pôr ao lado do amor de Deus em favor de todos os homens. Os calvinistas radicais rejeitam a idéia de que Deus realmente amou ao "mundo" ou seja, à humanidade inteira, real e verdadeiramente.

Polaridade. Ver o artigo sobre esse título. A soberania de Deus e o livre-arbítrio humano são ambos ensinos das Escrituras. Portanto, respeitemos ambos. São pólos de algum único conceito maior, embora não possamos entender como isso pode ser. Nossa falta de compreensão não deveria resultar no anulamento do amor de Deus a todos os homens e das missões (ver o plural) de Cristo em favor de todos. Anular esse amor divino é anular o próprio evangelho.

Meu artigo sobre a *Eleição* mostra que essa doutrina é genuína, fazendo parte das Escrituras mas isso é apenas um dos lados da questão. Algumas passagens bíblicas ensinam a genuinidade da convocação ao arrependimento, lançada a todos os homens. O artigo sobre a *Restauração* demonstra a universalidade real (não apenas como teoria) das missões de Cristo, embora nem todos esses aspectos se apliquem a todos os homens da mesma maneira. Quem não foi eleito, será restaurado; e essas são facetas da mesma obra de Cristo. Acima e além de todas as doutrinas, brilha o amor de Deus, que só pode praticar o bem, beneficiando a todos. O próprio julgamento é um dedo da mão amorosa de Deus, porque o julgamento operará uma obra restauradora, que não visa somente à vindicação da justiça. Ver sobre *Julgamento de Deus dos Homens Perdidos*. Faríamos bem em rejeitar as posições doutrinárias radicais e unilaterais, que anulam a eficácia das operações do amor de Deus. O evangelho depende do amor de Deus; doutra sorte, terá fracassado, não tendo poder suficiente para dominar os obstáculos enfrentados. Esse tipo de evangelho é um fiasco.

A doutrina da eleição é uma doutrina moral somente *se* o amor de Deus beneficia a todos os não - eleitos. O amor de Deus pode realizar duas obras para diferentes grupos de homens. O amor de Deus redime um dos grupos; e restaura o outro grupo. É verdade que o que aqui digo pode ser apenas uma forma de reconciliação; mas apresento essa idéia como tentativa, porque algumas Escrituras indicam o poder da redenção no tocante a todos os homens. Portanto, permanece de pé o *paradoxo* (vide), como também a necessidade de polaridade (ver acima).

Tenho sido acusado de ser um "humanista cristão". E aceito alegremente esse título. Minha convicção é que grande foi a obra de Cristo em prol de todos os homens, tendo efectuado uma tríplice missão, a fim de garantir resultados espetaculares. Espero esse tipo de resultado da parte do amor de Deus. O evangelho, conforme é descrito em muitas igrejas ocidentais (o catolicismo romano e suas filhas separadas, as igrejas protestantes), é bastante pessimista, sem realizar grande coisa, finalmente. Em contraste, nas igrejas ortodoxas orientais e na comunidade anglicana, há um ponto de vista mais otimista, onde a obra de Cristo continua a beneficiar àqueles que morreram biologicamente, embora ainda em seus pecados. É impossível não esperar que o evangelho haveria de obter resultados espetaculares, ou que acabaria fracassando quanto a isso. Se o evangelho vier e falhar, então não temos muito sobre o que pregar. Em nada me ajuda lançar a culpa sobre as falhas humanas. Se o evangelho vier a falhar, então é que não tem o poder de predominar sobre os obstáculos encontrados, incluindo aqueles impostos por homens ímpios. Um evangelho fracassado é uma cena lamentável, e podemos indagar por qual motivo Deus com todo o seu amor e com todo o seu poder, e atuando por intermédio de seu Todo-Poderoso Filho, atuou de modo tão insuficiente. Um Deus que traçou um grandioso plano, mas que então o concretizou de modo tão pobre é um estranho tipo de Deus, a menos que, conforme dizem os próprios calvinistas radicais, ele tencionou fracassar, se pensarmos em termos de todos os homens, que são objetos e beneficiários dessa realização. Porém, o fato é que há vários trechos bíblicos que mostram que Deus não tencionou falhar. Afirmo, pois, que Deus não pode ter fracassado.

Entendo que o poder de Deus está por detrás de seu

SUPRALAPSARIANISMO – SUSÃ

amor, e apenas secundariamente por detrás do castigo que ele impõe aos impenitentes. Em segundo lugar, afirmo, porque até essa punição é expressão do amor divino, devendo produzir resultados bons e benéficos, não podendo meramente causar sofrimentos. O trecho de I Ped. 4:6 ensina a natureza remedial do julgamento final. Ele julgará aos homens a fim de que, finalmente, eles possam viver. Esse é o âmago próprio da mensagem do evangelho. Se isso não é uma verdade, então Schopenhauer estava com a razão, ao dizer que "a própria existência é um mal". Ver sobre o *Pessimismo*.

Ver sobre o *Mistério da Vontade de Deus*, aquilo que Deus tenciona fazer, finalmente, no tocante à sua criação. A doutrina do julgamento é uma doutrina intermediária. Deus tem outros planos que prosseguem pelos corredores do futuro.

SUQUITAS

Uma tribo, evidentemente africana, embora não possamos identificá-la com qualquer povo moderno. Sabemos apenas que Plínio falou sobre os Suchoe em 29 a.C., e que talvez seja o mesmo povo. Eles ajudaram Sisaque, rei do Egito, quando este invadiu a Palestina. Ver II Crô. 12:3.

SUR

No hebraico, "fortificação de muro", provavelmente referindo-se ao local como um tipo de barreira geográfica natural que se estendia pelas grandes estradas do nordeste do Egito próximo à fronteira leste. Mas alguns estudiosos pensam que havia um muro literal ali, batizado com o mesmo nome do território próximo a ele. "... um Grande Muro, existente ali através da entrada do Egito Inferior como uma barreira e como um marco entre o delta e o deserto... assim, era natural que a região em ambos os lados do muro tivesse o nome do muro. No lado oeste ficava a terra de Jazor, isto é, a *Terra muro adentro*. No lado leste ficava o deserto de Sur, com o *sertão muro afora*. Assim foi criada a circunstância pela qual a terra do deserto a leste do Egito Inferior é conhecida na Bíblia como o 'deserto de Sur'" (Trumbull, *Cades-Barnéia*). Gên. 16.7 menciona o córrego que ficava no caminho para Sur, onde o anjo do Senhor encontrou Hagar quando ela fugiu da raivosa Sara. Provavelmente ela passou pela antiga rota de caravanas, o último segmento do famoso Caminho do Rei que saía de Edom e passava pelo deserto de Zim (Êxo. 15.22). Para referências a Sur, ver Gên. 16.7; 20.1; 25.18; Êxo. 15.22; I Sam.15.7; 27.8. Com o uso da palavra "muro" devemos entender fortificações, não apenas um único muro.

SURAS

No árabe, essa palavra significa "grau" ou "degrau", termo usado para especificar os capítulos ou seções do Alcorão (vide). Há cento e catorze suras, arranjadas das seções mais longas para as mais breves, sem qualquer lógica ou cronologia evidente. Foi Zaid, o secretário de Maomé, que, depois da morte de Mafoma, criou o arranjo.

SURDO, SURDEZ

No hebraico, *chemb*, palavra que aparece por nove vezes: Êxo. 4:11; Lev. 19:14; Sal. 38:13; 58:4; Isa. 29:18; 35:5; 42:18,19. No grego, *kophós*, vocábulo que figura por quinze vezes: Mat. 9:32,33; 11:5; 12:22; 15:30,31; Mar. 7:32,37; 9:25; Luc. 1:22; 7:22; 11: 14.

A Bíblia usa essa palavra, como adjetivo ou substantivo, em sentido literal e em sentido figurado. Em *Lev*. 19:14, a *lei* mosaica requeria um tratamento humano para os surdos, porquanto nos homens há um impulso estranho para zombar dos débeis e defeituosos. O trecho de Isaías 29:18,35 mostra que até os surdos ouvirão a Palavra de Deus, dando a entender que a mensagem de Deus será conhecida por toda parte, por todos os homens, sem o menor obstáculo.

Uso Figurado. A condição da surdez simboliza a ausência de capacidade espiritual, o que não deixa a indivíduo compreender espiritualmente a verdade (Isa. 42:18,19; 29:18). Contudo, os santos também podem ser comparados com os surdos, quando exercem a paciência e resignam-se sob as tribulações (Sal. 38:13; 39:9). Espiritualmente, um homem se faz voluntariamente surdo quando se recusa a ouvir e a entender a instrução espiritual. Surdos, ouvi, e vós, cegos olhai, para que possais ver, (Isa. 42:18). Jesus realizou milagres de cura da surdez (Mat. 7:32-37), que também representavam o seu poder de fazer os homens abrirem os ouvidos espirituais para a verdade. Esse tipo de milagre, entre outros, serviu de sinal de seu ofício e autoridade messiânicos (Luc. 7:22). Cria-se que a possessão demoníaca pode causar a surdez (Mar. 9:25); e isso significa que a expulsão de um espírito maligno pode livrar a pessoa dessa condição. Isso envolve uma óbvia lição espiritual.

SUSÃ (SUSA)

No hebraico, **Lírio**. Uma cidade, também chamada *Susa*, que ficava às margens do rio Ulai, no Ulai. Ali era a sede do governo persa. Seu nome moderno é Sus, na província do Cusistão. No grego tem a forma de Sousa ou Sousís. Essa cidade é mencionada nas Escrituras por vinte e uma vezes, em Nee. 1:1; Est. 1:2,5; 2:3,5,8; 3:15; 4:8,16; 8:14,15; 9:6,11-15,18 e Dan. 8:2.

De acordo com as explorações arqueológicas, o local vinha sendo ocupado desde a era neolítica, com um desenvolvimento cultural todo próprio, que os arqueólogos denominam. Nas ruínas de **Susa** tem sido descobertos documentos fitos em uma forma hieroglífica ainda não decifrada, que os estudiosos têm designado de "protoelamítica" um estágio inferior da produção da escrita (vide). Quando essa cidade surge na história, ela já aparece como o centro da civilização elamítica. Nações contemporâneas citam Susa, como é o caso da lista de reis sumérios, onde há alusões a dinastias até do terceiro milênio a. C. Portanto, a cidade já tem cerca de cinco mil anos de existência. Parece que ela era o centro de um culto antiquíssimo, que girava em torno da divindade elamita In-Shushinak. Houve dominações sumérias e semitas, quando a cidade foi ampliada segundo os moldes mesopotâmios, com um templo de astrologia e um zigurate. Era a rota quase obrigatória de negociantes e viajantes entre a Suméria e o Elão. Posteriormente, quando do enfraquecimento da Suméria, os elamitas vingaram-se, destruindo Ur dos caldeus, mas seu período de vitórias foi breve, pois, em 1924 a.C. Gungunum, de Larsa, derrubou Susa, e, durante quatro séculos em seguida, pouco se falou sobre Susa, nos registros em escrita cuneiforme. Finalmente, ela aparece como aliada dos assírios, como uma ameaça contra a cidade de Babilônia, que lhe ficava mais ao sul. Essas rivalidades entre grandes cidades da região continuaram, com a maré da sorte bafejando este ou aquele lado, até que, por ocasião do ressurgimento do império babilônico levou à total destruição de Susa, por Assurbanipal, em 639 a.C., o que pôs fim às hostilidades milenares.

Isso permitiu o predomínio dos indo-europeus, recém-chegados na região do que é hoje o Irã. Com o surgimento do poder, primeiramente dos medos, e, em seguida, dos persas, Susa tornou-se a capital regional dos arianos. Dario escolheu Susa como sua residência real, em 521 a.C.

Susa é, freqüentemente mencionada no livro de Ester, como cena das atividades da corte de Xerxes (vide), filho e sucessor de Dario. Nesse livro bíblico tem-se uma idéia da opulência do palácio real. Já na época de Alexandre, a cidade e seu palácio foram um dos alvos mais cobiçados das conquistas daquele macedônio. No palácio houve casamentos em massa entre os oficiais militares gregos e as princesas persas, no ano de 324 a.C. A partir dessa época, porém, a cidade foi declinando em importância, tendo sido saqueada por algumas vezes durante a época medieval. Expedições francesas têm escavado cuidadosamente o local, desde os meados do século XIX. Até hoje, Susa é quase que o único lugar onde são encontradas antiguidades da época dos elamitas. A descoberta mais importante que houve ali, em 1902, foi a do código de Hamurabi (vide). Houve uma época em que o nome da cidade foi mudado. Sabe-se que Antíoco I Soter (cerca de 293-261 a.C.) alterou-lhe o nome para Seléucia, um toque do orgulho de família porque ele era descendente de Seleuco, um dos quatro generais de Alexandre que herdaram o seu imenso império, quando de sua morte prematura.

SUSANA, HISTÓRIA DE
I. Nome
II. Caracterização Geral; Conteúdo
III. Canonicidade
IV. Propósito e Historicidade
V. Autor e Data

I. Nome
Do hebraico, *"lírio"*, dado como *Sousanna* na Septuaginta. Possivelmente o original foi escrito em hebreu e em aramaico, mas a história chegou a nós em grego. Alguns dizem que houve um original grego, indicando um jogo de palavras em conexão com o nome das árvores e as iminentes punições previstas (13.54 ss.) *schinoi – shcisei*; (vss. 54 ss.); *prinon – kataprise (prisai)* (vss. 58 ss.). É possível que os gregos tenham tentado imitar tal jogo de palavras no hebraico. De modo geral, as transliterações são bem óbvias e deve-se admitir que essa "evidência" é fraca. Por outro lado, se o grego for grego natural, provavelmente não é uma transliteração.

II. Caracterização Geral; Conteúdo
Este livro é chamado de apócrifo pelos protestantes e evangélicos que seguem o Cânon Palestino (os 39 livros do Antigo Testamento), mas canônico pelos católicos romanos que seguem o Cânon Alexandrino exibido na Septuaginta. Essa versão contém o livro e reflete o uso dele pelos judeus da *Diáspora* (ver). Tanto a Septuaginta quanto a Vulgata colocam esse livro no final do livro de Daniel, ao qual ele serve como um tipo de adição. Mas Teodotio o colocou no início de Daniel.

O livro conta a história de Susana, uma devota mãe judia, esposa de Joaquim. A época teria sido o cativeiro babilônico de Judá. Dois anciãos fazem fortes avanços em Susana, que ela rejeita firmemente. Eles a ameaçam com falsas acusações de adultério com um jovem homem, se ela não se entregar às suas exigências. A ameaça não funciona, portanto os juízes vão adiante com a vingança. Ela é condenada e preparada para a execução. Mas, no momento em que está sendo levada para a morte, Daniel aparece para ajudá-la. Ele, através de uma acareação cuidadosa das testemunhas falsas, é capaz de provar sua inocência. Assim, os próprios acusadores são executados de acordo com as provisões de Deu. 19.19. A história provavelmente foi escrita por um judeu palestino durante o início do primeiro século a. C. Ela ilustra a insistência dos fariseus de que houvesse um rígido exame das testemunhas e forte punição de falsas (*Makkot*, 5b). O incidente serviu para exaltar a sabedoria e o poder de Daniel, o profeta.

III. Canonicidade
O livro pertence à Septuaginta, portanto era canônico pelos padrões dos judeus da Diáspora, isto é, de acordo com o Cânon Alexandrino. Mas ele não está contido no Cânon Palestino (os 39 livros), aceito pelos protestantes e evangélicos. Por este motivo é chamado de "apócrifo". A Vulgata, seguindo a liderança da Septuaginta (o que de modo geral faz), retém o livro. O livro ganhou o respeito de alguns antigos. Como Jerônimo, Orígenes argumentou que ele é canônico. Alguns dos primeiros cristãos consideravam o livro uma alegoria da igreja cristã, que deu a ela certo prestígio. Ver o artigo geral sobre o *Cânon do Antigo Testamento*

IV. Propósito e Historicidade
1. *Historicidade*? Se o livro reconta uma história verdadeira, seu propósito era ilustrar certas verdades morais e espirituais através de um acontecimento significativo que ocorreu durante o cativeiro babilônico. Mas poucos estudiosos levam a história a sério como algum acontecimento real. Parece um romance religioso, um trabalho de ficção moralista. Joaquim, o marido de Susana, é retratado como se vivesse em circunstâncias opulentas, cheio com servos. E juízes "eleitos" tinham o poder da punição capital. Tais circunstâncias dificilmente podiam caracterizar os judeus na época do cativeiro babilônico.

2. Ou o livro é um tipo de tratado enganoso dos fariseus contra os saduceus, que haviam cometido erros judiciais, permitindo que testemunhas falsas obtivessem êxito e não exigindo justiça rígida, sem investigação adequada. Houve o caso notório da execução de um filho de Simão ben Shetaque, fariseu de renome na época de Alexandre Janeu, por causa de acusações falsas. Falando rigidamente, devemos incluir que seu falso acusador foi desmascarado, e o acusado poderia ter sido liberado. Mas pela interpretação dos saduceus do *Lex Talionis* (pagamento de acordo com o crime cometido), o acusador não poderia ser executado a menos que o acusado tivesse morrido. Portanto, o acusado optou por morrer para garantir a execução do acusador! A que preço essa vingança!

3. Ou a história era simplesmente ficção que tinha por objetivo ilustrar várias virtudes morais, especialmente a pureza de vida diante da adversidade e o poder de oração e retidão. E, claro, significava aumentar a estatura de Daniel como profeta. Possivelmente a resposta correta seja uma mistura das idéias 2 e 3. Alguns dos livros mais poderosos já escritos são romances, portanto isso nada diz contra a canonicidade desse trabalho caso ele seja, de fato, um romance religioso.

V. Autor e Data
Estudiosos não têm certeza se esse livro foi escrito na Palestina ou na Alexandria, nem se foi escrito em grego ou em hebraico, daí certamente não terem como identificar um autor. O próprio livro não faz declarações sobre isso, portanto ele é verdadeiramente anônimo.

Embora a data do livro também seja incerta, estudiosos datam-no no primeiro ou segundo século a. C. Nada no conteúdo do livro permite que possamos definir uma data mais precisa.

SUSANQUITAS – SUSTENTADOR

SUSANQUITAS

Trata-se de um adjetivo gentílico, que aponta para os habitantes da cidade de Susa (vide). Esse adjetivo aparece, paralelamente a outros, como dinaítas, afarsaquitas, tarpelitas, afarsitas, arquevitas, babilônios, deavitas, elamitas, e outros, não designados nominalmente, que Reum e Sinsai usaram na carta endereçada ao rei Artaxerxes, solicitando a proibição da continuação da ereção do novo templo de Jerusalém, por parte dos judeus que estavam voltando do exílio babilônico. Mais precisamente, os susanquitas eram ex-habitantes da cidade persa de Susã, que haviam sido trazidos para a Palestina central a fim dê substituírem as dez tribos de Israel que haviam sido levadas quando do cativeiro assírio. Ver Esdras 4:9, o único trecho bíblico onde esse adjetivo gentílico é usado.

SUSI

No hebraico, "Yahweh é veloz" ou "Yahweh está se regozijando". Seu nome aparece exclusivamente em Núm. 13: 11. Ele pertencia à tribo de Manassés, foi o pai de Gadi, um dos doze espias enviados para explorar a Terra Prometida. Viveu em torno de 1490 a.C.

SUSTENTADOR, CRISTO (LOGOS) COMO

I. Nele tudo subsiste 1:17.

Grego, *sunesteken (de sunistemi)*, contituir, compor. A idéia que temos aqui é que o universo é mantido como um sistema ordeiro (a palavra sistema deriva-se do vocábulo grego aqui empregado), por seu poder. A unidade e a ordem, no universo, são, vistas como algo que não se alicerça sobre forças mecânicas impessoais, mas sobre a inteligência do Logos eterno. Portanto, apesar de que as leis naturais governam o sistema dos universos, contudo, tais leis são apenas expressões de sua inteligência e poder, como realizações de seu próprio ser sustentador e organizador. Por conseguinte, todas as coisas têm, uma relação vital com ele, sobretudo os homens, os quais, por isso mesmo, não podem adorar a meros anjos (ver Col. 2:18). Cristo, portanto, deve ser reputado o Cabeça (ver Col 2:19), pois somente ele pode ser tal coisa. Nele "vivemos, nós movemos e temos o nosso ser", esse é o pensamento deste versículo, aplicado aos homens. Podemo-nos aproximar do "Deus invisível", mas não através das incontáveis esferas de "aeons", e, sim, através do próprio Cristo, o qual se conserva próximo de nós, sendo o poder doador de vida que sustenta a existência de nossos próprios seres. No dizer de Robertson (in loc.), Cristo é a força controladora e unificadora da natureza. A filosofia gnóstica, que diz que a matéria é má e foi criada por algum 'aeon' remoto, fica assim eliminada. O Filho do amor de Deus é o criador e o sustentador do universo, que não é mau".

No *Logos* todas as coisas mantêm a sua coerência, e, através disso, chegam à função, na realização de seus propósitos na existência, sejam elas animadas ou inanimadas.

Em Col. 1: 18 e ss, vemos o relacionamento entre o Filho de Deus e a sua Igreja, pondo em foco o plano remidor. Nos versículos quinze a dezessete é especialmente salientado o poder do "Cristo preexistente", bem como sua relação para com todos os seres e universos; mas até mesmo nessa ênfase também precisamos perceber que esse relacionamento é visto como algo que continua e é elevado no Cristo glorificado, porque o presente relacionamento de Cristo com tudo é incluído no tema do discurso. Já que a presente relação de Cristo com tudo está sob discussão, o Cristo glorificado também deve estar em foco. E já que sua glorificação depende do término bem-sucedido de sua missão remidora (ver Fil. 2:9, 10), então o Cristo encarnado também deve estar em foco em Col. 1:17. Torna-se evidente, portanto, que as distinções minuciosas de certos intérpretes, que pretendem limitar os versículos quinze a dezessete ao Cristo "reencarnado", além de outras interpretações tais, não podem ser sustentadas sob exame cuidadoso. Cristo, em sua glória, desde a eternidade passada à eternidade futura, é a idéia dominante. Nenhum mero "aeon pode postar-se ao lado de Cristo, e nem deve ser colocado artificialmente nessa posição, na adoração por parte da igreja cristã.

O fato de que Cristo é o poder sustentador e organizador de tudo nos é dito de modo um pouco diferente, em Heb. 1:3, onde se lê: "sustentando todas as cousas pela palavra de seu poder ..." No dizer de Bengel (in loc.): "Nele (em Cristo) todas as coisas estão unidas e prosseguem, formando um só 'sistema': o universo encontrou e retém nele o seu bom termo".

"Ele, o Todo-Poderoso, o Logos todo-santo do Pai, espalha seu poder sobre todas as coisas em todos os lugares, iluminando coisas visíveis e invisíveis, mantendo e unificando a tudo, em torno de si mesmo. Nada é deixado vazio de sua presença, mas para todas as coisas e através de tudo, individual e coletivamente, ele é o doador e o sustentador da vida... Ele, a sabedoria de Deus, mantém o universo em sintonia. Ele é aquele que, ligando todas as coisas umas com as outras, e pondo em ordem a tudo, segundo sua vontade e beneplácito, produz a unidade perfeita de natureza e o reino harmonioso da lei. Enquanto ele permanece inabalável para sempre, junto ao Pai, ao mesmo tempo move as coisas por sua própria determinação, de acordo com a vontade do Pai" (Atanásio, referindo-se a Col. 1:17).

Está feito, a grande transação foi consumada!
Eu sou do Senhor, e ele é meu;
Ele me atraiu, e eu o segui,
Encantado, confessando a voz divina.
(Philip Doddridge)

Ele vincula todas as criaturas e forças formando um todo cooperante, reconciliando seus antagonismos, arrastando todas as suas correntes para formarem uma única grande onda de maré, mesclando todas as suas notas em uma música que Deus pode ouvir, por mais discordantes que, às vezes, elas nos soem. Ele é o 'vínculo da perfeição' e a pedra principal do arco, o centro da roda... Que doçura e que respeito reverente tais pensamentos lançam em redor do mundo exterior e das eficiências da vida! Quão perto isso nos deveria levar de Jesus Cristo! Que poderoso pensamento é aquele que o curso inteiro dos negócios humanos e dos processos naturais é dirigido por aquele que morreu sobre a cruz! O teme do universo é seguro pelas mãos que foram. transpassadas por nós.

2. Seu poder sustentador–Heb. 1:3

O Logos (Cristo) é antes do mundo, por ser o Criador do mundo, a glória de Deus para o mundo; e agora é o sustentador de toda a criação. Isso está de acordo com o conceito do Logos concebido por Filo. O "Logos" entra no mundo; e a sua presença todo-permeadora, em toda a criação, é aquele poder da razão divina que controla e sustenta tudo. Não se pode imaginar um vero limite em qualquer sentido o poder do "Logos". Serve ainda de outra demonstração sobre o seu poder de sustentação, o que significa: 1. o controle de toda a ordem da natureza; 2. a sustentação de toda a vida; 3. o permear da natureza com

SUSTENTADOR – SWEDENBORG

os propósitos graciosos de Deus, o que nos infunde a esperança de restauração de tudo, tirando a criação do erro e do mal; 4. provavelmente a menção de seu poder sustentador visa ensinar, por semelhante modo, que em toda a história, todo o ser e a exigência inteira, quando são corretamente interpretados, servirão de espelho para o Filho, o qual, por sua vez, é o espelho de Deus Pai. Isso assevera, pois, a idéia de "uma única verdade". Toda a verdade é apenas uma fragmentação daquela única grande Verdade, que é Deus; e Cristo, por sua vez, é a "verdade" divina apresentada aos homens. (Ver João 14:6).

A voz que faz rolar as estrelas ao longe,
Profere todas as promessas.
(Isaac Watts)

"Aquele que cura o coração partido é também aquele que conta o número das estrelas e que as chama pelo nome. (Ver Sal. 147:3,4)" . (Cotton, in loc.).

Heb. 1:3 deixa nas mãos de Cristo as "leis naturais". Ele foi o seu Criador e é o seu aplicador; mas isso envolve até mesmo as dimensões espirituais, como também as questões do bem-estar e da restauração espirituais. Nessa esfera, Cristo é igualmente o sustentáculo de tudo.

O grego original diz aqui, literalmente, suportando tudo pela palavra de seu poder. É usado o particípio presente, o que indica uma ação contínua. O poder de Cristo é o poder sustentador e controlador contínuo. Isso pode ser confrontado com o trecho de Col. 1:17, que diz, "Nele tudo subsiste", que expressa algo da mesma coisa que diz o presente versículo.

Filo (de Cheub § xi) descreve o Logos divino como o "timoneiro e piloto de tudo"; e essa idéia certamente é incluída aqui. Assim, na criação, ele se faz presente–com todos, em todas as suas modificações e transformações, através dos aeons" (Weiss, in loc.). Filo também chamava o "Logos" de o "amarra" do universo. Essa idéia pode ser comparada com Hcb. 2:10; Rom. 8.32; 11:36; I Cor. 8:6; Efé. 1:10 e Col. 1:16.

3. O poder da palavra de Cristo

Essa "palavra" é a do poder de Cristo, e não a "Palavra", conforme é usada por Deus em suas obras. Não é usado aqui o termo grego logos, e, sim, a palavra que comumente tem o sentido de "palavra". Deus falou e a criação veio à existência. Certamente há uma alusão a isso aqui. (Ver também Heb. 11:3). Foi a palavra de Deus que trouxe à existência; e é a sua palavra que sustenta a tudo. Assim também, Cristo e o Pai são feitos iguais, nesse particular; e o que é dito acerca do Pai, ali, é dito acerca do Filho, neste ponto. O poder de Deus é facilmente utilizado por ele, como que pela direção de uma mera palavra.

Notemos os muitos paralelos entre o primeiro capítulo da epístola aos Hebreus e o primeiro capítulo da epístola aos Colossenses. Cristo é a revelação de Deus, o poder criador, o poder sustentador (ver Col. 1:15-17), e em Heb. 1:1,2, ele aparece exatamente como esse *poder*.

Os escritores rabínicos falavam de Deus como quem sustenta todas as coisas, tanto no alto como neste nível terreno; o qual transporta suas criaturas pelo mundo; o qual sustenta todos os mundos através do seu poder. Esse tipo de linguagem é aqui transferido para Deus Filho. (Ver Targum sobre II Crô. 2:6).

SUTELA

Do hebraico, "estabelecimento de Tela". Duas pessoas das genealogias da tribo de Efraim são chamadas por este nome. Há alguma confusão nas genealogias. Em Núm. 26.35-37, um homem chamado por este nome era o *pai de Era*, mas, em I Crô. 7.20, 21, ele é chamado de o pai de *Berede*. Possivelmente, uma condensação (salto de alguns vínculos) provocou essa diferença. A confusão aumenta com a inserção, na Septuaginta, de "Sutela e seu filho Eden" em Gên. 46.20.

1. Filho mais velho de Efraim (Núm. 26.35, 36) que viveu em torno de 1850 a. C. Seus descendentes, através de outro homem que tinha o mesmo nome, são dados em I Crô. 7.20, 21.

2. Filho de Zaba, também da linhagem de Efraim (I Crô. 7.21). Viveu em torno de 1500 a. C.

SUTRAS

Essa palavra vem do sânscrito, *sutra*, "aforismo". O termo designa um imenso corpo de literatura religiosa indiana, essencialmente composta entre os séculos VI e III a.C. O surgimento desse material deveu-se à necessidade de comentar a literatura védica. As sutras, pois, são esse material adicional que não demorou a ser considerado autoritário para a fé e a prática religiosas. No entanto, são comentários caracteristicamente breves, que convidavam à formação de uma literatura adicional de explicações. Quase todos os comentários que então se seguiram foram estruturados sob a forma de diálogos. Ver o artigo chamado *Vedas*. As sutras, pois, podem ser classificadas como uma porção posterior da literatura védica. O propósito delas era sumariar os escritos originais.

Tipos de Sutras:

1. *Srauta*, sutras sacerdotais; 2. *grihya*, comentários acerca de ritos domésticos; 3. *dkarma*, comentários sobre os deveres sociais; 4. *sutras miscelâneas*, que tratam de todos os tipos de assunto, como gramática, astronomia, mágica, etc. As *leis de Manu* consistem uma forma mais tardia das mais importantes *Sutras Dharma*.

SWEDENBORG, EMANUEL

Suas datas foram 1688-1772. Era filho de Jesper Swedenborg, que era professor em Upsala e bispo de Skara, homem que simpatizava com o pietismo, influenciado pelo misticismo e compositor de muitos hinos sacros.

Emanuel Swedenborg foi um proeminente cientista e líder religioso sueco. Educou-se em Upsala e ocupou um cargo público. Ativo nas ciências físicas desenvolveu teorias sobre a luz, o atomismo, a cristalografia. E, no campo da biologia, investigou as atividades do cérebro humano. Um ponto crucial de sua vida ocorreu em 1745, quando passou por poderosa experiência mística, quando "os céus se lhe foram abertos". Recebeu muitas revelações e informações espirituais que se tornaram a base de sua *Nova Igreja*, a qual ele mesmo não promovia como uma nova denominação, mas que foi feito por seus seguidores. Eles chamavam essa nova fé de "Igreja da Nova Jerusalém".

Swedenborg tornou-se um místico de considerável experiência. Suas visões originais não marcaram o fim das revelações que recebeu. A teologia de suas crenças foi compilada na obra chamada *Vera Christiana Religio* (1771).

Idéias:

1. Em seu pensamento anterior, sua *Filosofia natural* já antecipava algo de sua teologia posterior. Pontos de matemática foram revistos, conectando o finito com o infinito. A realidade foi encarada como uma hierarquia orgânica, a série começando com o ponto da matemática e elevando-se até o próprio Deus. Sua obra mais antiga, *Principia* (1734), assumia uma visão mecanista da realidade; mas em 1736, em seu livro *Deconomia Regni Animalis*, ele já estava injetando

SWEDENBORG – SYLLABUS

pontos de vista místicos na questão. Daí por diante, o mundo tornou-se para ele cada vez mais parecido com um organismo do que com uma máquina.

2. Quanto ao *Problema Corpo-Mente* (vide), ele, falava sobre uma harmonia co-estabelecida entre o corpo e a alma. Ele dividia a alma, à maneira platônica, ou seja, nos graus vegetativo, racional e espiritual.

3. *A queda do homem* tê-lo-ia privado totalmente de conhecimento. Isso seria revertido separando-se a parte espiritual da alma da razão, ou seja, a *anima* da *mens rationalis*. Todo conhecimento estaria armazenado dentro da alma (platonismo novamente), mas só seria sondado através de um esforço. remidor.

4. *Interpretação*. A chave de **Swedenborg** para a interpretação era a suposição de que todos os termos têm significados naturais, espirituais e divinos, e esses alegados princípios ele aplicava às Escrituras e a outras fontes de informação espiritual,

5. *Graus de Ser em Deus. Amor.*– o nível divino ou dimensão das finalidades. *Sabedoria.*– o nível espiritual ou dimensão das causas. *Uso*: o nível natural, ou dimensão dos efeitos. Existiria no homem uma espécie de trindade do ser, formada por amor, sabedoria e vida útil ou criativa, pelo que o homem corresponderia a Deus, como o microcosmo corresponde ao macrocosmo.

6. *Interação de Forças*. Os níveis natural e espiritual do ser têm correspondência e interação. O natural reflete o espiritual. Os seres humanos vivem em ambas as dimensões ao mesmo tempo, mas cultivam alguma delas mais do que a outra. Embora seja um ser decaído, o homem goza de liberdade, mediante a qual exerce a sua vontade e a sua razão, e assim pode retornar à dimensão espiritual.

7. *Repúdio*. Ele rejeitava as doutrinas ortodoxas da Trindade e da expiação, e também dizia que o julgamento já tivera lugar, (em 1757), quando Cristo retornara (espiritualmente), tendo triunfado sobre espíritos rebeldes.

5. *Sobre a morte*, de acordo com Swedenborg, a alma entra na dimensão dos espíritos. A alma pode subir a uma dimensão celeste ou descer a uma dimensão infernal (Hades). Se a alma subir, torna-se um anjo de luz; se descer, torna-se um espírito maligno.

9. *Casamentos Celestes*. As almas boas podem encontrar contrapartes, participando assim de um casamento celeste.

10. *Artigos de Fé*. Os principais artigos para a *Nova Igreja são os* seguintes: um único Deus e uma espécie de doutrina trinitária (não-ortodoxa); o Senhor Jesus Cristo é identificado com essa trindade. A fé que salva é a confiança nele. Todo mal deve ser evitado, porquanto pertence ao diabo; o bem deve ser praticado, porquanto vem de Deus, pelo que teríamos aqui a significação cósmica tanto do bem quanto do mal. Um homem pode praticar boas obras por sua própria decisão, estando nesse dever; mas o Senhor posta-se perto, ajudando-o e aprovando-o.

11. *Esperança Quanto ao Futuro*. A verdade, finalmente, haverá de obter a vitória, e as miríades de igrejas finalmente serão absorvidas pela Nova Igreja, no que consistirá a verdadeira união cristã.

Escritos: *The Principles of Natural Things; The Economy of the Animal Kingdom; The Hieroglyphic Key; On the Love and Wisdom of God; The True Christian Religion*.

Bibliografia. AM E EP P

SYLLABUS ERRORUM, PAPAL

A palavra latina *syllabus* deriva-se de syllabos, um erro de grafia em lugar de sillybas, acusativo plural de sillyba, "rótulo" de um livro. Seja como for, o termo veio a indicar uma "declaração concisa" acerca de qualquer coisa. O *Syllabus Errorum* (Sumário de Erros) é uma coletânea de erros contra os quais combateram os papas Pio IX (1864) e Pio X (1907). O primeiro condenou oitenta supostos erros; e o segundo, sessenta e cinco, incluindo os erros próprios do *Modernismo* (vide).

Essas publicações papais exerceram dois principais efeitos. Antes de tudo, houve intensa oposição à sé de Roma, até mesmo da parte de católicos romanos liberais. Em segundo lugar, os eruditos católicos romanos foram forçados a concentrar seus esforços exegéticos, para responder às críticas e apresentar as razões dos pontos de vista dos papas.

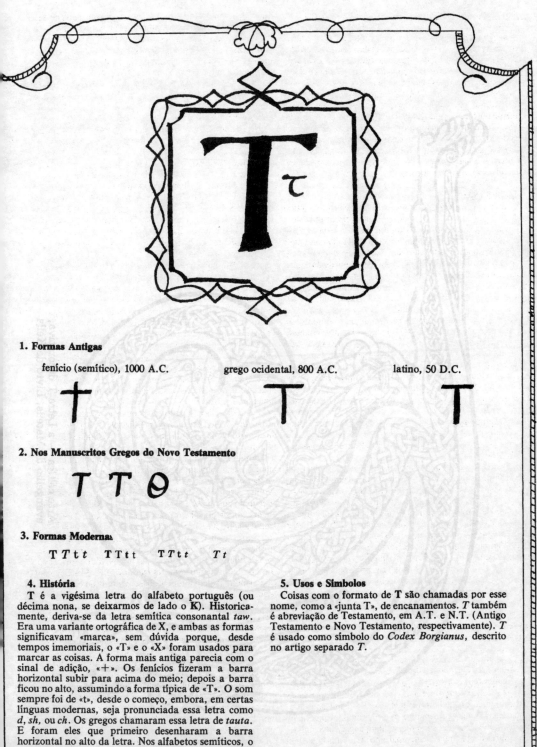

1. Formas Antigas

fenício (semítico), 1000 A.C. grego ocidental, 800 A.C. latino, 50 D.C.

2. Nos Manuscritos Gregos do Novo Testamento

3. Formas Modernas

4. História

T é a vigésima letra do alfabeto português (ou décima nona, se deixarmos de lado o **K**). Historicamente, deriva-se da letra semítica consonantal *taw*. Era uma variante ortográfica de X, e ambas as formas significavam «marca», sem dúvida porque, desde tempos imemoriais, o «T» e o «X» foram usados para marcar as coisas. A forma mais antiga parecia com o sinal de adição, «+». Os fenícios fizeram a barra horizontal subir para acima do meio; depois a barra ficou no alto, assumindo a forma típica de «T». O som sempre foi de «t», desde o começo, embora, em certas línguas modernas, seja pronunciada essa letra como *d*, *sh*, ou *ch*. Os gregos chamaram essa letra de *tauta*. E foram eles que primeiro desenharam a barra horizontal no alto da letra. Nos alfabetos semíticos, o *taw* era a última letra, mas não reteve essa posição final ao passar para outras línguas. Do grego, a letra passou para o latim, e daí para muitos outros idiomas modernos.

5. Usos e Símbolos

Coisas com o formato de **T** são chamadas por esse nome, como a «junta T», de encanamentos. *T* também é abreviação de Testamento, em A.T. e N.T. (Antigo Testamento e Novo Testamento, respectivamente). *T* é usado como símbolo do *Codex Borgianus*, descrito no artigo separado *T*.

Caligrafia de Darrell Steven Champlin

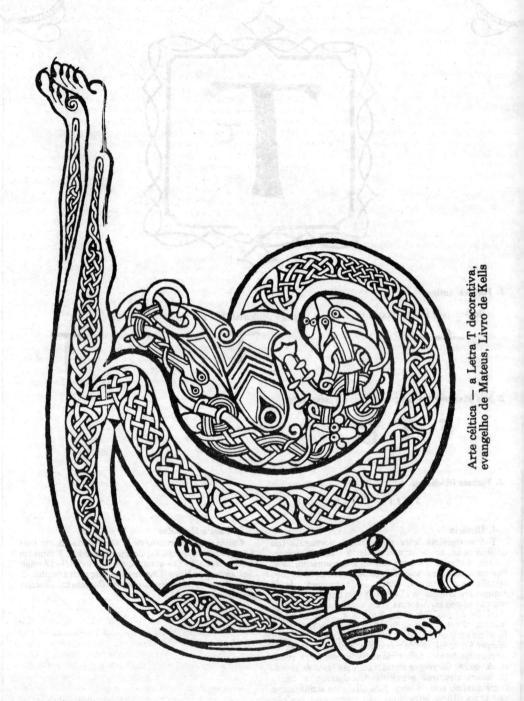

Arte céltica — a Letra T decorativa, evangelho de Mateus, Livro de Kells

T

T

Essa é a abreviação do **Codex Borgianus**. Esse manuscrito atualmente está localizado no Collegium de Propaganda Fide, em Roma. Trata-se de um valioso manuscrito greco-saídico, que data do século V d.C. O texto é bem parecido com o do *Codex Vaticanus* (B) mas, infelizmente, faltam-lhe largas porções, como a maior parte do evangelho de Lucas (do qual tem apenas os caps. 22 e 23), e quase todo o evangelho de João (do qual tem somente os capítulos sexto e oitavo).

TAÃ

No hebraico, "graciosidade". Há duas pessoas com esse nome, nas páginas do Antigo Testamento.

1. Um filho de Efraim, fundador da família dos taanitas (Núm. 26:35). Viveu em torno de 1600 a.C.

2. Um efraimita, filho de Telá e pai de Ladã (I Crô. 7:25). Era descendente do primeiro, quatro gerações mais tarde. Viveu por volta de 1500 a.C.

TAANAQUE

No hebraico, *ameia parapeito*.

Referências no Antigo Testamento: Jos. 12.21; 17.11; 21.25; Juí. 1.27; 5.19; I Reis 4.12 e I Crô. 7.29.

Uma cidade real de Canaã. Esta cidade foi regida por um rei de pouca relevância dos cananeus, um dos trinta "reis" assim conquistados por Josué (Jos. 12.21; I Reis 4.12; I Crô. 7.29).

Designada à tribo de Manassés, essa foi a meia tribo com esse nome que se estabeleceu no lado oeste do rio Jordão (Jos. 17.11; 21.25; I Crô. 7.29). Posteriormente tornou-se uma cidade dos levitas coatitas (Jos. 21.25), que não tinham herança como tribo, mas possuíam algumas cidades (e suas áreas imediatas), o que lhes permitiu ser auto-suficientes.

Local. Esta cidade é geralmente mencionada juntamente com Megido, sendo ambas importantes cidades das planícies ricas de Escrelom. O antigo sítio é marcado por um monte identificado com um antigo forte da planície de Armagedom.

Cântico de Débora. Esse cântico menciona o local junto com outras cidades cananéias (Juí. 5.19). Ela tinha 900 carros de ferro para fazer guerra (Juí. 4.3). Baraque obteve grande vitória militar sobre os cananeus naquela área, vitória que livrou Israel, por um tempo, do assédio que deles sofria. Em um momento posterior, o faraó Sisaque do Egito dominou a área, e suas crônicas mencionam a cidade por nome. À medida que a história progrediu, os babilônicos assumiram o controle da área.

Arqueologia. Os alemães e os austríacos (1901-1904) realizaram escavações na área e descobriram uma dezena de tabletes cuneiformes que datavam por volta do século 1450 a.C. O final da Era do Bronze era ilustrada de uma forma geral e vaga. Foi na Idade do Ferro que ela se tornou uma espécie de quartel para os carros de combate dos cananeus.

TAANATE-SILÓ

No hebraico, aproximação a Siló, local mencionado como situado na fronteira norte de Efraim (Jos. 16.6), especificamente em sua extremidade leste entre o Jordão e Janoa. Khirbet Tana marca o antigo local. Há um monte de ruínas a sudeste de Nablo. Várias grandes cisternas foram desenterradas no local.

TAÃS

Um filho de Naor, irmão de Abraão, e de sua concubina, Reuma (Gên. 22:24). Não se sabe o sentido de seu nome, no hebraico.

TAATE

No hebraico, "depressão", "humildade". Nome de três personagens e de uma localidade, que aparecem nas páginas do Antigo Testamento:

1. Um levita coatita (I Crô. 6:24,37). Era filho de Assir e pai de Uriel. Viveu por volta de 1480 a.C.

2. Um efraimita, filho de Berede (1 Crô. 7:20). Era neto de Sutela, filho de Efraim. Viveu em cerca de 1600 a.C.

3. Um efraimita, filho de Eleadá (I Crô. 7:20). Era neto do Taate de número anterior.

4. Um local não identificado, onde os israelitas fizeram uma de suas paradas no deserto. Ficava entre Maquelote e Tara. É localidade mencionada somente em Núm. 33:26,27. Foi a vigésima sétima dessas paradas, desde que o povo de Israel saiu do Egito.

TABAOTE

No hebraico, "manchas". Uma família de servos do templo que retornou do exílio babilônico em companhia de Zorobabel(Esd. 2:43 e Nee. 7:46). Também são mencionados em I Esdras 5:29. Corria a época de 536 a.C.

TABATE

No hebraico, "extensão". Na Septuaginta, **Tabáth**. Uma cidade que ficava no território de Issacar ou no de Efraim. Aparece somente em Juí. 7:22. Tem sido tentativamente localizada a leste do rio Jordão. Foi até ali que Gideão perseguiu os midianitas, na planície de Jezreel. O trecho de Juí. 8:10-13 parece indicar que essa cidade ficava nas proximidades de Carcor. Isso nos ajudaria muito se a própria Carcor tivesse sido identificada com precisão, o que não tem sucedido. A região montanhosa de Gileade pode ter sido o lugar onde as forças derrotadas tornaram a unificar-se. Portanto, pode-se pensar em Ras Abu Tabat, nas vertentes do monte Ajlun, como o local da antiga Tabate.

TABEEL

No hebraico, Deus é bom. Nas páginas do Antigo Testamento, esse é o nome de duas personagens:

1. O pai do homem a quem Rezim, de Damasco, e Peca, de Israel, planejavam colocar no trono de Judá como um rei títere, em lugar do rei Acaz (Isa. 7:6). O profeta Isaías, porém, deu o recado do Senhor:

"Isto não subsistirá, nem tão pouco acontecerá" (Isa. 7:7).

2. Um oficial persa que estava em Samaria e que se uniu a outras pessoas no envio de uma carta ao rei Artaxerxes I, solicitando-lhe que ordenasse a paralisação da reconstrução das muralhas de Jerusalém (Esd. 4:7; ver também 1 Esdras 2:16). O resultado foi que os judeus foram forçados, sob ameaça de armas, a interromperem o trabalho de reconstrução (Esd. 4:23,24).

TABERÁ

No hebraico, "lugar de refeição", ou "lugar de fogo". Aparece em Núm. 11:1-3, que conta o incidente da murmuração dos israelitas, diante do Senhor, que, em castigo, *fez o fogo do Senhor* arder entre eles, consumindo as extremidades do acampamento. A palavra hebraica, é de sentido obscuro. E o próprio incidente não deixa claro se houve fogo literal ou se o mesmo representava algum outro tipo de julgamento divino consumidor. Taberá é mencionada novamente em Deu. 9:22, embora não seja

TABERNÁCULO

alistada entre as caminhadas de Israel no deserto, no capítulo trinta e três do livro de Números.

TABERNÁCULO
I. Termos
II. Caracterização Geral
III. Fontes de Informação
IV. História
V. Estrutura dos Móveis
VI. Tipos e Usos Figurados
VII. Visão Crítica

I. Termos
No latim. A palavra tabernáculo deriva da palavra latina *tabernaculum*, que é diminutivo de taberna, um barraco, e refere-se a uma moradia transitória, como uma barraca.

No hebraico.
1. *Ohel* (dez), cerca de 200 vezes no Antigo Testamento, desde Êxo. 26 a Mal. 2.12.
2. *Mishkan* (uma residência, local de moradia), usado cerca de 140 vezes no Antigo Testamento. Exemplos: Êxo. 25.9; 27.19; 40.38; Lev. 8.10; Jos. 22.19, 29.
3. *Sok* (cobertura, tenda): Sal. 10.9; 27.5; 76.2; Lam. 2.6; Jer. 25.38.
4. *Sukkah* (enrolar, cobertura, tenda, cabana): usado cerca de 30 vezes. Exemplos: Lev. 23.34, 43.43; Deu. 16.13, 16; 31.10; II Crô. 8.13; I Reis 20.12, 16; Sal. 18.11; 31.20.
5. *Bayith* (uma casa), aplicado ao tabernáculo em Êxo. 23.19; 34.26; Jos. 6.24; 9.23; Juí. 18.31; 20.18.
6. *Miqdash* (um local sagrado). O tabernáculo era um local consagrado para o culto a Yahweh ("yahwismo"), isto é, um santuário: Lev. 12.4; Núm. 3.38; 4.12. Às vezes a palavra é usada para a parte mais interna do santuário chamado de Lugar Mais Santo (Santo dos Santos): Lev. 16.2.
7. *Hekal* (templo), palavra que às vezes se refere ao tabernáculo antes de ser usada para o Templo de Salomão: I Crô. 29.1, 19: II Reis 24.13, respectivamente. A palavra também se aplica ao tabernáculo em Silo: I Sam. 1.9; 3.3.
8. *Ohel moed* (a forma composta significa tenda de reunião): Êxo. 29.42, 44.
9. *Ohel haeduth* (a tenda de testemunho): Núm. 9.15; 17.7; 18.2.

No grego.
1. *Skene* (tenda), usado 27 vezes no Novo Testamento. Exemplos: Mat. 17.4; Mar. 9.5; Luc. 9.33; Heb. 8.2, 5; 9.2, 3, 6, 8, 11, 21; 11.9; 13.10; Apo. 13.6; 15.5; 21.3.
2. *Kenos* (tenda): II Cor. 5.1, 4.
3. *Skeenoma* (tenda, local de habitação): Atos 7.46; II Ped. 1.13, 14.
4. *Skenopegia* (festa dos tabernáculos): João 7.2.

II. Caracterização Geral
O tabernáculo (no hebraico, Mishkan), "local de moradia", é local onde Yahweh torna conhecida Sua presença, por assim dizer, seu "lar longe de seu lar", onde ele trata com Seu povo e faz conhecido Seu desejo. Ver Êxo. 25.8. O tabernáculo era uma tenda portátil que os israelitas carregaram nos 40 anos de vagueações no deserto e durante seus anos na Terra Prometida até que Salomão construiu o Primeiro Templo. A época era por volta de 1450 a 950 a.C., o que significa que o tabernáculo teve uma "carreira" de cerca de 500 anos! O livro de Êxodo representa Yahweh como dando a Moisés todas as ordens necessárias para a construção e os cultos do Tabernáculo, incluindo suas medições e especificações (Êxo. caps. 25-27) e um diminuto relato de sua execução (Êxo. 36.8-38.1). Os críticos atribuem todo esse material à fonte P (de sacerdote) do Pentateuco e pensam que sua composição ocorreu muito depois da época em que Moisés esteve vivo. Ver sobre J.E.D.P.(S.) na Enciclopédia de Bíblia, Teologia e Filosofia. Ver os comentários sobre a visão dos críticos na seção VIII deste artigo. O relato no Êxodo informa-nos que, após a entrega da Lei no Sinai, Yahweh ordenou que artesãos especiais construíssem a tenda e seus móveis de materiais doados pelo povo (Êxo. 31.11; 35.36.7). O local onde Yahweh manifestou Sua presença também era chamado de "Tenda da Reunião" (Êxo. 29.42-45).

Propósitos do Tabernáculo. O principal propósito desta estrutura é explicado em Êxo. 25.8, 21, 22: "... para que eu (Yahweh) possa habitar no meio deles"; "... dentro dela porás o Testemunho..."; "... ali virei a ti... falarei contigo acerca de tudo o que eu te ordenar para os filhos de Israel". O tabernáculo, como o templo posterior, tinha o objetivo de centralizar o louvor de Israel, evitando que muitos "oráculos" lá fora, que poderiam corromper os cultos a Yahweh ou permitir alguma espécie de sincretismo, se misturassem com influências pagãs. Altares isolados (ver Gên. 12.7, 8) onde render sua autoridade àquela investida no tabernáculo. Isto não aconteceu de uma forma absoluta. Os oráculos persistiram.

III. Fontes de Informação
Quatro passagens principais no livro de Êxodo nos dão informações especiais sobre o tabernáculo; a. caps. 25-29; b. caps. 30-31; c. caps. 35-40 junto com Núm. 3.25 ss.; d. 4.4 ss. e 7.1 ss. As narrativas afirmam a inspiração divina, de modo que dizem que Yahweh é a verdadeira fonte da informação e Moisés é o mediador. Um modelo do tabernáculo foi mostrado a Moisés de acordo com Êxo. 25.9 e 26.30.

IV. História
Estritamente falando, houve três tabernáculos históricos, cada qual tomando o lugar de seu predecessor, na maioria dos aspectos.

1. Um tabernáculo provisional foi erigido após o incidente do louvor ao bezerro de ouro. Essa "barraca de reunião" não tinha nenhum ritual e nenhum sacerdócio, mas era tratada como um oráculo (Êxo. 33.7). Moisés, é claro, estava encarregado de todos os procedimentos.

2. O tabernáculo sinaítico, cuja construção e equipamento foram instruídos por Yahweh.

3. O tabernáculo provisional de Davi, erigido em Jerusalém como o predecessor do Templo de Salomão (II Sam. 6.12). O antigo tabernáculo (sinaítico) permaneceu em Gibeão com o altar insolente, e sacrifícios continuaram sendo feitos ali (I Crô. 16.39; II Crô. 1.3).

O tabernáculo de Moisés passou os seguintes processos históricos:

1. Depois do incidente do bezerro de ouro, devido à intercessão de Moisés, outra cópia da lei foi fornecida, o pacto foi renovado e foram coletados materiais para a construção do tabernáculo (Êxo. 36. 5,6). O povo colaborou com grande generosidade, até o ponto de excesso.

2. O tabernáculo foi terminado em um curto período de tempo, no primeiro dia de nisã, do segundo ano após o Êxodo. O ritual complexo foi iniciado (Êxo. 40.2).

3. O tabernáculo provisional estava fora do campo, mas se tornou o centro com as várias tribos estacionadas em uma ordem específica estendendo-se para fora (Núm. cap. 2). Uma observação histórica curiosa, em tempos modernos, é o fato de que Salt Lake City, em Utah, EUA,

308

O Tabernáculo no deserto

TABERNÁCULO DESCOBERTO

ALTAR DO HOLOCAUSTO E ALTAR DE INCENSO

TABERNÁCULO

o Sião norte-americano, quartel-general da Igreja de Jesus Cristo dos Santos dos Últimos Dias, tem todas suas ruas chamadas por nomes e numeradas em relação à posição da Praça do Templo, onde estão localizados o tabernáculo e o templo. Assim, a cidade toda está centralizada ao redor dessa praça, a partir da qual qualquer endereço pode ser determinado, e qualquer distância pode ser calculada usando essa referência. Um exemplo: 668 Oeste Segundo Norte significa cerca de sete quadras ao oeste e duas quadras ao norte da Praça do Templo.

4. O tabernáculo continuou em Silo durante o período dos juízes. Na época de Eli, o sumo sacerdote (I Sam. 4.4), a arca foi removida desse local e o próprio tabernáculo foi destruído pelos filisteus. A época era cerca de 1050 a.C.

5. Quando Samuel era um juiz, os cultos de louvor central foram movidos a Mispa (I Sam. 7.6) e então a outros lugares (I Sam. 9.12; 10.3; 20.6).

6. Nos primeiros anos de Davi, o pão da proposição era mantido em Nobe, o que implica que pelo menos parte dos móveis do tabernáculo de Moisés era mantida ali (I Sam. 21.1-6). O lugar alto em Gibeão reteve o altar de ofertas queimadas e talvez alguns outros remanescentes do tabernáculo de Moisés (I Crô. 16.39; 21.39).

7. Depois de capturar Jerusalém e tornar essa cidade sua capital, Davi levou a arca da aliança àquele lugar e montou um tabernáculo provisional, no aguardo da construção do templo por seu filho Salomão. Isto foi feito no monte Sião (I Crô. 15.1; 61.1; II Sam. 6.17). Ver o verbete Sião. Esse local também era chamado de "Cidade de Davi", pois esse rei a tornou sua capital. A época era em torno de 1000 a.C.

8. Quando o templo foi construído, os móveis do antigo tabernáculo que restavam foram ali colocados, e o local sagrado e o local mais sagrado foram incorporados na estrutura do prédio novo. Assim, o tabernáculo tornou-se o centro do templo. Ver o verbete Templo de Jerusalém.

V. Estrutura dos Móveis

1. O tabernáculo foi dividido em três seções distintas que representavam três estágios de santidade crescente: a. o pátio que cercava a tenda. Esse pátio estava dividido em dois quadrados de 50 cúbitos (o cúbito medindo cerca de 45 cm). O quadrado ao leste continha o altar das ofertas queimadas (5 x 5 x 3 cúbitos). O Altar ficava no centro do quadrado. A oeste do altar estava a bacias para as lavagens rituais das mãos e dos pés. O quadrado ao oeste do próprio do tabernáculo era dividido no local sagrado (ou santuário), que media 20 x 10 x 10 cúbitos, e no local mais sagrado, que media 10 x 10 x 10 cúbitos. Assim, toda a estrutura era de 30 x 10 x 10 cúbitos.

2. A leste do pátio ficava o portão; no lado oeste estava o Santo dos Santos. A estrutura, portanto, como um todo, ficava de frente para o sol nascente, a leste, o que não era por acaso.

3. No local sagrado ficava a mesa na qual o pão da proposição era colocado. Isso ficava no lado norte e media 2 x 1 x 1,5 cúbitos. O pão era renovado todo sábado. No lado sul ficava o candeeiro de ouro (ver a respeito). Ainda no local sagrado, mas próximo à cortina que o dividia do Santo dos Santos, no centro da estrutura, havia o altar de incenso (ver a respeito). Quando digo ver a respeito, quero dizer o Dicionário do Antigo Testamento Interpretado ou a Enciclopédia de Bíblia, Teologia e Filosofia. Ver sobre Mesa. II. Mesas Rituais, 1. Mesa dos Pães da Proposição.

4. O Santo dos Santos, que era separado do local sagrado por uma cortina bordada (Êxo. 26.31-33). Nele estava a arca da aliança (ver a respeito) que era uma caixa que media 2,5 x 2,5 x 1,6 cúbitos. Dentro da caixa ficava o testemunho, isto é, as tábuas da lei (Êxo. 25.21; 40.20). A tampa da caixa era chamada de assento de misericórdia ou propiciatório (ver a respeito). Ela era ornamentada pelas imagens de dois querubins (ver a respeito) com asas esticadas que se estendiam por toda a tampa e se tocavam umas às outras (Êxo. 25.17-20; 26.34; 37.6-9). Ali Yahweh se manifestava e se comunicava com o povo (Êxo. 25.22). Apenas o sumo sacerdote podia entrar no Santo dos Santos e ainda assim apenas uma vez por ano (Êxo. 30.10; Lev. 16.29-34). Ver a respeito de *Lugar Mais Santo*, na *Enciclopédia*. Ver também o *Lugar Santo (Santuário)*.

Materiais e Posições. Gradações de materiais e de posição falam de santidade maior. No local menos sagrado, o pátio externo onde os leigos podiam circular, era usado o bronze. Passando a ficar mais sagrado, os sacerdotes e os levitas podiam circular no lugar sagrado; o ouro era usado como um material ali junto com madeiras nobres. Então, nesse local onde Yahweh podia manifestar-se, talvez, ocasionalmente, na teofania (ver o verbete).

Forneço detalhes sobre os móveis em outros artigos, o que me permite apresentar uma descrição um tanto breve neste artigo. O leitor diligente não ficará contente em ler apenas o esboço. O livro de Hebreus simplifica a complexidade do tabernáculo e do templo ao fazer com que os próprios prédios, seus conteúdos e suas funções tipificassem a Cristo, Sua pessoa e Suas funções. Ver a seção VII, a seguir.

VI. Tipos e Usos Figurados

As coisas que os intérpretes dizem aqui são experimentais e não dogmáticas e, sem dúvida, imaginam-se muitos tipos que não eram pretendidos por nenhum escritor sagrado. Mas, seguindo a liderança do livro de Hebreus, muitas coisas válidas podem ser ditas.

1. De modo geral, o tabernáculo falava da Presença de Yahweh com seu povo e fornecia um local físico onde as manifestações divinas podiam ocorrer. Ver Propósitos do Tabernáculo, o último parágrafo da seção II, Caracterização Geral. A pessoa humana, nos tempos do Novo Testamento, tornou-se o tabernáculo ou o templo do Espírito, substituindo a edificação (ou prédio) material (I Cor. 3.16; Efé. 2.21). A igreja, o corpo dos crentes, é uma habitação de Deus e o meio através do qual ele se manifesta a outros.

2. O tabernáculo, com suas muitas partes e funções, fala de uma realidade celeste (Heb. 9.23, 24). Essa idéia era exagerada pelos rabinos que explicaram que existe o "verdadeiro tabernáculo" que foi "duplicado" no tabernáculo terrestre.

3. Tipos e Figuras de Cristo. Sem dúvida, os intérpretes exageraram aqui, mas ofereço o que é dito: o altar de bronze (Êxo. 27.1-8) tipifica a cruz de Cristo. O próprio Senhor tornou-se uma oferta queimada, sem marcas, por parte de seu povo. O lavatório ou bacia para lavagem ritual fala sobre como Cristo santifica seu povo (Efé. 5.25-27). O candeeiro de ouro tipifica Cristo como a Luz do mundo (João 1.9). Como o tabernáculo não tinha fonte externa de luz, o crente também não tem luz exceto por Cristo. O pão da proposição tipifica Cristo como o Pão da Vida, sustento espiritual (João 6.33-58). O altar de incenso tipifica Cristo como o Intercessor por todos os pecadores, em todos os lugares (João 17.1-26; Heb. 7.25). A cortina ou véu que dividia o local sagrado do lugar mais sagrado foi aberta a todos os crentes, não meramente à elite, como o sumo sacerdote (Mat. 27.51). A arca da aliança, feita de madeira e ouro, tipifica o corpo material de Cristo unido com sua divindade. O testemunho (tábuas da lei) na arca

tipificavam Cristo como tendo a lei em seu coração de modo especial para que pudesse ser o Mestre de outros. A vara de Arão, que floresceu, tipifica os poderes de dar vida que Cristo tem em relação ao Seu povo. A tampa da arca, feita de ouro puro, o propiciatório, que recebeu o sangue da oferta do Dia do Arrebatamento, tipifica Cristo como o sacrifício para toda a humanidade, idéia que a lei condena. Ao mesmo tempo, esse item era o trono de Deus, o local de sua manifestação. Portanto, a manifestação de Deus é tanto de julgamento como de misericórdia, tanto de perseguição como de provisão de vida. O trono do julgamento foi transformado no trono da misericórdia pela missão de Cristo. Os querubins que estendiam suas asas sobre a área simbolizam como Deus usa seus agentes para guardar, proteger e glorificar o ministério de Cristo por parte da humanidade. A orientação e a proteção divina estão disponíveis àqueles que as buscam.

VII. Visão Crítica

Os críticos acreditam que Israel, ao fugir do Egito, e não sendo povo sofisticado em nenhum empreendimento científico, não teria tido o conhecimento nem os materiais necessários para construir uma estrutura religiosa como o tabernáculo mencionado em Êxodo. Até mesmo Salomão, na era dourada de Israel, dependeu de habilidades e materiais estrangeiros para construir seu templo (I Reis 5.1-6). As estatísticas enfatizam os argumentos. Ao avaliar aquilo que é dito no relato, estima-se que Israel precisaria ter disposto de 1.000 quilos de ouro; 3.000 quilos de prata e 2.500 quilos de bronze. O problema de transporte teria sido enorme. Ao responder a tais argumentos, os conservadores supõem que o desagrupamento dos egípcios poderia ter fornecido tal riqueza de materiais (ver Gên. 15.13-14; Êxo. 11.2; 12.35-36). Oráculos móveis impressionantes também foram relatados no tangente a certas tribos arábicas que vagueavam pelo deserto. Acredita-se que o tabernáculo "idealista" dos críticos é o "histórico" dos conservadores. Quanto à mão de obra, é lógico supor que poucos israelitas que haviam passado toda a vida no Egito tivessem sido treinados naquele local como artesãos, portanto haveria conhecimento suficiente para fazer o trabalho do tabernáculo.

TABERNÁCULOS, FESTA DOS

Ver a artigo geral *Festas (Festividades) Judaicas*, II . 4 c. Aquelas notas, pois, acrescento. as presentes informações.

A palavra hebraica traduzida dessa maneira é *sukkot*, e a festa em vista era uma festividade da colheita, no outono. Observava-se essa festa entre 15 e 22 do mês de Tisri. Essa festa passou por uma evolução, tendo começado como uma festa agrícola; mas depois recebeu sentidos especiais em relação ao êxodo e às precárias condições durante as quais o povo de Israel viveu em tendas. A legislação sacerdotal conferiu-lhe uma especial significação e autoridade.

No primeiro dia havia uma "santa convocação", e nenhum trabalho manual podia ser feito no mesmo. Eram feitas tendas com ramos de palmeiras, ramos de salgueiros, etc., como memorial da maneira que Israel fora forçado a viver, após o êxodo. Ver Lev. 23:33-43; Núm. 29:12-38; Nee. 8:15 ss. Em tempos pós-veterotestamentários, o sétimo dia adquiriu um caráter especial, passando a ser designado Hoshana Rabbah. Assim, o oitavo dia também era tratado como dia especial, de descanso solene. Na Babilônia, nos tempos pós-talmúdicos, ainda um outro dia de observância foi acrescentado, o Simhat Torah ("regozijo na lei"). Era nesse dia que terminava o ciclo anual, da leitura do Pentateuco, e um novo ciclo tinha começo.

TABITA

Ver sobre **Dorcas**.

TABLETES DE ARGILA

Ver o artigo separado sobre a *Argila*. Os tabletes de argila constituíram o mais antigo material de escrita que os homens conheceram. Quando a argila estava úmida, servia de excelente material para receber a escrita, sob a forma de impressões; e, uma vez seca, essas impressões tornavam-se razoavelmente permanentes. Esses tabletes usualmente tinham a forma de biscoitos chatos. Entretanto, havia outros com o formato de prismas ou de cilindros. Os caracteres impressos sobre os tabletes de argila eram chamados *cuneiformes*, o que se fazia com a ajuda de um instrumento preparado para o serviço. Os tabletes mais importantes eram levados ao forno, para se tornarem mais duráveis.

Quando o alfabeto foi desenvolvido, em cerca de 1500 a.C., a técnica da escrita tornou-se melhor, e começaram a ser usados outros materiais, como o papiro e o pergaminho, para receber a escrita em sua superfície. Entretanto, o uso dos tabletes de argila foi muito extenso durante todos os impérios assírio e babilônico: Uma das maiores descobertas arqueológicas que envolvem tabletes de argila foram aquelas em Tell el-Amarna (que vide), nome moderno da antiga cidade de Aquetatom, capital de Anenhotepe IV, o qual reinou no Egito entre 1466 e 1387 a.C. Ali foram descobertas as famosas cartas de Tell el-Amarna, em mais de trezentos tabletes de argila.

Um número bem maior desses tabletes foi desenterrado na Babilônia (que vide), o que contribuiu apreciavelmente para o conhecimento dos eruditos sobre aquela antiga sociedade.

TABOR, CARVALHO DE

No hebraico, carvalho do penhasco.. Um lugar que havia na área geral de Betel, mencionado somente em I Samuel 10:3. O contexto da passagem nos informa que Saul, filho de Quis, teve dúvidas se Deus queria ou não que ele fosse o rei de Israel. O profeta Samuel, em vista disso, deu-lhe certos sinais confirmatórios da natureza divina da sua unção. O segundo desses sinais cumpriu-se quando ele estava voltando para sua casa. Quando se aproximava do carvalho de Tabor, encontrou-se com três homens que subiam a Betel. O local exato desse carvalho é desconhecido.

TABOR, MONTE

Ver sobre o **Monte Tabor**.

TABRIMOM

No hebraico, "Rimom é bom". Esse homem era filho de Heziom e pai de Ben-Hadade I, rei da Síria (I Reis 15:18). Viveu por volta de 950 a.C.

TABU

Essa palavra deriva-se dos idiomas das ilhas do Pacífico, onde o *tabu* (proibição) expandiu-se para tornar-se uma técnica de controle social, ou seja, um elaborado sistema de interditos e proibições. Entre os povos primitivos, mormente os polinésios, os tabus afetam todas as áreas de vida, envolvendo pessoas, lugares e coisas. Estão envolvidas idéias como coisas sagradas, misteriosas, a necessidade de proteção, coisas imundas a ser evitadas, poderes misteriosos a ser invocados. Talvez a noção dominante, nos tabus, seja que há coisas inerentemente perigosas, que devem ser evitadas a todo custo. A violação do código de conduta do grupo, ou o contacto com qualquer coisa proibida, significa que uma espécie de "infecção" é adquirida pelo culpado, ameaçando a ele mesmo e ao grupo inteiro. O castigo sobrevém automaticamente, a partir da própria situação perigosa. Podemos estar certos de que atua com muito poder psicossomático, talvez alguma forma de demonismo. É verdade que o grupo mostra mais interesse na purificação do que na punição do culpado, mas os poderes invisíveis garantem alguma espécie de vingança contra o ofensor.

Os tabus comuns incluem contacto com o sangue e com a morte. Um cadáver é considerado corruptor, e todo objeto que entre em contacto com o mesmo deve ser abandonado. O sangue da menstruação da mulher ou do parto também é considerado perigoso, requerendo ritos de purificação. Os guerreiros que voltam de uma batalha são reputados contaminados pela morte, e, portanto, são tabus. Aqueles que violam o código de comportamento sexual ou que cometem grandes crimes, como o homicídio, são tabus. Além disso, certos governantes, sacerdotes, homens santos e mágicos são considerados como quem têm uma aura divina, pelo que são intocáveis da parte de pessoas comuns. Até mesmo as vestes e os objetos usados por tais pessoas são considerados perigosos. Os objetos e instrumentos religiosos obtêm tal poder. Certos alimentos são proibidos convenientemente. Assim, as mulheres não podem consumir certos alimentos, que ficam reservados somente para os homens. Em alguns países africanos, para exemplificar, as mulheres não podem comer carne de galinha, a qual só pertence aos homens. Em algumas tribos não se pode comer carne de serpente; mas, no caso de outras, as cobras são um acepipe. Ofensores graves devem morrer; mas outros ofensores são banidos. Algumas vezes, basta a confissão pública e o arrependimento.

A palavra tabu passou a fazer parte de muitos idiomas, com o sentido de qualquer coisa proibida, a qual torna-se tanto mais atrativa, justamente por haver sido proibida.

TÁBUA DE PEDRA

O trecho de Êxo. 24:12 contém essa expressão, referindo-se às tábuas onde os dez mandamentos haviam sido inscritos. Temos oferecido artigos detalhados sobre a lei mosaica. Ver, especialmente, *Lei, Características da; Lei-Códigos da Bíblia* (especialmente o ponto 1. *A Lei Mosaica do Antigo Testamento); Lei Cerimonial; Lei Moral; Lei e o Evangelho, A; Lei e Graça; Lei, Função da.*

A tradição informa-nos que Moisés recebeu a lei da parte de Deus, cujos mandamentos foram escritos na pedra com o próprio dedo de Deus (ver Êxo. 31:18;32-15,16). Descendo do monte, quando Moisés contemplou o povo a dançar, ocupado em atividades idólatras que envolviam o bezerro de ouro ele deixou cair as pedras da lei, espatifando-as (ver Êxo. 32:19). Então foi-lhe ordenado preparar cópias exatas das tábuas de pedra, e passou quarenta dias e noites, no monte, preparando esse material (ver Êxo. 34:1-4,27, 28). Foi então, quando desceu do monte, que o seu rosto refletia a glória do Senhor. Os tabletes foram postos dentro da arca da aliança. Algumas tradições rabínicas afirmam que cinco dos mandamentos foram gravados em uma das tábuas, e cinco em outra (*Cânticos Rabba 5:4*); mas há aqueles que pensam que todos os mandamentos foram registrados em cada tábua. A primeira das opiniões tornou-se mais aceitável, sendo seguida nas sinagogas, na apresentação das tábuas da lei.

TÁBUAS DE CIPRESTE

No hebraico, *gopher*. Essa madeira é mencionada somente uma vez em toda a Bíblia, isto é, em Gên. 6:14. Ali é dito que Noé fez a arca com essa madeira. Os estudiosos têm tentado identificar a espécie de madeira em vista, mas em vão. O cipreste, contudo parece encabeçar a lista das possibilidades. Isso, explica a expressão, "tábuas de cipreste", em nossa versão portuguesa.

O cipreste era uma madeira própria para as construções navais, mostrando-se abundante na Babilônia e em Adiabene, a região onde Noé deve ter estado engajado na construção de sua gigantesca arca. A história também informa-nos que Alexandre, o Grande, usou essa madeira para a construção de sua flotilha de guerra.

O cipreste tem sido favorecido como a madeira referida naquele trecho de Gênesis devido à similaridade da palavra hebraica com o termo grego correspondente (no hebraico, *gopher*; no grego, *kyparissos*; e, no português, *cipreste*). Todavia, a palavra hebraica que significa "betume", *koper,* tem feito alguns intérpretes suporem que *gopher* significa apenas "madeira betuminosa", não indicando qualquer espécie de madeira em particular. Ou então a palavra pode indicar alguma madeira resinosa. Ver os artigos separados sobre o *Dilúvio, a Arca e Noé.*

TABUINHA

No grego, *pinakídion*, " tabuinha". Essa é a forma diminutiva de *pínaks*, "tábua", "prato". Aparece, exclusivamente, em Luc. 1:63. Era, ordinariamente, um pequeno bloco chato de madeira, recoberto com cera, para ali ser gravada alguma coisa escrita, por meio de um estilete.

TABULA NUDA

Ver o artigo geral sobre **Dum Scotus.** Ele pensava que todo conhecimento origina-se nas percepções dos sentidos, e que o intelecto humano começa como uma *tabula nuda*, expressão latina que significa "tábua nua", até que impressões começam a ser ali inscritas, através das experiências colhidas pelos sentidos. O intelecto pode organizar coisas particulares e obter assim um conceito do universal. Uma vez que a mente tenha formado os seus conceitos universais, a contemplação dos mesmos pode conferir discernimentos intuitivos quanto à natureza dos particulares derivados dos universais. Porém, à base de tudo, aparecem sempre as percepções dos sentidos.

TABULA RASA

Expressão latina que quer dizer "tábua em branco". A expressão tem sido usada na filosofia para falar sobre como a mente humana começa supostamente em branco, até que aparecem impressões derivadas da percepção dos sentidos. A idéia de *tabula rasa* é contrária a qualquer forma de conhecimento intuitivo; e, quando é pressionada, também nega a possibilidade de conhecimento através das experiências místicas. Esse conceito ensina-nos que a fonte todo-poderosa de todo conhecimento é a percepção dos sentidos. Não obstante, nas chamadas *Experiências Perto da Morte* (vide) é fácil demonstrar claramente um conhecimento extracerebral, e outro tanto se dá com o *Misticismo* (vide).

1. Boaventura supunha que os tipos comuns de conhecimento estão limitados à percepção dos sentidos, e ele usava o termo em questão, nesse contexto. Entretanto,

ele opinava que algumas idéias, como aquela acerca do Ser divino, são inatas ao ser humano.

2. Duns Scotus empregou a expressão latina *tabula nuda* (vide), a fim de exprimir a mesma idéia, mas deixou de fora as exceções feitas por Boaventura.

3. *John Locke* empregou a expressão, e, com freqüência, é considerado seu criador. Ele atacava vigorosamente a noção de idéias inatas, e *tabula rasa* tornou-se um virtual símbolo de sua abordagem empírica ao conhecimento.

TAÇA

Diversas palavras hebraicas e uma palavra grega estão envolvidas. Os objetos em foco eram feitos de madeira, conchas, cuias, pedra calcária, alabastro, ferro, bronze, prata, ouro, etc. Eram empregadas em grande variedade de usos. Abaixo apresentamos sugestões dos tipos de taças:

1. *Gabia*, "cálice". Palavra usada por catorze vezes. Por exemplo: Êxo. 25:31,33,34; Gên. 44:2,12,16,17.

2. *Sephel*, "taça". Palavra usada por duas vezes: Juí. 6:38 e 5:25.

3. *Menaqqiyyoth*, "taças sacrificiais". Palavra usada por cinco vezes. Por exemplo: Êxo. 25:29; Núm. 4:7.

4. *Fiále*, "taça". Palavra grega que ocorre por doze vezes, todas elas no livro de Apocalipse (5:8; 15:7; 16:14,8,10,12,17; 17:1 e,21:9).

A variedade de palavras podia ser usada de modo intercambiável. O que sabemos é que havia muitos tipos de taças, com muitos propósitos, feitas dos mais diferentes materiais.

Uso Metafórico. Em Apo. 16:1 ss, encontramos as sete taças da ira de Deus, uma série de julgamentos divinos com que se encerra a sétima trombeta. O simbolismo é de taças repletas de poder destrutivo, cujo conteúdo é derramado sobre a superfície da terra, deixando-a totalmente destruída quanto ' a todas as obras humanas nela existentes: -...e ocorre grande terremoto, como nunca houve igual desde que há gente sobre a terra; tal foi o terremoto, forte e grande. E a grande cidade se dividiu em três partes, e caíram as cidades das nações... Toda ilha fugiu, e os montes não foram achados; também desabou do céu, sobre os homens, grande saraivada, com pedras que pesavam cerca de um talento; e por causa do flagelo da chuva de pedras, os homens blasfemaram de Deus, porquanto seu flagelo era sobremodo grande" (Apo.16:18-21). (KEL PRI)

TACIANO

Um apologista cristão dos fins do século II D.C. Nasceu na Assíria e educou-se na Grécia. Viveu em Roma. Tomou-se seguidor de Justino Mártir. Tornou-se crítico severo da ciência e da filosofia dos gregos. Escreveu uma harmonia dos evangelhos, a primeira obra dessa natureza. Provavelmente, também foi a primeira obra a exercer influencia sobre a crítica textual do Novo Testamento.. Essa composição é conhecida como o Diatessaron (ou seja, "através dos quatro /evangelhos",). Finalmente, tomou-se gnóstico do tipo valentiniano. Sua obra apologética que restou chama-se Um Discurso aos Gregos.

TADEU

No grego, **Tkaddaios**. Há estudiosos que dizem que o nome é de origem siríaca, e que significa "seio" "bico de seio". Mas, se vem do aramaico, então significa coração.

Conhecendo as tendências dos nomes israelitas, parece melhor acreditar nesta última possibilidade. Ele é mencionado com o nome de Tadeu somente em Mar. 3:18.

No trecho paralelo de Mat. 10:3, seu nome é "Labeu". Foi um dos doze apóstolos de Jesus Cristo. Seu nome é omitido nas listas de Luc. 6:14-16 e Atos 1: 13, onde é inserido, em seu lugar, o nome Judas, "irmão" ou "filho" de Tiago. Por conseguinte, é , possível que seu verdadeiro nome fosse Judas, ao passo que Tadeu ou Labeu fossem sobrenomes ou apelidos, dados para evitar o odiado nome de Judas Iscariotes, ou então, meramente para evitar confusão com o nome deste. Em João 14:22, lemos: "Disse-lhe Judas, não o Iscariotes: Donde procede, Senhor, que estás para manifestar-te a nós, e não ao mundo?" O mais provável é que aí tenhamos outra menção desse mesmo discípulo. Ver sobre *Judas,* sexto ponto.

TADEU, ATOS DE

No grego, *Prakiseìs tou Thaddaiou*. Essa obra é uma versão grega do século VI d.C., que desenvolve a lenda síria de Abgar. Ali teria havido uma suposta correspondência entre Abgar V, rei de Edessa (9:46 d.C.) e Jesus, cujo resultado teria sido uma missão a Edessa, por parte de Adai (Tadeu), que teria operado numerosos milagres, incluindo a cura de Abgar, o monarca. Nessa elaboração literária da lenda original (similar, quanto a muitos aspectos, à obra em siríaco, do século V d.C., *Doctrina Addai*), o rei Abgar teria sido curado quando do retorno do mensageiro que enviara, Ananias, antes mesmo da chegada de Tadeu a Edessa. E também há uma atenção bem maior à obra de Tadeu, que teria estabelecido a Igreja cristã naquela cidade. Eusébio (ver Hist. 1: 13; cf. 2:1,6 ss) é quem nos provê o mais antigo registro da alegada correspondência e seu resultado, onde também afirma que extraiu esses informes dos arquivos existentes em Edessa, e os traduziu do siríaco.

TADMOR

I. Nome
II. Referências Bíblicas
III. Observações Históricas

I. Nome

No hebraico, um "local das palmas", derivando de tamar, uma palmeira. O local foi chamado de Palmira pelos gregos e romanos. O nome significa a mesma coisa no hebraico, com suas referências às palmas do local.

II. Referências Bíblicas

Na Bíblia o local é mencionado apenas duas vezes: I Reis 9.18 e II Crô. 8.4

III. Observações Históricas

1. Salomão construiu uma cidade com esse nome na fronteira sul da Palestina (Eze. 47.19; 48.28. I Reis 9.18, indicando sua localidade diz "naquela terra"). Ficava a aproximadamente 270 km de Damasco, cerca de metade do caminho entre essa cidade e o Eufrates superior, ao norte. Era um lugar de terra fértil, fontes minerais, jardins, pequenas florestas de palmeiras e uma grande estação de suprimentos para comerciantes que viajavam do e para o Eufrates.

2. Há algumas antigas informações extrabíblicas sobre o local em inscrições cuneiformes que datam até o século 19 a.C. O local também é mencionado nos anais do Tiglate-Pileser I, da Assíria. Salomão provavelmente reconstruiu, em vez de construir a cidade, que passou a ser um "armazém" ou uma das "cidades da armazém" da área geral. Ele também fortificou tais lugares para controlar e proteger as rotas comerciais naquela parte do país. Na época áurea, as fronteiras de Israel estendiam-se até o Eufrates, mas temos de pensar em termos de postos avançados militares e em centros de controle, em vez de em verdadeiras fronteiras do império de Salomão.

3. Por volta de 64 a.C., Marco Antônio assumiu a responsa-bilidade de atacar comerciantes e postos avançados na área, incluindo Tadmor, numa tentativa de conquistar a supremacia na área.

4. O local era próspero no início dos tempos romanos. Além de rotas comerciais, prédios eram construídos em e por volta de Tadmor, especificamente por Adriano, que governou entre 117 d.C. e 138 d.C.

5. Seu ponto máximo de esplendor veio com Odenato, em por volta de 267 d.C. O local passou a ser conhecido como Palmira. Odenato tentou unificar as culturas da área ao desposar Zenóbia, filha de um poderoso xeque árabe. Em cooperação com os chefes beduínos, ele conseguiu superar os inimigos de Roma na área. Odenato foi o governador de Palmira até ser assassinado por um sobrinho.

6. Sua mulher, Zenóbia, assumiu o controle e lutou pela independência e, por um período, teve sucesso com seu "autogo-verno", mas o imperador Aurélio (273 d.C.) deu cabo ao sonho. Zenóbia tentou escapar, mas foi dominada e levada a Roma, onde recebeu uma vila e tornou-se a típica matriarca romana. Aurélio praticamente destruiu Palmira, e o local nunca mais voltou a ter importância.

7. No século 7, o local foi dominado pelos islãos.

8. Hoje há uma cidade chamada Tudmur, a cerca de 1 km do local antigo. Um número considerável de ruínas foi descoberto na localidade original. De fato, essa é uma das ruínas mais impressionantes do mundo moderno.

TAETETO

Suas datas aproximadas foram 414 - 369 a.C. Ele fazia parte do círculo platônico de filósofos e cientistas que floresceu na Academia de Atenas. Euclides empregou algumas das idéias de Taeteto. Platão usou o nome dele como título de um de seus diálogos sobre a epistemologia, ou seja, o estudo do conhecimento e como tomamos conhecimento das coisas. Ver sobre Platão, especialmente sua segunda *Teoria do Conhecimento*.

TAFATE

No hebraico, "ornamento". Esse era o nome de uma das filhas de Salomão, que veio a tornar-se esposa de Ben-Abinadabe, um dos oficiais de Salomão, encarregado do distrito da "cordilheira de Dor", criado pelo monarca hebreu (I Reis 4:11). Tafate viveu por volta do ano 1000 a.C. Nada mais se sabe a respeito dela, além do que nos informa esse versículo.

TAFNES

Esse é o nome pelo qual, na Bíblia, é chamada uma rainha egípcia e uma localidade. Em português, a forma do nome é o mesmo, mas, tanto no hebraico quanto no grego da Septuaginta há diferenças, a saber:

1. *A rainha egípcia*. No grego da Septuaginta seu nome aparece como *Thekemimas* ou *Thecheminas*. Na Bíblia, ela é mencionada no décimo primeiro capítulo do primeiro livro dos Reis. Se seguirmos a indicação dos fonemas gregos, como representação dos fonemas egípcios, de acordo com os especialistas, o seu nome egípcio significaria "a esposa do rei". Ela era esposa de algum Faraó da XXI Dinastia, talvez Siamon (976-958 a.C.). O rei egípcio também deu em casamento a irmã dela, a Hadade, o príncipe edomita que fugiu de Davi para o Egito (I Reis 11:17), e que veio a se tornar um dos grandes inimigos de Salomão, filho de Davi. Tafnes cuidou do filho de sua irmã, Genubath, no palácio do Faraó. Tafnes viveu por volta de 1000 a.C.

2. *A cidade egípcia*. No grego da Septuaginta, *Taphnós*. Essa cidade é mencionada somente no livro de Jeremias (Jer. 2:16, onde nossa versão portuguesa diz "Taínes", certamente um erro tipográfico; 43:7-9; 44:1 e 46:14). Essa cidade ficava no Baixo Egito, perto do rio Nilo, nas proximidades de Pelusium, já perto da extremidade sul da Palestina. Os escritores clássicos chamaram-na *Dafne*. Atualmente é o Tell, Defenneh. Foi para ali que muitos judeus fugiram dos caldeus, levando consigo, à força, o profeta Jeremias e seu amanuense, Baruque. Ver Jer. 43:1-7.

Tafnes é nomeada juntamente com Mênfis (Jer. 2:16), como cidade adversária de Israel e, juntamente com Migdol, como lugar para onde exilados judeus fugiram, depois de haverem assassinado a Gedalias, governador dos judeus, designado pelos babilônios (Jer. 44: 1).

É possível que o nome dessa cidade seja a transliteração hebraica do nome *Thphns*, que figura em fontes fenícias, em uma carta mencionada em um papiro do século VI a.C., encontrada no Egito. Esse texto alude a "Baal-Zefom dos deuses de Tafnes". Com base nisso, alguns estudiosos têm imaginado que, mais antigamente, a cidade chamava-se BaalZefom, o que corresponde a uma das paradas dos israelitas, no deserto, após o êxodo (Êx. 14:2). Outros eruditos pensam que esse nome pode representar o egípcio que significa "palácio do núbil", o que talvez seja uma indicação de que foi fundada durante o reinado de Tiraca (II Reis 19:9). Mas, a forma grega do nome apóia a identificação com a Dafnes dos escritores clássicos, no braço pelúsico do rio Nilo. Heródoto informa-nos que Dafnes contava com uma guarnição de mercenários gregos, ali postada por Psamético, Faraó da XXVI Dinastia (664-610 a.C.), a fim de repelir as incursões dos árabes e de outros asiáticos.

A arqueologia tem encontrado ali, entre outras coisas, uma plataforma de tijolos, fora de uma fortaleza da época de Psamético I, que talvez seja o mesmo "pavimento" que havia na "entrada da casa de Faraó, em Tafnes", de que nos fala Jeremias. Foi ali que Jeremias ocultou as pedras, assinalando o lugar onde, segundo ele predisse, o rei babilônio, Nabucodonosor II, haveria de erigir o seu trono, após haver conquistado o Egito (Jer. 43:9).

TAGORE, SIR RABINDRANATH

Suas datas foram 1861-1941. Nasceu em Calcutá, na Índia. Foi um notável mestre indiano, capaz de transmitir a essência de sua fé aos ocidentais. Foi-lhe conferido o Prêmio Nobel de literatura, em 1913. Por causa disso, foi alvo das atenções de pessoas educadas no mundo inteiro. Foi um dos mais importantes intérpretes do pensamento oriental no Ocidente. Estudou na Inglaterra e foi feito cavaleiro pelo rei George V, do Império Britânico; e, assim sendo, encontrava-se em posição de ser uma espécie de intermediário das idéias orientais para o Ocidente. Também foi poeta, educador e importante figura religiosa, que se comunicava pela palavra oral e pela literatura. Seus poemas místicos têm recebido uma atenção especial.

Tagore estava convencido da verdade universal contida na declaração paulina: " ... somos membros uns dos outros" (Efé. 4:25), tendo passado boa parte de sua vida procurando demonstrar esse fato. Ele procurava exprimir unidade em torno de um único Deus. Estabeleceu uma universidade que desejava ser uma universidade mundial, em lugar onde todas as raças e todas as fés pudessem buscar a vantagem de todos, do que emergiria a unidade. Ele denunciava o nacionalismo tanto oriental como ocidental, e fez conferências contra a violência de todas as modalidades. Estava comprometido com os ideais da paz e do amor, e era mais constante em sua campanha do que o próprio Mahatma Gandhi (se é possível acreditar nisso). Discursava em favor do total abandono do sistema de castas, e não somente em favor de uma modificação substancial do sistema (conforme fazia Gandhi). É significativo que sua família, coletivamente, desistiu de sua elevada posição brâmane.

Suas crenças foram eloqüentemente expressas em seus escritos: *Giranjala* (poemas); *The Crescent Moon; The Hungry Souls; Home and the World, Nationalism; Letters from Abroad; The Religion of Man* (uma série de preleções coligidas). Ele acreditava que nossas crenças estão mais próximas umas das outras do que reconhecemos, embora isso seja obscurecido por um vocabulário diversificado. Também cria na existência do Grande Todo (nome que ele dava a Deus), no interior de todos os homens, o que daria uma força natural e impulsionadora em prol da unidade. O seu grande alvo era que os homens aprendessem a perceber Deus-como-Amor na vida diária. Ver o artigo geral sobre o *Hinduísmo*.

T'AI CHI

Essa é uma expressão chinesa que significa *Grande Último* (vide), o princípio básico e divino do universo, segundo o pensamento chinês.

TAINE, HIPÓLITO

Suas datas foram 1828-1893. Nasceu em Vouziers, na França. Educou-se em Paris. Tornou-se erudito nos campos da filosofia e das letras. Aplicava o positivismo e o determinismo à arte, à história e à sociedade. Opunha-se ao romantismo. E, juntamente com *Renan* (vide), foi um notável porta-voz do *positivismo* (vide), na segunda metade do século XIX.

TALENTO

Ver sobre **Moedas**; e também sobre **Pesos e Medidas**.

Mat. 25:14: *Porque é assim como um homem que, ausentando-se do país, chamou os seus servos e lhes entregou os seus bens:*

O vocábulo *talento*, nos idiomas modernos, usado para indicar a capacidade e os dotes de alguém, era realidade que se derivava dessa parábola. Originalmente o talento era uma unidade de peso; depois passou a ser uma unidade monetária, ou seja, seis mil denários. O denário valia o trabalho de um dia. Um talento, portanto, valia o trabalho de um homem por mais ou menos 18 anos. O uso posterior dessa palavra, para indicar as habilidades ou dotes naturais, se desenvolveu do uso simbólico com que o termo é usado nesta parábola. A interpretação da parábola parece girar em torno do sentido simbólico da palavra "talento". Abaixo estão algumas das principais idéias apresentadas pelos intérpretes:

1. Alguns acreditam que a referência é às *habilidades* com que servimos a Deus, quer naturais quer espirituais.

2. Outros crêem que se trata da *oportunidade espiritual*, isto é, a outorga do conhecimento e da verdade que Deus dá de si mesmo e de seu caminho de salvação. Essas oportunidades espirituais teriam a intenção de orientar a vida. No caso de Israel, significou a chegada do reino e a necessidade de sujeição ao governo de Deus, o que, realmente, teria conduzido essa nação a um tipo superior de vida espiritual. No caso da "parousia" ou segunda vinda de Cristo, significa a prontidão, mediante o serviço, que os homens terão ou não. No caso da morte, haverá uma prestação de contas. Cada um será considerado responsável pelo que praticou, tanto com as suas oportunidades como com seus dotes naturais.

3. Portanto, a verdadeira interpretação parece ser uma interpretação ampla, o que incluiria ambas as idéias acima, isto é, as habilidades concedidas por Deus, tanto naturais como espirituais, com as quais podemos servir aos homens e glorificar a Deus, e também as oportunidades espirituais ou "luzes" que recebemos, para serem empregadas em nossa inquirição espiritual. Dessa maneira, teremos de prestar contas tanto do que sabemos como do que fazemos. Aquele que sabe mais, isto é, que tem uma com-preensão - mais clara - do caminho da vida, tem a obrigação de viver unia vida mais frutífera. Alguns detalhes dessa parábola são de difícil interpretação, se nos apegarmos apenas a algum sentido limitado. Por exemplo, se considerarmos que essa parábola se aplica somente aos crentes verdadeiros, que terão de prestar contas de seu serviço, então o vs. 24 será difícil de ser interpretado, porquanto nenhum crente autêntico teria essa atitude para com Deus. O vs. 30 também dificilmente pode indicar o julgamento de um crente autêntico. Pois tal julgamento é o mesmo que foi imposto ao conviva que entrou no banquete nupcial sem a veste apropriada (ver Mat. 22:12-14). Por esses motivos, devemos buscar uma interpretação mais lata. Os judeus, por exemplo, são como os que receberam muitos talentos, muita oportunidade para conhecerem os segredos espirituais, e isso deveria tê-los conduzido à vida. Contudo, abusaram de seus privilégios, ocultaram os seus talentos e terão de sofrer as conseqüências eternas desse ato. Existem outros, porém, que fazem pleno uso de suas oportunidades espirituais, ainda que recebam menos que outros; e, ao agirem assim, tanto encontram a vida como vivem uma vida frutífera. O mais provável é que ambas as idéias estejam contidas na entrega dos talentos. Esses talentos envolvem tanto o conhecimento como a capacidade para o serviço. Os talentos, pois, parecem ser *dons e oportunidades espirituais* que conduzem à vida, contanto que sejam recebidos da maneira certa e sejam usados com toda a propriedade; e isso resulta na manifestação das evidências do Espírito Santo na vida do crente. Assim se vão multiplicando os talentos na experiência prática, o que certamente também é algo agradável ao Pai.

Segundo a interpretação mais ampla desta parábola, também devemos incluir aqui a idéia do julgamento do crente, porquanto é perfeitamente claro nas Escrituras que somos responsáveis pelo uso que fazemos tanto de nosso conhecimento espiritual como das oportunidades que nos são concedidas. (Quanto a uma explicação pormenorizada destas idéias, ver II Cor. 5:10 no NTI). Ao aplicar essa parábola às responsabilidades dos crentes, não precisamos forçar o sentido de alguns versículos que não se aplicam diretamente a eles, exceto em princípio, de que os crentes também serão julgados e que esse julgamento será determinado pelo uso que fizerem do conhecimento recebido e da frutificação espiritual de suas vidas. Ver o artigo sobre *Julgamentos das Escrituras*. Ver também *Julgamento dos Crentes*.

TALES DE MILETO

Suas datas aproximadas foram 640-546 a.C. Tem sido considerado um dos sete antigos sábios da Grécia e pai da filosofia ocidental. Foi um notável cientista, tendo sido capaz de prever o eclipse solar de 585 a.C. Desviou as águas de um rio, permitindo que o rei Creoso o vadeasse em certo ponto, sem empecilho. Ele promoveu a unidade das cidades - estados da Grécia, tendo aludido à necessidade de uma capital grega central.

Cientista teórico como era, labutou para determinar o elemento mais básico de todos, tendo optado pela *água*, com base em várias razões. Tem sido considerado o primeiro filósofo a inquirir sobre a natureza subjacente

TALES DE MILETO – TALMAI

de todas as coisas. Alguns acreditam que suas especulações a respeito da água, como a base de tudo, foram tomadas por empréstimo, pelo menos em parte, dos mitos cosmogônicos do Egito ou da Babilônia. Outros seguiram-no quanto a essa atividade, tendo sugerido outros elementos como o fogo, o ar e a terra, e um elemento subjacente não - determinado como base de tudo. Ver o artigo intitulado *Hilozoísmo,* quanto a uma descrição dessa entidade indeterminada. Quando Tales de Mileto declarou que "todas as coisas estão repletas de deuses", talvez tenha expressado a crença de que a base real da natureza é psíquica, e não material. Ver sobre o Pampsiquismo. No entanto, muitos assumem um ponto de vista materialista de suas teorias, supondo que ele usava uma linguagem poética ao falar sobre as divindades em tudo presentes.

Idéias:

1. Tales figura como o criador e expositor do conceito que diz "conhece-te a ti mesmo", tão proeminente nos idéias de Sócrates. Nesse caso, podemos supor que ele quis dizer a mesma coisa que Sócrates disse, com grandes implicações morais. Para que pratique o bem, o indivíduo deve ter consciência da natureza de seu próprio ser, de suas potencialidades e de seu destino.

2. Tales também ensinou o princípio do "nada em excesso" a famosa *moderação* (vide) dos gregos, que se tornou um importante principio normativo de grande parte da ética grega,

3. Entretanto, ele tornou-se melhor conhecido por causa de suas especulações acerca da natureza básica das coisas. Ele acreditava (talvez sob a influência das *cosmogonias* [vide] egípcia e babilônica) que a água é a base de todas as coisas. Destarte, ele pensava que um único elemento pode explicar o universo inteiro. Aristóteles dava a Tales de Mileto o crédito de haver originado a busca por princípios de explicação.

4. Sua declaração de que "todas as coisas estão repletas de deuses" talvez indique que ele pensava que a água é dotada de uma natureza pampsíquica juntamente com todas as suas manifestações. Nesse caso, uma doutrina espiritual governava as especulações de Tales. Por outra parte, há muitos que supõem que ele meramente usava de uma linguagem poética, e que se tivesse tido conhecimento da formação atômica da água, teria explicado todas as coisas por meio da teoria atômica. Seja como for, ele conferia à água um potencial vitalizador, potencializando todas as muitíssimas coisas diferentes que conhecemos.

5. A alma humana teria um poder de automotivação, sendo ela capaz de iniciar movimentos em outras coisas.

6. Tales pensava que a Terra é um disco que flutua em um vasto oceano, como um pedaço de madeira; mas nunca apresentou qualquer explicação sobre o que contém esse oceano.

TALHAS

No grego, *udría* (ver João 2:6,7, onde nossa versão portuguesa traduz essa palavra por "talhas"; e João 4:28, onde nossa versão portuguesa a traduz por "cântaro"),

Estão em foco jarras de barro ou de pedra, para conter água. Esses receptáculos variavam muito em suas dimensões, alguns deles eram pequenos o bastante para que uma mulher pudesse carregar sobre a cabeça ou no ombro (ver João 4:28), ao passo que outros continham uma média de 70 litros (ver João 16,7). A palavra hebraica correspondente é *kad,* que nossa versão portuguesa traduz por "cântaro" (ver Gên. 24:14-18, etc.; Juí. 7:16,19; Ecl. 12:6). Ver os artigos intitulados *Cerâmica e Jarra.*

TALISMÃ

Essa palavra portuguesa vem do árabe, onde tem o sentido de "amuleto", ou, mais literalmente, uma, "figura mágica". Parece que a base dessa palavra é o vocábulo grego *talesma,* "rito sagrado", derivado de *teleein*, iniciar".

O termo refere-se a algum objeto supostamente capaz de produzir algum efeito extraordinário. Todo tipo de objeto tem servido a esse propósito, desde os mais primitivos, como um dente, uma garra ou chifre de algum animal, até pedras preciosas e materiais elabora-damente esculpidos. Pressupõe-se que o possuidor de um talismã pode afastar os males e atrair bens, mediante o uso do mesmo,

TALITA CUMI

Essa expressão, que aparece somente em Mar. 5:41, aflorou dos lábios do Senhor Jesus, quando da ressurreição da filha de Jairo. Essas palavras são aramaicas, transliteradas para o grego e daí para o português. Significam, conforme Marcos mesmo interpreta, "Menina, eu te mando, levanta-te". Há outras palavras proferidas por Jesus em aramaico, conforme se vê em Mar. 7:34 e 15:34. E o apóstolo Pedro também proferiu uma palavra em aramaico, "Tabita", em Atos 9:40. Paulo tem o seu famoso "Maranata"(1 Cor. 16:22). Os eruditos têm dito que essa expressão aramaica, usada por Paulo, significa "Senhor, vem!" Tais palavras e expressões eram perfeitamente naturais para os galileus, que falavam o aramaico como sua língua nativa, sem prejuízo de outros idiomas que também soubessem falar. Não há nelas qualquer coisa de fórmula mágica, como alguns, ignorantemente, têm pensado.

Os estudos feitos acerca de quanto se falava o aramaico e o hebraico, na Palestina, nos dias de Jesus e de seus apóstolos, têm produzido alguns resultados interessantes. É bastante cansativo e detalhado mostrar todos os passos que os estudiosos têm tido de dar. Mas a conclusão geral pode ser posta na boca de um rabino do passado, que disse: "O aramaico usava-se na linguagem sacra, o hebraico, na fala comum, do povo". Isso discorda da opinião dos estudiosos em geral, que pensavam que o hebraico estava totalmente esquecido. Mas, de fato, testemunhos antigos, como o próprio Novo Testamento, a recém-descoberta literatura da comunidade de Qumran, e os escritos de Josefo, todos testificam de que o hebraico era o idioma comum da Palestina, usado até mesmo na literatura da época. Quanto ao Novo Testamento, lemos em Atos 21:40 e 22:2, que Paulo dirigiu-se aos judeus em "hebraico", e não em aramaico.

Não obstante a isso, o aramaico era alimentado pela corrente contínua de judeus orientais que chegavam em Jerusalém, para as festividades religiosas da nação, e muitos deles acabavam ficando na Terra Santa. Portanto, o aramaico prevalecia nos cultos efetuados no templo, desde o período persa em diante. Devemos concluir que, assim como o hebraico está sendo revivido atualmente, no Estado de Israel, assim também deve ter acontecido no período intermediário, entre o Antigo e o Novo Testamento, embora, sobre isso, nada nos tenha chegado quanto a informações concretas.

TALMAI

No hebraico, "ousado", "vivaz". Há duas personagens com esse nome, nas páginas do Antigo Testamento:

1. Um dos três filhos do gigante Anaque. Seu grupo tribal residia em Hebrom quando os espias enviados por Josué penetraram na Terra Prometida (Núm. 13:22; Jos. 15:14 e Juí. 1:10). Ele viveu por volta de 1450 a.C.

TALMOM – TALMUDE

2. O rei de Gesur, pai de Maaca, uma das esposas de Davi. Ele é mencionado em II Sam. 13; 13:37 e I Crô. 12. Viveu por volta de 1040 a.C. Gesur era um principado arameu na região a nordeste da Galiléia. Desobedecendo à lei mosaica, Davi casou-se com a princesa Maaca. - Mas isto se resultou na sua grande tristeza. A princesa tornou-se a mãe do apaixonado e violento Absalão (II Sam. 13). Depois de haver assassinado a seu irmão, Amom, Absalão fugiu para Gesur, onde ficou por três anos (II Sam. 13:37,38).

TALMOM

No hebraico, "opressor" "violento". Seu nome é mencionado por cinco vezes: I Crô. 9:17; Esd. 2:42; Nee. 7:45; 11: 19 e 12:25. Ele era um levita que residia em Jerusalém, nos dias de Esdras (536-445 a.C.). Pertencia a uma família de porteiros do templo, que existiu depois do exílio babilônico.

TALMUDE
I. Nome
II. Caracterização Geral
III. O Desenvolvimento em Duas Camadas
1. O Misna
2. O Gemara
IV. A Tora Oral
V. A Importância do Talmude

I. Nome

No hebraico, *lomed*, ou "estudar", "aprender". O substantivo tem o sentido de "discípulo". Os mestres estudam e transmitem o que sabem, e os estudantes tornam-se seus discípulos. O Grande Mestre foi Moisés, sendo que o Talmude é baseado principalmente no Pentateuco.

II. Caracterização Geral

O Talmude é um tipo de enciclopédia da tradição judaica, que age como um suplemento à Bíblia. A obra resume mais de sete séculos de crescimento cultural e idéias. Suas origens orais remontam à época do cânon bíblico, e a obra não chegou à sua fase final até o final do século 5. Embora lide principalmente com a lei, particularmente interpretando e suplementando o Criador da Lei (Moisés), também trata de religião geral, ética, instituições sociais, história, folclore e ciência. Foram desenvolvidos dois Talmudes, um em Israel, por volta de 400 d.C., e o outro na Babilônia, entre 500 d.C. e 600 d.C. O Talmude compilado na Palestina comenta as divisões do Misna (ver a seção III.1.), que se relaciona a uma variedade de assuntos como agricultura, épocas de apontamento, mulheres e família, lei e assuntos pessoais. O Talmude da Babilônia cobre as épocas de apontamento, mulheres e família, coisas sagradas e lei, mas omite a agricultura. Cerca de 90% do Talmude da Palestina enfatizam a exegese do Misna (Mishnah). O Talmude da Babilônia compartilha muito desse material, mas auxilia de uma forma considerável comentários da Bíblia. Ambos incluem comentários especiais sobre palavras e frases, os históricos bíblicos do Misna e contradições nos casos das questões bíblicas que exigem explicação e harmonia. O palestino trata quase por inteiro de questões do Misna, enquanto o babilônico adiciona muitas passagens da Escritura com comentários.

Ambos os Talmudes aceitam, sem questionamento, a autoridade da Tora como a palavra revelada de Deus através de Moisés, mas, à medida que as idéias e a cultura avançam, novas interpretações são necessárias para tornar vivo a Tora para cada geração. Por exemplo: Deu. 24.1 fala da possibilidade de dissolver os laços do casamento, mas não entra em detalhes. Os Talmudes entram em detalhes com suas interpretações e comentários. À medida que a sociedade judaica se desenvolvia, havia necessidade de fornecer regulamentações para o comércio, trabalho e indústria, coisas com as quais a Tora não lidara o suficiente para estabelecer regras adequadas. Os Talmudes tentam compensar tais deficiências, sempre, presumivelmente, aplicando a sabedoria de Moisés ao máximo possível. Historicamente, a literatura do Talmude foi desenvolvida em duas camadas, a mais antiga do Misna, e a segunda do Gemara, das quais se trata na seção III. Havia visitas freqüentes dos rabinos que representavam ambos os Talmudes, de forma que há grande nível de harmonia entre as duas tradições.

O Talmude, juntamente com outras criações literárias da época, freqüentemente tem sido chamado de Tora Oral, pois houve um período de tempo considerável em que os materiais que existiam eram contidos apenas em tradição oral. Até o final do século quinto d.C., as sociedades judaicas estavam em declínio tanto na Palestina como na Babilônia, e como resultado que a atividade de redação criativa do Talmude cessou.

III. O Desenvolvimento em Duas Camadas

1. *O Misna (Mishnah)*

O Talmude teve um desenvolvimento histórico que envolveu duas camadas ou estágios distintos. O estágio mais antigo foi o Misna (Mishnah), que significa "repetir" ou "estudar". Forneço um artigo separado detalhado sobre o Mishnah, o que me permite fazer apenas uma apresentação breve neste artigo. Primariamente, o Misna foi produto da edição acadêmica do rabino de Judá e de seus discípulos que estavam ativos no terceiro século d.C. na Palestina. O hebraico do texto era claro e lúcido, e o próprio texto era organizado em seis seções principais que depois foram subdivididas em 63 tratados. Os tratados (ensaios) eram então divididos em capítulos e parágrafos.

As Seis Seções. As seções são chamadas de Sedarim, isto é, "ordens", pelo fato de cada uma representa uma organização ordenada de opiniões, leis e comentários sobre um assunto específico:

1. *Zeraim,* isto é, "sementes", que trata de agricultura. Anexado a ela está um importante tratado (ensaio) sobre a oração, chamado de Beracote.

2. *Moed,* isto é, "festivais", que trata de muitos festivais e dias sagrados judaicos, dos sábados e das celebrações e banquetes do calendário judeu.

3. *Nashim,* isto é, "mulheres", que trata do casamento, do divórcio e da vida familiar.

4. *Neziquim,* isto é, "ferimentos", que trata da lei civil e criminal.

5. *Kodashim,* ou "coisas sagradas", que discute os sacrifícios e os cultos do templo.

6. *Taharote,* isto é, "limpeza", que trata de questões de pureza ritual.

Os tratamentos são um tanto breves, o que exigiu, por fim, revisões e adições. Assim, foi criado um suplemento, ou segunda camada, chamado de Gemara.

2. *O Gemara*

Esta palavra deriva do termo aramaico gemar, que significa "estudar", "ensinar". O Gemara existe em duas versões, ambas escritas nos vernáculos correntes, respectivamente, entre os judeus da Palestina e da Babilônia, resultando, assim, nas designações de Talmude Palestino e Talmude Babilônico. A comunidade de estudiosos judeus da Palestina, a longo prazo, foi desafiada, mas não ultrapassada pela sua contraparte da Babilônia, e ambas se tornaram importantes centros do aprendizado e produção literária dos judeus. A Babilônia, finalmente, ultrapassou a sua "mãe" (Palestina). De qualquer modo, houve contato contínuo entre os dois lados para harmonizar o trabalho que estava sendo realizado.

Nem todos os 63 tratados (ensaios) têm tratamento com suplementos no Gemara. O Gemara palestino, também chamado de Yerushalmi (Jerusalém) suplementa 39 dos tratados. O Gemara da Babilônia, embora lidando apenas com 36,5 dos tratados, é o trabalho mais volumoso, sendo cerca de três vezes maior do que o palestino.

Unindo-se o Misna e o Gemara originais, obtém-se o Talmude.

IV. A Tora Oral

Forneço um artigo detalhado sobre a *Tora*, que significa "lançar a sorte sagrada", que fala da prática de adivinhação oracular. Esse trabalho passou a designar o Pentateuco, os livros atribuídos a Moisés que os judeus piedosos supunham conter, em forma de semente, todas as leis divinas. Às vezes a palavra refere-se a todos os livros revelatórios dos judeus, ou à coleção do próprio Antigo Testamento, ou à Tora Divina, isto é, ao depósito de todo o conhecimento da Mente Divina.

O Talmude, juntamente com diversas outras literaturas relacionadas dos rabinos mais famosos do mesmo período de produção, passou a ser chamado de Tora Oral. Por séculos muito do material circulou oralmente antes de ter sido reduzido a documentos escritos. Havia formas escritas de parte dele, derivadas de épocas muito antigas. Além disso, sua redação também levou muito tempo antes de poder ser considerada "produto final". O Talmude palestino foi concluído em alguma época no século 5. O babilônico foi concluído em um período mais próximo ao final daquele mesmo século. Ambas as comunidades entraram em declínio naquele século, em parte por causa das perseguições promovidas pelas autoridades civis. Com o declínio das comunidades houve uma cessação de produtos literários significativos, de modo que os Talmudes congelaram em formas finais que não foram, em períodos posteriores, desenvolvidas.

V. A Importância do Talmude

Não é errado falar de uma canonização envolvida no Talmude, o mesmo que ocorreu com as Escrituras do Antigo Testamento. Os judeus de períodos posteriores (depois do século 5 d.C.) reconheceram que o aprendizado e o domínio do Talmude era o chamado mais alto e maior privilégio que uma pessoa poderia experimentar. Para muitos, o conhecimento do Talmude era mantido com maior estima do que o conhecimento das Escrituras do Antigo Testamento, e o conhecimento e domínio de ambos produziam judeus fanáticos e piedosos que eram, e ainda são, os líderes do zelo religioso. O liberalismo e a constante crítica do Antigo Testamento abalaram a fé na historicidade daquela coleção de documentos, e não é errado dizer que o judeu piedoso se refugiava no Talmude como sendo, de alguma forma, mais preciso e mais puro do que o próprio Antigo Testamento. Com o passar do tempo, a maioria dos judeus deu pouco interesse à complexidade do Talmude e muitos converteram-se a uma forma "kantiana" de filosofia, como a desenvolvida pelos filósofos judeus. Mas, com o surgimento do estado judeu moderno, o interesse fanático foi reavivado tanto pelo Antigo Testamento como pelo Talmude.

O estudioso cristão busca introspecção de primeira mão no pensamento judeu produzido pelos próprios judeus, que muitas vezes é mais iluminador do que os tratamentos comuns e de segunda mão dados pelos estudiosos cristãos, destituídos de conhecimento cultural para compreender muito do judaísmo. Muito daquilo que lemos nas Escrituras sobre os judeus pode ser encontrado e muitas vezes explicado em maior profundidade do que a apresentação das mesmas questões nos evangelhos. A canonização final do Talmude trouxe cabo a uma das épocas mais criativas da história da tradição e atividade literária judaicas. Mas o Talmude agora vive de forma real no estado judeu moderno e na mente dos estudiosos cristãos que buscam conhecimento mais perfeito.

TAMA

No hebraico, "combate". Seu nome ocorre apenas em Esd. 2:53 e Nee. 7:55. Ele foi o fundador de uma família de servos do templo, que retornaram do cativeiro babilônico em companhia de Zorobabel. No trecho paralelo de I Esdras 5:32, esse nome aparece sob a forma de Tamá. Viveu por volta de 536 a.C.

TAMAR

No hebraico, "palmeira" ou "tâmara (palmeira)".

1. *Esse era o nome da mulher de Er* (filho de Judá), que depois passou a ser a mulher de seu irmão Onã. Era costume que um segundo irmão assumisse a viúva do primeiro que havia morrido, para criar uma descendência ou família que daria continuidade à linhagem daquele irmão. Isso sempre era possível por causa da poligamia. A mulher de um irmão simplesmente seria adicionada ao círculo familiar do segundo irmão que já fosse casado. Onã nada queria com este outro casamento e evitou a concepção através de coitus interruptus, derrubando, assim, o sêmen no chão. Com base nessa circunstância, surgiu o termo onanismo, que significa coitus interruptus ou masturbação. Ver a história em Gên. 28.1-11. Ver também o verbete *Matrimônio Levirato*. Por causa de seu "pecado" em não cumprir seu papel, diz-se que Yahweh o executou, presumivelmente através de um acidente ou por doença.

Assim, Tamar ficou sem marido pela segunda vez e exigiu que Judá lhe desse ainda um terceiro filho, mas ele relutou arriscar ter ainda outro filho com aquela mulher, por motivos óbvios. Ela então aplicou um truque radical para conseguir o terceiro filho. Disfarçou-se de prostituta e seduziu o próprio Judá! Ficou grávida e, quando foi acusada de falta de castidade, o que poderia ter ocasionado sua execução, revelou a terrível verdade de que Judá era o pai da criança. Nesse momento, tornou-se abundantemente claro de que poderia ter sido melhor para Judá e para seus filhos nunca ter chegado perto da mulher. Mas o que poderia fazer Judá? Primeiro, ele teve de confessar seu pecado e não promover acusações (Gên. 25, 26). A mulher ficou livre e presumivelmente conseguiu um terceiro filho de Judá, vencendo, assim, o conflito. A propósito, a mulher deu à luz a gêmeos, o pai sendo Judá, claro. Seus nomes foram Perez e Zerá, ambos ancestrais distantes de Jesus, o Cristo (ver Mat. 1.3). Ver Gên. 39.29, 30. Quando surgiu o ditado "A verdade é mais forte do que a ficção", o criador do ditado deve ter tido em mente essa história bíblica. A época foi em torno de 1900 a.C.

2. *Uma filha de Davi com Maaca, irmã de Absalão* e meia-irmã do depravado Amnom, o filho mais velho de Davi. Sua mãe era Ainoa, uma jezreelita (II Sam. 3.2). Depois de elaborado planejamento, ele conseguiu estuprar Tamar, cometendo fornicação, incesto e estupro ao mesmo tempo! Depois foi a vez de Absalão fazer o planejamento de assassinato. Ele acabou matando Amnom, para constrangimento de Davi que, contudo, não tomou nenhuma atitude, o que combinou com sua inação no caso

TÂMARA – TAMUZ

do estupro de Tamar. Ver a história toda contada em II Sam. cap. 13. A época foi em torno de 980 a.C.

3. *Absalão tinha uma filha* naquela época que, presumivelmente, foi chamada pelo mesmo nome da irmã, Tamar, e possivelmente recebeu esse nome para honrar sua linda irmã, que havia sido tratada tão mal por Amnom, um meio-irmão. A única informação que temos sobre essa Tamar é que ela era uma "mulher formosa à vista" (II Sam. 14.27). O vs. 25 do mesmo capítulo conta-nos que o próprio Absalão era extremamente atraente, de forma que Tamar obteve sua beleza diretamente de seus genes.

4. *Uma cidade próxima à fronteira de Judá e Edom, no extremo sul do mar Morto* também recebe esse nome. Talvez o sítio moderno seja Thamara, que fica na estrada que leva de Hebrom a Elate. O profeta Ezequiel menciona Tamar como um local na fronteira da Israel restaurada (Eze. 47.9; 48.28). Talvez uma alusão seja feita a esse local em I Reis 9.18, ou talvez ele seja identificado com Hazom-Tamar, de II Crô. 20.2 (ver a respeito). Outro nome para é *En-Gedi* (ver o artigo com esse nome).

TÂMARA

Não há referências diretas às tâmaras nas páginas da Bíblia, mas a alusão à "bebida forte", em Provérbios 20:1, pode apontar para o vinho feito de tâmaras. Além disso, em II Crônicas 31:5, há referência ao "mel", que muitos pensam tratar-se de mel feito de tâmaras. Com base em outras fontes informativas, ficamos sabendo como as tâmaras eram usadas na antigüidade. Tâmaras secas eram muito duradouras, utilíssimas para o consumo durante as viagens em lombo de camelo, pelos desertos. A tâmara, cujo nome científico é Phoenix dactylifera, cresce em enormes cachos, que ficam pendurados entre as folhas da planta. Durante longos séculos têm sido um dos principais itens da alimentação de várias tribos árabes. Ver também sobre a *Palmeira*.

TAMARGUEIRA, ARBUSTO

No hebraico, *eshel*, "tamargueira", que aparece por três vezes no Antigo Testamento: Gên. 21:33; I Sam. 22:6 e 31:13.

No entanto, em nossa versão portuguesa, "tamargueira" só aparece em Gên. 21:33. Nas duas outras passagens, nossa versão portuguesa diz "arvoredo". Em inglês, as traduções de Moffatt e de Goodspeed dizem *"tamarisk"* (palavra inglesa que significa tamargueira), em I Sam. 22:6 e em Gên. 21:15, mas não em Gên. 21:33 e em I Sam. 31:13. Portanto, a confusão criada em torno do assunto, nas traduções, não é pequena. A palavra hebraica por trás de Gên. 21:15 é *siach*, que significa "arbusto".

Após essas observações introdutórias necessárias, falemos sobre a própria *tamargueira*. Essa é uma árvore arbustiva, que medra bem em regiões secas. Eis a provável razão pela qual Abraão "plantou ... tamargueiras em Berseba" (Gên. 21:33), pois ali era uma região semi-árida. As tamargueiras são dotadas de folhas minúsculas, tipo escamas, que quase não transpiram, isto é, não perdem muita umidade. A tamargueira é uma espécie vegetal com boa resistência à seca. Dão-se bem em terreno arenoso, sendo possível que os *arbustos* sob os quais Hagar deixou o menino Ismael, no deserto de Sur, quando fugia de Sara, tenham sido tamargueiras, embora o hebraico não diga exatamente isso, pois não determina a espécie exata de arbusto que está em pauta. O nome científico da tamargueira é *Tamarisk aphylla*.

TAMBOR

Ver sobre *Música e Instrumentos Musicais*.

TAMBORIL

Ver sobre *Música*, e também sobre *Instrumentos Musicais*.

TAMBORIM

Ver sobre *Música e Instrumentos Musicais*.

TAMUNETE

No hebraico, "consolação". Ele é mencionado somente em II Reis 25.23 e em Jer. 49:8. Ele é chamado de netofatita. Era o pai de Seraías, um capitão judeu que permaneceu em Judá, juntamente com Gedalias (vide), após o exílio babilônico. Viveu por volta de 620 a.C.

TAMUZ

Uma divindade e ídolo sírio e fenício, correspondente ao Adônis dos gregos. Na Bíblia, esse deus pagão é mencionado somente em Eze. 8:14. A origem de seu nome perde-se na obscuridade da antigüidade. Mas muitos pensam que se derivou da história lendária suméria sobre Dumuzi ("verdadeiro filho"), um pastor pré-diluviano e suposto marido de Istar (vide). Embora nunca tenha obtido mui grande popularidade na Babilônia e na Assíria, tornou-se famosíssimo na Síria e na Fenícia, bem como, mais tarde, entre os gregos, onde o casal aparecia com os nomes de Adônis e Afrodite. No Egito, Adônis chegou a ser identificado com Osíris (vide), que teria sua própria história lendária. Na Síria, o principal centro desse culto ficava em Gebal, onde havia o templo dedicado a Afrodite, a deusa do amor carnal.

Provavelmente, foi devido à contiguidade entre a Síria e Israel que o culto a Tamuz penetrou entre o antigo povo de Deus. Ezequiel, em uma visão, viu mulheres sentadas na porta norte do templo de Jerusalém, a chorarem por Tamuz, o que consistia em um tremendo desvio religioso, condenado pelo Senhor, como uma das "abominações" que faziam Deus tapar seus ouvidos aos apelos dos judeus incrédulos.

Na Suméria, essa divindade apareceu como deus da vegetação da primavera. Ali ele era considerado irmão e marido de Istar, a deusa da fertilidade. Primeiramente ela o teria seduzido, cometendo incesto com ele, para depois traí-lo. Uma bela história, sem dúvida! Ali, Tamuz era representado em selos como protetor dos rebanhos, que defendia das feras. Esse culto foi mais elaborado na Babilônia, onde já se falava em sua morte, visita ao mundo dos mortos e ressurreição. Essa morte e ressurreição corresponderiam, anualmente ao início do verão e ao reflorescimento primaveril da vegetação. Os ritos em que se chorava a imaginária morte de Tamuz ocorriam no 4º mês (correspondente aos nossos meses de junho e julho). Isso deu azo a que os judeus de tempos pós-bíblicos chamassem o seu quarto mês de Tamuz. Ver sobre o *Calendário*.

Havia muitas afinidades entre o culto a Tamuz e o culto a Osíris, este último no Egito. Até hoje, em regiões remotas do Curdistão, há variações desse antigo culto. Segundo a opinião de alguns estudiosos, Tamuz representaria o monarca reinante. E este, por sua vez, representaria todos os homens, dentro do potencial de que eles teriam de participar da natureza divina de Istar, o princípio da vida e da fertilidade. Muitos cultos pagãos antigos giravam em torno de questões sexuais e do mistério da reprodução. Como essa é uma questão muito atrativa para os seres humanos, não admira que muitos judeus se tenham deixado

TANATOLOGIA – TAOÍSMO

envolver por cultos dessa natureza, ao longo de sua história. Mas, como é claro, todos os cultos dessa ordem indicam e levam a uma grande degradação. As sugestões deixadas pelos imaginários deuses pagãos nunca eram puras, mas sempre envolviam as piores perversões morais. Não admira que os profetas do Senhor sempre tivessem sentido que tais cultos eram infames, representando um grave perigo para o povo de Deus!

TANATOLOGIA

Temos aí um termo que vem do grego, *thánatos,* "morte", e *logía,* "estudo", "raciocínio", ou seja, estudo sobre a morte". A *tanatologia* tornou-se uma especialidade dentro da Psicologia. O estudo sobre a morte é efetuado na esperança de ajudar às pessoas prestes a morrer, além de orientar seus familiares sobre como devem ajudar seus moribundos, aceitando a morte com normalidade e prosseguir a vida. Elizabeth Kubler-Ross é uma das principais figuras desse ramo do conhecimento. Devido à sua constante associação com a morte, ela ficou absolutamente convencida acerca da vida após a morte física. Ela tem escrito vários livros que tratam da psicologia da morte e da experiência de quase-morte. No artigo intitulado *Experiências Perto da Morte,* discuto sobre os labores dela e de outros, nesse campo, além de mostrar o que a ciência está descobrindo sobre a morte e a vida que vem em seguida. O quadro traçado é bastante otimista, e o leitor deveria familiarizar-se com tais idéias. A aproximação da morte parece primeiramente irar as pessoas por causa de sua drástica ameaça. Segue-se uma grande luta mental, buscando maneiras de evitar o que parece inevitável. Então segue-se a depressão, antes da pessoa aceitar a morte.

É encorajadora a observação de que muitas pessoas atingem um significativo crescimento espiritual, para que possam enfrentar melhor a crise. Orientações quanto ao que esperar, os vários estágios psicológicos pelos quais as pessoas normalmente passam, e explicações sobre o que está envolvido no próprio processo da morte e sobre o que jaz mais adiante, têm sido muito valiosas. O melhor aspecto que a ciência está conseguindo salientar é a esperança da existência eterna, juntamente com a ajuda tradicional, prestada pela fé -religiosa e até pela filosofia.

Grosso modo, *tanatologia* pode significar qualquer estudo sistemático acerca da morte. Porém, esse termo é usado especificamente como um ramo da Psicologia, conforme foi dito anteriormente.

TÂNIS
Forma grega de *Zoã.*

TANNA

Essa palavra vem do árabe, onde significa "mestre". Mas estão em foco especialmente os eruditos judeus que recebiam esse nome, e que viveram nos dois primeiros séculos da era cristã, cujos escritos foram incorporados na Mishna (vide) e na Baraita, que são outros escritos de natureza religiosa, além da *Mishna.* Ver sobre *Akiba.*

TANTRAS

Ver sobre *Shastras.* As Tantras são as quatro classes de Escrituras hindus, escritos místicos pertencentes principalmente, aos séculos VII e XVIII d.C. Contêm certo material místico e mágico. Discutem sobre muitos assuntos, incluindo temas como religião, medicina e ciências. Exortam os adoradores a usarem as mantras (vide) e a praticarem ritos que são repelentes para os hindus modernos mais sofisticados. Nesses escritos há instruções acerca de como se pode adquirir poderes psíquicos, incluindo a técnica da projeção da psique (vide).

TAO

No chinês, "o caminho". Pode referir-se ao santo e bendito caminho que pessoas religiosas sérias deveriam seguir agora, e que promete a prosperidade e a saúde; ou, então, está em foco o caminho último da fé religiosa, que dá acesso à glorificação. Essa palavra também é usada para indicar a essência da espiritualidade e da transformação interior máximas, quando o indivíduo atinge o alvo final da existência e do esforço humanos. O *Tao* também é reputado à Fonte Divina de onde todas as coisas teriam procedido, ou seja, o princípio básico do cosmos. A esse princípio básico que, segundo os *taoístas,* todas as coisas retornarão. Ver sobre o *Taoísmo,* Certos apologistas cristãos orientais têm ligado o termo *Tao* ao *Logos* do cristianismo, pensando que a mesma coisa está em mente, embora expressas por diferentes termos, em diferentes idiomas. C.S. Lewis definiu o *Tao* como aqueles princípios elementares da ética geral, de que compartilham todos os pontos de vista representativos de uma sociedade pluralista.

TAOÍSMO

A China tem sido a matriz histórica do sincretismo ímpar da *San Chiao,* as "Três Religiões", a saber: 1. confucionismo; 2. taoísmo; 3. budismo. Durante pelo menos dois mil anos, o taoísmo (pronunciado *douísmo*) tem feito parte integral da cultura e do pensamento chineses, desde seu estágio formativo de antigo misticismo, através de sua fase mágica, até que chegou ao seu estágio religioso recente. Mao Tsé-Tung tentou, com algum sucesso, substituir as Três Religiões pelo marxismo.

"O *Tao* resiste a qualquer tentativa de definição. 'O *Tao* que pode ser expresso por meio de palavras não é o Tao eterno; o nome que pode ser nomeado não é o nome permanente' (Tao Te Ching, I). Para propósitos práticos, o *Tao* indica uma vereda, um caminho, um modo de expressão da natureza, o Caminho da Realidade Última" (H). Alguns pensadores têm vinculado o Tao ao Logos do cristianismo, em seus estudos de religiões comparadas. Ver sobre *Tao.*

"O *taoísmo* é uma das principais religiões ou filosofias da China. Foi fundada em cerca de 500 a.C. por Lao-Tsé, o qual ensinava que a felicidade pode ser adquirida mediante a obediência aos requisitos da natureza humana e a simplificação das relações sociais e políticas, de acordo com o Tao ou Caminho, o princípio básico do cosmos, de onde procede a natureza inteira" (WA).

As escrituras básicas dessa fé chamam-se *Tao Te Ching* (vide). Alguns eruditos pensam que Lao-Tsé ou *Lao Tzu* (vide) não foi uma personagem histórica, pois tratar-se-ia de um termo que significa "velho filósofo", o alegado fundador do taoísmo e autor do *Tao Te Ching.*

Idéias:

1. O ensino místico dessa fé era que o caminho da vida transcende à razão e não pode ser expresso por meio de palavras humanas. Contudo, embora nunca vocalizado, não é um ensino inoperante e insensível. O homem que caminha pela vereda mística sabe o que está acontecendo ao seu ser, e tem consciência da transformação que ocorre quando ele sonda o poder divino, embora talvez não encontre meios de expressar sua experiência.

2. O indivíduo venceria através do quietismo deixando as coisas continuarem, mantendo-se na tranqüilidade, deixando de lutar, procurando encontrar a harmonia da natureza. Haveria dois conjuntos de qualidades opostas, denominados o *yin e o yang* (vide), que ajudariam a

estruturar o universo e governariam todas as coisas. No indivíduo, essas forças encontrariam seu devido equilíbrio.

3. Os requisitos divinos podem ser achados no homem interior, pois o homem é produto do Tao e está destinado a chegar ao Tao Final. Um homem pode sentir-se feliz mediante a obediência às exigências de sua própria natureza, mantendo uma atitude de moderação.

4. Ver sobre *Tao*, quanto a uma idéia acerca da maneira ampla como essa palavra é usada. Tao pode ser entendido como felicidade e harmonia materiais. Porém, também é o alvo a longo prazo de toda existência humana, porquanto aquilo que procede do Tao ao mesmo deve retornar, conforme também se vê acerca do ensino sobre o Logos, no neoplatonismo e no cristianismo.

5. Pessoas comuns adicionaram muitos elementos ao taoísmo: as crenças em espíritos, a sobrevivência da alma, encantamentos mágicos em busca de boa sorte e de cura, confissão de pecados para obtenção de harmonia interior e libertação do mal, a necessidade de boas obras. Os intelectuais estudaram a alquimia, procurando algum meio de tornar o homem imortal; também acrescentaram conhecimentos acerca de boa variedade de questões: química, anatomia, metalurgia, pólvora, anestésicos e farmácia.

6. Lá pelo século III d.C., o taoísmo e o confucionismo rivalizavam fortemente, mas o budismo era mais popular que ambos, entre o povo comum. O taoísmo apela mais para os literatos, para as classes governantes. Os dois mais importantes nomes ligados a essa fé são Chuang Tzu (o alegado fundador do taoísmo) e Hual-nan Tzu. Temos oferecido artigos separados sobre ambos.

TAO-TE CHING

Ver sobre o *Taoísmo*. O *Tao-Te Ching* é o nome da Escritura Sagrada dessa religião. Essa designação significa "Clássico do Caminho e sua Virtude". Esse material foi composto e compilado entre os séculos VI e IV a.C. Consiste em 5.250 caracteres, divididos em oitenta e um capítulos. *Alo Tu* (vide), contem-porâneo mais velho de Confúcio teria sido o autor desses escritos. Se ele foi mesmo uma personagem histórica, é possível que tenha sido autor de parte da obra. Seja como for, esses escritos provavelmente contêm a essência de seus ensinamentos. Várias formas literárias foram incluídas, como hinos, provérbios, polêmicas e discursos didáticos. O material propõe-se, acima de tudo, a ensinar aos homens "o Caminho" (Tao, no chinês).

Idéias:

1. A Realidade Última está acima da intelecção humana, mas os homens têm criado nomes e descrições que dão alguma idéia sobre a mesma. A Realidade Última e Sem Nome é *Tao* (ver o artigo separado sobre esse assunto). Aquilo que pode ser chamado por algum nome é chamado *ser*, conforme o conhecemos; aquilo que não pode ser nomeado é chamado *não-ser*, em termos humanos, mas é chamado *superares*, em termos teológicos, embora o taoísmo não use essa descrição. O que se quer dizer é que a verdadeira realidade é inteiramente *outra*, não estando sujeita a exame por parte da intelecção humana. Apesar do taoísmo ser acusado de ser uma religião impessoal e panteísta, o próprio uso desses termos não pode ser levado muito a sério, depois de já termos sido informados de que a Realidade Última está acima de nossa compreensão.

2. A tarefa do verdadeiro homem sábio consiste em ensinar a seus semelhantes para que atinjam o *Tao*, sem a ajuda de palavras e de nomes relativos ao ser. O indivíduo é iluminado e *sente* que foi transformado pela realidade. Obtém assim um espírito constante, tranqüilo e iluminado. É encorajado a rejeitar as vidas frenéticas das pessoas comuns. Através de uma espécie de inatividade mística e pacífica, sua alma aprende acerca do super-ser.

3. As descrições conferidas ao *Tao* são: invisível, inaudível, sutil, sem forma, infinito, sem limites, vago, fugidio e não-ser (o contrário do que entendemos com o termo "ser"). No entanto, através de experiências místicas e intuitivas, é que os homens obteriam a eternidade em suas vidas presentes, porquanto a eternidade manifesta-se através dessas experiências.

4. O *yin* precisa tornar-se objeto de nossa atenção. Esse é o aspecto passivo, feminino da realidade. O *yang* é o lado masculino e agressivo da realidade; e no mesmo estão envolvidas quase todas as pessoas. O *yin* é harmonioso, dócil, maleável, tranqüilo, submisso, espontâneo e fraco. Quando alguém adquire essas qualidades, torna-se um mestre. Os mestres não são aquelas pessoas agressivas que pisam sobre seus semelhantes para se levantarem, e muito menos os poderosos que abusam de outras pessoas e as matam. Mediante as experiências intuitivas e místicas, o indivíduo aprende a acompanhar a Natureza, a qual é harmônica e pacífica.

5. O líder do povo deveria ser o maior seguidor do Caminho entre os homens, mas é raro encontrar um líder dessa qualidade. Quando um rei é cego para o Caminho então há contendas, desarmonia e guerras. Mas, se um rei segue o Caminho, o povo também acabará seguindo o mesmo, e todos tornam-se prósperos por seus próprios esforços, sem a interferência do Estado. Se o confucionismo dispunha de um elaborado código, um caminho difícil, controlado pela sabedoria, o taoísmo prefere o método do quietismo e das experiências místicas.

6. *Tao* é o equivalente chinês do Logos. A ele todos chegarão; nele tudo consiste; a ele todos retornarão.

TAPUA

No hebraico, "maçã". Esse foi o nome de um homem e de duas cidades, nas páginas do Antigo Testamento:

1. Um descendente de Hebrom (I Cor. 2:43), que, provavelmente, deu seu nome a uma cidade próxima de Hebrom. Havia uma Bete-Tapua naquela área em geral, conforme se vê em Jos. 15:53. Ele viveu por volta de 1500 a.C.

2. Uma cidade na fronteira norte do território de Efraim, a oeste de Siquém (Jos. 15:32; 16:8; 17:8). Provavelmente é a mesma que, modernamente, se chama Sheikh Abu Zarad.

3. Uma das cidades a oeste do rio Jordão, cujos reis foram derrotados pelos israelitas, sob as ordens de Josué (Jos. 12:17). Talvez seja a mesma cidade acima, sob o número "dois". Aparece, na lista de Jos. 12:7-24, entre Betel e Hefer.

TAQUEMONI

O sentido desse nome é desconhecido no hebraico. Era o nome do primeiro dos heróis de guerra de Davi. Ele é mencionado com esse nome somente em II Sam. 23:8. No entanto, nossa versão portuguesa diz que Taquemoni foi o pai de Josebe-Bassebete, que teria sido o primeiro dos heróis de Davi, e não seu pai. Estranho é que há versões que dizem "Taquemoni... o mesmo era Adino...", em II Sam. 23:8. Em I Crô. 11:11, o trecho paralelo diz: "Jasobeão, hacmonita, o principal dos trinta..." Portanto, há considerável indecisão no texto, conforme o encontramos em nossa Bíblia portuguesa e em outras versões. Por isso mesmo, alguns estudiosos pensam que está envolvido um erro de copista, onde uma letra hebraica teria sido confundida com outra,

TARALA

No hebraico, "poder de Deus". Uma cidade que ficava no território de Benjamim (Jos. 18:27). Ela aparece, em uma lista, entre Ispreel e Zela. Provavelmente ficava localizada na região montanhosa, a noroeste de Jerusalém. Atualmente, seu local exato é desconhecido.

TARDE

Vem do hebraico, com o sentido de **fim do dia** (Juí. 19:8). Incluía a quinta e a sexta divisões do dia. Os hebreus computavam o dia das 18:00 horas às 18:00 horas, dividindo-o em seis períodos de igual duração: romper do dia; manhã; calor do dia, começando cerca das 9:00 horas; meio-dia; frescor do dia, tarde. O *frescor do dia* correspondia ao final de nossa atual *tarde*. Tinha esse nome porque, no oriente, o vento começava a soprar poucas horas antes do pôr-do-sol, continuando até descer à noite. Grande parte dos negócios do dia eram realizados durante esse período. (Ver Gên. 3:8 e Juí. 19:8 - no primeiro trecho temos "viração do dia"; e no segundo, "declinar do dia", em nossa Bíblia portuguesa).

TAREIA

No hebraico vôo. Bisneto de Jônatas, filho do rei Saul. O pai de Taréia foi Meribe-Baal mencionado em I Crô. 8:35 e 9:41. Viveu por volta de 1000 a.C.

TARGUM

I. Nome
II. Caracterização Geral
III. Targuns de Várias Porções das Escrituras
IV. Usos dos Targuns

I. Nome

Targum é a palavra hebraica que significa *"tradução"*, mas na prática traduções, paráfrases e comentários do Antigo Testamento têm sido assim chamados. Aplicando o sentido amplo do termo, o mais importante dos Targuns foi a Septuaginta ou a versão grega da Bíblia hebraica.

II. Caracterização Geral

Os Targuns tinham o objetivo de beneficiar no exílio os judeus que haviam esquecido o hebraico ou que tinham pouca habilidade com ele. Este foi certamente o caso da Septuaginta que serviu aos judeus da Diáspora. Mas essas traduções também eram muitas vezes paráfrases e comentários daquele texto iluminado, não meramente traduções. Os primeiros Targuns estavam em aramaico. Então veio a poderosa Septuaginta, (tradução dos Setenta que era assim chamada, pois, presumivelmente, era o trabalho de setenta estudiosos judeus da Alexandria). Outro Targum grego foi o de Áquila do segundo século a.C. Ele foi um prosélito da fé hebraica que nutria grande interesse na Bíblia hebraica e queria compartilhar dela com o povo que falava grego. Em um momento posterior, sua tradução foi vertida para o aramaico e tornou-se, por um período, o texto oficial na Babilônia. Mais tarde o trabalho dele também foi empregado na Palestina para ajudar aqueles que conheciam pouco hebraico clássico para compreender sua própria Bíblia. Essa tradução foi o *Targum Onkelos*.

O uso mais restrito deste termo se refere a um grupo de traduções aramaicas do Antigo Testamento. Na prática, essa definição mais restrita passou a dominar os estudos da Bíblia e é aquela que é empregada no restante deste artigo.

O fenômeno do Targum ilustra uma verdade óbvia a qualquer um que lida com literatura: trabalhos importantes apenas podem cumprir com seu potencial quando são traduzidos e disponibilizados a outros povos.

III. Targuns e Várias Porções das Escrituras

Antes da época de Cristo, o aramaico passou a ser a língua comum da comunidade judaica e assim tornou-se necessário primeiro ler o hebraico (pois teria sido impossível para o povo abandonar sua Bíblia histórica) e então fazer com que uma segunda pessoa lesse o aramaico da mesma passagem que havia sido lida. Também eram fornecidas explicações, que incluíam paráfrases e comentários, e parte disso começou a integrar o Targum e a tradição. Até o final do segundo século d.C., ou no início do terceiro, em muitas sinagogas, foi abandonado o serviço duplo, que consumia muito tempo, usava-se apenas a versão em aramaico, sendo esse o idioma que o povo compreendia. Esse foi o equivalente ao abandono, por parte da Igreja Católica Romana, da missa em latim. Em locais fora da Palestina, onde outros idiomas eram falados, os Targuns deixaram de ser usados nos cultos, e outros idiomas eram usados para explicar as Escrituras por homens que, em particular, continuavam a usar os Targuns. Esse "modernismo" horrorizou muitos rabinos que continuavam a estudar o Antigo Testamento em seu idioma original e as traduções e paráfrases em aramaico.

1. Do Pentateuco. O Targum de Onkelos era o mais conhecido dos Targuns daquela parte das Escrituras. Originário da Palestina, cópias dele foram levadas à Babilônia. É mais literal (mais próximo ao hebraico) do que os Targuns que o seguiriam. O trabalho contém, contudo, algumas idéias distintas e comentários que promovem a interpretação messiânica de Gên. 49.10 e Núm. 24.17 e existe em número relativamente grande de cópias.

2. Dos Profetas. O melhor desses é aquele atribuído a Jônatas Ben Uzicl, estudante do famoso rabino Hilel. Depois houve aquele chamado de Pseudo-Jônatas, que também continha o Pentateuco. Esse trabalho posterior fornece uma interpretação messiânica das passagens do Servo do Senhor de Isa. 52.13 - 53.12, mas declarações que se refem a seu sofrimento são excluídas, ou se faz com que elas se relacionem a Israel, não a seu Messias (o próprio Servo).

3. Da Hagiografia. O termo Hagiografia (do grego, para escritos sagrados) aplica-se à terceira seção do Antigo Testamento, sendo a primeira a lei, e a segunda os profetas. A terceira seção inclui o seguinte: Salmos, Provérbios, Jó, Cantares, Rute, Lamentações, Eclesiastes, Ester, Daniel, Esdras, Neemias e I e II Crônicas, totalizando 13 livros. Os *Targuns* que tratam desses livros são um tanto recentes, mas alguns deles, ou partes deles, podem remeter a outros mais antigos que agora estão perdidos. O *Talmude* refere-se a um Targum sobre Jó que não existe hoje. Parece ter surgido durante o primeiro século a.C. Um fragmento de tal Targum (não ne-cessariamente aquele mencionado pelo Talmude) estava entre os manuscritos descobertos em Qumran. Ver os artigos *Mar Morto*, *Manuscritos* (*Rolos*) *de* na Enciclopédia de Bíblia, Teologia Filosofia.

IV. Usos dos Targuns

1. Os textos dos *Targuns* muitas vezes são livres demais para ser de uso para crítica textual. Isto é, eles não podem ser usados com muita freqüência para ajudar a determinar as leituras originais da Bíblia hebraica.

2. São úteis, contudo, para compreender a interpretação da Bíblia hebraica pelos rabinos que, através do século, ensinavam isso.

3. Embora contenham alguns erros históricos e

anacronismos, às vezes os *Targuns* dão informações valiosas sobre os significados de antigas palavras hebraicas que de outra forma poderiam ter continuado desconhecidas a nós.

4. O maior serviço dos Targuns foi o de trazer o significado da Bíblia hebraica a povos que não mais falavam ou conseguiam ler o hebraico clássico (bíblico).

5. Os Targuns abriram ainda outra janela ao estudo do Antigo Testamento.

TARPELITAS

Esse grupo de gente é mencionado exclusivamente em Esd. 4:9. Há pelo menos duas opiniões acerca da identificação deles. Uma delas é que esse pode ter sido o título de certos oficiais persas. Essa opinião é difícil de ser sustentada, pois todos os outros nomes que aparecem nesse versículo - dinaítas, afarsaquitas, afarsitas, arquevitas, babilônios, susanquitas, deavitas e elamitas - representam grupos étnicos. A outra opinião é que seria esse o nome de algum povo ou população que os babilônios haviam transportado para ocupar a cidade de Samaria. Mas, quando esse ponto é admitido, novamente surgem dificuldades de identificação. Há quem se confesse ignorante quanto à procedência deles, embora haja outros estudiosos que arriscam dizer que seria alguma tribo assíria, de *Tapur*, a leste do Elão, ou de *Tarpete*, nos alagadiços maeóticos. Seja como for, essa gente toda foi transportada para Samaria em 678 a.C.

TÁRSIS

No hebraico, "duro" segundo a opinião de alguns estudiosos. No Antigo Testamento, esse é o nome de três personagens, de uma cidade ou região e de um tipo de embarcação, conforme se vê abaixo:

1. Um filho de Javã, e bisneto de Noé, através de Jafé (Gên. 10:4 ss). E talvez, também uma nação fundada por ele ou seus descendentes (Isa. 66:19). O seu nome também é mencionado em I Crô. 1:7. Os estudiosos pensam que a maioria dos nomes que aparece na tabela das nações, no décimo capítulo de Gênesis, refere-se tanto a indivíduos como a grupos que se formaram em torno desses indivíduos, dos quais descendiam, direta ou indiretamente. Társis, pois, é considerado genitor de um dos povos mediterrâneos. Alguns eruditos pensam que os seus descendentes seriam os *tirsenoi*, que habitaram na porção ocidental da península itálica. Mas outros identificam-nos com habitantes da península ibérica, podendo ser identificados com os tartessianos. Ver sobre *Tartesso*, no quarto ponto, abaixo, e no artigo com esse título.

2. Um bisneto de Benjamim, filho de Bilã (I Crô. 7:10), que se tornou um epônimo de uma família benjamita. Viveu em torno de 1400 a.C.

3. Um dos sete príncipes da Média e da Pérsia, ao serviço de Xerxes (Est. 1:14). Tinha o direito de acesso ao monarca a qualquer momento em que o quisesse fazê-lo. Viveu por volta de 520 a .C.

4. Uma cidade do extremo ocidental do mar Mediterrâneo, nas proximidades do penhasco de Gibraltar, na Espanha. Era um grande entreposto de comércio com metais (Jer. 10:9; Eze. 27:12). Tem sido considerada idêntica a Tartesso (vide), acerca da qual Heródoto escreveu (4.152), e que foi a cidade para onde Jonas pretendia fugir (Jon. 1:3; 4:2). Uma inscrição fenícia, do século IX a.C., encontrada em 1773, na ilha de Sardenha, diz que havia uma cidade de Társis nessa ilha. Navios de Társis (ver o quinto ponto, abaixo) chegavam até ali, partindo de Eziom-Geber (vide).

5. Certas embarcações, grandes e bem construídas, chamadas na Bíblia de "navios de Társis", são mencionadas por dez vezes no Antigo Testamento: I Reis 10:22; 22:48; II Crô. 9:21; Sal. 48:7; Isa. 2:16; 23:1,14; 60:9 e Eze. 27:25. Esses navios têm deixado os estudiosos perplexos. Essas passagens envolvem navios e portos. Assim foi que Hirão, rei de Tiro, mantinha em Eziom-Geber (atual Tell el Kheleifeh), no alto do golfo de Ácaba, uma refinaria de metais e um estaleiro de navios. Dali, ele e Salomão, seu sócio no empreendimento, operavam navios de Társis. Talvez houvesse outros portos que operavam com navios de Társis, mantidos pelos fenícios na ilha de Sardenha, no sudoeste da Espanha (Tartesso), e, talvez no Oriente Próximo, de onde podiam ser reembarcadas mercadorias trazidas até ali da Índia (II Crô. 9:21), para outras regiões.

Nessa conexão, a expressão "navios de Társis" nada diz no tocante a algum destino, e nem significa, "pertencente a Társis" ou que "negocia com Társis". Antes, o que está em foco é a natureza das embarcações, o seu tamanho e a sua capacidade de enfrentar mar alto, idéias essas que transparecem em passagens como Sal. 48:7; Isa. 2:16; 23: 1; Eze. 27:25. Outras referências bíblicas, como, por exemplo, Eze. 38:13 e Sal. 72:10, embora envolvam a idéia de alguma cidade, sugerem que os navios de Társis fossem uma espécie de símbolo do comércio e dos negociantes da área do mar Mediterrâneo, que eram bem conhecidos nas águas desse mar e do mar Vermelho, e que transportavam mercadorias de grande valor.

A lista genealógica do décimo capítulo do livro de Gênesis, em conexão com I Crônicas 1:7, dá a entender que esses navios especiais de Társis negociavam com as ilhas gregas. Esse comércio, que foi efetuado nos séculos VII e VI a.C., foi comentado por Heródoto (1. 163 e 4.152).

TARSO

1. *Nome e Situação Geográfica*

No grego, *Tarsós*. A cidade de Tarso (moderna Tersous) ficava situada na planície ciliciana, às margens do rio Cidno, cerca de dezesseis quilômetros da beira-mar. Ali ficava um dos centros da civilização, ao longo daquelas costas marítimas, antigamente sal-picada de instalações piratas. Um cálculo feito com base na grande extensão de suas antigas ruínas, sugere que Tarso já tenha contado com cerca de meio milhão de habitantes. Para a época, isso representava uma considerável população. O curso inferior do rio Cidno era plenamente navegável, o que significa que Tarso operava como um porto de mar. Esse porto fora habilidosamente construído, em um lago entre a cidade e o mar. Diom Crisóstomo, ao falar em Tarso, em 110 d.C., referiu-se ao orgulho dos cidadãos daquela cidade, com um toque de ironia, porquanto criticava todas as disposições ambientais do lugar. Na verdade, entretanto, os habitantes de Tarso muito se ufanavam dessas condições de sua cidade. Eles tinham criado aquele meio ambiente, utilizando-se do rio para atendimento de suas necessidades, e tendo construído uma "cidade não insignificante", no dizer de Paulo (ver Atos 21:39), apropriando-se de uma expressão usada por Eurípedes, o grande dramaturgo, ao referir-se à sua própria cidade de Atenas (Eurípedes, Ion 8).

As comunicações terrestres da cidade envolviam uma engenharia igualmente notável. Cerca de quarenta e oito quilômetros terra adentro, de Tarso, ficava a grande barreira das montanhas de Tarso, cortada por um profundo passo, conhecido como Portões Cilicianos. Os habitantes de Tarso haviam feito passar por essa estreita passagem

Os Portões de Tarso, Montanhas Tauros
Cortesia, Levant Photo Service

Estrada de Mármore, Éfeso, Cortesia, Matson Photo Service

TARSO – TARTÃ

uma de suas principais estradas. Virtualmente, portanto, a cidade ficava às margens do Mediterrâneo, numa de suas regiões onde a civilização se mostrava das mais brilhantes, devido à mescla de culturas diversas. Ali encontravam-se o Ocidente e o Oriente, ao mesmo tempo que os interiores estavam abertos aos negociantes de Tarso. Por seus próprios esforços, os habitantes de Tarso tinham feito de sua cidade um ponto pivô de comunicações.

2. Origem da Cidade

Tarso foi fundada já perto do segundo milênio a.C., mas seus primórdios estão envoltos em obscuridades. Um certo Mopsus é considerado um de seus fundadores. Esse nome parece ser de origem grega. É uma sugestão tão boa quanto qualquer outra que gregos jônicos, famosos por seu dinamismo, cujas colônias pontilhavam as margens ocidentais da Ásia Menor, também tenham chegado à Cilícia, unindo-se a alguma população primitiva, às margens do rio Cidno.

3. Na Tabela das Nações

Na tabela das nações (Gênesis 10), Javã certamente corresponde aos gregos jônicos; e Társis, que aparece vinculado a ele, nesse contexto pode referir-se a Tarso. Não há certeza quanto a isso, mas tal possibilidade de forma alguma elimina outras interpretações sobre a palavra "Társis", em outros contextos do Antigo Testamento. Todos aqueles que têm procurado lançar luz sobre os primórdios de Tarso têm-se referido a essa possibilidade.

4. História a.C.

No entanto, não é possível oferecer uma história contínua dessa cidade, até mesmo quando chegamos na época em que se começou a fazer a história do Mediterrâneo oriental. Só há informes esparsos, um pouco aqui e um pouco ali. Para exemplificar isso, o conquistador assírio, Salmaneser III, cujo reinado sangüinário pode ser datado entre 859 e 824 a.C., o mesmo monarca que escreveu as palavras "Jeú, filho de Onri", em seu obelisco Negro, atualmente no Museu Britânico, fez uma rápida e superficial alusão a Tarso, no registro de suas agressões e conquistas militares.

Depois disso, há quatro séculos destituídos de qualquer informação a respeito de Tarso. Só se obtém alguma informação já referente ao ano 401. a.C. Nesse tempo, a Assíria e a Babilônia tinham deixado de ser impérios, e a Pérsia governava uma imensa área de terras, desde o rio Indo até às margens do mar Egeu. Nessa época, Tarso era governada por um rei títere de nome Sienesis. Esse fato é noticiado em um livro famoso e de grande significação, o *Anábasis*, de autoria de Xenofonte, aquele soldado, aventureiro e escritor ateniense.

Meio século mais tarde, o relato deixado por Xenofonte, que partira como parte de um exército desde o coração do império persa, até Tarso, revelou, ao jovem Alexandre da Macedônia, um ponto de fraqueza inerente dentro do vasto sistema dos persas. Alexandre aplicou a lição ali aprendida e atacou a Pérsia. E, ao atravessar a Cilícia, com o seu exército, encontrou ali um governador persa (334 a.C.).

Moedas cunhadas nesse período também lançam alguma luz sobre essa época. Nessas moedas, antes da época de Alexandre, os motivos orientais eram os dominantes, sugerindo que a influência grega ali fosse débil. Mais tarde, porém, a forte presença grega, evidenciada nessas moedas, revela que Tarso fora firmemente integrada no regime selêucida da Síria, após a divisão em quatro do ex-império de Alexandre. Por essa altura dos acontecimentos, a Tarso onde Paulo nasceu e se educou, estava tomando forma.

5. Tempos Romanos e Depois

A região foi governada a princípio, pelos governantes selêucidas, como uma província, segundo o padrão das satrapias persas (vide), com o intuito de desencorajar a tendência habitual dos gregos para formarem cidades-estados independentes. Mas isso foi rudemente interrompido com o inevitável choque com os romanos, que vinham avançando, cada vez mais, naquela direção, ao mesmo tempo em que os sírios procuravam reconquistar, para o Ocidente, regiões que antes tinham estado sob a sua hegemonia. Quando Antíoco foi derrotado pelos romanos, a cidade de Tarso tornou-se parte de uma província romana tampão, de fronteira. Isso posto, ela pôde absorver as influências orientais e ocidentais, ao mesmo tempo, dali por diante.

a. Paulo e Tarso

Paulo, em sua juventude, embora de etnia judaica, foi um produto natural dessa cidade cosmopolita. Em sua epístola aos Gálatas, Paulo deixa entendido que não foi por acaso que Tarso fora o lugar do nascimento de um homem dotado de um chamamento missionário como o dele. Seu meio ambiente talhou-o para esse propósito. Um missionário cristão enviado aos gentios teria de ser um judeu, imbuído do Antigo Testamento e seus grandes ideais; mas também precisava ser um grego quanto à cultura, capaz de interpretar uma teologia nascente segundo as formas do pensamento helênico, e também capaz de exprimir o que tinha a dizer no riquíssimo idioma grego, a segunda língua de todos os homens que viviam desde a Itália até o golfo Pérsico. Mas, em terceiro lugar, era mister que ele fosse um cidadão romano, no sentido mais autêntico, que compreendesse o gigantesco sistema daquele império e as oportunidades que o mesmo oferecia. Nenhum outro homem, daquela época histórica, combinava essas características de maneira tão harmoniosa quanto Paulo de Tarso. Paulo era um judeu, treinado pelo notável mestre da lei, Gamaliel. Sabia pensar e falar como um grego, citando poetas nativos da Cilícia, diante dos intelectuais de Atenas e escrevendo documentos sagrados (suas epístolas) em um grego vigoroso. E, por nascimento, era um cidadão romano, o que o punha a salvo de maiores abusos da parte de governantes locais, que quisessem persegui-lo por motivos religiosos, em face de sua pregação sobre o Cristo.

b. Atenas do Mediterrâneo

Pouco antes da época de Paulo, Tarso tinha atravessado um brilhante período de sua história, quando ela se tornou a Atenas do Mediterrâneo oriental, uma cidade universitária, para onde convergiam homens de erudição. Também era a cidade natal de Atenodoro (74 a.C.-7 d.C.), o respeitado mestre do próprio César Augusto. Ali também era a sede de uma escola de filósofos estóicos, o que estimulava e desafiava qualquer mente brilhante para desenvolver-se, aprender a pensar e aprender a debater.

A fundação da Igreja cristã de Tarso, provavelmente, foi obra de Paulo. Muitas das dificuldades por ele experimentadas, alistadas por ele na passagem autobiográfica de II Coríntios 11:24-27 – os perigos e as aventuras – ocorreram na Cilícia – na sua própria cidade de Tarso, nos interiores e nas áreas marítimas das cercanias.

TARTÃ

Vem do acádico, um idioma semita, **tartanu**, de significação desconhecida. Nas listas assírias, um "tartã" aparece como um elevado oficial, inferior somente ao próprio monarca. Esses oficiais figuram desde os tempos de Adade-Nirari II, Salmaneser III, Tiglate-Pileser III, Sargão II e Senaqueribe. Eram generais de exército.

TARTAQUE – TATUAGEM

Nas páginas do Antigo Testamento dois desses "tartãs" são mencionados. O primeiro deles foi enviado pelo rei assírio Sargão II, a fim de capturar a cidade de Asdode (Isa. 20:1); e o segundo deles foi enviado por Senaqueribe, juntamente com outros oficiais, Rabe-Saris e Rabsaqué (vide), exigindo a rendição de Jerusalém (II Reis 18:17). Nas traduções em geral (incluindo a nossa versão portuguesa) há considerável confusão quanto a esses títulos, onde aparecem como se fossem nomes próprios de indivíduos, e não títulos nobiliárquicos. Ver também os artigos sobre *Rabe-Saris e Rabsaqué*.

TARTAQUE

No hebraico, "herói das trevas". Uma divindade e um ídolo adorado pelos aveus, aos quais Salmaneser removeu para Samaria. Esse deus pagão só é mencionado em II Reis 17:31. Interessante é observar que, nos anais assírios, nenhuma divindade com esse nome é jamais mencionada. Porém, é possível que o nome "Tartaque" seja uma corruptela de *Atargatis*, uma divindade adorada na Mesopotâmia. Os aveus também trouxeram consigo outro ídolo, chamado *Nibaz*, que os estudiosos dizem que tinha a forma de um asno. Esses e outros ídolos, que os pagãos transportados para Samaria trouxeram consigo do Oriente, faziam parte do culto misto dos samaritanos, que temiam ao Senhor Deus, mas também tinham suas divindades pagãs particulares. Por causa disso mesmo é que os samaritanos sempre foram vistos com maus olhos pelos judeus, pois o culto samaritano era um misto de noções religiosas certas e erradas, constituindo um perigoso rival do culto judeu monoteísta.

TÁRTARO

De acordo com a mitologia grega, o **tártaro** era o abismo, existente por debaixo do hades, onde Zeus confinara os titãs. Ver o artigo geral sobre o *Hades*.

O *Tártaro* personificado é um deus, filho de *Aether* (o ar) e de *Gê* (a terra). E seria o pai do gigante Tifeu. Aether gerou o gigante com sua própria mãe, Gê. Mas, quando está em foco um *lugar*, o conceito é de um abismo negro, que existiria muito abaixo da superfície da terra (no centro da terra), achando-se tão distante da superfície quanto a terra é distante do céu. Acima do tártaro estariam os fundamentos da terra e do mar. Estaria circundada por uma muralha de ferro, com portões de ferro levantados por Poseidon, e por uma tríplice espessa camada de noite. Servia de prisão ao destronado Crono e aos vencidos titãs, todos guardados pelos hecatonquires, os filhos de Urano, dotados de cem braços. Com a passagem do tempo o tártar passou a ser considerado como um lugar que fica por baixo do hades, pior ainda que aquele lugar, uma miserável cena da condenação dos ímpios. Originalmente, o submundo, abrigaria fantasmas destituídos de mentalidade; mas, gradualmente, esses fantasmas tornaram-se verdadeiros espíritos, dotados de memória e consciência. Assim foi progredindo a doutrina do hades, tanto na cultura grega quanto na cultura hebréia. Ver também os artigos intitulados *Sheol e Geena*.

A forma nominal, *Tártaro*, não se acha no Novo Testamento; mas sua forma verbal, *tartaróo*, encontra-se em II Ped. 2:4, que nossa versão portuguesa traduz como "precipitando-os no inferno" mas outras versões dizem: "precipitando-os no tártaro". O judaísmo helenista tomou a palavra emprestada dos gregos, concebendo o tártaro como um lugar parecido com a geena, como um segmento extremamente ruim do hades. No trecho de Enoque 20:2, o tártaro aparece como lugar de punição dos anjos caídos, com paralelo em Apo. 12:4, embora a palavra "tártaro" não seja empregada nessa passagem bíblica. Mas, se nos mitos gregos, o tártaro era pior que o hades, não parece que II Pedro faz tal distinção. Está em foco o mesmo hades, posto que com o uso de um outro vocábulo. Mas o termo "tártaro" faz-nos ali lembrar da natureza horrenda do lugar do julgamento. Na literatura apocalíptica judaica, o tártaro sempre aparece como lugar de punição e desespero. Ver Filo, Êxo. 15:2; Josefo, C. Ap. 2,240; Orác. Síb. 2.302; 4,186 e Enoque 20:2.

Esperança no Tártaro? O trecho de I Ped. 3:18–4:6 descreve uma missão de misericórdia e amor no hades, por parte de Cristo. Cristo tem tido *três missões*: a terrena; aquela no hades; aquela no céu. Todas as três são remidoras, e todas visam cumprir poderosamente *o Mistério da Vontade de Deus* (vide).

Ver também os artigos *Descida de Cristo ao Hades e Restauração*. A leitura dos três artigos aqui mencionados confere ao leitor razões para crer que o amor de Deus atingiu, realmente, o mais baixo inferno, tal como também entoa certo hino.

TASSI

No grego, **Thassi**. Esse era o sobrenome de Simão Macabeu, um dos cinco filhos de Matatias (I Macabeus 2:3). Após conseguir a independência dos judeus, ele tornou-se o fundador da dinastia dos Macabeus. Não há certeza quanto ao sentido desse sobrenome, embora alguns opinem que talvez signifique *zeloso*.

TATENAI

Seu nome, em grego, era **Sisinnes** que aparece em I Esdras 6:3 e 7: I. Com esse nome, Tatenai, aparece na Bíblia somente no livro de Esdras (5:3,6; 6:6,13). Ele era um governador persa, sucessor de Reum, durante o reinado de Dario Histaspes, da Pérsia, no tempo de Zorobabel. Tatenai governava o distrito de Samaria, ao passo que Zorobabel era o governador da Judéia. Tatenai investigou e apresentou relatório encorajador à questão da reconstrução da casa de Deus, em Jerusalém, ao rei Dario. Em uma inscrição cuneiforme, proveniente da Babilônia, datada de 5 junho de 502 a.C., Tatenai é chamado de "Tatenai do distrito daquém do rio", o que pode ser confrontado com o que se lê em Esd. 5:6: (Tatenai, o governador daquém do Eufrates).

TÁTIM-HODSI,

Parece ter sido nome de um distrito localizado entre Gileade e Dã-Jaã. Esse distrito foi visitado por aqueles que faziam o recenseamento em nome de Davi, rei de Israel (II Sam. 24:6). O texto é incerto, e o local não é mencionado em qualquer outra passagem bíblica. Algumas traduções especulam sobre o que esse nome significaria. Assim, a RSV e a nossa versão portuguesa dizem "até Cades na terra dos heteus", isto é, Cades sobre o Orontes, até onde se estendia o reino de Davi, no máximo de seu poder.

TATUAGEM

Essa palavra portuguesa vem do taitiano *tatau*, a reduplicação da palavra *ta*, que significa "marca", "sinal". Está em foco uma marca indelével, feita mediante técnicas próprias, picando a pele e inserindo algum pigmento sob a mesma. Embora, provavelmente, não haja nenhuma alusão direta à técnica da tatuagem, nas páginas da Bíblia, essa tem sido considerada uma interpretação possível em cinco situações aludidas na Bíblia, a saber:

TATUAGEM – TAXAÇÃO

1. *Oth*, "sinal". Palavra usada por setenta e nove vezes no Antigo Testamento, conforme se vê, por exemplo, em Gên. 1:14; 4:15; Êxo. 4:8,9,17,28,30; Núm. 14:11; Deu. 4:34; 6:8,22; Jos. 4:6; Juí. 6:17; 1 Sam. 2:34; II Reis 19:29; Nee. 9:10; Sal. 74:4,9; Isa. 7:11,14; 8:18; Jer. 10:2; Eze. 4:3; 20:12,20. O termo grego correspondente é *semeion*, "sinal", usado por quarenta e oito vezes, conforme se vê, por exemplo, em Mat. 12:38; Luc. 2:12; João 2: 18; Atos 2:19,22,43; Rom. 4:11; I Cor. 1:22; II Cor. 12:12; II Tes. 2:9; Heb. 2:4; Apo. 15:1.

2. *Chaqaq*, "gravação". Com esse sentido, é usada por duas vezes: Isa. 22:16 e 49:16. Na última dessas referências, a idéia é que, gravando os nomes de Seu povo em Sua mão, jamais se esqueceria deles.

3. *Seret*, "incisão", "corte". Essa palavra só aparece em Lev. 19:28, onde se lê: "Pelos mortos não ferireis a vossa carne; nem fareis marca nenhuma sobre vós: Eu sou o Senhor". O termo *seret* é traduzido ali como "ferireis". Isso parece ser uma clara proibição do uso de tatuagens, entre os judeus. Uma das mais horrendas tatuagens eram aqueles números que os nazistas tatuavam no braço de judeus que estavam condenados a morrer nos campos de concentração, onde foram mortos seis milhões de israelitas, a mando de Hitler e sua infame camarilha.

4. *Charagma*, "impressão", "marca impressa". Esse termo grego aparece por oito vezes: Atos 17:29; Apo, 13:16,17; 14:9,11; 16:2; 19:20; 20:4. Na primeira dessas referências temos a palavra "trabalhados", o que é uma tradução lícita. Em todas as referências do livro de Apocalipse está em foco algum tipo de marca que o futuro anticristo exigirá da parte de seus seguidores. Diz Apocalipse 13:17: "...para que ninguém possa comprar ou vender, senão aquele que tem a marca, o nome da besta, ou o número do seu nome". Uma incrível sanção financeira, uma ditadura como nunca terá havido igual no mundo. Ninguém sabe, entretanto, no que consistirá a tal "marca", a menos que pensemos em uma sigla formada pelas letras gregas correspondem ao número "666".

5. *Stígma*, "ponto", "marca". Palavra grega usada somente em Gál. 6:17, onde o apóstolo Paulo diz: "Quanto ao mais, ninguém me moleste; porque eu trago no corpo as marcas de Jesus". Alguns têm pensado que estariam em foco o que, na Igreja Católica Romana, é chamado de "estigma", marcas semelhantes a marcas deixadas pelos cravos, nas mãos de Jesus, e que teriam aparecido em alguns "santos" católicos romanos. Mas Paulo não estava falando sobre coisas assim. Antes, ele havia ficado marcado pelos sofrimentos, sofridos pela causa de Cristo, que tinham deixado sinais indeléveis em seu corpo quebrantado pelas asperezas da caminhada de um apóstolo de Cristo.

Alguns têm pensado que o trecho de Lev.19:28 (ver o ponto terceiro, acima,), sem dúvida, alude à prática da tatuagem. Mas, embora algumas versões estrangeiras tenham traduzido o vocábulo hebraico *seret*, ali usado, por "tatuar", os estudos feitos quanto aos costumes de lamentação e luto pelos mortos indicam freqüentes associações de cortes feitos no corpo ou pinturas com o raspar dos cabelos, mas nunca com tatuagens, que se revestem de outro sentido. Por semelhante modo, qualquer situação retratada nas Escrituras que possa ser interpretada como indício da prática das tatuagens tem base meramente conjectural, e não se escuda sobre qualquer inferência etimológica ou etnológica.

TAU
A vigésima segunda letra do alfabeto hebraico. Na Bíblia em hebraico, a vigésima segunda seção do Salmo 119 começa com essa letra. Visto que os hebreus não tinham algarismos para representar os números, representando-os por meio de letras, como também faziam os gregos e os romanos, embora usassem sistemas diferentes, essa letra representava o número quatrocentos.

TAULER, JOÃO
Suas datas foram 1300 – 1361. Foi um místico alemão, influenciado por Eckhart. Foi frade dominicano educado nas escolas da ordem, em Estrasburgo e Colônia. Tornou-se orador e escritor eloqüente, cujos sermões são considerados entre as mais nobres expressões do idioma alemão. De modo geral, ele seguia o neoplatonismo, mas acreditava que a retorno a Deus requer o dom da graça vinculado à automortificação.

TAUTOLOGIA
Uma definição léxica dessa palavra é "uma repetição desnecessária de uma mesma idéia, com o uso de diferentes palavras; pleonasmo" (WA). Algumas tautologias são sutis e atraem a atenção somente dos gramáticos, como: "Ele está escrevendo a sua própria autografia". O grego por trás dessa palavra é *tauto*, o mesmo. Portanto, uma tautologia repete um pensamento.

Na lógica, uma tautologia é uma proposição que é verdadeira em virtude de sua própria forma. A matemática é uma forma de tautologia. E alguns pensadores supõem que toda definição seja uma tautologia. Uma tautologia é necessariamente veraz, mas a verdade envolvida pode ser trivial. Tillich considerava tautológicos todos os produtos da razão autônoma. E Wittgenstein dividia as proposições significativas em duas classes: aquelas que exprimem fatos e aquelas que exprimem tautologias. Uma tautologia é veraz por causa de sua forma lingüística e lógica, e não porque corresponde a algo que existe no mundo real.

TAV (TAU, ASSINATURA)
No hebraico, *tav*, usualmente considerada como uma forma sintética de "tau", nome da última letra do alfabeto hebraico, mais um sufixo possessivo pessoal... Tem o sentido de "minha marca" ou "minhas iniciais". Aparece sem esse sufixo, no trecho de Ezequiel 9:4,6, onde nossa versão portuguesa, seguindo muitas outras, a traduz por "marca". Alguns estudiosos pensam que seria apenas uma espécie de "X", a forma de tau semita, de acordo com a primitiva escrita redonda. Em Jó 31:35, a única ocorrência do vocábulo sem o sufixo, refere-se a um documento legal, provavelmente um tablete de argila, sobre o qual a pessoa que se defendia ou contratava deixava impressa a sua marca. Nossa versão portuguesa diz ali "defesa assinada".

TAXAÇÃO
Há uma palavra hebraica e uma palavra grega envolvidas:

1. *Arak*. No "hifil", essa palavra tem o sentido de "taxar", por uma única vez: II Reis 23:35. O substantivo correspondente, *erek*, "avaliação", "taxação", também só ocorre por uma vez com esse sentido, nesse mesmo versículo.

2. *Apographé*, "registro". Essa palavra grega ocorre somente por duas vezes: Luc. 2:2; Atos 5:37. Em ambas as passagens, observa-se claramente que esse registro ou recenseamento era feito com o objetivo precípuo de cobrar certa taxa por cabeça. Não há que duvidar que os antigos governantes sabiam cobrar taxas e impostos. Chegavam a abusar quanto a isso, sobretudo no caso de nações

militarmente conquistadas, a um ponto que chegou a ser vergonhoso. Nesta enciclopédia, reservamos os comentários mais completos a respeito no artigo intitulado *Tributo* (vide).

TAYLOR, JEREMY

Suas datas foram 1613 - 1667. Foi um teólogo inglês. Nasceu em Cambridge, onde também educou-se e ensinou. Também foi professor, por algum tempo, em Oxford. Foi um notável eclesiástico. Foi aprisionado por diversas vezes. Passou alguns anos no País de Gales e na Irlanda. E acabou falecendo nesta última: Waldo Emerson chamou-o de "Shakespeare das divindades". Foi poderoso porta-voz em defesa da tolerância (vide) política e religiosa, embora poucos tenham sido tolerantes com ele.

Taylor não acreditava que pudéssemos demonstrar logicamente as verdades divinas, e também ensinava que a teologia é uma vida divina a ser vivida, e não tanto um conhecimento a ser obtido. Por conseguinte, seria impossível acharmos harmonia e concórdia na teologia. E aqueles cuja teologia é diferente deveriam poder crer e viver sem temor à perseguição.

Principais Escritos. A Discourse on the Liberty of Prophesying; The Rule and Exercises of Holy Living; The Rule and Exercises of Holy Dying; Twenty-Seven Sermons; Twenty-Five Sermons; The Real Presence, Unum Necessarium.

TAYLOR, NATHANIEL

Suas datas foram 1786 - 1858. Ele foi um teólogo norte-americano. Nasceu em New Milford, Estado de Connecticut. Educou-se em Yale. Foi ministro da primeira igreja de New Haven. Ensinou em Yale. Sua teologia, chamada *taylorismo* ou *teologia de New Haven*, tinha por intuito oferecer uma espécie de defesa do calvinismo, em oposição ao arminianismo e ao pelagianismo. Mas, sob exame, vê-se que ele defendia princípios arminianistas. Ele dizia que o homem "não somente pode se quiser, mas até pode se não quiser", enfatizando assim o poder do livre-arbítrio. Negava que qualquer decreto divino pudesse ter trazido o pecado ao mundo, e lançava toda a culpa disso ao exercício da livre agência humana. Também ensinava um Deus finito, como quando asseverava que Deus não foi capaz de impedir que entrasse no mundo a perversão resultante do pecado. Desse modo, ele procurava salvar Deus da responsabilidade pelo aparecimento do pecado, embora rebaixando até à finitude a divina onipotência. Seus antagonistas encaravam tal idéia como uma fatal concessão ao arminianismo, e com toda a razão.

TAYLORISMO

Ver sobre *Taylor, Nathaniel*.

TEAR

Ver o artigo sobre **Fiação**. A palavra **tear** acha-se somente por duas vezes no Antigo Testamento: Juí. 15:14 e Isa. 38:12. A arqueologia e as referências literárias têm demonstrado a existência de três tipos básicos desse instrumento. Um dos tipos jazia no chão, e a pessoa tecia laboriosamente, agachada. Os outros dois tipos eram armados verticalmente. O operador podia ficar de pé ou sentado, quando trabalhava com esses dois últimos tipos. Um dos tipos empregava um sistema de pesos para manter esticado o trabalho que estava tecendo, mediante a força da gravidade. O outro tipo dispunha de uma barra onde ficavam presos os fios, os quais podiam ser mantidos esticados através de um giro periódico dessa barra.

TEATRO

I. Termo e Caracterizações Gerais
II. Teatros e a Cultura Hebraica
III. Teatros Grego e Romano
IV. Herodes, o Grande
V. Construções

I. Termo e Caracterizações Gerais

A palavra teatro deriva-se de uma raiz grega que significa "visualizar", "olhar em". O *theatron* grego era um "local para olhar" o desempenho ou a representação de dramas. O teatro é uma das artes dramáticas, mas o local também era usado para jogos e contextos atléticos, não meramente para representações dramáticas. Ali também se realizavam reuniões públicas ou fóruns (Atos 19.29, 31). Heb. 12.1 e sua metáfora da grande nuvem de testemunhas baseiam-se no tipo greco-romano de teatros, construídos para dar assento a milhares de pessoas. A vida espiritual é como uma corrida contínua no teatro de Deus, com antigos atletas e espectadores avaliando como "corredores de dias atuais" estão saindo-se. Regras regem a corrida e há prêmios a serem obtidos. Cf. Fil. 3.12 ss.

II. Teatros e a Cultura Hebraica

Jeremias desempenhou diversas peças dramáticas ante o povo, tais como o incidente da botija quebrada, para ilustrar a destruição de Jerusalém (Jer. 19.1 ss.); e a atuação de Yahweh com as duas cestas de figos (Jer. 24.1 ss.). Ezequiel teve de comer um rolo no qual estava escrita a mensagem de julgamento contra Judá (Eze. 2.8-3.3). Mas tais atos dramáticos eram representações individuais feitas sem um teatro ou elenco. Jó e Cantares são diálogos dramáticos, não peças de teatro, embora provavelmente algumas das partes de Cantares fossem lidas em festivais de casamento. Então, os hebreus eram um povo de canção e dança (Êxo. 15.20; II Sam. 6.16), mas isso não se transformava em shows, e os hebreus não construíram teatros.

A dança religiosa pode ter sido, como dizem alguns, a origem das artes dramáticas. Sabemos que uma cerimônia religiosa e o drama eram realizados no Egito em honra de Osíris, deus do submundo e juiz dos mortos.

III. Teatros Grego e Romano

Alguns teatros gregos eram tão-somente para entretenimento, mas muito estava envolvido em temas religiosos e morais. A tragédia grega era uma maneira de ver como os deuses são capazes de tentar os homens, e muitas vezes finalmente conseguem destruí-los com toques inexplicáveis de terror. Alguns teatros gregos lidavam diretamente com os deuses e seus atos, bons ou maus. Os festivais e dramas de Dionísio celebravam a sexualidade humana e muitas vezes acabavam em orgias de bebedeira e indulgência excessiva de prazeres sensuais. Menandro (342 a.C.) era um dramaturgo famoso que desenvolveu a arte a um grau impressionante.

Os romanos eram, em sua maioria, grandes copiadores, não tendo nenhuma originalidade, exceto na questão da lei e da inovação militar. Eles perpetuaram a essência do drama e do teatro gregos nos locais distantes de seu império ao espalhar seu poder através de conquista militar.

IV. Herodes, o Grande

Este homem, de acordo com seu passado greco-romano e posicionamento histórico, construiu muitos teatros. Entre eles estavam os de Jerusalém, Cesaréia, Damasco, Gadara, Filadélfia. Presumivelmente os judeus da Diáspora participavam desse aspecto das sociedades em que se haviam estabelecido. Locais onde Paulo fazia visitas tinham seus teatros: Atenas, Corinto, Éfeso, Filipos e, claro, Roma.

V. **Construções**

Os primeiros teatros eram pouco mais do que círculos de dança com um altar localizado no centro. Tais teatros primitivos tinham de localizar-se nos pés dos montes, que forneciam uma arquibancada natural. Com o passar do tempo, as coisas se tornaram mais sofisticadas. Muitos teatros posteriores, contudo, apenas formavam semicírculos com assentos nas fileiras ao redor do "palco". O palco, que assumiu o local do altar anterior, era colocado no nível da fileira mais baixa. Os teatros então passaram a ser circulares e cada vez mais sofisticados. À medida que ficavam mais organizados, também aumentaram em tamanho. No segundo século a.C., aqueles que iam aos teatros romanos deviam trazer suas próprias cadeiras ou assentos de algum tipo. O senado romano fez uma lei contra tal prática, que criava grande confusão. Em 154 a.C., um teatro era feito com assentos fixos, mas o senado ordenou que estes fossem destruídos por motivos de segurança. O primeiro teatro de pedra foi construído por Pompeu em 55 a.C. Outros teatros de pedra seguiram-se em diversos locais no Império Romano. Teatros romanos mais sofisticados tinham uma série de colunas ao redor do andar mais alto. Os assentos mais próximos aos palcos eram reservados para oficiais do governo ou outros líderes do povo, e diversas fileiras de "bons" assentos eram destinadas às camadas sociais mais altas. Depois desses indivíduos vinha o povo geral. As classes mais baixas eram colocadas nos níveis mais altos, de onde era inevitável uma visão ruim em um teatro grande. As entradas eram gratuitas, distribuídas apenas com fins de organização dos assentos. Depois apareceram os anfiteatros para competições de gladiadores e de atletismo, dando uma nova dimensão popular aos teatros (ver I Cor. 9.24-27; II Tim. 4.7).

TEBÁ

No hebraico "grande", "forte". Esse foi o nome de um filho de Naor, irmão de Abraão, sua mãe era Reuma, concubina de Naor (Gên. 22:24). Uma tribo do mesmo nome descendia dele. Em I Crônicas 18:8, seu nome aparece com a forma de Tibate; e, no trecho paralelo de II Sam. 8:8, ele é chamado Betá, que também seria o nome de um lugar, mas de localização desconhecida. Tebá viveu por volta de 1860 a.C.

TEBAICA, VERSÃO

Ver sobre *Versões Antigas; Texto e Manuscritos do Novo Testamento*.

TEBALIAS

No hebraico, "Yahweh mergulhou". Esse foi o nome do terceiro filho de Hosa, que era um dos porteiros do templo de Jerusalém (ICrô. 26:11). Viveu em cerca de 1015 a.C.

TEBAS

1. Nome. A palavra hebraica é uma transliteração do vocábulo egípcio *Niwt-Imn*, que significa "cidade de Amom". A Septuaginta traduz o egípcio fornecendo a palavra **Dios polis**. As versões dão No-Amon, Moamom ou simplesmente No (Jer. 46.25). A Versão Padrão Revisada em inglês dá "Amom de No" (Eze. 30.14-16). Os autores clássicos dizem-nos que a cidade era muito antiga, espalhando-se por duas encostas do Nilo.

2. Local. O local era (é) localizado no Egito Superior, onde hoje existe o *Luxor* moderno, ficando cerca de 600 km rio acima, isto é, ao sul do Cairo.

3. Detalhes. Na encosta direita (leste) do rio, localizavam-se os templos de Carnaque e Luxor. Na encosta esquerda (oeste) do rio, localizavam-se os templos do Goorna, Deir-el-Bari, o Rameseum, os Colossos e o templo de Deir-el-Medina, mais o de Medinet-Abou. Esses templos constituíam uma fileira de prédios funerários. Os templos em ambos os lados do rio continham (contêm) uma riqueza de afrescos e pinturas de valor incalculável para arqueólogos e historiadores. As obras ilustram o histórico de certos períodos do Antigo Testamento. O mais magnífico dos templos era o do deus Amum em Carnaque, cujas ruínas figuram entre as mais significativas do Egito. Em outubro de 1899, nove colunas daquele grande templo ruíram, queda essa causada pela infiltração das águas do Nilo nas rochas.

A cidade atingiu a proeminência durante a 11ª e 12ª dinastias, uma época de unidade e prosperidade no Egito. Mas os grandes monumentos datam das 18ª a 20ª dinastias, que existiram por volta de 1550-1085 a.C. Após isso, a importância da cidade e da área diminuiu, tendo havido uma transferência de poder para o norte. Ainda assim, o local reteve sua importância religiosa até ser saqueado pelos assírios em 663 a.C. O profeta Naum (3.8) usou a imagem desse acontecimento para falar da própria queda da Assíria. Tanto Jeremias quanto Ezequiel ameaçaram o local com julgamento divino (ver Jer. 46.25 e Eze. 30.14-16). A cidade foi atacada pela Assíria no século 7 a.C. e finalmente esmagada por Roma em 30-29 a.C.

TEBES

No hebraico, "avistada de longe", nome de uma cidade situada nas encostas e no cume de um morro, cercada por muitas cisternas, algumas das quais que ainda estão em uso. Na área, ainda em tempos modernos, pessoas vivem em cavernas subterrâneas nas rochas. As duas referências bíblicas ao lugar são Juí. 9.50 e II Sam. 11.21. Era um local fortificado no território de Manassés, cerca de 15 km ao nordeste de Nablo. A cidade é lembrada pela história de Abimeleque, filho de Gideão, que, avançando contra o local (após muitas vitórias sangrentas em outros lugares), foi ferido mortalmente por uma mulher que jogou nele uma pedra de moenda do alto de uma torre. Ele próprio ordenou que seu portador de armas o matasse com a espada para que o povo não dissesse que ele havia sido morto por uma mulher. O incidente tornou-se proverbial, e Joabe referiu-se a ele em seu relatório a Davi quando Urias, marido de Bate-Seba, morreu em batalha devido a um pré-acordo de Davi, que queria livrar-se dele (II Sam. 11.21).

TEBETE

Nome do décimo mês do calendário judaico. Ver sobre *Calendário*.

TECER

1. **Uma Arte Antiga.** A arte de tecer é uma das ocupações e profissões mais antigas e conhecidas. Famílias (exceto dos ricos) teciam suas próprias roupas, coberturas e tendas. Os cananeus já eram habilidosos com este trabalho muito antes de os hebreus invadirem sua terra. A arte do tingir acompanhava a do tecer. Há evidências arqueológicas

TECER – TECNOLOGIA

de ambos os tipos de trabalho manual em Tel Beit Mirsim, Ugarite e Biblos em épocas muito remotas. Considere os trinta roupões de linho e as trinta mudas de roupas que Sansão foi obrigado a dar aos filisteus por ter perdido uma aposta (Juí. 13.14). Também era conhecido e praticado o tecer de carpetes.

2. O Modus Operandi do Tecer Antigo. O processo exigia o entrelaçamento de fios, um fio chamado de urdidura, e o outro, o urdume. Os fios do urdidura são esticados em um tear e então os fios do urdume são passados por cima e por baixo deles, resultando no entrelaçamento que produz um tecido.

3. O Antigo Ancestral do Tecer era a Elaboração de Cestas no Período Paleolítico, há Cerca de 20 mil a 40 mil anos. Esse processo sugeriu a fabricação de tecidos para roupas, numa época em que as roupas eram feitas de peles de animais. Os arqueólogos descobriram pinturas de antigos teares que datam a cerca de 32 mil anos no Egito. A tumba em Beni-Hassan é um dos primeiros lugares onde pinturas de parede foram descobertas representando a arte. As roupas eram tingidas com cores brilhantes, e os tecelões eram homens, provavelmente profissionais que trabalhavam para pessoas importantes.

4. Materiais Empregados. Linho, lã, seda, algodão e pêlo de cabra eram materiais comumente empregados. Tecidos de tendas eram feitos de pêlo de cabra para as tendas, mas peles de animais continuavam sendo usadas para roupas e tendas. Por volta de 2320, havia uma fábrica de tecidos na Babilônia. Esse tipo de trabalho já era profissional naquela época.

5. Processos de Aprendizado. Os hebraicos, sem dúvida, aprenderam essa profissão no Egito, e entre aqueles que dali fugiram no Êxodo, havia homens habilidosos na arte de tecer, como demonstra a habilidade de tecer cortinas para o tabernáculo (Êxo. 26.1 ss.) A má Dalila tinha um tear, como vemos ao ler Juí. 16.13, 14. Exceto pelos modelos profissionais de hoje, a estrutura básica do tear não foi muito alterada em 5 mil anos. Os idumeus participavam da arte, como demonstra Eze. 27.16.

6. Tipos de Teares nos Tempos Bíblicos.

a. O tear vertical de duas vigas que empregava um par de vigas eretas presas no chão e unidas no topo com uma viga cruzada. Fios longos eram guiados frouxamente da parte de cima até o chão sobre a viga cruzada. Pequenos punhados de lã eram amarrados em pedras para manter-se esticados.

b. Então havia um tipo vertical de tear que exigia que dois tecelões operassem o equipamento. Um passador era passado de um lado para outro pelos fios, unindo-os.

c. Um tear horizontal fixado no chão ainda é empregado por nômades hoje em dia. O dispositivo tinha (tem) duas vigas mantidas em seus lugares por quatro pinos inseridos no chão. O tecelão senta à frente do aparelho e, de modo geral, trabalha sozinho.

7. Referências Bíblicas. Há 13 referências ao tecer: Êxo. 28.32; 35.35; 39.22, 27; Juí. 16.13; I Sam. 17.7; II Sam. 21.19; II Reis 23.7; I Crô. 11.23; 20.5; Isa. 19.9; 38.12; 59.5. Há também duas menções da máquina usada para fazer o trabalho: Jó 7.6 e Juí. 16.14.

TÉCHNE

Ver sobre *Tecnologia e Tecnocracia*. O vocábulo grego *téchne* refere-se ao tipo de conhecimento que resulta na produção de objetos e na realização de propósitos específicos, como habilidades, artes, ofícios, artesanatos, técnicas, enfim. A forma verbal da palavra, *technaomai*, significa "fazer", "executar","fabricar". É a raiz de nossas palavras "técnica", e "tecnologia".

Em contraste com téchne, *epistéme* dá a entender um conhecimento geral, sendo esse vocábulo a base de nossa palavra *epistemologia*, "teoria do conhecimento".

TECLA, ATOS DE PAULO E
Ver sobre *Paulo, Atos de*.

TECNOLOGIA E TECNOCRACIA

1. Definições e Observações

Ver sobre *Téchne* quanto a uma explicação da palavra grega por trás de nosso vocábulo *tecnologia*.

A *Tecnologia* é aquele ramo do conhecimento que trata das artes industriais, a aplicação da ciência ao fabrico de máquinas e aparelhos. A tecnologia é "a modificação sistemática do meio ambiente físico, tendo em vista as finalidades do homem". E é patente que essa manipulação tem produzido resultados e condições, umas boas, outras más. A tecnologia é tarefa que cabe à ciência. Quando refletimos sobre a tecnologia, logo nos lembramos de todos os confortos e das invenções de prolongamento da vida (como medicamentos e aparelhos médicos) que a ciência nos tem provido. Por outro lado, também lembramo-nos da guerra química, dos artefatos nucleares, dos foguetes intercontinentais, etc. Além disso, embora o materialismo não seja produto direto da tecnologia, tem recebido desta última um tremendo impulso. E logo fica evidente que a tecnologia é como tantas outras coisas: neutra em si mesma, mas capaz de ser usada para propósitos úteis ou para propósitos prejudiciais aos seres humanos.

2. Um Novo Sacerdócio

Talvez o aspecto mais desagradável da ciência seja a sua tecnologia, a qual, manipulada por alguns, é usada como substituta dos antigos sacerdócios religiosos. Essa tecnologia tornou-se um novo sacerdócio, que promove o materialismo. É usual os filósofos e teólogos morais observarem que a ética dos homens não tem avançado no mesmo ritmo de sua tecnologia, de tal modo que, se a ciência promete à humanidade a utopia, tem criado um tremendo pesadelo que ameaça com destruição mundial e indescritíveis sofrimentos. Os políticos tateiam, desesperadamente, por alguma resposta para esse dilema, mas a humanidade permanece assustada, para dizermos o mínimo. Os profetas continuam predizendo a condenação, e o homem comum continua esperando que tudo não passe de uma fantasia. Por outra parte, não nos deveríamos esquecer que há muitos cientistas que diariamente envidam esforços para aprimorar a qualidade da vida humana, por meio de suas pesquisas, quer mediante a produção de máquinas que poupam aos homens um trabalho duro, provendo empregos para muitos milhares de pessoas, quer mediante a descoberta de medicamentos que curam as enfermidades dos homens.

3. O Consumismo

Pessoas impelidas por falsos valores têm transformado a tecnologia em uma corrida para o conforto material, entretenimentos tolos e uma ambição insaciável por um número cada vez maior de *coisas*. É óbvio que isso tem pervertido as escalas de valor, transformando-se em meios de cobiça e exploração. Mudanças sociais muito rápidas estão perturbando muitas pessoas, e os psicólogos salientam que daí, por muitas vezes, podem resultar desequilíbrios mentais e emocionais, e que neuroses de vários tipos resultam da celeridade das mudanças sociais no mundo de hoje.

4. Perguntas

Um asiático observou diante de um cientista norte-americano: "Há uma coisa que vocês, do Ocidente,

TECOA – TEÍSMO

podem ensinar a nós, do Oriente. Trata-se de algo de grande importância: Mostrem-nos que é bom viver em uma comunidade industrializada". E agora temos o espetáculo do Japão (um país do Extremo Oriente), que é nação líder em muitas áreas da tecnologia.

Não será que a palavra-chave de ética grega – moderação – também nos poderia ajudar quanto a essa questão?

5. *A Tecnocracia*

Esse é o nome de uma teoria e de um movimento que se originou em cerca de 1932 nos Estados Unidos da América, e que propunha o controle dos recursos industriais, asseverando que esse controle não deveria ser deixado nas mãos dos políticos, e, sim, entregue aos cientistas. Esse ideal vem-se concretizando aos poucos, mas os políticos continuam controlando grande parte da tecnologia, do que resultam bens e males. Por outra parte, é claro que os cientistas também têm produzido resultados mistos em todas as áreas onde têm obtido o controle.

TECOA

No hebraico, "firmeza", "estabelecimento", mas alguns pensam que a palavra significa "barulho de trombeta". Um *deserto de Tecoa* é mencionado, além de uma cidade. É provável que a área de deserto tenha sido adjacente à cidade com esse nome. A cidade ficava no território de Judá, cerca de 9 km ao sul de Belém. O nome moderno é Takua e escavações arqueológicas feitas na área revelaram várias evidências da existência de habitações hebraicas ali. A primeira referência bíblica ao local está em II Sam. 14.2 ss., onde encontramos Joabe empregando os serviços de uma "mulher sábia" dali para tentar gerar uma reconciliação entre Davi e seu filho, Absalão. Foi também ali que Davi fugiu ante a ira de Saul (I Sam. 23.26). Um de seus poderosos 30 guerreiros era daquela região, que ele usava como um lar longe de seu lar.

Em um período muito posterior, as pessoas dali participaram da construção dos muros de Jerusalém depois do Cativeiro Babilônico (por volta de 450 A. C.). Ver Nee. 3, 5, 27. Esse foi o local do nascimento de Amós (Amós 1.1). A cidade daquela área é mencionada em II Sam. 14.2, 4, 9; I Crô. 2.24; 4.5; II Crô. 11.6; Jer. 6.1; Amós 1.1. Alguns acreditam que um homem com esse nome é apresentado em I Crô. 2.24 e 4.5. Presumivelmente, o nome de seu pai era Asur.

TE DEUM

Esse é o nome de um hino que se pensa haver sido composto pelo bispo de Niceta de Remesiana, no século IV d.C. Mais tarde, foram-lhe acrescentados versículos. Esse hino é usado em ocasiões especiais de regozijo e por ocasião das *Matinas* (vide).

TEFON

No grego, **Tephón**. O nome dessa cidade não figura na Bíblia, mas aparece em um dos livros apócrifos do Antigo Testamento, 1 Macabeus 9:50. Ali, aprendemos que era uma cidade de Judá, fortificada por Baquides. Alguns estudiosos, contudo, pensam que Tefon pode ter sido uma forma variante de En-Tapua (Jos. 17:7), um nome que se repete, como designação de várias outras cidades, geralmente com a forma de Tapua.

TEICHMULLER, GUSTAVO

Suas datas foram 1832 - 1888. Ele foi um filósofo alemão. Nasceu em Braunschweig. Ensinou em Gottingen, Basiléia e Dorpat. Especializou-se em filosofia clássica e em metafísica. Encarava cada sistema do conhecimento humano como um sistema parcial, representando uma única perspectiva dentro de uma realidade complexa. Cada uma dessas *perspectivas*, embora parcial, seria válida. Ver sobre *Polaridade*.

Teichmuller também percebia que nosso conhecimento é simbólico apenas, não podendo ser preciso, exato. A religião usa símbolos que representam as funções do intelecto, dos sentimentos e das ações. Ele defendia com vigor a idéia da imortalidade pessoal, e argumentava contra o positivismo e contra o darwinismo.

TEILHARD DE CHARDIN, PIERRE

Suas datas foram 1881 – 1955. Ele foi um filósofo e paleoantropólogo francês. Nasceu em Sarcenat. Era jesuíta. Tornou-se um cientista que desenvolveu uma elaborada doutrina da evolução que abarca todo o reino inorgânico, passando pelo reino dos organismos vivos e chegando à *noosfera*, ou seja, a esfera da mente. Na opinião dele, esse ponto mais elevado da evolução abria ante seus olhos a esperança do ponto *ômega* da evolução, do que resultaria uma cultura mundial vastamente superior à nossa, e, finalmente, a uma consciência hiperpessoal, que significaria a entrada vital de Deus na história humana, de uma maneira nova e viva. Apesar dele ter sido um jesuíta, a Igreja Católica Romana opôs-se a muitas de suas idéias. E o resultado disso foi que suas obras básicas só foram publicadas post-mortem. Seus principais escritos levam os títulos, em inglês, de: The Phenomenon of Man; Letters from a Traveller; The Realm of the Divine; The Future of Man; Hymn of the Universe.

TEÍNA

No hebraico, "súplica". Um judeu descendente de Quelube. Teína foi o pai de Ir-Naás. Alguns estudiosos pensam que ele não era exatamente genitor de Ir-Naás, mas fundador de uma cidade com esse nome (I Crô. 4:12). Viveu em cerca de 1400 a.C.

TEÍSMO

Tem sido provida uma descrição geral das muitas idéias sobre a pessoa de *Deus* e sobre como os homens chegam a saber algo acerca dEle. Ver o artigo intitulado *Deus*, em sua terceira seção, *Conceitos de Deus*, onde apresento as dezesseis idéias principais. Entre elas, aparece o *teísmo*.

Esboço:
I. A Palavra e Suas Definições
II. Contrastes com Outras Idéias
III. Idéias dos Filósofos
IV. Argumentos Teístas e a Existência de Deus
V. O Teísmo Cristão

I. A Palavra e suas Definições

Esse vocábulo vem da palavra grega **theós**, "deus". Assim sendo, *teísmo* é a "crença em Deus, em algum deus, ou em deuses", fazendo contraste com o ateísmo. Visto que essa não é uma palavra técnica, pode ser usada de várias maneiras. Porém, quase sempre entende a existência de algum poder supremo, ou poderes supremos, usualmente concebido(s) como uma(s) pessoa(s) que se revela(m) a Si mesma(s). O teísmo pode defender o monoteísmo (um só Deus), o politeísmo (muitos deuses), ou pode ser bastante vago, indicando "um deus ou deuses em algum lugar". Quase sempre a idéia envolve a crença de que os poderes divinos interessam-se pela vida humana, com o intuito de recompensar ou punir, exercendo certas

TEÍSMO

influências sobre o mundo dos homens. A idéia de uma divindade criadora, com freqüência, faz parte do teísmo, mas não necessariamente. Muitos dos conceitos teístas arrastam após si a idéia de obrigação moral diante do Poder Divino ou de poderes divinos.

Esse termo juntamente com o adjetivo "teísta", surgiu na Inglaterra, no século XVII, quando foi usado em contraste com "ateísmo" e "ateu". O referido conceito é tão antigo quanto as religiões humanas, as quais, por sua vez, são tão antigas quanto o próprio homem.

II. Contrastes com Outras Idéias

Podemos aquilatar melhor a força do teísmo, contrastando-o com outros conceitos:

1. O *teísmo* indica a crença em poderes divinos; o ateísmo, por sua vez, nega a realidade desses poderes.

2. O *teísmo* ensina que os poderes divinos nutrem interesse pelos homens, intervindo na história humana, responsabilizando os homens por seus atos, recompensando-os ou castigando-os; mas o *deísmo* ensina que Deus divorciou-se de sua criação, deixando-a ao encargo das forças naturais, pelo que não se interessaria pelos homens e nem entraria em contato com eles, não os recompensando e nem os punindo, exceto indiretamente, através de leis naturais que continuam atuantes.

3. O *teísmo* pode incorporar o *henoteísmo*, pelo que poderia haver muitos deuses, embora somente um deles entre em contato conosco, ao passo que os demais manter-se-iam indiferentes. O henoteísmo, pois, é uma forma de teísmo.

4. O *politeísmo*, que assevera a existência de muitos deuses, também é uma forma de teísmo..

5. O *teísmo* usualmente ensina que existem evidências adequadas, de natureza prática, mística e racional, para provar a existência de Deus ou de deuses. Fazendo contraste com isso, o *agnosticismo* crê que, apesar da existência dessas evidências, elas são inconclusivas, havendo contra-evidências (principalmente o *Problema do Mal*, vide), que deixam em dúvida qualquer pessoa que pensa.

6. O *teísmo* assevera que podemos e devemos falar sobre Deus e investigar a sua pessoa, pois tal investigação pode ser frutífera e é legítima. O *positivismo*, por sua vez, afirma que toda investigação metafísica é fútil e sem sentido, porquanto não disporíamos de meios ou de evidências para fazer tal investigação, já que dispomos somente de sentidos físicos que podem sondar coisas materiais, mesmo com a ajuda de máquinas e aparelhos.

7. O *teísmo* promove o *dualismo*, de acordo com o qual Deus e sua criação são diferentes: Deus pertenceria a uma classe toda sua, e a criação não pertenceria a essa classe. Em contraste, o *panteísmo* promove um *monismo*, de acordo com o qual Deus e o mundo seriam de uma mesma substância: Deus seria o cabeça de toda existência, e a existência seria o corpo de Deus.

III. Idéias dos Filósofos

1. Os termos "teísmo" e "teísta" apareceram no século XVII, o que também se deu com os vocábulos "deísmo" e "deísta". Por algum tempo, o *teísmo* e o *deísmo* foram usados como sinônimos, o que continua sendo verdade no vocabulário de algumas pessoas. Porém, nesse mesmo século ou no século XVIII, foi estabelecida a distinção mencionada entre *teísmo* e *deísmo*. Ver também o artigo separado sobre o *Deísmo*.

2. O teísmo promove a idéia de um Deus ou de deuses; e essa divindade aparece, ao mesmo tempo, como imanente no mundo e transcendental ao mundo. Deus atua entre os homens. Usualmente, embora não necessariamente, o teísmo aparece associado a um Deus ou a deuses dotados de poderes criativos; e a criação aparece como distinta de Deus, quanto à sua natureza.

3. No *teísmo clássico*, Deus aparece como Ser absoluto, possuidor de diversos *ominis*, como onipotência, onipresença, etc. No *teísmo dipolar*, Deus aparece como Ser absoluto ao mesmo tempo, imanente e transcendental. No *teísmo relativo*, Deus não figura como um Ser absoluto, apesar de ser possuidor de grande poder. Segundo esse ponto de vista, Deus é finito, e não infinito. Poucos teólogos cristãos têm aceitado esse ponto de vista.

4. No *teísmo evolucionário* (John Fiske), o poder divino aparece por trás do processo de evolução no mundo, por ser a sua causa.

5. No *teísmo especulativo* (Christian Weisse), faz-se a tentativa de ver a Deus como um Ser absoluto, identificado como o Absoluto dos filósofos. Deus, de acordo com essa concepção, é uma Pessoa infinita; e o homem aparece como uma pessoa finita e livre, que encontra o centro e a razão de sua existência na Pessoa infinita.

6. No *teísmo ético* (Sorley), um Deus finito é a origem de todos os valores humanos.

7. No *teísmo moral* (A.E. Taylor), acha-se uma prova da existência de Deus nas experiências morais. Ali, esse tipo de experiência faz parte essencial da existência humana.

IV. Argumentos Teístas e a Existência de Deus

Os teístas - embora não todos - escudam-se nos argumentos tradicionais em prol da existência de Deus. A idéia que Deus está interessado no homem e manifesta-se na natureza e nas experiências místicas (algo comum ao teísmo) promove o meio ambiente intelectual, de acordo com o que os homens pensam ser capazes de dizer coisas significativas a respeito de Deus e asseverar a sua existência. No artigo intitulado *Deus*, apresentei grande número de argumentos em favor da existência de Deus. Ver sua quinta seção, onde apresentei vinte desses argumentos. A bem da verdade, o *teísmo* só aceita a idéia da existência de Deus mediante a fé, usualmente com base nos Livros Sagrados e suas afirmações. Nem por isso o teísmo condena os argumentos teológicos, místicos, racionais, naturais e sobrenaturais em favor da existência de Deus.

V. O Teísmo Cristão

A fé cristã, em seu aspecto tradicional e conservador, oferece uma versão especial do teísmo, segundo se vê nos pontos abaixo:

1. Rejeita o politeísmo e o henoteísmo como variedades legítimas do verdadeiro teísmo.

2. Rejeita o panteísmo, o agnosticismo, o ateísmo e o positivismo.

3. Aceita a mensagem essencial dos Livros Sagrados cristãos, o Antigo e o Novo Testamento.

4. Aceita a natureza (teologia natural) como uma abordagem válida, embora parcial, da teologia.

5. Ensina estar devidamente fundamentado sobre a ciência, a filosofia, a revelação (os Livros Sagrados), a natureza e, por que não, sobre a consciência e a intuição humanas, sempre sob a orientação da revelação divina.

6. Assevera que a existência de Deus pode ser aceita com base na revelação, ainda que também respeite os argumentos filosóficos tradicionais, bem como as evidências colhidas na natureza criada.

7. Sua ética alicerça-se sobre a idéia de que Deus *revelou* a sua vontade aos homens, e que eles são responsáveis diante dEle por sua conduta. A aprovação ou desaprovação divina aquilatarão todas as prestações

de contas morais. Deus é o autor da ética, e não o homem.

8. O cristianismo ortodoxo aceita a visão trinitariana da deidade. Porém, é mister reconhecer que as explicações trinitarianas populares equivalem ao triteísmo, o que é apenas uma forma de politeísmo. Ver os artigos *Trindade; Tríades e Triteísmo*.

9. Ao rejeitar o *deísmo* (vide), o teísmo cristão promove o conceito de um Deus imanente, interessado nos homens, que intervém na história humana, que garante a imortalidade das almas e que julga ou recompensa às almas, após a morte biológica.

10. O teísmo cristão assevera a validade da missão salvatícia de Cristo, como realização especial de Deus entre os homens.

11. O conceito de um Deus pessoal é importante para essa forma de teísmo, onde figuram os atributos tradicionais de Deus como um Ser onipotente, onipresente, onisciente, que tudo sabe, que é completamente santo, etc. O amor de Deus é enfatizado; e o termo "amor" é o único dos atributos divinos que pode servir como um dos nomes de Deus. Foi o amor de Deus que inspirou e orientou a missão terrena do Filho.

TEKHELET

Esse é o nome de uma cor, no hebraico (Eze. 23:6; Ecl. 40:4 e Jer. 10:9). Essa cor tem sido variegadamente identificada com a púrpura, com o verde, com o índigo e com o amarelo. Atualmente, porém, sabe-se que alude ao azul-purpurina. Na antigüidade, a grande fonte desse corante era o molusco chamado Murex. Irving Zinderman, do Instituto de Fibras de Israel, na revista Science News, assevera que os especialistas israelenses confiam que o quebra-cabeça envolvido nesse corante foi resolvido. O Talmude diz-nos que esse corante era feito do extrato puro desse molusco, embora não existam identificações mais precisas na literatura antiga. Esse corante era usado nas vestimentas dos príncipes e dos nobres, que tinham dinheiro para comprar roupas tingidas com essa cor. Tal corante requeria o emprego de milhares desses moluscos para a produção de qualquer quantidade mais apreciável do corante. As vestimentas dos ídolos da Babilônia também eram tingidas com essa cor (Jer. 10:9). Ver o artigo geral sobre as *Cores*.

TELEOLOGIA

Esse é o nome do conceito que diz que todas as coisas são originadas, controladas e desenvolvidas, tendo uma finalidade, mediante o desígnio, da parte de um Ser divino ou da parte de forças cósmicas. Naturalmente, se tivermos de admitir um desígnio para as coisas, teremos de pensar em um Ser pessoal, e não em forças cósmicas impessoais. Ver sobre o *Argumento Teleológico*. Esse conceito provê um de nossos melhores argumentos racionais quanto à existência de Deus. As palavras gregas envolvidas nessa designação são *télos*, "fim", e *lógos*, "razão", "discurso", "doutrina", "estudo". Essa doutrina favorece a idéia de causas finais que se mostram ativas no universo. *Christian Wolff* (vide) introduziu o termo na filosofia, no século XVIII.

Idéias dos Filósofos e Teólogos

1. Quase todas as religiões favorecem a idéia da teleologia. Em Anaxágoras temos uma aplicação da idéia à filosofia pré-socrática. Platão, em sua doutrina das *Idéias e Formas*, incluiu a idéia do desígnio divino na concepção da criação física inteira.

2. Aristóteles, com sua doutrina das quatro causas, fez da teleologia um dos principais conceitos normativos de sua filosofia. Ele via o desígnio atuante em todas as coisas, orgânicas ou inorgânicas. Uma causa *final* estaria envolvida em todas as coisas.

3. Os argumentos em prol da existência de Deus, extraídos da razão e da observação, incluem os argumentos cosmológico e ontológico. Juntamente com esses dois argumentos, o argumento teleológico se alinha. E há muitos outros argumentos, que sumariei no artigo geral sobre *Deus*. Os argumentos mais importantes e tradicionais foram manuseados sob o título de "Argumento ...". Dentre todos os argumentos tradicionais, o argumento teleológico era o que mais impressionava a Kant, que havia decidido que não se deixaria impressionar por tais raciocínios. Mas ele declarou, ao examinar o mesmo, que, a partir desse argumento, podemos postular um *Arquiteto*, e não necessariamente um Criador que criou tudo do nada.

4. Certa forma de ética está escudada sobre o conceito de teleologia. Ver o artigo *Teleologia, Ética da*.

5. A ciência materialista tem procurado eliminar a idéia de qualquer tipo de causa final, o que atingiu seu ponto mais baixo nos fins do século XIX e nos primórdios do século XX. Mas a teleologia voltou triunfalmente, e a bioquímica tem aprendido, no ácido deoxiribosenucleico (DNA). que ali a teleologia predomina de ponta a ponta. É verdade que o *behaviorismo* (vide) tem desafiado a aplicação da teleologia às ciências sociais. Porém, quanto mais profundamente vai sendo reconhecida a natureza essencialmente espiritual do homem, menor torna-se o impacto desse desafio. Quanto a bons exemplos de como a ciência vem negando o materialismo, ver os artigos chamados *Parapsicologia e Experiência Perto da Morte*.

TELEOLOGIA, ÉTICA DA

O caráter benévolo de um ato depende de suas conseqüências, e os efeitos deveriam ser manipulados de forma a produzirem o máximo de benevolência para o maior número possível de pessoas. As decisões são tomadas em face das boas conseqüências que são desejadas. A ética é abordada do ponto de vista daquilo que produz algum benefício, uma vez que se possa concordar sobre o que consiste no que é beneficente. O exemplo clássico da ética teleológica é o *utilitarismo*, a respeito do qual temos apresentado um detalhado artigo.

Entretanto, muitos sistemas éticos estão envolvidos na busca por finalidades desejáveis, embora essas finalidades sejam definidas de modos diversos, dependendo do sistema em foco. A ética teísta sem dúvida alguma é teleológica em sua natureza.

TELEPATIA

Essa palavra portuguesa nos vem diretamente do grego tele, "longe", e pathos, "sentimento", "sensação". Talvez o uso dessa palavra, para indicar a noção de "transferência de pensamento", de um pessoa para outra, derivou-se do fenômeno facilmente observável que os "sentimentos" ou "emoções". parecem facilitar tal transferência. Seja como for, a *telepatia* é a capacidade de uma mente comunicar-se com outra sem quaisquer meios físicos conhecidos, razão pela qual muitos estudiosos pensam que a telepatia é não-atômica em sua natureza. Naturalmente, é possível que uma vez que esse fenômeno venha a ser bem entendido, que venha a poder ser definido como atuante dentro do terreno das partículas subatômicas. E isso poderia demonstrar que se trata de uma função material, e não imaterial. Por enquanto, a maioria dos pesquisadores a respeito não larga a explicação não-materialista, embora o átomo possa ser capaz de mais prodígios do que admitimos hoje em dia. Seja como for, as provas em favor da telepatia

TELEVISÃO

são avassaladoras, de tal modo que aqueles que têm consciência das intensas e largas pesquisas que se têm feito quanto a essa questão, e que sabem algo acerca da natureza das experiências que estão sendo feitas, estão convencidos da realidade da telepatia. Tenho preparado um detalhado artigo sobre a *Parapsicologia,* que fornece informações sobre a telepatia. Convido o leitor a examinar aquele artigo.

A telepatia é contrastada com a *clarividência* (vide). Está última não envolve duas mentes. Antes, uma única mente obtém informações da parte de coisas não-mentais. Para exemplificar, mediante a clarividência, uma pessoa pode localizar um cadáver sepultado em um campo, ou um relógio perdido. Apenas uma mente atua nesses casos. Talvez se trate de uma espécie de radar mental, que pode envolver ou não o átomo.

TELEVISÃO

Essa palavra vem do grego e do latim, com o sentido de "ver à distância". Quando eu estava no ginásio, uma professora declarou que, "algum dia", poderíamos *ver* programas, e não apenas ouvi-los. Quando ela perguntou quantos alunos acreditavam que isso tornar-se-ia possível, apenas algumas mãos foram levantadas. Uma dessas mãos era a minha, porque sempre me dispus a crer em coisas fantásticas. E quando, finalmente, apareceram os televisores, a invenção foi amargamente combatida em muitos segmentos protestantes e evangélicos, incluindo eu mesmo. Eu e outros não podíamos ver qualquer diferença entre a televisão e o cinema. De fato, tornou-se comum dizer-se: "A televisão é aquela invenção que permite que os evangélicos assistam aos filmes que não puderam ver nos últimos cinqüenta anos". E isso é a pura verdade. Antigos filmes continuam sendo projetados pela televisão. Mais e mais evangélicos compravam aparelhos de televisão "e eu, resistindo". Meus três filhos liam livros, em vez de assistirem a programas de televisão. Pelo menos, minha atitude para com a televisão rendeu um bom efeito: – eles geralmente tiravam melhores notas escolares que seus colegas que perdiam muito tempo assistindo televisão!

Quando eu estava no seminário teológico, um de meus colegas causou um escândalo no campus da universidade. Ele instalara um aparelho de televisão. Gostava de assistir a lutas de boxe, televisionadas em Chicago. Protestei diante do diretor da universidade, mas não foi tomada qualquer medida punitiva. Foi somente depois de já estar trabalhando no Brasil por mais de cinco anos, como missionário evangélico, que, finalmente, cedi, e adquiri um aparelho de televisão. Em minha casa (já com os filhos adultos e formados), eu e minha esposa pouca atenção damos à televisão; mas o aparelho está ali. Tenho até assistido a algumas lutas de boxe, televisionadas em Chicago!

As coisas mudam, e as pessoas mudam! Talvez os gregos estivessem com a razão, quando recomendavam a *moderação* em todas as coisas, um tema que Paulo frisou em Filipenses 4:5.

É claro que nada há de errado com o próprio aparelho de televisão. Quando há algo de errado, isso se dá com os programas enviados pelas diversas emissoras. A mesma coisa sucedeu com o rádio, quando a invenção apareceu. Muitos crentes declararam que o rádio é um aparelho diabólico. Então começaram os programas evangélicos pela radiofonia, e, hoje em dia, nenhuma igreja declara-se contrária à presença desse aparelho nos lares. De uns tempos para cá também começaram os programas evangélicos televisionados. Nas igrejas pentecostais a televisão já foi tabu. Mas alguns pregadores pentecostais têm usado esse meio de comunicação mais do que os de qualquer outra denominação. Não demorará muito para o tabu dar seu último suspiro. Os meros costumes, nas igrejas, às vezes mudam mais depressa que as estações do ano.

Será Pecado Ter um Televisor em Casa? Essa pergunta já foi devidamente respondida para quem entende o que ouve e lê. É verdade que a televisão, como muitos outros inventos, pode servir de influência corruptora. Mas também ninguém pode negar que ela pode servir de tremenda influência em favor do bem. Conforme já dissemos, tudo depende do uso que os homens façam desses aparelhos. Mas, com base no princípio da liberdade cristã, é impossível as igrejas proibirem seu uso. Tendo evitado o *ascetismo* (vide), devemos passar a recomendar a *moderação,* ou seja, a escolha correta dos programas. Que poucos crentes conseguem fazer essa seleção é claro para todos, mas talvez alguns sejam capazes para isso. Há coisas que vieram para ficar, e cada crente deve usar de seu livre-arbítrio a fim de determinar se assistirá ou não a programas de televisão; e, se lhes assistir, quais... A responsabilidade é do indivíduo. Que os pastores ensinem suas comunidades a como fazer uso desses aparelhos para que o malefício seja reduzido ao mínimo.

Os valores sociais da televisão são indiscutíveis. Provê notícias instantâneas, um entretenimento barato, de que as massas precisam, e educação (quando os telespectadores têm a disciplina pessoal para sintonizarem os programas educativos). As universidades modernas usam programas de circuito fechado, pela televisão, alcançando assim centenas de pessoas ao mesmo tempo. Há estações de televisão que projetam programas educativos para certas classes, como para os analfabetos, etc., atingindo regiões onde poucas escolas e poucos professores são capazes de atingir. Em São José dos Campos, no Brasil, o INPE (Instituto Nacional de Pesquisas Espaciais) esteve envolvido nessa atividade durante anos, mas os resultados ali não foram muito brilhantes.

A televisão revolucionou a política, para melhor ou para pior. Um bom ator atrai as massas; um ator inferior as repele; e fica difícil saber onde jaz a verdade. Uma das queixas contra a televisão é que o seu poder é grande demais, deixando nas mãos dos jornalistas mais poder do que eles merecem ter ou sabem usar. A opinião pública forma-se rapidamente mais através da televisão do que através de qualquer outro meio de comunicação, e quando os jornalistas erram ou abusam, as massas populares são prejudicadas. Isso mostra a necessidade de cada telespectador ser um crítico do que ouve e vê. Mas é sabido que nem todos têm a formação e a maturidade necessárias para tanto.

A televisão também é um meio usado para imposição de grande exploração econômica, propaganda falsa e para a solução barata de problemas complexos, com a sugestão de medidas que não são eficazes ou mesmo demagógicas. E talvez o aspecto mais triste do uso que se tem feito da televisão seja aquele dos teleevangelistas, que têm reduzido a arca da salvação do evangelho a um mero barco de espetáculos. Programas religiosos que envolvem muitos milhões de dólares têm-se organizado, e pastores têm ficado ricos como atores do cinema, imitando-os em muitos pontos negativos – incluindo aquele de tirar fotografias de mulheres em posições sensuais!

Também é óbvio que a televisão tem despertado inquirição quanto a muitas e variegadas questões morais, porque os programas de televisão promovem a violência e a imoralidade. É verdade que vez por outra alguém levanta sua voz em protesto; mas nunca se faz grande coisa para sanar os abusos. Crentes antes sérios em suas vidas espirituais, gradualmente sucumbem ante as fantasias da televisão, e assim sofrem detrimento. E também não podemos olvidar do fato de que muitas igrejas têm imitado os métodos espetaculares da televisão, como se a adoração ao Senhor fosse um entretenimento qualquer. Não nos adverte a Bíblia de que essas seriam as condições vigentes nos últimos dias? Uma apreciação moderada acerca da televisão talvez seja aquela que reconhece que se há algum benefício na televisão, visto essa invenção estar sendo manipulada, na maioria das vezes, por pessoas sem temor de Deus no coração, há malefícios muitos maiores, mormente no caso de crianças e jovens, que ainda não têm bem formado o seu senso de discernimento e de crítica.

TEL-HARSA

No hebraico, "colina do mago". Essa cidade é mencionada por duas vezes no Antigo Testamento, em Esdras 2:59 e em Nee. 7:61. Era uma localidade babilônica de onde voltaram exilados judeus, nas migrações de volta à Palestina, terminado o exílio babilônico. A peculiaridade dos contingentes judeus que dali chegaram é que eles, durante o tempo em que estiveram no estrangeiro, perderam os documentos que evidenciavam sua linhagem judaica. Em um grupo proletário, que não contasse com a ajuda de sacerdotes ou levitas, não seria muito difícil perder os registros ou a memória de sua genealogia.

Esse retorno de judeus ocorreu em torno de 536 a.C.

TEL-MELÁ

No hebraico, "colina de sal". O nome dessa cidade aparece somente em duas passagens do Antigo Testamento, Esd. 2:59 e Nee. 7:61. É possível que a primeira porção desse nome, "Tel", que indica uma colina ou côrmoro, indique uma antiga habitação humana, que tenha sido semeada "com sal", conforme também se vê no relato de Juízes 9:45, acerca de um outro incidente, ocorrido muito tempo depois.

Tel-Melá era uma outra localidade, juntamente com Tel-Harsa, para onde tinham voltado exilados judeus que foram incapazes de provar sua linhagem judaica, mediante provas genealógicas. O local de Tel-Melá é desconhecido. Talvez seja a mesma Teima mencionada por Ptolomeu, situada perto do terreno salgado às margens do golfo Pérsico. Contudo, esse parecer não passa de uma conjectura.

TELA

No hebraico "vigor". Foi pai de Taã, cujo nome aparece em uma genealogia pós-exílica de Josué (I Crô. 7:25). Descendia de Efraim, através de Berias. Viveu em cerca de 1640 a.C.

TELÃ

No hebraico, *me-olam*; desde a "antiguidade remota". Essa expressão hebraica ocorre por cinco vezes: Gên. 6:4; I Sam. 27:8; Sal. 119:52; Isa. 46:9; Jer. 2:20. Mas, no trecho de I Sam. 27:8, tem-se suscitado algum debate entre os estudiosos. A passagem deveria ser traduzida por "desde a antiguidade", conforme fazem algumas versões, ou como um nome próprio, como se fosse uma localidade, *Telã* (conforme se vê em nossa versão portuguesa). É difícil resolver a questão, que parece haver chegado a um impasse. A variante que diz "desde Telaim" (ou "desde Telã", conforme diz nossa versão portuguesa), apareceu pela primeira vez na Septuaginta. Aqueles que são favoráveis à tradução tradicional, "desde a antiguidade" parecem ter argumentos mais definitivos. Em primeiro lugar, nas outras ocorrências da expressão hebraica, "me-olam", ela não figura como um locativo, e, sim, como expressão adverbial de tempo. Em segundo lugar, sobretudo no que diz respeito à forma que aparece em nossa versão portuguesa, *Telã*, não existe qualquer localidade com esse nome, nas Escrituras. Quanto à possibilidade de ser "Telaim", ver o artigo sobre esse nome. Das seis traduções diversas que este tradutor examinou, três em português e três em inglês, somente uma (a Tradução do Novo Mundo, da Watchtower Bible and Tract Society, das Testemunhas de Jeová) concorda com a nossa versão portuguesa, dizendo: "desde Telão até Sur" isto é, dando a impressão de que se trata de uma localidade. Todas as outras versões dizem algo como desde a antiguidade". Em terceiro lugar, essa variante, que parece indicar uma posição geográfica, aparece somente em alguns manuscritos da Septuaginta, e nunca em qualquer manuscrito hebraico. Por conseguinte, parece que os tradutores da Septuaginta interpretam o trecho, no tocante a essa expressão hebraica, em vez de simplesmente traduzi-la. E, desde então, alguns estudiosos têm procurado aproveitar a interpretação de alguma maneira, em vez de ficarem somente com o original hebraico.

TELAIM

No hebraico, "cordeiros". Na Septuaginta, *en galgálios*. Era uma cidade do território de Judá, perto de Edom e da pouco definida fronteira com a terra dos amalequitas. Foi ali que Saul concentrou suas tropas, em seu contraataque sobre os amalequitas que estavam assediando vez por outra as terras de Judá. Esse nome ocorre somente em I Sam. 15:4, em toda a Bíblia. A Septuaginta, seguindo as mesmas fontes informativas que Josefo (*Anti*. v.7,2), diz *Gigal* (galgálois) nessa passagem.

Alguns estudiosos têm sugerido que Telaim pode ter sido uma forma corrompida de Telém (ver Jos. 15:24), que ficava na região do Neguebe, e que, estrategicamente, era um ponto mais provável para uma concentração de forças militares, com vistas a atuar no deserto. Ver sobre *Telém*.

Outros eruditos, seguindo a Septuaginta, pensam que essa palavra ocorre novamente em I Sam. 27:8, onde a nossa versão portuguesa diz *Telã* (vide). Se eles estão com a razão, então isso restauraria alguma precisão geográfica a uma passagem com nomes corrompidos, e onde algumas versões estrangeiras dizem "desde a antiguidade'.

TELASSAR

Esse nome ocorre na Bíblia somente por duas vezes: II Reis 19:12 e Isaías 37:12, dentro da frase: "...e os filhos de Éden, que estavam em Telassar". Na Septuaginta, *Thálassar*. No original hebraico, há leve diferença na forma escrita, entre II Reis e Isaías. Essa cidade é citada, pelos mensageiros de Senaqueribe a Ezequias, como uma das comunidades destruídas por suas tropas assírias.

Parece que Telassar representa Tell Assur, ou seja, "cômoro de Assur". Os filhos de Éden, em assírio, *Bit-Adini (Bete-Éden)*, "casa de Éden", provavelmente, habitavam na área entre os rios Eufrates e Abli; mas nenhuma cidade assíria, chamada em assírio Til-Assur, jamais foi encontrada ou mencionada naquela região. Todavia, há uma Til-Assur mencionada nos anais de Tiglate-Pileser III e de Esar-Hadom, embora apareça próxima da fronteira entre a Assíria e o Elão.

TELÉM – TELL EL-AMARNA

A primeira porção do nome, "Til" parece indicar um lugar onde havia uma antiquíssima comunidade residente, mesmo para os assírios. Todavia, parece impossível uma identificação precisa do lugar, tanto devido à sua extrema antigüidade como devido ao fato de que, em áreas tão devastadas pelo homem ou pelas causas naturais, qualquer precisão geográfica torna-se praticamente impossível. Por isso mesmo, as sugestões de identificação tentativa têm sido as mais variadas, incluindo Theleda ou Thelesa, a sudeste de Raca, perto de Palmira; Artemita, no sul da Assíria ou norte da Babilônia; e Resém, atualmente chamada *Kalah Shergat*.

TELÉM

No hebraico, "cordeiro". Há uma personagem e uma localidade com esse nome, nas páginas do Antigo Testamento:

1. Um porteiro do templo de Jerusalém, que retornou do exílio babilônico, e que se casara no estrangeiro com uma mulher da qual teve de separar-se, quando do pacto estabelecido por Esdras. Ver Esd. 10:24. Telém viveu por volta de 445 a.C.

2. Uma cidade de Judá, próxima de Zife e de Bealote. É mencionada somente em Jos. 15:24. Ver sobre *Telaim*, segundo parágrafo. Telém ficava na região do Negueve, trecho semidesértico, na porção sul do território de Judá.

TELHA

No hebraico, **lebenah**, "branco", "tijolo". Essas peças de cerâmica chamavam-se de "branco" porque eram feitas de pedra calcária muito branca. A telha era um tipo de lajota. Antes de 3000 a.C., esses tabletes eram usados para sobre eles, quando a argila que os formava ainda estava mole, se fazerem os sinais cuneiformes, por meio de um estilete. Em seguida, o tablete era deixado ao sol, a fim de secar e endurecer, ou então, era posto para cozer no forno, perpetuando a escrita que ali tivesse sido gravada. As telhas, fabricadas com o mesmo material, foram usadas, em grande parte do mundo antigo, como uma maneira comum de cobrir casas e outros edifícios. Não obstante, na Palestina, usualmente, as casas eram cobertas com um tipo de teto feito de um forro inferior de madeira, por cima do qual se prensava uma camada de argila, bem compactada, misturada com palha. Ver sobre *Teto*. Telhas de cerâmica são mencionadas em Lucas 5: 19 e Marcos 2:4. No caso de alguma casa palestina, provavelmente, a referência é à argila usada no teto chato e compactado de que acabamos de falar. Os estrangeiros gregos e romanos que possuíam casas na Palestina, geralmente, preferiam cobri-las com telhas, e não com esse teto chato e compactado.

TELL EL-AMARNA
I. O Nome e o Local
II. Caracterização Geral
III. Observações Culturais
IV. Atonismo
V. As Cartas de Tell El-Amarna

I. O Nome e o Local

A palavra tell, encontrada em combinação com nomes próprios, deriva da palavra árabe que significa um monte artificial construído através de camadas sucessivas de antigas civilizações. De modo geral, os montes representam períodos progressivos na história, mas, às vezes, apenas um é contido dentro do monte. Os tells são numerosos na Palestina. Alguns dos mais comuns são Tell en Nasbeh; Tell el Ful (Gibeá); Tell Jezer (Gezer); Tell ed-Duwir (Laquis). O famoso Tell *El-Amarna* é localizado no Egito, cerca de 250 km acima do Delta, no Cairo. Primeiro, o estudante deve entender que o Tell dessa cidade não está relacionado ao tell dos arqueólogos, pois não reflete um "monte" que foi escavado. O nome Tell El-Amarna surgiu pela combinação de um nome de vila "El-Till" com "El-Amarna", o nome de uma tribo árabe que habitou a área em determinada época. O nome da cidade antiga era *Akeht Aton*, que significa Horizonte de Aton.

II. Caracterização Geral

A palavra tell, designação dos arqueólogos para um monte onde civilizações passadas foram enterradas, nada tem que ver com o Tell de Tell El-Amarna, como vimos acima. Rigorosamente falando, o nome do local é uma designação errônea que confundiu tanto estudiosos como estudantes. As cartas encontradas ali (ver a seção V) tiveram imensa importância para a compreensão da cultura egípcia daquela época e suas associações com os países vizinhos. Se confiarmos na cronologia da Bíblia hebraica massorética, podemos datar essas cartas à época da conquista da Palestina sob Josué, o que seria em torno de 1450 a.C. Mas alguns estudiosos pensam que elas são anteriores à conquista da Terra por Israel em cerca de um século e meio. Alguns também colocam a conquista em um período posterior e, nesse caso, a data de 1450 a.C. poderia ser preservada para as cartas, mas não para o êxodo e para a conquista. Em todo caso, as Cartas de Amarna são indispensáveis para a compreensão da Canaã imediatamente anterior à conquista da terra pelo povo hebraico. O faraó Aquenaton provocou revoluções religiosas e culturais no Egito, e extraímos informações sobre isso de cartas e escavações arqueológicas, mais de algum material derivado de antigas inscrições no Egito. Aquele faraó (não o do Êxodo) desenvolveu uma forma de monoteísmo, que de fato era um henoteísmo, ao suprimir os sacerdócios politeístas usuais. Além de ter absoluta autoridade religiosa, ele governava com mãos de ferro a política do estado a ponto de ter sido um ditador real.

III. Observações Culturais

1. A cidade era chamada de Akhet Aton, e o regente, de Ack-en-Atom, na versão portuguesa apresentado como Aquenatom. Ver a seção I para maiores detalhes sobre o local. A cidade era uma das três consagradas ao deus Aton, supremo naquele lugar, não tendo muita concorrência de outras divindades. Esse era um local, desde tempos muito antigos, de templos que honravam a um deus ou outro. O templo dedicado a Aton era uma estrutura complexa e notável e tinha um sistema sacrificial como principal característica de seus cultos. Havia outras estruturas notáveis, como um local rico, gigante em tamanho, medindo cerca de 450 m por 140 m. Suas decorações exageradas incluíam ornamentação em ouro das partes superiores das colunas, e pisos altamente decorados. Era um local de riqueza extravagante. O Maru-Aton, possivelmente uma residência para a realeza, tinha uma piscina artificial, jardins fechados e ricas decorações. A cidade teve um período de glória um tanto curto e foi finalmente desfigurada por Horemabe, que desejava apagar a memória do rei herege Aquenaton.

2. Aquenaton. Para uma compreensão completa do presente artigo, o leitor deve ver o artigo separado sobre o faraó Aquenaton. Ver a *Enciclopédia de Bíblia, Teologia e Filosofia*. Esse homem tentou promover uma revolução religiosa e cultural, estimulando um tipo de monoteísmo que, de fato, era um henoteísmo. Ver a seção IV deste

Tablete de barro, Carta de Tell El-Amarna
em cuneiforme, c. 1380 A.D.
Cortesia, British Museum

ΛΒ ΑΝΩΝ ΕΣΤΑΙ ΤΟ ΦΩΣ
    ΤΟΥ ΚΟΣΜΟΥ· ΟΥ ΔΥΝΑΤΑΙ
    ΠΟΛΙΣ ΚΡΥΒΗΝΑΙ ΕΠΑΝΩ
    ΟΡΟΥΣ ΚΕΙΜΕΝΗ· ΟΥΔΕ ΚΑΙ
    ΟΥΣΙ ΛΥΧΝΟΝ ΚΑΙ ΤΙΘΕΑ
    ΣΙΝ ΑΥΤΟΝ ΥΠΟ ΤΟΝ ΜΟΔΙ
    ΟΝ ΑΛΛ ΕΠΙ ΤΗΝ ΛΥΧΝΙΑΝ
    ΚΑΙ ΛΑΜΠΕΙ ΠΑΣΙ ΤΟΙΣ ΕΝ
    ΤΗ ΟΙΚΙΑ· ΟΥΤΩΣ ΛΑΜΨΑ
    ΤΩ ΤΟ ΦΩΣ ΥΜΩΝ ΕΜΠΡΟΣ
    ΘΕΝ ΤΩΝ ΑΝΩΝ· ΟΠΩΣ ΙΔΩ
    ΣΙΝ ΥΜΩΝ ΤΑ ΚΑΛΑ ΕΡ
    ΓΑ ΚΑΙ ΔΟΞΑΣΩΣΙΝ ΤΟΝ ΠΡΑ
    ΥΜΩΝ ΤΟΝ ΕΝ ΤΟΙΣ ΟΥΝΟΙΣ·
ΛΓ ΜΗ ΝΟΜΙΣΗΤΕ ΟΤΙ ΗΛΘΟΝ
    ΚΑΤΑΛΥΣΑΙ ΤΟΝ ΝΟΜΟΝ Η
    ΤΟΥΣ ΠΡΟΦΗΤΑΣ· ΟΥΚ ΗΛ
    ΘΟΝ ΚΑΤΑΛΥΣΑΙ· ΑΛΛΑ ΠΛΗ
ΛΔ ΡΩΣΑΙ· ΑΜΗΝ ΓΑΡ ΛΕΓΩ
    ΥΜΙΝ· ΕΩΣ ΑΝ ΠΑΡΕΛΘΗ
    Ο ΟΥΝΟΣ ΚΑΙ Η ΓΗ ΙΩΤΑ

Codex Pi, 9º séc., Mat. 5:14 ss
Cortesia, Public Library, Leningrad

artigo. Sua reforma falhou, por fim, pois os sacerdotes que honravam aos diversos deuses importantes à história e à cultura egípcias recusaram converter-se à nova fé de Aquenaton. O homem foi considerado um herege, e a história diz que seu corpo foi mutilado após sua morte, tamanho o ódio dos "conservadores" contra ele. Alguns místicos modernos acreditam que esse homem foi um antigo ancestral do futuro anticristo, ou, por reencarnação, o anticristo será o antigo faraó retornado. Não há como testar tais especulações.

3. Arte Amarna. A inovação e a revolução eram palavras-chaves de Aquenaton. Embora as formas de arte antiga tenham continuado, havia um tipo de radicalismo com a arte da época desse faraó. Talvez a principal característica dessa arte fosse o exagero grotesco do físico humano. Representações do rei eram o principal assunto dos desenhos, pinturas e esculturas. Trabalhos representando o rei dão a ele um pescoço bastante comprido, um queixo protuberante em forma de V, grandes quadris e pernas em forma de bulbo, mas canelas bastante finas. Outras características humanas eram distorcidas dessa mesma forma. Os trabalhos parecem uma versão antiga de Picasso. Com o passar do tempo, contudo, tais características radicais foram reduzidas a ponto de os arqueólogos chegarem até mesmo a considerar representações um tanto afeminadas produzidas naquele mesmo período geral.

4. Linguagem. Até mesmo a linguagem não escapou ao machado de modernização do faraó. Elementos obsoletos foram removidos do idioma e a linguagem escrita foi alterada para que correspondesse àquilo que o povo falava. Estudiosos referem ao produto dessa reforma como "Egípcio Posterior".

IV. Atonismo

O sol sempre foi uma grande atração teológica no Egito. Até mesmo Amon, o "escondido" de Teba, a longo prazo passou a ser identificado com o louvor ao sol. Ver o artigo separado sobre Sol, *Adoração* ao na *Enciclopédia de Bíblia, Teologia e Filosofia*. Aquenaton era um devoto radical de Aton, o deus sol, e forçou aos outros a seguir seu exemplo. O atonismo, contudo, não era um sincretismo real. Isto é, Aton não foi transformado na divindade principal de um panteão. Nem era esse um monoteísmo real, pois outros deuses continuavam existindo, mas eram chamados de usurpadores. Vários hinos e peças literárias cantavam seus louvores. O famoso longo hino a Aton das cartas de Tell El-Amarna é um notável exemplo. Ela eloqüentemente louvava o poder universal, quase onipotente, criativo e providencial que sustenta o universo.

Apenas o devoto faraó, Aquenaton, podia de fato conhecer seu alto deus, sendo assim, ele era o sumo sacerdote, tomando em suas mãos todo o poder religioso. O faraó também torna-se um mediador entre o alto deus e a humanidade. Além disso, o faraó é o filho do deus sol, participando, dessa forma, em sua divindade. O deus que brilha tão forte sobre toda a humanidade, brilha com especial intensidade no rei. O deus é, dá e sustenta toda a vida. A mágica perdeu terreno nessa fé, provavelmente devido ao fato de o rei deter todo o poder como um mediador e não precisar de passes de mágica para ter eficácia.

Esta fé eliminou a idolatria do Egito (tanto quanto possível no período de vida de um homem), pois não fazia sentido ter imagens quando o rei vivo operava como sumo sacerdote e mediador de seu deus a outras pessoas. Esta série de exclusividades indicava o monoteísmo, mas não era uma declaração final a respeito.

O fanatismo do faraó não contaminou as massas, e entre a casta de sacerdotes havia muitos inimigos que continuavam a favorecer outras divindades. Os cultos populares a Osíres, Ísis e Horus retinham o imaginário das massas. Com a morte do rei, seus cultos foram simplesmente reabsorvidos nas crenças principais, permanecendo Aton como um deus entre muitos, legítimo de ser louvado, mas não um poder exclusivo totalmente abrangente.

V. As Cartas de Tell El-Amarna

No início, cerca de 350 tabletes de barro úteis foram encontrados, depois outros 50, totalizando cerca de 400 deles. Os tabletes eram assados ao sol e escritos no virtualmente internacional acadiano, com alguns "lustres" em amorítico. A maioria deles é um tipo de carta diplomática escrito em acadiano e enviado aos reis egípcios Amonefis III (1411-1375) e Amenofis IV, também chamado de Iknaton (1375-1358 a.C.) por seus governadores vassalos e príncipes na Síria - Palestina. Os tabletes fornecem muitas informações sobre a civilização do Oriente Próximo no segundo milênio a.C. Claro, os materiais dão uma introspecção especial à era de Amarna no Egito, e referem-se a Hapiru, que é importante para a compreensão das origens hebraicas. Ver o artigo sobre *Habiru, Hapiru*, na *Enciclopédia de Bíblia, Teologia e Filosofia*. Muitas informações são dadas sobre a situação sociopolítica interna de Canaã pouco antes da invasão e conquista daquela terra. Os detalhes fornecidos demonstram que essas condições eram muito semelhantes àquelas descritas em Josué. A terra era dividida em muitos pequenos estados ou reinados, cada qual com seu próprio pequeno rei. A história desses tabletes, como relacionada à Canaã, é de agitação social, assassinatos e morte, e a tomada e perda de cidades como o subir e descer da maré da história.

TEMA

No hebraico, *país do sul*, ou *deserto*.

1. O nono filho de Ismael (Gên. 25.15; I Crô. 1.30), que era um líder de seu clã. Viveu por volta de 1840 a.C. O nome também pode indicar "queimado pelo sol", provavelmente uma referência à sua compleição escura.

2. A tribo que descendeu dele também era chamada assim (Jó 6.19; Jer. 25.23). Esse era um povo nômade que participava do comércio por caravanas.

3. Assim era chamada uma cidade localizada entre Damasco e Meca. A Teima moderna marca o antigo local. Este é um oásis bem conhecido da Arábia. Nabonido, o último rei do império neobabilônico (em torno de 556-539 a.C.) marchou contra Tema (Teima) e contra a área, deixando o Belsazar bíblico encarregado em casa, de acordo com certa inscrição acádica. Ele conquistou o povo, arruinou a cidade e então transformou uma forma reconstruída dela na capital de seu império ocidental. O louvor ao deus sol foi estabelecido ali, de acordo com um Estela Teima aramaico. Por algum tempo o local teve grande prestígio, mas por volta de 450 a.C. o persa Ciro conquistou todas as áreas ao redor de Tema, e, ao contrário do costume, não matou Nabonido, mas de fato deu a ele poder, como subordinado, sobre Carmania, um local ao sul da Pérsia.

TEMÃ

No hebraico "sul" ou "quarto sul", ou "direita".

1. O nome de um neto de Esaú, por sua esposa hetéia, Ada (Gên. 36.11; I Crô. 1.36). Era um príncipe dos edomitas (Gên. 36.15, 42; I Crô. 1.36, 53) que deu seu

nome à localidade que habitava. Ele viveu em torno de 1900 a.C.

2. Esse era o nome do território (cidade e tribo) de Edom (Jer. 49.20; Eze. 24.13), que pode ser identificado com a Tawilan moderna, uma cidade cerca de 5 km ao leste da antiga Petra. Os temanitas ocupavam, de modo geral, a parte sul da Iduméia. Eram conhecidos por sua coragem e sabedoria (Jer. 49.7). Vários profetas do Antigo Testamento incluem o local e seu povo quando denunciam os edomitas (Jer. 49.50; Eze. 25.13; Amós 1.12; Oba. 9). Em Hab. 3.3, Temã é usado como um nome para toda a Iduméia.

TEMENI

No hebraico, "afortunado". Era um homem pertencente à tribo de Judá. Era filho de Asur, filho de Calebe. Ele é mencionado exclusivamente em I Crô. 4:6.

TÊMIS

No grego, *thêmis*, derivado do verbo tithemi, "pôr". Há duas coisas a considerar:

1. A idéia foi personificada como deusa da lei e da boa ordem.

2. Essa palavra também designa o tipo de lei estabelecido pelos costumes, e não por alguma determinação judicial. A personificação desse termo tem recebido diversas interpretações. Assim, Ésquilo a representava como Gaia (terra), mãe de Prometeu (deliberação prévia).

TEMÍSTIO

Suas datas aproximadas fora 317 - 387 d.C. Ele nasceu na Paflagônia; trabalhou como filósofo em Roma e Constantinopla. Ensinava que Platão e Aristóteles estavam de pleno acordo um como outro. Asseverava que o cristianismo e o helenismo são duas formas de uma única religião universal. Escreveu comentários, além das obras Paráfrases de Aristóteles; Sobre a Virtude; Orações e Discursos.

TEMOR

O medo é uma das principais emoções humanas. Ver o artigo geral sobre as *Emoções*. O trecho de Hebreus 2:15 reconhece quão importante é essa emoção, dentro da experiência humana, declarando que, por causa do temor da morte, os homens passam a vida inteira na escravidão ao diabo. Existem temores benéficos e temores prejudiciais. O melhor temor de todos é o temor a Deus e das coisas que devemos evitar. Os temores prejudiciais são desnecessários, além de demonstrarem imaturidade e falta de fé.

I. Temores Benéficos

1. *O Temor de Deus*. Deus é o mais apropriado objeto do nosso temor (Isa. 8:13). Deus é o autor do nosso temor (Jer. 32:39); o temor a Deus consiste no ódio ao mal (Pro. 8:13), na sabedoria (Jó 28:28; Sal. 111: 10). O temor a Deus é um tesouro para os santos (Pro. 15:16); serve-lhes de força santificadora (Sal. 19:7-9). O temor a Deus nos é ordenado (Deu. 13:4; Sal. 22:23). É inspirado pela santidade de Deus (Apo. 15:4). A grandeza de Deus nos inspira a temê-lo (Deu. 10:12). A bondade de Deus leva-nos também a temê-lo (I Sam. 12:24). O temor a Deus conquista o perdão divino (Sal. 130:4). As admiráveis obras de Deus inspiram-nos o temor a Deus (Jos. 4:23,24). Os juízos de Deus levam os homens a temê-lo (Apo. 14:17). O temor a Deus é algo necessário como parte da adoração ao Senhor (Sal. 5:7). Faz parte do serviço que prestamos a Deus (Sal. 2:11; Heb. 12:28). O temor a Deus inspira os homens a um governo justo (II Sam. 23:3). O temor a Deus é uma influência aperfeiçoadora (II Cor. 7: 11). As Escrituras ajuda-nos a compreender o temor a Deus (Pro. 2:15).

2. *O Temor de Deus Residente no Homem*. Aqueles em quem há o temor a Deus agradam o Senhor Deus (Sal. 147:11). Deus compadece-se dos tais (Sal. 103:13). Eles são aceitos por Deus (Atos 10:35). Eles recebem de sua misericórdia (Sal. 103:11,17; Luc. 1:50); eles confiam em Deus (Sal. 115:11; Pro. 14:26). Eles afastam-se do mal (Pro. 16:6); eles têm comunhão com pessoas dotadas das mesmas atitudes santificadas (Mal. 3:16). Deus cumpre os desejos daqueles que o temem (Sal. 145:19); e a vida deles é prolongada na terra (Pro. 10:27).

3. *O Temor de Deus como uma Virtude*. Os homens deveriam orar a fim de receberem o temor a Deus (Sal. 86:11). O temor a Deus é exibido na vida cristã autêntica (Col. 3:22). Também demonstramos nosso temor a Deus quando damos aos nossos semelhantes uma razão para a nossa expectação espiritual (I Ped. 3: 15). O temor a Deus é uma atitude que deveríamos manter com constância (Deu. 14:23; Pro. 23:17). Deveríamos ensinar aos outros o temor a Deus (Sal. 34:11). Quem teme a Deus tem vários pontos de vantagem (Pro. 15: 16; 19:23; Ecl. 8:12,13). Os ímpios, por sua vez, não sabem o que é temer a Deus (Sal. 36: 1; Pro. 1:29; Rom. 3: 18).

II. Temores Prejudiciais

1. O principal temor prejudicial é o medo da morte, que escraviza os homens que não têm confiança no Senhor (Heb. 2: 15).

2. Há quem tema aos homens, que passam a governar-lhes a vida desnecessariamente (Rom. 13:6). O remédio para isso é a fé em Deus, a qual não permite que homens irracionais e malignos nos prejudiquem. O temor ao homem assemelha-se a uma armadilha (Pro. 29:25).

3. Qualquer temor prejudicial serve somente para encher a mente de ansiedade (Mat. 6:25 ss). A cura para esse tipo de temor é o reconhecimento de que Deus é o nosso Pai, e de que ele cuida de nós. As pessoas temem não obter as provisões básicas para as necessidades físicas; e esse temor chega a atormentá-las diariamente. Porém, se buscarmos em primeiro lugar ao Reino de Deus, e à sua justiça, então obteremos a vitória sobre o medo – porque veremos que tal receio não tem qualquer fundamento na realidade.

4. Há temores que resultam de nossa participação no pecado (Gên. 3:10; Pro. 28:1). Os ímpios fogem mesmo quando ninguém os está perseguindo. O senso de culpa de Caim fê-lo ficar fugindo (Gên. 4:14). O senso de culpa de Herodes fê-lo sentir-se um miserável e temeroso, depois que mandara decapitar João Batista (Mat. 14:1 ss). Os ímpios são assaltados por todas as formas de temores e de pressentimentos, de coisas que lhes podem acontecer (Jó 5:21; Isa. 7:25; 8:6; Apo. 18:10,15).

III. O Temor de Deus no Tocante à Salvação

É-nos ordenado que ponhamos em prática (em nossa versão portuguesa, desenvolver) a nossa salvação, com temor e tremor, reconhecendo que poderemos fracassar, a menos que apliquemos os meios da graça, cuidando também para que o poder do Espírito opere em nós (Fil. 2:12). Ver o comentário sobre esse importante versículo, para a vida cristã, no NTI. Nesse e em outros sentidos igualmente, o temor do Senhor é o princípio da sabedoria (Pro. 9:10; Sal. 111:1).

IV. O Banimento do Temor

As Escrituras ensinam-nos como podemos banir o temor negativo ou prejudicial de nossas vidas, conforme se vê nos pontos abaixo discriminados:

TEMPERANÇA – TEMPESTADE

1. Experimentando a presença de Deus em nossas vidas. Ainda que eu ande pelo vale da sombra da morte, não temerei mal nenhum, porque tu estás comigo... (Sal. 23:4).

2. Mediante o poder protetor de Deus, através da fé. Deus servia de escudo para Abraão (Gên. 15: 1).

3. Através da confiança no poder remidor de Deus. "Não temas, porque eu te remi; chamei-te pelo teu nome, tu és meu" (Isa. 43:1,5).

4. A manifestação de Deus dissipa todo o temor (Êxo. 3:6; Luc. 1:30; 2:1; Mat. 14:26; 17:6 ss).

5. Há ajudantes espirituais que nos auxiliam para banirmos o temor (Mat. 26:53).

6. O amor cristão, uma vez aperfeiçoado, o que inclui a confiança no amor que Deus tem por nós, expulsa o temor de nossos corações. Isso envolve a liberdade do temor da morte, que é, precisamente, o castigo que sobrevém aos iníquos. Ver I João 4:18.

7. A confiança na benevolência de Deus nos alivia de nossos temores no tocante à fome, aos sofrimentos e a qualquer forma de carência. Luc. 12:32; Mat. 6:25ss.

V. Exemplos de Temor Piedoso

1. Abraão (Gên. 22:12); 2. José (Gên. 39:9); 3. Obadias (1 Reis 18: 12); 4. Neemias (Nee. 5: 15); 5. Jó (Jó 1:1,8); 6. Os crentes primitivos (Atos 9:31); 7. Cornélio (Atos 10:2); 8. Noé (Heb. 11:7).

TEMPERANÇA

Uma definição de dicionário acerca dessa palavra é "o estado ou qualidade de ser controlado; a moderação habitual". O indivíduo temperado é aquele que "observa a moderação ou o autocontrole, procurando evitar extremos", em qualquer atitude ou ação. Um uso especializado é o uso moderado de bebidas alcoólicas, ou mesmo a abstenção total das mesmas.

A *temperança* aparece como uma das quatro virtudes cardeais da filosofia moral de Platão: sabedoria, coragem, temperança e justiça. Outros filósofos gregos adotaram a idéia, e então os teólogos cristãos acrescentaram-lhes a tríada paulina da fé, do amor e da esperança, perfazendo assim as chamadas *"sete virtudes cardeais"*. Ver sobre as *Sete Virtudes Cardeais*. "Moderação" tornou-se uma espécie de "lema" ético entre os gregos, e essa idéia foi transportada para o Novo Testamento. Ver o artigo chamado *Moderação*.

A Temperança no Novo Testamento:

Paulo pregou sobre a temperança a Félix (em nossa versão portuguesa, "domínio próprio"), paralelamente à justiça e ao juízo vindouro (Atos 24:25). O "domínio próprio" (temperança) é um dos aspectos do fruto (ou cultivo) do Espírito Santo (Gál. 5:23). Ainda como "domínio próprio", a temperança é a terceira das grandes virtudes que Pedro ensinou que deveríamos adicionar à nossa fé (II Ped. 1:5,7). A temperança é uma das qualidades essenciais do ministro da Igreja (ver Tito 1:7,8, "sóbrio"). Também é uma qualidade necessária para o sucesso no serviço cristão (ver I Cor. 9-25-27, "se domina").

Naturalmente, a temperança só é aplicável àquelas coisas que podemos praticar, ou por serem moralmente indiferentes. Não devemos errar com moderação. No combate contra o mal, a palavra-chave é "abstinência", e não temperança ou moderação. Ver 11 Cor. 6:17.

Ver sobre *Autocontrole*.

TEMPESTADE

Precisamos considerar cinco palavras hebraicas e quatro palavras gregas, a saber:

1. *Suphah*, "tufão", "furacão". Esse vocábulo hebraico é empregado por quinze vezes, nas páginas do Antigo Testamento: Jó 21:28; 27:20; Sal. 83:15; 37:9; Pro. 1:27; 10:25; Isa. 5:28; 17:13; 21:1; 29:6; 66:15; Jer. 4:13; Osé. 8:7; Amós 1:14 e Naum 13.

2. *Searah,* "vendaval". Palavra hebraica que aparece por catorze vezes, como em II Reis 2:1,11; Jó 38.1; 40:6; Isa. 40:24; 41:16; Jer. 23:19; 30:23; Zac. 9:14; Sal. 107:25,29; 148:8; Eze. 13:11,13; Naum 1:3.

3. *Saar,* "tempestade". Palavra hebraica que é usada por apenas uma vez, em Isa. 28:2.

4. *Zerem*, "tempestade", "inundação". Palavra hebraica que é utilizada por nove vezes: Isa. 4:6; 25:4; 28:2; 30:30; 32:2; Hab. 3:10; Jó 24:8.

5. *Saah,* "agitação", "arremetida". Termo hebraico usado somente por uma vez, no particípio, em Sal. 55:8.

6. *Laffaps*, "tufão", "furacão", "vendaval". Termo grego usado por três vezes: Mar. 4:37; Luc. 8:23 e II Ped. 2:17.

7. *Thúella,* "vendaval". Palavra grega que é utilizada apenas por uma vez, em Heb. 12:18.

8. *Cheimón*, "tempestade de inverno". Vocábulo grego que ocorre por seis vezes: Mat. 16:3; 24:20; Mar. 13:18; João 10:22; Atos 27:20; II Tim. 4:21. Em Atos 27:18 temos o verbo correspondente a esse substantivo, *cheimázomai*, que a nossa versão portuguesa traduz por "açoitados... pela tormenta".

9. *Seismós*, "abalo", "terremoto". Embora essa palavra grega ocorra por catorze vezes, com o sentido comum de "terremoto", logo em sua primeira ocorrência, em Mat. 8:24, o autor sagrado a usa em relação à tempestade que ocorreu no lago de Tiberíades, e que ele acalmou com uma palavra de ordem. Trata-se, portanto, de um uso *sui generis* do termo grego.

Na região da Palestina, as tempestades eram um fenômeno bastante comum, figurando de forma proeminente na consciência de alguns dos escritores bíblicos, como o salmista e o profeta Isaías. Esses viam as tempestades como uma ameaça à segurança dos homens ou como um castigo divino infligido contra os malfeitores. Ver Sal. 55:8; 83:15; Isa. 4:6; 25:4; 28:2. Por causa de sua freqüência, e dos vários tipos de tempestades, havia tão grande número de palavras hebraicas envolvidas. Os tipos de tempestade mais comuns que se verificavam na Palestina eram os seguintes:

1. Os temporais, que ocorriam, principalmente, no começo da estação chuvosa, no outono, quando a terra ainda estava quente devido aos dias de verão. Eram particularmente comuns em torno do mar da Galiléia, quando o vento que soprava em direção à terra passava sobre a bacia quente do lago.

2. Os remoinhos de ventos, ou vórtices locais, como aquele que arrebatou Elias para o céu (II Reis 2).

3. As tempestades no deserto. Esses eram os mais importantes e temidos, por causa dos seus efeitos. Ocorriam quando o vento soprava do deserto, trazendo um ar quente e ressecante, que crestava as plantações às margens do deserto. Na Palestina, esse vento se chama siroco, soprando das direções sul ou leste, isto é, do deserto da Arábia. Geralmente acontece no começo e no fim do verão, e quase sempre é acompanhado por uma poeira sufocante e por elevadas temperaturas. Atravessando a Palestina do Oriente para Ocidente, esses vendavais chegavam até às margens do mar Mediterrâneo (cf. Sal. 48:7). Jesus referiu-se às características do vento que sopra do deserto, em Lucas 12:55. -...e quando vedes soprar o vento sul, dizeis que haverá calor, e assim acontece".

TEMPLÁRIOS – TEMPLO

TEMPLÁRIOS

Foi a primeira e mais notável das ordens religiosas militares da Igreja Católica Romana, durante a Idade Média. Na época das cruzadas (que vide), o fervor religioso mesclou-se com as atividades militares. Essa ordem religiosa foi fundada em 1118 por Hugue de Payens e Godeffroi de St. Omer, na época do rei Balduíno II, rei de Jerusalém. Mas a ordem foi fundada na França, inicialmente com o propósito de proteger os peregrinos que quisessem visitar a Terra Santa. O nome dessa ordem deriva-se da circunstância de que sua primeira sede fazia parte do palácio de Balduíno, que ficava perto de uma antiga mesquita em Al-Akra, chamada Templo de Salomão. Essa ordem adotou a regra de Benedito, porque ela chegou a ser reformada pela ordem dos cistercianos (que vide).

O concílio de Troyes (1128 d.C.) deu sua aprovação à ordem. Bernardo de Clairvaux (que vide) era um de seus mais ardentes apoiadores. A ordem consistia em cavaleiros da cavalaria pesada, sargentos, ou cavalaria ligeira, agricultores que administravam as necessidades temporais, e capelães que cumpriam os deveres sacerdotais. Obedeciam somente ao papa e ao seu próprio Grão-Mestre, o que produziu muitas fricções com os bispos e com o clero inferior. Os templários exploravam as operações bancárias, o que lhes conferiu grande poder econômico. O poder militar deles protegia-lhes as finanças, e sua posição como clérigos. Sua participação nas cruzadas ganhou para eles a reputação de serem soldados corajosos, embora isso lhes tivesse custado muitas vidas. As riquezas materiais que conseguiram amealhar atraíram a atenção de Filipe, o Belo, rei da França, o qual resolveu obter todo aquele dinheiro para si mesmo. Exercendo pressão sobre o papa Clemente V, acusando a ordem de heresia e sacrilégio (como condições para que alguém se unisse à ordem), Filipe, o Belo, conseguiu suprimir a ordem. A maioria dos templários, em vista disso, ingressou nas fileiras de seus anteriores rivais, os Hospitaleiros (que vide). Foram estes que acabaram apossando-se das riquezas materiais dos templários, os quais, gradualmente, foram desaparecendo de cena. Vários escritores seculares, principalmente franceses, têm escrito sobre os desmandos dessa ordem, acusando seus membros de grosseiras imoralidades.

TEMPLO
Ver **Templo de Jerusalém**.

TEMPLO (ÁTRIOS)
Ver **Templo de Jerusalém**.

Quatro átrios faziam parte do templo de Jerusalém:

1. *O átrio dos gentios*. Era assim chamado porque os gentios podiam entrar no mesmo, mas não mais adiante, sob pena de morte. Simbólico e espiritualmente, esse átrio mostrava que os gentios tinham um acesso apenas limitado à adoração e ao serviço de Deus. Eles não podiam adentrar o santuário, e, muito menos ainda, o Santo dos Santos. Porém, em Cristo todas essas barreiras foram derrubadas. Agora há acesso a todos os crentes, até o trono de Deus (Heb. 10: 19,20), por intermédio do Caminho, que é Cristo. Temos acesso mediante o sangue de Cristo, o novo e vivo caminho que nos foi aberto. Agora Cristo é o nosso Sumo Sacerdote, e nós somos um reino de sacerdotes (Apo. 1: 6; 5: 10). Mais do que isso, o crente tornou-se um templo do Espírito de Deus (I Cor. 3:16), e a Igreja, coletivamente falando, é o templo para habitação de Deus, em Espírito (Efé. 2:19,20).

2. *O átrio de Israel*. Os homens de Israel tinham o direito de admissão a esse átrio. Esse átrio representava um outro nível de acesso. Embora participassem da adoração no templo, os israelitas comuns não tinham acesso ao Santo dos Santos. Somente o sumo sacerdote, e isso mesmo apenas uma vez por ano, podia entrar ali, a fim de cumprir a expiação simbólica sobre o propiciatório. Ver Êxo. 30:10.

3. *O átrio dos sacerdotes*. Era nesse átrio que ficava o altar dos holocaustos, e onde os sacerdotes e levitas exerciam o seu ministério. Esse átrio representava ainda um outro nível de acesso a Deus, embora ainda não o mais elevado. Até mesmo o Santo dos Santos era mero símbolo e acesso preliminar. Portanto, o templo de Jerusalém, com suas muitas divisões e níveis de acesso, servia de tipo de um acesso gradual a Deus. O evangelho de Cristo elimina todas as divisões. Ver Efé. 2:17 ss. O Espírito Santo confere aos crentes o mais pleno acesso.

4. *O átrio das mulheres*. Esse átrio ficava um pouco mais próximo do santuário do que o átrio dos gentios. O átrio das mulheres era posto à disposição das mulheres israelitas. No entanto, em Cristo não há qualquer distinção entre homem e mulher, no que concerne a privilégios espirituais (Gál. 3:28). Essa é uma doutrina revolucionária, exposta pelo cristianismo. Ver o artigo geral sobre Templo de Jerusalém o que provê uma ótima ilustração onde o leitor pode notar os vários átrios, sua configuração, etc.

TEMPLO DE DEUS, IGREJA COMO

Efé. 2:22: no qual também vós juntamente sois edificados para morada de Deus no Espírito.

Habitação. Esta palavra corresponde ao *Templo* que é a habitação do Senhor. É usada, nas páginas de N.T., somente aqui e em Apo. 18:2. Subentende um lugar permanente de residência. E é utilizada aqui para fazer contraste com a idéia dos "peregrinos", que aparece no décimo nono versículo deste mesmo capítulo. Assim, pois, os crentes não são mais estrangeiros e nem peregrinos, que habitam em uma terra que não é a sua, onde não gozam dos direitos da cidadania. Antes, eles mesmos se tornam a habitação do Espírito Santo, o lugar de sua manifestação. **Também são co-cidadões e até mesmo filhos da família divina, segundo a ênfase dada nos** versículos dezoito e dezenove deste capítulo.

1. *No Espírito*. Essas palavras podem indicar: 1. Por meio do Espírito Santo, em que ele age como agente; ou 2. melhor ainda, no Espírito, ou seja, em comunhão que é conferida pelo fato de que em nós habita, em sua esfera, dentro de sua realidade. Nessa "comunhão" é que nos tornamos habitação do próprio Deus. No dizer de Abbott (*in loc.*): "O Espírito não é apenas o meio ou instrumento, mas é igualmente o medianeiro por cuja virtude Deus habita na igreja". Deus, mediante ou em seu Santo Espírito, habita no templo (místico).

Devemos observar que a habitação é de *Deus*, porque isso assinala o fato de que Ele é o grande Senhor dessa casa, que essa casa pertence a Ele, e que Ele habita nela como possessão sua.

"Assim, pois, temos o verdadeiro templo de Deus Pai, edificado por Deus Filho e habitado por Deus Espírito Santo – os ofícios das três pessoas benditas são distintamente frisadas: Deus Pai, em toda a sua plenitude, habita na igreja e a enche; essa igreja é constituída como templo santo e dedicado a Deus no Filho; e é ocupada pela presença permanente do Espírito Santo.. (*Alford, in loc.*).

Por conseguinte as palavras no Espírito significam mais do que "espiritualmente" (embora isso também expresse uma verdade). Pelo contrário, está em pauta a presença real de Deus, por intermédio do seu Santo Espírito, ou

TEMPLO – TEMPLO DE JERUSALÉM

seja, torna-se possível e é concretizada uma comunhão mística, através do fato de que esse templo é santificado..

Cabe aqui urna extensa citação extraída de Adam Clarke (*in loc.*), que reputamos excelente e expressiva:

– A igreja de Deus, com toda a razão, é declarada uma obra nobre e maravilhosa, verdadeiramente digna do próprio Deus.

Diz alguém: Nada existe de tão augusto como a igreja, visto que ela é o templo de Deus.

Diz outro: Nada é tão digno de reverência, posto que o próprio Deus nela habita.

Nada é tão antigo, já que os patriarcas e profetas labutaram para edificá-la.

Nada é tão sólido, pois Jesus Cristo é o seu fundamento.

Nada é mais intimamente unido e indivisível, porquanto Cristo é a sua pedra angular.

Nada é mais belo ou melhor adornado, com maior variedade, visto que consiste de judeus e gentios de todos os séculos, países, sexo e condições; os maiores potentados, os mais renomados legisladores, os mais profundos filósofos, os mais eminentes eruditos, além daqueles de quem o mundo não era digno, têm feito parte e são parte desse edifício.

Nada é mais espaçoso, porquanto se propaga pela terra inteira, incluindo todos os que têm lavado suas vestiduras e as têm embran-quecido no sangue do Cordeiro;

Nada é tão inviolável, porquanto foi consagrada a Jeová.

Nada é tão divino, visto que se trata de um edifício vivo, animado e ocupado pelo próprio Espírito Santo.

Nada é tão beneficente, visto que abriga os pobres, os miseráveis, os aflitos de todas as nações, raças e línguas.

Ela é o *lugar onde Deus opera* seus feitos admiráveis; o teatro da sua justiça, da sua misericórdia, da sua bondade e da sua veracidade; onde ele é buscado, onde ele pode ser achado, e onde ele pode ser retido, com exclusividade.

Assim como existe um único Deus, bem como um único Salvador mediador entre Deus e o homem, e assim como há um só Espírito inspirador, assim também só há uma igreja, onde esse inefável Jeová realiza sua obra de salvação. A igreja, a despeito de estar espalhada e dividida por todo o mundo é apenas um edifício, alicerçada sobre o Antigo e o Novo Testamentos; dotada de um único sacrifício, o Senhor Jesus, o Cordeiro de Deus, que tira o pecado do mundo.

Dessa gloriosa Igreja, cada alma crente é um *epítome;* pois assim como Deus habita na Igreja, de modo geral, assim também habita em cada crente; em particular; cada um é habitação de Deus por meio do Espírito. Vãs são todas as pretensões das seitas e dos partidos, como se fossem grupos privilegiados da Igreja de Cristo, se não possuem a doutrina e a vida de Cristo. Tradições e lendas não são doutrinas. apostólicas, e as cerimônias espetaculosas não perfazem a vida de Deus nas almas dos homens.

A religião cristã não precisa dos ornamentos e das pompas humanos; ela rebrilha com a sua própria luz e refulge com sua própria glória. Mas onde não houver vida e poder, os homens haverão de esforçar-se por produzir uma imagem fictícia, vestida e ornamentada com as suas próprias mãos. Nessa imagem fictícia, entretanto, Deus nunca bafejou; e isso quer dizer que jamais fará qualquer bem aos homens, impressionando os ignorantes e crédulos com uma espetaculosidade vã de pompa e de esplendor sem vida. Esse fantasma, epitetado de "religião verdadeira" e de "igreja", pelos seus seguidores, lá nos céus é denominado de 'vã superstição', o símbolo mudo da piedade desaparecida.

TEMPLO DE JERUSALÉM

I. Nome e Terminologia
II. Histórico do Templo de Salomão
III. Local e Descrição
IV. O Segundo Templo
V. O Templo Ideal de Ezequiel
VI. O Templo de Herodes
VII. Significados e Propósitos dos Templos

Para informações adicionais, ver o artigo separado sobre *Templos*. Este artigo é limitado aos templos que foram construídos no mesmo local em Jerusalém.

I. Nome e Terminologia

A palavra hebraica é *hekal,* termo derivado de um vocábulo sumério que significa "casa grande", que em uso de modo geral significa "a casa de uma deidade". Havia também o termo *bayith*, que significa "casa"; *godesh*, que significa, estritamente, "santuário", talvez em referência a templo que se tornou local sagrado de louvor e culto a Deus ou a um deus. Em conexão com o yahwismo, temos beth YHWH, "a casa de Yahweh". A palavra grega *naos* é usada comumente no Novo Testamento para "templo". O termo *oikos* (casa) é empregado uma vez (Luc.11.51). *Ieron*, "o local sagrado", é ainda outro termo empregado para um templo como local sagrado. Essa palavra é usada com muita freqüência no Novo Testamento. Ver Mat. 4.5 e I Cor. 9.13, a primeira e última das ocorrências. O monte do templo era chamado de "a montanha da casa do Senhor" (Isa. 2.2) ou "a montanha da casa" (Jer. 26.18; Miq. 3.12). Ver o artigo geral sobre *Sião*.

II. Histórico do Templo de Salomão

Ver o artigo geral sobre o Tabernáculo, que por séculos serviu aos israelitas como um local sagrado portátil. A idéia de que ele deveria ser substituído por uma estrutura permanente, mais magnífica, foi de Davi, sem dúvida seguindo a sugestão do Espírito, que moveu seu coração e sua mente para ser generoso com os cultos de Yahweh, não meramente consigo mesmo. Ele havia construído para si mesmo um local rico e tinha vergonha de sua negligência para com o prédio da casa de Yahweh. Davi havia destruído ou confinado todos os inimigos de Israel, algo que Josué e as gerações a seguir não haviam sido capazes de fazer. Ele havia inaugurado um período de paz e prosperidade, que era uma época ideal de desenvolver os cultos religiosos sem interferência e invasões estrangeiras. Ver I Crô. 28.12, 19; I Crô. 17.1-14; 28.1 ss. Mas Davi era um rei guerreiro sangrento que havia participado de vários assassinatos, muitos dos quais totalmente desnecessários. Portanto não era a pessoa certa para construir o templo. A tarefa foi deixada para o filho de Davi, o "homem de paz", significado do nome Salomão. Davi contribuiu muito para o projeto com materiais de construção e objetos valiosos (I Crô. 21.9 ss.). Salomão iniciou a época áurea de Israel e parte disso foi a construção de um magnífico templo.

Os israelitas eram um povo de grandes produções literárias, como o Antigo Testamento dos hebreus-israelitas-judeus da Palestina e os livros pseudepígrafos e apócrifos dos judeus da Diáspora. Mas eles nunca foram um povo de ciência e não tinham conhecimento nem mão-de-obra especializada para construir um templo. Salomão teve de contratar os fenícios para essa tarefa. Eles forneceram o conhecimento e muitos materiais, além de, provavelmente, quase toda a mão-de-obra especializada. Ver I Reis 5.1-6. O que Salomão tinha era o dinheiro e a mão-de-obra escrava para fazer o "trabalho sujo". Além disso, dispunha da visão emprestada de seu pai e da

TEMPLO DE JERUSALÉM

determinação de ver o trabalho terminado, o que ocorreu no 11º ano de seu reino. O trabalho levou sete anos e meio para ser concluído (c. 949 a.C.).

III. Local e Descrição

O templo foi construído no Monte Moriá (ver a respeito). Aquele já era um local sagrado por causa dos acontecimentos importantes que ali ocorreram na história passada de Israel. O monte era (é) localizado a leste de Sião (ver a respeito), um morro que o próprio Davi havia selecionado para o propósito quando construiu um altar ali depois de determinada praga destrutora ter acabado (I Crô. 21.18 ss.; 22.1). O templo exigia uma área de pelo menos 400 cúbitos por 200 cúbitos (sendo que um cúbito mede cerca de 45 cm). O cume do morro precisava ser nivelado para fornecer uma fundação plana. A antiga eira de Aruna, também chamada de Orna, era a área em questão (II Crô. 3.1). Presumivelmente, aquele foi o local onde ocorreu o sacrifício (pretendido) de Abraão de Isaque (Gên. 22.2). Ver II Sam. 24.24, 25; I Crô. 22.1; 21.18, 26 para outras Escrituras que tratam da área onde o templo foi construído. "O templo se situava no morro leste, ao norte da cidade de Davi, onde é localizado hoje a Abóbada da Rocha. Naquela época, o monte do templo era consideravelmente menor. Salomão precisou aumentá-lo um tanto (Josefo, Guerras, 5.5. 185). Herodes precisou ampliá-lo ainda mais para seu templo. Essa era a eira de Arauna (II Sam. 24.18), o Monte Moriá (II Crô. 3.1) e provavelmente o Sião dos salmos e profetas (Sal. 110.2; 128.5; 134.3; Isa. 2.3; Joel 3.16; Amós 1.2; Zac. 8.3), embora o termo tenha pertencido especificamente à cidade de Davi (I Reis 8.1)". (William Sanford LaSor).

Descrição. O templo foi construído com pedras cortadas; media cerca de 60 cúbitos de comprimento, 20 cúbitos de largura e 30 cúbitos de altura. Tinha um telhado plano e coberto, composto de toras e tábuas de cedro, sobrepostas com mármore. Josefo insiste em que houve outro andar construído em cima dessa estrutura de fundação que dava à estrutura dimensões duplas em altura, pois esse segundo andar, em dimensões, era uma duplicata do andar de baixo (*Ant*. viii. 3,2). Se ele estiver certo, então a altura da estrutura do templo era de 60 cúbitos de altura, 60 de comprimento e 20 de profundidade. É difícil harmonizar essas dimensões fantásticas com o relato do Antigo Testamento. O plano geral era semelhante ao do tabernáculo substituído pelo templo, mas as dimensões foram duplicadas. As partes que constituíam o prédio eram: uma estrutura retangular que tinha uma varanda ou vestíbulo (Heb. Ulam, I Reis 6.3); depois havia a nave (no hebraico Hekal), que ficava virada para o leste (o local sagrado); além disso ficava o debir, ou o local mais sagrado (I Reis 8.6). A varanda media 10 cúbitos de profundidade e 120 cúbitos de altura (II Crô. 3.4), mas esse número, de tão gigantesco, pode ter sofrido alguma corrupção textual no início. Duas colunas, chamadas Jaquim e Boaz, feitas de bronze oco e 35 ou 40 cúbitos de altura, ficavam em cada lado da entrada (II Crô. 3.15-17). As paredes internas eram revestidas com cedro trazido do Líbano (I Reis 5.6-10; 6.15-16), e sobre esse revestimento havia outro de ouro (vs. 22). O local mais sagrado era revestido com ouro puro (vs. 20). Os hebreus tinham de depender de trabalhadores habilidosos que o rei, Hirão da Fenícia, forneceu. O supervisor do prédio era chamado de Hirão (7.13) ou, alternativamente, Hurão-Abi (II Crô. 2.13).

O lugar mais santo continha a arca da aliança (ver a respeito), I Reis 6.19, e o querubim, cujas asas cobriam a arca (vs. 23). Esses anjos eram muito grandes, e suas asas iam de uma parede à outra. Uma porta de madeira de oliveira, revestida de ouro, separava o lugar mais sagrado da nave (o santuário externo também chamado de local sagrado), vs. 31. Uma porta semelhante separava a nave da varanda (vs. 33). A nave continha um altar dourado (7.48) que era distinto do de bronze que ficava no pátio. Esse era feito de cedro (revestido de bronze), 6.20. O altar de incenso (ver a respeito) ficava na frente do lugar mais sagrado, centralizado entre as paredes. E havia a mesa de ouro do pão da proposição no muro do sul, além de lamparinas no muro norte.

O próprio templo era cercado por dois pátios, um interno para os sacerdotes (II Crô. 4.9), e um externo, chamado de o Grande Pátio, onde os israelitas podiam circular e que provavelmente continha diversos prédios reais. As dimensões do pátio interno não são fornecidas, mas, se dobrarmos as do tabernáculo, a área deve ter medido 200 cúbitos por 100 cúbitos. O pátio interno continha o altar de bronze (II Crô. 4.1), onde eram oferecidos sacrifícios; as dez bacias de bronze em dez suportes especiais, cinco de cada lado da casa; e o grande derretido, ou mar de bronze, um local de lavagens rituais localizado no canto sudeste da casa. Esse "mar" tinha um diâmetro de 10 cúbitos e 5 cúbitos de altura, podendo conter cerca de 40 mil litros de água. Essa era a fonte de água para as lavagens rituais dos sacerdotes para limpar partes dos animais sacrificiais (II Crô. 4.6).

Minhas descrições excluíram as ornamentações elaboradas que o templo todo recebeu, nos quais metais preciosos, tapeçarias complexas e trabalhos de escultura foram empregados. Para uma descrição completa, algo verdadeiramente impressionante, ver I Reis 5.6-7.51.

Arqueologia. O templo de **Salomão** foi estilizado de acordo com os templos fenícios, como demonstram claramente as descobertas arqueológicas. Isso poderíamos ter suposto sem o trabalho dos arqueólogos, já que foram os fenícios que forneceram as habilidades para sua construção (I Reis 7.13-15). Templos semelhantes do mesmo período geral foram escavados no norte da Síria, como o templo de Tell Tainat. Esse é menor, mas de projeto semelhante. Tanto esse quanto o templo de Salomão eram de construção pré-grega, um item que autentica sua antiguidade. Outras descobertas autenticaram vários itens de construção como a capital proto-aéolia nos pilares, que era um projeto usado extensivamente no templo de Salomão. Exemplos desse tipo foram desenterrados em Megido, Samaria e Siquém. As decorações de lírios gravados e palmas, além dos querubins, também foram encontradas em outras estruturas. As duas colunas na extremidade da varanda foram ilustradas por escavações feitas em Tell Tainat. Pilares, para guardar a entrada dos templos, eram um item comum nas antigas construções de templos.

O tabernáculo e o templo claramente ilustram acesso limitado, cada divisão admitindo apenas certas pessoas: Israel na corte externa; a corte externa para os sacerdotes; o local sagrado; o lugar mais sagrado, onde finalmente, podemos encontrar a Presença, a teofania de Yahweh. Em Cristo, temos acesso direto ao trono de Deus, como demonstra o livro de Hebreus (Heb. 4.6, por exemplo). Ver o artigo sobre o *Acesso* para mais ilustrações.

O Primeiro Templo (o de Salomão) foi atacado diversas vezes e então destruído por Nabucodonosor, rei da Babilônia, em 587-586 a.C. Ver II Reis 25.8-17; Jer. 52.12-23.

O estudante que deseja detalhes sobre o templo de Salomão deve ver o Antigo Testamento Interpretado, que fornece uma exposição versículo a versículo sobre todos os capítulos e versículos que nos falam dessa estrutura.

TEMPLO DE JERUSALÉM

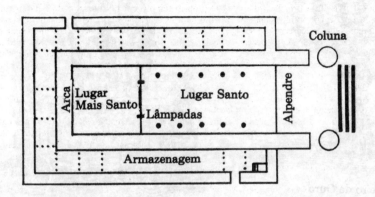

Planta do Templo de Salomão

O Templo de Salomão — Reconstrução por Stevens — Cortesia, Zondervan, Pub. House

Candeeiro de Ouro

Dez Pias de Cobre

Candeeiro de Ouro levado para Roma, 70 D.C.

Incensário

Equipamento do templo de Salomão

TEMPLO DE JERUSALÉM

IV. O Segundo Templo

Esse templo é chamado de segundo por ter sido o que substituiu o de Salomão, que havia sido destruído. É também chamado de Templo de Zorobabel. Quando os judeus retornaram do Cativeiro Babilônico, encontraram uma cidade arruinada e não muito mais do que a fundação do templo de Salomão ainda existia. Foi feito um esforço para reconstruir o templo, em termos muito humildes, é claro, pois aquelas poucas pobres pessoas não tinham o dinheiro de Salomão nem os trabalhadores especializados que ele havia importado da Fenícia. O trabalho foi iniciado, como registrado em Esdras 3, mas não foi levado adiante. Como resultado do encorajamento dos profetas Ageu e Zacarias, o trabalho foi reiniciado em 520 a.C. O templo foi finalmente terminado no sexto ano de Dario, o rei persa, isto é, no dia 12 de março de 515 a.C. Ver Esd. 6.15. O resultado foi uma pobre substituição do primeiro templo, mas respeitava o mesmo plano geral (Esd. 6.3), mesmo não tendo as ricas decorações do primeiro. Josefo, fornecendo informações dadas por Hecato, declara que a corte externa tinha aproximadamente 150 m por 45 m e continha um altar de rochas não polidas que media 20 cúbitos por 10 cúbitos de altura (Ag. Ap. 1.198). O Talmude (Yoma, 21b) fala-nos de cinco omissões tristes, isto é, coisas que o segundo templo não tinha: a arca da aliança, o fogo sagrado, o Skekinah (a Presença de Yahweh, manifestando-se em formas especiais como na teofania); o Espírito Santo, e o Urim e Tumim (ver a respeito).

V. O Templo Ideal de Ezequiel

Ezequiel, nos capítulos 40 a 48, descreve em grande detalhe esse templo "ideal". Alguns supõe que esse templo deva tornar-se uma realidade no Milênio, portanto chamam-no de Templo do Milênio. Os dispensacionalistas favoreceram essa idéia, mas a maioria dos intérpretes supõe que Ezequiel apresenta um templo ideal, do qual podemos extrair lições morais e espirituais sem tentar construir uma estrutura física de fato. Aqueles que retornaram do Cativeiro Babilônico e construíram o Segundo Templo, não utilizaram o plano de Ezequiel. Em primeiro lugar, eles não tinham dinheiro, materiais nem conhecimento para uma realização tão gigantesca. O templo ideal foi dado a Ezequiel em uma visão, e talvez seja melhor considerá-lo um auxílio visionário à fé e não um plano arquitetônico que deveria ser seguido "algum dia". De modo geral, o plano segue o de Salomão, mas há diferenças significativas. Alguns de seus arranjos foram incorporados no plano do templo de Herodes.

VI. O Templo de Herodes

Informações sobre esse templo derivam principalmente dos escritos de Josefo. Há algumas informações no Talmude. A arqueologia adiciona um pouco mais, porém não temos descrições detalhadas, como acontece no caso do templo de Salomão. Rigorosamente falando, o templo de Herodes foi o Terceiro Templo, tendo essencialmente substituído o segundo sem derrubá-lo (obviamente). Um templo de Deus não poderia ser derrubado, mas poderia ser substituído, se tal substituição fosse feita por meio de adição ou alteração. Herodes, o Grande, tinha um ego enorme e não havia como deixar o Segundo Templo humilde como era. De fato, ele ultrapassou a glória até mesmo do Templo de Salomão. O trabalho começou no 18º ano do reino de Herodes (em torno de 20 ou 21 a.C.). Levou apenas cerca de um ano e meio para terminar o próprio templo, mas para terminar as cortes foram necessários outros oito anos. Prédios subsidiários foram então adicionados e o trabalho estendeu-se pelos reinos dos sucessores de Herodes. A tarefa toda foi completada na época de Agripa II, quando Albino era o procurador (64 d.C.), totalizando 46 anos de trabalho. Josefo conta-nos que as cortes do templo de Herodes ocupava 500 cúbitos. A área do templo era construída em terraços, uma corte sobre a outra, com o templo localizado no nível superior. Isso deixava o templo facilmente visível de Jerusalém e suas redondezas. A aparência era, assim, bastante impressionante, como podemos inferir também em Mar. 13.2, 3. Esse templo ocupava mais espaço do que os outros, assim era necessário fazer mais plataformas para a fundação. Para realizar isso, o Vale de Cedrom teve de ser parcialmente aterrado, o que também ocorreu em parte com o vale central (chamado de Tiropaeon). O monte do templo foi estendido, assim, a uma largura de 280 m. Enormes rochas foram empregadas para fazer os muros do leste e do oeste, muitas delas com 1,5 m de altura e de 1 a 3 m de comprimento. Uma delas media 12 m por 4 m! No canto sudeste foi construído um muro gigante que subiu 48 m acima do Vale de Cedrom. Um pórtico ou varanda foi construído ao redor de todos os quatro lados. Ele tinha colunas de mármore de 25 cúbitos de altura. O pórtico real, na extremidade sul, possuía quatro fileiras de colunas. Josefo (Ant. 20.9.221) conta-nos que o pórtico ao longo do lado leste foi construído por Salomão. Cf. João 10.23 e Atos 3.11 e 5.12. O próprio templo era cercado por um muro de 3 cúbitos de altura que separava o local sagrado da corte dos gentios. Era nesse muro que havia advertências que proibiam a entrada dos gentios em qualquer área além de sua corte, tendo como penalidade a morte. A corte dos gentios ficava, por assim dizer, na extremidade do templo; depois havia a corte das mulheres e então a corte de Israel (aberta a homens judeus apenas), a corte dos sacerdotes e finalmente o naos, o próprio templo com o lugar sagrado e com o santo dos santos. Esse *naos* ficava em uma plataforma ainda mais alta. Apenas os sacerdotes podiam entrar no local sagrado e no santo dos santos e, ainda assim apenas no Dia da Expiação. Oito portões levavam ao monte do templo (Josefo, *Ant.* 15.11.38). O Misna estabelece o número de portões em cinco (Mid. 1.3) O magnífico templo de Herodes foi destruído em 70 d.C. como resultado da contínua agressão aos judeus por Roma, tendo por principal objetivo a independência. Tito comissionou Josefo para convencer os judeus a render-se para que o templo fosse preservado, mas ninguém deu ouvidos. Ampla agressão e massacre daí resultaram e tudo dentro do templo e ao redor dele que pudesse ser queimado, o foi. Curiosamente, isso ocorreu no décimo dia do 15º mês (AB), o mesmo dia no qual o rei da Babilônia destruiu o templo de Salomão.

Jesus, o Cristo, havia sido crucificado, e a glória do Senhor havia partido de Jerusalém e de seu templo. A justiça foi feita em 70 d.C. O sistema sacrificial nunca foi reativado, sendo que o Grande Sacrifício, o Cordeiro do Senhor, havia cumprido Sua missão de sofrimento e trazido o perdão para os pecados do povo.

VII. Significados e Propósitos dos Templos

1. Uma das principais lições dos templos judeus foi essas estruturas tinham o propósito de ser os locais dos cultos de Yahweh e onde sua Presença poderia ser revelada. De fato, os templos incluíam em sua própria estrutura o acesso ilimitado. Em Jesus, o Cristo, os limites foram removidos, e o homem tornou-se o templo de Deus (I Cor. 3.16). O mesmo é dito sobre a igreja (Efé. 2.20). Ver *Acesso* e *Templo* (*Átrios*), artigos que ilustram esse primeiro ponto.

TEMPLO DE JERUSALÉM – TEMPLOS

2. Louvor era a palavra-chave para todos os templos, judeus ou pagãos, embora algumas formas de louvor fossem idólatras e até imorais.

3. Sacrifício era outro fator comum dos antigos templos, que demonstraram a consciência dos homens de que precisavam fazer algo com relação aos seus pecados para satisfazer ou apaziguar seus deuses ou Deus. Ver o artigo *Expiação*.

4. Liderança espiritual. Certas pessoas levam sua fé religiosa mais seriamente e tornam-se os líderes do povo, sacerdotes dos templos.

5. Santuários. Alguns locais são mais significativos do que outros como locais de louvor e busca espiritual.

6. A necessidade de louvor corporativo é claramente retratada pelo templo. Algumas pessoas ainda chamam suas igrejas de templos. A fé religiosa progride melhor quando há um esforço grupal na espiritualidade.

7. Os templos hebraicos demonstraram que o louvor deveria ficar livre de idolatria por causa de um conceito mais alto de Deus que estava sendo desenvolvido. Algo do mistério e da transcendência de Deus transformaram seus templos em locais distintos em contraste com os templos pagãos.

8. Os templos hebraicos (o naos, santuários internos, local sagrado e santo dos santos) não tinham fonte de luz externa. A luz vinha de lamparinas por dentro. O conceito de iluminação e da luz que vem de Deus em si era enfatizado. Ver o artigo *Luz, a Metáfora da*.

9. Misticismo. É possível para os homens terem contato direto com o divino. Esse contato ilumina e espiritualiza o povo que o alcança. Há mais na vida do que o mundo físico, mundano, que nos aflige. Ver sobre *Misticismo* nesta *Enciclopédia de Bíblia, Teologia e Filosofia*.

10. Teísmo. O Criador não abandonou Sua criação, mas continua presente nela. Deus emana, não apenas transcende. O Poder Divino interfere na vida humana, seja individual seja corporativa, recompensando os bons, punindo os maus, orientando e liderando, fazendo uma diferença. Contraste essa idéia com o deísmo, que ensina que o Poder Criativo (pessoal ou impessoal) abandonou Sua criação, deixando à lei natural o governo das coisas. O teísmo bíblico vê Deus como uma Pessoa, não meramente como um grande poder. A observação ilustra o poder e a inteligência dessa Pessoa. Ver os artigos Teísmo e Deísmo na *Enciclopédia de Bíblia, Teologia e Filosofia*.

11. A confirmação dos pactos era um conceito importante que os templos enfatizaram e ilustraram. Yahweh era o Deus dos Pactos (ver o artigo com esse nome).

12. Os templos são forças unificadoras que ligam as pessoas que os utilizam, o que é bom para a comunidade espiritual. As pessoas compartilham de uma identidade espiritual comum.

13. Os templos são um auxílio para limitar facções e heresias. Um dos principais propósitos do templo em Jerusalém foi o de unificar o yahwismo, possivelmente ao anular os muitos oráculos que existiam na região. Esse propósito nunca foi realizado por completo. Os antigos oráculos persistiram apesar dos esforços unificadores.

14. A glória Shekinah recebeu a oportunidade de transformar a vida dos homens, pois era possível para tal glória manifestar-se no local mais santo e ser um fator iluminador. Ver o artigo *Shekinah*.

15. A necessidade de salvação e um meio para conseguir isso eram motivos importantes para a existência dos templos. A expiação era a doutrina central do templo-salvação.

16. Embora a Deidade tivesse um lugar especial para fazer contato com os homens, e embora houvesse um valor prático no louvor corporativo, não devemos pensar que os templos antigos limitavam o contato com o divino a apenas um lugar. Um templo era um local conveniente e abençoado de contato do divino com o homem, mas não um local exclusivo. A iminência não anulava a transcendência, nem a possibilidade de que a Presença pudesse ter muitos encontros com o homem fora de um local específico. O Novo Testamento, claro, traz tal contato com a alma humana, pois um homem torna-se o templo do espírito (I Cor. 3.16).

Mas, de fato, habitaria Deus na terra? Eis que os céus e até o céu dos céus não te podem conter, quanto menos esta casa que eu edifiquei!(I Reis 8.27)

17. Milagres e fortalecimento da fé. As pessoas entram em situações nas quais apenas milagres podem solucionar seus problemas ou ocasionar as coisas necessárias para a continuação de sua vida e trabalho. Elas vão a santuários e locais sagrados para buscar tais eventos transformadores, e alguns desses locais tornam-se centros de intervenções incomuns e miraculosas. Eles fortalecem a fé das pessoas e confirmam o valor da atividade espiritual. Ver o artigo sobre *Milagres*.

TEMPLO, Símbolo de Graus de Acesso Espiritual

1. O antigo templo de Jerusalém era, por si mesmo, uma ilustração dos vários graus de acesso a Deus. Havia o átrio dos gentios, o átrio das mulheres, o átrio dos homens, o santuário dos sacerdotes e o Santo dos Santos, onde somente o sumo sacerdote podia entrar, e mesmo assim, somente uma vez a cada ano.

2. O autor da epístola aos Hebreus acreditava que aquele antigo templo refletia certa realidade celestial, a saber, o acesso ao Pai, nos próprios céus. As divisões do templo são paralelas às muitas moradas. (ver João 14:2), referidas pelo Senhor Jesus. A casa do Pai tem muitas salas. (tradução inglesa RSV, aqui vertida para o português). Esse conceito é similar aos lugares celestiais do vocabulário paulino. Na verdade, no "céu" há muitos céus e estes representam variegados degraus de glória. Jesus foi capaz de penetrar no mais elevado Céu, assentando-se à direita de Deus. Dessa maneira é que ele preparou o caminho para todos os crentes conquistarem a mais elevada glória.

3. Entretanto, estar salvo significa penetrar nos céus, embora não atingir a mais elevada glória de imediato. Isso terá de esperar por uma conquista eterna, embora seja um alvo adredemente garantido, porquanto, nosso Sumo Sacerdote espera por nós, dentro do Santo dos Santos. O que aqui expressamos é equivalente a graus de glória.. Sem embargo, o estado dos remidos jamais sofrerá estagnação. Haveremos de passar de um estágio de glória para outro, para todo o sempre (ver II Cor. 3:18). E posto que haverá uma infinitude com que seremos cheios, também deverá haver um enchimento infinito.

TEMPLOS

I. Caracterização Geral
II. Terminologia
III. Tipos de Santuários
IV. Templos de Várias Culturas
V. Significados e Propósitos dos Templos

I. Caracterização Geral

Ver o artigo separado sobre o Templo de Jerusalém, que traz consideráveis informações paralelas ao assunto deste artigo. A idéia de criar templos não foi inventada pelo povo

TEMPLOS

hebreu e, de fato, havia outros tabernáculos portáteis criados por povos que não da cultura hebraica. Ver o artigo detalhado sobre o *Tabernáculo*, uma construção anterior à do templo de Salomão. Os hebreus sem dúvida injetaram na idéia do templo alguns aspectos diferentes e importantes. Em primeiro lugar, pode existir um templo que não promova a idolatria; ele pode existir sem promover o politeísmo; pode ser um local moralmente decente que não promova ritual sensual, que rejeite por completo coisas como a prostituição sagrada, parte integrante de culturas que louvavam a deuses e deusas de fertilidade. Em outras palavras, os templos hebreus estavam envolvidos na promoção de um conceito mais elevado de espiritualidade do que encontramos em outras culturas, embora haja muitos paralelos entre seus templos e os templos dos pagãos.

Templo é um termo empregado para falar de qualquer lugar ou edifício dedicado ao louvor a uma deidade. A arqueologia demonstrou que mesmo cavernas, em épocas muito antigas, eram usadas como sítios sagrados, essas cavernas foram encontradas em locais separados uns dos outros por grandes distâncias, como Malta, Egito e Índia. Começando como estruturas simples com rituais simples, foram desenvolvidos e transformados em estruturas elaboradas e decoradas contando com cultos complexos. Templos elaborados requeriam o trabalho de homens habilidosos em vários ofícios, como os que trabalhavam com metais, tecelões e tinturas, escultura, pintura e construção. Alguns templos eram representações materiais peritas da melhor arte que os trabalhadores conseguiam produzir e muitos eram grandes realizações arquitetônicas. Os templos diferiam de cultura para cultura, cada qual expressando algo do gênio de seu povo. Considere as diferenças entre os grandes templos de Carnaque, do Egito, o Panteão da Grécia, o templo de Jerusalém e as catedrais da Europa medieval, os santuários complexos dos hindus e os imponentes templos budistas. Comum a todos é (era) o desejo de aproximação com o Divino, o louvor, a busca de um caminho superior, o enriquecimento da vida material e a afirmação de que há algo além deste tipo de vida. Enquanto os templos eram (são) tipos de declarações teológicas, isto é, promoviam (promovem) linhas específicas de crença e prática, também exemplificavam (exemplificam) a crença do homem no mistério e no misticismo, qualidades inefáveis da espiritualidade.

II. Terminologia

Para isso, ver o artigo sobre Templo de Jerusalém, seção I, Nome e Terminologia.

III. Tipos de Santuários

Nem todos os santuários podem ser chamados de templos, mas o santuário muitas vezes antecedeu a um templo formalizado.

1. Santuários Naturais. Lugares sagrados onde algum tipo de acontecimento incomum ocorreu; grutas, cavernas, picos de montanhas etc. onde os profetas encontravam comunhão com o divino e onde pessoas comuns esperavam obter um pouco dos segredos dos profetas. Os cananitas consideravam os montes, tipos específicos de rochas, árvores e cavernas como locais onde os deuses ou espíritos se manifestavam e onde tais coisas poderiam ser repetidas. Os hebreus tinham santuários ao ar livre como os de Betel, Dã, Gilgal e Berseba.

2. Santuários Domésticos. A imagem de um deus era colocada em um manto ou em uma sala especial dedicada ao divino e o lar transformava-se em um santuário. O terafim de Labão era imagem desse tipo (Gên. 31.19). Essa prática era comum em tempos antigos e continua hoje, mesmo em segmentos do cristianismo atual.

3. Santuários Comemorativos. Em certos locais, ocorriam eventos especiais que lembravam aos homens que eles não estavam sós, que havia poderes que não eram vistos e podiam intervir nas atividades humanas e de fato o faziam. Uma gruta, um monte, uma rocha, uma tumba etc. tornavam-se santuários e alguns deles acabavam sendo transformados em templos. Considere o santuário de Betel, onde Jacó viu a escada e os anjos subindo e descendo, e originando-se da glória de Yahweh no local.

4. Forças de Santuários da Natureza. A mãe terra pode ser procurada em uma caverna ou em um monte. Havia em Creta cavernas dedicadas a Zeus; os minoanos louvavam em grutas subterrâneas escuras. Câmaras subterrâneas eram sagradas para alguns. Supunha-se que o totem da cobra curava. Os kivas, câmaras cerimoniais, alguns dos quais construídos embaixo da terra, eram parte importante do louvor dos índios americanos no sudoeste daquilo que hoje faz parte dos EUA. Fontes de água eram locais naturais para os homens buscarem o divino, como eram os picos das montanhas.

5. Santuários Portáteis. O mais conspícuo desses foi o tabernáculo hebreu que foi transportado durante 40 anos de vagueações no deserto, mas a arqueologia mostrou que havia santuários portáteis desse tipo entre nômades árabes e no Egito, objetos sagrados relacionados a rituais fúnebres. Uma antiga tradição semita era a de levar à batalha a tenda, santuários e objetos sagrados que supostamente ofereceriam proteção e sucesso em batalha. A arca da aliança dos hebreus era empregada dessa forma (Núm. 10.33; Deu. 1.33).

Quando os santuários eram honrados pela construção de prédios especiais para a realização de cultos de uma deidade, o santuário transformava-se em um templo.

IV. Templos de Várias Culturas

1. *Hebraicos e Judeus*. Ver o artigo detalhado sobre Templo de Jerusalém, onde são descritos os três templos daquela cultura: o templo de Salomão, o templo de Zorobabel (o Segundo Templo) e o templo de Herodes, o Grande.

2. *No Egito haviam templos monumentais e estatais*, grandes estruturas que promoviam a religião do estado, como o de Carnaque, que honrava o deus sol, Amon-Re. Havia outros nos montes em Mênfis, Tabas, Heliópolis, Hermópolis e Filae. Presumivelmente, os deuses davam atenção especial àqueles montes e ali podiam ser contatados. Era natural que os templos fossem erigidos para facilitar o contato. Um conceito comum era o "Deus no céu" que colocava o descanso de seus pés na terra. Os templos muitas vezes eram posicionais em locais próximos aos lugares dos reis, que eram considerados filhos dos deuses ou mediadores apropriados com eles, ou ambos.

3. *Templos de Fronteiras*. Pensava-se, em diversas culturas do Oriente Próximo, que a construção de templos nas fronteiras forneceria proteção à terra contra os inimigos, que estavam sempre à espreita "lá fora". Talvez os santuários de Jeroboão em Betel e Dã tivessem esse propósito (entre outros). O mesmo é verdade, presumivelmente, dos santuários em Laquis e Afeque, locais de resistência dos cananeus.

4. *Templos Funerários*. A morte, esse grande inimigo, é invocada por um santuário ou templo sagrado construído em áreas de enterro. Vários templos funerários foram descobertos no Egito. O povo tinha interesse em vencer o medo da morte ao fazer dela o centro de cultos religiosos e injetar "a vida além do túmulo" na questão

TEMPLOS

através de rituais especiais. As pirâmides da terceira, quarta, quinta e sexta dinastias egípcias exigiram dois templos funerários cada. No início pequenos santuários e capelas eram construídas perto dos locais de enterro e pirâmides. Seria natural que a capela, a longo prazo, se transformasse em um templo.

5. *Templos Mesopotâmicos.* Eram as "casas dos deuses", cada qual de modo geral especializada em alguma divindade particular. O deus vivia e trabalhava no templo e era o supervisor de todas as atividades. De modo geral, os prédios eram retângulos longos, padronizados de acordo com os mais primitivos da época de Uruque e Al Ubaide. Uma porta levava ao retângulo, mas, em épocas posteriores, a porta ficava ao lado. Uma lareira era colocada no centro do retângulo para aquecimento em épocas frias. Havia então um altar posicionado em um local de comando. Em geral, podemos dizer que tais templos pareciam as áreas de convívio de um lar primitivo, mas sua dedicação ao deus transformavam tais "habitações" em templos. Salas subsidiárias eram construídas junto às paredes, provavelmente para armazenamento. O material principal de construção eram rochas não polidas nativas da região. O Zigurate (ver a respeito) era um tipo de torre de templo erigido em estágios ou camadas. No topo era construído um santuário ou templo em honra do mesmo deus. Em outras palavras, Zigurates eram montanhas artificiais. A arqueologia descobriu diversos desses em Ur, Asur e Choga. Talvez a torre de Babel tenha sido uma construção desse tipo.

Templos mesopotâmicos posteriores adicionavam um pátio e um prédio secundário ou salas junto às paredes e muros.

6. *Templos Gregos* (do grego Temno, "cortar"). Esses locais originalmente nada mais eram do que uma área demarcada onde um sacerdote fazia sacrifícios ao seu deus, praticava sua divinação e, de modo geral, realizava os negócios do deus. Santuários eram construídos em tais locais sagrados, ao ar livre, então, finalmente, vieram prédios que poderiam de fato ser chamados de "templos". Quando prédios eram construídos para propósitos sagrados, a estrutura era um naos, um local para o deus morar ou manifestar-se. Uma única sala era o projeto mais antigo, que depois se dividia em corredores por fileiras de colunas de cada lado. Depois eram adicionadas colunas na frente ou atrás, ou em ambos os lados, e ainda mais para frente, em épocas sofisticadas, ao redor do naos. O próprio templo era construído em uma plataforma (pódio), que tinha escadarias pelas quais se atingia o templo. A maioria dos templos gregos ficava direcionada para o leste, onde nasce o sol para dar vida à terra. Dois tipos principais foram desenvolvidos simultaneamente: o dórico, com colunas maciças, simples, sem adornos. O estilo jônico era mais leve, caracterizado pela restrição artística e de bom gosto. A Acrópolis de Atenas combinava os dois estilos. O estilo coríntio era um terceiro tipo, de fato um embelezamento adicional do jônico. O exemplo melhor conhecido desse tipo foi o templo colossal do Zeus de Olímpia em Atenas, completado em 135 d.C.

7. *Templos Romanos.* Os mais antigos templos romanos imitavam os dos etruscos, tendo um naos dividido em três seções, honrando a tríade sagrada, Júpiter, Minerva e Runo. Eles tinham um pódio ou uma plataforma onde o prédio descansava. Os templos romanos possuíam entradas (de modo geral) apenas por um lado, enquanto os templos gregos poderiam ser acessados por todos os quatro lados. Templos romanos posteriores copiaram as idéias das colunas gregas, isto é, o prédio de uma fileira de colunas. Um modelo posterior apresentava uma forma circular, como o templo de Vesta em Tivoli. Alguns dos templos eram um tanto pequenos, mas uma exceção foi o panteão maciço que Adriano construiu em Roma em 80 d.C.

Templos gregos e romanos não eram lugares de assembléia pública para louvor. As pessoas vinham e iam, servindo ao deus, mas multidões não se juntavam. As primeiras igrejas cristãs não copiaram a disposição geral dos templos, mas imitaram a das basílicas de Roma ou da sinagoga dos judeus. A basílica era um corredor público alongado, a princípio utilizado para o comércio ou para assembléias. A Igreja Católica Romana chama de basílicas certas igrejas que são honradas por motivos especialmente piedosos.

8. *O templo* também era uma instituição constante das culturas do Oriente Distante, como na China, na Índia e no Japão. "O Oriente Distante era adornado profusamente com templos" (Fern). Os templos dessa parte do mundo estão entre as maiores das realizações arquitetônicas. A "maravilha" da arquitetura Oriental é o Templo do Céu, da China. Ele tem nove grandes altares, como o altar da terra, da lua, do céu etc. O "do céu" é um local fechado de 737 acres cercado por uma grande parede vermelha com mais de 5 km de extensão. Dentro do local fechado há muitas áreas de florestas de árvores coníferas, largas avenidas, portões majestosos, um enorme altar, altares menores, o próprio templo, uma casa de tesouro, um corredor de festividades, salas de armazenagem, torres de sinos, poços etc. Grandioso é a palavra correta para este complexo de construção. O altar é uma série erguida de plataformas em três terraços de mármore. Não há imagens dentro do próprio templo, mas há um altar no centro com uma representação de dragão. O local foi construído em 1420 d.C. e depois ampliado e embelezado em 1752. A República Chinesa (quando chegou o comunismo) empregou a estrutura para escolas, hospitais e como estação agrícola e de experimentação.

9. *Os templos de Confúcio* foram liderados por oficiais do governo considerados intermediários de deuses. A estrutura principal desse tipo de templo é a encontrada na província de Chufu, em Shantung, construída em 442 d.C. O templo foi construído para honrar Sage, isto é, Confúcio, o mestre espiritual. Fora do complexo principal, há casas e templos familiares que dão honra aos descendentes diretos do Mestre. Há um poço ali, ainda preservado, de onde essas pessoas tiravam sua água. Cerca de 3 km ao norte dali fica uma pequena área florestada na qual se situa o túmulo de Confúcio. O Japão e a Coréia também têm templos de Confúcio.

10. *Templos budistas* são numerosos na China, no Japão e na Coréia. Eles têm o que é chamado de "estilo palaciano". Templos budistas de modo geral consistem em um complexo de prédios, templos, corredores ancestrais etc., todos virados para o sul. Os prédios agrupam-se ao redor de pátios sagrados, muitas vezes pavimentados e decorados com representações de lótus e outros desenhos artísticos. De modo geral há Corredores de Meditação, de Sabedoria, do Patriarca, além de monastérios que também formam a cena. A maioria dos templos têm jardins artísticos que decoram as áreas circundantes. Todos possuem uma torre de sino e um pagode, montes para guardar o stupa, isto é, os restos do humano morto. Além dos ossos e cinzas, esses locais abrigam escrituras e relíquias sagradas.

V. Significados e Propósitos dos Templos

Forneço informações detalhadas sobre isso, listando 17 itens, na seção VII do artigo sobre Templo de Jerusalém, acima.

TEMPO – TEMPO, DIVISÕES BÍBLICAS DO

TEMPO
Ver sobre *Tempo e Espaço, Filosofa do*. Quanto às divisões bíblicas do tempo, ver o artigo intitulado *Tempo, Divisões Bíblicas do Tempo*.

TEMPO, DIVISÕES BÍBLICAS DO
A palavra portuguesa tempo vem do latim, tempus, derivado do termo grego *temno*, "decepar", "cortar fora". A idéia é que o tempo é algo dividido em partes, como porção de alguma duração maior de tempo.

Esboço:
I. Terminologia
II. Divisões Específicas do Tempo
III. Gráfico das Divisões e dos Nomes
IV. Conceitos Bíblicos do Tempo

I. Terminologia
No hebraico:
1. *Yom*, "dia". Ou um dia natural, de 24 horas, ou algum tempo específico, com acontecimentos especiais, como "o dia do Senhor", o qual já indica um uso metafórico. Corresponde a *emera*, no grego (ver abaixo). É muito comum.
2. *Zeman*, "tempo determinado". Ver Ecl. 11; ver também Dan. 2:16, quanto à idéia de -período determinado..
3. *Mahar*, "tempo vindouro" ou "amanhã". Ver Êxo. 13:14; Jos. 4:6,21.
4. *Eth*, "tempo geral", "tempo da tarde" (Jos. 8:29), "tempo cumprido" (Jó 39:1,2), "à hora do sacrifício", em Dan. 9:21. Pode estar em foco qualquer "período" específico (Eze. 16:8).
5. *Paam*, "um tempo", ou, mais literalmente, "um golpe". Ver Sal. 119:126; Gên. 18:32; Êxo. 9:27; Pro. 7:12. Algumas vezes é traduzido como "agora".
6. *Olam*, "tempo oculto", tempo obscuro quanto à duração, cujo começo e fim estão na dúvida, ocultos do conhecimento humano. Ver Jos. 24:2; Deu. 32:7; Pro. 8:23.
7. No aramaico, *iddan*, "tempo estabelecido". Ver Dan. 4:16,23,25,32. No plural, *iddanim*, essa palavra pode significar "anos", segundo parece ser o seu sentido nos versículos mencionados. Ver também Dan. 7:25; 12:7. Mas em Dan. 4:29 parece estar em pauta a idéia de "duração de tempo", e não exatamente de um ano. Keil comenta sobre aquele versículo onde o vocábulo em pauta é usado de maneira flexível.
8. *Moed*, "tempo fixado". Ver Êxo. 34:18; I Sam. 9:24; Dan. 12:7.
9. *Monim*, "tempos", "números". Ver Gên. 31:7, 41.
10. *Regel*, "tempos", "pés". Ver Êxo. 23:14; Núm. 22:27,32,33.
11. *Mispar-hay-yamim*, "número de dias". Ver I Sam. 27:7; II Sam. 2:11.

No grego:
1. *Eméra*, "dia". Palavra extremamente comum no Novo Testamento, começando por Mat. 2:1 e terminando em Apo. 21:25.
2. *Geneá*, "geração". Ver Atos 14:16; 15:21.
3. *Kairós*, "período fixo". Outra palavra grega muito usada, começando em Mat. 8:29 e terminando em Apo. 22:10.
4. *Chrónos*, "tempo". Palavra usada por trinta e três vezes no Novo Testamento, desde Mat. 2:7 até Apo. 10:6.
5. *Nun*, "agora". Ver Mat. 24:21; Mar. 13:19; I Cor. 16:12.
6. *Ora*, "hora". Ver Mat. 14:15; 18:1; Mar. 6:35; Luc. 1:10; 14:17; João 16:2,4,25; I João 2:18; Apo. 14:15.
7. *Poté*, "outra vez". I Cor. 9:7; I Tes. 2:5; Heb. 1:5,13; 11.
8. *Prothesnita*, "tempo designado de antemão", Gál. 4:2.
9. *Pópote*, "qualquer tempo". Ver João 1: 18; 5: 37; I João 4:12.
10. *Apalai*, "tempo antigo". Ver II Ped. 2:1
11. *Etikairos*, "tempo oportuno", Heb. 4:16.

II. Divisões Específicas do Tempo
1. Shanah, "ano". A idéia básica da palavra é "revolução", ou seja, algo que se repete, uma unidade onde há uma mudança das estações. Para os hebreus, nos tempos pré-exílicos, o ano era lunar, e consistia em 354 dias, oito horas e 38 segundos, havendo doze meses lunares. Naturalmente, os antigos hebreus não sabiam da duração exata do ano lunar, conforme acabamos de mostrar. Como esse ano lunar tem cerca de seis dias a menos que o ano solar, os hebreus precisavam acrescentar, ocasionalmente, um mês, a fim de preservar a regularidade das festas da colheita e da vindima. Esse acréscimo mantinha o mês lunar mais ou menos igual ao mês solar. Todavia, não se sabe qual método era usado pelos hebreus para fazerem esse acréscimo, nos dias antigos. Entre os judeus posteriores, depois do mês de Adar, havia o Vê-Adar, ou segundo Adar, como adição. O Sinédrio decretava essa adição, quando isso era sentido como necessário. Mas nunca se fazia qualquer acréscimo a um ano sabático.

O mês de Abibe, ou Nisã (março-abril) dava início ao ano, entre os hebreus (Est. 17). O ano civil, porém, começava com o mês de Tisri (outubro). Tenho fornecido detalhes sobre os meses e anos no artigo *Calendário Judaico (Bíblico)*, juntamente com as festividades e os dias de celebração nacional, constantes nesse calendário.

2. Hodesh, "mês". Literalmente, -lua nova.. Os hebreus tinham um mês lunar de cerca de 29-1/2 dias. A regra geral aplicada era que em um ano não podia ocorrer menos do que quatro meses completos e nem mais do que oito meses completos. Para fazer os meses lunares corresponderem ao ano solar, ocasionalmente era adicionado um mês extra, conforme dissemos acima. Antes do exílio, ocasionalmente os meses são numerados, e não chamados por nomes (ver II Reis 25:27; Jer. 52:31; Eze. 29:1), embora também pudessem ser chamados por nomes diversos, como: mês de abibe (Êxo. 13:4; 23:15). mês de zive (I Reis 6:1,37), mês de bul (I Reis 6:38) nomes esses que dizem respeito a atividades agrícolas. Após o exílio, foram dados nomes específicos aos meses, conforme mostro no artigo sobre o Calendário Judaico, mormente em seu terceiro ponto.

3. Shabua, "semana", no grego, sabbaton, "descanso". O intervalo entre os sábados, ou dias de descanso. O texto de Gên. 2; 2,3 já menciona a semana. Ver também 7:4; 8:10,12. Instituições de semanas tornaram-se importantes para a sociedade dos hebreus. Ver Núm. 19:11; 28:17; Êxo. 13:6,7; 34:18; Lev. 14:38; Deu. 16:8,13. Após o exílio, semanas específicas receberam designações específicas. Ver Miq. 16:2,9; Luc. 24:1; Atos 20:7. A derivação astronômica da semana repousa sobre o fato de que a lua muda, aproximadamente, a cada sete dias (na verdade são 7-1/8 dias), de tal modo que o mês lunar consiste em quatro semanas, ou quatro quartos. Os nomes dos dias da semana derivaram-se, em vários idiomas, de diversas origens. Os planetas deram aos dias os seus nomes, dentro da cultura egípcia; daí, o costume passou para a cultura romana, e daí, para muitas outras.

4. Yom, "dia". Literalmente, "quente", no grego, *emera*, "período de tempo". Em ambos esses idiomas, está em pauta o dia natural, assinalado por luz e trevas; ou, metaforicamente, um período de tempo que tem propósitos ou características específicas. A palavra hebraica ocorre pela primeira vez em Gên. 1:5. "Dia" é a mais antiga

TEMPO, DIVISÕES BÍBLICAS DO

designação de tempo, e também a mais comum. Os antigos marcavam o dia ou do pôr-do-sol ao pôr-do-sol, ou da alvorada à alvorada. Ver Lev. 23:32; Êxo. 12:18 quanto à primeira maneira. Os fenícios, os númidas e várias outras nações antigas também usavam esse método; mas as nações modernas preferem seguir o método romano. Quanto a usos figurados da palavra "dia", ver Gên. 2:4; Isa. 22:5; Joel 2:2. E esta enciclopédia apresenta vários artigos sob o título Dia. Ver também Calendário Judaico, em seu primeiro ponto. Vários artigos foram escritos sobre diferentes calendários.

5. Shaah, "hora". Literalmente, "olhar". No grego, ora, "período específico". A palavra é usada de várias maneiras, mas, principalmente, indicando uma vigésima quarta parte de cada dia completo (noite e dia). Lemos acerca das "horas", pela primeira vez na Bíblia, já ao tempo do cativeiro babilônico ver Dan. 3:6; 5:5); e parece que os babilônios foram um dos primeiros povos a dividir o dia em horas. Deles os gregos derivaram a idéia (ver, Heródoto 2.109). No Novo Testamento, encontramos as "vigílias", cada uma das quais consistia em várias horas fixas: três ou quatro. Ver o artigo detalhado, sobre Hora. Esse termo era e continua sendo usado em sentido metafórico, conforme é ilustrado pelo artigo acima referido. Ver também sobre Vigília.

IV. Conceitos Bíblicos do Tempo

Apesar da Bíblia não conter qualquer filosofia formal do tempo e do espaço, há conceitos relativos aos mesmos que se revestem de importância filosófica. Ver o artigo *Tempo e Espaço, Filosofia* do, que inclui as principais idéias sobre a questão. Ofereço aqui algumas idéias:

1. Somente Deus sempre existiu, sendo ele a força por detrás de toda outra existência.

2. Deus revelou-se ao homem, bem como o seu plano de redenção, por meio da história humana, de forma linear. A criação do homem foi seguida pela queda; o juízo divino sobreveio ao homem caído. Foi formada uma nação com propósitos remidores; essa nação está destinada a uma elevada glória e posição entre as nações. Dessa nação veio o Messias ou Cristo, o qual tem implicações universais, que envolvem cada indivíduo. Os remidos chegarão a participar de sua natureza. Os não-remidos finalmente serão restaurados, em uma obra secundária do Logos. A eternidade provê um progresso interminável, aos remidos, no tocante às qualidades divinas que os remidos participarão de sua natureza. Restauração pode encerrar muitas surpresas para os não-remidos. Ver os artigos intitulados *Redenção*; *Salvação* e *Restauração*, que detalham esses conceitos.

3. A Bíblia contém uma filosofia da história na qual Aquele que vive fora do tempo (Deus em seus atos) entra no *tempo*. O tempo será absorvido pela eternidade, onde não haverá mais tempo. O tempo é real, e não uma ilusão, conforme erroneamente supõem algumas fés orientais.

4. O Ser que vive fora do tempo representa a vida dos mundos não-materiais. A vida temporal representa a vida física. O homem, como ser dual (material e imaterial), é capaz de experimentar tanto o tempo quanto a eternidade. O homem tem um propósito e um destino a cumprir dentro do tempo; mas, a longo prazo também tem um destino, já na eternidade.

5. A expressão "séculos dos séculos" refere-se à eternidade. Uma era (no grego, *aeon* ou *aion*) dá a entender ciclos futuros, que formarão a eternidade, cada um desses ciclos com seu próprio propósito. Esse assunto permanece essencialmente misterioso para nós. Alguns acreditam que o tempo, conforme o conhecemos, na verdade é circular, constituído por uma série de círculos, e que o tempo *linear*,: sobre o qual agora falamos, consiste meramente nas séries de eventos que constituem o *ciclo presente*. Talvez isso esteja certo. É razoável supormos que os tratos de Deus com o mundo têm ocorrido em muitos grandes ciclos do tempo,

III. Gráfico das Divisões e Nomes

Os hebreus antigos mareavam o tempo com a ajuda da lua,
dos fenômenos naturais e das observâncias religiosas:

Hora Moderna	Judaico	Talmude
18:00 horas	Pôr-do-sol Gên. 28:1; Êxo. 17:12; Jos. 8:29	Crepúsculo (no árabe, *ahra*)
18:20 horas	Estrelas aparecem	Noitinha, *shema* ou *oração*
22:00 horas	Fim da primeira vigília Lam. 2:19	Jumento orneja
24:00 horas	Meia-noite Êxo. 11:4; Rute 18; Sal. 119:62; Mat. 25:6; Luc. 11:5	
2:00 horas	Fim da segunda vigília Juí 7:19	O cão ladra
3:00 horas	Canto do galo Mar. 13:35; Mat. 26:75	
4:30 horas	Segundo canto do galo Mat. 26:75; Mar. 14:30	
5:40 horas	Início do alvorecer	
6:00 horas	Nascer do sol (Fim da terceira vigília) Êxo. 14:24; Núm. 21:11; Deu. 4:41; Jos. 1:15; I Sam. 11:11	Alvorada (no árabe, *subah*) Três toques de trombeta (no árabe, *doher*) Sacrifício matinal
9:00 horas	Primeira hora da oração Atos 2:15	
12:00 horas	Meio-dia Gên. 43:16; 1 Reis 18:26; Jó 5:14	
13:00 horas	Grande Vesperal	
15:30 horas	Pequena Vesperal	Primeira mincha (oração); (no árabe *aser*) Segunda mincha (oração); (no árabe, *aser*)
17:40 horas		Sacrifício da tarde no altar noroeste. Nove toques de trombeta.
18:00 horas	Pôr-do-sol Gên. 15:12; Êxo. 17:12; Luc. 4:40	Seis toques de trombeta na véspera do sábado

TEMPO, DIVISÕES BÍBLICAS DO – TEMPO E ESPAÇO

relacionados a seres e criações acerca dos quais nada sabemos, e que o presente ciclo, dentro do qual vivemos, parecendo ser o único tempo existente, é apenas uma ilusão. Orígenes especulava que os ciclos nunca cessarão, e que um novo ciclo, uma vez iniciado, repetirá a necessidade de redenção, por ter havido outra queda. E talvez isso tenha ocorrido por muitas vezes. Talvez essas especulações envolvam alguma verdade; mas não temos meios de investigá-las.

6. Evidências geológicas e arqueológicas definidamente indicam a existência de uma raça humana pré-adâmica. Ver sobre *Antediluvianos*; *Criação e Adão*.

7. A Igreja Ocidental (católicos romanos, protestantes e evangélicos) tem uma versão linear de como Deus opera na história e na redenção humanas. O homem foi criado e caiu; Cristo proveu a redenção; o homem precisa encontrar a salvação em um único período de vida terrena, quando é salvo ou condenado, pois a morte física determina uma estagnação sem remédio. Já a Igreja Oriental tem uma visão circular da questão. Para ela, a alma humana foi criada em algum passado distante (pois é Preexistente), cujo pontorão podemos demarcar em um círculo. Ademais, a morte física também não assinala um ponto absoluto nesse círculo. A vida pós-túmulo caracteriza-se por uma contínua oportunidade; não podemos assinalar um ponto no círculo em que Deus interromperá essa oportunidade. Todavia, no cristianismo oriental alguns assinalam como marca do fim dessa oportunidade a segunda vinda de Cristo, e não por ocasião da morte biológica. Mas há outros que não tentam assinalar marca alguma, deixando a questão inteiramente nas mãos de Deus, acreditando que ali penetramos em mistérios divinos insondáveis. De acordo com esse ponto de vista circular, não há tal coisa como estagnação, visto que os remidos haverão de progredir para sempre na natureza divina e seus atributos, enquanto que os não-remidos participarão de uma obra secundária do Logos, cuja atuação não pode ser estagnada. Além disso, as almas humanas diversificar-se-ão em muitas espécies espirituais, nessa evolução espiritual. Os remidos participarão da natureza divina, o que representa o mais elevado potencial oferecido aos seres humanos.

8. *O Logos*, conhecido como Cristo em sua encarnação, está *relacionado a todos os períodos de tempo*, estando envolvido na criação, como também em uma missão tridimensional, que inclui todos os lugares, a terra, o céu e o inferno. Nenhum desses três aspectos chegarão *jamais* ao término; e todos eles continuarão atuantes em favor dos homens. De acordo com esse ponto de vista, fica garantido aos homens, dentro do tempo, que a dimensão *fora do tempo* de seus seres será transformada por alguma eficaz operação de Deus. Esse conceito mostra-nos que Deus não se apressa na consecução de seus propósitos. Apesar d*os homens limitarem* o tempo de que dispõem, essa limitação é falsa e ilusória. A redenção da alma humana eterna requer muito tempo.

9. A visão humana daquilo que Deus está realizando, no tocante ao tempo e à eternidade, sempre será algo fragmentar, geralmente confinada aos ensinos de alguma denominação religiosa específica. Mas a verdade sempre é mais extensa do que a avaliação humana acerca da mesma.

TEMPO E ESPAÇO, FILOSOFIA DO

Ver meu artigo sobre o **Espaço**, que expõe os vários pontos de vista filosóficos sobre a questão. Aqui apenas acrescentamos alguns pormenores, além de algumas especulações sobre a natureza do tempo.

O espaço e o tempo são grandes categorias filosóficas, e têm provido muitos debates. Continuamos ignorando muita coisa acerca desses fatos, mas pelo menos sabemos ser ridículo falar nas cinco horas em ponto no sol. O tempo é algo relativo a lugares e condições, e não uma entidade absoluta. Platão especulou acerca do mundo das Idéias e das Formas, onde não haveria tal coisa como o tempo, conforme o conhecemos, e onde impera a condição de um eterno *agora*. Talvez essa idéia tenha servido de trampolim para a teoria da relatividade. Agostinho, em seus estudos sobre o tempo, escreveu a única filosofia original, em latim, sobre a questão tempo. E, mesmo assim, suas idéias estão alicerçadas sobre idéias de Platão.

Esboço:
I. A Filosofia do Espaço
II. A Filosofia do Tempo
III. A Filosofia do Tempo e do Espaço

I. A Filosofia do Espaço

Ver o artigo sobre o *Espaço*, quanto a isso.

II. Filosofia do Tempo

A palavra portuguesa "tempo" vem do latim, *tempus*, derivado do termo grego *temno*, "cortar", "decepar". O tempo é aquilo que divide o dia em frações. E também podemos conceber períodos de tempo os mais diversos, como dias, semanas, meses, anos, séculos, milênios, eras, etc. Os termos gregos usados especificamente para indicar o tempo são *chronos e aion*. O primeiro indica o tempo em geral, e o segundo, longos períodos de tempo, como eras. O advérbio *aiônios*, no grego, significa eterno, sendo usado por várias vezes no Novo Testamento.

Idéias dos Filósofos

1. *Heráclito*. Tudo se acha em estado de fluxo, e o tempo é o meio ambiente desse fluxo. O próprio mundo passa por grandes ciclos, chamados "anos", durante os quais sucedem muitas coisas. Finalmente, cada ano chega a seu fim. Começa um novo ano, e também um novo ciclo da existência.

2. *Outros pensadores* têm contemplado grandes ciclos mundiais, como os estóicos, que falavam de maneira parecida com Heráclito. O Hinduísmo postula grandes ciclos, controlados e utilizados por Deus. *Shao Yung* (vide) falava sobre ciclos consecutivos de 129.800 anos.

3. *Platão* definia o tempo como a imagem móvel da eternidade. O tempo, para ele, teria aparecido através da agência do demiurgo (vide), que seria o criador dos mundos materiais, embora não seja isso uma característica do mundo eterno das Idéias ou Formas. O próprio tempo é temporário, porquanto é apenas uma medida temporária na dimensão física, fazendo parte de uma realidade inferior.

4. *Aristóteles* definia o tempo como a enumeração de movimentos no tocante a eventos anteriores e posteriores. A palavra "agora" subentende tanto um "antes" como um "depois". Aristóteles acreditava que o tempo não teve princípio.

5. *Plotino* asseverava que o tempo é uma energia incansável da alma do mundo, cujo intuito seria imprimir, nas formas materiais, a plenitude infinita do ser. Isso expressa a idéia de Plotino de uma maneira poética.

6. *Agostinho* confessou a sua ignorância quanto à natureza real do tempo. Mas antecipou a teoria da relatividade ao dizer que o tempo está limitado à nossa esfera, e que existem esferas onde não prevalece o tempo, conforme o conhecemos. Ele também dizia que o tempo está presente em nós, sendo medido pela mente e pela alma do homem.

7. *Os escolásticos*, embora ansiosos por empregarem

TEMPO E ESPAÇO, FILOSOFIA DO

tudo às idéias de Aristóteles, quanto à questão tempo, contradisseram sua idéia da eterna existência do tempo. Eles acreditavam em uma começo do tempo, através da agência divina. O tempo caracterizaria a existência na Terra. Para eles, a eternidade seria a *res tota simul*, "a totalidade das coisas que existem ao mesmo tempo, em um eterno agora". Entre o tempo e a eternidade, eles postulavam o *aevum*, ou seja, o estado perene dos corpos celestes e dos anjos.

8. *Thomas Hobbes* falava sobre a realidade do tempo presente. O passado, por sua vez, já se foi, existindo somente na memória, e o futuro ainda não existe.

9. *Spinoza* dizia que o tempo, conforme o conhecemos, é uma percepção inadequada ou limitação da realidade, que é eterna. Se pudéssemos perceber a realidade conforme ela de fato é, então perceberíamos aquilo que é eterno, e não aquilo que é meramente temporal. Isso posto, a dimensão temporal, na verdade, é ilusória, por faltar-nos uma correta perspectiva.

10. *Newton* falava sobre o tempo relativo e o tempo absoluto. O tempo absoluto é de eterna duração.

11. *Leibniz* ensinava que as mônadas tomam-se realidade dentro do tempo, e que sua ordem são os sucessivos acontecimentos da existência. 0 tempo faria parte da programação traçada pela Grande Mônada.

12. *Emanuel Kant* afirmava que o tempo era uma categoria a *priori* da mente, algo que a mente impõe sobre o mundo material. Seria algo empiricamente real, e também uma forma transcen-dentalmente ideal da intuição.

13. *William James* dizia que o ilusório presente contém tanto o passado quanto o futuro.

14. *Bergson* referia-se ao tempo como uma mudança qualitativa que inevitavelmente envolve alterações - o "ir-se tornando". A razão empresta a idéia de espaço ao tempo, dividindo-o em unidades; mas a intuição é que melhor apreende a sua verdadeira natureza.

15. *Whitehead* insistia que o tempo é uma categoria do ir-se tornando, uma aventura que explora novidades; movimento que passa da potencialidade para a concretização, o que produz uma imortalidade objetiva.

16. *Einstein* fazia do tempo a quarta dimensão do contínuo espaço-tempo; uma totalidade que se manifesta mediante linhas mundiais, com ocorrências futuras tão fixas quanto as do passado. Ele também falava sobre a relatividade do tempo associada à velocidade; e, à velocidade da luz, o tempo não mais fluiria.

17. *F.H Bradley*, J.E. McTaggart e outros filósofos têm encontrado motivos para negar a realidade do tempo, dizendo ser o mesmo uma ilusão.

18. *As religiões orientais* aludem à natureza ilusória do tempo, visto fazer parte da materialidade, que também é ilusória. O tempo seria uma conveniente invenção da mente, embora seja característica do Absoluto, o único dotado de existência real.

19. *A fé cristã* geralmente fala sobre o tempo como algo relativo à materialidade; e Deus, um Ser eterno, estaria fora do tempo. No mundo material, o tempo é uma seqüência de eventos, dotado de realidade e historicidade, embora de essência secundária.

III. A Filosofia do Tempo e do Espaço

Algumas repetições de idéias são, aqui, inevitáveis.

As indagações filosóficas que dizem respeito ao tempo e ao espaço, são: Será próprio tratar o tempo e o espaço como realidades, ou são meras imaginações arquitetadas pela mente? Haverá tal coisa como espaço vazio e tempo destituído de eventos? Nossa mente impõe ao mundo empírico as noções de espaço e tempo? Nesse caso, a coisa em si mesma tem algo a ver com tais imposições, exceto de maneira pragmática? O tempo é algo que, realmente, foi fixado, ou será possível participar alguém do passado e do futuro?

O espaço recebeu uma dimensão Infinita, dentro da geometria euclidiana, e muitos estudiosos têm-se aterrado a esse conceito de infinitude do espaço. Outros, porém, crêem em um espaço limitado, que pode assumir específicas formas geométricas, como uma curva, um círculo, ou mesmo uma linha. Uma outra indagação é aquela sobre a relação entre a teoria da relatividade e a questão do espaço e do tempo. A teologia e a ciência têm especulado sobre as realidades que não têm nem espaço e nem tempo, conforme conhecemos essas duas categorias. Os místicos falam sobre *estados mentais* que não têm nem espaço e nem tempo, mas que podem usar tais coisas como conveniências artificiais e pragmáticas. Para certas religiões orientais, o tempo e o espaço são artifícios mentais que fazem parte do grande sonho no qual todos estamos envolvidos. A realidade é alguma outra coisa.

Newton reputava o espaço e o tempo como coisas reais que contêm extensão ou duração infinita, dentro de uma sucessão de eventos naturais. Se esse processo tivesse começado em um tempo diferente, ou em um lugar diferente, a sucessão de eventos poderia ser diferente. Leibnitz, entretanto, desafiou esse ponto de vista, preferindo pensar que o espaço e o tempo fazem parte da programação interna das mônadas. Na verdade, a realidade compor-se-ia de itens mentais não - extensíveis (não - espaciais), pelo que tanto o espaço como o tempo seriam meras conveniências mentais, e não realidades. Kant fazia do espaço e do tempo um aspecto de seu idealismo subjetivo. A mente já traz em si mesma as categorias do espaço e do tempo, impondo-as sobre o nosso mundo empírico, mas a realidade propriamente dita (a coisa em si mesma) não contém essas categorias.

Foi revolucionária a rejeição à idéia geomética euclidiana do espaço como uma caixa infinita. Einstein complicou o mundo da especulação filosófica ao falar em um tempo *recurvo* e em um tempo que varia no tocante à velocidade. Coisas que antes pareciam ser entidades fixas, subitamente tornaram-se parte de um nebuloso mundo de relatividades. As implicações exatas das teorias de Einstein continuam controvertidas, particularmente quando, dentro da teoria geométrica geral do espaço-tempo, parecem desempenhar o papel de um fato real, com propriedades que podem ser explicadas.

Na fé cristã, a questão tempo vê-se complicada por especulações acerca da vontade de Deus e sua ordenação dos eventos. Estudiosos cristãos afirmam que a mente divina contém, simultaneamente, o tempo inteiro, apagando assim as distinções de passado, presente e futuro. O poder do conhecimento prévio pode subentender o determinismo; mas filósofos, como Agostinho, têm divisado maneiras de evitar o determinismo. Para exemplificar, Agostinho disse que Deus prevê que os homens agirão livremente, pondo assim a presciência divina por detrás do livre-arbítrio divino, e não por detrás do determinismo. Se todos os eventos futuros estão, realmente, fixados, então será possível "relembrar o futuro". Poder-nos-íamos imaginar a pairar por sobre uma longa estrada. Assim, poderíamos olhar para a frente e para trás. E então veríamos todas as coisas ao longo dessa estrada, ao mesmo tempo. Ora, se essa estrada simboliza o tempo, então também podemos afirmar que o passado, o presente e o futuro podem ser vistos ou

TEMPO E ESPAÇO – TENDA

conhecidos por um observador postado no lugar certo. O futuro só parece obscuro para aquele que não dispõe de um correto ponto de observação das coisas.

Outro mistério teológico que se relaciona ao *tempo* é a questão da vontade de Deus concernente a suas obras finais e a oportunidade que os homens têm para ser redimidos e restaurados. Alguns teólogos, especialmente da Igreja Ocidental, estagnam a oportunidade dos homens, tanto dos remidos para progredir sempre na participação na natureza divina (II Ped. P:4), como dos não-remidos num julgamento pós-túmulo. A Igreja Oriental tem uma visão circular sobre o tempo e a oportunidade. Não há no círculo qualquer lugar onde se possa marcar o fim da oportunidade e dizer: "Aqui Deus parou suas obras em favor dos homens redimidos ou não-redimidos". O *Mistério da Vontade de Deus* (vide) garante um final que opera através de um plano dinâmico, e este plano continua operando através de eras futuras (Efé. 1:9,10). Alguns especulam que uma vez completo o presente ciclo, tudo vai começar de novo, mas esta idéia está fora da esfera da nossa investigação, e, portanto, continua sendo curiosidade teológica.

Espaço, Tempo e a Idade do Universo. No meu artigo sobre Astronomia, tenho demonstrado que a criação é de imensa idade. Até o uso de triângulos, segundo os métodos de simples agrimensura, demonstra que a criação deve ter pelo menos alguns milhões de anos de idade. Mas os telescópios de luz infravermelha mostram que o Universo tem pelo menos 16 bilhões de anos de idade. É perfeitamente possível que este cálculo seja mero início no nosso entendimento da imensa idade da criação. Alguns acham que é errado falar em qualquer *início*. A criação é um *processo contínuo*, não uma coisa uma vez *feita*. É claro que o espaço e o tempo estão envolvidos em grandes mistérios. Talvez a criação seja um *ato eterno* de Deus, como Orígenes especulou. Um dos grandes mistérios é *origens*. Até agora, não temos descoberto algo que resolva esse mistério em qualquer grau significativo.

TEMPORALIDADE DE DEUS

Esse é o nome que se dá à idéia de que o tempo é uma experiência inerente, intrínseca e irredutível de Deus. Esse ponto de vista representa uma reação contra a noção de que a mudança (um produto do tempo) não pode ser atribuída a Deus. Os gregos cultivavam a idéia de que qualquer mudança necessariamente envolve decadência e inferioridade, se não mesmo a cessação do ser. Por isso, os teólogos gostam de dizer que Deus vive "fora do tempo", noção essa que sempre fez parte de sua transcendência. Porém, um Deus imanente precisa envolver-se no tempo e nas mudanças. O não-temporalismo sempre foi aplicado, pelos pensadores, à natureza do mundo, o que parecia estar em total antagonismo com aquilo que observamos na vida diária. Leibnitz, porém, asseverou que o tempo não pode existir de maneira independente dos eventos, o que o levou a tomar a sério o tempo, quando aplicado à experiência divina. Mas, se a temporalidade de Deus combina mais com explicações finitas de seu ser, mesmo assim é possível imaginarmos um Deus transcendental que vive fora do tempo (*conforme se vê nas Idéias ou Formas de Platão*), mas cujas manifestações ocorrem dentro do tempo (*como nos Particulares de Platão*). E ao chegarmos nesse ponto, topamos com a antiga e difícil questão de como podemos falar de modo inteligível acerca de Deus, o mais augusto de todos os assuntos. Não admira, pois, que nos defrontemos com paradoxos e problemas.

TÊMPORAS

Essa palavra dá a idéia de ciclos, que é precisamente a noção que há por detrás do vocábulo, conforme se vê em outras línguas, como no inglês. No inglês temos *Ember Weeks and Days*. "Ember" vem do inglês antigo *ymbrene*, que significa ciclo. Essa festividade diz respeito a um período de três dias, com orações, efetuada quatro vezes por ano, na quarta-feira, na sexta-feira e no sábado, após o primeiro domingo da quaresma, após o Pentecoste, após 14 de setembro e após 13 de dezembro. Esse costume é de origem romana. Esses períodos são costumeiramente aproveitados para ordenação de sacerdotes e têm sido especialmente assinalados no Livro de Oração dos anglicanos, desde 1662.

TENAZ, ESPEVITADEIRA

No hebraico, temos duas palavras, uma das quais é apenas uma variante da outra, a saber, *malqachayim* e *melqachayim*. A primeira ocorre por duas vezes (Êxo. 25:38 e Núm. 4:9); e a segunda por quatro vezes (Êxo. 37:23; I Reis 7:29; II Crô. 4:21 e Isa. 6:6). Um detalhe interessante, referente a essa palavra, em nossa versão portuguesa, é que em II Crônicas 4:21 e Isaías 6:6, encontramos a tradução "tenaz", ao passo que em todas as outras quatro ocorrências, aparece a tradução "espevitadeiras".

As espevitadeiras eram pequenos instrumentos feitos de ouro, usados para tirar o carvão que se forma no pavio das lâmpadas alimentadas a azeite, como no caso do candeeiro de ouro, usado no tabernáculo, armado no deserto, e no templo de Jerusalém. Essas pontas queimadas eram depositadas em receptáculos que, para aumentar a confusão, em nossa versão portuguesa, também são chamados "espevitadeiras" (embora aí tenhamos uma outra palavra hebraica, *mezammeroth*; por exemplo, em II Reis 12:13; 25:14; Jer. 52:18). Na verdade, os nomes desses pequenos instrumentos e utensílios são de difícil tradução, o que talvez explique a falta de homogeneidade na tradução de vários desses termos hebraicos.

Por outra parte, torna-se mais evidente que, em Isaías 6:6, na visão desse profeta ali relatada, um serafim tirou do altar uma brasa acesa, com uma "tenaz". É bem possível, pois, que as espevitadeiras tivessem o formato de uma pequena tenaz.

TENDA

1. Termos. A palavra hebraica que significa tenda é **obel**, que ocorre cerca de 150 vezes no Antigo Testamento. Exemplos: Gên. 4.20; 9.21, 27; 12.8; 35.1; Êxo. 16.16; 18.7; 26.11-14, 36; Deu. 1.27; I Crô. 4.41. A palavra grega é **skene**, usada cerca de 20 vezes no Novo Testamento. Exemplos: Mat. 17.4; Mar. 9.5; Luc. 9.33; 16.9; Atos 7.43; Heb. 8.2, 5; Apo. 13,6; 15.5; 21.3.

2. Natureza. A tenda é uma habitação portátil, feita de materiais duráveis como o pêlo de cabra (Cantares 1.5), embora algumas fossem tecidas de outros materiais mais finos. O tecido de pêlo de cabra é (era) ideal, pois pode resistir até mesmo às chuvas mais fortes. A tenda oriental era mantida em pé por postes de tendas chamados *amud*, de modo geral em número de nove, embora algumas tivessem apenas um. As cordas que mantinham a tenda em pé não passavam pelo material da tenda, mas sim por laços costurados nele. A extremidade das cortas era amarrada em pinos de tenda chamados *wed* ou *aoutad*, que eram inseridos no chão. A maioria das tendas era dividida em duas partes, separadas por uma cortina pesada. Os móveis que compunham a tenda eram um carpete, almofadas e uma mesa baixa. Havia também

TENDA – TENTAÇÃO

utensílios para preparar e consumir alimentos e uma lamparina.

3. Vida na Tenda. Os povos das tendas eram aqueles que iam de lugar a lugar para buscar alimentos ou para fazer comércio de caravana. Levavam com eles animais domesticados que tinham de pastorear, mas o povo das tendas não criava sua própria alimentação. Eles caçavam quando em áreas que forneciam alimentos para isso.

4. A Tenda e os Patriarcas. Abraão e seu povo, que vieram de Ur, tinham casas permanentes, não sendo nômades. Assumiram esse tipo de vida de romeiros na futura Terra Prometida. Canaã foi uma terra onde vaguearam até serem cumpridas as promessas de Deus de uma nação fixa. Os israelitas tinham casas em Gósen, Egito, mas retomaram uma vida nômade nos 40 anos de vagueação. Uma vez que a terra havia sido conquistada, voltaram a viver em casas permanentes.

5. As pessoas mais pobres tinham apenas uma tenda que podia facilmente ser dobrada e carregada por um animal de carga, como um burro. Mas um xeque, um chefe ou um homem mais afluente teria várias tendas, especialmente se fosse polígamo, isso é, se tivesse mais de uma família. Patriarcas como Abraão, Isaque e Jacó, e seu irmão gêmeo Esaú, eram ricos habitantes de tendas (Gên. 13.2 ss.). Isaque assumiu a agricultura, mas sua principal ocupação era a criação de gado (Gên. 24.67; 26.12 ss.). Jacó era um nômade rico (Gên. 31.33; 33.19; 35.21).

6. Usos Figurativos. a. Os céus, que estão sempre em movimento, são como uma tenda (Isa. 40.22). b. A prosperidade, quando aumenta, é como ampliar uma tenda (Isa. 54.2). c. A vida do nômade, de constantemente ter de montar e desmontar sua tenda, exigia a ajuda de outros. Um homem que não tem amigos é como o nômade que não tem quem o ajude a montar sua tenda (Jer. 10.20). d. Uma tenda que pode ser desmontada tão rápida e facilmente é como a vida física humana, que termina num piscar de olhos e é tão frágil (Isa. 38.12; II Cor. 5.1). Mas esse não é um fator crítico, sendo que temos um lar permanente no céu. e. A futura desolação de Judá seria tão grande, disse Isaías, o profeta, que nem mesmo um árabe se incomodaria em montar sua tenda em tal lugar (Isa. 13.20). f. Idealmente, Jerusalém seria como uma tenda impossível de mover (Jer. 33.20). g. Mas a queda da Judéia foi como uma tenda que teve suas cordas cortadas (Jer. 10.20). h. Jesus, o Cristo, é o sumo sacerdote da "verdadeira tenda" que o poder divino montou e não podemos derrubar, em contraste com o tabernáculo móvel das vagueações de Israel (Heb. 8.2).

TENDAS, FABRICAÇÃO DE

No grego, *skenopoiás*, "fazedor de tendas". Essa profissão é mencionada apenas por uma vez na Bíblia inteira, onde aparecem três fabricantes de tendas, o apóstolo Paulo, Áquila, um judeu crente, e Priscila, sua mulher. Lemos em Atos 18:2,3: "Lá encontrou certo judeu chamado Áquila, natural do Ponto, recentemente chegado da Itália, com Priscila, sua mulher, em vista de ter Cláudio decretado que todos os judeus se retirassem de Roma. Paulo aproximou-se deles. E, posto que eram do mesmo ofício, passou a morar com eles, e trabalhavam; pois a profissão deles era fazer tendas".

Os pais israelitas ensinavam as mais diversas profissões a seus filhos, usualmente aquelas que eram seguidas com sucesso, por sucessivas gerações, pelas famílias. Por esse motivo é que a Jesus foi ensinada a profissão de carpinteiro, e a Paulo a profissão de fabricante de tendas.

A província nativa da Cilícia tornou-se conhecida por seus excelentes tecidos de pêlo de cabra, a ponto de que o tecido, usado para a fabricação de tendas grandes, era chamado de pano de Cilícia. A habilidade de Paulo nesse mister, provavelmente, consistia em saber cortar e costurar o pano nas dimensões certas, para fabrico das peças constitutivas de uma tenda, com as cordas, varas e outras porções que faziam parte necessária de uma tenda.

TENDÕES

No hebraico, gid, "tendão", "nervo". É vocábulo usado por sete vezes: Gên. 32:32; Jó 10: 11; 40:17; Isa. 48:4; Eze. 37:6,8. Um tendão é uma forte ligadura fibrosa, ligando um músculo a um osso qualquer. No corpo humano, talvez o tendão mais bem conhecido seja o tendão de Aquiles., que liga o calcâneo à batata da perna. No caso de Ezequiel 37:6,8, os tendões foram as primeiras partes dos corpos a recobrirem os ossos nus, na grandiosa visão daquele profeta.

A experiência de Jacó, em Penuel (Gên. 32), pode ter envolvido a contratura do músculo e do tendão, "...deslocou-se a junta da coxa de Jacó..." (vs. 25). Parece que se rasgaram fibras musculares, deixando Jacó manquejando de uma das pernas. O deslocamento da junta parece referir-se a alguma injúria na junção entre a coxa e o osso ilíaco. Se tomássemos literalmente a expressão, ela indicaria uma injúria grave nas cadeiras, impossibilitando o ato de andar.

TENDÕES FRESCOS

No hebraico, yetherim lachim, "cordões frescos" ou "cordões úmidos". Uma expressão hebraica que aparece somente por duas vezes, em Juí. 16:7,8. E, no nono versículo, desse mesmo capítulo, reaparece a palavra que nossa versão portuguesa traduz por tendões.

Dalila queria descobrir o segredo da extraordinária força de Sansão, a qual, naturalmente, residia no Espírito de Deus, enquanto ele fosse fiel à sua condição de homem consagrado a Deus, ou voto de nazireado: Sansão, de certa feita, enganou Dalila dizendo que perderia as forças se fosse amarrado com sete tendões de boi, ainda frescos. E Dalila, que fazia o jogo de seus compatriotas filisteus, acreditou e o amarrou desse modo-sem proveito nenhum. Sabemos que Sansão acabou revelando-lhe o seu segredo, e assim ele acabou sendo preso pelos filisteus, foi cego e perdeu a vida quando derrubou, com a renovada ajuda de Deus, os pilares onde se apoiava o templo do deus Dagom. Morreram tantos filisteus que o domínio deles sobre Israel se debilitou.

TENTAÇÃO
Esboço:
I. Definição
II. O Dilema Humano
III. Deus é Fiel
IV. A Vitória é Possível
V. Por que é Importante Resistir à Tentação?
VI. Meios para Escapar

1 Cor. 10: 13: *Não vos sobreveio nenhuma tentação, senão humana; mas fiel é Deus, o qual não deixará que sejais tentados acima do que podeis resistir, antes com a tentação dará também o meio de saída, para que a possais suportar.*

I. Definição

Há uma palavra hebraica e duas palavras gregas, envolvidas neste verbete, a saber:

1. *Massah*, "teste", "provação". Palavra hebraica usada

LeBrun. **João Batista reprova Herodes**

Schelken. **As dez virgens**

Ary Scheffer. **A tentação de Jesus**

O DINHEIRO DO TRIBUTO

TENTAÇÃO

por cinco vezes. Deu. 4:34; 7:19; 29:3;, Sal. 95:8; Jó 9:23.

2. *Peirasmós*, "teste", "prova". Palavra grega usada por vinte vezes: Mat. 6:13; 26:41; Mar. 14:38; Luc. 4:13; 8:13; 11:4; 22:28,40,46; Atos 20:19; 1 Cor. 10:13; Gál. 4:14; 1 Tim. 6:9; Heb. 1:8; Tia. 1:2,12; 1 Ped. 1:6; 11 Ped. 2:9 e Apo. 3:10.

3. *Peirázo*, "testar", "submeter à prova". Vocábulo grego que ocorre por trinta e seis vezes: Mat. 4:1,3; 16:1; 19:3; 22:18,35; Mar. 1:13; 8:11; 10:2; 12:15; Luc. 4:2; 11:16; João 6:6; 8:6; Atos 5:9; 9:26; 15:10; 16:7; 24:6; 1 Cor. 7:5; 10:9,13; 11 Cor. 115; Gál. 6:1; 1 Tes. 3:5; Heb. 2:18; 3:9 (citando Sal. 95:9); 4:15; 11:17,37; Tia. 1:13,14; Apo. 12,10; 3:10.

No original grego, *tentação* é "peirasmos", que significa "teste", "provação", "tentação para a prática do mal". Esse vocabulário pode incluir ou não a idéia de alguma questão moral envolvida. Pode simplesmente indicar um teste difícil, uma prova, e não alguma tentação tendente à prática do mal, uma incitação ao pecado. Por outro lado, essa palavra pode envolver a idéia de incitação ao pecado. Essa foi exatamente a palavra utilizada pelo Senhor Jesus, em sua oração, no trecho de Mat. 6:13, onde ele diz: "... e não nos deixeis cair em tentação...". É também o mesmo termo usado para indicar as tentações que Satanás lançou contra o Senhor Jesus, no deserto (ver Luc. 4:13). Na passagem de Tia. 1:12 essa mesma palavra é empregada para indicar, bem definidamente, a tentação à prática do mal.

É lógico acreditarmos, por conseguinte, que a *tentação* referida neste versículo tem por intuito incluir questões tanto "morais" como "amorais", isto é, tentações para a prática do pecado (o que é evidente no próprio contexto), mas igualmente, certos períodos de dificuldades, o que também se evidencia quando consideramos, no contexto, o que Paulo mesmo esperava para o fim desta era, refletindo uma doutrina judaica comum, de que haveria um período geral de tribulações, em todos os sentidos, quando se aproximasse o fim da presente dispensação (ver 1 Ped. 4:12 e Apo. 3:10 quanto a essa mesma idéia, nas páginas do N.T.).

Deus não tenta a homem algum para a prática do mal (ver Tia. 1:12), embora ele permita que as tribulações nos sobrevenham (ver Mat. 6:13), e destas últimas o Senhor Jesus orou pedindo livramento. Satanás foi capaz de tentar ao Senhor Jesus com o mal; nada disso o diabo jamais teria podido fazer, sem a permissão divina.

II. O Dilema Humano

Condição humana. As tentações (induções) à prática do mal ou "tribulações" são "humanas". Isso significa apenas que pertencem aos homens, comuns a seu nível, comuns à sua experiência terrena, pelo que também não podem ser algo extraordinário e avassalador para nós. Desde o princípio da história humana, os homens têm sofrido das mesmas formas de testes; não existem tribulações novas, que nos surpreendam devido à sua novidade. Os homens da antigüidade foram atingidos por toda a sorte de desastres. Outro tanto sucede conosco. Os homens antigos foram vitimados por todas essas calamidades; e outro tanto pode suceder conosco. As tentações vitimaram os homens antigos; e podem vitimar-nos se não exercermos a autodisciplina. Contudo, as tentações que nos assediam são adaptadas para as forças humanas, para as condições humanas. Temos sido armados com os meios que nos capacitem a derrotar tais tentações; e assim poderemos fazê-lo, se nos valermos dos meios postos à nossa disposição. Podemos ser vitoriosos ou totalmente derrotados pelas tentações; podemos ser até mesmo destruídos, espiritualmente falando, ou podemos usá-las como degraus que nos elevam a um desenvolvimento espiritual mais elevado. Podemos encontrar homens pertencentes a ambas categorias, na Igreja cristã.

Não parece que Paulo estivesse contrastando duas formas de tentação, a humana e a demoníaca, porquanto até mesmo as tentações demoníacas assaltam os crentes, conforme aprendemos em Efé. 6:12 e ss. Não obstante, sem importar a fonte de onde elas provêm, continuam sendo humanas, no sentido de que são comuns à experiência humana, não transcendendo ao poder da vontade humana, contanto que o homem seja ajudado pelo Espírito Santo.

O apóstolo dos gentios, portanto, dizia que podemos triunfar; mas que esse triunfo não é necessariamente inevitável ou fácil. A experiência humana mostra-nos que tal vitória não é fácil.

III. Deus é Fiel

Ele é fiel pelas razões expostas; em seguida Ele exerce controle sobre todas as tentações que sobrevêm ao crente em sua vida, Ele permite somente aquelas tentações que podem ser toleradas, sem importar se essas assumem a forma de testes, de sofrimentos, de perseguições ou de incitações para a prática do mal. Além disso, Deus provê sempre um meio de escape, quando somos assediados pelas tentações, desviando aquelas outras que, de modo algum, poderíamos suportar. Sim, Deus é *fiel* no sentido de "digno de confiança", como alguém em quem se pode confiar, no que diz respeito a essa questão das tentações.

IV. A Vitória é Possível

Não sejais tentados além das vossas forças. Um crente conta com reservas de forças até mesmo para enfrentar os poderes espirituais malignos. Não obstante, compete-lhe utilizar-se de certos meios para desenvolver esses recursos, a fim de que possa usá-los prontamente quando isso se tornar necessário. Precisa ter certo nível de espiritualidade, desenvolvido mediante a oração, a meditação, a comunhão com o Espírito Santo, a transformação segundo a imagem moral de Cristo. O próprio Cristo é o exemplo supremo das reservas de forças espirituais que resguardam o homem de Deus contra qualquer modalidade de tentação. As passagens de Heb. 2:18 e 4:15 mostram-nos que Jesus foi tentado em todos os pontos em que também o somos, embora jamais tivesse cedido ao pecado. Cristo Jesus não pecou, não porque não pudesse fazê-lo; pois, nesse caso, não serviria de exemplo e de consolo para nós. Mas não pecou porque o seu desenvolvimento espiritual, através da presença do Espírito Santo, era tão grande que foi capaz de resistir às formas mais variegadas e difíceis de tentação, incluindo a "incitação ao pecado", as "tribulações", as "perseguições", e os "momentos difíceis".

V. Por que é Importante Resistir à Tentação

1. A tentação, se não for dominada, destrói a fibra moral. Mas, uma vez que lhe oferecemos resistência, isso melhora a qualidade moral do nosso ser. Aquele hino que diz: "Cada vitória te ajudará a outra vitória conquistar", encerra grande verdade.

2. Há uma bem-aventurança especial pronunciada em prol daqueles que resistirem às tentações, a saber, a "coroa da vida", e isso por promessa de Deus (ver Tia. 1: 12).

3. Isso significa que a santificação conduz à glória, o que é um tema ensinado em vários lugares do N.T. (Ver Mat. 5:48 e II Tes. 2:13). Por conseguinte, a transformação moral é que nos leva à transformação metafísica, dentro da qual chegamos a compartilhar da própria natureza do Filho (ver II Cor. 3:18).

4. Os testes, por si mesmos, podem ser forças que nos ajudam em nosso desenvolvimento espiritual. Ver o artigo separado intitulado, *Tribulações Como Benefícios*.

Tiago expressou essa mesma idéia de maneira um tanto

TENTAÇÃO – TENTAÇÃO DE CRISTO

mais poética, ao dizer: **Bem-aventurado** o homem que suporta com perseverança a provação; porque, depois de ter sido aprovado, receberá a coroa da vida, que o Senhor prometeu aos que o amam (Tia. 1:12). Sim, a **verdadeira bem-aventurança** espiritual é conferida ao homem digno de receber a coroa da vida, isto é, o dom da vida eterna, com a conseqüente participação em tudo quanto Cristo é e tem, a glorificação em Cristo. Ver os artigos sobre *Glorificação; Galardão; Coroa; e Julgamento do Crente*.

A resistência às tentações, em suas variegadas formas, aumenta o poder do crente. Mas a cessão ante as mesmas destrói as defesas espirituais dos remidos.

VI. Meios para Escapar

No original grego temos "o livramento", com o artigo definido, o que certamente indica *o meio de escape*. Mui provavelmente isso quer dizer que no caso de cada tentação, manifestar-se-á alguma maneira pela qual podemos escapar ao mal, algum meio que nos capacite a suportar a dor e a tristeza. O "meio de escape" é sempre adaptado a cada circunstância. O pecado se faz presente e é poderoso; nenhum indivíduo escapa à tentação à prática do mal. Mas esse não é o "escape" prometido. Testes de ordem física e espiritual, grandes tragédias, são acontecimentos poderosos, debilitadores, desencorajadores, algumas vezes avassaladores; mas Deus sempre se mantém próximo do crente. Paulo promete aqui alguma ajuda divina em cada caso, embora não especifique exatamente o que devemos esperar. E essa ajuda será tão variegada como as tribulações.

"Ele (Deus) conhece os poderes que nos conferiu, bem como quanta pressão somos capazes de resistir. Não permitirá que sejamos vítimas das circunstâncias que Ele mesmo determinou para nós e 'impossibilia non jubet'... Tentação é provação, e Deus ordena as provações de tal modo que 'sejamos capazes de suportá-las'. O 'poder' é conferido paralelamente com a tentação, embora a resistência não nos seja proporcionada; essa resistência depende de nós mesmos". (Robertson e Plummer, *in loc*)

É única demonstração de covardia cedermos à tentação, bem como um voto de desconfiança a Deus (Robemson, *in loc*.).

A parte seguinte do presente versículo deixa entendido que o 'escape' só aparece através da 'resistência' e da persistência do crente.

"... de sorte que a possais suportar....". Notemos que não nos é dado o "escape" por meio da ausência de toda a tentação; nem nos é outorgado o "escape" porque estamos livres da tribulação. Antes, esse "escape" nos é proporcionado 'porque' temos podido resistir e chegar ao triunfo. Somente essa forma de escape e de disciplina é que pode produzir qualquer crescimento cristão substancial.

"Com freqüência, o único 'escape' se verifica através da 'resistência'. Ver Tia. 1:12". (Vincent, *in loc*.).

Fechem-se em um '*cul de sac*' os desesperos de um homem; mas que ele veja uma porta aberta para sua saída; e ele continuará lutando, levando a sua carga. A palavra grega *ekbasis* (escape) significa *saída*, escape para longe da luta. Logo em seguida aparece *upengkein* (sustentar debaixo de algo), em que esta última ação é possibilitada pela esperança relativa àquela primeira.

TENTAÇÃO DE CRISTO

Imediatamente após o seu batismo no rio Jordão, por João Batista, Jesus foi conduzido pelo Espírito ao deserto, pelo espaço de quarenta dias, a fim de jejuar e ser exposto às tentações de Satanás (Mar. 1:12,13). Visto que o batismo foi a inauguração de seu ministério público, não é de surpreender que o ponto culminante, nos dias da tentação de Cristo, tenha envolvido de modo tão profundo o significado e o método de seu ministério.

O lugar tradicional da tentação de Jesus, o monte Quarantania, é uma região desolada, cerca de onze quilômetros a noroeste de Jericó. No entanto, se Jesus foi batizado em Betânia, do outro lado do rio Jordão (ver João 1:28), então é possível que o local de sua tentação tenha sido as praias estéreis e rochosas do Mar Morto, não muito distantes das cavernas de Qumran.

Somente quando se concluíram os dias de teste pelos quais Ele passou é que adquirimos a impressão de que todo o período de quarenta dias de jejum deve ter envolvido uma batalha constante contra o tentador. Sem importar se Satanás Lhe apareceu em forma visível ou não (a Bíblia faz silêncio quanto a esse detalhe), o que os evangelhos nos mostram é que houve um autêntico conflito espiritual. A natureza espiritual desse combate em coisa alguma detrata de sua realidade, dos paroxismos de ataque e resistência que houve durante o choque entre o Filho de Deus e o grande inimigo das nossas almas.

A julgar pelos relatos evangélicos, houve três ataques principais de Satanás. A cada um desses ataques, Jesus revidou e anulou a força das tentações, mediante o uso das Escrituras Sagradas. Porém, antes de examinarmos a natureza de tais ataques, sentimos o dever de observar que essas tentações eram apelos para que Jesus satisfizesse necessidades e desejos perfeitamente legítimos. O erro envolvido nessas tentações é que elas sugeriam que tais necessidades fossem satisfeitas à revelia da vontade do Pai, e até mesmo contrariamente a essa vontade. De fato, no dizer de Tiago (1:14,15), é quando os homens preferem cumprir a sua própria vontade, em vez de cumprirem a vontade de Deus, que eles cedem diante da tentação e acabam caindo em transgressão. Portanto, a vontade humana é o campo de batalha onde as tentações nos atacam. Jesus, porém, recusou-se terminantemente a ceder, em sua vontade, diante da vontade distorcida de Satanás. Sob hipótese alguma Jesus deixou de atender à soberana vontade do Pai, que o enviara em sua missão terrena. Porém, muitas pessoas, não compreendendo a diferença entre a tentação e o pecado, sentem-se perturbadas diante da idéia de que Jesus, o Filho de Deus, possa ter sido tentado. Se Jesus não se tivesse humilhado e apequenado, em sua encarnação, é evidente que jamais seria possível qualquer tipo de tentação. Porém, uma vez homem, isso tornou-se possível. Além do mais, era mister que ele nos ensinasse como vencer a tentação. E, para isso, era preciso que ele se submetesse à tentação e saísse vitorioso. Mas, que ser tentado não é a mesma coisa que pecar, temos o comentário do autor da epístola aos Hebreus, que escreveu: "Porque não temos sumo sacerdote que não possa compadecer-se das nossas fraquezas, antes foi ele tentado em todas as cousas, à nossa semelhança, mas sem pecado" (Heb. 4:15).

Se seguirmos a ordem de apresentação das tentações, de acordo com Mateus, a primeira tentação foi um apelo no nível da natureza física de Jesus. Quando seu corpo físico mais anelava por nutrientes, debilitado após quarenta dias e quarenta noites de jejum, Satanás sugeriu que ele transformasse as pedras, abundantes no lugar, em pães, a fim de satisfazer a própria fome. Ainda de acordo com o diabo, Jesus não somente aplacaria a fome, mas também provaria que era o Filho de Deus. "Se és Filho de Deus, manda que estas pedras se transformem em pães" (Mat. 4:21). A essa dupla sugestão, Jesus respondeu com uma única resposta: "Está escrito: Não só de pão viverá o

TENTAÇÃO DE CRISTO – TEOCRACIA

homem, mas de toda palavra que procede da boca de Deus" (Mat. 4:4). Devemos dar atenção aos elementos básicos dessa resposta, mais ainda do que às sugestões satânicas. Antes de tudo, o que importa, em todas as facetas e circunstâncias da vida, é aquilo que "está escrito". Isso empresta às Escrituras um valor supremo. Diante de qualquer escala de valores, que o homem tenha de enfrentar, o que está escrito? Para o Filho e para os filhos de Deus, isso é o que importa, Em segundo lugar, Jesus mostrou, em sua primeira resposta, que em sua escala de valores, orientada pelas Escrituras, as necessidades espirituais têm a preeminência, diante de qualquer necessidade física. A vida espiritual é mais importante que a vida biológica. O pão satisfaz à fome física; mas só o pão espiritual (a Palavra de Deus) satisfaz às necessidades muito mais imperiosas do espírito.

Satanás, entretanto, não desistiu, e voltou à carga.

Dessa vez, porém, não mais alvejou a concupiscência da carne, mas resolveu sondar a profundidade de sua confiança no Pai. Portanto, se o primeiro ataque visou à natureza humana de Cristo, o segundo visou à sua natureza divina. Todavia, a segunda tentativa não somente foi desfechada noutra direção, mas foi muito mais capciosa. Em sua segunda tentação, Satanás usou as Escrituras. Se fora derrotado, na primeira tentação, mediante um apelo ás Escrituras, talvez obtivesse êxito, na segunda tentação, usando as Escrituras, mesmo que distorcidamente. E o diabo sugeriu: "Se és Filho de Deus, atira-te abaixo, porque está escrito: Aos seus anjos ordenará a teu respeito; que te guardem...." (Mat. 43,6). Em sua segunda resposta, Jesus não abandonou o seu método de apelo às Escrituras. Agora seria Escritura contra Escritura. O convite era que Jesus contasse com proteção angelical, a fim de demonstrar sua *divina* filiação. Mas Jesus redarguiu com um princípio bíblico ainda mais importante: "Também está escrito: Não tentarás o Senhor teu Deus" (Mat. 4:7). Ceder diante da segunda tentação seria tentar ao Pai. E isso Jesus jamais faria. Satanás teve de reconhecer que Jesus estava alicerçado sobre um princípio fundamental, inabalável, e teve de retroceder inomentaneamente, pela segunda vez.

A loucura do diabo, porém, não conhece limites. Quem teve o displante e a insensatez de rebelar-se contra o Todo-poderoso, só pode mesmo ter ficado louco, para ousar enveredar por um erro de cálculo tão desvairado. E Satanás experimentou um terceiro e, (segundo ele deve ter pensado) definitivo ataque. Jesus não viera para reconquistar o mundo para Deus? Que tal reconquistá-lo em troca de um pequeno gesto. E, mostrando a Cristo os reinos do mundo e a glória dos mesmos, o diabo jogou o anzol: 'Tudo isto te darei se, prostrado, me adorares" (Mat. 4:9). Foi o cúmulo da desfaçatez. O próprio Deus adorar uma reles criatural. Se o Senhor Jesus cedesse, adorando o diabo, não teria de passar por tanto sofrimento e nem teria de enfrentar os horrores da crucificação. Além disso, poderia ficar com o mundo. Satanás estava mesmo disposto a desistir de seu império sobre a humanidade, em troca de uma breve homenagem. Naquela solidão do deserto, quem veria o Filho de Deus prostrado, a adorar o diabo? Só mesmo o mundo espiritual. Mas, nenhum homem teria conhecimento do ocorrido. A última tentação, pois, foi terrível, cruel e excruciante em suas implicações e consequências. Por outro lado, se Jesus não cedesse, Satanás estaria total e definitivamente derrotado em suas tentações. Não há que duvidar que Jesus compreendeu isso perfeitamente. Por essa razão, em sua terceira réplica, Jesus começou com uma ordem que não podia deixar de ser obedecida. O Filho de Deus, mesmo humanizado,

adquirira autoridade espiritual para tanto. O Senhor de todos os mundos ordenou: "Retira-te, Satanás, porque está escrito: Ao Senhor teu Deus adorarás, e só a ele darás culto" (Mat. 4: 10). A terceira resposta de Jesus pode ser analisada em três fases: 1. a ordem dada por Jesus para Satanás se retirar. Jesus submetera-se voluntariamente à tentação. Não a fim de que se verificasse se Ele cederia ou não diante das sugestões do diabo, mas para mostrar, ao diabo, aos seus discípulos, aos anjos e a toda a criação inteligente, que não cederia às mesmas. Ele é o Senhor. Chegara o momento de mandar embora aquela criatura atrevida e louca. 2. Só Deus pode ser adorado. Resolvido a não ferir qualquer princípio bíblico, Jesus era imbatível. Que restava a Satanás, senão obedecer? Com isto o deixou o diabo; e eis que vieram anjos, e o serviam (Mat. 4:11). " Satanás é quem deveria adorar a Jesus. O *Filho*, o Logos, é Deus no mais pleno sentido do termo. João nos diz que Ele "... é o verdadeiro Deus e a vida eterna" (I João 5:20b). A Bíblia não informa se Satanás adorou a Jesus, ali no deserto. Mas, se não o fez, haverá de fazê-lo, certamente, no tempo certo. É conforme explica o apóstolo Paulo: "Pelo que também Deus o (a Jesus) exaltou sobremaneira e lhe deu um nome que está acima de todo nome, para que ao nome de Jesus se dobre todo joelho, nos céus, na terra e debaixo da terra... .(Fil. 2:9,10).

As tentações a que Jesus se sujeitou no deserto encerram para nós uma tremenda lição objetiva. Cumpre-nos meditar no incidente e aprender. O diabo esgotou com Jesus o seu repertório de tentações e nada conseguiu. Quem até então parecera um adversário temível, mantendo a humanidade em sujeição, agora fora posto no seu devido lugar pelo Filho de Deus. Satanás é um anjo desvairado e rebelde, cuja causa está perdida, e que será, finalmente, encerrado na Geena. Ver Apo. 20:10. É como se o Senhor Jesus nos estivesse dizendo: "Não tendes qualquer necessidade de ceder diante das tentações do diabo. Eu vos acabo de ensinar como anular todo o poder de suas tentações!" Sim, na qualidade de nosso Sumo Sacerdote, Jesus nos conferiu o supremo exemplo de como se deve anular e vencer as tentações: "...ele foi tentado em todas as cousas, à nossa semelhança, mas sem pecado" (Heb. 4: 15). Somente a Ti adoramos, Senhor Deus, na pessoa do Pai, do Filho e do Espírito Santo!

TEOCRACIA

Palavra que vem de dois termos gregos, *theós*, "Deus" e *kratéo*, "governar". Isso chega ao sentido de "governo de Deus".

Devemos fazer distinção com outro vocábulo, *democracia*, cuja primeira porção, *demos*, significa "povo", e que indica o governo entregue às mãos do povo. E também devemos distinguir teocracia de *hierocracia*, o governo dos sacerdotes. E, finalmente, de *monarquia*, o governo de um único homem ou rei.

Embora a idéia de teocracia apareça nas Escrituras, com bastante freqüência, o próprio vocábulo, teocracia, nunca figura ali. Essa palavra parece ter sido cunhada por Josefo (vide), que se utilizou do termo a fim de referir-se ao caráter ímpar do governo dos hebreus, revelado a Moisés, em contraste com o tipo de governo de outras nações ao derredor. Escreveu Josefo: "Nosso legislador... ordenou aquilo que, forçando a linguagem, poderia ser chamado de teocracia, ao atribuir a autoridade e o poder a Deus". (*Contra Ápion,* 11, 165).

Não obstante, a idéia de teocracia é muito mais antiga do que a palavra que corresponde a ela, conforme o próprio Josefo sugeriu em sua declaração, citada acima. Essa idéia

TEOCRACIA

retrocede ao Antigo Testamento, desde a época de Moisés e, portanto, à iniciação mesma das Sagradas Escrituras (ver Êxo. 19:4-9; Deu. 33:4,5). No âmago dessa idéia fica a relação ímpar entre Deus e Israel, como seu povo peculiar. Essa relação é constituída pela aliança que vinculou o povo de Israel a Deus (ver Êxo. 19 e 20), e que constituiu aquele povo em " ... reino de sacerdotes e nação santa..." (Êxo. 19:6).

Deus reclamou o povo de Israel como sua propriedade, por havê-lo remido da servidão aos egípcios. Os grandes atos libertadores, da época da saída de Israel do Egito, e durante os quarenta anos de vagueação pelo deserto, declararam o Senhor como o eterno Governante de Israel (ver Êxo. 15:18). Moisés foi, tão-somente, o homem por intermédio de quem Deus transmitiu a sua vontade ao seu povo terreno.

Gideão, várias gerações depois de Moisés, não aceitou a coroa porquanto acreditava que somente Deus poderia governar sobre Israel (Juí. 8:22,23). No período que antecedeu ao surgimento da monarquia em Israel, profetas, sacerdotes e juízes foram os intermediários na expressão da teocracia. Vale dizer, Deus governava o seu povo através daqueles representantes. Assim, na guerra de Israel contra Sísera, a profetisa e juíza Débora e o general Baraque aparecem como os agentes do livramento de Deus (Juí. 4:4-7). Os sacerdotes levitas também aparecem, com freqüência, como os mensageiros da vontade divina (Juí. 20:28; 1 Sam. 14:41). Mas, por ocasião da teocracia institucionalizada, quando surgiu a monarquia em Israel, a teocracia passou a se manifestar de forma muito menos direta, e o governo de Israel passou a assemelhar-se mais ao governo das nações gentílicas. "Disse o Senhor a Samuel: Atende a voz do povo em tudo quanto te dizem, pois não te rejeitaram a ti, mas a mim, para eu não reinar sobre eles... Porém, o povo não atendeu à voz de Samuel, e disseram: Não, mas teremos um rei sobre nós. Para que sejamos também como todas as nações; o nosso rei poderá governar-nos, sair adiante de nós, e fazer as nossas guerras" (I Sam. 8:7,19,20). Apesar disso, depois que a monarquia se estabeleceu em Israel, principalmente de Davi em diante, o rei passou a ser considerado símbolo do reinado teocrático. Os reis de Israel não eram apenas reis, no sentido comum do termo, mas também eram ungidos do Senhor, em sentido puramente teológico (Sal. 2:2; 20:6): um príncipe do Senhor (I Sam. 10: 1; 11 Sam. 5:2). Mesmo durante o período monárquico, concebia-se que o Senhor Deus seguia adiante do rei (II Sam. 5:24). O rei estaria sentado no trono de Deus (I Crô. 29:23; cf. 28:5). O Governante real era Deus, e a autoridade do trono de Davi derivava-se do Senhor. A natureza teocrática da monarquia de Israel é conformada, por exemplo, pela prerrogativa dos profetas de destronarem os reis, além do fato de que foi o profeta Samuel quem estabeleceu o reinado em Israel, a mandado do Senhor (I Sam. 15:26; 16:1,2; cf. I Reis 11:29-31; 14: 10; 16:1,2,21:21). Nesse contexto, nota-se que não havia critérios estereotipados para reconhecimento ou confirmação de um profeta, em Israel. Somente a presença do indefinível Espírito de Deus revelava a diferença entre um profeta verdadeiro e um profeta falso.

A monarquia, em Israel, foi a organização do reino teocrático sob um governante humano. A teocracia talvez encontre sua mais excelente expressão nas predições dos profetas (ver Jer. 1: 1, 2; cf. Isa. 7:7). As visões messiânicas dadas aos profetas foram organicamente entretecidas no curso da história dos reis de Judá, bem como na restauração final da dinastia davídica. Em sua essência e em seu intuito, o reino é um instrumento de redenção, inseparavelmente vinculado às expectativas messiânicas. De fato, em seu sentido messiânico, o trono de Davi aparece no centro da teologia bíblica, com seu reconhecimento de Deus como o Governante final sobre a Terra inteira. Dentro da revelação progressiva da escatologia bíblica, o conceito teocrático do reino davídico suprimiu o padrão das idéias concernentes à vinda palpável do reino de Deus, quando da era milenar. Através da restauração do trono de Davi, Deus haverá de realizar a redenção final de Israel. Mas, esse futuro acontecimento, que fará parte da História, haverá de introduzir a era da justiça e da paz eternas, sob o reinado universal do Filho maior de Davi, Jesus Cristo.

Não há espaço para o secularismo, dentro da teocracia de Israel. Descendo até aos mais minúsculos detalhes, todos os regulamentos políticos, legais e sociais são essencialmente teológicos. Esses regulamentos eram a expressão suprema e direta da vontade de Deus. Até mesmo a detenção de criminosos e a punição dos mesmos fazem parte do interesse imediato de Deus (ver Lev. 20,3,5,6,20; 24:12; Núm.5:12,13; Jos. 4:16).

Várias religiões, " desde os tempos mais remotos " (hebreus, babilônios e egípcios), têm tomado a posição de que seus estados eram *teocratas,* visto que Deus ou os deuses, mediante revelações e profetas, lhes teriam dado suas leis e instituições. A teocracia é um estado no qual os princípios religiosos (usualmente com apoio de um monarca e de um sacerdócio alegadamente nomeados por Deus) são as principais leis e o poder controlador.

Já nos tempos modernos, as cidades de Florença, na Itália, sob *Savonarola* (vide), e Genebra, na Suíça, sob *Calvino* (vide), durante algum tempo tornaram-se, alegadamente, teocracias. Além disso, as colônias da Nova Inglaterra, na América do Norte, sob o puritanismo, tornaram-se teocracias. O aparecimento de governos democráticos tem tendido a separar Igreja e Estado, de tal modo que as teocracias são evitadas. Naturalmente, o Irã atual é um exemplo de teocracia; mas, como tantas outras teocracias distorcidas, entristecemo-nos diante das perseguições e matanças, praticadas em nome de Deus. Ver *Governo Eclesiástico*.

Este co-autor e tradutor quer dar aqui sua contribuição. No Novo Testamento não parece haver definição quanto ao tipo de "governo eclesiástico". Porém, com base nas condições vigentes em Israel, até Samuel (ver 1 Sam. 8:7), bem como durante o governo milenar de Cristo, o que ainda jaz no futuro, o governo eclesiástico ideal seria o teocrático. Segundo penso, esse tipo de governo existiu na Igreja, durante todo o período apostólico. Deus (na pessoa de Cristo), dirigia sua Igreja mediante ministros por Ele escolhidos (ver Efé. 4:11 ss). Pode-se dizer que "a Igreja entrou em decadência espiritual quando o ministério passou a ser tido como ofícios burocráticos, a partir do século II d.C., não mais ocupado por indivíduos misticamente designados e preparados. Parece-me evidente que o Espírito do Senhor restaurará esse tipo de governo eclesiástico, antes do segundo advento de Cristo. Doutra sorte, no dizer do quarto capítulo de Efésios, os crentes não atingirão a maturidade que deverá caracterizar a Igreja nos dias finais do cristianismo. Seja como for, o Milênio (vide) será a mais pura teocracia, sem os abusos que têm havido no passado, e que têm feito muitos proscreverem-na até mesmo de suas cogitações. E o estado eterno, passado o Milênio, dará continuidade à teocracia, para sempre. A teocracia é a essência do reino de Deus.

TEODICÉIA – TEOFANIA

TEODICÉIA

Esse termo vem do grego, **theós**, 'deus", e **dike**, "justiça". Em seu uso comum, esse vocábulo usualmente designa aquela atividade que busca justificar as maneiras de Deus com os homens. Como pode haver um Deus justo, Todo-poderoso, onisciente, ao mesmo tempo em que há tantos males no mundo? Ver o artigo geral intitulado *Problema do Mal*. Aqueles que procuram explicar o problema do mal preservando ainda assim a idéia de um Deus ortodoxo, expõem teodicéias. Foi Leibnitz quem cunhou esse termo, introduzindo-o na filosofia. Sua teodicéia fazia parte do seu sistema de mônadas, onde Deus, a Grande Mônada, aparece como o programador das demais mônadas. A teodicéia de Leibnitz era determinista, no sentido de que vivemos no melhor de todos os mundos possíveis, e onde Deus não incorre em equívocos, a despeito de aparentes erros que nos cercam, no mundo em que vivemos, salpicado de males. Naturalmente, Leibnitz teve que fazer toda espécie de ginástica para defender sua tese, e mostro como ele fez isso, no artigo sobre o mesmo, nesta enciclopédia.

A palavra *teodicéia* tem um sentido mais amplo do que aquele que demos acima, no tocante ao problema do mal. Se aplicado ao judaísmo, ou a qualquer outra religião que veja o governo de Deus como o princípio que governa a todas as coisas, então essa palavra pode significar, simplesmente, *governo de Deus* sobre o mundo, e como esse governo está relacionado aos homens.

Um outro sentido amplo da palavra é "aquele ramo da filosofia que estuda o ser, as perfeições e o governo de Deus, bem como a imortalidade da alma" (WA). Infelizmente, na teologia cristã ocidental, a teodicéia inclui a doutrina cruel e impensada (tomada por empréstimo das obras pseudepígrafas; vide) da condenação e dos sofrimentos eternos da vasta maioria dos homens. Isso ignora como Deus, finalmente, haverá de fazer o mal redundar em bem, usando o próprio julgamento como um dos meios dessa realização. Ver os artigos *Mistério da Vontade de Deus e Restauração*.

TEODÓCIO

Ver o artigo sobre a **Septuaginta**.

TEODORO DE ESTUDION

Suas datas foram 759 - 826. Foi ele uma importante figura do movimento monástico em Constantinopla e do cristianismo oriental em geral. Ele adaptou as Regras de São Basílio, para servirem à ortodoxia oriental. Infelizmente, deu o seu decisivo apoio à retenção de ídolos ou ícones nos templos cristãos. Esse ponto de vista, que já havia infectado o cristianismo ocidental organizado de modo irremediável, finalmente conseguiu atingir também o cristianismo oriental, adoecendo mortalmente a cristandade. As vozes dissidentes foram abafadas. É verdade que o imperador Leão V, que se opunha à idolatria, exilou Teodoro de Estudion; porém, prosseguindo a *controvérsia iconoclasta* (vide), Teodoro voltou do desterro. De volta, continuou sua campanha em favor da idolatria, embora a questão não se tivesse resolvido de todo em seus dias. Apesar desse gravíssimo erro, não podemos esquecer que, quanto a outros aspectos, Teodoro de Estudion exibia notável piedade, tendo labutado em prol da causa espiritual.

TEODORO DE MOPSUÉSTIA

Suas datas aproximadas foram 350 - 428. Provavelmente nasceu em Antioquia da Síria. Educou-se ali, onde também veio a tornar-se presbítero cristão. Finalmente, veio a ser o bispo de Mopsuéstia, na Cilícia, razão de sua alcunha. Foi membro bastante ortodoxo da escola antioquiana de teologia. Ver sobre *Escola Teológica de Antioquia*.

TEODORO DE TARSO

Suas datas foram 602 - 690. Foi importante personagem na história da Igreja na Inglaterra. Foi arcebispo de Canterbury. E seus labores naquele lugar tornaram-no o centro da autoridade religiosa na Grã-Bretanha. De fato, a plena submissão àquela autoridade foi exigida e obtida. Teodoro foi autor de um *Pênitencial*, que exerceu grande influência sobre as questões teológicas e de filosofia moral.

TEODORO, O ATEU

Ele foi um filósofo grego do século III a.C. Foi líder da escola cirenaica (ver sobre *Cirenaicos, Cirenaísmo*). Foi discípulo de Aniqueis. Para Teodoro, o prazer era encarado como o propósito e a finalidade da vida humana. Contudo, impõe-se-nos a tarefa de esclarecer que ele pensava nos prazeres mentais, e não apenas nos prazeres físicos, como outros fizeram. Teodoro ensinava que os homens devem usar sua inteligência e sabedoria na busca pelas variedades válidas de prazer. Para ele, a sabedoria produz a felicidade, e a felicidade consiste no tipo certo de prazer. A felicidade é o maior de todos os bens, ainda segundo Teodoro. Ele promovia uma variedade ainda primitiva de humanismo, negando a existência de qualquer Deus ou deuses, atacando assim o politeísmo e a idolatria que predominavam em Atenas. Naturalmente, acabou exilado. Sua obra escrita, *Sobre os Deuses*, valeu-se muito das idéias de Epicuro.

TEODOTO

Há dois personagens com esse nome, nas páginas dos livros apócrifos do Antigo Testamento. No grego, o nome era *Theódotos*. 1. Um dos três embaixadores enviados por Nicanor a Judas Macabeu, para estabelecer a paz (II Macabeus 14:19). 2. Um homem que planejou assassinar Ptolomeu Filopater, mas cujos intuitos foram frustrados por Dositeu (III Macabeus 1:2).

TEOFAGIA

Palavra que vem do grego, **theós**, "Deus", e **phágo**, "comer", ou seja, "comer o deus". O vocábulo surgiu com base no ato de comer o animal sagrado, dedicado a alguma divindade específica. Desse modo, sacramental e simbolicamente, o deus era "ingerido", de acordo com várias religiões misteriosas. A eucaristia, interpretada sacramentalmente, como na missa católica romana, é uma forma de teofagia, embora seja uma manifestação mais sofisticada da idéia do que aquela das antigas aplicações pagãs.

TEOFANIA

1. O Termo. A palavra grega é *theophania*, que deriva de *theos* (Deus) *phanein* (aparecer). Pelo simples entendimento das palavras envolvidas, qualquer aparição ou manifestação de Deus, presumivelmente, mesmo de sua verdadeira essência, poderia ser uma "teofania". Mas a teologia que cerca a palavra a limitou para a maioria dos pensadores cristãos, como explico no ponto 2.

2. *Como João 1.18* parece eliminar qualquer aparição ou manifestação de Deus em essência verdadeira, e como a experiência humana parece ensinar que manifestações divinas são "aparições", não a "essência", a palavra teofania é comumente usada para significar algum tipo de manifestação divina que não comunica ao homem a

TEOFANIA – TEOFRASTO

real essência de Deus. Logicamente, é impossível para um homem ter contato direto com a verdadeira essência divina, pois ele não conseguiria lidar com tal situação e provavelmente não haveria caminho metafísico para que isso ocorresse: Ninguém jamais viu a Deus. O Deus (Filho) unigênito, que está no seio do Pai, é quem o revelou (João 1.18).

3. *Antropomorfismo e a Teofania.* As teologias que reduzem Deus a algum tipo de super-homem e não distinguem radicalmente a essência do Divino e a essência humana transformam a teofania em essência real, não meramente um tipo de manifestação visível da glória de Deus. A teologia mórmon, por exemplo, a qual ensina que a base de toda vida "espiritual" é de fato um material "refinado", acredita que João 1.18 pertence a uma revelação antiga e ultrapassada. Joseph Smith, presumivelmente de fato viu tanto o Pai como o Filho, várias vezes, não meramente algum tipo de manifestação deles. Mas o Pai e o Filho são compreendidos em termos daquilo que o homem é, não em termos de transcendência. O Deus mórmon é limitado, embora muito mais poderoso do que o homem. O Deus mórmon é muito poderoso, mas não onipotente, muito versátil em seus movimentos e manifestações, mas não onipresente. Esse tipo de Deus pode de fato manifestar sua essência ao homem. Ver o artigo Antropomorfismo.

4. *A Teofania Suprema.* "No princípio era o Verbo, e o Verbo estava com Deus, e o Verbo era Deus... e o Verbo se fez carne e habitou entre nós, cheio de graça e de verdade; e vimos sua glória, glória como do unigênito do Pai... Quem me vê a mim vê o Pai..." (João 1.1,14; 14.9). Aqui temos o mistério da encarnação, e mistério ele continua sendo, pois quem pode logicamente explicar como uma pessoa pode ser divina e humana ao mesmo tempo? Não há motivo para se pensar que Jesus, o Cristo, não pode ser visto em tempos modernos, embora, sem dúvida, a maioria de tais afirmações seja patológica, exagerada ou mesmo fraudulenta. A ordem normal é que o Espírito revela o Filho, da mesma forma que o Filho revela o Pai: "O Espírito da verdade, que dele (do Pai) procede, esse dará testemunho de mim" (João 15.26). Ver a experiência de Paulo (Atos 9.3 ss.) e a de Estevão (Atos 7.55, 56).

5. *O anjo do Senhor é a teofania mais comum.* Ver Êxo. 23.20-23; 32.34; 33.14 ss.; Isa. 63.9. O anjo de Gên. 48.15 ss. é semelhante a ver a Deus, embora não a sua essência. Abraão recebeu visitantes angelicais, como descrito em Gên. 18. Ver o anjo do Senhor, na mentalidade judaica, era o mesmo que ver o Senhor que o enviou:"... vi o Anjo do Senhor face a face" (Juí. 6.22); "... Vi a Deus face a face e a minha vida foi salva" (Gên. 32.30), disse Jacó depois de ter lutado com "um homem" (vs. 24), onde obviamente um anjo está em vista. Ver também a visita do anjo do Senhor a Manoá, o pai de Sansão (Juí. 13).

6. *A Shekinah* (a habitação divina), ou Presença, especialmente no lugar mais sagrado. Ver o artigo separado sobre o assunto.

7. *A Teofania, Prova de Teísmo.* Essa doutrina ensina que o Criador não abandonou a criação, mas está presente para intervir nas atividades humanas, recompensando e punindo, orientando e cuidando. Ver o artigo sobre Teísmo na Enciclopédia de Bíblia, Teologia e Filosofia. Contraste esse ensinamento com o deísmo (também na Enciclopédia), o qual ensina que o Criador, ou Força Criativa (pessoal ou impessoal), abandonou a criação aos cuidados da lei natural.

"Teofania, manifestação íntima de Deus a um ser humano em um momento e local definido; muitas vezes física como na Ilíada e no livro de Gênesis, mas mais espiritual na forma clássica posterior como para Moisés no arbusto em chamas, Moisés no Sinai, Elias em Horebe, e Jesus, em sua transfiguração. A teofania é mais espetacular e pessoal do que a mera revelação" (Fern, Enciclopédia de Religião).

TEOFASCITAS

Essa termo vem do grego, *theós,* "Deus", e *páscho,* "sofrer". Esse foi um dos nomes dados aos *monofisistas* (vide), por ensinarem que em Cristo existe uma só natureza. Em sua fórmula litúrgica eles incluíam a declaração: "Deus foi crucificado", destacando assim a idéia do sofrimento de Deus, ao referirem-se à natureza divina de Cristo. Essa escola surgiu em oposição à decisão cristológica do concílio de Calcedônia, de 451 d.C.

TEÓFILO

1. *Nome.* Esta é uma palavra grega que significa "amigo de Deus"; ou, possivelmente, "amante de Deus", quer dizer, alguém totalmente dedicado ao Divino. Este nome havia sido usado antes do terceiro século a.C., tendo sido encontrado nos manuscritos de papiro e pergaminho, bem como nas inscrições. foi usado, durante séculos, tanto por pagãos quanto por cristãos.

2. *Identificação.* Lucas dedicou seus dois volumes de história (Lucas e Atos) a este homem, mas não temos informação sobre ele, nem podemos afirmar que fosse cristão ou governador romano. Houve um Teófilo que foi alto oficial em Antioquia, e Eusébio e Jerônimo contam que Lucas era um sírio de Antioquia. As Memórias de Clemente fazem menção a esse Teófilo, mas isso não significa que ele fosse o homem a quem Lucas se dirige na introdução de seus livros. A razão para a obra ser dedicada a um oficial romano pagão (se esse foi o caso) era que Lucas estava ansioso para dar ao cristianismo o status de uma religião oficialmente reconhecida (como o judaísmo há muito exigira). Dessa forma, ser cristão não mais significaria traição contra o Estado e seus deuses e religiões oficiais. Isso interromperia a perseguição contra os cristãos. Caso essa fosse a intenção de Lucas (ou uma intenção ou razão para escrever sua história em dois volumes), então ele fracassou, porque as coisas apenas pioraram para os cristãos, e as perseguições prosseguiram por mais de 200 anos. A mensagem de Lucas, de que o cristianismo era uma fé divinamente inspirada, cheia de milagres e de natureza pacífica, de forma alguma é subversiva, nem foi crida nem entendida por Roma.

Os livros dos antigos às vezes eram dedicados a altos oficiais por razões de distribuição e reconhecimento. Teófilo é chamado "excelentíssimo" em Luc. 1:3, título dado a Félix, governador da Judéia (Atos 23:36; 4:3), e seu sucessor, Festo (Atos 26:25), e essa pequena evidência pesa em favor da suposição de que Teófilo era igualmente um oficial romano de certa posição. Tudo indica também que ele não era cristão, porque o propósito específico de Lucas (evidentemente) era convencer Roma a aceitar o cristianismo como uma religião legítima. Ele não estava tentando impressionar um colega cristão, pelo menos é essa a minha impressão. De qualquer forma, podemos estar certos de que Teófilo foi uma pessoa real, não um nome simbólico para o amor cristão, que era a interpretação popular nos tempos patrísticos.

TEOFRASTO

Suas datas foram 360 - 287. Foi discípulo e sucessor de Aristóteles, como cabeça do Liceu. A julgar pelos padrões da época, ele foi homem dotado de um vasto conhecimento.

TEOLOGIA

Escreveu acerca da lógica, bem como a respeito de várias ciências e filosofias. Foi uma figura central na transição da lógica aristotélica para a forma estóica de lógica.

Escritos. Caracteres Éticos e Causas e Descrições das Plantas. Além desses livros há fragmentos de seus escritos sobre assuntos de meteorologia, física, metafísica, sensações e fisiologia animal.

TEOLOGIA
Esboço:
I. A Palavra e Suas Definições
II. Referências a Artigos Relacionados
III. Caracterização Geral; Esboço Histórico
IV. A Teologia e os Filósofos
V. Limitações e Expectações

I. A Palavra e Suas Definições

O termo teologia vem do grego *theós*, "deus", e *lógos*, "estudo", "discurso", "raciocínio". Assim, essa palavra indica o estudo das coisas relativas a Deus, à sua natureza, obras e relações com os homens, etc. Uma definição léxica diz: "...um corpo de doutrinas acerca de Deus, incluindo seus atributos e relações com o homem; especialmente, aquele corpo de doutrinas estabelecido por alguma igreja ou grupo religioso em particular".(WA). Essa é uma definição restrita. Mas esse vocábulo também é usado em um sentido mais geral: "O estudo da religião, que culmina em uma síntese ou filosofia da religião; além disso, uma pesquisa crítica da religião, especialmente da religião cristã". (WA).

Definições e Usos Históricos:

1. *No Grego Clássico.* Uma explicação acerca dos deuses e seus atos, lendários e filosóficos.

2. *No Estoicismo.* Relatos míticos sobre os deuses; idéias naturais (racionais) a respeito dos deuses e de questões espirituais; a religião civil no que diz respeito aos deuses, aos ritos e às cerimônias religiosas.

3. *No Cristianismo Patrístico.* Temos aí, essencialmente, uma teologia bíblica, incluindo aquilo que a Bíblia diz sobre Deus e seus atos. Mas vários dos pais da Igreja adicionaram algum material oriundo dos melhores aspectos da filosofia grega, conforme se vê nos escritos de Platão, de tal modo que até termos platônicos foram usados para exprimir noções cristãs e bíblicas.

4. *Teologia Bíblica.* A teologia depende tanto da Bíblia que essa expressão, em muitos círculos, acabou significando as próprias *Escrituras*.

5. *Nos Escritos de Abelardo.* Ele empregava a palavra para indicar o estudo filosófico das doutrinas cristãs.

6. *Após Abelardo.* Nesse tempo, a expressão passou a indicar o estudo acadêmico das Escrituras e a respeito de Deus. E a teologia tornou-se a rainha das ciências, investida de suprema importância nas universidades da Europa e do Oriente Próximo e Médio. Homens da envergadura de Tomás de Aquino escreveram grossos volumes de teologia, que jamais perderam sua atração sobre as mentes. Ver sobre o *Tomismo*.

7. *Como Unificação do Conhecimento.* Os chamados pais da Igreja, e então os teólogos da Idade Média, enfatizaram a unidade da verdade e do conhecimento, dando a entender que todos os assuntos de estudo, incluindo as ciências, *são ramos da teologia*, visto que todas essas disciplinas de algum modo falam sobre os atos e as manifestações de Deus. Em tudo descobriríamos a mente de Deus, tanto na matemática como na biologia, como em qualquer outra matéria de estudo.

8. *Teologia como Termo Genérico.* No uso moderno, o termo veio a indicar certo número de disciplinas inter-relacionadas, como a teologia dogmática (sistemática), a teologia bíblica, a teologia moral, etc.

9. *Para a Mente Religiosa.* A teologia, segundo esse ponto de vista, abrange todo e qualquer outro conhecimento, dirigindo-o para sua verdadeira finalidade.

II. Referências a Artigos Relacionados

Esta enciclopédia apresenta ao leitor larga gama de artigos sobre assuntos teológicos. No tocante ao presente artigo, os mais importantes são: *Teologia Bíblica; Teologia da Crise; Teologia do Antigo Testamento; Teologia do Novo Testamento* (onde também há referência a vários outros artigos); *Teologia Dogmática; Teologia Sistemática; Neo-ortodoxia*. E, no tocante a nossos tempos de grandes desvios, ver *Teologia da Libertação*.

III. Caracterização Geral; Esboço Histórico

1. Na primeira seção deste artigo, *A Palavra e Suas Definições*, apresentamos ao leitor um certo aspecto como se pode falar, de modo geral, sobre teologia.

2. *Esboço Histórico:*

a. Quanto à *natureza* geral da teologia do Antigo Testamento e sua influência sobre o Novo Testamento, ver sobre *Teologia do Antigo Testamento*.

b. O *período helenista* foi importante para a teologia que veio a repousar no Novo Testamento. Os livros pseudepígrafos, produzidos durante esse período, foram um importante elemento na formação dessa teologia. Ver sobre *Livros pseudepígrafos* e sobre o *Enoque Etíope*. Ver também *Teologia Bíblica*, que presta informações sobre a base bíblica da teologia.

c. *O Novo Testamento* não se desenvolveu em um vácuo. Mas no mesmo há um tremendo avanço nas idéias teológicas, nas revelações, dentro dos escritos apostólicos. Ver sobre *Teologia do Novo Testamento*, bem como os artigos ali mencionados. Os elementos mais decisivos do Novo Testamento são os evangelhos sinópticos, e os escritos de Paulo e de João.

d. *A Teologia Patrística.* Ver os artigos intitulados *Pais Antenicenos e Pais Apostólicos*, onde há algumas informações sobre a história da teologia. O quinto ponto do artigo *Pais Apostólicos* aborda, especificamente, a teologia deles. O período coberto pela teologia patrística começa imediatamente com os discípulos dos apóstolos até os séculos VII e VIII d.C., embora alguns abreviem mais ainda esse período. O período patrístico foi um tempo de definições. Embora esses pais estivessem trabalhando com base na Bíblia, como sua principal fonte informativa, contando com as filosofias estóica e platônica como suas fontes secundárias, eles não se mostraram unânimes em tudo. Nem mesmo certas doutrinas cardeais, como as doutrinas de Cristo e da deidade, foram interpretadas de maneira unânime e uniforme. De fato, foi somente já no século IV d.C. que os credos emitidos pelos concílios puderam produzir uma "ortodoxia" mediante a qual foi possível julgar a boa variedade de pontos de vista então existentes. Havia várias tendências teológicas, como a platonização efetuada por alguns pais gregos, como Justino Mártir, Irineu, e, especialmente, os alexandrinos, como Clemente e Orígenes, e daí ao antiintelectualismo extremo (com a absoluta rejeição conseqüente da filosofia) de Tertuliano. Foi principalmente o gnosticismo que provocou a obra dos apologistas. Ver sobre *Apologetas (Apologistas)*.

Devemos ao Credo Niceno e à Definição calcedônica algumas das melhores produções patrísticas, pertencentes principalmente a Atanásio e aos três capadócios. Ver sobre *Capadócios, os Três; e Pais Capadócios da Igreja*. Foi então que *Pelágio* levantou a questão da relação entre o livre-arbítrio humano e o determinismo divino. Seu grande

TEOLOGIA

opositor foi Agostinho. O *donatismo* (vide) apresentou um outro desafio à unidade da Igreja, tanto à doutrina como à organização. Devemos observar que a ortodoxia (vide) foi sendo definida pelos pais da Igreja, em um processo que ocupou muitos séculos. Quanto a outras informações sobre esse período, ver os artigos sobre os nomes dos pais mencionados acima, a respeito dos quais oferecemos verbetes distintos.

e. *Teologia "Filosofia do Escolasticismo"*. Ver o artigo detalhado sobre o *Escolasticismo*. Não queremos reiterar detalhes aqui. A era patrística foi seguida por certo período de inércia intelectual, vinculada às invasões dos bárbaros e às agitações políticas, tanto no Oriente como no Ocidente. Houve alguns poucos e isolados eruditos, como Bede e Alcuíno; mas foi somente após o período medieval que houve nova explosão de atividades teológicas. Esse reacendimento, foi estimulado, pelo menos até certo ponto, pela redescoberta do pensamento dos filósofos gregos, principalmente Aristóteles e Platão. A educação tornou-se apanágio da Igreja organizada, e os *escolásticos*, teólogos-filósofos, foram os principais agentes na transmissão de conhecimentos. Com Abelardo encontramos o início de um movimento na direção de uma maior racionalização da teologia; e Anselmo legou-nos uma orientação mais bíblica da teologia. Tomás de Aquino, um dos maiores filósofos-teólogos de todos os tempos, procurou reconciliar a filosofia à fé religiosa. Ele usava Aristóteles, primariamente (mas também Platão), para explicar as doutrinas cristãs. Várias sínteses foram assim produzidas, dependendo dos filósofos envolvidos. Esse período caracterizou-se pela cristalização de várias típicas doutrinas católicas romanas, as quais, embora ensinadas desde bem antes, agora eram confirmadas, formando um rígido sistema. As doutrinas mais importantes que foram assim confirmadas foram aquelas acerca da pessoa e importância de Maria *(ver sobre Mariolatria e Mariologia)*; da regeneração batismal; do sacramentalismo, da penitência, do purgatório e da transubstanciação. Temos apresentado artigos separados sobre cada uma dessas questões.

f. *A Reforma Protestante*. O artigo sobre esse assunto fornece amplas informações ao leitor, pelo que aqui traço apenas a noção mais geral possível. A Reforma Protestante foi uma espécie de movimento de volta à Bíblia, dentro da Igreja Ocidental. A Igreja Ortodoxa Oriental já se havia separado do Ocidente no ano de 1054, defendendo certas doutrinas distintivas sobre algumas questões. Aí pelos meados do século XV d.C., o escolasticismo já havia perdido o seu primeiro impulso, e seus pensadores principais tinham ficado no passado. As doutrinas que paulatinamente tinham sido formadas pelos escolásticos se haviam distanciado cada vez mais de Agostinho, o qual pode ser reputado como o pai da teologia-filosofia ocidental. Martinho Lutero, um monge agostiniano, ia-se irritando com as interpretações e excessos que, para ele, contradiziam a Bíblia. Isso posto, o que ele procurou fazer, em sua essência, foi fazer *parte* da Igreja organizada voltar a Agostinho.

Mas Agostinho preservou suas idéias ocidentais quanto a várias questões importantes sobre como o homem nasce, vive por breve tempo, morre e então é julgado. Em outras palavras, o *modo linear* de viver e de receber oportunidades era parte da sua teologia. Nessa linha há instantes marcantes: nascimento, vida, morte e julgamento. A Igreja Oriental, em contraste com isso, preferia uma interpretação circular. De acordo com a mesma, não há pontos de estagnação. Assim, a alma seria preexistente, não havendo algum ponto, dentro do tempo, que assinale quando ela começou. A alma parte para o mundo intermediário, após a morte, e o após-túmulo provê uma contínua oportunidade de salvação, e não somente a vida terrena. Em um círculo não há ponto terminal. Contudo, alguns dizem que a segunda vinda de Cristo é esse ponto. No entanto, Lutero, tal como outros reformadores, de modo geral, deram prosseguimento à interpretação linear. E assim, até onde posso ver as coisas, sacrificaram o discernimento dos cristãos orientais, com seu evangelho mais otimista. Seja como for, a *Reforma protestante* combateu abusos insuportáveis, e devolveu a Bíblia à Igreja. Somente então foram bem disseminadas as traduções da Bíblia, embora alguns poucos antigos tradutores, como Wycliffe (cerca de 1320 - 1384), tivessem vertido a Bíblia latina para o inglês. Mas, juntamente com o movimento de volta à Bíblia, houve a infestação de certo antiintelectualismo. E a Reforma Protestante, com sua insistência sobre a individualidade e com seus ataques à centralização da autoridade, tornou-se progenitora de uma grande fragmentação, conforme hoje se vê na Igreja Ocidental, cada vez mais ativa. Intermináveis credos foram criados por intermináveis seitas. Na maioria das vezes, não há qualquer motivo para explicar o porquê de alguma outra divisão.

g. *A Teologia Moderna*. O período pós-Reforma produziu todas as divisões desencadeadas pelas agitações do século XVI. E foi já no século XIX que surgiram o *Liberalismo* (vide) e a teologia crítica. Ver sobre *Crítica da Bíblia*. O liberalismo extremado provocou a reação da *Neo-ortodoxia* (acerca de cujo movimento apresentei um pormenorizado artigo). Nos círculos evangélicos, o *neo-evangelicalismo* promove uma espécie de posição intermediária entre o liberalismo e o fundamentalismo. Ver os artigos chamados *Neo-Evangelicalismo e Fundamentalismo*. Dentro da Igreja Católica Romana, por sua vez, tem prevalecido o neo-escolasticismo (vide), embora também exista uma ala liberal católica romana. Ver sobre o *Liberalismo Católico*. Mais recentemente, e de uma maneira que pareceria incrível, a chamada *Teologia da Libertação* (vide) tem conseguido muitos adeptos no catolicismo romano e até entre denominações protestantes. Esse último movimento busca uma espécie de síntese com a filosofia marxista. Quanto à natureza das modernas igrejas protestantes e evangélicas, ver o artigo *Protestantismo*.

3. *Tipos de Teologia*. Poderíamos dividir os estudos teológicos nos seguintes ramos:

a. *Teologia Bíblica* (vide). Ali a Bíblia é, virtualmente, a única fonte informativa; e mesmo quando há apelo a outras fontes, elas são avaliadas através da Bíblia. As doutrinas bíblicas são sistematicamente classificadas.

b. *Teologia Dogmática* (também conhecida por T*eologia Sistemática*, vide). As denominações protestantes e evangélicas produzem seus próprios credos sistematizados. Doutrinas que a Bíblia meramente sugere (ali a Bíblia continua sendo a principal, embora não a única fonte informativa, exceto no liberalismo) são promovidas à posição de doutrinas explícitas. Procura-se fazer os mais completos estudos sobre ensinos bíblicos como a Trindade, a encarnação, a expiação, a Igreja, as ordenanças, as últimas coisas, etc. A teologia sistemática por muitas vezes vai além daquilo que a Bíblia ensina; e meras implicações bíblicas já se tornam ali dogmas rígidos. Acresça-se que a teologia sistemática tem o mau hábito de deixar de fora toda idéia que não se ajusta ao seu sistema particular, ou então distorce essas idéias, mediante dúbias interpretações (mesmo quando a Bíblia ensina claramente de outro modo). Tudo isso para que o sistema criado possa ter continuidade. Todas

TEOLOGIA

as teologias sistemáticas limitam os ensinos bíblicos, forçando-os a entrar em moldes apertados e incompletos. Essas teologias não reconhecem que a Bíblia é mais heterogênea do que estão dispostas a admitir, e que as Escrituras são mais vastas que as teologias sistemáticas são capazes de abarcar. Se é veraz a declaração que diz: "As denominações começam no Novo Testamento", também expressa uma verdade o fato de que todas essas denominações ignoram ou distorcem porções do Novo Testamento, na ânsia de conseguirem algum sistema homogêneo. Apesar dessas fraquezas, porém, as teologias sistemáticas contribuem para o nosso conhecimento, mediante a organização dos pensamentos teológicos e o bom desenvolvimento dos mesmos. Merecem nossa atenção e estudo, mas não devem ser usadas como rígidos padrões de aquilatação.

c. *Teologia Moral* (vide). Os cristãos preferem-na chamar de *ética cristã*. Está em pauta a conduta cristã ideal. Até bem dentro dos tempos modernos, a Bíblia era o principal, ou mesmo o único manual de conduta. Mas atualmente os filósofos-teólogos preferem apelar para outras fontes, algumas vezes vantajosas, mas outras vezes com prejuízo.

d. *Teologia Pastoral* (vide). A teologia pastoral consiste em instruções aos ministros das igrejas locais, acerca de como deverão tratar com a sua gente. Em certo sentido, é a ciência da *cura de almas*. No seu sentido prático, a teologia pastoral aborda os ritos, os cultos e as expressões religiosas práticas. Essa teologia ocupa-se da disciplina, do treinamento, da educação e da aplicação do Evangelho às pessoas, e isso de maneira prática.

e. *Teologia Mística*. Ver sobre o *Misticismo*. Essa é a teologia que estuda acerca de como a alma pode ter acesso direto e comunhão com Deus, mediante experiências místicas. E isso de maneira externalizada, como nas visões, nas profecias ou na iluminação, ou de maneira subjetiva, como na intuição.

f. *Teologia Litúrgica*. Essa é a teologia que aborda as formas de adoração, e de que modo essas formas devem ser praticadas nas igrejas locais.

g. *Teologia Filosófica*. Aí a filosofia é empregada a fim de examinar, organizar e explicar melhor a teologia. A realidade é examinada filosoficamente. Deus aparece como parte dessa realidade, como também a alma. Ver sobre *Filosofia da Religião*. Ver também *Filosofia e a Fé Religiosa, A*.

h. Outras teologias possíveis são a lei canônica, a história da teologia, a história do dogma, embora usualmente não sejam consideradas teologias.

4. *Alcance e Conteúdo da Teologia*. A natureza geral desse alcance e conteúdo pode ser compreendida, se revisarmos os *tipos* de teologia, conforme demos no terceiro ponto. No artigo chamado *Teologia Sistemática*, provi informações detalhadas sobre os tipos de coisas que a teologia examina. A teologia é o estudo ou ciência que trata de Deus, de sua natureza e atributos e de suas relações com o homem e com o Universo. Isso posto, a teologia perscruta todos os aspectos da metafísica: a teologia propriamente dita (o estudo de Deus); a *antropologia* (o estudo do homem); a *cosmologia* (o estudo do Universo).

IV. A Teologia e os filósofos

Pano de fundo. A teologia, como estudo dos deuses, estava pesadamente envolvida com as religiões míticas, o que se evidencia claramente nos escritos de Homero e Hesíodo.

1. *Platão* (mestre de Aristóteles) contava com uma elaborada teologia, onde as *Idéias ou Formas*, as realidades espirituais básicas, recebiam os atributos que conferimos a Deus; e, em seu diálogo, *Leis*, essas idéias foram substituídas pela simples palavra grega *theós*, "deus".

2. *Aristóteles* fez da teologia uma disciplina filosófica séria, e as idéias divinas, como ser *Impulsionador Não-Movido*, faziam parte de seus estudos de metafísica, ou seja, a seção de seus escritos que aparece "após a física". Seu estudo sobre as causas lançou a base para o argumento teleológico em favor da existência de Deus.

3. *Filo Judeu* (vide) empregou o platonismo como sua teologia, provendo-lhe informações adicionais com base em conceitos veterotestamentários, que procurou conjugar com as idéias de Platão. Ele falava de um Deus transcendental que nossa linguagem não é capaz de expressar, a não ser negativamente, ou seja, Deus não é isto. Ele lançou mão na doutrina do *Logos*, a fim de aproximar Deus dos homens. Em seus escritos, algumas vezes o Logos é apenas uma força impessoal; mas, outras vezes, é "o anjo do Senhor", a divindade personificada.

4. *No cristianismo*, a filosofia foi utilizada por alguns dos principais pais da Igreja, como Justino Mártir, Irineu, Clemente, Orígenes de Alexandria e Agostinho. Assim, a filosofia veio a tornar-se serva da teologia. Os apologistas cristãos defendiam o cristianismo utilizando-se de argumentos filosóficos (excetuando Tertuliano), em seus ataques ao paganismo e ao gnosticismo. Argumentos filosóficos foram usados em conexão com as tentativas de definir questões teológicas. Vê-se isso na fórmula do *homoousios*, na fórmula do credo niceno, como também em sua modificação, as explicações sobre o adjetivo *homoiousios*. No primeiro caso, argumentava-se que Cristo é "da mesma natureza" que Deus Pai; e, no segundo caso, que Ele é de "natureza semelhante" a Deus Pai. Assim, a filosofia mostrou-se ativa em todos os primeiros concílios eclesiásticos e nos escritos da grande maioria dos pais da Igreja, esforçando-se eles por definir melhor as doutrinas do cristianismo.

5. O *Pseudo-Dionísio* (vide) criou várias abordagens à teologia: a. a abordagem *positiva* (aquela que repousa sobre as Escrituras); b. a abordagem *negativa* (só podemos conhecer Deus afirmando aquilo que Ele não é); c. a abordagem superlativa (a visão neoplatônica de que Deus é o *superlativo* de todas as idéias, estados e virtudes); d. a abordagem *mística* (a mais elevada e produtiva forma de teologia, que conta com o poder impulsionador do Espírito Santo).

6. *Anselmo* (vide) outorgou-nos o *Argumento Ontológico* (vide), além de importantes estudos sobre a expiação; *Hugo de São Vítor* (vide), *Pedro Lombardo* (vide) e o quarto concílio laterano (1215) desenvolveram as doutrinas sacramentalistas. Destarte, a doutrina católica romana típica estava em plena florescência.

7. *Maimônides* (vide) aplicou noções aristotélicas à fé dos hebreus, além de abordar os problemas relativos à teologia positiva e negativa, e, de modo geral, procurou desenvolver os conceitos de Deus, a moralidade e a própria teologia.

8. *A Summa Theologica* (vide) de *Tomás de Aquino* (vide) foi o ponto culminante do movimento de pensamento que tivera começo com os apologistas. Tomás de Aquino proveu um estudo exaustivo da doutrina cristã, tendo-se utilizado de Aristóteles quanto a muitas de suas definições. Desse modo, a teologia católica romana estava em plena inflorescência, excetuando alguns pontos, que só surgiram mais tarde. A filosofia de Tomás de Aquino tornou-se a posição *oficial* da Igreja Católica Romana para abordar filosoficamente a fé cristã.

TEOLOGIA

9. *Tomás de Aquino* distinguia criteriosamente as duas abordagens à teologia: a natural (*teologia natural;* vide) e a revelada (aquela que está alicerçada sobre as revelações bíblicas). Na primeira, opera a razão; na segunda, a fé aceita dogmas inalcançáveis para a razão. Ele pensava que ambas as abordagens são necessárias e boas, não necessariamente em conflito. Por outra parte, *Guilherme de Ockham* (vide) pensava que a fé religiosa deve estribar-se inteiramente sobre a revelação. E também julgava que, necessariamente, a teologia deve ser independente da razão e da ciência. Em seu modo de pensar, pois, a filosofia, apesar de ser uma atividade legítima, não deveria ser mesclada com a teologia.

10. *A teologia protestante* foi essencialmente escudada na revelação, e não nos raciocínios da filosofia. Um aspecto exagerado dessa atitude foi e continua sendo o *antiintelectualismo* (vide). O protestantismo também minimizou a influência das tradições e das decisões dos concílios, a fim de nada dizermos sobre a autoridade papal para determinar doutrinas.

11. *Suarez* confiava que a filosofia é útil para examinarmos as crenças e os dogmas teológicos, dizendo que quando isso é feito de modo correto, alcança-se uma "unidade superior" da fé cristã. Em outras palavras, a teologia requer um exame crítico. Nossa fé não dispensa exame.

12. *A teologia da crise* (vide) e a *teologia dialética* (vide) tiveram suas origens na noção de Kierkegaard de que se faz mister um *salto de fé* a fim de atingirmos o nível do cristianismo; e que a filosofia, apesar de útil, fracassa nesse ponto. Essa maneira de encarar a teologia foi desenvolvida por Karl Barth; e o artigo sobre a *Neo-Ortodoxia* expõe de modo completo essa atitude mental. *Emil Brunner* (vide) foi importante expositor desses pontos de vista.

13. *Paul Tillich* (vide) afirmava que a filosofia e a fé religiosa são atividades recíprocas. Mas, ainda segundo ele, as verdades realmente grandes e elevadas estão fora do alcance de ambas. Portanto, sempre houve e sempre haverá uma *inquirição pela Verdade última*. A própria revelação apenas estenderia a mão na direção da Verdade.

14. *A Teologia Radical* foi um desenvolvimento da década de 1960, com sua absurda afirmação da "morte de Deus".

15. *A Teologia* é a mais alta de todas as ciências, e muitas abordagens à mesma fazem-se necessárias. Uma única fonte informativa nunca é suficiente quando estão em pauta questões complexas. Isso posto, todas as portas e janelas deveriam ser abertas. Algumas vezes, somos beneficiados mediante esse método, das maneiras mais inesperadas. A filosofia é uma abordagem auxiliar. Nenhuma única fonte informativa é suficiente por si mesma.

V. Limitação e Expectações

A filosofia tem-nos ensinado a dificuldade que os homens experimentam quando procuram definir grandes questões como o amor, a amizade, a bondade, a verdade, etc. Até a simples palavra *jogo* pode dar-nos maiores dificuldades do que geralmente antecipamos, se a quisermos definir de tal modo que todos se satisfaçam com a definição. E muito maior é a dificuldade quando tentamos entender a *teologia*, o "estudo de Deus", o mais sublime de todos os assuntos. Todas as nossas alegadas teologias são (pelo menos em boa dose), *humanologias*, porquanto descrevemos Deus conferindo valores absolutos ao homem. Assim, pensamos que Deus é como um grande papa; ou como o maior de todos os bispos; e assim, acabamos injetando nossa ignorância e nossas distorcidas interpretações nas Escrituras. Temos tão pouco genuíno contacto com o Espírito de Deus que o nosso real conhecimento de Deus sofre tremendamente Muitos homens idolatram os Livros Sagrados (*bibliolatria*; vide), e fazem Deus estagnar com suas declarações sábio-estúpidas. A comunhão mística com o Senhor é o melhor de todos os mestres acerca de Deus; e, no entanto, alguns homens, em seu antiintelectualismo e em seus preconceitos antimísticos, chegam a condenar qualquer tipo de experiência mística, mesmo aquele tipo ensinado na Bíblia. Ver sobre o *Misticismo*.

O próprio vocábulo *teologia* deveria *despertar-nos a mente,* porquanto é perfeitamente óbvio, para qualquer pessoa pensante, que há grandes mistérios ainda a ser investigados, e que muita coisa que dizemos a respeito de Deus erra por omissão. Quando criticamos certos conceitos sobre Deus, como aquele que faz dele o grande Destruidor Cósmico, somos acusados de blasfêmia. Porém, é possível alguém *blasfemar* de algum *conceito de Deus,* sem tornar-se culpado de blasfêmia contra o próprio Deus. Nosso conhecimento acerca de como Deus é vem-se desenvolvendo através dos séculos. O Novo Testamento tem um melhor conceito de Deus do que o Antigo Testamento, e não há razão alguma para supormos que nossos conceitos de Deus não possam chegar, algum dia, a ultrapassar o que diz o próprio Novo Testamento, quando for da vontade do Espírito de Deus que isso se torne uma realidade. De fato, isso terá de suceder finalmente, nem que seja do outro lado da existência, porquanto nosso conhecimento de Deus é confessadamente irrisório. Os homens, porém, gostam de estagnar Deus, encerrando-O em uma caixa. Essa atividade limitadora nada tem a ver com a verdade. Tão-somente provê conforto mental aos que assim fazem.

O apóstolo Paulo falou sobre grandes *mistérios* (ver I Cor. 112) que ainda não nos foram revelados; e isso permanece de pé, a despeito de haver-se completado o Novo Testamento. Paulo asseverou que grandes revelações aguardam por nós (ver I Cor. 13:12). Mas alguns, de forma muito ridícula pensam que o fato do término do cânon das Escrituras solucionou todos os problemas de conhecimento. O apóstolo, na verdade, estava falando acerca da *parousia* (vide), bem como das novas revelações que aquele evento (ou melhor, que aquela série de eventos) haverá de trazer-nos.

Visto que todos os sistemas e todas as denominações são misturas do que é bom e do que é ruim, do verdadeiro e do falso, a *tolerância* (vide) deveria ser a atitude e o procedimento básicos de todos os crentes. E os verdadeiramente espirituais irão até além da tolerância, pois passarão à apreciação e chegarão ao amor. (AM B BENT C E F IB ID MM P R)

TEOLOGIA ALÉM DA TEMPESTADE
Ilustrada por Meio de uma Parábola – Visão

Certa noite, estava eu sentado em casa, lendo um jornal. De súbito, o céu e o interior da casa foram iluminados por um poderoso relâmpago. Por alguns segundos, a noite ficou igual ao dia. Logo em seguida ribombou o trovão, que foi tão potente que a casa estremeceu, como que sacudida por um terremoto. Caiu então sobre a tempestade violentíssima, que julguei ser um tufão incomparável. E foi somente quando me vi fora de casa, sacudido pela tempestade, que compreendi que eu estava tendo uma visão e não uma experiência real. Eu contemplava, atônito, toda aquela violência; e, então, uma iluminação interior informou-me que tudo aquilo representava o *julgamento*.

TEOLOGIA – TEOLOGIA BÍBLICA

O temporal desconhecia limites em sua violência, e eu podia ver que sua fúria queimava toda imundícia, e suas águas estavam limpando a terra inteira. Foi-me dado perceber a agonia das pessoas mal preparadas, que a tempestade surpreendera; e, em meio aos acontecimentos, eu mesmo me sentia desesperado, como se a tempestade nunca fosse ter fim.

Aos poucos, porém, a tempestade se foi dissipando, pela força de *sua própria violência*. A chuva foi ficando mais leve, e o céu se aclarou. Olhei para a superfície da terra, e vi que estava limpa. Aos poucos, plantas e flores foram crescendo, e pessoas felizes apareceram na cena. E, então, uma iluminação interior informou-me que, *sem* aquela tempestade, não teria havido *renovação*.

Minha mente começou a fazer comparações. Entendi a similaridade entre aquela tempestade com a filosofia pessimista do existencialismo ateu. Também percebi que as experiências com os alucinógenos produzem estados mentais que sugerem às pessoas o terror de uma tempestade. E também entendi que há um estado *para além* daquela condição tenebrosa. Vi que o *temporal do julgamento* é algo indispensável para que haja um trabalho de restauração. E, finalmente, também compreendi que uma vez terminada a obra da procela, o produto final será *glorioso*.

Quero falar com toda clareza. O julgamento é uma realidade. Algumas filosofias entendem, intuitivamente, essa realidade, tornando-se reflexos da mesma. Experiências negativas com os entorpecentes também despertam aquela parte da mente que reconhece a realidade do julgamento, e refletem a mesma. Porém, nem essas filosofias e nem essas experiências mostram o capítulo final do destino humano. O julgamento é uma realidade, embora intermediária, e não final. Para além do juízo haverá uma outra condição. Esse outro estado será glorioso, e dependerá, em parte, do trabalho do julgamento, para tornar-se uma realidade.

Existe uma Teologia Para Além da Tempestade. Infelizmente, muitas religiões fazem **estacar** o destino humano *dentro* da tempestade, incapazes de divisar, para além disso, o dia glorioso que nascerá em seguida. Assim, elas não entendem a *própria razão* do julgamento. Felizmente, a tradição mística, de modo geral, vê para além do temporal. Certos segmentos da Igreja cristã também participam dessa visão, pelo menos parcialmente, especialmente os pais gregos, a Igreja Oriental e os anglicanos.

A Igreja Ocidental (a Igreja Católica Romana e suas "filhas errantes", as igrejas protestantes e evangélicas) ensina uma teologia pessimista sobre o julgamento, deixando os homens em meio ao temporal. Essa teologia, porém, é míope, ignorando o *Mistério da Vontade de Deus* (vide), que transparece em Efésios 1: 9, 10. Esse é o nosso melhor texto acerca do que Deus tenciona fazer, finalmente. Ver também o artigo intitulado *Restauração*. Os não-remidos serão "restaurados", e isso envolverá uma gloriosa obra *secundária* de Cristo. Porém, mister é ajuntar que os restaurados não chegarão a participar da natureza divina, o alvo mesmo da redenção dos eleitos (ver II Ped. 1:4; Rom. 8:29; II Cor. 3:18). Nesse sentido, o julgamento será eterno, porquanto haverá uma privação. Mas, por outro lado, é errôneo encarar o julgamento somente como se fosse uma retribuição. O julgamento também será remedial, e fará parte daquilo que *Deus faz visando ao benefício* dos não-remidos. Sim, há *uma teologia para além da tempestade*. Infelizmente, como já dissemos, há uma boa parte da Igreja cristã que deixa os homens na tempestade.

Para eles, essa tempestade será somente destruidora. Sua água e seu fogo, conforme concebem, não purificarão e nem limparão. Mas a verdade é que a tempestade será o limiar da introdução de um Novo Dia.

TEOLOGIA ALEXANDRINA
Ver sobre **Alexandria, Teologia de**

TEOLOGIA APOFÁTICA
É a confissão teológica na qual reconhecemos que Deus está acima de todas as categorias e descrições humanas, e que Sua real substância e descrição são transcendentais. Ele transcende à afirmação e à negação, não podendo ser atingido mediante a força do intelecto. Só pode ser atingido mediante o êxtase de amor, onde a união com Deus e a deificação têm lugar. Dionísio, o pseudo-areopagita (ver o artigo a respeito) (cerca de 500 d.C.), provavelmente foi quem cunhou o termo. É usado em contraste com TEOLOGIA CATAFÁTICA, que afirma o que pode ser afirmativamente predicado a Deus. Isso envolve as descrições normais da natureza e dos atributos de Deus, além das nossas doutrinas dos lugares celestiais, dos anjos e das declarações intelectuais e simbólicas.

TEOLOGIA ASCÉTICA
A teologia ascética diz respeito à vida cristã, desde seus primórdios até os primeiros estágios da contemplação, para a qual é uma preparação. É uma análise sistemática da vida da graça, sob o Espírito, em termos de disciplina. Procura encorajar os crentes a purificar-se de toda a auto-referência. Seus três aspectos principais são: 1. *O caminho do expurgo*: o indivíduo tenta livrar-se do egoísmo e dos desejos pessoais. 2 *O caminho da iluminação*: o indivíduo, uma vez liberto do "eu", tenta confirmar-se segundo a imagem de Cristo, mediante a contemplação de Sua pessoa e a prática de todas as virtudes. 3. *O caminho da unificação*: O indivíduo tenta tomar consciência de sua união com Deus. Nesse ponto, a teologia ascética mescla-se com a *teologia mística* (ver o artigo). (C)

TEOLOGIA BIBLICA
Esboço
I. Sentidos da Expressão
II. Observações e Críticas Sobre Essas Idéias
III. Principais Temas da Teologia Bíblica
IV. Noções da História da Teologia Bíblica

I. Sentidos da Expressão
A expressão **teologia bíblica** é usada de várias maneiras, a saber:

1. Uma atividade cuja finalidade é esclarecer os temas e as idéias da Bíblia, sem os pressupostos que inevitavelmente dão um certo colorido às interpretações particulares. Em outras palavras, trata-se da tentativa de determinar o que a Bíblia *realmente ensina*, mesmo que os resultados sejam embaraçosos para o estudioso e sua denominação. Essa atividade, na verdade, embaraça a todas as denominações, cuja própria existência depende da distorção de certos ensinos da Bíblia.

2. A tentativa para articular a significação teológica da Bíblia *como um todo*. Isso é uma tarefa quase impossível, porque a Bíblia não é um livro homogêneo, conforme as pessoas gostam de acreditar. Não obstante, a tentativa resulta em pontos positivos, a despeito de seu inevitável fracasso.

3. A tentativa de construir um completo sistema teológico, mediante o uso da Bíblia como *única* fonte

TEOLOGIA BÍBLICA

informativa. Isso tem sido tentado por muitos evangélicos fundamentalistas e conservadores. Também foi tentado por Karl Barth e sua neo-ortodoxia, ou pelos grupos protestantes que aprovam a rejeição das tradições eclesiásticas, dos pais da Igreja e dos concílios, como autoridade, conforme fez Lutero.

4. O pressuposto é que todos os autores da Bíblia concordam em seus pontos de vista fundamentais, e juntamente com exposições de idéias pretendem descobrir exatamente quais eram os pontos de vista daqueles autores sagrados.

II. Observações e Críticas Sobre Essas Idéias

1. A primeira dessas atividades é tão nobre como qualquer outra que poderia ser efetuada. Todas as denominações cristãs, sem importar quão bíblicas elas se suponham, descobrem ser necessário distorcer e dogmatizar certas porções das Escrituras, a fim de fazerem seus sistemas alicerçarem-se *exclusivamente* sobre a Bíblia. Mas fazem isso ajustando as Escrituras às suas crenças, e não ajustando suas crenças às Escrituras.

2. Apesar de ser impossível fazer a Bíblia tornar-se uma obra totalmente homogênea, dotada de uma única mensagem central, a tentativa é útil, pois procura determinar a mensagem ou as mensagens comunicadas pelas Sagradas Escrituras. Isso confere-nos uma melhor compreensão sobre a tradição geral hebraico-cristã, bem como sobre o tipo de fé ali ensinada.

3. As Escrituras como única regra de fé. O amigo leitor terá de desculpar-me quanto a esse ponto, pois vejo problemas sérios nessa regra artificial, apesar do fato de haver sido criado como crente batista e de ter sido ensinado a respeitar esta noção. Porém, essa regra pode ser criticada quanto a diversos particulares, enumerados abaixo:

a. Trata-se de um *dogma*, e não de um ensino contido na própria Bíblia. Em parte alguma as Escrituras declaram que elas devem ser a única regra de fé e prática. De fato, não há na Bíblia qualquer declaração baseada no conhecimento do cânon terminado. Nenhum dos autores sagrados sabia quando o cânon sagrado estaria terminado. Não foi se não já no século IV d.C., que o cânon do Novo Testamento ficou fixado, no parecer da maioria dos cristãos; e mesmo depois, oito livros continuaram sendo disputados em vários segmentos da Igreja. Portanto, tomar o que *agora* se considera ser a coletânea das Escrituras, e afirmar que *somente* esses livros nos podem servir de regra, necessariamente é um dogma posterior. Esse dogma reveste-se de certa utilidade, porquanto nos infunde um profundo respeito pelas Escrituras. E, de fato, devemos respeitar ao máximo os oráculos de Deus. Porém, o ar de *finalidade* que está envolvido nesse dogma é uma idéia humana, e não uma verdade divina revelada.

b. Na prática, a aplicação dessa regra transmuta-se nisto: *Como eu e a minha denominação* interpretamos as Escrituras. Lutero tem sido altamente elogiado por defender fortemente a idéia das "Escrituras somente". No entanto, ele ensinava a regeneração batismal, a consubstanciação (ver o artigo), e traçou o plano geral do luteranismo (ver o artigo), que as demais denominações evangélicas insistem não se harmonizar com a regra das Escrituras somente. Poderíamos multiplicar exemplos de como essa regra reduz-se a alguma interpretação *particular* das Escrituras. Os grupos de restauração e os grupos pentecostais afirmam estar fazendo a Igreja retornar ao seu primitivo estado, mediante a observância cuidadosa de todos os preceitos ou mediante a restauração dos dons espirituais. E, no entanto, conseguem ignorar completamente a unidade espiritual da Igreja, que congraça todos os verdadeiros regenerados, mostrando-se extremamente sectaristas, ou então certos ensinamentos práticos, como aquele que ordena que as mulheres se mantenham caladas na igreja. Também têm igrejas dirigidas por um único ministro, que os grupos dos irmãos estão certos em não corresponder ao ministério diversificado das igrejas primitivas. Os batistas sentem-se confortados ante a idéia de que eles são os melhores representantes atuais da Igreja primitiva; mas rejeitam os dons espirituais alicerçados sobre o dogma erroneamente derivado de I Coríntios 13: 1-13, que ensina como a "parousia" ou segunda vinda do Senhor obviará os dons espirituais. Mas os batistas interpretam que o término do cânon das Escrituras pôs fim ao exercício dos dons espirituais, embora tal interpretação seja inteiramente estranha ao texto sagrado, não podendo suster-se de pé diante do exame mais superficial. Além disso, certos grupos batistas mostram-se radicais quanto à doutrina da predestinação (que é uma doutrina bíblica), mas fazem-no de modo a ignorar certos textos como I Timóteo 2:4, os quais aludem a uma oportunidade universal e ao amor verdadeiramente universal de Deus. Em contraposição, há grupos evangélicos que enfatizam de tal modo a doutrina do livre-arbítrio que precisam torcer textos bíblicos como o nono capítulo de Romanos, que ensina o controle do livre-arbítrio humano pela vontade soberana de Deus. Muitas pessoas não conseguem perceber que certas doutrinas terminam em *paradoxos,* e que a harmonização entre todas elas é simplesmente impossível, tanto por causa de nossa limitada compreensão como pelo fato de que Deus reservou para si mesmo certos informes que nos foram negados.

A doutrina da salvação de crianças que ainda não atingiram a idade da responsabilidade moral não se baseia nas Escrituras, mas na razão. Na verdade, essa é uma doutrina importante, com implicações extensas. Porém, não é uma doutrina ensinada na Bíblia, e nem corresponde à verdade, até onde eu posso ver as coisas. Penso que as noções da pré-existência da alma e a continuação da oportunidade de salvação, além do sepulcro (I Ped. 4:6), nos provêm respostas melhores, dotadas de base bíblica, ao passo que aquela é puramente racional e emotiva.

Ainda temos que considerar que a Igreja Católica Romana, a Igreja Ortodoxa e os anglicanos estão certos da veracidade da doutrina da *sucessão apostólica* (ver o artigo), a qual está razoavelmente alicerçada sobre textos como João 20:23 e a mensagem geral das epístolas pastorais, que ensinam a transmissão de autoridade através da ordenação de anciãos ou bispos. No entanto, há outros grupos cristãos igualmente certos de que existem outras maneiras de transmissão da autoridade espiritual.

Após examinarmos cada denominação cristã, chegamos à conclusão de que há em cada caso, uma mescla particular de conceitos bíblicos e humanos, onde a Bíblia nem sempre é o fator decisivo, e nem mesmo o Novo Testamento. Na prática, pois, a regra de "as Escrituras somente" reduz-se a uma seleção de trechos bíblicos e à interpretação dos mesmos.

c. *O problema da homogeneidade.* A regra das "Escrituras somente" pressupõe, erroneamente, que as próprias Escrituras são homogêneas. Mas é evidente que o Antigo e o Novo Testamentos não podem ser considerados como uma unidade, para então tornarem-se a base da fé e da prática. Não mais oferecemos animais em sacrifício; não temos mais sacerdotes levitas, etc. O Novo Testamento nos leva além do Antigo. Além disso, é óbvio que o próprio Novo Testamento não é tão

TEOLOGIA BÍBLICA

homogêneo como as denominações evangélicas nos querem fazer acreditar. Assim, podemos encontrar versículos que quase certamente ensinam a regeneração batismal - como Atos 2:38-, embora também possamos descobrir, na epístola aos Romanos, que Paulo não acreditava nisso, pois em suas longas passagens que abordam a justificação pela fé, ele ignora totalmente o papel do batismo em água. Poderíamos especular que algum dos apóstolos cria na necessidade do batismo para a salvação (vinculando o batismo à circuncisão judaica, segundo se vê em Atos 15 e Col. 2:12,13). Além disso, transparece no Novo Testamento o paradoxal ensino do livre-arbítrio humano e do determinismo divino, e não apenas em interpretações dos séculos posteriores. Uma pessoa pode defender um lado ou outro dessa questão bilateral, oferecendo diferentes textos de prova. Nos evangelhos, a salvação aparece como simples questão do perdão dos pecados e da transferência para o Céu. Porém, nos escritos de Paulo, transparece a idéia da transformação dos remidos segundo a imagem de Cristo, conferindo-lhes a própria natureza divina, conforme a mesma se manifesta no Filho, como a essência mesma da salvação (Rom. 8:29; II Cor. 3:18; II Ped. 1:4).

O Julgamento também não é apresentado como doutrina sem **diversas facetas,** no Novo Testamento. Há realmente aquela posição, assumida pelos pais latinos da Igreja, pela Igreja de Roma e pelos grupos protestantes que se derivam do cristianismo ocidental, de que a morte física é o fim da oportunidade da salvação, conforme o texto de Hebreus 9:27 é usado como texto de prova. No entanto, Pedro alude à descida de Cristo ao Hades (I Ped. 3:18-4:6), o que garante a oportunidade renovada além do sepulcro (II Ped. 4:6). Esse sempre foi o ponto de vista dos pais gregos da Igreja, seguidos por muitas igrejas cristãs orientais, e pelos anglicanos, como uma denominação evangélica ocidental. Ambas as posições aparecem no Novo Testamento, e ambas as posições são representadas por denominações cristãs modernas. Precisamos selecionar aquilo que é melhor, do ponto de vista racional e intuitivo. Meus amigos, precisamos *escolher,* e não somente em relação a essa doutrina, mas acerca de muitas outras, pois o Novo Testamento não é um documento tão homogêneo como temos sido ensinados a aceitar. Seguir a verdade é muito mais uma aventura do que seguir o roteiro traçado em um mapa. Os mistérios referidos por Paulo levam-nos a regiões não exploradas por outros apóstolos; do contrário, nem seriam mistérios. Portanto, existem níveis diversos de verdade, expressos nas páginas do Novo Testamento, e não apenas quando o Antigo Testamento é comparado com o Novo.

O ensino paulino sobre o destino final do homem, a restauração referida em Efésios 1:10, não é doutrina antecipada pelos outros autores sagrados, e nem é ensino muito popular em muitos segmentos da Igreja. No entanto, é uma preciosa e profunda verdade, que dá maior otimismo à fé cristã. Além disso, alicerça-se sobre uma interpretação verdadeiramente universal do amor de Deus, um amor escorado na onipotência divina. Há quem conceba um amor de Deus que não se escuda em Seu poder, mas isso não é o verdadeiro amor de Deus. Como é que Deus poderia amar o mundo (João 3:16), sem que isso fizesse uma diferença universal, em favor do mundo, através da missão de seu Filho, que foi o poder que trouxe o amor de Deus a todos os homens? Não me sinto satisfeito diante de amor meramente teórico, que não consegue cumprir o intento de Deus e faz do Evangelho um fracasso. É impossível que a missão de Cristo tivesse falhado, embora seu sucesso seja alcançado em diferentes gradações, no caso de diferentes pessoas. Suspeito do Evangelho que resulta em fiasco, que não beneficia, de alguma maneira, a todos os homens. Sem dúvida há mais verdade do que isso, mais poder, mais ação e mais resultados. Suspeito de um Evangelho que afirma querer atingir todos os homens, mas que, em face de razões *humanas*, não consegue fazê-lo. Suspeito de um evangelho que tenciona atingir apenas a alguns poucos, quando as próprias Escrituras declaram que o amor divino é universal, e que a intenção do Senhor é salvar a todos. Suspeito de um Evangelho que se mostra apressado, que precisa salvar a todos os homens dentro do estreito limite de suas vidas terrenas, algo claramente *impossível*, no caso da vasta maioria dos homens. Suspeito de um Evangelho que, desde o começo, está baseado em uma impossibilidade. Suspeito de um Deus (segundo a concepção de alguns) que, embora se declare grande, na verdade é tão limitado que seu Filho não consegue realizar a missão que lhe foi dada a cumprir. Antes, concebo um Deus cujo propósito é universal e cujo poder é suficiente para cumprir todo o seu propósito, através de seu Filho. E, se eu tiver de escolher entre textos de prova, a fim de chegar a esse tipo de Deus, de Filho de amor divino e de Evangelho, isso será exatamente o que farei.

d. *Seleção de textos de prova.* Meus amigos, ninguém pode aclarar toda a verdade examinando alguns textos de prova. Em primeiro lugar, alguma outra pessoa religiosa interpretará os mesmos textos de prova de maneira diferente. Em segundo lugar, os textos de prova escolhidos podem não ser a única informação disponível, sobre o assunto que se procura explicar. Em terceiro lugar, ouso dizê-lo, os textos de prova podem não ter mais aplicação. Por exemplo, os mandamentos acerca da guarda do sábado, que tinham aplicação a Israel, mas não têm mais aplicação em nossos dias da graça. Ou então Hebreus 9:27, que fala até o juízo, e que é ultrapassado em alcance por I Pedro 4:6, que fala até a restauração de todas as coisas. Idéias de um inferno eterno, sem mitigação, foram ultrapassadas por Efésios 1:10. E assim, na medida em que vamos entendendo a verdade, vamos crescendo no nosso entendimento, pois a verdade jamais é uma entidade fixa. Na verdade, a verdade é uma aventura contínua. No presente, somos possuidores de bem pouca verdade, embora alguns itens da mesma, que o Senhor já nos revelou, sejam extremamente importantes para nossa vida e bem-estar espirituais.

e. *Muitas autoridades.* Finalmente, preciso declarar a verdade sobre essa questão, ressaltando a necessidade da existência de muitas fontes de verdade. É impossível que toda a verdade de Deus esteja contida em um único livro ou coletânea de livros. Na verdade, não honramos a Deus quando declaramos que isso tem de ser assim, pois nem mesmo as Escrituras fazem tal afirmação. Com declarações assim, limitamos drasticamente a Palavra de Deus, pois essa Palavra é multifacetada. A Palavra é a totalidade da comunicação divina, sem importar como Ele a tenha comunicado. A comunicação através da Bíblia é apenas uma dessas facetas. A Bíblia nos foi dada como padrão de aferição de nossas idéias religiosas. Mas a Palavra de Deus é maior que a Palavra escrita. O Mensageiro enviado a Daniel revelou a ele: "...eu te declararei o que está expresso na escritura da verdade..." (Dan. 10:21). E diz o salmista: "Para sempre, ó Senhor, está firmada a tua palavra no céu" (Sal. 119:89). Mas o que chegou até nosso conhecimento, foi aquilo que Deus nos quis revelar. A Palavra de Deus é mais vasta e profunda do que a Palavra escrita, e a Palavra escrita envolve muito mais do que qualquer interpretação pessoal da mesma, sendo essa a base das denominações cristãs.

TEOLOGIA BÍBLICA

f. Coisa alguma do que dissemos acima deve ser interpretada como tentativa de diminuir a importância das Escrituras como *autoridade* espiritual. Realmente, quando mostramos que a Bíblia é maior que qualquer interpretação denominacional, quando mostramos que ela nos convida a um desenvolvimento espiritual que nos levará a ir redescobrindo a verdade em níveis cada vez mais elevados, quando mostramos que ela infunde em nossos espíritos uma atitude de otimismo, em face do amor de Deus e de seu plano benfazejo para com toda a humanidade, estamos apenas exaltando as Escrituras. Isso honra mais a Bíblia do que se lhe atribuírmos ofícios que ela não tem, ou do que se limitarmos o seu escopo. Portanto, podemos encerrar este ponto dizendo que se as Escrituras não são a autoridade exclusiva (ver o artigo sobre a questão da autoridade), elas ocupam posição central e precisam ser ouvidas, porquanto diz o Senhor: "À lei e ao testemunho". Se eles não falarem desta maneira, jamais verão a alva (Isa. 8:20).

4. *Está equivocado* o pressuposto de que todos os autores bíblicos promoveram *uma só linha teológica*. Tal como no caso dos profetas, cada apóstolo explorou a verdade segundo lhe foi dada pelo Senhor: "...o nosso amado irmão Paulo vos escreveu, segundo a sabedoria que lhe foi dada" (II Ped. 3: 15). Não obstante, o exame dessas diversas linhas é uma nobre atividade, porquanto devemos perscrutar a Bíblia como um todo, a fim de tomarmos consciência das noções fundamentais que ela nos transmite. E, se encontrarmos alguma discrepância entre os autores sagrados, isso não nos deveria assustar. A discrepância talvez se deva somente à nossa limitada compreensão. Os autores sagrados não deixaram escrito tudo quanto sabiam. Seus escritos são apenas representativos. Paulo testifica isso ao escrever: "...sei que o tal homem, se no corpo ou fora do corpo, não sei, Deus o sabe, foi arrebatado ao paraíso e ouviu palavras inefáveis, as quais não é lícito ao homem referir" (II Cor. 12:3,4). Conforme foi surgindo a necessidade, os escritores sagrados abordaram várias questões. Por assim dizer, eles nos forneceram as peças incompletas de um quebra-cabeça; e agora, a tarefa da teologia bíblica é procurar ordená-las em seus devidos lugares. Contudo, cumpre-nos fazer isto cônscios da existência de hiatos, de espaços em branco, não esclarecidos na Bíblia. O sistema de doutrinas ali revelado não é completo, mas é suficiente para guiar a alma no Caminho de volta a Deus! A fé não depende da homogeneidade, e nem de uma revelação que tampe todas as brechas. O anúncio divino, embora incompleto, pode resolver todos os problemas desta vida e da vindoura. Um anúncio completo, que só será recebido do outro lado da existência, haverá de outorgar-nos uma visão ainda mais satisfatória. "Porque agora vemos como em espelho, obscuramente, então veremos face a face; agora conheço em parte, então conhecerei como também sou conhecido" (I Cor. 13:12).

II. Principais Temas da Teologia Bíblica

A despeito de hiatos e ponto obscuros, há um corpo de ensinos que podemos extrair da Bíblia, e que, necessariamente, torna-se a base de qualquer teologia *cristã*. Isso não quer dizer que a teologia não possa investigar outros frutíferos campos de pensamento; pois a verdade divina, não estando limitada a qualquer livro ou coletânea de livros, dificilmente pode ser inteiramente determinada através do apelo exclusivo às Escrituras. Estas servem de padrão aquilatador, mas não encerram toda a verdade de Deus. Nem por isso pretendemos diminuir a importância do grande tesouro de verdade que nos foi proporcionado através das Sagradas Escrituras. Não degrado a verdade que posso encontrar em um local, somente porque também posso encontrá-la em um outro lugar.

a. O *conceito teísta*. Temos de começar por esse ponto. As Escrituras descrevem um Deus que não somente criou, mas que também se conserva imanente em sua criação, que se interessa por questões morais, que recompensa o direito e castiga o errado, que guia, e que pode ser buscado e achado. Essa é a posição do teísmo (ver o artigo), ao invés do deísmo. Este último (ver o artigo) ensina que Deus, ou alguma espécie de força cósmica, criou as coisas, mas em seguida abandonou a sua criação, permitindo que a mesma ficasse ao sabor das leis naturais. O deísmo divorcia Deus de sua criação. As Escrituras, tanto no Antigo como no Novo Testamento, são decisivamente teístas. Deus cuida até dos pardais, quanto mais do homem que criou. Deus é um fator que precisa ser levado em conta todos os dias. A cada vez em que lemos nas Escrituras: "Assim diz o Senhor", podemos ver nisso um Deus teístico. A cada vez em que um profeta procura comunicar uma mensagem divina, temos de conceber Deus segundo moldes teistas. Quando o Filho veio para representar o Pai, encontramos nele as atividades do Deus do teísmo.

b. *Deus como fonte e alvo de toda a vida física e espiritual*. Deus criou os mundos (Gên. 1 e 2). E também confere a vida espiritual (João 1:12, 5:25, 26). Ele é a origem de toda a vida e de todo ser vivo, e também é o alvo de tudo quanto vive e existe (1 Cor. 8:6). Nessa conexão, o que é dito acerca do Pai é dito também acerca do Filho (Col. 1: 16 ss.). Os títulos de Jesus, "O Alfa e o Ômega", visam ensinar a mesma verdade.

c. Deus tem muitos e *exaltados atributos* de poder, de conhecimento e de bondade. Ver o artigo separado sobre os *Atributos de Deus*. Ver também o artigo sobre *Deus*. Entre esses atributos destacamos a personalidade de Deus. Deus não é alguma força cósmica, um absoluto abstrato. Todos os antropomorfismos ensinam-nos essa verdade (ver Gên. 1, Isa. 55:9; Êxo. 20:7), ainda que de maneira imperfeita. Por igual modo, não nos devemos olvidar da natureza espiritual e moral de Deus (ver Gên. 3:26; João 4:24). Deus dá atenção ao pecado e a seus resultados (Rom. 3).

d. *O homem é um ser decaído, necessitado de redenção*. Esse é um constante tema bíblico, a começar no terceiro capítulo de Gênesis. A redenção do homem está no Filho de Deus (Rom. 8:29), através do poder atuante do Espírito Santo (II Cor. 3:18). O resultado final da redenção será a participação dos remidos na natureza divina, de forma real e metafísica, e não apenas como um conceito moral (II Ped. 1:4).

e. *Em seu relacionamento com os homens, Deus age através de pactos*. Ver o artigo sobre *os pactos*.

f. *Nas Escrituras há uma filosofia da história*. Ver o artigo sobre *Historiografia Bíblica*. Deus vem ao encontro do homem, na história, como um ser caído. Mas haverá de tirar os remidos de dentro da história, quando estes atingirem a plena potencialidade de sua vida espiritual; e então terá início o aspecto transcendental da história humana. Deus guia essa história de tal modo que ela não fica entregue aos caprichos do acaso, pois a História é *linear*, isto é, a sucessão de eventos tem um começo e dirige-se a um fim pré-determinado. Contrariamente às idéias de Toynbee, um grande filósofo da história de nossa época, a História não consiste em ciclos repetitivas, pois, embora certas tendências se reiterem na história da humanidade, esta caminha em uma direção, e seu alvo transcende a mera expressão terrena, física.

TEOLOGIA BÍBLICA

g. *As circunstâncias históricas são dirigidas pelas operações de* Deus. Há importantes eventos e palcos históricos na Bíblia e em sua teologia. A nossa fé religiosa não está alicerçada sobre meros símbolos e metáforas, desacompanhada de condições históricas. A vida e os milagres de Jesus foram acontecimentos históricos. Houve um túmulo vazio, e também uma ressurreição literal. "Vede as minhas mãos e os meus pés, que sou eu mesmo; apalpai-me e verificai porque um espírito não tem carne nem ossos, como vedes que eu tenho" (Luc. 24:39). A crucificação reveste-se de grande importância teológica.

h. *Há uma tradição profética.* Isso tanto no sentido dos ensinos ministrados pelos profetas, como no sentido de que eles predisseram o futuro. O labor e a mensagem dos profetas ocupam lugar central na teologia bíblica. O elemento preditivo acerca dos últimos dias nos fornece a base da escatologia (ver o artigo). Esse aspecto da revelação é uma realidade.

i. Portanto, na teologia bíblica, o principal meio de conhecimento é a revelação, que é uma forma de misticismo. Ver sobre *revelação e sobre misticismo*.

j. *A unidade das Escrituras.* Apesar das discrepâncias que talvez existam, e a despeito do fato óbvio de que a exposição bíblica da verdade seja gradual, em que certas fases vão-se tornando obsoletas e outras vão entrando em vigor, toda e qualquer teologia bíblica repousa sobre o conceito da unidade básica e do propósito central das Escrituras. Ver o artigo sobre a *Bíblia*, em seu quarto ponto, intitulado *A Unidade da Coletânea*. Os itens doutrinários acima expostos ilustram a unidade essencial das Escrituras, em meio à diversidade. Assim, o Antigo e o Novo Testamentos refletem diferentes (ou mesmo muitos) estágios do desenvolvimento da fé e da cultura dos hebreus. É verdade que no período helenista essa cultura, e por conseguinte, essas idéias, mesclaram-se com a cultura grega. Mas isso serviu somente para enriquecer a teologia dos hebreus, pelo menos em certos aspectos. Com base em nosso pressuposto teísta (primeiro ponto), cremos que o desenvolvimento do Antigo e do Novo Testamentos, bem como os livros que compõem os mesmos, foram divinamente determinados e controlados. Esses livros não resultaram apenas das idéias digeridas por hebreus ou cristãos, nem são meras seleções com base no raciocínio e na preferência dos homens.

1. *A inspiração da Bíblia* é um ponto fundamental dentro da teologia bíblica. O crente tem fé nessa verdade. "Toda Escritura é inspirada por Deus ..." (II Tim. 3:16). Ver o artigo sobre esse assunto. Se a Bíblia não fosse produzida pelo sopro de Deus, não haveríamos de sentir o impulso de edificar um sistema teológico com base nas Escrituras.

m. *Cristo é o centro da revelação bíblica.* Antes de tudo, dentro da esperança messiânica do Antigo Testamento, a qual recebeu concretização quando do primeiro advento, no Novo Testamento, e terá plena fruição quando da segunda vinda de Cristo, para inaugurar o reino milenar de Messias. A essa esperança e então conferido um elevadíssimo aspecto, na glorificação dos remidos, quando estes vierem a participar da mesma natureza de Cristo (Rom. 8:29). Portanto, a salvação é assim definida como uma *filiação*.

IV. Noções da História da Teologia Bíblica

1. *Os hebreus* sempre levaram muito a sério as suas Escrituras, como a Palavra revelada de Deus. Portanto, a teologia deles era uma teologia bíblica. Naturalmente, entre eles havia divergências. Alguém já disse, em tom de brincadeira, que se cinco judeus estiverem em uma sala, eles emitirão cinco opiniões diversas sobre qualquer assunto. Na verdade, os judeus gostam de discutir e debater! Os saduceus aceitavam somente o Pentateuco como autoritário. Em outro extremo, os judeus da dispersão aceitavam até os livros apócrifos. Por isso, havia vários cânones, e o termo Escrituras podia significar diferentes coisas, para diferentes grupos e indivíduos. Porém, as Escrituras, em uma forma ou outra, sempre eram autoritárias, servindo de base da teologia judaica. Naturalmente, os intérpretes cabalistas (ver sobre a *Cabala*) sentiam-se em liberdade para interpretar os textos bíblicos de modo simbólico e místico, e nem todas as suas doutrinas eram biblicamente alicerçadas. De modo geral, entretanto, os judeus sempre tiveram uma teologia bíblica.

2. *Os cristãos primitivos* deram prosseguimento à atitude judaica. Continuavam considerando o Antigo Testamento como autoritário, paralelamente aos livros do Novo Testamento, que eles também reputavam como "Escritura", como porções integrantes da Bíblia autoritária. E, embora certas idéias gregas viessem contribuir para o pensamento neotestamentário, houve a continuação da tendência essencial veterotestamentária. As revelações dadas a Paulo enriqueceram extraordinariamente a teologia, a qual tornou-se a base sobre a qual outras Escrituras foram escritas. Os grupos heréticos, como os gnósticos, que chegaram a penetrar nas fileiras cristãs, estavam muito menos alicerçados sobre as Escrituras Sagradas. Antes de tudo, porque rejeitavam a totalidade do Antigo Testamento e certas porções do Novo; e, em segundo lugar, porque o seu sistema teológico era uma mescla de noções das religiões orientais e de conceitos filosóficos e mitológicos dos gregos.

3. *A Igreja cristã* foi-se afastando gradualmente da Bíblia à medida que o dogmatismo foi-se desenvolvendo. Noções extrabíblicas, como a regeneração batismal, a veneração a Maria e aos santos. e as decisões de concílios considerados autoritárias, foram diluindo a firmeza cristã em torno das Escrituras. Esses desenvolvimentos permitiram a emergência da Igreja Católica (que posteriormente dividiu-se em Igreja Católica Romana e Igreja Ortodoxa Grega) já tão diferente da primitiva Igreja cristã. O bispo de Roma, que antes era apenas um bispo entre outros, foi adquirindo autoridade cada vez maior, porquanto ocupava posição na capital do império, e passou a ser reputado superior aos demais bispos. E disso desenvolveu-se o papado. Paralelamente a isso, os ministros do Evangelho transformaram-se gradualmente em sacerdotes, um clero profissional, que supostamente herdara a autoridade dos apóstolos, ao mesmo tempo em que o papa tornava-se o vicário ou substituto de Cristo. A história do dogma demonstra que à medida que o dogma adquiria mais e mais importância, as Escrituras iam sendo abandonadas como autoritárias.

4. *As Igrejas Ortodoxas* do Oriente (ver o artigo), uma espécie de confederação frouxa das divisões não-ocidentais da cristandade, tornaram-se uma entidade distinta do Ocidente, quando da divisão do império romano, em 395 d.C. Na segunda metade do século IX d.C., missionários das igrejas ocidental e oriental competiam em diversas regiões do mundo. No século XI houve um rompimento formal entre os segmentos ocidental e oriental do catolicismo, devido a razões doutrinárias e litúrgicas, e a Igreja Católica Romana adquiriu uma feição mais parecida com a que conhecemos atualmente. As Igrejas Ortodoxas também aceitam como sua autoridade um misto da Bíblia, dos escritos dos chamados pais da Igreja e das decisões conciliares. Por causa disso, são menos biblicamente baseadas do que a Igreja cristã do primeiro século de nossa era.

TEOLOGIA BÍBLICA

5. *A Reforma* teve lugar em uma época de revolta contra tradições humanas, concílios eclesiásticos, dogmas e intolerância papal. Melancthon, Calvino e Lutero estavam fortemente baseados nas Escrituras, embora não de maneira perfeita. Lutero atacou a autoridade das tradições, dos pais da Igreja, do método escolástico de manusear a fé religiosa, do predomínio dos modos aristotélicos de pensamento que essa atividade incorporava, tendo ficado escandalizado diante da exploração da crendice popular com as indulgências e com o apoio dado ao nefando negócio pela autoridade máxima do catolicismo romano. Isso posto, ele declarou o principio das Escrituras somente, como única fonte autorizada de instruções religiosas para os cristãos. E a maioria dos grupos protestantes e evangélicos preserva essa regra em suas declarações de fé.

6. *A crítica da Bíblia* surgiu nos séculos XVIII e XIX. Incluía esforços para afastar os grupos protestantes e evangélicos da idéia de que a Bíblia é a única e perfeita autoridade. Ver o artigo sobre a *Crítica da Bíblia*, que ilustra esse desenvolvimento histórico.

7. *Um escolasticismo protestante* terminou surgindo em cena. Isso produziu credos e confissões que usam a Bíblia como mina de informes que apóiam idéias, embora nem todas essas idéias e confissões estejam realmente fundamentadas nas Escrituras. As denominações desenvolvem suas próprias interpretações, nem sempre baseadas na Bíblia; algumas delas com base nos elementos heterogêneos do Novo Testamento, e outras baseadas em interpretações evidentemente distorcidas.

8. *O movimento pietista do século* XVIII foi uma tentativa para fazer a teologia retornar à simplicidade bíblica. C. Haymann, em 1708, produziu uma teologia bíblica, que foi a primeira a usar como título esta expressão, até onde temos conhecimento. Em 1758, A.F. Busching, seguindo o exemplo dado por Haymann, publicou sua obra, intitulada *Advantage of Biblical Theology Over Scholasticism.* Nas escolas e seminários, houve esforços para a produção de uma teologia bíblica, em contraste com a teologia sistemática, porquanto esta última, na época, aparecia misturada com idéias e modos de interpretações contrários à Bíblia. Na teologia, elementos literários e históricos foram-se tornando gradativamente mais importantes. O século XIX viu a produção de certo número de obras que ressaltavam a teologia bíblica. G. L. Bauer publicou quatro volumes de teologia bíblica, em 1800-1802. W.M. L. de Wette publicou uma obra similar e bem maior, entre 1813 e 1816. Ali ele identificou vários períodos históricos que influenciaram a natureza e o conteúdo da teologia, como a religião de Moisés e a religião dos judeus, no Antigo Testamento; e no Novo Testamento, os ensinos de Jesus, seguidos pela interpretação e ampliação daqueles ensinos por parte dos apóstolos e discípulos posteriores.

9. *A alta crítica*, entrementes, nos séculos XIX-XX, afetava o conteúdo da teologia bíblica. Os especialistas na alta crítica não apenas estudavam questões como autoria, proveniência, unidade, integridade, etc., dos livros da Bíblia, mas também impuseram aos estudos bíblicos o que ali queriam ver. Além disso, um certo espírito de ceticismo, que caracterizava a alguns deles, levou-os a pensar que Jesus não pode ter feito aquilo que lhe é atribuído nos evangelhos, nem pode ter sido a pessoa que Paulo diz que ele era. Em conseqüência, esses críticos atiraram-se ao esforço erudito de descobrir o que, realmente, teria sucedido, e quem, na realidade, era Jesus. Tais atividades afastaram-nos muito da teologia bíblica. Quanto a descrições mais detalhadas dessa forma de atividade, ver o artigo sobre a *Crítica da Bíblia.*

10. O *liberalismo* dos séculos XIX e XX rejeita a teologia bíblica como uma disciplina legítima e exclusiva, preferindo substituí-la pela história religiosa de Israel e da Igreja, ou então pela religião dos hebreus e dos primitivos cristãos, ou mesmo pelas idéias religiosas da Bíblia. Trata-se de uma avaliação humana daquilo que a Bíblia diz, sem qualquer tentativa para fazer a teologia ser influenciada pelas Escrituras, como a única e grande autoridade que governa todo o pensamento cristão. Uma idéia básica é que a religião da Bíblia não é única e ímpar, mas representa apenas um movimento entre muitos. Esse movimento merece o nosso respeito. A Bíblia conteria a verdade, mas não seria o próprio padrão da verdade. O estudo bíblico autêntico requer sua comparação e avaliação com outros sistemas religiosos. A religião da Bíblia existe porque muitos fatores a produziram, não sendo urna revelação que caiu do céu em um vácuo. Portanto, entre os liberais, a Bíblia passou a ser vista como um livro que contém algo da Palavra de Deus, não devendo ser confundida com a própria Palavra de Deus. Os pontos de vista liberais variam desde a posição radicalmente cética, que nega totalmente a revelação e qualquer momento miraculoso, até uma posição quase conservadora.

11. *A reação da neo-ortodoxia.* Karl Barth (1886) preserva alguns aspectos e resultados das atividades da alta crítica e do liberalismo, embora tivesse encabeçado uma espécie de movimento de volta à Bíblia, procurando alicerçar quadradamente a sua teologia sobre a Bíblia. Sua teologia é uma reação ao liberalismo. De fato, seu comentário sobre a epístola aos Romanos é uma espécie de manifesto contra a teologia liberal. Ele percebia que a teologia liberal faz emudecer Paulo, incluindo seus grandes temas da prioridade da graça de Deus, de sua soberania e da natureza escatológica do Novo Testamento. Os liberais falavam de um Jesus meramente humano (com exclusão de sua natureza divina). Apesar dessa exposição fomentar a causa do liberalismo, não se enquadra, em muitas coisas, com o Jesus dos evangelhos, cujo intuito declarado foi o de estabelecer o reino de Deus na Terra em sua própria época, e que fez reivindicações pessoais fantásticas de autoridade e poder. Mas, se Barth representa um retorno à teologia bíblica, ele não chegou ao nível da teologia fundamentalista (que vide). Quanto a detalhes, ver o artigo sobre *Karl Barth.*

12. *Movimento conservador sofisticado do século XX.* A reação dos evangélicos conservadores contra certos resultados da alta crítica e contra o liberalismo também é um esforço para retornar à Bíblia como base da teologia. Essa atividade foi fortalecida por uma qualidade aprimorada da erudição dos mestres conservadores. Antes disso, os eruditos liberais eram, por assim dizer, os únicos que faziam estudos eruditos e respeitáveis. As igrejas de tendências liberais começaram a perder membros, e um número cada vez menor de jovens interessava-se por freqüentar os seminários liberais. Entrementes, aumentou extraordinariamente o número de alunos matriculados nas escolas e seminários conservadores, e movimentos missionários multiplicaram-se. Todo esse movimento alicerçava-se sobre a teologia bíblica. As pessoas estavam cansadas diante de uma série de probabilidades e de intermináveis alternativas na teologia, anelando pelo reavivamento da alma da fé religiosa.

Alguns acusaram o liberalismo de ter matado a alma da fé, embora retendo o cadáver. A consternação de Karl Barth, devido ao fracasso do cristianismo no campo social, e o papel ridiculamente pequeno das igrejas evangélicas durante a Primeira Grande Guerra (1914-1918) era compartilhada por muitos, mesmo quando não o

TEOLOGIA BÍBLICA – TEOLOGIA DA LIBERTAÇÃO

acompanhavam em todos os seus pontos de vista teológicos. A declaração de Stephen Neill: " A Bíblia não é uma coleção de piedosas meditações do homem a respeito de Deus, mas é o tom da trombeta de Deus falando ao homem e exigindo sua reação" (*The Interpretations of the NT*, 1964), foi considerada perceptiva e exata pelos estudiosos conservadores.

Um movimento missionário intenso, como se tem visto no século XX, e o ministério de evangelistas como Billy Graham e outros, têm feito a teologia bíblica tornar-se popular. Infelizmente, a tendência dos eruditos conservadores tem sido de arrogância e auto-suficiência, pois rejeitam os avanços positivos, no campo dos estudos bíblicos, que a alta crítica, e até mesmo o liberalismo, tem obtido. A verdade quase sempre é achada bem no meio de dois pontos extremos. No presente caso, em um dos extremos há um ceticismo insuportável; e, no outro extremo, vemos a *bibliolatria* (ver o artigo). Sumariaríamos a questão afirmando que parece ser fato que o vício do liberalismo é o ceticismo, e que o vício do conservatismo é o espírito contencioso. (AM 11 C BUL BULT FI ID RI RYR Z)

TEOLOGIA DA CRISE
Ver **Dialética, Teologia da**.

TEOLOGIA DA DOENÇA FÍSICA
Ver o artigo sobre **Enfermidades** seção IV, **A Teologia da Doença**.

TEOLOGIA DA LIBERTAÇÃO
Esboço:
I. O Termo e Suas Definições; Caracterização Geral
II. Uma Crise Generalizada na Igreja Católica Romana
III. Cristo, Cabeça Revolucionário?
IV. Oposição e Críticas
V. Boff Critica o Vaticano
VI. Defesa de Boff e da Teologia da Libertação
VII. O Mau Exemplo de Cuba e a Sorte da Igreja Católica Romana Ali
Conclusão

I. O Termo e Suas Definições; Caracterização Geral

O tipo de *Teologia da Libertação,* conforme é representado por Leonardo Boff, não passa de um sincretismo do Evangelho, do racionalismo protestante expresso por *Bultmann* (vide), do modernismo de Loisy (vide), das posições condenadas do teólogo suíço Hans Kung e da análise marxista da sociedade. A majoritária igreja progressista da Holanda, conforme foi afirmado pelo famigerado catecismo holandês, é produto do racionalismo de Bultmann e do modernismo de Loisy, doutrinas essas antigas, que surgiram cem anos atrás, bem como do discutido teólogo batavo, irmão gêmeo de Hans Kung, Edward Schillerbeck. O catecismo holandês tentou desmitificar a figura de Cristo, questionar a origem evangélica das ordenanças, pôr em dúvida o dogma da Santíssima Trindade, da infalibilidade papal, etc. Porém, os maiores desvios de tal progressismo são de natureza, por essência, moral, relacionados, sobretudo, com o sexo, fora dos laços matrimoniais, com o divórcio, com o aborto, com a abolição do celibato dos padres, com a equiparação do homossexualismo, com o feminismo e com a exigência da ordenação sacerdotal de mulheres, conforme duas freiras, atrevidamente, exigiram na presença do papa, em violação de seus solenes votos.

A Teologia da Libertação, conforme tem salientado o papa João Paulo II, na verdade é uma sociologia política. Mas isso não a torna uma teologia, meramente porque pessoas religiosas, sacerdotes católicos romanos, etc., a promovem. Conspícua quanto à sua ausência, é a porção metafísica da fé cristã. É verdade que a teologia, em suas aplicações práticas, deve preocupar-se com o bem-estar físico das pessoas, estando disposta a lutar contra as opressões sociais e políticas. Também é verdade que há uma incrível opressão contra a qual luta, nos lugares onde a Teologia da Libertação se vai popularizando. Essa verdade é a força real dessa "teologia", e não os princípios marxistas sobre os quais ela repousa. Nos lugares onde essa opressão não é fator preponderante não se verifica grande interesse pelo movimento, excetuando aqueles poucos que exprimem sua solidariedade com os oprimidos de outros lugares.

Quanto à "libertação", que faz parte do título do movimento, é verdade que os oprimidos precisam ser libertados, e que eles estão em uma genuína servidão econômica. Entretanto, o que podemos questionar é o "tipo" de libertação que está sendo oferecido. Não será a libertação de uma modalidade de opressão, somente para que os "libertos" sejam sujeitados a outra forma de totalitarismo, com sua forma específica de opressão? Ver a sétima seção quanto a Cuba como "libertou" as massas, e, especificamente, a Igreja. O próprio Boff tem declarado que não deseja que o comunismo tome conta do Brasil, porque isso significaria o fim da liberdade religiosa. Não obstante, ele crê que podemos tirar vantagem da exatidão da análise marxista quanto às condições políticas e econômicas, empregando então esses discernimentos e evitando os erros típicos cometidos nos países comunistas. Talvez esse "milagre" possa vir a acontecer; mas queríamos, ainda assim, a pensar sobre a *alma,* sobre o verdadeiro homem, sobre o ser imortal que continua existindo após a morte física. Esse homem interior ficará a morrer de inanição, enquanto o corpo é alimentado? Poderá isso, realmente, satisfazer às massas? Constituirá isso uma autêntica libertação?

A despeito desse aspecto negativo, o leitor desses materiais, relativos à Teologia da Libertação, fica impressionado diante da dedicação social de certos líderes do movimento. A fé religiosa não pode envolver, meramente, "a promessa a respeito do futuro". É significativo que a *Teologia da Libertação* tem sido, essencialmente, um movimento surgido dentro da Igreja Católica Romana, onde a preocupação social tem sido mais aguda, de modo geral, do que nas igrejas protestantes e evangélicas. Quiçá não estejamos muito distantes da verdade se afirmarmos que esse movimento é apenas outro protesto católico romano contra a pobreza e a miséria, uma extensão de sua tradicional preocupação com as condições sociais e com atos de caridade, que sempre foi uma das grandes forças do catolicismo romano. Porém, cabe-nos indagar se essa preocupação não tem feito o catolicismo romano apelar demais para o marxismo, tomando por empréstimo as suas idéias, na esperança de poder usá-las para o bem, ao mesmo tempo em que vai evitando os maus aspectos do comunismo.

A Teologia da Libertação é, predominantemente, um movimento de teólogos e ativistas católicos romanos, os quais acreditam que faz parte dos deveres da Igreja combater em prol dos direitos humanos, dos pobres e dos oprimidos. E alguns dos seus mentores mais extremados endossam o conceito de Cristo como o Libertador, como se a missão dEle pudesse ser compreendida em termos da luta de classes própria do marxismo.

TEOLOGIA DA LIBERTAÇÃO

Oficiais eclesiásticos que, por vinte anos, têm observado a Teologia da Libertação propagar-se pelo Terceiro Mundo, a partir da América Latina, têm-se sentido cada vez mais inquietos com os alvos e as atividades desse movimento. Assim, em março de 1984, o cardeal Joseph Ratzinger, principal oficial do Vaticano, encarregado das questões doutrinárias, fez um discurso denunciando aqueles que advogam soluções marxistas para os problemas sociais e políticos do mundo. E as declarações dele, ao que parece, foram aprovadas pelo papa João Paulo II. A despeito dessa tomada de posição, em julho de 1984, um grupo de proeminentes teólogos católicos romanos da Europa, da América Latina e dos Estados Unidos da América, declararam-se abertos defensores das idéias e práticas desse movimento de "libertação". O grupo era encabeçado por alguns proeminentes teólogos liberais denominados, coletivamente, de *Concilium*. Entre eles estavam os reverendos Hans Kung e Gustavo Gutiérrez. Este último é um dos principais arquitetos da Teologia da Libertação. O grupo emitiu uma declaração que diz: "Visto que esses movimentos são um sinal de esperança para o mundo inteiro, qualquer intervenção prematura, por parte de autoridades superiores, arrisca abafar o Espírito que anima e guia as igrejas locais". O *Concilium* tem criticado seus oponentes com base na suposta superficialidade de conhecimentos no tocante à verdadeira natureza do movimento e suas idéias. Se, em alguns lugares, tem havido uma conclamação à revolução armada, o *Concilium* afirma que "não se trata de uma chamada à organização de milícias populares, para que se brandam armas e metralhadoras. Mas também não podemos tolerar a violência silenciosa, onde as massas são mantidas na pobreza e na ignorância".

Entrementes, bispos brasileiros encorajaram uma campanha internacional em favor de Boff, o qual fora condenado a um ano de silêncio pela *Congregação para a Doutrina da Fé, do Vaticano*. A cúpula da CNBB (Confederação Nacional dos Bispos do Brasil) tem insistido em ser contrária ao Vaticano, em sua postura quanto à questão. O frei Boff continua a ensinar no Instituto Teológico de Petrópolis, e sua produção escrita não tem diminuído. O papa João Paulo II ficou surpreso diante das reações, no Brasil, às censuras impostas a Boff. E assim o conflito tem prosseguimento, e, finalmente, poderá produzir um cisma ainda maior, na Igreja Católica Romana, do que a da Reforma Protestante do século XVI.

O escritor romeno e padre da Igreja Ortodoxa, Virgil Gheorghiu, classificou a Teologia da Libertação como "uma das piores heresias que existem atualmente". Ele esteve no Brasil para uma série de conferências, em agosto de 1984, e expressou vigorosamente as suas opiniões. Em contraste com isso, seiscentos teólogos católicos romanos, reunidos na cidade italiana de Assis, analisaram os escritos de Boff e os conceitos da Teologia da Libertação, e terminaram por dar-lhe o seu apoio. Esses teólogos advertiram que a Igreja deve cooperar na luta dos pobres, declarando que a obra de Boff é uma experiência eclesiástica, um símbolo para toda a Igreja Católica Romana. Para eles, a Teologia da Libertação e a Igreja dos Pobres, discutidas em tom de uma *inquisição*, formam contraste com o caráter conciliatório da Igreja contemporânea. A moção de solidariedade a Leonardo Boff é semelhante a um documento anteriormente publicado pelos frades franciscanos alemães. O padre Giuseppe Pittau, assistente-geral dos jesuítas para a Ásia Oriental e a Itália, em entrevista concedida ao correspondente de O Estado de São Paulo, Brasil, em Roma, Rocco Morabito, disse esperar que o caso de Leonardo Boff "termine bem". O padre Pittau, que é muito estimado pelo papa João Paulo II, disse que "a Teologia da Libertação é uma contribuição válida que a Igreja latino-americana deu à Igreja universal, mas que é necessário que se reconheça que ela assume muitas variedades, algumas sérias, e outras menos sérias. É necessário que se avalie caso por caso, para que a autenticidade da inspiração seja reconhecida. Uma inspiração que era do concílio, e que ainda é deste papa, que reconheceu que a evangelização traz consigo o empenho político para a construção de um mundo mais justo e mais humano".

Enquanto isso, um documento publicado pela Congregação para a Doutrina da Fé estabelece a distinção entre a libertação (verdadeira liberdade) e uma alegada espécie de libertação, revestida de ideologias do estilo marxista. Segundo Georges Cottier, pertencente à ordem dos dominicanos, uma *autêntica* Teologia da Libertação não é digna desse nome, se não abordar o mistério do *pecado* e as suas conseqüências históricas.

II. Uma Crise Generalizada na Igreja Católica Romana

Faz parte da tradição profética contemporânea que a Igreja Católica Romana sofrerá nova fragmentação em nossos dias, talvez de maneira ainda mais séria do que aquela do século XVI por meio da Reforma Protestante. Alguns oficiais eclesiásticos romanistas justificam o apelo à Teologia da Libertação como a única esperança presente de real mudança. Fala-se em "alternativas" dessa espécie de teologia. Porém, quais são elas, e quais seus pontos positivos? O marxismo tem conseguido enfeitiçar a imaginação das massas dos países do chamado Terceiro Mundo, como se fosse (segundo alguns dizem), a única esperança de verdadeira mudança social para melhor. Não existe nenhum outro movimento para quebrar a espinha das antigas ideologias e seu domínio cruel sobre os povos. As condições econômicas dos países mais pobres têm chegado a um ponto de desespero. Daí, parte da Igreja Católica Romana (atualmente a Igreja Popular, em contraste com a cúpula centralizada e autoritária) volta-se para a única ideologia que oferece alguma esperança de liberar as massas da miséria. As condições de desespero são tão prementes que as pessoas estão dispostas a arriscar seu futuro com alguma chamada "ideologia estranha", cristianizando-a e utilizando-se de seus métodos.

Contudo, uma **ideologia estranha** poderá ser usada de modo **benéfico**, uma vez incorporada e cristianizada? Os defensores da Teologia da Libertação salientam como as filosofias de Platão e de Aristóteles foram usadas para exprimir doutrinas e ideais cristãos. Todavia, Tertuliano indagava: "O que Atenas tem a ver com Jerusalém?" Assim indagando (e de muitas outras maneiras), ele rejeitava o uso da filosofia para exprimir a fé cristã. Apesar de que não posso endossar pessoalmente essa atitude, bem como o antiintelectualismo que a acompanha, quero salientar que Aristóteles não perseguiu nem os judeus e nem qualquer tipo de fé religiosa. Ele não foi algum destruidor, cuja filosofia foi então adotada pelos cristãos. Mas, em nossos dias, está sendo convenientemente ignorado que o comunismo tem feito mais mártires cristãos do que todas as demais perseguições combinadas da História. O papa João Paulo II, natural de um país comunista, a Polônia, tem podido observar a real natureza do comunismo. Podemos estar certos de que suas experiências pessoais são um fator em suas objeções ao uso do conceito marxista da luta de classes com o intuito de produzir mudanças sociais. Ao que tudo indica, ele não tem ficado favoravelmente

TEOLOGIA DA LIBERTAÇÃO

impressionado diante das mudanças produzidas pelo comunismo. Tem podido testemunhar a destruição da Igreja em vários países comunistas. Tem visto, em primeira mão, como os governos totalitários oprimem a Igreja e matam os seus líderes. Sem dúvida, como homem informado acerca da tradição profética, ele está cônscio da seriedade das atuais condições, que podem produzir sério e vasto cisma nas fileiras romanistas. Como homem de grande experiência pessoal e eclesiástica, ele não está subestimando as forças que se agitam, e que, a qualquer momento, poderão produzir esse cisma.

Por outro lado, o próprio papa representa um antigo sistema totalitário, e frei Boff está sendo comparado com Lutero, justamente por estar desafiando esse sistema! Muitas pessoas pensantes reconhecem que uma das questões básicas que Boff está desafiando é a autoridade papal. Se ele estivesse levando tão a sério as censuras do papa e do Vaticano, como um ministro católico romano deve fazer, já não teria abandonado há muito tempo a sua distintiva posição doutrinária? Lutero desafiou a *autoridade papal*, mas sobre questões de fé religiosa, e não, essencialmente, sobre questões de governo, embora estas também formassem um ponto secundário no conflito protestante. O que é de estranhar em Boff é que está promovendo idéias de um sistema totalitário na tentativa de modificar outro sistema totalitário. Deve-se observar que alguns líderes protestantes, ao atingirem o poder político, tornam-se tão totalitários e autoritários quanto a própria Igreja Católica Romana. Quem pode duvidar que se o comunismo tivesse obtido a vitória nas urnas brasileiras, isso seria um gigantesco passo para a formação de um estado totalitário no Brasil? Por essa razão, frei Boff opõe-se a qualquer tipo de governo totalitário; mas, ao mesmo tempo, emprega as idéias marxistas totalitárias, que têm sido tão destrutivas para a Igreja, onde quer que elas tenham fixado raízes.

Os pensadores do catolicismo romano vêem na Teologia da Libertação uma espécie de neoprotestantismo secular, cuja ênfase é político-social, e não metafísica. Tanto o protestantismo original como esse neoprotestantismo secular, e até o liberalismo católico romano, põem em dúvida a questão da infalibilidade papal e a natureza autoritária da Igreja Católica Romana. Ver o artigo *Liberalismo Católico*.

A crise que ora afeta a Igreja Católica é universal, desdobrando-se em todos os continentes. Atestam-no, de modo eloqüente, dois episódios paralelos: o caso de frei Boff, no Brasil, e a acidentada viagem do papa à Holanda, a mais tumultuada peregrinação espiritual já empreendida por João Paulo II. A causa mais profunda do fenômeno é comum: o declínio da vitalidade da Igreja Católica Romana e a sua secularização. A reação, tanto do clero como de amplos setores da hierarquia romanista, e, sobretudo, das grandes massas de leigos católicos, é de natureza dupla: mais teológica na Europa e na América do Norte, onde traduz as exigências intelectuais e morais de uma sociedade descristianizada, e mais ideológica na América Latina, com o engajamento das massas desprivilegiadas na emancipação política, econômica e social, primeiro em competição, e, posteriormente, em aliança com os partidos mais radicais (do tipo PT, Partido dos Trabalhadores), e mesmo de nítida orientação marxista. Ambas as reações, como não podia deixar de acontecer, redundaram na ampliação e no aprofundamento da secularização da Igreja, que o papa, conforme exige a sua condição de Doutor Supremo e Universal da Igreja, não pode deixar de tentar sanar e corrigir. Há apenas uma diferença, qual seja a de que a reação latino-americana produziu um *novo tipo* de clericalismo, que não age mais em nome da supremacia do que é espiritual e sobrenatural, mas de um moralismo naturalista, politicista e socialista (pelo menos socialistóide e marxistóide), que fica absorvido pela dinâmica da ordem temporal e mesmo pela dialética marxista. Por mais vitorioso que seja esse clericalismo, no desejo de unir-se à força política que se exibe como depositária do futuro e como a próxima detentora do poder, contribuiu, com o seu triunfalismo (neoconstantiniano), que não passa de subserviência, consciente ou inconsciente, o que, no fundo, não faz diferença para a sua absorção pela força à qual adere e para que a Igreja seja *dissolvida por dentro*.

A Igreja Católica Romana, na Holanda, é mais secularizada do que qualquer outra nos diversos continentes da cristandade ocidental. O número de padres que tem abandonado o sacerdócio é três vezes maior do que a média mundial, e a prática de ir à missa caiu de 70%, em 1960, para 20%, atualmente. Apenas 10% dos católicos romanos holandeses mostraram-se favoráveis à presença do papa no território do país. Cartazes exigiram que ele fosse para casa ou para o céu; a televisão ironizou sua vinda e suas intenções, envolvendo a sua figura em grosseiras piadas (satirizando as viagens papais), não faltando nem mesmo anedotas obscenas e multidões em marcha soltando centenas de balões brancos, que, na realidade, eram contraceptivos masculinos.

III. Cristo, Cabeça Revolucionário?

A Teologia da Libertação não foi a primeira ideologia política a tentar tirar proveito do prestigioso nome de Jesus Cristo e da mensagem da Bíblia, para propósitos políticos. Essa é apenas uma dentre uma série de tentativas para politizar a figura de Cristo, que não teve jamais qualquer interesse por esse tipo de atividade) Jesus pregou a separação entre Igreja e Estado, bem como o cumprimento de deveres religiosos e civis, independentes um do outro. Ver Mat. 22:17ss e Mar. 12:14-17. Também declarou: "O meu reino não é deste mundo" (João 18:36). Se o fosse, sem dúvida teria encorajado seus discípulos a defenderem-se armados. Por outro lado, o trecho de Mat. 25:35 ss ensina-nos que seremos julgados no que concerne aos nossos "interesses sociais", o bem-estar físico de nossos semelhantes. E o segundo capítulo da epístola de Tiago reverbera esse tema, insistindo acerca da necessidade de praticarmos boas obras (o cumprimento da lei do amor), como expressão indispensável de uma fé viva.

O livro de frei Betto, **Fidel e a Religião**, afirma que desde 1958, quando Castro ainda se achava em Sierra Maestra, em seus dias de guerrilheiro, era discípulo "avant la lettre" da Teologia da Libertação marxista, fazendo um trabalho de interpretação de Cristo e seu Evangelho, onde o emprego da "releitura marxista" e do "reducionismo socialista" seria perfeito. Também somos informados ali acerca da insistência de Castro de que a própria Bíblia é um documento altamente revolucionário, incluindo-se nisso os ensinamentos de Cristo. São dados exemplos tirados do Antigo Testamento. Moisés representaria a atual classe trabalhadora, escravizada, e o Faraó seria o capitalista escravizador. O vigésimo quinto capítulo de Mateus é entendido sob um prisma político e revolucionário. A ordem de "amar" torna-se, nas mãos desse autor, a inspiração revolucionária, mediante o que os males sociais seriam eliminados, beneficiando-se assim o próximo. A própria eucaristia recebe uma torção política, diante da insistência de que ela só se cumprirá, realmente, "quando houver pão

TEOLOGIA DA LIBERTAÇÃO

para comer na casa de todos os pobres do mundo". Essa é uma bela idéia. Mas que dizer acerca do Pão da Vida, que dá vida e alimenta à alma, e não ao corpo? Por qual motivo a Teologia da Libertação não lembra que Jesus ensinou que o homem não viverá somente de pão, mas também da Palavra de Deus, que vem satisfazer suas mais profundas necessidades? Um indivíduo de estômago forrado de filé não é, necessariamente, um indivíduo regenerado e espiritual. Ademais, os países cujos habitantes alimentam-se melhor, dirigindo automóveis novos pelas estradas e assistindo televisão colorida em sua sala de estar confortável, são justamente onde predomina o capitalismo e não o socialismo. O Japão precisou apenas de um capitalismo bem gerenciado para passar por sua espetacular revolução econômica para melhor, e não de uma propaganda que se vale de Cristo como pseudo-inspirador. Os Estados Unidos da América, onde o progresso econômico beneficia praticamente todos os níveis da sociedade, precisaram tão-somente da inspiração protestante do trabalho árduo. É verdade que esses fatos, por si sós, não eliminam os tremendos abusos que gananciosos sistemas capitalistas têm acumulado contra as populações, na América Latina. E nem as pessoas estão dispostas a ouvir os elogios feitos a uma forma de capitalismo a fim de se satisfazerem com sua condição de miséria econômica. Antes, os ouvidos dos oprimidos estão abertos para ouvir falar em *novos caminhos,* em novas ideologias, em novos sincretismos, sem importar as conseqüências, pensando que a situação não pode ser pior do que já está. Conseqüências a longo prazo, que envolvem até mesmo uma grave fragmentação da Igreja Católica Romana, para breve, pairam sobre as nossas cabeças. Mas, esse noivado entre o marxismo e a religião católica romana não é a solução. Enquanto os países comunistas estão admitindo métodos capitalistas, os países do Terceiro Mundo querem experimentar a inépcia econômica do socialismo! Por que experimentar um modelo econômico que fracassa ainda mais do que o mais ganancioso e opressor dos capitalismos? Essa atitude só pode estar sendo ditada pelo mais puro *desespero!*

IV. Oposição e Críticas

Tentamos fazer aqui um modesto sumário das coisas que foram ditas contra *a Teologia da Libertação.*

1. A Fraqueza e o Fracasso do Marxismo. É fato de fácil observação que, com freqüência, as ideologias passam por um período fundamentalista, acompanhado pela crença cega na mesma, mantida a qualquer custo, contra toda e qualquer evidência que resiste a mudanças. Em seguida, vem um período de liberalização, com a admissão de erros passados e o abandono de muitas posições passadas rígidas. O *comunismo* (vide) foi instalado na Rússia várias décadas antes de haver sido instalado na China. Isso posto, foi inevitável que o processo de liberalização tivesse começado primeiro na própria União Soviética. Atualmente, estamos testemunhando a admissão de erros passados, por parte de líderes soviéticos, e o abandono de certos princípios ou abrandamento de outros. A liberalização encabeçada pelo premier Gorbatchev tem feito os russos falarem sobre "a verdade" que agora é moda, em contraste com a anterior falsa propaganda sobre os programas daquele governo. Muitas atrocidades e massacres têm sido admitidos através de confissões públicas. Mas os diplomatas ocidentais temem que essa liberalidade e "abertura" não perdurem para além do atual governo. Métodos capitalistas têm sido adotados, com benefícios para a economia do país. E podemos ler notícias veiculadas pela imprensa, como a seguinte: "China Reconhece: o Marxismo Morreu. Pequim: Depois de lançar suas reformas revolucionárias de estilo capitalista, a China deu ontem novo e decisivo passo ao considerar a filosofia marxista, introduzida no país por Mao Tsé-tung, em 1949, incompatível com o projeto de modernização do país. Em editorial de primeira página, ao que tudo indica, escrito pelo próprio *homem forte do regime,* Deng Xiaoping, o jornal porta-voz do PC, *Diário do Povo,* afirma que a filosofia marxista está sob pena de ser deixada para trás na corrida que travam as nações para sair do subdesenvolvimento. "Não podemos usar as obras marxistas e leninistas para solucionar nossos problemas atuais", diz o editorial, lembrando que "Marx morreu há 101 anos". A advertência de Deng parece dirigida aos grupos no Partido e no Exército que ainda se aferram aos princípios do coletivismo maoísta . (O Estado de São Paulo, 8 de dezembro de 1984).

E um outro artigo, publicado no mesmo jornal, asseverava: "O marxismo-leninismo está morto ou agoniza na China". A declaração foi feita por três renomados intelectuais chineses, membros do *Partido Comunista,* em uma série de entrevistas à agência *France Press.* Os escritores Bai Hua e Wang Ruofang e o astrofísico Fang Lizhi foram mais contundentes ao afirmar que, após quarenta anos de vitória da revolução, o balanço do socialismo na China "é um clamoroso fracasso". Declarações dessa ordem seriam inconcebíveis vinte anos atrás; porém, à medida que homens sérios buscam soluções para os imensos problemas que enfrentam, a própria sinceridade deles finalmente impele-os a afastarem-se de soluções inadequadas, a despeito do poder que ainda reste às antigas ideologias. A liberalização de um antigo fundamentalismo requer tempo; e ainda mais tempo se faz necessário para que uma antiga ideologia seja, finalmente, substituída. Todavia, os indícios são claros: tanto a Rússia como a China já ultrapassaram o comunismo fundamentalista. Os políticos da antiga guarda haverão de relutar e contra-atacar, mas a mudança haverá de prosseguir, porque o povo precisa de mudança, em benefício de seu bem-estar.

Entrementes, o aspecto mais ridículo da Teologia da Libertação, em nosso país, é que ela está apelando para o antigo e ultrapassado comunismo fundamentalista como seu ideal inspirador e como seu método de ação, precisamente quando está sendo declarado o funeral dessa ideologia.

"A China vingou-se: no tempo de Mao Tsé-tung adotou o marxismo-leninismo, tido por intelectuais da época como a última palavra da civilização ocidental. Mas, no tempo deste 'guia genial dos povos', sofreu os males da 'doença infantil do esquerdismo'. O 'grande salto para a frente' custou dez milhões de mortos. A Revolução Cultural, cem milhões de vítimas (fuziladas, expurgadas, mutiladas, etc.). Após a decadência do Império, que sofreu primeiro o imperialismo ocidental e, em seguida, o militarismo nipônico, e após os trinta e cinco anos desperdiçados no cultivo anacrônico de Stalin, o próprio comunismo chinês acorda da letargia, abre-se para o Ocidente (convidando o capital japonês, alemão, norte-americano e enviando milhares dos seus jovens para estudar nas universidades da Europa e dos Estados Unidos) e endossa o capitalismo".

"Onde não há ocupação militar soviética, o marxismo-leninismo não pode ser mantido. É uma teoria que se implanta e se mantém graças à força militar, e

TEOLOGIA DA LIBERTAÇÃO

não mais inspira os intelectuais da esquerda, mas apenas os subdesenvolvidos mentais e as guerrilhas terroristas. As democracias populares do Leste europeu já há muito teriam expulsado o marxismo-leninismo, se lá não estivessem as tropas soviéticas, que invadem regularmente os seus satélites. É algo que serve ainda para os sandinistas e/ou os guerrilheiros da *Farabundo Marti*, frades franciscanos e diretores espirituais das Comunidades Eclesiásticas de Base (e seus cardeais protetores). Mas o marxismo-leninismo é como uma estrela que já se tenha apagado no firmamento das idéias. Suspeitamos que mesmo em Moscou se sabe disto, o que ditou à substituição da falida ideologia pelo cesarismo bonapartista. A China de Deng Xiaoping acaba de fazer história" (*O Estado de São Paulo*, 11 de dezembro de 1984).

Mesmo que alguns não a considerem anticristã, a Teologia da Libertação não é um esforço anacrônico?

2. O Vaticano. Tenho juntado material sobre a Teologia da Libertação só a partir 1984, pelo que é impossível mostrar aqui todas as declarações contrárias a essa ideologia, expedidas pelo Vaticano. Assim, dou apenas alguns exemplos representativos. O cardeal Joseph Ratzinger, prefeito da Sagrada Congregação para a Doutrina da Fé, em uma entrevista prestada à revista Jesus, disse: "É impossível dialogar com os teólogos que aceitam esse mito ilusório (a Teologia da Libertação), o qual bloqueia reformas e aprofunda a miséria e as injustiças, com sua luta de classes, como seu instrumento para criar uma sociedade sem classes".

Em agosto de 1984, o Vaticano publicou uma extensa exposição da Teologia da Libertação, em combate à mesma. O documento tem trinta e cinco laudas de texto. Foi assinado pelo cardeal Joseph Ratzinger, com a aprovação do papa João Paulo II. A imprensa italiana, de modo geral, considerou o documento sobre a Teologia da Libertação como um ataque sem precedentes ao marxismo e sua metodologia. Jornais de todo o país deram destaque à divulgação do texto. Um mês após a publicação desse ataque, estava sendo discutida a possibilidade de frei Boff ser declarado como um não-católico. Vemos aí o mesmo processo que ocorreu no caso de Lutero. Após a explosão inicial e as tentativas de reconciliação, ou de ser encontrado algum terreno comum, Lutero foi simplesmente excomungado. O cardeal do Rio de Janeiro, Dom Eugênio Sales, afirmou que a Teologia da Libertação engloba conceitos inaceitáveis à fé cristã. Ele conclamou os católicos à obediência ao papa e aos princípios do Vaticano como a única vereda que os cristãos sinceros podem escolher.

Os bispos brasileiros receberam, junto com o documento da Congregação para a Doutrina da Fé, distribuído pela Nunciatura Apostólica, em Brasília, um documento em espanhol que analisa alguns pontos da instrução do Vaticano sobre a Teologia da Libertação. Trata-se de um resumo do documento, contendo críticas diretas aos teólogos da libertação, que puseram em circulação um conjunto de idéias nocivas à fé. Esse documento, que circulou entre os bispos que participaram, em Brasília, da reunião do Conselho Permanente da CNBB (Confederação Nacional dos Bispos do Brasil), assinala que os teólogos da libertação substituíram "o critério da ortodoxia pelo da *ortopráxis*", isto é, "pelo compromisso na luta pela libertação dos pobres, entendido no sentido marxista, o qual passa a ser *a nova regra da fé*". O documento, distribuído em Brasília, destaca sua tese de que a Teologia da Libertação contém idéias ruinosas para a fé.

Objeções Específicas. Os princípios que jazem à base da Teologia da Libertação, como a luta de classes em termos da análise histórica-marxista, são inaceitáveis à fé cristã. Essa *práxis* dificilmente pode ser a regra de fé e prática dos cristãos. A história é ali vista em termos de conflito político e econômico, em consonância com a dialética materialista, ao mesmo tempo em que os aspectos divinos da história, como a intervenção de Deus, em Jesus Cristo, a salvação das almas, a vida após-túmulo e outros temas teológicos e espirituais cardeais, são deixados inteiramente de fora. Não obstante, o Evangelho fica reduzido a nada sem esses temas. É ali ridiculamente pressuposto que *Deus* faz a história da maneira que Marx afirmou que deve ser feita pelo *materialismo*, através da tríade hegeliana, depois da mesma ter recebido uma interpretação materialista. O tema da luta de classes lança cristãos contra cristãos, destruindo assim a unidade da Igreja. A ortodoxia cristã é ali substituída pela *ortopráxis*, conforme foi dito acima. Trechos bíblicos são distorcidos para que assumam uma feição nitidamente política. Em outras palavras, as poucas passagens bíblicas usadas recebem uma interpretação política e revolucionária. É simplesmente impossível que esse seja o uso apropriado das Escrituras, a Palavra da Vida.

A Teologia da Libertação confere às Escrituras um papel secundaríssimo, e o pouco citado das mesmas é distorcido por interpretações tipo marxista. A espiritualidade do Novo Testamento é cancelada pela luta de classes da concepção marxista. A interpretação liberal do *Jesus da História* (ver meu artigo sobre o *Jesus Histórico*) domina a Teologia da Libertação, onde ninguém pode achar o Jesus teológico, o divino Filho de Deus. A própria morte de Cristo é interpretada segundo um modelo político, e não como expiação pelos pecados. Não há menção a qualquer redenção universal e espiritual em sua morte. Jesus é concebido apenas como um mártir que morreu por sua oposição a um vilão político-econômico de sua época. E, se por um lado, espera-se que os pobres possam ser arrancados de sua miséria econômica, nada é ventilado sobre serem eles tirados de sua pobreza espiritual, a pobreza da alma. Desse modo, a salvação reduz-se a ter o estômago recheado de frango e a residir em uma bela casa, em uma sociedade sem classes. E a salvação do espírito, ensinada por Jesus Cristo, passa em total silêncio. A própria eucaristia é reduzida à idéia de alimentar os pobres, sem qualquer coisa oferecida à alma. Coisa alguma é dito acerca da maior libertação de todas, aquela da qual os homens mais necessitam, em todos os lugares, a libertação da servidão ao pecado. No entanto, sem esse aspecto, o Evangelho reduz-se a nada. Os mistérios da fé são ignorados, como também a ética absoluta do Evangelho, alicerçada como está na revelação outorgada na Bíblia, acerca daquilo que Deus espera dos homens, moralmente falando.

Boff, que foi convocado para debater essas questões com as autoridades de Roma, asseverou que o debate será útil à Igreja, e que essa será sempre a espécie de atitude que prevalece quando homens inteligentes entram em controvérsia. Finalmente, porém, daí teremos de esperar um tremendo cisma, com a fragmentação da Igreja Católica Romana em nossos próprios dias. A Teologia da Libertação, na verdade, é incompatível com a ortodoxia católica romana, e essa *incompatibilidade* haverá de escrever o último capítulo sobre a questão. A única questão é saber quanto tempo ainda demorará esse processo.

3. O Papa João Paulo II. Certas declarações feitas pelo papa atual, em favor de algumas idéias expressas pela Teologia da Libertação, apontando a utilidade delas, têm

TEOLOGIA DA LIBERTAÇÃO

sido largamente divulgadas, ao mesmo tempo em que declarações contrárias (que são muitas) têm passado em silêncio. Em outubro de 1984, o papa João Paulo II deixou claro que se a Igreja anela por novas abordagens, *jamais* aceitará o marxismo, que é a negação de Deus. Falando para cerca de quarenta mil fiéis no Centro Olímpico de São Domingos, o papa prometeu "o generoso apoio da Igreja Católica à obra de libertação social das multidões desfavorecidas, a fim de levar para todos a justiça que corresponde à dignidade dos filhos de Deus". Mas advertiu que a missão da Igreja consiste em evitar a penetração do ateísmo que existe nos movimentos que se intitulam libertadores. Ele declarou abertamente que o marxismo é uma negação de Deus. Reasseverou a autoridade do Vaticano para dirigir o evangelismo e os movimentos sociais, sem importar sua natureza. Também defendeu a unidade da Igreja em um esforço unificado na tentativa de solucionar os problemas que os pobres enfrentam.

Em uma reunião efetuada com os bispos do Peru, em outubro de 1984, o papa João Paulo II reiterou sua oposição à Teologia da Libertação. Ele aludiu especificamente a "ideologias estranhas à fé", ironizando a atitude de alguns que dizem que tais ideologias possuem o segredo da verdadeira eficiência no combate à pobreza e à opressão.

Em uma mensagem enviada aos bispos da África do Sul, o papa afirmou que a solidariedade católica para com os pobres não pode ser "baseada na luta de classes".

Um comentário do papa, publicado pelo jornal *L'Observatore Romano*, órgão oficial do Vaticano, pode representar a condenação formal da contravertida Teologia da Libertação pelo Vaticano. Essa declaração foi publicada em 22 de agosto de 1984. Entrementes, o cardeal Ratzinger referiu-se à mistura de fontes e tendências da Teologia da Libertação como "um abuso da teologia".

Em abril de 1984, o papa João Paulo II condenou a *tirania* das ideologias, em um ataque direto desfechado contra a Teologia da Libertação, contradizendo assim o próprio termo, "libertação", dando a entender que a libertação ali prometida na realidade é apenas uma outra forma de tirania.

Essa declaração foi feita pessoalmente a um grupo de bispos brasileiros, diante do papa, no Vaticano. A isso o papa acrescentou que o interesse em ajudar materialmente os pobres não deve obscurecer o principal propósito do Evangelho, efetuado através do evangelismo de natureza espiritual.

4. O cardeal Agnelo Rossi, no Brasil, afirmou, em abril de 1985, que os métodos da Teologia da Libertação podem ser fatais à Igreja. Avisou sobre as técnicas de *lavagem cerebral* empregadas por seus defensores. Não que haja campos de concentração do tipo nazista, mas essas técnicas são levadas a efeito dentro das próprias agências da Igreja. E preparou um documento de quarenta e três páginas, ressaltando os erros da Teologia da Libertação.

5. O cardeal-arcebispo do Rio de Janeiro, **Dom Eugênio Salles**, defendeu as advertências feitas pelo papa João Paulo II acerca da Teologia da Libertação, e conclamou os católicos à obediência ao papa, como *dever* de todos os católicos. Também expediu um comunicado, encorajando o episcopado brasileiro a condenar os erros que assediam presentemente a Igreja Católica Romana, lamentando o fato de que a punição imposta a Boff (um ano de silêncio) foi recebida com protestos no Brasil, o que é uma clara desobediência à palavra e à iniciativa do Vaticano.

6. O arcebispo de San José (Costa Rica), **Dom Roman Arrieta**, classificou a Teologia da Libertação e a Igreja Popular como coisas inaceitáveis para os católicos romanos, condenando as "ideologias exóticas" que estão fascinando alguns cristãos da atualidade.

7. O Jurista Sobral Pinto demonstrou, em um livro escrito em 1984, as "distorções" da Teologia da Libertação, onde asseverou: "É realmente fantástico declarar útil à teologia, cuja base é Deus, a teoria do *materialismo histórico*, cuja base é justamente a negação de Deus. Isso é algo que ultrapassa todo e qualquer bom senso". O prefácio da obra foi suprido pelo cardeal-arcebispo do Rio de Janeiro, Dom Eugênio Salles, onde o livro desse jurista aparece como "muito oportuno". Sobral Pinto escreveu em seu livro, intitulado *Teologia da Libertação*, que, realmente, é difícil compreender os católicos que se utilizam de uma ideologia que está alicerçada sobre o pressuposto de que Deus não existe, que não há vida pós-túmulo e nem poderes sobrenaturais, e que chama de "fantasia" a crença nessas realidades espirituais, além de afirmar que a doutrina da alma nada mais é do que a imaginação arbitrária de poetas e místicos.

8. O cardeal Dom Vicente, de Porto Alegre, em abril de 1985, ao falar no programa da Cúria Metropolitana, asseverou que a Teologia da Libertação repete os erros de tempos passados com "perigosa ignorância e desconhecimento acerca dos pontos fundamentais da verdade revelada". Ele lamentou a fraqueza da autoridade do papa e a desobediência que vai aumentando, contra o poder da Igreja. Também objetou à aceitação da teologia liberal de Bultmann acerca de Cristo, que o reduz a um pseudolibertador, de acordo com pontos de vista marxistas, uma total distorção do Cristo retratado no Novo Testamento.

9. O Cardeal Sebastiano Baggio, representante do papa João Paulo II, durante o XI Congresso Eucarístico Nacional, condenou (17 de julho de 1985) um documento, assinado por onze entidades, que defende a posição assumida pela Teologia da Libertação e o frei Leonardo Boff. Dom Sebastiano disse que Boff tem os seus superiores, e que esse tipo de ação é um desafogo, e não um caminho adequado a ser seguido. O documento em questão está dividido em quarenta e quatro itens. E também deplorou a divisão que toda essa questão está causando no seio da Igreja Católica Romana, dando a entender que a função do clero consiste em *ensinar* as doutrinas da Igreja, e não *inventar* a Igreja.

10. O bispo auxiliar de Salvador, Dom Boaventura Kloppenburg (em setembro de 1984), salientou que a libertação prometida pela Teologia da Libertação é na verdade, inimiga da *liberdade pessoal* dos indivíduos. Chegou mesmo a dizer que enquanto a libertação está sendo proclamada às massas, ao mesmo tempo estão sendo preparados campos de concentração aos dissidentes. E convocou os homens a desfraldarem de novo a verdadeira bandeira da liberdade, asseverando que a filosofia marxista opõe-se à visão cristã das coisas.

11. O bispo Boaventura Kloppenburg (9 de setembro de 1986) advertiu que o Partido dos Trabalhadores, a Central Única dos Trabalhadores e o Partido Democrático Trabalhista estão preparando o Brasil para o socialismo, e que a política está sendo pregada nas igrejas, como parte do mesmo programa e finalidade. A isso ele chamou de "desvio na Igreja". E esse bispo ironizou as pretensas intenções de religiosos brasileiros de buscar modelos em Cuba: "Quem sabe se eles não descobrem um exemplo maravilhoso de reforma agrária e o dão ao presidente Sarney?" E fez objeção ao uso de textos bíblicos a serviço do marxismo, além de ter reafirmado o ofício de Cristo como o verdadeiro Libertador do povo. E lamentou o uso do tempo do povo na Igreja para fins de propaganda política.

TEOLOGIA DA LIBERTAÇÃO

12. O bispo auxiliar de Porto Alegre, Dom Edmundo Kunz, em outubro de 1984, condenou o uso da análise marxista para fins de mudança social: "Admitir a luta de classes como lei fundamental da História significaria introduzi-la na própria Igreja de Cristo. A hierarquia seria opressora, e o laicato oprimido; a Igreja institucional, senhora, e a do povo, escrava. Estaria demolida a Igreja como povo de Deus e como corpo místico de Cristo. Além disso, se vingasse a teoria classista de Marx, somente haveria amigos e inimigos, exploradores e explorados, agressores e oprimidos". Essas palavras foram proferidas no programa radiofônico *Voz do Pastor*, da diocese de Porto Alegre, quando Kunz criticou o uso da análise marxista. Também lamentou o fato de que a Teologia da Libertação veja as necessidades do ser humano em um contexto puramente materialista, esquecendo-se das necessidades maiores da alma. Entretanto, admitiu o uso desse tipo de teologia a fim de alertar o povo quanto a abusos, forçando a Igreja a enfrentar as questões envolvidas, mas não demonstrou qualquer fé na eficácia dos remédios propostos pela Teologia da Libertação.

V. Boff Critica o Vaticano

Os hereges usualmente mostram-se eloqüentes na defesa de seus pontos de vista, embora acabem sendo derrotados. A busca inicial pela harmonia e pela reconciliação com os "antigos caminhos" serve tão-somente para adiar, por algum tempo, o cisma inevitável. As palavras e os escritos dele são muito ousados. Apesar de que algumas de suas declarações públicas têm tido um tom conciliador, ele mesmo não tem cedido muito terreno ante seus adversários. Boff é um herói para milhões, e um vilão para outros milhões. Será crucificado e glorificado ao mesmo tempo. Daí resultará uma Igreja Católica Romana fragmentada, pelo menos nos países do chamado Terceiro Mundo.

Em setembro de 1984, Leonardo Boff afirmou que o capitalismo, e não o comunismo, é o principal demônio contra o qual deveríamos lutar, em defesa dos *pobres* e *oprimidos*. E suas palavras foram publicadas pelo *L'Unità*, órgão oficial do Partido Comunista italiano. Ele criticou o Vaticano por não levar em conta a evolução de idéias, e que foi Marx que nos teria ajudado a entender a lógica do capital e do processo de exploração. E também indagou: "Que poderia ser mais espiritual do que dar a uma criança algo para comer?" Asseverou, em seguida, a sua crença na espiritualidade, e afiançou que o problema da Igreja consiste em lutar contra as injustiças, inspirada pela fé e sua transcendência. Disse também que "não haverá uma libertação dos oprimidos com base no marxismo como *ideologia integral*". E ajuntou que "os cristãos devem redobrar a sua vigilância crítica em relação a essa ideologia, cuja sedução mística é devoradora e totalitária". Portanto, ao que parece, o próprio Boff não está lutando em prol de um estado comunista, mas apenas insistindo que há coisas de valor que podemos pedir emprestado daquela ideologia, úteis na luta contra a pobreza e a opressão. E novamente criticou o Vaticano por não apresentar nenhuma alternativa adequada a essa situação, afirmando que o Vaticano é por demais abstrato em seus pronunciamentos, sem jamais apresentar quaisquer medidas de ordem prática para a solução dos problemas sociais.

O Vaticano reagiu, condenando a chamada "Igreja Popular", na terceira sessão do II Sínodo Extraordinário, em novembro de 1985. O surgimento de "igrejas populares", como aquela que se está formando na Nicarágua, com apoio do governo sandinista, foi classificado de *práxis marxista*, pelo arcebispo de Córdoba, na Colômbia, Dom Raul Francisco Primatesta. Ele classificou tal movimento de *neomodernista*, afirmando que o mesmo pode levar a uma ação religiosa social e subversiva. E também exprimiu sua preocupação no que concerne à secularização da Igreja Católica Romana.

Em setembro de 1984, o frei Leonardo Boff criticou o Vaticano pela maneira como manuseia a Teologia da Libertação, asseverando que o mesmo procede com uma visão tipicamente eurocentrista, paternalista, que não leva em conta a realidade latino-americana. Se a Igreja Católica Romana continuamente afirma que é mister lutar contra a pobreza e a opressão, oferece mera *assistência*, e não verdadeira libertação. E acusou as críticas emitidas pelo Vaticano por serem ultrapassadas, por não se ajustarem à evolução das idéias do mundo moderno. Mas um teólogo jesuíta, João E. Martins Terra, advertiu que Boff está passando como uma "vítima" do autoritarismo, avisando que as conseqüências de sua filosofia dentro em breve poderão ser muito desastrosas para a Igreja. Em sua opinião, a unidade e a vitalidade da Igreja Católica Romana estão sob ataque.

O Neogalicanismo na Igreja Católica Romana do Brasil. Martins Terra afirmou poder divisar uma forma de neogalicanismo que se vai amoldando no Brasil. O galicanismo surgiu no século XV, procurando reduzir o poder do papa, o que marcou profundamente a história do catolicismo romano. Sua tendência é produzir uma igreja nacional, em oposição à Igreja centralizada, governada pelo Vaticano. E Martins Terra também objetou à típica teologia liberal de Boff, que faz parte do seu sistema sincretista.

Em 10 de outubro de 1984, Boff criticou o Vaticano por ter medo do comunismo. Em vista desse temor irracional, não tiraria proveito dos bons aspectos que o marxismo tem para melhorar as condições sociais e econômicas dos povos. Boff proferiu essas palavras em um discurso feito em Campinas (Unicamp), perante professores e estudantes. Ao mesmo tempo, porém, afirmou que devemos combater o marxismo, como um sistema. E advertiu que a mera eliminação do antigo capitalismo não será uma medida produtiva se, em conseqüência, uma outra ideologia perniciosa tomar o seu lugar. E também disse: "Eu não quero o marxismo no Brasil, inclusive porque não permite a liberdade religiosa; mas o problema *aqui* é o capitalismo selvagem, sem regras, que leva a pessoa, embora faminta, a ser comunista". Também assegurou que a Teologia da Libertação não se inspirou no marxismo, e, sim, em ideais cristãos. Fica patente, diante de declarações assim, que Boff é um dos mais *moderados* advogados da Teologia da Libertação, porquanto muitos dos que esposam essa teologia pensam que somente por meio de um estado comunista é que os ideais dessa teologia poderão ser implantados. Quanto a nós outros, cabe concluir que tal estado comunista seria um "estado cristianizado", que empregaria seu código humanitário sem limitar a expressão religiosa do povo. Até o momento, porém, ainda não surgiu um estado comunista dessa natureza, ainda que existam brasileiros que pensem que assim poderá vir a suceder. O argumento deles é que o comunismo brasileiro não precisaria imitar os erros de comunistas de outros países, pois a liberdade religiosa poderia ser franqueada em meio a um estado comunista. Isso seria, verdadeiramente, um "milagre brasileiro". Mas, conforme é claro, nem o próprio Boff acredita em tal possibilidade.

VI. Defesa de Boff e da Teologia da Libertação

Já vimos o que Leonardo Boff pensa e diz. Sabemos

TEOLOGIA DA LIBERTAÇÃO

que, no movimento da Teologia da Libertação, há vultos mais radicais do que ele. Apresentamos aqui um sumário das coisas que podem ser ditas em favor dessa filosofia-teologia.

1. Vemos que muitos dos defensores da Teologia da Libertação favorecem a idéia da eliminação da pobreza, da exploração e da miséria, e não podemos deixar de admirar a preocupação social deles. Nas denominações protestantes e evangélicas, geralmente por demais preocupados com o aspecto espiritual do cristianismo, pouco se nota desse cuidado; e os grupos mais conservadores parecem ser os menos envolvidos nas questões da caridade e dos atos práticos de amor cristão, ignorando aquilo que Tiago disse acerca da "religião pura" (ver Tia. 1:27; ver também todo o seu segundo capítulo). Se a Teologia da Libertação porventura tem algo para ensinar-nos, é quão descuidados temos sido quanto a essa questão.

2. O próprio Boff não é um ativista que procura impor um estado comunista, embora seja verdade que outros possam usar a atuação dele com esse propósito. Seria a repetição do que fizeram com Hegel e com Marx, guardadas as devidas proporções.

3. A Igreja não está provendo os meios apropriados para uma mudança pacífica de certos males sociais, pelo que parece haver certa verdade naquilo que Boff diz: ela assiste, mas não revoluciona, e algo radical se impõe, se tiver de ser revertida a incrível miséria das populações dos países do Terceiro Mundo.

4. Os mentores da Teologia da Libertação afirmam que, no horizonte, não existe qualquer outra força contrabalançadora, senão o marxismo, para pôr fim aos abusos de um capitalismo desenfreado. Portanto, procura valer-se daquele sistema totalitário como uma alavanca, ao mesmo tempo em que idealiza seu abrandamento, reconhecendo que tal ideologia, conforme ela existe em outros países, também é opressora.

5. A Teologia da Libertação apela para o *progresso das idéias*, e seus propaladores acreditam na noção de que o sincretismo da Teologia da Libertação é um avanço útil às necessidades da Igreja.

6. Na mente de muitos brasileiros parece ser possível produzir um governo que se utilize do que é bom no marxismo, mas sem reter seus bem conhecidos abusos.

7. É patente que a Teologia da Libertação é uma espécie de neoprotestantismo secular, que incorpora idéias liberais e ideais marxistas. Como tal, nega a autoridade absoluta do papa e sua apregoada infalibilidade, coisas essas contra as quais os protestantes têm estado a pregar durante alguns séculos. Assim, a Teologia da Libertação é um novo liberalismo (secular), tal como a Reforma Protestante pode ser considerada um movimento de liberalização do século XVI. A grande diferença é que a Reforma Protestante não se valeu do materialismo como seu cavalo de batalha, e nem olhava somente para uma libertação da pobreza econômica e da opressão política. Mas, devido a algumas semelhanças, talvez por esse motivo é que um número crescente de protestantes esteja sendo atraído pela Teologia da Libertação. Mas esses protestantes estão tão enganados quanto o próprio Boff.

8. A chamada Igreja Popular compõe-se de igrejas nacionais; e, novamente, isso se assemelha ao ideal protestante acerca da Igreja, que advoga a autonomia em contraposição ao autoritarismo centralizado.

Ao longo deste artigo, temos apresentado argumentos contra tais defesas, pelo que não sentimos necessidade de reiterá-las aqui.

VIII. O Mau Exemplo de Cuba e a Sorte da Igreja Católica Romana Ali.

Fidel Castro tem-se declarado adepto da Teologia da Libertação desde que era guerrilheiro nas colinas cubanas. Parece que ele afrouxou um tanto em seu rígido marxismo, a ponto de perceber algum valor em uma Igreja popular que o ajudasse em sua tarefa de oprimir os cubanos. Mas, assim que ele assumiu o poder em Cuba, destruiu ali a Igreja Católica Romana tradicional, não fazendo qualquer esforço por substituí-la por uma Igreja Popular, mais em consonância com suas reformas sociais, mas que retivesse a idéia de liberdade religiosa. É muito difícil acreditarmos que, por essa altura dos acontecimentos, Castro já se tenha liberalizado o bastante para incorporar liberdades religiosas em seu sistema.

Muitos temem que o Brasil venha a tornar-se uma outra Cuba. É extremamente difícil determinar até onde vão as probabilidades disso; mas, se isso tiver de acontecer algum dia, podemos estar certos de que a Teologia da Libertação haverá de contribuir com boa parcela para que assim venha a ser.

Fidel Castro destruiu a Igreja Católica em Cuba. Em 1958, havia 90% de cubanos batizados. Hoje a porcentagem é de 39%. Em 1958, 24% dos católicos praticavam ali a religião, indo à missa aos domingos. Hoje esta prática tombou a 0,5% e vai descendo sem cessar. Em Cuba havia, em 1958, algumas centenas de colégios católicos. Hoje não resta um só. Havia, em 1958, mais de 700 sacerdotes. Hoje há 211. Em 1958, a Igreja cubana dispunha de jornais, revistas, emissoras de rádio e programas de TV, para difundir a fé. Hoje, tudo isto lhe foi arrebatado violentamente. Desde 1961, Castro ignorou os bispos cubanos e se recusou a recebê-los. O gelo só foi rompido em setembro de 1985 e uma segunda visita já ocorreu em novembro de 1985, porque agora é o "degelo da simpatia tática". Durante 25 anos, toda a infância e juventude cubanas, privadas de ensino religioso (a não ser dentro dos templos, e sob o controle do Partido) foram endoutrinadas, encharcadas de materialismo e de marxismo. Agora Castro quer entender-se com a Igreja - com uma Igreja totalmente marginalizada da sociedade. Da qual tudo nos levaria a dizer que está moribunda, se não soubéssemos que, quanto à Igreja de Cristo, "suas portas nunca se fecharão" (Apo. 21:25).

Estado de São Paulo, 26 de janeiro de 1986.

Conclusão:

Temos que admirar o zelo daqueles que lutam contra a opressão, em todas as suas formas, e que procuram envidar esforços altruístas genuínos em favor dos pobres e oprimidos. O movimento da Teologia da Libertação faz-nos lembrar a necessidade da Igreja envolver-se na reforma social, posto que segundo moldes bíblicos, e nunca sob moldes de uma filosofia materialista, cuja mola mestre são os fatores econômicos, como se estes fossem o único fator a considerar. Além disso, cabe fazermos aqui um reparo. A julgar pelos resultados obtidos nos países onde o comunismo tem-se tornado uma experimentação bem controlada, vê-se que essa filosofia é ingênua, a despeito de seus bem arquitetados argumentos dialéticos e das esperanças acenadas por parte de seus teóricos e de seus praticantes, já durante mais de sete décadas. Mas, voltando à Teologia da Libertação propriamente dita, a grande debilidade dessa forma de "teologia" é que ela é tão pobre em teologia. Trata-se antes de uma forma de humanismo, com pouco ou nenhum interesse pela *alma,* que é o verdadeiro homem. Não podemos perceber como qualquer teologia digna do nome pode obter êxito sem

TEOLOGIA DA LIBERTAÇÃO – TEOLOGIA DE PROCESSO

esse interesse. Jesus Cristo veio para salvar almas. A tarefa da Igreja é anunciar essa salvação, em Cristo. O homem essencial não é o seu corpo físico, e, sim, a sua alma. A teologia precisa ser uma ciência eminentemente espiritual, posto que um seu aspecto, secundário, seja o obtenção da justiça social e da prosperidade entre os povos, o que o Evangelho de Cristo conseguirá fazer, à sua maneira, terminado seu ciclo histórico atual, por ocasião da volta de Cristo, e que nenhum sistema econômico ou político conseguirá fazer, verdadeiramente.

TEOLOGIA DE ANTIOQUIA
Ver sobre *Escola Teológica de Antioquia*.

TEOLOGIA DE ARISTÓTELES
Essa obra foi produzida do grego para o árabe no século IX d.C., pela Escola de Bagdá; e daí, foi traduzida para o latim. No começo foi representada como de autoria de Aristóteles. Mas, na realidade, foi os livros IV - VI das *Eneadas*, de Plotino. Visto que essa obra tem um caráter nitidamente neoplatônico, os intérpretes de Aristóteles, por quase cinco séculos, sentiam necessário assumir a postura de filósofos neoplatônicos.

TEOLOGIA DE PROCESSO
Esboço:
1. Pano de Fundo Filosófico
2. Conceito Básico
3. Conceitos da Teologia de Processo

1. Pano de Fundo Filosófico
A chamada teologia de processo tem seus fundamentos históricos nas filosofias de Alfred North Whitehead e Charles Hartshorne, bem como nos pontos de vista evolutivos da vida biológica humana, quando esse princípio é aplicado ao próprio cosmos.

2. Conceito Básico
Deus deve ser visto não somente como o Criador, mas também como o Supremo Efetuador, pelo que o poder divino é que estaria por trás das mudanças e do progresso. Esse conceito haverá de ajudar-nos a crescer em nosso conhecimento de como Deus é, além de conferir-nos uma melhor visão sobre a própria vida. Afeta cada escaninho do pensamento teológico. Como isso pode ser, é esboçado no terceiro ponto, abaixo.

3. Conceitos da Teologia de Processo
a. Conforme já vimos, Deus é bipolar, não sendo meramente Causa, mas também contínua Causa em operação.

b. Apesar de Deus ser absoluto, eterno e infinito, Ele também faz-se presente em sua criação, e seu amor é extremamente operante, estabelecendo toda a forma de diferenças.

c. Conforme Whitehead sugeriu, Deus é primordial (eterno); mas também é conseqüente (ou seja, eterno). E, além disso, é eminentemente temporal em suas manifestações.

d. O Universo é uma entidade viva, mutável, que vai avançando, desconhecendo qualquer estagnação. As potencialidades acham-se sempre em estados que produzem fruição e realização.

e. Dentro da criação há uma liberdade radical, necessária para o cumprimento das obras de Deus nos homens e na existência em geral. Os ensinos bíblicos atinentes ao Deus ativo e redentor devem ser preferidos ao deus metafísico dos filósofos, onde ele recebe muitos elogios, mas não figura como muito operante, e nem estabelece diferenças em sua criação.

f. A relação que Deus mantém com a sua criação é, essencialmente, uma relação de amor fanático, uma força sempre ativa na direção do bem-estar, da redenção e da mudança, sempre para melhor. Conceitos que obscurecem essa idéia são conceitos inadequados.

g. A *onipotência* de Deus brilha por trás do seu amor. A ira do homem redunda em seu *louvor*, mas esse louvor aponta para o bem que se realiza, tanto no tocante a Deus como no tocante à sua criação. Em outras palavras, a ira é apenas um dedo da amorosa mão de Deus.

h. A *onipresença* de Deus pode ser melhor explicada em termos da doutrina do *panenteísmo*, que faz toda a criação localizar-se *em Deus*; todos os eventos ocorrem em Deus; suas potencialidades e atualidades cumprem-se na Mente divina e por sua determinação, e isso sempre tende na direção do bem, em consonância com o amor de Deus. Deus atua em todas as coisas como o principal agente. O livre-arbítrio humano, que é real, gradualmente vai sendo educado para servir ao bem, e Deus tem paciência no tocante a essa realização. Deus está em todos os lugares e opera em todos os lugares.

i. O homem é um processo. Ele se acha em evolução espiritual, em harmonia com os ditames do amor de Deus, o qual está escudado em sua onipotência. Na verdade, o Criador de tudo é o principal operador das boas obras, e o homem nunca fica destituído dessa ajuda dinâmica e necessária de Deus.

j. *A importância de Jesus*. Cristo concentra em si mesmo o que sucedeu antes dele vir ao mundo; apresenta-se com um tremendo *poder de amar* para aqueles que a Ele correspondem; nunca cessa de buscar aqueles que não correspondem a Ele; conquista aqueles que correspondem a Ele, e então aqueles que não haviam correspondido inicialmente a Ele. O amor de Deus nunca entra em repouso. O seu amor enriquece todos os homens; ele os redime; ele os transforma. Ele é incansável. Cristo é o Filho de Deus, e coisa alguma está fora do alcance do seu poder. Cristo faz dos homens filhos de Deus e seus próprios irmãos. Deus criou os homens como filhos, e isso é o que eles são. Jesus torna isso ainda mais real, em seu ato salvatício, o qual é poderoso, sempre progressista, nunca em repouso, sempre eficaz.

l. A liberdade radical, outorgada por vontade de Deus aos homens, significa que eles podem pecar e, de fato, pecam. A maldade é um fato. Os homens falham, não cumprindo os propósitos de Deus, mas eles nunca são abandonados e a batalha nunca se perde. O poder de Deus está sempre disponível mediante a graça divina, a qual é perfeitamente real. A graça divina nunca falha, embora o homem possa falhar. A graça divina sai-se vencedora, a longo prazo. A graça está sempre à nossa disposição. Ela nunca se esgota; ela nunca diminui. A graça é conquistadora, e sair-se-á vencedora.

m. A criação nunca foi e nunca será um produto acabado. Antes, é um processo dinâmico. Ela tem alvos, e então mais alvos ainda. Todos os fins acabam sendo *novos começos*. De fato, um fim é apenas um instrumento para um novo começo. Jamais poderemos olhar para as coisas para então dizer: "Assim é que as coisas vieram a ser, para sempre serem". Não existe tal coisa como a estagnação.

n. *Desígnio*. Nossas vidas e todos os aspectos da criação, sob hipótese alguma estão envolvidos no caos, ou em algum vôo da fantasia. Não há qualquer salto absurdo no escuro. Deus está em tudo e está operando através de tudo. Retrocessos temporários e fracassos não estabelecem o curso das almas eternas. Há desvios, mas todos esses desvios são reparáveis.

TEOLOGIA – TEOLOGIA DO A.T.

o. *Critérios Finais.* Os evangélicos fundamentalistas encontram sua palavra final na Bíblia, que usam como uma mina de onde extraem as suas verdades. Infelizmente, quando extraem alguma verdade que não gostam, distorcem-na para que se torne alguma coisa que eles gostam, ou então ignoram-na. Daí é que se originaram as muitas denominações protestantes e evangélicas, todas elas reivindicando ser melhores intérpretes das Escrituras do que as demais. Para os eruditos liberais, talvez o critério mais essencial seja a *experiência religiosa*, geralmente, governada pelo método empírico, por meio da influência exercida pela ciência. Mas o critério final da teologia de processo é: *Deus é amor*. Deus faz tudo ajustar-se dentro desse conceito, e todos os atributos de Deus estão alicerçados sobre esse grande fato. Em Jesus Cristo encontramos uma magnificente manifestação desse amor divino. Ele é o Sol que faz moverem-se as estrelas do céu espiritual. O poder de Deus está atuando por detrás do seu amor, possibilitando-se fazer um esforço decente para obedecermos à palavra do Senhor: Ama ao Senhor teu Deus de todo o teu coração, alma e mente; e ama ao próximo como a ti mesmo. O mais significativo de tudo é que Deus é o exemplo supremo desse tipo de completo amor, e podemos ter a certeza de que o Criador de todas as coisas sempre agirá com justiça, e essa justiça significa o bem para todas as almas humanas. (C COB OG PI WT)

TEOLOGIA DIALÉTICA
Ver **Dialética, Teologia da**. Ver também, **Barth, Karl**.

TEOLOGIA DO ANTIGO TESTAMENTO
Ver o artigo geral sobre o *Antigo Testamento,* o qual, naturalmente, aborda suas idéias essenciais. O presente artigo apenas reenfatiza alguns importantes aspectos da questão.

Esboço:
I. A Teologia dos Começos
II. Conceitos Primitivos da Natureza Metafísica do Homem
III. Independência da Teologia Bíblica da Teologia Dogmática
IV. Distinção Entre a Religião e a Teologia do Antigo Testamento
V. Diferenças Quanto à Metodologia e ao Ponto de Vista
VI. O Poder Profético do Antigo Testamento-as Promessas de Deus
VII. A Ética do Antigo Testamento

Observações Preliminares
A teologia do Antigo Testamento levanta muitas questões, a começar por definições dessa disciplina.
Os teólogos sistemáticos não mostram paciência com qualquer coisa que não se adapte à ordem esperada adredemente. Porém, no caso do Antigo Testamento, é claro que não estamos tratando com um documento unificado. Antes, temos ali uma *evolução*, um desenvolvimento tal que há muita variedade que não se presta a uma perfeita harmonia entre suas partes constituintes. Assim também, todas as grandes fés da humanidade foram desen-volvimentos, incluindo-se aí o judaísmo e o cristianismo. A vontade de Deus opera em conjunto com o processo histórico, e não à parte do mesmo, ainda que, ocasionalmente, haja intervenções divinas que alteram esse curso. Os teólogos sistemáticos não estão mentalmente treinados quando enfrentam pontos que não se harmonizam facilmente entre si, tão grande é a necessidade que sentem de não deixar fios soltos sem nó. Assim, a teologia sistemática (apesar de suas óbvias utilidades), obscurece o estudo simples da teologia do Antigo Testamento. Mas, uma vez que os eruditos chegam a reconhecer que a teologia sistemática nem sempre descortina a história inteira, e que ela chega mesmo a obscurecer o quadro, libertam-se de rígidos métodos aprendidos, permitindo-lhes isso encararem o Antigo Testamento naquilo que ele é, e não em termos daquilo que eles gostariam que o mesmo fosse.

I. A Teologia dos Começos
Nosso primeiro problema consiste em entendermos que os hebreus na verdade tinham uma cosmologia que difere radicalmente daquilo que a ciência tem descoberto quanto à natureza do universo físico. Os teólogos têm "cristianizado" os primeiros capítulos de Gênesis, e assim têm obscurecido o seu verdadeiro sentido tencionado. Eles também têm "modernizado" esses textos, "atualizando-os", segundo poderíamos dizer, a fim de que os leitores modernos da Bíblia vejam neles a exatidão científica. Entretanto, os eruditos ainda não conseguiram tal exatidão científica, embora agora saibamos muito mais que os antigos hebreus. Todavia, não expando aqui essa questão, porque o que tenho a dizer a respeito aparece nos artigos intitulados *Criação; Cosmologia e Cosmogonia.*

II. Conceitos Primitivos da Natureza Metafísica do Homem
Quando um cristão lê o trecho de Gên. 2:7: "....Deus... soprou-lhe nas narinas o fôlego da vida, e o homem tornou-se alma vivente ..." naturalmente pensa que, nesse ponto, Deus criou a alma humana, unindo-a ao corpo físico do homem. Porém, os eruditos do hebraico informam-nos que não havia qualquer noção de uma alma humana imaterial, nessa altura da teologia dos hebreus, e nem havia então qualquer conceito de uma existência após-túmulo, com os galardões ou castigos prometidos, o que, naturalmente, acompanha essa idéia. A lei de Moisés, apesar de bastante intrincada, nunca promete uma bem-aventurada vida após-túmulo aos obedientes; e nem ameaçou aos desobedientes com algum tipo de julgamento na vida após-túmulo. A ausência total de tais ensinos certamente mostra-nos que os estudiosos estão com a razão quando afirmam que, no Antigo Testamento, a noção da alma só aparece mais claramente já nos Salmos e nos livros proféticos. Em consequência disso, fica ilustrado que até mesmo doutrinas importantes podem resultar de um desenvolvimento teológico. Mas a teologia sistemática gostaria de forçar sobre nós um conceito da alma "desde o começo" da revelação bíblica, ao passo que a teologia bíblica segreda-nos: "Isso só surgiu mais tarde".

III. Independência da Teologia Bíblica da Teologia Dogmática
Em 1787, J.P. Gabler iniciou, historicamente, a distinção entre a Teologia Bíblica e a Teologia Dogmática. A Teologia Bíblica (e, portanto, a teologia do Antigo Testamento) limita-se àquilo que "encontramos na própria Bíblia", em vez de sentir a necessidade de nos ajustarmos a algum sistema. Na Teologia Bíblica não há qualquer senso da necessidade de harmonização, e todas as idéias e verdades podem emergir, porquanto a harmonia não é a base de tudo. Naturalmente, muitos daqueles que escrevem teologias bíblicas ainda assim são sistematizadores no coração, e continuamente procuram forçar uma harmonia, nem que seja ao preço da honestidade. Porém, isso é uma corrupção da verdadeira teologia bíblica, e não uma autêntica expressão da mesma. Outro vício dos

TEOLOGIA DO ANTIGO TESTAMENTO

sistematizadores é a tentativa de sempre verem o Novo Testamento oculto, no Antigo Testamento, ou, então, forçarem o Antigo Testamento a concordar com o Novo.

Após Gabler, surgiu, com base em seus escritos, um renovado interesse pela história, pela linguagem e pela cultura dos hebreus, as quais desvencilharam-se de conceitos bitolados, próprios da teologia dogmática. Além disso, a ênfase passou a ser posta sobre a experiência religiosa, a antropologia e a psicologia religiosa, como aspectos importantes da antiga experiência dos hebreus. Os profetas de Israel também passaram a ser apreciados como homens dotados de experiência e gênio religioso, e não somente como homens que constituíram sistemas. E isso suavizou o choque que muitas pessoas até então sentiam ao perceberem contradições reais e aparentes no Antigo Testamento.

IV. Distinção Entre a Religião e a Teologia do Antigo Testamento

O. Eissfeldt (1926) preocupou-se com essa distinção. Ele salientava que a teologia do Antigo Testamento trouxe à tona *verdades imorredouras* que prosseguem válidas através de todas as vicissitudes da vida. Por outro lado, grande parte da religião do Antigo Testamento foi ultrapassada e tornou-se obsoleta. Apesar de que os rabinos não se sentiriam felizes ante tal distinção, Paulo a reconhecia, embora sem dar-lhe os títulos dados por Eissfeldt. Se ele tivesse expressado tal distinção, provavelmente teria dito algo como: "A teologia veterotestamentária foi incorporada no Novo Testamento, ao mesmo tempo em que grande parte da religião do Antigo Testamento foi abandonada". Um exagero desse modo de pensar foi a tentativa de mostrar que o Antigo Testamento, do começo ao fim, serve de testemunho direto de Jesus Cristo e sua obra expiatória. Apesar desse testemunho ser forte (ver o artigo *Profecias Messiânicas Cumpridas em Jesus*), aqueles que se interessam por questões teológicas têm claramente exagerado em suas definições. Assim, L. Kohler, na tentativa de defender a fé hebraico-cristã de um crescente paganismo, publicou sua obra, com título em alemão, Das *Christuszeugnis des Alten Testaments* (1942), que encerra esse exagero, mas que serviu ao propósito de desfraldar o pendão cristão em um momento crítico. Tais esforços achavam-se também à base de sua *Teologia Dialética*. Ver o artigo D*ialética, Teologia da*. Obras importantes no tocante à teologia do Antigo Testamento foram escritas por Eichrodt, Vriezen, von Rad e E. Jacob. O último desses contemplava essa teologia do ponto de vista dos atos de Deus, mais ou menos aos moldes de Kohler. Desnecessário é dizer que aqueles que contribuíram literariamente para esse campo, assumiram vários pontos de vista sobre o quanto o Novo Testamento foi realmente antecipado no Antigo. F. Baumgartel criticou a exagerada cristianização de Jacob em seu livro *Verheissung* ("Promessa"), publicado em 1952.

V. Diferenças Quanto à Metodologia e ao Ponto de Vista

W. Eichrodt, em seu livro, com título em alemão *Theologie des Alten Testaments*, asseverou que o tema dominante e a motivação do Antigo Testamento, que lhe emprestavam unidade, era a aliança entre Yahweh e o povo de Israel, o que se foi desenvolvendo até que Yahweh desejou ter comunhão com todos os homens. Von Rad, por outra parte, acreditava que a chave para a compreensão do Antigo Testamento é a *reportagem,* ou seja, o relato da história-da-salvação de Israel (*Heilsgeschichte*). James Barr adicionou uma importante discussão sobre a relação entre a história e a revelação. Von Rad encarava a revelação do Antigo Testamento como um certo número de atos distintos e heterogêneos, em contraste com a grande e única revelação de Deus, no Antigo Testamento, através de Jesus Cristo. Sem dúvida, temos nisso um certo exagero de sua parte, mas algo que deve ser considerado em relação ao propósito mais amplo do Novo Testamento. Pelo seu lado negativo, ele parece ter subestimado a unidade do Antigo Testamento. Ao que parece, Rad também não apreciou o papel da história na revelação. A revelação e a história, porém, podem cooperar uma com a outra sem qualquer contradição. A ênfase demasiada sobre a *reportagem* poderia levar-nos a um mito, ou não ao registro divino de como Deus interveio na história humana, desvendando o seu propósito remidor. Eichrodt exortava-nos a reconhecer o testemunho da fé da comunidade do Antigo Testamento. A invasão pessoal de Deus no espírito humano teria produzido uma fé viva, onde também podemos encontrar a compreensão da história de Israel do ponto de vista do Antigo Testamento, e por extensão, a compreensão da história da própria humanidade. Também não deveríamos considerar mitológicos os fatos *externos* da história, onde esse drama se desenrolou.

VI. O Poder Profético do Antigo Testamento - As Promessas de Deus

Quanto a esse ponto, encontramos extremos. Alguns intérpretes têm pensado que o alegado poder profético do Antigo Testamento existe somente na mente dos intérpretes que vêem ali algo que, realmente, não está lá. Por outro lado, há quem tenha exagerado o elemento profético do Antigo Testamento, encontrando Cristo e o cristianismo em todas as suas páginas, em todo tipo de pronunciamento, em todos os salmos, etc. Von Rad defendeu o autêntico poder profético do Antigo Testamento, como antecipação do Novo Testamento. Mas há intérpretes que negam a idéia de que o judaísmo precisava ter cumprimento no cristianismo, como se fosse um torso que precisasse de uma cabeça. Mas há outros que estão certos de que o judaísmo, sem o cristianismo, é como um torso sem cabeça. Baumgartel e Bultmann mantinham que o Antigo Testamento não é diretamente relevante para o cristão, embora, por analogia, haja relevância para ele. As *promessas* do Senhor a Israel teriam um papel nas promessas de Deus à Igreja. Judeus e cristãos contam com o mesmo Deus prometedor, pelo que estão unidos de certa forma. De acordo com Baumgartel, as promessas feitas a Israel foram feitas somente a Israel, não podendo ser aplicadas a nós. Contudo, temos a ver com o mesmo Deus que fizera aquelas promessas a Israel. O problema do homem jaz na devida apropriação das promessas; e isso depende de sua espiritualidade interior. Entretanto, isso é muito pouco, ainda que seja útil. Não é preciso grande fé para alguém crer que a principal promessa de Deus a Israel era, afinal de contas, o próprio Cristo, o Filho de Abraão e Filho de Davi. E, naturalmente, Cristo também foi o Segundo Adão, ou seja, o Salvador de toda a humanidade. Teologia é teologia, e não vida. Não obstante, os teólogos têm a tarefa de cuidar para que seus estudos iluminem as questões da vida e da morte; e em Cristo é que achamos a vida. As teologias que se reduzem a meras histórias religiosas e sociológicas talvez tenham contribuições a fazer ao pensamento e à maneira de viver dos homens; mas é como se tivessem perdido a principal corda da vida, ou seja, a alma imortal do homem. De outra sorte tais estudos não merecem o título de *teologia*. É melhor darmos a esses estudos os nomes que realmente os definem: histórias, mitologias, psicologias, sociologias, teorias políticas.

TEOLOGIA DO NOVO TESTAMENTO – TEOLOGIA EMPÍRICA

VII. A Ética do Antigo Testamento
Ver o artigo separado sobre esse assunto.
Bibliografia. Além das obras mencionadas no corpo deste artigo, ver também AND C ID VR WC.

TEOLOGIA DO NOVO TESTAMENTO

Outros artigos são apresentados nesta enciclopédia, oferecendo a essência dessa teologia. Ver, por exemplo, o artigo chamado *Paulo Apóstolo*. No começo desse comentário aparece uma longa lista de artigos que examinam, com detalhes, os temas paulinos doutrinários. Em sua segunda seção, quinto ponto, são examinados os principais conceitos paulinos. Ver também os artigos *João Apóstolo; Teologia e Novo Testamento*. O artigo intitulado *Novo Testamento (Pacto)* acrescenta outros detalhes, que mostram que o Novo Testamento é uma graduação acima do Antigo Testamento, na economia de Deus. Ver também sobre *Pedro (Apóstolo)* e *Problema Sinóptico*. O artigo chamado *Novo Testamento (Coletânea de Livros)* contém um sumário de todos os livros do Novo Testamento, com explicações acerca de seus temas principais. Os ensinos dos evangelhos repousam, essencialmente, sobre as palavras de Jesus. Ver sobre *Jesus*, em sua terceira seção, *Ensinos*.

Consideração Introdutória à Teologia do Novo Testamento: A expressão "Teologia do Novo Testamento" tem sido usada de quatro maneiras diferentes:

1. *Um Método Descritivo, Histórico e Informático*. As doutrinas do Novo Testamento são declaradas e descritas sem qualquer crítica, sem adição de opiniões pessoais, de uma maneira simples, destituída de problemas. Nenhuma tentativa especial é feita para examinar os ensinos do ponto de vista da teologia sistemática ou da dogmática. Muitas questões são deixadas sem exame, e são evitadas as controvérsias teológicas.

2. *Uma Teologia Bíblica (*vide*)* pode ser extraída da Bíblia, dando a entender que os hebreus e os cristãos primitivos tinham uma maneira homogênea de pensar, e que uma mensagem teológica específica pode ser extraída das Escrituras. E as porções da Bíblia que não cabem dentro desse sistema são interpretadas de modo tal que o leitor não toma consciência de problemas.

3. *Método Pessoal e Existencial*. O investigador lê o Novo Testamento com a finalidade de encontrar uma mensagem geral ou mensagens que se revistam de significado para ele. O investigador não está interessado em intermináveis controvérsias sobre várias questões. Antes, está atrás de algum benefício pessoal. Uma versão modificada desse modo de investigação é aquela que acrescenta evidências de natureza histórico-crítica. E quando isso é feito, a pesquisa não é necessariamente impedida. De fato, ela pode ser enriquecida, contanto que o ceticismo não se manifeste de modo exagerado.

4. *Método Cético-Crítico*. Os estudiosos de um extremo liberalismo, juntamente com céticos de toda sorte, com freqüência, assumem um ponto de vista destrutivo quando estudam o Novo Testamento, e propositadamente tentam lançar tudo em dúvida, incluindo a própria existência de Jesus como figura histórica. E mesmo que admitam a sua existência, ainda assim não têm certeza se podem encontrar nele qualquer coisa de significativo, pois atribuem o Novo Testamento a pessoas que viveram depois de Jesus, dotadas de mentes preconcebidas, cheias de invenções e fantasias. Assim, para exemplificar, Bultmann fazia da teologia do Novo Testamento um mero conglomerado mitológico de idéias judaico-apocalípticas e de idéias helênico-gnósticas que, de algum modo coagulou-se em torno do nome de Jesus de Nazaré, mas acerca de Quem, na verdade, disporíamos de bem pouca informação genuína. Ver o artigo sobre *Crítica da Bíblia*.

TEOLOGIA DOGMÁTICA; A DOGMÁTICA

A **dogmática** é a apresentação formal de dogmas, formando um sistema coerente. Ver o artigo geral sobre o *Dogma*. A dogmática é uma espécie de tentativa para construir uma ciência da fé cristã, mediante agrupamentos e explicações em ordem. À base da dogmática cristã temos o conceito da verdade revelada, mas essa verdade precisa de definição e sistematização. Cada geração acrescenta alguma coisa à definição; e algumas chegam a supor que verdades externas à revelação cristã devessem ser adicionadas, ao menos para propósitos de comparação.

A Bíblia é a principal fonte da teologia dogmática; mas, visto que a Bíblia não sistematiza os seus conceitos, torna-se necessário que os eruditos e autores cristãos façam essa sistematização, com propósitos didáticos. Ver sobre a *Teologia Sistemática*. Com o surgimento dos processos críticos históricos, após a Iluminação, a dogmática não permaneceu em terreno exclusivamente bíblico. Foram feitas tentativas para evocar evidências culturais, religiosas, históricas e científicas, para a obtenção de uma melhor definição da verdade, ou mesmo para trazer à tona outras verdades. Essas *outras* verdades podem definir melhor a verdade bíblica, ou podem ser verdades extrabíblicas, ou mesmo verdades antibíblicas, usadas por alguns. Em outras palavras, haveria verdades que realmente são verdades, em contraste com erros que se encontrariam na própria Bíblia. Desse modo, abriu-se um sério abismo entre os simples eruditos bíblicos e os teólogos dogmáticos. Estes últimos acusam os primeiros de falta de interesse pelo avanço da verdade, dependendo em demasia de idéias não examinadas.

A Dogmática Eclesiástica de Karl Barth. Esse teólogo é o autor do mais impressionante tratado dogmático do século XX. Apesar de ele não se ter mostrado inteiramente indiferente para com os chamados historiadores científicos, ele se mostrou essencialmente indiferente a eles e a muitas de suas conclusões. Para ele, a fé religiosa deve estar alicerçada sobre a fé e os milagres. Entre os teólogos existencialistas de nossos dias, no movimento denominado "nova hermenêutica", acredita-se que a atividade de interpretação é a principal tarefa dos eruditos bíblicos. Contudo, entre outros, há ainda uma forte ênfase sobre outros fatores além da mera interpretação. O estudo crítico é necessário para o descobrimento da verdade, o que pode ir além da mera interpretação da Bíblia. Conforme entendo a verdade, precisamos de todos os métodos e atividades de estudo ao nosso alcance. A simples interpretação de passagens bíblicas tem produzido a fragmentação que testemunhamos atualmente na Igreja cristã. A verdade jamais será simples assim. (C E)

TEOLOGIA EMPÍRICA

Ver o artigo sobre **Religião e Ciência.**
O liberalismo teológico tem levado os homens a pensar sobre as questões religiosas em termos diferentes do que quando se pensa nelas através de textos de prova bíblicos. Esse modo de pensar já vinha sendo experimentado na teologia, quanto às suas possibilidades. Em outras palavras, foi demonstrado que há certos aspectos da teologia que ultrapassam e até contradizem a teologia bíblica, visto que a busca pela autoridade não cessa com a Bíblia. Dentro desse contexto, a *teologia empírica* foi

TEOLOGIA EMPÍRICA

capaz de surgir em cena, no começo do século XX. À base do pensamento teológico liberal e empírico, encontra-se a crença de que a revelação, embora seja uma maneira possível de se tomar conhecimento das coisas, em si mesma é imperfeita, por ser incompleta e que nossas maneiras de tomar conhecimento das coisas precisam ser complexas, porquanto a própria verdade é complexa. Se quisermos extrair a verdade de toda essa complexidade, precisaremos de experimentação, de exame e de um longo processo de separação entre o bem e mal. E, quanto a muitos pontos, chegamos a certas conclusões tentativas e temos de dar prosseguimento às nossas experimentações. Portanto, a teologia transforma-se em uma outra ciência, em vez de ser a rainha dogmática, perfeita, inquestionável das ciências.

Os teólogos empíricos estavam ocupados em uma nobre inquirição, apesar dos erros que porventura tenham cometido. Estavam tentando responder às perguntas feitas pelo ateísmo e pelo humanismo. Empregavam métodos histórico-críticos e sistemático-construtivos e mostravam-se essencialmente apologéticos. A tarefa deles consistia em interpretar o cristianismo de tal modo que viesse a tornar-se inteligível e eficaz em uma época científica-industrial. Todas as tentativas nesse sentido, sem importar o bem **nelas embutido**, terminaram em exageros e pontos débeis. Em primeiro lugar, não há como submeter uma pessoa extraordinária e poderosa como Jesus Cristo a testes de laboratório. Ele está acima da ciência, porque existem poderes espirituais que zombam da infantilidade do nosso conhecimento científico. Ver o artigo sobre *Satya Sai Baba*, quanto a um exemplo moderno do que estamos dizendo. Além disso, alguns desses teólogos empíricos inclinaram-se demasiadamente para a esquerda, em sua teologia, pondo em dúvida muito da tradicional teologia bíblica e, assim, injetaram forte ceticismo em seus sistemas.

Tinham-se deixado influenciar indevidamente pelos pragmatistas, como Peirce, James e Dewey (ver os artigos a respeito deles).

Um dos principais centros de teologia empírica foi a Divinity School da Universidade de Chicago, nos Estados Unidos da América do Norte, encabeçada por Shailer Matthews (1861-1941). Ele formou-se no Colby College e no Newton Theological Institute e deu prosseguimento a seus estudos de história e de economia política na Alemanha. Em 1894, ele começou sua carreira na Universidade de Chicago, no campo da história do Novo Testamento. Mas, posteriormente, transferiu-se para a teologia histórica e para a teologia sistemática. Serviu como deão da Divinity School desde 1908 até que se retirou das atividades, em 1933. Ele suspeitava de qualquer autoridade religiosa padronizada e preferia continuar experimentando com idéias, à *la Dewey*. Para exemplificar, em seu livro, *The Atonement and the Social Process (1930)*, ele tentou demonstrar que os pontos de vista de uma pessoa qualquer, sobre esse assunto, são influenciados pelas posições culturais e teológicas da época particular em que ela vive. Isso significa que, na realidade, seriam produtos da cultura humana, estando sujeitos a modificações, à proporção que as culturas vão mudando. Por igual modo, em seu livro, *The Growth of the Idea of God,* ele demonstrou, essencialmente, que o homem cria um Deus de acordo com a sua própria imagem humana, em consonância com suas experiências sociais, enquanto esforça-se por integrar as forças da natureza e da vida.

Outra importante figura dessa escola foi Henry Nelson Wieman (1884-). Ele formou-se no Park College e no San Francisco Theological Seminary, estudou na Alemanha e recebeu seu doutorado na Universidade de Harvard, E.U.A. Dez anos mais tarde (1927) uniu-se ao corpo docente da Universidade de Chicago. Ele defendia a abordagem teocêntrica, em contraste com a abordagem antropológica. Em seus livros, *Religious Experience and Scientific Method* (1926) *e The Wrestle of Religion with Truth,* ele afirmou que a nossa busca pelo conhecimento de Deus deve ser como qualquer outra, ou seja, através da observação científica e da razão. Ele definia Deus como a origem dos valores destacados na experiência. E, em seu livro, *Source of Human Good,* ele tentou demonstrar que o seu pensamento religioso estava dentro da tradição cristã, tendo procurado desenvolver várias posições cristológicas, escatológicas e eclesiológicas. Quanto à salvação, para exemplificar, ele afirmava que a mesma vem através de Jesus Cristo e consiste na transformação da vida do indivíduo, o que seria conseguido, não através da inteligência humana, mas por meio de certos acontecimentos históricos que giraram em torno da vida do homem Jesus de Nazaré.

Douglas Clyde Macintosh (1877-1948) foi outro pensador dessa mesma escola. Ele recebeu o doutorado em Chicago, mas ensinava na Yale Divinity School. Macintosh foi um filósofo da religião. Por um lado, ele insistia sobre a abordagem empírica à fé religiosa; mas, por outro lado, pensava que devemos permitir que outras *crenças* façam parte do nosso sistema, para efeito de melhor estruturação e abrangência. Essas crenças precisam ser razoáveis e úteis, ajudando-nos a viver conforme deveríamos viver. Apesar de serem essas crenças destituídas de prova, não deveriam ser contrárias àquilo que temos podido descobrir empiricamente e tudo deveria ser sujeitado à revisão e à alteração, quando o nosso método empírico nos levar além desse ponto. O seu livro, **Theology as an Empirical Science** (1919) é considerado a expressão clássica desse tipo de teologia. Seu ponto de vista de Deus era uma espécie de *otimismo moral,* no qual ele descrevia Deus como uma personalidade de suprema inteligência e bondade. Ele argumentava em favor da imortalidade pessoal. Procurava provar a existência de Deus de acordo com as linhas de pensamento aceitas pelas religiões históricas e pensava que nisso tudo deve estar envolvida uma nova e regeneradora experiência, mediante a qual a pessoa experimenta a existência de Deus e não a defende apenas com proposições intelectuais. Ele acreditava que se pode demonstrar objetivamente uma base divina para a fé.

Eugene W. Lyman educou-se em Amherst e em Yale, com estudos de aperfeiçoamento na Alemanha. Tornou-se professor do Union Theological Seminary, de Nova Yorque. Em seu livro, *Theology and Human Problems* (1910), ele argumentava em prol de um pragmatismo de tipo postulado por William James, para definir as verdades e as crenças religiosas. Em sua obra principal, intitulada *The Meaning and Truth of Religion* (1933), ele declarou-se em favor do princípio da intuição (que vide) como o principal modo de conhecermos as coisas, embora uma intuição de uma variedade que possa ser rigorosamente testada por meios científicos e outros. De conformidade com ele, a intuição encontra a verdade e a razão a submete a teste. Ele ocupou-se de obras sociais, acreditando que a fé religiosa deve ser prática e aplicável à sociedade. Nisso ele compartilhava de um terreno comum com aquela escola inteira de pensamento.

Esse movimento influenciou a maneira de pensar de muitos estudiosos que não aceitavam plenamente os pontos que ele defendia. Geralmente, esse é o uso que emerge de novos movimentos e maneiras de pensar.

TEOLOGIA FEDERAL – TEOLOGIA MORAL

Alguns pensadores, assim influenciados, penderam para **idéias neo-ortodoxas**. Reinhol e R. Richard Niebuhr (ver os artigos sobre eles) atacaram as bases da teologia empírica, enfatizando a fé pura como a base do pensamento e da ação religiosos. (C)

TEOLOGIA FEDERAL

Essa variedade de teologia também se chama *Teologia dos Pactos*. Ver sobre *Pactos, Teologia dos*. A palavra "federal" refere-se a Adão como cabeça federal da raça humana perdida, ao mesmo tempo em que Cristo é o cabeça federal da raça humana redimida. Tanto a condição de perdição como a condição de salvação são questões comunitárias e não somente questões individuais, embora, por outra parte, também sejam isso. Essa perspectiva teológica segue as descrições do capítulo quinze de I Coríntios e do capítulo cinco de Romanos: "Porque assim como em Adão todos morrem, assim também todos serão vivificados em Cristo" (I Cor. 15:22). Adão, como cabeça da raça humana física, aparece *primeiro*. E Jesus Cristo, como cabeça da raça humana espiritual, aparece em *último lugar* (ver I Cor. 15:45), embora também seja chamado de "segundo homem" (I Cor. 15:47). Ver o artigo separado sobre *Dois Homens, Metáfora dos*.

Algumas Discussões Teológicas Sobre a Questão:

1. *Sobre o Pecado Original*. O pecado de Adão realmente foi a causa que levou todos os seus descendentes a tornarem-se pecadores? Alguns teólogos, como *Pelágio* (vide), têm negado isso, além de muitos pensadores arminianos. Alguns arminianos admitem a herança pecaminosa, mas não da culpa, argumentando que os homens devem levar, cada um, a sua própria culpa, por seus próprios atos. E alguns arminianos aceitam ambos os fatos, da herança pecaminosa e da culpa, derivadas de Adão.

2. Assim como há uma real imputação da culpa de Adão sobre os seus descendentes, assim também há uma real imputação da retidão, juntamente com o dom da vida eterna, por meio de Jesus Cristo. Adão não foi apenas um mau exemplo que influencia os seus descendentes para o erro; e nem Cristo foi meramente um bom exemplo da boa conduta, conforme alguns têm argumentado.

3. *Extensão da Imputação da Retidão*. Os universalistas têm argumentado que visto que a imputação do pecado e da culpa, por meio de Adão, foi universal, assim também deveria ser no caso da imputação da retidão, por meio de Cristo, sob pena da analogia ser quebrada. Outros, porém, afirmam que o *potencial* disso é universal, mas não a sua aplicação. Mas, esta última posição quebra a analogia, e desagrada aos universalistas. Porém, se admitirmos que a missão de Cristo afetará, afinal, todos os homens, conforme lemos em Efésios 1:9, 10, e que a sua descida ao Hades (ver I Ped. 3:18 - 4:6) implica nesse fato, o que está vinculado à ascensão de Cristo, com esse mesmo propósito (ver Efé. 4:8 ss), então também teremos de supor que, pelo menos de maneira *secundária*, os perdidos sejam beneficiados pela missão de Cristo. Isso significaria que os perdidos obterão, por assim dizer, uma glória secundária, embora não a vida divina (a participação na natureza divina), conferida aos eleitos. Mesmo assim, o fato de que a missão de Cristo beneficia a todos os homens, significa que a imputação da retidão é universal, embora aplicada em diferentes graus. De acordo com essa linha de raciocínio, o próprio julgamento divino deve ser visto como remedial, e não apenas como retributivo. É precisamente o que afirma o trecho de I Pedro 4:6. Ver o artigo geral sobre a *Restauração*.

TEOLOGIA FORMAL E FUNDAMENTAL
Ver **Formal e Fundamental, Teologia**.

TEOLOGIA GERMÂNICA

Alguém foi autor dessa obra do século XIV d.C., embora desconheçamos o seu nome. Trata-se de uma série de preleções dirigidas a jovens religiosos, por parte de um padre que era professor na Casa da Ordem dos Cavaleiros Teutônicos de Frankfurt, Main, na Alemanha. Esses escritos são essencialmente morais e práticos, promovendo o crescimento espiritual, seguindo o exemplo de Jesus e recomendando "o caminho médio", ou seja, aquele entre a vida ativa e a vida religiosa contemplativa. Podemos classificar essa obra como de "misticismo prático", um tanto semelhante à filosofia dos *Amigos de Deus* (vide). Essa obra foi publicada pela primeira vez em 1516 (uma edição parcial). E então foi publicada em sua forma completa em 1518, por Martinho Lutero, que lhe deu o título pelo qual acabou sendo conhecida. Nada menos de vinte edições foram publicadas em alemão, além de muitas em francês e em latim, no século XVI.

TEOLOGIA JOANINA
Ver **João Apóstolo, Teologia (Ensinos) de**.

TEOLOGIA LUDENSIANA
Ver sobre **Lund, Teologia de**.

TEOLOGIA MÍSTICA

Ver o artigo geral sobre o **Misticismo**, que é bastante detalhado. A expressão *teologia mística* é usada para indicar a atividade de descrever, analisar e sistematizar as experiências místicas. Os informes obtidos pelas experiências místicas formam a substância sujeitada à sua análise.

Essa expressão foi usada, pela primeira vez, por *Dionísio*, o *Areopagita*, (vide), no século VI d.C., em sua obra, *Teologia Mística*. Para ele, o ponto da questão era conhecer a Deus através de experiências místicas. Teresa de Ávila usava a expressão por semelhante modo, conforme se vê no décimo capítulo de seu livro, *Vida*. Ali afirma ela: "Esse senso da presença de Deus possibilitou-me a não duvidar que Ele estava em meu interior. Acredito que a isso se denomina *teologia mística*". A expressão, pois, é usada em contraste com a teologia ética e com a teologia dogmática.

TEOLOGIA MORAL

No seu sentido mais lato, essa teologia é o estudo da conduta humana, em relação aos preceitos da crença teológica. A expressão é um sinônimo virtual da ética cristã, visto que, nessa forma, as proposições teológicas são naturalmente importantes como base e norma da conduta ética. Segundo o uso moderno, contudo, a teologia moral é separada da ética cristã. O caráter distinto da teologia moral foi expresso por K.E. Kirk como segue:

"A teologia moral preocupa-se não tanto com os mais elevados padrões da conduta cristã (o que talvez seja a província da ética cristã), mas com o padrão *mínimo* a que essa conduta deve atingir, se tiver de ser julgada como digna do nome *cristão*" (Study of Theology, pág. 363). A lei canônica surgiu a fim de prover os padrões básicos dessa conduta.

Elementos da Teologia Moral. Os principais elementos são como a vontade divina relaciona-se ao homem no tocante à conduta ideal; com a chamada lei eterna; com a lei natural e com outras leis que os homens observam;

TEOLOGIA NATURAL – TEOLOGIA REVELADA

com o destino do homem no tocante às leis e propósitos divinos; com o comportamento humano em relação à lei divina; com o estudo de casos (casuística), com suas várias teorias acerca do que deveria ser abordado.

TEOLOGIA NATURAL

Essa expressão é usada para contrastar com aquela outra, *teologia revelada* (vide). A teologia natural alicerça-se sobre a razão e sobre aquilo que pode ser deduzido da Natureza, sem qualquer intervenção direta do poder divino, quando formula seus pontos de vista. Destarte, a razão e a observação substituem a revelação, sendo esta última a base da teologia revelada. Esse conceito adquiriu proeminência especial nos séculos XVII e XVIII. Isso não significa, todavia, que os seus defensores estivessem rejeitando necessariamente as reivindicações da teologia revelada. Alguns as rejeitavam, mas outros não. *William Paley*, por exemplo, deu muita importância à teologia natural, como em seu famoso argumento em prol da existência de Deus, com base na analogia do relógio. O artigo intitulado *Relógio* apresenta seu argumento de forma completa. Contudo, Paley era um clérigo inglês que não rejeitava a fé revelada. Seja como for, sua obra, de nome *Teologia Natural*, chegou a exercer considerável influência.

No primeiro capítulo da epístola aos Romanos, encontramos alguma exposição da teologia natural. O apóstolo Paulo partia do pressuposto de que há uma adequada revelação de Deus, na Natureza, de tal modo que os pagãos ficam sem desculpas quanto às perversões que costumam amontoar para si mesmos, nos terrenos da idolatria e da imoralidade. Fica entendido que a Natureza apresenta uma espécie de lei moral que pode ser entendida pelo homem, intuitiva e racionalmente. Paulo usa um argumento parecido com esse, no segundo capítulo de sua epístola aos Romanos. Agostinho pensava que não há tal coisa como um conhecimento *não-revelado* de Deus (uma teologia *natural* insuficiente, abrindo caminho para a teologia revelada); mas Tomás de Aquino estabeleceu certa distinção entre essas duas modalidades de teologia, dando o devido valor à teologia natural.

Podemos inferir certas coisas acerca de Deus, de sua existência, de sua natureza, de seus requisitos, tudo com base pura naquilo que podemos observar na Natureza, talvez com alguma ajuda dos nossos poderes intuitivos. Todavia, não há que negar que é a revelação divina que nos fornece conhecimento sobre os mistérios cristãos, a distintiva fé cristã. A palavra *natural* foi usada por Platão, e pelos filósofos estóicos em alusão às coisas que estão sujeitas aos poderes racionais do homem, e essa foi a idéia aproveitada e desenvolvida pelos teólogos cristãos. A Natureza obedece aos ditames da Razão Divina (o Logos), ou seja, está sujeita aos poderes racionais do homem. A Natureza reflete a Razão, e o ser humano tem afinidade com essa razão.

TEOLOGIA NEGATIVA

Ver sobre o *Pseudo-Dionísio*, primeiro ponto, e *Via Negationis*.

TEOLOGIA PASTORAL

A teologia pastoral também é conhecida como **pastoralia**, o seu nome técnico, derivado do latim. Trata-se de um dos ramos da educação teológica que se preocupa com os labores pastorais teóricos e práticos. Varia consideravelmente, dependendo de cada denominação ou instituição de ensino teológico. A prioridade é dada à vida espiritual pessoal do indivíduo que está sendo treinado; ao seu treinamento nas Sagradas Escrituras; ao desenvolvimento da sua sensibilidade às necessidades das pessoas; às habilidades com as quais poderá servir bem ao próximo; ao lado prático do ministério para com os enfermos e outros, em cooperação com agências sociais e governamentais; à efetivação de cultos normais e especiais, como a ministração de ordenanças, casamentos, funerais, etc. Além disso, a arte de pregar (**Homilética**, vide) é um aspecto importante desse treinamento. Há publicações evangélicas especializadas que servem de manuais quanto a essa questão. Uma delas é o **Baker's Dictionary of Practical Theology**. As seções dessa obra, que sugerem coisas importantes para a teologia pastoral, são: Pregação; Homilética; Hermenêutica; Evangelismo-Missões; Aconselhamento; Administração; Trabalhos Pastorais; Mordomia; Adoração; Educação Cristã.

TEOLOGIA PAULINA

Ver o artigo geral sobre *Paulo*, que oferece uma revisão das mais importantes doutrinas paulinas, com lista detalhada de títulos de artigos que desenvolvem os temas paulinos mais destacados.

TEOLOGIA PRÁTICA

Esse termo designa formalmente aquela parte da *educação teológica* que inclui disciplinas como a homilética, a adoração, os cuidados pastorais, a administração eclesiástica, o governo eclesiástico, as boas obras de todas as variedades, das quais a Igreja cristã ocupa-se, e como um ministro pode mostrar-se eficaz na promoção dessas atividades. Informalmente, o termo refere-se ao lado prático da fé e da prática religiosa, em contraste com a dogmática. Ver o artigo chamado *Religião Prática*.

TEOLOGIA RABÍNICA

Ver o artigo geral sobre o **Judaísmo**.

TEOLOGIA RADICAL

Ver o artigo intitulado **Morte de Deus**, em sua quarta seção.

TEOLOGIA REVELADA

Essa expressão deve ser contrastada com aquela outra, *teologia natural* (vide). Quando um profeta recebe uma visão que serve de veículo de revelação, e cuja visão, subseqüentemente, vem a concretizar-se como parte de um livro sagrado, o que a preserva, então a teologia revelada está em operação. Por outra parte, quando os homens dependem das evidências colhidas da Natureza, mediante a razão ou a intuição, sem qualquer revelação do alto, temos aí a teologia natural. As duas expressões são contrastadas, mas não estão necessariamente em conflito.

Os capítulos primeiro e segundo da epístola aos Romanos dão um certo espaço à teologia natural, mas a Bíblia favorece fortemente a teologia revelada, por ser aquela que leva os homens ao conhecimento da salvação, em Jesus Cristo, ao passo que a teologia natural só permite que os homens tomem consciência dos "atributos invisíveis" de Deus, como o seu eterno poder e a sua própria divindade, no dizer de Paulo (ver Rom. 1:20). Só a teologia revelada nos fala sobre o plano gracioso de salvação que Deus traçou em torno da pessoa do Cristo, o Senhor Jesus. Isso demonstra a necessidade da revelação escrita, a Bíblia Sagrada.

TEOLOGIA REVELADA – TEOLOGIA SISTEMÁTICA

Esses dois aspectos da teologia - o aspecto natural e o aspecto revelado - complementam-se. Porém, há teólogos que distinguem radicalmente um aspecto do outro, chegando mesmo a negar qualquer validade à teologia natural. É que têm pouca confiança no poder revelador da Natureza, ou na capacidade da razão e da intuição humanas. Mas essa é uma posição tão extremada quanto à daqueles que não aceitam a revelação bíblica, pensando que basta a revelação natural. Entretanto, de acordo com o próprio ensinamento bíblico, cada um desses dois aspectos tem sua própria função e utilidade. A revelação natural torna os homens indesculpáveis diante de Deus, quando não admitem a sua existência e nem o glorificam como Deus (ver Rom. 1:20,21). E a revelação bíblica conduz os homens daí por diante, conferindo-lhes o conhecimento da eterna salvação em Jesus Cristo.

Os limites que os homens impõem ao conhecimento são os limites de suas próprias mentes, não sendo limites autênticos. Na vasta criação de Deus, há pleno espaço tanto para a teologia natural como para a teologia revelada, guardadas as devidas proporções e funções.

TEOLOGIA SISTEMÁTICA

Temos apresentado um bom número de artigos sobre vários tipos de teologia, nesta Enciclopédia, que o leitor deverá ter interesse em examinar. Alguns desses artigos estão diretamente relacionados à questão da "teologia sistemática". Ver, especialmente, os seguintes: *Teologia; Teologia Bíblica; Dogmática; Teologia Dogmática.*

Esboço:
I. Definição
II. Caracterização Geral
III. Conteúdo
IV. Esboço Histórico

I. Definição

O termo português **teologia** procede de duas palavras gregas, *theós*, "Deus", e *logía*, "estudo", "conhecimento". Na filosofia, a *teologia* é um dos três ramos principais de estudo. Os outros são a *antropologia* (o estudo do homem) e a *cosmologia* (o estudo do Universo). A teologia é o estudo de Deus ou das realidades e forças *divinas*. Um sinônimo comum para "teologia sistemática" é *dogmática*, porquanto muitas teologias abordam a questão por meio dos dogmas eclesiásticos, que usualmente são aceitos como verdadeiros, sobre a base da autoridade bíblica, e não através de meios experimentais. Ver o artigo *Dogma*.

"Literalmente, a teologia é um 'discurso sobre Deus', conforme o termo é usado, a crença acerca de Deus e outras crenças cognatas. A teologia sistemática diz respeito às crenças em uma apresentação lógica, em sua relação com o pensamento e a vida contemporâneos" (E).

II. Caracterização Geral

As fontes informativas da teologia cristã são as Sagradas Escrituras, o testemunho cristão através dos séculos, e até os pronunciamentos dos concílios eclesiásticos. Além disso, devemos levar em conta o labor específico de teólogos que se tornam exímios intérpretes da doutrina cristã. As teologias sistemáticas conservadoras mais antigas pouco mais eram do que a teologia bíblica estruturada. A *Strongs Systematic Theology* (três volumes) contém vinte e sete páginas de referências bíblicas no seu índice, em quatro colunas, o que demonstra até que ponto a Bíblia influiu nessa obra, e como a interpretação da Bíblia é a essência mesma dessa obra teológica. E o índice de passagens bíblicas da Teologia Sistemática de Charles (autor presbiteriano, enquanto aquele citado antes foi batista) cobre doze páginas, em quatro colunas, exibindo a mesma ênfase. Mas alguns teólogos mais liberais, que apelam para as especulações, enfatizam menos a suprema autoridade da Bíblia, incluindo outras autoridades. Apesar disso, qualquer obra de teologia sistemática cristã depende pesadamente do texto bíblico. Todavia, pelo menos uma parcela das obras mais liberais reinterpreta ou mesmo nega a autoridade da Bíblia, em certos lugares.

As mentes seminais da teologia cristã foram os escritores sagrados do Novo Testamento. Mais especificamente ainda, a autoridade apostólica, ou mediante os próprios apóstolos, ou através de seus discípulos mais chegados. É verdade que os apóstolos não produziram teologias sistemáticas, mas suas produções literárias inspiradas prestam-se facilmente para elaboração de obras dessa natureza.

Antes do *Iluminismo* (vide), os teólogos católicos e protestantes partiam do pressuposto de que as proposições das Escrituras fossem, coletivamente e em sua totalidade, uma revelação divina. A análise crítica, então, era empregada principalmente para arrumar essas proposições em sistemas aceitos, e não tanto para distinguir a verdade do erro, possivelmente existente nas Escrituras. Mas, desde o Iluminismo, tornou-se impossível para alguns teólogos considerar que a tarefa da teologia seja meramente a da sistematização das proposições bíblicas. E isso porque essas proposições, por úteis que sejam, dificilmente representam a totalidade da verdade de Deus. E alguns chegam a pensar que nem todas as proposições da Bíblia sejam expressões da verdade. Tudo isso tem suscitado intensos debates sobre questões como a inerrância ou infalibilidade da Bíblia. A julgar pelos argumentos dos teólogos, o conflito está longe de ficar resolvido. Parece tratar-se muito mais de uma questão de fé do que do alinhamento de argumentos pró e contra. Na exposição do assunto, nesta Enciclopédia, a questão tem sido ventilada a partir dos debates teológicos, sem se manifestar muito em prol desta ou daquela posição.

A maciça obra de Karl Barth, *Church Dogmatics*, constitui a mais impressionante teologia sistemática desde a famosa obra de Calvino, *Institutas da Religião Cristã*. Embora a maioria dos teólogos atuais prefira o termo *dogmática*, uma notável exceção a isso é a obra de Paul Tillich (em três volumes), simplesmente intitulada *Systematic Theology*, em sua versão inglesa. Todavia, essa obra, embora retendo uma terminologia cristã tradicional, em vários casos ultrapassa o sentido normal dos vocábulos-chaves, para que signifiquem outras coisas. E assim uma visão da realidade é apresentada, a qual é bastante diferente da visão do cristianismo tradicional.

III. Conteúdo

Alicerçando-nos na Teologia Sistemática de Strong (batista), e tendo em visão a brevidade, podemos dizer o seguinte:

Primeiro Volume:

Parte I - Itens Introdutórios: como definições iniciais, propósito, autoridade, fontes informativas da teologia; método de ensino da teologia; bibliografia.

Parte II - Teologia Propriamente Dita. Existência de Deus: provas teológicas e filosóficas; idéias errôneas acerca de Deus.

Parte III - Como as Escrituras revelam Deus; "provas" bíblicas; a inspiração das Escrituras; união de elementos divinos e humanos na revelação.

Parte IV - Natureza, decretos e obras de Deus; atributos de Deus; a pessoa de Deus; doutrina da Trindade.

Strong fez uma erudita apresentação, incluindo boa parcela de raciocínios filosóficos, o que não se dá com

TEOLOGIA SISTEMÁTICA

autores mais conservadores, que se prendem mais à Bíblia, que pouco exploram além daquilo que chamamos de verdadeira *Teologia Bíblica* (vide).

Segundo Volume:
Esse volume dá prosseguimento ao exame das obras de Deus, ou seja, a execução de seus decretos. Um completo estudo é apresentado quanto à definição e a doutrina da criação; teorias opostas e a doutrina bíblica são apresentadas com detalhes. Estão inclusas as doutrinas da preservação e da providência, no tocante à criação.

À doutrina dos anjos dá-se bastante atenção, com um tratamento completo.

Parte V - Antropologia, ou doutrina do homem. A "teologia" propriamente dita ficara concluída no primeiro volume. Temos aqui estudos sobre a criação do homem; a unidade da espécie humana; natureza essencial do homem; existência, natureza e sobrevivência da alma; a queda no pecado; como a queda relaciona-se à lei de Deus; a natureza do pecado; a universalidade do pecado; uma discussão sobre a relação entre Adão e o problema do pecado; conseqüências da queda; imputação do pecado de Adão; várias teorias de imputação, colhendo opiniões dos chamados pais da Igreja.

Parte VI - Soteriologia, ou doutrina da salvação. Preparativos históricos; a missão de Cristo; a pessoa de Cristo; suas duas naturezas; seus estados; seus ofícios; teorias de expiação; obra intercessória de Cristo; o oficio de Cristo como Rei.

Terceiro Volume:
Prosseguem os estudos sobre a relação entre o homem e as missões de Cristo; a reconciliação; a eleição; a chamada; a união com Cristo; a regeneração; a conversão; a justificação; a santificação; a perseverança e a preservação.

Parte VII - Eclesiologia, ou doutrina da Igreja; definições; organização; governo eclesiástico; ofícios ministeriais; disciplina eclesiástica; relações entre as igrejas locais; ordenanças, cada uma delas explicada por sua vez.

Parte VIII - Escatologia, ou doutrina das coisas finais: a morte física; o estado intermediário; a parousia; a ressurreição; o julgamento final; estado final de justos e injustos.

Seguem-se então elaborados índices: de assuntos; de autores; de textos bíblicos; de textos apócrifos; de vocábulos gregos e hebraicos.

A orientação é bíblica do começo ao fim da obra, mas há muitas citações que apresentam um amplo leque de idéias e interpretações. Alguns eruditos menores são apenas bíblicos, faltando-lhes a profundidade de erudição e de lastro formativo que Strong exibe.

Contudo, este tradutor sente que a teologia de Strong, que reputa muito boa, não tem qualquer tratamento separado sobre o Reino de Deus; um capítulo que deveria ter sido encaixado entre a eclesiologia e a escatologia, porquanto a escatologia trata das predições bíblicas que mostram como o reino de Deus haverá de tornar-se uma realidade palpável. Isso posto, ela precisa ser complementada. Aliás, esse silêncio é típico de muitas teologias sistemáticas.

IV. Esboço Histórico

1. *A Base.* As Escrituras do Antigo e do Novo Testamento são as principais fontes informativas e de autoridade, embora parte do Antigo Testamento tenha sido anulado pelo Novo (sua legislação ritual).

2. *A Autoridade Apostólica.* Reveste-se de suprema importância para a teologia sistemática. Não obstante, o Novo Testamento inclui alguns escritos não-apostólicos, como a epístola aos Hebreus (e talvez o evangelho de Marcos, se é que o mesmo não reflete o parecer do apóstolo Pedro), que não se originaram diretamente de algum apóstolo de Cristo.

3. *As Declarações de Cristo.* Formam o alicerce da autoridade apostólica. A vida de Cristo dá sentido à teologia, e não somente sua morte e ressurreição. Ele foi um exemplo vivo da verdade divina, e sua natureza e vida são oferecidas aos homens (ver II Ped. 1:4; Rom. 8:29; 11 Cor. 3:18), o que empresta à teologia uma importância vital. Não se trata meramente de um "estudo acerca de" alguma coisa; também é um poder transformador que faz os remidos tornarem-se dignos membros da família divina.

4. *Os Pais da Igreja.* Não demorou muito para que o cristianismo primitivo tornasse alvo dos ataques dos poderes e religiões pagãos. Vários dos pais da Igreja tiveram de ser defensores da doutrina e tornaram-se cristãos apologistas. Obras como a de Irineu (*Adversas Haereses*), de Tertuliano (*De Praescriptione Haereticorum*) e a de Orígenes (*Contra Celsum*) foram antigas teologias que procuraram defender o cristianismo, embora tais obras não deixassem de ser maculadas por alguns erros. De resto, toda teologia arquitetada pelo homem erra, nem que seja por omissão.

Certa obra de Orígenes, *De Principiis*, é considerada a primeira verdadeira teologia sistemática da Igreja cristã.

5. *No Oriente*, além de Irineu e Orígenes, outros nomes importantes de homens que escreveram obras teológicas são Atanásio (escola de Antioquia), os dois capadócios e, então, João Damasceno (já no século VIII d.C.).

6. *No Ocidente*, os grandes nomes da teologia foram Agostinho, Anselmo e Tomás de Aquino. Apesar de que todos esses foram filósofos, tendo atuado como tais, a Bíblia, ainda assim, para eles era a principal fonte da teologia. A filosofia foi usada por eles como criada da teologia, principalmente como modo de expressão, ou então para exame de pontos de vista alternativos. "Os conceitos de Platão (neoplatonismo) e de Aristóteles jazem lado a lado com as crenças e as metáforas escriturísticas, formando uma maciça concórdia da Razão com a Fé" (E). A *Summa Theologica*, de Tomás de Aquino, é uma obra imortal.

7. *A Reforma Protestante.* Esta renovou uma teologia mais bibliocêntrica, tendo repelido um uso excessivo do raciocínio filosófico, com todas as suas influências obscurecedoras. Lutero e Calvino foram grandes mentes teológicas. As *Institutas*, de Calvino, foram a maior teologia sistemática da sua época, apesar de alguns pontos de vista rígidos e exagerados. As igrejas reformadas, pois, desenvolveram-se dentro da atmosfera da teologia bíblica.

8. *A Renascença* eclipsou para muitos a teologia, provocando vastas mudanças nas idéias, e a razão pura, o materialismo e o ceticismo obtiveram importantes vitórias. Até mesmo nos círculos religiosos, a filosofia e a psicologia da religião recebiam maior atenção do que a própria teologia. O espírito científico destronou a rainha das ciências (a teologia).

9. *No século XIX*, a teologia retornou triunfalmente, através de Schleiermacher e Ritschl, embora não em seu sentido fundamen-talista. O liberalismo germânico alterou a fisionomia da teologia, excetuando no caso dos eruditos mais conservadores. Karl Barth, já em nosso século XX, reagiu contra os abusos do liberalismo, do que resultou a sua neo-ortodoxia (vide). De acordo com essa última posição, a Bíblia continua desempenhando papel central, mas não deixada sem um exame crítico. Contudo, Karl Barth guindou a fé a uma posição suprema.

Bibliografia. AM B BART C CHA E ST

TEONOMIA – TEOSOFIA

TEONOMIA

Vocábulo português proveniente do grego, *theós*, "Deus", e *nomos*, "lei". Essa palavra indica que os padrões morais dependem da vontade divina, expressa nas leis por Deus instituídas, e não daquilo que os homens vão experimentando em sua vivência diária.

A *teonomia* fala sobre uma ética absoluta, com padrões absolutos, em contraste com as éticas empírica e pragmática, como se dá nos casos do utilitarismo e do pragmatismo. O termo também faz contraste com o vocábulo "autonomia", que dá a entender, entre outras coisas, que um homem impõe a si mesmo as suas próprias regras; e com o vocábulo "heteronomia", onde leis alheias são impostas a alguém. Qualquer sistema ético pode incluir, legitimamente, essas formas, pelo menos até certo ponto. Nem tudo quanto um homem faz requer o apoio da vontade divina expressa. Há muitas coisas que se revestem de natureza meramente pragmática ou convencional. Porém, certas leis nos são transmitidas mediante a vontade de Deus, e essas devem ser consideradas absolutas. Ver o artigo geral *Ética*.

TEORIA CAUSAL DA PERCEPÇÃO

Essa é a idéia de que apesar de nunca podermos familiarizar-nos diretamente com mais do que o mero véu das aparências, as coisas materiais, a despeito disso, podem ser conhecidas conforme as concebemos hipoteticamente como causas dos *informes dados pelos nossos sentidos*. Alguns, ao darem um sentido mais positivo a essa teoria, simplesmente asseveram que as coisas materiais são as causas de nossa percepção, e que, através de nossos sentidos físicos, entramos em contacto direto com as coisas materiais e com os eventos, sem interferências ilusórias.

TEORIA DO CONHECIMENTO

Em inglês, a teoria do conhecimento chama-se *epistemology*, "epistemologia"; em português, essa palavra alude à teoria do conhecimento científico e, quanto à teoria do conhecimento em geral, é empregada a palavra *gnosiologia*. Ver o artigo detalhado intitulado *Conhecimento e a Fé Religiosa, O*. Ver também sobre *Epistemologia (Gnosiologia)*, que é um dos seis sistemas tradicionais da *Filosofia* (vide). Outros artigos de interesse em relação à teoria do conhecimento, são *Conhecimento e a Ética,O; Conhecimento, Conhecer; Conhecimento Espiritual e Conhecendo a Deus*.

TEORIA PRAGMÁTICA DA VERDADE

Ver o artigo geral chamado *Conhecimento e a Fé Religiosa,O*, seção II. *Teorias da Verdade: Critérios*, ponto décimo primeiro, *Pragmatismo*. Ver também o artigo geral sobre o *Pragmatismo*.

TEORIA REPRESENTATIVA DAS IDÉIAS (REPRESENTACIONALISMO)

Essa é a noção de que a mente só pode conhecer a realidade através da mediação das idéias, e não mediante a direta apreensão por meio dos sentidos. Essa posição tem sido exposta, de diversas maneiras, por Descartes, Malebranche, Hobbes, Locke, Berkeley e os realistas críticos.

TEORIAS DA VERDADE

Ver o artigo *Conhecimento e a Fé Religiosa,O*, em sua segunda seção, *Teorias da Verdade*, onde aparecem treze dessas teorias.

TEOSOFIA

Termo que vem do grego, **theón**, "Deus" e **sóphos**, "sabedoria". Quando é aplicado frouxamente, esse termo pode referir-se a qualquer sistema de pensamento que se afirme possuidor da sabedoria divina. Porém, o uso especializado do termo está associado à *Sociedade Teosófica*, fundada em 1875 pela madame russa Blavatsky. Tal como no caso de várias seitas, essa sociedade afirma-se possuidora de uma "antiga sabedoria", derivada de dimensões espirituais e dos *avatares* (vide).

Idéias:

1. A *revelação divina* é um fato, e há agentes especiais da mesma.

2. A *realidade é uma só*. E esse Um é a fonte originária de toda a existência, estando envolvido em processos cíclicos de emanação e de evolução espiritual.

3. A *salvação humana* pode ser adquirida mediante a disciplina, a resignação, a purgação e a evolução, enquanto o homem vai subindo pelos vários níveis da existência. O homem seria ajudado pelo mundo dos espíritos, e pelos mensageiros divinos enviados da parte daquele mundo. Mestres especiais reencarnam-se, porquanto a *reencarnação* (vide) é um elemento essencial dos ensinamentos da Sociedade Teosófica.

4. A *realidade* é uma presença viva, embora possa parecer, para nós, como algo material e espiritual. Naturalmente, temos aí uma forma de *panteísmo* (vide).

5. Há uma forte ênfase sobre a idéia de *fraternidade*, bem como o desejo de unificar, finalmente, todas as fés religiosas.

6. A *tolerância* para com todos é encorajada, incluindo os intolerantes. Todas as religiões são ali tidas como expressões da sabedoria divina, embora não, necessariamente, na mesma pureza e intensidade.

7. *É preciso remover a ignorância*, e não puni-la, sendo essa a idéia básica sobre a qual se alicerça o espírito de tolerância. Todas as religiões merecem ser investigadas, porquanto podemos encontrar nelas elementos úteis, que podem ter sido olvidados em nossos próprios sistemas.

8. *Paz* é a palavra-chave deles, e *verdade* é o seu alvo.

9. *Todas as almas* estão identificadas com a Sobre-Alma Universal, que seria um aspecto da Raiz Desconhecida. A alma seria uma fagulha da grande Sobre-Alma, e acha-se em peregrinação.

10. A *lei do karma* governaria a peregrinação de todas as almas, as quais passariam por muitas reencarnações, em sua inquirição pela verdade.

11. *O homem é imortal*, e o seu futuro não tem limites quanto ao seu resplendor. Experiências alternadas de prazer e de dor são úteis para a evolução espiritual. A sabedoria brilha através das experiências humanas, conduzindo o indivíduo em sua ascensão para novas alturas. A reencarnação e o karma garantiriam a obtenção da sabedoria, ainda que, no caso de alguns, isso possa envolver um tempo muito longo.

12. Os *adeptos* ou *mestres* são indivíduos aperfeiçoados que atingiram um elevado grau de sabedoria. Algumas vezes reencarnam-se a fim de serem líderes espirituais; e sobre eles pesa a responsabilidade de ensinarem àqueles cujas realizações não são tão altas. Esses mestres deixaram para trás o ciclo das reencarnações, em seu desenvolvimento espiritual; mas reencarnam-se a fim de ajudar a outras pessoas. Em espírito, formam uma grande irmandade; e alguns poucos dentre eles reencarnam-se, mui ocasionalmente, a fim de ajudar a outras pessoas, com missões especiais. Os mestres (não reencarnados) também têm missões celestes, e podem ser contatados mediante

TEOSOFIA – TERAFINS

experiências místicas, por meio das quais podem dar instruções, inteiramente à parte de sua aparição pessoal entre os homens, mediante vidas encarnadas.

13. *O Logos em suas manifestações*. Haveria três logoi ou manifestações do Logos: *O Primeiro Logos* seria a raiz de todo o ser; *o Segundo Logos* manifesta-se mediante a aparente dualidade que conhecemos, formada por espírito e matéria (esses são os dois pólos da existência que governam nossa atual experiência de vida); e o *Terceiro Logos* é a Mente Universal, a fonte do ser, conforme o conhecemos, e na qual existem todas as coisas, arquetipamente falando.

A Sociedade Teosófica tem sido organizada em mais de cinqüenta países. Pessoas de outras religiões com freqüência pertencem a essa sociedade, aumentando assim o número de seus membros. Casas publicadoras e bibliotecas são importantes aspectos de sua expressão.

História Antiga da Palavra "Teosofia". Foi Amônio Saccas quem cunhou o termo teosofia, a fim de exprimir certos sistemas de pensamento provenientes do Oriente, e que frisavam os poderes psíquicos. Madame Blavatsky (Helena Petrovna Blavatsky) tomou a palavra por empréstimo. A mais notável líder norte-americana da Sociedade Teosófica tem sido Annie Besant.

Madame Blavatsky. Suas datas foram 1831-1891. Seu nome original era Helena von Hahn. Nasceu em Dnepropetrovsk, na Rússia. Por um tempo, foi espírita. Esteve nos Estados Unidos da América em 1873. Fundou a Sociedade Teosófica em 1875. Naturalizou-se cidadã norte-americana. Foi a Índia e estudou com mestres do Hinduísmo. Naquele país, em Madras, estabeleceu um centro teosófico, que foi muito influenciado pelas doutrinas esotéricas do budismo e do hinduísmo, combatendo o ceticismo e o materialismo. Tornou-se conhecida por causa dos fenômenos paranormais que ocorriam em sua presença, mas assumia a atitude budista diante dos mesmos, ou seja, que tais fenômenos não devem ser enfatizados. Já há muito misticismo barato neste mundo, e muitas pessoas andam à cata de sinais, que aceitam, equivocadamente, como a substância mesma da fé religiosa. Ela escreveu vários livros: *Isis Unveiled,: The Key to Theosophy; The Voice of Silence e The Secret Doctrine*. Essas obras sempre tiveram larga distribuição. Madame Blavatsky faleceu em Londres, Inglaterra, a 8 de maio de 1891.

TEQUEL
Ver sobre **Mene, Mene, Tequel, Ufarsim.**

TERÁ
No hebraico, "giro", "duração" ou "vagueação", na Septuaginta, *Thárra*.

Terá era o pai de Abraão (Gên. 11:24-32). Em adição à alusão a Terá, no livro de Josué (24:2), ele aparece nas listas genealógicas de I Crônicas 1: 26 e de Lucas 3:34. Além disso, Estêvão refere-se ao pai de Abraão, em Atos 7:2.

Terá teve três filhos, que, no livro de Gênesis são chamados de Abrão, Naor e Harã. Isso corresponde à época em que Terá vivia em Ur, uma cidade que a maioria dos eruditos modernos identifica como AI-Muqayyar, no curso inferior do rio Eufrates, já próximo do golfo Pérsico. De Ur, pois, Terá migrou para o norte, cerca de oitocentos quilômetros, ao longo do rio Eufrates, até a cidade de Harã, localizada cerca de quatrocentos e quarenta quilometros a nordeste de Damasco.

Embora o nome de Abraão ocorra em primeiro lugar, não se deve concluir daí que, necessariamente, ele fosse o filho mais velho de Terá. É possível que Harã, que morreu antes da família ter-se mudado mais para o norte, tivesse sido o filho mais velho. Foi o filho de Harã, Ló, quem finalmente, acompanhou Abraão até à Palestina.

De acordo com o trecho de Josué 24:2,15, Terá era idólatra. A principal divindade adorada em Ur era Nannar (em semítico, Sin). E isso também acontecia na cidade de Harã, durante os dias de Terá.

Talvez por esse motivo, igualmente, foi que o Senhor, quando quis conceder a Abraão experiências espirituais, recomendou-lhe: "Sai da tua terra, da tua parentela e da casa de teu pai, e vai para a terra que te mostrarei; de ti farei uma grande nação..." (Gên. 12:1,2). Isso precipitou a formação do povo de Israel, cuja finalidade principal foi servir de berço para o Messias. "...deles são os patriarcas e também deles descende o Cristo, segundo a carne, o qual é sobre todos, Deus bendito para todo o sempre. Amém" (Rom. 9:5). A graça de Deus operou toda essa transformação, desde o idólatra Terá até o próprio Filho de Deus humanizado, o Salvador do mundo.

TERAFINS
Ver também **Serafins (Terafins).**

Há várias opiniões quanto ao significado dessa palavra, desde "nutridores" até "coisas vis". Por esse motivo, alguns estudiosos preferem pensar que o termo é de sentido incerto. O que é certo é que os "terafins" eram ídolos domésticos, que iam desde aqueles de pequenas dimensões (Gên. 31:34,35), até aqueles de tamanho quase natural (I Sam. 19:13,16).

Recentes descobertas arqueológicas, feitas em Nuzi, no Iraque, têm iluminado a função e a significação desses ídolos. A posse de um terafim indicava quem era o líder da família, com todos os direitos daí provenientes. Quando Raquel furtou os terafins de seu pai (cf. Gên. 31:19), isso foi uma tentativa que ela fez de conseguir tal liderança, para seu marido, Jacó, embora tal direito pertencesse por direito, aos irmãos dela. A irritação de Labão, pois, fica esclarecida por meio desse detalhe.

Ao que parece, durante grande parte de sua história os israelitas não pensavam que a possessão de tais ídolos era incoerente com a adoração a Yahweh, cf. Juí. 17,18, mas, especialmente, o trecho de I Sam. 19:13,16, onde se aprende que havia terafins até mesmo na casa de Davi. Foi a partir da época de Samuel (ver I Sam. 15:23), e daí até os dias de Zacarias (ver Zac. 10: 2), que os terafins começaram a ser desaprovados.

A função dos terafins que os profetas mais combatiam era a função da adivinhação. Nessa qualidade de objetos de adivinhação, os terafins são freqüentemente mencionados juntamente com estolas sacerdotais, também usadas nas adivinhações (Juí. 17 e 18; onde parecem ser objetos separados dos ídolos; e também Osé. 14). Entre as coisas e as atividades que foram expurgadas durante a reforma instituída por Josias, parece que os terafins foram reunidos juntamente com os médiuns e os bruxos. Lemos que o rei da Babilônia costumava consultá-los (Eze. 21:21), mas o profeta Zacarias declarou que eles eram faladores de "cousas vãs". Nessa passagem do livro de Ezequiel, novamente vemos a designação "ídolos do lar". Oséias referiu-se, esperançoso, ao tempo futuro quando Israel, dependendo totalmente de Deus, será capaz de viver sem apelar para os terafins (Osé. 14).

Alguns estudiosos têm sugerido que a função de adivinhação dos ídolos do lar talvez explique o uso obscuro da palavra hebraica *elohim*, que pode ser compreendida como "Deus" ou como "deuses", em Êxodo 21:6 e 22:7-10. Ver também sobre a *Idolatria*.

TERAPEUTAS – TERCEIRO CÉU

TERAPEUTAS

Essa palavra portuguesa, diretamente derivada do grego, significa "curadores", mas também "servos" e "adoradores". Refere-se a uma seita monástica que existia quando o cristianismo veio à existência. Todavia, não se conhece a sua origem, e nem há qualquer registro histórico acerca de seu desaparecimento. Nossa fonte informativa sobre os terapeutas são os escritos de Filo. Ele descreve-os em sua obra *A Vida Contemplativa*. A seita contava com seguidores de ambos os sexos. Eles consagravam-se individualmente à contemplação, às orações, à adoração e a ritos diversos, e só se reuniam aos sábados; mas também tinham uma convocação de noite inteira a cada cinqüenta dias, onde havia um sermão, uma refeição comunal, cânticos e danças corais. Parecem ter sido uma expressão estranha do judaísmo helenista. Não tinham nenhuma conexão com os essênios (vide), outra seita judaica monástica que também já existia quando o cristianismo teve começo. Eusébio classificava-os como antigos convertidos cristãos. Talvez alguns deles o fossem, mas seus argumentos em favor dessa classificação geral não têm conseguido impressionar aos historiadores. E alguns deles têm pensado que a obra intitulada *A Vida Contemplativa* não foi obra autêntica de Filo, e, sim, de data posterior; mas também tem havido aqueles que defendem vigorosamente a autoria filônica. Seja como for, naquela obra Filo elogia aos terapeutas por suas vidas santas e devotadas. Talvez devamos entender o título grego dessa seita como "adoradores".

TERCEIRO CÉU

Paulo foi ao **terceiro céu**, II Coríntios 12:2. Intensa discussão se centraliza em torno dessa questão, principalmente porque, no cristianismo moderno, na maior parte das secções da Igreja, a "multiplicidade" de céus foi eliminada pela teologia dogmática, bem como pela versão popular dos lugares celestiais. Por conseguinte, na opinião do cristianismo moderno, em sua quase totalidade, não pode haver qualquer "terceiro céu", como se o céu fosse realmente "céus", isto é, uma série de gradações de esferas ou mansões espirituais. Para um judeu, entretanto, não existia esse problema, porquanto os judeus, tradicionalmente, falavam em sete céus, conforme se pode atestar em muitos trechos da literatura rabínica, num conceito igualmente aceito pelo islamismo (ver o Alcorão, Sura ixvii). Entre os intérpretes cristãos, Grotius sugeria que os três céus subentendidos em II Cor. 12:2 fossem a atmosfera terrestre, as estrelas e a habitação de Deus, na porção mais elevada. Depois dele, sem investigarem se assim realmente diziam as idéias judaicas, vários outros estudiosos têm aceito tal pensamento. Na realidade, porém, nos escritos judaicos não há nenhuma evidência clara em favor disso.

John Gill (em II Cor. 12:2) menciona duas referências que poderiam ser assim interpretadas (Targum sobre II Crô. 6:18); mas essas referências são bastante obscuras, ao passo que aquelas que se referem a "sete" céus são tão claras quanto numerosas. Isso é admitido e demonstrado por virtualmente todos os intérpretes, sobre a passagem de II Cor. 12:2. Assim é que Bernard (*in loc.*) comenta: "...tem sido motivo de disputas se as escolas rabínicas reconheciam sete céus ou apenas três. Entretanto, é questão atualmente bem resolvida que, em comum com outros povos antigos (como, por exemplo, os persas, e, talvez, os babilônicos), os judeus reconheciam a existência de sete céus. Esse ponto de vista não somente aparece na literatura pseudepígrafe, mas igualmente nos escritos de alguns dos pais da Igreja, como, por exemplo, Clemente de Alexandria. Sua exposição mais detalhada se encontra no Livro dos Segredos de Enoque, um apocalipse judaico escrito em grego, no primeiro século de nossa era (e que atualmente só resta na versão eslavônica). No oitavo capítulo dessa citada obra, descobrimos que o paraíso é explicitamente situado no 'terceiro céu', que é o ponto de vista aqui reconhecido pelo apóstolo Paulo" (ver II Cor. 12:4).

O **terceiro céu**, apesar de aparecer como lugar elevadíssimo, não é visto neste texto como o lugar do trono de Deus, embora muitos cristãos modernos gostassem de pensar que o presente texto diz exatamente isso, simplesmente por causa da noção de que céus múltiplos não é familiar a seus ouvidos. Na realidade, porém, aqueles mais familiarizados com os conceitos do N.T. não deveriam estranhar isso, porquanto o próprio Senhor Jesus falou sobre *habitações*, subentendendo muitas esferas da existência espiritual. (Ver João 14:2). Também se pode notar que Paulo não fala de um céu, no singular, em seus escritos ordinários, e, sim, sobre os "céus", quando descreve a habitação dos crentes. A expressão usualmente empregada por ele é "lugares celestiais". (Ver as notas expositivas a esse respeito, em Efé. 1:3 no NTI). E quando Paulo usava a palavra "céu", no singular, se referia ao reino celestial, como uma unidade. Por semelhante modo, nas páginas do AT encontramos o termo tanto no singular como no plural.

O templo terreno seguiu por modelo aquele santuário existente nos céus. (Ver Heb. 9:23,24). Podemos observar, no vigésimo terceiro versículo dessa mencionada passagem, que os céus serão purificados. Cristo ascendeu a Deus Pai. Ele entrou no "templo celestial", tendo atravessado as várias esferas inferiores, e assim se assentou à mão direita de Deus Pai, no Santo dos Santos celestial. Esse trecho bíblico parece ensinar-nos que existem vários níveis ou esferas de habitações celestes, tal como o templo de Jerusalém estava dividido no átrio dos gentios, no átrio das mulheres, no Santo Lugar e no Santo dos Santos. Todo esse conjunto, entretanto, compunha a casa de Deus, sua habitação terrena, embora nem todas essas porções tivessem a mesma glória ou os mesmos propósitos. Esse ensinamento baseado no "tipo simbólico" subentende um céu dividido em vários níveis. E a objeção a esse conceito é de natureza essencialmente emocional, porquanto sugere que nem todos os crentes ficarão na presença imediata de Deus, em seu Lugar Santo, embora fiquem em sua "casa", em seu "templo".

Na simplicidade moderna da doutrina cristã, a possibilidade de que os galardões envolvam esferas de existência tem sido ignorada; todavia, isso era comum na teologia judaica, tendo sido sustentada por diversos intérpretes primitivos, no próprio cristianismo, como Clemente e os pais alexandrinos da Igreja, além de Lange e outros comentadores notáveis de tempos mais recentes.

"*Estar com Cristo*" significa estar nos lugares celestiais, em sua habitação, a cujos níveis temos acesso; não significa, necessariamente, viver a um quarteirão de distância de Cristo. Paulo gravitou ao "terceiro céu", até onde sua alma pôde subir, de conformidade com seu grau de desenvolvimento e transformação, segundo a imagem de Cristo. É inútil imaginarmos que a maioria dos crentes gravitará até aquele lugar de glória. Aquele é também um lugar onde Cristo se encontra, pois os "céus" inteiros são sua morada.

Alguns dos pais da Igreja viam a necessidade de certas diferenças nos corpos ressurrectos dos santos, o que lhes possibilitaria habitar em níveis mais baixos ou mais elevados das esferas celestiais; e é bem provável que essa seja uma maneira certa de pensar. O certo é que nos céus jamais haverá qualquer estagnação, pois a grande inquirição de sermos transformados na imagem de Cristo é uma busca eterna, que sobe de glória em glória, até que os remidos cheguem à perfeição de Deus Pai, com a participação na natureza divina, conforme vemos claramente ensinado no trecho de II Ped. 1:4. As obras de Deus jamais poderão sofrer estagnação. Isso é contrário à própria natureza de Deus. Por conseguinte, estaremos perenemente crescendo na direção de suas perfeições, participando positivamente de sua bondade, de seu amor, de sua justiça, etc., todas elas virtudes positivas. Nosso aperfeiçoamento não consistirá apenas em nos transformarmos em seres impecáveis, porque isso é apenas o passo inicial que nos permitirá entrar nas esferas da glória.

Naturalmente, em tudo isso, não devemos imaginar a existência de sete esferas reais. Esse é apenas um número usado para indicar multiplicidade e gradação de glória, mas que deve incluir diferentes esferas. Na realidade, não sabemos quantas esferas celestiais existem, ainda que bem provavelmente sejam muito numerosas. E Cristo Jesus é o Senhor de todas elas, ficando bem sabido que o Senhor vive. Talvez o número "sete" fosse usado pelos rabinos como alusão às perfeições que imperavam no reino celestial. As Escrituras, contudo, apesar de indicarem multiplicidade de esferas, não determinam nenhum número específico delas. Quanto à "pluralidade de céus", nas páginas do AT, provavelmente levou os rabinos a procurarem determinar certo número, que finalmente ficou firmado em "sete". Ver os trechos de Deut. 10: 14; 1 Reis 8: 27; Nee. 9:6; Sal. 68:33 e 148:4).

TERCEIRO DIA, AO
Ver **Dia da Crucificação,** ponto 9.

TERCEIRO DIA, O DIA DA RESSURREIÇÃO
Ver sobre *Dia da Crucificação, Sexta-Feira,* nono ponto.

TÉRCIO
No grego, **Tértios**. Essa palavra vem do latim, e significa "terceiro". O homem com esse nome é mencionado exclusivamente em Rom. 16.22. Ele foi o escriba ou amanuense para quem Paulo ditou a sua epístola aos Romanos. Entre as saudações enviadas pelo apóstolo dos gentios aos cristãos de Roma, o amanuense da epístola adicionou algo de seu próprio punho: "Eu, Tércio, que escrevi esta epístola, vos saúdo no Senhor" (Rom. 16:22). Alguns eruditos identificam-no com Silas, um dos companheiros de Paulo, em suas andanças de evangelismo. Isso porque o termo hebraico correspondente, *shalish*, é o vocábulo hebraico que significa "terceiro", que corresponde a *tértius*, no latim. Mas outros pensadores conjeturam que ele teria sido um cristão romano, que residia em Corinto.

Parece que Paulo costumava ditar suas cartas a algum amanuense, adicionando uma saudação de próprio punho, como "...sinal em cada epístola..." (II Tes. 3:17).

TERÇO
Assim chamado em português por ser uma terça parte do rosário. O rosário consiste na recitação de quinze Padre-Nossos e de Glórias e de cento e cinqüenta Ave-Marias, orações bem conhecidas da Igreja Católica Romana. Portanto, o terço consiste em cinco Padre-Nossos e Glórias, e cinqüenta Ave-Marias. A prática de repetir orações, expressada pelo verbo "rezar", vem desde o século IV d.C. Sozomem menciona o eremita Paulo, do século IV d.C., que lançava uma pedrinha ao chão, cada vez em que recitava cada uma de suas trezentas rezas diárias. Não se sabe com certeza quando a ajuda mecânica do rosário teve começo. Tomás de Cantimoré, que escreveu em meados do século XIII d.C., foi o primeiro a usar a palavra "rosário", em alusão ao suposto jardim de rosas de Maria. Ficar multiplicando rezas é característico do paganismo. Em certos países do Oriente existe uma roda das rezas que facilita tudo. O fiel nem precisa repetir as orações. Basta girar a roda por muitas vezes! (*Ver Roda de Orações*). Como é evidente, o espírito do cristianismo primitivo não tolera a prática. Ensinou Jesus: "E, orando, não useis de vãs repetições, como os gentios; porque presumem que, pelo seu muito falar, serão ouvidos" (Mat. 6:7).

TEREBINTO
Essa palavra aparece em Isaías 6:13 e em Oséias 4:13, como tradução do vocábulo hebraico *allon*, o qual, em todas as suas outras ocorrências, é traduzido por "carvalho" (ver Gên. 35:8; Isa. 2:13; 44:14; Eze. 27:6; Amós 2:9 e Zac. 11:2).

O nome científico da espécie é *Pistacia terebinthus palaestina*. É espécie bastante comum na Palestina, chegando até uma altura de dez metros. Alguns estudiosos têm pensado que o "vale de Elá" (Sam. 21:9), onde Davi matou o gigante Golias, seria recoberto de carvalhos, razão pela qual o gigante não conseguiu evitar a pedrada projetada pela funda brandida por Davi. Naturalmente, apesar disso ser possível, é apenas uma especulação. Talvez Golias não tivesse conseguido evitar a pedrada nem mesmo em campo aberto, em pleno meio-dia.

Nossa versão portuguesa diz "terebinto", em Isaías 6:13 e em Osé. 4:13, onde outras versões dizem "carvalho". O mesmo se deveria fazer em Josué 24:26, onde a palavra é um cognato, mas lemos "carvalho", o que é uma discrepância. Uma outra palavra hebraica muito parecida é corretamente traduzida por "carvalho", nos trechos de Gên. 35:8; Isa. 2:13; Amós 2:9 e Zac. 11:2.

A palavra hebraica traduzida corretamente como "terebinto" indica uma árvore de madeira dura. Presume-se que os israelitas ofereciam sacrifícios aos ídolos sob árvores de terebinto porque elas projetavam uma sombra compacta, como se fosse um esconderijo.

TERES
Há quem pense que o nome significa **reverência**. Outros opinam por "severidade". Seja como for, Teres era um dos dois eunucos que serviam ao rei Assuero, da Pérsia, e que atentaram contra a vida do monarca. O outro eunuco chamava-se Bigtã (vide). Seus nomes aparecem juntos em Ester 2:21 e 6:2.

Mordecai, (vide), primo e pai adotivo de Ester, esposa de Assuero, descobriu o plano dos eunucos, e a vida do monarca foi salva, e os dois eunucos foram então enforcados (Est. 2:21-23).

TERESA, SANTA
Suas datas foram 1515-1582. Era freira carmelita, nascida em Ávila. Tornou-se mística de elevada ordem. Seguia idéias agostinianas. Sua prática da contemplação, sem dúvida em paralelo com poderes psíquicos naturais, resultou em um misticismo de elevada ordem. A princípio, isso foi negado pela Igreja Católica Romana, à qual ela pertencia. Mas, finalmente, ela foi aceita como genuína.

TERESA – TERRA

Em parceria com João da Cruz, ela fundou as Carmelitas Descalças. Suas experiências lhe permitiram descrever os vários estágios do misticismo e da ascensão da alma, em sua busca por Deus e pela iluminação. A *Visão Beatífica* (vide) ocupava uma posição intricada em suas considerações. Seus escritos vieram a ser uma importante fonte de informações sobre o *misticismo* (vide).

Finalmente, Teresa veio a estabelecer e supervisionar dezesseis conventos e catorze mosteiros. Seus escritos, *A Vida por Si Mesma; O Caminho da Perfeição e O Castelo Interior*, além de sua importância como obras sobre o misticismo, estão repletos de instruções éticas, espirituais e práticas.

A última porção de sua vida foi passada viajando de uma para outra instuição que ela havia fundado. Nessas viagens ela levava um bordão, uma cruz e um rosário. Foi acometida por sua última enfermidade no lugar pertencente à duquesa de Ávila, mas solicitou ser transportada para seu convento, em San José, uma petição que lhe foi concedida. Ali ela faleceu, cercada por suas amigas e discípulas. O papa Gregório XV a canonizou, em 1622, e a data de 15 de outubro foi designada como seu dia festivo. A obra completa de Teresa foi traduzida para o inglês, com o título de *Complete Works of St. Teresa* (três volumes).

TERMINISMO

Essa palavra deriva-se de **terminus**, "término", "fim", "limite". Algumas pessoas, na pressa que mostram para que Deus condene às almas, e a fim de emprestarem à sua mensagem evangelística um maior poder psicológico, têm imaginado que Deus estabeleceu um LIMITE para cada alma, ou seja, o *fim* da oportunidade de arrependimento e salvação. Essa doutrina é aplicada de modo absurdo por teólogos que a aplicam à vida *presente*, de tal modo que se alguém rejeitar a mensagem do evangelho, de maneira obstinada, esse imaginário e temido dia de limite poderá vir a surpreendê-lo.

A Igreja Ocidental estabelece esse *término* na morte biológica; mas a Igreja Oriental tem ensinado, tipicamente, que a oportunidade prossegue, mesmo no mundo intermediário, após a morte biológica, dizendo que até no hades as almas podem ser alcançadas pelo amor de Deus. E isso, por sua vez, significa que o hades, tal como a terra, é um lugar de atividades missionárias. Se alguns estudiosos assinalam a *parousia* (vide), ou seja, a segunda vinda de Cristo, como esse ponto terminal, há aqueles que acreditam que tal término não pode ser determinado, acreditando que as obras de Deus não podem sofrer estagnação, sem importar se estão em pauta os remidos ou os não-remidos.

TÉRMINO DO EVANGELHO DE MARCOS

Ver sobre **Marcos, Término do Evangelho de**.

TERRA

Os povos antigos não tinham idéia segura sobre o formato e sobre as dimensões do globo terrestre. Em nosso artigo intitulado *Cosmogonia*, temos ilustrado a questão, incluindo antigas idéias dos hebreus, que não são reiteradas neste verbete.

1. *Palavras hebraicas*. Dois vocábulos estão envolvidos: a. *Eretz*, que geralmente denota a superfície da terra ou a terra como uma entidade, fazendo contraste com os céus. Para exemplificar, ver Gên. 1:1,2,10-12; 2:1; 4:12; Êxo. 8:17; 10:5; Lev. 11:2,21; Núm. 11:31; Deu. 4:18,26; Jos. 2:11; Juí. 3:25; 1 Reis 1:31; Esd. 1:2; Jó 1:7; 2:2; Sal. 12. A leitura desses exemplos demonstra que a palavra tinha grande variedade de aplicações. b. *Adamali*, que apontava mais diretamente para o solo, para o barro, etc. Para exemplificar: Gên. 1:25; 4:11; Êxo. 10:6; Deu. 4:10; 1 Sam. 4:12; Nee. 9:1; Sal. 104:30. Esta última palavra hebraica é de ocorrência bem menos constante do que aquela, mas também tem grande variedade de aplicações, de tal modo que as duas palavras são intercambiáveis.

2. *Outras idéias* são indicadas pela tradução "terra" a fim de indicar os habitantes da terra (Gên. 6:11; 11:1). As nações gentílicas são distinguidas da terra de Israel (II Reis 18:25; II Crô. 13:9). As terras emersas são contrastadas com o mar (Gên. 1:10). A palavra "terra" também indica algum terreno (Gên. 23:15).

3. *No Novo Testamento*. O termo grego *ge* é usado de várias maneiras, podendo indicar desde o próprio globo terrestre como também o solo, alguma região, algum país, os habitantes da terra ou de uma região qualquer e também a idéia de *terra* ou território. Esse vocábulo grego é empregado por duzentas e cinqüenta e duas vezes no Novo Testamento. Ver os seguintes exemplos, com certa variedade de sentidos: Mat. 5:5,13,18; 10:34; 11:25; 17:25; Luc. 2:14; 12:49; 23:44; 24:5; João 17:4; Atos 1:8; Rom. 9:17,28; 10:18; I Cor. 8:5; Efé. 1:10; Col. 1:16,20; Apo. 1: 5, 7, 10; 5: 3; 9:1,3,4; 10: 2, 5; 14:3; 21:1,24.

A forma grega composta *epígeios* significa "terreno" (João 3:12; II Cor. 5:1), bem como "terrestre" (I Cor. 15:40). Vasos de cerâmica são chamados *ostrakinoi*, conforme se vê em II Cor. 4:7 e II Tim. 2:20. Em certo sentido espiritual, a palavra *ge* é usada para denotar coisas que são terrenas e carnais, em contraste com as realidades espirituais. Ver João 3:31 e Col. 3:2,5. Nosso dever moral e espiritual é fixar nossos pensamentos nas coisas celestes, e não nas terrenas.

4. *A Existência da Terra*. Essa realidade, com o resto da criação, é a base de dois argumentos, o *cosmológico e o teleológico* (ver sobre ambos) em favor da existência de Deus, o qual é o Criador e o Planejador de todas as coisas.

Usos Literais:

A Bíblia usa a palavra "terra" em vários sentidos: 1. os continentes, em contraste com os mares (Mat. 23:14). 2. Um país particular, ou alguma região de um país, ou mesmo os seus habitantes (Isa. 37: 11). As terras aráveis (Mat. 9:26; Gên. 26:12).

Usos Figurados:

1. *Canaã* era a terra de Emanuel, isto é, a terra de Yahweh. Era uma terra prometida (Heb. 11:9). Era a terra, a Terra Santa. Conforme muitos dizem até hoje, ela é santa demais, em face dos contínuos conflitos armados que a perturbam. Ver Isa. 26:10.

2. A terra da promissão, protegida por Deus, pelo que não precisava ser protegida pelos homens. No tocante ao milênio, será chamada de "a terra de aldeias sem muros" (Eze. 38: 11).

3. O *Egito* aparece como a terra da tribulação e da angústia, porquanto ali o povo de Israel sofreu a servidão (Isa. 30:6).

4. A *Babilônia* era uma terra de "imagens de escultura", em face de sua generalizada idolatria (Jer. 50:38).

5. A *terra dos vivos* é este mundo físico, onde vivem os homens mortais (Sal. 27:13 e 117:6).

6. O *sepulcro* é a terra da escuridão e da sombra da morte (Jó 10:21,22).

7. O *sepulcro* também é a terra do esquecimento. Quão

TERRA – TERREMOTO

prontamente os homens são esquecidos, assim que são sepultados! Quantas pessoas sabem qualquer coisa sobre os seus bisavós? Ver Sal. 88:12. Mas Deus nunca se esquece, e preserva intactos todos os valores humanos.

8. A *terra simboliza a matéria*.

9. A *Mãe Terra é a origem de toda a vida biológica*.

10. Há o arquétipo da *Grande Mãe*, que inclui o conceito da *Mãe Terra*. Esse é equivalente feminino do Sábio Idoso ou Profeta, no caso do homem. Representa a inteireza potencial, a completa sabedoria, a espiritualidade consumada.

11. A terra representa firmeza e provisão, em contraste com o mar, que representa a instabilidade e os poderes misteriosos e destrutivos.

12. O *subsolo* aponta para as profundezas misteriosas da alma ou do oculto, as regiões infernais. No desenvolvimento espiritual, uma pessoa pode atravessar essas camadas inferiores da existência, antes de atingir níveis mais elevados. O subsolo, naturalmente, também alude à morte e à sepultura.

TERRA BAIXA DE HODSI

Essas palavras aparecem no texto de II Sam. 24:6, segundo a Edição Revista e Corrigida da Sociedade Bíblica do Brasil. Todavia, na Edição Revista e Atualizada no Brasil, da mesma Sociedade Bíblica, que usamos como base para esta enciclopédia, o texto é inteiramente diferente: "na terra dos heteus".

O próprio texto bíblico nos informa de que era um distrito entre Gileade e Dã-Jaã (vide), que foi visitado no decurso de um dos recenseamentos efetuados em Israel, no tempo de Davi. Há muitas dúvidas se realmente existiu a "terra baixa de Hodsi", porquanto a mesma não é mencionada em qualquer outra fonte informativa, bíblica ou extrabíblica. Nossa versão portuguesa segue de perto a tentativa de solução dada na Bíblia inglesa da Revised Standard Version, que, por sua vez, segue a sugestão de Wellhausen. Este crítico pensava que o texto pode ser explicado sobre bases paleográficas, como se fosse uma menção a "Cades, na terra dos heteus", precisamente com o que nos encontramos em nossa versão portuguesa. Se Wellhausen estava com a razão, então a alusão é a Cades sobre o Orontes, até onde chegava a fronteira do reino de Davi, no auge de seu poder, na sua porção norte. As modernas traduções e versões em inglês também estão divididas, quanto à questão, entre essas duas opções.

TERRA DOS FILHOS DO SEU POVO

Uma terra perto do rio Eufrates, onde Balaque, rei de Moabe, mandou buscar Balaão, a fim de amaldiçoar a Israel. O trecho de Núm. 22:5 é a única referência bíblica a respeito. As traduções variam aqui. Algumas lêem *Amó*, mas a Septuaginta serviu de base para a nossa versão portuguesa. Alguns manuscritos da Vulgata dizem "Terra dos filhos de Amom". Amó incluía Petor, a cidade de Balaão, e Emar, que era sua principal cidade. O nome Amó tem sido encontrado em algumas inscrições que datam dos séculos XVI e XV a.C.

TERRA ORIENTAL

No hebraico, "terra da fronteira oriental". O trecho de Gên. 25:6 registra que Abraão enviou suas concubinas para aquela terra. Presumivelmente ficava a sudeste da Palestina, e faria parte da Arábia. Ver o artigo sobre *Oriente, Filhos do*.

TERREMOTO

Esboço:
I. Definição
II. Magnitudes
III. Distribuição dos Terremotos
IV. Os Lugares Bíblicos e os Terremotos
V. Sons e Ondas Sísmicos
VI. Referências Bíblicas a Terremotos
VII. Estamos na Geração do Terremoto?
VIII. Ansiedade e Preparação para os Terremotos

I. Definição

Um **terremoto** é o abalo, a mudança, o irrompimento e a vibração da terra, em áreas rochosas subterrâneas, com reflexos correspondentes à superfície do planeta. Isso pode ocorrer sem que os homens nada sintam. Outras vezes, os abalos sísmicos são sentidos, mas sem que haja qualquer dano material. Às vezes, porém, são destruídas tanto propriedades quanto vidas humanas. A maioria dos terremotos nunca é sentida senão exclusivamente pelos cientistas que se ocupam em registrar a intensidade e efeitos desses abalos.

II. Magnitudes

Um sismólogo norte-americano, Charles F. Richter, criou, em 1935, uma escala para medir a intensidade dos terremotos. Ele atribuía a essa intensidade um número que pode ser usado para efeito de comparação. De acordo com essa escala, um terremoto da magnitude 2,5 tem a energia de menos de 10(17) ergs, mais ou menos a quantidade de energia liberada pela queima de 3.800 litros de gasolina. Esses abalos são considerados miniterremotos e são de ocorrência bastante freqüente. Um terremoto da escala de 4,5 tem 10(20) ergs e pode causar danos de pouca monta à superfície da terra. Um terremoto da escala Richter 6 é potencialmente perigoso. Cerca de cem abalos sísmicos anuais têm essa potência. Os terremotos que atingem a escala 7 de magnitude (10(25) ergs) representam abalos de grande poder destrutivo, ocorrendo a uma média de vinte e cinco abalos desses, a cada ano. Talvez um ou dois abalos de magnitude 8 ocorram anualmente. O mais poderoso terremoto já registrado, desde a criação dessa escala, atingiu a magnitude 8,6. Ocorreu na China, a 15 de agosto de 1950. O grande terremoto do Alasca, de 27 de março de 1964, atingiu a magnitude 8,5.

III. Distribuição dos Terremotos

Na média, a cada ano há um terremoto verdadeiramente grande, dez principais, cem destruidores, mil que produzem algum dano, dez mil abalos de pouca intensidade, que produzem danos desprezíveis, e cem mil choques que só os aparelhos científicos são capazes de registrar. Na verdade, a terra estremece o tempo todo. Por essa razão, se qualquer abalo sísmico, por menor que fosse, pudesse ser considerado um terremoto, então teríamos um total de mais de um milhão de terremotos todos os anos. Existe um cinturão de terremotos no oceano Pacífico, bem como outro que começa na área do mar Mediterrâneo e segue para o Oriente, atravessando o continente asiático. O cinturão do oceano Pacífico concorre com oitenta por cento de todos os terremotos; e o cinturão do mar Mediterrâneo concorre com outros quinze por cento. Portanto, somente cerca de cinco por cento de todos os terremotos ocorrem fora desses dois cinturões. Entretanto, os terremotos sempre deixam os homens perplexos, porquanto áreas que todos pensavam estar isentas dessa atividade sísmica, subitamente, sem a menor explicação, produzem algum grande terremoto. Em qualquer região onde já houve algum terremoto poderá haver outros. Na

TERREMOTO

verdade, não existe região do planeta que possa ser considerada imune a esse fenômeno.

IV. Os Lugares Bíblicos e os Terremotos

O vale profundo do rio Jordão conta com diversas falhas geológicas importantes, como a falha do vale do Jordão, a falha de Zarqa Ma'in, a falha Hasa, a falha Risha e a falha Quweira. Essas falhas estão vinculadas ao cinturão do mar Mediterrâneo e prolongam-se por diversas centenas de quilômetros. Há evidências geológicas que sugerem que o atual mar Mediterrâneo seja apenas o remanescente de um grande oceano que existia antigamente entre a Eurásia e a África. Grandes terremotos do passado, provavelmente ligados a alguma mudança dos pólos, rearrumaram as áreas de terras emersas e de mares, provavelmente por centenas de vezes. Ver o artigo sobre o *Dilúvio*, seções segunda e sexta, quanto a uma discussão completa sobre esse fenômeno.

Os místicos modernos adiantam que estamos às vésperas de uma outra mudança dos pólos. E, se isso vier a suceder, sem dúvida fará parte da grande Tribulação (que vide). O profundo vale do rio Jordão é apenas parte de uma grande zona de falhas geológicas que se prolongam na direção norte, desde a entrada do golfo de Ácaba, por mais de mil e cem quilômetros, até o sopé das montanhas do Taurus. Há evidências geológicas que indicam que, nos últimos poucos milhões de anos, tem havido um movimento de afastamento que já chegou a cento e oito quilômetros, na região do mar Morto, associado à separação entre a península árabe e o continente africano. Os místicos modernos predizem um terremoto realmente forte, na área de Jerusalém, para um futuro não muito distante. Isso ajudaria os árabes em seu conflito contra Israel, precipitando os eventos da grande Tribulação e da batalha do Armagedom, quando a própria existência de Israel estará em jogo. Os trechos de Zac. 14:4,5 e Apo. 16:18,19 predizem um vastíssimo terremoto que acompanhará o segundo advento de Cristo. E isso poderia estar associado à mudança dos pólos predita pelos místicos modernos. Tanto estes quanto os estudiosos da Bíblia concordam que tudo isso não pode estar muito distante de nós. Quem for sábio, que se prepare!

V. Sons e Ondas Sísmicos

Referimo-nos a um assunto realmente espantoso quando falamos sobre os ruídos e as ondas de choque produzidos pelos terremotos. Essas coisas são realmente assustadoras. Grandes vibrações sacodem a terra quando algum terremoto ocorre. No caso dos grandes terremotos, esses abalos liberam forças maiores que a explosão de muitas bombas atômicas ao mesmo tempo. Tal atividade subterrânea pode ser ouvida como ruídos cavos e profundos. Além disso, podem-se ouvir estalidos poderosos, quando grandes massas de rochas racham e se partem, mediante pressões inacreditáveis. À distância, um terremoto pode ser ouvido como se pesadíssimos veículos estivessem passando, ou como se estivessem sendo arrastadas imensas caixas pela superfície da terra. Ou então, podem ser ouvidos sons como se grandes trovões ou como se grandes canhões estivessem disparando.

Vários tipos de ondas de choque se precipitam do epicentro de um terremoto. Essas ondas são transmitidas pelo deslocamento de partículas, e podem levar consigo um tremendo poder de destruição. Algumas dessas ondas assemelham-se às ondas de choque sobre a superfície da água, quando algum objeto é lançado na mesma. Outras ondas como que se agitam de lado para lado, ou então para frente e para trás. Vários tipos de ondas de choque podem ter lugar simultaneamente. Essas ondas de choque propagam-se em diferentes velocidades, dependendo da resistência encontrada à sua passagem. Uma onda dessas pode percorrer 160 km em vinte segundos. Um único terremoto pode enviar diferentes tipos de ondas ao mesmo tempo, que se propagam a diferentes velocidades. Essas ondas podem viajar por milhares de quilômetros, dependendo tudo da magnitude de cada terremoto.

VI. Referências Bíblicas a Terremotos

Há uma palavra hebraica e uma palavra grega que precisam ser consideradas neste verbete, a saber:

1. *Raash*, "tremor", "abalo". Termo hebraico usado por cerca de trinta vezes, conforme se vê em 1 Reis 19:11,12; Isa. 29:6; Amós 1:1; Zac. 14:5.

2. *Seismós*, "abalo". Essa palavra grega figura por catorze vezes no Novo Testamento: Mat. 8:24; 24:7; 27:54; 28:2; Mar. 13:8; Luc. 21:11; Atos 16:26; Apo. 6:12; 8:5; 11:13,19; 16:18.

Durante o reinado de Uzias (Amós 1:1) houve um grande terremoto, que Josefo vinculou à iniqüidade, incluindo sacrilégios, que caracterizaram aquele reinado e aquele período da história de Israel. Ver II Crô. 26:16 ss. E mencionado um terremoto em conexão com a crucificação de Jesus (Mat. 27:51-54), e outro em conexão com a ressurreição (Mat. 28:2). Também houve um terremoto que abriu as portas da prisão onde se encontravam Paulo e Silas (Atos 16:26). Um terremoto acompanhou a morte de Coré (Núm. 16:32) e um outro seguiu-se à visita de Elias ao monte Horebe (I Reis 19:11). Josefo refere-se ao terremoto devastador que atingiu a Judéia em 31 A.C. (*Anti*. 15:52). As predições bíblicas dizem-nos que um terremoto de gigantescas proporções acompanhará a parousia ou segunda vinda de Cristo (Apo. 16:18,19 e Zac. 14:4,5). Os místicos modernos estão predizendo uma nova mudança dos pólos para estes nossos tempos, e essas referências bíblicas bem podem estar fazendo alusão a essa mudança dos pólos.

Sentidos figurados e espirituais. Os terremotos são uma das armas que Deus usa para a destruição da iniqüidade. Muitos psíquicos de nossos dias acreditam que a maldade humana, que produz vibrações adversas, pode ser uma causa contribuinte dos terremotos. Isso significaria que uma atividade dessa espécie poderia ser produzida, pelo menos em parte, quando os homens perdem de vista os valores espirituais. Seja como for, os terremotos simbolizam o juízo divino (Isa. 24:20; 29:6; Jer. 4:24; Apo. 8:5). A derrubada violenta de nações é comparada a um terremoto (Ageu 16,22; Apo. 6:12,13; 16:18,19). Porém, essas referências bíblicas parecem incluir aquele terremoto literal que fará parte desses eventos.

VII. Estamos na Geração do Terremoto?

As predições relativas à nossa época indicam que, à medida que o fim de nossa era for se aproximando, os terremotos ir-se-ão tornando o horror dos homens. Os místicos estão falando sobre *terremotos mortíferos*, alguns dos quais poderiam atingir até mesmo o grau 12 da escala de Richter. Dizem-nos que esses imensos terremotos ocorrerão como pré-choques da mudança dos pólos que já se avizinha. Jeffrey Goodman escreveu um livro que foi publicado com o título em inglês, *We are the Earthquake Generation* (Somos a Geração do Terremoto). Goodman é um arqueólogo profissional. Ele tem recolhido evidências que falam sobre um período extremamente atribulado, que se iniciaria dentro de pouco tempo, e que incluirá muitos terremotos. Ele prediz um período de vinte anos de catástrofes dessa natureza. Os cristãos há séculos falam sobre a vinda da grande Tribulação para breve. Ver

TERREMOTO – TERRORISMO

o artigo sobre a *Tribulação, a Grande*. Não há como duvidar que os terremotos serão uma parte importante dessas tribulações.

VIII. Ansiedade e Preparação para os Terremotos

Tememos essas coisas. Temos absoluta certeza de que elas já se aproximam. Queremos a paz, mas sabemos que todas as eras anteriores da humanidade encaminharam-se para a sua destruição, sendo substituídas por outras eras. Não há razão para pensarmos que o *milênio* (que vide) ocorrerá através de uma transição pacífica.

Só há uma preparação que está ao nosso alcance e que é eficaz, a saber, a preparação *espiritual*. Há pessoas que se têm mudado de áreas que, segundo dizem os místicos, serão mais pesadamente atingidas. Porém, os ímpios dificilmente serão protegidos somente por terem mudado de cidade. Além disso, se justos perecerem em algum grande cataclismo (e muitos homens justos padecerão tais coisas, naturalmente), bastar-nos-á pensar novamente sobre o valor da alma e da vida eterna. Sócrates estava certo de que nenhum dano final pode sobrevir a um homem bom, o que representa uma verdade espiritual permanente.

Muitos evangélicos crêem que o *arrebatamento* (que vide) haverá de livrar a Igreja cristã de grande parte dos desastres finais. Também sou um dos que já acreditaram nessa idéia; mas agora penso que a Igreja passará pela tribulação. Todavia, não acredito que os nossos teólogos já tenham resolvido todos os problemas envolvidos. Penso que ninguém sabe, *com certeza*, quanto da tribulação a Igreja terá de passar, antes de seu arrebatamento. Também acredito que a grande Tribulação prolongar-se-á por um total de quarenta anos, dos quais os famosos sete anos bíblicos seriam a parte principal. Ver o artigo sobre *Quarenta*. Escrevi um livro que reflete essa crença, intitulado *Profecias para o Nosso Tempo: Quarenta Anos Finais da Terra?* Esse livro foi publicado pela editora Nova Época, de São Paulo. Nesse livro, procuro demonstrar que o período que nos aguarda com as suas tribulações representa um outro quarenta (o número simbólico para tribulações), porquanto, há muitos períodos atribulados na Bíblia, representados pelo número quarenta. Como já dissemos, os sete anos das predições bíblicas farão parte especial de um período maior de quarenta anos. Esses sete anos diriam respeito à nação de Israel. Seja como for, é fácil os crentes mostrarem-se apreensivos diante de todas essas possibilidades para o mundo futuro.

Nós, como crentes individuais, poderemos desfrutar ou não de proteção, em meio às tribulações finais. A conservação da vida física nem sempre é a questão que mais importa. O que importa é que vivamos corretamente, dentro do período de tempo que nos foi dado, cumprindo a nossa missão na terra. É digno de consideração que se fomos postos no mundo, nesta época particular, então é que há alguma razão especial para estarmos aqui, relacionados especificamente às tribulações que haverão de sobrevir ao mundo. Nas experiências perto da morte, quando um homem passa pelos primeiros estágios da morte física, quando a sua vida é posta em revista, uma das perguntas feitas pelo *Ser de Luz* é como ele *amou* durante a vida, bem como o que *aprendeu*. As duas grandes colunas da espiritualidade são o amor e o conhecimento. Deveríamos cultivar ambas as coisas, em nossa vida, com todo o afã. Ver o artigo sobre as *Experiências Perto da Morte*. Se assim fizermos, nada teremos a temer do futuro.

Deus é nosso refúgio e fortaleza
Socorro bem presente na angústia.
Pelo que não temeremos, ainda que a terra se mude,
E ainda que os montes se projetem para o meio dos mares;
Ainda que as águas rujam e espumem.
Ainda que os montes se abalem pela sua braveza. Selá.
Há um rio cujas correntes alegram a cidade de Deus,
O Lugar Santo das moradas do Altíssimo.
Deus está no meio dela; Não será abalada. (Salmos 46:1-5).

Bibliografia. AM GOOD WHI Z

TERRORISMO

Podemos classificar esse diabólico fenômeno social em três categorias:

1. Criminosos que pretendem estar trabalhando em prol de alguma idéia política, utilizando-se de atos violentos, mas que, na verdade, não são motivados por tal idéia. Esses desculpam seus atos sobre essa base. Eles falam em termos de "restaurar dinheiro ao povo", quando furtam os "bancos capitalistas". Mas eles consideram "povo" somente a eles mesmos.

2. Também existem os verdadeiros terroristas políticos, cujos atos de violência têm por escopo debilitar as instituições governamentais existentes. Esses usam o dinheiro porventura, adquirido com seus atos, para fomentar outras atividades.

3. Finalmente, há terroristas religiosos, que atuam contra governos ou instituições que consideram hostis à sua causa. Infelizmente, há livros sagrados que transpiram violência, não sendo difícil achar neles textos de prova que toleram o terrorismo com todos os crimes daí redundantes. Que Israel adquiriu o seu território mediante atos de terror fica claro nos próprios registros bíblicos, embora isso pareça chocante para muitos. Orígenes entendeu isso, e alegorizou os trechos envolvidos, a fim de tentar descobrir neles algum sentido espiritual, não desejando admitir que Deus, realmente, tenha enviado homens para matar brutalmente a outros. Muitos cristãos fundamentalistas não sentem dificuldade em adorar a um Deus Guerreiro; mas há muitos, na Igreja cristã de nossos dias, que simplesmente consideram isso um conceito "primitivo" de Deus, que o cristianismo reteve em vários pontos. Não posso deixar de emitir aqui minha opinião, pois é nisso que acredito. Mas, quando falo contra esse *conceito* de Deus, estou apenas negando a validade desse conceito, e não desejo blasfemar o nome de Deus. É possível alguém rejeitar um conceito de Deus, sem blasfemar-lhe o nome. De fato, há alguns conceitos de Deus que são blasfemos, e não hesito em destacá-los. Por outro lado, esses conceitos não aparecem somente na Bíblia. O Alcorão é notoriamente violento, e Maomé conseguiu impor-se mediante a espada desembainhada, forçando muitas populações a aceitar a nova fé islâmica. Os árabes fundamentalistas ou ortodoxos de nossos dias continuam a contemplar o mundo com seus olhos injetados de sangue, acreditando que o morticínio é correto, contanto que sejam mortas as pessoas certas.

A moderna escalada do terrorismo reflete uma maneira doentia e impensada de tentar produzir a mudança social. Insensatos atos de violência, como a destruição de bibliotecas, o terrorismo aéreo e a matança praticada contra pessoas inocentes, como os turistas (que não podem ser confundidos com soldados) têm assinalado as ações terroristas. E assim aquilo que os terroristas imaginam ser atos promotores da justiça, não passam de atos covardes. Muitas pessoas sentiram-se ultrajadas quando terroristas palestinos atacaram e mataram a onze atletas judeus durante a Olimpíada de 1972, em Munique, na Alemanha; mas muitos outros ao redor do mundo aplaudiram o ato. É evidente que o ódio sem motivos reais e mentes patológicas estão envolvidos nesse tipo de atividade.

Agências governamentais que impõem a ordem, com freqüência, são alvos especiais dos terroristas. Em certo manual revolucionário, Carlos Marighella, antigo membro do Partido Comunista do Brasil, disse: "Toda guerrilha urbana só pode manter a sua existência se estiver disposta a matar policiais". Talvez declarações assim façam sentido para indivíduos de tendências violentas, mas é impossível entender por que igrejas e templos também possam ser objetos do terror. O homicídio continuará sendo homicídio, sem importar se os homens o rotulem de qualquer outra coisa; e podemos estar certos de que tais assassinos haverão de sofrer a pena correspondente aos seus atos.

TERTULIANO

Suas datas aproximadas foram 155 - 222 d.C. Nasceu na província romana da "África" na cidade de Cartago. Filho de pais pagãos, tornara-se bem versado em filosofia, direito e literatura, antes de converter-se a Cristo. Retornando a Cartago, serviu como presbítero. Foi o mais vigoroso e intransigente dos primeiros apologistas cristãos. Atacava incansavelmente o paganismo; mas, no fim da vida, tornou-se membro do movimento montanista, que a corrente principal da cristandade considerava uma heresia. Parece que suas pronunciadas tendências ascéticas foram um fator básico em sua ligação àquele movimento. Seja como for, Tertuliano deixou sua marca na história da Igreja e aderiu à teologia ocidental, tendo influenciado outros a fazerem o mesmo. Ele era casado, mas isso não o impediu de ser ordenado sacerdote, pois então ainda não havia o celibato obrigatório para os ministros, conforme mais tarde surgiu em alguns segmentos da cristandade.

Ao abraçar o montanismo, Tertuliano passou a atacar a Igreja estabelecida com o mesmo vigor com que antes tinha atacado o paganismo. Jerônimo menciona várias de suas afrontas ao clero romanista. Ao atacar o paganismo, também atacava a filosofia, e isso por meio de argumentos nitidamente filosóficos. Por essa razão, os filósofos nunca o perdoaram.

Tertuliano era homem dotado de natureza arrebatadora, um extremista. Como tantos outros extremistas, deixou uma impressão duradoura, mas agia como um jumento que empaca. Os próprios montanistas não puderam tolerá-lo por muito tempo, pelo que ele criou a sua própria seita, que veio a tornar-se conhecida como os *tertulianistas*. Temos aí um antigo exemplo de cristão causador de divisões, um homem de forte personalidade, que se mostrou extremista em seus atos. Os cristãos fundamentalistas de hoje especializaram-se nesse tipo de atitude. Lutemos pelos fundamentos da fé, mas não como jumentos teimosos.

Quase todas as obras escritas de Tertuliano são de natureza polêmica, e nelas brilha um intelecto de primeira grandeza. Ele era dotado de grandes e vastos conhecimentos e escrevia como homem inspirado. É justo declarar que sua literatura religiosa aparece como um dos mais brilhantes espécimes literários do latim.

Foi o exemplo deixado pelos mártires que primeiro atraiu a atenção de Tertuliano para o cristianismo. No entanto, uma vez convertido ao cristianismo, vivia em uma contínua atitude de violência mental e literária. Pode ser considerado o pai inspirador de todos aqueles que usam sua fé cristã como se fosse um acampamento militar hostil, que desfecha ataques contra todos ao redor. A despeito disso, sua contribuição literária foi considerável, se conseguirmos desconsiderar sua língua continuamente peçonhenta contra outros. - Ver o artigo intitulado *Tolerância*.

Idéias:

1. Apesar de ser um intelectual, Tertuliano assumia uma postura antiintelectual em sua fé religiosa. Ver sobre o *Antiintelectualismo*. Ele dizia: "Creio, por ser absurdo", porquanto pensava que as doutrinas da fé não fazem sentido diante da razão humana. Quanto a isso, ele diferia do método usado pela maioria dos apologistas cristãos, os quais lançavam mão de bem arquitetados raciocínios e de eficazes argumentos filosóficos em favor da fé cristã. Ver o artigo separado intitulado *Apologetas* (*Apologistas*).

2. Como ilustração da aplicação de seu princípio antiintelectual, ele aceitava o ponto de vista de que o Filho de Deus *morreu*, porquanto nessa própria declaração há uma contradição. E aceitava a doutrina da ressurreição de Cristo, por ser isso impossível para o homem.

3. A contradição, e não a harmonia, deve ser um fator constante de fé religiosa. E isso porque as doutrinas aceitas pela fé ultrapassam as limitadas capacidades da mente humana. Visto que a filosofia repousa sobre a razão humana, as atividades filosóficas são, ao mesmo tempo, sem finalidades e perniciosas, de acordo com Tertuliano.

4. Uma curiosidade da doutrina de Tertuliano era a adoção que fez da idéia estóica da existência da chamada substância espiritual. Ele afirmava que Deus e os espíritos são de substância material, ou "matéria espiritualizada". O mormonismo é o único grupo cristão de nossos dias que segue essa noção, embora dificilmente eles a tenham pedido por empréstimo de Tertuliano. De conformidade com a teologia mórmon, a substância espiritual é uma forma de matéria refinada, diferente, mas não externa à esfera atômica. É possível que se Tertuliano tivesse tido conhecimento da física moderna, ele também tivesse pensado em tal explicação.

5. Tertuliano foi o primeiro teólogo cristão a usar a fórmula trinitariana para explicar, tentativamente, a relação que há entre Deus Pai, Deus Filho e Deus Espírito Santo.

6. No estoicismo ele foi buscar a sua doutrina do *traducionismo* (vide). Essa doutrina ensina que o homem e a mulher, no ato procriador, por serem criaturas de natureza dupla - espiritual e material - transmitem aos filhos que geram tanto a parte espiritual quanto a parte material do ser humano. Ele acreditava que a concepção incluía uma "semente que produz a alma", e não meramente o corpo físico. Essa idéia deve ser confrontada com as noções do criacionismo e da preexistência da alma. Ver o artigo chamado *Alma*, em sua primeira seção, *Origem da Alma*, onde são discutidas as principais teorias a esse respeito. Essas questões também são ventiladas em verbetes separados, nesta Enciclopédia.

Escritos: To Martyrs; Apologies; Against the Gnostics; Against Marcion; Against Valentinus; Against the Marcionites; Against Praxeas; On the Body of Christ; On the Resurrection of the Body; On the Soul. Além dessas obras, ele escreveu mais de duzentas outras, refletindo suas crenças montanistas e seu envolvimento no grupo.

TÉRTULO

No grego, **Tértullos**, forma diminutiva do termo latino *tertius*, "terceiro". Poderíamos, portanto, traduzir seu nome por "terceirinho", que é o sentido exato dessa palavra.

Esse foi o orador profissional, contratado pelos judeus para declarar o caso deles contra o apóstolo Paulo, perante Félix, governador romano da Judéia. Ver Atos 24:1-9. A julgar por seu nome latino, ele poderia ter sido um romano,

TÉRTULO – TESOURO

apesar do fato de que nomes latinos eram comuns entre os gregos e os judeus. Outros opinam que ele seria um judeu, porquanto identificou-se com os seus clientes. Não obstante, era costume os advogados assim agirem, pelo que aquele detalhe não significa muita coisa.

Com a tradicional cortesia, ele começou sua astuta retórica lisonjeando ao governo de Félix de uma maneira que não combinava com os fatos. Ele atribuiu o levante havido em Jerusalém à agitação provocada por Paulo, que seria o cabeça de uma seita ilegal. Por isso é que Paulo teria sido detido em custódia pelos judeus, porquanto tentou "profanar o templo". Com essa acusação, Paulo parecia ser intuito da tranqüilidade pública e da religião judaica, que Félix estava na obrigação de sustentar. Entretanto, o discurso de Tértulo deveria ser comparado com a narrativa real, que se lê em Atos 21:27-40, com a carta enviada pelo tribuno Lísias (Atos 23:26-30), e com a réplica do apóstolo Paulo (Atos 24:10-21).

TESBITA

1. Nome. Este é o nome de uma pessoa que nasceu ou habitou a cidade chamada *Tisbe*, como Elias (I Reis 17.1). Ver também 21.17, 28 e II Reis 1.3, 8; 9.36. Parece que o nome significa "recurso".

2. Identificação e Localidade. Estritamente falando, o local é desconhecido e sua localização continua um mistério, mas adivinhações colocam-no no território de Naftali, ou Gileade. Não há confirmação arqueológica da cidade nem sugestão de sua antiga localidade.

3. Alguns estudiosos pensam que a palavra Tisbe ou Tesbita é de fato relacionada à Jabes-Gileade de I Sam. 11.1, 3,5, e 31.12, de forma que Elias poderia ter sido chamado de jabesita em vez de tesbita. Ver o artigo sobre esse local para maiores detalhes.

4. Outras Identificações. Talvez esteja em vista Listibe, do leste de Gileade, conjectura baseada na similaridade da palavra *Tisbete* com o árabe *el-Istibe*. O livro apócrifo Tobite (1.2) refere-se a Tisbe, que estava localizada ao sul de Cades, no território de Naftali. Talvez Elias tenha nascido naquela área, mas então se mudou para Gileade. Elias não tem uma associação com Gileade do Norte, no lado leste do rio Jordão, como sabemos com base em I Reis 17.2-7. Talvez o ribeiro de Querite tenha sido um pequeno afluente de Jabes, que desemboca no Jordão. Tais especulações podem levar-nos à verdade, mas não temos como fazer uma afirmação com confiança.

TESES, NOVENTA E CINCO

Ver o artigo geral sobre **Lutero**, em seu terceiro ponto. O quarto ponto desse mesmo artigo mostra os resultados a longo prazo dessas teses.

TESOURARIA DO TEMPLO

1. *Antigos santuários e templos* muitas vezes eram usados como locais de depósito de objetos valiosos, como se fossem "bancos sagrados". Sabemos que o Panteão, por exemplo, tinha seu *opisthodomos*, ou tesouraria sagrada, que provavelmente servia como fonte para o pagamento de despesas da atividade do local. Os templos hebraicos tinham seus locais para armazenar presentes de ouro e prata, além de outros objetos valiosos que eram doados ao ministério (I Reis 7.51). Uma fonte de tal riqueza eram as ofertas do povo, mas não temos dúvida de que saques feitos durante as guerras compunham a maior fonte. E o dinheiro não era usado só para os cultos dos templos. Era uma grande fonte de riqueza que os reis usavam para seus projetos de construção e para enriquecimento pessoal, é claro.

2. *Localização*. Alguns estudiosos acreditam que o templo não era o local para o tesouro, mas isso parece improvável. Logicamente, havia outras tesourarias e depósitos de riqueza além do templo. Estudiosos continuam a disputar exatamente onde estava localizada a tesouraria nos templos.

3. *Administração*. Pelo menos antes do templo de Herodes, os administradores eram os levitas, depois os sacerdotes, isto é, levitas que descendiam diretamente de Arão, filho mais velho do levita Anrão e de Joquebede (Êxo. 6.20; Núm. 26.29). Ele era irmão de Moisés. Arão estava na terceira geração depois de Levi, pelo que teríamos Levi, Coate, Anrão e Arão. Outros descendentes de Levi tornaram-se levitas, mas não eram levitas sacerdotes. Na época de Jesus, o sumo sacerdote assumiu essa função. Sob ele trabalhavam os principais tesoureiros (*katholikoi*) e sete curadores (*amarkalim*), mais três gerentes (*gizbarim*) que compartilhavam o trabalho e a responsabilidade.

4. *Um Objeto de Ganância e Assaltos*. O tesouro do templo passou a possuir considerável riqueza, abrigando, como fazia, o maior banco do país. Naturalmente tornou-se objeto de ganância e assaltos. Exércitos invasores não o ignoravam. Ver I Reis 14.26; II Reis 24.12 ss.; I Macabeus 1.20-24; II Macabeus 3.1-13. Como sempre ocorre na política, os próprios reis de Israel às vezes metiam as mãos no depósito de riqueza do templo para obter vantagens pessoais ou para comprar favores políticos. Ver I Reis 15.16 ss.; II Reis 12.17 ss. Às vezes o tributo pago a poderes estrangeiros vinha do tesouro do templo (II Reis 18.13 ss.).

5. *Referências no Novo Testamento*. João 8.20 parece indicar que tesouraria era um lugar popular para reuniões públicas. Ver ainda Mar. 12.14 ss. em conexão com isso. Haviam urnas na forma de trombetas para o recebimento das ofertas do povo. Mas Herodes, o Grande, tinha muito dinheiro e muito poder, e podemos ter certeza de que ele mantinha o tesouro e seus bolsos cheios.

TESOURO

Esboço
I. Os Termos
II. Tipos de Tesouros
III. Aspecto Monárquico dos Tesouros
IV. Tesouros de Davi e Salomão
V. Tesouros dos Reis de Israel
VI. Tesouros como Tropeços Espirituais
VII. Sentido Figurado de Tesouro no Antigo Testamento
VIII. Tesouros no Novo Testamento

I. Os Termos

No hebraico, temos nove vocábulos e, no grego cinco, neste verbete, a saber:

1. *Otsar*, "tesouro", "coisa depositada". Palavra hebraica usada por setenta e uma vezes com esse sentido, conforme se vê, por exemplo, em Deu. 28:12; 32:34; I Reis 7:51; 15:18; II Reis 12:18; 14:14; 24:13; I Crô. 26:20,22,24,26; II Crô. 5:1; 8:15; 36:18; Esd. 2:69; Nee. 7:70,71; Jó 38:22; Pro. 8:21; 10:2; Isa. 2:7; 30:6; 316; 45:3; Jer. 10:13; 15:13; 17:3; Eze. 28:4; Dan. 1: 2; Osé. 13: 15; Miq. 6: 10. Também há a forma *atsar*, como em Nee. 13:13 e Isa. 23:18.

2. *Ginzin*, "tesouros". Palavra hebraica empregada por três vezes: Esd. 5:17; 6:1; 7:20.

3. *Chosen*, "riquezas", "força". Palavra hebraica utilizada por três vezes: Pro. 15:6; 27:24; Eze. 22:25.

4. *Matmon*, "coisa oculta". Palavra hebraica usada por quatro vezes: Gên. 43:23; Jó 3:21; Pro. 2:4; Jer. 41:8.

5. *Mikmannim*, "tesouros". Termo aramaico usado por uma vez apenas, em Dan. 11:43.

TESOURO

6. *Miskenoth*, "tesouros", "armazéns". Vocábulo hebraico usado por uma vez com o sentido de "tesouros": Êxo. 1:11.

7. *Athud*, "tesouro", "preparado". Palavra hebraica usada por uma vez com o sentido de "tesouro", em Isa. 10:13.

8. *Saphan*, "coisa coberta", "tesouro". Palavra hebraica que ocorre por uma vez com esse sentido, Deu. 33:19.

9. *Gedaberin*, "tesouros". Palavra aramaica usada por uma vez, em Dan. 3:2,3.

10. *Thesaurós*, "tesouro". Palavra grega usada por dezessete vezes: Mat. 2: 11; 6:19-21; 12:35; 13:44,52; 19:21; Mar. 10:21; Luc. 6:45; 12:33,34; 18:22; 11 Cor. 4:7; Col. 2:3; Heb. 11:26.

11. *Thesaurízo*, "entesourar". Verbo grego usado por oito vezes: Mat. 6:19,20; Luc. 12:21; Rom. 2:5; 1 Cor. 16:2; II Cor. 12:14; Tia. 5:3; 11 Ped. 17.

12. *Gáza*, "tesouro" (uma palavra derivada do persa), que aparece somente por uma única vez, em Atos 8:27.

13. *Gazophulákion*, "tesouro". Palavra grega usada por quatro vezes: Mar. 12:41,43; Luc. 21:1; João 8:20.

14. *Korbanãs*, "lugar das ofertas". Palavra grega transliterada do hebraico, usada somente por uma vez: Mat. 27:6.

II. Tipos de Tesouros

Na Bíblia, um tesouro consiste no dinheiro, nas jóias, no ouro, na prata, nos vasos, nos ungüentos, nas especiarias, nos armamentos, nos cereais, nas moedas ou em quaisquer outras possessões materiais que um governante, um monarca ou um indivíduo rico conservava em lugar seguro, fora do alcance de ladrões e assaltantes. Os vasos sagrados e os móveis do templo de Jerusalém, ou mesmo dos templos de divindades pagãs, eram considerados tesouros (ver I Crô. 32:27-29; Esd. 1:9-11; Nee. 7:70). Visto que, nos tempos antigos, as riquezas estavam concentradas nas mãos dos monarcas ou dos templos, o termo tesouro veio também a significar "armazém" ou "tesouraria", o que se reflete nas traduções em geral.

Na antigüidade, quando as forças inimigas invadiam um país, geralmente, dirigiam-se ao palácio real ou ao templo central, em busca dos tesouros ali guardados; e esses tesouros, juntamente com os cativos de guerra, eram os despojos que o adversário vitorioso levava. Visto que os tesouros garantiam o suprimento das necessidades básicas das pessoas que os possuíam, com freqüência, o vocábulo "tesouro" foi empregado, pelos profetas do Antigo Testamento e até pelo Senhor Jesus, para indicar as possessões e riquezas espirituais, apontando para coisas como a sabedoria, o amor, o céu e o evangelho (ver Pro. 10: 2; Isa. 33:6; Mar. 10:21).

III. Aspecto Monárquico dos Tesouros

O conceito de **tesouro** ou de "armazém", nas páginas bíblicas, indica o aspecto monárquico da cultura e da economia dos povos do mundo antigo, no sentido de que todas as grandes riquezas ficavam concentradas nas mãos do rei, do templo sagrado, de sumos sacerdotes ou de pessoas eminentemente ricas. No entanto, o povo comum dispunha pouquíssimo dessas riquezas, e nem ao menos ambicionava possuí-las; mas, essas pessoas reverenciavam o rei ou o templo, por estarem guardando em segurança as riquezas do país. Isso posto, havia uma abastança incalculável, concentrada nas mãos de alguns poucos, e uma pobreza extrema entre os cidadãos comuns, que formavam as multidões. É por esse motivo que, com freqüência, os profetas do Antigo Testamento identificavam as riquezas com a iniqüidade, e a pobreza com a piedade. Também lemos nas Escrituras que "Aceitai o meu ensino, e não a prata, e o conhecimento antes do que o ouro escolhido" (Pro. 8:10).

Entretanto, nos palácios reais e nos templos não havia caixas - fortes ou cofres, onde os tesouros fossem trancados em segurança. Ver sobre *Bancos*. Mas os tesouros guardados nos templos, onde as multidões por muitas vezes se congregavam, eram defendidos por muitos homens armados. E os indivíduos ricos escondiam suas possessões materiais em suas casas, em cavernas, ou nos campos. Muitas guerras estouraram por causa desses tesouros (ver I Reis 14:26). E um dos métodos das nações se apossarem das riquezas consistia em pilhar as cidades e os templos de outras nações. Assim, quando Jerusalém caiu diante dos exércitos invasores, provenientes do Oriente, todos os tesouros ali existentes foram transportados para aqueles países estrangeiros. É fato bem conhecido que muitos imperadores, reis e rainhas, como no Egito, eram sepultados juntamente com suas possessões materiais, em túmulos de difícil acesso, como era o caso das pirâmides. De fato, essas pirâmides são o exemplo mais notável desse antigo costume. No templo de Jerusalém, o aposento onde eram guardadas as caixas para recolher as oferendas, era chamado de "gazofilácio", ou "tesouraria", conforme se vê em Marcos 12:41 e Lucas 21:1. Essas caixas para recolhimento das ofertas tinham o formato de trombetas.

Uma das primeiras alusões a um tesouro, nas páginas do Antigo Testamento aparece no episódio em que os irmãos de José foram comprar alimentos no Egito, durante o período de escassez, quando José pôs novamente nas sacas deles o dinheiro com que haviam pago o cereal. Foi, então, que José disse aos seus assustados irmãos: "Paz seja convosco, não temais; o vosso Deus, e o Deus de vosso pai vos deu tesouro nos vossos sacos; o vosso dinheiro me chegou a mim"(Gên. 43:23).

IV. Tesouros de Davi e Salomão

Os reis Davi e Salomão tornaram-se conhecidos pelas imensas riquezas que conseguiram amealhar em seus palácios, ou então, no templo do Senhor, em Jerusalém. Os tesouros do templo, em Jerusalém, consistiam nos vasos, no altar de ouro, na mesa de ouro para pães da proposição, no candeeiro de ouro, nas lâmpadas e seus utensílios, nas bacias e prato para incenso, e até mesmo nas portas do edifício. O próprio templo era recoberto com placas de ouro. Lê-se em I Reis 7:48-51: "...fez Salomão todos os utensílios do Santo Lugar do Senhor: o altar de ouro, e a mesa de ouro... os castiçais de ouro finíssimo... as flores, as lâmpadas e as espevitadeiras, também de ouro; também as taças, as espevitadeiras, as bacias, os recipientes para incenso, e os braseiros, de ouro finíssimo; as dobradiças para as portas da casa interior... e as das portas do Santo Lugar do templo, também de ouro. Assim se acabou toda a obra que fez o rei Salomão para a casa do Senhor; então trouxe Salomão as cousas que Davi, seu pai, havia dedicado, a prata, o ouro e os utensílios, ele os pôs entre os tesouros da casa do Senhor".

V. Tesouros dos Reis de Israel

Algumas vezes, os tesouros dos palácios dos reis de Judá e de Israel correram perigo, quando das guerras locais que atingiram a Palestina. Para exemplificar, quando Baasa, rei de Israel, e Asa, rei de Judá, combateram um contra o outro, este último enviou todos os tesouros da nação a Ben-Hadade, rei da Síria, a fim de estabelecer um acordo com ele. Segundo essa aliança, os sírios atacariam Baasa, de tal modo que Judá seria deixada em paz. "...Asa tomou toda a prata e ouro restantes nos tesouros da casa do Senhor, e os tesouros da casa do rei, e os entregou nas mãos de seus servos; e o rei Asa os enviou

TESOURO

a Ben-Hadade... dizendo: Haja aliança entre mim e ti, como houve entre meu pai e teu pai. Eis que te mando um presente, prata e ouro; vai, e anula a tua aliança com Baasa, rei de Israel, para que se retire de mim" (1 Reis 14:18,19). E, por ocasião da reconstrução da nação de Israel, nos dias de Esdras e Neemias, continuava a ser usado o mesmo método de juntar grandes riquezas na casa do governante e no templo, conforme se vê em Esd. 2:69; Nee. 7:70,71; 10:38 e 12:44.

Quando os sírios invadiram a nação do norte, Israel, o rei Acaz solicitou de Tiglate-Pileser, rei da Assíria, para vir livrá-lo do poder da Síria. Para animar o rei da Assíria a fazer essa intervenção, Acaz tomou a prata, o ouro e todos os tesouros da casa do Senhor e os enviou como presentes ao rei. E, então, os assírios chegaram, mas em vez de livrarem a Judá, puseram o rei Acaz em aperto. Ver II Crô. 28:16-21. Um incidente similar ocorreu nos dias de Ezequias, quando Senaqueribe, rei da Assíria, invadiu Judá. A compensação requerida pelo rei da Assíria foi a prata e o ouro que estavam guardados na casa do Senhor. E o fato de que o rei da Babilônia, tempos mais tarde, levou Jeoaquim, de Judá, como prisioneiro, tendo transportado para a Babilônia todos os tesouros da casa do Senhor, mostra-nos, mais uma vez, que o templo de Jerusalém era uma espécie de tesouro das riquezas da nação, que vinham sendo amealhadas desde os dias de Salomão. Ver II Crô. 36:6,7.

Os tesouros existentes no templo de Jerusalém vinham sendo recolhidos desde os dias de Davi, com as ofertas que ele e muitos outros israelitas haviam dedicado. Quanto a isso, examinar I Crônicas 29:1-9. Além disso, grupos especiais e famílias ficaram encarregados de guardar os tesouros da casa do Senhor, segundo se aprende em I Crô. 26:22-28. No decorrer dos séculos, houve muitos outros donativos polpudos, recolhidos em certas oportunidades históricas, que aumentaram ou restauraram as riquezas do templo. Devido às guerras e invasões, esses tesouros foram pilhados por mais de uma vez. Mas o povo de Israel não demorava muito a reconstituí-los com suas generosas ofertas. Um caso desses é historiado em Esd. 2:68,69, onde está escrito: "Alguns dos cabeças de famílias, vindo à casa do Senhor... deram voluntárias ofertas para a casa de Deus, para a restaurarem no seu lugar. Segundo os seus recursos deram para o tesouro da obra, em ouro sessenta e uma mil dracmas, e em prata cinco mil arráteis, e cem vestes sacerdotais". A isso poderíamos acrescentar os dízimos dados pelo povo, que engordavam ainda mais os tesouros ali armazenados.

VI. Tesouros como Tropeço Espiritual

Por outro lado, os homens espirituais de Israel nunca deixaram de perceber que as riquezas materiais, devido à debilidade humana, podem servir de tropeço e ameaça ao bem-estar espiritual dos homens. Um exemplo dessa cautela e sabedoria, que é um reflexo do temor ao Senhor, ou piedade, aparece, por exemplo, em Provérbios 15:16: "Melhor é o pouco, havendo o temor do Senhor, do que grande tesouro, onde há inquietação". O profeta Isaías refere-se a riquezas que eram transportadas em corcovas de camelos, para indicar o rico comércio que se fazia por meio das caravanas. Ver Isaías 30:6. Jeremias, por sua vez, dá testemunho do fato de que as riquezas das nações antigas eram guardadas em suas capitais, onde ficavam as sedes dos respectivos governos. Diz ele: Também entregarei toda a riqueza desta cidade, todo o fruto do seu trabalho, e todas as suas coisas preciosas; sim, todos os tesouros dos reis de Judá entregarei na mão de seus inimigos, os quais hão de saqueá-los, tomá-los e levá-los a Babilônia"(Jer. 20:5). O rei Ezequias, de Judá, dispunha de grandes tesouros acumulados, no tempo em que reinava em Jerusalém: "Ezequias se agradou dos mensageiros (do rei da Babilônia) e lhes mostrou toda a casa do seu tesouro, a prata, o ouro, as especiarias, os óleos finos, o seu arsenal e tudo quanto se achava nos seus tesouros..."(II Reis 20:13).

O fato de que os reis invasores levavam as riquezas dos países invadidos para suas capitais, depositando-as em seus templos e palácios, indica que esse costume não prevalecia somente em Israel. Daniel 1: 1, 2 é trecho que nos mostra isso: "No ano terceiro do reinado de Jeoaquim, rei de Judá, veio Nabucodonosor, rei de Babilônia, a Jerusalém, e a sitiou. O Senhor lhe entregou nas mãos a Joaquim, rei de Judá, e alguns dos utensílios da casa de Deus; a estes levou-os para a terra de Sinear, para a casa do seu deus, e os pôs na casa do tesouro do seu deus".

VII. Sentido Figurado de Tesouro no Antigo Testamento

Com freqüência, o termo "tesouro", ou "casa do tesouro", é usado em sentido figurado no Antigo Testamento. Como exemplo disso, em uma terra com poucas chuvas, como era o caso da Palestina, as chuvas eram consideradas um autêntico tesouro. "O Senhor te abrirá o seu bom tesouro, o céu, para dar chuva à tua terra no seu tempo, e para abençoar toda obra das tuas mãos; emprestarás a muitas gentes, porém tu não tomarás emprestado"(Deu. 28:12). As últimas palavras desse citado versículo mostram como essas chuvas, caídas no tempo certo, podiam transformar-se até em tesouros literais. A sabedoria, sobretudo aquela de cunho espiritual, também era considerada um grande tesouro, entre os antigos, quando eram dotados de entendimento espiritual: "Tesouro desejável e azeite há na casa do sábio, mas o homem insensato os desperdiça" (Pro. 21:20). Um outro quadro simbólico comum, encontrado nas Escrituras, é que o temor ao Senhor constitui-se em autêntico tesouro para aquele que o possui, conforme Isaías predisse acerca do povo de Israel. "Haverá, ó Sião, estabilidade nos teus tempos, abundância de salvação, sabedoria e conhecimento; o temor do Senhor será o teu tesouro" (Isa. 33:6). E o profeta Ezequiel reverbera o mesmo sentimento, quando escreve: "...pela tua sabedoria e pelo teu entendimento alcançaste o teu poder, e adquiriste ouro e prata nos teus tesouros" (Eze. 28:4), embora ali falasse em relação ao rei de Tiro e, por conseguinte, em um sentido negativo.

VIII. Tesouros no Novo Testamento

1. Quadro Diferente

Quando chegamos ao Novo Testamento, o quadro mental é bastante modificado. Pois, se no Antigo Testamento um tesouro dava a idéia de vastas riquezas concentradas nos palácios reais ou nos templos, nas páginas do novo pacto um tesouro (*no grego, thesaurôs*) é concebido muito mais em *termos individuais*, como propriedade de algum ricaço. O Novo Testamento, logo no começo, refere-se a tesouros que os magos, vindos do Oriente, trouxeram para presentear ao menino Jesus. "Entrando na casa, viram o menino com Maria, sua mãe. Prostrando-se, o adoraram; e, abrindo os seus tesouros, entregaram-lhe suas ofertas: ouro, incenso e mirra" (Mal. 2:11). Por que motivo a sagrada família precisava desses tesouros, é o que alguns têm indagado. Lembremo-nos, porém, que dentro de poucos dias eles haveriam de descer ao Egito, onde ficariam até que Herodes falecesse (ver Mat. 2:19-21). Sem dúvida, aqueles recursos os sustentariam naquele país estrangeiro, impedindo que fossem reduzidos à mendicância, por terem fugido praticamente sem levar bens volumosos.

2. Tesouros Espirituais

Em Hebreus 11:26 também há menção aos tesouros do

Egito, que Moisés desprezara, por amor ao seu próprio povo. Se meditarmos que Moisés era "filho da filha do Faraó", então poderemos compreender que ele não desistiu de pouca coisa, nem de pequena posição na escala social, e nem de remotas possibilidades de tornar-se um importante vulto no Egito-talvez até mesmo um futuro Faraó. Mas é que Moisés também tinha visão espiritual, pelo que "...considerou o opróbrio de Cristo por maiores riquezas do que os tesouros do Egito ..." No Novo Testamento, porém, a idéia de "tesouro", na maioria das vezes, aparece dentro de um contexto espiritual, pelo que é empregada em sentido metafórico. Para exemplificar, mencionamos uma parábola do reino, que o compara com "...um tesouro oculto no campo..." (Mat. 13:44). Por igual modo, o Senhor Jesus admoestou aos seus discípulos e a todos nós: "...mas ajuntai para vós outros tesouros no céu, onde traça nem ferrugem corrói, e onde ladrões não escavam nem roubam; porque onde está o teu tesouro, aí estará também o teu coração" (Mat. 6:20,21). Portanto, o nosso tesouro, no dizer de Jesus, é aquilo a que damos maior valor. Nós, os servos do Senhor, não somos instruídos a empobrecer e a mendigar; mas antes, a trabalhar com as próprias mãos, até para podermos contribuir para as necessidades dos que padecem por carência. Ver I Tes. 4:11,12 e Efé. 4:28. Paralelamente a essa industriosidade e generosidade, porém, o crente é ensinado a valorizar, acima de todas as riquezas terrenas, as riquezas celestiais. "...buscai, pois, em primeiro lugar, o seu reino e a sua justiça, e todas estas cousas (as possessões terrenas) vos serão acrescentadas" (Mat. 6:33).

3. *Tesouros do Coração*

Acresça-se a isso que o Senhor Jesus também empregou o vocábulo tesouro. a fim de designar o bem ou o mal que se ocultam no coração de cada indivíduo: "O homem bom tira do tesouro bom cousas boas; mas o homem mau do mau tesouro tira cousas más" (Mat. 12:35). Isso equivale a dizer que as virtudes cristãs devem ser reputadas como um de nossos tesouros, da mesma maneira que os ímpios entesouram as suas perversidades morais.

4. *Tesouros nos Céus*

O amor cristão e as obras impulsionadas pelo amor são tesouros que acumulamos no céu, conforme Jesus disse ao jovem rico: "Se queres ser perfeito, vai, vende os teus bens, dá aos pobres, e terás um tesouro no céu; depois vem, e segue-me". No entanto, o jovem rico não estava disposto a trocar as riquezas terrenas imediatas, pelas riquezas celestiais, as quais, para ele, pareciam muito remotas. "Tendo, porém, o jovem ouvido esta palavra, retirou-se triste, por ser dono de muitas propriedades" (Mat. 19:21,22). Essa é a atitude de muitas pessoas, que se julgam práticas e pragmáticas. Mas, no fim, o seu prejuízo é incalculável. Diferente é a sorte daqueles cujos olhos são abertos para perceberem o valor das riquezas espirituais. Foi acerca desses que Jesus falou, depois que o jovem rico e tresloucado se afastou: "E todo aquele que tiver deixado casas, ou irmãos, ou irmãs, ou pai, ou mãe, ou filhos, ou campos, por causa do meu nome, receberá muitas vezes mais, e herdará a vida eterna". (Mat. 19:29).

5. *A Palavra do Senhor*

O Senhor Jesus também se referiu à sabedoria espiritual como um "tesouro", quando declarou: "Por isso todo escriba versado no reino dos céus é semelhante a um pai de família que tira do seu depósito cousas novas e cousas velhas" (Mat. 13:52). O apóstolo Paulo secundou essa noção, dizendo que o evangelho de Jesus Cristo é um tesouro que transportamos conosco: "Temos, porém, este tesouro em vasos de barro, para que a excelência do poder seja de Deus, e não de nós" (II Cor. 4:7). Para o crente, o valor maior, o tesouro mais prezado é o Senhor Jesus Cristo: "Por isso está na Escritura: Eis que ponho em Sião uma pedra angular, eleita e preciosa; e quem nela crer não será de modo algum envergonhado. Para vós outros, portanto, os que credes, é a preciosidade..." (I Ped. 16,7). E isso é assim, para nós, porque é em Cristo que encontramos o que mais nos é caro, isto é, a salvação final, a natureza divina. Ver II Ped. 1:4. Sim, podemos encerrar esta exposição sobre os tesouros celestiais citando novamente o apóstolo Paulo: "...para que os seus corações sejam confortados, vinculados juntamente em amor, e tenham toda riqueza da forte convicção do entendimento, para compreenderem plenamente o mistério de Deus, Cristo, em quem todos os tesouros da sabedoria e do conhecimento estão ocultos" (Col. 2:2,3).

TESOURO DE MÉRITOS

A expressão latina correspondente é *Thesaurus Meritorum*. Esse é o nome do dogma católico romano de que há um tesouro de méritos espirituais, acumulados a partir da satisfação prestada por Cristo pelos pecados do mundo, um ato infinito em seu valor, mas aumentado com base nos méritos superabundantes dos santos, uma espécie de "méritos excedentes" além daquilo de que precisavam pessoalmente para a sua salvação, e agora postos à disposição de almas de menor porte. Dentre esse tesouro de "méritos excedentes" é que poderiam ser conferidas as *indulgências* (vide), para remissão dos castigos temporais devidos por pecados cometidos. Um aspecto desse dogma é aquele que afirma que a Igreja Católica Romana é a guardiã desse tesouro, e também a agência que o utiliza. Doutrinas dessa natureza deixam furiosos a protestantes e evangélicos, para dizermos o mínimo.

TESSALÔNICA

Esta cidade, à qual Paulo escreveu duas cartas (ver 1 e 2 Tessalonicenses), era capital da Macedônia, essencialmente o território ocupado pela Grécia moderna. De fato, quase todo o ministério de Paulo na Europa estava situado em cidades que pertenciam ao território ora conhecido como Grécia.

1. *Geografia*. Esta cidade estava localizada no golfo Termaico, a oeste de Calcidice. Uma importante estrada a ligava a todas as cidades da Macedônia, a qual se chamava Via Egnatia. Hoje o golfo se chama Saloniki, o qual é parte do mar Egeu.

2. *Nome*. O lugar chamava-se originalmente *Therma* e recebeu depois o nome do golfo no qual se achava situada, atualmente denominado Saloniki. Foi intitulado Tessalônica provavelmente por Cassandro, empregando o nome de sua esposa, filha de Filipe II. Ou, possivelmente, foi assim chamado para comemorar sua vitória sobre os tessalonicenses (habitantes de Tessália). Esse nome parece estar relacionado a *thalassa*, palavra grega para *mar*, a qual provavelmente se baseia em *hals*, que significa sal. Se essa conjetura for correta, faz Tessalônica significar "situado pelo mar" ou "pertencente ao mar". A tradição diz que o romano Cassandro fundou (reconstruiu) a cidade por volta de 315 a.C.

3. *Algumas Notas Históricas*. A cidade foi fundada ou reconstruída por Cassandro, o que não marca seu início como uma área povoada, mas lhe deu uma entrada patente nos registros da história. Veio a ser uma das quatro divisões da Macedônia. A cidade recém-fundada incorporou vilas circunvizinhas, como Terma, Anea, Cisso e Chalastra. Tornou-se uma grande base naval macedônica, substituindo Pela como o porto principal (Lívio XLIV.10,45; XLV.29).

TESSALÔNICA – TESSALONICENSES

Depois de dominar a área, os romanos dividiram Macedônia em quatro seções e fizeram de Tessalônica a capital de uma delas. Quando a Macedônia se tornou uma província única (em vez de quatro), esta cidade passou a capital de todo o território. No tempo da guerra civil romana, uma das facções guerreiras, encabeçadas por Pompeu, usou a cidade como quartel-general daquela região. A cidade tinha elevado grau de autonomia durante o tempo do Império Romano e floresceu em todos os sentidos possíveis, muito mais que as outras cidades da província.

4. *Arqueologia*. As inscrições comprovam a exatidão do uso da palavra *politarchai* (encontrada em Atos 17:6, 8) em referência aos magistrados, e o uso que Lucas faz da palavra é o único existente na literatura. Pouco se tem escavado referente ao período grego, mas o arco romano permanecia ali em 1876. Sobre esse arco, uma inscrição usava a palavra *politarchai*. Outro uso semelhante foi encontrado nas inscrições na área. São ainda visíveis partes da *Via Egnatia*, uma estrada que percorre a área de noroeste a sudeste, ligando as cidades da província. Há extensas ruínas dos tempos bizantinos, inclusive igrejas, porém a maioria delas foi destruída pelo fogo que destruiu a cidade em 1917.

5. *A Igreja Primitiva e Tessalônica*. Paulo visitou o lugar em sua segunda viagem missionária e terminou escrevendo duas cartas à igreja que ali estabelecera. Essas cartas vieram a fazer parte de nosso Novo Testamento. Paulo, segundo seu costume, primeiro visitou a sinagoga do lugar e ganhou alguns conversos (Atos 17:2-4). O lugar, pois, se tornou uma valiosa sede para a missão (grega) européia da igreja primitiva. Uma turba atacou a casa de Jasom, onde Paulo se hospedara, e então ele e Silas se viram forçados a fugir para a Beréia (Atos 17:5-10). A igreja, porém, prosperou em sua ausência, e provavelmente Paulo regressou ao local onde visitou a área (Macedônia), segundo está registrado em Atos 20:1-3. Compare 1 Tim. 1:3; 2 Tim. 4:13; Tito 3:12. Os conversos dali, mencionados nominalmente, são Jasom (Atos 17:5-9), possivelmente Demas (2 Tim. 4:10); Gaio (Atos 19:29); Segundo e Aristarco (Atos 20:4). As cartas de Paulo à região são conhecidas por suas classificações escatológicas quanto à Segunda Vinda de Cristo, o arrebatamento da igreja e a atividade do anticristo.

TESSALONICENSES, Primeira Epístola de Paulo aos
Esboço:
I. A Igreja em Tessalônica
II. Autoria
III. Data e Proveniência
IV. Motivo e Propósitos
V. Temas Centrais
VI. Conteúdo
VII. Bibliografia

Ver comentários sobre o corpus paulinus no artigo sobre *Romanos*, primeiros parágrafos da seção II. Normalmente, tem-se pensado ser correto situar I e II Tessalonicenses no início da tabela cronológica da coletânea paulina; mas existem bons argumentos para que situemos a epístola aos Gálatas nessa posição, porquanto é quase certo que ela foi escrita antes do concílio de Jerusalém, talvez tão cedo quanto 48 d.C. (Ver o artigo sobre *Gálatas*). Pelo menos I e II Tessalonicenses são anteriores a muitas outras epístolas; e mesmo que não tivessem sido os primeiros livros sagrados escritos de Paulo, devem ter sido grafadas depois de Gálatas, que foi a primeira de todas as epístolas paulinas. Portanto, podemos propor a seguinte ordem das epístolas paulinas, com suas datas respectivas: 1. Gálatas, em cerca de 48 d.C. 2. I e II Tessalonicenses, em 50-51 d.C. 3. Então o grupo formado por Colossenses, Efésios e Filemom, em cerca de 54 d.C. 4. Após, I e II Coríntios e Romanos, em 54 - 57 d.C. (embora alguns estudiosos situem esse grupo tão cedo quanto 52 d.C.) 5. Filipenses, pois, caberia dentro do período do primeiro aprisionamento, c. de 61 a 63 d.C. 6. E as epístolas pastorais, isto é, I Timóteo, Tito e II Timóteo, nessa ordem, caberiam dentro do período geral do "segundo aprisionamento", em 65-68 d. C.

I. A Igreja em Tessalônica

A história da fundação da comunidade cristã de Tessalônica se acha em Atos 17:1-14. Paulo fundou essa igreja durante aquilo que chamamos de sua "segunda viagem missionária", tendo partido precipitadamente de Tessalônica, talvez no verão do ano 50 d.C., após ter conquistado certo número de convertidos. Em Tessalônica, Paulo, Timóteo e Silas sofreram severas perseguições da parte dos judeus incrédulos e, debaixo de pressão, foram forçados a abandonar a cidade. Dali partiram para Beréia; depois, para Atenas. Mas a retirada precipitada dos obreiros do Evangelho deixou os membros da igreja de Tessalônica um tanto menos alicerçados nos ensinamentos cristãos, especialmente no que concerne às questões escatológicas, o que não podia satisfazer ao apóstolo dos gentios. Dessa circunstância, portanto, é que surgiu a necessidade desta epístola, porquanto também os problemas surgiram na comunidade cristã de Tessalônica assim que partiram dali os pregadores cristãos.

No trabalho evangelístico ali desenvolvido, Paulo fora acompanhado por Timóteo e Silas, e a epístola escrita aos Tessalonicenses mostra que todos os três apresentam a saudação, como aqueles que a enviavam; portanto, provavelmente "...esta epístola foi escrita não muito depois da partida do grupo evangelizador. O grupo viera de Filipos para Tessalônica, pois em Filipos já haviam sido acossados por várias perseguições. No entanto, chegaram com bom ânimo, dispostos a trabalhar, não demorando muito para que contassem com um pequeno grupo de convertidos, também em Tessalônica".

Durante o período de evangelização em Tessalônica, o grupo se sustentou através de um trabalho manual árduo (ver I Tes. 2:9 e II Tes. 3:7b-8). (No tocante ao trabalho de Paulo como *fabricante de tendas*, ver as notas expositivas no NTI em Atos 18:3). Aquela área não gozava de economia tranqüila, tendo a sua população passado por um período recente de fome; e a vida ali não era fácil. Mas Paulo não exigiu dos convertidos, como também nunca exigiu de quaisquer outros, o sustento financeiro, embora seja esse o direito dos ministros do Evangelho (ver I Cor. 9:7-12,14). Todavia, Paulo e seus companheiros foram ajudados, em duas ocasiões, enquanto se encontravam em Tessalônica (ver Fil. 4:16); e a epístola aos Filipenses é, essencialmente, uma carta de agradecimento por isso. Tessalônica ficava cerca de cento e sessenta quilômetros de distância de Filipos, na Via Inácia, que corria diretamente para oeste, de Tessalônica para Pela, a capital e cidade provincial da terceira divisão daquela província, o que significa que as comunicações entre esses dois centros eram boas.

Apesar de que Tessalônica contava com numerosa população judaica, contudo, a igreja primitiva dali se compunha principalmente de pagãos que tinham abandonado os ídolos para abraçarem a fé cristã. Os trechos de I Tes. 1:9; 2:14,16; 4:5,9,10; 11 Tes. 2:13,14

TESSALONICENSES

demonstram isso. As passagens de Atos 17:1,2,4 e 18:4 mostram-nos que também alguns poucos judeus creram no Senhor, acompanhados por um numeroso grupo de gregos, além de muitas mulheres das melhores classes sociais. Isso despertou o ciúme e a inveja dos judeus incrédulos, que, finalmente, se lançaram em severa perseguição contra Paulo, contra seus colegas de evangelismo e contra a comunidade cristã em geral. A severidade dessa perseguição, pois, forçou o apóstolo a abandonar a cidade muito antes do que tinha planejado.

Não sabemos dizer por quanto tempo Paulo ficou em Tessalônica. A narrativa do livro de Atos nos dá a impressão de que o período foi curtíssimo (cerca de três semanas); mas o fato de que houvera tempo de Paulo se ocupar de seu ofício (ver I Tes. 2:9), e também de receber donativos dos crentes filipenses por duas vezes (ver Fil. 4:16), mostra-nos que sua permanência ali deve ter coberto pelo menos alguns meses. Pode-se observar em tudo isso, como em muitos incidentes similares, que a cronologia lucana, no livro de Atos, não tem o intuito de ser exata; além do que faltam muitos detalhes, que podem ser supridos mais acuradamente pelas próprias epístolas de Paulo. É que Lucas não fora testemunha ocular de muitos dos acontecimentos das viagens missionárias de Paulo, tendo de depender de fontes informativas que lhe davam informes abreviados, os quais não serviam para registrar dados cronológicos exatos.

Outro bom exemplo sobre isso é a viagem feita por Timóteo, de Atenas para Tessalônica, sobre o que ficamos sabendo em 1 Tes.3:1-8. Foi em face do relatório um tanto adverso de Timóteo que esta epístola foi escrita para os crentes tessalonicenses, onde Paulo recomenda que permaneçam firmes em Cristo, mas onde, por semelhante modo, procurou solucionar alguns problemas que tinham surgido na igreja local, acerca do que Timóteo informara o apóstolo. No entanto, o livro de Atos omite tudo isso. Com base nesse livro, poderíamos tão-somente supor que Timóteo e Silas foram deixados primeiramente em Beréia, enquanto Paulo partiu para Atenas, e que, mais tarde, ajuntaram-se a ele em Atenas, mas sem qualquer idéia de uma viagem paralela a Tessalônica. (Ver Atos 17:14-16). (Ver o artigo sobre *Tessalônica*).

II. Autoria

Os quatro grandes livros paulinos clássicos, que todos acolhem como autênticos, são Gálatas, Romanos, I e II Coríntios. Após essas epístolas temos Colossenses, Filipenses, Filemom e I Tessalonicenses, como quase indubitavelmente paulinas. F.C. Baur supunha que esta primeira epístola aos Tessalonicenses tenha sido escrita por algum discípulo de Paulo, com o propósito de reviver o interesse pela doutrina da "parousia" ou segundo advento de Cristo; e que esse discípulo atribuiu a autoria da mesma a Paulo, para emprestar-lhe maior autoridade. Mas isso tem sido reputado como uma curiosidade da história da crítica textual, que não é levada a sério pela vasta maioria dos eruditos. A própria epístola tem em seu subtítulo os nomes de Paulo, Silvano (Silas) e Timóteo; porque esses três haviam sido os fundadores daquela igreja, e continuavam juntos quando a epístola foi escrita, embora Paulo fosse o autor real da mesma. Nada existe na própria epístola, como conteúdo, estilo ou vocabulário, que nos sugira autoria não paulina. Por isso mesmo, sua autenticidade tem sido tão geralmente reconhecida, nos tempos antigos e modernos, que se torna supérflua qualquer discussão detalhada a respeito. A segunda epístola aos Tessalonicenses, por outro lado, encerra algumas coisas difíceis de explicar, sobretudo à base de certas doutrinas escatológicas que não parecem concordar com os pontos de vista gerais do apóstolo dos gentios. (Ver o artigo sobre *Tessalonicenses, Segunda Epístola de Paulo aos*, sob o título Autoria).

O *cânon* do NT, em seus primeiros passos, mais ou menos pela metade do segundo século da era cristã, já continha esta epístola. O *cânon* mais primitivo consistia de cerca de dez das epístolas paulinas e dos quatro evangelhos. (Ver o artigo separado sobre *Cânon*).

III. Data e Proveniência

Em contraste com outras epístolas paulinas, não é difícil determinar a data da escrita desta epístola (embora se admita pequena margem de erro). É mister associá-la às circunstâncias registradas em I Tes. 11:7, em vinculação com Atos 17:13-16 e com o começo do décimo oitavo capítulo desse livro. É provável que no começo do verão de 50 d.C., ou mesmo antes, Paulo e seus companheiros tenham deixado Tessalônica apressadamente, sob a pressão dos perseguidores. A comunidade cristã dali não fora ainda bem firmada. O grupo evangelizador dirigiu-se a Beréia, e dali partiu para Atenas. Paulo enviou Timóteo de volta a Tessalônica (ver I Tes. 3:1-7), enquanto ele mesmo gostaria de tê-lo feito; mas foi impedido de retornar. (Ver I Tes. 2:18). A alusão de Paulo à "Acaia", em I Tes. 1:7, indica que ele se encontrava naquela região quando escreveu esta epístola (isto é, achava-se em Corinto, uma das principais cidades do território). Timóteo foi ajuntar-se a Paulo em Corinto, trazendo-lhe o relatório das circunstâncias adversas em Tessalônica, o que motivou a escrita desta epístola. Podemos julgar, pois que esta epístola foi escrita em Corinto, em cerca do fim de 50 d.C. ou começo de 51 d.C. se exectuarmos a epístola aos Gálatas, pois, essa foi a primeira de todas as epístolas do NT. Há boas evidências de que Paulo chegou em Corinto na primavera de 50 d.C., ou um pouco mais tarde, e que esta epístola aos Tessalonicenses foi escrita pouco depois. As evidências arqueológicas dizem-nos quando Gálio apareceu em Corinto. Relacionando a sua chegada à permanência de Paulo na cidade (ver Atos 18:12) podemos obter uma data relativamente segura para essa questão, a única data diretamente firmada pela arqueologia para os acontecimentos do livro de Atos.

IV. Motivo e Propósitos

O que dizemos acima indica, de maneira regularmente clara, qual o motivo que ocasionou esta epístola. A retirada apressada de Paulo de Tessalônica não lhe permitiu firmar a comunidade cristã dali conforme ele desejava fazê-lo. Paulo havia ensinado àqueles crentes algumas doutrinas, incluindo a doutrina da "parousia" ou segundo advento de Cristo; e isso criara entre os tessalonicenses um vívido interesse. Também lhes ensinara algo sobre a ética cristã; mas não houvera tempo de desviá-los completamente dos vícios pagãos. Portanto, muito ainda havia a ser feito quanto a esse ensino. Não sendo capaz de ir pessoalmente a Tessalônica, Paulo enviou Timóteo para ver como aqueles crentes estariam progredindo. E se sentiu muito animado pelas notícias que Timóteo lhe trouxe na volta; talvez estivessem se conduzindo melhor do que ele esperava, sob tão duras circunstâncias. Mas os tessalonicenses crentes estavam sendo vítimas das perseguições, e isso provocou ansiedade no apóstolo, pois temia que se desviassem de Cristo em meio às dificuldades prementes. Ouvindo, pois, o relatório trazido por Timóteo, tendo tomado conhecimento da situação dos tessalonicenses, de suas vitórias e fraquezas, Paulo escreveu a epístola.

Esta epístola procura consolar os crentes de Tessalônica na tribulação; procura, igualmente, modificar seus pontos

TESSALONICENSES

de vista sobre a lassidão nas questões sexuais; procura também instruí-los acerca da realidade e do significado da *parousia* ou segunda vinda de Cristo, além de procurar fornecer-lhes instruções morais sobre assuntos gerais, para que pudessem viver de uma maneira digna de sua vocação cristã.

Entre outras coisas, também parece que, na ausência de Paulo, alguns elementos haviam procurado solapar a influência de Paulo em Tessalônica (ver I Tes. 2:15-18); e essa atividade pode ser atribuída a adversários judeus do apóstolo. Assim sendo, o próprio Paulo assegurou-lhes que ele desejara retornar a Tessalônica e que não os estava negligenciando, mas que fora impedido por Satanás em seu propósito, através de circunstâncias fora de seu controle. Por conseguinte, enviou-lhes a Timóteo, para substituí-lo. (Ver I Tes. 3:1 e ss). O tom "apologético" desta epístola transparece especialmente em I Tes. 2:12, onde Paulo se defende de várias acusações, como se ele fosse insincero e usasse de palavras de lisonja a fim de obter suas finalidades, como se ele fosse mercenário e impuro. Essas serão sempre as formas de acusação que os inimigos assacam contra os pregadores do Evangelho, esperando destruí-los, juntamente com sua influência. Paulo nega a verdade de qualquer dessas coisas; e apresentar sua negativa foi um dos propósitos motivadores desta epístola. Paulo apela para a memória dos crentes tessalonicenses acerca de tudo quanto ele e seus companheiros tinham feito entre eles, a fim de refutar tais acusações.

V. Temas Centrais

Paulo queria se defender de falsas acusações (ver I Tes. 1:9 e 2:1-13). Também queria encorajar aos crentes tessalonicenses sob a perseguição (ver 1 Tes. 2:14-16), assegurando-lhes que também vinha sendo perseguido. E queria instruí-los acerca de questões morais, mormente aquelas que se relacionam ao sexo e seu uso apropriado.

Os pagãos rejeitavam aqueles costumes dotados de mentalidade judaica, devido à sua lassidão sobre todas as questões acima, não sendo tarefa fácil fazer aqueles que vinham do paganismo adotar um ponto de vista sério sobre os pecados de natureza sexual. A maioria dos pagãos nada via de errado nas relações sexuais anteriores ao matrimônio; e apesar de que o adultério era condenado entre eles, mesmo assim era comumente praticado. Além disso, havia perversões comuns entre eles, como o homossexualismo, o que não era condenado em termos bem definidos, nem mesmo pelos melhores filósofos e moralistas pagãos. O trecho de Rom. 1: 18 até o fim, nos fornece um vívido quadro sobre o estado aviltado da moralidade pagã. Paulo, pois, exortou aos crentes tessalonicenses que buscassem uma *santificação* sincera. Além disso, os crentes de Tessalônica haviam compreendido mal a natureza e a significação da *parousia* ou segunda vinda de Cristo. Alguns deles pensavam que aqueles que tinham morrido, não tendo podido resistir até o retorno de Cristo, haviam desaparecido para sempre. E Paulo teve de mostrar-lhes que a segunda vinda de Cristo envolverá a ressurreição de todos os remidos, que nenhuma vida crente se perderá, mas antes, que todos os discípulos de Cristo obterão novo significado e nova estatura espiritual naquela oportunidade. (Ver I Tes. 4:13-18). Com base na doutrina da segunda vinda de Cristo, os crentes tessalonicenses são convocados a não "dormir", como os outros, os quais praticam obras próprias das trevas, visto que eram filhos da luz e não estavam aguardando a grande Luz dos Céus, a saber, Cristo Jesus. Desse pensamento, pois, Paulo faz depender todas as suas instruções finais sobre a moralidade. (Ver 1 Tes. 4:4-28).

Esta epístola se reveste de tom altamente pessoal, pois satisfaz as necessidades locais. Por isso mesmo, não inclui grandes e elevadas declarações doutrinárias paulinas, como a justificação pela fé, por exemplo, com o apoio de textos extraídos das páginas do AT, principalmente porque o antigo problema do legalismo ainda não chegara a perturbar os crentes tessalonicenses.

VI. Conteúdo

I. Saudação (1: 1)
II. Ação de Graças e Defesa (1:2-3:13)
1. Ação de graças pela fé e constância deles
2. Trabalho de Paulo e conduta recente (2:1-12)
3. Ação de graças pelo progresso do evangelho em Tessalônica (2:13-16)
4. Desejo de revisitar os tessalonicenses (2:17-20)
5. Timóteo lhes seria enviado (3:1-10)
6. Oração de Paulo quanto a eles (3:11-13)
III. Exortações e Instruções (4:1-5:28)
1. Pureza e amor (4:1-12)
2. A *parousia* e sua significação (4:13- 18)
3. Subitaneidade da vinda do Senhor (5: 1 - 11)
4. Ética prática (5: 12-22)
5. Oração pela igreja (5:23,24)
IV. Saudações e Bênção Final (5:25-28)

VII. Bibliografia:
AM E EN IB ID LAN MOF NTI TI TIN VIN RO Z

TESSALONICENSES, Segunda Epístola de Paulo aos Esboço:
I. A Igreja em Tessalônica
II. Autoria, Autenticidade e Relação com I Tessalonicenses
III. Data e Proveniência
IV. Motivos e Propósitos
V. Temas Centrais
VI. Conteúdo
VII. Bibliografia

Posto que as duas epístolas aos Tessalonicenses foram escritas na mesma época, em geral dotadas de muito do mesmo conteúdo, o presente artigo não pode ser reputado completo sem a leitura do artigo sobre a primeira epístola aos Tessalonicenses, devendo ser considerado apenas como um suplemento. O leitor é levado a lembrar-se das afirmações introdutórias que tratam sobre as várias epístolas da coletânea paulina, procurando situar essas duas epístolas entre as mesmas no que concerne tanto à seqüência cronológica como no tocante à sua autenticidade. Deve-se notar que, com a exceção possível da epístola aos Gálatas, essas duas epístolas são os escritos mais antigos do apóstolo Paulo, o que também faz delas os livros mais antigos do próprio NT.

I. A Igreja em Tessalônica

Este tema é igualmente a primeira questão a ser discutida na introdução à primeira epístola aos Tessalonicenses. O estado geral daquela comunidade cristã continuava estacionado, pois certamente Paulo escreveu esta segunda carta pouco tempo depois da primeira, quando ainda se achava em Corinto, onde passou dezoito meses. Todavia, a julgar pelo conteúdo desta segunda epístola, pode-se perceber que certos problemas, em vez de tenderem para a solução, se tornaram mais graves. Por exemplo, os "ociosos" e "desregrados", que procuravam viver às custas da igreja local ou de seus parentes, não procurando emprego, desculpando-se de sua indolência em face da proximidade do segundo advento de Cristo, o que tornaria desnecessário o trabalho - se tinham tornado ainda mais desordeiros. Por conseguinte, foi mister que Paulo os censurasse ainda mais severamente do que fizera na primeira epístola, tendo chegado a ordenar à igreja local que negasse comunhão com aqueles elementos. Mui provavelmente, aquela gente começara a viver de forma tão desordenada que tinha revertido às suas antigas bebedeiras e boemias pagãs, além de outros pecados de excessos. (Comparar isso com I Tes. 4:11 e ss, e com II Tes. 3:10 e ss, para que se note a diferença nas atitudes, que haviam piorado). Mas aquela comunidade cristã continuava mantendo vívido interesse pelo segundo advento de Cristo para breve. Entretanto, parece que alguns de seus membros tinham pervertido esse ensinamento apostólico, dizendo que tal acontecimento já ocorrera, ou que era de se esperar para dentro de um período excessivamente curto. E isso, evidentemente, provocara alguma agitação na igreja de Tessalônica. Paulo, pois, escreveu esta segunda epístola aos Tessalonicenses a fim de acalmar as águas agitadas.

Talvez o ponto mais importante a notar, no tocante à igreja de Tessalônica, em face dessas duas epístolas de Paulo, seja a teoria exposta por Adolph Harnack ("Das Problem des *zweiten* Thessalonicherbriefs" Berling: George Reijer, 1910). Essa teoria estipula que a primeira dessas epístolas foi dirigida, principalmente, ao ramo gentílico da igreja, ao passo que a segunda foi escrita à seção judaica. As narrativas de Atos 17:1,2,4 e 18:4 mostram-nos que havia, realmente, um grupo judaico. Essa teoria foi proposta a fim de explicar algumas dificuldades atinentes à teoria, sendo abordada com maior amplitude na seção seguinte a esta introdução. Se essa teoria está ao lado da verdade, ficaria provado o fato de que aquela comunidade cristã se compunha de dois elementos bem distintos, e também que o elemento judaico tinha considerável poder, por ser numericamente forte. Por outro lado, a falta total do problema "legalista" (que era uma praga em Corinto, em Roma e na Galácia), e que provocara as longas explicações paulinas sobre a doutrina da justificação pela fé, além de várias reprimendas contra seus oponentes, parece sugerir-nos que o elemento judaico na comunidade cristã de Tessalônica era pequeno e essencialmente destituído de influência, a menos, naturalmente, que aqueles judeus convertidos tivessem ficado inteiramente convencidos sobre a veracidade da doutrina de Paulo. Porém, isso não é muito provável, pois em nenhuma outra localidade Paulo conseguiu conquistar para seus pontos de vista, mui facilmente, os judeus, depois de muitos anos de lealdade às tradições judaicas.

II. Autoria, Autenticidade e Relação com I Tessalonicenses

A primeira epístola aos Tessalonicenses tem sido aceita de modo virtualmente universal, e em todos os séculos, como livro de autoria paulina. E essa aceitação também era conferida a esta segunda epístola aos Tessalonicenses, até os tempos modernos, quando várias dificuldades foram levantadas pelos estudiosos, as quais são expostas em forma de esboço, como segue:

A. Para começar, temos de considerar o problema mais difícil de todos, a ênfase escatológica dessas duas epístolas. O trecho de I Tes. 4:13 e ss declara que a *Parousia* (vide), isto é, a segunda vinda de Cristo (ver I Tessalonicenses 4:15), era esperada para breve, se não para imediatamente, sem quaisquer sinais precedentes. Mas a passagem de II Tes. 2:1-12 declara, de forma igualmente enfática, que aquele dia não seria cumprido imediatamente, mas antes, que seria precedido por vários sinais e acontecimentos, como, por exemplo, o aparecimento do Anticristo. Pelo menos superficialmente, esses dois ensinos são claramente contraditórios. E apesar desta segunda epístola aos Tessalonicenses assim mesmo indicar que o segundo advento de Cristo é para breve, pois o "mistério da iniqüidade" é visto como algo que já opera, todavia, essa vinda não pode ser encarada como "iminente". E diversos métodos têm sido empregados para explicar essa diferença sobre pontos de vista escatológicos, conforme a apresentação dessas duas epístolas, a saber:

1. Talvez a explanação mais popular da Igreja evangélica de hoje em dia consista em dizer que a primeira epístola aos Tessalonicenses aborde a questão do "arrebatamento da Igreja", que seria realmente iminente, não requerendo qualquer sinal antecedente, ao passo que na segunda dessas epístolas, o "segundo advento de Cristo, em glória", a fim de julgar, estaria em foco, o qual seria precedido por diversos sinais, incluindo o período da tribulação e a vinda do Anticristo. A dificuldade com esse ponto de vista é que o exame dos termos usados em ambas as epístolas são idênticos, e que a única diferença se dá dentro do elemento do "tempo", isto é, se a segunda vinda de Cristo deve ser reputada como iminente ou não. A passagem de II Tes. 3:2 usa as palavras *dia de Cristo*, que é uma expressão comum para indicar a "parousia", aplicada por toda a parte para indicar a expectativa dos crentes. (Ver Fil. 1:10 e 2:17, por exemplo). A passagem de I Tes. 5:2 usa a expressão "dia do Senhor". Poderíamos esperar que essa expressão fosse usada para aludir ao dia do juízo, pois, no AT, ela é seguidamente usada com esse significado. No entanto, quando examinamos essas expressões, como o dia de Cristo (ver Fil. 1:10), "dia de Jesus Cristo" (ver Fil. 1:6) e "dia do Senhor" (ver II Tes. 2:2), percebemos que elas foram utilizadas como expressões sinônimas. Além disso, pode-se observar o modo de usar a expressão "dia", nos capítulos quarto e quinto da primeira epístola aos Tessalonicenses, onde não se nota qualquer distinção no que esse dia se aplica aos crentes ou aos incrédulos, quanto ao "período de tempo" em que o mesmo ocorrerá, a despeito das imensas diferenças de seus "efeitos". Um mesmo dia apanhará alguns sonolentos e outros despertos. Na verdade, a distinção quanto ao "tempos" surgiu na mente dos estudiosos nos últimos cento e cinqüenta anos. A questão inteira é discutida com abundância de detalhes, com argumentos favoráveis e contrários, nas notas expositivas em I Tes. 4:15 no NTI. (Ver o artigo sobre *Parousia*). Pode-se asseverar, portanto, que a distinção entre o "arrebatamento da Igreja" e a "segunda vinda de Cristo", como explicação para as diferenças sobre pontos escatológicos, entre a primeira e a segunda epístola aos Tessalonicenses, não é muito adequada. (Ver o artigo sobre *Dia do Senhor*).

2. Outros eruditos supõem que a primeira epístola aos Tessalonicenses tenha sido escrita para a porção gentílica da Igreja, e que a segunda dessas epístolas tenha sido escrita para a porção judaica. Porém, mesmo admitindo ser isso uma verdade - embora não haja real motivo para aceitar tal idéia - o problema de por que Paulo teria ensinado uma escatologia para os gentios e outra para os judeus permanece um mistério. Que não havia problemas legalistas na comunidade cristã de Tessalônica é prova suficiente de que a divisão judaica ali existente era pequena e relativamente destituída de poder de influência.

3. Além disso, poderíamos supor que o próprio Paulo tenha mudado de maneira de pensar, ou que talvez tivesse duas opiniões ao mesmo tempo, hesitando entre uma e outra; ou então, poderiam ter-lhe sido dadas algumas

TESSALONICENSES

revelações adicionais sobre o Anticristo, depois que escreveu a primeira epístola aos Tessalonicenses, o que modificou suas opiniões sobre a iminência do retorno de Cristo. Se não admitirmos tal modificação, então, simplesmente, ficamos abraçados com um mistério sobre por que ele expôs dois pontos de vista diferentes para a mesma comunidade cristã.

4. Há intérpretes que simplesmente vêem uma solução na idéia de que algum discípulo de Paulo ou um cristão de séculos posteriores compôs em seu nome a segunda epístola aos Tessalonicenses, em um período da história quando os crentes começaram a perceber que a vinda de Cristo não ocorreria "imediatamente"; e assim esta segunda epístola teve por intuito corrigir o ponto de vista da primeira. Alguns crentes provavelmente começaram a pensar que a outorga do Espírito Santo, o *alter ego de Cristo*, fora, realmente, a vinda prometida.

5. A solução *mais* satisfatória, porém, para vários estudiosos que se aferram à autoria paulina desta segunda epístola aos Tessalonicenses é que nada há de tão estranho assim em um autor sagrado defender duas opiniões aparentemente contraditórias, expressando uma delas numa oportunidade, para em seguida, oferecendo-se ocasião para tanto, começar a expor a outra opinião, também por razões adequadas.

6. Para mim existe uma explicação ainda mais provável do que qualquer daquelas apresentadas acima. Luz do Velho Testamento: É claro, nas escrituras do V.T., que diversos profetas apresentam a primeira e a segunda vindas de Cristo sem qualquer distinção cronológica. Eles não compreenderam que estavam descrevendo *dois* acontecimentos. O avanço do processo histórico-espiritual e o cristianismo trouxeram o conhecimento de que o plano de Deus incluiria dois adventos. Paulo, estando longe do tempo do Segundo Advento, não tinha uma compreensão muito exata sobre os aspectos cronológicos daquele acontecimento futuro. Pode ser, então, que a vinda de Cristo para a Igreja, e a vinda para julgar o mundo, foram separadas por algum tempo, sem que as escrituras do Novo Testamento fizessem isto muito claro. Paulo, portanto, podia esperar o arrebatamento da Igreja como se fosse sem sinais. Mas esta esperança foi um *sentimento*, não um dogma. Os cristãos do primeiro século, de modo geral, compartilharam este sentimento. I Tes. descreve o sentimento de iminência. II Tes. tem informação mais exata que assume a forma de um dogma. A informação é que a Igreja deve enfrentar o Anticristo. Naturalmente, isto quer dizer que certos sinais devem anteceder a vinda de Cristo para a Igreja (o arrebatamento). II Tes. e Apocalipse mostram que a Igreja deve enfrentar o Anticristo e, portanto, passar pelo menos parte da Grande Tribulação. Se a vinda de Cristo para a Igreja acontecer antes daquela para julgar, então a Igreja pode ser arrebatada antes dos sete anos tradicionais da tribulação. Mas a própria tribulação, quase certamente, durará bem mais do que estes sete anos, provavelmente 40 anos, o número místico e simbólico de provação. Os sete anos constituirão uma parte dos quarenta, e terão uma aplicação especial para a nação de Israel.

A substância do meu argumento é, então, que em I Tes. Paulo antecipava o arrebatamento da Igreja sem sinais, portanto, potencial e iminentemente. Mas esta esperança foi um sentimento, não um dogma. Em II Tes., Paulo demonstra um conhecimento mais avançado. A Igreja deve enfrentar o Anticristo. Este conhecimento torna-se um dogma. O Apocalipse confirma a verdade do dogma.

B. O próprio caráter da segunda epístola aos Tessalonicenses, em seu segundo capítulo, tem deixado os intérpretes perplexos, levando alguns deles a duvidar da autoria paulina. A forma de abordar a questão do Anticristo se destaca como absolutamente *sui generis* nos escritos de Paulo. Entretanto, a maioria dos eruditos rejeita a idéia de "interpolação", porquanto tal capítulo se encaixa perfeitamente dentro da epístola, fazendo parte integral da mesma, e não sendo uma excrescência. É possível, a despeito disso, que certas doutrinas, até mesmo doutrinas importantes, pudessem encontrar caminho apenas uma vez para o interior de um grupo de epístolas, as quais, afinal de contas, foram apenas algumas dentre muitas. Pelo menos não há razão por que isso não poderia ter acontecido. As passagens de I João 2:18 e ss, e II João 7 mostram-nos que a tradição sobre o Anticristo já existia na Igreja primitiva. Alguns elementos da Igreja primitiva pensavam que Nero seria o *Anticristo;* e muitos deles, mesmo depois da morte daquele imperador romano, imaginavam que o Anticristo seria o Nero redivivo, ponto de vista esse defendido por alguns até hoje. Outros explicam a presença dessa seção do segundo capítulo da presente epístola como um pequeno apocalipse cristão, mas não composto por Paulo e, sim, apenas incorporado nesta sua epístola, e que encerrava algum pensamento contraditório com o daquele apóstolo, expresso em sua primeira epístola aos Tessalonicenses. Todavia, isso não passa de conjetura - provavelmente incorreta.

C. Para alguns eruditos, a evidência forte, contrária à autoria paulina, não consiste nos problemas escatológicos, mas antes, na extrema semelhança de estilo e de linguagem entre a primeira e a segunda epístolas aos Tessalonicenses. Pois essas cartas são por demais parecidas em seu conteúdo, a ponto de despertar suspeita, excetuando o caso do pequeno apocalipse, constituído pelo segundo capítulo desta segunda epístola. Isso poderia indicar que um autor posterior copiou grandes porções daquela primeira epístola, ficando assim produzida uma epístola que é quase uma duplicata daquela; mas esse autor desconhecido teria acrescentado o que é agora o segundo capítulo desta segunda epístola e que versa sobre a segunda vinda de Cristo, a fim de contrabalançar a idéia da iminência de seu retorno. E aqueles que aceitam esse argumento como veraz salientam que a duplicação é quase sempre verbal, embora lhe falte algo, a saber, o calor normal e a afeição das expressões de Paulo. Assim teria sido criada uma "imitação", com algumas modificações vitais, feitas por razões dogmáticas, e talvez em adaptação aos sentimentos cristãos de um período posterior, no tocante ao elemento do "tempo" da "parousia", ou segundo advento de Cristo. Naturalmente, isso se dá no caso de todas as cartas forjadas, que com freqüência incorporam porções extensas de escritos genuínos conhecidos do autor verdadeiro, para facilitar a imitação. (Ver *Laodicenses, Epístola aos*. Essa epístola forjada contém muitos elementos da epístola aos Filipenses, tendo sido ainda incorporadas idéias que aparecem em outros escritos paulinos, que nos são bem conhecidos, não passando de uma carta obviamente forjada).

Mas a diferença de tom tem sido explicada com base na teoria de que a primeira epístola aos Tessalonicenses foi dirigida à Igreja cristã gentílica, ao passo que a segunda epístola do mesmo nome foi dirigida à seção judaica da Igreja. Mas essa teoria não oferece solução adequada, pois por que razão Paulo seria tão obviamente caloroso para com os crentes gentios, e frio para com os crentes judeus, de uma única comunidade cristã? Além disso, a grande

TESSALONICENSES

semelhança entre uma e outra dessas epístolas pode ser melhor explicada pelo pensamento de que Paulo empregou tipos *esterotipados* de expressão, visto que escrevia novamente para o mesmo grupo e já que falava sobre o mesmo assunto, com esclarecimentos mais profundos. Não é de admirar, pois, que tivesse usado as mesmas formas de expressão. Se o que dissemos no fim deste parágrafo é verdade, então ficaria demonstrado, pelo menos, que um grande autor ou um grande pregador, pode cair no mau estilo das repetições cansativas.

D. Finalmente, tem sido salientado por alguns eruditos que as fortes tentativas de afirmação de genuinidade, conforme se vê em II Tes. 2:2,15, onde "epístolas anteriores" do apóstolo Paulo são mencionadas, vinculando esta àquelas, ou como o trecho de II Tes. 3:17, que é uma afirmação direta da autoria paulina, são tentativas artificiais e exageradas; e isso sob a alegação de que Paulo não tinha razão alguma para mostrar-se tão "apologético" acerca dessa questão, ante os crentes de Tessalônica. Portanto, esses críticos consideram essas tentativas de autenticação como esforços feitos, por algum escritor posterior, que teria escrito em nome de Paulo, e que queria que sua epístola fosse aceita mais facilmente com base na reconhecida autoridade daquele apóstolo. No entanto, há eruditos que vêem nessas tentativas exatamente sinais da autoria paulina, pois, se tais tentativas não fossem genuínas, facilmente teriam sido reconhecidas como artificiais pelos seus primeiros leitores.

E. Quando se trata de cartas tão curtas como I Tes. é fácil cair na armadilha de exagero sobre questões de estilo, conteúdo e vocabulário, fazendo mais de tais coisas do que uma quantidade tão pequena de matéria permite. Acreditamos que certos eruditos têm visto demais numa quantidade de matéria tão pequena, e seus argumentos contra a autoria paulina não são convincentes.

A despeito das dificuldades, a maioria dos estudiosos modernos continua defendendo a autoria paulina desta segunda epístola aos Tessalonicenses; e esta *Enciclopédia* trata essa epístola como um dos escritos genuínos de Paulo.

III. Data e Proveniência

(Quanto a esse particular, ver uma discussão sobre a mesma questão, na seção III do artigo à primeira epístola aos Tessalonicenses). A maioria dos eruditos acredita que a data não pode ser fixada em muito depois da primeira epístola àquela comunidade, e que ambas foram escritas em Corinto, pelas razões aludidas nas notas referidas. Entretanto, alguns estudiosos têm chegado à estranha conclusão de que a segunda epístola aos Tessalonicenses foi escrita antes da primeira, tendo sido enviada àquela comunidade de Beréia, antes da viagem de Paulo para Atenas, e daí para Corinto. Entretanto, esse ponto de vista tem recebido pouquíssima atenção, sendo algo altamente conjectural, com pouca evidência sólida a em seu favor. E muito difícil entendermos o trecho de II Tes. 2:1-12, exceto como tentativa de "corrigir" determinadas idéias que a comunidade cristã de Tessalônica chegou a ter, por causa da primeira epístola aos Tessalonicenses, a qual não foi bem entendida, sobretudo em seu estudo sobre a "parousia" ou segundo advento de Cristo. As referências de II Tes. 2:2 e 13 parecem referir-se ao retorno àquela primeira epístola. Além disso, a exposição acerca dos *desordenados*, em II Tes. 3:10 e ss, parece ser um ponto mais avançado na menção do mesmo problema, feito em I Tes. 4: 11, problema esse que, aparentemente, se tornara ainda mais crítico desde que fora escrita aquela primeira epístola. Estamos aqui manuseando os escritos mais antigos do apóstolo dos gentios, e também os escritos mais antigos de todo o NT, com a exceção única e possível da epístola aos Gálatas. Provavelmente a primeira e a segunda epístola aos Tessalonicenses podem ser datadas em cerca do ano 50 d.C., isto é, cerca de vinte anos passados da cena da crucificação e da ressurreição do Senhor Jesus Cristo.

IV. Motivos e Propósitos

(Quanto ao material do pano de fundo sobre este particular, ver a exposição sobre o mesmo tema, na seção IV da primeira epístola aos Tessalonicenses). Após ter sido enviada a primeira epístola aos Tessalonicenses, cujo intuito foi o de corrigir certas idéias errôneas, bem como alguma conduta imprópria da parte de certos crentes tessalonicenses, Paulo continuou a receber, em Corinto, relatórios perturbadores acerca das condições daquela comunidade cristã. A questão da "parousia" ou *dia do Senhor* (a sua segunda vinda), continuava a ser tema intensamente referido, mas do qual alguns abusavam ou expunham pontos de vista errôneos. É bem provável que alguns daqueles crentes tivessem começado a dizer que o retorno de Cristo já ocorrera, podendo ser talvez identificado com o dom do Espírito; mas outros persistiam em exagerar sobre sua iminência, recusando-se a trabalhar e vivendo às expensas da igreja ou de seus parentes, além de se comportarem de forma desordenada. É verdade que aqueles crentes tessalonicenses tinham sido bem instruídos acerca dessa questão escatológica (ver o trecho de 1 Tes. 5:1,2; e ver igualmente II Tes. 2:5); mas as idéias errôneas persistiam, mesmo depois de haver sido recebida a primeira epístola aos Tessalonicenses. Por isso é que Paulo escreveu a presente segunda epístola aos Tessalonicenses, a fim de aclarar certos pontos expressos na primeira, dizendo ele que o dia de Cristo ainda não ocorrera, e que, apesar do retorno de Cristo ser para "breve" (provavelmente Paulo retinha a idéia que isso ocorreria estando ele mesmo ainda vivo na carne), não seria esse advento para "já", pelo que também todos os crentes deveriam continuar a trabalhar normalmente. Foi também em face disso que Paulo incorporou a importante seção acerca do Anticristo, porquanto considerava o aparecimento do iníquo como um acontecimento necessário para antes do aparecimento do "dia de Cristo". (Ver a seção I deste artigo, quanto a uma discussão sobre as dificuldades da suposta "contradição", criadas pela primeira epístola aos Tessalonicenses, e por causa do que alguns eruditos têm chegado a duvidar da autoria paulina desta segunda epístola aos Tessalonicenses. Ver também os trechos de II Tes. 2:1-12 e 3:10 e ss, acerca de evidências em favor desses "motivos" da escrita desta segunda epístola).

"Parece (com base em II Tes. 3: 11) que todas essas questões haviam sido relatadas ao apóstolo, oralmente, por alguns daqueles que, na época, iam a Tessalônica e voltavam (ver 1 Tes. 1:7,9 e II Tes. 1:4), ou então da parte do portador desconhecido da primeira epístola aos Tessalonicenses (comparar com 1 Tes. 1:1 e 3:6), ou mesmo mediante uma carta recebida por eles (conforme é sugerido por James E. Frame). Não estamos certos acerca do canal ou canais informativos; mas as condições e as necessidades propriamente ditas são perfeitamente claras". (*Bailey*, na introdução ao seu comentário sobre esta segunda epístola aos Tessalonicenses).

V. Temas Centrais

A intensa **ênfase escatológica** prossegue, destacando-se sobretudo a volta de Cristo para breve, embora agora seja antecedida por certos acontecimentos,

TESSALONICENSES – TESTAMENTO

que servem de sinais, deixando assim de ser absolutamente iminente. A esse quadro profético é acrescentado o "pequeno apocalipse", constante do trecho de II Tes. 2:1-12, que na realidade forma o tema central desta segunda epístola inteira. A ênfase sobre a necessidade de "santificação" continua; pois aqueles crentes viviam em meio a uma sociedade pagã, precisando eles ser constantemente relembrados acerca dessa particularidade. (Comparar os trechos de I Tes . 4:3 e II Tes. 2:13 entre si). Lemos agora que a santificação é o meio de salvação, porquanto a salvação realmente se vai concretizando através da santificação. Sim, pois ninguém verá ao Senhor Deus sem a "santidade" (ver Heb. 12:14); e isso como uma possessão real do indivíduo, e não meramente como questão "forense". A ênfase sobre a ética prática, mediante o amor, tem prosseguimento (ver II Tes. 3:1-5); em seguida, a fortíssima reprimenda contra os "ociosos" e "desordeiros" (ver 11 Tes. 3:6 e ss) desenvolve o mesmo tema que é mencionado na passagem de I Tes. 4:11 e ss. O tema do "consolo debaixo das perseguições" é o tema da introdução, o que também se verifica no caso da primeira epístola aos Tessalonicenses. (Comparar II Tes. 1:4 e ss, com 1 Tes. 1:6,7 e 3:3 e ss).O fortíssimo tom apologético que transparece na primeira dessas epístolas, onde Paulo se defende de certas críticas que faziam a ele na comunidade cristã de Tessalônica, entretanto, se faz ausente nesta segunda epístola.

VI. Conteúdo
I. Saudações (1:1,2)
II. Ação de Graças e Encorajamento (1:3-12)
 1. Elogio à fé, ao amor e à constância (1:3,4)
 2. Juízo de Deus contra os perseguidores e ímpios (1:5-7a)
 3. A *parousia* (1:7b-10)
 4. Oração de Paulo por eles (1:11,12)
III. O Anticristo e os Eventos Anteriores à *Parousia* (2:1-17)
 1. Repreensão contra os falsos ensinos (2:1-3a)
 2. Descrição sobre o Anticristo (2:3b-10)
 3. Castigo dos que amam o erro (2:11,12)
 4. Ação de graças pela chamada divina dos tessalonicenses (2:13-15)
 5. Oração em prol da constância deles (2:16,17)
IV. Instruções e Oração Final (3:1-18)
 1. Pedido de orações da parte deles (3:1,2)
 2. Confiança de Paulo neles (3:3-5)
 3. Severa advertência aos ociosos e desordenados (3:6-15)
V. Bênção (3:16-18)
VII. Bibliografia.
AM E EN I IB ID LAN MOF NTI TI TIN VIN RO Z

TESTA

Há uma palavra hebraica e uma palavra grega envolvidas neste verbete:

l. *Metsach*, "testa", termo hebraico usado por onze vezes: Isa. 48:4; Êxo. 28:38; 1 Sam. 17:49; 11 Crô. 26:19,20; Jer. 3:3; Eze. 3:8,9; 9:4.

2. *Métopon*, "testa", "lugar entre os olhos". Palavra grega usada por oito vezes, sempre no livro de Apocalipse (7:3; 9:4; 13:16; 14:1,9; 17:5; 20:4; 21:4).

Literalmente, a palavra grega envolvida significa "acima do olho". No Antigo Testamento encontramos os seguintes sentidos da palavra: 1. No sentido literal (Êxo. 28:28), Aarão foi instruído a usar uma placa de ouro puro, sobre a testa, quando estivesse oficiando como sumo sacerdote. Em I Sam. 17:49 e II Crô. 26:19,20, a palavra "testa" é mencionada em conexão com os sinais da lepra, ali deixados. 2. No sentido figurado, em Eze. 3:8,9, que menciona a direção em que a pessoa volta a cabeça, indica determinação ou desafio. Em Eze. 9:4-6 aprendemos que a letra hebraica "T" (que tinha a forma de uma cruz, nos tempos antigos), era marcada sobre a testa daqueles que lamentavam por causa das abominações de Israel.

Todas as referências neotestamentárias à testa de alguém dizem respeito às marcas, selos ou nomes que serão postos ali, para identificar quem é servo do Senhor, nos últimos dias. Mediante esses sinais, haverá a distinção espiritual entre os que são e os que não são servos de Deus. Ver Apo. 7:3; 9:4; 13:16; 14:1 e 20:4. Também sabemos que as antigas prostitutas faziam-se conhecer através de alguma espécie de marca posta na testa. Ver Jer. 3:3 e Apo. 17:5. No livro de Ezequiel, as marcas sobre a testa eram feitas com tinta; mas, no livro de Apocalipse, essas marcas são selos. No Êxodo, as marcas na testa eram devidas a pragas. Além disso, os israelitas religiosos, a mando do Senhor, usavam *filactérias* (vide) sobre a testa.

Usos Figurados:
Entre os itens acima mencionados, há sentidos figurados. Poderíamos alistar, especificamente, os seguintes:

1. A atitude de desafio ou de determinação pode ser indicada pela direção em que o rosto ou testa se volta (Eze. 18,9).

2. Ter a testa selada ou assinalada pode indicar identificação, proteção (Eze. 9:3; Apo. 7:3).

3. Ter o nome de Deus inscrito na testa identifica a pessoa com o ser divino e subentende a obediência às leis de Deus, bem como notável serviço prestado ao Senhor (Apo. 14:1; 22:4).

4. Uma testa ou fronte de prostituta (Jer. 13; cf. Eze. 3:8) indica obstinação contra Deus e a idolatria, com todos os tipos de pecados pagãos combinados.

5. Aqueles que receberão a marca da besta (ver sobre o *Anticristo*) estarão irremediavelmente assinalados como seus servos, e serão os instrumentos especiais da rebelião e da corrupção mundiais, encabeçadas por ele (Apo. 13:16; 20:4).

TESTAMENTO

No grego, *diathéke*, um vocábulo que figura por trinta e três vezes no Novo Testamento: Mat. 26:28; Mar. 14:24; Luc. 1:72; 22:20; Atos 3:25; 7:8; Rom. 9:4; 11:27 (citando Isa. 59:21); I Cor. 11:25; II Cor. 16,14; Gál. 3:15,17; 4:24; Efé. 2:12; Heb. 7:22; 8:6,8 (citando Jer. 31:31); 8:9 (citando Jer. 31:32); 8:10 (citando Jer. 31:33); 9:4,15-17,20 (citando Êxo. 24:8); 10:16,29; 12:24; 13:20 e Apo. 11:19.

Na tradução da Septuaginta, do hebraico para o grego, terminada em cerca de 200 a.C., o termo hebraico *berith*, "acordo", "pacto", foi comumente traduzido pelo termo grego *diathéke*, "testamento", o que mostra que aqueles tradutores judeus compreenderam que o Antigo Testamento era mais do que um simples acordo ou aliança entre duas partes: entre Deus e o povo de Israel; antes, seria a publicação da soberana vontade de Deus, visando à salvação do homem.

Nos dias do Novo Testamento, o sentido primário da palavra grega *diathéke* havia chegado a uma evidência tal que a idéia secundária de "acordo" quase havia desaparecido. De fato, na literatura grega não-bíblica, esse vocábulo grego dava a entender única e tão-somente como "última vontade", "testamento". Paulo usou essa palavra com esse sentido, em Gál. 3:15-17: "Irmãos, falo como homem". Ainda que uma aliança seja meramente humana, uma vez ratificada, ninguém a revoga, ou lhe acrescenta

TESTAMENTO – TESTAMENTO DOS DOZE PATRIARCAS

alguma cousa. Ora, as promessas foram feitas a Abraão e ao seu descendente. Não diz: E aos descendentes, como se falando de muitos, porém, como de um só: E ao teu descendente, que é Cristo. E digo isto: Uma aliança já anteriormente confirmada por Deus, a lei, que veio quatrocentos e trinta anos depois, não a pode ab-rogar, de forma que venha a desfazer a promessa". Destarte, Paulo estava demonstrando que o pacto da promessa, estabelecido por Deus, à semelhança de qualquer testamento de origem humana, só poderia ser modificado por seu originador, demonstrando assim, em segundo lugar, a natureza provisória da lei mosaica, apenas para tampar um período de carência, enquanto o Filho de Deus não viesse dar o seu sangue como expiação pelos nossos pecados.

Por semelhante modo, o autor da epístola aos Hebreus exprime os termos do pacto (no grego, *diathéke*), em analogia com um testamento ou última vontade (no grego, *diathéke*), segundo se vê em Hebreus 9:15-18: "Por isso mesmo, ele é o Mediador da nova aliança, a fim de que, intervindo a morte para remissão das transgressões que havia sob a primeira aliança, recebam a promessa da eterna herança aqueles que têm sido chamados. Porque onde há testamento, é necessário que intervenha a morte do testador; pois um testamento só é confirmado no caso de mortos; visto que de maneira nenhuma tem força de lei enquanto vive o testador. Pelo que nem a primeira aliança foi sancionada sem sangue..." Esse autor sagrado, pois, mostrou-nos que um testamento só se torna operante quando ocorre a morte do testador, reiterando assim a idéia paulina, expressa em Gálatas 3:15-17.

Entretanto, grosso modo, o Novo Testamento emprega o termo "testamento" em um sentido mais amplo, acompanhando bem de perto a noção que o mesmo tinha no Antigo Testamento. Quando o Senhor Jesus falou no "...sangue da nova aliança..."(Mat. 26:28), referiu-se a uma nova disposição no relacionamento entre Deus e os homens, com vistas à redenção dos homens. Com isso concorda plenamente o apóstolo dos gentios, ao explicar-nos, em II Coríntios 3:9: "Porque se o ministério da condenação foi glória, em muito maior proporção será glorioso o ministério da justiça". O pacto da lei levava à condenação, porquanto a lei não pode mesmo fazer outra coisa senão condenar os errados, e todos nós somos pecadores; mas o Novo Testamento, que gira em torno do sangue de Jesus Cristo, confere-nos a justificação e nos conduz à glória.

No grego, **diathéke**. A palavra portuguesa "testamento" procede do termo latino **testamentum**, que significa "testamento", ou expressão da vontade final de uma pessoa. O vocábulo grego correspondente, *diathéke*, indicava um testamento, embora não fosse o vocábulo usado para indicar um pacto, uma aliança. A palavra grega para indicar aliança era *sunthéke*, que descrevia algum tipo de acordo entre duas partes interessadas. Mas *diathéke* sugeria, antes, a doação dada por alguém a outro indivíduo. Todavia, em algumas ocasiões, parece que o vocábulo *diathéke* tinha o sentido duplo de "testamento" ou de "pacto". Assim, Aristófanes empregou a palavra para dar a entender "pacto"; e o autor da epístola aos Hebreus, por semelhante modo, parece usar de um jogo de palavras com o duplo sentido do vocábulo *diathéke*, em Hebreus 9:15-17. Por isso, alguns estudiosos pensam que a base bíblica para "testamento", como designação das duas principais divisões da Bíblia, Antigo e Novo Testamento, originou-se do uso da palavra *diathéke*, na epístola aos Hebreus.

A palavra era relativamente destituída de importância, em outros livros do Novo Testamento (ver Mat. 26:28; Mar. 14:24; I Cor. 11:25; II Cor. 3:6,14), embora de ocorrência freqüente na epístola aos Hebreus (7:22; 8:6; 9:15,17; 10:29). Tem sido posto em dúvida se o idioma hebraico teria um termo equivalente ao de "testamento". Esse termo, sem dúvida, veio a ser associado ao Antigo Testamento somente porque a Septuaginta traduziu o termo hebraico para "aliança", *berith*, pelo vocábulo grego *diathéke*. É provável que esse termo grego tenha sido escolhido porque salientava o fato de que, na relação entre Deus e os seres humanos, a iniciativa fica com Deus, e não com os homens. De fato, os homens não podem argumentar com Deus, e nem barganhar com ele; resta-lhes apenas aceitar ou rejeitar as ofertas dele. Além disso, a significação da morte de Jesus Cristo, como a inauguração do novo pacto, pode retroceder até o conceito de *diathéke* como "última vontade" ou "testamento". Um testamento só entrava em vigor em sobrevindo a morte do testador. A morte de Cristo, seguindo o modelo dos animais sacrificados, que inauguraram o antigo pacto, estabeleceu o novo pacto ou Novo Testamento. Ver Gál. 3:15-18.

TESTAMENTO DOS DOZE PATRIARCAS
I. Caracterização Geral
II. Idioma Original
III. Data
IV. Conteúdo

I. Caracterização Geral

Este é um dos melhores trabalhos dos pseudepígrafos judeus. O termo significa que os autores aos quais o trabalho é creditado não foram de fato as pessoas que produziram o material. Ver o artigo sobre *Pseudepígrafos*, na *Enciclopédia de Bíblia, Teologia e Filosofia*. Era prática comum um autor atribuir seu trabalho a alguém famoso para honrá-lo e para aumentar a distribuição de seu próprio trabalho.

O trabalho (provavelmente escrito no segundo século a.C.) representa cada um dos filhos de Jacó dando instruções a seus descendentes. Os materiais fornecidos têm alta qualidade ética que supera a maioria do Antigo Testamento, mas não chega ao nível, em alguns aspectos, do Novo. Há ainda passagens escatológicas, demoniológicas e homiléticas.

A inspiração do trabalho sem dúvida repousa em Gên. 49 (com luzes de Deu. 33), onde Jacó profetizou sobre cada um de seus filhos e favoreceu-os com a bênção patriarcal. Em sua apresentação literária, o livro lembra as ordens de Josué a Israel (Jos. 23, 24) e as ordens de Davi a seu filho Salomão (I Reis 2).

Estudiosos ainda debatem o idioma no qual o livro foi originalmente escrito (ver a seção II), embora tenhamos conhecido o livro através das cópias gregas que sobreviveram.

O livro demonstra uma unidade essencial que pode sugerir a existência de um único autor, sem autores secundários. Por outro lado, materiais dos Manuscritos do Mar Morto indicam que o Testamento de Levi e de Naftali podem ter circulado primeiro. Se esse fosse o caso, então o livro pode ter sido compilado a partir de trabalhos de mais de um autor. Acima de tudo, há no livro algumas referências cristãs que sugerem que o autor ou compilador final fosse cristão. Como o Testamento de Levi, 15.1, tinha uma referência à destruição do templo, a compilação final pode ter vindo no final do primeiro século d.C., ou mesmo no segundo século.

II. Idioma Original

Conhecemos o trabalho através dos manuscritos gregos que foram traduzidos ao latim, esloveno, georgiano e sérvio. Alguns argumentam que teria havido um original grego,

TESTAMENTO DOS DOZE PATRIARCAS – TESTEMUNHA FIEL

mas outros apontam para o hebreu ou o aramaico. Os manuscritos gregos têm muitos semitismos que poderiam implicar a existência de uma versão hebraica original. Por outro lado, mesmo um bom bilíngüe (que conhecesse o hebreu (aramaico) e o grego), teria tido seu trabalho marcado por reflexões dos hebreus, particularmente quando se tratava de idéias do Antigo Testamento. Além disso, muitos dos semitismos poderiam derivar da imitação da Septuaginta, que também fazia muitos usos desse tipo, sendo traduzida do Antigo Testamento hebreu. Assim, nenhuma conclusão certa pode ser tirada, embora a maioria dos estudiosos prefira a idéia de um original em hebreu.

III. Data

No Testamento de Rúben, 6.10-12, há referência a um sumo sacerdote que também era rei e guerreiro. Isso certamente sugere que o autor tenha escrito na época dos reis sacerdotes macabeus. Então, no Testamento de Levi, 8.14, há menção ao "nome novo" que designava os sumos sacerdotes. Esta pode ser uma alusão a eles, chamados de "sacerdotes do Deus Mais Alto", título usado também em Jubileus, em Ascensão de Moisés, em Josefo e no Talmude. Novamente, está implícita a época dos macabeus. Se essa lógica está correta, então a data original dos escritos é o segundo século a.C., mas as referências cristãs mostram que o livro foi concluído no período d.C., provavelmente no primeiro ou segundo século.

IV. Conteúdo

A substância deste livro é constituída por "testamentos" de vários patriarcas hebreus que davam instruções aos seus descendentes.

1. *O Testamento de Rúben.* Ele lamenta seu pecado de incesto com a concubina de seu pai, Bila (Gên. 35.22). Pecados sexuais, tanto do homem como da mulher, são severamente denunciados, e a culpa por eles é atribuída aos métodos peritos dos demônios, que assediam tanto homens como mulheres.

2. *O Testamento de Simeão.* Esse patriarca lamenta o ódio e o mal tratamento dado a José, seu irmão, quando este foi vendido ao Egito como escravo. Considerando o mal que ele mesmo fez, ele adverte seus descendentes contra a inveja, o ódio, o engano e a crueldade, além de aconselhar a pureza na vida, algo na ordem de Rúben.

3. *O Testamento de Levi.* Em sono profundo, o homem entra em um estado de transe e prevê julgamentos impostos sobre os inimigos de Israel. Há então uma promessa de que, no futuro, seus filhos serão ativos nos três ofícios – profecia, sacerdócio e reinado –, em um ministério que sinaliza a vinda do Messias. Ele fala sobre a corrupção da era final. A destruição do templo está incluída, provavelmente uma referência histórica disfarçada de profecia. A mensagem de Levi é, assim, essencialmente escatológica.

4. *O Testamento de Judá.* Judá gaba-se de sua proeza ao matar um leão, um urso, um leopardo e um touro selvagem e de suas habilidades militares ao derrotar os cananeus. Mas não esquece o incesto com sua nora, Tamar, que, embora praticado sem saber quem era a mulher, foi precedido por luxúria. Ele aconselha seus descendentes a ter uma vida de retidão e denuncia a bebedeira e a fornicação.

5. *O Testamento de Issacar.* Esse patriarca gaba-se da boa vida que vivia e convoca seus descendentes a seguir seu bom exemplo.

6. *O Testamento de Zebulom.* Esse patriarca declara que pouco participou da venda de José ao Egito e não ficou com qualquer parte do dinheiro. Ele convoca os outros a ter compaixão, como ele.

7. *O Testamento de Dã.* Ele confessa sua parte na venda de José e declara que se sentiu feliz ao praticar esse mal. Apela que seus descendentes evitem a ira e o ódio. Há uma expectativa messiânica expressa em 5.10.

8. *O Testamento de Naftali.* Esta parte do livro contém uma genealogia de Bila, sua mãe, e são emprestadas várias exortações encontradas no Livro de Enoque. Ele tem uma visão na qual Levi domina o Sol, e Judá faz mesmo com a Lua, enquanto José agarra um touro e dá uma volta nele. Está em vista uma profecia de que a salvação futura surgirá das tribos de Judá e Levi (as tribos real e sacerdotal).

9. *O Testamento de Gade.* Gade confessa que odiava José e teve participação ativa em sua venda ao Egito. Com base nesse lamentável lapso à degradação, ele apela para que seus descendentes pratiquem o amor e busquem caráter nobre.

10. *O Testamento de Aser.* Ele pronuncia grandes dizeres de sabedoria e obediência que nos fazem lembrar a literatura de sabedoria e o livro de Tiago, no Novo Testamento. Ele tem uma ilustração de "duas vias", o bem e o mal, entre as quais o homem pode optar.

11. *O Testamento de José.* Ele nos conta sobre as tentações que sofreu às mãos da mulher de Potifar e sobre como foi capaz de resistir na hora da provação. Seus ensinamentos morais são então pronunciados com som emprestado do Novo Testamento. Ele também fala sobre como uma virgem deu à luz um cordeiro, uma alusão ao Novo Testamento (Maria e o Cordeiro de Deus, que tira o pecado do mundo, João 1.29).

12. *O Testamento de Benjamim.* José fala a Benjamim sobre sua experiência de ser vendido ao Egito. Assim, Benjamim pede que seus descendentes evitem pecados sexuais e o engano. Há interpolações cristãs. Dois versos no capítulo 11 referem-se até ao apóstolo Paulo, denunciando o pecado de fornicação etc., e ataca as mulheres devido à maneira como procuram enredar os homens. A tendência apologética dessa seção, como um todo, é a de limpar, o mais possível, o nome de Rúben.

TESTEMUNHA FIEL, CRISTO COMO

Ele é a *testemunha fiel* (ver Apo. 2:13 e 3:14).

Cristo é o "fiel". a. Ele é genuíno e veraz em seu caráter. b. Ele é fiel e digno de confiança na concretização de sua missão. c. Esse adjetivo pode significar "crente" e "confiança", e talvez isso é o que esteja subentendido no caso de Jesus Cristo na sua missão, que lhe foi confiado por Deus Pai, tendo-se tornado o Pioneiro do caminho (ver Heb. 2: 10). Assim ele mostrou como os outros homens devem confiar em Deus, cumprindo suas respectivas missões espirituais. d. Ele "transmite" fielmente a sua mensagem, falando a verdade, revelando a verdade, sem jamais se desviar de seu propósito. Essa é a principal idéia em foco.

Testemunha. Consideremos também os pontos seguintes, quanto a essa atribuição de Cristo: a. Ele mesmo é a substância da "mensagem" de Deus. b. Ele revela "as coisas que deverão acontecer"; e isso faz fielmente, pelo que é "testemunha do conteúdo deste livro". Essa é a idéia inerente ao segundo versículo, que talvez seja o pensamento central também neste versículo. c. De modo geral, Ele é a testemunha de Deus, que cumpre fielmente a verdade de Deus, que Ele veio transmitir aos homens. d. Cristo é testemunha em sua vida e em seu ministério terrenos. e. Não nos devemos olvidar da idéia de Cristo ser um *mártir*. Mas esse uso do termo grego parece ter pertencido a um período posterior.

"Uma testemunha fiel (é Cristo) porque ele deu testemunho fiel acerca de tudo quanto deveria ser

TESTEMUNHA OCULAR – TESTEMUNHO

testificado por Ele no mundo. Testemunha fiel porque tudo quanto ouviu do Pai, tornou-o fielmente conhecido de seus discípulos. Testemunha fiel porque Ele ensinava o caminho de Deus em verdade, não mostrando respeito humano. Testemunha fiel porque Ele anunciou condenação contra os réprobos e salvação para os eleitos. Testemunha fiel porque confirmou, por meio de milagres, a verdade que ensinava com suas palavras. Testemunha fiel porque não negou, nem mesmo diante da morte, o testemunho do Pai a seu respeito. Testemunha fiel porque Ele dará testemunho, no dia do julgamento, a respeito das obras boas e más" (Richard of St. Victor).

TESTEMUNHA OCULAR

Uma **testemunha ocular** é muito importante nos casos em que se requer *autenticação*. Ver o artigo geral sobre a *Historicidade dos Evangelhos*, onde esse fato é enfatizado. O trecho de Luc. 1:2 frisa o fato de que o relato de Lucas estava alicerçado sobre narrativas de testemunhas oculares. A passagem de Atos 1:21 mostra que somente uma testemunha ocular da vida de Jesus podia substituir Judas Iscariotes, para completar o número de *doze* apóstolos. O trecho de I João 1:1 ressalta a importância da narrativa do testemunho ocular dos apóstolos. Eles tinham visto e acompanhado ao Senhor. Sabiam sobre o que estavam falando. O trecho de II Pedro 1:16 é especialmente instrutivo: "Porque não vos demos a conhecer o poder e a vinda de nosso Senhor Jesus Cristo, seguindo fábulas engenhosamente inventadas, mas nós mesmos fomos testemunhas oculares da sua majestade". Paulo aludia, principalmente, à transfiguração do Senhor Jesus, diante de três de seus discípulos. Ver Mat. 17:1 ss.

TESTEMUNHAS DE JEOVÁ

Quanto às idéias distintivas e às informações adicionais sobre essa seita religiosa moderna, ver os artigos separados sobre *Russell, Charles Taze; Russelismo; Alvorecer do Milênio* e *Rutherford, J.F.*

1. *Algumas Idéias*. Esse é o nome de um grupo religioso de tendências exclusivistas pronunciadas, que se diz inspirado nas palavras de Isaías 43: 10: "Vós sois as minhas testemunhas, diz o Senhor (no hebraico, *Yahweh*)..." As suas doutrinas distintas incluem sua ênfase sobre Jeová (vide) como o único verdadeiro Deus. Cristo, para eles, teria sido uma espécie de mera divindade secundária. Eles interpretam e traduzem João 1:1 como: "... e a Palavra era deus" (Tradução do Novo Mundo das Escrituras Sagradas), embora concedam que Ele será o Rei do prometido novo mundo milenar. Na qualidade de Rei celestial e terreno, Cristo virá destruir todos os ímpios da Terra por ocasião da batalha do Armagedom. E o fiel remanescente que obedece a Jeová haverá de sobreviver a essa batalha, vivendo para sempre *sobre a Terra*, no novo mundo. Desse modo, a promessa de salvação teria uma natureza essencialmente terrena, e não celestial. Os artigos acima mencionados fornecem outros detalhes.

2. *Extensão da Organização e Ênfase sobre a Literatura*. Há cerca de um milhão e meio de membros espalhados por cento e noventa e sete diferentes países. Eles têm quase trinta mil salões do reino. Um quinto desse número acha-se nos Estados Unidos da América do Norte. Os membros de cada congregação reúnem-se várias vezes por semana, para estudo bíblico, e para o treinamento de evangelistas e ministros. Há grande ênfase sobre a literatura. A cada ano, são distribuídos cerca de vinte milhões de itens de literatura. A publicação principal é a revista chamada *Torre de Vigia*, com publicação quinzenal, em mais de setenta idiomas diferentes. Há uma circulação mensal de cerca de seis milhões de cópias. *Despertai* é o título de outra publicação, impressa em cerca de trinta idiomas, com uma circulação que também chega perto de seis milhões de cópias mensais. Além dessas revistas, muitos livros têm sido publicados por essa seita, com uma circulação total de mais de um bilhão de cópias, em mais de cento e sessenta idiomas.

3. *Assembléias Internacionais*. Essa seita é muito ativa na promoção de grandes assembléias, em muitos países, com o propósito de reunir as pessoas de algum país especifico, que trabalham nessa organização. As assembléias em países particulares também são freqüentadas por grupos provenientes de outros países. Quase duzentas mil pessoas têm freqüentado algumas dessas gigantescas reuniões, e os batismos em massa adicionam um colorido pitoresco a essas reuniões.

4. *O Apelo à Antigüidade*. Os membros fiéis e convictos desse grupo supõem que eles podem traçar suas raízes denominacionais até Abel, filho de Adão! É típico de todos os grupos, até mesmo evangélicos, tentarem encontrar raízes antigas, o que, na mente de tais membros, retira o estigma de seu grupo ser uma seita *recente*. Mas, poderíamos indagar: Onde Deus estava operando, antes desta ou daquela seita em questão ter vindo à existência? Vários grupos religiosos, portanto, alimentam mitos que têm o propósito de **estabelecer raízes pseudo-antigas**. Seja como for, a organização das *Testemunhas de Jeová* começou na década de 1870, em resultado das atividades de Charles Taze Russell. Eles vieram a ser conhecidos como russellitas, em face do nome de seu fundador. As obras literárias originais, a *Torre de Vigia e a Sociedade de Tratados*, foram oficializadas em 1884. A sede principal está localizada em Columbia Heights, Brooklyn, Estado de Nova Iorque, nos Estados Unidos da América do Norte. Há mais de cem escritórios filiais, espalhados por muitos países ao redor do mundo. Esses são centros que promovem o ensino e o evangelismo, através da prédica, de conferências e de farta literatura.

TESTEMUNHO

Há três palavras hebraicas envolvidas e três gregas, a saber:

1. *Edah*, "testemunho". Termo hebraico que é usado por vinte e seis vezes, conforme vemos, para exemplo: Deu.4:45;6:17,20; Sal. 25:10; 78:56 93:5; 99:7;119:2,22,24,46,59,79,95,119,125, 138,146,152,167,168; 132:12; Jos. 24:27; Gên. 21:30; 31:52.

2. *Ed*, "testemunho". Vocábulo hebraico usado por sessenta e nove vezes. Exemplos: Gên. 31:44,48,50, 52; Êxo. 20:16; Lev. 5:1; Núm. 5:13; Deu. 5:20; 17:6,7; 31:19,21,26; Jos. 22:27,28,34; Rute 12:5; 1 Sam. 12:5; Jó 10:17; Sal. 27:12; Pro. 6:19; 12:17; 25:18; Isa. 8:2; 19:20; Jer. 29:23; Miq. 1:2; Mal. 15.

3. *Teudah*, "testemunho". Palavra hebraica que ocorre por três vezes: Rute 4:7; Isa. 8:16,20.

4. *Martúrion*, "testemunho". Substantivo grego usado por vinte vezes, por exemplo: Mat. 8:4; 10: 18; 24:14; Mar. 1:44; 6:11; Luc. 5:14; 9:5; 21:13; Atos 4:33; 7:44; 1 Cor. 1:6; 2: 1; II Cor. 1: 12; II Tes. 1:10; 1 Tim. 2:6; II Tim. 1:8; Heb. 3:5; Tia. 5:3; Apo. 15:5. A forma *marturía*, "testemunho", aparece por trinta e sete vezes: Mar. 14:55,56,59; Luc. 22:71; João 1:7,19; 3:11,32,33; 5:31,32,34,36; 8:13,14,17 (citando Deu. 19: 15); 19:35; 21:24; Atos 22:18; 1 Tim. 17; Tito 1:13; 1 João 5:9,10,11; II João 3:6, 12; Apo. 1:2,9; 6:9; 11: 7; 12:11,17; 19: 10 e

406

TESTEMUNHO – TESTEMUNHO DO ESPÍRITO

20:4. O verbo, *marturéo*, "testificar", aparece por setenta e três vezes; exemplos são: Mat. 23:31; Luc. 4:22; João 1:7, 8; 15,32,34; 4:39,44; 5.37,39; 7:7; 10:25; 12:17; 13:21; 18:23,37; Atos 6:3; 10:22,43; 13:22; 14:3; 15:8; 26:5; Rom. 3:21; 10:2; I Cor. 15:15; II Cor. 8:3; Gál. 4:15; Col. 4:13; I Tim. 5:10; 6:13; Heb. 7:8,17; 10:15; I João 1:2; 4:14; 5:6,7,9,10; II João 16,12; Apo. 1:2; 22:16,18,20.

5. *Diamartúromai*, "testificar amplamente". Verbo grego usado por quinze vezes: Luc. 16:28; Atos 2:40; 8:25; 10:42; 18:5; 20:21,23,24; 23:11; 28:23; 1 Tes. 4:6; 1 Tim. 5:21; 11 Tim. 2:14; 4:1; Heb. 16.

6. *Epimarturéo,* "testificar além", verbo grego usado somente por uma vez, em 1 Ped. 5:12.

Com certa variedade de significados na Bíblia, a palavra testemunho e os seus cognatos verbais, dependendo do contexto, significam: a. testemunho; b. evidências em prol de alguma coisa; c. as tábuas de pedra sobre as quais foram gravados os dez mandamentos; d. a arca da aliança; e. o livro inteiro. da lei; f. a Palavra de Deus dada a algum profeta; g. o Evangelho cristão; h. as Escrituras, em sua inteireza. Vejamos alguns exemplos desses significados:

a. O primeiro desses sentidos é visto em II Tim. 1-8, onde Paulo exorta a Timóteo a não se envergonhar do testemunho dele (*martúrion*), em favor de Cristo. b. Um exemplo do segundo sentido encontra-se em Atos 14:3, onde nossa versão portuguesa diz: "...o qual confirmava a palavra da sua graça..." c. Em certo número de casos, no Antigo Testamento, a palavra "testemunho" (na Septuaginta, *marturía*) refere-se ao decálogo, como clara afirmação da vontade de Deus (por exemplo: Êxo. 25:16,21), de onde nos chega a expressão "tábuas do testemunho" (Num. 31:18; 32: 15; 34:29). d. Nesse mesmo contexto, lé-se acerca da "arca do testemunho" (Êxo. 25:22; 26:33,34; 30:6; 31:7, etc.), ou, simplesmente, "testemunho", onde a arca da aliança está em pauta (Êxo. 16:34; 27:21; Lev. 16:13). e. A expressão "testemunho" passou então a indicar o livro inteiro da lei dê Deus (Sal. 19:8; 78:5; 81:5; 119:88; 1214). f. Em algumas instâncias, "testemunho" quer dizer a Palavra de Deus dada a algum profeta (Isa. 8:16,20). g. Nos trechos de Apo. 1:2,9; 12:17, etc., a palavra *marturía* é usada para indicar o Evangelho de Cristo. Em Apo. 12:17, essa palavra aponta para o Evangelho, no sentido de um testemunho em favor de Cristo. h. A revelação inteira de Deus ao homem algumas vezes está em foco' quando a palavra "testemunhos" é empregada (ver Sal. 119:22). Nesse salmo esse uso reitera-se por várias vezes. Ver também o artigo intitulado *Testemunha*.

TESTEMUNHO DO ESPÍRITO

Todo testemunho pressupõe alguma pessoa, ou objeto, ou conteúdo ou acontecimento acerca do qual é conferido o testemunho. O Novo Testamento deixa claro que o Espírito de Deus dá testemunho, primariamente, sobre Jesus Cristo, e não sobre si mesmo ou sobre qualquer conjunto de doutrinas (ver João 14:26; 15:26; 16:7-15; cf. Mat. 16:16 e I João 2:20-22). Diz João 15:26: Quando, porém, vier o Consolador, que eu vos enviarei da parte do Pai, o Espírito da verdade, que dele procede, esse dará testemunho de mim..

Embora o Espírito Santo concentre o seu testemunho sobre a pessoa e as realizações de Cristo, ele parte desse ponto cêntrico para outros pontos, também muito importantes para nós, como: a totalidade dos atos salvatícios de Deus, em favor dos homens; a autoridade intrínseca e instrumental das Sagradas Escrituras; a natureza do homem caído no pecado e suas reações diante de Deus; e, finalmente, um ministério de instrução e de sustento, no caso daqueles que pertencem ao Senhor Jesus.

Mas, como já dissemos, o âmago da revelação neotestamentária, com o testemunho convencedor do Espírito de Deus, envolve a pessoa de Jesus. E isso como Senhor e Cristo. Lemos em Atos 2:36: "Esteja absolutamente certa, pois, toda a casa de Israel, de que a este Jesus, que vós crucificastes, Deus o fez Senhor e Cristo".

Esses dois fatos sobre a pessoa de Cristo precisam ser melhor esclarecidos, se quisermos perceber todo o impacto do testemunho do Espírito. "... Deus o fez Senhor e Cristo". O primeiro desses títulos, "Senhor" (no grego, *kúrios*), fala sobre a deidade plena de Jesus de Nazaré. *Kúrios* é a tradução, para o grego, de dois nomes hebraicos de Deus, que lhe são dados no Antigo Testamento: *Yahweh e Adonai*. O primeiro desses nomes indica Deus como Salvador, e o segundo, como Senhor e Rei. Por conseguinte, o Espírito de Deus testifica: Jesus é o próprio Deus; é o verdadeiro e único Deus! Essa primeira parte do testemunho do Espírito já havia sido dada, proteticamente, desde o Antigo Testamento. Lemos, pois, em Isaías 9:6: "Porque um menino nos nasceu, um filho se nos deu; o governo está sobre os seus ombros; e o seu nome será: Maravilhoso, Conselheiro, Deus Forte...". Vale dizer que aqueles que ainda não puderam aceitar a plena deidade de Jesus de Nazaré, é que ainda não acolheram, em seus corações, o testemunho do Espírito.

O outro fato do testemunho do Espírito sobre Jesus de Nazaré é que "Deus o fez ... Cristo". Isso aponta para o fato de Jesus ser o Ungido de Deus - o grande sacerdote, Profeta e Rei, o Herdeiro de todas as coisas, o Representante de Deus entre os homens, a Manifestação visível do Deus invisível. Ver o artigo intitulado *Jesus Cristo*. Cristo é transliteração do termo grego *Christós*, que, por sua vez, é tradução do termo hebraico *Messiah*, "ungido". Em sua conversa com a mulher samaritana, lemos que Jesus foi interpelado por ela: "Eu sei; respondeu a mulher, que há de vir o Messias, chamado Cristo; quando ele vier nos anunciará todas as cousas". E Jesus lhe respondeu: "Eu o sou, eu que falo contigo" (João :25,26). E sabemos que o Espírito de Deus testificou sobre isso no coração daquela mulher, pois, saindo ela à cidade, disse a certos homens: "Vinde comigo, e vede um homem que me disse tudo quanto tenho feito. Será este, porventura, o Cristo?" (vs. 29). E o resultado de tudo isso foi: "Muitos samaritanos daquela cidade creram nele, em virtude do testemunho da mulher, que anunciara: Ele, me disse tudo quanto tenho feito" (vs. 39). Assim, o testemunho do Espírito resultou em salvação eterna de muitos. Quem recebe o testemunho do Espírito Santo, sobre Jesus Cristo, é salvo. Quem não o recebe, continua perdido. Você já aceitou o testemunho do Espírito, prezado leitor?

Entretanto, essa é a verdade central que o Anticristo negará, juntamente com todos aqueles que, em espírito, lhe são os seguidores. Mas os crentes afirmam, juntamente com o apóstolo João: "E vós possuís unção que vem do Santo, e todos tendes conhecimento. Não vos escrevi porque não saibais a verdade, antes, porque a sabeis, e porque mentira alguma jamais procede da verdade. Quem é mentiroso, senão aquele que nega que Jesus é Cristo? Este é o anticristo, o que nega o Pai e o Filho. Todo aquele que nega o Filho, esse não tem o Pai; aquele que confessa o Filho tem, igualmente, o Pai" (I João 2:20-23). Cf. Mat. 16:16,17 e Rom. 10:9,10. Nessa confissão, houve a atuação poderosa do testemunho do Espírito, no tocante à significação do programa redentivo de Deus, diante do qual, então, são abertos os olhos do entendimento daqueles que crêem". Ver I Cor. 2:10-16; II Cor. 3:12-18.

Tendo impulsionado homens escolhidos, para deixarem em registro escrito a verdade revelada de Deus (ver II Tim. 2:16 e II Ped. 1:21), o Espírito acompanha isso, agora, pela iluminação interna, que capacita os seres humanos a apreciarem devidamente a revelação objetiva como a verdade de Deus; e apreendem assim o sentido profundo da mesma (ver I Cor. 2:10-16; II Cor. 3:12-18). Paralelamente a isso, o Espírito convence os homens do pecado que têm cometido e da retidão, advertindo-os sobre o julgamento vindouro (ver João 16:8-11).

O Espírito de Deus dá prosseguimento ao seu testemunho, no caso daqueles que -se deixam salvar por Cristo, assegurando-lhes que agora estão em um eterno relacionamento com Deus, que jamais poderá ser ab-rogado (ver Rom. 8:15,16 e Gál.4:6), o que se manifesta nos corações deles sob a forma de segurança na salvação; e, finalmente, confere-lhes discernimento espiritual (ver I Cor. 2:15,16; cf. Rom. 12:2; Fil. 1:10; Col. 1:9). Ver o artigo *Segurança na Salvação*.

Quão rico e proveitoso, por conseguinte, é o testemunho do Espírito, a respeito de Jesus de Nazaré. Começa encontrando o homem, em seu estado de justa condenação, diante da lei de Deus, e o conduz seguramente até à glória com base exclusiva nos méritos e realizações de Jesus, Senhor e Cristo!

TESTUDO INIMIGO

Essa expressão encontra-se em Naum 2:5. O hebraico diz *sakak*. Essa palavra é de significado incerto. Os estudiosos têm aventado os mais variegados sentidos. Algumas traduções dizem "defesa". Tradução parecida é a da NIV, "escudo protetor". A Berkeley Version, em inglês, diz "mantlet", que indica um abrigo usado pelos soldados em tempo de guerra. É por aí que devemos interpretar essa palavra hebraica. A raiz da palavra hebraica significa "entretecido". Os baixos-relevos assírios mostram escudos de cipó entretecido. Os arqueiros ficavam por detrás de tais defesas, aguardando sua oportunidade de atacar. Talvez seja isso que os revisores de nossa versão portuguesa queriam dizer com "testudo inimigo". O que não devemos imaginar é que fossem soldados de testa grande! A Edição Revista e Corrigida, em português, diz "amparo".

TETE

Nona letra do alfabeto hebraico. Aparece, no original grego, no início de cada verso, no nono bloco do Salmo 119.

TETRAGRAMA

Esse é o nome que se dá às quatro letras que representam o inefável nome de Deus, *Yahweh*, ou seja, *yhwh*. Esse nome nunca foi e nunca é pronunciado pelos judeus, embora suas vogais tenham sido emprestadas dos nomes *Adonai* ou *Elohim*. Uma corruptela de criação gentílica é *Jeová*, que nada significa para o povo hebreu. Quando estudei o hebraico, na Universidade de Chicago, os estudantes judeus sempre distorciam o som do nome *Yahweh*, quando liam o texto bíblico em voz alta, a fim de não se tornarem culpados de pronunciá-lo. Ver o artigo geral sobre *Deus, Nomes Bíblicos* de, que inclui maiores informações sobre esse nome divino.

TETRARCA

No grego, **tetrárches** ou **tetraárches**. Essa palavra é formada por duas outras palavras, *tetra*, "quatro", e *arché*, "chefe". Portanto, significa "líder de uma quarta parte". No Novo Testamento, o título foi dado a Herodes Ântipas, governador da Galiléia e da Peréia (ver Mat. 14:1; Luc. 3:19; 9:7 e Atos 111).

Originalmente, o título era conferido ao governante da quarta parte de uma região qualquer. Finalmente, porém, esse sentido original dissipou-se, e o título passou a ser empregado para indicar algum príncipe dependente, títere, de autoridade inferior a de um rei. Essa designação foi dada a Herodes Ântipas não somente nas páginas do Novo Testamento, mas também por diversas vezes em inscrições e nos escritos de Josefo (vide).

O verbo grego correspondente, tetrachéo, "ser tetrarca", ocorre por três vezes no trecho de Lucas 3: 1: "No décimo quinto ano do reinado de Tibério César, sendo Pôncio Pilatos governador da Judéia, Herodes tetrarca da Galiléia, seu irmão Filipe tetrarca da região da Ituréia e Traconites, e Lisânias tetrarca de Abilene...".

Quando Herodes, o Grande, faleceu, em 4 a.C., as terras sob o seu domínio foram divididas em três porções. Arquelau ficou com a Judéia (juntamente com a Iduméia e a Samaria), tendo recebido o título de etnarca (vide). A Ântipas e a Filipe foi dado o título de tetrarca. Mas este último governou sobre diversos territórios na parte nordeste da Palestina. Posteriormente, Lisânias, acerca de quem bem pouco se sabe, foi nomeado tetrarca de um minúsculo distrito, chamado Abilene, a nordeste do monte Hermom.

Em Marcos 6:14,26, Ântipas é designado rei, em vez de tetrarca. Visto que um tetrarca era um rei vassalo, podia ser intitulado "rei" como uma deferência (no grego rei é *basiléus*). Ântipas possuía uma jurisdição com a qual oficiais até mesmo do império relutavam em interferir (ver Luc. 217). Quanto a isso, dois outros fatores deveriam também ser considerados. Em Roma, era costume chamar todos os governantes orientais pelo titulo popular de "rei"; e Marcos estava escrevendo, principalmente, para os crentes romanos. Além disso, os habitantes da Galiléia também costumavam referir-se a seus governantes com o título de rei.

TETZEL, JOÃO

Suas datas foram, aproximadamente, 1450 - 1519. Ele foi um frade dominicano. Era homem ativo e ambicioso, e exagerava em seus métodos de venda das indulgências (vide), o que provocou a indignação de outro frade, agostiniano, Lutero. Portanto, os atos de Tetzel provocaram uma reação que terminou por trazer à tona a Reforma Protestante (vide), embora devamos levar em conta outros fatores, não só de ordem religiosa, como também política.

TEUDAS

1. *Nome*. Esta é uma forma abreviada da palavra grega *Theodoros*, que significa um "presente de Deus". As mães judias, pagãs e cristãs tradicionalmente consideraram seus filhos como dádivas de Deus, o que revelam muitos nomes próprios.

2. *Notas Históricas*. Teudas foi um rebelde mencionado por Gamaliel em seu discurso diante do Sinédrio, quando os apóstolos foram levados perante aquela augusta corporação governante a fim de responder pelos "crimes" de perturbação do povo com suas novas doutrinas e organização facciosa (a igreja). Ver Atos 5:35-39. Era um tipo de revolucionário político-religioso, o qual arrastou atrás de si cerca de 400 adeptos. Segundo a cronologia, provavelmente ele tentou livrar-se do poder romano e estabele-

Códex 2, Século XII, João 20:29 ss. — Cortesia, Universitaetsbibliothek, Basel
(Ms usado como base do Textus Receptus, mostrando o manuscrito de Erasmo nas margens)

Códex 2, Século XII, Lucas 6:21 ss., (fonte do Textus Receptus), mostrando o manuscrito de Erasmo nas margens. — Cortesia Universitaetsbibliothek, Basel

cer seu próprio reino. De qualquer maneira, Teudas e seus 400 homens foram massacrados, dos quais apenas alguns escaparam. O relato de Josefo (*Ant.* xx.5.) nos dá dimensões mais amplas de seu movimento. Ele conseguiu reunir grande multidão de discípulos, e em certa ocasião disse-lhes que o seguissem até o rio Jordão, asseverando que abriria as águas com uma ordem, como ocorreu nos dias de Josué. Ele foi apenas outro profeta louco, enganado por visões e sonhos patológicos, que não foi capaz de cumprir o que prometeu. De qualquer maneira, os romanos enviaram tropas contra ele e encerraram sua carreira antes mesmo que houvesse chance de reação.

3. *Lição de Tolerância.* Gamaliel arrazoou que o Sinédrio devia ser tolerante com os apóstolos e sua igreja cristã, visto que, se algo não vem de Deus, logo desaparecerá, esmagado por seu próprio peso. Em outros termos, Gamaliel deu seu voto em prol da *tolerância* para com a pessoa que pensa diferente, a menos que, secretamente, ela seja meio-cristã que não tenha ainda revelado a nova fé. É tradicional que grupos religiosos sejam intolerantes em relação a pessoas, seitas e grupos religiosos que jazem fora de sua esfera, o que resulta em muita perseguição física, econômica, social etc. Os fanáticos sempre crêem que estão certos. Ver o artigo detalhado sobre *Tolerância, na Enciclopédia de Bíblia, Teologia e Filosofia.*

TEURGIA

Palavra portuguesa que vem diretamente do grego, **theós**, "Deus", e **érgon**, "trabalho", literalmente, "obra de Deus". A alusão é a arte oculta que envolve ritos, encantamentos, a atuação de espíritos, sacerdotes e médiuns, visando à instrução e ao bem dos homens. A teurgia era praticada pelos filósofos neoplatônicos menores. Porfírio praticava essa espécie de expressão religiosa, antes de haver-se encontrado com Plotino. Proclo encarava a questão como parte da sabedoria divina, que transcende à razão e às capacidades humanas. Îmblico promovia a teurgia. e escreveu a respeito. Mas Plotino opunha-se à prática em geral, juntamente com os "mistérios" inventados pela mesma. Agostinho referiu-se à suposta "curiosidade criminosa" que motivava as pessoas a explorarem esse tipo de coisa. Naturalmente a Igreja cristã opunha-se às práticas teúrgicas, e, aí pela Idade Média, pouco restava ainda da teurgia organizada. Mas, durante a Renascença houve um breve reavivamento da teurgia.

TEXTO TIPO BIZANTINO

Alude ao tipo de texto **posterior** e **combinado** de manuscritos do Novo Testamento, também chamado koiné. Recebeu o nome de texto tipo bizantino porque desenvolveu-se na porção bizantina da Igreja cristã. Foi com base em manuscritos desse tipo que foi compilado o *Textus Receptus*, o primeiro Novo Testamento grego a ser impresso e publicado, por Erasmo, em 1516. Ver o artigo sobre *Manuscritos do Novo Testamento.*

TEXTOS BÍBLICOS, CRÍTICA DOS

Ver o artigo *Manuscritos Antigos do Antigo e Novo Testamentos,* onde certas porções ilustram a crítica textual ou "baixa crítica", conforme alguns a denominam. As seções nona e décima desse artigo abordam, especificamente, o Antigo Testamento. E as seções sexta, sétima e oitava examinam detalhadamente a questão, no que concerne ao Novo Testamento, com ilustrações.

TEXTOS E MANUSCRITOS BÍBLICOS

Ver *Manuscritos Antigos do Antigo e Novo Testamentos.*

TEXTUS RECEPTUS

Esse foi o texto que Erasmo de Roterdão compilou, com base em manuscritos gregos do final da era medieval, de que ele dispunha, e com base nos quais imprimiu o primeiro texto grego do Novo Testamento. Ofereci informações detalhadas acerca do *Textus Receptus*, no artigo denominado *Manuscritos Antigos do Antigo e Novo Testamentos;* e a parte que aborda os **Manuscritos Antigo do Novo Testamento**, seção VIII, acha-se às páginas 96 e 97, do quarto vol. Essa seção apresenta o *Esboço Histórico da Crítica Textual do Novo Testamento*, enquanto que o seu segundo ponto narra como Erasmo preparou o texto do Textus Receptus, e quais manuscritos ele usou com essa finalidade.

TEXUGO; DUGONGO

No hebraico **tachash.** Nossa versão portuguesa diz "animais marinhos" (ver Êxo. 25:5; 26:14; 35:7,23; 36:19; 39:34 Núm. 4:6,8,10-12,14,25; Eze. 16:10). Outras versões portuguesas dizem, por exemplo, "golfinho". Porém, "animais marinhos" é muito vago, é o golfinho, de acordo com muitos estudiosos, não é natural do Oriente Próximo e Médio. Mui provavelmente, está em pauta o *texugo*, de cujas peles foi preparada uma cobertura para o tabernáculo (ver Exo. 25:5 ss), para protegê-lo quando Israel estivesse em marcha. 0 trecho de Núm. 4:5,6 indica que uma coberta desse tipo era posta sobre a arca da aliança, nessas ocasiões, E, desse mesmo material, eram feitos vários itens de uso pessoal, como sandálias (ver Eze. 16:10). Essas peles eram bastante grandes (sem dúvida costuradas umas às outras), servindo para o propósito em questão. Em conexão com a arca, parece que bastava uma dessas peles; mas, no tocante ao tabernáculo, sem dúvida era mister a costura, pois o tamanho necessário teria de ser de cerca de 4 m x 13,5 m.

Há intérpretes que pensam estar em foco peles de cabras; mas outros opinam peles de foca ou de algum tipo pequeno de baleia. Apesar de haver um tipo de golfinho nas águas do mar Vermelho, sua pele não era apropriada para ser curtida e tornar-se um couro.

É possível que o animal em questão fosse o dugongo, a única verdadeira espécie marinha da ordem Serenia, que ainda existe até hoje nos mares da região e que antes era muito abundante no golfo de Acaba. Um dugongo adulto chega a ter 3 m de comprimento, e suas dimensões torná-lo-iam apropriado para o propósito descrito. Mas ninguém pode ter certeza quanto à identificação do animal em questão.

THÁNATOS

Temos aí a palavra grega que significa "morte". Na mitologia grega, assim era o nome do deus da morte. Os romanos identificavam-no com Marte. Nas idéias de Freud (vide), *thánatos* é descrito como um dos instintos humanos mais fundamentais. Imaginando Eros, ou prazer, como o instinto de viver, Freud pôs a seu lado, e em competição com o mesmo, o instinto de morrer, *thánatos*. Freud fez importantes considerações sobre o que tem sucedido, na história da humanidade, em resultado desses dois instintos básicos. É possível que o suicídio (vide) resulte, em muitos casos, simplesmente desse instinto, sem quaisquer condições adversas prementes, sem quaisquer condições psicológicas opressivas.

THEÓTOKOS – TIAGO (LIVRO)

THEÓTOKOS

Palavra grega que significa "portadora de Deus". Essa expressão, usada pela Igreja Oriental, é usada em distinção à popular compreensão ocidental a respeito da *Mater Dei*, "mãe de Deus". A Virgem Maria, ao dar à luz ao Cristo divino (o Logos encarnado), por assim dizer trouxe Deus ao mundo, embora ela mesma não seja mãe de Deus (pois Deus não tem mãe e nem princípio de existência). Naturalmente, na teologia ocidental séria (não em sua compreensão popular) a expressão *Mater Dei* não indica que Maria, em qualquer sentido, tenha sido a genitora de Deus, ou que tenha dado à luz a Deus. Mas somente se entende ali que Maria deu à luz a Jesus, o homem no qual o Logos se tornou, mediante o milagre único da encarnação. Assim, *Christótokos* teria sido uma palavra grega melhor, ou seja, "portadora do Ungido", evitando o popular mal-entendido em torno daquele vocábulo. Foi Cirilo quem cunhou a expressão *theótokos*, menos passível de mal-entendido que sua expressão latina correspondente, *Mater Dei*. Ver também os artigos sobre *Cristologia; Mariolatria e Mariologia*.

THERAVADA

Esse termo significa, em sânscrito, "anciãos". Essa palavra é usada para designar uma das três principais escolas do budismo hinayana. É a mais antiga das três. As outras duas são a *Sarvastivada* (vide) e a *Sautrantika* (vide). Ver também o artigo geral sobre o *Budismo*.

THESAURUS MERITORUM
Ver **Tesouro de Méritos**.

THOREAU, HENRIQUE DAVID

Suas datas foram 1817 - 1862. Ele foi um naturalista e um filósofo norte-americano. É contado entre os transcendentalistas da Nova Inglaterra. Deixava-se influenciar poderosamente pela Natureza, onde ia buscar seus conceitos de integridade e espontaneidade. Talvez ele tenha sido uma espécie de místico da Natureza. Também dava apoio ao conceito da desobediência civil, asseverando que os governos só merecem ser obedecidos quando promovem corretos princípios de justiça. Ganhava a vida escrevendo artigos para revistas. Produziu inúmeros artigos, ensaios e discursos. Tornou-se conhecido por seus perceptivos artigos acerca da Natureza, com suas pungentes observações filosóficas. Abominava uma existência na qual os homens só trabalham para ganhar dinheiro. Escreveu dramaticamente: "Quantas pobres almas imortais tenho conhecido, quase esmagadas e queimadas debaixo de sua carga, arrastando-se pela estrada, empurrando um celeiro de 20 x 12 metros, seus estábulos nunca limpos, com cem acres de terra arando, segando, dando pasto, cortando lenha". Qualquer pessoa que tem tido um emprego do qual não gosta, meramente para ganhar algum dinheiro ou para "progredir" um pouco, poderá entender essa declaração. Mas, quantas pessoas têm mais do que isso nesta vida física? Thoreau reconhecia, intuitivamente, a lição de que, a despeito das adequações físicas, a alma anela por alguma outra coisa.

THORN, CONFERÊNCIA DE

Inclui este pequeno artigo por descrever o ridículo conflito que se fere entre os cristãos, por motivo de diferenças doutrinárias. A conferência de Thorn foi convocada pelo rei Ladislau IV, da Polônia, em 1645. O propósito era o de impedir conflitos entre católicos romanos, luteranos e calvinistas, no interior das fronteiras polonesas. Representantes de cada uma dessas divisões fizeram-se presentes a fim de exporem (e imporem, naturalmente) os seus pontos de vista. Ficaram discutindo durante três meses, insultando e soltando exclamações indignadas. Os ataques mais ferinos caracterizaram a cena. E a única mudança que a conferência produziu foi o agravamento da situação dos protestantes da Polônia. E na Alemanha, a conferência também rendeu um resultado: as igrejas luterana e reformada também ficaram amarguradas uma contra a outra. Na verdade, a conferência de Thorn continua sendo editada até hoje.

TIA

Tradução de um vocábulo hebraico que significa carinhoso, dando a entender a irmã do pai ou a esposa do tio. Aparece em três lugares, Êxo. 6:20; Lev. 18: 14 e 20:20, todos abordando problemas incestuosos, o termo carinhoso provavelmente veio a ser usado como palavra de afeto, usada pelas crianças, o que, nesse caso, veio a ser aplicada a um grau específico de parentesco. (S Z)

TIAGO
Ver os artigos sobre **Tiago (Livro)** e **Tiago (Pessoas)**.

TIAGO (LIVRO)
Ver **Tiago (Pessoas)**, pontos 1 e 2.
Esboço:
I. Confirmação Antiga e Autenticidade
II. Autoria
III. Data, Proveniência e Destino
IV. Fontes e Integridade
V. Tipo Literário e Relações
VI. O Cristianismo Judaico
VII. Paulo e Tiago
VIII. Propósitos e Ensinamentos
IX. Linguagem
X. Conteúdo
XI. Bibliografia

Tiago é um dos livros problemáticos do NT, em que quase todos os seus principais aspectos têm sido disputados. Não há um consenso geral acerca da natureza da maioria dos itens alistados nesta introdução. A principal dificuldade tem sido a indisposição dos intérpretes de examinar o livro com honestidade, porquanto têm sentido ser necessário harmonizar Tiago com Paulo. Essa tentativa de harmonização tem obscurecido os propósitos e os ensinamentos de Tiago. Quão facilmente os intérpretes cristãos deslizam para a defesa da teologia sistemática a qualquer preço! Certamente deve ter ocorrido à maioria dos intérpretes que Tiago é um documento que representa o "cristianismo legalista"; mas esse "pensamento-chave", que poderia servir para que se compreenda claramente o livro, tem sido negligenciado pela grande maioria dos intérpretes. Eles pensam que o livro, na realidade, não pode contradizer a Paulo; e passam a expressar muitas interpretações dúbias e errôneas de seu conteúdo. Ter-nos-iamos esquecido que, no primeiro século, o problema legalista nunca foi solucionado, e que uma boa porção de igreja cristã, que sofria a influência do judaísmo, nunca abandonou seus antigos caminhos, porém buscou incorporar o novo nos antigos? Ter-nos-íamos esquecido que o décimo quinto capítulo do livro de Atos mostra claramente que muitos crentes, em áreas judaicas, chegavam a crer que a circuncisão era necessária para a salvação, subentendendo que a lei era igualmente necessária? Até mesmo nas áreas gentílicas, os *judaizantes*

TIAGO

Rockefeller-McCormick, manuscrito ilustrado, primeira página de Tiago,
Cortesia, University of Chicago, the Joseph Regenstein Library

TIAGO

VERSÍCULOS-CHAVES DE TIAGO

••• ••• •••

Meus irmãos, que aproveita se alguém disser que tem fé, e não tiver as obras? Porventura, a fé pode salvá-lo? (2:14)

Assim também a fé, se não tiver as obras, é morta em si mesma. (2:17)

Vedes então que o homem é justificado pelas obras e não somente pela fé. (2:24)

...a língua é um pequeno membro, e glorie-se de grandes coisas. Vede quão grande bosque um pequeno fogo incendeia. (3:5)

Sede pois, irmãos, pacientes até à vinda do Senhor. (5:7)

A oração da fé salvará o doente, e o Senhor o levantará; e se houver cometido pecados, ser-lhe-ão perdoados. (5:15)

Saiba que aquele que fizer converter do erro do seu caminho um pecador, salvará da morte uma alma e cobrirá uma multidão de pecados. (5:20)

••• ••• •••

TIAGO (LIVRO)

obtinham notáveis progressos e chegaram a controlar até mesmo igrejas gentílicas, constituídas, essencialmente, de elementos gentílicos. A epístola de Paulo aos Gálatas é prova disso. Até mesmo a igreja em Roma contava com os seus judaizantes, que exerciam grande autoridade, como o conteúdo da epístola aos Romanos certamente o indica. E outro tanto se dá no caso da primeira e da segunda epístolas aos Coríntios, onde uma das principais facções era aquela que fazia de Pedro o seu herói, e que, não há que duvidar, tinha uma atitude "legalista". A mesma coisa ocorria na igreja dos filipenses, a julgar pelo trecho de Fil. 3: 1-8.

Afastados agora tantos séculos daquele agudo conflito (embora ele esteja bem vivo na Igreja, até hoje), esquecemo-nos da sua magnitude. É fato brutal que Paulo *nunca* foi aceito pela Igreja cristã judaica, mas antes, sempre foi encarado com suspeita, como destruidor da verdadeira religião. Isso ficamos sabendo através de Atos 21:21 e ss. É verdade que alguns dos líderes principais reconheciam a sua missão e o seu ofício apostólicos (ver Gál. 2:9 e ss), mas é destituída de fundamento a suposição de que a sua aceitação se tornou generalizada. O partido da circuncisão (ver o artigo *Circuncisão, Partido da*, e Atos 11:2), tinha um poder grande demais para permitir que sua reputação fosse outra coisa senão algo totalmente negativo ou duvidoso para os membros comuns da Igreja judaica. Os caminhos e costumes antigos fenecem mui lentamente; e sempre será verdade que novas verdades não triunfam por conquistarem a geração contemporânea, mas porque conquistam *uma nova geração*, até que a antiga, finalmente, pereço. De fato, conforme disse Alfred North Whitehead: "Se voltarmos a atenção para as novidades do pensamento em nosso próprio período de vida, veremos que quase todas as idéias realmente novas se revestem de certo aspecto de insensatez, quando são apresentadas pela primeira vez".

Havia muitos cristãos judeus que recebiam sinceramente a Cristo como seu Messias e Salvador, crendo no valor expiatório de sua morte, bem como no poder vivificador de sua ressurreição, mas que tinham plena certeza de que essas crenças podiam ser injetadas no judaísmo antigo, cuja lei (excluindo-se os sacrifícios) e cuja circuncisão, conforme eles, continuavam plenamente em vigor, sem interrupção ou abrandamento. Ver o artigo sobre *Legalismo*. Assim sendo, muitos pensavam que a idéia paulina de ,Justificação *exclusivamente* pela fé era uma perversão da verdade, e não um degrau mais alto da verdade. Apesar de reconhecerem a importância e até mesmo a necessidade da fé vital, viam isso como um acompanhamento da fé e, de fato, como uma maneira de cumprir a lei, e não como algo que suplantava a lei, exatamente conforme está expresso no livro de Tiago 2:14-26, que é uma linguagem plenamente legalista, tão clara como se poderia encontrar em qualquer documento judaico e não cristão.

Por que se pensaria ser estranho que vários autores tivessem deixado documentos, expressando as idéias da facção judaica da Igreja primitiva, e que um desses documentos, a epístola de Tiago, por causa de suas qualidades inerentes, finalmente tivesse vindo a fazer parte do NT? É a aceitação desse pensamento que facilita a interpretação da epístola de Tiago, eliminando a necessidade de se buscar uma harmonia desonesta com os escritos de Paulo.

A epístola de Tiago não era conhecida e nem foi usada na Igreja cristã durante três séculos; e mesmo depois disso sempre foi um livro disputado, e isso pela razão simples de que muitos reconheciam, sem evitá-lo, o verdadeiro problema, que consiste em como reconciliar Paulo com Tiago, fazendo com que, no NT, tenhamos um documento legalista que, quanto a certos aspectos, está fora de lugar. Bem entendido, está fora de lugar para vários grupos protestantes, apesar de ser alegremente aceito, exatamente como está, na Igreja Católica Romana, que retém aspectos legalistas em sua doutrina. Qualquer outra abordagem a esse livro, além daquela que aqui é sugerida, envolve o intérprete em desonestidade, ainda que creia pessoalmente estar exercendo bom juízo e não tenha consciência de que perverte certos versículos.

Lutero escreveu: "Em suma, o evangelho de João e a sua primeira epístola, as epístolas de Paulo, sobretudo aquelas aos Romanos, aos Gálatas, aos Efésios, e a primeira epístola de Pedro - esses são os livros que mostram Cristo e nos ensinam tudo quanto **é necessário e bem-aventurado conhecer,** embora não vejamos ou não ouçamos qualquer outro livro ou doutrina. Portanto, a epístola de Tiago é uma epístola de palha, em comparação com aqueles, porquanto não exibe o caráter do evangelho". (Lutero, *Introdução à Epístola de Tiago*).

Todavia, embora ele tivesse essa baixa opinião sobre o caráter doutrinário do livro, nem por isso o rejeitou completamente, e nem proibiu o seu uso, dizendo: "Por conseguinte, eu não o terei em minha Bíblia entre seus principais livros, mas nem assim critico as pessoas que querem colocá-lo ali e exaltá-lo como melhor lhes convier, pois contém muitas coisas boas".

Assim sendo, em sua Bíblia impressa, Lutero separou a epístola aos Hebreus, juntamente com Tiago, Judas e Apocalipse, atribuindo-lhes um lugar no fim do volume, e não os fazendo figurar na tabela de conteúdo. Dessa maneira, na Bíblia em alemão, impressa através dos séculos, essa ordem acabou sendo conservada, em**bora,** finalmente, recebesse lugar na tabela de conteúdo.

O autor desta Enciclopédia acredita que Lutero designou uma posição baixa demais a Tiago e falhou no reconhecimento do lugar vital que ocupa no "Cânon" cristão. Podemos não apreciar certos aspectos da teologia de Tiago, nem tão pouco a maneira com que expressa determinadas coisas, influenciado, como foi, pelo legalismo, mas o que acaba por dizer é uma mensagem de importância tão extrema, que podemos desculpar o modo de expressão. Tiago merece lugar no "cânon" porque levanta um *importantíssimo* problema - o da relação entre as obras e a fé, reconhecendo intuitivamente que há um sentido em que as obras fazem parte da salvação, embora o livro não expresse com exatidão como isso pode ser. A fé é um princípio vital, que produz obras, e não um produto, mas uma **auto-expressão da graça;** porquanto as "obras", espiritualmente compreendidas, na realidade, são produtos ou frutos do Espírito Santo em um homem, a **auto-expressão do princípio dá graça,** operante no íntimo. De acordo com definições espirituais, por conseguinte, as obras e a graça são sinônimos, já que ambas as coisas são divinamente inspiradas e infundidas no ser humano.

O autor desta Enciclopédia acredita que o judaísmo, tal como Tiago, que **foi apenas um porta-voz de idéias** mais antigas, reconhecia *intuitivamente* esse princípio. Mas, faltando-lhe uma melhor revelação, expressava o princípio sem habilidade, isto é, legalisticamente, e não "misticamente" (o Espírito é o autor das verdadeiras obras espirituais, mediante o seu contacto genuíno com os homens). A expressão desse princípio é o cerne mesmo do judaísmo.

Infelizmente, a Interpretação legalista obscureceu a verdade. Mas nos escritos de Paulo, essa verdade é

TIAGO (LIVRO)

claramente expressa, em Fil. 2:12; e o princípio da graça divina transparece com clareza em Fil. 2:13: "Assim, pois, amados meus, como sempre obedecestes, não só na minha presença... desenvolvei a vossa salvação... porque Deus é quem efetua em vós tanto o querer, como o realizar, segundo a sua boa vontade". O décimo segundo versículo expressa a verdade das "obras"; e o décimo terceiro expressa a verdade da "graça". Não podemos interpretar o décimo segundo versículo como "desenvolvei aquilo que já foi operado em vós", como se tudo quanto estivesse em foco fosse "expressar com ações externas" a graça que opera no íntimo. Essa é uma interpretação errônea. Antes, é-nos ordenado que "efetuemos" nossa própria salvação, tornando-a real. Isso depende de buscar o Espírito e de permitir-lhe produzir seu fruto em nós, santificando-nos e transformando-nos segundo a imagem de Cristo, que expressa a salvação em sua inteireza. O termo grego envolvido na idéia de "efetuar", é *katergadzomai*, que significa "obter", *realizar*, "produzir". Em sentido real, pois, produzimos a nossa própria salvação, isto é, da maneira que acaba de ser sugerida. Não obstante, isso seria impossível a menos que sejamos inspirados pelo Espírito de Deus, que nos capacite a tanto primeiramente, desejando-o, e então, realizando-o.

O valor da epístola de Tiago, pois, tem o mesmo valor que havia no judaísmo. Um homem sabe intuitivamente que deve fazer algo, ser algo, produzir alguma coisa, a fim de que tenha uma busca espiritual válida. Esse discernimento é expresso de forma legalista no judaísmo e na epístola de Tiago, o que é um equívoco; porque tal verdade deveria ser expressa misticamente, ou seja, através da submissão e do cultivo do poder do Espírito Santo em nós, para operarmos, nos esforçarmos e efetuarmos ou pôr em funcionamento a nossa própria salvação. Porém, o próprio fato de que Tiago tenta expressar essa verdade, ainda que desajeitadamente, é razão suficiente para aceitarmos essa epístola no "cânon"; pois a verdade assim ressaltada é vital, e certamente não deve ser olvidada na Igreja evangélica moderna, com a sua crença fácil. Portanto, que soe a mensagem de Tiago; e que, com a ajuda de Paulo, possamos fazer com que seu tom seja alto e claro. Tendo dito isso, atribuímos à epístola um elevado lugar, e muito mais importante que aquele que lhe foi atribuído por Lutero.

A *intuição*. Intuitivamente reconhecemos que a salvação deve incluir o ser e o fazer, e não a mera anuência a um credo. Pela revelação bíblica sabemos que há graus diversos de glorificação, que dependem de nossas obras (ver II Cor. 5:10); e a glorificação é o nível mais elevado da salvação (ver Rom. 8:29,30). Portanto, se forem corretamente entendidas, as "obras" estão plenamente envolvidas na salvação. Mas essas obras não são legalistas; são misticamente produzidas, como a **auto - expressão da graça divina**, que opera sobre a alma humana. E na direção dessa intuição que Tiago dirige a sua mensagem, embora de uma maneira com a qual não possamos concordar inteiramente. O próprio fato de que a epístola aponta para essa verdade é motivo suficiente para lhe conferir uma parcela importante na nossa literatura e pregação, ao mesmo tempo em que melhoramos alguns de seus pontos, com o auxílio de revelações maiores e melhores, extraídas dos escritos dos apóstolos Paulo e Pedro.

O *paradoxo*. A maioria das principais doutrinas do cristianismo apresenta algum paradoxo. Como é que Cristo pode ser, ao mesmo tempo, Deus e homem, é algo em que cremos, mas que não temos maneira fácil e clara de explicar. Como é que o determinismo e o livre-arbítrio se encontram nas páginas do NT é algo em que igualmente cremos, mas sem podermos reconciliar esses princípios. Por semelhante modo, a fé e as obras, apesar de parecerem princípios contraditórios, quando nos referimos a "meios" de salvação, são apenas dois lados de uma grande verdade; mas, como harmonizá-los, não sabemos dizê-lo, embora façamos algumas sugestões, como aquelas que aparecem nos parágrafos acima. Os paradoxos resultam de nossa falta de compreensão; e a falta de compreensão resulta de nossa atual baixa posição, como espíritos aprisionados em corpos. Contudo, algum dia os paradoxos serão explicados, e deixarão de ser paradoxos.

I. Confirmação Antiga e Autenticidade

Apesar de que, normalmente, nesta Enciclopédia, as questões de autoria e data são discutidas em primeiro lugar, no caso da epístola de Tiago, é mais sábio iniciarmos o estudo com o problema da confirmação antiga, que influenciará o que acreditamos sobre outras questões.

A discussão abaixo procura mostrar que Tiago é um tratado ou panfleto religioso (na forma de epístola, e não de uma missiva comum), que escapou a atenção de todas as seções da Igreja primitiva por quase dois séculos. Orígenes, na primeira metade do século III d.C., foi o primeiro dos pais da Igreja a identificar expressamente o livro, conferindo-lhe importância. Não é livro citado pelos pais da Igreja anteriores a ele. É incrível (segundo alguns intérpretes) que se Tiago, apóstolo e irmão de Jesus, tivesse escrito alguma coisa, que tal escrito tivesse sido desprezado por tantos decênios, ao ponto de permanecer no olvido até os dias de Orígenes!

1. Clemente e os primeiros livros

Nos escritos dos mais antigos pais da Igreja, como Clemente de Roma, Inácio, Policarpo e Justino Mártir, bem como nos escritos dos apologistas do segundo século, não há qualquer referência clara ao livro de Tiago. E nem se acha citado ou claramente aludido nos primeiros escritos, isto é, II Clemente (escrita em nome de Clemente de Roma, embora não fosse realmente de sua autoria), a Epístola de Barnabé, o Ensino dos Doze Apóstolos e a Epístola a Dioneto. Nos escritos de Clemente de Roma há temas similares que envolvem o estudo sobre Abraão, nos capítulos décimo, décimo sétimo e trigésimo primeiro, e sobre Raaca, no décimo segundo capítulo. Existem coincidências de expressão nos capítulos treze, vinte e três, trinta, trinta e oito e quarenta e seis. Porém, em todos esses casos, as similaridades são do tipo que se encontram na literatura judaica da época, expressões e idéias que foram reproduzidas, e que não eram originais e nem distintivas nesta epístola a Tiago, pelo que não se pode demonstrar qualquer dependência dos escritos de Clemente aos escritos de Tiago, o que certamente Clemente teria feito, se tivesse conhecido e usado esta epístola. Muitos eruditos modernos concordam ser fraco o argumento de que Clemente usou a epístola de Tiago. Tal posição é insustentável.

2. Policarpo, Inácio e Justino Mártir

As evidências de que qualquer desses conhecia e usou a epístola de Tiago ainda são mais fracas que no caso de Clemente. Similaridades ocasionais são devidas ao uso de idéias e expressões comuns ao judaísmo helenista. Não há coisa alguma, nos escritos desses pais da igreja, que possa ser claramente **derivada da epístola de Tiago**.

3. O Pastor de Hermas (cerca de 150 d.C.):

Esse foi um trabalho literário simbólico, cujo intuito era o de despertar uma igreja lassa e chamar ao arrependimento os crentes que houvessem pecado. Alguns segmentos da igreja aceitavam essa obra como canônica, e ela aparece

TIAGO (LIVRO)

no codex Sinaiticas do NT. Essa obra tem vários pontos de semelhança com a epístola de Tiago, muito mais do que os livros e os pais acima mencionados. Porém, quando esses pontos de semelhança são examinados, vê-se que sob hipótese alguma este livro reflete algo exclusivamente pertencente ao livro de Tiago, o que certamente teria ocorrido, se seu autor tivesse usado essa epístola. Por exemplo, nada aparece acerca da famosa passagem sobre a justificação, em Tia. 2:14-26. E até mesmo quando há certo paralelismo de idéias, a linguagem e a atitude são diferentes. Assim, pois, nenhum empréstimo diretamente feito de Tiago pode ser demonstrado, mesmo ao ser apresentado material semelhante. O paralelo mais notável é em Hermas Mand. ix, onde aparece o tema da "duplicidade de propósitos". Ali somos informados de que devemos orar sem "dúvidas" e sem "hesitações". Também nos é prometido que Deus responderá à oração da fé, porquanto Deus não guarda ressentimentos. Tudo isso é paralelo ao trecho de Tia. 1:5-8; mas o mais provável é que esse tipo de estudo sobre a oração era comum nas exortações do judaísmo, podendo ser ouvido em muitas sinagogas. Um outro notável exemplo pode ser achado se compararmos Mand. VIII, com Tia. 1:27. E há outros exemplos de segunda ordem, em grande número, embora sem qualquer instância de qualquer coisa peculiar a Tiago. Apesar de que alguns eruditos têm aceitado o uso da epístola de Tiago pelo autor do Pastor de Hermas, a maioria dos eruditos modernos concorda que o caso está longe de ser demonstrado.

4. *Irineu* (século II d.C.)

As únicas passagens que poderiam ser evocadas são as de *Contra as Heresias* iv. 16 (ver Tia. 2:23); iv. 13 (ver Tia. 2:23) e v.1 (ver Tia. 1:18,22). Dentre essas instâncias, somente a de iv.16 (com Tia. 2:23) é notável; e, além disso, o paralelismo se dá apenas quanto às últimas cinco palavras. As outras semelhanças são por demais superficiais para merecerem exame. Portanto, é evidente que Irineu não conheceu e nem usou a epístola de Tiago.

5. *Tertuliano*

Nenhum trecho dos escritos de Tertuliano demonstra qualquer dependência à epístola de Tiago. O seu *De orat.* 8, concernente à oração do Pai Nosso, e o fato de não ter citado Tia. 1: 13, quando isso teria sido tão conveniente, mostra-nos que o mais provável é que ele não conhecia essa epístola. Os trechos de *Adv. Jud., 2 e De Orat. 8* contêm similaridades com algumas das expressões utilizadas por Tiago, mas existem casos, como esses, discutidos nos parágrafos anteriores, que são meras similaridades, mas sem que haja qualquer reflexo realmente distintivo da epístola de Tiago.

6. *Clemente de Alexandria*

Coisa alguma, em seus escritos, parece indicar a familiaridade com a epístola de Tiago. Mas Eusébio, em sua *História Eclesiástica* vi. 14 parece indicar que Clemente conhecia o livro. Contudo, não sabemos quão exata é essa informação, porquanto entre Clemente e Eusébio havia um espaço de cinquenta anos. Admitindo-se a exatidão de sua declaração, mesmo assim não se obtém qualquer testemunho direto em favor de Tiago, até os primórdios do século 111 d.C. Todavia, um escrito latino, intitulado *Adumbrationes Clementis in Epistolas Canônicas* aceito como tradução das *"Hypótyposes",* feita sob a direção de Cassiodoro, no sexto século de nossa era, das epístolas católicas, incluindo somente 1 Pedro, Judas, 1 e 11 João, dá-nos a entender, pelo menos com base nessa tradição, que Clemente não aceitava a epístola de Tiago como canônica, embora aceitasse tal livro como digno de ser usado nas igrejas. O fato de que Orígenes, seu sucessor, conhecia e aceitava essa epístola como canônica, mostra-nos, pelo menos, que é provável que Clemente tivesse consciência de sua existência. Quanto valor ele atribuía a essa epístola, entretanto, é algo duvidoso, pelo menos enquanto maiores provas não forem colhidas.

7. *Orígenes e a Igreja Grega*

Orígenes faz muitas e indisputáveis citações da epístola de Tiago. A sua data é 181-251 d.C., pelo que ele nos leva bem dentro do século III d.C. Na sua obra, *Commen. Joann. xix.*, cap. 23, ele cita diretamente a passagem de Tia. 2:14, mencionando diretamente tanto a ele como à sua "epístola".

Também menciona Tiago diretamente em sua *Select in Salmos* 30, 65, 117, em sua seção sobre Êxodo 15, em seu fragmento do *Comentário de João* 6, além dos fragmentos 38 e 126. Clemente chamou esse Tiago de "apóstolo", embora não o tivesse identificado ainda mais exatamente, como "irmão do Senhor", como filho de Zebedeu, de Alfeu, o "menor", ou de qualquer outro. E ainda que tivesse feito qualquer identificação dessa natureza, visto que estava distante dele por mais de duzentos anos, duas declarações expressariam meras opiniões. Ao falar sobre Tiago, o irmão do Senhor, em seu comentário sobre Mat. 10:17, ele deixa de mencionar que esse é o Tiago que escreveu a epístola com esse nome. Por conseguinte, é bem provável que ele não fizesse tal identificação. Não obstante, isso poderia ser um descuido. As evidências que temos, pois, é que Orígenes foi o primeiro de todos os pais da Igreja a aceitar como canônica à epístola de Tiago não a tendo classificado como inferior aos demais livros do NT.

Os pais da Igreja que se seguiram imediatamente a Orígenes, na igreja grega, usaram da epístola de Tiago mui raramente; mas não há qualquer indicação de que a tenham rejeitado. Assim o fizeram Gregório Taumaturgo, Dionísio de Alexandria (ambos em cerca de 270 d.C.), e Metódio de Olimpo (311 d.C.).

Eusébio (falecido em 340 d.C.), o famoso historiador eclesiástico, utilizou-se abundantemente da epístola. (Ver *História Eclesiástica* II.23:25 e III.25:3). Suas declarações, no entanto, falam sobre as dúvidas dos pais mais antigos da Igreja, e de como a epístola de Tiago era um dos livros disputados, sem jamais ter obtido larga aceitação na Igreja, conforme sucedia aos demais livros do NT, por essa época.

O *Catalogus Claromontanus* (século VI d.C.), que alguns estudiosos acreditam ter sido composto em Alexandria, no século IV d.C., incluía a epístola de Tiago, como também o faziam os catálogos preparados por Atanásio (falecido em 373 d.C.), por Cirilo de Jerusalém (falecido em 386 d.C.), por Epifânio (falecido em 403 d.C.), por Gregório de Nazianzeno (falecido em 390 d.C.) e por Crisóstomo (falecido em 407 d.C.).

A essas testemunhas poderíamos adicionar Marcário do Egito (391 d.C.), o concílio de Laodicéia (60 cânon, do século IV ou V d.C.), Cirilo de Alexandria (século V d.C.), e todos os pais alexandrinos que se seguiram.

8. *A igreja armênia*

Todos os manuscritos em armênio (com data de cerca de 430 d.C.) contêm essa epístola.

9. *A igreja síria*

A primeira tradução da epístola de Tiago para o siríaco data de cerca de 412 d.C. Dali veio a ser aceita no Peshitto, o texto sírio oficial. Antes de 412 d.C., entretanto, nenhuma das epístolas universais obtivera total aceitação na igreja síria. O cânon neotestamentário dessa igreja, composto em cerca de 400 d.C., incluía somente os quatro evangelhos, o livro de Atos, as epístolas paulinas (com hebreus e uma terceira epístola aos Coríntios), mas excluía as epístolas universais e o

TIAGO (LIVRO)

livro de Apocalipse. Assim sendo, os primeiros pais sírios da igreja, como Afraates (345 d.C.) e Efraem (378 d.C.) não mostram qualquer indício claro da aceitação da epístola de Tiago. A aceitação final dessa epístola parece ter sido devido à influência da igreja grega, mas muitos, ainda assim, duvidavam de sua autenticidade, conforme o fazem Teodoro de Mopsuestia, Tito de Bostra, Severiano de Gabala e o tutor das *Constituições Apostólicas*. Essa opinião de alguns sírios continuou até mais tarde na história daquela igreja. Os nestorianos rejeitavam as epístolas universais (ou católicas) em sua inteireza, e isso era comum na porção síria da Igreja, até bem dentro da Idade Média.

10. A Igreja Ocidental

A história da epístola de Tiago no Ocidente se parece muito com a que se pintou no tocante à igreja síria; e, nesse caso, sua aceitação também se deveu à influência da igreja grega. O cânon muratoriano (Roma, 200 d.C.) a omite. Conforme temos visto, Irineu e Tertuliano não se utilizaram dela, se é que a conheciam. Cipriano, embora tivesse usado inúmeras citações, nunca citou Tiago (falecido em 258 d.C.). Outro tanto se pode dizer com respeito a Novaciano (252 d.C.). Em 359 d.C., o *Católogo Monseniano*, de origem africana, omite o livro de Tiago; e Ambrósio (397 d.C.) nunca citou diretamente o mesmo. Nos textos do codex Corbeiensis, o pseudo Agostinho Speculum (350 d.C.), essa epístola é incluída, mas evidentemente como se fora um panfleto patrístico, e não corno parte de qualquer NT em latim. De fato, nenhum manuscrito latino contém essa epístola, senão já cerca de uma geração mais tarde.

O exemplo mais antigo de citação da epístola de Tiago, em latim, é o de Hilário de Poitiers, *de trin*. iv. 8 (358 d.C.), e mesmo assim apenas como parte de vários textos que os arianos perverteram para suas próprias finalidades, embora não cite o livro de Tiago de modo a autenticá-lo, e nem demonstre qualquer respeito especial pelo mesmo. Ambrosiastro (382 d.C.) demonstra ter conhecimento do livro, como também o fez Prisciliano (386 d.C.). As primeiras traduções da Vulgata Latina que incluíram Tiago datam de 384 d.C. e depois.

O fato de que Agostinho (430 d.C.) e Jerônimo (420 d.C.) finalmente aceitaram o livro como canônico, fez a Igreja Ocidental seguir a prática; e assim, os líderes cristãos subseqüentes dessa parte do mundo passaram a aceitar a epístola, embora certas vezes emitissem dúvidas, aqui e acolá. (Isidoro de Sevilha, em 636 d.C., menciona a existência de tais dúvidas). Não obstante, a autoridade do livro prevalecia de modo geral, diferentemente do que sucedia na igreja síria, onde sempre houve protestos vociferantes contra tal inclusão.

11. Na história posterior

Na *Reforma*. Os comentários acima demonstram a natureza da história da epístola de Tiago desde o século V até à época de Erasmo. Na igreja grega, não havia disputa; na igreja ocidental, menos ainda; na igreja síria continuava havendo forte resistência contra sua inclusão; nos dias imediatamente antes da Reforma, Erasmo novamente levantou a questão da autenticidade do livro, sua canonicidade e seu direito à autoridade, entre os escritos sagrados. Erasmo revisou as antigas razões para a reserva acerca da epístola de Tiago, e acrescentou algumas razões pessoais. Ele argumentou principalmente com base em questões de linguagem e estilo e indagou, com razão, se qualquer dos apóstolos (judeus galileus) poderia tê-la escrita. Não obstante, aceitava-a, talvez como filho obediente da Igreja. No tocante à Igreja Católica Romana, as opiniões de Jerônimo e Agostinho eram seguidas de maneira geral, pelo que nunca foram coerentemente levantadas objeções sérias. Todavia, no Concílio de Trento, alguns falaram acerca da incerteza, de sua autoridade apostólica. A despeito disso, a 8 de abril de 1546, por decreto do citado concílio, a epístola de Tiago foi aceita juntamente com os outros vinte e seis livros de nosso presente NT. Outrossim, seu autor foi declarado "apóstolo". Esse decreto foi confirmado pelo Concílio do Vaticano, de 24 de abril de 1870.

No Concílio de Trento, entretanto, surgiu certa distinção (que continua a ser observada entre os católicos romanos), entre aqueles livros tidos como sempre aceitos e aqueles cuja aceitação foi gradual. Dentro dessa última categoria, naturalmente, foi situado o livro de Tiago. Mas isso é mera distinção histórica, que não visa atribuir valores diferentes aos livros.

No Lado Protestante. Posto que o protestantismo não foi forçado a concordar sobre o que dizia a hierarquia de organizações eclesiásticas, e nem de aceitar automaticamente as opiniões dos primeiros pais da Igreja, houve muito maior oposição à inclusão da epístola de Tiago no *cânon*. As epístolas de Hebreus, Tiago, II Pedro, II e III João, Judas e Apocalipse sempre foram livros disputados, - e isso continuou sendo até dentro do período da Reforma. Lutero fez o evangelho de João, I Pedro e Romanos o seu "padrão" de julgamento; por essa causa, rejeitava a epístola de Tiago como canônica e autoritária, chamando-a de "epístola de palha" (na sua Introdução à Epístola de Tiago), embora nem por isso tivesse proibido outros a usarem-na ou a pensarem dela o que bem entendessem. Em sua Bíblia vertida para o alemão, ele a colocou, juntamente com Hebreus, Judas e o Apocalipse, no fim da coletânea dos livros do NT, não dando a esses livros posição na tabela de conteúdo. A Bíblia alemã preservou essa ordem, mas, finalmente, alistou-os em sua tabela de conteúdo.

Carlstadt, o ciumento opositor pessoal de Lutero, admitia que o livro era disputado e de menor dignidade, mas nem por isso o excluiu do "cânon" de livros autoritários. Melancthon pronunciou-se em favor dele, sem limitações pessoais, embora reconhecesse que outros líderes demonstravam escrúpulos sobre a questão. Após o ano de 1600, porém, a maioria dos luteranos admitia a autoridade da epístola de Tiago.

Calvino, Zwínglio e Beza aceitavam a epístola de Tiago como canônica, mas disputavam a sua *autoria*.

Na Inglaterra, os pontos de vista de Lutero exerceram influência. Assim, no NT, de Tyndale (1525 d.C.), foi adotado o arranjo da Bíblia em alemão, até o ponto de não haver número das páginas dos livros disputados, na tabela de conteúdo. O **próprio Tyndale** aceitava a epístola, mas não ignorava a aura de dúvidas que a rodeava. As bíblias de Coverdale (1535), Matthew (1537), Taverner (1539) também preservaram a ordem de livros da Bíblia alemã. Mas as bíblias Grande (1539), "Bispos" e King James preferiram a ordem de livros que apareceria na Vulgata, ignorando a disputa. As bíblias em holandês, em dinamarquês, em sueco (do século XVI) e suíço, seguiram a ordem apresentada por Lutero.

A igreja anglicana, nos seus Trinta e Nove Artigos (artigo VI), e a Confissão Westminster (1647), aceitaram a epístola de Tiago sem disputa.

Ver artigo sobre *Cânon* do NT. Pode-se ver, com base nisso, bem como com base na discussão anterior, que, depois do livro de Apocalipse, a epístola de Tiago foi o livro mais disputado do NT, e com grande hesitação é

TIAGO (LIVRO)

que recebeu lugar no "cânon", no período pós-apostólico, nunca lhe tendo sido atribuída autoridade nos dois primeiros séculos da história da Igreja.

II. Autoria

Tendo visto claramente as dificuldades que circundam este livro, no tocante à sua autoridade e canonicidade, podemos mais facilmente dizer algo de significativo sobre a questão do próprio autor. O livro identifica algum "Tiago" como seu autor. Mas, *qual Tiago* está em foco, que nos seja conhecido no NT? Ou tratar-se-ia de um Tiago desconhecido? Ou seria este livro uma pseudepígrafe, isto é, escrito em nome de um famoso Tiago do NT, mas não na realidade? Essa prática era comum nos primeiros séculos da era cristã, havendo mais de cem escritos dessa natureza que chegaram até nós, supostamente de famosos cristãos primitivos, mas certamente sem que isso seja verdade. E esses são os escritos acerca dos quais temos algum conhecimento, pelo menos através de fragmentos, ou títulos mencionados por outros pais da Igreja. Deve ter havido um número muito maior de casos. Tal prática não era reputada desonesta, naqueles dias; era uma prática comum, usada tanto na literatura profana como na sagrada.

Os Vários Tiagos do Novo Testamento

1. Tiago, filho de Zebedeu, irmão de João, incluído em todas as quatro listas sobre os doze apóstolos. Foi decapitado a mando de Herodes Agripa I, em 44 d.C. ou pouco antes. (Ver Atos 112).

2. Tiago, filho de Alfeu, um dos doze apóstolos. (Ver Mar, 10:3; Mar. 3:18; Luc. 6:15 e Atos 1:13).

3. Tiago, irmão do Senhor. (Ver Gál. 1:19; 2:9,12; I Cor. 15:7; Atos 12:17; 15: 13 e 21:18). Ficou convicto do caráter messiânico de Jesus, evidentemente através de aparição pessoal a ele, após a ressurreição de Cristo. Subseqüentemente, tornou-se o líder principal da igreja de Jerusalém, uma figura de estatura sumo sacerdotal, muito respeitado entre judeus e cristãos, igualmente.

4. Tiago, o Menor (uma alusão à sua pequena estatura, a fim de distingui-lo de outros personagens do mesmo nome). (Ver Mar. 15:40; Mat. 27:56; Luc. 24:10). Muitos identificam esse Tiago com o filho de Alfeu.

5. Tiago, pai ou irmão de Judas, um dos doze apóstolos (ver Luc. 6:16 e Atos 1:13). Em vez desse Judas (não o Iscariotes), nas listas dos evangelhos de Marcos (capítulo terceiro) e de Mateus (capítulo décimo), aparece o nome de Tadeu, o Labeu.

6. Tiago, autor da epístola, que possivelmente, pode ser identificado com um ou outro dos Tiagos mencionados acima.

7. Tiago, irmão de Judas (ver Jud. 1), por meio de quem a epístola de Judas teria sido escrita.

Dentre esse número, os Tiagos de posição primeira, segunda, terceira e sétima têm sido identificados como o autor da epístola.

Os argumentos típicos contra a Idéia de que qualquer Tiago do NT escreveu este livro:

1. É uma provação de fé, e não um ponto de fé, supormos que qualquer figura importante, e até mesmo apóstolo de Cristo, pudesse ter escrito alguma coisa e isso ficasse inteiramente *desconhecido* na Igreja cristã, até os tempos de Orígenes, isto é, já nos meados do século III d.C.

2. Seria virtualmente impossível a qualquer dos apóstolos, aldeões e pescadores galileus como eram, ter produzido uma obra em grego dotada de tal linguagem e estilo. Os aldeões galileus simplesmente não poderiam ter conhecido e usado o grego dessa maneira. Poder-se-ia argumentar que escreveram em aramaico, e que alguém, ato contínuo, traduziu a obra. Mas as traduções sempre trazem sinais de serem tradução. Não há mesmo qualquer indício de que temos aqui uma tradução. Pelo contrário, trata-se de um escrito original, com um grego de tão alto naipe que só perde para a epístola aos Hebreus, em todo o NT . Também se poderia argumentar que o Espírito Santo ajudou esse Tiago a ter um grego impecável. Mas esse mesmo Espírito não ajudou a Marcos ou ao autor do livro de Apocalipse a escrever em grego superior ao "grego de rua", o que explica seus barbarismos. Nas páginas do NT se encontram muitos níveis de grego, alguns se aproximando do clássico (como a epístola aos Hebreus), e outros em bom estilo literário *koiné* (como os escritos de Paulo), havendo outros de qualidade inferior. É um argumento eivado de preconceitos aquele que afirma que, neste único caso (na epístola de Tiago), um autor foi ajudado pela inspiração para "escrever acima" de sua capacidade no idioma.

Acresça a isso o fato de que o autor estava familiarizado com minúcias de estilo helenista, com artifícios retóricos, com aliterações, com diatribes e com a terminologia dos filósofos éticos estóicos e cínicos da época, o que dificilmente poderia fazer parte do vocabulário de judeus da Galiléia. O que queremos asseverar é que o autor sagrado exibe os sinais de ter sido homem bem educado na tradição helenista. A família imediata de Jesus e os seus discípulos, dificilmente teriam recebido educação tão formal.

3. Ademais, note-se que Tiago é o "menos cristão" e o *mais judaico* de todos os livros do NT. Há quase total ausência das doutrinas distintivamente cristãs, e o próprio Jesus é mencionado apenas por duas vezes (em Tiago 1:1 e 21). É impossível crermos que qualquer apóstolo que tivesse passado tanto tempo com Cristo, e especialmente um irmão seu, pudesse ter escrito tão pouco sobre a sua pessoa.

4. A data da epístola certamente deve ser assinalada depois do tempo de Tiago, filho de Zebedeu, que foi martirizado em 44 d.C. (Ver as notas expositivas sobre a "Data", desta epístola, na seção III). Assim, esse Tiago fica eliminado ao menos devido a essa consideração.

5. Qualquer declaração em prol da autoria de qualquer desses três personagens é *pura conjectura*. A própria epístola *não* identifica o *Tiago*. Qualquer identificação deve residir na tradição; e, nesse caso, a tradição é distintamente contrária à idéia de que qualquer um deles tenha sido o autor, a menos que admitamos aquela tradição iniciada em meados do século III d.C. Todavia, a tradição do próprio século III em diante se contradiz consigo mesma. Aqueles que conjecturavam que Tiago, o irmão do Senhor, é quem escreveu essa epístola, meramente conjecturavam, e isso é verdade no tocante às demais identificações específicas. Não há qualquer evidência de que qualquer deles escreveu o livro.

A observação de que há algum acordo verbal entre esta epístola e o discurso de Tiago, no décimo quinto capítulo do livro de Atos - Atos 15:23 com Tia. 1:1; Atos 15:17 com Tia. 2:7; Atos 15:14,26 com Tia. 2:7 e 5.10,14; Atos 15:14 com Tia. 1:27 e Atos 15:19 com Tia. 5: 19,20 - não é mais convincente do que dizer que o mesmo autor escreveu a primeira epístola de Pedro, por causa de uma lista similar de semelhanças, que se pode traçar entre esses dois livros, a saber: I Ped. 1: 1 com Tia. 1: 1; I Ped. 1:6 com Tia. 1:2; 1 Ped. 1:23 com Tia. 1: 18; 1 Ped. 1:24 com Tia. 1: 10; 1 Ped. 2:1 com Tia. 1: 1; 1 Ped. 4:8 com Tia. 5: 20; 1 Ped. 5:5 com Tia. 4:8 e 1 Ped. 5:9 com Tia. 4:7. A epístola de Tiago exibe semelhanças assim em relação a vários outros escritos, totalmente não cristãos.

TIAGO (LIVRO)

O Tiago desconhecido. É possível que um Tiago inteiramente desconhecido tenha sido o autor da epístola. Contra tal opinião, porém, talvez corretamente se possa dizer que o simples título, "Tiago", tinha por intuito ser reconhecido como autoritário. Isso está de acordo com o costume da época, quando alguém poderia escrever um livro , "no nome" de outrem, a fim de garantir tanto o prestígio como a distribuição de sua obra. Pode-se supor, pois, que o autor sagrado queria que seus leitores pensassem em uma figura "apostólica", ao lerem o livro, como se tivesse sido escrito sob a autoridade de tal personagem, promovendo a sua doutrina. Ou Tiago, o apóstolo, filho de Zebedeu, ou então Tiago, irmão do Senhor, poderiam ser assim indicados.

Trata-se (alguns dizem) *de uma pseudepígrafe.* Em outras palavras, foi escrita a epístola sob o nome de Tiago, filho de Zebedeu, ou sob o nome de Tiago, irmão do Senhor (não sabemos dizer qual deles o autor sagrado queria dar a entender). Na realidade, entretanto, o autor não foi nem um e nem outro. Essa era uma prática comum naqueles dias; e isso explicaria por que os primeiros pais da Igreja não lhe deram qualquer atenção. Sem dúvida, por onde quer que a epístola fosse distribuída e conhecida, era reconhecida não como produção de um verdadeiro apóstolo e, portanto, sem autoridade. Somente em época posterior é que gradualmente começou a ser reconhecida, devido a certos elementos de valor próprio, intrínseco. É natural que quando a epístola adquiriu certo prestígio, que tivesse solidificado essa vantagem adquirindo autoridade apostólica. É posição de muitos intérpretes modernos que, embora a epístola certamente não seja de origem apostólica, nem por isso deixa de merecer lugar no cânon neotestamentário, somente por causa dos problemas de crítica que ela levanta; antes, merece tal posição devido ao fato de ser uma digna composição literária. Evidentemente foi escrita por um homem altamente espiritual, que tinha discernimento suficiente para merecer nossa atenção, mesmo que possuísse uma revelação inferior àquilo que, de modo geral, foi revelado ao apóstolo Paulo. Mui provavelmente era ele um judeu, embora treinado na cultura helenista, sendo homem de consideráveis habilidades literárias.

Os cansativos esforços de alguns intérpretes, por descobrirem quem teria sido o Tiago que escreveu esta epístola, têm sido baldados, porquanto lhes falta qualquer apoio na Igreja apostólica e imediatamente posterior, onde os demais livros do NT são abundantemente autenticados.O resultado líquido desses esforços se resume *em quem devemos supor* que escreveu o livro. Em outras palavras, os autores desses estudos merecente querem que suponhamos que um certo famoso "Tiago" escreveu o livro. É a autoridade do mesmo, pois, que esses autores desejam trazer para detrás do livro, sendo perfeitamente possível que ele houvesse apresentado *fielmente* os pontos de vista desse Tiago.

Argumentos em favor do caráter genuíno de Tiago (com isso se entende que, de fato, foi escrito ou pelo apóstolo Tiago, ou por Tiago, irmão do Senhor, o que significa que tem autoridade apostólica e deve ser considerado como livro canônico):

Primeira discussão, extraída do comentário de Lange:
A. Informes que pressupõem existência remota e o acolhimento da epístola em Clemente, Romanus, Ep. 1, cap. x; no Pastor de Hermas, *Similit.* VIII.6; em Irineu, ADV. Haeres, IV. 16; *Abraham amicus Dei Vacob II.23*); em Tertuliano, *adv. Judaeus, cap. II*; *Abraham amicus Dei...* (Deve-se admitir que a maioria dos estudiosos vê agora que as supostas "citações" acima, extraídas de Tiago, não passam de coincidências verbais, pois nada contêm distintamente pertencente a Tiago).

B. Testemunhos. A antiga versão siríaco Peshitto contém esta epístola. Clemente de Alexandria a conhecia, conforme Eusébio, História Eclesiástica vi.14. Ele também alude a Tia. 2:8 em *Stromat.* VI. Orígenes menciona a epístola de Tiago em Rom. 19 sobre João, e ocasionalmente a chama de *divina Jacobi Apostoli Epistola.* Homl. 13 em Gên, etc. Dionísio de Alexandria apela para ela em vários lugares, e Dídimo de Alexandria escreveu um comentário a seu respeito. Cirilo de Alexandria e Jerônimo, Cat. 3, consideravam-na genuína. (Após, descrever dúvidas, antigas e modernas, sobre Tiago, o citado comentário tenta falar de modo favorável, respondendo, em parte, as dúvidas levantadas).

A circunstância da epístola não ser geralmente conhecida pela Igreja antiga em qualquer data remota, pode ser explicada pelas seguintes considerações:
1. Foi dirigida a judeus cristãos, pelo que já figura na versão Peshitto, porque na Síria, em particular, havia muitos judeus cristãos.
2. A epístola, em sua tendência, apresentava apenas poucos pontos dogmáticos, ao passo que a Igreja antiga reverteu especialmente para pontos dogmáticos.
3. A ausência da designação apostólica no título e coisas similares. Lange alude a uma discussão feita por outro autor. Usualmente, acerca da suposta "humildade" do autor, que seria o "irmão do Senhor" levou-o a omitir tal declaração e, embora não fosse um "apóstolo" no sentido estrito, ele foi uma figura apostólica.

Alford: "No seu todo, sobre quaisquer princípios inteligíveis de acolhimento canônico dos escritos antigos, não podemos negar a esta epístola lugar no cânon. Que tal lugar lhe foi dado desde o princípio em porções da Igreja; que apesar de muitas circunstâncias adversas, gradualmente obteve aceitação em outros lugares; que, quando devidamente considerada, é coerente e digna de seu caráter e da posição daquele cujo nome ela traz; que ela está assinalada por tão forte linha de distinção de outros escritos e epístolas que nunca tiveram lugar no cânon - todas essas são considerações que, embora não sirvam mais de demonstração do que em outros casos, contudo, fornecem, quando combinadas, uma prova difícil de ser resistida, de que o lugar que ela ocupa agora no cânon do NT é merecido, pois a providência divina guiou a Igreja para atribuir-lhe tal posição".

Segunda discussão, extraída do comentário de *Jamison, Fausset e Brown:* "Canonicidade: Não é de admirar que epístolas não dirigidas a igrejas particulares (particularmente a de Tiago, aos crentes israelitas dispersos) fossem menos conhecidas por algum tempo. A primeira menção à epístola de Tiago, por seu nome, ocorre no começo do século III d.C., em Orígenes (*Comentário* sobre João IS, 4, 306; nasceu cerca de 185 e morreu em 254 d.C.). Clemente Romano (primeira epístola aos Coríntios, cap. x; comparar com Tia. 2:21,23; cap. XI; cf. Heb. 11:31 e Tia. 2:25) a cita. Assim também o faz o Pastor de Hermas, que cita 4:7. Irineu (*Heresias* vi. 16:2) parece aludir a Tia. 2:23. Clemente de Alexandria comentou sobre a mesma, de acordo com Cassiodoro. Efraem Siro (*Opp. Grac.* III.51) cita Tia. 5:1. Uma forte prova de sua autenticidade é dada na antiga versão siríaca, que não contém qualquer outro dos 'livros disputados' (*Antilegomena,* Eusébio III.25), exceto a epístola aos Hebreus. Eusébio diz que os livros disputados são 'reconhecidos pela maioria' (gnorima homos tois pollois). Diz ele que a epístola de Tiago era lida

TIAGO (LIVRO)

publicamente na maioria das igrejas como obra genuína. Nenhum pai latino, antes do século IV d.C., a cita; mas logo depois do concílio de Nicéia, ela foi admitida como canônica, pelo Oriente e pelo Ocidente, e foi especificada como tal nos concílios de Hipona e Cartago (397 d.C.). Isso é o que já se poderia esperar, um escrito que a princípio era conhecido apenas em parte, até que subseqüentemente obteve circulação mais lata; e tornou-se melhor conhecida nas igrejas apostólicas, onde havia homens dotados de discernimento de espíritos, que os qualificava para discriminar entre escritos inspirados e disputados, passando a ser universalmente aceita (ver I Cor. 14:37). Embora postos em dúvida por algum tempo, pelo menos os livros disputados (Tiago, II e III João, Judas e Apocalipse) foram universalmente aceitos... A objeção de Lutero... se deveu à idéia equivocada, de que o segundo capítulo se opõe à justificação pela fé, não segundo as obras, ensinada por Paulo.

Se a epístola foi escrita por Tiago, irmão do Senhor, sua data deve ser fixada antes de 62 d.C., pois é evidente que, naquele ano, ou perto de seu término, esse Tiago tinha sido martirizado por apedrejamento. Poucos consideram que essa epístola foi escrita pelo apóstolo Tiago, martirizado em 55 d.C.

Conclusão

1. Já que o livro não identifica o **Tiago** que é chamado seu autor, e já que não nos é possível descobrir que Tiago está em pauta, para todos os propósitos práticos, o livro é anônimo. Supor que uma figura apostólica é frisada, não passa de sugestão. Nenhuma prova contra ou a favor, em absoluto, pode ser oferecida.

2. De modo nenhum, pois, a aceitação ou rejeição do livro como "apostólico" pode servir de base de ortodoxia ou heterodoxia, e nem pode isso servir de prova de fé cristã. O próprio livro não afirma ser apostólico. Podemos apenas supor que seu autor queria que entendêssemos que o livro se baseia sobre a tradição apostólica. Tiago, o irmão do Senhor, não foi um apóstolo, estritamente falando, embora fosse uma *figura apostólica*, um poder apostólico.

3. Lutero dizia: "...para dar minha opinião franca, embora sem preconceitos para com outrem, não suponho que seja o escrito de um apóstolo. E estas são as minhas razões: ... opõe-se diretamente a Paulo e a outras Escrituras, ao atribuir a justificação às obras, ao passo que Paulo ensina que Abraão foi justificado pela fé, independentemente das obras, esse Tiago nada faz além de impor-nos a lei e suas obras, escrevendo de modo tão confuso e desconexo que a mim parece que algum homem piedoso se apossou de certo número de declarações dos seguidores dos apóstolos e as lançou no papel; ou provavelmente foi escrito por alguém, conforme a pregação do apóstolo" (*Prefácio* a Tiago e João).

Não são poucos os intérpretes protestantes que têm seguido essa avaliação de modo geral. Cremos que tende a subestimar o valor de Tiago, embora enfrente com franqueza certos problemas apresentados por este livro, o que alguns comentadores modernos só têm feito com relutância.

4. *O problema real.* O problema crítico que enfrentamos, quando consideramos esta epístola, não é "qual Tiago a escreveu?" Aceitamo-la como canônica e inspirada, pelo que aquele que fez mover-se a pena, afinal, foi a próprio Espírito Santo. Contudo, Ele não movimentou homens deixando de lado as suas idéias e expressões naturais. Portanto, em expressão, o autor contradiz a Paulo. Mas, quanto à "essência do significado", ele dá apoio a uma importantíssima doutrina paulina: é mister que o crente seja transformado na justificação e na santificação; a mera crença não basta. Se o autor se encontrasse com Paulo, certamente haveria um debate. Ele era bom representante dos crentes judeus. de Jerusalém, isto é, dos "legalistas". Estes jamais concordariam com certas crenças paulinas. Mas, por detrás da controvérsia, destaca-se a grande verdade que a graça deve transformar; que a "crença fácil" é uma mentira. Tiago mostra ser uma coluna contra a mentira e o engodo da crença fácil, mesmo que o autor não se tenha expressado conforme Paulo faria, se falasse sobre o tema. O problema real que enfrentamos aqui, portanto, é: "Temos entendido o absurdo que é a crença fácil!" Tiago, sem importar quem foi ele, compreendeu isso, e faríamos bem em buscar discernir a sua idéia. Sob a seção VII deste artigo, - temos mostrado que Paulo e Tiago discordam do mesmo modo, e acerca das mesmas coisas, como fazem o "sistema da graça" e o "sistema legalista". Tiago representa o ponto de vista legalista da fé religiosa. Lutero viu isso claramente, e muitos bons intérpretes não têm temido destacar o fato. Contudo, de um ponto de vista da compreensão espiritual, não há contradição entre Tiago e Paulo, tal como *não há* diferença entre as "obras" e a "graça", quando ambas são entendidas de um ponto de vista realmente espiritual. A graça em ação é esse tipo de obras onde há salvação. Tiago talvez tenha visto isso. E faríamos bem em vê-lo também.

5. Se nossa disposição é aceitar o testemunho da maioria dos antigos pais da Igreja, então cumpre-nos rejeitar a autoridade apostólica deste livro. Se aceitarmos a opinião da Igreja, a começar do século III d.C., afirmaríamos que Tiago, irmão do Senhor, o escreveu, ou então que seu autor foi o apóstolo Tiago; e nesse caso aceitaríamos o livro como canônico. Apesar do que pensamos sobre sua autoria, não há motivo para rejeitar sua autoridade e canonicidade. Ele nos apresenta importantíssima mensagem. O antinomianismo tem como fruto a "crença fácil", e esse sentimento é muito mais generalizado na Igreja moderna do que ousamos admitir. Tiago se opõe a tal desenvolvimento, e sua mensagem deve ser ouvida.

III. Data, Providência e Destino

Porquanto a questão de autoria é **indefinida**; é difícil afirmarmos qualquer coisa, de forma absolutamente certa, sobre essas questões. Pelo menos, podemos eliminar algumas idéias "piores", chegando a uma espécie de aproximação da verdade.

Data. O que se acredita sobre esse particular varia desde uma data não fixada, a.C., até 150 d.C. A própria data mais antiga poderia ser correta, se Tiago não fosse um documento cristão, que tivesse sido adotado para uso cristão, com o acréscimo de alguns toques cristãos, como a menção do nome de Cristo, em Tia. 1: 1 e 2: 1. O nome "Tiago" e o nome "Jacó" na realidade procedem de um só nome hebraico, pelo que esse tratado "não cristão" poderia ter sido intitulado "Discurso de Jacó", com base em idéias sugeridas pelo quadragésimo nono capítulo do livro de Gênesis, ou algo similar. (Ver a explicação dessa teoria, com maiores detalhes, na seção IV, que envolve a "integridade" da epístola). Contrariamente a essa idéia temos o fato de que a passagem central do livro, Tia. 2:14 e ss, é definidamente um ataque contra certas idéias de Paulo, ou contra certa forma corrompida das mesmas, que foram surgindo na Igreja, na era pós-paulina. Isso é mais que um toque cristão; é o coração, o âmago mesmo da epístola, e só poderia ter sido escrito depois que os ensinamentos de Paulo tivessem se propagado. No judaísmo, não havia qualquer debate que pusesse em choque a fé e as obras. Não pode haver dúvidas de que os

TIAGO (LIVRO)

pensamentos que Paulo trouxera à fé religiosa estão em pauta, naquele capítulo. Por conseguinte, a epístola tem de ser pós-paulina. Poderíamos supor que a passagem de Tia. 2:14 e ss é obra de um editor cristão subseqüente; mas, apesar disso ser perfeitamente possível, tal idéia nunca obteve grande aceitação entre os eruditos do NT.

Seria o livro mais antigo do N. T. Alguns eruditos raciocinam que a epístola a Tiago é o livro mais antigo do NT, mormente porque lhe faltam as grandes revelações cristãs, o que significaria que "deve" refletir uma data recuada, antes das revelações mais profundas se terem tornado ensinamento comum da Igreja primitiva. Porém, a mesma objeção que é levantada contra a teoria pré-cristã pode ser aplicada aqui. O trecho de Tia. 2:14 e ss, combate conceitos paulinos; portanto, a epístola deve ser de data pós-paulina.

Seria um panfleto religioso pós-paulino e posterior a Tiago. A epístola foi escrita após ter sido escrita a epístola aos Romanos (porquanto se opõe principalmente a seu quarto capítulo); e também após a morte do apóstolo Tiago, irmão do Senhor, porquanto é improvável que alguém presumisse escrever em seu nome, enquanto ele ainda vivesse. Tiago faleceu em cerca de 60-66 d.C. Portanto, devemos apontar para um data logo posterior a isso. Se a escolha do autor de um nome sob a égide de quem escreveria, foi influenciada pelo livro de Atos, então ele deve ter escrito após o ano 70 d.C. Se a datarmos em 70-90 d.C., provavelmente não estaremos longe do alvo. Os trechos de Tia. 5: 1-6 e 8,9 indicam que as expectativas apocalípticas continuavam bem vivas, e o retorno de Cristo ainda era esperado para breve; por conseguinte, poderíamos supor que o período de "esfriamento", no tocante a esses eventos, que ocorreu do segundo século da era cristã em diante, ainda não chegara.

Providência. Não há maneira de determinarmos "de onde" essa epístola foi escrita. Alguns defendem Roma, outros, Jerusalém e outros ainda, Alexandria. Cesaréia também tem sido conjecturada, na suposição de que esse ou algum outro lugar fora da corrente principal do cristianismo tenha sido o lugar de sua composição, o que explicaria o fato de que o tratado permaneceu desconhecido até à época de Orígenes, que o redescobriu, e por meio de quem adquiriu prestígio na Igreja grega, - que, por sua vez, influenciou, primeiramente, as igrejas ocidentais e, então, a Igreja síria, para que o aceitasse.

Um bom alvitre é *Jerusalém*, especialmente se pensarmos que Tiago, irmão do Senhor, foi seu autor genuíno. Há indícios, na própria epístola, que demonstram que o autor estava familiarizado com a vida à beira mar (ver Tia. 1:6 e 3:4), que ele vivera em uma terra onde abundava o azeite, a vinha e os figos (ver Tiago 3:12), estando familiarizado com o sal e com as fontes amargosas (ver Tia. 3:11,12). Além disso, ele vivera em uma região onde a chuva e o estio eram questões de vital importância (ver Tia. 3:17,18), e ele alude às primeiras e às últimas chuvas do ano (ver Tia. 5:7). Tudo isso parece indicar a região da Palestina. Porém, apesar de que escreveu com as condições daquela região em vista, isso não indica que ele estivesse necessariamente no local quando escreveu, e nem essas condições de vida se reduzem exclusivamente à Palestina. A habilidade do autor, em seus escritos helenistas, cheios de artifícios próprios daquela cultura, pode indicar um erudito centro do judaísmo, fora da Palestina, como *Alexandria*.

Destino. Alguns estudiosos têm argumentado que não havia destino expresso no caso desta epístola; nenhuma comunidade especial está em vista. Isso, provavelmente, é correto. Tiago é, verdadeiramente, uma epístola "católica" ou "universal", que visa a Igreja cristã inteira. O endereço, as "doze tribos" (ver Tia. 1:1), pode ser reputado como indicação de "cristãos judeus"; mas há quem pense que isso significa a "Igreja cristã", e não o povo de Israel. É verdade que estão ausentes "problemas gentílicos" distintivos, nas várias repreensões e exortações existentes neste tratado. Não há qualquer alusão à idolatria, a escravos, à lassidão sexual - em suma, os perigos e vícios do paganismo, conforme poderíamos esperar em uma epístola dirigida para cristãos gentílicos, ou mesmo para a igreja em geral, onde havia a mistura de elementos judeus e gentios. Essa observação favorece a idéia que toma a expressão "doze tribos" como suposição de que a epístola foi literalmente escrita a judeus da dispersão. Notemos, em Tia. 2:2, que a palavra "sinagoga" é usada, em vez de "igreja"; e bastaria isso para mostrar-nos a mentalidade "judaica" do seu autor e, talvez, a mesma coisa, por parte dos endereçados da epístola. Outrossim, a própria epístola tem numerosas alusões judaicas, que um autor não haveria de esperar que gentios compreendessem, mas somente os judeus. A ênfase sobre as *esmolas* (ver Tia. 2:14-16) e sobre a visita dos anciãos aos enfermos (ver Tia. 5:15 e ss), são toques tipicamente judaicos, talvez visando principalmente os crentes judeus. A despeito dessas coisas, alguns bons intérpretes contendem pela verdadeira catolicidade ou universalidade da epístola, isto é, por toda a parte, onde estivesse a Igreja cristã, composta de judeus ou de gentios, era destinada a epístola.

A epístola não indica condições calamitosas, não havendo qualquer alusão à destruição de Jerusalém, o que quase certamente ocorreu antes de sua composição. Isso pode indicar um lugar distante de Jerusalém e, talvez, fora mesmo da Palestina. A escolha parece ficar reduzida a: 1. crentes judeus da dispersão, que seriam seus principais endereçados; 2. a igreja universal, composta de judeus e gentios. Seja como for, nenhuma comunidade local parece estar em foco. Não há saudações e nem informes pessoais.

IV. Fontes e Integridade

A escolha de idéias parece girar entre duas possibilidades: 1. O livro é um documento cristão, dotado de forma essencialmente como foi originalmente escrito; mas com muitos empréstimos e citações diretas, além do refraseado segundo moldes judaico helenistas, e tudo revestido nas formas retóricas do grego. 2. Ou o livro, em sua maior parte (se falarmos do volume total ali contido), é não cristão, uma composição judaica anterior aos tempos cristãos, mas que foi refraseada por um editor cristão. Neste caso, também teria sofrido a influência da erudição e da retórica gregas.

Consideremos, em primeiro lugar, a segunda dessas possibilidades. Ambas as possibilidades dizem respeito à "integridade" da epístola, que é um termo usado pelos eruditos para falar sobre o estado intocável e sobre a "unidade" de uma obra literária qualquer. A epístola se encontra segundo a sua forma original, ou sofreu modificações, desde que foi escrita originalmente? A epístola é produto de um único autor, ou algum editor combinou uma ou mais fontes, juntamente com suas próprias adições? As evidências textuais favorecem o argumento que o livro é conhecido, hoje em dia, tal qual foi originalmente escrito; mas é possível que incorpore algum documento judaico, e que a isso várias porções foram acrescentadas por algum editor cristão.

Nos fins do século XIX, o erudito francês L. Massebieau (*"L'épitre de Jacques est-elle l'oeuvre d'un Chrétien?* págs. 249-283) levantou a questão se a epístola de Tiago conta ou não como um documento judaico que a escuda.

TIAGO (LIVRO)

Escrevendo independentemente, o erudito alemão Friedrich Spitta (*Der Frief des Jacobus*, 1896) levantou idêntica especulação; e ambos supunham que a leve adição, em Tia. 1:1 e 2:1, que menciona o nome de Cristo, fez desse documento um tratado cristão. De fato, no trecho de Tia. 2:1 surge uma grande dificuldade gramatical (ver as notas expositivas no NTI, *in loc.*), "que seria solucionada de pronto se supuséssemos que esse versículo foi uma interpolação feita por algum editor posterior. Sem essas duas interpolações, esses citados escritores encaravam o documento como próprio da literatura judaica, e nada mais. Porém, tal posição recebe golpe fatal com o trecho de Tia. 2:14 e ss, que é a porção central do tratado, em torno do qual a questão inteira é edificada, e que foi especificamente escrita para combater ou certas idéias de Paulo ou certa perversão de idéias paulinas, o que significa que a epístola deve ser pós-paulina. A mensagem ou perversão do quarto capítulo da epístola aos Romanos certamente está em foco nessa mencionada passagem, com o que concordam praticamente todos os eruditos modernos. Tal teoria, apesar de manuseada com respeito, não conseguiu obter aderentes.

Então, Arnold Meyer (*Das Ratsel des Jabusbriefes*, 1930) não somente reviveu a idéia geral, mas também a elaborou. Ele observou que os nomes "Tiago" e "Jacó" na realidade, são apenas duas formas diferentes de um só apelativo hebraico, "Jacó". Portanto, a saudação poderia ser lida como Jacó servo de Deus, às doze tribos da dispersão, "saudações". O editor, portanto, teria acrescentado somente as palavras "servo do Senhor Jesus Cristo". Meyer concordou com os dois eruditos acima mencionados, no sentido de que os trechos de Tia. 1:1 e 2:1 envolvem interpolações; mas adicionou a idéia de que o trecho de Tia. 5:12,14 também pertence a essa natureza. Poucos eruditos modernos o têm seguido com exatidão; mas certo número deles tem adotado, pelo menos, a sua idéia de documento judaico como teoria básica.

É possível que a principal contribuição de Meyer tenha sido a sua tentativa em explicar o estilo literário da epístola, em sua possível forma original. No capítulo quarenta e nove do livro de Gênesis encontramos o discurso de Jacó acerca das doze tribos e, com base nesse "precedente", o autor sagrado pode ter desenvolvido o seu livro. Naquele citado capítulo cada tribo de Israel é devidamente caracterizada, suas virtudes e seus vícios particulares são descritos. Filo seguiu essa sugestão, equiparando cada tribo com alguma virtude ou vício especial. Meyer cria que, de maneira bem mais sutil, cada tribo também recebe seu louvor ou repreensão, no tratado de Tiago.

Abaixo encontramos a descrição de como ele via essa questão:

Tia. 1:2-4 falaria de Isaque como "Alegria", de Rebeca como "Constância" e de Jacó como "Perfeição" mediante as tribulações; Tia 1:9 falaria de Aser como "Rico", que seria um mundano; Tia. 1:12 falaria de Issacar como homem de Deus, pleno de boas obras; Tia. 1:18 falaria de Rúbem como as "Primícias"; Tia. 1:19,20 falaria de Simeão como "Ira"; Tia. 1:26,27 falaria de Levi como "Religião"; Tia. 3:18 falaria de Naftali como Paz; Tia. 4:1,2 falaria de Gade como Homem de Guerra e de Lutas.

Tia. 5:7 falaria de Dá como "Aquele que aguarda a salvação" e como "Paciente"; Tia. 5:14-18 falaria de José como "Oração"; Tia. 5:20 falaria de Benjamim como "Morte e Nascimento". Além disso, haveria algumas alusões mais obscuras, adicionadas em Tia. 1:22-25, em que Levi apareceria como o "Ativo", isto é, homem de ação; em Tia. 2:5-8 teríamos Judá como o "Majestático"; em Tia. 5:12 teríamos Zebulom como um "Juramento".

Por conseguinte, a "epístola de Jacó" (supostamente a porção principal do livro que atualmente denominamos epístola de Tiago), na realidade, era um documento judaico, servindo de meio para louvar ou repreender as doze tribos de Israel. É possível que Meyer tenha obtido essa idéia das comparações ao observar que há muitos paralelos de idéias e expressões entre os *Testamentos dos Doze Patriarcas* e a epístola de Tiago. Alguns desses paralelismos aparecem no ponto terceiro da seção V deste artigo.

Essa teoria, a despeito de atrativa, certamente é por *demais* elaborada, não podendo ser submetida a teste; mas, por ser tão sutil, torna-se imediatamente suspeita, segundo o conceito da maioria dos eruditos. De modo algum podemos eliminar o elemento "cristão" da epístola com o simples expediente de apagar da mesma os trechos de Tia. 1:1; 2:1; 5:12 e 5:14. Alguns estudiosos modernos, seguindo, em termos gerais, o que foi explanado acima, descobrem ainda outras interpolações feitas pelo suposto "editor" cristão, especialmente na passagem de Tia. 2:14 e ss. Se a teologia judaica discutia as relações entre a fé e as obras, nunca houve uma polêmica que pusesse em campos opostos a "Fé" e as "obras"; pelo que também a passagem de Tia. 2:14 e ss, é distintivamente, um produto da era cristã. Eruditos posteriores têm salientado passagens como Tia. 1:1,2; 1:6-8 e 2:7,8,12 como outras possíveis interpolações. Alguns deles frisam que essas adições têm um único objetivo, ao passo que o "resto do livro" que teria "fundo judaico", se comporia de muitas declarações misturadas, mais ou menos ao estilo do livro de Provérbios. O quadro se torna ainda mais confuso devido à suposição de que algumas das porções judaicas foram, na realidade, adicionadas pelo editor cristão, embora se tivesse alicerçado em material *pré-cristão*, principalmente de fundo judaico. Outrossim, até mesmo as chamadas "porções judaicas" poderiam ter sido elaboradas e reescritas pelo editor, para dar à totalidade da epístola (que mais se parece com uma colcha de retalhos) a aparência de unidade e de solidariedade. Entretanto, esse alvo não foi conseguido com perfeição, pelo que nos grupos diversos de declarações, conforme se vê nos capítulos terceiro, quarto e quinto (mas, especialmente, neste último), não há sequência na apresentação do assunto, de um versículo para outro, mas antes, o livro salta de um tema para outro bruscamente.

A própria complexidade das diversas teorias nos deixa inteiramente no terreno das *especulações*. Quando muito, as teorias dessa natureza poderiam apoiar a asserção que garante que o livro que chamamos de *Tiago* é formado de diversos blocos de material tomados por empréstimo de uma ou mais fontes judaicas. Entrar em maiores detalhes do que sugerir quais passagens talvez refletissem esses empréstimos, é algo precário, talvez não sendo uma especulação muito frutífera.

A maioria dos eruditos defende a idéia de que o livro é, essencialmente, um documento cristão, dotado de forma tal e qual foi originalmente escrito, embora contenha muito material emprestado, como citações diretas e refraseados de material judaico helenista, revestido nas formas retóricas gregas. Nada existe no livro que não possa ser explicado segundo essa teoria geral. Portanto, sendo seu autor um cristão, deixou de lado questões legalistas como preceitos dietéticos, ritos judaicos, circuncisão e os muitos regulamentos sobre a vida diária que os fariseus acrescentaram a um ritual já bastante complicado. Um documento puramente judaico certamente teria alguns desses aspectos. Obviamente, poder-se-ia argumentar que

TIAGO (LIVRO)

o editor cristão apagou tal material, existente na obra original. Portanto, sem importar a teoria proposta, podem ser levantadas várias objeções. Mas, se tivermos de escolher entre "teorias", aquela apresentada neste parágrafo é a mais provável do que as anteriores. Em adição a empréstimos judaicos, o autor sagrado poderia ter tomado emprestado material estóico cínico, acerca dos pecados da língua (ver Tia. 1:11,12), porquanto tal passagem conhece paralelos naqueles escritos ético-filosóficos, e o autor sagrado, evidentemente dotado de educação grega liberal, assegurou-nos que estava familiarizado com as várias escolas éticas filosóficas dos seus dias.

O estudo abaixo, sobre Tipo Literário e Relações, dá-nos um quadro ainda mais nítido sobre as fontes possíveis.

V. Tipo Literário e Relações

1. A diatribe é um desenvolvimento baseado na retórica grega. Esse método de ensino e de discursar se derivou dos sofistas, dos filósofos pragmáticos da época de Sócrates. De fato, o próprio Sócrates, que tendo começado sua carreira com eles, posteriormente os abandonou, preservou algo desse método de discursar, segundo se vê em certas porções dos diálogos de Platão. A diatribe se caracteriza por exortações e repreensões severas, do que, algumas vezes, abusa. Nos escritos dos filósofos helenistas estóicos e cínicos, esse método é muito usado. Sêneca e Epicteto são os mais famosos entre tais filósofos. As sátiras de Horácio, Pérsio, Juvenal, as orações de Dio de Prusa, os ensaios de Plutarco, os (tratados de Filo, todos contêm esse elemento. Paulo, em Atenas ver o décimo sétimo capítulo do livro de Atos), talvez tenha procurado imitar propositadamente as diatribes dos filósofos, para obter a atenção de seus ouvintes. As diatribes incorporavam perguntas retóricas que o próprio autor passava a responder, ou que deixava sem resposta declarada, quando esta era óbvia (Ver Tia. 2:18 e ss e 5:13 e ss quanto a esse estilo). Além disso, as diatribes, com freqüência, começavam com expressões como "Não vos enganeis" (ver Tia. 1:16), "Queres saber ... ?" (ver Tia. 2:20), "Vedes" (ver Tia. 2:22), "Que proveito ..." I- (Ver Tia. 2:14, 15), "Pelo que diz". (ver Tia. 4:6, apresentando citações), "Eis que" (ver Tia. 14,5 e 5:4,7,8, 11). Assim sendo, na epístola de Tiago, as transições são feitas do mesmo modo em que os escritores usavam diatribes, isto é, levantando alguma objeção (ver Tia. 2:8), fazendo alguma pergunta (ver Tia. 2:14; 4:1 e 5:13), ou por age (termo grego que significa "ir para", em Tia. 4:13 e ss). Os imperativos são abundantes nas diatribes, pelo que, na epístola de Tiago, em cento e oito versículos, há sessenta imperativos. Os que usavam diatribes lançavam mão das metáforas de negociantes, ricos, pobres, remadores, etc., bem como ilustrações baseadas em vidas de pessoas famosas (como Tiago, Abraão, Raabe, Jó e Elias). As diatribes com freqüência empregam um paradoxo para introduzir uma idéia, conforme se vê em Tia. 1:2,10 e 15, ou falam com ironia, segundo se vê em Tia. 2:14-19 e 5:1-6. Todos esses artifícios, naturalmente, se encontram em toda e qualquer literatura, mas a reunião de todos, em um único documento, é o que caracteriza a diatribe. Não se pode duvidar que nas sinagogas, nos tempos helenistas, pelo menos alguns se utilizavam dessa maneira de discursar. A literatura judaica dos tempos helenistas se utilizou do método; mas não com a intensidade com que o vemos na epístola de Tiago. O primitivo ensinamento cristão, todavia, abunda do mesmo; e isso era apenas natural, pois a igreja cristã se desenvolveu em lugares onde a maneira de falar em público era desse caráter. (Ver Crisóstomo, *Homilia* sobre João 13, como um exemplo).

2. *O protréptico ou panfleto perenético.* A primeira dessas palavras se deriva do termo grego *protrepo*, "persuadir", "exortar". A segunda vem do vocábulo grego *paraineo* "avisar", "recomendar", "aconselhar". Esse estilo literário, portanto, consiste essencialmente de uma fileira de exortações e conselhos. Os primeiros exemplos que temos desse método se encontram nas obras de Sócrates (até 338 a.C.), em suas obras *"Ad Niccoclem"* e "Nicoles". Esse tipo de literatura tende por preservar muitas declarações sábias e espirituosas, com freqüência em uma serie, sem qualquer conexão especial entre elas, mais ou menos como se vê em porções dos capítulos terceiro, quarto e quinto da epístola de Tiago. Posidônio, Aristóteles, Galene, e vários dos filósofos estóicos produziram obras dessa natureza. Os filósofos morais escreveram "folhetos" que eram, essencialmente, convites a que seus leitores adotassem meios filosóficos sérios na sua vida, que eram formas do estilo literário "protréptico".

3. *Tiago e a literatura de sabedoria do AT.* Apesar do estilo de Tiago ser diferente do da literatura de sabedoria, contudo, há muitas idéias e afirmações que parecem ser tomadas de empréstimo desta última. Por isso, há coisas que se assemelham com Provérbios, com Eclesiástico e com a Sabedoria de Ben Siraque. Tia. 4:6 cita Pro. 3:34, e outros paralelos podem ser encontrados, como: Tia. 3:18 (ver Pro. 11: 30); 1: 13 (ver Pro. 19: 3); 4:13 (ver Pro. 27:1); 1:3 (ver Pro. 17:3 e 27:21); 1:19 (ver Pro. 29:20). Os paralelos com a Sabedoria de Ben Siraque e com Eclesiástico são ainda mais numerosos. É possível que o autor sagrado não conhecesse qualquer dessas obras; mas certamente estava familiarizado com a prédica, nas sinagogas, que empregavam as idéias e as declarações ali achadas. Há tópicos, no livro de Eclesiástico, que são paralelos próximos daqueles selecionados por Tiago. Assim é que Ecl. 19:6 e ss; 28:13 e ss; 35:7 e ss; falam da sabedoria como um dom de Deus (ver Tia. 1:1-10); Ecl. 1:27 alude às orações feitas por um coração dividido (ver Tia. 1: 16); ao orgulho, em Ecl. 10: 7-18 (ver Tia. 4:6); à incerteza da vida, em Ecl. 10:10 e 11:16,17 (ver Tia. 4:14), ao lançar a culpa em Deus, em Ecl. 15: 11-20 (ver Tia. 1: 13 e ss). Os deveres para com as viúvas, para com os órfãos e as visitas aos enfermos, que figuram em Ecl. 4: 10; 7:34 e 13:19 e ss, têm paralelos em Tia. 2:14 e ss e 1:27. O livro Sabedoria de Salomão conta com alguns paralelos menos notáveis na epístola de Tiago, a saber, Sab. 1:11 corresponde a Tia. 4:11 e 5:9; Sab. 2:4 corresponde a Tia. 4:14; Sab. 2:10-20 corresponde a Tia. 5:1 e ss e 5:13, repreendendo o orgulho e as riquezas. No entanto, em nenhum desses casos, fica subentendida a dependência, apesar de que o autor sagrado pode ter usado diretamente outras porções do livro de Eclesiástico.

Além desses casos, paralelos de idéias e expressões abundam, com base nos escritos de Filo; havendo também algumas similaridades com o quarto livro de Macabeus. Clemente de Roma e Hermas exibem empréstimos similares e métodos de expressão, ainda que também possam ter sofrido a influência indireta, de alguma fonte, como sucedeu no caso do autor da epístola de Tiago.

Apesar do autor da epístola de Tiago ser mais educado que o autor dos Testamentos dos Doze Patriarcas (100 a.C.), podem ser observados alguns paralelos de idéias, com algumas coincidências verbais. Por exemplo, sobre Benjamim, o Tes. 6:5 se parece com Tia. 1:9,10; sobre Nafali, o Tes. 8:4 se parece com Tia. 4:7; sobre Daniel, o Tes. 6:2 se parece com Tia. 4:8; sobre Zebulom, o Tes. 8:3 se parece com Tia. 2:13; sobre José, o Tes. 2:7 se

TIAGO (LIVRO)

parece com Tia. 1:2-4 e sobre Benjamim, o Tes. 4:1 se parece com Tia. 5:11.

4. Tiago e outros livros do NT. A maior parte dos eruditos concorda sobre o fato de que Tiago não parece ter feito empréstimos diretos de qualquer dos livros do NT. Naturalmente, há material similar. Os trechos de Heb. 11:8,10,17-19 e 11:31 falam sobre Abraão e Raabe, tal como se vê nas epístolas aos Romanos e de Tiago; mas não há qualquer "dependência" entre uns e outros. A *influência* mais notável é a exercida pelo quarto capítulo da epístola aos Romanos, sobre a Justificação, e que Tia. 2:14 e ss reverte enfaticamente, em vez de confirmar. Mas o autor desta epístola *poderia* estar combatendo certas idéias que tinham surgido na Igreja por influência de Paulo, sem estar combatendo a Paulo diretamente, através de sua epístola aos Romanos.

A relação mais próxima entre a epístola de Tiago e qualquer outro livro do NT, é com a primeira epístola de Pedro. Esta última, dentre todos os livros do NT, é a que mais se assemelha com aquela, dentre todos os livros não-paulinos. A epístola de Tiago e a primeira epístola de Pedro mostram pontos curiosamente idênticos, quanto a frases e idéias, a saber: 1 Ped. 1:1 (ver Tia. 1:1); 1 Ped. 1:6 e ss (ver Tia. 1:2 e ss); I Ped. 2:1 (ver Tia. 1:21); 1 Ped. 4:8 (ver Tia. 5:20); 1 Ped. 5:5 e ss, (ver Tia. 4:13); 1 Ped. 5:9 (ver Tia. 4:7). Dentre essas passagens, I Ped. 1:24; 4:8 e 5:5 são citações extraídas do AT, a saber, respectivamente, de Isa. 40:6-9; Prov. 10:12 e 3:34, pelo que não se pode pensar que Tiago as tomou por empréstimo da primeira epístola de Pedro, ou vice-versa. Seja como for, não se pode provar ter havido qualquer dependência. Tudo quanto se pode demonstrar é que tanto o autor da epístola de Tiago como o autor da primeira epístola de Pedro se basearam em influências religiosas e literárias idênticas.

5. Tiago e o Antigo Testamento. Tal como qualquer livro do NT, Tiago citou diretamente ou fez alusões ao AT. Por exemplo: Tia. 1:5 (ver Pro. 2:16); Tia. 1:10 (ver Isa. 40:6,7); Tia. 1: 12 (ver Dan. 12:12); Tia. 1: 19 (ver Ecl. 7:9); Tia. 1: 26 (ver Sal. 34:13); Tia. 2:8 (ver Lev. 19:18); Tia. 2:9 (ver Deut. 1:17); Tia. 2:11 (ver Êxo. 20:13); Tia. 2:12 (ver Deut. 5:17,18); Tia. 2:21 (ver Gên. 22:10,12); Tia. 2:23 (ver Gên. 15:6 e II Crô. 20:7); Tia. 2:25 (ver Jos. 2:4, 15 e 6:17); Tia. 3:8 (ver Sal. 140:3); Tia. 3:9 (ver Gên. 1:27); Tia. 4:5 (ver Êxo. 20:3,5); Tia. 4:6 (ver Jó 22:29); Tia, 4:8 (ver Zac. 1:3 e Isa. 1:16); Tia. 4:13 (ver Pro. 27:1); Tia. 4:14 (ver Sal. 39:5,11); Tia. 5:3 (ver Pro. 16:27); Tia. 5:4 (ver Lev. 19:13; Deut. 24:14; Mal. 3:5; Isa. 5:9 e Jó 31:38-40); Tia. 5:6 (ver Pro. 3:34 e Osé. 1:6); Tia. 5:7(ver Deut. 11:14; Joel 2:23; Zac. 10:1 e Ier. 5: 24); Tia. 5: 11 (ver Dan. 12:12; Jó 1: 21,22; Sal. 103:8 e 111:4); Tia. 5:13 (ver Sal. 50:IS); Tia. 5:16 (ver 1 Reis 17:1); Tia. 5:18 (ver I Reis 18:42); Tia. 5:20 (ver Sal. 51: 13 e Pro. 10: 12).

VI. O Cristianismo Judaico

A epístola de Tiago certamente é um documento que representa o cristianismo judaico; e não erramos por dizer, representa o *cristianismo legalista*. Esse ponto já foi frisado e discutido amplamente, na declaração introdutória, no começo mesmo do presente artigo. Por que se pensaria ser estranho que ao menos um dos documentos legalistas finalmente tivesse vindo fazer parte do *cânon do NT* ? Uma vez que admitamos que isso é exatamente o que sucedeu, a interpretação do trecho de Tia. 2:14 e ss, se torna clara, não havendo qualquer necessidade de reconciliar essa passagem com os escritos de Paulo, mediante interpretações engenhosas, mas nem por isso menos infrutíferas e até mesmo desonestas. Esse livro, provavelmente, representa fielmente o que a maioria dos membros da igreja de Jerusalém pensava sobre a Justificação. Paulo jamais foi aceito por esse seguimento da Igreja, e as suas doutrinas da justificação pela fé. e da "graça divina", como instrumentos da salvação, na realidade nunca foram bem compreendidas e nem aceitas. É verdade que alguns dos principais líderes cristãos aceitavam-nas, mas mesmo assim as misturavam com questões legalistas, embotando o seu brilho (segundo se depreende de Gál. 2:12).

No texto de Gál. 2:12 não temos o direito de pensar que aqueles que vinham da parte de Tiago agiam por sua própria autoridade, e não por autoridade de Tiago. E o décimo quinto capítulo do livro de Atos mostra-nos que muitos cristãos nunca viram bom senso nas doutrinas paulinas distintivas, nunca lhes tendo prestado lealdade. Esses viam Jesus como o Messias, talvez como o maior de todos os profetas; criam na ressurreição como prova da validade de sua missão divina; mas jamais imaginaram que Moisés seria removido, juntamente com sua lei, sua circuncisão e seu cerimonial. Portanto, consideravam Paulo um herege perigoso, porquanto seus ensinamentos da graça e da fé se opunham à lei e seu cerimonialismo. A passagem de Atos 21:18 e ss mostra-nos isso claramente, e a história do período apenas confirma tal verdade. Paulo jamais convenceu ao segmento judaico da Igreja sobre o fato de que Cristo ultrapassou e substituiu a Moisés, incorporando em si mesmo tudo quanto realmente se revestia de significado espiritual em Moisés e seu sistema.

Pode-se notar que, em Atos 21:20, os crentes de Jerusalém são descritos como "zelosos da lei". Isso mostra, claramente, sem necessidade de maior elaboração, onde se colocavam aqueles crentes sobre as questões da justificação, da fé e das obras, etc. O vigésimo primeiro versículo mostra-nos que eles continuavam a circuncidar a seus filhos, sem dúvida crendo que isso era um ato meritório, e que lhes conferia as bênçãos próprias do pacto abraâmico. As novas idéias nunca triunfam porque conquistam as mentes da geração mais idosa; antes, vencem cativando as novas gerações, enquanto a geração mais antiga falece. Assim também sucedeu entre os cristãos primitivos, no tocante às doutrinas paulinas distintivas; no entanto, até mesmo na Igreja cristã moderna, um maior número crê na necessidade de obras para a salvação do que aqueles que não crêem.

Mesmo admitindo a *plena força* do concílio de Jerusalém, isto é, que Lucas não fez o quadro mais risonho do que realmente era, deveríamos observar que as concessões feitas no décimo quinto capítulo do livro de Atos foram para os *gentios* e *não* para a comunidade *cristã judaica*. Não há razão para supormos que foi conseguido qualquer grande diferença senão muitas gerações mais tarde. Não há que duvidar que muitas das comunidades cristãs judaicas encaravam as concessões feitas aos gentios como "heresias pecaminosas", como se fossem transigências a novidades destruidoras. A amargura com que Paulo escreve em Gálatas (ver também Fil. 3:1 e ss), mostra-nos com que vigor ele era combatido nas igrejas gentílicas que contavam com um forte elemento judaico. Portanto, nem mesmo todas as igrejas gentílicas eram paulinas. Quando o autor da seguida epístola de Pedro (ver II Ped. 3:16) falou sobre coisas difíceis de entender, nas epístolas de Paulo, falava em prol de um grande segmento da Igreja. As inovações de Paulo eram encaradas com suspeita, aceitas com cautela e rejeitadas com malícia.

Naturalmente, a epístola de Tiago não toma a posição mais extrema contra Paulo, promovendo a circuncisão e a continuação da lei cerimonial. Contudo, postava-se definidamente do lado legalista do campo. Pensar que Paulo somente fala acerca da lei cerimonial de Moisés,

TIAGO (LIVRO)

como algo que foi eliminado em Cristo, é negar ou ignorar os claros ensinamentos das epístolas aos Romanos e aos Gálatas. Aquelas epístolas tratam de questões de "salvação", e não de ritos e observâncias religiosas; portanto, a lei moral. está em primeiro plano; pois era na base da obediência aos mandamentos centrais que os judeus esperavam obter a salvação. Outrossim, a distinção moderna entre as leis morais e cerimoniais seria algo totalmente estranho para os judeus. Para eles, as leis cerimoniais eram perfeitamente morais, e algumas de suas provisões eram consideradas tão importantes quanto o próprio decálogo. A circuncisão aparecia em primeiro lugar, entre essas questões. Mas havia outras questões, como a fímbria das vestes usadas pelos homens (de uma certa tecedura e cor), as lavagens cerimoniais, os batismos, etc., que eram reputadas de extrema importância entre os judeus, como se fossem questões imperativas. (Ver os artigos sobre *Circuncisão, Partido da e Legalismo*).

VII. Paulo e Tiago

É apropriado que agora alistemos vamos modos como os escritos e as idéias de Paulo têm sido tentativamente reconciliados com a epístola de Tiago:

1. Obviamente as palavras são contraditórias. Comparar Rom. 4:1-5 com Tia. 2:14,21. Pouca dúvida há de que Tiago foi escrito para refutar idéias paulinas específicas, contidas no quarto capítulo da epístola aos Romanos, sem importar se essa epístola era conhecida ou não do autor. Não admira, pois, que as duas epístolas se contradizem entre si. Os intérpretes que se recusam a reconhecer isso, supõem que Paulo e Tiago possuem diferentes definições para as palavras-chaves "Justificação", "obras", "fé" e várias outras.

2. Segundo nos dizem, a "Justificação", na epístola de Tiago, incluiria o processo inteiro da salvação, ao passo que, em Paulo, indica somente a retidão inicial, imputada. (As notas expositivas no NTI em Rom. 3:24-28 mostram que o uso que Paulo fez da palavra Justificação é tão amplo quanto o de Tiago). A justificação é devida (ver Rom. 5:18), o que certamente inclui mais do que mera declaração forense de retidão. Tanto Tiago como Paulo se preocupam com a "correta posição" diante de Deus, o que resulta em salvação. A justificação é a "declaração" de uma correta posição diante de Deus, em Cristo, mas essa correta posição também outorga ao crente a santidade que ratifica aquela posição e a torna eternamente válida. Seja como for, na epístola de Tiago, ser "justificado por obras" não significa que "a fé deve produzir obras, como seu resultado", conforme a questão é popularmente esclarecida. Para ele, segundo se vê claramente afirmado no texto, isso significa que é necessária a combinação de "fé-obras" para a justificação, e que a fé não pode fazer sozinha o seu papel. A fé é aperfeiçoada pelas obras da fé (ver Tia. 2:22); pelo que um homem é justificado por obras e não somente por fé. (ver Tia. 2:24); e isso significa que *a fé sem obras é morta* (ver Tia. 2:26).

3. S*egundo nos dizem, a fé* é um termo que indica coisas diferentes para Paulo e para Tiago. Para este último seria o mero *monoteísmo*, conforme se pode subentender de Tia. 2:19. Mas os intérpretes que assim fazem não observam que o resto do estudo sobre a fé não se limita a isso. A fé é um princípio ativo, copulada às obras que produzem a justificação. "Abraão creu em Deus"; e essa fé lhe foi "lançada na conta" como retidão (ver o vigésimo terceiro versículo). Certamente não é fé aquela que não vai além de crer que "só existe um Deus". No judaísmo helenista não havia conflito entre a fé e as obras. Não temos razão de supor que Tiago vai além do contexto judaico-helenista, o

qual via tanto a fé como as obras como algo necessário para a obtenção do favor diante de Deus. Para os judeus, a fé nunca consistia na mera aceitação da crença monoteísta. É verdade, porém, que Tiago não focaliza a fé na expiação feita por Cristo, ou não focaliza a fé como uma dotação divina, mediante o Espírito Santo (ver Rom. 5: 11; Gál. 5:22 e Efé. 2:8 no tocante a esses elementos, nos escritos de Paulo). Paulo tinha uma visão mais ampla da "fé" do que Tiago; mas, para Tiago, a fé era uma outorga ativa às mãos de Deus, como um princípio espiritual (conforme se deu no caso de Abraão), e não apenas uma crença de qualquer natureza. Assim sendo, se algumas diferenças podem ser vistas quanto ao prisma como a fé é reputada, nos escritos de Paulo e de Tiago, as considerações acima não solucionam a controvérsia, pois a idéia central de fé transparece nos escritos de ambos. Tiago simplesmente ensina que a fé deve vir ligada às obras; e com isso ele entende a lealdade e a obediência à lei mosaica (ver Tia. 2:8, Lev. 19:19; 2:9, Lev. 19: 15; e 2: 11, Êxo. 20:13,14). A posição de Tiago é que o judaísmo ordinário nunca contemplou a doutrina que diz "fé somente". A história da teologia deles é uma prova clara sobre isso. Por que se acharia estranho que Tiago tenha tomado a posição judaica comum sobre essa questão? É óbvio que esse ponto de vista teológico normal do judaísmo não estava de acordo com a teologia paulina. Por que acharia estranho, pois, que Tiago tenha contraditado a Paulo? Se o judaísmo contradizia a Paulo (e quem pode duvidar disso?), então, igualmente, Tiago contradizia a Paulo.

4. Alguns dizem que Paulo e Tiago usaram *diferentemente a palavra obras*. Novamente, Paulo tinha um discernimento mais profundo sobre a natureza das "obras", mas tanto ele como Tiago usam o termo normalmente, indicando obediência à lei mosaica e suas implicações. Tiago insiste em que isso faz parte da salvação; Paulo afirma o contrário. Tiago assume a posição judaica normal do "mérito" adquirido pelas obras; Paulo já havia abandonado tal posição; quando recebera suas revelações superiores da parte de Cristo; mas ambos os escritores usam o vocábulo "obras" da mesma maneira. Em Fil. 2:12, Paulo usa a definição "espiritual" das "obras", isto é, "aquilo que o Espírito Santo realiza em nós"; e, nesse caso, o termo se torna simples sinônimo da graça ativa. Essa idéia é explicada no NTI em Efé. 2:8, bem como na referência que acabamos de dar. Porém, Paulo tinha um ponto de vista mais alto acerca das verdadeiras obras espirituais, por outro lado não é com esse sentido que ele aplica a expressão nas seções polêmicas de Romanos e de Gálatas. Ali ele falava sobre os "méritos" da obediência legalista; e foi exatamente assim que Tiago usou o termo, em sua epístola. Esse era o ponto de vista judaico normal acerca das obras; eles criam sinceramente que um homem obtém o favor de Deus mediante a obediência à sua lei; Tiago compartilhava dessa crença. Faltavam-lhe as revelações cristãs superiores, que poderiam ter modificado sua maneira de pensar. A definição paulina das "obras", que faz delas um sinônimo da graça, foi um discernimento do qual não participa a epístola de Tiago. Assim sendo, Tiago não ensina que pela operação íntima do poder do Espírito Santo forma-se no crente a natureza moral de Jesus Cristo, que então se expressa na forma de boas obras. Antes, dizia ele que a obediência à lei produz mérito. Suas "obras", pois, que justificam, eram "obras de observância da lei", e não as operações místicas do Espírito no íntimo, chamadas de "fruto do Espírito", em Gál. 5:22,23.

5. A contradição **era apenas aparente**, segundo

TIAGO (LIVRO)

afirmam alguns, e com base na falta de melhor entendimento dos escritos paulinos por parte de Tiago. Isso faz supor que Paulo aceitava a posição de Tiago, de que a obediência à lei obtém favor diante de Deus, o que é um absurdo. Não tenhamos dúvidas, entretanto, que essa é a posição tomada por Tiago, nesta epístola. Supostamente, incorporado na fé de Paulo, havia o princípio das obras; e isso é verdade mesmo que façamos alusão à atuação mística do Espírito. Porém, será algo totalmente falso se aludirmos a obras como a fé se expressa, levando a pessoa a agradar a Deus mediante obras legalistas, que era a posição de Tiago.

6. Antes, **a contradição é real**, porque as posições teológicas dos dois são diferentes, tal como Paulo, em contraste com o judaísmo normal, era diferente. Nem pode isso ser explicado com base nos ataques de Tiago contra as "perversões" feitas nos ensinamentos paulinos, uma espécie de liberalismo e antinomianismo exagerados, e não na verdadeira doutrina paulina. É bem possível que muitos pervertessem os ensinamentos de Paulo, como os gnósticos, que pensavam que o que faziam com seus corpos não fazia qualquer diferença, pois o espírito ficava livre de toda a mácula, "por causa da expiação de Cristo". Certamente Tiago ataca esses extremistas, não havendo, porém, provas de que atacasse somente a eles. Antes, atacou a todos quantos supunham que "basta a fé", como se a obediência aos princípios morais da lei de Moisés fosse algo desnecessário e não meritório quanto à salvação. Se ao menos pudermos ver que a epístola de Tiago representa o judaísmo, no que concerne à fé e às obras, sendo também uma expressão do cristianismo legalista, então todos os problemas de reconciliação, os mistérios e as dificuldades de interpretação seriam imediatamente solucionados. Por que suporíamos que quando Tiago escreveu sobre essas questões, dizendo as mesmas coisas que se acham nos documentos judaicos (aqueles citados nas seções IV e V desta introdução), que ele queria dizer algo diferente do que eles diziam? Ora, se ele dizia as mesmas coisas que eles, então discordava de Paulo, que abandonara a teologia judaica quanto a esse particular. O maior problema de todos, e que os intérpretes falham em solucionar, é que tentam harmonizar Tiago e Paulo, quando a verdade é que Tiago discorda de Paulo, pondo-se ao lado da teologia judaica. Portanto, como poderia alguém dizer que Tiago discorda da teologia judaica, se diz as mesmas coisas que disseram vários escritores judeus? Porventura ele poderia dizer as mesmas coisas que eles disseram, sem concordar com eles? Ele disse as mesmas coisas simplesmente porque defendia os mesmos pontos de vista teológicos. E, defendendo a mesma teologia, automaticamente ele contradizia a Paulo. De fato, ele escreveu para deixar bem clara essa contradição.

7. A questão é claramente delineada. Ou Paulo estava com a razão, ou a razão estava com Tiago. A salvação inclui ou não as observâncias e ritos legalistas da lei mosaica. Nisso é que consistia toda a disputa. (Ver Atos 10:9, quanto ao "problema legalista" da primitiva Igreja cristã).

8. *O ponto de vista paradoxal.* De alguma maneira, tanto Tiago como Paulo estariam com a razão. A salvação é pela fé somente, mediante a graça de Deus, segundo ela é demonstrada em Cristo. Contudo, as obras são essenciais a ela e como esses pensamentos podem ser reconciliados entre si, não sabemos dizer. As grandes tradições religiosas têm representado ambos os lados, e bem faríamos em respeitar a ambos.

9. *Não há contradição final.* Podemos afirmar que Tiago levanta uma questão vital: sabemos, intuitiva e racionalmente, bem como através da revelação, que "devemos ser algo: devemos fazer algo". Sabemos que a fé religiosa deve ser ativa, produtiva e frutífera. Sabemos que a fé deve ser a fonte do caráter justo e das ações, pois, do contrário, não será a verdadeira fé, pois esta consiste na outorga da própria alma aos cuidados de Cristo, para que possamos ser transformados segundo sua imagem moral, em primeiro lugar, e então, em sua imagem metafísica (ver Rom. 8:29 e II Cor. 3:18), mediante o que chegaremos a participar de toda a plenitude de Deus (ver Efé. 3:19) e da própria natureza divina (ver II Ped. 1:4). Assim, apesar de que Tiago de fato contradiz a Paulo, porquanto lhe faltavam as revelações recebidas por este último, não tendo ainda sido desvinculado de Moisés e do legalismo judaico comum, sabemos intuitivamente, todos nós, que deve haver "obras" de alguma ordem, uma revolução e uma renovação moral e espiritual, sem a qual não haverá salvação sob hipótese alguma. Tiago expressou essa intuição sem grande maestria, já que seguia as expressões legalistas a que estava afeito, através de anos de treinamento. As obras, quando são reputadas como as obras do Espírito, insufladas no íntimo, são vários aspectos de seu fruto (ver Gál. 5:22,23), são necessárias à salvação. E desse modo as obras se mesclam com a "graça", porquanto esses tipos de obras são meras expressões da graça ativa. São expressões, mas também são a alma mesma do princípio da graça, atuante no íntimo. Portanto, as "obras" de natureza espiritual *não são apenas* resultados da fé, conforme popularmente se diz; fazem parte da *natureza inerente* da graça, que tem como seu objetivo a transformação do ser humano na natureza moral de Cristo, de forma que os homens podem vir a participar da mesma santidade e das mesmas perfeições de Deus (ver Rom. 3:21; Heb. 12:14 e Mat. 5:48). Podemos dizer, pois, que Tiago contradiz a Paulo porque tinha um ponto de vista legalista sobre as obras, e não uma idéia "mística". Faltava-lhe o discernimento que encontramos em Fil. 2:12,13. Contudo, enquanto lhe faltava esse "discernimento", não lhe faltava a intuição que as "obras", segundo determinadas considerações, são necessárias para a justificação e para a salvação. Podemos desculpá-lo por sua expressão desajeitada dessa intuição, porquanto levantou ele uma questão vital, de que muito se precisa na igreja evangélica moderna, onde domina a "crença fácil". Deveríamos aprender, da epístola de Tiago, ainda que não concordemos com seu modo de expressão, que um homem precisa assumir a imagem de Cristo, duplicando a vida de Cristo em sua própria vida; é mister que Cristo viva por seu intermédio; é preciso que consiga a vitória moral; é necessário que seja transformado, porquanto, de outra maneira, nem ao menos ter-se-á convertido. Não basta alguém aceitar certo credo para imaginar, tolamente, que isso obriga Deus a aceitá-lo, por causa de sua "correta opinião". Precisamos possuir aquela fé que transforma a vida inteira, espiritualizando-a segundo os moldes de Cristo, formando em nós a vida de Cristo (ver João 5:25,26 e 6:57). É como se Tiago houvesse dito em tons sarcásticos: "A correta opinião a ninguém pode salvar" (Comparar com Tia. 2:19). Somente a vida transformada nos pode conduzir realmente à salvação (ver II Tes. 2:13).

10. **Paulo, Tiago e Jesus.** Talvez o problema mais vexatório do NT é o que indaga: -Onde ficava Jesus, nessa controvérsia?- Visto que Ele falou antes do surgimento da mesma, não há qualquer Escritura a respeito. Apesar de que, nas citações que temos de Jesus, em regra geral parece que Ele tomava a posição judaica comum sobre o meio de salvação, devemos supor que não lhe faltava a

TIAGO (LIVRO)

compreensão paulina sobre as obras espirituais. em contraste com as "obras legalistas". Portanto, apesar de que não usou a exata terminologia empregada pelo apóstolo dos gentios, quanto às idéias, podemos ter a certeza de que Cristo concordava com a abordagem paulina. E já que Paulo pôde afirmar que os demais apóstolos concordavam com ele, no tocante à natureza do Evangelho (ver Gál. 2:2 e ss), precisamos crer que Pedro e os demais apóstolos não viam qualquer contradição básica entre o que Paulo e Jesus ensinavam. Sem dúvida, se Paulo tivesse entrado em qualquer contradição relativa a Jesus, Pedro e os demais ter-se-iam colocado ao lado de Jesus e contra Paulo. Portanto, Paulo deve ter ensinado de acordo com a realidade das obras espirituais, contradizendo o sistema judaico comum de "méritos".

Sendo essa a verdade, continua sendo um fato que Paulo trouxe à luz diversos conceitos da verdade espiritual que Jesus nunca explanou para os seus discípulos originais. Esses conceitos aumentam grandemente o nosso entendimento acerca do destino daqueles que se acham em Cristo, acerca da glória ali envolvida, acerca da magnitude do poder e do desenvolvimento espirituais que isso representa. Nas revelações dadas por meio de Paulo, o cristianismo deu um *prodigioso* salto para a frente, em comparação com o pensamento judaico e com a experiência espiritual.

A graça é a livre dádiva de Deus para nós, por intermédio de Cristo. Quando olhamos para a salvação como dom de Deus, estamos falando sobre a graça divina. Porém, à graça em nós operante, ao poder do Espírito no íntimo, chamamos de "obras". Portanto, a graça divina, vista do ponto de vista diferente, pode ser chamada de "graça" ou de "obras"; mas, seja como for, tudo procede da parte de Deus, embora deva haver uma reação humana favorável. O legalismo vê um dos lados da questão com diáfana clareza; sabe que a espiritualidade deve produzir algo. Essa foi a contribuição do legalismo. Confronta a "crença fácil" e a chama de "fingimento". Porém, o legalismo é míope, tendendo para a superficialidade, porquanto normalmente diz que quando obedecemos aos mandamentos da lei, obtemos o favor de Deus. Esse é o grande erro do legalismo, e contra isso é que Paulo se opunha amargamente. O legalismo tem a tendência de se escorar no braço da carne, fazendo da salvação uma questão de conta corrente de méritos e deméritos, em vez de reconhecer a total espiritualidade do processo da salvação, que envolve a transformação de alma, e não meramente a bondade que se poderia acumular através de observâncias minuciosas.

VIII. Propósitos e Ensinamentos

As notas acima nos indicam a maior parte dos propósitos e ensinamentos desta epístola. Consideremos, entretanto, os pontos seguintes:

1. Um de seus propósitos é puramente *polêmico*. Ele procura refutar as inovações acrescentadas à teologia paulina; isso ele faz na ignorância, entretanto, por faltar-lhe as revelações mais profundas de Paulo. E o autor da epístola exibe uma justa indignação, pensando que fazia o bem, ao assim combater aquelas idéias. É verdade que tinha certo discernimento, mas se expressou desajeitadamente, mediante uma terminologia e uma mentalidade nitidamente legalistas. Certamente a passagem de Tia. 2:14 e ss, é uma refutação às idéias do quarto capítulo da epístola aos Romanos, ou é mesmo um assédio direto contra as idéias ali expostas. (Ver a seção VII deste artigo quanto a notas expositivas completas sobre a questão.)

2. Porém, a intenção do autor sagrado foi boa. Ele queria que soubéssemos (e nisso estava com a razão), que opiniões corretas sobre as verdades cristãs não são suficientes; deve haver uma vida espiritual vital, pois, do contrário, a fé estará morta.

3. Além disso, ele desejava fornecer instruções éticas concretas, que envolvessem muitos pontos. Este livro consiste, essencialmente, em um tratado que visa dar instruções morais. Assim sendo, ele aborda a questão da tentação. Alguns indivíduos punham a culpa em Deus por seus próprios erros e pecados, supondo, virtualmente, que Deus assim os "fizera" (ver Tia. 1:12 e ss). Tiago refuta, violentamente, esse conceito. Também exortou à oração e à mentalidade espiritual (ver Tia. 1:5); repreendeu a ira e o mau gênio (ver Tia. 1: 19 e ss); insistiu sobre a prática das boas obras (ver Tia. 1: 22 e ss). Assim nos deu uma das nossas definições centrais acerca da verdadeira religião (ver Tia. 1:27). A verdadeira religião, pois, consiste na pureza pessoal, bem como em atos de bondade para com o próximo. Tiago também repreende a soberba (ver Tia. 2:1 e ss) e o favoritismo, na mesma passagem; mostra como a atividade moral deve incluir a lei inteira, e não meramente alguns pontos da mesma, e cria ser isso possível para os homens (ver Tia. 2:10 e ss). Também repreendeu vivamente os pecados da língua (ver Tia. 3:1 e ss); denunciou o mundanismo (ver Tia. 4:1 e ss); advertiu os ricos acerca da dependência às suas possessões e aos seus excessos (ver Tia. 5: 11 e ss). A leitura da própria epístola realmente serve de observação sobre os muitos mandamentos morais do autor sagrado, e o que expomos aqui é apenas um exemplo.

4. Seus propósitos não eram essencialmente teológicos, com exceção da passagem de Tia. 2:14 e ss. Lutero tinha razão ao reconhecer a "esterilidade" do conteúdo teológico dessa epístola. Nada tem das elevadíssimas doutrinas cristãs que se acham nos escritos de Paulo, exceto que o ensino sobre a "parousia" (a segunda vinda de Cristo) é reputado como algo que poderia acontecer em breve (ver Tia. 5:7). Por essa razão é que Lutero a chamou de "epístola de palha", porquanto, para ele, não podia equiparar-se com as epístolas de Paulo, especialmente Romanos, ou com a primeira epístola de Pedro e o evangelho de João. Ele sumariou o seu ponto de vista ao dizer: "Louvo à epístola de Tiago, e a considero boa, porquanto não ensina qualquer doutrina humana, e afirma severamente a lei de Deus" (Introdução à Epístola de Tiago). Talvez esse seja um sumário tão bom quanto qualquer outro que se possa fazer acerca do caráter dessa epístola.

"Sempre que a fé não resulta em amor, e o dogma, por mais ortodoxo que seja, aparece desvinculado da vida diária; sempre que os crentes são tentados a aceitar uma religião centralizada no próprio homem, tornando-se eles esquecidos das necessidades sociais e materiais de outros; ou sempre que negam, com a sua maneira de viver, ao credo que professam, e parecem por demais ansiosos por serem amigos do mundo, mais do que de Deus, então a epístola de Tiago tem algo a dizer-lhes, e que só rejeitam com perigo próprio". (Tyndale N.T. Commentary, *Introdução à Epístola de Tiago*).

Há vários abusos contra os ensinamentos da epístola a Tiago, segundo se vê nos pontos seguintes: 1. Alguns vêem um certo apoio à idéia medieval da "extrema unção, em Tia. 5:14,15; 2. Outros vêem a idéia que a justificação é ajudada mediante obras legalistas, em Tia. 2:14 e ss; 3. e outros são encorajados e levados a permitir extremismos

TIAGO (LIVRO) – TIAGO (PESSOAS)

na prática da confissão pública de pecados, com base em Tia. 5:16.

IX. Linguagem

Quanto às **características literárias**, a epístola de Tiago demonstra afinidades com o tratado aos Hebreus, embora nunca se mostre tão eloqüente como o mesmo. Foi escrita em grego excelente, que demonstra conhecimento das delicadezas das habilidades retóricas do grego, como a aliteração, a diatribe, etc., além de demonstrar excelente escolha das palavras. Sua seleção e uso dos modos dos verbos gregos são superiores à de qualquer dos demais livros do N.T. Quanto à sua prática da *aliteração*, ver as três palavras proeminentes em Tia. 1:21, começando com a letra grega "delta". O autor sagrado exibe a prática de introduzir cada sentença de uma série de cláusulas ou sentenças inter-relacionadas com a mesma palavra, o que se denomina "paranomásia" ou "assonância". Com freqüência ele situa duas ou mais palavras em íntima justaposição, com o mesmo som ou sons finais, conforme se vê em Tia. 1:7,14; 2:16,19 e 5:5,6. Suas sentenças são francas e vívidas, dotadas de uma certa concisão epigramática.

Alguns estudiosos consideram o grego usado na epístola de Tiago segundo apenas em relação à epístola aos Hebreus, em todo o NT. Não há qualquer indício de que esse trabalho é uma tradução, o que sem dúvida, não poderia ocultar, se assim fosse. Portanto, é duvidoso que qualquer dos discípulos originais de Jesus, ou um irmão seu, um aldeão galileu, tivesse podido escrever essa epístola. Ainda que o seu autor fosse bilíngüe, é extremamente duvidoso que ele pudesse ter adquirido bastante educação formal, da variedade helenista, para poder expressar-se com as delicadezas da retórica grega. É possível, todavia. que Tiago (irmão do Senhor, ou outro do NT), pudesse ter tido seu trabalho *cuidadosamente revisado* (*e modificado em alguns lugares*) por um discípulo cuja linguagem nativa foi o grego. O vocabulário da epístola de Tiago se reduz cerca de quinhentas e setenta palavras. Dentre essas, setenta e três não aparecem em qualquer outra porção do NT, mas somente vinte e cinco não se encontram no AT grego (Septuaginta), e somente seis não se acham nem no Antigo e nem no Novo Testamentos. O autor sagrado conhecia e usou a Septuaginta (tradução do original hebraico do AT para o grego, completada bem antes da era apostólica), conforme se vê em Tia. 1: 10 e ss, (ver Isa. 40:6 e ss); Tia. 2:21 (ver Gên. 212,9); Tia. 4:6 (ver Pro. 3:34); Tia. 5:6, (ver Pro. 3:34). Os hebraísmos são poucos, entre os quais podemos encontrar os de Tia. 5: 10, 14. Isso não inclui, naturalmente, suas citações extraídas do AT, as quais podem conter hebraísmos, por razão do fato de que a Septuaginta os exibe.

X. Conteúdo

I. Saudação (1: 1)
II. O Teste da Fé (1:2-4)
III. Deus Responde à Oração e **dá Sabedoria** (1:5-8)
IV. A Futilidade das Riquezas (1:9-11)
V. Promessa aos Vencedores (1:21)
VI. A Tentação ao Mau não Vem de Deus (1:13-15)
VII. Todas as Coisas Boas Procedem de Deus (1:16-18)
VIII. Contra a Ira e o Mau Temperamento (1: 19-21)
IX. O Fazer Adicionado ao Ouvir (1:22-25)
X. O Abuso da Língua (1:26)
XI. Definição da Verdadeira Religião (1:27)
XII. Contra o Respeito Humano (2:1-13)
XIII. Fé e Obras, Opostas e Unidas (2:14-26)
XIV. Os Males da Língua (3:1-12)
XV. A Sabedoria Mundana (3:13-18)
XVI. Reprimenda Contra os Desejos Mundanos (4:1-10)
XVII. Mais Males da Língua (4:11,12)
XVIII. Confiança na Providência (4:13-16)
XIX. O Pecado de Omissão (4:17)
XX. Desgraça Espiritual dos Ricos (5:1-6)
XXI. A *Parousia* e a Paciência Cristã (5:7-11)
XXII. Contra os Juramentos (5:12)
XXIII. Conduta na Tristeza e na Alegria (5:13)
XXIV. Sobre a Enfermidade (5:14-18)
XXV. Bem-aventurança de Quem Converte ao Errante (5:19,20)

XI. Bibliografia

AM BK E EN I IB ID LAN LAN MIT NTI TI VIN RO O Z

TIAGO (PESSOAS)

O Nome. No hebraico temos a palavra *Yaakov* (Jacó). O grego é *Iákobos*. A Vulgata Latina diz *Iacobi*. A Bíblia portuguesa, no Novo Testamento, traduz esse nome por *Tiago*; e a Bíblia inglesa por *James*. É difícil entender por que isso sucedeu, pois a forma mais normal e direta de traduzir o nome seria por *Jacó*. Quanto a uma completa explicação sobre o significado da palavra hebraica, ver sobre Jacó, primeira seção.

1. Apóstolo, filho de Zebedeu, irmão do apóstolo João; pescador galileu; chamado por Cristo para ser apóstolo (ver Mat. 4:21). Parece ter sido um dos três discípulos favoritos de Jesus tendo estado em sua companhia quando da ressurreição da filha de Jairo (ver Mar. S:37) e quando da transfiguração do Senhor (ver Mar. 9:2). Ele e seu irmão, João, receberam a alcunha de "Boanerges", que significa "filhos do trovão", por causa da disposição explosiva e violenta dos dois. Demonstraram essa disposição impetuosa ao sugerirem que Jesus destruísse uma aldeia dos samaritanos, que havia repelido os seus mensageiros (ver Luc. 9:54). Eles, a mãe deles, ou todos os três, pediram a Jesus posições e privilégios especiais no reino que Jesus estava prestes a estabelecer, e, em vez disso, foi-lhes prometido que participariam do seu *batismo*, o que envolvia morte violenta por amor a Ele. Nesta altura da narrativa do NT o cumprimento dessa predição de Jesus tem lugar, pelo menos no caso de Tiago. A natureza veemente natural a Tiago muito provavelmente se evidenciou em seu zelo evangelístico (embora Lucas nada nos diga sobre o ministério de Tiago, após a ressurreição de Cristo), e isso talvez tenha sido uma das causas de haver sido separado para receber a coroa do martírio. Sem dúvida ele deve ter sido uma figura difícil para os judeus e para Herodes, o que teria apressado o seu martírio, embora não encontremos qualquer informação exata no NT sobre essa particularidade. Há uma tradição, preservada nos escritos de Eusébio (*História II.9*), que é apresentada como originada por Clemente de Alexandria e nos informa que o acusador de Tiago se converteu, ao observar a sua fé e paciência em sua grande provação, em face do que confessou publicamente a sua fé em Jesus Cristo, tendo sido levado à execução em companhia do apóstolo, que lhe conferiu a bênção de despedida: "Paz seja sobre ti!"

Morte por Decapitação. Este Tiago, irmão de João, foi decapitado por Herodes (Atos 12:2). Sua morte foi legalmente executada, de acordo com as leis romanas, pois, com Herodes Agripa, a dinastia herodiana voltou quase com a mesma parcela de autoridade que tivera sob Herodes, o Grande. Cláudio nomeou Herodes Agripa sobre a Judéia

TIAGO (PESSOAS) – TIAGO, APOCALIPSE DE

e a Samaria. Foi esse o "rei Herodes", que dessa maneira teve autoridade para executar Tiago e aprisionar Pedro, sem qualquer consulta com as autoridades romanas, segundo era necessário os judeus fazerem, mediante o representante do governo romano, quando queriam aplicar contra alguém a punição capital.

O fato de que foi decapitado mostra-nos que foi executado por sentença de um governante civil, pois, se porventura houvesse sido julgado por blasfêmia ou heresia, por parte do sinédrio, teria morrido por apedrejamento. Naturalmente, por detrás da acusação civil, sem importar qual tenha sido ela, na realidade havia uma acusação religiosa, provavelmente mais no caso de Tiago do que no caso de João Batista, que morreu, da mesma maneira, por ordem de Herodes Ântipas, tio de Herodes Agripa. Os judeus consideravam a morte por decapitação uma maneira vergonhosa de morrer (ver Mat. 14: 10). Essa maneira de executar Tiago, sem dúvida, agradou aos judeus incrédulos.

João Batista contava com *muitos* seguidores, pregava a inauguração de um novo "reino" e, segundo nos revela Josefo, o grande historiador judeu, era considerado um rival político por Herodes. Por isso, Herodes Ântipas tinha muitas razões para querer se livrar dele. Herodes Ântipas, entretanto, apesar de ter agido por motivos políticos, não tinha qualquer acusação válida, política ou civil, para justificar a sua ação. Meramente pensou ser boa medida política mostrar-se favorável aos judeus, e o sacrifício da vida de um homem inocente pareceu-lhe preço pequeno a ser pago, contanto que obtivesse as suas finalidades astuciosas.

2. **Tiago**, *filho de Alfeu*, outro dos doze apóstolos (ver Mat. 10:3 e Atos 1:13). Ele é usualmente identificado como Tiago, o Menor, filho de Maria (ver Mar. 15:40), a fim de ser distinguido do outro Tiago, irmão de João. O título, "o Menor", dizia respeito ou à sua idade (isto é, mais jovem que o outro Tiago), ou à sua estatura (isto é, mais baixo do que Tiago, irmão de João). O mais provável é esta última possibilidade. Diz-se que o Tiago aqui em vista foi morto por ordem de Ananias, o sumo sacerdote dos judeus, durante o reinado de Nero.

É surpreendente quando observamos quão pouca informação temos sobre certos apóstolos de Jesus, ao passo que figuras secundárias, como Estêvão e Filipe (que eram diáconos e evangelistas), recebem um espaço consideravelmente maior, no relato neotestamentário. Tiago, filho de Alfeu, é mencionado somente por quatro vezes em todo o Novo Testamento Mat. 10:3; Mar. 3:18; Luc. 6:15 e Atos 1:13. Embora ele não seja destacado entre os demais, sabemos, contudo, que ele participou da maioria das experiências do Senhor Jesus, descritas nos evangelhos.

Tiago, filho de Alfeu, encabeça a lista do terceiro grupo de quatro apóstolos cada. Mateus e Marcos vinculam-no a Tadeu, ao passo que Lucas e Atos ligam-no a Simão, o zelote. Visto que Mateus também é chamado filho de Alfeu (comparar Mat. 9:9 e Mar. 2:14), é possível que Mateus e Tiago, filho de Alfeu, fossem irmãos. Se isso era verdade, então, o é admirável que esses dois homens nunca apareçam associados em qualquer sentido nos relatos dos evangelhos, conforme se vê, para exemplificar, no caso dos filhos de Zebedeu, Tiago e João. Por isso mesmo, alguns estudiosos opinam que Alfeu, pai de Tiago era um, e que Alfeu, pai de Mateus, era outro.

Antigas tradições dizem que Tiago, filho de Alfeu, era da tribo de Gade. E essas tradições também dão conta de que ele foi apedrejado pelos judeus, por haver pregado o Evangelho cristão, tendo sido sepultado em um santuário, em Jerusalém.

Se esse Tiago era o mesmo que, noutros trechos, é chamado Tiago, o Menor, então *sua mãe*, Maria, era uma daquelas mulheres que estiveram presentes à crucificação de Jesus (Mat. 27:56 e Mar. 15:40), bem como na ocasião em que se descobriu que o túmulo de Jesus estava vazio (Mar. 16:1 e Luc. 24:10). Alguns têm-na identificado com a Maria que era esposa de Clopas (João 19:25). Todavia, as palavras "de Clopas" poderiam indicar "filha de", conforme diz a versão árabe do evangelho de João. Se ela fosse *esposa* dele, então como reconciliar Clopas e Alfeu como o pai de Tiago? Talvez esse homem fosse conhecido por dois nomes diferentes. O que, sem dúvida, era claríssimo para os discípulos de Jesus, para nós tornou-se obscuro, por falta de maiores informações.

3. **Tiago**, *irmão do Senhor Jesus*, que é mencionado em companhia dos outros irmãos de Cristo, Joses, Simão e Judas. (Ver o artigo sobre a *Família de Jesus*). É patente que nenhum dos irmãos de Jesus aceitou a sua autoridade, antes de sua ressurreição (ver Mar. 3:21). Depois de já ressurrecto, quando Jesus lhe apareceu, Tiago se tornou líder da igreja de Jerusalém (ver Gál. 1:19; 2:9 e Atos 12:17). A tradição faz dele o primeiro bispo ou pastor de Jerusalém, supostamente nomeado pelo próprio Senhor Jesus (ver Eusébio, *História Eclesiástica* VII. 19). Parece ter presidido o primeiro concílio, em Jerusalém, o qual foi convocado para considerar as condições de admissão dos gentios na Igreja cristã. Tiago, pois, ajudou a formular os decretos de liberdade que foram promulgados em benefício das igrejas cristãs de Antioquia, Síria e Cilícia (ver Atos 15:19-23). Continuou, entretanto, a ter fortes simpatias para com o judaísmo, o que se demonstra pela sua solicitação de que Paulo tomasse voto, segundo o costume judaico, a fim de agradar aos irmãos de tendências legalistas de Jerusalém, como igualmente, é quase certo, outros judeus fizeram, conforme vemos no registro de Atos 21:18 e ss. (Ver também Gál. 2:12, onde há outra indicação das tendências para o legalismo, desse Tiago, irmão de Jesus). De conformidade com Hegesipo, citado por Eusébio (*História Eclesiástica*, II. 23), ele era chamado de "o Justo" por causa de sua estrita aderência à santidade cerimonial judaica e de sua austera maneira de viver.

Sofreu martírio por apedrejamento, às mãos do sumo sacerdote judeu Anano, durante um intervalo de falta de autoridade civil, após a morte do procurador Festo, em 61 d.C., de acordo com o que anotou Josefo (ver *Antiq.* xx.9). O perdido evangelho apócrifo segundo aos Hebreus tinha uma narrativa sobre uma aparição especial de Jesus a Tiago, o que, mui provavelmente, não passa de uma lenda. Sabemos disso nos escritos de Jerônimo. "De viris ilustribus II". Esse Tiago, irmão de Jesus, é tradicionalmente o autor da epístola de Tiago, onde se refere a si próprio como "...servo de Deus e do Senhor Jesus Cristo, às doze tribos que se encontram na Dispersão..." (Tia. 1:1). Mas essa autoria é posta em dúvida por muitos (Ver o artigo sobre *Tiago, Epístola de*, sob o título "Autoria").

4. Há um Tiago mencionado nos trechos de Luc. 6:16 e Atos 1: 13, que, em algumas traduções, aparece como *irmão* do apóstolo Judas (não o Iscariotes). Porém, o original grego diz tão-somente "Judas de Tiago", o que, mui provavelmente, poderia ser mais acertadamente traduzido por "filho de". Assim sendo, Tiago seria o genitor do apóstolo Judas.

TIAGO, APOCALIPSE DE
Ver sobre **Apocalipse de Tiago**.

TIAGO, ASCENSÕES DE – TIAGO, PROTO EVANGELHO

TIAGO, ASCENSÕES DE
Ver **Ascensões de Tiago**.

TIAGO, PROTO EVANGELHO DE
Esboço:
I. Caracterização Geral
II. Data
III. Autoria
IV. Integridade
V. Texto
VI. Conteúdo

I. Caracterização Geral

Esse é mais antigo e mais bem conhecido de todos os evangelhos da infância de Jesus, os quais, alegadamente, fornecem-nos informações sobre a vida de Jesus, antes daquilo que é descrito nos evangelhos canônicos. Uma das tendências da literatura apócrifa era tentar preencher os hiatos que aparecem nos livros da Bíblia, sobretudo quanto à vida de Jesus. Além disso, a impressionante vida de Cristo excitava a imaginação de muitos, levando-os a escreverem descrições literárias genuínas, e também cenas inteiramente fictícias. Os evangelhos da infância de Jesus compõem uma parte dos *Livros Apócrifos de Novo Testamento* (vide).

O proto-evangelho de Tiago, juntamente com o evangelho de Tomé, tornaram-se a base da coletânea dos evangelhos da infância de Jesus, que incluíam o evangelhos da infância em árabe e armênio, evangelho do pseudo-Mateus, além de outras obras semelhantes. Todos eles contêm alguma informação extraída dos evangelhos canônicos, juntamente com lendas, algumas das quais talvez tenham alguma base nos fatos, embora distorcidos. Porém, podemos ter plena certeza de que o conteúdo desses livros, em sua maior parte, não passa de fantasia.

O proto-evangelho de Tiago, provavelmente, foi composto em algum tempo do século II d.C. refletindo a veneração em que Maria era tida entre os cristãos antigos. Exerceu forte influência sobre o desenvolvimento de uma mariolatria (vide) mais elaborada, que foi surgindo no decurso dos séculos.

Esse proto-evangelho usa vários motivos veterotestamentários, especialmente extraídos da vida de Samuel. Cita, imita e refraseia os evangelhos canônicos. Mas também há ali suplementos, alguns dos quais podem ser autênticos, embora a maior parte, como já dissemos, seja fantasiosa. Assim, Jesus nasceu em uma caverna, conforme diz esse livro? A criação de Maria também é ali descrita, incluindo muitos pseudomilagres. É evidente que o autor desse livro não era bem instruído quanto aos costumes judaicos. Ele incorre em vários erros básicos no tocante a esses costumes. Ele diz que Maria foi criada no interior do templo de Jerusalém, algo impossível do ponto de vista da mentalidade judaica; e Joaquim foi presumivelmente impedido de fazer oferendas, porquanto não tinha filhos, o que, sem dúvida alguma, é outra tolice. O nascimento virginal é um ponto enfaticamente defendido. Sabemos que Jesus foi gerado pelo poder do Espírito Santo, sendo Maria uma virgem; mas o proto-evangelho de Tiago chega ao artifício de apelar para o testemunho de outras fontes que estão fora dos evangelhos canônicos.

II. Data

Visto que esse documento foi escrito algum tempo antes do século IV d.C., conforme é evidenciado pelo fato de que a coletânea de papiros Bodmer, do século III d.C., continha essa obra. Ao que tudo indica, Orígenes conhecia esse livro, o que também pode ser dito acerca de Clemente de Alexandria. Justino refere-se à caverna onde, alegadamente, Jesus teria nascido, embora ele não tivesse tomado a idéia, obrigatoriamente, dessa obra. Visto que essa obra faz uso dos evangelhos canônicos (cujo cânon ficou estabelecido no século II d.C.), a obra não pode ser datada antes disso. Provavelmente, pois, foi escrita durante o decurso do segundo século da era cristã; mas não poderia ter sido escrita depois do terceiro século cristão, considerando-se as evidentes citações que procedem daquele tempo.

III. Autoria

O caráter apócrifo, posterior e não-apostólico desse livro demonstra que não há qualquer chance de que a autêntica tradição apostólica tenha alguma coisa a ver com essa obra. As lendas extraneotestamentárias que ali estão contidas mesmo assim poderiam estar parcialmente baseadas em fatos. Pois era próprio dos livros apócrifos do Novo Testamento procurar alguma autoridade, mediante a utilização do nome de algum crente antigo, do primeiro século cristão, incluindo os apóstolos. Também era prática comum da época fazer-se isso na literatura secular. Por essa razão, naquele período histórico foram produzidos muitos livros pseudepígrafos, tanto de natureza secular como de natureza religiosa. Mas, não há como determinar quem foi o autor do proto-evangelho de Tiago. Sabe-se, entretanto, que seu autor deve ter sido um cristão intensamente religioso, interessado em promover as bases miraculosas de sua fé. Se, porventura, esse autor era judeu, então nem deve ter estudado o sistema do judaísmo, devido aos crassos erros das coisas que ele disse acerca das crenças e dos costumes dos judeus. Ver a primeira seção, acima. O parágrafo final do livro afirma que o mesmo foi escrito por *Tiago*, talvez o irmão do Senhor ou o filho de Zebedeu; mas nenhuma identificação maior é dada.

IV. Integridade

A palavra **integridade**, quando aplicada a obras literárias, refere-se à unidade da composição de um livro qualquer. Um livro qualquer foi escrito por um único autor, ou mais de um escritor esteve envolvido, com a cooperação de algum editor ou autor-editor, em sua compilação final? Diversas unidades de um livro podem evidenciar o fato de que suas porções constitutivas foram escritas em ocasiões diferentes, pelo que certas dessas porções podem ser mais antigas do que outras. A unidade envolve, igualmente, o problema de várias edições de uma mesma obra. Um livro pode ter aproveitado algum material ao longo do processo de sua transmissão, em subseqüentes edições. Alguns dos proto-evangelhos de Tiago aparecem com passagens onde fala a primeira pessoa, ao passo que outras passagens não trazem tal pessoa, como é o caso de 18:2 desse livro. Isso poderia indicar uma mudança de autor. Orígenes refere-se à história da morte de Zacarias; mas, na forma em que conhecemos esse livro, ali não consta essa história. Isso poderia sugerir que essa cópia continha coisas que edições subseqüentes perderam, ou então que, desde tempos bem remotos, a obra foi lançada sob duas ou mais formas diferentes. O manuscrito Bodmer do livro contém um texto abreviado, omitindo parte do diálogo, no episódio de Salomé e sua criada.

A tendência dos escribas antigos era a de embelezar os textos que copiavam, e só mui raramente resumiam-nos. Por isso mesmo, usualmente os textos mais breves, de qualquer documento, são os mais antigos. Isso se aplica tanto aos manuscritos no Novo Testamento como a todos os manuscritos antigos que têm chegado até nós. Acresça-se a isso que certas porções de muitas obras são consideradas pelos eruditos como adições posteriores, sem falar no fato de que até mesmo um documento original pode ter. sido feito por compilação. Assim, parece ter havido três documentos principais que foram reunidos para formar a base do livro que estamos estudando: 1. a Natividade de Maria (caps. 1-7); 2. um apócrifo de José (caps. 18-20); e 3. um apócrifo de Zacarias (caps. 22-24). É possível que os capítulos vinte e três e vinte e quatro tenham sido interpolações posteriores. Alguns estudiosos dizem que essa abordagem ao livro não é válida, supondo que o texto Bodmer, mais breve, seja um resumo. É possível que isso tenha sucedido, embora dificilmente sucedesse na transmissão dos textos antigos.

V. Texto

1. O papiro Bodmer V, do século III ou IV d.C.
2. Alguns poucos manuscritos gregos posteriores.
3. Manuscritos latinos fragmentários, além de porções desse livro que têm sido preservadas mediante citações em obras latinas e outras. Há um número suficiente de cópias latinas para mostrar que, a certo ponto da história, o livro circulou largamente nesse idioma.
4. Manuscritos posteriores em armênio, etiópico, georgiano e outras línguas também existem. Strycker, que muito estudou os manuscritos desse livro, afirma que a tradição do mesmo é notavelmente homogênea e contínua, pelo que a forma que temos do mesmo é, essencialmente, digna de confiança.

VI. Conteúdo

A história de Jesus começa em seus anos mais verdes, nesse evangelho, do que se vê nos evangelhos do cânon cristão. Aparece a história do nascimento de Maria. Assemelha-se ao relato sobre Abraão e Sara, ou sobre os pais de João Batista. Ana, mãe de Maria, era estéril; Joaquim, seu pai, sentindo o opróbrio de ser um homem sem filhos, saiu ao deserto para meditar e lamentar por quarenta dias (o que os faz lembrar dos dias de Jesus no deserto), além de outros períodos bíblicos de provação que envolveram quarenta dias. Um anjo foi informar Ana de que ela teria uma criança. Assim, nasceu Maria. Com três anos de idade, foi residir no templo de Jerusalém, e passou a ser alimentada como uma pomba, recebendo alimentos das mãos de um anjo. Ao atingir os doze anos (lembremos o incidente da vida de Jesus, com essa idade) foi deixada ao encargo de José, um viúvo, a fim de ser cuidada por ele. Enquanto ele trabalhava como carpinteiro ela ficava tomando conta da casa. E ajudava tecendo véu do templo. Foi então que teve lugar a *anunciação* quando Maria tomou consciência de seu futuro papel de mãe do Messias.

Uma vez grávida, Maria foi visitar Isabel (um paralelo do segundo capitulo do evangelho de Lucas). José acabou descobrindo o fato de que Maria estava grávida, o que representa outro paralelo, dessa vez de Mateus 1:18 ss, completo até mesmo com a informação sobre a virgindade de Maria, dada por um anjo. O sumo sacerdote ouviu falar sobre o caso, e José e Maria foram submetidos à prova, para ver se estavam dizendo a verdade; e, naturalmente, foram ambos aprovados.

Diante do edito de Augusto, o casal vai a Belém da Judéia. José localiza uma caverna e ali deixa Maria, enquanto ele sai à procura de uma parteira. Na ausência de José, Jesus nasce no interior da caverna. Em seguida, vários incidentes são descritos, como a chegada tardia da parteira, a incredulidade de Salomé, a visita dos magos, a matança dos inocentes (um evento que leva Maria e José a removerem a criança para uma mangedoura, a fim de que ficasse melhor protegida). Além disso, João e Isabel são miraculosamente salvos de serem mortos, Zacarias, pai de João, é morto diante do altar (o que faz dele a pessoa mencionada em Mat. 23:35). O parágrafo final identifica o autor com um *Tiago* não identificado, presumivelmente um dos irmãos de Jesus (o qual, alegadamente, foi o autor da epístola de Tiago, que faz parte do Novo Testamento), ou então o filho de Zebedeu, irmão de João, que tinha esse nome.

Nesse livro, José aparece como um viúvo que se tornou guardião e protetor de Maria, mas não seu verdadeiro marido. Essa idéia é incluída para promover a noção da perpétua virgindade de Maria. A Igreja Católica Romana encontrou outra forma de preservar a perpétua virgindade de Maria, fazendo dela a noiva perpétua de José, mas nunca esposa autêntica, porquanto continuou sendo virgem antes, durante e depois do parto de Jesus, ao mesmo tempo em que os irmãos de Jesus (ver Mar. 6:3) sê-lo-iam apenas por parte de José, que os teria gerado de sua primeira mulher. Como é claro, nada disso concorda com os ensinamentos do Novo Testamento. Na verdade, o casamento de José e Maria foi verdadeiro. Lemos em Mateus 1:24,2S: "Despertado José do sono, fez como lhe ordenara o anjo do Senhor, e recebeu sua mulher. Contudo, não a conheceu, enquanto ela não deu à luz o filho, a quem pôs o nome de Jesus... As palavras ....não a conheceu, enquanto ela não deu à luz o filho..." deixam entendido que, após o nascimento de Jesus, José e Maria tornaram-se um casal normal; e geraram quatro filhos é varias filhas. Ver o artigo intitulado Irmãos de Jesus. (CH HEN SMID Z)

TIAMATE

A referência é o mito semítico e babilônico no qual as Águas Primitivas fornecem o material do qual os deuses, homens, os céus e a terra apareceram. Neste mito da criação, a mãe primitiva (*Timate*) está associada a um pai primitivo (*Apsu*). Eles são os pais dos deuses. Em um desenvolvimento posterior do mito, Marduque é o deus da vida e a luz, enquanto Timate é a personificação dos poderes da escuridão e do caos. Ela é representada como águas caóticas e como uma serpente enfurecida, um temeroso monstro dragão. Um estágio mais avançado dos mitos que cercam Timate são seus esforços com Marduque e depois Asur. Timate é morta e seu corpo é dividido no cosmo inferior e superior. A história é contada no épico nacional, *Enuma elis*. Alguns vinculam essa história com as descrições de Gên. 1.2, a versão hebraica do relato da criação, mas alguns estudiosos bíblicos a rejeitam com base lingüística.

TIARA

No hebraico **mígbaoth**, "turbantes", palavra que ocorre por quatro vezes no Antigo Testamento: Êxo. 28:40; 29:9; 39:28 e Lev. 8:13. Fazia parte da vestimenta do sumo sacerdote de Israel. Era feita de linho, e, aparentemente, tinha um formato cônico. Porém, não existe qualquer representação artística autêntica dessa peça, pelo que a sua natureza exata permanece duvidosa para nós.

TIATIRA

No grego, **Thuteíra**. Tiatira ficava cerca de trinta e dois quilômetros a suleste de Pérgamo, em uma estrada na planície aluvial entre os rios Hermo e Caico. Tanto nos dias da liderança de Pérgamo sobre a Ásia Menor, como posteriormente, quando a política internacional atraiu os romanos para a grande península, essa cidade derivava sua riqueza e influência do fato de que era um ponto central de comunicações. Essa cidade foi fundada

TIATIRA

por Seleuco I, um dos generais de Alexandre, o Grande. Foi Seleuco I quem, de todos os seus herdeiros, herdou o território mais extenso. O reino de Seleuco ia desde além de Antioquia da Síria até o vale do rio Hermo, onde suas fronteiras chegavam bem perto das de Lisímaco, o qual mantinha nas mãos parte do antigo litoral jônico da Ásia Menor. Seleuco implantou ali um grupo de veteranos desmobilizados de Alexandre. Esses macedônios deveriam formar uma barreira contra todas as tentativas de perturbar as suas fronteiras.

Em 282 a.C., rebelou-se *Filetero*, e foi fundado o dinâmico Estado de Pérgamo, destinado a perdurar por um século e meio. O novo Estado era uma área tampão entre Seleuco e Lisímaco. Porém, um Estado fundado sob tais circunstâncias não podia ser militarmente alerta; e Tiatira, um posto avançado na estrada para o Oriente, impedia qualquer agressão possível que partisse do Leste. A história do lugar, alinhavada, precariamente, com base em ruínas e moedas, sugere que Tiatira, em suas sempre flutuantes fronteiras, com freqüência, mudava de mãos, ao sabor da sorte nas armas das forças sírias ou de Pérgamo, que faziam avançar ou recuar as fronteiras.

Tiatira, tendo de desempenhar permanentemente esse inevitável papel de posto militar avançado, não contava com uma acrópole poderosa, como se dava com Sardes e com Pérgamo. A cidade ficava em uma pequena colina. E só era valiosa, estrategicamente falando, porque uma confiante força de defesa, ali postada, era capaz de quebrar o ímpeto de qualquer assalto hostil, enquanto que uma defesa mais decisiva era organizada mais atrás. Esse dever militar impunha sobre aquela vulnerável cidade um estado de prontidão. Seus habitantes sabiam enfrentar o perigo e lutar, sem dependerem de qualquer defesa natural, mas contando exclusivamente com a sua coragem pessoal. A religiosidade refletia ali essa atitude de dever. Os soldados macedônios que a princípio foram ali estabelecidos, adotaram a adoração a um certo herói local, que lhes servia de patrono, e que aparece nas primeiras moedas cunhadas ali, representando um guerreiro montado, armado de machado de guerra. E isso talvez explique o simbolismo do Cristo ressurrecto, na carta apocalíptica de João.

As tropas romanas apareceram com toda a sua força na Ásia Menor, após terem derrotado a Síria de Antíoco, em 189 a.C., quando então a região passou, permanentemente, para o controle romano, quando o último dos monarcas de Pérgamo, intuindo os rumos da história futura, doou o seu reino à nascente república, em 133 a.C. Juntamente com a tranqüilidade da "paz romana", houve a aceitação da cidadania romana. Sob o imperador Cláudio, Tiatira começou a cunhar novamente as suas próprias moedas, após um lapso de nada menos de dois séculos. A abundância dessas moedas cunhadas em Tiatira, que continuaram sendo produzidas até o século III d.C., **sugere um vigoroso comércio. A primeira pessoa a se converter** a Cristo, sob o ministério de Paulo, foi Lídia, uma mulher de Tiatira, que vendia panos de púrpura em Filipos, a centenas de quilômetros longe de sua terra natal. A tinta púrpura ou carmesim, dos tecidos vendidos por Lídia, era uma manufatura local, extraída das raízes da planta chamada *garança*, um rival mais barato que o corante fenício, extraído de um molusco, o *murex*.

A *prosperidade comercial* atraiu uma minoria judaica respeitável para Tiatira, pois os judeus, antes dedicados às atividades agrícolas, começaram a se interessar pelo mundo dos negócios e do comércio, no exílio. De fato, esse tipo de atividade haveria de tornar-se uma das marcas registradas dos filhos de Israel, na dispersão. Famosos artigos de exportação, de Tiatira, eram tecidos e vestes tingidos, além de armaduras de bronze. Uma moeda de Tiatira exibe Hefesto, o ferreiro divino, a moldar um capacete na bigorna. E a palavra grega *chalcolíbanos*, "bronze polido" em nossa versão portuguesa (ver Apo. 1:15 e 2:18), pode ter sido um nome comercial próprio de Tiatira, usado para emprestar certo colorido local à carta do Senhor Jesus à igreja cristã ali localizada. Realmente, é possível que as atividades comerciais fossem a questão crucial dos problemas dos cristãos da cidade. Não têm sido encontradas inscrições em grande quantidade, mas as poucas que ali têm sido descobertas falam em trabalhadores em lã, linho, couro e bronze, além de oleiros, padeiros, tintureiros e comerciantes com escravos. Cada um dos grupos profissionais contava com a sua guilda particular, como a dos ourives de Éfeso.

As epístolas de Paulo aos crentes de Corinto servem de clara indicação de que as guildas comerciais, com sua exigente vida social, com seus ritos pagãos e com suas festas periódicas, haveriam de ser problemas sérios para os cristãos fiéis que, por motivo de consciência, quisessem repelir a licenciosidade do mundo ao redor deles.

Era difícil alguém se abster das festividades das guildas sem perder alguma coisa no mundo dos negócios, em termos de aceitação e prestígio social. Por outro lado, ajustar-se a tais costumes era expor-se à licenciosidade dos ritos pagãos, que assinalavam os banquetes das guildas. Aquela seção da Igreja cristã, com ritos de sua pureza, buscava alguma forma de transigência. Estamos falando sobre os nicolaítas (vide). Parecem ter sido liderados por uma habilidosa mulher, a quem João chamou de Jezabel. Esse apelido foi escolhido deliberadamente, com base no casamento de Acabe, rei de Israel, com Jezabel, filha do rei de Tiro. Esse casamento foi um compromisso, com o intuito de fomentar o comércio entre Samaria e os fenícios. Tal matrimônio foi um grande desastre, conforme Elias demonstrou. João, autor do Apocalipse, denunciou essa mulher, proferindo contra ela uma horrível condenação: "Eis que a prostro de cama, bem como em grande tribulação os que com ela adulteram, caso não se arrependam das obras que ela incita. Matarei os seus filhos, e todas as igrejas conhecerão que eu sou aquele que sonda mentes e corações e vos darei a cada um, segundo as vossas obras" (Apo. 2:22,23).

Uma Inscrição encontrada por Ramsay, em Tiatira, mostra que ali, nos festejos públicos, as mulheres eram segregadas dos homens. Portanto, que as vítimas daquela pervertida mulher a abandonassem, deixando-a cair na condenação que inevitavelmente lhe sobreviria.

Essa forma de heresia estava destinada a tornar-se generalizada na Igreja antiga, conforme a última carta de João, III João, o demonstra. Talvez esse tipo de heresia tivesse começado em Tiatira. E a exortação da carta do Senhor Jesus aos crentes de Tiatira conclui como segue: "Digo, todavia, a vós outros, os demais de Tiatira, a tantos quantos não têm essa doutrina e que não conheceram, como eles dizem, as cousas profundas de Satanás: Outra carga não jogarei sobre vós; tão somente conservai o que tendes, até que eu venha" (Apo. 2:24,25).

O simbolismo existente nessa carta a Tiatira é local e muito chama a atenção. Em Apocalipse 2:18, Cristo aparece como quem tinha os pés semelhantes ao "bronze polido". Ora, o bronze era um dos produtos mais conhecidos de Tiatira. A promessa de Cristo, nos versículos 26 e 27, também reflete a natureza militar dessa cidade. Jezabel é uma personagem extremamente simbólica, desde o Antigo Testamento, falando em transigência e apostasia, por amor ao comércio, devido à sociedade firmada com um poder pagão.

TIATIRA (IGREJA E CARTA À) – TIBERÍADES

TIATIRA (IGREJA E CARTA À)
Ver Apo. 2:18-29

Historicamente, houve uma igreja em Tiatira, com as condições aqui descritas. Em qualquer época, em alguma situação local, existem tais condições, pelo que essa carta também tem uma mensagem "universal", de importância perene. Portanto, ela envolve *símbolos* e *lições espirituais* que são aplicáveis a qualquer época. Profeticamente, pensa-se que Tiatira representa a Idade das Trevas, de 500 a 1500 d.C., durante a qual triunfaram as posições de Balaão e dos nicolaítas (ver Apo. 2:6,14,15. Ver os artigos sobre *Balaão* e *os Nicolaítas*. Ver Apo. 1:4 quanto ao significado" e *simbolismo* das "sete igrejas" do Apocalipse). O vidente João escolheu um "círculo" de cidades, para as quais escreveu. Começando por Éfeso, e seguindo os locais mencionados, até voltar a Éfeso, consegue-se um círculo geográfico, embora mal traçado. Portanto, naquelas igrejas está refletida a Igreja cristã de todos os séculos, pelo que tais cartas jamais poderão perder a sua aplicação.

A carta à igreja de Tiatira é, ao mesmo tempo a mais longa e a que mais fortemente reflete uma condição de total corrupção. Há um único versículo que "elogia" o que havia de bom ali; mas há cinco versículos que descrevem seus males e trazem advertências necessariamente severas (ver Apo. 2:20-23,27). A carta mostra-nos que a igreja pode decair a um nível baixíssimo, e, apesar disso, ser chamada uma igreja. Mostra o triunfo do paganismo na Igreja, especialmente no tocante aos seus padrões morais, no tocante aos costumes sexuais, que vieram a ser tolerados no cristianismo, e que dominaram até mesmo os líderes da Igreja.

Tiatira era uma cidade da província romana da Ásia, área agora ocupada pela parte ocidental da moderna Turquia. Foi fundada como guarnição fronteiriça por Seleuco I, da Síria (século IV a.C.)

Posteriormente, tornou-se uma guarnição da fronteira oriental do reinado de Pérgamo. Juntamente com aquele reino, passou para as mãos dos romanos, em 133 a.C. Era junção importante no sistema rodoviário dos romanos, estando situada na estrada que vinha de Pérgamo, a capital da província, para Laodicéia e, daí, para as províncias orientais. Comercialmente, era próspera (indústria de tintas, fabrico de roupas, cerâmica e objetos de bronze), mas, politicamente, nunca conseguiu grande importância, sendo a menos importante das sete cidades para onde o livro de Apocalipse foi originalmente enviado.

Tal como na maioria das cidades daquela região, nos tempos neotestamentários, Tiatira tinha muitos templos dedicados a vários deuses. Havia o templo de Apoio, o de Tirimanios, o de Ártemis e um santuário a Sambate, uma sibila (ou oráculo oriental). A Igreja cristã não medrou ali por longo tempo. Logo tornou-se um dos centros do montanismo (ver Epifânio, *Haer.* li.33), uma seita carismática e apocalíptica cristã. Essa seita era ardorosamente antimundana, pelo que muitos foram atraídos por ela, incluindo o famoso Tertuliano, o grande teólogo africano. Contudo, a corrente principal da Igreja repeliu a essa seita, sobretudo devido aos seus excessos. Pelos fins do segundo século de nossa era, não mais havia ali qualquer Igreja cristã.

A primeira convertida européia de Paulo, Lídia, era de Tiatira, sendo bem possível que ela fosse uma agente da indústria fabril de Tiatira. Em Filipos ela vendia suas mercadorias de púrpura., suas lãs tingidas. Mas foi à beira do rio que ela se encontrou com Cristo, e a missão européia estava a caminho, ao passo que o Oriente foi gradualmente rejeitando a fé cristã, o que tem sucedido desde então.

Na carta presente, podemos distinguir várias características de Tiatira. A descrição de Cristo, "olhos de fogo", talvez reflita a adoração a Apolo, o deus-sol; os seus pés, como "bronze polido", podem ser alusão à indústria de bronze da cidade. A linguagem "militar", como "a execução" dos filhos de Jezabel (vigésimo terceiro versículo), e o governo do poder de Cristo sobre as nações, mediante a conquista universal (ver os versículos vinte e seis e vinte e sete), pode ser uma alusão à história militar de Tiatira, e como guarnição de fronteira. Jezabel, embora tenha sido, sem dúvida, uma personagem histórica, uma mulher que causava dificuldades na igreja, "representa" a tendência natural da igreja em terras pagãs, primeiramente tolerando e então "misturando" elementos pagãos dentro da fé cristã. Historicamente falando, certamente o "gnosticismo" é aqui referido, o qual anunciava um falso evangelho, destituído de imperativo moral. Profeticamente, é retratada a Igreja da Idade das Trevas, que de muitas maneiras se tornou inteiramente paganizada. E outros símbolos são explanados, à medida que vão sendo encontrados em cada versículo.

Atualmente, uma ampla aldeia, de nome Akhisar, está situada no mesmo local da antiga cidade.

TIBATE
No hebraico, "extensão". Essa cidade, capital de Hadadezer, rei de Zobá, só é mencionada na Bíblia por uma vez, em I Crônicas 18:8. A cidade foi despojada por Davi, juntamente com a cidade de Cum. Havia, na antiguidade, duas outras cidades, com nomes semelhantes, como Tebata, na porção noroeste da Mesopotâmia, e Tebeta, ao sul de Nisilbis. Grande parte do bronze usado nos móveis e utensílios usados no templo de Jerusalém veio de Tibate. O trecho paralelo de II Samuel 8:8 diz Betá, mas alguns estudiosos pensam que houve inversão de sílabas, e que deveríamos ler ali "Tebá". O local dessa antiga cidade é desconhecido.

TIBERÍADES
1. *Nome*. Herodes Antipas assim nomeou a cidade em honra de *Tibério*, imperador reinante. Seu nome era Tibério Cláudio César Augusto, o segundo imperador de Roma e governante nos dias do ministério de Jesus Cristo. Originalmente, o nome significava "pertencente ao rio de *Tiberis* (Tiber)", e portanto fazia referência aos cidadãos romanos (ou seus ancestrais) que viveram perto daquele rio. A cidade foi fundada entre 18 e 22 a.C.

2. *Localidade*. Era uma de nove cidades localizadas ao redor do mar da Galiléia, situando-se no litoral ocidental daquele lago. Localizava-se na orla da antiga cidade murada chamada Racate (Jos. 19:35). Foi construída sobre um cemitério, e os judeus, por causa disso, evitavam passar por ali. Tudo indica que Jesus também evitou o local, visto não haver menção de nenhum ministério que porventura tivesse exercido ali. É provável que sua esquivança se baseasse na mesma razão, ou talvez Jesus visitasse o lugar, mas os escritores dos Evangelhos, não querendo ofender os judeus, omitiram de seus livros qualquer menção a tal ministério.

3. *Herodes*, ignorando o tabu, construiu no local uma de suas residências régias (Josefo, *Ant.* XVIII.ii.3). Os romanos fizeram dela uma cidade tipicamente romana. Ergueu-se ali uma sinagoga, que evidentemente nunca foi usada. O boicote que os judeus fizeram ao lugar levou Herodes a povoá-lo de gentios. Curiosamente, depois da destruição de Jerusalém em 70 d.C., o lugar veio a ser um centro de cultura judaica, e com isso a história do cemité-

rio aparentemente perdeu seu vigor. Em 150 d.C., o Sinédrio teve ali uma sede e os primórdios do Talmude e do texto massorético ocorreram ali.

4. *Referências Neotestamentárias*. O mar da Galiléia era também chamado "de Tiberíades" por causa da proximidade daquela cidade ao lago e da importância que ela granjeou segundo o uso que Herodes fez dela. Ver João 6:1, 23 e 21:1.

TIBÉRIO

A única referência bíblica a este homem, o segundo imperador romano, está em Luc. 3:1. Seu nome completo era Tibério Cláudio César Augusto, proveniente de seu pai Tibério Cláudio Nero. O nome de sua mãe era Lívia. Sua importância para o estudo da Bíblia reside no fato de ele ter sido o imperador romano durante o tempo do ministério de Jesus. Para o significado do nome *Tibério*, ver o artigo sobre *Tiberíades*, cidade que lhe foi designada e que estava situada no litoral ocidental do mar da Galiléia.

A duração de seu governo foi de 14 a 37 d.C. Nasceu em Roma em 16 de novembro de 42 a.C. Antes de tornar-se imperador, Tibério se distinguiu como hábil comandante militar. Também demonstrou inusitada habilidade como governante e orador civil. Esses ingredientes o tornaram bom candidato para o mais elevado ofício do Império Romano. Augusto, seu padrasto, entusiasticamente o favoreceu na sucessão, porém não existia uma relação familiar mais estreita. Por isso, forçou Tibério a divorciar-se da esposa a quem amava e a casar-se com Júlia, sua filha. O casamento foi infeliz; logo Júlia e seus dois filhos de um casamento anterior tiveram morte prematura. Augusto não teve alternativa real senão reconhecer Tibério como seu herdeiro e sucessor. Augusto também o adotou como filho para tornar a relação mais íntima. Quando Augusto morreu em agosto de 14 d.C., Tibério foi feito imperador.

Uma vez imperador, Tibério não demonstrou seu poder anterior, tornando-se, antes, indolente e de mente flutuante. Despótico, perdeu apoios importantes. Passou a cometer crimes cruéis e vingativos, porém permaneceu no poder vinte e três anos e morreu aos 78 anos de idade. João Batista começou sua carreira em seu quinto ano, sendo esta uma afirmação cronológica importante que nos ajuda a determinar com alguma precisão o tempo do nascimento de Jesus.

TIBNI

No hebraico, **inteligente**. O nome desse homem ocorre somente por duas vezes em todo o Antigo Testamento, a saber, I Reis 16:21,22. Nesse trecho aprendemos que ele era filho de Ginate. Alguns dentre o povo queriam que ele fosse, o sucessor de Onri, no trono de Israel. Os dois lutaram entre si durante quatro anos. O conflito só terminou com a morte de Tibni.

TIÇÃO

No hebraico, **ud** "tição". Palavra usada por três vezes: Isa. 7:4; Amós 4:11; Zac. 12. Essa palavra refere-se a uma extremidade queimada de um pedaço de madeira, que não permaneceu queimando, mas ficou parecendo um pedaço de carvão, embora continue fumegando por algum tempo. Um tição podia ser meramente uma vara para remexer no meio das brasas. Israel foi tirado do fogo como um tição (o que equivale a dizer que estava próximo à destruição). O ato de ter sido tirado do fogo representa a misericordiosa proteção de Deus.

TICVÁ

No hebraico, "esperança". Esse é o nome de duas personagens do Antigo Testamento, a saber:

1. O sogro da profetisa Hulda (II Reis 22:14). Em II Crônicas 34:22, entretanto, ele é chamado de Tocate. Era pai de Salum (vide). Viveu em torno de 640 a.C.

2. Pai de Jascías (Esd. 10:15). Seu nome também ocorre no livro apócrifo de I Esdras 9:14. Jaselar, (vide) foi um daqueles que se ocuparam na alistagem dos judeus que se tinham casado com mulheres estrangeiras. Viveu por volta de 445 a.C.

TIDAL

No hebraico, "esplendor", "renome". Seu nome aparece somente em Gênesis 14:1,9. Ele era rei de Goim. Confederou-se com Anrafel, Arioque e Quedorlaomer, em sua guerra contra o rei de Sodoma e seus aliados, nos dias de Abraão. Viveu por volta de 1910 a.C.

Parece que "rei de Goim" era mais um título honorifico, comum nos anais acadianos. Mas outros identificam Goim com Gutium, na Mesopotâmia. Os chamados textos de Mari usam a palavra *ga'um* para indicar um grupo ou bando. Isso talvez sugira que Tidal era o chefe de uma tribo nômade, sem fronteiras fixas.

O nome Tidal parece corresponder a Dudalias I, um governante hitita que, segundo pensam alguns, foi o sucessor de Anitas. Todavia, a identificação é incerta, pois o nome pode ter sido improvisado por algum escritor hebreu. Uma figura de um passado tão remoto quanto ele os outros nomes ligados a ele, no trecho de Gênesis 14, não pode ser identificada com facilidade.

TIFSA

No hebraico, "passagem", "vau". Os estudiosos opinam que a identificação provável é a cidade de Tapsaco (Anfípolis, nos tempos dos monarcas selêucidas) e nos tempos modernos, Bibsé, um importante ponto de travessia do rio Eufrates. É asseverado, em I Reis 4:24, que o reino de Salomão, a "era áurea" da nação unida de Israel incluía territórios que chegavam até a essa estratégica cidade de caravanas. Porém, não dispomos de meios para saber por quanto tempo os israelitas conseguiram conservar essa fronteira remota. Uma grande rota comercial entre o leste e o oeste, que seguia o chamado Crescente Fértil (vide), tinha em Tifsa um de seus postos. Xenofonte mencionou a localidade (ver *Anabasis* 1:4,11). A Tifsa mencionada em II Reis 15:16, e que foi atacada por Menaém, rei de Israel, pode ter sido a mesma localidade. Mas alguns eruditos, sem qualquer justificação nos princípios da crítica textual, têm emendado o nome, nesse trecho, para *Tipuá* (por exemplo, a Revised Standard Version, à margem).

TIGLATE-PILESER

1. Nome. No assírio, "minha confiança é o filho de Esarra", uma das divindades daquele povo. A forma assíria é *Tukulti-apil-esharra*. O nome do deus era Ninib. O nome bíblico desse homem é Pul (ver o ponto 2).

2. *Pul é o nome no Antigo Testamento para Tiglate-Pileser III*, que governou a Assíria entre 745-727 a.C. É provável que Pul (que significa forte) tenha sido seu nome pessoal, enquanto Tiglate-Pileser fosse um título real. Ver as seguintes referências de Pul: II Reis 15.19; I Crô. 5.26; Isa. 66.19. Essa referência posterior menciona um povo e um país africano, mas é provável que Pute tenha sido o nome deles, sendo essa a versão que algumas traduções fornecem. A terra desse povo era a Líbia.

3. *Importância para o Estudo do Antigo Testamento*.

Fabricação de tijolos
— Cortesia, Levant Photo Service

Pinturas nas paredes de sepulcros,
c. 1450
Cortesia, Biblical Archeologist

Nômades fazendo tijolos, c. 1900 A.C.
Cortesia, Biblical Archeologist

TIGLATE-PILESER – TIJOLO

Esse foi o rei que assediou Israel antes da queda da Samaria em 722 a.C. Ele não viveu para ver a queda de fato, mas fez muito para prepará-la.

4. *Seu Reino*. Ele sucedeu Asur-nirari III, um rei um tanto fraco, mas o mesmo não pode ser dito sobre Tiglate-Pileser. Pul reinou apenas entre 745-727 a.C. A arqueologia ilustrou seu reino, principalmente por meio das inscrições que foram desenterradas. Esse homem foi um dos maiores conquistadores da Assíria, cujas campanhas militares fizeram grandes varreduras e cujo terror atormentou muitos povos, inclusive os israelitas. Na campanha de 733-732, seus exércitos marcharam ao oeste e em uma série de ataques ele conquistou a Filístia, na costa do Mediterrâneo, destruiu Damasco e transformou Gileade e a Galiléia em províncias assírias. Tudo isso aconteceu na época de Peca, rei de Israel, finalmente morto por Oséias. Esse último foi forçado a pagar tributos à Assíria para evitar o pior.

5. *A Morte de Pul*. Ele morreu em 727 a.C. e o trono passou a Ululai, governador da Babilônia que se tornou Salmaneser V (II Reis 15.19, 29; 16.7, 10; I Crô. 5.6; II Crô. 28.20.21). Ele assediou a cidade de Samaria (a capital) por três anos, mas, quando a cidade caiu em 722 a.C., foi Sargão II que terminou o trabalho, matando milhares de israelitas e levando a maioria dos sobreviventes à Assíria. Assim ocorreu o cativeiro assírio. Ver o artigo sobre Salmaneser (I, II, III, IV e V).

Pul é lembrado como um administrador hábil, mas brutal. Ele conquistava e exilava povos incansavelmente, e aqueles que ele não destruía em sua prática de genocídio, sujeitou à tributação. Cativos tornam-se escravos, cujo trabalho barato foi responsável por muito de seus programas de construção. Os melhores cativos foram empregados em seu exército, para ajudá-lo a continuar seu programa de devastação.

TIGRE

Este rio, juntamente com o *Eufrates* (ver a respeito) formava a planície aluvial da Mesopotâmia. O rio localiza-se no leste daquele que hoje é conhecido como o Iraque. Sua extensão total é cerca de 1.900 km. Junto aos seus barrancos situavam-se muitas cidades antigas de destaque. Ele surge nas montanhas de Zagros e nas montanhas do oeste da Armênia e do Curdistão e, finalmente, desemboca no Golfo Pérsico. O rio formou o limite leste de Sumer, Hidequel (ver sobre ambos os termos). Esse foi um dos rios que banhavam o jardim do Éden (Gên. 2.14). É provável que esse fosse o nome hebreu (original) do rio. Críticos, contudo, consideram o trecho de Gên. 2.14 poesia e não acreditam que nada significativo seja dito sobre o Tigre ali. O Tigre ficava ao nordeste do Eufrates. Seu fluxo estende-se na direção sudeste até que finalmente ele se junta com o Eufrates antes de chegar ao Golfo Pérsico. O rio não é gigantesco pelos padrões brasileiros. Sua largura nunca excede os 200 m, exceto em épocas incomuns de pesadas chuvas e neve. Nos últimos 320 km antes de unir-se ao Eufrates, o rio foi intersectado por passagens de água artificiais e ocupou leitos de rio, como o *Shat-el-hie*, ou o rio *Hie*. Nesse distrito há ruínas de várias cidades antigas sobre as quais sabemos praticamente nada hoje. Mas uma delas, Ur, foi bem ilustrada por escavações arqueológicas e por descrições literárias. O rio corria pela Armênia e por Assir e então separava a Babilônia de Susana. Em um período posterior, formou um limite entre os impérios romano e Partiano.

TIJOLO

No hebraico, **lebenah**, "brancura", provavelmente devido à corda argila escolhida para o fabrico de tijolos. O termo hebraico, no sentido de tijolos, aparece por catorze vezes: Gên. 11: 3; Êxo. 1: 14: 5:7,8,16,18,19; Isa. 9:10; 65:3; Êxo. 5:14.

1. *Origens*. A primeira menção a tijolos, na Bíblia, diz respeito à construção da torre de Babel (Gên. 11:3). O trecho de Êxodo 5 fornece-nos uma vívida descrição dos labores de Israel, quando fabricava tijolos no Egito. Ao que parece, tijolos de barro apareceram, pela primeira vez, nas regiões da Mesopotâmia, em cerca de 3500-3000 a.C., nas áreas montanhosas do que, mais tarde, veio a ser a Pérsia. Com o tempo, passou a ser um material comum de construção, em todas as civilizações. A princípio, os tijolos eram feitos de argila endurecida; depois, passaram a ser fortalecidos com palha. Assim eram feitos os tijolos para a torre de Babel, ou aqueles feitos por israelitas, no trabalho escravo a que foram sujeitados no Egito. O uso de tijolos crus, queimados ao sol, tornou-se universal no Baixo e no Alto Egito. Cativos estrangeiros ficavam encarregados desse duro labor, e os tijolos assim produzidos eram usados em todo o tipo de construção, feitas pelos ricos e pelos pobres. Tijolos *queimados* vinham sendo usados desde tempos remotos, segundo nos indica o trecho de Gênesis 11:3.

2. *Vitrificação*. A técnica do fabrico de tijolos vitrificados já era conhecida no século XL a.C., tendo sido criada pelos egípcios. Dali, o método propagou-se para outras culturas. Há evidências desse tipo de tijolo em lugares tão distantes do Egito quanto Creta, Siria e Assíria. No templo de Nabu, em Corsabade, construído por Sargão, temos a técnica de tijolos assentados sobre betume. A Babilônia, conforme foi reconstruída por Nabucodonosor, exibe o uso de tijolos queimados e de tijolos vitrificados.

3. *Traves de madeira* eram empregadas nas construções de tijolos, tanto para efeito de alinhamento, como para fortalecer a construção. As áreas ocupadas pelos hititas mostram essa técnica. Esse tipo de construção também foi utilizada na construção do templo de Salomão (I Reis 6:36 e 7:12), bem como em Megido, nessa mesma época. Outro tanto se dava em regiões da Siria, onde também se praticava o acabamento por meio de *reboco*.

4. *Fornos* para cozimento de tijolos (no hebraico, malben) eram usados em Israel, nos dias de Davi (II Sam. 12:31). Naum, com grande sarcasmo, disse aos habitantes de Nínive que pisassem bem a massa (para o fabrico dos tijolos), mas que, a despeito disso, não conseguiram evitar a queda da cidade (Naum 3:14). Isaías (9:10) repreendeu o orgulho dos samaritanos, que se jactaram em substituir suas muralhas de tijolos por novas muralhas, de pedra.

5. *Sentido Metafórico*. Construir com tijolos simbolizava ir adicionando, pouco a pouco, às realizações pessoais, até que se fizesse algo digno de ser mencionado. Também indicava um labor paciente e diligente. Nos escritos de Aristóteles, a construção de uma parede é usada para ilustrar a sua noção de substância. Portanto, quanto às causas envolvidas, temos os seguintes pontos a serem considerados: a. **material: a argila, que compõe a substância básica do tijolo; b. o que é** *formal*, isto é, o plano que existe acerca da construção a ser feita; c. o que é *efetivo*, ou seja, o poder que lança mão dos tijolos, a saber, o construtor ou pedreiro; d. o *final*, que aponta para o produto, uma vez terminada a obra, o alvo mesmo de todo o labor efetuado. Todas as coisas podem ser concebidas como que produzidas por essas quatro causas, e essas causas são os modos de ação das substâncias. (AM EP FRA UN)

TIL – TILLICH

TIL

No grego, *keraia*, "chifre", "projeção", "extremidade". Traduzida por "til", em dois trechos do Novo Testamento: Mat. 5:18 e Luc. 16:17. Isso ocorre dentro da declaração de Jesus de que nem a mínima porção da lei deixaria de ser cumprida: "Até que o céu e a terra passem, nem um *i* ou um *til* jamais passará da lei, até que tudo se cumpra" (Mat. 5:18). Em Lucas 16:17 há menção somente ao "til".

A menor letra do alfabeto grego é o *iota* (em português, "i"), que corresponde, em dimensões, ao *yod* do alfabeto hebraico, o que, provavelmente, foi a palavra dita por Jesus, naquela declaração, pois então ele não estava falando em grego. Jesus quis dizer que até os menores detalhes e conceitos da lei teriam cumprimento completo, dentro do plano de Deus e nas vidas dos homens, com o que ele ensinou a eternidade da lei e sua aplicação. Até onde diz respeito a graça divina, precisamos afirmar que a lei cumpre-se no crente por atuação do Espírito Santo, pelo que ela é incorporada no sistema da graça. A entrada da graça não significou o êxito da moralidade, mas somente que a moralidade passou a ser aplicada de maneira real e diferente do que vinha sendo aplicada sob a dispensação da lei. A declaração de Jesus reflete antigos sentimentos dos judeus a respeito da lei, visto que temos declarações similares na Tora. Ali é dito que nem mesmo um *yod* poderia ser removido da lei, pois, se isso viesse a suceder, o próprio mundo deixaria de existir, face ao desprezo divino. Ver as notas sobre a *Graça* e como a graça e a lei podem ser consideradas sinônimas. A lei do Espírito inclui os princípios da lei, que se tornam uma realidade para os crentes, mediante o poder impulsionador do Espírito Santo (Rom. 8:2).

TILLICH, PAUL

Suas datas foram 1886-1965. Ele nasceu e foi educado na Alemanha, mas passou a maior parte de sua vida profissional nos Estados Unidos da América, no Seminário Teológico União, em Harvard e na Universidade de Chicago. Foi um dos principais representantes do existencialismo religioso (vide). Nesse artigo, forneci algumas informações a respeito dele. Sendo ele um dos principais teólogos de nosso tempo, ele assume lugar ao lado de Karl Barth e Schleiermacher. Apesar de não ter tentado construir uma teologia sistemática ou racionalmente dedutiva, e apesar de que via o campo teológico através de olhos filosóficos, ele falou de modo compreensível sobre cada questão teológica. Duas coisas caracterizavam continuamente a sua abordagem à filosofia-teologia: 1. Seu método de correlação. Ele procurava unir questões humanas, correlacionando-as com respostas divinas propostas. 2. Ele usava uma linguagem teológica simbólica. Suas correlações também envolviam a economia, as ciências e outros campos do empreendimento humano.

Idéias:

1. *A teologia conservadora* sofre do efeito casulo. Ela correlaciona-se praticamente a nada, exceto àquilo que ela considera revelação divina. Pressupõe erroneamente que esse método fornece somente a verdade, sem qualquer erro, além de ser completa. Porém, não há nem uma dessas coisas na teologia. A teologia e o empreendimento humano precisam ser unidos como algo *multifacetado*. Uma teologia unilateral certamente labora em erro. É mister correlacionar a teologia à ciência, à política, à ética, à estética, à sociologia, à antropologia, etc. A teologia sistemática precisa ser contrabalançada pela teologia apologética, que começa com uma análise da situação humana e então aplica à mesma ao Evangelho.

2. *Nosso Idioma Usa Símbolos*. Ele não é uma força todo-poderosa em si mesmo. A mensagem divina nos é transmitida por meio de parábolas, tal como Jesus ensinava. O símbolo pode ser mais poderoso do que as declarações diretas. Tais declarações, embora santificadas mediante o título de "inspiradas", podem ser apenas débeis esforços humanos para dizer algo significativo. Os símbolos são palavras ou grupos de palavras que apontam para a realidade; mas esses símbolos nunca são perfeitos, nunca completos, nunca finais. Os símbolos cristãos desvendam algo da realidade; mas, em si mesmos, não são essa realidade, e nem podem solucionar os grandes mistérios que nos circundam. Em uma busca interminável, tentamos resolver os grandes mistérios, mas o nosso conhecimento será sempre fragmentado.

3. No *kérugma* cristão ou pregação cristã, o Jesus histórico é o símbolo do Cristo divino. Jesus é o símbolo da realidade que é Cristo. Palavras como o "céu" e "inferno" apontam para realidades, mas é tolo depender de descrições literais, como se elas pudessem exprimir as realidades tais como elas são.

4. Em seus estudos filosóficos sobre a Bíblia e os dogmas religiosos, ele afirmava que aquilo que se chama de "vida" e de "morte" pode ser correlacionado ao Ser e ao Nada platônicos. *A queda* no pecado é interpretado em termos daquilo que os existencialistas chamam de ansiedade e individualização. A fé seria a coragem de existir. A redenção seria um novo ser.

5. *Divisões Básicas de sua Filosofia-teologia*

a. *O homem, a existência, Deus*. A questão do ser ou do não-ser, ou seja, a questão da vida e da morte. E a resposta é Deus, como Base do Ser.

b. *Alienação, salvação, Cristo*. O pecado consiste na alienação; a ansiedade é alienação; o dilema humano é a alienação. A resposta a isso é o Novo Ser em Cristo.

c. *Sociedade, ambigüidade, espírito*. Nossa sociedade é plena de ambigüidades e coisas sem sentido. Nossas idéias participam dessas mesmas inadequações, e também nossas vidas; e até nossa sociedade está imersa nesses elementos. O juízo de Deus na história trata dessas questões. A resposta a essa situação é a Vida Nova no Espírito.

6. *Religião*. Essa atividade é objeto de um interesse fundamental, por parte tanto da filosofia como da teologia. Ambas as disciplinas dizem respeito às questões ontológicas, à estrutura e ao significado do ser, bem como à futilidade do nada.

7. *A Filosofia e a Religião*. Essas duas disciplinas diferem em sua abordagem. A filosofia tende por buscar respostas em termos universais. A teologia procura respostas em termos existenciais. Essa abordagem apela para a revelação como sua principal fonte informativa. Essas disciplinas não estão em conflito, embora alguns pensem que elas são adversárias uma da outra.

8. *As Correlações e os Pares*. Temos aqui assuntos que têm pólos que podem parecer contraditórios. Ver sobre *Polaridade*. Alguns desses pólos são individualização e participação, liberdade e destino, dinâmica e forma, ser e não-ser, finito e infinito.

9. *Formas de Razão:*

a. *Razão heterónoma*. O indivíduo aborda a verdade raciocinando com base em coisas que toma por empréstimo, externas a ele mesmo.

b. *Razão autônoma*. O indivíduo aborda a verdade com base naquilo que acha em si mesmo, em sua própria razão e intuição. Mas essa forma de razão pode terminar em um vácuo e na tautologia.

c. *Razão teônoma*. Essa abordagem alicerça-se sobre o Ser divino, sendo essa a maneira mais poderosa para conhecermos as coisas.

10. *Deus*. Ele usava a expressão Ser Por Si Mesmo, quando outros normalmente diriam Deus. Deus é o Grande Último e o Grande Mistério na direção do qual sempre nos devemos esforçar, embora nunca o atinjamos de qualquer maneira definitiva. Deus é a Conquista Eterna. Schelling perguntou o que muitos de nós devem ter perguntado com freqüência: Por qual razão existe qualquer coisa? Por que nada existe? Tillich respondia: "Porque há um conceito autovalidante de existência, o Ser Por Si Mesmo". Ora, o que poderia ser mais misterioso que isso?

11. *Símbolos Religiosos do Ser Por Si Mesmo*. Ao falarmos acerca de Deus, somos forçados a usar palavras, usando de expressões antropomórficas. Por isso mesmo é que o chamamos de "Senhor", "Pai", "uma Pessoa", etc. Porém, todas as nossas palavras e expressões são meros símbolos daquilo que sentimos no tocante ao *Mysterium Tremendum* (vide). As religiões antropomórficas fracassam miseravelmente em suas tentativas de conhecer a Deus, criando apenas um divino super-homem.

12. *A Morte dos Símbolos*. À medida que avança o nosso conhecimento, os símbolos, como todas as demais coisas, acabam morrendo. Nesse processo, novos estados substituem antigos estados, e nossos conceitos de Deus vão sendo continuamente revisados. Aquelas fés religiosas que preferem ficar com os antigos símbolos (especialmente aqueles de natureza antropomórfica) invariavelmente preservam um conceito *primitivo* de Deus, de mistura com muitas imoralidades que atribuem à idéia de Deus, mas que com freqüência apenas fazem parte de sua tola imaginação.

13. *Modos de Buscar o Vítimo*. Precisamos de coragem "para ser uma parte" para ceder à individualidade e de nos utilizarmos da mesma para avançarmos. Precisamos de coragem para sermos nós mesmos, e não ficarmos sempre olhando ao redor para ver quanta aprovação podemos obter da parte de outros. Precisamos da coragem do desespero, da coragem de enfrentar o nada e todas as suas ansiedades, e nisso encontraremos o *ser*.

14. *O Princípio Protestante*. O uso que Tillich fazia desse princípio nada tinha a ver com o protestantismo. Antes, *o princípio protestante* "protesta" contra o mau hábito dos homens que identificam a divindade com qualquer criação humana, sem importar se tal criação acha-se nos escritos bíblicos ou na teologia da Igreja. Esse princípio faz oposição absoluta ao antropomorfismo, embora igualmente condene e proteste contra as invenções teológicas que dizem "isto é Deus", quando, na verdade, quase tudo quanto é dito ali seja invenção humana. Em outras palavras, Tillich não acreditava que possuímos, tanto no presente como em algum dia futuro, uma definição verdadeiramente adequada de Deus. Isso não significa, porém, que nosso conhecimento não possa expandir-se. Esse crescimento é a inquirição eterna. A sabedoria dessa atitude parece suficientemente clara, embora não seja clara para os teólogos sistemáticos. (AM EPH)

TILOM

No hebraico, "escárnio", "zombaria". Esse homem pertencia à tribo de Judá e era filho de Simão. Descendia de Calebe, filho de Jefuné. Viveu em cerca de 1400 a.C. O seu nome é mencionado somente em I Crô. 4:20.

TIMÃO

No grego, **Timon**. Ele foi um dos sete homens cheios do Espírito e de sabedoria, que foram escolhidos para aliviar os apóstolos do trabalho de distribuir alimentos aos cristãos pobres de Jerusalém. Ver Atos 6:5. O nome é tipicamente grego, embora seja possível que ele fosse um judeu por nascimento, visto que somente Nicolau, entre os sete, é referido como um prosélito. No grego, seu nome é uma forma plural derivada do adjetivo *tímios*, "precioso", "honroso".

TIMEU

No grego, **Timaios**. Ele foi o pai de Bartimeu, o esmoler cego de Jericó, que o Senhor Jesus curou (ver Mar. 10:46). Acerca de Timeu nada mais se sabe a seu respeito, senão que era pai de Bartimeu. No hebraico, "bar" é um prefixo que significa "filho de".

TIMINATE-HERES, TIMINATE-SERES

No Hebraico, "porção do sol". Esse local é mencionado somente em Juí. 19. O lugar foi herdado por Josué, e ali ele foi sepultado. De conformidade com esse texto bíblico, ficava "na região montanhosa de Efraim, ao norte do monte Gaás".

O texto da Septuaginta diz *Thamnathares*, e uma antiga tradição dos samaritanos identificava esse local com a moderna Kafr-Haris, cerca de dezenove quilômetros a sudoeste de Nabus, e apenas a onze quilômetros de Siquém. Porém, há bem poucas evidências arqueológicas em confirmação dessa opinião. Dentro das tradições rabínicas, usualmente, era vinculada ao lugar onde Josué ordenou que o sol parasse em seu trajeto (ver Jós. 10:13). A diferença entre esse nome e a forma que aparece em Josué 19:50 e 24:30, "Timnate-Heres" (vide), pode ter por base uma simples metátese. Porém, o fato de que a palavra tem sentido em ambas as passagens, bem como testemunho da Septuaginta, indica que o mais provável é que o nome mais antigo dessa cidade era Timinate-Heres, e que o outro nome, Timnate-Seres, só apareceu mais tarde. Timnate-Seres significa "porção restante".

TIMNA (CIDADE)

No hebraico, "partilha". A forma dessa palavra, no hebraico, é levemente diferente do nome pessoal que, em português, também é escrito como Timna (vide). Nas páginas do Antigo Testamento há duas cidades com esse nome, a saber:

1. Uma cidade de Judá, atualmente conhecida por Tibné, cerca de três quilômetros a oeste de Bete-Semes, e entre esta e Ecrom. É mencionada por seis vezes no Antigo Testamento: Gên. 38:12-14; Jos. 15:10,57 e II Crô. 28:18. Visto que o nome dessa cidade é grafado, no original hebraico, de duas maneiras diferentes, alguns estudiosos têm pensado que seriam duas cidades, e não uma só. Todavia, é muito difícil que houvesse duas cidades diversas dentro de uma área tão pequena como a que havia entre Bete-Semes e Ecrom.

2. Uma cidade do território de Dã, já perto da Filistia. Essa cidade é mencionada por três vezes, no décimo quarto capítulo do livro de Juízes (vs. 1,2 e 5), e por mais uma vez em Jos. 19:43.

Ver **Minas do Rei Salomão**.

TIMNA (PESSOAS)

No hebraico "restrição". Há dois homens e duas mulheres com esse nome próprio, no Antigo Testamento:

1. Um chefe de Edom, descendente de Esaú, filho de Isaque e irmão de Jacó. O seu nome aparece por duas vezes no Antigo Testamento: Gên. 36:40 e I Crô. 1:51. Viveu em torno de 1500 a.C.

TIMNA (PESSOAS) – TIMÓTEO

2. Um filho de Elifaz, filho de Esaú. O seu nome ocorre somente em I Crô. 1:36. Viveu em torno de 1700 a.C.

3. Urna concubina de Elifaz, filho de Esaú. O nome dela só aparece em Gén. 36:12. Viveu em torno de 1700 a. C.

4. Uma filha de Seir, o horeu, e irmã de Lotã (vide). O nome dela é mencionado por duas vezes no Antigo Testamento: Gên. 36:22 e 1 Crô. 1:39. Ela viveu por volta de 1700 a.C.

TIMNITA

Esse adjetivo pátrio indica algum nativo ou habitante da cidade de Timna (vide). O sogro de Sansão é descrito como tal, em Juizes 15:6. Interessante é observar que por todo o relato bíblico do casamento frustrado de Sansão com essa mulher filistéia, o nome dela não é mencionado nem uma vez sequer. Ela é caracterizada, quando muito, como "a mulher de Sansão" (ver Juí. 14: 15).

TIMOCRACIA

Esse termo vem do grego timé, "honra", e krátos, "governo", "poder", dando a entender o governo dos honoráveis ou dignos, um governo baseado no critério da honra ou do valor pessoal. Esse era um dos cinco tipos de governo concebidos por Platão. Ele salientou que esse tipo de governo usualmente degenera em uma oligarquia (governo de poucos), com base no poder que o dinheiro ou as forças militares podem dar aos homens. E também há outras corrupções dessa forma de governo; e uma delas é que honrarias são prestadas sobre os poderosos e os ricos que buscam receber favores. Ou então membros do governo recebem presentes, propriedades, etc., de tal maneira que sejam influenciados a fazer certas coisas em favor de grupos ou indivíduos interessados. Ou então aqueles que são honrados (e são governantes) provocam ciúmes em outros, que assim passam a trabalhar contra eles. Nesse caso, a honra não é considerada tanto como um mérito deles, mas algo que deve ser invejado.

As Formas de Governo Concebidas por Platão: *Aristocracia.* O governo dos melhores (seu tipo preferido de governo, que concebia um rei-filósofo, que governasse com a ajuda de assessores capazes). *Timocracia.* Governo daqueles honrados por alguma razão, mas que geralmente é uma forma degenerada de aristocracia. *Oligarquia.* Essa é uma degeneração a partir da timocracia, indicando o governo de uns poucos que, na realidade, não são os melhores, e em que o dinheiro usualmente é o fator preponderante. *Democracia.* A revolta contra a oligarquia produz a democracia, um governo daqueles que são populares, que obtém o apoio das massas, mas que somente em casos raríssimos são os melhores. Platão considerava a democracia um *caos feliz,* durante algum tempo (pois em seguida viria o caos infeliz).

TIMOM DE FLIO

Suas datas aproximadas foram 320-230 a.C. Ele foi um filósofo grego que estudou com Estilpo, em Megara. Também estudou com Pirro, em Elis. Inclinava-se para o ceticismo; escreveu poemas satíricos, peças cômicas, poesias e tragédias épicas. Seus principais escritos foram *Imagens e Sátiras,* dos quais restam apenas fragmentos.

TIMÓTEO

Nome

No grego, *Timótheos,* "honrado por Deus". Seu nome ocorre por vinte e quatro vezes nas páginas do Novo Testamento: Atos 16:1; 17:14,15; 18:5; 19:22; 20:4; Rom. 16:21, 1 Cor. 4:17; 16:10; 11 Cor, 1:1,19; Fil. 1: 1; 2:19; Col. 1: 1; 1 Tes. 1: 1; 3:2,6; 11 Tes. 1: 1; 1 Tim. 1:2,18; 6:20; 11 Tim. 1:2; File. 1; Heb. 13:23.

Atos 16: 1: Chegou também a Derbe e Listra. E eis que estava ali certo discípulo por nome Timóteo, filho de uma judia crente, mas de pai grego;

Um discípulo chamado Timóteo. Provavelmente ele era um dos convertidos de Paulo, conquistados durante a primeira viagem missionária naquela área, ocasião em que devia ser um jovenzinho de não mais de treze anos. Paulo deve ter estado afastado da região por nada menos cerca de seis anos. Dessa maneira, Timóteo deveria ser um jovem entre os dezoito e os vinte anos de idade, quando aqui o encontramos. Cerca de doze anos mais tarde (na passagem de I Tim. 4:12), a sua juventude é ainda referida. Durante o tempo em que Paulo esteve ausente dessa região, Timóteo, sem dúvida, fora crescendo na fé e no conhecimento do Senhor Jesus Cristo. (Ver os artigos separados sobre *Derbe* e *Listra*). Eram antigas cidades da Galácia.

Quando Paulo ali voltou, Timóteo já havia adquirido maturidade suficiente para ter sido imediatamente reconhecido por Paulo como um ministro potencialmente valoroso. Foi dessa maneira que Timóteo se tornou companheiro do apóstolo no ministério, talvez começando na mesma posição que fora ocupada por João Marcos, quando da primeira viagem missionária, isto é, como assistente do apóstolo. Podemos observar, em 1 Ped. 5: 12, que tanto Marcos como Silas, posteriormente, se tornaram companheiros do apóstolo Pedro, mui provavelmente em Roma.

Timóteo era filho de uma mulher *judia,* e seu pai era *gentio.* Vinha sendo instruído nas Santas Escrituras desde a sua meninice. Evidentemente, jamais fora um autêntico prosélito do judaísmo, porque, do contrário, não teria sido encontrado incircunciso por Paulo, segundo somos informados neste capítulo. (Ver o trecho de II Tim. 1:5 no NTI, onde há informações sobre a sua família, onde se aprende que tanto a sua avó, *Loide,* como a sua mãe, Eunice, eram judias devotas). Evidentemente Timóteo era nativo de Listra, e não de Derbe, o que se depreende pelo simples fato de que, neste versículo, o seu nome aparece em maior proximidade ao nome de Listra do que ao nome de Derbe. Outros estudiosos, entretanto, têm pensado, com base na passagem de Atos 20:4, que a sua cidade nativa era Derbe.

Desde a sua juventude Timóteo se notabilizou por seu exemplo como jovem crente (ver Atos 16:2). Desde o principio de sua vida adulta que Timóteo deve ter demonstrado considerável habilidade como pregador, e era possuidor do dom profético (ver I Tim. 4:14 e II Tim. 1:6).

A primeira incumbência de Timóteo foi a responsabilidade de encorajar os crentes perseguidos em *Tessalônica.* E por essa razão que também o vemos associado a Paulo e Silás nas saudações de ambas as epístolas dirigidas aos crentes dali. Timóteo também esteve presente quando do trabalho de Paulo em Corinto. (Ver II Cor. 1:9). Vemo-lo em seguida, durante o ministério de Paulo em Éfeso, quando foi enviado, com Erasto, em outra missão especial à Macedônia, de onde, posteriormente, foi a Corinto (Ver I Cor. 4:17).

Aparentemente, Timóteo era de disposição tímida, porquanto Paulo achou necessário exortar aos crentes de Corinto a deixá-lo à vontade, não desprezando a sua pessoa (ver I Cor. 16:10 e 4:17 e ss). Também não se há de duvidar que Timóteo foi enviado a Corinto na qualidade de embaixador de Paulo, na tentativa de corrigir algumas das dificuldades que a igreja dali enfrentava, mas a segunda epístola aos Coríntios revela-nos que ele não foi bem-sucedido nessa missão. Por essa razão é que Tito foi enviado, para realizar função similar (Ver II Cor. 12: 18). Isso pode indicar que ou Tito tomou o lugar de Timóteo, como representante de Paulo, ou então chegou a fim de ajudar a Timóteo nessa obra em Corinto. Quando Paulo escreveu a epístola aos Romanos, de Corinto, Timóteo continuava ali, ajudando o apóstolo em seu trabalho (Ver Rom. 16:21).

Timóteo também seguiu em companhia de Paulo, na viagem a Jerusalém, levando a coleta recolhida para os santos pobres daquela cidade (ver Atos 20:4,5). É óbvio que Timóteo acompanhou Paulo a Roma e, pelo menos durante algum tempo, esteve em sua companhia, quando o apóstolo se encontrava aprisionado. Ver Fil. 1:1. A epístola aos Filipenses foi enviada da prisão, em nome de Paulo e Timóteo. As epístolas aos Colossenses e a Filemom também foram escritas em nome de Paulo e Timóteo. Após o primeiro período de aprisionamento de Paulo, parece-nos que esse apóstolo deixou Timóteo em Éfeso, a fim de cuidar da questão dos falsos mestres, e também com a finalidade de supervisionar a adoração pública e providenciar para a escolha de oficiais eclesiásticos. Com base nesses fatos, alguns intérpretes bíblicos supõem que Timóteo se tornou o principal líder da igreja de Éfeso e, finalmente, seu pastor ou bispo.

O próprio Timóteo, finalmente, tal como já havia sucedido a Paulo, sofreu aprisionamento, conforme nos indica o trecho de Heb. 13:23. Quando Paulo foi aprisionado pela segunda vez, oportunidade em que, por fim, sofreu o martírio, Timóteo recebeu do apóstolo a solicitação que viesse a seu encontro urgentemente; mas não sabemos se ele chegou a Roma a tempo, antes de Nero ter mandado executar o grande apóstolo dos gentios (Ver II Tim. 1:4; 4:11,21).

Nenhum outro líder cristão, dentre os companheiros de trabalho do apóstolo Paulo, foi tão recomendado por ele como Timóteo, especialmente em face de sua lealdade (ver I Cor. 16:10; Fil. 2:19 e ss e II Tim. 3: 10 e ss), e sem dúvida a última das epístolas escritas por Paulo lhe foi dirigida, isto é, a segunda epístola a Timóteo.

Contrariamente à idéia de tantos, nenhum homem é uma ilha, auto-suficiente e completo em si mesmo. Paulo precisava de um assistente.

Segundo já vimos, o pai de Timóteo era grego, isto é, gentio, ao passo que sua mãe era judia. Casamentos mistos dessa natureza, embora raros em Jerusalém e cercanias, repelentes para o sistema religioso judaico, e que muitos rabinos nem ao menos reputavam válidos, eram, a despeito de tudo, muito comuns em regiões distantes de Jerusalém, sobretudo nas áreas gentílicas, onde, apesar de haver alguma população judaica, as sinagogas não exerciam toda a influência que tinham naquele principal centro do judaísmo.

Timóteo é mencionado em todas as epístolas de Paulo, exceto em Gálatas. Foi ele um dos mais constantes e fiéis companheiros de Paulo, até o fim. Juntamente com Silas, Timóteo acompanhou o apóstolo dos gentios em sua segunda viagem missionária, dessa maneira tendo ficado associado a fundação da igreja em Tessalônica. Com freqüência é ele chamado de irmão (ver II Cor. 1:1; Col. 1:1; I Tes. 3:2 e File. 1). Em Fil. 1:1 é chamado de servo (ou escravo) de Cristo., o que indica a sua elevada dedicação. Paulo encarregou-o de diversas missões especiais.

TÍMOTEO, EPÍSTOLAS A
Ver sobre **Epístolas Pastorais**.

TÍMOTEO, I e II (LIVROS)
Ver o artigo sobre **Epístolas Pastorais**.

TINDAL, MATTHEW
Suas datas aproximadas foram 1653 - 1733. Ele foi um jurista britânico, educado em Oxford. Foi um cristão deísta, que exerceu grande influência, em sua época, sobre questões religiosas e políticas. Seus escritos despertavam a controvérsia. Algumas de suas obras escritas foram condenadas pela Câmara dos Comuns e queimadas, em 1710. Porém, seu livro final e mais importante passou por muitas edições, tendo provocado nada menos de cento e cinqüenta réplicas. Se ele apreciava controvérsias, então deve ter-se sentido no Céu, estando ainda na Terra. Sua peça mais bem-sucedida foi o *Cristianismo é Tão Antigo Quanto a Criação*.

Idéias:

1. O Estado deveria governar supremo a Igreja. Contudo, deveria haver liberdade de expressão, tanto verbal como de imprensa. A tolerância deveria ser ampla, não beneficiando somente os ateus. Aos governos falta autoridade para compelir a conformidade.

2. A perseguição contra os não-conformistas, apesar de às vezes gozar do apoio das leis humanas, é algo contrário à lei natural, que protege a dignidade e a liberdade de todos os homens.

3. A verdadeira religião é eterna, universal, simples e perfeita, e, acima de tudo, promove o conceito de dever a Deus e aos homens. Ele fazia da ética o principal aspecto de sua filosofia.

4. Tindal também procurou demonstrar que a religião perfeita é o cristianismo, argumentando que aquilo que é perfeito deve ser eterno, ainda que possamos determinar um tempo em que o perfeito teve começo. Esse conceito, naturalmente, ignora aquilo que realmente costuma acontecer. Todas as idéias evoluem e melhoram, conforme nossa compreensão se aprimora. Por essa razão, quando examinamos a história passada, e comparamos idéias e religiões, vemos crescimento, e não perfeição.

Alguns Escritos de Tindal. *Essay of Obedience to the Supreme Powers; Essay on the Power of the Magistrate and the Rights of Mankind in Matters of Religion; Reasons Against Restraining the Press; A Defence of the Rights of the Christian Church; Christianity as Old as the Creation*.

TINHA
Ver **Coceira**.

TINTA
Muitas tintas de escrever, fabricadas na antiguidade, eram de excelente qualidade. Não fora isso, não teria havido a preservação de textos antigos, tanto da Bíblia quanto de outros documentos importantes para a humanidade.

A palavra hebraica correspondente é *deyo*, que ocorre por apenas uma vez, em Jer. 36:18. E o termo grego é *mélas*, "negro". que aparece por três vezes com o sentido de tinta: II Cor. 13; 11 João 12 e III João 13.

As tintas antigas eram feitas de substâncias como carvão vegetal pulverizado, ou negro de carvão, misturado com goma e água. Esse tipo de tinta perdurava indefinidamente, se o material escrito com o mesmo fosse mantido seco; mas, caso se umedecesse, logo a tinta se

TINTA – TIPOS, TIPOLOGIA

dissipava. O trecho de Núm. 5:23 alude ao fato de que tintas dessa espécie podiam ser apagadas, o que se fazia com o uso de uma esponja e água. As tintas antigas não eram tão fluidas como as nossas. Demóstenes repreendeu a Esquines por trabalhar tanto para pulverizar os ingredientes que entravam no fabrico de suas tintas, mais ou menos como os pintores esforçam-se por produzir as suas tintas. Uma tinta encontrada em um antigo tinteiro, em Herculano (cidade sepultada sob as cinzas do Vesúvio, juntamente com Pompéia, na Itália), mostra ser como um óleo ou tinta grossa. Certas tintas antigas, que continham ácidos, chegavam a corroer o papiro ou mesmo as peles de animais, usados como material de escrita. Exemplos disso podem ser vistos nos manuscritos da biblioteca do Vaticano, das obras de Terêncio e Vergílio. As letras comeram o papel ao ponto de terem penetrado até o outro lado das folhas.

Tintas metálicas eram preparadas para uso em papiro; e sabemos que em Israel, desde o século VI a.C., tais tintas já eram usadas. As cartas de Laquis (de cerca de 586 a.C.) foram escritas com esse tipo de tinta. Alguns manuscritos entre os do mar *Morto*, foram escritos com tintas de carbono. A *carta de Aristeas* afirma que uma cópia da lei, enviada a Ptolomeu II, fora escrita com tinta feita de ouro dissolvido.

Os egípcios usavam tintas de escrever de muitas cores, conforme os papiros egípcios descobertos bem o demonstram. Corantes vegetais e minerais eram empregados na produção dessas tintas. As cores incluíam o dourado, o prateado, o vermelho, o azul, e o púrpura. Os materiais de escrita eram guardados em vários tipos de sacolas e caixas.

Origem da Tinta de Escrever. Até onde o nosso conhecimento nos permite recuar (o que geralmente não retrocede tanto quanto deveria ser), as tintas de escrever foram usadas inicialmente no Egito e na China, onde já são encontradas desde cerca de 2500 a.C. Tintas de carbono eram bastante resistentes, visto que essa substância resiste aos efeitos degenerativos da luz, do ar e da umidade.

As tintas modernas usam soluções de água e corantes, ou então água e químicos orgânicos como glicol propileno, álcool propil, tolueno e glicoésteres, que os antigos desconheciam. Quase todas as tintas de escrever modernas contêm também outros elementos como resinas, preservativos e agentes secantes. Algumas tintas são feitas para serem absorvidas pela superfície do papel. Outras formam uma espécie de filme que se forma sobre a superfície do papel, mas não é absorvido pela mesma.

TINTEIRO (TINTUREIROS)

No hebraico, **qeseth**. Essa palavra ocorre por três vezes: Eze. 9:2,3,11.

Os tinteiros antigos consistiam em um longo tubo onde eram guardadas as penas de escrever. Esse tubo ficava preso ao cinto. Eram feitos de bronze, cobre, prata ou madeira dura. Podia ter cerca de 25 cm de comprimento por 5 cm de espessura. O que chamaríamos hoje de tinteiros (não confundir com o *qeseth* dos hebreus) eram receptáculos feitos de vários materiais, como argila, metais e pedra. Esses receptáculos para tinta, feitos de terracota ou de bronze, têm sido encontrados nas ruínas dos escritórios da comunidade de Qumran (vide).

A arte de tingir era generalizada, e de grande importância no mundo antigo. O povo de Israel aprendeu a arte no Egito, tendo-a usada até mesmo durante as suas vagueações pelo deserto, conforme vemos em Êxo. 26:1 e 28:5-8. Até mesmo as tribos nômades costumavam tecer e tingir seus próprios têxteis. Entretanto, com o tempo houve a comercialização dos panos tingidos, e assim surgiu a profissão dos tintureiros. A arqueologia tem descoberto tecidos elaboradamente tingidos, teares de madeira e cubas de tingir. Essas descobertas incluem aquelas realizadas em Laquis (que vide), no sul da antiga Judá, além de muitos outros lugares. Os cammeus, antes mesmo da época de Abraão, sabiam tingir panos com maestria. Materiais e utensílios usados nesse mister foram encontrados em Tell Beit Mirsim (QuiriateSefer). Também houve descobertas similares em Ugarite. Os cananeus extraíam um corante de cor púrpura, das conchas do Murex. A cidade de Biblos (que vide), às margens do mar Mediterrâneo, notabilizou-se em face de suas duas principais indústrias: a manufatura de folhas de papiro e de panos.

Na Suméria eram predominantes as profissões dos tecelões e dos tintureiros. O Egito notabilizava-se pela produção de linhos finos, e exportava tecidos finíssimos, quase transparentes, nas cores azul, amarelo e verde pálido. Eixos usados pelos tecelões (ver I Sam. 17:7) têm sido encontrados em vários locais mencionados na Bíblia.

Os corantes eram feitos de animais marinhos e também de insetos, substâncias vegetais, a casca da romãzeira, as folhas da amendoeira, a potassa e as uvas. A lã era o tecido mais comum nos tempos bíblicos, porquanto absorvia os corantes com grande facilidade. A lã natural na verdade já vinha em várias cores, como branco, amarelo, cinza claro e marrom. Cores tipicamente masculinas eram, portanto, obtidas com pouco trabalho para os tintureiros (Sal. 45:14). Já o linho era mais difícil de tingir. Contudo, havia métodos adequados, e o tabernáculo, produzido no deserto, contava com seus linhos tingidos (Êxo. 35:6), o que também ocorreu, naturalmente, no caso do templo de Jerusalém, edificado muitos séculos mais tarde (II Crô. 2:7). O algodão, por sua vez, era facilmente tingido, havendo vários centros de produção de tecidos de algodão. O algodão é originário da India. Na época da rainha Ester, o algodão era tingido na Pérsia (Est. 1:6). A seda era tingida no Extremo Oriente e exportada para o mundo inteiro conhecido. E também havia couros de qualidade, devidamente tingidos.

Os melhores exemplares dessa arte, pertencentes às terras bíblicas e aos tempos do Antigo Testamento, são aqueles descobertos em Quiriate-Sefer, identificado com o moderno Tell Beit Mirsim. Seis plantas diferentes, usadas na tinturaria antiga, e cerca de trinta instalações diferentes, ocupadas nessas atividades, foram ali encontradas. O tamanho das cubas ali encontradas indica que os fios é que eram tingidos, e não o tecido já manufaturado. Quanto a outros detalhes sobre a questão, ver o artigo geral sobre *Artes e Ofícios,* 4.b.

TINTUREIROS
Ver **Tinteiro (TINTUREIROS).**

TIO
Ver o artigo sobre **Família.**

TIPO
Ver sobre **Tipos, Tipologia.**

TIPOLOGIA
Ver sobre **Tipos, Tipologia.**

TIPOS, TIPOLOGIA
Ver **Tipos, Tipologia** no **Índice** onde uma lista extensiva é apresentada.

TIPOS, TIPOLOGIA

Esboço:
I. Definição e Caracterização Geral
II. Termos Empregados
III. Inspiração Dessa Forma de Interpretação
IV. Legitimidade da Tipologia e Oposição à Mesma
V. Características dos Tipos
VI. Como Evitar Exageros

I. Definição e Caracterização Geral

A tipologia é uma técnica, associada bem de perto à alegoria, mediante a qual pessoas, eventos, instituições ou objetos de qualquer espécie passam a simbolizar ou ilustrar a pessoa de Jesus Cristo, ou então aspectos da fé, da doutrina, das práticas, das instituições cristãs, etc. Paulo e o autor da epístola aos Hebreus muito tiraram proveito do Antigo Testamento, visto que eles acreditavam que o Antigo Testamento prefigurava (por ato de Deus) o Novo Testamento, como também Cristo foi o cumprimento de inúmeros tipos ou símbolos do Antigo Testamento.

Um *tipo* assemelha-se a uma alegoria, mas, visto que tem melhores bases bíblicas, tem ocupado um sucesso maior, retendo um importante papel dentro da interpretação cristã. Ver sobre *Alegoria* e *Interpretação Alegórica*. Há algumas alegorias nas páginas da Bíblia, mas o Novo Testamento exibe um número muito maior de tipos do que de alegorias.

II. Termos Empregados

São todos vocábulos gregos: *Túpos*, "tipo" (ver Rom. 5:14; 1 Cor. 10:6,11). *Skiá*, "sombra" (ver Col. 2:17; Heb. 8:5; 10:1). *Hupódeigma*, "cópia" (ver Heb. 8:5; 9:23). *Semeíon*, "sinal" (ver Mat. 12:28). *Parabolé*, "figura" (ver Heb. 9:9; 11:19). *Antítupos*, "antítipo" (ver Heb. 9:24; 1 Ped. 3:21). Todos esses vocábulos envolvem o uso de tipos para efeitos didáticos, e as passagens ilustrativas acima oferecidas provêem exemplos dessa atividade no Novo Testamento.

Esses tipos provêem sombras ou vislumbres de verdades que são melhor desenvolvidas e expostas no Novo Testamento, em contraste com o Antigo Testamento. Na verdade, o Antigo Testamento é usado como uma espécie de tesouro de onde são extraídas todas as formas de antecipações de Cristo, de sua Igreja ou de sua doutrina, mediante o uso de pessoas ou coisas que são usadas simbolicamente. Os tipos muito enriquecem o estudo das Escrituras, ainda que possamos questionar a validade de alguns deles, porquanto pode haver exageros de interpretação. Na primeira instituição teológica na qual estudei, houve um curso de um semestre que só tratou do assunto da tipologia, o que mostra como esse assunto é considerado importante em alguns círculos.

III. Inspiração Dessa Forma de Interpretação

Os rabinos amavam símbolos, tipos, alegorias e parábolas. A tipologia tem um pano de fundo judaico, e era extremamente popular entre os rabinos. O material escrito dos Manuscritos do Mar Morto (vide) provê ilustrações tanto da interpretação alegórica como da interpretação tipológica. Foi apenas natural que os autores do Novo Testamento (quase todos eles judeus, acostumados com o estudo do Antigo Testamento) tivessem visto tipos claros no Antigo Testamento. Assim, Cristo tornou-se o Segundo (ou último) Adão (Rom. 12); a primeira páscoa ilustrava Cristo como nossa Páscoa e a eucaristia (1 Cor. 5:6-8); o cordeiro pascal antecipava o Cordeiro de Deus (João 1:29); Israel no deserto antecipava certos aspectos da vida cristã (I Cor. 10:1-11). Acresça-se a isso que a epístola aos Hebreus é, virtualmente, um estudo de tipos bíblicos, do princípio ao fim. Não se pode duvidar que tipos enriqueceram a teologia cristã. Porém, algumas vezes, um tipo é obtido ignorando-se o contexto, ou então através de uma fértil e exagerada imaginação. Por isso mesmo, tipos podem ser abusados, tornando-se fantasias subjetivas.

IV. Legitimidade da Tipologia e Oposição à Mesma.

A legitimidade do uso de tipos alicerça-se, essencialmente, sobre o fato de que os autores do Novo Testamento usaram livremente esse método. A inspiração das Escrituras então insiste que esse uso é inspirado pelo Espírito de Deus. Do ponto de vista histórico, salienta-se que o cristianismo nasceu dentro do judaísmo, e que o Novo Testamento foi o desdobramento natural e necessário do Antigo Testamento. As íntimas correlações entre os dois Testamentos exigiam que o Antigo se tornasse tipo do Novo Testamento. Além disso, a tradição profética tem um papel a desempenhar aí, pois há predições sobre Cristo em muitas passagens, pelo que era inevitável que o documento de predições também contivesse tipos da Figura sobre a qual predizia. Ver sobre *Profecias Messiânicas Cumpridas em Jesus*.

Oposição. Esta procede, essencialmente, de três setores: 1. *Os rabinos* objetavam ao uso tipológico de seus Livros Sagrados, visto que rejeitavam a Pessoa e à Fé religiosa que, alegadamente, estavam sendo tipificadas. Também objetavam à cristianização do Antigo Testamento, o que eles consideravam uma perversão, e não um uso legítimo. 2. *Os teólogos liberais* objetam aos excessos e abusos a que os tipos são sujeitados; e os mais radicais entre eles objetam à própria prática, como uma cristianização do Antigo Testamento que vai além do que a razão permite. Assim, a crítica da Bíblia (que teve início no século XIX, na Alemanha), nunca deu muito valor aos tipos, e acabou desaparecendo ali. 3. *Os céticos* concordam com os rabinos e com os estudiosos liberais mais radicais, supondo que a prática da cristianização do Antigo Testamento envolve uma falsidade, repleta de fantasias e exageros piedosos.

V. Características dos Tipos

1. Eles estão alicerçados na história e na revelação sagradas (Mat. 12:40).

2. São proféticos (João 3:14; Gên. 14, comparado com Heb. 7).

3. Fazem parte integral da história sagrada e da doutrina cristã, e não pensamentos posteriores, inventados por rabinos e cabalistas (ver I Cor. 10:1-11).

4. São cristocêntricos (Luc. 24:24,44; Atos 3:24 ss).

5. São excelentes para instrução e edificação. Cada tipo provê uma espécie de janela que permite a entrada de luz sobre o assunto ventilado. O livro aos Hebreus é o supremo exemplo neotes-tamentário de como funcionam os tipos bíblicos.

VI. Como Evitar Exageros

Alguns intérpretes cristãos têm pensado ver tantos tipos no Antigo Testamento que perdem de vista o valor histórico e religioso do Livro Sagrado. De maneira geral, encontramo-nos em terreno firme quando aceitamos aqueles tipos que nos são apresentados no próprio Novo Testamento, ou quando suspeitamos daqueles que não contam com tal confirmação. Entretanto, alguns intérpretes exageram, ao verem muitas coisas nesses tipos. Alguns intérpretes vêem algum simbolismo em cada peça do mobiliário do tabernáculo, e até mesmo nos materiais empregados na confecção dos mesmos, como ilustrações de algo sobre a pessoa e a obra de Cristo. Mas se o relato acerca de Jonas certamente ilustra a ressurreição de Cristo, o retorno de Jonas à sua terra natal não ilustra, necessariamente, a restauração de Israel aos seus territórios, conforme alguns têm dito. Detalhamentos demasiados devem ser evitados, portanto. Alguns tipologistas têm-se atrapalhado com pormenores sem base, encontrando tipos dentro de tipos. Devemos procurar pela verdade essencial, não tentando escrever um livro com base apenas sobre um tipo, que é apenas uma ilustração. (B C E ID)

TIPOS DE RELIGIÃO
Ver sobre *Religião*, seção terceira.

TIPOS IDEAIS
Ver sobre *Weber, Max* e sobre *Spranger, Edward*.

TÍQUICO
1. *Seu Nome*. Esta palavra grega significa "fortuito", "acontecimento casual", possivelmente uma referência ao fenômeno comum de uma criança nascer de forma surpreendente, ou chegando a seus pais, por assim dizer, "por acidente". Porém, o nome poderia significar "afortunado", ou seja, a "fortuna" ou "sorte" lhe sorriu, como quando a sorte vem a uma pessoa por acidente.

2. *Sua Pessoa*. Segundo se acha registrado em Atos 20 (especialmente no vs. 4), este homem acompanhou pelo menos parte da terceira viagem missionária de Paulo. Somos informados de que ele era natural da Ásia Menor. Trófimo estava na companhia dos dois naquela ocasião. Ele prosseguiu com Paulo rumo a Jerusalém (Atos 21:29), porém Tíquico ficou para trás em Mileto (Atos 20:15, 28). Ele atendeu Paulo, visitando-o na prisão em Roma (Col. 4:7, 8; Efé. 6:21, 22). Mais tarde, quando Paulo estava a caminho para Nicópolis, enviou Tíquico a Chipre para tomar certas providências (Tito 3:12). Paulo foi preso pela segunda vez (antes de seu martírio), e naquela ocasião enviou Tíquico a Éfeso a fim de dar assistência às igrejas daquela região. Conjetura-se que ele, Trófimo e Tito estiveram envolvidos na arrecadação de uma coleta entre as igrejas em favor dos cristãos pobres da Judéia, o que se acha registrado em 2 Cor. 8:16-24, mas onde seus nomes não são mencionados.

3. *Uma Missão Menor, Porém Importante*. Tíquico era um homem que se mantinha constante na obra, sempre ajudando Paulo e sempre apto nos compromissos que recebia. Era um "irmão amado, fiel ministro e conservo no Senhor" (Col. 4:7). Com esse apreço da parte do grande apóstolo dos gentios, qualquer pessoa se sentiria contente.

TIQUISMO
Essa palavra vem do termo grego **tuché**, "fortuna", "acaso", "sorte", um vocábulo cunhado por Charles Peirce, a fim de referir-se a acontecimentos que ocorrem inteiramente ao acaso, em contraposição ao conceito do *Determinismo* (vide). De acordo com o princípio do *tiquismo*, os eventos são totalmente imprevisíveis. Isso posto, o *livre-arbítrio* (vide) seria uma realidade. Ver também o detalhado artigo chamado **Chance**.

TIRACA
Nos registros egípcios, o nome desse homem aparece como Taraca. Está em questão um faraó da época em que a dinastia etíope governava o Egito. Alguns identificam a dinastia como a 20ª, mas outros dizem que era a 25ª. Em II Reis 19.9 esse homem é mencionado como alguém que se revoltou contra Senaqueribe quando esse rei da Assíria invadiu Judá (701 a.C.). Mas quando a dinastia etíope governava o Egito, o líder do governo era Shabaka, não Tiraca, que não tomou o poder até 691 a.C., cerca de 12 anos depois. Talvez Tiraca agisse por parte de Shabaka, seu tio, e, como general do exército, tenha recebido, erroneamente, o nome de "rei" em II Reis 19.9 e em Isa. 37.9. Essa explicação parece uma visão melhor e mais simples do que a de que Senaqueribe executou duas campanhas, uma envolvendo a oposição de Shabaka, e outra envolvendo oposição de Tiraca. Em todo caso, não há muito valor prático em tentar harmonizar os anais do Egito, da Assíria e das poucas referências bíblicas que existem, e apelar para o "silêncio", pois inventar uma campanha de Senaqueribe não parece uma forma lógica de harmonizar os relatos. Tiraca obteve algumas vitórias iniciais, como aquela feita contra Esar-Hadom, filho de Senaqueribe, mas apenas três anos depois (670 a.C.) ele foi expulso de Mênfis e nunca retornou ao Egito, tendo voltado ao seu Sudão nativo, isto é, à cidade de Napata, onde morreu. Suas aventuras deram maus resultados.

TIRADORES DE ÁGUA
As pessoas empregadas na tarefa de tirar água dos poços pertenciam às classes humildes, excetuando as donas de casa, que prestavam esse serviço para suas famílias, como parte de suas tarefas diárias. Era uma tarefa manual, geralmente entregue a mulheres (Gên. 24:13; 1 Sam. 9: 11). Porém, rapazes também realizavam a tarefa (Rute 2:9). Algumas vezes, inimigos subjugados eram reduzidos a "tiradores de água", conforme se vê em Josué 9:21 ss. Essa tarefa era necessária devido à ausência de qualquer sistema de transporte de água, na maioria das cidades, sem falar no fato de que os poços e os mananciais ficavam situados - distantes - das residências o que obrigava as pessoas a andarem um pouco para tirarem água. A água era transportada em boa variedade de vasos, incluindo aqueles feitos de metal, de madeira ou de peles de animais. Quem puxava a água também a transportava aos ombros, ou então a punha sobre o lombo de animais de carga. Os tiradores de água aparecem entre os mais humildes daqueles que entraram em aliança com Deus. (Deu. 29:11). Muitas pessoas estão ocupadas em tarefas desinteressantes e até mesmo humilhantes, completamente destituídas de qualquer desafio. São os modernos "tiradores de água". Mas até mesmo esses podem entrar em aliança com Deus, no que encontram grande valor espiritual. Isso aumenta imensamente o interesse da vida. O apelo dos sistemas políticos ateus, em favor somente do corpo físico, nunca beneficia em coisa alguma a alma. Ao mesmo tempo, porém, os teólogos não deveriam mostrar-se indiferentes para com a situação de pessoas humildes, cujas vidas, do ponto de vista físico, têm pouco ou nenhum ponto de interesse. Essa preocupação deveria encontrar avenidas de expressão que não se olvidem de Deus ou da alma, pois, do contrário, a miséria final será pior do que a miséria que se tinha procurado resolver. Isso faz parte do ABC da espiritualidade.

TIRANÁ
No hebraico, "gentileza". Esse homem era filho de Calebe e de sua concubina, Maaca (I Crô. 2:48). Viveu por volta de 1440 a.C. Tinha um irmão de nome Seber (vide).

TIRANIA
Essa palavra vem do grego, **túrannos**, "tirano". Está em foco uma forma de governo absolutista, de um homem só, cujos desejos são traduzidos como lei, sob a égide da violência e da intolerância. Para *Platão*, a tirania era a mais degenerada de todas as formas de governo. Ele alistava cinco tipos fundamentais de governo: aristocracia,

timocracia, oligarquia, democracia e tirania. Explicamos o significado desses vocábulos no artigo sobre *Platão*. Por sua vez, *Aristóteles* pensava que a tirania é uma forma degenerada de monarquia. Para ele, a monarquia é uma das formas aceitáveis de governo, contando que não seja acompanhada por abusos. E as outras duas formas aceitáveis seriam a aristocracia e a democracia. Essas três formas degeneram em formas inaceitáveis: a monarquia, na tirania; a aristocracia, na oligarquia; e a democracia no governo do proletariado. Ele concebia ainda a *politia*, uma democracia constitucional, uma forma aceitável de governo.

A palavra *tirania*, no seu uso moderno, tem um sentido negativo. Mas não havia, necessariamente, na antiguidade, esse significado, pois o termo podia significar, simplesmente, "governante". Alguns tiranos antigos foram grandes edificadores e patrocinaram as artes; mas podemos ter a certeza de que um de seus defeitos era não permitir qualquer medida de liberdade a seus súditos. Quase sempre os tiranos chegavam ao poder mediante a violência, governando de forma absoluta, sem o abrandamento de qualquer forma de constituição.

Na Grécia, muitas tiranias governaram no século VII a.C., uma forma natural de governo no caso de pequenas cidades-estados, onde políticos enérgicos podiam facilmente apossar-se das rédeas do mando. Cipselo de Corinto e Ortágoras de Sicio foram bem conhecidos tiranos da história grega primitiva. Psístrato foi um bom tirano, que demonstrou interesse pelo bem-estar do povo, além de ter realizado muitas obras públicas e edificações. Na *República*, de Platão, o sábio e benévolo rei aparece no alto da hierarquia de governantes, ao passo que ao tirano se dá o último e miserável lugar. Quando um único homem, ou um governo totalitarista, rouba a liberdade do povo, sempre será apropriado dar a tal forma de governo um miserável último lugar.

TIRANO

No grego, **Túrannos**, "tirano". Ele era um cidadão de Éfeso, em cuja escola Paulo apresentou conferências do Evangelho (ver Atos 19:9), pelo espaço de dois anos. Quando os judeus de Éfeso se opuseram ao ensino de Paulo na sinagoga, onde o apóstolo havia pregado corajosamente por três meses, acerca do reino de Deus, ele e os seus seguidores passaram a fazê-lo na escola de Tirano. Aquele versículo diz: "... Paulo, apartando-se deles, separou os discípulos, passando a discorrer diariamente na escola de Tirano". A isso o chamado texto Ocidental acrescenta as palavras "da hora quinta à décima", o que corresponde, segundo a nossa maneira moderna de marcar as horas, das onze da manhã às quatro horas da tarde. Se essa adição está com a razão, então Paulo tirava vantagem das horas mais quentes do dia, quando quase todas as pessoas estavam descansando, após a refeição do almoço. O salão da escola, normalmente, estaria vago, e talvez o aluguel fosse mais barato, depois que Tirano, ou quem quer que fosse o professor, tivesse ensinado ali durante as horas matinais, mais frescas. Ver Marcial 9.68; 12.57; Juvenal 7.222-226. Isso também permitiria que Paulo trabalhasse em seu próprio negócio, como fabricante de tendas, durante as horas próprias para negócios (ver Atos 20:34; I Cor. 4:12). Mas depois, em vez de descansar, Paulo ocupava-se na sua missão evangelística e apologética, quando então as outras pessoas descansavam um pouco, e estavam dispostas a ouvir ao apóstolo. Em resultado disso, Lucas foi capaz de escrever: "...dando ensejo a que todos os habitantes da Ásia ouvissem a palavra do Senhor, tanto judeus como gregos" (Atos 19:10).

Não há certeza quem era esse Tirano. Em todas as cidades gregas havia algum salão de conferências, em ginásios, onde filósofos, oradores e poetas expunham seus pontos de vista ou apresentavam peças e recitações. Tirano talvez fosse um retórico grego que vivia em Éfeso, nesse tempo, e que ali ele contasse com sua própria escola ou salão de conferências. Meyer, entretanto, pensa que Tirano era algum rabino judeu, em cuja sinagoga particular o apóstolo podia anunciar a sua mensagem cristã em maior segurança do que poderia fazê-lo na sinagoga pública. Ver H.A.W. Meyer, *Handbook to the Acts of The Apostles*, *in loc*. O texto ocidental acrescenta as palavras certo Tirano, indicando algum indivíduo em particular.

Também é possível que "a escola de Tirano", conforme diz a nossa versão portuguesa (ao passo que outras versões dizem "o salão de Tirano"), fosse um edifício que Tirano alugasse. Nesse caso, o edifício tinha o nome de seu proprietário. Também poderia ser a residência particular de algum homem que tivesse querido cooperar desse modo com os esforços do apóstolo. Mas, sem importar qual tenha sido o caso, o fato de que Paulo usou regularmente o local, pelo espaço de dois anos, sem ser molestado, e com tantos ouvintes, indica que o lugar era espaçoso e bem situado na cidade.

TIRAS

O filho mais novo de Jafé, que também deu nome aos seus descendentes (Gên. 10:2 e I Crô. 1:5). Vários pontos de vista sobre a identidade desses descendentes têm sido conjecturados, mas nenhum deles tem merecido aceitação universal. Alguns escritores têm-nos identificado com os trácios (Josefo, *Anti*. 1:6, 1); outros com os piratas Turusa, que invadiram a Síria e o Egito no século XIII a.C. Outros têm-nos vinculado a Tarso, na Cilícia, a Társis, na península ibérica, e, finalmente, aos progenitores dos etruscos, da península itálica. Talvez a razão mais forte para esta última hipótese seja o fato de que bem ao lado da península itálica há o mar Tirreno. Além disso, os estudiosos têm averiguado forte ligação entre os etruscos e os mais antigos *tursenoi*, referidos pelos gregos, embora os gregos também dessem esse nome a certos povos da Ásia Menor, além dos etruscos. Mas isso não é obstáculo intransponível, pois todos os povos europeus vieram da Ásia, quando os descendentes de Noé, através de seus três filhos, Sem, Cão e Jafé, começaram a se espalhar pela face da terra, partindo das regiões do monte Ararate, que hoje fica entre a União Soviética, a Turquia e o Irã.

TIRATITAS

Um das famílias de escribas, pertencentes à tribo dos queneus, que viviam em Jabez. As outras famílias são os simeatitas e os sucatitas (vide). Eles são mencionados exclusivamente em I Crô. 2:55.

TIRIA

No hebraico, "alicerce", "fundação". Era filho de Jealelel, da tribo de Judá (I Crô. 4:16). Viveu por volta de 1400 a. C.

TIRO

1. *A Palavra*

No hebraico, *tsur*, "rocha". No grego, *Túros*. Esse foi um famoso porto marítimo da Fenícia, situado cerca de quarenta quilômetros ao sul do porto irmão de Sidom, e a vinte e quatro quilômetros ao norte da fronteira entre o

TIRO

Líbano e Israel. Portanto, ficava perto de uma fronteira geográfica natural.

2. Geografia

Por detrás da cidade de Tiro, o espinhaço contínuo da cadeia montanhosa do Líbano já começa a baixar para tornar-se uma região de colinas confusas, e que continua para o sul até formar as terras altas da Galiléia. Só há uma interrupção nessas colinas, a saber, a planície de Esdrelom, antes de se chegar à região montanhosa de Efraim e de Judá. Aproximadamente dezenove quilômetros ao sul de Tiro, certas colinas e promontórios, que avançam na direção do mar, formam uma espécie de muralha natural. Isso assinala a fronteira moderna, no sul do Líbano, e cerca de trinta quilômetros ou pouco mais, para o sul, fica o grande porto israelense de Haifa. Tanto Tiro quanto Sidom continuam funcionando como portos marítimos; mas as ruínas de Tiro são muito mais extensas, tendo sido alvo de grandes investigações e escavações arqueológicas.

3. Fundação

O historiador grego, Heródoto (cerca de 490-430 a.C.), datou a fundação de Tiro em uma data tão remota como cerca de 2740 a.C. Mas Josefo falava em uma data como 1217 a.C. Devido a grande discrepância nos dados históricos, quanto à data da fundação dessa cidade, lança em suspeita a ambos esses historiadores. Provavelmente, Heródoto está mais certo do que Josefo quanto a essa data; porém, o informe perdido, em todas essas datas, é o tempo exato da chegada dos fenícios na faixa litorânea entre os montes do Líbano e o mar. Escavações feitas em mais de um ponto de ocupação, nessa faixa litorânea, revelam uma camada do período neolítico, debaixo da massa de ruínas fenícias. E estas, por sua vez, são pesadamente recobertas por ruínas gregas, romanas, e, algumas vezes, da época dos cruzados da era medieval, um fenômeno que pode ser verificado desde Biblos até Tiro.

4. Política Fenícia

Os fenícios, tal como os gregos, nunca formaram uma unidade nacional, e jamais conseguiram fundar qualquer coisa parecida com uma unidade política. À semelhança dos gregos, eles também estavam organizados em cidades-estados. E diferentes historiadores podem fixar de modo diverso o começo significante de alguma cidade, o que explica aquela discrepância acerca de datas de fundação, como é o caso de Tiro.

5. Colônia de Sidom

O trecho de Isaias 23:2,13 parece dar a entender que Tiro começou como uma colônia de Sidom. De acordo com esse profeta, Tiro era uma "oprimida filha virgem de Sidom"; e as palavras "bens sidônios", usadas por Homero, talvez dêem. a entender que Sidom era a mais antiga das duas cidades. Interessante é observar que Homero mencionou Sidom por diversas vezes, sem nunca haver mencionado Tiro. Porém, nos autores latinos, o adjetivo "sidônio" com freqüência, é vinculado a Tiro. Para exemplificar, Dido, filha de Belo, de Tiro, é chamada por Vergílio de "a Dido sidônia". E as cartas de Tell el-Amarna, que procedem a época de Josefo, contêm um apelo, feito pelo governador local de Tiro, que deve ser datado em cerca de 1430 a.C., onde ele solicita ajuda, pressionado como estava sendo pelos "habiri" (hebreus?) invasores. Mas, sem importar quem tenham sido esses invasores, o apelo, dirigido ao Faraó Amenhotepe IV, demonstra que o poder do Egito, havendo penetrado até tão para o norte, fraquejava nas costas da Fenícia, por estarem distantes demais do Egito. Josué entregou Tiro aos homens da tribo de Aser; porém, não parece provável que a invasão dos hebreus tenha chegado a uma localidade tão nortista quanto era Tiro (ver Jos. 19:29; II Sam. 24:7).

6. No tempo de Hirão

Durante os próximos três ou quatro séculos, não encontramos claros registros históricos a respeito de Tiro. A história só nos fornece informações claras a precisas no tempo de Hirão, rei de Tiro, e amigo de Davi. Hirão parece ter desfrutado de um reinado extremamente longo, pois ele foi mencionado pela primeira vez quando enviou madeira de cedro e artífices especializados a Davi (II Sam. 5:11). E, de acordo com I Reis 5: 1, ele fez a mesma coisa nos dias de Salomão. Tiro parece ter sido o centro do poder fenício, na época, porquanto os sidônios são descritos, naquele mesmo contexto onde também são alistados os servos de Hirão e pedreiros de Gebal a antiga Biblos. Essa cidade fica cerca de quarenta quilômetros ao norte de Beirute.

7. Relação a Salomão

Também é interessante notar que Etbaal, reputado neto de Hirão, um século mais tarde, foi chamado de "rei dos sidônios" (I Reis 16:31). Portanto, parece que o poder dos fenícios oscilava entre Sidom e Tiro. O fato é que o astuto Hirão tirou grande proveito de sua sociedade com Israel. Conforme mostra o famoso papiro de Wenamom, os príncipes fenícios eram notáveis negociantes, sendo claro que Salomão muito embaraçou a nação de Israel por ter de fazer pesados pagamentos a Hirão, sob a forma de trigo e azeite (I Reis 5:11), sob a forma de tantos israelitas que tinham de trabalhar nas florestas tírias, na extração de madeira, e também por haver entregue, tolamente, vinte centros populacionais da Galiléia para os fenícios (ver I Reis 9:10-13). Não obstante, posteriormente, Hirão queixou-se diante de suas aquisições na Galiléia, servindo isso de possível indicação de que Salomão também tivesse usado de sua astúcia nativa.

Juntos, Salomão e Hirão estabeleceram uma sociedade mercantil, alicerçada no golfo de Ãcaba, ao norte do qual Salomão tinha as suas fundições de cobre. Hirão dispôs-se a negociar, empregando as habilidades fenícias na construção de embarcações e com grandes marinheiros, para obter acesso às rotas comerciais com Ofir, provavelmente a India e o Ceilão, através do território de Israel.

Em adição à madeira de cedro, que motivou os primeiros contactos comerciais entre Israel e Tiro, esta última também negociava com o seu incomparável corante carmesim, feito de um molusco, abundante em suas praias do mar. Isso posto, a madeira, os corantes, os tecidos tingidos, uma poderosa marinha mercante, o estanho extraído na distante Cornuália (ilhas Britânicas), o ponto mais distante da navegação regular dos fenícios, cerca de 3400 milhas marítimas, ou seja, cerca de 6300 quilômetros), além de prata extraída na Espanha e cobre em Chipre, faziam de Tiro do rei Hirão, uma das maiores cidades comerciais do mundo antigo, e acerca do que as Escrituras Sagradas mesmas prestam testemunho: "...e te enriqueceste e ficaste mui famosa no coração dos mares" (Eze. 27:25).

Até onde os registros históricos fragmentares podem ser alinhavados, parece que depois da época de Hirão, que teve um reinado muito longo, estouraram muitos conflitos entre poderosos, que queriam assenhorar-se do trono tírio. Já notamos sobre a transferência de poder, de Tiro para Sidom, acima. Foi a filha de Etbaal, rei de Sidom, de nome Jezabel, que se casou com Acabe, rei de Israel, na época do profeta Elias. Aquele foi um casamento dinástico, de conveniência apenas. Comercialmente falando, as vantagens comerciais obtidas por Salomão, nos dias do reino unido de Israel, foram assim transferidas para o reino do norte. Tiro, e a Fenícia em geral,

441

TIRO

geralmente, ressentiam-se de sua baixa produtividade agrícola, ao passo que Israel produzia muito nesse campo. Esses produtos agrícolas de Israel, portanto, eram trocados pelos produtos de luxo produzidos pelos fenícios, muitas vezes trazidos de longas distâncias pelos negociantes tírios.

8. *Dominação Assíria*

Por dois séculos de dominação assíria no Oriente Próximo, Tiro teve de sofrer, juntamente com outras comunidades da região, um longo período de agressão e opressão. No entanto, seu poder marítimo e sua posição quase inexpugnável, em uma ilha, a certa distância do continente, conferiam a essa cidade uma certa proteção. É significativo que Tiro conseguiu libertar-se da dominação exercida por Nínive uma geração antes dessa grande capital, o último fortim do poder imperialista da Assíria, haver caído, o que já ocorreu nos fins do século VII a.C. A data mais precisa, foi 612 ou 606 a.C. Isso assinalou uma outra era áurea da influência e do poder de Tiro. Os capítulos vinte e sete e vinte e oito do livro de Ezequiel, que denunciam fortemente os tírios, fornecem-nos uma descrição muito boa sobre o poder, as riquezas, o comércio variegado e o luxo que pairava em torno desse porto fenício.

9. *Dominação Babilônica*

Quando a Babilônia substituiu a Nínive, como o maior agressor e dominador das terras do Oriente Médio e Próximo, Tiro ainda ofereceu alguma resistência aos babilônios. Porém, as tensões de um prolongado cerco, a drenagem de suas riquezas e de seu potencial humano, a ruptura de seu comércio durante esse novo período de hostilidades, acabou por prejudicar, definitivamente, aquele grande porto de mar fenício. Deus entregara o mundo às mãos dos babilônios, e Tiro não escapou a esse domínio. Com Nabucodonosor teve início o "tempo dos gentios" (um período em que Israel perdeu o seu direito de autogovernar-se, tornando-se a cauda das nações, e não a cabeça), tempo esse que haverá de prolongar-se até o fim da carreira do anticristo. Pois bem, o declínio de Tiro começou com Nabucodonosor, embora sua queda ainda tivesse de esperar por mais alguns séculos.

Poderíamos sumariar os percalços de Tiro, durante seus últimos três séculos de história, antes de sua destruição final por Alexandre, o Grande, como segue: Antes do aparecimento de Nabucodonosor, Tiro conseguira desfrutar de boa medida de independência do poder egípcio, até que os e egípcios vieram a dominar essa cidade. Então, os assírios fustigaram essa cidade. Em seguida, vieram os babilônios, dos dias de Nabucodonosor. Mas, depois destes, vieram os persas. O trecho de Esdras 3:7 cita uma ordem do rei da Pérsia, Ciro II, para que os tírios suprissem a madeira de cedro necessária para a restauração do templo de Jerusalém, que aquele monarca persa havia aprovado. Nessa época, o cedro do Líbano, sem dúvida alguma, andava crescentemente mais escasso. As florestas existentes na região montanhosa do Líbano já vinham sendo exploradas por nada menos de sete séculos, sem que os fenícios se importassem com o reflorestamento. Contudo, os fenícios continuavam excelentes marinheiros, havendo indícios de que o enlouquecido rei da Pérsia, Cambises 11, tenha recrutado uma flotilha tíria em seu ataque contra o Egito. Além disso, galeras tírias velejaram em companhia da malsucedida empreitada persa contra a Grécia. Os gregos esmagaram a marinha persa em, Salamina, em 480 a.C.

10. *Relação com Alexandre*

Em 332 a.C., no decurso de sua marcha através do império persa, que se esboroava, Alexandre e seu exército vitorioso apareceram diante de Tiro. E a cidade, confiando em sua quase inexpugnável posição, fechou os seus portões contra o que lhe parecia um pequeno exército macedônio. O cerco que se seguiu tornou-se um dos grandes épicos da história militar do mundo. Alexandre construiu um molhe para cruzar o pequeno estreito que separava a cidade do continente. Até hoje, esse molhe é o âmago do promontório em forma de cunha que liga o antigo local da cidade de Tiro ao continente. A moderna cidade de Tarabulus ocupa as praias e parte desse istmo artificial. Foi somente através desse gigantesco feito de engenharia, que é considerado uma tremenda obra até mesmo em nossos dias, que Alexandre conseguiu lançar o ataque final, mediante o qual conquistou a cidade de Tiro. E isso mesmo ao custo de muitas vidas, que se perderam. Seja como for, foi desse modo que a profecia de Ezequiel teve cumprimento, quando a grande e famosa cidade de Tiro tornou-se um lugar onde os pescadores vinham enxugar e remendar suas redes (ver Eze. 26:5,14; 47:10).

11. *Relação à Roma*

Não obstante, o local manteve algo de seu antigo prestígio. Tiro chegou mesmo a recuperar-se, parcialmente, desse tremendo golpe. Durante algum tempo, funcionou ali um governo republicano. Esse governo contemplou o aparecimento da estrela romana, no horizonte. Tiro estabeleceu uma aliança com Roma, tendo assim conseguido manter a sua independência até os dias de César Augusto. Mas, quando esse imperador absorveu Tiro no sistema provincial de Roma, em 20 a.C, a cidade de Tiro desapareceu de vez das páginas da história.

12. *Arqueologia*

As ruínas da cidade de Tiro, descobertas com muito cuidado pela arqueologia, mostraram-se muito estratificadas, desvendando uma longa história nas costas marítimas da Fenícia. As ruínas das docas e dos armazéns dos fenícios jazem por debaixo das construções feitas pelos gregos e pelos romanos. Uma estranha edificação dos tempos gregos é um teatro em forma oblonga, sem-par em todas as costas do Mediterrâneo. Há um magnífico pavimento, uma rua recoberta de mosaicos, com muitas lojas e colunatas, que se revestem de interesse especial para nós; porquanto pertencem à época da vida de Jesus Cristo. É possível que ele, tendo partido da Galiléia, e tendo estado até em Sidom, tenha passado também por ali. Ver Mateus; 15:21 ss, onde se lê: "Partindo Jesus dali, retirou-se para os lados de Tiro e Sidom". O que o Senhor foi fazer naquelas regiões? Ele tinha uma de suas escolhidas na pessoa da mulher cananéia. Embora uma mulher gentia, o Senhor lhe disse: "Ó mulher, grande é a tua fé! Faça-se contigo como queres" (vs. 28).

13. *Referência de Jesus*

Em outra oportunidade, o Senhor Jesus referiu-se a Tiro, juntamente com sua cidade irmã, Sidom, quando, repreendendo os habitantes de cidades da Galiléia, expressou: "Ai de ti, Corazim! ai de ti, Betsaida! porque se em Tiro e em Sidom se tivessem operado os milagres que em vós se fizeram, há muito que elas se teriam arrependido, assentadas em pano de saco e cinza. Contudo, no juízo, haverá menos rigor para Tiro e Sidom, do que para vós outros" (Luc. 10:13,14).

14. *Referência de Paulo*

A última menção a cidade de Tiro, nas páginas sagradas, fica no capítulo vinte e um do livro de Atos, onde se narra a viagem do apóstolo Paulo e seus companheiros cristãos de viagem, até Jerusalém. A menção é fortuita, nada havendo acontecido de especial ali. "Quando Chipre já

Ruinas do Tiro antigo

Foto por Alistair Duncan

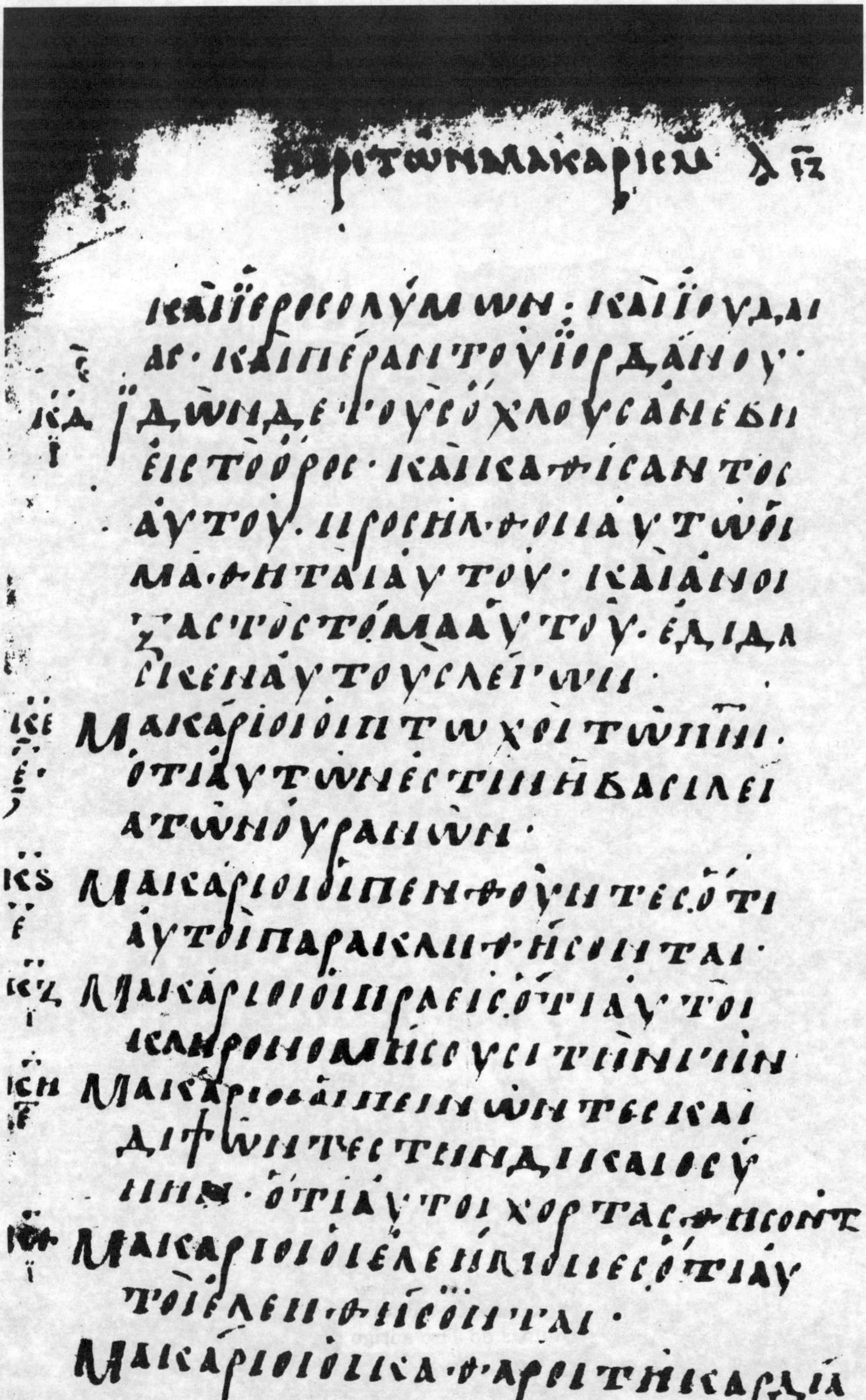

περὶ τῶν μακαρισμῶν

καὶ Ἱεροσολύμων· καὶ Ἰουδαί
ας· καὶ πέραν τοῦ Ἰορδάνου·
κδ Ἰδὼν δὲ τοὺς ὄχλους ἀνέβη
εἰς τὸ ὄρος· καὶ καθίσαντος
αὐτοῦ· προσῆλθον αὐτῷ οἱ
μαθηταὶ αὐτοῦ· καὶ ἀνοί
ξας τὸ στόμα αὐτοῦ· ἐδίδα
σκεν αὐτοὺς λέγων·
κε Μακάριοι οἱ πτωχοὶ τῷ πνι·
ὅτι αὐτῶν ἐστιν ἡ βασιλεί
α τῶν οὐρανῶν·
κϛ Μακάριοι οἱ πενθοῦντες· ὅτι
αὐτοὶ παρακληθήσονται·
κζ Μακάριοι οἱ πραεῖς· ὅτι αὐτοὶ
κληρονομήσουσι τὴν γῆν·
κη Μακάριοι οἱ πεινῶντες καὶ
διψῶντες τὴν δικαιοσύ
νην· ὅτι αὐτοὶ χορτασθήσοντ(αι)
κθ Μακάριοι οἱ ἐλεήμονες· ὅτι αὐ
τοὶ ἐλεηθήσονται·
Μακάριοι οἱ καθαροὶ τῇ καρδίᾳ

Codex Pi, 9º séc., Mat. 4:25 ss
Cortesia, Public Library, Leningrad

estava à vista, deixando-a à esquerda, navegamos para a Síria e chegamos a Tiro... Quanto a nós, concluindo a viagem de Tiro, chegamos a Ptolemaida..." (Atos 21:3,7).

TIRO, a ESCADA DE
Ver sobre **Escada de Tiro**.

TIROPEANO, VALE
Ver o artigo sobre **Jerusalém**.

TIRSATA
No hebraico, "o temor", "a reverência". Esse título foi dado tanto a Zorobabel quanto a Neemias, como governadores de Judá, sob o governo persa, entre 536 e 445 a.C. Entretanto, o título não é transliterado em nossa versão portuguesa, mas interpretado como "governador", nas cinco vezes em que ocorre nas páginas do Antigo Testamento. Ver Esd. 2:63; Nee. 7:65,70; 8:9; 10: 1. Essa interpretação é correta, mas faz a palavra hebraica desaparecer de nosso texto da Bíblia portuguesa. Tirsata vem do persa antigo avestá; *tarsta*, que significava "respeitado", "reverenciado", mais ou menos equivalente ao nosso moderno "Vossa Excelência". Interessante é que os tradutores da Septuaginta preferiram traduzir o título Tirsata como se fosse um nome próprio, com diversas formas diferentes.

Um sátrapa ou governante de província era, na realidade, um oficial subalterno, sem maior autoridade, cuja principal função incluía o cálculo e o recolhimento de impostos (ver Nee. 7:70; cf. Esd. 1:8).

TIRZA
No hebraico, "deleite", "satisfação". Esse é o nome tanto de uma personagem feminina quanto de uma cidade, nas páginas do Antigo Testamento:

1. A filha caçula de Zelofeade, que tinha cinco filhas (Núm 26:33; 26: 1; 36: 11 e Jos. 17:3). Ela viveu por volta de 1450 a.C.

2. Uma ex-cidade real dos cananeus, que ficou na parte norte do monte Efraim, no alto da descida do *wadi Farah*, que se precipita para leste, para o vale do rio Jordão, até o vau de Adão. Esse era o melhor trajeto que ligava a Transjordânia com o monte Efraim, e daí para o leste, atravessando Dotã e Bete-Lagã, até à planície de Jezreel. Essa estrada longitudinal ajuda a explicar o surgimento de cidades importantes, como Tirza, Siquém e Samaria, nas junções das principais estradas.

Famoso por suas belezas naturais, o vale de Tirza é cantado em Cantares 6:4: "Formosa és, querida minha, como Tirza..." A antiga cidade cananéia de Tirza passou a fazer parte do território de Manassés (Jos. 17:2,3), capturada por Josué (Jos. 12:24). É possível que no relato do cerco de Tebes, com sua poderosa fortaleza, onde Abimeleque encontrou a morte, envolva uma corrupção do nome de Tirza (Juí. 9:51). Jeroboão I mantinha uma residência em Tirza (I Reis 14:17), que se tornou a capital do reino do norte, Israel, desde os dias de Baasa (I Reis 16:8,9), Elá e Zinri (I Reis 16:8,9,15).

Tendo ficado ali em uma armadilha, preparada por Onri Zinri destruiu a sua residência, durante os conflitos dinásticos com Onri (I Reis 16:17,18). Seis anos mais tarde, Onri transferiu a capital do reino do norte para Samaria (vide), uma localização mais central e conveniente, que dominava os caminhos para a região montanhosa de Samaria. Isso assemelhou-se à escolha de Jerusalém, por parte de Davi, como capital do seu reino, porquanto Samaria não tinha associações tribais mais antigas, conforme era o caso de Tirza. Depois que Samaria tornou-se a capital do reino do norte, Tirza afundou para a insignificância de uma cidade provincial, embora ainda importante como tal. Quase no fim da existência da nação de Israel, um cidadão de Tirza, Menaem, usurpou o trono pertencente a Salum (II Reis 15: 14,16).

O grande cômoro de Tell el Far'a, cerca de onze quilômetros a nordeste de Nablus, tem sido escavado pelos padres dominicanos. Essas explorações arqueológicas têm revelado uma contínua ocupação humana desde os tempos calcolíticos, antes de 3000 a.C., até o fim do reino do norte, Israel já florescia como cidade no século IX a.C., porém, um nível incendiado foi encontrado, após a primeira camada da ocupação da idade do Ferro. Isso talvez indique as desordens civis da época em que Onri subiu ao trono. Também há evidências de que a antiga fortaleza de Tirza foi reduzida a uma cidade aberta, mais ou menos na época em que Samaria foi fundada, em um novo local. Tudo isso parece confirmar fortemente o cômoro de Tell el-Farah como o local de Tirza.

TISBE
No grego, **Thisbe**. Esse foi o lugar onde os assírios aprisionaram Tobias. O lugar é descrito no livro de Tobias como ao sul de Cades de Naftali, na Galiléia, acima de Aser (Tobias 1:2). A localização de Tisbe, porém, nunca foi determinada.

TISCHENDORF, LOBEGOTT FRIEDRICH CONSTANTIN VON
Suas datas foram 1815-1874. Ele foi um dos grandes pesquisadores e autores no campo da *crítica textual* (vide). Ver também *Manuscritos do Novo Testamento*. Foi Tischendorf quem descobriu o *Códax Sinaiticus* (vide). Também foi o autor de uma obra em dois volumes que, durante algum tempo, foi um estudo definitivo sobre todos os manuscritos gregos então conhecidos, com base nos quais reconstituiu um texto grego que ele julgava representar melhor os autógrafos originais (os escritos dos próprios apóstolos). Também editou um texto do Antigo Testamento e dos livros apócrifos do Novo Testamento. E até hoje seus escritos sobre o texto do Novo Testamento são indispensáveis, devido ao seu imenso *apparatus criticus* de textos variantes. Entretanto, seus esforços foram empregados antes do descobrimento dos papiros de Qunran, pelo que agora são obsoletos, mas continuam retendo seu valor, no tocante a outros manuscritos.

Em uma viagem pelo Oriente Próximo, em 1844, ele encontrou o *Códex Sinaiticus* (pertencente ao século IV d.C.), em uma cesta de lixo, no mosteiro de Santa Catarina, no monte Sinal. Imediatamente ele reconheceu ser esse manuscrito o mais antigo representante do Novo Testamento que ele jamais vira. E recomendou aos oficiais do mosteiro que esquentassem suas fornalhas com material menos valioso. Naquela noite, Tischendorf não dormiu, pois passou a noite inteira examinando o texto, copiando o quanto lhe foi possível. Iniciou-se um longo período de negociações, antes que o manuscrito fosse liberado pelos monges do mosteiro. E esse manuscrito terminou sendo uma das possessões do Museu Britânico, onde se encontra até hoje. Em 1859, foi criada uma cadeira especial de paleografia bíblica, para Tischendorf, na Universidade de Leipzig, na Alemanha. E assim, Tischendorf foi um dos poucos que fizeram aquilo que realmente queriam fazer, apreciando cada minuto de seu trabalho, ao mesmo tempo em que ganhou dinheiro nesse mister.

TISRI – TITO

TISRI
Sétimo mês do calendário eclesiástico dos hebreus. Também é chamado de Etanim (ver I Reis 8:2). Era também o primeiro mês do calendário civil dos israelitas. O Ano Novo Judaico (*Rosh Hashanah*) cai no primeiro dia do mês de Tisri.

TITO
Ver também **Epístola Pastorais**.
Este nome vem do latim e tem um significado incerto. Foi um nome comum entre os Romanos.
No grego a forma é *Títos*. Seu nome ocorre por 11 vezes nas páginas do Novo Testamento: II Cor. 2:13; 7:6,13,14; 8:6,16,23; 12:18; Gál. 2:1,3; 11 Tim. 4:10 e Tito 1:4.

Carta Pastoral. Uma das três epístolas pastorais foi endereçada a Tito. Ver sobre **Epístolas Pastorais**. Na ocasião, Tito estava trabalhando na ilha de Creta. Essa epístola contém algumas exortações a Tito, embora nenhuma delas reflita mal o seu caráter ou as suas habilidades como líder cristão. É evidente que Tito estava procurando cuidar de uma congregação cristã difícil e um tanto desobediente, em Creta. E o apóstolo Paulo deixou entendido (ver Tito 1:5) que as qualificações pastorais de Tito levaram-no a escolher aquele pastor para a tarefa.

Que havia afetuosas relações entre Paulo e Tito, da mesma maneira que havia entre Paulo e Timóteo, temos a prova na maneira do apóstolo tratá-lo. Tito é descrito por Paulo como "...verdadeiro filho, segundo a fé comum..." (Tito 1:4). Isso nos faz lembrar de uma descrição semelhante de Timóteo (ver I Tim. 1:2). Em seguida, Tito foi instruído a vir a Nicópolis, na costa ocidental da Grécia (Tito 3:12), a fim de ali passar o inverno, em companhia de Paulo. E, por ocasião da escrita da primeira epístola a Timóteo, Tito havia partido para a Dalmácia, aparentemente de Roma (II Tim. 4:10). Essa é mesmo a última referência a Tito, no Novo Testamento.

Pastor Ideal. Quanto a muitos aspectos, Tito aparece no Novo Testamento como um pastor ideal. Paulo deixou transparecer, em outros seus escritos, a devoção genuína e a preocupação pastoral de Tito (II Cor. 8:16,17). Sua intensidade de propósitos é mencionada como um desafio aos crentes de Corinto. A alegria cristã e a dedicação de Tito serviam de inspiração para Paulo; em sua reconciliação com os crentes de Corinto, isso fora mesmo um fator preponderante (II Cor. 7:13-15). Paulo chegou a consubstanciar sua devoção e amizade aos crentes de Corinto argumentando que ele tinha a mesma atitude mental de Tito (II Cor. 12:18). Ora, todas essas alusões espalhadas nas epístolas de Paulo, sobre o caráter de Tito, indicam seu íntimo relacionamento com Paulo, e suas excelentes qualidades de pastor.

A epístola de Paulo a Tito, nas páginas do Novo Testamento, entre outras coisas, tem servido de grande inspiração para todos os ministros do Evangelho, por toda a longa história da Igreja, de quase dois mil anos. Embora os informes acerca de Tito, no Novo Testamento, não sejam tão abundantes como gostaríamos que fossem, ainda assim muita coisa pode ser aprendida com base em suas atividades pastorais e com base na epístola que o apóstolo Paulo lhe dirigiu. Essa epístola é mesmo um modelo e um manual do pastor. Ver também sobre as *Epístolas Pastorais*.

II Cor. 2:13: não tive descanso no meu espírito, porque não achei ali meu irmão Tito; mas, despedindo-me deles, parti para a Macedônia.

Nesta epístola há nove referências a Tito, a saber, II Cor. 2:13; 7:6,13,14; 8:6,16,23 e 12:18. Na assinatura desta epístola Tito é mencionado, juntamente com Lucas, como o amanuense e portador da mesma. Tito também é mencionado em Gál. 2:1,3; 11 Tim. 4:10 e Tito 1:4; e, na assinatura dessa última epístola, como o bispo de Creta.

Embora Tito fosse um dos companheiros de viagem, em quem Paulo depunha considerável confiança, ele nem é mencionado na narrativa do livro de Atos. W.M. Ramsay, em sua obra "St. Paul the Traveller and Roman Citizen", 1920, pág. 390, sugere que a razão disso é que Tito seria irmão de Lucas. Talvez por causa de alguma modéstia própria de família é que Tito não teria sido mencionado. Porém, isso representaria uma modéstia exagerada; e a idéia inteira de Ramsay não passa de pura conjectura. A resposta dessa ausência, bem pelo contrário, pode ser encontrada no fato, facilmente observável mediante a comparação entre as epístolas paulinas, em muitos pontos, com a narrativa de Lucas, que mostra que essa narrativa lucana segue apenas um esboço geral, deixando de lado grande riqueza de material informativo, que poderia ter sido incluído, mas que aumentaria o volume do livro. Não obstante, a utilidade do livro de Atos nem por isso deixa de ser grande, ajudando-nos a compreender aqueles primeiros anos de vida da Igreja cristã primitiva, embora tal compreensão permaneça necessariamente limitada.

Tito (dentro da ordem cronológica da escrita das epístolas paulinas) foi mencionado pela primeira vez no trecho de Gál. 2: 1, em conexão com a controvérsia em torno do legalismo. Na qualidade de crente gentio, Tito não fora compelido a se deixar circuncidar; e bem provavelmente atuou como um caso naquela questão (ver Gál. 2:3). (Quanto a notas expositivas sobre a "controvérsia legalista" na Igreja cristã primitiva, ver Atos 10:9 no NTI. Quanto ao "partido da circuncisão", que provocou toda a dificuldade, ver, Atos 11:2. Quanto à natureza *judaica* da Igreja primitiva, ver Atos 2:46 e 3: 1). Acerca das atividades de Tito, antes de ter chegado a Corinto, não temos a mínima informação. No entanto, em Corinto ele se tornou uma figura importante, evidentemente tendo representado a Paulo ali, no período entre a escrita da primeira e da segunda epístola aos Coríntios. E isso porque fora capaz de acalmar as perturbações que havia na comunidade cristã de Corinto, o que Timóteo não pudera fazer (Ver I Cor. 16:19; 11 Cor. 7:15; 8:16 e ss). Evidentemente Tito também superintendeu a coleta em Corinto para os santos pobres, de Jerusalém (Ver 11 Cor. 8:6).

Mediante a comparação entre os capítulos segundo e sétimo desta segunda epístola aos Coríntios, parece que Tito foi o portador de uma epístola de Paulo aos crentes coríntios, isto é, a chamada epístola severa (composta dos capítulos décimo a décimo terceiro de nossa atual segunda epístola aos Coríntios, uma porção separada e enviada antes dos atuais capítulos primeiro a nono desta epístola), a qual muito contribuiu para solucionar os problemas difíceis da igreja dali. Depois de sua missão em Corinto, Tito tornou a se unir a Paulo na Macedônia, trazendo-lhe boas novas de seu sucesso (ver II Cor. 7:6). E com base na epístola que o apóstolo dos gentios lhe escreveu, pode-se supor que ele acompanhou Paulo até Creta, tendo sido deixado ali a fim de consolidar o trabalho, depois do aprisionamento daquele. Mais tarde, entretanto, Tito foi convocado por Paulo a Nicópolis, quando foi substituído em seu trabalho em Creta por Artemas ou Tíquico (ver Tito 3:12). E mais tarde parece que Tito ainda trabalhou na Dalmácia (ver II Tim. 4:10). A tradição nos diz que Tito se tornou bispo de Creta ao envelhecer. (*Ver Eusébio, História Eclesiástica* iii.4,6).

Quão humano Paulo se mostra aqui. Poderíamos ter,

TITO (IMPERADOR DE ROMA) – TOBE

naturalmente, esperado que o apóstolo dos gentios se lançasse ao trabalho com seu usual fervor evangelístico intensíssimo, tendo-se aproveitado da oportunidade que lhe fora dada pela "porta aberta" (ver o décimo segundo versículo) ao máximo de suas possibilidades. Isso teria sido típico de Paulo. Sem dúvida, ele fez alguma coisa, porquanto é provável que alguns dos crentes mencionados no trecho de Atos 20:7-12 se tenham convertido nessa ocasião. Contudo, a sua preocupação por ver a Tito e ouvir dele como estava a situação em Corinto, para saber se ele obtivera ou não êxito em sua missão coríntia, procurando reconciliar aquela congregação cristã com Paulo e procurando solucionar alguns dos seus problemas mais difíceis, parece ter sido tão profunda que seu espírito ficou conturbado. E assim, quando não pôde encontrar a Tito, ficou quase paralisado. Em vez de permanecer na localidade e tirar proveito da oportunidade, Paulo não demorou a partir para Macedônia, sem dúvida deixando instruções com os crentes dali, sobre como poderia ser localizado naquela província, quando Tito finalmente chegasse, se viesse a fazê-lo.

TITO (IMPERADOR DE ROMA)

Seu nome completo era Titus Flavius Vespasianus. Foi imperador de Roma entre 78 e 81 d.C. Era filho do imperador imediatamente anterior, Vespasiano (vide).

Quando ainda jovem, Tito serviu como tribuno dos soldados romanos aquartelados na Germânia e na Britânia. Mais tarde, acompanhou seu pai, Vespasiano, à Palestina, na época da revolta dos judeus do ano 70 d.C. Quando Vespasiano foi chamado de volta a Roma, e foi coroado imperador, Tito ficou no comando das tropas romanas, tendo conseguido fazer a revolta dos judeus chegar ao fim, mediante a captura e a destruição de Jerusalém, em 70 d.C. Quando de seu retorno a Roma, celebrou o triunfo em companhia de seu pai. E, desde então, tornou-se um virtual co-regente de seu pai, mostrando ser o mais forte candidato à sucessão no trono. Finalmente, quando Vespasiano faleceu, em 79 d.C., Tito tornou-se imperador.

Em muitos sentidos, Tito era precisamente o oposto da figura de seu pai. Era querido pelas multidões, de boa aparência, afável para com todos. Ao contrário de seu pai, que era parcimonioso nos gastos, Tito quase chegava a ser um perdulário; e sempre foi relembrado por isso com afeto, nos anos que se seguiram a ele. Ao desfazer-se dos serviços de informantes impelidos pelo rancor, e pondo fim aos julgamentos e às execuções por traição contra o Estado, Tito obteve o favor dos senadores, os quais, por isso mesmo, não lhe fizeram oposição.

O breve reinado de Tito tornou-se notório, principalmente, por causa de dois grandes desastres naturais, que ocorreram nesse período. O primeiro deles foi a erupção do monte Vesúvio, em 70 d.C., que destruiu completamente as duas cidades, Pompéia e Herculano, cobrindo a primeira com uma chuva de cinza e pedra pomes e, em seguida, com um rio de lava incandescente. Plínio, testemunha ocular dos funestos acontecimentos, escreveu uma carta a seu amigo Tácito, o historiador, narrando-lhe o desastre (Plínio, *Epistulae* 6.16,20). O outro grande desastre foi o incêndio de Roma e uma tremenda praga, que feriram a cidade no ano 80 d.C. Tito ajudou, pessoalmente, a muitas vítimas desses desastres, além de muito ter feito para reparar os danos causados à cidade. Entre outras providências, ele terminou o Coliseu (iniciado por seu pai, Vespasiano) e construiu os banhos que receberam o seu nome.

O período de governo de Tito foi considerado pelos romanos em geral como um tempo de felicidade ideal. E a sua morte prematura, no ano de 81 d.C., provocou consternação por todo o vasto império romano.

TITO (LIVRO)

Ver o artigo sobre **Epístolas Pastorais**.

TITO, EPÍSTOLA A

Ver sobre as Epístolas **Pastorais**.

TITO, EPÍSTOLA DE (Não Canônico)

Não se deve confundir essa obra com o livro canônico da Epístola a Tito. A Epístola de Tito é um tratado pseudônimo, uma longa exortação acerca das virtudes da castidade, de origem desconhecida. Entretanto, sua ênfase acentuadamente ascética, e sua citação liberal de vários atos apócrifos, apontam para uma origem no século V d.C., provavelmente como produto da Igreja espanhola, de tendências rigorosamente ascéticas.

A chamada "epístola de Tito" existe somente como um manuscrito latino já do século VIII d.C. A gramática deficiente desse texto latino tem levado à especulação de que houve um original grego por detrás do mesmo, embora isso não possa ser considerado uma conclusão definitiva. O autor, desconhecido, apresenta a sua mensagem em um estilo homilético, com freqüência, exclamatório, salientando as vantagens do estado celibatário e os tormentos daqueles que sucumbem diante dos desejos da carne. Esse autor apela para todas as evidências que pode (muitas delas forçadas), tanto do Antigo como do Novo Testamentos, sem falar em certo número de escritos apócrifos, que atualmente conhecemos ou não, em apoio aos seus argumentos. As citações constantes nessa epístola, e não tanto o seu conteúdo, é que têm chamado a atenção dos estudiosos modernos dessa obra apócrifa.

TITO JUSTO

Ver **sobre Justo**.

TÍTULO

Ver sobre **Inscrições**

TIZITA

Adjetivo patronímico de Joa, irmão de Jediael, que foi um dos "heróis" de Davi (I Crô. 11:45). A origem desse termo é desconhecida, mas, provavelmente, refere-se à localidade de onde ele seria nativo. Joa viveu em torno de 1050 a.C.

TOÁ

No hebraico, "depressão", "humildade". Foi um levita descendente de Coate (I Crô. 6:34). Em I Crônicas, ele é chamado de Naate. Ele era o trisavô do profeta Samuel. Viveu por volta de 1230 a.C.

TOALHA

No grego **léntion**, um vocábulo que vem do latim, *linteum*, "toalha de linho". O vocábulo grego figura somente em João 13:4,5, que se refere ao pano de linho que o Senhor Jesus usou a fim de enxugar os pés de seus discípulos, no cenáculo, após ter-lhes lavado os pés.

TOBE

No hebraico, "frutífera", "boa". Esse era o nome de um distrito e de uma cidade da Síria, a nordeste de Gileade. O nome figura em Juí. 11:3,5 e II Sam. 10:6.

TOBE – TOBIAS, O LIVRO DE

Esse distrito e essa cidade do sul de Haurã (vide) são mencionados como o lugar onde Jefté refugiou-se, e também em conexão com a guerra entre os israelitas, por um lado, e os amonitas e sírios por outro lado (II Sam. 10:6).

Provavelmente é a mesma Dubu dos documentos achados em Tell El-Amarna, um estado arameu da região a leste do rio Jordão, mas ao norte da região montanhosa de Gileade. Isso torna razoável a sua identificação com a cidade de Hopos, da região de Decápolis. Os estudiosos também têm sugerido a moderna ai-TabiYa, a dezesseis quilômetros ao sul de Gadara, um nome que parece preservar a idéia de "boa", que faz parte do nome hebraico *tob*, "boa".

Após o exílio babilônico, judeus instalaram-se ali, o que ocasionou uma incursão das tropas de Judas Macabeu ao lugar (ver I Macabeus 5:13 e II Macabeus 12:17), se é que Toubias e os *toubiani* devem ser identificados com Tobe e os seus habitantes.

TOBE-ADONIAS

No hebraico, "bom é o Senhor Yahweh". Um levita enviado por Josafá para ensinar a lei ao povo, nas cidades de Judá. Seu nome figura, exclusivamente, em II Crô. 17:8. Viveu por volta de 910 a.C.

TOBIAS

No hebraico, "bom é Yahweh". Há quatro homens com esse nome, nas páginas do Antigo Testamento; e dois nos livros apócrifos:

1. O fundador de uma família que retornou a Israel, depois do exílio babilônico, embora não pudessem provar sua ascendência israelita (Esd. 2:60; Nee. 7:62 e Esdras 5.37). Esses descendentes dele viveram em torno de 445 a.C.

2. Um "servo" amonita, provavelmente um oficial do governo persa, que se aliou a Sambalate e outros, em sua persistente oposição ao trabalho de reconstrução encabeçado por Neemias (Nee. 2:10,19; 4:3,7; 6:12,14,17,19; 13:7,8). Tanto ele quanto seu filho, Joanã, casaram-se com mulheres judias. Era altamente favorecido pelo sumo sacerdote Eliasibe, que lhe concedeu um sala para ocupar, nas dependências do templo de Jerusalém.

Tobias procurou assustar a Neemias (Nee. 6:17-19). Mas este considerava Tobias seu principal adversário, tendo retirado a ele e aos seus bens materiais da sala que ocupava no templo (Nee. 13:4-9).

Alguns estudiosos opinam que a casa de Tobias, que, no século III a.C., competiu com a casa de Onias pelo sumo sacerdócio, descendia desse Tobias (cf. II Macabeus 3:11 e Josefo, *Anti.* 12:4). Viveu em cerca de 445 a.C.

3. Um dos levitas, enviado pelo rei Josafá, para ensinar a lei do Senhor nas cidades da tribo de Judá (II Crô. 17:8). Viveu por volta de 445 a.C.

4. Um dentre vários outros israelitas que vieram da Babilônia para Jerusalém, trazendo ouro e prata, a fim de fabricar com esses metais uma coroa para o sumo sacerdote Josué. Seu nome aparece somente em Zac. 6:10,14. Viveu em cerca de 520 a.C.

5. O pai de Hircano (II Macabeus 3:11). Na Septuaginta, seu nome aparece com a forma de *Tobias*.

6. O filho de Tobias. Portanto, pai e filho tinham o mesmo nome. Ver sobre o *Livro de Tobias*.

TOBIAS, O LIVRO DE

I   Status Canônico
II   Pseudo-história
III Idioma; Data; Conteúdo
IV   Fontes de Informação
V   Ensinamentos e Teologia

I. Status Canônico

Protestantes e evangélicos consideram esse livro apócrifo, seguindo o cânon palestino. Os judeus da Diáspora (ver a respeito), seguindo o cânon alexandrino (exemplificado na Septuaginta que contém o livro), os católicos romanos e alguns segmentos ortodoxos chamam-no de canônico no sentido completo da palavra. Muitos dos patriarcas iniciais o utilizaram, alguns afirmando sua canonicidade, outros a negando. Em todo caso, a maioria dos patriarcas concorda com a avaliação de Jerônimo de que o livro era de valor e devia ser lido, mas não com a estatura de outros livros do Antigo Testamento. Ver os artigos separados sobre Cânon do Antigo Testamento e Livros Apócrifos.

II. Pseudo-história

O livro é colocado no período histórico do cativeiro assírio de Israel e menciona diversas personagens históricas: Salmaneser V (1.13); Senaqueribe (1.15); e locais específicos como palcos para a história: Nínive (1.3); Ecbatana (3.7); Rages (4.1). Mas o livro é um óbvio romance da Diáspora, um tipo de novela.

III. Idioma; Data; Conteúdo

1. *Idioma*. Durante um século os estudiosos discutiram o problema do idioma deste livro, imaginando se ele teria sido composto originalmente em grego ou em algum idioma semita (hebreu ou aramaico). A descoberta dos Rolos do Mar Morto joga luz no problema. Entre os muitos manuscritos encontrados com aquela descoberta havia um manuscrito em hebraico e quatro em aramaico. Estudiosos hoje supõem que o aramaico tenha sido o idioma original, que foi então traduzido para o hebraico clássico, o grego e o latim. Talvez a versão grega (Septuaginta) tenha sido baseada em uma cópia hebraica.

2. *Data*. Evidências indicam uma data entre 225 e 175 a.C. A última expressa "o livro da lei de Moisés" ocorrendo em 6.13; 7.11, 12, 13. Os livros proféticos são chamados de "palavra do Senhor", expressão um tanto posterior (14.4). Mas não há indicação de que os períodos turbulentos das Epifanias IV de Antíoco já tivessem ocorrido. Seu período no poder foi entre 175 e 164 a.C. O fato de os manuscritos desse livro estarem entre os Manuscritos do Mar Morto mostra que ele não pode ter sido escrito em um período tão tardio quanto o primeiro século a.C.

3. *Conteúdo*. Generalização. O período era o do cativeiro assírio, depois de 722 a.C. Tobias era um tipo de Jó de dias posteriores, que tinha todos os tipos de problemas que atrapalhavam sua piedade. Embora estivesse entre os cativos que se paganizavam, ele e sua família aderiram às antigas rígidas leis judaicas. Ele se tornou evidente (como Daniel antes dele também o havia) e um dos assistentes de Salmaneser. Continuou tendo uma vida de retidão, do tipo judaico, embora assistente de um governo civil, incluindo prover enterros apropriados para os judeus mortos pelos assírios. Por causa de suas "atividades judaicas", ele teve de fugir de Senaqueribe para salvar sua vida. Muitas dificuldades se seguiram e com elas as reclamações de sua mulher (como havia feito a mulher de Jó). O pobre Tobias começou a preferir a morte em vez da vida por causa dos muitos sofrimentos pelos quais teve de passar (3.6), outra reflexão de Jó.

Então entrou no quadro a graciosa Sara. Ela era uma parente próxima, a filha de Raquel. Foi assediada por um demônio ciumento chamado Asmodeus, que tinha o

TOBIAS, O LIVRO DE – TOCHA

mau hábito de matar seus maridos, de fato, sete deles, e, naturalmente, antes de o casamento ser consumado. Tobias também teve um problema especial que contraiu de um pedaço de estrume de pardal que caiu nos seus olhos, quando, em um período de sujeira cerimonial (ele havia tocado em um corpo morto), teve de dormir ao ar livre e ficou exposto às aves. Esse improvável bombardeamento das aves havia deixado Tobias cego. Portanto, aí temos potenciais amantes, Sara, assediada por um ciumento demônio matador de maridos, e Tobias, um homem cego. A tensão desaparece da história pela observação de que os dois seriam curados milagrosamente pelo anjo do Senhor (3.16-17). O resultado é tal que lemos o livro no conforto de saber que a piedade de Tobias a longo prazo resultará em recompensa. O anjo Rafael transforma-se no companheiro de jornada de Tobias durante uma viagem a Ecbatana, na Pérsia.

Ao longo do caminho, Azarias (o anjo disfarçado) instrui Tobias a pegar um peixe que praticamente o engoliu. O anjo orienta Tobias a cortar o coração, o fígado e a bílis do peixe, pois queimar essas vísceras produziria uma fumaça poderosa para realizar um exorcismo. Assim, aprendemos como Sara foi livrada. O anjo também informa Tobias de que ele a longo prazo acabará por casar com Sara, mas não revela que ela está associada a um demônio ciumento e matador de maridos.

O casamento ocorre, e Tobias põe fogo nas vísceras do peixe. O pai de Sara prepara um túmulo para seu novo genro, que considerava "perdido". Tobias e Sara não estão ansiosos por consumar o casamento. Dormem pacificamente enquanto o demônio engasga na fumaça do peixe e, assim, é espantado do lado de sua amante. Ao descobrir que o demônio não havia sido capaz de cumprir com a tarefa, Rogel (surpreso) oferece uma grande oração de ação de graças. Assim, inicia-se um a celebração de casamento que duraria 14 dias.

Tobias, agora um homem de boa sorte, envia Azarias a Media para buscar uma grande soma de dinheiro que ele havia deixado lá. Assim, o casal está livre para apreciar a boa vida. Em Nínive, a mãe de Tobias, Ana, e seu pai, Tobite, estavam preocupados com a segurança de seu filho. Não havia motivo para preocupação pois, como já vimos, Tobias e sua nova mulher estão divertindo-se muito na celebração de seu casamento. O anjo (disfarçado de Azarias), Tobias, Sara e o cão favorito de Tobias retornam a Nínive e aliviam as ansiedades naquele local ao fazer uma repentina aparição. Resulta disso uma grande e chorosa reunião de família, descrita de forma exuberante no livro. Sentindo-se generoso, no meio da celebração, Tobias e Tobite decidem doar metade de sua fortuna ao bom Azarias. Mas os anjos não têm interesse por dinheiro, portanto o "homem" revela sua verdadeira identidade: Rafael, um dos sete poderosos anjos sagrados do conhecimento judaico (12.15). Tobite então oferece uma oração magnífica de alegria, e por que não? Ele foi capaz de manter suas mãos em todo aquele dinheiro.

Após as mortes de Tobite e Ana, Tobias e sua família retornam a Ecbatana, onde vivem uma vida de homens ricos (como Jó antes dele) até sua morte aos 127 anos de idade.

Esta é uma história muito imaginativa e divertida, uma linda lenda que estica as coisas com muita freqüência, mas tem muitas lições a ensinar à medida que é narrada.

IV. Fontes de Informação

O autor é um tipo de pessoa transuniversal que mistura antigas histórias folclóricas, mitos, um pouco de história com fundo bíblico e outros empréstimos. Um livro como esse nunca poderia ser canonizado na conservadora Palestina, mas os judeus alexandrinos, culturalmente miscigenados, não viam nada de errado nessa salada teológica e cultural. Começamos com uma história um tanto autêntica; misturamos a história universal dos Grandes Mortos, a antiga história dos homens perseguidos que acabam ficando ricos e famosos por causa de sua piedade singular. Daí vem o temeroso tema do Monstro do Quarto, a criatura má apaixonada por uma mulher piedosa, uma matadora de maridos. Então até o fiel cão de Tobias entra no ato. Um judeu da Palestina jamais teria tido um cão como companheiro, já que os cães são animais sujos (6.2; 11.4). Mas a Bíblia não pode ser deixada de fora, portanto temos alusões à história de José (Gên. caps. 37 e 39-50); a história do casamento relativa a Isaque e Jacó (Gên. caps. 24 e 29); o antigo tema judeu de que a piedade atrai riqueza material; mas o mal sempre resulta em punição e desastre material (Tobias 1.21; 3.3-6; 13.12; 14.4, 10). A principal base bíblica, no entanto, é a história de Jó, o homem que sofreu por motivos desconhecidos, embora tenha sido uma pessoa reta. Os profetas Amós (2.6) e Naum (14.4) são mencionados por nome, mas Jeremias e Ezequias, de quem Tobias faz empréstimos, não são mencionados especificamente. Os capítulos 13 e 14 de Tobias se baseiam nas previsões de Isaías de que Israel retornaria do longo exílio, por fim.

V. Ensinamentos e Teologia

A maioria dessas questões já foi coberta ao longo do caminho. O livro tem as visões mais liberais dos judeus da Diáspora, que não hesitam em incorporar demônios parecidos com os dos pagãos. Faz muito do sujo céu e também menciona que o filho de Tobias derrama vinho no túmulo dos retos (4.17), um ato contrário ao Pentateuco (Deu. 26.14). Tal costume era pagão, não judaico. Por outro lado, há muitas lições morais e muito material baseado na Bíblia. Tobias era um judeu exemplar que arriscou sua vida ao ser fiel à legislação mosaica, embora em alguns pontos sua prática tenha sido a mesma dos judeus da Diáspora, não a de radicais palestinos. O livro ensina a doutrina de confrontação de intervenção angélica na vida dos homens. O livro, contudo, tem antigos conflitos judeus: não há ensinamento sobre a imortalidade, enquanto a punição e a recompensa são limitadas apenas ao que ocorre ao homem durante sua vida terrena. Ele acreditava na validade e no poder da profecia e considerava os livros dos profetas "a palavra de Deus", ao contrário do cânon dos saduceus, que aceitava apenas o Pentateuco como inspirado. A passagem de 4.15 dá a nós uma forma de "regra sagrada": "... aquilo que você odeia, não faça a ninguém". O livro enfatiza os três pilares da fé judaica: oração, caridade e jejum (12.8) e assegura-nos de que onde há retidão, Deus agirá (a longo prazo) por parte daqueles que o praticam. Um bom resumo de ensinamentos morais é 14.11: "... meus filhos, considerem o que a caridade realiza e o que a retidão entrega".

TOCHA

No hebraico, **lappid**, uma palavra que aparece por quinze vezes, e que as traduções têm variegadamente traduzido por "tocha", "lâmpada", "tição", etc. Na antiguidade, uma tocha provia uma iluminação mais forte do que uma lâmpada (lamparina de azeite), como em atividades externas à noite. Esse termo hebraico aparece em Gên. 15: 17; Juí. 7:16,20; 15: 45; Jó 12:5; 41:19; Isa. 62:1; Eze. 1:13; Dan. 10:6; Naum 2:3; Zac. 12:6; Jó 41:19; Êxo. 20:18.

No grego temos o vocábulo *lampás*, vocábulo

TODO-PODEROSO – TOGARMA

empregado por nove vezes no Novo Testamento: Mat. 25:1,3,4,7,8; João 18:3; Atos 20:8; Apo. 4:5 e 8:10. Ver também o artigo a respeito de *Lâmpada*. Interessante é que, em Êxodo 20:18, a palavra hebraica *lappid* é traduzida, e com razão, por "relâmpagos", pois, em face dos "trovões", sem dúvida houve relâmpagos.

TODO-PODEROSO
Ver Apo. 1:8

Essa é uma descrição comum de Deus, que figura por cerca de cinqüenta vezes nas páginas do AT. No Apocalipse figura por oito vezes (ver Apo. 1:8; 4:8; 11:17; 15:3; 16:7,14; 19:15 e 21:22). A nota sobre o presente título aparece em Apo. 1:7

A combinação, "Senhor Deus Todo-poderoso", provavelmente teve por intuito, ao menos em parte, quebrar a força do título assumido pelo imperador Domiciano, o qual perseguia à Igreja cristã quando o livro de Apocalipse foi escrito. Esse imperador se tinha deificado, chamando-se de "Nosso Senhor e Deus". O autor sagrado indica que o Deus Todo-poderoso, que é o Senhor, e que lhe dera a visão sobre o trono celeste, em breve haveria de exibir seu poder em favor dos perseguidos cristãos. Não existe Deus além do Senhor Deus Todo-poderoso, pelo que a adoração ao imperador tinha de ser repelida pelos cristãos a qualquer custo. Para nós, esse título indica a mesma coisa, pois devemos pôr de lado coisas vãs, incluindo a nós mesmos, se essas coisas se nos têm tornado "deuses".

"Eu sou o Deus Todo-poderoso", (Gên. 17:1), uma expressão encontrada por quarenta e oito vezes no Antigo Testamento, Só no livro de Jó aparece por trinta e uma vezes (por exemplo, Jó 5:17). No Novo Testamento, aparece por nove vezes, das quais oito no Apocalipse. (Ver, por exemplo, Apo. 1:8; 4:8; e 11: 17). A expressão alude à onipotência de Deus. Ver o artigo sobre os atributos de Deus. Alguns estudiosos supõem que o nome divino hebraico El Shaddai (poderoso) tem esse significado, e outros vinculam-no à palavra acadiana que significa monte, que algumas vezes era usada como termo para indicar Deus, naquele antigo idioma. Não se encontrou ainda qualquer interpretação realmente satisfatória sobre a expressão, assim interpretada (ver Gên. 28:3, no original hebraico). (ND Z)

TÓFEL

Na Septuaginta, **Tophol**. No hebraico, essa palavra significa "almofariz", "pilão". Esse nome é mencionado somente nas palavras de abertura do livro de Deuteronômio (1:1), mencionado entre outros quatro nomes de cidades, como o local onde Moisés dirigiu um grande discurso aos ouvidos do povo de Israel.

Essa localidade tem sido identificada como a moderna Tafile, uma aldeia cerca de vinte e quatro quilômetros a sudeste do mar Morto, em um fértil vale por onde passa a estrada de Queraque a Petra. Porém, nada mais se sabe sobre essa localidade.

TOFETE

No hebraico, **altar**. Essa era uma área do vale de Hinom (vide), localizada no wadi er-Rababeh, um vale com lados profundos, que tradicionalmente separava a cidade de Jerusalém do território pertencente a Judá, na vertente oriental do monte Sião (ver Nee. 11:30). Esse nome aparece por dez vezes nas páginas do Antigo Testamento: II Reis 23:10; Isa. 30:33; Jer. 7:31,32; 19:6,11-24. Outros estudiosos encontram uma derivação inteiramente diferente para essa palavra. Esses dizem que, provavelmente, o nome deriva-se de uma palavra que significa "fogão", "forno", devendo ser pronunciado como *tepat*, mas que, propositalmente, teve a pronúncia alterada para *tofete*, seguindo um termo ugarítico cognato, e que significa "opróbrio", "abominação". A etimologia rabínica, que fazia a palavra significar "tambor", não tem qualquer razão de ser.

Tofete era um bosque sagrado ou jardim, pertencente aos cammeus, e que, posteriormente, veio a tornar-se um dos grandes centros da adoração a Baal, por parte de judeus apostatas; (ver Jer. 32:35). Entre as atividades desse culto, parece que estava envolvido o sacrifício ritual de recém-nascidos. Apesar dos estudiosos terem exposto dúvidas quanto a se um rito tão sangüinário e cruel realmente existiu, o fato é que umas funerárias, encontradas na Palestina, pertencentes a diversos períodos históricos, têm demonstrado quão plausível é a narração que aparece em alguns escritos proféticos do Antigo Testamento. Além disso, em muitos lugares do mundo, a morte por exposição às intempéries, principalmente de meninas recém-nascidas e de crianças gêmeas, tem sido praticada por diversas tribos. O nome dessa localidade aparece por oito vezes, dentre suas dez menções, no livro de Jeremias, em seus capítulos sétimo e décimo nono. Esse horrendo culto se popularizou, sobretudo, durante os reinados de Acaz e de Manassés, os quais teriam sacrificado a seus próprios filhinhos, no vale de Hinom, sem duvida alguma, mais precisamente, em Tofete (ver II Crô. 28:3 e 33:6).

Há uma variante textual em Isaías 30:33, onde se encontra uma alusão à destruição definitiva do monarca assírio. Nessa variante há uma possível. combinação de um vocábulo aramaico, talvez de algum termo acádico por trás daquele, com o sentido de "lareira" ou "escarpa abrasada", e o nome de Tofete. Essa predição deixa clara a destruição da poderosa nação Assíria, de maneira violenta, que viria a transformá-la em abominação.

Quando da restauração instituída nos dias de Josias, o santuário de Tofete foi profanado e destruído (ver II Reis 23:10). Mas a memória em torno daquele horrendo lugar prosseguiu, tendo-se transformado em um símbolo da desolação e do julgamento divino contra o pecado. Aquele vale começou a servir de monturo da cidade de Jerusalém. O lixo era lançado por cima das muralhas. Mas, devido aos muitos e muitos séculos que já se escoaram desde então, e das transformações topográficas a que Jerusalém tem estado sujeita, a localização exata de Tofete se perdeu.

TOGARMA

Um dos filhos de Gomer e neto de Jafé, filho de Noé. Foi o progenitor da nação jafetita que tem esse nome (ver Gên. 10: 3; 1 Crô. 1: 6; Eze. 27:14 e 38:6). A casa de Togarma, ou seja, a nação que dele descendia, é mencionada por duas vezes no livro de Ezequiel, onde é descrita como um povo que tinha forte comércio com Tiro, no campo de cavalos, mulas e cavaleiros (Eze. 27:14). E, em Eze. 38:6, também é mencionada como uma das nações aliadas de Magogue, juntamente com Gomer, Pérsia, Cuxe e Pute. Ali parece estar em foco um ataque de nações gentílicas; contra Israel, quando o antigo povo de Deus já estiver bem estabelecido em seu território, nos últimos dias de nossa dispensação.

Bastante problemática é a identificação desse povo de Togarma. Onde se encontrariam eles, em nosso mundo moderno? Josefo opinava que eles seriam os frígios, famosos por seus cavalos. Todavia, há inscrições assírias; que mencionam certa cidade, Til-Garimmu. Em língua hitita, esse nome tem a forma de Tegarama, já bem parecida com a nossa forma portuguesa. Essa cidade ficava localizada na porção oriental da Capadócia. Visto que Ezequiel localiza Togarma como uma das nações do norte (ver Eze. 38:6), em associação com Gomer, é perfeitamente provável que Togarma deva ser localizada na região a suleste do mar Negro, e daí para o norte. Til-Gárimmu. foi cidade destruída pelos assírios, em 595 a.C. Mas esta pode ter sido apenas uma de suas cidades principais.

Muitos estudiosos pensam que há vestígios da línguas indoeuropéia dessa nação. O tocário foi um idioma falado em grande parte das estepes russas, chegando mesmo à parte oriental-norte do que hoje é a China. Por conseguinte, levando em conta todos os informes, ainda que escassos, de que dispomos, parece uma conjectura aceitável que esse antigo povo deve ter sido um dos formadores dos eslavos orientais que, atualmente, povoam grande parte das estepes da Rússia Européia. Tudo indica, pois, que os descendentes de Togarma foram-se deslocando cada vez mais na direção da Sibéria, mesclando-se, nesse processo, com populações de origem mongol e turcomana.

TOI

No hebraico, "erro", "vagueação". Era rei de Hamate na época de Davi. Portanto, viveu em torno de 1040 a.C. Seu nome aparece por cinco vezes nas páginas sagradas: II Sam. 8:9,10; I Crô. 18:9,10. A cidade de Hamate ficava às margens do rio Orontes. Toi enviou a Davi uma mensagem de congratulação, por haver vencido o inimigo comum deles, Hadadezer de Zobá. Nas referências paralelas de I Crônicas, o nome dele aparece com a forma de *Toú*.

TOLA

Os estudos sobre o significado desse nome são complicados. Há duas etimologias possíveis para o mesmo. Uma delas é derivada do uso de um termo idêntico, como nome de um "verme", no acádico *tultu*. A outra vem do termo hebraico que ocorre em Isa. 1:18, com o sentido de "carmesim". Esta última alternativa tem mais peso, pois esse nome se parece com Puva, que tem sido interpretado como um nome que se deriva de "declaração" ou de "verde", ou alguma outra cor. Todavia, ambas as explicações estão baseadas sobre etimologias populares, havendo falta de uma evidência filológica mais séria. Há dois homens com esse nome, nas páginas do Antigo Testamento:

1. Um dos filhos de Issacar (na Septuaginta, *Thola*) (Gên. 46:13; Núm. 26:23; I Crô. 7:1,2). Ele viveu por volta de 1690 a.C. Como filho de Issacar, esse homem era do partido daqueles que migraram para o Egito, na época de José. Foi o fundador de uma das subtribos de Israel, chamado de "tolaítas", em Núm. 26:23. Essa genealogia repete-se em I Crô. 7:1,2.

2. Um juíz da tribo de Issacar, mencionado somente em Juí. 10:1. Aqui, como em ambos os casos, aparece também o nome Puva. As Escrituras não nos prestam qualquer informação sobre os dois Tolas, além disso; e a tradição rabínica também faz completo silêncio acerca deles. Esse juíz deve ter vivido em cerca de 1200 a.C.

TOLADE

No hebraico, "geradora". Esse é o nome de uma cidade da tribo de Simeão, que ficava nas proximidades de Ezem. Com esse nome, ocorre somente em I Crô. 4:29. Em Jos. 15:30, entretanto, seu nome já aparece com a forma de *Eltolade*.

TOLAND, JOHN

Suas datas foram 1670 - 1722. Toland exaltava a razão humana. Ele não acreditava poder haver alguma coisa, na religião cristã, que a razão humana não pudesse aceitar, e nem qualquer coisa acima da razão. Ao pensar assim, ele abandonou os ensinos de filósofos e teólogos, como Tomás de Aquino, que reservavam um lugar onde somente a fé pode atingir.

E apresentou o interessante argumento que diz que *somente a razão* convence os homens da inspiração das Escrituras; e, dessa maneira, condenou, absolutamente, o *antiintelectualismo* (vide). Não via problema algum em crer em milagres e prodígios, somente através da razão. Também foi ele quem cunhou o vocábulo *panteísmo*, que ele reputava uma *religião natural*, e na qual via algum valor.

TOLDO

No hebraico, significa **cobertura** (ver Eze. 27:7). Provavelmente era usado em navios para proteger os passageiros dos raios solares. Geralmente era tecido por mulheres. (Z)

TOLEDO, CREDO DE

Esse foi o credo elaborado como uma das atividades dos concílios de Toledo (400 e 702 D. C), embora um produto especial do décimo primeiro desses concílios, o de 675 D.C. Esse credo foi preparado para fazer oposição ao *priscilianismo* (vide).

TOLERÂNCIA

Esboço:
I. Terminologia Bíblica e Exemplos
II. Caracterização Geral
III. Contra-exemplos; Exemplos Inquisitoriais
IV. A Lei do Amor
V. A Tolerância Para os Filósofos

1. Terminologia Bíblica e Exemplos

No hebraico, temos seis palavras envolvidas e, no grego, seis palavras ou expressões, a saber:

1. *Chadal ou chadel,* "cessar", "deixar", "tolerar". Essa palavra hebraica aparece por cinquenta e nove vezes com esse sentido, conforme se vê, por exemplo, em Êxo. 215; Núm. 9:13; Deu. 23:22; I Sam. 23:13; I Reis 22:6,15; 11 Crô. 18:5,14; 25:26; 35:21; Jó 16:6; Jer. 40:4; Eze. 2:5; 3:11; Zac. 11:12.

2. *Chasek,* "reter", "poupar", "refrear-se", etc. Palavra hebraica usada ao menos por uma vez, com o claro sentido de "tolerar", em Prov. 24:11, onde o termo não é traduzido em nossa versão portuguesa. Nossa versão diz: "Livra os que", etc., enquanto que o original diria: Se tolerares livrar os que..."

3. *Mashak,* "esticar", "tolerar", "tirar" etc. Essa palavra também aparece por uma só vez com o claro sentido de tolerar, em Nee. 9:30, onde nossa versão portuguesa diz "os aturaste por muitos anos", uma excelente tradução.

4. *Damam,* "silenciar", "parar", "tolerar". Termo hebraico que figura por uma só vez com o claro sentido de "tolerar", ou seja, em Eze. 24:17, mas onde a nossa versão portuguesa não exprime a idéia, dizendo apenas, geme em silêncio... "quando deveria dizer algo como, procura gemer em silêncio..." ou "condescende em gemer em silêncio".

5. *Aph,* "tolerância", "longanimidade". Essa palavra

TOLERÂNCIA

hebraica também só é usada uma vez com o claro sentido de "tolerância", em Pro. 25:15.

6. *Kul,* "conter-se", "sustentar". Esse vocábulo hebraico também só aparece uma vez com o claro sentido de "tolerar", em Jer. 20:9, onde nossa versão portuguesa traduz por "...já desfaleço de sofrer...", quando deveria dizer algo como "...já não consigo tolerar..."

7. *Anéchomai,* "conter-se". Palavra grega usada por quinze vezes: Mat. 17:17; Mar. 9:19; Luc. 9:41; Ato 18:14; I Cor. 4:12; II Cor. 11:1,4,19,20; Efé. 4:2; Col. 3:13; II Tes. 1:4; II Tim. 4:3 e Heb. 13:22.

8. *Aníemi,* "enviar de volta", "deixar". Palavra grega empregada quatro vezes: Atos 16:26; 27:40; Efé. 6:9; Heb. 13:S (citando Jos.1:5).

9. *Pheídomai,* "poupar", "tolerar". Vocábulo grego usado nove vezes: Atos 20:29; Rom. 8:32; 11:21; I Cor. 7:28; II Cor. 1:23; 12:6; 13:2; II Ped. 2:4

10. *Stégo,* "cobrir", "tolerar". Palavra grega que é utilizada quatro vezes: I Cor. 9:12; 13:7; I Tes. 3:1,5.

11. *Anoché,* "tolerância". Palavra grega usada duas vezes: Rom. 2:4 e 3:26.

12. *Mè ergázesthai,* "não trabalhar". Expressão grega usada uma vez, em I Cor. 9:6, onde nossa versão portuguesa diz: "... não temos o direito de deixar de trabalhar?"

Conforme se pode ver acima, a idéia de tolerância na Bíblia envolve noções como tolerância, armistício, permissão, paciência, longanimidade, trégua, etc. Consideremos os pontos abaixo:

1. *Uma Característica de Deus.* Embora os homens sejam maus, Deus espera que eles mudem, retendo a sua ira e o castigo a ser aplicado (Nee. 9:30). Ele se mostra lento em irar-se e é constante em seu amor (Sal. 1018). Essa tolerância não indica indiferença, da parte de Deus, para com o pecado e o mal. Antes, é um sinal de paciência, de longanimidade, inspirada pelo amor. Deus se lembra de que não passamos de pó. No trecho de Romanos 9:22, Paulo atribuiu vários motivos à tolerância divina: mostrar, finalmente, a sua ira contra o pecado, em contraste com um período de espera, de tolerância; tornar conhecida a sua riqueza de tolerância para com os eleitos; exibir o seu poder, finalmente. contra os abusadores; conduzir os homens ao arrependimento (Rom. 2:4 e 11 Ped. 19).

2. *Cristo é Tolerante.* Durante sua vida terrena, Cristo demonstrou a característica da tolerância (Mar. 9:19). Jesus não exibiu o espírito de ressentimento e retaliação e repreendeu tal atitude em seus discípulos (Luc. 9:54 ss). O próprio Evangelho é prova da tolerância de Deus, exercida por meio de Cristo. Essa tolerância foi que inspirou Cristo a descer ao Hades, a fim de ali anunciar o Evangelho (I Ped. 3:18-4:6, especialmente 4:6).

3. *Nos Discípulos de Cristo.* Os crentes que são sérios quanto à inquirição espiritual são exortados a imitarem a seu Senhor, quanto à tolerância, suportando-se uns aos outros em paciência e humildade (Efé. 4:2). Aos crentes não convém retaliarem e ofenderem, e nem devem conservar ressentimentos. Também deveriam ser lentos em julgar e prontos a perdoar (Fil. 4:5; Col. 3:13; II Tim. 2:24).

4. *A Trégua Universal.* No grego clássico, o termo *anoché,* traduzido por "tolerância", em nossa versão portuguesa, em um trecho como se fizesse parte de Rom. 2:25, devido a certa transposição de frases, e visto como parte do vs. 26. E o termo grego *páresis,* "suspensão", é traduzido por "deixar impunes". Isso aponta para o fato de que o julgamento contra o pecado fora adiado, durante todo o Antigo Testamento, até à cruz. Comparar isso com Atos 17:30,31. Assim, Deus estabeleceu um período de trégua com os homens, embora não fosse forçado a fazê-lo; mas, fê-lo por causa de sua tolerância. Os homens, por sua vez, precisam entrar em trégua uns com os outros, esperando uma modificação para melhor, nas circunstâncias. O perdão de Deus é a base do perdão que damos a nossos semelhantes. Estamos endividados para com Deus, e devemos a nossos semelhantes misericórdia e bondade, mesmo quando eles não o mereçam, (ver Col. 3:13).

II. Caracterização Geral

Se alguém quiser ser tolerado, precisa usar de tolerância. Se alguém quiser liberdade religiosa, precisará concedê-la a outros. Se alguém quiser ser compreendido, terá de tentar compreender ao próximo. Se alguém quiser desfrutar de paz, precisará promover a paz entre seus semelhantes. Essas são questões fundamentais, mas os preconceitos religiosos, com freqüência, manifestam-se com maior força que a razão. Acima da mera tolerância, brilha a compreensão, e acima de ambas rebrilha a lei do amor. O intolerante desconhece quase inteiramente a *compreensão,* e menos ainda conhece o *amor.* De fato, o *ódio teológico* (ver sobre *Odium Theologicum*), para algumas pessoas, aparece como se fosse uma virtude. E não há ódio tão intenso e persistente quanto o ódio teológico. Os homens chegam a matar por causa da teologia, e pensam estar prestando a Deus um serviço. Os homens escrevem grossos volumes em favor do ódio teológico, pensando que a *arrogância religiosa* é sinônimo de espiritualidade. A *tolerância,* de fato, é uma virtude espiritual, mas *apenas um ponto inicial* na estrada do amor com que devemos amar ao próximo como a nós mesmos. Assim, ser *tolerante* é ser compreensivo ao ponto de permitirmos que outros creiam o que crêem sem procurarmos prejudicá-los ou tratá-los de forma amarga. A tolerância consiste em um estado permanente de boa vontade, dando margem às diferenças que vemos em outros, mesmo que discordemos dessas diferenças. Consiste em permitirmos que outras pessoas promovam as suas idéias, sem tentarmos restringir suas atividades, o que é precisamente a atitude que nós esperamos da parte dos outros.

Ser tolerante é não usar de amargura e espírito de censura. Quem é tolerante repele a ira e os preconceitos. O tolerante considera as idéias alheias com o intuito de aprender, e não tendo em vista encontrar motivos para críticas. A tolerância dá margem a diferenças, promovendo uma sociedade pluralista, na sociologia, na política e na religião. A tolerância envolve o *respeito* pela liberdade de expressão falada e impressa. *Recusa-se a perseguir* a outros, por causa de suas diferenças. A tolerância também manifesta um espírito de *humildade,* que parte do pressuposto que outra pessoa pode estar com a razão, naquilo que pensa e faz. Quem é tolerante suspende o julgamento, aguardando maiores luzes, em uma atitude de paciência e humildade. A tolerância promove a liberdade, bem como tudo quanto ela representa. Recusa-se a fazer da denominação religiosa à qual o indivíduo pertence (ou a fazer da própria vida religiosa) um campo armado, de onde podem ser desfechados ataques contra outrem. A tolerância é algo que se mostra conspícuo quanto à sua ausência, no mundo religioso atual.

III. Contra-exemplos; Exemplos Inquisitoriais

1. *A Inquisição.* Tenho preparado um artigo separado sobre esse assunto, (ver Inquisição), pelo que não repito aqui o material. Basta dizer que um movimento criou, promoveu e executou quarenta mil casos de perseguição,

TOLERÂNCIA

encarceramento, banimento e execução capital. A chamada *Santa Inquisição* foram quatrocentos e cinquenta anos de terror. Em termos de torturas, Hitler não passava de um aprendiz, comparado aos padres do Santo Ofício.

2. *João Calvino*. Quero referir-me agora a um deplorável caso de *exemplo ao contrário*. Antes que eu termine esta seção, o leitor compreenderá o sentido de minha ilustração. Todos já temos ouvido falar sobre o lado bom da vida e da obra de João Calvino. Quando eu ainda estava na fase do meu treinamento teológico, Calvino era para mim um grande herói. Meu primeiro filho recebeu o nome de *Calvino Tiago*, em inglês, Calvin James. Parecia-me que esse era um nome difícil, para meu filho viver à altura de sua fama. Porém, lamento dizer que há um lado tremendamente negativo na vida de João Calvino. As fontes informativas do que aqui digo são enciclopédias é histórias eclesiásticas (três volumes do professor Kurtz, um historiador luterano cuja obra, por muitas décadas, foi a obra padrão de história eclesiástica, usada nas universidades alemãs).

Preciso informar ao leitor, desde o começo, que tenho lido o comentário de Calvino sobre o Novo Testamento de capa a capa, tendo extraído dali muitas citações úteis, enriquecendo o meu comentário (*O Novo Testamento Interpretado*). Há na obra de Calvino muita coisa boa. Infelizmente, também há um lado negativo.

Todos conhecemos bem a história de como Serveto foi executado na fogueira, em Genebra, na Suíça, porquanto negava a doutrina da Trindade. O que o leitor talvez desconheça é que a captura dele foi planejada e executada por Calvino, com o propósito específico de executá-lo. Calvino não enviou homens que apreendessem a Serveto, mas baixou uma ordem para que fosse detido, se ao menos chegasse perto de Genebra. Calvino pareceu misericordioso. Queria decapitar Serveto. Mas os discípulos dele foram mais entusiastas. E executaram Serveto na fogueira. Triste relato, mas apenas um dentre muitos.

Kurtz revela para nós que houve muitas vítimas de Calvino. Entre os anos de 1542 e 1546 (apenas quatro anos), embora Genebra contasse com uma população de apenas vinte mil pessoas, houve nada menos de cinquenta e sete execuções capitais, sessenta e seis banimentos e um número incalculável de encarceramentos, tudo por motivos religiosos. Tais pessoas não eram criminosos civis. Tão–somente eram indivíduos que discordavam de uma ou de outra das doutrinas ensinadas por Calvino. Ele usava textos de prova do Antigo Testamento, para encontrar autorização para as suas matanças. Convenientemente, ignorava textos neotestamentários, como Lucas 9:54-56, que nos mostra qual o espírito da pessoa que se envolve com tais coisas.

Assim, Jacques Gruet foi decapitado. Jerônimo Bolsec foi encarcerado, e então banido. Sebastião Castellio, que era diretor do sistema escolar de Genebra, foi banido por duas razões: primeira, ele objetava às execuções e aos encarceramentos; em segundo lugar, ele objetava à interpretação dada por Calvino sobre a história da descida de Cristo ao Hades. Calvino dizia que Cristo pregara a condenação no Hades, contradizendo a passagem de I Pedro 4:6 Castellio teve de se retirar de Genebra e foi ensinar grego na Bailéia.

Kurtz ajuntou que esse período foi "um reinado inquisitorial de terror" (vol. 3, pág. 304). Calvino era conhecido por suas explosões de fúria, que ele chamava de sua "fera".

3. *Galileu Galilei*. Galileu foi um astrônomo e filósofo italiano (1564-1642). Criou-se em um mosteiro, mas estudou na Universidade de Pisa. Tendo-se formado, continuou ali, como professor. Aderiu às novas idéias astronômicas que se alicerçavam sobre os ensinos de Copérnico. Por causa disso, Galileu foi atacado por teólogos do Santo Ofício, tendo sofrido uma amarga oposição da parte de cientistas *ortodoxos* de sua época. Em 1616, foi censurado pelos teólogos do Santo Ofício, tendo sido proibido de ensinar as novas idéias. Galileu concordou; mas as idéias ferviam em seu cérebro. Isso posto, ele publicou um diálogo que confrontava a antiga astronomia aristotélica ptolemaica com a variedade copérnica, mais recente. Embora supostamente uma exposição imparcial, não era difícil perceber qual era a preferência do próprio Galileu. E Galileu recebeu ordens de apresentar-se em Roma, por parte da Inquisição. Foi acusado de haver desobedecido à ordem de *abandonar o ensino* de suas novas idéias.

Há um aspecto cansativo na história dos fanáticos. É que eles permanecem agrilhoados na prisão de seu exclusivismo. Na verdade, merecem compaixão a exemplo de quaisquer outros prisioneiros.

As heresias de Galileu:

O seu aprimoramento do telescópio permitia-lhe ver a natureza da luz da Lua como um reflexo, além de ver as luas de Júpiter, as fases de Vênus, os anéis de Saturno, a ocorrência de manchas solares e a rotação do Sol sobre o seu próprio eixo. Ele também obteve mais evidências sobre a rotação da Terra e sobre a sua órbita em redor do Sol, como questões óbvias. Porém, a ortodoxia da época negava essas verdades, dizendo que a Terra mantinha-se imóvel no espaço (embora os gregos da época de antes de Cristo já tivessem afirmado que a Terra movia-se no espaço), e dizia que a Terra era o centro do Universo. Naquele tempo, tanto os cientistas como os teólogos consi-deravam o movimento como a causa primária da *decadência,* e, naturalmente, todos sabiam que a criação de Deus não podia ser decadente, e que Ele criara a Terra como o centro do Universo. Galileu solicitava dos teólogos que olhassem por meio de seu telescópio, como prova em contrário, mas eles se recusavam a isso!

Galileu, naturalmente, estava interessado em poupar a própria vida. Por esse motivo, concordou em retratar-se, reconhecendo o seu erro. Teve de retratar-se de joelhos. E confessou o seu "erro" para satisfação de todos os circunstantes, tendo concordado, uma vez mais, em não ensinar as novas idéias. Porém, diz-se que quando ele se levantou dos joelhos, disse em voz baixa: E *pur si si muove*, isto é: "Não obstante, ela (a Terra) se move". E, durante o resto de seus dias, foi sujeitado a cárcere a domicílio.

É curioso que somente em nossa própria época, mais de qua-trocentos anos depois, a Igreja, por meio do papa João Paulo II, "perdoou" a Galileu, limpando assim o seu nome.

A ignorância de nada vale. Os homens têm o direito de investigar, pesquisar e prestar relatório de suas descobertas. Os detratores nem sempre estão com a razão. Na maioria das vezes, eles são culpados de crimes que as suas vítimas nem pensam em cometer. Prejudicar os laços de união da Igreja de Cristo é um crime muito sério.

IV. A Lei do Amor

Alguns cristãos congratulam-se quando conseguem demonstrar tolerância. Porém, muito acima da tolerância brilha a lei do amor. Há um vínculo de amor em Cristo que ultrapassa nossos grupos e denominações particulares. Podemos tolerar e até mesmo amar a outros, ao mesmo tempo em que discordamos de certos pontos de doutrina de outras

TOLERÂNCIA

pessoas. A lei da tolerância é uma lei secundária, comparativamente falando; e, no entanto, há muitos evangélicos e outros cristãos que nem são capazes disso. A lei do amor é uma lei superior àquela. Requer que amemos até mesmo aos nossos inimigos, para nada dizer sobre outros cristãos, que jamais poderiam ser tidos como nossos inimigos. Ver os artigos separados sobre a *Tolerância e o Amor.*

Oh, Deus, que carne e sangue fossem tão baratos,
Que os homens odiassem e matassem,
Que os homens silvassem e cortassem a outros,
Com línguas de vileza... por causa da
"teologia".
(Russell Champlin).

V. A Tolerância para os Filósofos

1. *Estágios da Tolerância Histórica*. No começo, grupos conflitantes chegaram a reconhecer que cada lado tinha seu território legítimo para possuí-lo e utilizá-lo. Parte dessa tolerância visava permitir dissidentes a emigrarem, e não a lançá-los no cárcere ou a executá-los. Os historiadores dão o título de *territorialismo* a essa forma crua de tolerância. Depois, houve alguma tentativa por entender os pontos de vista uns dos outros, permitindo liberdade de expressão quanto a esses pontos de vista. Os historiadores chamam essa fase de *latitudinarianismo*. Ver sobre *Latitudinários*. Religiões de idéias contrárias foram reconhecidas oficialmente, e, portanto, protegidas por lei. Nem sempre houve reconhecimento legal, mas muitas vezes houve um reconhecimento na prática. *Em terceiro lugar*, em alguns lugares foi instituída a *pax dissidentium*, segundo a qual os dissidentes podiam gozar de completa paz, sem temor à perseguição. Contudo, ainda havia insultos abundantes, e formavam-se grupos religiosos que se digladiavam como campos opostos. A guerra fria substituía a guerra quente. Mas, pelo menos, foi instituída certa medida de liberdade, de tal modo que cessaram banimentos, aprisionamentos e matanças, excetuando em casos isolados.

2. *Jeremy Taylor* desenvolveu uma teoria de tolerância com base na experiência pessoal que ele tivera nos dias de Cromwell. Ele argumentava que é impossível alguém demonstrar a verdade religiosa, pelo que a heresia não seria um erro, mas apenas uma diferença de opinião. E dificilmente uma pessoa pode ser perseguida por esse motivo. E também argumentava que, para a verdade avançar, ou para que a mesma seja descoberta, torna-se necessária a *pluralidade*. O *monopólio* sempre entrava o espírito humano, sem importar qual o campo dominado por esse monopólio. Por isso, Jeremy Taylor via razões para limitar a tolerância, sobre razões pragmáticas. Precisamos considerar o que é bom para o bem público, e também precisamos respeitar os fundamentos da fé.

3. *Spinoza* foi um judeu perseguido tanto por judeus como por cristãos. Assim, por força de sua própria experiência, sentiu a necessidade de tolerância. Ele argumentava que a imposição de crenças leva ao conflito civil, não havendo valor tão grande quanto a *liberdade*. E essa liberdade deve abranger o campo religioso e o campo político. O Estado, dizia Spinoza, deve garantir essa liberdade como um de seus deveres básicos.

4. *John Locke* acreditava na necessidade de pluralidade religiosa, e também dizia que a tolerância deve ser ampla e irrestrita. Mas rejeitava a tolerância quanto ao ateísmo, argumentando que o próprio Estado está alicerçado sobre certas crenças religiosas.

5. *Voltaire* tinha uma visão mais ampla, e requeria tolerância para todos, sem importar as convicções religiosas de quem quer que fosse. Ele costumava dizer: "Desaprovo o que dizes, mas defenderei até à morte o teu direito de o dizer". Ele dizia que a Inglaterra era a nação onde toda forma de tolerância e de direitos humanos tinha feito o maior progresso.

6. *Rousseau* desejou legislar a tolerância, forçando as pessoas a conduzirem-se em paz. Seu ideal era que as pessoas se tornassem tolerantes, dotadas de um credo deísta, que incluísse como um de seus pontos básicos, a absoluta rejeição da intolerância.

7. *Bases filosóficas* da tolerância, com freqüência, eram crenças ou ideais éticos, como o utilitarismo (vide) de Jeremy Bentham, cujo ideal era que se pudesse obter a maior felicidade possível para todos. A felicidade dificilmente pode ser obtida em meio à arrogância e à perseguição.

8. *Augusto Comte* via a tolerância como algo necessário para o progresso da sociedade e sua estabilidade. Historicamente, ele cria que a Reforma Protestante e a Revolução Francesa tinham assinalado o fim de períodos de instabilidade, e que a história subseqüente seria favorável à promoção da tolerância. À medida que a ciência fosse substituindo a religião como a força principal do processo histórico, um *acordo compartilhado* deveria tornar-se o fator predominante, marcando o fim dos princípios de tolerância e de liberdade de consciência como questões conflitantes.

9. *J.S. Mill* defendia a idéia de tolerância generalizada, limitada somente pelo princípio em que os direitos de um indivíduo não infringissem os direitos de outrem. Nesse ponto, deve aparecer a negociação, no espírito de partilha.

10. *Francisco Guizot*, em seu livro, *História da Civilização na Europa*, argumentou que a tolerância faz parte essencial do cristianismo, e que quando a tolerância não existe, a fé cristã é pervertida pela intolerância. A anarquia e o despotismo são pólos opostos, e ambos levam à estagnação. Mas, ocupando posição intermediária, a tolerância dá margem ao progresso e ao entendimento.

11. *Proudhon* argumentava que os estados coercivos devem ser substituídos por aqueles onde o princípio básico é a cooperação voluntária. Ora, isso não pode ser conseguido em uma atmosfera de intolerância, pelo que a tolerância é essencial para o progresso político.

12. *Juan Donoso Cortés*, em sua obra *Ensaio sobre o Catolicismo, o Liberalismo e o Socialismo*, atacou a tolerância como um ideal falso. Ele argumentava a partir da idéia (falsa) que a Igreja é infalível, pelo que seus dogmas não podem ser contraditos. Aqueles que negam essa infalibilidade estariam em erro, e o erro não pode ser tolerado. Em sua filosofia, pois, obteve a vitória a atitude preconceituosa, filosofia essa que continua sendo advogada por muitos.

13. *James Balmes*, em seu escrito, *Protestantism Compared to Catholicism* (quatro volumes), argumentava em favor de uma tolerância parcial. Ele acreditava que é impossível tolerar o erro, pelo que a tolerância só poderia ser aplicada quando a verdade não é conhecida e ainda está em disputa. Nessa fase, idéias divergentes deveriam ser respeitadas. Porém, é claro que aqueles que são religiosamente preconceituosos acham que suas idéias são "verdadeiras", razão pela qual não há muito espaço para debates, e a intolerância assinala quase todas as disputas.

14. *E.A. Westermark* acreditava que o princípio da relatividade governa a vida e as idéias humanas, e que a tolerância será sempre necessária em situações relativas, onde não possa ser determinado o absoluto. O relativismo, pois, favorece a tolerância.

TOLERÂNCIA, ATO DE – TOMÉ

TOLERÂNCIA, ATO DE
Esse ato foi instituído na Inglaterra, em 1689. Apesar de estar originalmente limitado aos cristãos trinitarianos, assinalou o fim da completa uniformidade religiosa inglesa.

TOLO Ver **Raca**.

TOLSTOY, LEÃO
Suas datas foram 1828-1910. Foi um escritor e filósofo social russo. Nasceu em Yasnaya Polyana. Estudou na Universidade de Kazan. Trabalhou durante muitos anos como autor e pensador provocante. Uma crise mental forçou-o a confiar em um tipo neotestamentário de cristianismo, com bases éticas. Tolstoy era um tanto ascético, tendo-se tornado vegetariano e tendo rejeitado toda forma de luxo. Escrevia como se tivesse uma missão social a cumprir. Exerceu notável influência sobre Rousseau. Promoveu a anarquia religiosa. Foi excluído da Igreja Ortodoxa Russa em 1901.

Idéias:
1. Todas as religiões ensinam a realidade de Deus, e como essa realidade deveria ser a base de nossos atos e intercomunicações pessoais.
2. Porém, ele foi um anarquista religioso, tendo declarado que todos os governos são coercivos e são agentes de exploração das massas. E pregava a associação voluntária como substituto para os governos formais, salientando a necessidade da não-violência para que houvesse mudanças. Ele promovia a revolução moral ativa, conjugada com a resistência passiva.
3. Obteve para si mesmo um lugar conspícuo no campo da estética. Sua teoria fundamental era que as artes provêem aos homens um meio de *expressão emocional*. Com sua arte, o homem transmite seus mais profundos sentimentos. Os sentimentos morais e religiosos são os mais importantes.
4. Uma vida caracterizada pela renúncia é a melhor expressão de um homem.
5. O indivíduo deve esforçar-se por servir à sua natureza superior, e não à sua natureza inferior. Nossa razão e nossa consciência fluem dessa natureza superior. Devemos seguir o bem que conhecemos intuitivamente.
6. Tolstoy achava erros e distorções na Bíblia, mas acreditava que os ensinamentos de Cristo, uma vez corretamente entendidos, provêem-nos o propósito certo para viver.
7. Os mais importantes ensinamentos de Jesus seriam: não te ires; não te deixes arrastar pela concupiscência; não te obrigues por meio de juramentos; resiste ao mal; sê bondoso para com justos e injustos, igualmente.
8. Ele rejeitava a violência, a guerra, o fumo, as bebidas alcoólicas, o homicídio e a ingestão de carne animal, além da cultura artificial das classes sociais mais abastadas.
9. Acima de tudo, ele promovia a lei do amor, sem a qual nenhum indivíduo ou sociedade pode ir muito longe.
10. Esteve empenhado em muitos debates, com sua esposa, sobre questões de propriedade e de luxo. Chegou a envergonhar-se de pregar a moderação e a tolerância, mas vivia em circunstancias de abastança. Por isso, ele afastou-se secretamente dessa posição, deixando de lado o que lhe parecia vergonhoso. Aos oitenta e dois anos de idade, continuava ativo, fazendo-se acompanhar por seu fiel médico. Procurou livrar-se de todas as preocupações mundanas, aproximando-se assim de Deus. Porém, poucos dias depois da tomada dessa decisão, morreu em uma minúscula estação ferroviária a caminho de sua liberdade. E seu cadáver foi transportado a Yasnaya Polyana, para ser sepultado.

TOM DE OITAVA
No hebraico, *sheminith*. Ver *Música, Instrumentos Musicais e Salmos, Livro de*.

TOMÁS, CRISTÃOS DE
Os cristãos de Tomás também são conhecidos por a Igreja Síria de Malabar. Localizam-se, principalmente, no Sul da India. As suas tradições afirmam que o apóstolo Tomás foi o iniciador da Igreja deles, e que foi martirizado na India, em 58 d.C. Porém, é difícil precisar quão acurada é essa tradição.

Cosmo, um viajante grego do século VI d.C., escreveu sobre esse grupo de cristãos, o que serve para mostrar sua antiguidade, embora o mesmo não seja tão antigo como se afirma. Dividiu-se em 1613. Uma das divisões, a seção uniata, permaneceu fiel a Roma, e a outra divisão, jacobita, inclinou-se em favor do patriarcado de Antioquia. Essa denominação cristã continuou crescendo em ambos os segmentos em que se dividiu.

TOMÁS À KEMPIS
Ver sobre *Imitação* de Cristo, o livro que tornou famoso o nome de seu autor. Na verdade, porém, o autor dessa obra foi *Gerhard Groote* (vide). Tomás à Kempis nasceu em 1380 e faleceu em 1471. Era nativo de Kempen, na Alemanha (o que explica o seu nome). Educou-se na escola de Gerhard Groote, em Deventer. Tornou-se monge agostiniano. Foi enviado ao convento do monte Santa Agenes, em Zwolle. O livro, erroneamente atribuído a ele, tornou-se um dos tesouros devocionais do cristianismo.

TOMÁS DE AQUINO
Ver sobre *Aquino, Tomás de (Tomismo)*.

TOMÉ
1. *Nome e Referências Bíblicas*. Este nome provém da transliteração grega de uma palavra aramaica que significa "gêmeo". Em João, o grego *Dídimo* é usado para indicar a mesma coisa. Ver João 11:16; 20:24; 21:2. O Novo Testamento não identifica sua irmã ou irmão gêmeo. A tradição afirma que ele tinha uma irmã gêmea chamada Lídia. Existe também uma tradição que (nesciamente) o faz irmão gêmeo de Jesus. Tal tradição é preservada no livro apócrifo de *Atos de Tomé*. Em alguns manuscritos siríacos, ele é chamado *Judas Tomé*, em distinção a Judas Iscariotes. As referências bíblicas sobre ele são as seguintes: Mat. 10:3; Mar. 3:18; Luc. 6:15; João 11:16; 14:5; 20:24, 26, 27, 28, 29; 21:2; Atos 1:13.

2. *Informação Neotestamentária*. As tradições situam o nascimento de Tomé em Antioquia, mas sua origem é a Galiléia, de onde também vieram os demais discípulos originais (João 21:2). Os Evangelhos Sinóticos nos relatam seu chamado por Jesus, o Cristo (Mat. 10:3; Mar. 3:18; Luc. 6:15). O restante da informação que temos dele provém do Evangelho de João. Ele era muito ansioso, céptico, porém não falto de coragem. Temeroso do que pudesse acontecer a Jesus se seguisse a tencionada viagem a Betânia (Lázaro acabara de falecer ali), Tomé animou os outros discípulos a ir com ele para lá, a fim de que todos pudessem morrer com ele, obviamente via execução por parte das autoridades judaicas. Ver João 11:16. A passagem imortal de João 14 o representa como quem não sabia aonde Jesus estava indo, evidentemente desco-

nhecendo a que ele se referia (a viagem da morte), e assim perguntando de que forma os discípulos saberiam como segui-lo (João 14:5). Essa mudança verbal provocou as palavras de Jesus, tão amiúde repetidas ao longo dos séculos: "Eu sou o caminho, e a verdade, e a vida; ninguém vem ao Pai senão por mim" (João 14:6). Filipe, ansioso por ver o Pai, foi informado de que aquele que vê o Filho, por esse mesmo fato também está vendo o Pai.

Logo depois da ressurreição de Jesus, os discípulos se mantiveram juntos, porém Tomé não estava presente. Quando foi informado por eles que "haviam visto o Senhor", seu cepticismo tomou uma vez mais as rédeas, levando-o a afirmar que não creria, a não ser que visse, com seus próprios olhos, a Jesus redivivo, e examinasse pessoalmente as feridas que ele sofrera na cruz. Ver João 20:25. Oito dias depois, todos os discípulos estavam novamente juntos. Eles temiam ser apanhados e mortos pelos judeus; por isso se mantinham escondidos, mantendo trancadas as portas do local onde se achavam. De repente, Jesus apareceu-lhes, não fazendo caso de portas e fechaduras, mas simplesmente surgindo. Depois de saudar a todos com a "paz", dirigiu-se francamente ao céptico e o convidou a tocar-lhe as feridas. O céptico foi exortado a exercer plena fé e a abandonar seu ridículo cepticismo. Atônito e temeroso, Tomé não estendeu seu dedo a examinar as feridas, mas simplesmente pronunciou as palavras imortais que continuam ecoando até hoje: "Respondeu-lhe Tomé: Senhor meu e Deus meu!". Jesus, pois, nos outorgou uma das mais excelentes jóias da história evangélica: "Bem-aventurados os que não viram e creram". Ver João 20:28, 29.

Eis aqui os elementos da maior história já contada, e no entanto muito dessa espantosa história foi deixado em silêncio, porque: "Jesus, na verdade, operou na presença de seus discípulos muitos outros sinais que não estão escritos neste livro. Estes, porém, foram escritos para que creiais que Jesus é o Cristo, o Filho de Deus, e para que, crendo, tenhais vida em seu nome" (João 20:30, 31).

3. *Tradições Posteriores*. As tradições tipicamente buscam preencher as lacunas e glorificar os objetos de sua descrição, daí com freqüência serem de pouco valor. Orígenes (citado por Eusébio, historiador eclesiástico, *Hist.* III.1) nos conta que, depois da ressurreição, Tomé trabalhou na Pártia. A Pártia era um distrito que ficava a sudeste do mar Cáspio, que fizera parte do império persa, conquistado por Alexandre, o Grande, da Macedônia. Para maiores detalhes, ver o artigo intitulado *Partas (Pártia)*. O livro apócrifo, *Atos de Tomé*, o caracteriza como missionário na Índia, onde supostamente sofreu o martírio. Clemente de Alexandria (*Stromateis*, livro 4) afirma, contudo, que ele sofreu morte natural. Os cristãos atuais da Índia traçam a descendência espiritual de Tomé, e alguns até mesmo reivindicam ser seus descendentes físicos. Isso adiciona certo dose de mitologia a uma história que provavelmente foi mitológica desde o início.

TOMÉ, APOCALIPSE DE

Esta obra era conhecida desde a antigüidade apenas por seu título, mencionada e condenada no *Decretum Gelasianum*, mas posteriormente foi encontrada em dois manuscritos, provavelmente escritos originalmente em grego, dos quais foram feitas cópias latinas. Um desses manuscritos é bem extenso, enquanto o outro é breve e essencialmente baseado na segunda parte do primeiro. A descoberta só aconteceu em 1908, e julga-se que se trate de um texto datado do quinto século d.C.

Conteúdo. 1. A primeira parte trata dos sinais que, supõe-se, precedem o juízo, seguindo o padrão de Daniel e de outras literaturas apocalípticas. Referências históricas nesta parte nos dão a provável data de sua composição. 2. A segunda parte fornece *sete* sinais do fim dos tempos que se concretizam em *sete dias*, um aspecto único da literatura apocalíptica. Esses dias, provavelmente, devem ser entendidos como sendo sete *anos*, e, nesse caso, simplesmente repousam nos livros canônicos, Dan. 8:14; 9:27; 12:1 e Apo. 11:2, 3 e 13:5. A segunda parte contém muitos reflexos do Apocalipse canônico do Novo Testamento.

O manuscrito mais breve corresponde, abruptamente, à segunda seção da primeira, descrita anteriormente. Para mais detalhes sobre esse gênero de literatura, ver o artigo intitulado *Apocalípticos, Livros (Literatura Apocalíptica)* na *Enciclopédia de Bíblia, Teologia e Filosofia*.

TOMÉ, ATOS DE

Este livro é formado por 13 *atos* supostamente atribuídos de Tomé. A obra solicita que creiamos que Jesus pessoalmente comprou o homem da escravidão egípcia, naturalmente com propósitos evangelísticos. A obra inclui um relato de seu martírio. Ela é *apócrifa* (ou seja, não canônica), porém uma "obra oculta", misteriosa e cheia de segredos e acontecimentos que se deram longe dos olhos humanos, até ser revelada pelo herói do livro. É também *pseudepígrafa*, ou seja, atribuída a um autor que realmente não a escreveu, daí exibir um *falso nome* de seu autor. Esta obra é a última de cinco composições apócrifas maiores. Existem manuscritos dela em grego e siríaco, e os estudiosos debatem qual deles veio primeiro, sem chegar a um resultado positivo. Debate-se também se a obra é de caráter gnóstico; aludindo, como tudo faz crer, ao mito de um redentor gnóstico, porém algumas das idéias são partilhadas também por escritores ortodoxos, tornando-se difícil determinar precisamente qual sistema, se porventura existe algum em particular, inspirou o livro. Historicamente, em qualquer caso, ela se tornou popular nos círculos gnósticos. Ver sobre *Gnosticismo* na *Enciclopédia de Bíblia, Teologia e Filosofia*.

O Apóstolo Tomé é o poder por trás dos atos e milagres deste livro, tendo recebido como designação a evangelização da Índia. Tomé se mostrou relutante a desincumbir-se da tarefa, por isso Jesus se viu forçado a vendê-lo como escravo do rei Gundaforo (uma figura real do primeiro século d.C.). Um dos "atos" mais interessantes deste livro é aquele realizado por Tomé quando o rei lhe pediu que construísse um palácio com certa quantia de dinheiro que lhe passaria às mãos. Em vez de erguer o castelo, Tomé deu o dinheiro aos pobres e necessitados. O rei ficou muito furioso; mas, convenientemente, seu irmão morreu de repente e então voltou à vida. Em contrapartida, viu o magnificente palácio do rei que fora ali construído em virtude das boas obras do rei, *através de Tomé*, o qual contribuíra de forma caridosa, por isso construiu uma *mansão espiritual*. Seguiram-se outras maravilhas. O homem curou espiritualmente um assassino, então prontamente ressuscitou dos mortos sua vítima. Realizou um exorcismo espetacular numa mulher atormentada. Efetuou várias curas significativas. Então apagou miraculosamente um incêndio. Curou uma mulher chamada Migdonia, esposa de um parente próximo do rei, chamado Charísio. Sua esposa então decidiu não o querer mais, por isso ele matou Tomé. Mas a igreja cristã prosseguiu.

Alguns aspectos proeminentes, além dos milagres fantásticos, são a atitude ascética que o livro promove; a ênfa-

TOMÉ, EVANGELHO DE – TOMISMO

se sobre os sacramentos; alguns hinos e sermões muito belos. Os dois hinos especiais são o Hino Nupcial e o Hino da Pérola. O livro, naturalmente, é a fonte da alegação de que foi Tomé quem evangelizou a Índia, alegação na qual os cristãos ali, até hoje, baseiam sua herança espiritual. Seus ossos presumivelmente se acham preservados em Edessa. O livro apresenta vários modelos da Igreja Oriental, provavelmente um ramo primitivo dela, mas até onde recua é difícil dizer. Permanece em dúvida também se realmente Tomé fundou a igreja na Índia, visto ser difícil dizer quanto do livro é histórico e quanto é invenção.

TOMÉ, EVANGELHO DE

Há *quatro* obras que poderiam ser assim chamadas. São todas *apócrifas*, ou seja, livros secretos, ocultos, duvidosos, os quais não se encaixam no status canônico. São *pseudepígrafos*, pois não foram escritos pela pessoa a quem são atribuídos, ou seja, têm falsos autores ou falsos nomes vinculados a eles. Ver sobre *Livros Apócrifos e Pseudepígrafos* na *Enciclopédia de Bíblia, Teologia e Filosofia*. Todas essas obras são atribuídas a Tomé, o Apóstolo do Senhor. Poderiam ser chamados "evangelhos", visto que presumivelmente falam de acontecimentos que ocorreram quando Tomé se associou a Jesus em seu ministério terreno.

1. *Pistis Sophia*, ou expressão grega para *Fé-Sabedoria*, significando talvez "a fé que provém de ser espiritualmente sábio", é uma obra gnóstica que representa Filipe, Tomé e Mateus como os principais discípulos de Jesus, em lugar de Pedro, Tiago e João dos Evangelhos canônicos. A biblioteca de Nag Hamade também contém um Evangelho de Filipe. Ver sobre *Gnosticismo* e *Nag Hamade, Manuscritos de* na *Enciclopédia de Bíblia, Teologia e Filosofia*.

2. *O Livro de Tomé, o Atleta*, também da coleção de Nag Hamade, é igualmente uma obra gnóstica. Contém presumivelmente os ensinos secretos de Jesus entregues a *Judas Tomé* e compilados por Mateus. O termo *Atleta* deve ser tomado em sentido espiritual. Este discípulo foi um grande atleta espiritual que realizou grandes festas.

3. *O Evangelho da Infância* é outra obra gnóstica totalmente *docética* em sua natureza. Isso vem da palavra grega "parecer", e na aplicação teológica significa que Jesus apenas *parecia* um ser humano, mas era, na verdade, um ser divino (como um anjo sublime), apresentando-se como se fosse homem, porém desempenhando realmente sua obra como uma pessoa sobre-humana. Para detalhes, ver o artigo intitulado *Docetismo* na *Enciclopédia de Bíblia, Teologia e Filosofia*.

Alguns exemplos dos alegados prodígios de Jesus, feitos quando criança: Jesus era uma criança prodígio de gigantescas dimensões espirituais. Em várias ocasiões, realizou milagres destrutivos, mas em seguida aplicava a cura. O pai de Jesus, um carpinteiro bastante inapto, quando suas tábuas não tinham um tamanho certo, ele as aumentava ou diminuía para torná-las úteis a tudo e qualquer propósito que tinha em vista. Jesus foi tirar água, porém não tinha cântaro, por isso usou uma cavidade em seu manto a fim de levar água para casa. Ele quebrou o sábado fazendo naquele dia imagens de pássaros de barro. Para proporcionar evidência, ele fazia os pássaros voltar à vida, os quais voavam com graciosa rapidez. Ele não tinha necessidade de sabedoria e aprendizado humanos, visto já possuir a sabedoria divina.

Os originais dessas obras provavelmente estavam em grego, porém se tornaram tão populares que foram vertidos para o latim, siríaco e georgiano.

4. *O Evangelho Cóptico de Tomé*. Esta obra também fazia parte da biblioteca gnóstica de Nag Hamade. É essencialmente uma coleção de *logoi* (ditos) de Jesus, mais do que uma biografia com eventos históricos. A expressão "disse Jesus" introduz os ditos. Estão incluídas muitas parábolas que não fazem parte dos Evangelhos canônicos. A obra recebe eco dos Evangelhos Sinóticos (Mateus, Marcos e Lucas), porém nada que nos lembre do Evangelho de João. Houve um intercâmbio de materiais das obras gnósticas. Os ditos do papiro da *Logia Oxyrhynchus* estão todos incluídos no Evangelho de Tomé. Aparecem em grego, traduzidos para o cóptico, e isso pode sugerir um original grego do Evangelho, porém permanece em aberto o problema se o Evangelho teve um original grego ou cóptico. Embora pareça que este Evangelho contenha simplesmente histórias e ditos extraídos dos Evangelhos Sinóticos e reescritos, com muita freqüência não são tão estreitos para que o de Tomé dependa diretamente dos Evangelhos canônicos. Talvez alguma outra fonte, ora desconhecida e mais recente, tenha servido para esta obra, a qual tem reflexos dos Evangelhos canônicos. As citações de Clemente de Alexandria extraídas do *Evangelho dos Hebreus* e do *Evangelho dos Egípcios* são paralelas a alguns ditos de Tomé, e há outras semelhantes ao Diatessaron de Tácio e o pseudo-Clementinas. Sendo isso procedente, o máximo que podemos dizer é que não houve nenhuma matéria extracanônica sobre Jesus para a inclusão de outros pretensos ditos seus, de modo que obras diferentes sejam melhoradas e incorporadas. Achar, porém, uma fonte, ou uma fonte principal para o Evangelho de Tomé, parece ser uma tarefa desesperançada. Poderia haver, naturalmente, alguns materiais históricos genuínos, não canônicos, para incluir os ditos de Jesus, mas como cavá-los da massa que envolve tantas conjecturas dúbias? O Evangelho de Tomé é um tipo de príncipe dos evangelhos não canônicos, e por isso tem sido chamado "o quinto evangelho", uma avaliação exagerada da obra, porque não podemos estar certos de sua autenticidade em algum grau apreciável. E, se ele não é autêntico, dificilmente merece tal título.

Esta obra evidentemente data do segundo século d.C. e sobrevive a vários manuscritos gregos e cópticos.

TOMISMO

Esboço:
1. Caracterização Geral
2. O Tomismo de Tomás de Aquino
3. Crescimento Histórico do Tomismo

1. Caracterização Geral

Ver o artigo detalhado sobre *Aquino, Tomás de (Tomismo)*. O tomismo também é conhecido como *aristotelianismo cristão*. Porém, apesar de sugestiva, essa designação é muito estreita. Antes de tudo, houve outras influências sobre as idéias de Tomás de Aquino, principalmente o platonismo, o biblicismo, a teologia cristã ocidental, o pseudo-dionismo e o agostinianismo. Tomás de Aquino e seu sistema são por demais distintivos e universais para serem reduzidos a qualquer designação simples. Parte do caráter distintivo da filosofia-teologia de Aquino é o fato de que ele foi o primeiro a partir, sistematicamente, do reconhecimento da diferença entre o natural e o sobrenatural, entre a razão humana e a revelação, atribuindo a cada aspecto seu devido lugar, dentro de um sistema *unificado*. Aquino não tentou sujeitar à razão humana certas doutrinas da fé (os mistérios), embora insistindo que, quanto a outras questões, a razão humana fica satisfeita com a teologia e suas proposições, servindo de útil instrumento para explicar e organizar as mesmas.

Alguns têm interpretado que Aquino ensinava a proposição empírica que "nada existe no intelecto que não tenha estado primeiro nos sentidos". Mas apesar de ser verdade que ele disse tal coisa, não é verdade que ele tenha feito uma aplicação universal dessa proposição. Filósofos anteriores a Aquino (como seu mestre, Alberto Magno) contentavam-se em dividir o campo, dando ao empirismo o seu lugar, e à razão e à revelação o seu. O argumento foi de Tomás de Aquino fazer tudo depender da experiência humana, mas o exame de sua filosofia mostra que tal conceito é falso. Quando ele falava sobre aquelas doutrinas que somente a fé pode aceitar e demonstrar, obviamente tinha abandonado a teoria da *percepção somente*. Mas, na qualidade de monge dominicano e cristão, ele acreditava na revelação divina quanto a certas verdades, inteiramente à parte da razão e da percepção dos sentidos. A razão era usada por Tomás de Aquino não para suplantar a fé, e, sim, para suplementá-la, ou que se tornou abordagem católica romana comum, enquanto que os protestantes e evangélicos mais facilmente seguem a noção kantiana, que faz todas as doutrinas dependerem da fé, desprezando a função da razão. Ver sobre o *Antiintelectualismo*. Até onde posso ver as coisas, quanto a esse particular os católicos romanos estão mais certos do que os protestantes. É ridículo desprezar a razão, que é um dom de Deus que certamente nos foi dado como guia.

2. O Tomismo de Tomás de Aquino

Naturalmente, devemos pensar aqui sobre as idéias e ensinamentos de Tomás de Aquino, em sua própria época. Quase todas as suas idéias ficaram registradas em suas gigantescas obras escritas, *Summa Contra Gentiles* e *Summa Theologica*. Contudo, embora essencialmente teológicas em método e objeto, essas obras contêm um aristotelismo cristão implícito, caracterizado pelo realismo e pelo pluralismo moderados, com a ajuda de uma estrutura platônica; todavia, essas obras são plenamente cristãs em sua natureza, concordando, principalmente, com a teologia ocidental, da qual Agostinho foi o maior mestre. Aquino não criou, mas melhorou e organizou as provas tradicionais da existência de Deus. Ver o artigo chamado *Cinco Argumentos em Prol da Existência de Deus*.

3. Crescimento Histórico do Tomismo

a. O tomismo foi atacado por causa de alegados erros, em um julgamento, em Paris, França, em 1277. Porém, sobreviveu facilmente a isso, e cresceu em influência, nos séculos XIV e XV.

b. Nos séculos XVI e XVII, por meio de figuras como o cardeal Cajetano e João de São Tomás, essa teologia-filosofia passou a exercer influência ainda maior na Igreja ocidental.

c. A época mais influente do tomismo começou nos meados do século XIX. Em uma encíclica de 1879, o papa Leão XIII exortou que o catolicismo romano voltasse à filosofia tomista tradicional, virtualmente oficializando o tomismo como a maneira como os católicos romanos deveriam filosofar acerca de sua fé cristã.

d. O tomismo moderno, também conhecido por neo-esco-lasticismo, considera vários problemas modernos da filosofia da ciência, da epistemologia, da filosofia social e política, bem como de interpretações de muitas doutrinas da fé cristã, à luz dos princípios elaborados por Tomás de Aquino. Importantes nomes associados a essa atividade são Jacques Maritain, Mortimer Adler, Leon Noel, Etienne Gilson, Peter Hoenen e Martin D'Arcy. A única explicação para como isso pode ter acontecido é que a filosofia de Tomás de Aquino é, realmente, riquíssima e muito abrangente. (AM BENT C E EP F MM)

TONS GREGORIANOS

Na Igreja Católica Romana, os salmos eram entoados em uma espécie de cantochão, entre as antífonas. Havia um tom específico para cada um dos oito modos medievais, e um tom irregular chamado *Tonus peregrinus*. Ver também sobre *o Cântico Gregoriano*.

TOPARQUIA

Essa palavra é formada por duas palavras gregas: *tópos*, "lugar", e *árchon*, "chefe". Esse título era dado aos dirigentes de algum pequeno distrito.

Tal vocábulo nunca aparece no Novo Testamento, mas ocorre nos livros apócrifos, em 1 Macabeus 11:28, indicando três pequenos territórios que foram desmembrados de Samaria e adicionados à Judéia, durante o período dos macabeus. Mais tarde, os pequenos territórios foram deixados sob o governo de Jônatas Macabeu, por determinação de Demétrio II Nicator.

Plínio (5:14) afirma que a Judéia foi dividida em dez toparquias. Josefo (Guerras 13,5) declara que havia onze dessas toparquias. Visto que a área da Judéia era bastante exígua, pode-se perceber prontamente que esses distritos administrativos eram realmente minúsculos em área.

TOPÁZIO

No hebraico, *Pitedah*, um vocábulo que ocorre por quatro vezes: Êxo. 28:17; 39:10; Jó 28:19 e Eze. 28:13. No grego é *topázion*, termo que ocorre exclusivamente em Apo. 21:20.

O topázio era um mineral verde amarelado, usado como pedra preciosa. Segundo disse Plínio, o nome deriva-se de uma das ilhas do mar Vermelho. Porém, visto que esse mineral podia ser riscado com uma lima, era por demais mole para ser a moderna pedra chamada *topázio*, que é um mineral duro. O topázio moderno é um flúor silicato de alumínio, que com freqüência, ocorre sob a forma de cristais prismáticos. Usualmente é destituído de cor, ou, então, é amarelo bem pálido, com menos freqüência azul ou rosa pálido, aparecendo, principalmente, em granitos e rochas similares. Muitos escritores antigos chamavam o topázio moderno de crisólito (vide). Assim o termo hebraico *pitedah* é traduzido em Êxo. 28:17, em algumas versões. Assemelhava-se a certas variedades amareladas de quartzo, que são consideradas um falso topázio. O topázio oriental é uma variedade amarelada do coríndon (óxido de alumínio).

Visto que os antigos não classificavam cientificamente os minerais, como nós o fazemos, dando-lhes nomes de acordo com sua aparência externa, e não conforme o grau de dureza, segundo se faz hodiernamente, é difícil equiparar as gemas modernas com os nomes que aparecem nas páginas da Bíblia. No livro de Apocalipse (21:20), o topázio aparece como a pedra preciosa que adornava o nono fundamento da Nova Jerusalém, na última visão de João.

TOQUÉM

No hebraico, "estabelecimento". Essa cidade é mencionada por nome somente em I Crô. 4:32. Era uma cidade pertencente ao território de Simeão, mencionada juntamente com Rimom e Asã. Na lista paralela de cidades (Jos. 19:7), o nome de Toquém é substituído pelo de Eter (vide).

TORA – TORRE

TORA
Caracterização Geral

A palavra hebraica assim transliterada parece ter o sentido básico de "lançar", ou seja, "lançar a sorte sagrada", prática da adivinhação oracular. Evoluindo a fé dos hebreus, a palavra adquiriu uma conotação mais ampla: oráculo, conteúdo da revelação divina, a lei divinamente outorgada, e, finalmente, o *conteúdo inteiro* da interminada revelação a Israel e através de Israel. Essa última definição é sua significação específica em seu sentido mais amplo, a maneira como o termo passou a ser empregado na literatura judaica. Porém, em seu sentido mais restrito, a Tora designa os primeiros cinco livros do Antigo Testamento, o Pentateuco, a porção da Bíblia atribuída a Moisés.

Os judeus ortodoxos acreditam que essa Tora contém, literalmente, ou em forma seminal, todas as leis divinas. A palavra *Tora* também é usada para designar o *rolo* sobre o qual esses cinco livros costumam ser escritos; pelo menos uma cópia disso é depositada na arca de cada sinagoga judaica. Então são feitas leituras regulares e selecionadas, com base na *Tora*, nos cultos religiosos, acompanhando o calendário religioso judaico.

Essa palavra hebraica, aqui transliterada, usualmente é traduzida por "lei", referindo-se ao Pentateuco, isto é, os cinco livros de Moisés. Mas, no Antigo Testamento e nos escritos rabínicos, a **Tora** é mais do que um código legal.

Esse substantivo deriva-se do verbo hebraico yarah, "lançar", "atirar (uma flecha)", "alvejar". Mediante associação de idéias, veio a significar "orientação", "instrução" (cf. II Reis 12:2), "lei", "mandamento" (cf. Êxo. 12:49; etc.; Lev. 6:9,14,25, etc.; Núm. 5:29,30; 6:13,21, etc; Deu. 1:5 etc.). A palavra Tora não deve ser interpretada somente em sentido legal. Antes, indicava uma maneira de viver, derivada da relação de pacto entre Deus e o povo de Israel. A conotação puramente legal entrou através da tradução da Septuaginta, onde esse termo hebraico é traduzido pela palavra grega **nómos**, "lei". Mas, que a Tora não aponta somente para a lei pode ser visto através do fato de que também indica uma declaração profética (cf. Isa. 1:10 e 8:16) e até os conselhos dos sábios (cf. Pro. 13:4). Até mesmo no Pentatouco, a Tora algumas vezes aponta para decisões que dizem respeito à eqüidade (ver Êxo 18:20), às instruções atinentes à conduta (Gên. 26:5; Êxo. 13:9), às regras atinentes ao culto religioso (Lev. 6:9,14,25 etc.). O vocábulo **Tora** também envolve o princípio da justiça; haverá uma única Tora para os nativos e para os estrangeiros residentes na terra (Exo. 12:49). Com base no trecho de Êxodo 24:12, parece que os mandamentos suplementam a **Tora**, embora não sejam idênticos a ela.

Nas páginas do Novo Testamento, a palavra grega *nómos* indica o código mosaico (ver Luc. 2:22; 16:17; João 7.23, 18:31; Atos 13:39; etc.). Mas, pelo menos em uma instância, aponta para as Escrituras Sagradas como um todo, conforme se vê em João 10:34.

De conformidade com a tradição rabínica, a Tora indica tanto o código escrito quanto a interpretação do mesmo, codificado sob a forma de seiscentos e treze preceitos. Dentro dessa tradição, a palavra Tora jamais aparece como a lei em sentido puramente legal, antes, indica a maneira judaica de viver, que exigia total dedicação, em razão do pacto de Deus com o povo de Israel. Cf. o tratado da Mishnah intitulado, *Pirke Avot*.

TORRE
I. As Palavras

Essa é a tradução de várias palavras hebraicas e de uma palavra grega, a saber:

1. *Migdal*, "torre grande". Vocábulo hebraico, que é utilizado por quarenta e sete vezes: Gên. 11:4,5; 35:21; Juí. 8:9,17; 9:46,47,49,51,52; II Reis 9:17; 17:9; 18:8; II Crô. 14:7; 26:9, 10, 15; 27:4; 32:5; Nee. 11,11,25-27; 12:38,39; Sal. 48:12; 61:3; Pro. 18:10; Can. 4:4; 7:4; 8:10; Isa. 2:15; 5:2; 30:25; 33:18; Eze. 26:4,9; 27:11; Miq. 4:8; Zac. 14:10. A forma *migdol* ocorre por três vezes: II Sam. 22:5 1; Eze. 29: 10; 30:6.

2. *Misgab*, "torre", "defesa", "refúgio", "fortim". Essa palavra ocorre por dezesseis vezes: II Sam. 22:3; Sal. 18:2; 144:2; Sal. 59:9,16;17; 62:2,6; 94:22; Isa. 33:16; 25:12; Sal. 9:9; 46:7,11; 48:3.

3. *Ophel*, "lugar alto", "torre". Com esse sentido ocorre por três vezes: II Reis 5:24; Miq. 4:8; Isa. 32:14.

4. *Matsor*, "baluarte", "defesa". Com o sentido de torre, aparece apenas por uma vez, em Hab. 11.

5. *Púrgos*, "torre". Palavra grega usada por quatro vezes: Mat. 21:33; Mar. 12:1; Luc. 13:4 e 14:28.

II. Descrições

A palavra hebraica usual para "torre" é **migdal** enquanto que os outros vocábulos hebraicos indicam algum tipo de função particular ou raridade. Na antigüidade, as torres eram divididas em classes, de acordo com a função de cada uma: a torre na vinha (Isa. 5:2), para guardar seus conteúdos, ou a torre de defesa. As torres dessa última função eram as mais importantes, pertencendo a três tipos principais: a torre solitária (Juí. 9:51), que servia tanto de defesa quanto de refúgio, e que, neste último caso, podia se transformar em uma autêntica armadilha. Também havia torres desse tipo ao longo das estradas, para proteção dos viajantes (II Reis 17:9). Um segundo tipo de torre de defesa era erigido como parte integrante das muralhas de uma cidade. E um terceiro tipo era uma grande estrutura oca, que flanqueava os portões das cidades ou posto em alguma esquina das muralhas.

As torres também variavam em suas dimensões, dependendo se eram apenas torres de vigias ou se serviam como baluartes de defesa. O cômoro de el-Farali (Tirza?) exibe um portão com torres de paredes compactas, em cada lado do mesmo. Essas torres têm salas internas, e uma escada até o topo, a fim de repelir possíveis atacantes. Em Gibeá (Tell el-Ful), a cidadela de Saul tinha torres retangulares, com espaços internos em cada esquina, construída de pedras lavradas mais ou menos quadradas no estilo de casamata. Posteriormente, essa torre foi substituída por outra, em dimensões mais modestas, mas não demorou a ser abandonada, quando Jerusalém tornou-se a capital do reino. A torre mais espetacular de todas é a torre neolítica de Jericó, que deve ter sido erigida por volta de 7800 a.C., e que até hoje sobrevive com aproximadamente 8,30 m de altura, e com uma escadaria apertada até o nível do chão.

Uma torre construída como fortaleza era uma estrutura de construção especial, provavelmente, com avantajadas dimensões, e o mais inacessível possível (I Sam. 23:14,29). Entretanto, não devemos pensar que, naqueles dias veterotestamentários, as torres já fossem castelos. Os castelos só surgiram bem mais tarde, entre os romanos, alcançando dimensões grandiosas somente na Idade Média. Ver sobre *Castelo*.

A torre de marfim, referida em Cantares de Salomão 7:4, é a torre do Líbano, que refletia a grandiosidade e a

TORRE – TOSQUIADORES

beleza do monte Líbano, ao passo que a figura da torre faz-nos lembrar das linhas da beleza facial, da sulamita.

A torre de Siquém, destruída por Abimeleque (Juí. 9:46,47), não ficava fora das muralhas da cidade, e, sim, era a cidadela interna, que ficava na porção mais elevada da cidade. Ver sobre *Cidadela*. Ver também sobre a *Torre de Babel*.

III. Sentidos figurados

A estrutura e as funções de uma torre prestam-se admiravelmente para servir na linguagem altamente simbólica de muitas passagens da Bíblia. Vejamos:

1. Deus como protetor de seu povo, é uma torre: II Sam. 22:3,51; Sal. 18:2; 61:3.
2. O nome do Senhor é uma torre: Pro. 18:10.
3. Os ministros do Senhor são comparados com torres: Jer. 6:27.
4. O monte Sião é uma elevada torre: Miq. 4:8.
5. A graça e a dignidade da Igreja de Cristo: Can. 4:4; 7:4; 8:10.
6. Indivíduos orgulhosos e altivos, também são assemelhados a torres: Isa. 2:15; 30:25.
7. Jerusalém era notável pelo número de suas torres e pela beleza das mesmas: Sal. 48:12.

IV. As Torres na Guerra

Naturalmente, visto que elas representavam tão persistente defesa para uma cidade, as torres, com freqüência, eram destruídas durante as guerras, quando uma cidade sucumbia diante do exército inimigo, conforme se vê, por exemplo, em Juí. 8:17; 9:49 e Eze. 26:4. Além disso, quando elas não mais serviam para os fins a que tinham sido destinadas, eram abandonadas e acabavam em ruínas, conforme se vê, por exemplo, em Isa. 32:14 e Sof. 3:6.

TORRE DE BABEL

Ver sobre **Babel, Torre e Cidade**.

TORRE DOS CEM (MEAH)

A palavra hebraica traduzida por "Cem", em Nee. 3:1 e 12:39, é *meah*, que quer dizer exatamente isso, "cem". Essa torre ficava na muralha oriental de Jerusalém, provavelmente construída no ângulo da parte cercada do templo de Jerusalém. Ficava entre a Porta das Ovelhas e a Torre de Hananeel.

O sumo sacerdote Eliasibe, e seus auxiliares, restauraram essa torre quando as muralhas de Jerusalém foram reconstruídas, terminado o cativeiro babilônico. Ela é mencionada por ocasião da dedicação das muralhas reedificadas (ver Nee. 12:39). Essa torre, e a de Hananeel tinham por finalidade proteger a aproximação noroeste da área do templo. Não se sabe por que razão era chamada de "dos Cem"; embora haja quem sugira que isso se devia às suas dimensões, ou à sua localização. Talvez ficasse a cem côvados da Porta das Ovelhas, e à mesma distância da torre de Hananeel. Ou então, tinha cem côvados de altura.

TORRENTES DOS SALGUEIROS

No hebraico, *nachal arabim*. Temos aí um dos wadis de Moabe, atualmente conhecido por Seil el-Qurahi (Isa. 15:7). Alguns estudiosos pensam que se trata do mesmo lugar chamado vale de Zerede (vide). Ficava nas fronteiras entre Moabe e Edom. No hebraico, isso se parece muito com o *nachal arabáh*, de Amós 6:14, a única diferença sendo que Isaías usa o plural, *arabim*, ao passo que Amós usa o singular, *arabáh*. Ver o artigo intitulado *Salgueiro*.

TOSQUIA

No hebraico, a palavra **gez** serve para indicar tanto a "*tosquia*" quanto o "corte da grama". Essa palavra ocorre por quatro vezes, das quais duas com o sentido de "tosquia" das ovelhas: Deu. 18:4 e Jó 31:20. Um outro termo hebraico, cognato, é *gizzah*, com o mesmo sentido. Esse aparece por sete vezes, no trecho de Juí. 6:37-40. No entanto, nossa versão portuguesa só traz a palavra "tosquia" em Deu. 18:4. Em Jó 31:20 e em todas as menções, no livro de Juízes, ela fala apenas em lã. Mas, sabendo-se que palavra hebraica há nessas passagens, devemos pensar não em lã tecida e, sim, em um pouco de lã acabada de ser tosquiada, no seu estado bruto.

No seu sentido primário, a tosquia é o envoltório de lã natural do carneiro. Em um sentido secundário, trata-se de toda a lã tosquiada de um desses animais.

Nas Escrituras, há um notável incidente que envolve um punhado de lã tosquiada e ainda bruta. No livro de Juízes, no seu sexto capítulo, lemos sobre Gideão, que apanhou um punhado de lã tosquiada e, como o mesmo, pediu ao Senhor que lhe desse um sinal miraculoso de sua presença com ele, ao ser encarregado de libertar Israel da opressão dos midianitas. Tendo recebido resposta afirmativa, mas ainda não satisfeito, Gideão pediu outro sinal, com o mesmo punhado de lã tosquiada, na noite seguinte. Na primeira noite, Gideão queria que o orvalho molhasse somente o punhado de lã, sem umedecer o terreno ao redor. No segundo, ele queria que o orvalho molhasse o terreno em redor, deixando enxuto o punhado de lã. E Deus o atendeu por duas vezes, consoante o seu pedido.

Desde então, muitos crentes têm submetido Deus à prova de "tosquia" de lã, de várias maneiras. Mas, alguém já observou: "Algumas vezes, funciona; outras, não". Talvez seja um tanto humilhante ser reduzido a buscar a orientação divina dessa maneira; mas, se ela funciona, então o indivíduo não terá motivos para se queixar.

A lã tosquiada figurava entre os primeiros artigos que eram entregues como primícias aos sacerdotes levitas (Deu. 18:4). Jó enumerou, entre suas obras de misericórdia a dádiva de lã bruta aos pobres, para se aquecerem no frio (Jó 31:20).

TOSQUIADORES

No hebraico, *gazaz*. Essa palavra aparece por quatro vezes no Antigo Testamento. No grego, *keíro*, "tosquiar", verbo que figura por quatro vezes no Novo Testamento, a saber:

1. No Antigo Testamento: Gên. 38:12; 1 Sam. 25:7,11; Isa. 517.
2. No Novo Testamento: Atos 7:32 (citando Isa. 517); 18:18; 1 Cor. 11:6.

A tosquia das ovelhas era uma importante operação em Israel, como em outros países do Oriente Médio, nos dias antigos. A ocasião, evidentemente, tornara-se quase uma festa religiosa. Há menção à tosquia das ovelhas em Gên. 31:19 e 38:12, por parte de Labão e Judá, respectivamente. Na primeira dessas oportunidades, Labão fugiu com suas esposas, filhos e rebanhos. O caráter da ocasião transparece claramente no episódio em que Davi indignou-se com Nabal, quando este último se recusou a prover suprimentos para os jovens guerreiros que estavam com Davi, estando ele, Nabal, no processo da tosquia das ovelhas. No entanto, os homens de Davi haviam protegido os homens de Nabal, que agora estavam tosquiando as ovelhas (I Sam. 25:2,13).

Quanto ao verbo grego, é evidente que ele não indicava somente o ato de tosquiar ovelhas. Pois, se esse é o sentido claro da primeira ocorrência do mesmo, em Atos 8:32, já precisamos traduzi-lo por "rapar", em Atos 18:18 e 1 Cor. 11:6. Portanto, cumpre-nos comentar aqui sobre Atos 8:32, onde a única tradução condizente é "tosquiar". Lemos ali: "Ora, a passagem da Escritura que estava lendo era esta: Foi levado como ovelha ao matadouro; e como um cordeiro, mudo perante o seu tosquiador, assim ele não abre a sua boca..." A linguagem desse versículo é metafórica, dando a entender a passividade de Jesus Cristo diante de seus juízes e algozes, quando de sua crucificação. Essa passividade é refletida na atitude de resignação de um cordeiro que está sendo tosquiado. É fato sabido que as ovelhas, nessa ocasião, não reclamam. Muitos dizem que a operação é indolor, mas não é esse aspecto que é focalizado nesse versículo, mas antes, como Jesus não lutou contra a vontade do Pai, que o entregara às mãos de homens ímpios e cruéis, a fim de ser sacrificado em nosso lugar. Não havia verdadeira acusação contra Jesus, mas apenas alegadas faltas, apresentadas pelos principais sacerdotes, diante do governador romano, Pilatos. Após diversas indagações, o governador "lhe pergunta: "Tua própria gente e os principais sacerdotes é que te entregaram a mim. Que fizeste?" A resposta de Jesus foi: "O meu reino não é deste mundo. Se o meu reino fosse deste mundo, os meus ministros se empenhariam por mim, para que não fosse eu entregue aos judeus; mas agora o meu reino não é daqui" (João 18:35,36). Jesus se entregava pacientemente às mãos de homens injustos, que, sem nenhuma causa, queriam vê-Lo morto. Porém, para isso mesmo ele viera e sabia disso. Essa consciência transparece nas palavras de sua oração solitária, no horto: "Meu Pai: Se possível, passe de mim este cálice! Todavia, não seja como eu quero e, sim, como tu queres" (Mat. 26:39) . Essa é a atitude que devemos perceber por detrás da citação de Isaías 53:7, em Atos 8:32.

A tosquia era efetuada durante a primavera, a cada ano, ou pelos próprios donos das ovelhas (Gên. 31:19; 38:13), ou por "tosquiadores" profissionais. Havia edifícios especiais, construídos para o propósito de tosquiar as ovelhas, segundo se vê em II Reis 10: 12-14. A tosquia era uma operação cuidadosamente feita, a fim de que não se estragasse a lã (Juí. 6:37). Na antigüidade, as ovelhas não eram marcadas a ferro, mas pintadas. Era usado algum tipo de corante, que se passava em um ou mais lugares no pêlo da ovelha, nas costas, como marcas distintivas. Em II Reis 14, Mesa, o principal chefe da tribo de Moabe, é chamado "pintador de ovelhas" (em nossa versão portuguesa, "criador de gado", o que não corresponde ao verdadeiro sentido do original hebraico).

TOTAL DEPRAVAÇÃO

Ver o artigo geral sobre a Depravação, onde se aborda, no seu quinto ponto, a questão particular da depravação total do homem. Essa é uma das doutrinas cardeais do calvinismo. Ver os artigos intitulados Cinco Pontos do Calvinismo e Cinco Pontos do Arminianismo.

TOTALITARISMO

Essa palavra designa aquela forma de governo, religioso ou político, ou aquela teoria governamental em que um partido, uma facção, uma filosofia ou uma fé religiosa predomina, com exclusão de qualquer outra força.

Para ser bem-sucedido, um governo totalitário, um sistema totalitário ou uma organização totalitária sente ser mister suprimir a oposição, ou por força militar, ou pela ação da polícia, ou pela supressão econômica, ou pelo banimento, ou pelo assassinato político, ou pelo encarceramento. Em contraposição, nenhum sistema totalitário consegue medrar onde há livre troca de idéias, com a conseqüente liberdade de expressão, privada ou "pública" paralelamente a outras liberdades, como as de propriedade privada, reunião pública, etc. Por essa razão, no totalitarismo essas liberdades são suprimidas ao máximo possível. Todas as denominações religiosas têm as características do totalitarismo, completas com seus modos especiais de perseguir aos não-conformistas. Formas de governo centralizado são totalitarismos, sempre controladas por algum déspota ou líder forte, investido de grande poder e autoridade. As vidas das pessoas envolvidas são severamente regulamentadas, e suas crenças e práticas precisam moldar-se aos ideais do sistema. Os termos "totalitarismo" e "totalitário" só começaram a ser usados no século XX, embora estados e religiões totalitários sempre tenham existido no decurso da história da humanidade.

Alguns pensadores têm defendido a fé cristã como o único totalitarismo verdadeiro e necessário. Mas pelo menos no presente, isso é impossível, devido ao estado fragmentado da Igreja cristã, o que a impede de apresentar ao mundo uma frente unida. Talvez a única força que podemos considerar legitimamente totalitária seja a da Mente Divina. Mas conhecemos essa Mente apenas em parte. Isso significa que a promoção de qualquer totalitarismo, político ou religioso, tão-somente mostra que os homens são enganados e arrebatados em seu entusiasmo em prol de algum sistema particular, e não que haja, realmente, alguma verdade em tal sistema. Por isso mesmo, é correto continuarmos a entender o adjetivo totalitário em um sentido negativo, eivado de sentimentos preconceituosos e arrogantes.

TOTEMISMO
1. Definições

A palavra "totem" vem de uma língua indígena da América do Norte, algonquiana, a tribo dos Ojibwa. Nesse idioma a palavra é *ototeman*, que, provavelmente, significa "ele é um parente meu". Os primeiros investigadores da questão deram vários nomes aos totens, como *dodeme*, *toden*, *toodaim*, *dodaim totam*. Mas a forma que afinal prevaleceu foi *totem*. Um *totem* era um complexo socio-religioso que, no começo, era tido como uma unidade orgânica, incluindo alguma combinação das relações místicas de um grupo de parentes com alguma espécie de animal, planta, algum fenômeno natural (os ovos de um pato negro, ou uma nuvem iluminada pelo sol), algum artefato (um machado de pedra, um mastro de canoa), etc. Também havia cerimônias para a multiplicação das espécies, havia tabus quanto a comer ou matar certas espécies, exceto ritualmente. Os grupos de parentes envolvidos seguiam uma linhagem matrilinear e também a exogamia (vide).

2. Na América do Norte

Embora os missionários jesuítas do século XVII, na América do Norte, tenham sido os primeiros a levar à Europa a idéia do totemismo dos indígenas norte-americanos, credita-se a J.K. Long a publicação do primeiro livro que estampou em suas páginas esse vocábulo em 1791. E o primeiro cidadão norte-americano a publicar algo a respeito dos totens foi um chefe ojibwa de nome Peter Jones. Seu livro foi publicado após a sua morte, que ocorreu em 1856. Depois dele, houve quem ventilasse a questão diante dos eruditos, já nos anos de 1869 e 1870.

3. Em Israel?

A obra de W. Robertson Smith, *The Religion of the Semites* (1894), precipitou um intenso debate entre os

TOTEMISMO

estudiosos da Bíblia, porquanto ali ele afirmava que "claros indícios de totemismo podem ser encontrados na antiga nação de Israel".

Encontraram-se provas evidentes de totemismo em muitos lugares do mundo, onde houvesse povos primitivos; mas as manifestações mais dramáticas e ricas ocorriam entre os aborígenes australianos. Essas tribos representavam as culturas mais primitivas que os homens modernos já conheceram. Para muitos enciclopedistas, antropólogos, teólogos e estudantes de religiões comparadas, entre os quais poderíamos incluir nomes como Robertson Smith, Emile Durkheim, J.G. Frazer e até Sigmund Freud, isso continuou até a década de 1920. Para esses pesquisadores, o totemismo australiano apresentava uma espécie de unidade orgânica entre os elementos constitutivos dos padrões culturais ali encontrados, havendo duas conseqüências intimamente relacionadas entre si: 1. a necessidade de encontrar explicações teóricas para as diferenças, porventura, encontradas em outros lugares; e 2. o conceito de um certo "estágio" dentro da evolução religiosa, de onde devem ter-se derivado todos os elementos constitutivos que podem ser encontrados isolados ou em combinação, em qualquer parte do mundo.

As premissas básicas das inquirições estiveram alicerçadas na preocupação com as origens. As reconstituições do totemismo primitivo dependiam da crença de que a selvageria contemporânea representava estágios mais primitivos da evolução humana, e de que todos os povos primitivos se assemelhavam muito entre si. Portanto, as teorias relativas aos totens deixavam de levar em consideração a diversidade das culturas, comprovadas pela pesquisa etnológica moderna. Naturalmente, houve quem protestasse contra isso, mostrando que as teorias totêmicas haviam exagerado a realidade dos fatos acima de toda concepção teológica razoável. Finalmente, em uma famosa enciclopédia bíblica norte-americana (ISBE), reconheceu-se que "essa teoria tem sido abandonada no que concerne a Israel".

4. Argumentos em Favor do Totemismo em Israel.

Aqueles teóricos haviam agrupado supostas provas bíblicas de totemismo em Israel em cinco grupos distintos, a saber:

1. Famílias com nomes de animais (Gên. 36:49; Núm. 26:17,23,26,35,39; Deu. 33; I Sam. 25:3), como também pendões ou sinais de famílias (Núm. 1:52 e 12).
2. Tabus quanto a alimentos, leis dietéticas (Lev. 11:44-47; 20:25,26; Deu. 14), e também a desobediência a esses tabus (Isa. 65:4 e 66:17).
3. A linhagem matrilinear (Gên. 22:20-24; Juí. 8:19; Rute 1:8; II Sam. 17:25).
4. A exogamia (Juí. 12:9).
5. A adoração a animais (Eze. 8:7-11).

Tudo isso, porém, foi classificado por motivo de interpretação errônea de certos informes e exemplos bíblicos, como se os mesmos estivessem ligados a totens. Pois, além da ausência de atribuição de descendentes humanos dos animais considerados totens, como também os israelitas não comiam essas espécies em meio a rituais, os alimentos proibidos não correspondem aos nomes das famílias, pois esses nomes, entre os israelitas, algumas vezes representavam animais limpos (próprios para o consumo humano) e imundos (impróprios para o consumo humano).

Além disso, quanto ao terceiro ponto (ver acima), as evidências apresentadas por aqueles teóricos são totalmente insuficientes para provar que nas Escrituras havia a idéia da descendência matrilinear. E, além disso, existem sociedades não totêmicas que seguem a idéia da linhagem matrilinear.

Além disso, ainda, embora certos elementos tivessem sido identificados corretamente, a interpretação acerca dos mesmos mostrava-se errada. Os nomes baseados em animais são por demais comuns entre os israelitas, antigos e modernos, para que daí se possa inferir qualquer totemismo. A exogamia é uma regra observável em todos os clãs, sem importar se de crenças totêmicas ou não. O oitavo capítulo do livro de Ezequiel indica claramente que a linhagem, em Israel, era patrilinear, e não matrilinear. Finalmente, a adoração a animais é muito rara nas sociedades totêmicas, ocorrendo também em culturas não totêmicas. Dessa maneira, conforme alguns estudiosos têm concluído, a religião de Israel, conforme a mesma transparece no volume do Antigo Testamento, não retinha o menor vislumbre de totemismo.

Os antropólogos têm demolido, para todos os efeitos práticos, o totemismo como um complexo cultural. Antes, seria apenas instâncias específicas de relações entre os homens e os objetos existentes em seu meio ambiente natural. No entanto, os antropólogos soviéticos continuam defendendo a tese do totemismo como se correspondesse a uma realidade objetiva. Os antropólogos ocidentais, por sua vez, retrucam que essa posição só é possível com base na metodologia marxista.

Ver sobre **Religiões Primitivas**. O vocábulo *totemismo* deriva-se da palavra do idioma ameríndio ojibwa, ototeman, "parentesco fraternal". No seu uso comunitário; essa palavra referia-se a objetos como plantas, animais e outros objetos naturais que, segundo aqueles ameríndios acreditavam tinham significação para sua tribo. Todos eles estavam relacionados a laços ancestrais, e eram coisas importantes para o clã, a família e a sociedade em geral, conforme dá a entender o vocábulo básico, literal.

Muitas pessoas pensam no *poste totêmico* quando ouvem essa palavra ameríndia. Mas esse poste era apenas uma forma particular de totemismo. Tal poste era usualmente feito de cedro, talvez com quinze metros de altura, esculpido e pintado com figuras de importância espiritual para a tribo em questão. Geralmente era fincado próximo de onde residiam os membros da tribo, e servia de elemento unificador, como uma espécie de memorial dos mortos. Os ameríndios da porção noroeste da América do Norte eram aqueles que cultivavam essa forma de totemismo. De mistura com o *totemismo* havia o temor e a adoração aos espíritos, a adoração e o profundo respeito pelos animais, e o profundo respeito ou mesmo adoração pelos ancestrais mortos. O sistema incluía códigos que governavam os principais aspectos da vida diária, como casamento, suprimento alimentar, proteção, ideais e práticas religiosas.

Talvez devamos incluir nessa categoria totêmica os "muiraquitãs" da região do médio rio Amazonas.

Esses pequenos objetos, feitos de jade, em forma de rã, atualmente são um artigo de museu, conforme se vê, por exemplo, no Museu Goeldi, de Belém do Pará. Para os índios da região do rio Nhamundá e adjacências, esses pequenos objetos, de cerca de 5 cm de comprimento por 2 cm de largura, representavam ancestrais. Se serviam de objetos de culto ou de simples amuletos, não sabemos dizer. Mas é indiscutível que esses objetos apontam para uma origem asiática dos índios que residiam na região, pois japoneses, tibetanos e outros também representam os espíritos com formas de rã. Incidentalmente, isso serve de comprovação de que pelo menos algumas tribos brasilíndias são asiáticas, procedentes ou do Extremo Oriente ou das

460

ilhas do Pacífico. É fato bem conhecido que os índios brasileiros não sabiam esculpir pedras. Portanto, os muiraquitás vieram de longe, do continente asiático, onde são comuns os objetos de jade.

TOTUM SIMUL

Essa é uma expressão latina, onde *totum* significa "o todo", e *simul* quer dizer "ao mesmo tempo". Essa expressão foi introduzida no jargão filosófico por *Boethius* (vide), sendo empregada até os nossos próprios tempos. Significa "eternidade", ou pelo menos, serve de definição da noção de "eternidade", quando então serão cumpridas as expectações, e todas as coisas estiverem reunidas de forma harmônica.

TOÚ

No hebraico, "humildade", "depressão". Ele era levita coatita, antepassado do profeta Samuel. Com esse nome, ele é mencionado exclusivamente em I Sam. 1:1. Interessante é que em I Crô. 6:26, seu nome é dado como Naate; e, em I Crô. 6:34 como Toa. Ele viveu em cerca de 1230 a.C.

TOUPEIRAS

Ver Isa. 2:20: "Naquele dia os homens lançarão às toupeiras e aos morcegos os seus ídolos ..." Os estudiosos da Bíblia não estão certos quanto à identificação desse animal, que no hebraico chama-se *chapharperah* (conforme alguns têm procurado reconstruir a palavra). Tem sido sugerido até mesmo "cisne". A verdadeira toupeira, um animal insetívoro, da família *Talpidae*, não pode ser encontrada na Palestina, embora Isaías também não diga que os homens lançarão seus ídolos às toupeiras e aos morcegos, na Palestina. Contudo, na *Palestina* são comuns as mucuras, que acumulam detritos extraídos do solo, quando fazem seus ninhos subterrâneos.

As toupeiras são roedoras de uma família especializada. Passam a maior parte de suas vidas enfurnadas no subsolo, pelo que seus olhos praticamente desapareceram. Mas têm dentes gigantescos, que usam para escavar o chão. As mucuras da Palestina são bem menores que as da América do Sul, atingindo um máximo de 20 cm de comprimento; e também são vegetarianas, alimentando-se de raízes, bulbos, etc.

Isaías estava ensinando, dessa forma, a futilidade da idolatria. Os ídolos pertencem aos esconderijos das toupeiras e dos morcegos, tão inúteis que são.

TOURO

No hebraico, temos quatro palavras a ser consideradas, e no grego, uma:

1. *Abbir*, poderoso., palavra que ocorre por seis vezes (por exemplo: Sal. 50:13; Jer. 50:11).

2. *Ben baqar*, "filho do rebanho", expressão que aparece por trinta e três vezes, com o sentido de novilho (por exemplo, Jer. 52:20).

3. *Par*, *"touro"*, palavra que ocorre por noventa e sete vezes (para exemplificar: Êxo. 29:3,10-14; Lev. 4:4-21; Núm. 7:87,88; Eze. 46:11).

4. *Shor*, *"boi"*, palavra que aparece setenta e seis vezes (por exemplo: Jó 21:10; Lev. 4:10; 9:4; Núm. 15:11; Deu. 15:19; 33:17; Osé. 12:11).

5. *Taúros*, *"touro"*, palavra grega que aparece por quatro vezes: Mat. 22:4; Atos 14:13; Heb. 9:13 e 10:4

De acordo com a lei mosaica, esses animais eram limpos, podendo ser usados na alimentação humana. Eles tinham cascos fendidos e ruminavam, que eram os requisitos básicos, sendo largamente usados em sacrifícios e na alimentação humana. Ver Lev. 11:3 ss. Várias das palavras hebraicas, usadas para designar esse animal, dão a idéia de força. Figuras de touros guardavam a entrada de casas, jardins e templos, e, supostamente teriam o poder de assustar espíritos malignos, uma atitude um tanto supersticiosa, semelhante àquela que diz respeito às ferraduras postas pouco acima da ombreira das portas. No templo de Salomão, o "mar de fundição" (bacia grande) era apoiado às costas de doze touros de bronze, três deles de frente para os quatro pontos cardeais. Ver o artigo sobre o "mar de fundição" e as referências em II Reis 25:13 e I Reis 7:23. Os querubins, que guardavam o jardim do Éden, correspondiam a esses touros. O touro era um dos principais animais oferecidos em sacrifício cruento, conforme o registro de Lev. 4:9,16; Núm. 28 e 29. Os animais oferecidos precisavam ser sem defeito e sem mácula, sem testículos esmigalhados (Lev. 22:24). O sangue das vítimas era posto sobre as pontas do altar, aspergido diante do véu e derramado à base do altar, ao passo que o resto do animal era queimado. Milhares de touros eram sacrificados anualmente (I Crô. 29:21). Ocasionalmente, touros eram adorados em Israel, como reflexo de um antigo costume egípcio (Êxo. 32; ver o artigo sobre o boi *Ápis*). Alguns intérpretes pensam que o ato de Aarão, quando do episódio do bezerro de ouro que foi adorado por Israel, teve a finalidade de relembrar ao povo como o poder de Deus os tirara do Egito; "mas essa interpretação parece por demais caridosa para com Aarão. O touro também era adorado como símbolo de Baal e Moloque. A importância desse animal como um símbolo, segundo foi visto na visão de Ezequiel, é assim destacada. Ver Eze. 1 e 10. Nos manuscritos do Novo Testamento, de acordo com um antigo simbolismo cristão, embora não bíblico, o touro representa o evangelho de Lucas.

As riquezas e os touros. Na nação agrícola de Israel, as riquezas de um homem eram parcialmente medidas pelo número de cabeças de gado que ele possuía. Abraão era homem muito rico, e lemos que ele tinha grandes rebanhos de gado vacum e ovino (Gên. 24:35). Jó tinha quinhentas juntas de bois. Terminada a sua aflitiva prova, ele ficou ainda mais rico, e passou a possuir mil juntas desses animais. Em sua cobiça, Saul deixou de abater os bois dos amalequitas, e foi considerado culpado do pecado de desobediência (I Sam. 15:21 ss).

Os touros e o trabalho pesado. Esses animais também eram empregados nas tarefas com arado e na eira, como palha era separada do cereal (I Reis 19:19 e I Cor. 9:9).

Usos Figurados: 1. Pessoas impacientes agem como se fossem touros (Isa. 51:20). 2. Indivíduos maldosos, principalmente governantes e guerreiros, assemelham-se a touros, exibindo sua força e brutalidade (Jer. 31:18; Sal. 22:12). 3. Os sacrifícios de touros, no Antigo Testamento, eram um quadro do sacrifício expiatório de Cristo (Heb. 10:5 ss). Ver o artigo sobre *Ofertas e Sacrifícios*.

TOYNBEE, ARNOLD

Suas datas foram 1889-1975. Foi um historiador e filósofo da história, nascido na Inglaterra, em Londres. Educou-se em Oxford. Ensinou na London School of Economics. E, pelo espaço de quarenta anos, foi diretor do Royal Institute of International Affairs.

Idéias:

1. Em vez de estudar nações individuais, Toynbee pensava ser capaz de identificar vinte e uma "sociedades inteiras" na história do mundo. Em seguida, ele aplicava uma análise orgânica a esses agrupamentos sociais.

Grandes ciclos, com um começo (nascimento) e um fim (morte) governariam o *modus operandi* da história. Esses ciclos formariam círculos concêntricos cada vez maiores, envolvendo um maior número de pessoas e povos.

2. Uma sociedade acha-se em estado de declínio quando deixa de corresponder aos desafios que precisa enfrentar, mas acha justificativas para essa falha e lança a culpa em outros, no tocante a seus problemas.

3. Uma sociedade hígida pode ser reconhecida por sua atitude de *desafio* a seus problemas, a par de um certo espírito de grandeza, com seu próprio poder e iniciativa. A essa atitude, Toynbee chamava de reação de uma sociedade que enfrenta corajosamente os seus problemas.

4. Essa *reação* sempre parte de uma *minoria criativa*, não sendo criada pela atividade das massas populares. Em uma sociedade hígida, pois, a minoria criativa, é respeitada pelas massas, ou, pelo menos, por uma "maioria transmissiva", e recebe a permissão para continuar agindo. Porém, quando surge em cena o proletariado, e os chamados "governos populares" obtêm as rédeas do mando, são condenadas à extinção toda criatividade e reação diante dos problemas sociais, estabelecendo uma enorme inércia de repouso. É o que está sucedendo, cada vez mais claramente, nas sociedades socialistas, mormente no campo econômico.

Escritos. *A Study of History (dez volumes); Civilization on Trial; The World and the West; Historian's Approach to Religion; Mankind and Mother Earth.*

TR
Abreviatura de *Textus Receptus* (vide).

TRABALHADOR (Empregado, Mercenário)
Em Israel havia dois tipos de trabalhadores contratados: 1. aqueles que eram contratados em países estrangeiros, para ajudar na agricultura ou para servir no exército, conforme se vê em Isa. 16:14. Alguns deles, sendo preguiçosos e negligentes, obtiveram a reputação de serem inadequados para seu serviço (Jer. 46:21), realizando um serviço que ficava aquém do dinheiro que recebiam (Jó 7:1 ss). Em tais casos, eles eram *mercenários*, pois essa palavra indica alguém que trabalha somente em função do dinheiro, sem qualquer outra motivação. Todavia, pessoas pertencentes a essa classe também eram exploradas, segundo se vê em Mal. 15. Davi valeu-se de mercenários de várias categorias, para fortalecer o seu reino (II Sam. 8:18).

2. Também havia os que trabalhavam na agricultura que tinham, geralmente, um nível de vida muito baixo (Isa. 5:8). Muitos deles terminavam escravos, a fim de saldarem suas dívidas (I Reis 4:1). Um israelita que precisasse vender-se a um seu compatriota assumia o papel de empregado, e tinha de ser libertado no ano de Jubileu (ver Lev. 25:39-55). Várias leis levíticas protegiam-nos, até certo ponto. Ver Lev. 18:13 e comparar com Deu. 24:14,15. Em certo período de sua vida, Jacó foi um empregado, sujeito aos caprichos de seu futuro e então real sogro. Os dois contratos feitos por ele tipificavam bem os códigos de ética que cercavam esse tipo de serviço (ver Gên. 19).

Um mercenário era um trabalhador contratado por tempo limitado (Jó 7: 1; Mar. 1:20), contrastando com um trabalhador permanente. Um trabalhador temporário, geralmente, era tentado a servir mal, visto que sabia que não contava com um trabalho permanente. Isso parece refletir-se em João 10, 12,13, na ilustração de Jesus sobre um mercenário, que somente queria dinheiro e um *pastor*, que se preocupava com o bem estar das ovelhas. Isso prevê uma lição espiritual sobre os tipos de líderes espirituais que existem. Provavelmente, Jesus quis ilustrar o auto interesse dos líderes religiosos que se opunham ao Messias. Só eram religiosos por causa do que assim podiam ganhar.

A parábola sobre o reino dos céus (ver Mat. 20:1-16), deixa claro que os trabalhadores eram contratados em base diária, sendo pagos no fim de cada dia, conforme a lei requeria (Deu. 24:14, 15). Até hoje, no Oriente Médio, essa prática continua.

TRABALHO, DIGNIDADE E ÉTICA DE
I. A Nobreza do Trabalho
1. Paulo foi o exemplo supremo do fato (ver 1 Cor. 15: 10).
2. As boas obras estão predestinadas e fazem parte da missão de cada crente (ver Efé. 2:10).
3. Elas contribuem para o caráter ímpar do indivíduo e fazem parte integrante de sua missão especial.
4. O próprio Jesus nos deu um exemplo de zelo (ver João 2:17). Os bons exemplos emulam outros às ações nobres (ver II Cor. 9:2 e Rom. 1:59).

II. Definições
II Tes. 3:8: *nem comemos de graça o pão de ninguém, antes com labor e fadiga trabalhávamos noite e dia para não sermos pesados a nenhum de vós.*

Este versículo é equivalente virtual ao trecho de I Tes. 2:9.

Labor. No grego é *kopos*, que significa "tribulação", "dificuldade", indicando um "labor" extremado. Essa palavra também significa "golpe" ou "pancada", e a sua forma verbal significa "cansar-se" (em uma forma), e "bater", "espancar" (em outra forma). Por conseguinte, está em foco um labor cansativo, um trabalho diligente e zeloso.

Fadiga. No grego é *mochthos*, que significa *labor, esforço.* A sua forma verbal é *mochtheo*, que significa "cansar-se de trabalho". Uma vez mais Paulo enfatiza a natureza extremada de seu labor, o que ele poderia ter evitado se ao menos quisesse explorar seus legítimos direitos que, como apóstolo, tinha de "viver do evangelho".

De noite e de dia. Paulo trabalhava no Evangelho tão inten-samente quanto labutava para ganhar o sustento diário, como se tivesse dois empregos de tempo integral. Era forçado a trabalhar tanto de noite como durante o dia, a fim de que pudesse devotar o tempo necessário ao trabalho ministerial. Cria não apenas nos bons resultados da diligência, mas também na "disciplina moral do trabalho". Isso está de conformidade com os melhores pensamentos judaicos sobre o período: "Aquele que possui um ofício é como uma vinha cercada, onde nenhuma cabeça de gado pode entrar" (Gamaliel, II, Kiddusch, i.ii).

III. Uma Citação Notável
"Mais bem-aventurado é dar que receber" (Atos 20:35).

É deveras notório que essa passagem de Atos 20:35 seja uma das raríssimas vezes em que Paulo citou o Senhor Jesus, sendo significativo que ele o tenha feito nesse contexto. Ora, isso serve para mostrar quão profundos eram os sentimentos de Paulo sobre essa questão. O nono capítulo da primeira epístola aos Coríntios serve de expansão sobre toda essa questão; e o volume do material paulino, devotado a essa questão, mostra-nos quão profundos e radicais eram os sentimentos do apóstolo sobre o tema.

IV. A Ética do Trabalho
Este versículo pode ser comparado com a instrutiva

declaração de Maimonides, que descreve as atitudes dos antigos doutores judeus (ver Hilchot Mattanot Anayim, cap. 10, seção 18): "Se um homem é sábio, honrado e pobre, que se empregue em algum ofício ou negócio, embora não excelente, para que não angustie aos homens (sendo pesado para eles). É melhor tirar a pele de animais que foram despedaçados do que dizer às pessoas: Sou um sacerdote. Cuidai de mim e me sustentai. Assim têm ordenado os sábios. E alguns dos maiores mestres têm sido lenhadores, carregadores de madeira e carregadores de água para os jardins, têm trabalhado com ferro ou com carvão, e não têm exigido coisa alguma de suas congregações; e nem mesmo aceitaram qualquer coisa de suas congregações, até mesmo quando estas quiseram dar-lhes algo". (Ver II Cor. 11:9 no NTI que é um vs. similar a este, em seu conteúdo, e onde são dadas notas expositivas adicionais que ilustram o presente texto). Portanto, Paulo continuou a praticar essa regra em Corinto, que talvez tenha iniciado ou continuado em Tessalônica. Temos mesmo razão para crer que Paulo sempre viveu desse modo.

Além de se mostrar ansioso por ganhar seu próprio sustento, em face de sua crença no valor do labor e da independência pessoais, Paulo também queria evitar quaisquer criticas, como se estivesse atrás dos bens alheios, com propósitos egoístas. Acima de tudo, não queria que se dissesse a seu respeito que esse era o motivo "por que" ele se encontrava no ministério. É fato entristecedor que muitos crentes se enriquecem no ministério, porquanto fazem disso uma profissão.

"Sou um trabalhador autêntico: ganho o que como, adquiro o que visto, não devo ódio a ninguém, não invejo a felicidadede nenhum homem, alegro-me diante do bem de outros." (Shakespeare).

"Não existem riquezas verdadeiras exceto no labor do homem. Se as montanhas fossem de ouro e os vales de prata, o mundo nem por isso ficaria rico em um único grão de trigo; nenhum conforto seria adicionado à raça humana". (Percy B. Shelley).

" ... digno é o trabalhador do seu salário" (Luc. 10:7).

TRAÇA

No hebraico, **asb**. No Antigo Testamento, essa palavra ocorre por sete vezes: Jó 4:19; 13:28; 27:18; Sal. 39:11; Isa. 50:9; 51:8; Osé. 5:12. No grego, *sés*. Ver Mar. 6:19,20; Luc. 12:33. Em todas essas ocorrências, menos uma, a alusão a esse inseto indica a traça que ataca os tecidos e as vestes das pessoas.

Devemo-nos lembrar que, nas antigas culturas, o vestuário fazia parte importante dos bens materiais de uma pessoa, razão pela qual um ataque às vestes, por parte das traças, era uma questão muito séria. A traça ataca as roupas quando ainda se encontra no estado larvar. Há muitas espécies de borboletas e traças, na Palestina, que não são mencionadas nas Escrituras. Mas a espécie de traça cujo nome científico é *Tineidae*, é a responsável por essa destruição de tecidos, penas, couros, etc., o que vem acontecendo desde tempos imemoriais. Pouco depois de emergir de dentro da pupa, as traças fêmeas depositam seus ovos entre os tecidos e outros materiais. As larvas constroem uma "casa" em formato típico, feito de ciscos, forrada de material sedoso. E, então, só com a parte anterior do corpo para o lado de fora puxam a "casa" atrás. As roupas tornam-se a sua alimentação, até estarem prontas e passarem para o estágio adulto.

Uso Figurado

A traça é um minúsculo inseto, mas pode causar muito dano, visto que atua sem ser notada, durante longo tempo. Jesus referiu-se a esse inseto como uma daquelas forças destruidoras que podem aniquilar a riqueza material de um indivíduo; e ele deixou mesmo subendendido que tal destruição é inevitável, afinal de contas. Isso posto, é demonstração de sabedoria, da parte dos homens, buscarem para si riquezas que estão fora do alcance dessas forças físicas destrutivas, ou seja, as riquezas espirituais. "... ajuntai para vós outros tesouros no céu, onde traça nem ferrugem corrói, e onde ladrões não escavam nem roubam..."(Mar. 6:20).

Aqueles que condenam os justos estão sujeitos aos poderes dilapidadores de Deus. Esses acusadores sofrerão a vingança divina. Esse ato divino é assemelhado a uma traça que rói uma peça de roupa. Ver Isa. 50:9; 51:8 o *estado precário* do ser humano, neste mundo, é ilustrado pelo trabalho roedor das traças (ver Jó. 4:19). Os hipócritas edificam suas casas como se fossem traças; e, aparentemente, isso indica algo extremamente frágil (ver Jó 27:18), embora esse texto seja controvertido quanto ao seu significado. Assim, há traduções que dão a impressão de que está em pauta a teia de uma aranha, e não a "casa" de uma traça.

TRÁCIA

1. *Nome*. Esta palavra parece estar relacionada ao grego *threskos*, que tem o significado de "pio", "culto religioso" ou "cerimonioso" (em culto religioso). A palavra não se encontra na Bíblia, mas poderia ter estado entre aquelas regiões européias evangelizadas por Paulo.

2. *Localização*. A antiga Trácia ocupava a parte oriental da península dos Balcãs, com a Ilíria ao ocidente. Esse território é mencionado em Rom. 15:19 e era uma fronteira ocidental do mundo oriental nos dias de Paulo. A Trácia e a Ilíria ocupavam regiões que hoje são as modernas Iugoslávia e Albânia. Ambas eram limítrofes com o sudoeste pelo mar Negro. Ver separadamente o artigo sobre o *Ilírico*.

3. *Idioma*. O antigo idioma daquela área certamente era o indo-europeu, idioma afim do moderno albanês. O termo Trácia-Ilírico designa uma subfamília das línguas indo-européias.

4. *Cultura*. Embora a arqueologia tenha demonstrado que o povo daquela área cultivasse poesia e música significativa, em sua maior parte, as evidências antigas revelam sua reputação de ser selvagens, participando de sacrifícios humanos, mortes bárbaras, tatuagens e mutilações ridículas no corpo, além de atos violentos de bebedeira e embriaguez. Participavam de formas pagãs de culto, inclusive aquele de Dionísio, o deus da orgia. As tribos desse povo eram divididas em monarquias triviais.

5. *Algumas Notas Históricas*. a. A história muito antiga da área permanece obscura. b. Os gregos estabeleceram colônias naquele território antes de 700 a.C. Desenvolveram ali a mineração como sua indústria principal. c. Os trácios foram ferozes e bravos soldados, e os gregos se deleitavam em empregá-los como mercenários em seus exércitos. d. Os persas (cerca de 400 a.C.) levaram este povo à derrota. A Trácia, para defender-se contra esse novo poder, teve de unir todas suas tribos. Entretanto, tendo sido derrotada, recuou à falta de unidade tribal. e. Em cerca de 342 a.C., os gregos prevaleceram, e subseqüentemente Alexandre empregou os ferozes trácios em seu exército. f. Roma prevaleceu mais ou menos em 28 a.C. através dos esforços de M. Crasso. Rebelavam-se constantemente, fazendo com que os romanos enfrentassem tempos difíceis. Entretanto, os romanos persistiram

TRÁCIA – TRADIÇÃO

e, finalmente, transformaram a Trácia numa província romana que manteve certo grau razoável de unidade e paz.

TRACONITES

1. *Nome*. Este é o nome grego para "acidentado", "íngreme", à luz do fato de ser a área uma região montanhosa.

2. *Localização*. Era a região que continha os *tracones*, ou conjuntos pedregosos (lava) de terra que se assemelhavam a "tempestades de granizo", tão selvagens e pontudos se mostravam. Os árabes os chamavam *waar*, significando uma área ou porção pedregosa. Havia duas formações chamadas Lejá e Safá, que ficavam ao sudeste de Damasco, a cerca de 40 km de distância. A área situava-se diretamente ao oriente de Cesaréia de Filipe. A região constava, naturalmente, dos Tracones e das áreas adjacentes. Strabo (*Hist*. vi.2, 20) descreveu a área como "os assim chamados dois Tracones, que ficam atrás de Damasco – o Lejá e o Safá". A região de Argobe (Deu. 3:4), dentro dos domínios de Ogue, rei de Basã, incluía uma parte dessa região selvagem. Josefo (*Ant*. 16:1, 27 ss.) falou dos habitantes das áreas como "predadores".

3. *Referências Bíblicas*. Luc. 3:1 é o único lugar na Bíblia em que se menciona Traconites de forma específica. Esse versículo mostra que os Herodes ainda exerciam autoridade fora da Judéia, depois da morte de Herodes, o Grande. Herodes Antipas, filho mais novo de Herodes, o Grande, governou a Galiléia e a Peréia. Filipe (Herodes Filipe II), geralmente denominado Filipe, o Tetrarca, filho de Herodes, o Grande, e de Cleópatra de Jerusalém, governou as áreas de Gaulonite, Traconites, Batanéia e Panéia, a leste da Galiléia. Como se pode ver, Traconites era apenas uma pequena parte da tetrarquia de Filipe. Para mais informações, ver a exposição de Luc. 3:1 no *Novo Testamento Interpretado*.

4. *Identificação Moderna*. Essa área corresponde aproximadamente a al-Laja, um platô de cerca de 900 km², área de lava de estratos, solo tênue no topo e desolação geral. Foi sempre esparsamente povoada e propícia à prática da vilania.

TRADIÇÃO, TRADIÇÃO DOS ANCIÃOS

I. Definições
II. Sobre os Vizinhos de Israel
III. Tradição e o Antigo Testamento
IV. Tradição e o Novo Testamento
V. Luz dos Rolos do Mar Morto
VI. Tradição no Judaísmo Posterior e no Cristianismo

I. Definições

O significado das palavras assim traduzidas, como a palavra grega *pardosis*, é "transmissão", que pode ser de um corpo de ensinamentos ou idéias "apresentadas" a um povo, por escrito ou oralmente. Tradição é um acúmulo de idéias, histórias, ensinamentos, leis etc., que assumem algum tipo de autoridade ou, em alguns casos, contradizem autoridades posteriores consolidadas por escrito. "O que é disseminado" é uma tradição, como os ensinamentos de Paulo (II Tes. 3.6). Os judeus posteriores acreditavam que a Tora tenha começado com tradições orais que foram escritas por Moisés. As tradições podiam consolidar ou expandir corpo de ensinamentos já existente, adicionando detalhes e avançando em novos campos de pensamento. A expressão, por si mesma, não é necessariamente positiva nem negativa. As tradições são uma coisa ou outra, interpretadas de um jeito ou de outro por causa das crenças de uma pessoa.

1. No latim, *traditio*, que significa "transmissão", tanto o repasse oral daqueles que vieram antes quanto a disseminação escrita. Uma transmissão oral é de um corpo de crenças, costumes, leis, preservado pelos ancestrais de um povo, sem documentos escritos.

2. Às vezes transferida do passado, uma cultura herdada, com todas as suas ramificações.

3. Entre judeus, um código não escrito de lei dado por Deus a Moisés para o bem de Israel, o qual passou a ser escrito, por fim, mas nunca foi registrado por completo e tem uma autoridade bastante separada do registro escrito.

4. Entre cristãos, o corpo de doutrinas e disciplina promovido por Cristo e seus apóstolos, parte do qual, em um momento posterior, foi preservado de forma escrita. De acordo com alguns cristãos, adições podem ter sido feitas através dos escritos e das idéias dos pais da igreja, e esse material tornou-se uma autoridade adicional para a crença cristã.

II. Sobre os Vizinhos de Israel

Há evidências em descobertas arqueológicas, já no período neolítico, do acúmulo de crenças, leis e costumes, que começaram na forma oral e foram solidificadas na forma escrita. Culturas antigas do Oriente Próximo atribuíram suas tradições aos deuses que eram seus líderes e patriarcas. Assim, foi criada uma obrigação de seguir regras e idéias do passado que presumivelmente eram divinas, exatamente como aconteceu aos hebreus. As tradições acumuladas e registradas por escrito foram encontradas entre os sumérios, os elamitas, os babilônios e os cananeus.

III. Tradição e o Antigo Testamento

A redução da Tora (ver o artigo) apenas dos escritos de Moisés foi uma doutrina estranha aos próprios judeus, embora comum as intérpretes cristãos. Primeiro, presumia-se que a verdadeira fonte é divina, e que, no sentido amplo, tudo o que significa o judaísmo é uma tradição que vai além de qualquer corpo de escritos. Na tradição dos rabinos, a Tora conota o código escrito, mais interpretação, registrado em 613 preceitos. Esses conceitos, contudo, tocam apenas na vastidão da Mente Divina, e o modo judeu de viver é um toque mais amplo nessa vastidão. O modo judeu é estabelecido na idéia dos Pactos, de forma que eles também eram trazidos à definição ampla da Tora, derivando daí o significado de tradição para os hebreus judeus.

Os críticos claramente presumem que as tradições hebraicas e judaicas tomavam empréstimos de forma um tanto liberal de outras culturas situadas por perto, e é verdade que as antigas histórias de criação, dilúvio etc. têm paralelos significativos. É provável que tanto os hebreus quanto os vizinhos de Israel repousassem suas crenças parcialmente em tradições antigas adaptadas para ajustar-se às idéias teológicas que passaram a ter autoridade em cada cultura. Todas essas culturas presumiam que havia revelação divina por trás de suas tradições e documentos escritos autoritários, como indicado na seção II. Os conservadores naturalmente negam todo sincretismo com outras culturas, mas essa é uma tese muito difícil de sustentar diante das descobertas arqueológicas.

As tradições hebraicas e judaicas foram primeiro retidas oralmente no Mishna, então no Talmude, que uniu esses escritos com o Gemara, naquilo que hoje é conhecido como Talmude. Ver os artigos sobre o Mishna, Gemara e Talmude para maiores detalhes.

IV. Tradição e o Novo Testamento

Cristãos conservadores que estudam apenas a Bíblia

TRADIÇÃO – TRADIÇÃO CATÓLICA ROMANA

não têm ciência da grande influência dos trabalhos apócrifos e pseudepígrafos (do período entre o Antigo e Novo Testamento) no Novo Testamento. Ver os artigos sobre Livros Apócrifos e Pseudepígrafos. Ver particularmente sobre Enoque Etíope (I Enoque). Há nesses livros material suficiente para ilustrar a tese de que o judaísmo do período teve influência no Novo Testamento, não meramente o judaísmo do Antigo Testamento. Então, não devemos esquecer a tradição rabínica escrita, que naturalmente teria influenciado as idéias dos autores do Novo Testamento. Embora houvesse aquilo que é chamado de "peso morto da ortodoxia" que Jesus e seus apóstolos combatiam, havia muito ainda que era aceito no cristianismo geral.

Ver Mat. 15.2 para detalhes sobre a "tradição dos anciãos" que trata da lei que exigia a lavagem das mãos de uma pessoa antes que ela pudesse comer. Essa não era uma lei particularmente dedicada à higiene. Relacionava-se a idéias de poluição e pureza ritual. Ver uma explicação completa no *Novo Testamento Interpretado* na referência dada. A expressão Tradição dos Anciãos refere-se à interpretação oral e escrita da lei de Moisés, mais tarde codificada na Mishna (Misna), então no Talmude, que combina esse trabalho como Gemara. Todas essas tradições foram trazidas à forma escrita até o final do quinto século D. C. As tradições se aplicavam a quase todas as situações que um homem enfrentaria em sua vida diária, portanto havia enorme peso das leis a seguir que agradavam a mente do judeu, mas não eram tão agradáveis à mente cristã posterior, que era universalizada. A lei da lavagem era muito complexa, e os judeus davam grande atenção a coisas tão triviais, enquanto negligenciavam os materiais mais "pesados" da lei. Honrar pai e mãe era uma verdadeira lei que eles haviam transgredido (Mat. 15.4). Era possível "transgredir" a lei de Deus ao insistir em questões secundárias ou supérfluas, e os ensinamentos de Jesus demonstram isso. Para maiores detalhes, ver a exposição da passagem geral no trabalho referido acima. Observe como Jesus chama tais tradições: "tradições dos homens" (Mar. 7.8). Esse versículo refere-se às "lavagens" sem fim dos judeus, de potes, copos etc., que tinham os mesmos propósitos que a cerimônia da lavagem. Observe a forte crítica em I Ped. 1.18, onde tais coisas são chamadas de "costumes fúteis" herdados dos pais. Claro, o judaísmo ritual atrofiou-se depois da destruição de Jerusalém, em 70 D. C., e o judaísmo da Diáspora era tanto liberalizado como também muitas vezes paganizado. Não obstante, a elaboração do Talmude naquele período (que naturalmente incorporou as antigas tradições do período A. C.) tinha como objetivo colocar uma cerca ao redor do judaísmo para protegê-lo contra uma paganização exagerada.

V. Luz dos Rolos do Mar Morto

Vários manuscritos desse achado ilustram os mesmos tipos de refinamentos da lei mosaica encontrados no Antigo Testamento: instruções detalhadas sobre ofertas, lavagens rituais e outros costumes que tocavam a experiência humana de modo geral. O propósito de tais instruções era 1. proteger o judaísmo do paganismo; 2. Preservar, se possível, uma linhagem pura do judaísmo em face do crescente sincretismo.

VI. Tradição no Judaísmo Posterior e no Cristianismo

Muito do judaísmo foi simplesmente "engolido" por filosofias e teologias posteriores, mas o Talmude era uma força permanente. À medida que o criticismo bíblico ganhava terreno e balançava a fé judaica nos "documentos originais", o Talmude e muitas de suas tradições eram considerados um guia para a fé e a prática mais puro e melhor até mesmo do que o próprio Antigo Testamento. Enquanto isso, no cristianismo, uma nova autoridade cresceu, os dizeres e os escritos dos pais da igreja dos primeiros quatro séculos d.C. Portanto, podemos dizer, de forma inexata, que o corpo de interpretação era um tipo de Talmude Cristão. Isso pode ser inexato, mas certamente não sem paralelos ou sem significado. A igreja ocidental (latina) também adotou certos rituais judeus, enquanto a oriental se inclinou mais ao sincretismo do evangelho com o platonismo. Tal generalização fala a verdade, mas não toda a verdade. A Igreja Ortodoxa Russa, por exemplo, ficou bastante judaica em sua metodologia ritual. Na reforma protestante, Lutero assumiu uma posição um tanto moderada, não rejeitando as tradições como um corpo do qual há muito o que ser aprendido, mas colocando a Bíblia acima delas a tal ponto que ela fosse sua única verdadeira autoridade. Logicamente, essa posição ignorava o fato de que a própria Bíblia incorporou tradições, pois não nasceu de um vácuo. Calvino foi mais radical em sua rejeição às tradições judaicas, mas através de interpretações rígidas e da predestinação radical, criou sua própria tradição "de denominação". Muito de sua teologia era unipolar, representando uma linha de ensinamentos bíblicos e torcendo outras.

Tradições de Denominações. Embora proclamassem muito alto sua doutrina de "Escrituras apenas", as denominações, através de suas interpretações específicas de passagens da Bíblia, criaram sua própria tradição. O leitor deve ver dois artigos na Enciclopédia de Bíblia, Teologia e Filosofia se desejar aumentar seu conhecimento sobre a questão das tradições cristãs e das tradições de denominações: *Tradição Cristã* e *Tradição e as Escrituras*. Ver também sobre Autoridade, que tem materiais relacionados. Cada denominação, confessando ou não, seu próprio Talmude através de seu corpo de interpretações das Escrituras que contradiz os Talmudes de outras denominações. O artigo sobre Tradições dos Homens examina a situação de gnósticos iniciais e suas tradições que se propagaram na igreja primitiva.

TRADIÇÃO CATÓLICA ROMANA

Ver também sobre *Tradicionalismo* e *Tradição Cristã*. Os grupos protestantes e evangélicos têm promovido a regra das "Escrituras somente", como autoridade em assuntos de doutrina e prática cristãs. Na verdade, porém, todas as denominações cristãs perpetuam tradições sob a forma de "interpretações" das Escrituras; e, ocasionalmente, fazem-no sobre a base da razão somente, conforme se dá no caso da doutrina da idade da responsabilidade das crianças. Não há qualquer doutrina bíblica nesse sentido, mas para muitos trata-se de uma verdade evangélica. Ver o artigo *Infantes, Morte e Salvação dos*.

Acresça-se a isso que os grupos protestantes, que são uma fragmentação da Igreja Ocidental, em sua maior parte preservaram a abordagem teológica (tradicional) da Igreja Católica Romana, como uma tentativa de eliminar vários abusos óbvios. Os católicos romanos simplesmente confessam que parte de sua autoridade (vide) consiste em pontos tradicionais. Essas tradições consistem na súmula de alegadas verdades reveladas, pertinentes à fé e à moral, mas que não são especificamente descritas na Bíblia. A Igreja (em seus primeiros pais, concílios e decretos papais) é considerada a fonte originária desse material tradicional. Desse modo, o catolicismo romano crê que a Igreja não é

TRADIÇÃO CATÓLICA ROMANA – TRADIÇÃO CRISTÃ

apenas a receptora das revelações divinas, mas também uma *criadora* e *transmissora* dessas revelações. Isso equivale a dizer que as tradições são ali tidas como outra fonte de revelação e *autoridade*, lado a lado com as Escrituras. Naturalmente, a *autoridade* precisa incluir mais elementos que as Escrituras, conforme procura mostrar no artigo sobre esse assunto. Mas o catolicismo romano complica a questão com sua insistência sobre a *infalibilidade* da tradição. Todavia, se podemos crer na infalibilidade das Escrituras, não se pode dizer o mesmo sobre a infalibilidade das tradições, porquanto há tremendas incongruências nos dados que nos são fornecidos pelos escritos dos pais da Igreja, pelos decretos conciliares e pelas decisões papais. Além disso, sempre que usamos a palavra "infalível" para descrever outra coisa que não seja Deus, já temos algo que cheira idolatria. Não pode ser negado que as tradições são úteis para definir e informar, e que as mesmas contêm verdades de valor que vão além das Escrituras. Porém, atribuir infalibilidade a essa atividade e seus resultados é algo que não corresponde à realidade dos fatos, diante da investigação honesta. Entretanto, os homens, em sua preguiça mental, estão sempre dispostos a buscar *conforto mental*, e procuram evitar a necessidade de investigação, razão pela qual preferem aceitar as noções que lhes são expostas de forma dogmática. Essa aceitação passiva, porém, é *ilusória*. Nem por isso está destituída de valor a tradição eclesiástica. Se respeitamos *nossas próprias* opiniões e interpretações, também *devemos respeitar* as opiniões e tradições das *autoridades da Igreja*, e a sabedoria acumulada que elas representam.

TRADIÇÃO CRISTÃ

Este artigo tem por intuito suplementar dois outros, intitulados *Tradição Católica Romana e Tradicionalismo*. Procuramos aqui exprimir um sumário do conteúdo das tradições cristãs.

É indiscutível que todas as denominações cristãs têm suas próprias tradições, que lhes servem de autoridade, em complemento ou acréscimo às Escrituras, embora algumas dessas denominações prefiram não reconhecer esse fato. A *tradição* faz parte integrante da *Autoridade* (vide).

1. *As próprias Escrituras Sagradas* preservam várias tradições judaicas, sem falarmos em algumas tradições próprias da filosofia helênica, como é o caso da doutrina do *Logos*, ou do mundo platônico em dois níveis, conforme se vê na epístola aos Hebreus. Assim sendo, as tradições começam nas próprias Escrituras. E o termo, por si mesmo, não é contrário à verdade bíblica. *Uma tradição oral*, a respeito de Jesus e seus ensinamentos, antecedeu ao Novo Testamento Escrito. E isso permite-nos entender a declaração do autor sagrado: "Assim, pois, irmãos, permanecei firmes e guardai as tradições que vos foram ensinadas, seja por palavra, seja por epístola nossa" (II Tes. 2: 15).

2. *Terminado o período do Novo Testamento,* surgiram as declarações dos chamados pais da Igreja, bem como o desenvolvimento dos mais antigos *credos*. Ver o artigo *Credos*. Esses credos serviram para limitar e sistematizar as Escrituras (eliminando outras passagens bíblicas que não pudessem ser integradas nos sistemas então emergentes). Na verdade, esses credos foram teologias sistemáticas incipientes, sobre as quais as denominações cristãs atualmente repousam.

3. *Os concílios eclesiásticos* manipularam esses credos e lhes fizeram adições, apresentando interpretações das Escrituras, de onde se originaram tradições.

4. *Regras de fé,* interpretações bíblicas, raciocínios e regras morais e práticas (nem todas elas de origem cristã) apareceram nos escritos dos pais da Igreja. Irineu, Clemente de Alexandria, Tertuliano, Hipólito, Orígenes e Novaciano referira-se às suas regras de fé, que faziam parte de credos existentes ou não.

5. *O sincretismo.* À medida que o cristianismo foi sendo difundido por diferentes áreas geográficas e culturas, foram sendo incorporados elementos de crenças e práticas locais, e isso também veio a constituir um elemento nas tradições emergentes, geralmente de natureza negativa.

6. *As tradições católicas romanas* são o supremo exemplo do entronizamento das tradições, às vezes prejudicando as Sagradas Escrituras, pois a essas tradições também se confere ali a aura de autoridade. É verdade que boa parte dessas tradições católicas romanas tem um fundo bíblico; mas outra boa parte não passa de sincretismo. A isso devemos acrescentar os credos, os escritos dos pais, as decisões dos concílios e dos papas. A justificativa católica romana para as suas tradições, desde a formulação dos decretos do concílio de Trento (1545-1563), tem tomado a forma de afirmações de que as tradições orais formavam uma segunda e independente fonte informativa e doutrinária, que ocupava uma posição legítima, paralela às Escrituras. E alguns teólogos romanistas insistem que o conteúdo de suas tradições e das Escrituras é o mesmo em todos os pontos básicos, mas que as tradições adicionam pormenores necessários. Na verdade, porém, essa questão não é assim tão simples.

7. *Para a Igreja Oriental,* que aceita as tradições da Igreja ainda não-dividida (antes do cisma de 1054 D.C.), as tradições são muito importantes, embora não tenham o mesmo valor que as Escrituras. A Igreja Oriental aceita as interpretações dos pais gregos da Igreja, as quais, quanto a certas questões (ao serem contrastadas com as dos pais da Igreja ocidental), têm-nos conferido algumas doutrinas distintas, como a da preexistência da alma e a oportunidade de salvação para além da morte biológica de cada indivíduo. Tais noções tornaram-se elementos das tradições orientais e repousam na interpretação bem como na influência exercida pelo platonismo, por meio dos escritos dos pais gregos.

8. *A comunidade anglicana* tem servido de posto intermediário entre o Oriente e o Ocidente. Seus Trinta e Nove Artigos (vide) servem de uma espécie de tradição oficial que define seus pontos distintivos. Ali as tradições são aceitas somente quando concordam com as Escrituras, com o apoio da Igreja não-dividida (concílios anteriores a 1054, quando o Oriente separou-se do Ocidente).

9. *A Reforma Protestante* (vide) presumivelmente fez a Igreja cristã retornar às "Escrituras somente". Mas, na verdade, grande parte das tradições ocidentais teve continuidade nos vários grupos protestantes que surgiram em cena. Mas então novas tradições foram criadas, mediante credos rígidos, que eram interpretações específicas das Escrituras. Todos esses credos deixam de lado certos ensinos bíblicos, além de torcerem outros ensinos bíblicos. Dessa atividade é que têm surgido as crenças das várias denominações, todas elas afirmando representar melhor o original cristão, conforme se vê no Novo Testamento. Mas, na realidade, são apenas tradições cristãs. O próprio Novo Testamento é por demais heterogêneo, quanto a alguns particulares, para que receba uma única interpretação ou possa ser sistematizado apenas de uma maneira.

10. *Desenvolvimento doutrinário.* Muitos teólogos modernos insistem na tese que a doutrina deve evoluir, a fim de que a verdade possa ser obtida em qualquer sentido

ou grau significativo. Assim, as tradições sempre haveriam de emergir, somente para serem substituídas por outras, mais evoluídas, *ad infinitum*. O mormonismo defende essa doutrina, bem como muitos pensadores liberais; e aqueles que dão início a novas seitas, naturalmente valem-se da idéia. A Igreja Católica Romana defende certa variante dessa idéia, embora restringindo-a às suas próprias tradições, desenvolvidas em suas próprias fileiras. Tudo o mais é considerado espúrio. De acordo com esse ponto de vista, as tradições servem de *veículo de evolução*, não sendo contrárias à verdade, mesmo quando são claramente contrárias às Escrituras Sagradas, pois estas representariam apenas a fase inicial do cristianismo, que ficou obsoleto diante das tradições mais evoluídas.

11. *A revolta contra a ortodoxia: as tradições liberais.* Começando no século XVIII, mas florescendo nos séculos XIX e XX, os eruditos liberais e os críticos desenvolveram uma tradição toda própria que atualmente dispõe de uma imensa literatura, com muita teoria e documentação a escudá-la. Nessa tradição também avulta a metodologia científica e a insistência sobre as evidências empíricas. Uma larga faixa da Igreja cristã, tanto católica como protestante, tem sido influenciada por essa tradição modificadora. Um dos efeitos tem sido a minimização da fé nas tradições mais antigas, e a total rejeição do autoritarismo e seus diversos conceitos de infalibilidade, sem importar-se das próprias Escrituras, se das mais antigas tradições, se dos concílios ou se dos decretos papais. Para esses estudiosos, o vício das tradições mais antigas é a sua inflexibilidade e o seu autoritarismo. Mas o vício da tradição liberal é o ceticismo.

12. *Os credos modernos.* Esses credos funcionam de quatro maneiras diversas: a. *Declarações*. Coisas que figuram claramente nas Escrituras são meramente declaradas e descritas. É nesse ponto que as várias denominações cristãs encontram o seu terreno comum, e é nesse ponto também que a autoridade das Escrituras se faz mais proeminente. b. *Interpretações*. Coisas que não são necessariamente claras, e, em certos casos, coisas que são repelentes para certas mentes, recebem interpretações apropriadas de indivíduos ou denominações que as provêem. Neste ponto, as denominações começam a emergir e a diversificar-se. c. *Distorções*. É patente que todas as denominações cristãs distorcem certos trechos bíblicos, para que se adaptem ao seu esquema das coisas. Assim, para exemplificar, os calvinistas distorcem versículos sobre o livre-arbítrio, e os arminianos distorcem versículos sobre a predestinação. Nenhum desses dois grupos admite a noção de *polaridade* (vide). Essa atividade desonesta, que se faz presente em todas as denominações cristãs, aumenta ainda mais o número de tradições específicas. d. *Omissões*. Certas passagens ou versículos são simplesmente omitidos, conforme fazem os hiperdispensacionalistas que declaram que a maior parte do Novo Testamento não pertence à Igreja cristã, não servindo de autoridade quanto à doutrina cristã. A teologia ocidental omite qualquer explanação sã sobre o relato da descida de Cristo ao Hades ou sobre o mistério da vontade de Deus (ver 1 Ped. 3:18 - 4:6 e Efé. 1:9, 10, respectivamente). E isso somente porque essas doutrinas bíblicas não se adaptam às suas noções preconcebidas do julgamento, das quais não querem abdicar, em favor de uma visão mais otimista do destino humano. A omissão é um dos fatores do desenvolvimento de tradições distintas, literárias, doutrinárias e organizacionais.

13. *Crer não é provar; duvidar não é desprovar.* Portanto, cumpre-nos "investigar". É um erro contar com um credo *não-examinado*, cegamente aceito, para efeito de *conforto mental*. Não há que duvidar que as tradições têm seu uso. Algumas vezes as tradições ultrapassam, *legitimamente*, as Escrituras, mas nem por isso deixam de ser menos verdadeiras. Por outro lado, com freqüência, essas tradições laboram em erro, adicionando elementos prejudiciais à fé e à prática. Essas são as tradições que devemos repelir.

TRADIÇÃO E AS ESCRITURAS

Ver sobre os artigos separados **Escrituras** e **Autoridade**. O alto respeito que algumas pessoas têm pelas Escrituras têm-nas levado a supor que a norma que diz "as Escrituras somente" é suficiente para a fé e a prática cristãs. Mas há outros cristãos que têm a convicção de que por maiores e mais importantes que sejam os escritos bíblicos, somente os dogmas humanos (e não as declarações das próprias Escrituras) podem conferir-nos a "única" autoridade em matéria religiosa. Meu artigo sobre a *Autoridade* aborda os raciocínios que circundam a questão.

1. O Problema da Autoridade

As pessoas que creêm na norma das "Escrituras somente" acabam por ignorar o fato de que as próprias Escrituras podem ser sujeitadas a variegadas interpretações, de tal maneira que a realidade dos fatos seria expressa por algo como: "as Escrituras e como eu e minha denominação interpretam-nas". Dessa maneira, aquela regra torna-se subjetiva, e sua objetividade reside somente na arrogância e no exclusivismo de cada grupo denominacional.

Aqueles que defendem essa posição também ignoram o fato de que as próprias Escrituras não são tão homogêneas como alguns esperariam. Posições doutrinárias diversas, até sobre questões importantes, podem derivar-se do apoio de diferentes textos de prova. Naturalmente, isso requer seleção e manuseio. Assim, podemos ensinar o determinismo ou o livre-arbítrio pelas Escrituras (pois ambas as doutrinas são bíblicas). Também podemos ensinar uma doutrina do julgamento que concebe um inferno eterno, sem qualquer esperança para além do sepulcro, ou podemos ensinar uma visão de esperança e de restauração, com oportunidade de melhoria no próprio Hades, ou seja, após a morte física. No primeiro caso, podemos apelar para Heb. 9:27. No segundo caso, podemos apelar para o relato da descida de Cristo ao Hades, especialmente I Ped. 4:6, o versículo final do relato, como aplicação desse relato. Após escolhermos um lado ou outro, podemos distorcer ou ignorar os textos que parecem ensinar a posição oposta.

Continuando a ilustrar, quando falamos sobre a salvação, podemos usar textos de prova como os dos evangelhos, que mostram estar envolvido o perdão dos pecados, com base na expiação pelo sangue de Cristo, e então, por ocasião da morte biológica, a transferência para uma existência melhor, no Céu. Ou então podemos examinar passagens paulinas, onde é ensinado que a salvação é uma evolução espiritual, mediante a qual vamos passando de um estágio de glória para outro, compartilhando cada vez mais da própria natureza de Cristo, em sua imagem e atributos (II Cor. 3:18; Rom. 8:29), o que nos torna partícipes da natureza e da plenitude divinas (Efé.3:19; Col. 2:9,10). E, apesar de podermos chamar de *ensinos paulinos superiores*, é inegável que aquela concepção mais limitada da salvação, expressa nos evangelhos, é que predomina na prédica das igrejas protestantes e evangélicas, uma visão estreita em relação à soteriologia de Paulo.

Quanto mais nos pomos a examinar essa questão, melhor percebemos que quando falamos em verdade e

TRADIÇÃO E AS ESCRITURAS

autoridade, apesar de precisarmos das Sagradas Escrituras como alicerce, também teremos de depender de outros meios de determinação da verdade. Se temos tão elevada consideração pelas nossas interpretações particulares das Escrituras, por que motivo não respeitamos as interpretações alheias, especialmente aquilo que os chamados "pais da Igreja" disseram e o que os vários concílios definiram. Apesar de ser ridículo esperar infalibilidade ali, é perfeitamente possível que os pais ou os concílios tenham podido interpretar melhor do que nós, nem que seja numa coisa ou em outra.

As pessoas geralmente não tomam consciência do fato de que sua teologia é um sumário de noções teológicas, que segue alguma formulação histórica doutrinária, e não uma representação completa e genuína dos ensinos bíblicos. As pessoas também geralmente ignoram que a teologia, tal como qualquer outro ramo do saber humano, é um empreendimento em desenvolvimento, e não uma realização já terminada.

Desde a Reforma Protestante aos nossos dias, tem havido um nítido desenvolvimento doutrinário. Deus levantou Lutero para relembrar a basilar doutrina da "justificação pela fé". Calvino enfatizou a soberania absoluta do Senhor Deus", como também a "predestinação". Wesley encareceu a necessidade de "santidade". Outros grupos, como os batistas, estavam frisando a necessidade da "regeneração como condição ao batismo". Os grupos pentecostais, mais recentemente, têm frisado "o aspecto místico da experiência cristã". E certamente Deus continuará iluminando mentes e corações para que seu povo esteja devidamente preparado para o segundo advento de Cristo. Este co-autor e tradutor sugere a "tomada de consciência da *unidade espiritual* do povo de Deus", com a conseqüente desvalorização dos vínculos denominacionais. Opino que o Espírito de Deus efetuará esse "milagre" por meio da Grande Tribulação, quando somente os que são de Cristo rejeitarão lealdade ao Anticristo, e então os crentes reconhecerão, forço-samente, a sua unidade em Cristo. Ainda temos muito que aprender e avançar!

2. Manipulações Denominacionais

A questão da **tradição** vem à tona, na presente discussão, porque todas as denominações são, na verdade, resultantes das tradições teológicas. Para exemplificar, as igrejas protestantes e evangélicas, excetuando alguns abusos, juntamente com a Igreja Católica Romana, representam a tradição teológica ocidental, fundamentada sobre as interpretações dos pais da Igreja Ocidental. No entanto, há a tradição da Igreja Oriental; e, em minha estima, quanto a alguns pontos, essa tradição teológica é superior à tradição teológica ocidental. Também podemos pensar na tradição anglicana, que procura combinar elementos do Ocidente e do Oriente, com algum sucesso em seus esforços por obter uma teologia mais completa e satisfatória. A grande verdade é que todos os sistemas teológicos envolvem idéias tradicionais, o que se evidencia mediante o estudo, apesar das negações movidas pela arrogância denominacional.

3. Tradições Usadas nos Evangelhos

O prefácio do evangelho de Lucas alerta-nos para o fato de que estamos tratando com uma tradição oral e escrita que Lucas utilizou para compor o terceiro evangelho. Os eruditos liberais não crêem que essa tradição fosse isenta de erros, ou fosse absolutamente correta, historicamente falando. Seja como for, desde o começo temos que levar em conta uma tradição cristã, que se manifesta nos próprios evangelhos. Outrossim, por detrás dos evangelhos havia as tradições judaicas, não somente aquelas registradas no Antigo Testamento, mas também aquelas dos livros apócrifos e pseudepígrafos. A verdade é que o Novo Testamento inspirou várias idéias desses citados livros, apesar de não citá-los diretamente. Além disso, no próprio Novo Testamento encontramos tradições que continuam sendo transmitidas. Os estudiosos conservadores afirmam que o Espírito Santo preserva essas tradições (até mesmo aquelas que foram incorporadas) de qualquer erro. Mas os liberais julgam poder encontrar provas em contrário. Seja como for, é patente que não podemos estabelecer clara distinção entre Escrituras e tradições, conforme fazem os ingênuos; e isso porque as mesmas Escrituras nos transmitiram tradições. Se essas tradições não envolvem erros já constitui outro problema. E discuti sobre isso no artigo intitulado *Escrituras*, na parte que trata sobre a questão da inspiração divina.

4. Tradições Pós-Neotestamentárias

As vidas de Jesus e seus apóstolos inspiraram a escrita de muitos livros que apareceram, os quais seguiam o tipo de literatura que figura no Novo Testamento, tendo sido publicados evangelhos, atos, epístolas e apocalipses. A maior parte desse material foi produzida por grupos heréticos (especialmente os gnósticos), incorporando muito material imaginário e fantástico. Não obstante, ali há algumas coisas de valor. Uma pequena porcentagem das narrativas acerca de Jesus e seus apóstolos pode exprimir a verdade. *Algumas* das declarações extracanônicas, atribuídas a Jesus, podem ser genuínas. Isso posto, encontramos ali tradições pós-neotestamentárias que se revestem de algum valor, nem que seja para efeito de comparação. Ver os artigos intitulados *Livros Apócrifos e Livros Pseudepígrafos*, onde essas questões são ventiladas com maiores pormenores, e que envolvem o Novo Testamento. Naturalmente, aquelas tradições presas ao Antigo Testamento também precisam ser investigadas.

5. As Tradições dos Pais da Igreja

Os antigos pais da Igreja interpretaram as Escrituras e criaram um considerável corpo de literatura. Suas interpretações tornaram-se tradições. E assim a Igreja ocidental veio a seguir os primeiros pais latinos da Igreja, sempre que surgiram diferenças de opinião. Roma tornou-se um centro de autoridade, e as posições dos país associados àquela capital vieram a ser uma fonte de tradições que se tornaram a herança das igrejas ocidentais. Porém, também houve as tradições criadas pelos pais da Igreja Oriental, sediados nos patriarcados de Constantinopla, Antioquia, Alexandria e Jerusalém. Essa tradição oriental influenciou a Igreja Ortodoxa Oriental e a comunidade anglicana (esta última longe dali, nas ilhas britânicas). Contudo, é mais exato dizer-se que os anglicanos foram e continuam sendo uma ponte de ligação entre o Oriente e o Ocidente. As duas grandes tradições diferem no que concerne a pontos importantes como o ensino geral sobre a alma (o Ocidente aceitou o *criacionismo*; o Oriente a preexistência da alma). Também diferem quanto à oportunidade das almas (o Ocidente limita essa oportunidade a antes da morte biológica; mas o Oriente assegura que a oportunidade de salvação prossegue no após-túmulo, dizendo que o Hades é um campo missionário, tal como sucede no plano terrestre). E assim, as denominações, tendo conhecimento ou não desses fatos, seguem tradições interpretativas, visto que o próprio Novo Testamento não se mostra homogêneo sobre alguns pontos importantes. As tradições dos pais da Igreja, pois, representam esforços de interpretação, e

TRADIÇÃO E AS ESCRITURAS – TRADICIONALISMO

merecem pelo menos tanto respeito como as interpretações das atuais denominações cristãs, embora seja ridículo falar sobre inerrância interpretativa.

6. Recolhimento das Tradições nos Concílios

Os concílios ecumênicos (vide) atuaram quais árbitros de doutrinas e tradições cristãs, e procuraram limitar os pontos de vista a alguma posição. O catolicismo romano caiu no erro de "canonizar" as deliberações desses concílios; e os grupos protestantes caíram no erro de não respeitá-las de modo suficiente, no afã de livrarem-se dos abusos ali contidos. Mas, na verdade, os credos de denominações ou igrejas particulares são minúsculas decisões conciliares, e que se mostram arrogantes o bastante para exigir conformidade com certas posições doutrinárias, sob a hipótese de que elas não encerram erros. O que geralmente não se reconhece é que há abusos e erros doutrinários tanto das decisões dos concílios como nesses "minús-culos concílios" denominacionais.

Da mesma forma que é impossível separar a pessoa que percebe, mediante os seus sentidos, algum objeto físico, de sua interpretação dessa percepção (pois vemos as coisas *conforme somos*, e não conforme as coisas realmente são), assim também é impossível separarmos as Escrituras do ato de interpretação das mesmas. Coletivamente falando, as interpretações tornam-se tradicionais, não havendo tal coisa como interpretação bíblica sem as tradições interpretativas. Uma tradição pode ser verdadeira ou falsa, e algumas vezes não podemos aquilatar isso com precisão. No entanto, a busca pela verdade é uma aventura, pelo que não nos deveríamos sentir perturbados diante da necessidade de continuarmos inquirindo.

7. As Denominações Giram em Torno de Tradições Organizadas

Surpreende ver quão arrogantes são as denominações. Cada qual tem a certeza de que possui a melhor interpretação do Novo Testamento. Mas a verdade é que cada denominação é depositária de tradições interpretativas que contêm tanto a verdade como o erro.

8. Definição Católica Romana das Tradições da Igreja

Deus dirige tudo quanto sucede na Igreja, que é o seu instrumento de salvação e transmissora da mensagem espiritual. "A palavra de Deus e os seus dons graciosos alcançam o homem através da prédica entregue à Igreja. O mistério de Cristo permanece presente *na história* porque há uma comunhão dos fiéis que, no processo vital da vida, transmite a doutrina, a adoração e a palavra de Deus" (R). Para os teólogos católicos romanos, isso é feito mediante a assistência do Espírito Santo, que vai acompanhando as mutações da história, assim transmitindo e desenvolvendo em segurança as tradições, a cada geração por sua vez. Deus determinou que a Igreja fosse uma instituição de revelação contínua, e não meramente que servisse de guardiã da revelação inicial, dada nas páginas do Novo Testamento. As tradições subsequentes não são consideradas infalíveis, embora merecedoras de respeito. Porém, as tradições interpretativas, dos concílios ecumênicos e dos pronunciamentos dos papas, são reputadas infalíveis, devido à agência orientadora do Espírito.

Apesar das doutrinas básicas da tradição neotestamentária permanecerem as mesmas, o avanço da história requer maior iluminação e novas diretrizes. E essa é a necessidade suprida pelas decisões dos concílios e pelos pronunciamentos papais. Outras tradições podem ser de ajuda, mas não envolvem idêntica autoridade. As contradições porventura existentes nas tradições não deveriam dividir a Igreja. A verdade precisa ir sendo continuamente definida em muitas áreas, e as definições são sempre limitadas. O pluralismo, na Igreja, não somente precisa ser tolerado, mas até mesmo precisa ser encorajado.

TRADIÇÃO PROFÉTICA E A NOSSA ÉPOCA

Ver **Profecia: Tradição da e a Nossa Época.**
Este artigo se localiza depois do artigo intitulado, **Profecia, Profetas e Dom de Profecia.**

TRADICIONALISMO

Ver os artigos intitulados *Tradição Católica Romana* e

Tradição (Cristã).

1. *O Tradicionalismo Como um Movimento.* No século XVIII, surgiu uma teoria da história desenvolvida por membros da contra-revolução francesa e espanhola. As idéias desse movimento foram inspiradas (negativamente) pelo *Iluminismo* (vide) e por seu ponto culminante, que foi a Revolução Francesa. Seu grande ideal era a devolução à Igreja Católica Romana de sua absoluta autoridade, com base no raciocínio que o *Iluminismo* fora um equívoco, prejudicial aos homens. Esse movimento também ficou conhecido como *Ultramontanismo* (vide).

2. *Joseph de Maistre* argumentava contra os filósofos franceses, salientando como a Revolução Francesa trouxera a anarquia. Para ele, Deus é a autoridade real; mas, visto que ele não pode ser aquilatado pela razão, a obediência cega deveria ser a atitude dos homens, sob a forma de obediência à Igreja (que seria a única representante de Deus).

3. *Roberto de Lamennais* argumentava em favor das tradições transmitidas por meio da Igreja. O papado era exaltado por ele de forma extremada, a tal ponto que o papa Gregório XVI precisou condenar algumas idéias daquele pensador.

4. *Louis de Bonald* declarou que o Iluminismo fora em erro, afirmando que os homens devem sua lealdade ao papa e ao rei.

5. *Louis Bautain* promoveu uma forma exagerada de *fideísmo* (vide), encontrando poucos motivos sólidos para a razão.

6. Juan Donoso Cortês foi um líder ultramontanista espanhol. Ele dizia que o catolicismo é a própria civilização e condenava a política secular.

7. *As características gerais* do tradicionalismo eclesiástico, católico romano ou não, são enfatizadas pelo tradicionalismo, acima da razão, como a fé cega, a obediência sem discussão, a incapacidade da razão e da interpretação individuais, a necessidade de uma autoridade central, a fé nas tradições criadas e transmitidas pela Igreja.

8. *Os católicos romanos* são tradicionalistas restritos, por confiarem somente em sua forma específica de tradições, conforme temos exposto no artigo intitulado *Tradição Católica Romana*. Os anglicanos, por sua vez, respeitam muito as tradições da Igreja ainda não dividida (antes dos vários cismas, começando por aquele de 1054, quando a Igreja Oriental separou-se da Igreja Ocidental). No entanto, a maioria dos anglicanos mantém uma atitude aberta acerca da inquirição pela verdade, motivo pelo qual rejeitam os aspectos negativos e impensados do tradicionalismo. E a Igreja Oriental, apesar de respeitar muito as tradições mormente as da Igreja não-dividida não as equipara com as Escrituras, como se tivessem o mesmo peso destas. Por sua vez, os *protestantes fundamentalistas* usualmente são descritos, por outros grupos, como

TRADIÇÕES DOS HOMENS – TRADUCIONISMO

tradicionalistas. E outro tanto ocorre no caso da ortodoxia judaica, embora as bases das tradições desses dois agrupamentos até certo ponto difiram das bases do catolicismo romano. Assim, os protestantes fundamentalistas atuam mediante credos rígidos que se tornam, na *realidade*, tradições. Ali opera a seleção de *interpretações das Escrituras*, que confere às declarações de fé ou credos uma autoridade exagerada caracterizada pelo exclusivismo e pela inflexibilidade. Em muitos casos, essas tradições fundamentalistas pecam por omissão, com exclusão de certas verdades bíblicas.

9. Quanto às tradições cristãs ver *Tradição (Cristã)*.

TRADIÇOES DOS HOMENS
I. Uma Situação Concreta
Ver Col. 2:8.

Parece que os mestres gnósticos afirmavam ter antiga autoridade para o seu sistema, tal como várias religiões misteriosas da antiguidade, totalmente, supunham que sua adoração tivesse sido fundada por algum deus.

Assim também, até os nossos dias, é extremamente comum que até as mais recentes seitas digam estar alicerçadas sobre "tradições antigas", usando de argumentos fantásticos, que são mais provações da fé, inventadas para consubstanciar suas noções. Parece que os gnósticos tentavam aprimorar a "aceitação" de seu sistema, alicerçando-o sobre tradições supostamente antigas e dignas de confiança. Tudo isso, porém, é feito para evitar o aspecto de "novidade", pois poder-se-ia fazer a seguinte indagação embaraçadora: "onde estava Deus durante todo o tempo antes de começar essa seita?" A resposta dada, geralmente é: "Ele vinha edificando gradualmente, até que nos deu as revelações superiores que formam a base de nosso movimento". A "tradição" é que comprovaria isso, segundo dizem.

Paulo contrasta tais tradições com a revelação dada por Cristo; as primeiras são humanas, e esta última é divina. As tradições, em Colossos, provavelmente também incluíam a mistura com tradições rabínicas, porque havia forte influência do judaísmo naquela doutrina.

II. Quando as Tradições são mais Poderosas que a Verdade

1. O tempo, a longo prazo, está do lado da verdade, mas, com freqüência, a curto prazo, as tradições parecem vitoriosas.

2. O pragmatismo religioso (o que é melhor para mim, agora mesmo?) retarda o avanço da verdade.

3. Novas idéias se revestem de certo aspecto de insensatez quando expostas pela primeira vez, e quase sempre uma nova idéia entra em conflito com a verdade antiga e supostamente bem firmada.

4. A verdade supostamente bem firmada necessariamente é "parcial", pois não sabemos tudo sobre coisa alguma. É perfeitamente possível, portanto, que uma nova verdade, que transcenda alguma verdade antiga, se assemelhe a uma inverdade.

5. Uma nova idéia surgiu em Jerusalém. Porém, havia tradições por demais firmadas para que os homens dali pudessem avançar. Jerusalém era a fortaleza do dogma. Novas verdades não podiam penetrar em suas muralhas.

6. As tradições perpetraram o ódio e a violência. Quão freqüentemente isso tem sido visto na história das religiões!

7. Sacudimos desolados a cabeça diante disso. Mas, em nosso próprio *denominacionalismo*, temos criado novas tradições, as quais servem de instrumento para que nos recusemos a investigar novas verdades. Nenhum indivíduo, e por certo, nenhuma denominação, está isento de estagnar nos dogmas.

Da covardia que teme novas verdades,
Da preguiça que aceita meias verdades,
Da arrogância que pensa conhecer toda a verdade,
ó Senhor, livra-nos.
(Arthur Ford)

"Se alguém voltasse a sua atenção para as novidades de pensamento, durante o período de sua vida terrena, observaria que quase todas as idéias realmente novas se revestem de certo aspecto de insensatez, quando são apresentadas pela primeira vez". (Alfred North Whitehead).

"Aquilo que os homens mais humildes asseveram, com base em sua própria experiência, é digno de ser ouvido, mas aquilo que os homens mais astutos negam, em sua ignorância, não é digno de um momento sequer de atenção" (Sir William Barrett).

TRADUÇÃO
Ver *Versões*.

TRADUCIONISMO

Essa palavra portuguesa deriva-se do latim *trans*, "através", e *ducere*, "conduzir". Esse é o nome dado à doutrina de que o ato de procriação, de um homem e uma mulher, produz não somente o corpo do bebê, mas também a sua alma. Em outras palavras, a alma provém da procriação. Isso difere da idéia oposta, a da criação divina de cada alma em particular, no momento da concepção. Ver sobre *Criacionismo*.

Os estóicos ensinavam o traducionismo como origem da alma, e *Tertuliano* (vide), influenciado como estava pela filosofia estóica em vários de seus pontos, foi o primeiro pai da Igreja, até onde nos é dado saber, que promoveu esse ponto de vista entre os cristãos antigos. Agostinho advogava a idéia pelo menos durante uma parte de sua carreira, e outro tanto fizeram alguns dos pais da Igreja Oriental. Porém, nesta última tem prevalecido muito mais a idéia da *preexistência* da alma, em consonância com a opinião dos pais gregos da Igreja. Desde a Reforma Protestante, muitos luteranos têm defendido essa idéia; mas a maioria dos teólogos católicos romanos e protestantes advoga o criacionismo. Os grandes teólogos, Shedd e Strong, defendiam o traducionismo.

Entretanto, forçoso é dizer que não há qualquer evidência bíblica quanto a essa idéia. E certamente nenhum indício científico tem sido descoberto para comprovar o traducionismo. Esse é um daqueles pontos em que as Escrituras fazem silêncio. Assim sendo, qualquer argumento em seu favor só pode alicerçar-se indiretamente sobre as Escrituras. Esses argumentos são os seguintes: 1. Deus soprou no homem o hálito da vida, e não é dito que isso seja repetido a cada nova concepção; com base nisso, pode-se pensar que a alma é transmitida através da procriação natural. 2. Adão gerou um filho à sua própria imagem, o que significa que alma e corpo estavam envolvidos nessa geração. 3. Deus descansou de sua criação, pelo que não deveríamos esperar novos atos criativos, de almas humanas, a cada nova concepção. 4. A doutrina do pecado original milita contra o criacionismo, pois é impossível pensarmos que Deus crie uma alma pecaminosa desde o berço. Deus está isento dessa responsabilidade se postularmos o traducionismo. Também é errônea a suposição de que o meio ambiente é responsável pela natureza pecaminosa do homem. Isso posto, o pecado sem dúvida é transmitido à alma desde o ato procriador, pois a alma é que é pecaminosa, embora utilizando-se do corpo físico como seu veículo de expressão. 5. Apesar de interpretações em contrário, parece que há passagens bíblicas que ensinam mais diretamente o traducionismo, como aquela de Sal. 51:5: "Eu nasci na iniqüidade, e em pecado me concebeu minha mãe". Mas reconhecemos que há outras interpretações possíveis para essa e outras passagens afins.

Contra esses argumentos, devemos salientar que a teologia original dos hebreus não incluía a alma como entidade separada, e que essa doutrina só aparece claramente nos Salmos e nos Profetas. Todavia, indiretamente, a existência da alma como entidade separada pode ser percebida até mesmo no Pentateuco, como é o caso de Gên. 35:18: "Ao sair-lhe a alma (porque morreu) ...". Mas o Pentateuco não se mostra muito nítido sobre a existência da alma como entidade separada, e a legislação mosaica nunca promete uma vida feliz, para a alma, no pós-túmulo, aos obedientes, e nem uma existência infeliz para a alma, no pós-túmulo, para os desobedientes. Portanto, os pontos um e dois, acima, são inúteis do ponto de vista bíblico, embora tenham algum valor com bases racionais. Também sabemos que, cientificamente, a criação nunca cessou, pois universos inteiros aparecem e desaparecem continuamente. Portanto, o terceiro ponto, acima, também fica anulado. Contudo, o quarto ponto encerra um poderoso argumento, ainda que possa favorecer a posição da preexistência da alma tão facilmente quanto o traducionismo.

Na opinião do autor e deste tradutor, entretanto, o traducionismo exprime uma idéia melhor que a do criacionismo. Ver o artigo sobre *Alma*, em sua primeira seção, *Origem da Alma*, onde as várias opiniões sobre a questão são ventiladas. Cada um dos pontos de vista principais: criacionismo, preexistência da alma, traducionismo, fulguração, etc. tem merecido um artigo em separado. É ridículo falar sobre um feto corrompido a corromper uma alma recém-criada, quando os dois entram em contato. Em parte alguma da Bíblia o corpo físico é considerado pecaminoso em si mesmo, embora se torne instrumento fácil e dócil do pecado, que procede do coração, isto é, do homem interior. A *alma* é que é pecaminosa e corrupta, e essa pecaminosidade e corrupção só podem proceder dos pais, tal como ensinam as Escrituras. Qualquer teoria da origem da alma (que igualmente insista sobre a sua pecaminosidade) precisa levar essa questão em consideração. Pessoalmente (Russell Champlin), acredito na preexistência da alma.

TRAGÉDIA

Ver os artigos separados sobre **Problema do Mal** e **Pessimismo**.

A palavra tragédia, vem do grego, *tragoedia,* termo esse formado por *trágos*, "bode", e *aoidós*, "cântico", ou seja, "cântico do bode". Provavelmente, a origem dessa palavra, referindo-se àquilo que atualmente chamamos de "tragédia", originou-se do fato de que os atores vestiam-se com peles de cabra no culto a Dionísio.O *cântico* deles falava sobre o seu herói, Dionísio, e esse tipo de apresentação tornou-se parte do teatro antigo. E, visto que tantas produções teatrais tinham por base alguma tragédia, finalmente a palavra "tragédia" veio a significar exatamente isso. Horácio sugeriu que os vencedores, nas competições teatrais, recebiam bodes como prêmio; e, com base nessa circunstância, o nome daquele animal veio a ser vinculado às produções teatrais trágicas. Essa segunda teoria é bem menos provável, porém. Seja como for, aí

pelos dias de Aristóteles as tragédias já haviam sido sujeitadas à análise filosófica.

1. *Aristóteles.* Na sua obra, *Poética*, ele apresentou sua análise acerca da estrutura e significação das tragédias. Ele começou pela afirmação de que a *imitação* dos atos e das vidas dos homens é o artifício central das tragédias. E seu alvo é que elas buscam uma espécie de *catarse* para as emoções dos espectadores. Usualmente está envolvido um *herói*, por ser uma figura forte, mas precisa sofrer de modo incrível, antes de poder anular as *reversões* que esmagam a sua vida. Sendo esse o caso, o pobre espectador percebe o quão impotente ele mesmo é contra o infortúnio, notando que sua vida é atravessada pelo corisco da tragédia, com sua ação purificadora.

2. *Em vários escritores,* como Shakespeare, muitas tragédias serviram de veículo para ensinar lições morais. "Isso é o que sucede a pessoas que incorrem em graves equívocos. Tenha cuidado!" E Shakespeare também misturava a comédia com a tragédia, pois, vistas à distância, as tragédias, com freqüência, são cômicas.

3. *O neoclassicismo francês* (como se vê em Corneille e Racine, no século XVII) preserva o fator aristotélico de imitação, embora insistindo sobre três unidades como essenciais a uma boa tragédia: o tempo, o lugar e a ação. Aristóteles havia falado sobre as unidades da ação e do tempo, mas aqueles franceses adicionaram a outra característica, a do lugar.

4. *Samuel Johnson* (1709-1784) acusou a doutrina francesa de três unidades de ser uma restrição ao gênio de Shakespeare, que misturara a comédia com a tragédia.

5. *Emanuel Kant* não discutiu sobre a tragédia, mas sua teoria geral da estética influenciou outros pensadores a fazê-lo. Kant referiu-se ao *sublime* como uma força avassaladora, como parte do infinito, contra o que ele asseverava ser a nossa *liberdade*. Com base nessa orientação, vários filósofos perceberam como a tragédia envolve o conflito humano, caracterizado por uma liberdade finita, em conflito constante com poderes infinitos, em uma luta na qual o homem usualmente sai-se perdedor.

6. *Lessing*, ao aplicar as idéias de Aristóteles, chegou a crer que a tragédia purga os homens levando-os aos sentimentos da *piedade* e do *temor*, ao mesmo tempo. A figura trágica deve ser semelhante a nós, para que nos possamos identificar com ela. Para tanto, é preciso mesclar a piedade com o temor. Presumivelmente, essa mescla tem a capacidade de transformar os homens, para que deixem de lado suas paixões prejudicais e busquem hábitos virtuosos, a fim de que daí possam resultar bens. Daí podem emergir a fraternidade com base em um senso universal de piedade. Lessing via muita tragédia ao seu derredor! Talvez suas idéias sejam eficazes quando os homens encaram "o palco da vida" com todas as suas tragédias, e não meramente as tragédias encenadas em teatro. Até Schopenhauer encontrava valor na simpatia, considerando inúteis todos os atos e estados dos homens.

7. *Goethe* não tinha qualquer fé na teoria de *catarse* de Aristóteles, acreditando que as pessoas que costumam assistir a tragédias teatrais, embora fiquem "admiradas", voltam para casa e em coisa alguma são transformadas por aquilo que assistiram. Ele via a tragédia como uma expressão essencial de *expiação* e *reconciliação*, que podem ser lições úteis a aprender, e talvez as peças teatrais tenham algum valor na exposição vívida desses fatores.

8. *Schiller*, a princípio, seguiu a análise feita por Lessing; mas acabou influenciado pelas idéias kantianas. Ele começou vendo a piedade operando, bem como a

A HORA ESTÁ CHEGANDO

A TRAIÇÃO

imitação (seguindo as idéias de Aristóteles), mas terminou pensando em termos kantianos, que concebia o homem pobre e finito em oposição a terríveis forças metafísicas. E passou a falar em termos da "inevitável sorte" humana, em que o Infinito esmaga o finito.

9. *Madame de Stael* (1766-1817) reduziu as três unidades de pensadores franceses à unidade simples da ação. A emoção e a ilusão seriam os fatores principais em operação.

10. *Augusto Wilhelm Schlegel* (1767-1845) via na tragédia os principais fatores da natureza transitória do homem, que depende de poderes desconhecidos. O homem, ao contemplar essas coisas, reage e assevera sua transcendência, e assim resolve o conflito e a tragédia, contrapondo-os com a harmonia esperada, para além da tempestade. Essa atitude de transcendência é a grande virtude e o valor das tragédias.

11. *Hegel* aceitava a análise aristotélica como válida, no seu sentido literário. Mas a isso ele adicionava uma dimensão moral específica. Nas tragédias há dois grandes poderes morais em conflito, ambos justificados - e ambos de origem divina. A tragédia, pois, busca harmonizar essas forças. Ele pensava que as tragédias gregas eram superiores às de Shakespeare, a quem acusava de complicar as coisas mediante a introdução das contingências de caráter.

12. *Friedrich von Schlegel* seguia a idéia do sublime de *Kant*. A tragédia assevera a liberdade moral diante da hostilidade de forças sublimes. Ademais, a tragédia envolve a transformação espiritual do herói que vence.

13. *Schelling* via a tragédia como a luta entre a liberdade e a necessidade. O herói da tragédia vê-se envolvido em algum crime, mas não deliberadamente. Embora pareça culpado, é inocente, mas tem que sofrer sua punição, que aceita voluntariamente, o que, por assim dizer, restaura a ordem moral.

14. *K. W. F. Solger* (1780-1819) encarava a tragédia como uma ilustração de como as imperfeições humanas entram em conflito com seu destino mais alto. E também via a comédia dessa maneira. Em ambos os casos, o conflito é resolvido de forma irônica.

15. *Schopenhauer* via toda a existência como se, na verdade, ela fosse trágica e pessimista, sem qualquer significado ou remédio, e asseverava que o teatro meramente retrata essa condição da vida. Todos os seres humanos estão destinados ao sofrimento, não havendo qualquer redenção. A maior tragédia de todas ocorre quando a pessoa nasce. E a reencarnação apenas garante que a tragédia continue. E o suicídio não tem utilidade, por não ter qualquer poder retardador.

16. *Kierkegaard* acreditava que o herói trágico renuncia a si mesmo a fim de exprimir o universal; o homem de fé, por outro lado, renuncia ao universal, e assim obtém uma relação pessoal digna com Deus.

17. *Nietzsche* considerava que a atitude trágica é uma auto-afirmação, através do sofrimento. O super-homem é capaz de vencer, em seu autocumprimento, o qual unifica os elementos diversos e hostis da vida. Ele rejeitava a idéia de piedade e de temor, substituindo-a pelo superabundante cumprimento do super-homem.

18. *Unamuno* associava o "trágico sentido da vida" à fé e à razão. Anelamos por um estado que vai além do que é racional. A fé faz-se presente, mas não resolve os nossos conflitos. Visto que tanto a fé como a razão deixam as coisas não-resolvidas, o "sentido trágico" é aquela condição na qual vivemos e que preserva as tenções e os estados não-resolvidos.

19. *No tocante à fé religiosa*, é óbvio que a tragédia é da vida, e não meramente a do teatro, desempenhando um importante papel. A teologia ocidental (católica romana e protestante-evangélica) deixa o homem em meio à tempestade, ensinando um fim extremamente trágico para a vasta maioria dos homens. Destarte, a teologia se transforma em um pessimismo trágico. Mas a Igreja oriental e a comunidade anglicana têm exibido alguma luz nesse estado lastimável das coisas, ao afirmarem que a missão do *Logos* certamente renderá resultados universais. Ver o artigo chamado *Restauração* quanto a uma exposição desse ponto de vista alternativo sobre o destino humano, que representa *uma teologia para além da tempestade*. Escrevi um artigo com esse título. Em contrário, ver o artigo intitulado *Mistério da Vontade de Deus* (*Interpretação Alternativa*), em seu quinto ponto, *A Doutrina da Restauração*.

TRAIÇÃO

No hebraico, *ramah*, "entregar". Palavra usada por onze vezes (por exemplo, I Crô. 12:17; com o sentido de "enganar", ver I Sam. 10:17; 28:12, etc.).

No grego, *paradídomi*, "entregar". É palavra usada por muitas vezes no Novo Testamento, cerca de cento e vinte vezes, desde Mat. 4:2 até Judas 3. Neste artigo, interessa-nos examinar a traição de Judas Iscariotes, mediante a qual o Senhor Jesus foi entregue a seus algozes.

O vocábulo grego, de modo geral, envolve as idéias de mostrar-se desleal, de desapontar as expectativas de alguém, de desvendar informações secretas, de seduzir, de apresentar evidências falsas contra alguém, de agir traiçoeiramente. Jesus predisse (Mat. 17:22) que seria traído por um de seus discípulos. O caráter do traidor era conhecido por Jesus, antes que aquele entrasse em ação (João 6:46). Os evangelhos salientam a postura digna e a força de espírito do Senhor Jesus, durante todo o episódio (Mat. 26:47-56). O Senhor só reagiu para repreender a seu ex-discípulo, quando foi por ele traiçoeiramente osculado: "Judas, com um beijo trais o Filho do homem?" (Luc. 22:48).

O que foi que Judas traiu ? a. De acordo com os incrédulos e céticos, Judas teria traído *o segredo messiânico*, embora esse segredo não correspondesse à realidade. O segredo messiânico era a consciência de que Jesus tinha de ser o longamente esperado e profetizado Messias de Israel, uma informação que ele manteve em segredo por longo tempo. Alguns incrédulos não crêem que Jesus tenha sido o Messias de Israel, porquanto isso seria uma invencionice dos judeus, sem qualquer fundamentação. De acordo com essa tentativa de explicação, Jesus foi envolvido na ilusão, deixou-se enganar, e identificou-se com a imaginária figura do Messias. Judas Iscariotes, pois, teria revelado essa auto-ilusão às autoridades judaicas. Um dos mais curiosos aspectos dessa teoria é que Judas teria feito isso como um ato de misericórdia, a fim de salvar Jesus de sua ilusão e, talvez, da morte, visto que, declarando ser o Messias, ele entrara em choque com as autoridades judaicas e com Roma, que jamais toleraria a rivalidade de um rei judeu! Isso faz de Judas o real herói da história! Infelizmente para ele, o traidor não compreendeu seu gesto por essa prisma, pois lemos: "Então Judas, que o traiu, vendo que Jesus fora condenado, tocado pelo remorso, devolveu as trinta moedas de prata aos principais sacerdotes e aos anciãos, dizendo: Pequei, traindo sangue inocente" (Mat. 27:3,4). E foi enforcar-se!

b. Ou então o segredo messiânico foi revelado por Judas às autoridades judaicas. E o tal segredo era genuíno - Jesus era o Messias prometido. Contudo, de acordo com essa explicação, apenas gradualmente Jesus foi tomando consciência de sua missão, tendo-a guardado em segredo enquanto não teve a certeza de quem era.

c. No entanto, a leitura dos evangelhos indica que, tudo quanto Judas Iscariotes revelou às autoridades judaicas foi o lugar para onde Jesus costumava retirar-se à noite, o que facilitou a sua detenção (ver João 18:1-3).

A Traição e a Teologia. a. Se o **segredo messiânico** estava envolvido, então, teologicamente falando, a traição teve significação. Assinalou o ponto em que o caráter messiânico de Jesus não podia continuar sendo ocultado, e tinha de tornar-se de conhecimento público. b. O ato da traição mostrou até onde pode chegar a infidelidade humana. A igreja primitiva recuou, horrorizada: *um dos doze* havia traído ao Senhor. c. O ato de traição, que revelou onde o Senhor se abrigara, foi apenas símbolo do caráter aviltado do traidor. A natureza humana, quando profundamente aviltada, é capaz de qualquer ato traiçoeiro. d. O ato de traição mostra-nos como algumas pessoas tratam a graça do Senhor e a sua generosidade com escárnio. Os homens abusam da graça divina, mas apenas para seu próprio detrimento. (Ver João 6:70; 15:16; Atos 1:17). Judas lançou fora um tremendo privilégio que lhe tinha sido dado. e. Em todo o episódio havia a questão do destino, embora alguns tenham dificuldade em compreendê-la (Mat. 26:24). A coisa tinha de acontecer, mas ai do instrumento usado! Sabemos que o desígnio de Deus coopera com a vontade humana, sem destruí-la, embora não saibamos explicar de que maneira. Ver os artigos sobre o Livre-arbítrio e o *Determinismo*. f. Alguns supõem que aquele ato traiçoeiro de Judas tenha sido apenas um dentre toda uma carreira de sua alma, e que esse homem haverá de reencarnar-se e será o anticristo. (Ver as notas no NTI, em Atos 1:25, bem como o artigo sobre o *anticristo*). Naturalmente, o anticristo também terá uma missão divinamente determinada, pois aquilo que tiver de suceder-se, sucederá. Uma vez mais, vê-se que Deus usa o homem sem destruir-lhe a livre-vontade apesar de não sabermos explicar a questão. g. Judas teve remorso (Mat. 27:2,3); "Mas, porventura, isso significará alguma coisa, em última análise? O trecho de Efésios 1:10 mostra-nos que haverá uma *restauração* geral (ver o artigo), e isso, naturalmente, incluirá Judas. Todavia, isso terá de esperar até o fim da fila, após toda a série de eras produzir aquela era em que o Logos será o centro de todas as coisas, a razão pela qual tudo existe. Não obstante, coisa alguma deveria servir para detratar da missão do Logos, o Cristo, em sua encarnação como o Messias prometido. Além disso, por qual motivo haveríamos de limitar e subestimar a graça e o amor de Deus, somente para continuarmos crendo que Judas nunca mais será recuperado pelo favor divino? (B NTI)

TRAIÇÃO DE JESUS POR JUDAS

O que Judas *revelou* em sua traição? 1. Alguns dizem: revelou o *segredo messiânico*. Em outras palavras, apesar de Jesus sentir ser o Messias, não o declarava publicamente, talvez por esperar uma boa oportunidade ou circunstâncias favoráveis. (Ver Mat. 7:36; 8:26,30 e 9:9, quanto ao segredo messiânico). Porém, apesar de ser verdade que havia algum segredo, muito antes da semana final Jesus já o tinha revelado. Portanto, não foi a "reivindicação messiânica" de Jesus que Judas revelou às autoridades religiosas. 2. Nem podemos pensar que Jesus realmente tivesse quaisquer intenções *revolucionárias*, que Judas revelou às autoridades, levando-o a tornar-se um "mártir político". 3. A verdade simples parece ter sido a de que Jesus se ocultara e que Judas revelou *onde* poderiam achá-lo e detê-lo. Ele foi o guia dos soldados que detiveram a Jesus (Atos 1: 16). O fato de que Jesus se tornou impopular ante os líderes religiosos (Ele era uma ameaça para o poder deles, e era blasfemo contra suas doutrinas, fazendo extravagantes reivindicações messiânicas e tornando-se politicamente perigoso), levou-o a ocultar-se por algum tempo, a fim de proteger a si mesmo e aos seus discípulos. Judas conhecendo os hábitos de Jesus, revelou onde Ele estava. É difícil saber se Judas meditou antes em sua ação inicial; isto é, se ele previu que isso terminaria na morte de Jesus, ou se pensou que as autoridades o poriam na prisão, ou simplesmente ordenariam que ele cessasse sua atividade. É impossível saber a resposta. Mas é significativo que quando ele viu que Jesus seria morto, imediatamente sentiu remorso pelo que fizera. Isso parece sugerir que ele esperava que algo menor seria o resultado. Mas é claro que ele quis *sair* do movimento iniciado por Jesus e se parte de seu propósito foi o de fazer Jesus desistir também, é outra questão. 4. Naturalmente, a *traição* era de uma pessoa por outra, era uma doença de coração; uma corrupção de alma.

TRAJANO

Seu nome completo, em latim, era Marcus Ulpius Traianus. Nasceu em 53 d.C. Tornou-se imperador de Roma em 98 d.C., até falecer, em 117 d.C.

Trajano nasceu na Espanha. Após servir em várias ocupações civis e militares, foi nomeado governador da Germânia, no ano de 97 d.C. Estando ele ali, ficou sabendo que fora adotado como filho pelo então imperador, Nerva. Esse ato, de conformidade com os costumes da época, assegurava-lhe a sucessão ao trono do império. Essa providência de Nerva foi instigada por uma revolta que houve entre os membros da guarda pretoriana (vide), o que levou esse imperador a entender a necessidade de que uma mão mais firme viesse a tomar conta do leme do Estado.

Por ocasião do falecimento de Nerva, que ocorreu no ano de 98 d.C., Trajano permaneceu na Germânia algum tempo, em algum negócio nunca terminado, e só chegou a Roma já no ano de 99 d.C. Seu primeiro ato como imperador, entretanto, foi punir os membros da guarda pretoriana que se tinham amotinado; e, então, para demonstrar o seu desprazer com os acontecimentos, doou ao povo apenas metade da doação anual costumeira. Mas, sendo um político astuto, conquistou a admiração do senado, conhecendo todos os privilégios dos senadores. Sendo um líder natural, pouco tempo lhe bastou para tornar-se querido e popular entre o povo e as forças armadas.

A administração geral de Trajano seguia linhas paternalistas, protegendo os interesses do império.

Ele assumiu com gosto a pesada carga de governar, havendo manifestado uma extraordinária capacidade para manusear todos os problemas complexos daquele imenso império romano. No entanto, essa atitude política do imperador desencorajava toda a iniciativa por parte das províncias. E estas logo aprenderam a esperar da capital do império a solução para todas as suas dificuldades. No entanto, sabendo escolher bons governadores provinciais e continuando a distribuir cereais e provisões alimentícias gratuitas aos habitantes empobrecidos das municipalidades, ele conseguiu manter a boa ordem nas províncias. Por igual modo, expandiu enormemente o programa de obras públicas, tendo construído novos banhos na cidade de Roma, um magnificente fórum, novas estradas por todos os rincões dos seus vastos domínios.

Um ponto que devemos destacar é a firmeza de seu pulso, como administrador, combinada com o seu senso de humanidade. Este último ponto é ilustrado pela sua atitude para com os cristãos, aos quais chegou a proteger, e acerca do que Plínio testifica (ver *Epistulae* 10.96 e 97).

O reinado de Trajano foi assinalado por duas grandes aventuras militares. Em duas campanhas (101 e 102 e também 105 e 106), ele subjugou a Dácia, a região que ficava ao norte das margens do rio Danúbio, transformando-a em uma província romana. Nesse território foram exploradas, com sucesso, minas de ouro e minas de sal. E o segundo desses feitos militares foi a sua campanha contra os partos (vide), entre 113 e 117 d.C. Nesse empreendimento, porém, ele conseguiu apenas uma conquista precária, tendo falecido na Cilícia, quando estava na viagem de volta a Roma.

TRANCAR (Cadeado, Fechadura, Pino)

Uma fechadura é um artifício mecânico para impedir que portas e outras entradas sejam abertas. Os antigos hebreus tinham trancas feitas de madeira ou de ferro, para trancar as portas de casas, prisões e fortalezas (ver Isa. 45:2). Os portões das muralhas erguidas por Neemias, em torno de Jerusalém, contavam com "ferrolhos e trancas" (Nee. 13). Os ferrolhos e as trancas (sob a forma de barras) eram as formas mais comuns de fechaduras. As chaves consistiam em pinos de ferro ou de bronze, embora, ocasionalmente, também fossem usados pinos de madeira. Esses pinos serviam para manter aquelas barras ou trancas em seus respectivos lugares. Em alguns lugares, uma tradução mais exata para *fechadura* seria "ferrolho". A *chave* (vide) era um instrumento de metal ou de madeira, usado para fazer mover-se o ferrolho.

TRANQÜILIDADE

Esse era o estado mais elevado procurado pelos filósofos epicureus mais intelectuais. Eles pensavam que a tranqüilidade é fruto da rejeição do ciclo do desejo - cumprimento - descontentamento, etc., *ad infinitum*. O homem tranqüilo, para eles, seria aquele que não excita esse ciclo vicioso, mas contenta-se com os prazeres intelectuais, repelindo os prazeres carnais. Mostraram-nos tranqüilos quando desejamos desaparecer, em vez de nos declararmos alegadamente satisfeitos. O prazer é o alvo da existência, dentro daquele sistema filosófico; mas estão em foco somente os prazeres que deixam um homem com uma mente satisfeita, distante dos conflitos que excitam os desejos humanos. A *ataraxia* é o alvo que todos deveriam procurar, ou seja, "o prazer desfrutado em meio à tranqüilidade".

Diz o trecho de Provérbios 17:1: "Melhor é um bocado seco, e tranqüilidade do que a casa farta de carnes, e contendas". A tranqüilidade no lar deveria ser um de nossos grandes alvos. O trecho de Isaías 32:17 fala sobre retidão, paz e repouso, todos juntos, e isso subentende que é a redenção da alma, sem a qual é simplesmente impossível qualquer tranqüilidade permanente. E os trechos de I Tessalonicenses 4:11 e II Tes. 3:12 exortam os homens à tranqüilidade, para que, nesse estado, seja desenvolvida a piedade cristã.

TRANSCENDENTAIS

Ver sobre *Transcendente*; *Transcendência*; *Transcendentais*, o artigo na íntegra, mas especialmente sua quarta seção, *Vários Transcendentais*.

TRANSCENDENTE, TRANSCENDÊNCIA, TRANSCENDENTAIS

Ver também o artigo chamado *Transcendentalismo*.

Esboço:
I. O Termo e Suas Definições
II. Nos Escritos dos Filósofos
III. Na Teologia
IV. Vários Transcendentais

I. O Termo e Suas Definições

Essa palavra vem do latim, **transcendere**, "cruzar uma fronteira". Seus elementos formativos *são trans*, "cruzar", e *scandare*, "subir". Esse termo tem muitas aplicações na filosofia e na teologia, conforme é ilustrado no resto deste artigo. Uma das idéias básicas é que a deidade que o indivíduo busca está muito acima do inquiridor. A superioridade e independência do Ser divino é contrastada com a humilde posição do inquiridor, confinado a esta esfera terrestre. A transcendência absoluta põe Deus fora do mundo, e se Ele mantém qualquer interesse pelo mesmo, sem dúvida terá de agir através de uma longa linha de mediadores ou intermediários. Diversas teologias procuram resolver esse problema propondo os pólos da transcendência e da imanência, como qualidades divinas, cujo Ser é assim descrito como Alguém que existe, ao mesmo tempo, "além" do mundo e "no" mundo. A crença na transcendência usualmente envolve a aceitação de uma *dimensão* transcendental do Ser, bem como de seres, Deus e outros seres imateriais que habitam em uma esfera totalmente diferente daquela onde vivem os homens. Usualmente é preciso a revelação para que o Ser transcendental possa ser conhecido, visto que não estamos muito bem equipados para irmos além do "próprio eu", exceto no caso dos místicos, que desenvolvem as técnicas apropriadas e os estados de espírito conducentes a isso. A transcendência também aplica-se ao conhecimento, bem como aos meios que estão para além da experiência, mas que podem ser parcialmente conhecidos nos postulados da razão, da intuição e das experiências místicas.

II. Nos Escritos dos Filósofos

1. *Platão* postulava a existência das *Idéias* ou *Formas* (ver sobre *Universais*) como uma espécie de realidade metafísica para além dos particulares (esta realidade física), atribuindo-lhes os mesmos tipos de atributos que atribuímos a Deus, criando assim uma forma de transcendência.

2. *O Movedor Inabalável* de Aristóteles, que impulsiona todas as coisas mediante o amor, é uma transcendente realidade, a saber, "o pensamento puro que pensa sobre si mesmo", por não haver outra coisa digna para nela pensarmos.

3. O *neoplatonismo* adaptou as idéias de Platão ao contexto religioso, dentro do qual a Realidade última emana-se através de intermináveis níveis do Ser, ainda que, no nível supremo, encon-tremos uma realidade transcendental.

4. *O Logos* do estoicismo é uma transcendência, se é que podemos vê-lo como a origem de tudo, acima de tudo, e, no entanto, subsistente em tudo (uma forma de *panteísmo*).

5. *Dentro da teologia cristã*, o grande Deus transcendental é visto como uma pessoa que não somente existe além da criação, mas que também permanece imanente na criação, tornando-o, ao mesmo tempo, transcendental e imanente. Alguns dos primeiros pais da Igreja incorporaram as idéias platônicas das Formas ou Universais, a fim de explicarem certos aspectos da teologia.

TRANSCENDENTE, TRANSCENDÊNCIA

6. *Os filósofos-teólogos do escolasticismo* empregaram idéias de Platão e de Aristóteles. Tomás de Aquino referiu-se aos quatro princípios transcendentais: *ens* (ser), *unum* (unidade), *verum* (verdade) e *bonum* (bondade), assim incluindo questões morais no seu tratamento, as quais, naturalmente, já haviam sido antecipadas nas Formas (ou Idéias), na Bondade, na Justiça, etc., de Platão. Algumas vezes, a lista é inchada com *Pulchrum* (beleza). E Platão, em seu diálogo, Banquete, fazia da beleza o mais elevado de todos os universais. Na teologia, esses universais figuram como atributos de Deus, dos quais os homens participam parcialmente. A filosofia-teologia escolástica chamava essas coisas de "transcendentais", porquanto ultrapassariam das categorias aristotélicas. A teologia bíblica adiciona outros transcendentais no tocante a Deus, especialmente a *santidade*, no seu mais elevado grau. Talvez seja diante de nossa consciência da santidade divina, que encontramos nossa mais convincente evidência da transcendêndia.

7. *Kant* aplicava essa palavra de mais de uma maneira. Ele falava sobre "a coisa em si mesma", como algo transcendental, por estar acima da intelecção humana, só podendo ser descoberto ou postulado por meio dos juízos morais, da intuição ou das experiências místicas. Ademais, as categorias a *Priori* da mente não são passíveis de investigação e recolhimento de provas, pelo que são transcendentais. Não se derivam da experiência dos sentidos. A tentativa de encontrar os valores transcendentais nas experiências e nos argumentos empíricos é uma tentativa negativa e infrutífera. Os postulados conferem-nos uma espécie de conhecimento (não-provado e não-empírico) acerca dos assuntos transcendentais da filosofia e da teologia. Esses postulados nos chegam através da razão, da intuição e das experiências místicas. Precisamos desses postulados se quisermos contar com um completo sistema de teologia. Kant usava argumentos morais na tentativa de "provar" a existência de Deus, em vez de argumentos empíricos, conforme se vê nos *Cinco Caminhos* de Tomás de Aquino.

8. *O transcendentalismo da Nova Inglaterra* não aceitava a abordagem "negativa" de Kant, supondo que, mediante a intuição e as experiências místicas, possamos obter um genuíno conhecimento da alma, de Deus e de realidades metafísicas de toda sorte. Notáveis nomes associados a essa escola foram Emerson, Thoreau, Alcott e Margaret Fuller. Além de tomar por empréstimo idéias de Kant, algumas das quais receberam ênfases e significados diferentes, essa escola empregava conceitos extraídos de Platão e das religiões orientais. O unitarianismo, fazendo oposição ao calvinismo, também exerceu influência sobre a maneira de pensar daquelas pessoas. Elas dependiam da intuição e do misticismo, e eram impelidas por profundo otimismo quanto ao lugar e o destino do homem, dentro do esquema das coisas. Quanto a detalhes, ver o artigo separado sobre *Emerson, Ralph Waldo*.

9. *Husserl* falava sobre a transcendência em termos kantianos.

10. *Ortega e Gasset* supunham que a transcendência apropriada possa ser obtida na autenticidade. Ver o artigo acerca dele, quanto a uma explicação sobre essa idéia. Ele encontrava a transcendência no ser humano, e não no "além".

11. *Romero* afirmou que "ser é transcender", assim encontrando a transcendência no próprio ser.

III. Na Teologia

1. *Na metafísica*, são transcendentais Deus, os céus, as realidades espirituais e os seres não-materiais. As dimensões imateriais são uma constante na teologia, aparecendo entre outros valores transcendentais.

2. *Deus* é transcendental. a. *Na natureza*, sendo totalmente outro, por ser "espírito", em contraste com a matéria, e por ser a forma mais elevada de ser espiritual, bem como a fonte de todos outros tipos de ser. b. Fora do *espaço*, habitando Deus em uma dimensão imaterial e não-espacial, Deus tem uma espécie de existência totalmente transcendental. c. *Quanto à santidade*, bem como quanto a seus outros atributos, que são inteiramente diferentes do homem e suas manifestações. d.*Quanto ao intelecto*, visto que os pensamentos de Deus não são os nossos. Antes de tudo, Deus manifestou-se através do *Logos* (vide), o qual, por sua vez, revelou a Deus, tendo então efetuado uma missão tridimensional em favor do homem: na Terra, no Hades e no Céu. O gnosticismo super-enfatizava a transcendência de Deus, criando a necessidade de uma interminável série de mediadores. A *encarnação* (vide) do Logos trouxe Deus até o homem e elevou o homem até Deus. Destarte a própria natureza divina é compartilhada por seus filhos, os quais adquirem a imagem do Filho. O *deísmo* (vide) é uma outra teologia que enfatiza demasiadamente a transcendência de Deus. e. *Quanto aos atributos*, Deus também é transcendental, pois apesar dos remidos poderem participar de alguns dos atributos divinos, as qualidades de Deus estão acima e além dos seres humanos.

3. *A alma humana* agora já participa, até certo ponto, da transcendência de Deus, visto ter sido criada à imagem de Deus. A salvação envolve a promessa de uma imensa participação na natureza divina, porquanto os remidos haverão de participar da imagem de Cristo, o Logos (ver Rom. 8:29), da plenitude de Deus (ver Efé. 3:19), da própria natureza divina (ver II Ped. 1:4), por serem filhos que estão sendo conduzidos à glória eterna (ver Heb. 2: 10). Ver o artigo geral intitulado *Transformação Segundo a Imagem de Cristo*.

IV. Vários Transcendentais

Aqui, à guisa de sumário, queremos falar especificamente sobre alguns pontos transcendentais da filosofia, cada um dos quais poderia merecer um artigo em separado:

1. *A Estética Transcendental*. Essa é uma idéia de Emanuel Kant. Ele usava a palavra estética em seu sentido grego primitivo de "sentimento" ou "percepção". Coisas que são comuns à nossa percepção e avaliação da natureza da realidade, na verdade não são representantes da "coisa em si mesma", ou seja, a natureza real das coisas; antes, são imposições mentais, ou seja, são categorias da mente. Portanto, essas categorias transcendem aos sentidos físicos e não procedem das experiências empíricas, mas, antes, são essências da mente, impostas à realidade, embora não representem necessariamente a realidade, conforme ela é. Impomos à realidade os conceitos de tempo e espaço, bem como todas as demais categorias, mas essas coisas não são o "estofo" próprio da realidade. Ver sobre *Kant*, quanto a uma lista completa de suas categorias.

2. *Fenomenologia Transcendental*. Husserl propôs a idéia de que as estruturas subjetivas da mente apresentam-nos uma proposta realidade objetiva, mas, na verdade, estão tratando com os fenômenos mentais, e não com a realidade propriamente dita.

3. *O Ego Transcendental*. Nos escritos de Husserl, isso aponta para a estrutura mental que envolve a auto-identidade, que é uma espécie de subjetiva transcendental, e não, necessariamente, a coisa em si mesma. Nas religiões orientais, o verdadeiro eu, que pode ser chamado de "ego", a "alma" ou o "superego", é a

TRANSCENDENTE – TRANSE EGOCÊNTRICO

pessoa real, e o seu envolvimento na materialidade é um envolvimento na ilusão. A doutrina cristã da alma pode ser chamada de "ego transcendental", visto que o indivíduo está aqui apenas em uma peregrinação, pois pertence a uma dimensão espiritual distinta desta dimensão material, dimensão espiritual essa que é a fonte de toda sorte de seres.

4 . *A Lógica Transcendental*. Esta também é uma parte da filosofia de Kant, na qual ele mostra os mecanismos e operações do entendimento humano. Ele dividiu esse estudo na lógica analítica transcendental e na dialética transcendental. A primeira é uma busca pela estrutura *a priori* do entendimento, que se utiliza das categorias mentais; e a segunda aborda a tendência da mente para considerar sua estrutura como a estrutura, não somente do pensamento, mas também do ser real e externo. Para concluir, porém, que não passa de uma ilusão quando imaginamos que as coisas são como são. Mediante essa ilusão, transformamos a lógica em uma metafísica, ou, conforme Kant dizia, em uma *dialética*. Uma lógica inchada com noções metafísicas resulta nessa dialética ou modo de pensar com o que estamos tão acostumados. "Dialética" é o nome que Kant aplicou aos mal-orientados esforços do homem por aplicar os princípios que governam os fenômenos às "coisas em si mesmas".

5. *Falácias ou Paralogismos Transcendentais*. Essas são as proposições que os homens criam sob a falsa suposição de que aquilo que pensamos deve corresponder à realidade. Mas o mero ato de pensar não cria a realidade. Esse argumento tem sido usado em contraposição ao *Argumento Ontológico* (vide) de Anselmo.

TRANSE
Esboço:
I. As Palavras
II. Definições
III. Usos Bíblicos

I. As Palavras
Há três palavras hebraicas envolvidas, e uma palavra grega, a saber:
1. *Naphal*. "cair (em transe)", que aparece com esse sentido somente em Núm. 24:4,16. Nas demais vezes significa apenas "cair".
2. *Tardemah*, "sono profundo", uma palavra hebraica que ocorre por sete vezes: Gên. 2:21; 15: 12; 1 Sam. 26:12; Jó 4:13; 33:15; Pro. 19:15 e Isa. 29:10.
3. *Radam*, "transe", um termo hebraico que ocorre por três vezes com esse significado: Sal. 76:6; Dan. 8:18 e 10:9.
4. *Êkstasis*, "fora do normal", "deslocamento", "confusão mental". Essa palavra grega é usada por sete vezes: Mar. 5:42; 16:8; Luc. 5:26; Atos 3:10; 10:10; 11:5 e 22:17.

II. Definições
Um transe é um **estado alterado da consciência**, mediante o qual o indivíduo, por assim dizer, é transportado para fora de si mesmo. Nessa condição de arrebatamento dos sentidos, embora pareça desperto, o indivíduo está desligado de todos os objetos que o circundam, de todos os estímulos. Os estímulos externos evidentes passam inteiramente despercebidos, visto que a pessoa fica total e obcessivamente fixada sobre coisas invisíveis, sejam elas de natureza divina, alucinatórias ou inconscientes. Em tal condição a pessoa pode pensar que está percebendo, com os seus sentidos naturais (principalmente com a visão e com a audição), realidades que lhe estejam sendo mostradas por Deus ou por outras forças sobrenaturais. Os transes religiosos, ou assinalados como fortemente emocionais são chamados "êxtases". Os êxtases são algum arrebatamento de avassaladora alegria. Em suas formas externas, o transe assemelha-se ao estado de *coma*.

III. Usos Bíblicos
A **forma extrema** de transe, que poderíamos entender como "coma", aparece naquelas passagens onde é empregada a palavra hebraica *tardemah* (ver acima). É interessante observar que, em todos esses casos, há alguma manifesta intervenção de Deus. Por exemplo: "Então o Senhor Deus fez cair pesado sono sobre o homem, e este adormeceu: tomou uma das suas costelas, e fechou o lugar com carne" (Gên. 2:21). Ou, então: "Ao pôr-do-sol, caiu profundo sono sobre Abrão, e grande pavor e cerradas trevas o acometeram; então lhe foi dito... (Gên. 15:12,13).

Uma forma mais suave de transe é expressa mediante a palavra hebraica, *radam* (ver acima, "numero 3"). Isso pode ser visto, por exemplo, em Dan. 8:18, que diz: "Falava ele comigo quando caí sem sentido, rosto em terra; ele, porém, me tocou e me pôs em pé no lugar onde eu me achava; e disse...". A mesma coisa se vê em Dan. 10:9: "Contudo, ouvi a voz das suas palavras; e, ouvindo-a caí sem sentido rosto em terra". A mesma palavra ocorre em Sal. 76:6, onde, porém, diz a nossa versão portuguesa: "Ante a tua repreensão, ó Deus de Jacó, paralisaram carros e cavalos".

No caso do profeta Balaão, por duas vezes é usada a palavra hebraica *naphal*. Citamos aqui os versículos envolvidos: " ...palavra daquele que ouve os ditos de Deus, o que tem a visão do Todo-Poderoso e prostra-se, porém de olhos abertos...." (Núm. 24:4,16). A idéia transparece nas palavras reiteradas "Prostra-se, porém de olhos abertos".

No Novo Testamento, o uso da idéia de *transe* (que nossa versão portuguesa exprime através da palavra êxtase, correspondente exato ao termo grego original), está sempre vinculado às diretivas conferidas pelo Espírito de Deus. Assim, no caso que envolveu o apóstolo Pedro (Atos 10:10 e 11:5), o contexto, as circunstâncias e as consequências sugerem-nos que tudo foi permitido e usado pelo Espírito de Deus (ver ainda Atos 11:12,15,18). E o mesmo sucedeu no caso que envolveu o apóstolo Paulo (Atos 22:17). Ver também os artigos intitulados, *Espanto; Sonho; Visão*.

É evidente que está em foco um conceito psicológico, um fenômeno que não envolve apenas a porção física do homem. Naturalmente, os céticos não acreditam que coisas assim possam ocorrer, que possa haver qualquer intervenção divina ou demoníaca que influencie ao ser humano. Porém, se até os hipnotizadores conseguem fazer as pessoas entrarem em transe (ver sobre o *Hipnotismo*), por que razão não poderiam fazê-lo forças espirituais superiores ao homem?

As práticas do espiritismo (vide) envolvem transes com vários fenômenos acompanhantes, como a "escrita automática", ou psicografia, o desenho ou a pintura que reproduz os traços de algum grande mestre do passado, ou a música de algum grande pianista ou virtuoso de algum outro instrumento musical. Indagamos, se espíritos, humanos ou não, podem produzir tais fenômenos, usando-se de seres humanos em estado de transe, por que motivo, com muito maior razão, o Espírito de Deus não poderia utilizar-se dessa mesma potencialidade, para as suas próprias finalidades benfazejas?

TRANSE EGOCÊNTRICO
Em sentido amplo, essa expressão refere-se ao problema

TRANSE EGOCÊNTRICO – TRANSFIGURAÇÃO

do conhecimento que os homens enfrentam, por causa de suas limitações no recolhimento de informações. Ele está preso a um corpo físico e dentro de um mundo que, obviamente, é apenas uma "minúscula parcela da existência total. Dentro dessa condição, como poderíamos dizer qualquer coisa de muito significativo sobre a realidade como um todo? Qualquer pronunciamento que o homem faça alicerça-se sobre seu muito extremamente limitado prospectivo e sobre um *eu* fechado dentro de si mesmo. As perspectivas à nossa disposição, quando muito, são provinciais, pelo que também todo o nosso conhecimento é provincial, e não geral. Um extremo transe egocêntrico, porém, nos envolveria no *solipsismo* (que vide), o que é o conceito que diz: "Só eu existo". O resto da presumível existência nada mais seria senão as minhas próprias projeções mentais. R.B. Perry (que vide) foi quem primeiro usou esse vocábulo. Ele o aplicou aos idealistas que asseveravam que a única coisa que existe é a *mente*, porque todas as coisas são necessariamente conhecidas através dos processos mentais.

A Revelação e o Transe Egocêntrico. Confiamos que a revelação divina quebra, pelo menos em parte, o transe egocêntrico. Todavia, esse transe não pode ser totalmente anulado, por causa de vários fatores, a saber: 1. Nossa mente e nossa maneira de entender as coisas são obviamente *limitadas*, de tal maneira que a verdade divina só pode ser parcialmente compreendida por nós, apesar da revelação que nos foi outorgada. 2. Ademais, também é verdade que algumas verdades são compreendidas apenas parcialmente, outras são até mesmo *distorcidas*. 3. Muitos grandes *mistérios* permanecem para o homem atual, a despeito de nossas revelações parciais. 4. A verdade é uma eterna inquirição, e sempre haverá limitações impostas pela nossa finitude. Portanto, a menos que o homem possa tornar-se tão infinito quanto Deus, sempre haverá de sofrer do transe egocêntrico. Não obstante, haverá uma contínua diminuição dessa condição, conforme formos compartilhando mais e mais da natureza e da mente divinas. Apesar de nossas imensas limitações atuais, possuímos a verdade, pelo menos sob a forma de verdades parciais, embora possamos depender delas, dotadas de grande importância como diretrizes que podemos seguir na vida.

TRANSFIGURAÇÃO DE JESUS

Ver o artigo separado sobre *Transformação Segundo a Imagem de Cristo.*

1. No grego, *metamorphóomai*, "transformar", "transfigurar". Esse vocábulo grego é usado por duas vezes acerca da transfiguração do Senhor Jesus (ver Mat 17:2 e Mar. 9:2), e por duas vezes acerca da transformação ocorrida nas vidas dos crentes, por meio das operações divinas (ver Rom. 12:2; 11 Cor. 3:18).

2. *A Transfiguração de Jesus no Novo Testamento.* Todos os três evangelhos sinópticos relatam o evento da transfiguração de Jesus, no monte (ver Mat. 17:1-8; Mar. 9:2-8; Luc. 9:28-36). Mas Lucas não usa o verbo específico "transfigurar", mas apenas diz que a aparência do Senhor Jesus ficou "diferente". O apóstolo Pedro também se refere ao acontecido (ver II Ped. 1: 16-18). E as alusões feitas pelo apóstolo João, à glória de Jesus, talvez reflitam a ocorrência (ver João 1:14; 2:11 e 17:24).

3. *O Lugar da Transfiguração.* Há uma tradição que vem desde o século IV d.C., afirmando que o monte da transfiguração é o monte Tabor, da Galiléia. No século VI d.C., nada menos de três templos cristãos haviam sido construídos naquele monte, provavelmente, em face dessa tradição. Mas, no século XIX, os eruditos mudaram de opinião, diante do fato de que o cume do monte Tabor, segundo descobriu-se, era ocupado por uma cidadela, na época da transfiguração de Jesus. Não há qualquer evidência de que o Senhor Jesus se afastou para longe da região de Cesaréia de Filipe. Apenas aprendemos em Marcos 9:30, que Ele e seus discípulos "passavam pela Galiléia", algum tempo depois da transfiguração. A maioria dos eruditos atualmente acha que devemos pensar no monte Hermom, o único monte cujo pico é perenemente recoberto de gelo, o que poderia corresponder ao "alto monte" referido em Mat. 17:1. No entanto, um estudioso, W. Ewing (ver ISBE, vol. 5 pág. 3006) objeta que o monte da transfiguração deve ter sido na Judéia, porquanto havia escribas nas proximidades (ver Mar. 9:14). E ele sugere ali o Jebel Jermuque, a mais elevada montanha da própria Palestina, que dominava o norte da Galiléia. Mas, ainda outros estudiosos têm procurado espiritualizar esse monte "alto", que Pedro chama de "santo". Todavia, esses estudiosos tendem por negar a historicidade do evento, ou então, a exatidão dos relatos dos evangelhos.

4. *O Tempo da Transfiguração.* Parece que o tempo da transfiguração foi no começo do outono do ano anterior ao da crucifixação. Mateus e Marcos afirmam que isso ocorreu seis dias após a confissão de Pedro. Lucas fala em "cerca de oito dias depois de proferidas estas palavras", o que talvez inclua os dias terminais, ou então, porque ele também incluiu um dia de subida no monte, e outro de descida. Mas outros comentadores, rejeitando as referências cronológicas, imaginam que a narrativa foi transferida de local, porquanto diria respeito, na realidade, a alguma aparência mítica ou real de Jesus, após a sua ressurreição. Na verdade, há certos pontos de semelhança entre o Cristo transfigurado e o Cristo glorificado; mas é uma temeridade pensar que os escritores sagrados inventaram uma transfiguração de Jesus. Não há qualquer necessidade de negar o fato da transfiguração, para aqueles que aceitam a descrição neotestamentária de Jesus como o Cristo divino, sobrenatural.

5. *Fontes de Informação*

Esta seção tem paralelos em Mar. 9:2-36, pelo que sua fonte foi o *protomarcos*. Ver informação sobre as fontes informativas dos evangelhos na introdução ao comentário no artigo intitulado o *Problema Sinóptico* e no artigo sobre *Marcos, Evangelho de.* Alguns intérpretes têm procurado lançar dúvidas sobre a *historicidade* deste acontecimento, por crerem que se deve à imaginação dos membros da Igreja primitiva, especialmente criada para ilustrar a divindade de Cristo, ou que histórias similares do Antigo Testamento, especialmente sobre o resplendor do rosto de Moisés, ao receber a lei, foram reescritas e aplicadas a Jesus, como se Ele fosse um novo Moisés. Não obstante, a verdade é que nada soa tão veraz em face daquilo que sabemos de Jesus e de suas experiências místicas, e as descrições que aqui são dadas são típicas dessas experiências.

6. *Natureza do Evento e Significados*

Uma aura de grande esplendor é freqüentemente associada às experiências místicas, quer historiadas quer não, nas Escrituras. Mas o acontecimento aqui narrado ultrapassa a experiência comum, porquanto não envolveu somente a Jesus, mas também a Pedro, a Tiago e a João, os quais, diferentemente de Jesus, não estavam sujeitos a essas experiências. Foi uma experiência de origem divina, uma revelação dada aos apóstolos, sobre a glória do reino futuro que terá Jesus como seu rei. O Senhor Jesus foi visto em sua glória, o homem imortal exaltado, mas também

Raphael. A Transfiguração de Jesus

Transfiguração

••• •••

...transfigurou-se diante deles — e o seu
rosto resplandeceu como o sol, e os seus
vestidos se tornaram brancos como a luz.
(Mat. 17:2)

••• ••• •••

...não vos conformeis com este mundo, mas
transformai-vos pela renovação do vosso
entendimento, para que experimentais qual
seja a boa, agradável e perfeita vontade
de Deus. (Rom. 12:2)

Amados, agora somos filhos de Deus, e ainda
não é manifestado o que havemos de ser. Mas
sabemos que, quando ele se manifestar,
seremos semelhantes a ele; porque assim como
é o veremos. (I João 3:2)

Porque aqueles que Deus já havia escolhido,
estes também ele separou, para se tornarem
como seu Filho. (Rom. 8:29)

...preciosas promessas...
para que por elas fiqueis
participantes da natureza divina...
(II Ped. 1:4)

•••

TRANSFIGURAÇÃO – TRANSFORMAÇÃO

participante na natureza divina (vs.2). Moisés, provavelmente, representou a autoridade judaica da lei. Elias representou certamente os profetas, e juntos foram vistos como representantes da autoridade básica da religião revelada aos judeus. Alguns intérpretes vêem nesse acontecimento a existência de muitos símbolos, como o de Moisés, que representaria os que passaram pela experiência da morte e o de Elias, como a figura dos redimidos que serão arrebatados sem ver a morte; os apóstolos são vistos como representantes de Israel no reino futuro. Mas, devido ao fato de que o NT não indica tais lições, é *precário* exagerar os possíveis símbolos desse acontecimento. O vs. 5 é muito significativo, porque apresenta outro incidente da aprovação direta e divina à pessoa de Jesus e à sua missão.

Outros significados, que apesar de acidentais, também são importantes, têm sido apresentados, como os seguintes:

1. Jesus, vendo claramente que já se aproximava a morte, necessitou de um consolo especial do Pai, da demonstração da aprovação divina em sua vida e obra. 2. Jesus precisou da demonstração do êxito final de sua obra; precisou da prova de que o reino, apesar de rejeitado pelo povo, seria uma realidade futura, de acordo com o elemento de tempo que o Pai determinasse. 3. Os apóstolos também necessitavam desse consolo, não só naquele instante em que estavam ligados a Jesus, mas também mais tarde, após a sua morte, ressurreição e ascensão. O trecho de II Ped. 1:16-18 ilustra o fato de que esse acontecimento insuflou grande segurança e confiança e, realmente, a lembrança da realidade desta experiência fortaleceu e conferiu maior autoridade à mensagem cristã. A experiência demonstrou, como poucas outras, a singularidade e a autoridade de Jesus, confirmando a sua identificação como o Messias prometido e afirmando a sua missão, não somente terrestre, mas também *cósmica*.

"Os investigadores recentes se têm preocupado mais com o significado, propósito e pano de fundo da narrativa do que com suas origens históricas, porquanto muito têm a dizer-nos acerca do primitivo pensamento cristão. Assim, Herald Riesenfeld traça todos os antigos motivos e alusões em sua obra *Jesus Transfigured* (Copenhagen: Ejnar Munksgaard, 1947), que contém uma bibliografia completa. Conforme Riesenfeld, a história é fundamentalmente "histórica", pois relata uma visão da entronização de Jesus como Messias e Sumo Sacerdote, que Pedro e outros puderam contemplar. G.H. Boobyer, "*St. Mark and the Transfiguration Story*", *Journal of Theological Studies*, XLI, 1940, págs. 119-140, nega que isso tenha qualquer vínculo com a ressurreição. A transfiguração, em vez disso, seria a prefiguração da "parousia", da segunda vinda gloriosa de Cristo, tal como se vê em II Ped. 1:13-18 e no Apocalipse de Pedro (Sherman Johnson, *in loc.*).

O vocábulo grego aqui traduzido por *transfiguração*, em português é realmente a palavra *metamorfose*, que significa "mudança de forma". "Morphe" é uma das palavras gregas que significam "forma". Paulo se utilizou do mesmo termo, em Rom. 12:2, ao falar da transformação do homem interior, isto é, a vida interior do crente. A palavra *morphe* também foi usada para indicar a "forma" do corpo de Jesus após a sua ressurreição (ver Mar. 16:12). A passagem de II Cor. 3:18 usa a palavra ao aludir à história do rosto refulgente de Moisés, mas aplica essa transformação a todos os crentes. Em Fil. 2:6, o termo grego *morphe* se refere ao estado de Jesus antes da encarnação, e também depois, já feito "homem". É evidente que esse vocábulo fala, usualmente, da natureza essencial de alguma coisa ou pessoa. Aqui, a Bíblia diz que "(Jesus) foi transfigurado". Pode ser que a transfiguração tenha envolvido realmente uma verdadeira alteração de natureza ou substância. De fato, esta fala da transformação do homem imortal, que tem vida em si mesmo, a vida não derivada, igual à vida de Deus, que o Pai conferiu a Jesus (como homem), e que Cristo dará aos seus verdadeiros discípulos. Ver as notas no NTI que tratam das implicações destas declarações, em João 5:26 e Rom. 8:29. O termo "morphe" é usado em relação à essência da natureza, e às vezes em contraste com a palavra "skema", que geralmente significa a forma externa, sujeita a alterações bruscas. *Skema* fala de formas acidentais; *morphe* pode falar da natureza essencial, ou de forma externa.

TRANSFIGURAÇÃO, MONTE DA

Ver sobre o *Monte Tabor*. Ver também o artigo *Transfiguração* I.1, "*O Lugar da Transfiguração*".

TRANSFORMAÇÃO SEGUNDO A IMAGEM DE CRISTO

Nota de sumário:

1. João 5: 25,26 e 6:57, que dizem: "*Em verdade, em verdade vos digo que vem a hora, e já chegou, em que os mortos ouvirão a voz do Filho de Deus: e os que a ouvirem, viverão... Porque assim como o Pai tem vida em si mesmo, também concedeu ao Filho ter vida em si mesmo... Assim como o Pai, que vive, me enviou, e igualmente eu vivo pelo Pai; também quem de mim se alimenta, por mim viverá*".

Esses versículos nos ensinam que a vida *necessária* e *independente* de Deus Pai, que consiste na verdadeira imortalidade, foi transmitida ao Filho de Deus, quando de sua encarnação *como homem;* e então, através do Filho, a todos os outros filhos, de tal modo que eles passam a participar da vida divina, a saber, a mesma vida que Deus Pai possui. Todos aqueles que são transformados segundo a imagem de Cristo compartilham desse tipo de vida.

2. II Cor. 3:18: "*e todos nós, com o rosto desvendado, contemplando, como por espelho, a glória do Senhor, somos transformados de glória em glória, na sua própria imagem, como pelo Senhor, o Espírito...*"

A transformação segundo a imagem de Cristo é um processo gradual, produzido através da dedicação diária de todo o nosso ser, através do *contacto contínuo* com a divindade, mediante o Espírito de Deus, que é a força ativa dessa transformação. Ela passa de *glória em glória*, porquanto consiste na contemplação da elevada glória do Senhor, que é Cristo Jesus. O objetivo dessa transformação é a implantação, no crente individual, daquela mesma imagem, caráter essencial ou ser essencial que é possuído pelo próprio Filho de Deus. Trata-se de uma operação divina que não pode ser imitada pela reforma moral, porquanto se trata de um processo místico, que afeta a natureza moral, levando-a à perfeição; e isso é realizado em termos exatos, através da transformação metafísica do ser essencial, partindo daquilo que é comum aos seres humanos mortais, transformando-os em seres pertencentes à família divina, dotados da mesma natureza que o Irmão mais velho, que é Jesus Cristo.

3. Mat. 5:48: *Portanto, sede vós perfeitos como perfeito é o vosso Pai celeste.*

Este versículo declara qual o **grande alvo moral** da humanidade. Esse alvo é a *perfeição* absoluta de Deus Pai. É um erro crasso reduzir esse versículo como se o mesmo ensinasse a simples *maturidade*, conforme tantos

TRANSFORMAÇÃO

NA CASA DE MEU PAI HÁ MUITAS MORADAS

Transformação

••• •••

...transfigurou-se diante deles — e o seu
rosto resplandeceu como o sol, e os seus
vestidos se tornaram brancos como a luz.
    (Mat. 17:2)

••• ••• •••

...não vos conformeis com este mundo, mas
transformai-vos pela renovação do vosso
entendimento, para que experimentais qual
seja a boa, agradável e perfeita vontade
de Deus.   (Rom. 12:2)

Amados, agora somos filhos de Deus, e ainda
não é manifestado o que havemos de ser. Mas
sabemos que, quando ele se manifestar,
seremos semelhantes a ele; porque assim
como é, o veremos.   (I João 3:2)

Porque aqueles que Deus já havia escolhido,
estes também ele separou, para se tornarem
como seu Filho.   (Rom. 8:29)

...preciosas promessas...
para que por elas fiqueis
participantes da natureza
divina... (II Ped. 1:4)

••• •••

TRANSFORMAÇÃO

intérpretes têm feito, os quais, dessa maneira, propositadamente ignoram a elevada mensagem que tem por intuito ser transmitida aqui. Os verdadeiros discípulos de Cristo estão sendo moralmente aperfeiçoados, e isso não subentende meramente a "impecabilidade". Pois uma pessoa pode estar livre do pecado e, contudo, não participar ainda da "santidade positiva" de Deus, como, por exemplo, do fruto do Espírito Santo, de conformidade com Gál. 5:22,23. Então, os remidos virão a possuir o amor, a longanimidade, a bondade, a justiça, a gentileza de Deus, juntamente com todas as qualidades morais de seu ser. Os remidos serão perfeitos nessa santidade, bem como em seus seres morais, tal como Deus Pai é igualmente santo; e isso porque são verdadeiros filhos de Deus, tal como Jesus é o Filho de Deus. Ora, essa transformação moral, por sua vez, provoca a transformação metafísica, do que fala Rom. 8:29 especificamente.

4. Efé. 1:23 "...*a qual é o seu corpo, a plenitude daquele que a tudo enche em todas as coisas...*"

Cristo é aquele que preenche tudo em todos, em torno do qual, por semelhante modo, gira a criação inteira e encontra o seu significado. Assim também nos ensina o "mistério" aludido em Efé. 1:10. Porém, a plenitude de Cristo é a igreja, a sua "noiva". Isso expressa uma glorificação de *grande magnitude*, posto que nenhum anjo, por mais exaltado que seja, foi jamais chamado de filho ou de plenitude de Cristo. É claro, portanto, que os crentes, transformados conforme a imagem de Cristo, serão elevados muito acima de todos os outros seres, tornando-se superiores aos grandes principados, poderes e domínios, que são vocábulos que expressam a gradação variada existente entre os seres angelicais. A plenitude de Cristo, entretanto, consiste na personalidade humana transformada. Existem várias formas de vida e, na escala descendente, temos de começar pela vida suprema de Deus Pai. O Filho de Deus participa dessa vida, como os filhos de Deus também dela participam, ainda que, por enquanto, estes últimos não participem dela ainda em sua plenitude; mas, o fato de que participarão, nesta plenitude, coloca-os em nível muito acima de qualquer anjo.

5. Efé. 4:12,13,15: "...*com vistas ao aperfeiçoamento dos santos, para o desempenho do seu serviço, para a edificação do corpo de Cristo, até que todos cheguemos à unidade da fé e do pleno conhecimento do Filho de Deus, à perfeita varonilidade, à medida da estatura da plenitude de Cristo... seguindo a verdade em amor, cresçamos em tudo naquele que é o cabeça, Cristo...*"

Os dons espirituais doados aos membros da igreja, e a própria existência da igreja, visam produzir a perfeição dos crentes e essa perfeição está "em Cristo", porquanto a igreja é o corpo de Cristo. A perfeição a ser atingida deve ser aquilatada pela mesma perfeição existente em Cristo, sendo uma "perfeição completa", e não uma perfeição imitada. Esse desenvolvimento em direção à perfeição se verifica de acordo com a verdade e com o amor, pois a vida caracterizada pelo amor cristão, pela dedicação ao próximo, pelo amor inspirado e implantado pelo Espírito Santo (ver Gál. 5:22,23) é o caminho mais rápido em direção à perfeição, porquanto faz de nós aquilo que Cristo é, já que Ele é o mais extraordinário exemplo de altruísmo que o homem já teve ocasião de ver. Ora, o amor consiste em desejarmos para os outros aquilo que desejamos para nós mesmos, bem como de nos importarmos com os outros do mesmo modo que nos preocupamos conosco mesmos. Deus "...amou o mundo de tal maneira que deu o seu Filho..." (João 3:16), e Cristo nos amou de tal modo que deu a sua vida por nós, quando ainda éramos seus inimigos (ver Rom. 5:5-8). Esse mesmo princípio, em nós implantado pelo Espírito Santo, atua no crente, produzindo a mesma perfeição moral possuída por Jesus Cristo, até que haja a plena participação em sua natureza e estatura. Esse é o grande alvo de nossa transformação segundo a sua imagem. Assim como a cabeça e o corpo participam de *uma única natureza*, embora possuidores de funções e posições diversas, por igual modo os crentes, na qualidade de corpo de Cristo, possuem a sua *mesma natureza*, ainda que ocupem funções e posições diferentes das do Filho, dentro da economia divina.

6. II Ped. 1:3,4: "*Visto como pelo seu divino poder nos têm sido doadas todas as cousas que conduzem à vida e, à piedade, pelo conhecimento completo daquele que nos chamou para a sua própria glória e virtude, pelas quais nos têm sido doadas as suas preciosas e mui grandes promessas, para que por elas vos torneis co-participantes da natureza divina, livrando-vos da corrupção das paixões que há no mundo...*"

Essa é a mais profunda verdade do Evangelho, mas que tem sido virtualmente ignorada pela Igreja, onde a salvação tem sido reduzida ao mero perdão dos pecados e à mudança de endereço para os céus. O Evangelho de Cristo, entretanto, consiste em muito mais do que isso, e envolve até mesmo a nossa co-participação na *natureza divina*. Nenhum homem ousaria fazer tal pronunciamento por si mesmo, porquanto estaria cometendo o pecado de orgulho de Satanás, que desejou ser "igual ao Altíssimo". Neste versículo, porém, o remido é visto como um ser de tal modo transformado, segundo a imagem de Cristo, que chega até a participar da sua divindade.

A palavra grega aqui traduzida por *natureza* é o mesmo vocábulo que expressa o ser *essencial*, e não alguma característica secundária. A natureza humana, assim sendo, no caso dos remidos, será transformada segundo a "natureza divina". Se compararmos isso com outros trechos bíblicos, chegaremos a entender que participaremos da natureza divina conforme ela aparece em Jesus Cristo, tal como o corpo tem a mesma natureza que a cabeça. Isso não infringe o conceito da "Trindade", porquanto sempre haverá na Trindade algo sem-par; e quanto à sua posição, o Filho de Deus não tem outro que se lhe compare. Os homens, porém, podem tornar-se seres dotados da mesma natureza do Filho.

A participação da alma transformada na divindade é, e sempre será **finita**, embora perfeitamente **real**. Esta participação sempre será num estado de "aumento", porque a própria glorificação nunca pode entrar num estado estagnado. A participação do Filho da divindade é *infinita*; portanto, sempre haverá uma diferença entre a Cabeça e o Corpo.

Não há base na suposição de que a "morte física" produz a glorificação completa. Nos céus não há estagnação e os crentes não atingirão a elevadíssima glória de Cristo em um único grande salto, como alguns tolamente imaginam. Pelo contrário, o *alvo mesmo* da existência, tanto nos céus como aqui, consiste no crescimento constante, até atingirmos a plena estatura de Cristo. Todavia, o tempo necessário para tanto sempre depende tão- somente de cada indivíduo. Paulo gravitou até o terceiro céu (ver II Cor. 12:2-4), um lugar de glória magnificente. Contudo, um rabino judeu instruído chamaria a isso de residência mais elevada de Deus, ainda que faça parte dos "lugares celestiais". Os remidos, por conseguinte, progridem para a mais exaltada glória, e não

TRANSFORMAÇÃO

atingem a mesma meramente porque morrem fisicamente. Não obstante, o lar verdadeiro da Igreja de Cristo são os "lugares celestiais". Mas a epístola aos Efésios, que reitera com freqüência essa expressão, ensina-nos que existem muitos níveis de vida e de seres espirituais. Mas a promessa feita a todos os crentes é que, finalmente, nenhum ficará aquém desse alvo, pois esse sucesso foi garantido pelo próprio Cristo, no oitavo capítulo do evangelho de João, bem como pelo apóstolo Paulo, no oitavo capítulo da epístola aos Romanos.

É uma *vaidade* sem igual a dos homens que pensam saber tudo acerca dos céus de Deus, ou sobre os lugares celestiais, os quais cercam a verdade de Deus com a sebe de seus dogmas, defendendo, dessa maneira, verdades que são meramente parciais. Para esses estão reservadas muitas surpresas. De uma coisa podemos estar certos, porém: *Cristo* é o grande alvo, tanto da existência nesta esfera terrena, como da vida na esfera celeste. E a vida de que desfrutaremos ali, por igual modo, participará do desenvolvimento em Cristo Jesus, até que, por fim, sejamos nós o que Ele é, nos termos mais literais possíveis. É a isso que nos referimos, quando falamos dos muitos filhos de Deus que estão sendo conduzidos à glória.

7. Heb. 2:10: *"Porque convinha que aquele, por cuja causa e por quem todas as cousas existem, conduzindo muitos filhos à glória, aperfeiçoasse por meio de sofrimentos o Autor da salvação deles..."*

Em sua encarnação, Cristo assumiu a humanidade, tendo-se limitado a andar pela mesma vereda que palmilhamos, a fim de que pudesse ser o pioneiro do caminho de volta a Deus, e não apenas o próprio caminho de retorno. Por essa razão é que algumas traduções dizem, em Heb. 2: 10, "pioneiro", em vez de "Autor". Porém, ambas essas traduções emitem conceitos que expressam a verdade. A encarnação de Cristo se cerca de grande importância, posto que assim como Cristo se identificou completamente conosco, assim também nos identificaremos completamente com Ele. Cristo tomou sobre si a natureza humana autêntica; mas, por meio do Espírito de Deus, foi transformado como homem, e foi com o poder do Espírito Santo que operou suas extraordinárias maravilhas.

Além disso, Jesus prometeu que poderíamos fazer prodígios iguais aos que Ele fez, e maiores ainda (ver João 14:12). Esclareceu que assim poderia ser porque Ele estava indo especificamente para o Pai, o que subentende o dom subseqüente e necessário do *Espírito Santo,* que Ele outorgaria a seus discípulos, para que fosse o seu representante à face da Terra, o seu *alter ego,* que viria completar a obra por Cristo iniciada, especialmente no aspecto da transformação dos crentes à imagem do Filho de Deus. Além disso, quando de sua ressurreição e ascensão, Cristo entrou não somente no santuário celeste (os lugares celestiais, a habitação de Deus, a pátria dos cidadãos celestiais), mas entrou na própria habitação de Deus, o Santo dos Santos dos céus. Sim, Cristo foi glorificado, mas ainda aguarda sua posterior e maior glorificação na Igreja, bem como quando se tornar o centro real de toda a criação, tema esse explorado no primeiro capítulo da epístola aos Efésios. Ora, aqueles que confiam em Cristo experimentarão exatamente o mesmo processo. Esses possuem ainda, por enquanto, a vida mortal, na carne, o que, para eles, serve de escola de "aperfeiçoamento", quando lhes é dada a oportunidade de aprenderem os princípios pelos quais a perfeição lhes será conferida. Tais crentes estão sendo transformados segundo Cristo, e pelo mesmo Espírito que o transformou. Além disso, potencialmente, já participam de sua vida ressurrecta e de sua elevada glória. Por conseguinte, tudo quanto se aplica ao cabeça, que é Cristo, se aplica *também ao corpo,* que é a igreja, tanto no que concerne à natureza essencial como no que diz respeito à herança, incluindo tudo quanto os remidos receberão, farão e serão. Ora, disso é que consiste a condução dos muitos filhos à glória - a duplicação de Cristo no espírito humano. Esses filhos possuem a mesma natureza do *Filho de Deus.* Ver o artigo sobre a *Humanidade de Cristo* e Fil. 2:7 e Heb. 5:9.

8. 1 João 3:2: *"Amados, agora somos filhos de Deus, e ainda não se manifestou o que havemos de ser. Sabemos que, quando ele se manifestar, seremos semelhantes a ele, porque havemos de vê-lo como ele é..."*

Para os crentes, a parousia ou "segundo advento de Cristo" será um momento em que os seus seres serão *extraordinariamente* transformados, quando também o problema do pecado será solucionado, quando a alma remida será libertada do empecilho representado pelo corpo mortal. Isso significa, por sua vez, que o progresso no desenvolvimento espiritual será mais fácil e rápido nos lugares celestiais. Porém, até mesmo com respeito aos lugares celestiais, devemos antecipar a reação entre a vontade divina n o livre-arbítrio de todo o espírito glorificado, porque isso é um princípio firmado pelo próprio Deus. Todo e qualquer progresso espiritual só ocorre havendo essa reação entre o elemento divino e o humano. Visto que o conceito da perfeição *é infinito,* e que a santidade de Deus é *infinita,* parece-nos razoável dizer que a própria eternidade consistirá em aproximar-se cada vez mais de Deus, em que o crente avançará de glória em glória, sempre crescendo em Cristo e em suas perfeições. Na eternidade, entretanto, os espíritos humanos remidos serão levados à participação na mais elevada forma de vida, isto é, a verdadeira imortalidade de Deus Pai, aquela forma de vida que não pode deixar de existir, aquela independente e necessária; pois a vida de Deus Pai é a própria fonte da vida, e não alguma vida dependente, tomada por empréstimo, conforme toda e qualquer outra vida, observável à face da Terra e nos lugares celestiais.

É a essa forma de vida que aplicamos o adjetivo *eterna;* porém, na linguagem filosófica e teológica, essa palavra não indica *meramente* existência sem princípio e sem fim, mas, antes, uma *modalidade* ou tipo de vida. Trata-se da vida divina, da qual já participamos em nossas almas. Existem muitos níveis de vida, a começar pelas primeiras proteínas, que têm a capacidade simples de se reproduzirem. Aparecem então formas de vida de múltiplas células, mas ainda invisíveis, como os micróbios. Aparecem depois formas de vida mais complexas, como a dos insetos e dos outros animais irracionais. No homem, ou talvez um pouco antes, encontramos certa dualidade de vida, a física e a espiritual, vivendo essa dualidade em um único ser - a dualidade composta de corpo e alma. Podemos assumir, pois, que à face da Terra o homem representa a forma mais elevada de vida, entre os seres considerados mortais. Acima do homem, entretanto, avulta o reino angelical, dotado de seres destituídos de vida física, mas donos de vida espiritual e imortal, ainda que não participantes da imortalidade de Deus Pai, pois a imortalidade desses seres celestes é tomada de empréstimo de Deus Pai.

O alvo dos crentes, entretanto, é a **participação** na **própria vida** de Deus, a forma mais elevada de vida, tornando-se seres igualmente dotados de vida necessária e independente. A segunda vinda de Cristo, que nos elevará muito acima desta vida mortal, será um *grande salto* espiritual para a frente, porquanto os antigos obstáculos serão vencidos, e uma vida de espiritualidade pura terá início.

480

TRANSFORMAÇÃO – TRANSGRESSÃO

Acima, pois, apresentamos as passagens neotestamentárias centrais que ensinam e ilustram o conceito da transformação dos remidos segundo a imagem moral e metafísica de Cristo. Cada uma das referências (in loc.) dadas, recebe um tratamento especial, onde também as idéias aqui expostas são expandidas com maior abundância de detalhes. A transformação segundo a imagem de Cristo será, portanto, a glorificação dos crentes.

9. *Rom. 8:29: Porque os que dantes conheceu, também os predestinou para serem conformes à imagem de seu Filho, a fim de que ele seja o primogênito entre muitos irmãos.*

É um erro considerarmos essa declaração como se a mesma significasse que Cristo é Filho de Deus por natureza, ao passo que nós somos apenas por adoção. A verdade aqui expressa é muito mais profunda do que essa. A adoção se aplica aos crentes, mas a *filiação por natureza* também se aplica a eles, e disso é que consiste a participação na divindade, conforme II Ped. 1:4 deixa tão claro. Podemos notar, por semelhante modo, o trecho de João 1:12, onde os "filhos" são chamados *tekna*, vocábulo grego comum para indicar filhos por nascimento, filhos naturais. Nos versículos dezesseis e dezessete desse primeiro capítulo do evangelho de João esse uso do termo é reiterado. Os homens tornam-se filhos de Deus, que estão sendo conduzidos à glória, porque participam da mesma natureza possuída pelo Filho de Deus, o Senhor Jesus. O ser essencial dos crentes está sendo transformado para ser idêntico ao ser essencial de Cristo. De fato, somente assim é que poderia ser dito a nosso respeito que somos a "sua plenitude", a plenitude daquele que enche tudo em todos, conforme se lê em Efé. 1:23. As passagens de João 5:25,26 e 6:57 referem-se ao fato da participação na vida necessária e independente, na verdadeira imortalidade de Deus. Até mesmo a imortalidade dos anjos é dependente, e não necessária, ou seja, não pertence àquela forma de vida que não pode cessar de existir, porquanto depende de Deus para sua continuação. No entanto, em Cristo, os remidos serão tão elevados que participarão da autêntica imortalidade do Pai. Ao Senhor Jesus, como homem, foi conferida essa vida; e Ele, por sua vez, a confere àqueles que nele confiam. Por conseguinte, o alvo dos homens remidos os elevará a um nível superior ao dos anjos, não somente quanto à glória, mas também quanto ao seu ser essencial. Assim como Cristo participou da natureza humana verdadeira, assim também participaremos de sua natureza glorificada, de seu corpo ressurrecto, e de tudo quanto Ele é; e, desse modo, estaremos qualificados a ser **seus co-herdeiros da glória celeste.**

"O objetivo do esquema do cristianismo é que Cristo não fique sozinho, na glória isolada de sua preexistência, mas, antes, que seja cercado por uma numerosa fraternidade, amoldada segundo a sua semelhança, tal como ele mesmo é a semelhança de Deus". (Sanday *in loc.*).

"Existe um *outro tipo* de vida sobre o qual a ciência ainda tomou bem pouco conhecimento. Essa forma de vida obedece às mesmas leis. Edifica um organismo dentro de sua própria forma. É a vida similar à de Cristo. Assim como a vida dos pássaros cria um pássaro, imagem de si mesmo, assim também a vida de Cristo cria um Cristo, a imagem de si mesmo, na natureza íntima do homem... De conformidade com a grande lei da conformidade dos tipos, essa conformação assume uma forma específica. É a forma do Artista que a modela. E durante toda a vida esse processo glorioso, místico, admirável, e no entanto perfeitamente definido, vai prosseguindo, 'até que Cristo seja formado' no mesmo". (Drummond, "Natural Law in the Spiritual World").

"*Conformados segundo a imagem:* o termo grego '*summorphous*' (conformados) e a palavra grega '*eikonos*' (imagem). Note-se que 'eikon' é usada acerca de Cristo como a própria 'imagem' do Pai. (Ver II Cor. 4:4 e Col. 1: 15). Por conseguinte, o crente se torna uma perfeita duplicação do Filho. Aqui temos tanto 'morphe' como 'eikon', a fim de expressar a transformação gradual que se processa em nós, até que sejamos revestidos da semelhança de Cristo, o Filho de Deus, de tal maneira que nós mesmos, em última análise, teremos a semelhança familiar de filhos de Deus. Glorioso destino". (Robertson, *in loc.*).

Eu já disse que a alma é mais que o corpo,
E já disse que o corpo não é mais que a alma,
E nada, nem Deus, é maior do que o próprio eu é para alguém,
E quem anda uma milha sem simpatia, anda para seu próprio funeral, vestido em sua mortalha,
E eu e tu, sem tostão, podemos adquirir as riquezas da terra,
E dar uma olhada dum feijão em sua plantinha confunde a
erudição de todos os tempos,
E não há comércio ou emprego em que os jovens, seguindo, não podem tornar-se heróis,
E não há objeto tão suave que se torne o eixo do universo em roda. (Walt Whitman)

Os intérpretes que opinam que os crentes participarão tão somente da corporeidade glorificada de Cristo (ver Fil. 3:21) e da "glória" dos lugares celestiais, são míopes, e nem podem começar a explanar os diversos trechos bíblicos que se referem a esse mesmo tema, conforme temos feito na exposição deste versículo.

TRANSGRESSÃO

Há três termos hebraicos e uma palavra grega envolvidos neste verbete, isto é:

1. *Maal*, "ultrapassar", palavra hebraica usada por vinte e sete vezes, conforme se vê, por exemplo, em Jos. 22:22; I Crô. 9:1; 10:13; II Crô. 29:19; Esd. 9:4; 10:6.

2. *Abar*, "ir além", "transgredir". Vocábulo hebraico que aparece por muitas vezes, embora apenas por duas vezes com o sentido claro de "transgredir", Deu. 17:2 e Pro. 26:10.

3. *Pesha*, "rebelar-se", "transgredir", "pisar além". Termo hebraico que aparece por noventa e três vezes, conforme se vê, por exemplo, em Êxo. 23:21; Lev. 16:16,21; Núm. 14:18; Jos. 24:19; I Sam. 24:11; I Reis 8:50; Jó 7:21; 8:4: 35:6; 36:9; Sal. 5:10; 19:13; 103:12; 107:17; Pro. 12:13; 17:9,19; Isa. 24:20; 43:25; 44:22; Jer. 5:6; Lam. 1:5,14,22; Eze. 14:11; 18:22,28,30,31; 39:24: Dan. 8:12,13; 9:24; Amós 1:3,6,9,11,13; Miq. 1:5,13; 6:7; 7:18. Também há uma forma variante, *pasha*, que aparece por quarenta vezes, conforme se vê, para exemplificar, em Sal. 37:38; 51:13; Isa. 1:28; 46:8; 48:8; 53:12; 59:13; Dan. 8:23; Osé. 14:9; Amós 4:4

4. *Parábasis*, "transgressão", "contravenção" vocábulo grego que é usado no Novo Testamento por sete vezes: Rom. 2:23; 4:15; 5:14; Gál. 3:19; I Tim. 2:14; Heb. 2:2 e 9:15. O adjetivo *parabátes*, "transgressor", ocorre por três vezes, Gál. 2:18; Tia. 2:9, 11. Também há uma palavra grega, *ánomos*, "sem lei", "desregrado", que ocorre por duas vezes e que nossa versão portuguesa também traduz por "transgressor", mas cujo sentido mais profundo e correto é alguém que vive desregrado, sem atender a qualquer lei: ver Mar. 15:28 e Luc. 22:37.

TRANSGRESSÃO – TRANSIGÊNCIA

A transgressão é a quebra da lei, no sentido de ultrapassar de um limite fixado. É preciso que haja algo proibido para que possa haver uma transgressão. Por isso mesmo, há uma sutil mas profunda distinção entre o pecado e a transgressão, porquanto aquele que não está sujeito a qualquer lei pode pecar (ver Rom. 5:13); mas, com a introdução de uma lei, o contraventor comete transgressão, se chegar a violar essa lei (Rom. 4: 15; 5: 14; Gál. 3:19). Por conseguinte, o "pecado" leva-nos a transgredir (Rom. 7:7,13). O pecado pode consistir em uma desobediência implícita, mas a transgressão é sempre uma desobediência explícita. Daí, a transgressão é uma forma agravada de pecado.

5. *Transgressão (delito)*. No grego *paráptoma*, "desvio". Esse vocábulo grego ocorre por dezenove vezes: Mat. 6:14,15; Mar. 11:25,26; Rom. 4:25; 5:15-18,20; 11:11,12; II Cor. 5:19; Gál. 6:1; Efé. 2:1,5; Col. 2:13.

Nossa versão portuguesa não se mostra nada homogênea na tradução desse vocábulo. São usadas as palavras portuguesas "ofensa", "delito", "transgressão", etc., para traduzir o termo grego em foco. O ato indicado pelo termo grego é o de desviar-se de uma rota, o de cair para um lado, o de desertar, de apostatar. Isso posto, está envolvida a idéia de infidelidade, de ato traiçoeiro. Duas pessoas entraram em um acordo; mas uma delas rompe com o acordo. Incorreu nesse tipo de transgressão. Nas páginas da Bíblia, mais comumente está em pauta a infidelidade do homem diante de Deus, embora também haja menção ali a casos de infidelidade somente entre seres humanos.

Várias palavras hebraicas e gregas foram empregadas para indicar a complexa noção de *pecado*. Ver o artigo sobre *Pecado*. O ato expiatório de Cristo, entretanto, anula e permite o perdão do pecador, sem importar o aspecto que essas diversas palavras estejam salientando. Citamos aqui, na íntegra, o trecho de Efésios 2:4,5, onde aparece esse vocábulo grego, e onde a nossa versão portuguesa o traduz por "delitos": "Mas Deus, sendo rico em misericórdia, por causa do grande amor com que nos amou, e estando nós mortos em nossos delitos, nos deu vida juntamente com Cristo–pela graça sois salvos..."

TRANSIGÊNCIA

Como termo ético, essa palavra começou a ser usada nos fins do século XIX. Mas o princípio que ela expressa sempre existiu. A transigência é um ajuste, um acordo obtido mediante concessão mútua, ou simplesmente algo feito mediante concessão, em que a pessoa cede algo a outrem. Consideremos os pontos abaixo:

1. *Deveres Conflitantes*. Algumas vezes, esses conflitos nos envolvem na necessidade de transigir. Todas as pessoas têm vários deveres a cumprir, mas nem sempre as circunstâncias permitem o pleno cumprimento dos mesmos. Isso posto, pesando prioridades, certos deveres são aceitos e outros são preteridos, ou então cumpridos parcialmente. Essa transigência pode envolver certo elemento de violação de um dever. Ademais, o egoísmo, as vantagens pessoais, o desejo de lucro exagerado ou o expediente podem ser fatores determinantes. Nesses casos, os deveres menos importantes são cumpridos, ao passo que os deveres mais importantes são negligenciados. Para exemplificar, um homem pode apreciar muito a companhia de seus familiares, e seus deveres paternos impulsionam-no a isso. Porém, a pura preguiça é capaz de inspirá-lo a estar em companhia dos seus familiares quando deveria estar trabalhando e provendo o necessário para eles, o que já é um dever mais importante que o primeiro.

2. *Transigência Religiosa*. Deus ordena que honremos os nossos pais. Certas figuras religiosas, porém, entre os judeus, preferiam dedicar seus meios pecuniários ao templo, em vez de usarem-nos para cuidar de seus pais idosos. Essa era uma prática comum nos dias de Jesus. Também é claro que nem todo esse dinheiro era canalizado para o templo, mas uma parte era usada como desculpa para servir ao próprio eu. Ver Marcos 7:11 e seu contexto. O problema de trabalhar aos domingos ou de levar uma vida ativa na igreja local, sempre foi um problema difícil de resolver para aqueles que têm empregos que requerem trabalho dominical. Geralmente a pessoa prefere dedicar-se ao seu trabalho. Tomás de Aquino teve de enfrentar uma situação na qual ele obedecia à sua própria consciência, ou obedecia a seus pais. Ele queria ser sacerdote, mas seus pais opunham-se resolutamente à idéia. Chegaram mesmo a tentar envolvê-lo em uma aventura amorosa, para debilitar sua resolução. Porém, ele obedeceu à sua consciência, em vez de atender aos seus pais. E a história comprovou a sabedoria de sua preferência. O pai de João Calvino virtualmente forçou-o a estudar advocacia, e não teologia. E Calvino obedeceu. Porém, quando seu pai faleceu, ele abandonou a carreira de advogado e ingressou em uma escola teológica. Um famoso médico canadense, que se notabilizou no campo da medicina, antes disso havia sido forçado a estudar em um seminário teológico. Ele passou ali um ano horrível, antes que seus pais concordassem em seu ingresso na faculdade de medicina, que era parte de seu desejo e de sua inclinação pessoal. É que a sua missão na vida envolvia a medicina e não a teologia, conforme os eventos subseqüentes de sua vida claramente demonstraram. Aquele jovem bem poderia ter ingressado na faculdade de medicina desde o começo. Nem sempre os pais estão com a razão.

3. *Algumas Vezes os Homens se Enganam*. O Antigo Testamento narra como Deus ordenou que Abraão realizasse um sacrifício humano, quando ordenou que lhe oferecesse seu filho, Isaque. Porém, todos sabem que os sacrifícios humanos são algo terrivelmente errado. No entanto, Abraão quase levou a efeito a ordem recebida, retrocedendo somente no último instante. Para mim, esse é um claro caso de teologia distorcida. Abraão pensava que Deus requeria isso da parte dele, devido à sua formação cultural, durante toda a sua vida anterior. Mas, desistiu de seu ato, quando sua voz interna e mais sábia disse-lhe que ele estava a pique de praticar um grande crime. A narrativa ilustra o conflito das reações a leis morais contraditórias. Porém, nesse caso, o conflito estava realmente em Abraão, e não nas leis morais, que nunca entram em desacordo. Até onde posso ver as coisas, essa história ilustra como a teologia de uma pessoa, apesar de cultivada e criada com seriedade, pode estar equivocada. Os mórmons, no começo de sua história, tiveram de enfrentar um conflito similar. O profeta deles promovia a prática da poligamia. Muitas pessoas convertidas ao mormonismo, que antes haviam sido evangélicas, foram encorajadas a praticar a poligamia. Muitas assim fizeram, embora a porcentagem dos polígamos, entre os mórmons, nunca tenha sido muito elevada. Porém, o governo norte-americano acabou proibindo tal prática. O que poderia fazer um mórmon, nessa conjuntura? Para eles, a questão parecia clara. A palavra do profeta deveria ser seguida, e não a proibição governamental. Porém, o governo forçou-os a descontinuarem a poligamia. Então eles mudaram sua prática para um esquema religioso, segundo o qual as mulheres são seladas aos homens, como

esposas plurais, aguardando pelo estado da imortalidade. Podemos tomar isso como outro exemplo que ilustra como a teologia de um indivíduo pode acenar a ele com ideais e deveres falsos. Nesses casos, a transigência pode laborar em erro, ainda que inspirada pela fé religiosa.

4. *Kant Cria no Poder da Consciência.* Outro tanto sucedia ao bispo Butler (que vide). Usualmente, essa crença é justificada. Quase sempre sabemos o que nos compete fazer, quando surgem conflitos de consciência, mesmo quando isso envolve dois deveres conflitantes. Quando falhamos, usualmente há alguma razão egoísta, que inspira tal fracasso. Quase sempre sabemos onde fica, realmente, o nosso dever. A maior parte da nossa transigência diante do mal ocorre quando sabemos perfeitamente bem qual é o nosso dever real. Caímos em tais erros devido à nossa fraqueza pessoal, conforme Paulo descreveu tão vividamente no sétimo capítulo da epístola aos Romanos.

5. *Ética Situacionista.* Esse é apenas outro nome para a ética relativa. Algumas pessoas insistem que não existem padrões fixos, perfeitos, absolutos.

Elas supõem que cada situação deva ser manuseada de forma independente, com base em seus próprios méritos. Usualmente, o que governa os atos daqueles que crêem na ética relativa é a vantagem pessoal ou o prazer. Um ato qualquer não é reputado errado, se a pessoa que o praticou puder escapar à devida punição. Segundo alguns dizem, o desfalque não seria um crime, a menos que a pessoa fosse apanhada e isso é aplicado por eles a muitos casos similares e diferentes. Platão, entretanto, ensinava que a pior coisa que pode acontecer a um homem que está errado é não pagar pelo erro feito, não sofrendo qualquer penalidade. Pois, desse modo, sua alma aprende a corromper-se. A ética relativa repousa sobre o alicerce da transigência quanto aos princípios éticos. Leis são violadas, quando se diz que elas não são leis válidas, porquanto não haveria leis éticas. Em muitas situações que temos de enfrentar, não há o envolvimento de qualquer lei ética. Antes, nesses casos, agimos por buscarmos nossa vantagem pessoal. E podemos fazer isso sem cairmos em qualquer transgressão. De outras vezes, porém, há o envolvimento de certo ou errado. Nesses casos, qualquer transigência será um erro, e não apenas um expediente.

TRANSJORDÂNIA

1. *Definições.* O termo hebreu envolvido é *eber iordan*, "além Jordão". Transjordânia é a versão latina do mesmo termo. Cisjordânia significa "nesse lado" do Jordão, apontando para o lado oeste, enquanto trans significa "leste". Gileade era usado para falar da área inteira do leste da Palestina (Deu. 34.1; Jos. 22.9), e o termo grego relativo ao mesmo território era Coele-Síria (Josefo Ant. I.xi.5; XIII.xiii 2 ss.).

2. *Local.* O leste da Palestina inteiro pode ser representado por este termo, de modo geral reconhecido como aplicado a Israel e à sua terra, na forma de Dã, o norte do Egito, e a Arábia Saudita, no sul e sudoeste. O limite leste de Israel era sempre indefinido, estando limitado apenas por certas cidades ou marcos "lá fora". Mas essa fronteira indefinida estende-se do Iraque à Arábia Saudita, sem muita precisão. Os nomes da Bíblia associados a essa área eram Edom (sul do Mar Morto), Moabe, Amom, Gileade e Basã.

3. *Observações Bíblicas.* A Rodovia do Rei passava por esse território (Gên. 10.10 ss.; 14.12 ss.; 32.10). Era a via dos reis do leste. A Israel, quando caminhava em direção à Terra Prometida, foi negado o direito de passar por ali (Núm. 20.17), o que criou muita confusão. Deu. 8.9 menciona o local como um ponto de operações mineiras, a incluir as minas de cobre do rei Salomão localizadas em Eziom-Geber. Moisés viu a Terra Prometida, a incluir a parte leste, do monte Nebo, e, em uma época posterior, Davi, fugindo de Saul para preservar sua vida, correu de um lado para outro naquele território (I Sam. 22.3 ss.).

As tribos que ocupavam essa parte do território de Israel eram a meia tribo (leste) de Manassés, Rúben e Gade. Para maiores detalhes sobre isso, ver o artigo separado chamado de *Tribos, Localização das*, cuja seção II trata especificamente das tribos da Transjordânia. Ver Juí. cap. 13 para detalhes sobre a divisão tribal.

A divisão tribal idealista de Ezequiel deixa a Transjordânia de fora por completo, por motivos desconhecidos. Os intérpretes que supõem que essa profecia deverá ser cumprida no futuro distante (como no Milênio) avaliam que o Desejo Divino simplesmente deixará fora essa parte de Israel quando a Nova Israel surgir. Ver Eze. 47.13-48.29. Mesmo se essa interpretação for real, ela não nos informa o porquê disso.

No Novo Testamento, o termo usado para referir-se à maior parte daquilo que foi chamado "além do Jordão" (eber iordan) é Peréia, que no grego significa "do outro lado". A Septuaginta tem peran tou Iordanou ("do outro lado do Jordão"). Esse nome apenas começou a ser empregado após o cativeiro babilônico. O artigo sobre *Peréia* é bastante detalhado, o que permite a brevidade aqui.

TRANSLAÇÃO

Algumas vezes, esse vocábulo é usado como sinônimo de *Arrebatamento*. Ver o artigo sobre a *Parousia*, onde esse evento é discutido.

TRASMIGRAÇÃO

Essa palavra vem do latim, *trans*, "cruzar", e *migrare*, "migrar", um termo aplicado às reencarnações da alma humana. Essa palavra com freqüência é empregada como sinônimo de *reencarnação*. Algumas vezes, todavia, refere-se a uma espécie especial de renascimento, em que, supostamente, a alma humana pode encarnar-se em um corpo animal, e não meramente humano. Outras vezes, esse vocábulo alude à alegada jornada do homem através de todas as formas de existência, a começar pelo reino mineral, avançando para o reino vegetal, então tomando corpos de animais irracionais, e, finalmente, assumindo forma humana, a partir do que a alma humana experimentaria existências demoníacas e divinas. Ver o artigo detalhado chamado *Reencarnação*.

TRANSPLANTE DE ORGÃOS

O transplante de órgãos vitais humanos para outros corpos humanos, tem levantado inúmeras questões éticas. Esses órgãos são retirados de pessoas que têm sofrido morte súbita, cujos órgãos foram doados para essa finalidade, ou então são retirados de pessoas ainda vivas (como no caso de órgãos duplos, como os rins–em cujo caso o doador perde um dos rins e fica com outro).

Alguns pensam que o transplante de órgãos serve de empecilho ao espírito que partiu do corpo morto, visto que um espírito pode sentir atração por um órgão de seu corpo, que continue funcionando. Parece que essa é uma conjectura que não tem qualquer base real, exceto nas experiências de alguns místicos, que fazem tais reivindicações. Se tal objeção está ou não com a razão, só se saberá com maiores investigações, se possíveis. Outros objetam à mutilação de um corpo, como contrário à dignidade dos entes queridos. Por outro lado, um cadáver sofre dano muito maior que uma mera mutilação, pois se decompõe no sepulcro. O que talvez tenha maior peso nessas objeções todas, seja o problema da *dignidade*. As pessoas dizem: "Deixai os mortos descansarem em paz"; mas isso nada tem a ver com o que acontece ao corpo físico morto, e, sim, ao homem real, à alma, que precisa então estar em paz com Deus.

Parece claro que as objeções ao transplante de órgãos realmente são reações emocionais, sem qualquer base ética. Antes, alicerçam-se sobre sentimentos dos que desejam proteger àqueles que foram amados em vida. Essa proteção volta-se para o corpo, tão intimamente vinculado à *pessoa*, embora não seja a pessoa propriamente dita. As pessoas olvidam-se que a pessoa tão-somente usara o corpo físico como um veículo; e assim, se partes desse corpo puderem melhorar as vidas de outras pessoas, então o uso dessas partes é até eticamente desejável, e não apenas permissível.

A invenção de órgãos artificiais talvez algum dia obvie a necessidade de se usar órgãos vivos de outras pessoas. Essa ciência ainda se encontra nos estágios iniciais; mas a tecnologia haverá de aperfeiçoá-la, talvez até um grau impossível de calcular atualmente, com a manufatura de aparelhos artificiais e mecânicos que tomem o lugar de funções vitais. Não fossem os sentimentos de certas pessoas, que se preocupam somente em prolongar a vida física, ao mesmo tempo em que elas negligenciam frivolamente os interesses da alma, o homem real, nem se pensaria em objeções supostamente éticas ao transplante de órgãos.

TRANSUBSTANCIAÇÃO

Ver o artigo sobre o *Pão da Vida, Jesus Como*, em sua segunda seção: *Teoria da Transubstanciação*, onde apresento uma completa explicação acerca dessa doutrina.

"Essa palavra vem do latim, *trans*, 'cruzar' e *substancia*, 'substância'. Essa é a doutrina católica romana de que, na Eucaristia, o pão e o vinho transmutam-se no corpo e no sangue de Cristo. Adotada pelo quarto concílio laterano, em 1215, a doutrina foi confirmada pelo concílio de Trento (vide). Wycliffe (vide) afirmava que a transubstanciação é impossível". (P).

Essa citação não deixa claro que estamos abordando a misteriosa substância espiritual do corpo e do sangue de Cristo, que *substitui* a substância do pão e do vinho, e que não estão em vista os acidentes (as qualidades físicas da matéria, que podem ser submetidas a teste científico). O artigo acima referido explica a questão com pormenores.

"Palavra oficialmente utilizada desde o concílio de Trento a fim de exprimir a transformação da substância do pão e do vinho na substância do Corpo e do Sangue de Cristo, enquanto que os acidentes do pão e do vinho permanecem os mesmos" (E).

TRASEU

No grego, **Thrasaios**. Ele foi o pai de Apolônio (ver II Macabeus 3.5). Mas, nesse trecho, a Revised Standard Version, no tocante aos livros apócrifos, diz Apolônio de Tarso, tendo traduzido *Thrasaios* por "de Tarso".

TRASÍMACO

Esse nome aparece na **República** de Platão, onde ele argumenta em favor da teoria de que só se faz "justiça" em prol dos mais fortes, os quais impõem a sua vontade e criam as regras do jogo. Ele argumenta ali que as instituições e os governos tornam-se a vontade coletiva dos mais fortes, os quais também criam as definições de justiça, sempre com base na força. E, então, os indivíduos tendem a preferir a injustiça. Platão, naturalmente, achava a justiça nas Formas ou Idéias Eternas, e não entre os homens, de acordo com suas idéias e criatividade.

Houve um homem chamado Trasímaco, nascido na Calcedônia, que foi um filósofo *sofista* (vide) e mestre de Retórica.

TRATADO

1. *Termos e Definições*. No hebraico, a palavra é *bereeth*, "tratado" ou "pacto", derivando de um vocábulo que significa "cortar". Está em vista o antigo costume de um sacrifício que atendia a alianças. O sacrifício era cortado em duas partes exatamente iguais, o que era conseguido ao realizar o corte ao longo da coluna vertebral. Daí os que estavam selando o acordo passavam pelas duas partes iguais. Por fim, havia uma refeição comunal para celebrar o pacto. A palavra portuguesa "tratado" deriva do latim tractatus, "manuseio" ou "tratamento", com a idéia básica de "negociar" algo.

A palavra grega é *diathoke*, "contrato", "acordo", "pacto" ou um "testamento".

2. *Tratados Humanos*. No Antigo Testamento, os tratados humanos eram de três tipos principais: aqueles que tinham como objetivo evitar hostilidades militares; os selados entre um poder que havia conquistado outro, e o perdedor que "dava sua terra" através de acordo; e aqueles feitos no tangente ao pagamento de tributos por um poder (que havia perdido uma guerra ou desejava evitar uma) a um poder superior. Quando os poderes ainda eram iguais e simplesmente desejavam evitar guerras, o tratado era chamado "tratado de iguais". Quando poderes superiores sujeitavam outros, os tratados eram entre conquistadores e vassalos e eram chamados sueranos.

3. *Tratados Humanos com o Divino*. Aqui podemos simplesmente chamar os tratados de "pactos". Yahweh, em relação a todos os reinos e poderes terrenos, exige um tratado suerano, no qual todos os reinos terrenos são vassalos (Sal. 2). O Grande Rei é o Senhor Universal. O Rei é soberano, mas é também benevolente. No caso de Israel, Ele lhes deu a terra, favorecendo essa nação em vez de outras (Jos. 24.2-13). Antigos tratados sueranos exigiam um documento escrito, que deveria ser consultado periodicamente para lembrar os dois lados participantes das condições sob as quais estavam. A lei era o documento do pacto de Israel com Deus e devia ser revisado continuamente. Uma cópia dessa lei era colocada na arca da aliança (Êxo. 25.16, 21; I Reis 8.9) para mostrar que esse documento era o poder regente por trás do acordo do divino com o humano. A arca foi colocada no tabernáculo, onde a Presença (Shekinah) se manifestava, portanto o Poder Divino estava sempre em controle e evidência. Periodicamente, a lei era lida ao povo (as pessoas não tinham cópias independentes e a maioria não sabia ler). Um sacerdote, um intermediário entre Deus e o homem, tinha a tarefa de ler e ensinar a lei ao povo (Deu. 31.9-13). Deus era a Testemunha Divina de Israel, da mesma forma que no Oriente se considerava que os tratados eram testemunhados pelos deuses, que poderiam tomar as ações apropriadas contra os ofensores e violadores do acordo. Então, o próprio povo era testemunha para ou contra si mesmo no caso dos pactos de Israel (Jos. 24.22). O tratado trará bênção ou praga ao povo, dependendo de suas respostas às condições (Deu. caps. 27 e 28).

TRAVESSEIRO – TRÊS CRIANÇAS

TRAVESSEIRO
Há três palavras hebraicas e uma palavra grega a considerar:

1. *Kebir* (I Sam. 19:13,16). Essa palavra parece referir-se mais a um colchão fino do que mesmo a um travesseiro. Nossa versão portuguesa diz: "tecido de pêlos de cabra".

2. *Meraashoth*, "apoio (para a cabeça)" (Gên. 28: 11, 18). Na fuga para Arã, Jacó pôs uma pedra sob a cabeça, como "travesseiro". Literalmente, a palavra usada significa à "cabeça" ou "no tocante à cabeça".

3. *Kesathoth*, "faixas" de algum tipo. Mas a moderna palavra hebraica para "travesseiro" ou "colchão" é essa, pelo que há uma boa possibilidade que a antiga palavra também incluía essa idéia. Ver Eze. 13:18,20. Nossa versão portuguesa, entretanto, sugere algo inteiramente diferente: "... invólucros feiticeiros para todas as articulações das mãos..."

4. *Proskephálaion*, "travesseiro", "colchão". Ver Mar. 4:38 (sua única menção). Talvez, nesse caso, esteja em foco o coxim sobre o qual se assentava algum remador, e que o Senhor Jesus, cansado, usou como seu travesseiro.

Usos Figurados. Nos sonhos e nas visões, o *travesseiro* simboliza conforto, apoio, restauração das forças e proteção.

TREINAR, TREINAMENTO
Temos duas palavras hebraicas envolvidas nesse verbete, e uma palavra grega, a saber:

1. *Chanak*, "treinar", "dar instrução", que aparece nesse sentido, em todo o Antigo Testamento, apenas por uma vez, em Pro. 22:6: "Ensina a criança no caminho em que deve andar, e ainda quando for velho não se desviará dele".

2. *Chanik*, "treinado", "instruído", palavra hebraica que também só figura por uma vez, no Antigo Testamento: Gên. 14:14, onde se lê: "Ouvindo Abrão que seu sobrinho estava preso, fez sair trezentos e dezoito homens dos mais capazes, nascidos em sua casa, e os perseguiu até Dã". A palavra capazes é a palavra em pauta. Evidentemente, eles haviam sido treinados para a guerra.

3. *Sóphronizo*, "dar mente sóbria". Paulo admoestou no sentido de que as mulheres mais jovens fossem treinadas a amar a seus maridos e seus filhos, em Tito 2:4: "... a fim de instruírem as jovens recém-casadas a amarem a seus maridos e a seus filhos". Pode-se interpretar que Paulo aconselhava que as mulheres jovens deveriam ter o *bom juízo* de se dedicarem a seu lar.

TRENTO, CONCÍLIO DE
Ver o artigo geral sobre os *Concílios Ecumênicos*. O *Concílio de Trento* (1545-1563) foi o décimo nono concílio da Igreja Católica Romana, especialmente convocado para formular uma resposta às perturbações causadas pela *Reforma Protestante* (vide). A principal finalidade desse concílio foi a de anatematizar as doutrinas protestantes distintas, reafirmando a transubstanciação e outras doutrinas católicas romanas típicas, e estabelecer uma autoridade firme juntamente com certas reformas de ordens religiosas e das finanças eclesiásticas.

Com interrupções de cerca de três e de dez anos, esse concílio prolongou-se de 13 de dezembro de 1545 a 4 de dezembro de 1563. Lutero havia convocado um concílio geral a ser efetuado na parte norte dos Alpes. Os papas temiam que um concílio realizado tão longe de Roma fosse prejudicial para os interesses católicos. Trento, sendo uma cidade germânica imperial, mas localizada ao sul da Garganta-Brenner, foi sugerida como uma opção de transigência. Os protestantes fizeram-se presentes, mas apenas por breve tempo. Quase todos os delegados procediam da Itália, da Espanha, da França e da Alemanha.

O Concílio de Trento propunha-se a eliminar a desunião que minava a Igreja organizada. O concílio não ventilou as questões disputadas entre os próprios católicos romanos, mas abordou somente os problemas levantados pelo protestantismo.

Elementos. Foi definido o pecado original. Foram rejeitadas as doutrinas da justificação somente pela fé e da corrupção intrínseca do homem caído. Foram condenadas as doutrinas protestantes que haviam modificado o ponto de vista acerca dos sacramentos. Foram baixados decretos tendentes a reformas e a medidas disciplinares, formuladas pelas ordens religiosas católicas romanas. As finanças católicas romanas foram reformadas. Além disso, os livros apócrifos de Tobias, Judite, Sabedoria, Eclesiástico, I e II Macabeus foram incluídos no Antigo Testamento como Santas Escrituras, reafirmando, por assim dizer, um importante aspecto do cânon Alexandrino, em contraste com o mais estreito cânon Palestino. Os sete sacramentos foram expostos pormenorizadamente. A versão da *Vulgata Latina* foi escolhida como a versão oficial da Igreja Católica Romana. E a transubstanciação foi descrita e reafirmada em termos das idéias de Tomás de Aquino.

Houve um total de vinte e cinco decretos, aos quais foram adicionados alguns cânones; e foram anatematizados os que se opusessem aos mesmos. Os bispos foram declarados sucessores dos apóstolos.

Apesar de não terem sido imediatamente aceitos, de todo coração, nem mesmo por todos os católicos romanos, os decretos desse concílio atingiram o seu propósito de unificar o segmento não-reformado da Igreja, a saber, o catolicismo romano. Ademais, serviu para dar um novo ímpeto ao catolicismo romano, após os severos golpes recebidos pelo mesmo, devido à Reforma Protestante.

TRÊS CRIANÇAS, CANÇÃO DAS
Esse é o nome de um fragmento preservado nos *Livros Apócrifos* (vide). Essa canção é um salmo antifonal de quarenta versos, que supostamente teria sido entoado por Hananias, Misael e Azarias (as três crianças), quando foram livrados da fornalha de fogo, no livro de Daniel. Originalmente era uma interpolação que, juntamente com a *Oração de Azarias* (vinte e oito versos), que a antecede, formava a *primeira* adição ao livro canônico de Daniel. Essa inserção aparece após Dan. 3:23, em Teodócio, na Septuaginta e na Vulgata; mas não figura no original hebraico e aramaico do livro de Daniel. A adição foi escrita depois. Vários detalhes apócrifos (além das coisas que foram ditas por Daniel) foram acrescentados, um dos quais o tremendo calor da fornalha, que chegou a matar aqueles que estavam próximos, mas sem exercer qualquer efeito sobre os três jovens, apesar de sua fúria. Em face da proteção que lhes fora conferida, eles teriam cantado, em uníssono, proferindo as mesmas palavras de louvor e júbilo. Esse cântico tem achado um lugar permanente na liturgia da Igreja cristã, tendo sido incluído no Culto Matinal (chamado *Benedicite omnia opera*), e é usado como alternativa do *Te Deum*.

Alguns têm datado esse cântico como pertencente ao período dos Macabeus; mas a verdade é que não há certeza quanto à data de sua composição. E seu autor também é desconhecido. Talvez a composição original fosse em hebraico, mas não restaram cópias da mesma nesse idioma. A Igreja Católica Romana, uma vez tendo aceito

TRÊS DIAS – TREVAS

a canonicidade dos livros apócrifos, naturalmente passou a considerar esse cântico como parte das Sagradas Escrituras.

TRÊS DIAS E TRÊS NOITES

Algumas pessoas, por desconhecerem a índole das línguas antigas, como o grego e o hebraico, gostam de insistir que tais palavras devem indicar três dias e três noites completas; porém, grande número de citações, extraídas do hebraico, do grego e do latim, prova que tal expressão era usada, nos dias antigos, para significar parte de três dias e noites, em que uma parte era usada para expressar a totalidade. A seguinte citação de Jerônimo ilustra essa idéia: "Tenho abordado mais completamente o trecho, sobre o profeta Jonas (isto é, o livro do VT), em meu comentário. Direi agora somente que isto (esta passagem) deve ser explicado como modo de falar chamado *sinédoque*, quando uma porção representa a totalidade. Não significa que nosso Senhor esteve três dias e três noites inteiras no sepulcro, mas sim, parte de sexta-feira, parte do domingo e todo o dia do sábado, o que é apresentado como três dias". Assim também esclareceram os pais da Igreja em geral. Na linguagem popular três dias e três noites significam, figuradamente, não mais do que três dias, o que, na linguagem antiga, podia ser calculado incluindo-se o primeiro dia, aquele em que algo acontecia. Nesse caso, o dia da crucificação teria sido o primeiro dia, e o da ressurreição teria sido o terceiro. O segundo dia teria sido o sábado, ficando assim completos os três dias. O próprio Jesus declarou isso por diversas vezes, e a expressão foi repetida por Paulo, que disse que Jesus declarara que ressuscitaria ao *terceiro dia*. Ver as referências em Mat. 16:21; 17:23; 29:19; Mar. 9:31; 10-34; Luc. 9:22; 18:33; 24:7 e 1 Cor. 15:4. Segundo o modo de computar dos antigos, o primeiro dia da semana teria sido o terceiro dia a contar da sexta-feira. Ora, se Jesus ressuscitou no primeiro dia da semana, ou domingo, então deve ter sido crucificado na sexta-feira. Nota-se que o VT também emprega alguns casos de "sinédoque", quando uma porção representa a totalidade. Ver as referências em Gên. 40:13,20; 1 Sam. 30:12,13; II Crô. 10:5,12 e Osé. 6:2.

Ver o artigo sobre *o Dia da Crucificação, Sexta-Feira*.

TRÊS TAVERNAS

No grego, *Tréis Tabérnai*, "Três Lojas". Esse nome aparece somente em uma passagem da Bíblia, Atos 28:15. Era uma localidade cerca de cinqüenta e três quilometros da cidade de Roma, às margens da estrada pela qual Paulo seguiu, depois de haver desembarcado em Poteóli, e onde alguns irmãos na fé vieram ao seu encontro.

O nome *Três Tavernas* é uma tradução equivocada do nome latino da localidade. Uma melhor tradução seria *Três Lojas*. Porém, também é possível que, de acordo com seu nome grego, a localidade fosse, realmente, conhecida como Três Tavernas. Ficava na junção entre a via Ápia e a estrada secundária para Âncio, perto da moderna aldeia de Cisterna. Devia a sua importância ao fato de que ficava a um dia de viagem para Roma, escolhida como rota para os viajantes que tinham pressa, quando vinham do sul para Brundísio, um porto usado para viagens marítimas para a Grécia e lugares intermediários (ver Cícero, Ad Att. 2:12).

TRÊS VENDAS

Ver Atos 25:15.

Três Vendas era uma estação que ficava cerca de quarenta e oito quilômetros da cidade de Roma, na via Ápia, que partia da cidade na direção sudeste. Em sua correspondência com Ático, Cícero mencionou esse lugar. Extensas seções da via Ápia (construída em 312 a.C.) ainda existem até os nossos próprios dias. Ao longo do caminho podem-se ver túmulos, sítios de antigas vilas romanas e seculares aquedutos.

Os crentes vieram encontrar-se com Paulo na Praça de Ápio, ansiosos por conhecerem o grande pioneiro cristão que lhes escrevera vários anos antes a epístola aos Romanos. Acompanharam Paulo por cerca de dezesseis quilometros até as Três Vendas. Aparentemente, ali uma outra delegação de cristãos aguardava o grande apóstolo. Muitos romanos ilustres haviam percorrido aquela mesma rota, para receberem honrarias em celebrações triunfais na cidade de Roma. O apóstolo Paulo, entretanto, fazia agora aquele mesmo percurso como prisioneiro do império romano; ainda que a história tenha sobejamente demonstrado que Paulo foi o maior dos cidadãos romanos.

A jornada levaria o grupo através de Cumae e Liternum até Sinuessa, numa distância de cerca de cinqüenta e três quilômetros desde Poteóli. Ali chegando, entrariam na famosa via Ápia, que ligava as cidades de Roma e Brundusium, a última das quais modernamente se chama Brindisi. As escalas, partindo de Sinuessa, mui provavelmente foram Minturnac, Formiae, Fundi e Terracina, numa distância possível de cerca de setenta e seis quilômetros. Chegando a esse ponto, teriam de escolher entre duas maneiras de prosseguir viagem, ou tomando a estrada que fazia a volta pelos pântanos Pontinos, ou seguindo pela linha mais direta do canal. Ambas as rotas, finalmente, se encontravam no *Apii Forum*, a vinte e nove quilômetros de Terracina.

Para nós, praticamente quase cada estágio da jornada está vinculado a algum fato histórico ou lendário da antigüidade clássica. Podemos pensar no notável Ápio Cláudio, o censor de quem a via e o fórum tomaram o nome; podemos meditar sobre a passagem no concorridíssimo canal, repleto de barcos, com os seus marinheiros ruidosos e briguentos; ou sobre os estalajadeiros patifes, aos quais Horácio imortalizou na narrativa de sua viagem a Brundusium (ver *Sat*. i.5). Podemos crer, contudo, que para o apóstolo era como se nunca coisa alguma tivesse sucedido. As associações passadas e os incidentes da viagem tinham sido todos devorados pelo pensamento de que agora ele estava prestes a chegar, após longos adiamentos, ao alvo na direção do qual se vinha esforçando por tantos anos (ver Atos 19:21 e Rom. 15: 13).

A cidade de Praça de Ápio era notória por causa da vileza de sua população, sendo um antro de vícios, de assaltos, de prostituições e de baixezas de toda a sorte. No entanto, foi ali que os crentes se encontraram, separados do mundo, tendo efetuado uma reunião de oração, cujo desígnio era render graças a Deus. E com isso o espírito do apóstolo Paulo, juntamente com o de seus irmãos na fé, se reanimou, porquanto agora ele já estava bem próximo de seu alvo, percebendo claramente como a providência divina o viera acompanhando por todo o caminho. (Quanto a outras menções sobre essas duas localidades, "Praça de Ápio", e "Três Vendas", ver "Horácio" *Sat*. LS-3, quanto à primeira, e Cícero, A *Ático* 11. 10, quanto à segunda). Assim, Paulo se aproximou da cidade de Roma pela Via Ápia, tendo entrado na capital pelo lugar que atualmente se chama "Porta Capena".

TREVAS (METÁFORAS)

As palavras hebraicas e gregas envolvidas dão a entender trevas, obscuridade, nuvens e incluem indicações metafóricas. Este verbete ocupa-se dessas metáforas. Ver também sobre *Trevas*.

1. Na narrativa do livro de Gênesis, lemos sobre as trevas primevas do mundo, uma parte da caótica condição em que estava o mundo, antes da criação da luz (Gên. 1:2,3). Dentro da cosmogonia dos hebreus, a luz pertencia aos céus acima da abóbada do firmamento, enquanto que os luzeiros secundários, a saber, o Sol, a Lua e as estrelas, teriam sido criados para iluminar a Terra, visto que a *luz* não incidia diretamente sobre a terra física. Ver o artigo sobre *Cosmogonia*, que contém uma seção especificamente dedicada à versão hebréia sobre os primórdios.

2. *O dia e a noite* trazem a luz e as trevas em alternância, por todo o globo terrestre, porquanto apenas uma metade do globo terrestre pode ser iluminada a cada instante, e a outra metade permanece em trevas. Isso envolve certo sentido metafórico, visto que a vida de um homem é vivida em períodos alternantes de luz e trevas, do ponto de vista espiritual. Tal como Deus interveio e prolongou certo dia, para que o povo de Israel obtivesse vitória militar (Jos. 10:12), assim também ele pode fazer nas vidas espirituais daqueles que o buscam.

3. O Seol é um lugar tenebroso (Jó 10:21,22; Sal. 88:11-13), embora isso possa ser revertido, em face dos benefícios advindos da missão de Cristo (I Ped. 3:18; 4:6). Não obstante, o julgamento divino é uma temível realidade, a despeito de seus efeitos remediadores. Ver os artigos separados sobre o *Hades* e sobre a *Descida de Cristo ao Hades*.

4. *As trevas* podem ocultar coisas aos olhos dos homens; mas Deus, que vive em luz eterna, tem consciência de todas as coisas que acontecem, que já aconteceram e que ainda jazem no futuro (Sal. 139:11,12).

5. Vários estados emocionais são simbolizados pelas trevas, como a tristeza (Isa. 5:30; 9:1), a lamentação (Isa. 47:5), a perplexidade (Jó 5:14), a ignorância (Jó 12:24,25; Mat. 4:16) e o cativeiro (Eze. 34:12).

6. Declarações secretas seriam ditas "às escuras" (Mat. 10:27).

7. O julgamento e o terror são comparados às trevas (Amós 5:18).

8. Os campos da ignorância espiritual, do pecado, da impiedade e das forças demoníacas são coletivamente referidos como as trevas ou como o reino das trevas (Isa. 9:1; 42:7; João 1:4,5). Os homens maus amam essa esfera tenebrosa (João 3:19,20).

9. Os homens não-regenerados são chamados "trevas" (Efé. 5:8), o que também é aplicado aos espíritos malignos (Efé. 6:11,12).

10. O lugar do julgamento final também recebe esta caracterização (Mat. 8:12 e 22:13).

11. O crente pode estar andando em trevas, mas isso macula e prejudica enormemente o seu caráter, pondo sua alma em perigo (1 João 1:6).

12. Deus habita no lugar das espessas nuvens, o que indica que ele vive oculto do escrutínio humano (Êxo. 20:18; 1 Reis 8:12).

13. Há a "sombra da morte" (Sal. 21:4). Porquanto a morte leva os homens a lugares misteriosos, e também porque há um certo terror que cerca a questão, o que obscurece as mentes dos homens. Nas experiências de quase morte, um dos primeiros estágios ocorre quando a pessoa penetra em uma condição de trevas, por algum tempo, passando por uma espécie de corredor ou vale, totalmente tenebroso. Então aparece uma luz no extremo oposto, na direção da qual a pessoa se precipita. As pessoas que têm estudado a questão pensam que o trecho de Salmos 23:4 alude a esse aspecto da experiência da morte. É possível que assim seja, embora esse particular talvez não seja a coisa primária em foco. O romper do fio de prata (Ecl. 12:6), por igual modo, mui provavelmente é um outro aspecto dessa mesma experiência. Ver os artigos separados sobre *Experiência Perto da Morte* e sobre *o Fio de Prata*.

14. O pecado, a depravação humana (João 3:19,20).

15. O reinado do Anticristo (Apo. 6: 10).

16. O lugar do julgamento eterno (Juí. 6:13).

Quanto a um contraste com essas idéias ver o artigo *Luz, Metáfora da*.

TREZE, TRINTA
Ver sobre **Número**.

TREZE ARTIGOS
Esses artigos de fé foram redigidos por teólogos alemães e ingleses, em 1538, essencialmente derivados da *Confissão de Augsburgo*. Ver sobre *Augsburgo, Confissão de*. Nunca foram publicados como um credo, mas tornaram-se parte dos mais completos *Quarenta e Dois Artigos* (vide). Esses, por sua vez, foram adaptados para tornarem-se os *Trinta e Nove Artigos* (vide), a base do credo da *Comunhão Anglicana* (vide).

TRÍADES (TRINDADES) NA RELIGIÃO
A palavra tríade vem do grego *trías* (*triados*), "grupo de três". No campo religioso, a *Tríade Divina* é um grupo de três deuses, com freqüência representados como se formassem uma família divina, como pai, mãe e filho; ou simplesmente como os três deuses de um sistema politeísta. que, através de muitos anos ou mesmo séculos de evolução doutrinária, tornaram-se os (três) deuses principais. Nas fés religiosas há uma tendência por desenvolver essas tríades, de tal modo que muitas religiões, dos mais variegados tipos, exibem esse conceito.

Exemplos:

1. *Na Índia*, a tríade compõe-se de *Brahma* (o Criador), *Vishnu* (o Salvador ou Preservador) e *Shiva* (o Destruidor). É óbvio que esses três deuses representam o grande ciclo da vida, tanto agora quanto na vida após-túmulo, podendo incluir a idéia de reencarnação.

2. *Na Babilônia* temos *Anu* (deus do ar), *Enlil* (deus da água) e *Ea* (deus da terra), pelo que ali a tríade representa os principais elementos da existência, conforme a existência que os babilônios haviam deificado.

3. *No Egito*. Ali havia uma tríade que formava uma família, a saber, *Ísis* (a mãe), *Osíris* (o pai) e *Horus* (o filho). Osíris foi morto e desmembrado pelo deus maligno, Sete, mas Horus reconstituiu os membros de seu pai e o ressuscitou. Em algumas estórias, Isis é quem realiza esse serviço. Portanto, temos aí a distorção que faz o pai ser ressuscitado pelo poder do filho (ou da mãe).

4. *No Budismo*. Ali as coisas ficaram complicadas. Encontramos *Manjusri* (a sabedoria), *Samantabhadra* (excelência) e *Avalokitesvara* (olhar compassivo). Esses são chamados de "os três santos". Mas há outra tríade, formada por *Bhaishjavaguru* (senhor do paraíso perdido), *Sakayamuni (*senhor deste mundo) e *Amitabha* (senhor do paraíso futuro). Finalmente, os três deuses, *Manjusri, Varúpimi e Avalokitesvara* (o mais importante dos três), incorporam o princípio e o ideal do poder.

5. *Na Religião dos Etruscos*. Ali, *Júpiter, Minerva e Juno* eram os três deuses principais. Não havia qualquer relação de parentesco entre eles, mas apenas representavam as três divindades que exerciam maior poder e influência.

6. *Na Antiga Religião Sueca*. A tríade divina era formada

por Odim, Tor e Freyr. Cada uma dessas divindades foi concebida como dotada de diversas funções, no decorrer de sua história, embora fossem, acima de tudo, deuses da guerra.

7. *Nos Escritos de Numênio de Apaméia, um neopitagoreano*. Seu sistema exaltava os três deuses: a *Unidade Transcendental* (o princípio do ser, associado às Idéias ou Formas da concepção platônica), o *Criador* (o princípio do vir a ser, equivalente ao Demiurgo de Platão), e o *Governante* deste mundo. Essas divindades ou princípios divinos (como seria melhor chamá-los) formam os pontos supremos da hierarquia do ser. No fundo dessa hierarquia estaria o infeliz homem, um indivíduo prisioneiro de seu corpo material.

8. *No Taoísmo*. Encontramos ali as três purezas: *Ching* (essência), *Chi* (força vital) e *Shen* (espírito). Também são chamadas *Tien-chun* (celestialmente honrado, senhor da jóia do céu), *Wiu-shih Tien-chun* (celestialmente honrado, sem origem) e *Fan-hsing Tien-chun* (celestialmente honrado em forma de Brahma). Isso em meio a miríades de divindades menores. Os historiadores da religião dizem-nos que o tatoísmo é uma cópia de idéias budistas, com algumas modificações.

9. *No Zoroastrismo*. O ser divino é ali concebido como uma tríade: *Sraosha, Mithra e Rashnu*. Esses vultos seriam deuses pessoais, que ajudariam aos homens de muitas maneiras diferentes. Assim, *Sraosha* protege os homens e luta contra os demônios. *Mithra* é um herói divino que realiza muitas façanhas, devotando-se ao serviço da humanidade, com labores de natureza remidora. E *Rashnu* é o espírito da verdade. Ele é o juiz da humanidade. Ninguém pode enganá-lo, e seus juízos são absolutamente justos.

10. *No Cristianismo*. Ali é claramente ensinada a *Triunidade*, composta de Pai, Filho e Espírito Santo. Ver o artigo *Trindade*. Pai, Filho e Espírito Santo são aspectos diferentes de uma única deidade. Outras explicações de tríades divinas referem-se a três deuses. Naturalmente, as explicações cristãs populares, incluindo as opiniões de muitos pastores e ministros, para nada dizermos sobre os leigos, também são triteístas. As tríades divinas destacam princípios importantes, aspirações e elementos de vida. As melhores concepções são aquelas que falam em uma família divina, da qual os homens podem participar mediante a redenção.

TRIBO (TRIBOS DE ISRAEL)
I. Termos Empregados
II. Caracterização Geral
III. Origem
IV. Desenvolvimento Posterior
V. No Novo Testamento

I. Termos Empregados
No hebraico, *matteh* (tribo, cajado, vara). Um grupo de pessoas sob uma vara comum, ou sob um fator regente: Êxo. 31.27, Hab. 3.9 (cerca de 60 usos); *Shebet*, que também tem o significado de vara ou cetro: Gên. 49.16; Zac. 9.1 (cerca de 35 usos).

No grego, *fule*, uma tribo. O termo geral para qualquer tipo de tribo, que tem o significado básico de "rebento", aplicado a plantas, animais e pessoas. Rebentos têm uma natureza de parentesco com aqueles dos quais derivam, assim o termo pode significar um clã, uma tribo ou pessoas. A forma verbal é *fuo*, ou "gerar"; Mat. 19.28; Atos 13.21 (cerca de 30 usos).

No latim, *tribus*, relacionado a *tributum*, divisão ou porção, assim um povo que tem uma divisão, território ou origem comum. A forma verbal é *tribuere*, dar, ceder, dividir. A palavra portuguesa, obviamente, deriva dessa raiz latina.

II. Caracterização Geral
As tradições primitivas indicam uma descendência tribal de 12 filhos de Jacó, embora as listas da Bíblia das tribos nem sempre estejam em concordância com números e nomes específicos. Ver Gên. caps. 29-35 para os nascimentos dos 12 filhos de Jacó. As listas são organizadas sob suas respectivas mães, portanto temos:

Lia (Léia): *Rúben, Simeão; Levi; Judá; Issacar e Zebulom.*
Raquel: José e Benjamim.
Bila (concubina de Jacó, serva de Raquel): Dã e Naftali.
Zilpa: (concubina de Jacó, serva de Lia): Gade e Aser.

O número tradicional 12 torna-se 13 quando José é eliminado como tribo e seus dois filhos, Manassés e Efraim, tornam-se líderes de duas tribos. Então Levi deixa de ser uma tribo e torna-se casta sacerdotal, levando o número de tribos de volta a 12.

As tribos foram desenvolvidas, de forma preliminar, enquanto Israel estava no Egito, antes do êxodo (ver Êxo. 1.1-7). A família original de Jacó fugiu para aquele local a fim de escapar da fome e lá permaneceu por desejo próprio a princípio, e então forçosamente pelos egípcios. Moisés foi criado para livrar uma nação já desenvolvida de cerca de 6 milhões de pessoas. O êxodo montou o palco para a posse da Terra Prometida.

O povo unido, após 40 anos de vagueação, tomou posse da Terra e, assim, cumpriu com uma grande provisão o Pacto Abraâmico. Ver Gên. 15.18 no *Antigo Testamento Interpretado* para uma descrição detalhada desse pacto. Ver o artigo *Pactos* na *Enciclopédia de Bíblia Teologia e Filosofia*.

Várias listas diferem no tangente aos nomes e números das tribos. Nas bênçãos paternas e patriarcais de Jacó para seus filhos, o número já sobe a 13 (potencialmente), quando Manassés e Efraim são "adotados" como filhos de Jacó, multiplicando a única tribo de José em duas (Gên. 48.8-20). Na Canção de Débora, Judá e Gade estão ausentes, enquanto Maquir, filho de Manassés, toma seu lugar (Jos. 17.1; Juí. 5). Em Apo. 7, os nomes das tribos são: Judá; Rúben; Gade; Aser; Naftali; Manassés; Simeão; Levi; Issacar; Zebulom; José; Benjamim. Dã e Efraim são deixados de fora da lista, e José entra como se fosse o líder de uma tribo, enquanto seu filho, Manassés, é o líder de outra. Há várias manipulações das interpretações para tentar explicar esse "novo arranjo", nenhuma delas satisfatória. Ver a exposição sobre a questão no *Novo Testamento Interpretado* no texto mencionado.

Josué e Juízes preservam as tradições relativas ao desenvolvimento inicial das tribos, incluindo suas divisões territoriais e esforços para obter a supremacia na Terra Prometida. Sabemos que a conquista não foi verdadeiramente plena até Davi, que com sua habilidade como rei guerreiro foi capaz de aniquilar ou confinar os inimigos tradicionais de Israel, as sete pequenas nações da Palestina (ver II Sam. 5.17-25; 8.10; 12.26, 21; 21.15-22; I Crô. 18.1).

Salomão assumiu o império unido de seu pai, Davi, e levou Israel à época áurea. Mas, para manter isso, teve de empregar trabalho escravo e cobrou impostos muito pesados.

Reoboão, seu filho, não tendo a sabedoria do pai, mas continuando com o trabalho escravo e altos impostos (que

TRIBO

ele conseguiu aumentar ainda mais, como os políticos sempre fazem), enfureceu as tribos do norte, que se dividiram sob a liderança de Jeroboão.

Em 722 a.C., os assírios conquistaram as tribos do norte e levaram a maioria dos sobreviventes à Assíria naquilo que é chamado de cativeiro assírio (ver o artigo). Os poucos israelitas que permaneceram na terra misturaram-se com povos que os assírios enviaram para dominar o território, e seus descendentes foram os samaritanos (ver a respeito).

Embora os babilônios tenham destruído a tribo do sul (Judá, que absorveu Benjamim) e levado a maioria dos cidadãos para a Babilônia (o cativeiro babilônico, c. 596 a.C.), houve então o retorno de alguns a Jerusalém para começar tudo de novo. Foi nesse tempo que Judá se tornou Israel.

III. Origem

Sob a seção II, Caracterização Geral, vimos alguns dos conceitos de origem. Junto com isso, foi fornecida uma descrição do desenvolvimento. Os liberais e críticos logicamente acreditam que as origens das tribos de Israel são obscurecidas pelas nuvens da antiguidade quando havia mais lendas inventadas para explicar as coisas do que história real. Eles acreditavam que os patriarcas eram personificações do início das tribos. O leitor pode ver detalhes sobre o desenvolvimento tribal ao consultar os artigos sobre cada tribo individualmente.

Esboço das origens e desenvolvimento:

1. *Abraão*, chamado de Ur (do território do Iraque moderno), assumiu a vida nômade, mas entrou na Terra Prometida e fez conhecida a presença de sua família ali. Naquela época, o pacto de Yahweh com Abraão e seus descendentes montou o palco para o desenvolvimento posterior das tribos e da nação. Ver o artigo *Pactos* neste *Dicionário*. No Antigo Testamento Interpretado, ver a descrição detalhada sobre o *Pacto Abraâmico* em Gên. 15.18.

2. *Jacó*, neto de Abraão, teve com quatro mulheres diferentes doze filhos, os quais receberam a bênção paternal e patriarcal que os tornou os potenciais líderes das tribos.

3. A fome forçou a família de Jacó ao Egito e foi ali, durante cerca de 400 anos, que Israel se desenvolveu e se transformou em nação, habitando Gósen, uma província do Egito. A Bíblia hebraica estabelece essa época em 430 anos, mas a Septuaginta em apenas 215. Ver Êxo. 12.40; Atos 7.6 e Gál. 3.17. Muitos críticos optam pelo período menor, e a questão continua controversa.

4. *A libertação de Israel do Egito* (o êxodo, ver o artigo) definiu o palco para a eventual divisão tribal na Terra Prometida. A época foi por volta de 1450 a.C. Devemos entender que as tribos já estavam essencialmente desenvolvidas, mesmo em suas vaguejações pelo deserto, e que essa organização foi consolidada na distribuição da terra sob Josué.

5. *Josué* caps. 13-19 descreve as divisões tribais. Foi Josué quem deu ao sistema tribal dos israelitas sua forma fixa, impondo o elemento do acordo para a fixação de terras específicas entre as diversas tribos (Jos. 24.1-28). A época foi em torno de 1365 a.C.

6. *Localizações das tribos*. Para isso, ver o artigo chamado *Tribos, Localização das*.

IV. Desenvolvimento Posterior

As tribos precisavam de liderança, e essa liderança coube aos anciãos. Eles eram os regentes das clãs individuais, das cidades e das tribos individuais. Algumas tribos dominavam sobre outras, e a maré do poder mudava com o passar dos anos. Efraim e Judá emergiram com particular poder e, quando as tribos se dividiram em duas nações, tornaram-se os líderes de cada parte.

Anfictionia. Esta é a palavra grega que passou a ser usada posteriormente para indicar a liga das cidades-estados, algo preliminar a verdadeiras nações. Isso, sem dúvida, caracterizou a organização primitiva das tribos israelitas, pois sabemos que na época dos juízes não havia um governo central firme. De fato, na época dos juízes, as coisas entraram em grande confusão. "Naqueles dias, não havia rei em Israel; cada um fazia o que achava mais reto" (Juí. 21.25).

Silo, chefe do santuário nacional onde a arca da aliança ficou estacionada por muito tempo, teve algum efeito unificador, mas havia muitos santuários locais, o que tendia a dividir em vez de unificar o povo. Juízes caps. 19-21, contando-nos sobre o conflito de Benjamim com o resto de Israel e a rigidez da "lealdade tribal", demonstra a marcante desunião das tribos e a falta de uma verdadeira identificação nacional. Ver também Juí. 5.23, onde Naftali se recusa a ajudar uma causa nacional. A falta de união era um tipo de traição da suposta unidade nacional sob Yahweh, o Rei Celeste.

Silo foi destruído: o principal santuário nacional acabara; o povo estava sendo forçado a unir-se sob um rei, imitando as outras nações. O último juiz, Samuel, ungiu Saul como rei, mas Israel ainda não estava unida. Foi necessário o poder militar de Davi para ocasionar uma verdadeira união nacional. Assim, o antigo arranjo da Anfictionia havia acabado. A ideia era unir as tribos ao redor de cultos divinos centrais e Davi fez isso ao trazer a arca da aliança a Jerusalém e ao estabelecer seu tabernáculo ali. Mas Israel foi além do arranjo frouxo tribal da Anfictionia e uniu-se ao redor de uma capital, Jerusalém, e de um rei. Salomão, seu filho, levou o reino unido à sua época áurea, em termos econômicos, culturais e militares. Uma grande expansão territorial também estava envolvida na revolução de Davi e de Salomão.

Reboão, através de seu louco egoísmo e ganância, fez com que a maré de grandeza fluísse para longe de Israel, acabando como rei apenas das duas tribos do sul, que passaram a ser chamadas de Judá, em contraste com Israel (as dez tribos do norte). Os invasores assírios e o cativeiro deram fim às dez tribos (722 a.C.).

A invasão e o cativeiro babilônico reduziram Judá a praticamente nada, mas o retorno de um remanescente do cativeiro e a construção do Segundo Templo fizeram com que Judá se transformasse em toda a Israel. É por isso que os judeus modernos são assim chamados: eles são todos descendentes do povo de Judá, que voltou a Jerusalém por volta de 430 a.C.

A Israel idealizada de Ezequiel, presumivelmente profético dos últimos dias após a Grande Restauração, coloca todas as tribos ao oeste do Jordão, eliminando a Transjordânia (ver o artigo) por motivos desconhecidos. Ver Eze. 47.13-48.29.

V. No Novo Testamento

Os judeus da época de Jesus descendiam, quase completamente, da tribo de Judá. É provável que alguns representantes das dez tribos pudessem ser encontrados. Essas pessoas tinham forte mistura com povos vizinhos, mas haviam conseguido reter sua identidade nacional.

Constantemente sob domínio estrangeiro, exceto por períodos relativamente curtos de liberação que os macabeus (ver o artigo) trouxeram, as identidades tribais antigas foram perdidas e Israel tornou-se província dos poderes estrangeiros. Ver Israel, História de para maiores detalhes.

TRIBO – TRIBOS, LOCALIZAÇÃO DAS

No Novo Testamento, com Israel sob refrigeração celestial, no aguardo de outra restauração nos últimos dias (Rom. 11.25, 26), surge a Nova Israel (a igreja). O termo doze tribos fala da igreja como o povo de Deus (Tia. 1.1); ou de toda a Israel, coletivamente, embora as distinções tribais tenham deixado de existir (Atos 26.7); ou da escatologia de Israel (Mat. 19.28; Luc. 22.30; Apo. 7.4; 21.12). A lista das tribos no cap. 7 de Apocalipse (deixando fora Dã e Efraim, mas tornando José um líder tribal) é interpretada por alguns como referente à Israel restaurada nos dias de tribulação, mas por outros como símbolo da igreja cristã.

TRIBOS, LOCALIZAÇÃO DAS
I. História e Fontes de Informação
II. Tribos da Transjordânia
III. Tribos sem Fronteiras Definidas Declaradas
IV. Judá
V. As Tribos Centrais
VI. As Tribos do Norte
VII. As Cidades Levíticas

I. História e Fontes de Informação

A existência de outros artigos relacionados a este assunto permite a apresentação de um tratamento breve aqui. Ver os seguintes: Israel, História de; Israel, Constituição de; Transjordânia; Tribo (Tribos de Israel).

As fontes de nossas informações sobre a questão das divisões e localizações tribais são Josué caps. 13-21; I Crô. 4.24-5.26; 6.54-81 e caps. 7 e 8. As localizações originais foram modificadas pelos acontecimentos históricos, como a tribo de Dã mudando para o norte e Benjamim sendo absorvido por Judá. Os cativeiros assírio e babilônico também trouxeram mudanças territoriais, como o domínio de poderes estrangeiros posteriores da Terra.

II. Tribos da Transjordânia

Para maiores informações sobre as tribos "do outro lado" do Jordão (Rúben, Gade e a meia tribo de Manassés), ver o artigo separado sobre a Transjordânia. Com base em Juí. 12.4, compreendemos que alguns membros da tribo de Efraim infiltraram-se nos territórios do outro lado do Jordão, tirando vantagem das áreas florestais e férteis ao norte do rio Jaboque, não longe de Zafom (ver Juí. 12.1).

III. Tribos sem Fronteiras Definidas Declaradas

1. *Simeão* (Jos. 19.1-9; I Crô. 4.28-33). Essa tribo estendia-se a uma distância desconhecida ao sul, em direção ao Egito, sendo a tribo mais sulista de Israel. Foi bloqueada ao mar Mediterrâneo por Judá, que formava sua fronteira norte. O mar Morto formava sua fronteira oeste. Após a época de Davi, essa tribo aparentemente se dispersou, de forma que às vezes as cidades de seu território são citadas como pertencentes a Judá (ver Jos. 15.21-62). Ver também I Crô. 4.34-43.

2. *Issacar* (Jos. 19.17-23). Esta tribo, do norte de Israel, ficava a sudeste de Zebulom e ao sul de Naftali e tinha sua fronteira sul localizada em Manassés, da Cisjordânia. Várias de suas cidades são mencionadas e podem ser localizadas, mas não com fronteiras definidas. Isso é sem dúvida verdade pelo fato de as antigas fronteiras serem demarcadas por algum tipo de marco natural e pelas localizações das cidades, não de acordo com marcos latitudinais e longitudinais existentes hoje. Assim, no sentido limitado, nenhuma das tribos de Israel tinha fronteiras definidas.

3. *Dã* (Jos. 19.40-48; Juí. 18.27-29). Esta tribo originalmente ficava a noroeste de Efraim, a oeste de Benjamim, a norte de Judá, confinada pelo mar Mediterrâneo. Em um período posterior, a maioria (mas provavelmente não todos) dos membros dessa tribo foi ao norte para dominar a terra de um povo indefeso (Jos. 19.47). Grande parte de seu antigo território voltou ao domínio de outras tribos de Israel, especialmente Judá. A Dã "do norte" localizava-se no topo da tribo de Naftali, que formava sua fronteira oeste. A meia tribo de Manassés formava suas fronteiras leste e sul, mas não há como desenhar fronteiras exatas.

IV. Judá

Esta tribo (Josué cap. 15) tinha fronteiras mais estabelecidas do que outras, tendo o Mar Mediterrâneo como limite oeste, o mar Morto a leste, e as tribos de Dã e Benjamim ao norte. Simeão ficava na fronteira sul, mas não existiam linhas exatas. A longo prazo, Judá absorveu as terras do sul que haviam pertencido a Simeão. Judá era uma tribo de expansão. Também dominou Benjamim e finalmente, como uma tribo ampliada, tornou-se a Nova Israel após a destruição e o cativeiro do reino do norte. Depois do cativeiro babilônico, de forma muito reduzida, também foi a Nova Israel de outro período.

V. As Tribos Centrais

1. *Efraim* (Jos. cap. 16). Esta tribo tinha como fronteira leste o rio Jordão, norte a tribo de Manassés, oeste Dã, e sul Benjamim. Muitas de suas cidades foram localizadas com precisão, mas, exceto por sua fronteira leste (o Jordão), suas fronteiras não podem ser definidas com certeza absoluta. Era uma terra montanhosa, o que a tornava uma área de mais difícil sobrevivência, mas essa era uma defesa natural para a região em épocas de invasões estrangeiras. Havia florestas densas, o que significava que era pouco habitada (Jos. 17.15). A longo prazo, tornou-se o mais poderoso dos reinos do norte, e seu nome poderia significar norte, como uma nação.

2. *Manassés* (Jos. 17.1-13) da Cisjordânia (o lado leste do Jordão), tinha o rio Jordão como fronteira oeste, o mar Mediterrâneo como fronteira leste, Efraim ao sul, e Aser, Zebulom e Issacar ao norte. Muitas das cidades bíblicas mencionadas como associadas a essa tribo foram localizadas.

3. *Benjamim* (Jos. 18.11-28) também ocupava uma posição central em Israel, tendo o rio Jordão como fronteira leste, o mar Morto como parte de sua extremidade sul, e Judá ocupando o restante da fronteira. Dã estava ao oeste, e Efraim ao norte. Foi uma das duas tribos originais de Judá (o reino do sul), mas a longo prazo acabou sendo absorvida por Judá.

VI. As Tribos do Norte

1. *Zebulom* (Jos. 19.10-16) era uma tribo presa à terra, não chegando a encostar no rio Jordão nem no mar Mediterrâneo. Tinha em sua fronteira leste Naftali e Issacar. Este último também formava sua fronteira norte. Aser ficava a oeste dali, enquanto Issacar ficava a nordeste. Parte de Manassés ocupava sua fronteira sul. A maioria de suas cidades foi identificada, mas é impossível localizar fronteiras absolutas, já que não havia características geográficas que a confinassem, exceto pelo monte Tabor, ao sul, que era, contudo, apenas um ponto "no meio do nada" naquela direção.

2. *Aser* (Jos. 19.24-29) tinha sua fronteira oeste definida pelo mar Mediterrâneo. Em sua fronteira sudoeste inferior, ficava Manassés; Zebulom era parte de sua fronteira leste, como também Naftali. A Fenícia ficava em sua fronteira norte. Sua delineação exata não pode ser determinada, sendo que muitas de suas cidades não foram identificadas pela arqueologia moderna nem por referências literárias.

490

TRIBO – TRIBULAÇÃO, A GRANDE

3. *Naftali* (Jos. 19.32-34) tinha sua fronteira norte limitada pela Fenícia, a do leste, no topo, com Dã transferida; o rio Jordão formava sua fronteira leste, com um toque da meia tribo de Manassés, na Transjordânia. Muitas de suas cidades foram identificadas pela arqueologia (assim são conhecidas suas fronteiras essenciais).

4. *A tribo de transferência, Dã*, formava uma parte do norte, em períodos posteriores, e essa tribo é discutida sob o ponto III.3.

5. *Issacar era uma tribo do norte*. Ela é discutida sob III.2.

VII. Cidades Levíticas

Levi deixou de ser uma tribo logo no início e tornou-se casta de sacerdotes. Ver Jos. 21.1-42 e I Crô. 6.54-81 com diferenças consideráveis que provavelmente refletem as situações de épocas diferentes. Além disso, nomes alternativos podem confundir o assunto. Havia 48 cidades divididas entre as 12 tribos. Ver o artigo separado sobre *Levitas, Cidades dos*, onde são dadas informações completas.

TRIBULAÇÃO Ver também, **Tribulação, A Grande**.

Ver o artigo separado, **Tribulação como Benefícios**.

Há duas palavras hebraicas e duas palavras gregas que devemos considerar quanto a esse assunto, a saber:

1. *Tsar*, "aflição", "estreiteza". Essa palavra hebraica aparece por vinte e cinco vezes com o sentido de "tribulação", conforme se vê, por exemplo, em Deu. 4:30; II Crô. 15:4; Jó 15:24; 38:23; Sal. 32:7; 59:16; 60: 11; 66:14; 102:2; 107:6,13,19,28; 119:143; Isa. 26:16.

2. *Tsarah*, "aflição", "estreiteza". Vocábulo hebraico que é usado por setenta e uma vezes, conforme se vê, por exemplo, em Juí. 10: 14; 1 Sam. 10: 19; 26:24; Deu. 31:17,21; 11 Reis 19:3; Nee. 9:27; Jó 5: 19; 27:9; Sal. 9:9; 10:1; 25:17,22; 34:6,17; 37:39; 46:1; 50:15; 77:2; 78:49; 86:7; 138:7; Pro. 11:8; 12:13; 21:23; 25:19; Isa. 8:22; 30:6, 33:2; 37:3; 46:7; 65:15; Jer. 14:8; 30:7; Dan. 12:1; Naum 1:7; Hab. 3:16; Sof. 1:15.

3. *Thlíbo*, "pressionar", "oprimir", "atribular". Verbo grego que é utilizado por dez vezes: Mat. 7:14; Mar. 3:9; II Cor. 1:6; 4:8; 7:5; 1 Tes. 4:5; 11 Tes. 1:6,7; I Tim. 5:10 e Heb. 11:37.

4. *Thlípsis*, "pressão", "opressão", "tribulação". Palavra grega que aparece por quarenta e cinco vezes: Mat. 13:21; 24:9,21,29;: Mar. 4:17; 13:19,24; João 16:21,33; Atos 6:10,11; 11:19; 14:22; 20:23; Rom. 2:9; 5:3; 8:35; 12:12; 1 Cor. 7:28; 11 Cor. 1:4,8; 2:4; 4:17; 6:4; 7:4; 8:2,13; Efé. 3:13; Fil. 1:17; 4:14; Col. 1: 24; 1 Tes. 1: 6; 3:3,7; 11 Tes. 1: 4,6; Heb. 10: 33; Tia. 1:27; Apo. 1:9; 2:9,10,22; 7:14.

Geralmente falando, nas páginas da Bíblia, a tribulação consiste em aflição causada por alguém, que pressiona a outrem.É mister distinguir claramente qual o causador e qual a vítima, nos casos de tribulação.

1. *Tribulação como Juízo Divino*. Além da tribulação causada por um ser humano contra outro, há também o fato de que Deus pode afligir o seu povo, por motivo da infidelidade dele. Caso o povo de Israel viesse a pecar, conforme tinham feito as nações que Deus expulsara dali, ele também seria expulso e disperso entre as nações. No entanto, Deus prometeu que mudaria essa condição, dizendo: "Quando estiveres em angústia, e todas estas coisas te sobrevierem nos últimos dias, e te voltares para o Senhor teu Deus, e lhe atenderes a voz, então o Senhor teu Deus não te desamparará, porquanto é Deus misericordioso, nem te destruirá, nem se esquecerá da aliança que jurou a teus pais". (Deu. 4:30,31). Por semelhante modo, quando ocorreu o exílio babilônico, o autor do livro de Lamentações observou: "Edificou contra mim, e me cercou de veneno e de dor" (Lam. 3:5).

2. *Tribulação como Testemunho*. O mundo incrédulo, por outro lado, pode oprimir o povo de Deus, por causa do testemunho infiel destes últimos. No dizer do Senhor Jesus, todo aquele que não tem raiz em si mesmo, não demora a tombar no caminho. Ver Mat. 13:21. E o Senhor Jesus também disse: "No mundo passais por aflições; mas tende bom ânimo, eu venci o mundo" (João 16:33). Por causa dele, "...somos entregues à morte continuamente, somos considerados como ovelhas para o matadouro" (Sal. 44:22). Apesar de tudo, coisa alguma incluindo tribulação, aflição ou perseguição–pode separar o verdadeiro crente do amor de Deus (ver Rom. 8:35-39)., Por essa exata razão, os crentes são "pacientes na tribulação" (Rom. 12:12). O apóstolo João, na ilha de Patmos, compartilhou "...na tribulação, no reino e na perseverança, em Jesus..." (Apo. 1:9). Depois que Paulo foi apredrejado e dado como morto em Listra, ele voltou a exortar aos discípulos como segue: "... através de muitas tribulações, nos importa entrar no reino de Deus". (Atos 14:22).

3. *A "Grande Tribulação"*. Ver o artigo separado, *Tribulação, A Grande*.

Relembrando o trecho de Daniel 12:2, o Senhor Jesus predisse que haverá uma "... grande tribulação, como desde o princípio do mundo até agora não tem havido, e nem haverá jamais" (Mat. 24:21). Isso incluirá os sofrimentos mais intensos para o povo de Deus, causados pelas forças do anticristo. Aos discípulos, no monte das Oliveiras, declarou Jesus: "Então sereis atribulados, e vos matarão. Sereis odiados de todas as nações, por causa do meu nome" (Mat. 24:9). Contudo, durante esse período também haverá atos interventores de Deus, que derramará de sua justa indignação contra os ímpios. Logo em seguida à tribulação daqueles dias, "o sol escurecerá, a lua não dará a sua claridade, as estrelas cairão do firmamento e os poderes dos céus serão abalados" (Mat. 24:29). Essas manifestações da ira divina são detalhadamente descritas nos capítulos sexto a décimo nono do livro de Apocalipse. Dentre essa "grande tribulação" sairá uma imensa multidão de mártires, que será vista de pé, diante do trono do Cordeiro (ver Apo. 7:14).

No tocante à identidade do povo de Deus, os dias da grande tribulação e do arrebatamento, os teólogos emitem diferentes opiniões. Os pré-tribulacionistas opinam que a Igreja de Deus será arrebatada antes da Grande Tribulação. Nesse caso, o povo de Deus compor-se-á dos membros da nação judaica restaurada. Os meios tribulacionistas, por sua vez, pensam que a Igreja haverá de ficar neste mundo até à metade da tribulação, quando então os crentes serão arrebatados, escapando assim da Grande Tribulação. Nesse segundo caso, o "povo de Deus" também compor-se-á dos membros da nação judaica restaurada. E os pós-tribulacionistas preferem pensar que a Igreja ficará na terra até o fim da Grande Tribulação, após o que os crentes serão arrebatados. Nesse último caso, o "povo de Deus" consistirá, com sempre, de todos os convertidos, quer de Israel, quer das nações gentílicas. Ver Gálatas 3:28, que diz: "Destarte não pode haver judeu nem grego...porque todos vós sois um em Cristo Jesus".

TRIBULAÇÃO, A GRANDE

Apo. 7:14: *Respondi-lhe: Meus senhor, tu sabes. Disse-me ele: Estes são os que vêm da grande tribulação e lavaram as suas vestes e as branquearam no sangue do Cordeiro.*

TRIBULAÇÃO, A GRANDE

É óbvio que neste ponto, a referência à "tribulação" é escatológica, e não histórica, visando falar acerca dos grandes dias de tribulação pelos quais, pouco antes do segundo advento de Cristo, passará o mundo inteiro. (Quanto a outras alusões escatológicas à "tribulação" e à "grande tribulação" ver os trechos de Mar. 13:19 e Mat. 24:21, que são um reflexo da passagem de Dan. 12:1. Isso também pode ser confrontado com II Tes. 1:6 e ss).

Esperávamos que esse período começasse antes do fim do século XX, prolongando-se ainda por parte do século XXI. Alguns estudiosos limitam-no a sete anos; mas certamente se prolongará por mais do que isso. Serão dias de grandes agitações, caos, sofrimento, opressão econômica e perseguição religiosa. Parte disso será provocado por guerras entre os homens. Haverá ocorrências sem precedente na natureza, que talvez incluam até mesmo a mudança dos pólos terrestres; o mar bramirá descontrolado, deixando os homens inteiramente perplexos. As pragas, as enfermidades, a morte levarão a maior parte da população da Terra. Todas essas coisas visarão dizer aos homens que o caminho pecaminoso deles atingiu seu ponto crítico; e, tal como nos dias do Dilúvio, essa condição não poderá continuar sem os mais horrendos castigos. Já tivemos ocasião de estudar parte dessas tribulações nos selos de número três a seis. Supõe-se que a parte final da tribulação, que envolverá os juízos das trombetas, das taças e das sete condenações (capítulos oitavo a décimo nono do Apocalipse), será mais crítica e envolverá poder destruidor mais potente. É a essa última porção que denominamos "grande tribulação" em contraste com a "tribulação" geral que haverá naquele período.

A tribulação, diferentemente de todos os períodos anteriores de agitação, envolverá o mundo inteiro, civilizado e não civilizado (ver Apo. 3:10). Haverá sofrimentos para toda a humanidade, mas, especificamente, para a nação de Israel, razão por que é chamada de tributação de Jacó (ver Jer. 30:7).

Este artigo defende a idéia de que a Igreja cristã passará por toda a tribulação, em todas (ou quase todas) as suas fases. (Ver as razões para isso nas notas de introdução aos capítulos quarto e sétimo do Apocalipse, no NTI. Ver os argumentos acerca da identificação dos "mártires" de 6:9 e ss, e 7:4-9 com a Igreja cristã, nessas referências. Quanto à "questão do arrebatamento", em todos os seus aspectos, ver I Tes. 4:15). É possível, todavia, que a Igreja escapará (pelo arrebatamento) de um período de sete anos que tem aplicação especial à nação de Israel, enquanto passará a *própria tribulação* que durará quase 40 anos. Neste caso, os sete anos farão parte de um tempo muito mais prolongado de agonia na Terra. As guerras iniciadas pelos homens terão como ponto central a cidade de Jerusalém e a Terra Santa. Os místicos contemporâneos falaram de duas grandes guerras, a primeira já perto do fim do século XX, em que a União Soviética se chocaria contra a federação de dez nações, encabeçada pelo Anticristo. Muitas cidades ao redor do mundo sofreriam destruição por parte de armas atômicas. Mas o Anticristo derrotaria, finalmente, às forças comunistas, fazendo da Palestina outra Estalingrado em reverso. Em seguida erguer-se-ia a China, porquanto ela ficou essencialmente inatingida, provocando a Quarta Guerra Mundial. Os chineses conquistariam a Ásia inteira, e grande parte da União Soviética e da Europa. Antes de tudo isso, no fim da Terceira Guerra Mundial (entre a União Soviética e a confederação do Anticristo), Israel seria salvo por meio de uma intervenção divina. Primeiramente, os israelitas veriam o sinal da cruz, uma cruz luminosa no firmamento. Então veriam o próprio Jesus Cristo, corporalmente na Palestina. Os israelitas voltar-se-iam para o seu Messias, Jesus Cristo, tornando-se uma nação oficialmente cristã. Depois disso, tornar-se-iam eles uma poderosíssima força missionária no mundo. Contudo, as tribulações do mundo não terminariam em face da conversão de Israel. Pois, conforme eles disseram, a China se levantar-se-ia como poderosíssima potência militar. Após terem as forças chinesas conquistado grande parte das terras habitáveis, durante cerca de dezessete anos, conforme disseram alguns místicos contemporâneos, resolveriam elas invadir a Palestina. Muitos milhões de chineses seriam mortos nessa arrancada, porquanto o Anticristo defenderia tenazmente aquela região. Aqueles que chegassem à Palestina seriam aniquilados. Finalmente, a humanidade teriam aprendido rigorosa lição, acerca do que o ódio e a luta armada podem fazer. A intervenção divina, que seria o segundo advento de Cristo, traria um novo ciclo neste mundo, tendo início um período de progresso **e de bem-estar** sem precedentes. A isso chamamos de *milênio*. A batalha de Armagedom, conforme se supõe, envolveria as nações e a China; e essa batalha antecederia de imediato ao novo ciclo, que seria iniciado pela parousia, ou seja, pelo *segundo advento* do Senhor Jesus. Ver o artigo sobre *Parousia*.

Elementos da tribulação:

1. São os elementos referidos acima, como o caos geral, a destruição sem-par por meio de guerras, pragas e a loucura da própria natureza.

2. *O reinado do Anticristo*. Ele promoveria um culto religioso que faria o comunismo parecer santo, em comparação. (Ver Apo. 13:1 e ss quanto a essa descrição. Ver II Tes. 2:3 e o artigo separado sobre o *Anticristo*). Os místicos contemporâneos afirmaram que o Anticristo já estava vivo, tendo nascido a 5 de fevereiro de 1962. Há razões convincentes para aceitarmos esse conhecimento "visionário". Haveríamos de vê-lo manifestar-se em cerca de 1990, embora só chegasse ao seu grande poder em cerca de 1993.

3. A princípio ele faria seu centro em Jerusalém, embora o seu campo de operações fosse o mundo inteiro (ver Dan. 9:27). Também teria um centro de atividades em Roma. Seria dominado por um elevado poder maligno, pelo próprio Satanás; e embora dotado de grande sabedoria, essa seria uma sabedoria diabólica. Todos os homens ímpios, em comparação com ele, seriam meros infantes. O Anticristo promoveria um culto religioso que seria totalmente pervertido. Mas os povos do mundo, especialmente os jovens, seriam rápida e facilmente arrebanhados por esse culto, seguindo-o com um senso de realização pessoal. E o "João Batista" ou "precursor" do Anticristo seria, conforme dizem alguns místicos contemporâneos um político do estado de Nova Iorque (E.U.A.), que promoveria a sua causa através dos meios de comunicação mundiais, se pudéssemos confiar nas predições dos místicos contemporâneos.

4. Todos os homens poderão escolher se aceitarão ou não o domínio do Anticristo. Mas aqueles que não se curvarem a ele, sofrerão. Muitíssimos serão martirizados (ver Apo. 7:9). Haverá um número incalculável de mártires.

5. A tribulação, com sua perseguição religiosa e sua destruição generalizada, haverá de purificar à Igreja, naquilo que será seu "banho nupcial". A atual Igreja cristã, com suas corrupções, imoralidades e mundanismo, não pode alçar vôo para as alturas celestes.

6. Os homens, durante o período da tribulação, atingirão

TRIBULAÇÃO, A GRANDE – TRIBULAÇÕES

o clímax da apostasia. Através do Anticristo, chegarão a adorar ao próprio Satanás (ver Apo. 12:12 e 13:4,5). Também haverá uma atividade sem precedentes dos poderes demoníacos, conforme se vê em Apo. 9:1,11 e 16:13 e ss.

7. A despeito de tanta agonia, a tribulação também será uma oportunidade sem precedente de renovação e de conversão religiosa. Israel será envolvido nesses acontecimentos, mas sempre em cooperação com a Igreja cristã, da qual fará parte integral, após a sua conversão como nação. O trecho de Apo. 7:9 deixa isso entendido.

8. *Duração da tribulação*. Durará, talvez, 40 anos. Trechos como Dan. 9:24-27 e Apo. 11:1 parecem indicar um período de *sete anos* de natureza extremamente crítica, envolvendo relações entre o Anticristo e a Palestina, mas não que a tribulação inteira perdurará somente sete anos. A Palestina será ocupada por forças estrangeiras. Talvez isso faça parte do que significa que a cidade santa "será pisada" por quarenta e dois meses (que talvez simbolizem três anos e meio). Detalhes como esses tornar-se-ão claros como o cristal quando os próprios acontecimentos estiverem sucedendo; mas para nós que não sabemos quando tudo isso acontecerá, só podem ser parcialmente compreendidos. Entretanto, somos da opinião de que sem importar o que signifique esse período de sete anos, tudo *fará parte* do período da tribulação que será um tempo crítico para a nação de Israel, embora esses anos não esgotem a própria tribulação. O número "sete" pode ser um número místico, e não um número que indique sete anos exatos. Somente os próprios eventos poderão mostrar, exatamente, o que tudo isso significa.

9. A batalha de *Armagedom* (vide), seguida pela Parousia (vide) ou segundo advento de Cristo, porá fim a esse horrendo período (ver Apo. 14:14 e ss; 16:16 e 19: 11).

10. *O número quarenta*. O número bíblico-simbólico-místico para *provação* é constantemente 40. Exemplos: A chuva do Dilúvio caiu 40 dias; Israel foi provada 40 anos no deserto; Moisés esteve no monte 40 dias e noites quando recebeu a lei; a pregação de Jonas durou 40 dias; Jesus foi tentado 40 dias. Seria muito estranho se a maior provação de todas não durasse o tempo tradicional e espiritual, isto é, *40*, e, neste caso, tal número de anos.

TRIBULAÇÕES COMO BENEFÍCIOS

A perseguição e as tribulações redundam, para nós, em benéficos resultados. Podemos perceber melhor isso, desdobrando a questão nos pontos abaixo discriminados:

1. A tribulação nos torna cônscios do fato de que somos criaturas muito dependentes. Somente Deus é independente e serve de lei para si mesmo. Todas as demais entidades são criaturas que dependem de sua bondade e de seu poder divinos. As enfermidades graves, os choques severos, a tristeza avassaladora, os desânimos no próprio coração, as desilusões, etc., são todas elas coisas que nos ensinam a depender somente de Deus, e não de nós mesmos.

2. A tribulação também nos faz aproximarmo-nos dos outros seres humanos, especialmente daqueles que também estão sendo atribulados conosco, como nenhuma outra experiência humana é capaz de fazer. As tribulações unem as famílias e as igrejas, as comunidades e as nações, e esses grupos tomam propósitos de unidade, em meio à tribulação.

3. A tribulação ajuda-nos tanto a compreender como a *ajudar* outras pessoas que também sofrem tribulações. A tribulação nos torna conselheiros e guias mais sábios.

4. A tribulação e a perseguição podem nos servir de excelentes *disciplinadoras*, ensinando-nos os valores espirituais certos e próprios; porquanto, é em meio a essas coisas que aprendemos a reconhecer o que é importante e vital, e o que não se reveste dessas grandes qualidades. Também podemos aprender a lição preciosa da humildade sob profunda tribulação, e assim podemos ser espiritualmente fortalecidos.

5. A tribulação, e até mesmo a perseguição, podem resultar de uma "semeadura" má e insensata. Nesse caso, tais tribulações nos servem de castigo, embora também sejam meios disciplinadores que nos ajudam a evitar erros similares. Nisso vemos a ampliação da lei divina universal da semeadura e da colheita. Tomemos como exemplo disso o fato da nação de Israel ter sido perseguida por outras nações. Essa perseguição, com freqüência, tem sido dada como castigo e disciplina, da parte de Deus. Alguns estudiosos têm imaginado que as severas perseguições que o apóstolo Paulo foi vítima resultavam, pelo menos em parte, da "colheita" daquilo que havia semeado em seus dias de incredulidade; pois fora amargo perseguidor da Igreja de Cristo e, embora houvesse sido judicialmente perdoado pelo Senhor, ainda lhe competia colher o que semeara. Esse ponto de vista mui provavelmente está correto, embora outros defendam a noção de que o perdão dos pecados impede qualquer mau efeito proveniente desses pecados perdoados na vida posterior do indivíduo. Contudo, a opinião destes últimos certamente é um ponto de vista equivocado. Pessoalmente conheci o diácono de uma igreja evangélica. Quando o conheci, levava uma vida piedosa. Porém, carregava consigo uma enfermidade grave, em um corpo alquebrado, resultante de uma vida anterior de dissipação. Faleceu quando ainda era comparativamente jovem, não tendo podido escapar dos resultados inevitáveis de seus pecados passados.

A tribulação e a perseguição podem nos ensinar algo acerca da *seriedade e da malignidade* do pecado. Homens iníquos perpetuam atos desumanos contra outras pessoas, ações alicerçadas no ódio, no egoísmo e na ambição. Podemos aprender a repelir esses males, observando os seus péssimos resultados, em nossas vidas e nas vidas alheias. Grande parte da perseguição que se verifica na moderna Igreja cristã não é de origem externa e, sim, interna. Às vezes é um suposto crente que se lança contra outro, ou então são diversos membros de uma congregação que se voltam contra o seu pastor. É até mesmo verdade, algumas vezes, que pessoas indefesas são perseguidas pela junta liderante da igreja local, por alguma ofensa mínima, ao passo que membros de prestígio e seus familiares não sofrem disciplina alguma.

7. A tribulação pode *expurgar* de nossas vidas tanto o pecado como outros elementos inconvenientes, os quais podem não ser pecaminosos em si mesmos, mas que, não obstante, servem de obstáculos para nosso bem-estar e progresso espirituais. O bisturi da tristeza e da tribulação é muito mais afiado do que a navalha expansiva da felicidade, e pode arrancar nossas falhas de caráter e de ação muito mais prontamente do que quaisquer sentimentos de euforia.

8. A tribulação e a perseguição podem fazer com que nossa entrada futura, em nossa herança celestial, seja algo muito *mais jubiloso* do que seria de outra maneira, se porventura não experimentássemos também a adversidade. (Ver Rom. 8:18).

9. A tribulação e a perseguição *aprofundam e fortalecem* a nossa expressão espiritual íntima de um modo que é quase impossível através de outros meios

quaisquer. O sofrimento deixa uma cicatriz boa, e não má, no caso daqueles que o suportam com a correta atitude, e isso lhes ensina a usarem de simpatia para com as outras pessoas e a terem mais confiança para com Deus. Uma "alma profunda" é aquela que tem passado por muito sofrimento. Uma "alma superficial" é aquela que nunca experimentou a aflição. A alma que já aprendeu a ser mais profunda é melhor, tanto para o seu próprio benefício como para benefício de seus semelhantes.

10. Não nos devemos olvidar que o próprio Senhor Jesus ....aprendeu a obediência pelas cousas que sofreu.... (Heb. 5:8). Outrossim, Ele "foi aperfeiçoado" através do padecimento (ver Heb. 2:10). Ora, se Ele precisou passar por tais experiências dolorosas, *quanto mais* os seus discípulos!

A vida não é questão de fazermos
Cansativa e ininterrupta subida
Por intermináveis beiras e pontes
Pois vivemos um dia de cada vez.
Por que esforçar-se por um armazém de coragem
Como os míseros ajuntam dólares e centavos?
Nosso Pai no-la dará e no-la enviará
Apenas por um dia de cada vez.
Não precisamos de forças agora para amanhã,
Quando talvez não estejamos mais no ápice da vida.
Mesmo que fiquemos fracos, hesitantes, mesmo que falhemos,
Deus nos dará coragem um dia de cada vez.
(Helen Cook).

Ver o artigo sobre *Sofrimento, Necessidade do*.

TRIBUNAIS DE JUSTIÇA

Nos dias do Antigo Testamento, os casos de disputa eram julgados usualmente em espaço aberto, geralmente em alguma praça, perto de um dos portões da cidade. Porém, Salomão construiu o átrio de julgamento, uma área do templo de Jerusalém. A partir de então, casos importantes de julgamento começaram a ser associados a esse templo. Ali funcionava uma espécie de tribunal superior, onde eram ouvidos os casos mais graves.

Sabemos que no Egito e na Mesopotâmia havia tribunais especiais ou salas de audiência. Mas, com freqüência, o mercado do fórum era o lugar onde funcionava o tribunal. Um lugar favorito era o mercado que ficava fronteiro ao portão principal da cidade. Há referência a tal arranjo em Gênesis 19:1, onde se lê: "Ao anoitecer, vieram os dois anjos a Sodoma, a cuja entrada estava Ló assentado". Foi ali que lhe vieram ao encontro os dois mensageiros celestes, aos quais ele convidou para irem à sua casa. Essa referência, provavelmente, indica que Ló ocupava funções judiciais em Sodoma. Alusões posteriores aos portões de alguma cidade, como lugares de julgamento, são Deuteronômio 16:18; 21:19 e 25:7. Juizes e oficiais eram nomeados, a fim de exercerem funções judiciais.

Após o êxodo, Moisés recebeu o poder de julgar. Mas também nomeou ajudantes (Exô. 18:17-26). Esses chefiavam esquadrões de dez soldados; ou então eram capitães ou dirigentes de unidades ainda maiores. Moisés reservou para si mesmo os casos mais difíceis e importantes. Nos períodos dos juízes, encontramos juízes que também eram líderes militares e governantes. Ver Juí. 4:5. Os reis acabaram ocupando-se dessas funções. Davi encabeçava um tribunal em sua corte, a fim de julgar a nação inteira de Israel (II Sam. 15:2), no que foi imitado por Salomão (I Reis 3:9). À medida que foi crescendo a nação de Israel, mais assistentes se foram tornando necessários. Assim, lemos que Davi nomeou seis mil homens, dentre os levitas, para servirem como oficiais e juízes nos tribunais secundários. Ver I Crô. 23:4 e 26:29.

Nos tempos do Novo Testamento, tornou-se clara a influência greco-romana sobre a cultura judaica, pelo menos nas cidades maiores. Tribunais tornaram-se comuns. Mas, nas cidades gregas, como em Filipos, os casos que envolviam crimes continuaram sendo julgados ao ar livre, no *agorá* ou mercado, de acordo com um antiqüíssimo costume dos gregos, onde havia um lugar reservado para os julgamentos. Em Corinto, Paulo foi levado à presença de Gálio, ao bema ou tribunal (Atos 18:12-17). Os lugares de julgamento vieram a ser conhecidos como *agoraioi*. Ver Atos 19:38. Nos tempos do Novo Testamento, os advogados representavam uma profissão que se vinha desenvolvendo desde o período grego, anterior. Havia tanto aqueles que eram especialistas na lei judaica (Luc. 2:46, no grego, *nomikoi*), como aqueles que se ocupavam com as leis civis (Tito 3:13). Na época da dominação romana, os israelitas receberam permissão para cuidar de suas próprias questões judiciais, incluindo casos criminosos que não envolvessem a punição capital (João 18:31,32), com restrições ocasionalmente relaxadas. Os cidadãos romanos tinham o direito de serem ouvidos diante do próprio César (Atos 25:11,12). Ver os artigos sobre *Apelo* e *Apelo de Paulo a César*. (VA Z)

TRIBUNO, COMANDANTE

No grego, **chilíarchos**, "comandante de mil". Algumas versões preferem a tradução "tribuno". Nossa versão portuguesa diz "comandante", "oficial militar", etc. Esse termo grego aparece por vinte e duas vezes: Mar. 6:21; João 18:12; Atos 21:31-33,37; 22:24,25-29; 23:10,15,17-19,22; 24:7,22; 25:23; Apo. 6:15 e 10:18.

Um "tribuno", ou "comandante" comandava uma coorte, composta por setecentos e sessenta infantes e duzentos e quarenta cavaleiros (ver Atos 21:31,33,37, etc.). De acordo com a nomenclatura militar moderna, seria, mais ou menos, o equivalente a um coronel. O "comandante" dos soldados romanos, que prenderam a Jesus no jardim do Getsêmani, era um tribuno ou *chilíarchos* (João 18:12).

TRIBUTO

I. Palavras Empregadas
II. Definições
III. Observações Bíblicas

I. Palavras Empregadas
Hebraico:

1. *Mas*, tributo, carga de impostos, com cerca de vinte ocorrências no Antigo Testamento. Exemplos: Gên. 49.15; Deu. 20.11; Jos. 16.10; Est. 10.1; Pro. 12.24.

2. *massa*, carga, tributo, com duas ocorrências no Antigo Testamento: II Crô. 17.11; Nee. 10.31.

3. *missah*, carga, tributo, com uma ocorrência no Antigo Testamento: Deu. 16.10.

4. *belo*, imposto alfandegário, tributo, com três ocorrências: Esd. 4.13, 10; 7.24.

5. *mekes*, tributo, com seis ocorrências: Núm. 31.28, 37-40.

6. *middah*, tributo, imposto, coisa medida, com três ocorrências: Esd. 4.20; 6.8; Nee. 5.4.

7. *onesh*, multa, confisco, punição, com uma ocorrência: II Reis 23.33.

TRIBUTO – TRIGO

Grego:
1. *phoros,* tributo, taxa, carga, com quatro ocorrências no Novo Testamento: Luc. 20.22; 23.2; Rom. 13.6, 7.
2. *kensos,* taxa de recenseamento, com quatro ocorrências no Novo Testamento: Mat. 17.25; 22.17, 19; Mar. 12.14.
3. *didrachmon,* dracma dupla, um imposto, com duas ocorrências no Novo Testamento: Mat. 17.24.

Latim:
Tribuere, dar; tributum, um pagamento, imposto cobrado, responsabilidade.

II. Definições
As palavras acima demonstram a variedade de formas pelas quais o conceito de imposto, tributo, doação etc. pode ser aplicado ou cobrado. A maioria das palavras contém a idéia de algum tipo de contribuição compulsória que um poder mais alto impõe a um mais baixo, ou que um conquistador exige do conquistado, ou uma ameaça para fazer algo pior se uma pessoa ou uma nação não pagar, a incluir os impostos simples mas desagradáveis que os governos exigem que você pague, presumivelmente para seu bem. Ver o artigo separado sobre *Taxas, Taxação.*

III. Observações Bíblicas
1. Antigo Testamento
a. Um dos filhos de Jacó teve de pagar uma taxa para conseguir favores no Egito (Gên. 43.11, 12).
b. Yahweh cobrou sua parte, forçosamente, para o financiamento do ministério (Núm. 31.28).
c. Certos juízes eram forçados a contribuir com as autoridades (Juí. 3.15-18).
d. Israel tinha de pagar pesados impostos aos seus próprios governantes (I Sam. 8.10-18).
e. Além de impostos, as pessoas tinham de oferecer presentes aos regentes para comprar favores (I Sam. 10.27).
f. Quando tinha poder de fazê-lo, Israel cobrava pesados tributos dos poderes estrangeiros conquistados (II Sam. 8.6); muitas nações foram submetidas por Salomão ao pagamento de tributos (I Reis 4.21); Acaz exigiu um tributo de Moabe (II Reis 3.4, 5); Josafá taxou os filisteus e os árabes (II Crô. 17.11); Uzias cobrou impostos dos amonitas (II Crô. 26.8).
g. Poderes estrangeiros colocaram Israel e Judá sob tributo: (II Reis 12.17, 18; 16.5-9; 17.3; 18.13-16; 20.12-15; 23.33-35). A Babilônia, por fim, assumiu o que sobrava da riqueza de Judá (II Reis cap. 25).

2. Novo Testamento
a. Um imposto individual, tributum capitis (o imposto por cabeça), era exigido de todos os cidadãos judeus pelos romanos (Mat. 22.17, 19; Mar. 12.13-17). Esse imposto incluía impostos sobre propriedade.
b. Os cristãos estão sob obrigação de pagar impostos ao governo (Rom. 13.6, 7).
c. Um imposto de templo era exigido de todos os homens judeus (Mat. 17.24, 25). Após o templo de Jerusalém ter sido nivelado pelos romanos, eles continuaram a coletar esse imposto para custear o templo de Júpiter Capitolinus, em Roma.

O governo romano cobrava um tributum soli sobre as províncias e o tributum capitis, um imposto sobre indivíduos.

TRIBUTO, DINHEIRO DO
Ver sobre **Taxas, Taxação.**

TRICOTOMIA
Ver os dois artigos intitulados *Dicotomia, Tricotomia* e *Problema Corpo-Mente;* o último desses dois artigos apresenta várias formas das duas idéias.

TRIDENTINA, PROFISSÃO DE FÉ
Foi o papa Pio IV, em 1564, quem promoveu essa profissão de fé, cujo intuito foi o de satisfazer as exigências, desenvolvimentos e declarações dos dogmas católicos romanos, conforme os mesmos foram afirmados e oficializados pelo concílio de Trento. Outro propósito foi o de permitir que os católicos romanos se defendessem dos ataques contra suas doutrinas, desfechados pela Reforma Protestante.

TRIFENA E TRIFOSA
No grego, **Tráphaina**, "dengosa"; e **Truphôsa**, "delicada". Esses eram os nomes de duas mulheres crentes de Roma, a quem Paulo enviou saudações (Rom. 16:12). Ele as chamou de pessoas que "trabalhavam no Senhor", o que faz contraste com o sentido de seus nomes. Visto que os nomes dessas duas mulheres estão tão ligados a uma mesma raiz grega, que significa "viver no luxo", muitos estudiosos têm emitido a opinião de que elas seriam irmãs gêmeas, ou então, parentes muito próximas uma da outra. Ambos os nomes ocorrem entre as listas de escravos da corte imperial de Cláudio, tendo sido encontrados, igualmente, em um cemitério usado, principalmente, para o sepultamento de servos do imperador romano. É possível que elas fizessem parte, "da casa de César" (Fil. 4:22), ou seja, crentes que se haviam convertido dentre aqueles que serviam à corte real. No livro apócrifo de Atos de Paulo e Tecla (27 ss), "Trifena" também aparece como nome de uma rainha, que se mostrou amigável para com Tecla.

TRIFO
No grego, **Trúphon**. Esse era o sobrenome de Diodoto, usurpador do trono da Síria. Era nativo de Apaméia, na Síria. O apodo Trilo foi adotado por ele, depois que chegou ao poder. Ele fora um general de Alexandre I Balas, rei da Síria (150-145 a.C.), que se afirmava filho de Antíoco V Epifânio, ocupante do trono selêucida por ocasião do falecimento de Demétrio I Soter (162-150 a.C.). Quando Alexandre Balas morreu, Trifo estabeleceu Antíoco VI Dionísio, filho de Alexandre, no trono, além de ter-se declarado regente, contra as reivindicações de Demétrio II Nicator, filho de Demétrio I Soter (I Macabeus 11:38 ss e 54 ss).

Motivados por suas querelas com Demétrio II, os judeus, dirigidos pelo governante hasmoneano Jônatas, aceitaram Antíoco IV; e então, Trifo expulsou Demétrio de Antioquia (I Macabeus 11:54-56). Trifo, que planejava apossar-se do trono selêucida para si mesmo, assassinou traiçoeiramente a Jônatas, em Ptolemaida, e, em seguida, assassinou a Antíoco VI (I Macabeus 12:39-13:32). Depois declarou-se governante único da Síria, em 142 a.C. (I Macabeus 13:31,32). Por motivo de sua tirania e capacidade, o irmão de Demétrio II, chamado Antioco VII Sidetes, invadiu o país e infligiu uma derrota decisiva contra Trifo, em Dor, na Fenícia (I Macabeus 15: 10-14,25). Trifo fugiu para Ortósia, nas costas marítimas do Líbano, e, dali, para Apaméia, onde acabou falecendo (Josefo, *Anti.* 13:7,2; Estrabão 14:5,2).

TRIFOSA
Ver sobre **Trifena e Trifosa.**

TRIGO
1. As Palavras Usadas
No hebraico, *chittah,* palavra que é empregada por

TRIGO – TRINDADE

trinta vezes nas páginas do Antigo Testamento: Gên. 30:14; Êxo. 9:32; 29:2; 34:22; Deu. 8:8; 32:14; Juí. 6:11; 15:1; Rute 2:23; I Sam. 6:13; 12:17; II Sam. 4:6; 17:28; I Reis 5:11; I Crô. 21:20,23; II Crô. 2: 10, 15; 26:5; Jó 31:40; Sal. 81:16; 147:14; Can. 7:2; Isa. 28:25; Jer. 12:13; 41:8; Eze. 4:9; 27:17; 45:13; Joel 1: 11. E também *chitin*, que aparece somente por duas vezes, em Esd. 6:9 e 7:22. No grego, *sítos*, um vocábulo que encontramos por doze vezes no Novo Testamento: Mat. 3:12; 13:25,29,30; Luc. 3:17; 16:7; 22:31; João 12:24; Atos 27:38; 1 Cor. 15:37; Apo. 6:6 e 18:13.

2. Colheita Importante

Uma importantíssima colheita nos tempos bíblicos, conforme já seria fácil de imaginar, o trigo, aparece em várias passagens bíblicas notáveis. Para exemplificar, salientamos aquela instância em que Gideão estava malhando o trigo quando o Senhor o chamou para ser um dos mais notáveis e bem-sucedidos juízes de Israel (ver Juí. 6: 11). Rute, a viúva moabita de um israelita, chegou em Belém no tempo exato (ver Rute 2:23), para poder respigar trigo suficiente para as suas necessidades, por bondade de Boás. Ornã estava malhando o trigo (ver I Crô. 21:20) quando viu um anjo. O Senhor Jesus também nos dá um quadro sobre o arrebatamento dos salvos, quando o "trigo" tiver de ser recolhido (Luc. 3:17). E o Senhor também usa o trigo para nos ensinar a necessidade de morrermos para o nosso próprio "eu", em João 12:24: "Se o grão de trigo, caindo na terra, não morrer, fica ele só; mas se morrer, produz muito fruto".

3. Nomes Científicos

O nome científico do trigo é *Triticum aestivum*. Também existe o *Triticum compostium*, ou trigo barbado, com várias espigas de trigo no mesmo pedúnculo. Também existe o trigo egípcio, cujo nome científico é *Triticum tungidum*; o *Triticum monoccum*, que é o trigo de um grão; e o *Triticum dícoccoides*, ou trigo selvagem.

Certo pesquisador encontrou apenas duas variedades de trigo medrando na Palestina. Cientificamente, essas variedades chamam-se *Triticum durum zenati x Bonterli e o Triticum vulgare Florence x aurore*.

Quando os israelitas se estabeleceram na Palestina, tornaram-se grandes agricultores, e passaram a produzir vastas quantidades de trigo, grande parte do qual exportavam para outros países. Uma boa parte dessas exportações seguia por via marítima para Tiro (ver Amós 8:5), como também para outros portos às margens do mar Mediterrâneo. Entretanto, alguns estudiosos têm opinado que, ao tempo do rei Jotão (ver II Crô. 27:5), os agricultores israelitas tinham-se tornado preguiçosos ou desmazelados quanto à triticultura, porquanto aquele monarca cobrou dos amonitas, como taxa, cem mil coros de trigo. Estaria faltando trigo em Israel?

4. Estação do Ano

Na Palestina, a colheita do trigo começa na terceira semana do mês de abril, e prossegue até à segunda semana de junho, embora muito dependa do solo, da situação geográfica e do tempo em que fora feita a semeadura. Esse era um período tão importante do ano, para os israelitas, que o povo se referia ao tempo "da ceifa do trigo" (Gên. 30:14), ou aos dias da "sega de cevada e de trigo" (Rute 2:23).

5. Descrições

A malhação do trigo, via de regra, era feita com uma vara longa e flexível, conhecida como mangual (ver Isa. 41:16, onde se lê: "Tu os padejarás e o vento os levará, e redemoinho os espalhará..."). Também podia ser trilhado sob os pés de juntas de bois, que ficavam andando em círculos sobre o trigo já cortado (ver Deu. 25:4). E também havia a prática de trilhar o grão de trigo por meio de uma roda ou de um carro que passava por muitas vezes sobre as espigas de trigo postas sobre uma área limpa de terreno. Esse último método é sugerido em Isaías 28:28, onde lemos: "Acaso é esmiuçado o cereal? Não; o lavrador nem sempre o está debulhando, nem sempre está fazendo passar por cima dele a roda do seu carro e os seus cavalos".

6. Usos de Jesus

A referência feita por nosso Senhor à produção de trigo a cem por um, no décimo terceiro capítulo de Mateus, tem sido posta em dúvida por alguns céticos. No entanto, variedades do *Triticum aestivum* podem ter espigas de trigo que contêm cem grãos!

Usualmente, o trigo era semeado durante os meses de inverno, na Palestina. Era espalhado levemente e com pouca aragem. Ocasionalmente, a semeadura era feita em fileiras, segundo se depreende de Isaías 28:25: "...não lança nela o trigo em fileiras ..."

Presume-se que essa frase indique que o trigo era semeado de forma que as plantas ficassem arrumadas no solo em fileiras retas, paralelas umas às outras.

7. Usos Figurados

Linguagem Figurada da Bíblia sobre o Trigo. Além da aparente morte do grão de trigo representar a morte vicária do Senhor Jesus, em expiação pelos nossos pecados (ver João 12:24), que ocorre a todos os estudiosos das Santas Escrituras, há dois outros simbolismos um tanto mais desconhecidos: 1. da misericórdia divina (ver Sal. 81:16 e 147:14). Diz a primeira dessas passagens, referindo-se ao povo de Israel, se este se voltasse para o Senhor de todo o coração: "Eu o sustentaria com o trigo mais fino, e o saciaria com o mel que escorre da rocha". 2. Da justiça aos próprios olhos, isto é, aquilo que o homem pensa haver adquirido com suas próprias obras e com sua própria bondade (Jer. 12:13). Lemos ali: "Semearam trigo, e segaram espinhos; cansaram-se, mas sem proveito algum. Envergonhados sereis dos vossos frutos, por causa do brasume da ira do Senhor". Isso faz parte de um simbolismo mais amplo e mais antigo. Lemos em Gênesis que Caim era agricultor, e Abel criava ovelhas. Caim ofereceu ao Senhor um sacrifício composto de frutos do seu trabalho, e foi rejeitado pelo Senhor. Abel, por sua vez, ofereceu ao Senhor um sacrifício dentre os animais que criava, e foi aceito por Deus. Ver Gênesis 4:2 ss. Pode-se mesmo dizer que, quanto a seu importantíssimo aspecto salvatício a Bíblia foi dada e escrita para ensinar essa lição aos homens.

TRINDADE

Esboço:
1. Definação
2. História
3. Base Neotestamentária
4. Significado e Importância da Doutrina da Trindade
5. Opiniões de Importantes Filósofos e Teólogos

Ver o artigo geral sobre *Deus*, especialmente seção III. *Conceitos de Deus*. Ver também sobre *Triteismo e Tríades (Trindades) na Religião*.

O fato de que as palavras de I João 5:8, que encerram uma declaração genuína, não são genuínas, não significa que essa doutrina não seja ensinada no NT.

1. Definição. Os crentes comuns, e até mesmo a maioria dos mestres cristãos, se fossem solicitados a definir a trindade, apresentariam uma definição "triteísta", e não uma definição "trinitária". Diriam haver três pessoas divinas, Pai, Filho e Espírito Santo, e que são uma só

TRINDADE

pessoa. Porém, se fossem pressionados a explicar melhor suas idéias, diriam que essas três pessoas são "distintas". A doutrina trinitária, entretanto, não contempla pessoas distintas. Se assim fosse, tudo se reduziria ao "triteísmo". Em outras palavras, haveria três pessoas e, por conseguinte, três deuses, pois cada pessoa é vista dotada de existência separada das outras duas. A maioria dos argumentos apresentados em favor do "trinitarianismo", na realidade dá apoio ao "triteísmo". No trinitarianismo, fala-se da essência de Deus, como algo que está sujeito à distinção em três pessoas, mas sem qualquer divisão que permita a distinção em três pessoas diversas. Não há "três deuses", e nem meramente três modos de manifestação divina. Antes, todas as pessoas são co-extensivas, co-iguais e co-eternas. Contudo, sem importar que tipo de analogia ou argumento usemos, a fim de demonstrar essa doutrina, em algum ponto não conseguiremos explicar-nos devidamente, pois simplesmente não sabemos como pode haver três, e, ao mesmo tempo, um só, porquanto a mente dos homens terrenos não se presta muito bem para entender a matemática celeste. Por conseguinte, as analogias e explanações invariavelmente se inclinam por apoiar o "triteísmo", e não o "trinitarianismo". Até mesmo as explicações antigas, que falavam de três "hipóstases" de "uma só substância", chegavam perigosamente perto do triteísmo, se é que não eram expressões dessa posição. A palavra *trindade* significa a "união de três partes ou expressões em uma só". Porém, se postularmos três pessoas separadas, teremos caído no triteísmo, mesmo que digamos que essas três pessoas possuem o mesmo tipo de natureza. Muitos homens existem; compartilham do mesmo "tipo de natureza"; mas não perfazem "um" único indivíduo.

Se dissermos que Deus é um só, em seu ser essencial, mas que a essência divina existe em três formas ou modos de ser, cada forma constituindo uma pessoa, embora participem da mesma essência, ainda assim teremos caído no triteísmo, se porventura estivermos concebendo três pessoas distintas, com existências individuais. Agostinho falava da trindade em termos de "relações internas", ou seja, aspectos de um único ser divino. Em Deus não há qualquer divisão, mas tão-somente simplicidade e unidade perfeitas. Aceitando essa forma de definição, que é verdadeiramente trinitária, encontramos dificuldade em harmonizar essas idéias com as descrições dadas pelo NT, acerca das pessoas e das obras das três pessoas divinas. O que isso significa e que, sem importar qual definição apresentemos sobre a "trindade", nossas mentes permanecem insatisfeitas, porquanto simplesmente não podemos aprender o conceito "trinitário", já que não temos qualquer experiência sobre algo que seja, ao mesmo tempo, três e um. Portanto, nossas mentes não podem entender o conceito trinitariano, quando é apresentado realmente como tal, e não como forma velada do triteísmo. Não obstante, o NT ensina que só há um Deus, e que há três pessoas divinas. Como isso pode ser, não sabemos dizê-lo. Tomás de Aquino estava com a razão, ao asseverar que algumas doutrinas cristãs *transcendem* à razão e à percepção dos sentidos estão sujeitas à apreensão exclusiva da fé. O fato de que a mente humana não é capaz de entender uma doutrina não significa que tal doutrina não seja veraz. Por conseguinte, afirmamos a verdade da idéia trinitariana, porquanto certas passagens do NT, quando consideradas em seu conjunto, exigem essa idéia, ainda que as nossas explicações a respeito fiquem muito aquém de nos satisfazer plenamente. Também aceitamos a divindade e a humanidade de Cristo,

mescladas no homem Jesus de Nazaré, mas não há maneira de explicar tal coisa, acerca de como ela pode ser verdadeira. Isso envolve uma dimensão do conhecimento e da verdade que as nossas mentes ainda não conseguiram atingir. Por que haveríamos de pensar que não há "mistérios" presentes em qualquer sistema de conhecimento que envolva considerações sobre a realidade última? A verdadeira definição e compreensão sobre a trindade continua sendo um mistério para nós; no entanto, possuímos excelentes indicações, nas páginas do NT, de que isso representa a verdade sobre a natureza e a pessoa de Deus, e que o NT, não procura nos ensinar o "triteísmo".

2. História. É verdade, naturalmente, que o termo "trindade" não se acha no NT, e nem em qualquer documento há uma definição clara de "trindade". Rejeitamos enfaticamente a germinidade do trecho de I João 5:7a, 8b, conforme o mostram as notas expositivas acima, em favor de cuja rejeição há evidências irresistíveis. Contudo, o "conceito" da "trindade" é algo que se faz necessário pelo aspecto "total" da divindade, segundo esta é exposta nas páginas do N.T.

O vocábulo "trindade" evidentemente foi usado pela primeira vez por Tertuliano, na última década do século II d.C., mas não encontrou lugar na teologia formal da Igreja até o século IV d.C. Essa doutrina recebeu ampla expressão, pela primeira vez, em resultado da obra de pais capadócios da Igreja (meados do século IV d.C. e mais tarde), a saber, Basílio, Gregório de Nissa e Gregório Nazianzeno. Eles formularam as idéias de distinção hipostática e de unidade substancial; mas algumas de suas explicações são claramente triteístas, e não trinitárias, o que se verifica sempre quando alguém tenta explanar. o que está em foco. A doutrina da trindade recebeu declaração formal na carta sinodal do concílio realizado em Constantinopla, em 382 d.C. (preservado por Teodoreto, *História Eclesiástica*, v.9). Ainda antes, tal como no credo de Nicéia, em 325 d.C., e nos escritos dos pais da Igreja Inácio, Irineu, Tertuliano e Orígenes, podem ser encontradas fórmulas trinitárias. O conceito da trindade, pois, é quase tão antigo como o "cânon" do próprio NT, tendo surgido na história eclesiástica quase tão prontamente quanto qualquer teologia formal. Tertuliano falava de "uma substância, três pessoas".

Após o século IV d.C., a posição trinitária se tornou o padrão da Igreja, ainda que, periodicamente, tivesse sofrido ataques e negações. Os principais desses ataques foram o monoteísmo hebreu, o arianismo, o sabelianismo, o socinianismo e o unitarismo. A heresia gnóstica, naturalmente, antes disso, já vinha assediando a Igreja por cento e cinqüenta anos, desde os próprios dias apostólicos; essa heresia não tinha o conceito trinitário (ver Col. 2.18 no NTI quanto notas expositivas completas sobre esse sistema).

É verdade, naturalmente, que os primitivos cristãos, sem teologia sofisticada, não formularam qualquer "conceito trinitário". Somente muitas décadas de reflexão desenvolveram esse pensamento. Tal "reflexão", porém, foi frutífera, deixando transparecer certas verdades que a Igreja primitiva não possuía e nem descreveu de modo formal. Crentes individuais têm negado, duvidado ou ignorado essa verdade, a qual não deve tornar-se base de nossa comunhão uns com os outros. É crente o indivíduo que reconhece a Jesus Cristo como Salvador (Col. 2:19). Um homem pode fazer isso sem mostrar-se sofisticado em sua teologia ao ponto de formular um conceito trinitário.

3. Base neotestamentária. Há declarações, nas páginas do NT, relativas a essa doutrina, que, se consideradas

TRINDADE

isoladamente, podem dar a impressão de ensinarem o triteísmo; mas, quando são consideradas em seu conjunto, subentendem a posição trinitária. O conceito da trindade repousa essencialmente sobre duas premissas: 1. O monoteísmo é uma verdade; 2. a divindade do Pai, do Filho e do Espírito Santo também é uma verdade. Portanto, temos um único Deus, mas três pessoas divinas. Contudo, não podemos interpretar isso em termos de triteísmo, porquanto isso seria uma forma de triteísmo que contradiz o monoteismo das Escrituras. Consideremos os pontos abaixo:

a. *Monoteísmo*. "A ti te foi mostrado para que soubesses que o Senhor é Deus; nenhum outro há senão ele" (Deut. 4:35). "Eu sou o Senhor, e não há outro; além de mim não há Deus..." (Isa. 45:5). (Ver igualmente os trechos de Mar. 12:29; I Cor. 8:4; I Tim. 2:5). Deus é eterno (ver Deu. 33:27; Isa. 40:28; Rem. 16:26 e I Tim. 1:17). Deus é um espírito (ver João 4:24; Luc. 24:39); é infinito (ver I Crê. 29:11; Mat. 19:26; Luc. 1:37); é dotado de sabedoria infinita (ver Sal. 147:5; Atos 15:18); é infinito em bondade (ver Gên. 1:31; Sal. 315136:1); é o criador e o preservador de tudo (ver João. 20:11; Gên. 1 e Col. 1:16,17).

b. Contudo, o Filho, referido como *pessoa diferente* do Pai, também é divino: ver Isa. 9:6; Col. 2:9 e Heb. 1:10. O Filho exerce os mesmos atributos de divindade exercidos pelo Pai (ver Col. 2:9); Ele é o Alfa e o Ômega (ver Apo. 1:8, 17; 21:6; 22:13); é o criador e o preservador da criação (ver Col. 1:16,17; João 1:1); tem uma só substância com o Pai (ver João 10:30); é eterno (ver João 1: 1 e Miq. 5: 2).

c. O Espírito Santo é uma pessoa divina. Ver João 14:16,26; 15:26; 16:733,14; Rom. 8:26, quanto à sua *personalidade*; comparar com Juí. 15:14 a 16:20 acerca de sua divindade, onde são usados intercambiavelmente as expressões "Espírito do Senhor" e "Senhor". Ver também II Sam. 23:2, onde o "Senhor" fala, embora seja Ele o Espírito. O Espírito Santo é o "criador" (ver Jó 33:4).

Ele é onipresente, um atributo pertencente exclusivamente a Deus (ver Sal. 139:7). O sexto capítulo do livro de Isaías fala sobre o Senhor dos Exércitos; e esse é usado em Atos 28:25,26 para indicar o Espírito Santo, que fala aos homens; ver também Luc. 1:35; I Cor. 3:16; 6:19; II Tim. 3:16 e II Ped. 1:21, que indicam a personalidade do Espírito e subentendem a sua divindade. O Espírito Santo é "eterno", descrição essa que cabe exclusivamente a Deus (ver Heb. 9:14). Ele é o Espírito da verdade, e somente Deus é a verdade absoluta (ver João 15:26 e I João 5:6). Ele é enviado por Deus Pai e por Deus Filho, sendo o alter ego do Filho do que se conclui que deve ser divino (ver João 15:26; Rom. 8:9 e Gál. 4:6).

Só existe um Deus (posição do monoteísmo); mas há três pessoas divinas. Somos levados a entender a posição trinitária de Deus, porque o triteísmo, sua única alternativa, é inaceitável tanto para a teologia judaica como para a cristã. O triteísmo é uma forma de politeísmo. Se aceitarmos a verdade de três pessoas divinas e a do monoteísmo, ao mesmo tempo, então teremos duas alternativas: 1. O trinitarianismo, que preserva algum conceito da personalidade do Pai, do Filho e do Espírito Santo, individualmente considerados. 2. Podemos reduzir a idéia da "personalidade", a um conceito sem significado. Devemos dizer que Deus se "manifesta" de vários modos, "como que em pessoas", mas não, na realidade, em três pessoas distintas. Assim fazendo, derrubamos por terra a "personalidade" de Deus Filho e de Deus Espírito Santo. Preservaremos o "monoteísmo", mas com o sacrifício do discernimento acerca da natureza de Deus, que ensina que deve haver alguma distinção genuína entre o Pai e o Filho, e de ambos para com o Espírito Santo.

4. Significação e importância da doutrina da trindade. Essa doutrina nos é revelada nas Escrituras por uma razão, não por mera curiosidade. Sugerimos os seguintes aspectos importantes dessa doutrina:

a. Confere-nos a compreensão acerca da natureza de Deus e, por conseguinte, da nossa própria, pois o homem também é uma espécie de trindade, formada de corpo, alma e espírito. Desse modo aprendemos, uma vez mais, que o homem foi criado segundo a imagem de Deus; e esse é o significado da existência toda, porquanto Deus é o alvo da vida, a saber, Deus Pai (ver Cor. 8:6) e o Filho (ver o primeiro capítulo da epístola aos Efésios, sobretudo o vigésimo terceiro versículo, e o trecho de Col. 1:16).

b. Assim como Deus é triúno, mas cada pessoa divina tem sua função e propósito, mas todas concordam em um único propósito, assim também o homem, apesar de ser um ser extremamente complexo, pois combina aspectos espirituais e materiais, tem um grande propósito na existência.

c. O conceito da trindade ensina-nos como Deus opera em sua criação: Deus Pai é o planejador de todas as coisas, incluindo a redenção humana; o Filho é o agente em tudo, criador tanto da antiga como da nova criação; e o Espírito Santo é o enviado de ambos, procurando realizar a missão do Filho durante sua ausência, especialmente a transformação dos homens remidos segundo a imagem e a natureza do Filho, que é a redenção mesma da humanidade. Todas as doutrinas cristãs, pois, têm alguma relação com o conceito da trindade. A redenção humana está a ela vinculada.

d. O conceito da trindade tira da idéia de estagnação o conceito de Deus agora e por toda a eternidade. Deus é dinâmico, pois nele existe plenitude de vida, sendo Ele a sua própria fonte originaria.

e. Esse conceito nega o "deísmo", que é a doutrina que Deus é tão transcendental que não pode e não tem qualquer coisa a ver com sua criação; bem pelo contrário, o "Filho" subentende que haverá outros filhos de Deus. Ele veio em busca dos homens para concretizar esse ideal; o Espírito Santo, na qualidade de "paracleto" e agente de Cristo, de seu alter ego, mostra que Deus sempre está com os homens, com o propósito de conduzi-los ao seio da família divina, para que sejam irmãos do Filho de Deus (ver II Cor. 3:18 e Rom. 8:29). Por conseguinte, o conceito da trindade subentende o "teísmo", ou seja, que Deus está conosco e visa o nosso benefício.

f. O conceito da trindade subentende *unidade* na *diversidade*; e essa é uma lição objetiva concernente ao mundo como Deus trata com sua criação. Cristo é o centro de tudo (unidade), mas os homens, uma vez remidos, não perdem sua individualidade, embora assumam a imagem e natureza de Cristo e venham a compartilhar de toda a plenitude de Deus (Ver Efé. 3:19 e Col. 2: 10). O dualismo não se acha no coração central do Universo, embora agora se manifeste, por causa da presença do pecado.

g. O trinitarianistrio limita os "rivais" ao poder de Deus. Chama de "falsos", a todos os demais supostos deuses. Deus, na qualidade de benevolência suprema, portanto, garante o triunfo do bem em todo o Universo. Nem mesmo os perdidos haverão de conservar-se em hostilidade contra Deus; e isso envolve alguma forma de restauração, até mesmo para esses, apesar de não virem a compartilhar da vida dos eleitos (ver o primeiro capítulo da epístola aos Efésios, ver Col. 3:6). Ver o artigo separado sobre a *Ira de Deus*.

TRINDADE – TRINTA E NOVE ARTIGOS

5. Opiniões de Importantes Filósofos e Teólogos.
Ver artigo separado intitulado, **Trindade, Opiniões de Importantes Filósofos e Teólogos**.
Bibliografia. AM B C E EP ID P

TRINDADE, OPINIÕES DE IMPORTANTES FILOSOFOS E TEÓLOGOS

Ver o artigo detalhado sobre a *Trindade*. Aqui apresentamos as opiniões de figuras historicamente importantes, sobre essa questão.

1. *Orígenes*, no século III d.C. Ele brindou-nos com uma formulação ortodoxa da Trindade, antes dela tornar-se generalizada na Igreja cristã. Em sua opinião, o Filho e o Espírito Santo, embora da mesma essência do Pai, são– lhe subordinados quanto à posição.

2. *Plotino* advogava uma doutrina trinitariana segundo a qual concebia o Um, o Nous e a Alma do Mundo, como seus três elementos. Emanações seriam a explicação para o problema da manifestação e das relações existentes na criação. Algumas de suas declarações anteciparam fórmulas cristãs posteriores.

3. *Sabélio* acreditava em uma forma de unitarismo, dizendo que o Pai, o Filho e o Espírito Santo seriam sucessivas manifestações desse Ser, cumprindo os diferentes papéis de Criador, Redentor e Doador da Vida.

4. *Ário* rejeitava o conceito que afirma que o Filho é da mesma natureza do Pai (homoousia), mas promovia a idéia de que o Filho era de natureza similar (*homoiousia*) à do Pai. Ver sobre Arianismo.

5. *O concílio de Nicéia* declarou-se oficialmente a favor da idéia da "mesma natureza", o que fez o trinitarianismo tornar-se a posição ortodoxa. Isso ocorreu em cerca de 325 d.C.

6. *Os capadácios*, Gregório de Nissa e Gregório Nazianzeno trabalharam em fórmulas ortodoxas da Trindade, e a declaração resultante foi oficializada pelo concílio de Constantinopla, em 381 d.C. Essa declaração asseverava que os membros da Trindade são três *hipóstases* (vide) de uma só e de uma mesma essência divina.

7. *Agostinho* ensinava que a Trindade é refletida no ser humano, porque o homem foi criado à imagem de Deus. A contraparte humana de Deus ele via no ser, no conhecimento e no amor, bem como em atributos humanos particulares, que imitam os atributos divinos.

8. *Anselmo* dizia que a mente racional do homem é a imagem da Trindade no homem. Com base nisso, todas as formas de verdade podem ser conhecidas, sem qualquer investigação empírica.

9. *Gilberto de Poitiers* falava acerca da Unidade de Deus em um Ser Puro, mas também dizia que Deus é Triúno, em uma espécie diferente de análise.

10. *Tomás de Aquino* aceitava a noção da trinitarismo ortodoxo, afirmando, porém, que essa noção só pode ser aceita pela fé, visto que não há qualquer explicação racional para a mesma.

Abaixo apresentamos várias objeções à doutrina ortodoxa da Trindade:

1. *Jacó Boehme* aceitava essa doutrina, mas fazia-a derivar-se do *estado primevo*, de onde teriam procedido todos os seres. Na verdade, algumas de suas expressões eram claramente panteístas, conforme verifica-se com a maior parte dos místicos que se deixa envolver pela idéia da Unidade de todas as coisas.

2. *John Milton* cria que o Filho e o Espírito Santo são seres criados pelo Deus único, pelo que não seriam iguais a Ele, nem quanto à natureza e nem quanto à posição.

3. *Swedenborg* dava valor ao trinitarismo ortodoxo, mas também levava em conta várias trindades importantes na fé religiosa, como os três graus do ser, na pessoa de Deus.

4. *Schelling* seguia Boehme na crença que a Trindade teria evoluído a partir de um estado primeiro.

5. *Feuerbach* pensava que a Trindade é uma projeção do próprio homem, uma tentativa para explicar a infinitude através de suas faculdades da razão, da vontade e do amor.

6. *Jung* pensava que a quaternidade, e não a trindade, é que é o símbolo religioso básico e apropriado.

7. *Outras Trindades e Tríades*. É deveras surpreendente observar quantas fés religiosas, desde os tempos mais remotos, têm desenvolvido a idéia das tríades divinas. Temos apresentado uma detalhada apresentação sobre esse fato, no artigo intitulado *Tríades (Trindades) na Religião*. Parece estar em foco um conceito primitivo, comum a todos os homens, e que se foi reiterado em diversas culturas, ao longo da história da humanidade.

TRINDADE ECONÔMICA

Essa é a teoria religiosa que diz que o Filho e o Espírito Santo têm a posição não de *hipóstases* (que vide) completas, mas apenas dispensações econômicas ou *funcionais* do único Deus. Essas dispensações funcionais teriam ocorrido a fim de promover a criação e a redenção. Após a sua extrapolação, tornaram-se diferenciações internas e independentes, dentro da deidade. Deus é um só em sua natureza: mas é tríplice em suas funções, ou seja, em sua maneira de tratar a sua criação. Essa teoria é monística em sua ênfase e difere do *modalismo* (que vide) somente porque atribui uma existência mais permanente à pluralidade envolvida nessas funções diversas. Alguns estudiosos pensam que foi Sabélio (que vide) quem primeiro lançou mão desse termo. As objeções teológicas a essa teoria são as seguintes: 1. Torna Deus dependente, quanto a um elemento do seu Ser, do seu relacionamento para com a sua criação. 2. Confunde a natureza essencial do ser de Deus com a maneira como Ele opera, fazendo as funções substituírem a essência do ser.

TRINDADE ESSENCIAL

Essa é a doutrina que Deus, em si mesmo (independente de suas relações com qualquer outra coisa), é um único Deus, mas formando uma trindade na unidade e uma unidade na trindade. Deus é, *intrinsecamente*, uma trindade, e não apenas um ser que age de maneira triúna. Portanto, entramos em contacto com Deus como uma trindade. Nesse sentido, Deus é uma trindade imanente. O desenvolvimento histórico dessa doutrina está envolvido na tentativa de satisfazer os conceitos bíblicos e a adoração de Deus, como uma trindade, por parte da Igreja. Cada pessoa da Trindade divina o Pai, o Filho e o Espírito Santo tem sido adorada como Deus; mas elas, juntas, formam um único Deus. Tomás de Aquino e Karl Barth foram notáveis defensores desse conceito que, na ortodoxia cristã, continua a prevalecer sobre outros pontos de vista trinitarianos. Ver o artigo geral sobre a *Trindade*.

TRINDADES (TRÍADES) NA RELIGIÃO

Ver sobre *Tríades (Trindades) na Religião*.

TRINTA ANOS, GUERRA DOS

Ver sobre *Guerra dos Trinta Anos*.

TRINTA E NOVE ARTIGOS

Esses artigos formam a fórmula doutrinal básica da

TRINTA E NOVE ARTIGOS – TRINTA MOEDAS

Comunhão Anglicana (vide). Na verdade, foram uma revisão dos Quarenta e Dois Artigos, os quais, por sua vez, incorporaram os Treze Artigos (vide). *Thomas Cranmer* (vide), que foi arcebispo, foi a principal força por detrás dos Trinta e Nove Artigos. Esses artigos foram aprovados, pela primeira vez, em 1563, mas só obtiveram aceitação universal em 1571.

Em meio à hostilidade e ao tumulto, típicos da Reforma Protestante e dos dias que se seguiram, a Igreja da Inglaterra tentou definir sua posição e sua doutrina no espírito da paz. Os *Dez Artigos* (1536) tinham por intuito assegurar a tranquilidade e a unidade cristãs, evitando contenções e debates teológicos. Essas declarações fundamentais foram interpretadas *no Livro dos Bispos* (1537) e no *Livro do Rei* (1543). No entanto, aumentaram os debates e as contendas teológicas. Faleceu o rei Henrique VIII, da Inglaterra, e esse e outros eventos provocaram o aparecimento dos Quarenta e Dois Artigos (1553). Criticavam vários ensinamentos medievais e um extremo antinomianismo, bem como o milenarianismo, idéias essas defendidas por alguns dos reformadores. Foram excluídas doutrinas desviadas do catolicismo romano, como aquelas relativas à Virgem Maria. A rainha Isabel I ordenou que tais artigos fossem revisados. Em sua forma revisada, pois, tornaram-se os Trinta e Nove Artigos. E ainda houve mais algumas alterações, até 1604, quando sua forma e conteúdo ficaram fixos. Até hoje é requerido, como condição para ordenação ao ministério, que os candidatos os subscrevam. Até o século XIX, membros de universidades que se iam formar, também precisavam assentir com os mesmos, mas agora há muito que essa exigência foi descontinuada. Mas os anglicanos conservadores continuam considerando esses artigos como indispensáveis à vida da Igreja; mas os elementos liberais entre eles afirmam que tais artigos pertencem a um período específico da história e da teologia, agora já ultrapassado. Na opinião de alguns, servem de empecilho ao progresso, quando são impostos a membros e a ministros da comunidade anglicana. A verdade é que a esmagadora maioria dos anglicanos não dá a mínima atenção a tais artigos, hoje em dia. Algumas de suas declarações, de fato, são difíceis de associar à moderna compreensão da teologia, conforme Mostram os exemplos abaixo: Artigo I. "Deus...sem corpo, partes ou paixões", declaração que parece ser contra a idéia de um Deus que ama. Artigo XIII. As obras feitas antes da graça de Cristo... têm uma "Natureza pecaminosa", declaração essa que, embora consonante com declarações do Novo Testamento, é tida por muitos como depreciativa quanto à noção do que os pagãos podem fazer para agradar a Deus :Rom. 2, e discordante com o julgamento segundo as obras. Artigo XXI. "Os concílios gerais não podem reunir-se sem a ordem e a vontade dos príncipes", uma declaração claramente anacrônica, se insistirmos sobre quais devem ser os príncipes cristãos. Artigo XXVIII. "A transubstanciação... é repugnante às claras palavras das Escrituras", declaração essa que discorda do segmento anglo-católico da comunidade anglicana. Ademais, o artigo XXXVII é ofensivo aos pacifistas, enquanto que o artigo XXXIX é um insulto aos quakres, e, desnecessário é dizer, que várias porções desses artigos são ofensivas aos católicos romanos.

Em vista do exposto, aqueles que desejam uma declaração de fé pacífica, e que buscam a harmonia evitando os conflitos teológicos, com toda a razão desejam que esses artigos sofressem outra revisão. Mas há aqueles que, para todos os propósitos práticos, pensam que esses artigos não são importantes para a moderna Igreja anglicana. Outros asseveram que esses artigos são apenas expressões de opiniões piedosas, que não podem ser impostas às pessoas, embora possam ser respeitados como sugestões de crenças cristãs fundamentais. O cardeal Newman (vide) procurou reconciliar esses artigos com os decretos do concílio de Trento, mas pouquíssimas pessoas aceitaram a tentativa. Esses artigos procuraram evitar as posições extremas tanto do catolicismo romano como da Reforma Protestante. Essa posição intermediária, entre as duas facções da cristandade, sempre foi uma das características da comunidade anglicana.

Conteúdo Essencial. Os Quarenta e Dois Artigos e os Trinta e Nove Artigos tinham um conteúdo geral muito parecido com o dos credos protestantes e evangélicos normais. Questões distintamente católicas são ali omitidas, como o óleo bento, o exorcismo, a transubstanciação, as orações pelos mortos (embora muitos anglicanos costumem orar pelos mortos), a confissão auricular e a consagração da água do batismo. E idéias especificamente incluídas são a absoluta autoridade das Escrituras, em questões de fé e prática; a justificação pela fé, exclusivamente; e o ponto de vista calvinista (através de Melanchton) acerca do batismo e da eucaristia. De fato, aquele credo tende mais para o calvinismo do que para o luteranismo, embora evite a expressão mais radical daquela fé. O seu vigésimo artigo declara que a Igreja tem a autoridade de estabelecer cerimônias e resolver controvérsias referentes à fé, embora não possa instituir qualquer coisa que seja contrária à Palavra de Deus escrita.

TRINTA MOEDAS

Mat. 26: 15: *e disse: Que me quereis dar, e eu vo-lo entregarei? E eles lhe pesaram trinta moedas de prata.*

E pagaram-lhe trinta moedas de prata. O codex D e algumas versões latinas (isto é, a b l q e r) dizem estáteres em lugar de "moedas de prata". Os manuscritos gregos da Fam 1 e a versão latina *h* dizem "estáteres de prata". Apesar dessas palavras não aparecerem no original grego de Mateus, os manuscritos mais antigos, bem como a maioria dos demais manuscritos, dizem "moedas de prata". Contudo, muitos acreditam que o estáter de prata deve ter sido a moeda usada para pagar o preço da traição. O estáter tinha o valor de *quatro* denários. O denário era considerado um bom pagamento para um dia inteiro de trabalho. Por conseguinte, a Judas foi pago o equivalente ao salário de cento e vinte dias de trabalho. Ter-lhe-iam sido necessários mais de quatro meses de trabalho para ganhar esse dinheiro. Porém, de qualquer ponto de vista, em que consideremos o caso, a quantia foi miseravelmente irrisória, para que ele cometesse feito tão miserável e cruel. Compraram Judas Iscariotes praticamente em troca de nada, o que basta para nos dar uma idéia de seu caráter mesquinho. Com essa ação, Judas comprou para si mesmo uma posição eterna na história, mas uma posição que ninguém cobiça porquanto o próprio Jesus declarou: "...ai daquele por intermédio de quem o Filho do homem está sendo traído! Melhor lhe fora não haver nascido!" (Mat. 26:24). Shakespeare escreveu sobre essa ação nos termos seguintes: "Como o vil judeu que jogou fora uma pérola mais rica que toda a sua tribo" (*Othello*, ato V, sec. 2,1.347). Onze dos discípulos são chamados hoje pelo nome de santos, mas não existe o São Judas Iscariotes.

TRINTA MOEDAS – TRÍPOLIS

O preço pelo qual Judas vendeu Jesus era a importância pela qual comumente se comprava um escravo. Essa informação acrescenta à narrativa uma pitada de ironia, de horror e de lamentação. O que o teria impulsionado a tão horrendo ato? Certamente a cobiça mais pura não seria suficiente para tanto. Talvez tivesse ficado ressentido ante o fato de que Jesus não aceitara o papel de rei, nem livrara o povo da dominação romana. Talvez ele temesse muito pela própria vida, por ser um dos íntimos de Jesus. Não é impossível que ele tivesse compreendido, melhor do que os outros, o perigo em que Jesus estava, ou que tivesse levado mais a sério do que os demais as repetidas advertências de Jesus sobre sua própria morte. Nesse caso, que estranho que Judas tivesse sido mais receptivo do que os outros! Essa percepção tê-lo-ia feito romper relações com Jesus, antes que fosse tarde demais. O dinheiro talvez só tivesse surgido em segundo lugar, quando ele talvez tivesse resolvido tirar algum proveito de toda aquela situação. Alguns acreditam que ele traiu a Jesus a fim de forçá-lo a declarar-se rei, esperando ainda que o reino fosse estabelecido e, naturalmente, desejando alguma alta posição para si mesmo nesse reino.

Porém, essa opinião parece muito menos provável do que as motivações do temor, da ganância e da frustração, que foram mencionadas acima.

A quantia de dinheiro *cumpriu a profecia* de Zac. 11: 12. Uma das especialidades do autor do evangelho de Mateus é que ele anotava como Jesus ia cumprindo as profecias bíblicas, tanto em sua vida como em sua morte. (Êxo. 21 menciona que essa quantia era o preço da compra de um escravo). José foi vendido como escravo por vinte moedas de prata, tornando-se assim um tipo de Jesus, na traição de que foi vítima.

Trinta moedas de prata, entretanto, eram o preço regular. De fato, Jesus morreu do tipo de morte que somente os escravos e os piores tipos de criminosos poderiam sofrer, porque nenhum cidadão romano podia ser crucificado. Vários pais da Igreja têm encontrado um simbolismo alegórico no número das moedas de prata. *Orígenes* compara isso com a idade de Jesus, que era mais ou menos de trinta anos. Essas interpretações são interessantes, mas não têm significação. Se o boi de um homem chifrasse um servo, seu proprietário teria de pagar essa quantia ao dono do servo (ver Êxo. 21:32). Pelo menos parece certo que o preço oferecido a Judas Iscariotes refletia a atitude de desprezo do sinédrio para com o Senhor Jesus.

A interpretação dada por Lucas não deve ser olvidada. Ele explica que "... Satanás entrou em judas, chamado Iscariotes..." (Luc. 22:3). A natureza humana é sujeita a súbitas erupções vulcânicas, que podem sair inteiramente da norma e do comum. Mas a possessão demoníaca é uma grande realidade, e existem entidades espirituais maldosas. Ninguém poderia ficar indiferente para com Cristo. Judas resistira a essa graça e se lançara à mercê da possessão demoníaca. Judas poderia ter sido fiel e poderia ter sido o escritor de um evangelho! Mas não, porquanto cedeu ante os poderes infernais. A desintegração de sua personalidade foi gradual; nem tudo aconteceu naquele dia inesquecível. Pelo menos de certo modo Judas foi mais honroso do que Pilatos. Pois, ao perceber o horror de sua ação, não tolerou mais viver com sua consciência perturbada. Pilatos e outros, que também foram culpados da crucificação de Jesus, não se abalaram por terem de continuar a agir como juízes. Lemos, entretanto, que posteriormente o sumo sacerdote Caifás foi deposto de seu ofício, e também cometeu suicídio.

Trinta Moedas
Oh, que compraram trinta moedas?
Compraram o grito de "crucifica!"
O lucro de um ósculo.
Compraram um julgamento que zombou de seu nome.
Compraram a cada um reivindicações, covardes e temerosas,
  E também a covardia de Pilatos.
Aquelas peças de prata compraram os cravos, a cruz, a coroa, os lamentos humanos,
O vinagre e o fel.
Compraram a liberdade para quem matara
Para que sangue imaculado pudesse ser derramado...
Compraram tudo isso.
Aqueles moedinhas compraram
  morte para dois
Para nosso Senhor e para aquele
  que foi infiel.
Foram o preço de um príncipe.
Compraram um ladrão arrependido,
Cujo último suspiro foi de fé,
E uma vida no paraíso.
Compraram o véu que entenebreceu aquele dia.
Compraram a perplexidade do túmulo vazio,
  e o cristianismo.
Oh, qual é o valor de trinta moedas?
A vergonha e a glória da Terra,
  por toda a eternidade.
    (Margaret Rorke)

TRÍPOLIS

No grego, **Trípolis**, "cidade tripla". Essa cidade não é mencionada nos livros canônicos da Bíblia, embora apareça em livros apócrifos do Antigo Testamento.

Trípolis já foi um importante porto de mar da Fenícia, ao norte de Biblos. Seu nome derivava-se do fato de que foi ocupada pelos cidadãos de outras três cidade, ou seja, Tiro, Sidom e Arvade. É possível que tenha sido durante o período posterior de dominação persa (no século IV a.C.), que Trípoli veio a tornar-se o centro de conclaves provenientes de localidades circunvizinhas. Ela fazia parte da liga fenícia, para efeitos de autodefesa. Parece ter sido um lugar de considerável importância comercial, voltada para as aventuras marítimas, mesmo porque estava cercada pelo mar por três de seus lados, encontrando-se em um pequeno istmo. Também era a sede do conselho federal dos estados fenícios representados.

Demétrio Soter (162 a.C.), filho de Selêuco, rei da Síria, tendo fugido de Roma, onde estivera retido por razões políticas, conseguiu reunir uma poderosa força armada. Atacando Trípolis, conquistou-a, juntamente com a região em redor. E executou a seu próprio primo, Antioco V (II Macabeus 14: 1; Josefo, *Anti*. 10:1). Tanto os monarcas selêucidas como mais tarde os romanos, muito adicionaram à cidade, em termos de obras de engenharia. Herodes, o Grande, construiu ali um ginásio (Josefo, Guerras I, 21:11).

Trípolis foi conquistada pelos maometanos, em 638 d.C. Mais tarde, foi retomada pelos cruzados (1109 d.C.). E, novamente, foi tomada pelos islamitas, sob as ordens do sultão Kalaum, do Egito (1299 d.C.), que causou grandes destruições à cidade.

Os ataques constantes, desfechados por vários inimigos, e a sensação de insegurança que ali predominava, foi o motivo da remoção da cidade para três quilômetros mais para longe do mar, onde foi fundada, em 1366, a presente cidade de Tarabulus, às margens do riacho Kadisha. A antiga cidade de Trípolis, que posteriormente recebeu o nome de el-Mina, tornou-se o porto de mar da moderna Tarabulus. Os ingleses ocuparam a cidade em 1918. E em 1920 foi incorporada ao Estado do Grande Líbano. Em 1941, tornou-se parte da república independente do Líbano. Ela especializa-se na produção de sabão, tabaco, esponjas e frutas, além de exportar ovos e algodão.

TRIRREME

No grego **triéres**. Esse era o nome de uma antiga galera grega ou romana, dotada de três fileiras de remos em cada costado. Quando Jasom, sumo sacerdote dos judeus, enviou embaixadores a Tiro, com trezentas dracmas de prata, para assistirem ao sacrifício oferecido a Hércules, eles pensaram que era um erro empregar aquele dinheiro em tal finalidade, e, em vez disso, usaram-no para mandar construir trirremes (II Macabeus 4:18-20). Isso sucedeu cerca de duzentos anos antes do começo da era cristã.

TRISÁGIO

Proclamando, **Santo, Santo, Santo é o Senhor,** Apo. 4:8. (Ver Isa. 6:3, que é a fonte informativa desse "triságio", ou seja, o "três santo", em que Deus é exaltado como Senhor e Todo-poderoso. A literatura judaica, com freqüência, repete essa fórmula (Ver II Enoque 21:1). Em nosso presente texto, o louvor não incorpora toda a criação, conforme se vê na passagem original. Isaías declara: "... toda a terra está cheia da sua glória". O presente texto concentra-se exclusivamente sobre a cena celeste. O cristianismo adotou o triságio nas Constituições Apostólicas.

O *triságio* também foi musicado na igreja antiga, na forma "Santo Deus, santo Todo-poderoso, santo Imortal, tem misericórdia de nós". Na liturgia alexandrina (chamada de *São Marcos*) o triságio foi incorporado em um cântico responsivo. (Sacerdote: "A Ti atribuímos glória e damos graças, e o hino do triságio, Pai, Filho e Espírito Santo, agora e para sempre e pelos séculos dos séculos". Povo: Amém! Santo Deus, Santo, Todo-poderoso, Santo Imortal, tem misericórdia de nós"). Na liturgia usada por Crisóstomo, o coro entoava o triságio por cinco vezes e, nesse ínterim, o sacerdote dizia secretamente a oração do triságio "Deus, que és santo e descansas nos santos, que és saudado em hinos com a voz do triságio pelos serafins, e glorificado pelos querubins, e adorado por todos os poderes celestes! Tu, que do nada chamaste à existência todas as coisas; que fizeste o homem segundo Tua imagem e semelhança, que o adornaste com todas as Tuas graças, que lhe conferiste buscar sabedoria e entendimento, e não passas pelo pecador, mas lhe dás arrependimento para a salvação; que propiciaste que nós, teus humildes e indignos servos, ficássemos de pé, neste tempo, perante a glória de teu santo altar, e que te deveríamos atribuir a adoração e o louvor que te é devido; recebe, Senhor, da boca de pecadores, o hino do triságio, e visita-nos com a tua bondade. Perdoa-nos cada ofensa, voluntária e involuntária. Santifica nossas almas e nossos corpos e concede-nos que te sirvamos em santidade todos os dias da nossa vida; pela intercessão da Santa Mãe de Deus, e de todos os santos que te têm agradado desde o começo do mundo". E então, em voz alta: Pois Santo és tu, um único, Deus és tu". O testemunho da história mostra que essa liturgia pertence, pelo menos, ao começo do século V d.C., e as tradições apócrifas lhe conferem uma origem celestial. Em tempos, posteriores, entretanto, sofreu várias modificações. E hinos modernos também se têm alicerçado sobre o triságio:

Santo! Santo! Santo
Deus onipotente!
Cedo de manhã
Contaremos teu louvor.
Santo! Santo! Santo!
Deus Jeová trinitário
És um só Deus
Excelso Criador.

A santidade de Deus. Não se trata de algo destituído de inteligência e preferência, mas, antes, é garantido pela escolha divina, de tal modo que nele não há maldade, nem tendência para o mal, e nem cegueira ou ignorância do mal. Na santificação, os crentes deverão duplicar a santidade divina, vindo a participar, finalmente, da própria natureza moral de Deus (ver Mat. 5:48 e Gál. 5:22). Essa santidade de Deus não é apenas passiva (ausência de pecado ou qualquer defeito), mas também é ativa, caracterizando-se por bondade positiva, por ações de santidade inerente (Ver as notas expositivas no NTI em Rom. 1:7 e Col. 1:2 quanto ao fato de que os crentes são "santos" devendo compartilhar da santidade de Deus). É mediante a santidade que tem lugar a transformação moral do ser humano, para que venha a partilhar da própria natureza moral de Deus, manifestada em Cristo; e daí é que se deriva a transformação metafísica, que leva o remido a participar da própria essência ou natureza divina, conforme ela se acha em Cristo (ver II Ped. 1:4). Essa é a importância da *santificação* (vide). Quanto à santificação como algo "absolutamente necessário à salvação", ver II Tes. 2:13.

A santidade, em seu sentido mais sublime, é aplicada a Deus. Ela denota os pontos seguintes:

1. O fato de que Deus está separado da criação, até mesmo daquela porção da mesma que não está maculada com a maldade inerente, como os seres angelicais que não caíram no pecado. Isso é assim porque a santidade consiste também na bondade positiva, e não meramente na ausência do mal.

2. Yahweh, pois, é transcendental, fazendo contraste com os falsos deuses (ver Êxo. 15: 11) e com a criação inteira (ver Isa. 40:25).

3. Deus é a essência absoluta da santidade, da bondade e da retidão, sendo Ele o alvo de toda a inquirição por santidade, pureza e bem-estar, baseados na retidão.

4. A santidade de *Deus é perfeita* e inspiradora (ver Sal. 99:3).

5. A santidade de Deus fala acerca de sua "excelência moral" bem como do fato de que Ele está livre de todas as limitações acerca da excelência moral (ver Hab. 1:13).

6. A santidade incorpora em si mesmo todas as excelências morais de Deus, como a sua bondade, o seu amor, a sua longanimidade, sendo a luz solar que abarca todas as cores do espectro, mesclando-se com uma força de poderosa luz.

7. A santidade de Deus é *incomparável* (ver Êxo. 15:11 e 1 Sam. 12).

8. A santidade de Deus é exibida em seu caráter (ver Sal. 22:3 e João 17: II), em seu nome (ver Isa. 57:15), em suas palavras (ver Sal. 60:6), em suas obras (ver Sal. 145:17) e em seu reino (ver Sal. 47:8 e Mat. 13:41). Há pureza, justiça e bondade perfeitas em todas essas coisas, tendendo à retidão e ao bem-estar de todos, pois Deus é a fonte de tudo isso.

9. A santidade de Deus deve ser magnificada (ver Isa. 6:3 e Apo. 4:8).

10. A santidade de Deus deve ser imitada (ver Lev. 11:44; I Ped. 1.15,16).
11. A santidade de Deus será duplicada nos remidos (ver I Tes. 4:3; Mat. 5:48 e Gál. 5:22,23).
12. A santidade de Deus requer um serviço santo (ver Jos. 24:19 e Sal. 915).

TRISTEZA

No hebraico, **etseb**. Essa palavra ocorre por seis vezes no Antigo Testamento. Por duas vezes tem o sentido de "labor". Ver Gên. 3:16; Sal. 127:2; Pro. 5:10; 10:22; 15:1; Eze. 29:20.

No grego podemos considerar duas palavras:

1. *Lupéo*, "entristecer-se". Esse vocábulo é usado por vinte e cinco vezes: Mat. 14:9; 17:23; 18:31; 19:22; 26:22,37; Mar. 10:22; 14:19; João 16:20; 21:17; Rom. 14:15; II Cor. 2:2,4,5; 6:10; 7:8,9,11; Efé. 4:30; I Tes. 4:13; 1 Ped. 1:6. O substantivo, *lúpe*, "tristeza", aparece por quinze vezes: Luc. 22:45; João 16:6,20, 21,22; Rom. 9:2; I Cor. 2:1,3,7; 7:10; II Cor. 9:7; Fil. 2:27; Heb. 12:11 e I Ped. 2:19.

2. *Penthéo*, "lamentar-se". Termo que aparece por dez vezes: Mat. 5:4; 9:15; Mar. 16:10; Luc. 6:25; I Cor. 5:2; II Cor. 12:21; Tia. 4:9; Apo. 18:11,15,19. O substantivo, *pénthos*, "lamento", aparece por cinco vezes: Tia. 4:9; Apo. 18:7,8; 21:4.

1. *Por Causa do Pecado*. Se a salvação em Cristo nos enche de alegria, o pecado deveria encher-nos de tristeza e lamentação. Aqueles que agora riem, deveriam lamentar-se (Luc. 6:25). Os pecadores deveriam sentir-se miseráveis e lamentar-se (Tia. 4:9). Não somente nos deveríamos entristecer diante de nossos próprios pecados, mas também por causa dos pecados de outros membros da Igreja (I Cor. 5:2–o contrário dessa tristeza é a arrogância; cf. II Cor. 12:21).

A tristeza de Paulo, diante da teimosa incredulidade de Israel, chegou a fazê-lo desejar estar separado de Cristo e ser maldito (Rom. 9:2; cf. Rom. 11:26). Se o povo judeu se convertesse, isso haveria de anular a sua tristeza. Em contraste com essa, a tristeza dos aproveitadores do comércio da pecaminosa Babilônia (futura), não se devia aos pecados da cidade, mas porque a mesma foi destruída (Apo. 18:8,11,15,19). Os que se entristecem, dentro das bem aventuranças, fazem isso somente por si mesmos, ou por causa dos pecados do mundo também? Seja como for, os tais serão consolados (Mat. 5:4).

2. *Como Repreensão*. A segunda epístola aos Coríntios é, praticamente, um tratado sobre a tristeza necessária que os cristãos precisam infligir uns aos outros, quando admoestam e corrigem o pecado que observam uns nos outros. Paulo não desejava fazer outra visita dolorosa (II Cor. 2:1); e nem o seu propósito fora jamais motivo de tristeza para os crentes (II Cor. 2:4). Pelo contrário, ele queria despertar nos crentes que errassem aquela tristeza piedosa que produz o arrependimento, a salvação, o zelo, e que terminaria por redundar em satisfação e alegria para o próprio Paulo (II Cor. 7:8-13).

A epístola aos Hebreus nos instrui que a disciplina dada pelo nosso Pai celeste a seus próprios filhos produz o fruto do arrependimento, que nos é vantajoso, embora nos pareça doloroso por algum tempo (Heb. 12:11). Pedro deixou uma declaração similar (I Ped. 1:6), ao escrever que nos regozijamos, por causa de nossa imperecível herança, embora a genuinidade de nossa fé seja agora testada por várias provações, por breve tempo o tempo em que dura esta vida terrena. Se sofrermos injustiças por amor a Cristo, sairemos aprovados (II Ped. 2:19,20). Portanto, a herança do consolo capacita-nos a ter esperança, mesmo em meio à tristeza.

3. *Tristeza Ante a Partida de Cristo*. Conforme o próprio Senhor Jesus previu (João 16:6; cf. Mat. 9:15, onde ele disse que é apropriado lamentar pela partida do Noivo), os corações de seus discípulos muito se entristeceriam diante de seus sofrimentos e de sua partida deste mundo. No entanto, conforme o mesmo Senhor Jesus ajuntou logo mais adiante, convinha aos discípulos que ele se fosse, de volta para o Pai celeste, porquanto assim ele lhes enviaria o Consolador, o Espírito Santo. O Consolador haveria de consolá-los de suas tristezas! Assim como uma mulher grávida, chegado o momento do parto, aflige-se e se entristece, mas, diante do nascimento da criança, alegra-se com profunda alegria, assim também os discípulos veriam sua tristeza transformar-se em alegria, por ocasião da volta do Senhor Jesus (João 16:21,22). Portanto, o Senhor não estava falando apenas a respeito de seus discípulos originais, mas de todos quantos se têm tornado seus discípulos, ao longo dos séculos.

TRITEÍSMO

Ver o artigo geral sobre *Deus*, especialmente sua terceira seção, *Conceitos de Deus*. O triteísmo é uma forma de *teísmo*, fazendo contraste com o *deísmo*. De acordo com o triteísmo, existem três deuses, todos eles interessados no homem, intervindo na história humana, recompensando e punindo. Naturalmente, a posição é uma forma do *politeismo* (vide). Em contraste, o deísmo concebe um Deus totalmente transcendental, divorciado do Universo que criou, que deixou as leis naturais encarregadas do governo do Universo.

Ocasionalmente, o triteísmo tem aparecido no contexto cristão, como nos escritos de Joyon Filopono (século VI d.C.) e de Roscelino (século XI d.C.). O mormonismo é abertamente triteísta. Em outras palavras, o mormonismo concebe três deuses distintos, chamados Pai, Filho e Espírito Santo. Isso é um triteísmo prático. Contudo, o mormonismo também defende um politeísmo teórico, pois concebe muitos deuses, embora nada tenham a ver com a humanidade. Mas as explicações populares sobre a Trindade, no seio da Igreja, mesmo da parte de muitos ministros, quase sempre são triteístas.

TRIUNFO

Assim chamava-se o cortejo em honra a algum general romano vitorioso, que se dirigia à colina Capitolina, a fim de oferecer sacrifícios a Júpiter, por causa da vitória obtida.

A honra de um triunfo só podia ser concedida pelo senado romano; e isso de conformidade com certas regras estritas, entre as quais havia uma que estipulava que a vitória precisava ter sido obtida contra forças estrangeiras, e não em alguma guerra civil. Nos tempos da república romana, os procônsules e propretores celebravam triunfos; mas, durante o período imperial, essa honra tornou-se uma prerrogativa exclusiva dos imperadores.

O cortejo era elaborado: os magistrados encabeçavam a formação, seguidos pelos senadores, pelos trombeteiros, pelos despojos capturados do inimigo, pelos touros brancos a serem sacrificados, pelos principais prisioneiros acorrentados pelos lictores, pelo próprio general vitorioso, em uma carruagem puxada por quatro cavalos e, finalmente, pelos homens de seu exército. O general vitorioso ostentava trajes reais, incluindo um cetro e uma coroa. E, ao chegar ao local, o general depunha uma coroa de louros no colo da estátua de Júpiter. Muitos desses cortejos triunfais

TRIUNFO – TRÓFIMO

duravam por mais de um dia. Ao general vitorioso dava-se o privilégio de aparecer vestido em trajes especiais nas reuniões públicas, e o seu nome era inscrito na lista das personagens honradas dessa forma.

TRIVIUM

Essa palavra latina vem de *tres*, "três", e *viae*, "caminhos". Esse é o nome usado para designar as três disciplinas da gramática, da retórica e da dialética das chamadas Sete Artes Liberais. O *quadrivium*, por sua parte, consistia em quatro disciplinas, a saber: aritmética, geometria, astronomia e música.

TRÔADE

No grego, *Troás*. O nome dessa cidade, que era um porto das costas do mar Egeu, na parte ocidental da Ásia Menor, diante da ilha de Tenedos, na entrada do estreito de Dardanelos, aparece por seis vezes no Novo Testamento: Atos 16:8,11; 20:5,6; II Cor. 2:12 e II Tim. 4:13.

Essa cidade não deve ser confundida com a Tróia dos escritos homéricos, cujas fortalezas jazem em ruínas em uma escarpa montanhosa que domina a planície costeira, que fica a dezesseis quilômetros de distância. Trôade foi fundada em 300 a. C., durante a febre de construção de cidades que se seguiu à divisão do império de Alexandre, o Grande, que perdurou por tão pouco tempo. Pertencia à dinastia selêucida, da Síria; mas dificilmente a porção ocidental da Ásia Menor esteve realmente atrelada à distante cidade de Antioquia da Síria. Não demorou muito para que Trôade obtivesse a sua independência, tendo-a mantido, sob alguma forma, até mesmo quando o reino de Pérgamo dominava a porção ocidental daquela península, ou mesmo quando o poder romano chegou à Ásia Menor. Essa cidade portuária era importante, por ser o ponto mais próximo da Europa. E tanto Pérgamo quanto Roma devem ter sentido que era de bom alvitre manter aquele importante porto de mar satisfeito e consciente de sua própria importância. Há insistentes indícios, na literatura da época de Augusto, com o apoio de uma declaração feita por Suetônio, que Júlio César considerava a idéia de transferir a sede central do governo de Roma para Trôade (Suet. *Div. Iul.* 79; Hor. Odes 3:3).

Trôade figurou com proeminência na narrativa bíblica sobre o apóstolo Paulo (ver, por exemplo, Atos 16:8-11). Lucas registrou, em relato direto, como o apóstolo dos gentios e Silas tinham chegado às costas do mar Egeu, sob um estranho senso de compulsão. A Trôade Alexandrina, para dar antigo nome, quando isso sucedeu, fazia muito tempo que era uma colônia romana; mas Paulo não podia aceitar que a cidade fosse o alvo final de sua jornada evangelística. Parece que foi em Trôade que Paulo se encontrou com Lucas, que parece ter sido o "varão macedônio", da visão de Paulo, o que compeliu esse apóstolo a levar o evangelho de Cristo até à Europa. O grupo de pregadores viajou por via marítima, tendo partido de Trôade, passando então, sucessivamente, por Imbros e Samotrácia, pelo norte de Tasos, até Neópolis, já na Trácia e, dali, seguindo a pé pela estrada, até Filipos.

Dez anos mais tarde, após o levante dos ourives em Éfeso, Paulo retornou e estabeleceu em Trôade uma igreja cristã local (ver II Cor. 2:12). Após um período durante o qual ministrou na Grécia, e acerca do que os informes bíblicos são aligeirados (ver Atos 20:1-3), Paulo chegou novamente a Trôade. Porém, Lucas confina a sua narrativa a uma questão que interessava à sua mente de médico (ver Atos 20:4-12). É possível que Paulo estivesse novamente em Trôade, por ocasião de seu aprisionamento, em 66 ou 67 d.C., porquanto ele deixara possessões muito necessárias, em Trôade, conforme se aprende em II Timóteo 4:13, "Quando vieres, trazer a capa que deixei em Trôade, em casa de Carpo, bem como os livros, especialmente os pergaminhos".

A cidade de *Trôade* é mencionada nos trechos de Atos 16:8-11; 20:5-12 e II Cor. 2:12. Foi fundada próxima ao antigo local da quase lendária Tróia, pelos sucessores de Alexandre, o Grande, e, por honra ao seu nome, foi chamada de *Trôade Alexandrina*. Tornou-se colônia romana por determinação de Augusto, conforme ficamos sabendo nos escritos do historiador Suetônio. A idéia de que Júlio César tinha de transformá-la em capital do império romano se derivou da crença de que o troiano Enéias é que fundara a cidade de Roma, e o seu filho, *Iulus*, era o ancestral da família "Júlia". Portanto, a mudança da capital do império para Trôade equivaleria a uma forma do retorno de Enéias ao seu lar, realizado por intermédio de um de seus supostos descendentes.

Trôade era um dos principais portos da parte noroeste da Ásia, usado por aqueles que viajavam da Ásia para a Macedônia. A igreja cristã de Trôade é mencionada por duas vezes nos escritos de Inácio, o que nos mostra que o evangelho prosperou ali por algum tempo. É interessante, que a designação "Trôade" pode se referir tanto à cidade desse nome como à área imediatamente em derredor.

"... por que, poder-se-ia perguntar, foi que o Espírito não permitiu que eles, 'Paulo e seus companheiros' pregassem o evangelho naqueles territórios? Provavelmente, em primeiro lugar, porque a Europa estava madura para receber os labores do grupo missionário; e, em segundo lugar, porque outros instrumentos humanos haveriam de ter a honra de implantar o evangelho nas regiões orientais da Ásia Menor, sobretudo o apóstolo Pedro, conforme se pode depreender, até certo ponto, de I Ped. 1:1".

(Brown, *in loc.*).

"Essa foi a primeira vez em que o Espírito Santo foi expressamente referido como quem determinava o curso que os missionários deveriam seguir, em seus esforços evangelizadores entre as nações; e evidentemente teve por finalidade mostrar que ao passo que até então a difusão do evangelho tivera lugar na forma de sucessão inquebrável, ligando pontos naturais, dali por diante teria de dar saltos, no que não poderia ser impulsionada senão pela operação imediata e independente do Espírito..." (Baumgarten, *in loc.*).

"O nome Trôade (Tróia) faz-nos lembrar o primeiro famoso conflito entre a Europa e a Ásia, na antiguidade quase lendária. Nos lugares de onde os heróis da antiga Grécia partiam para lutar, agora os soldados de Cristo iam levando para aí uma guerra santa, cujo objetivo era a conquista tanto da Grécia como do mundo inteiro. (Bresser, *in loc.*).

As palavras "... defrontando Mísia..." não significam, necessariamente, que os missionários cristãos não tivessem penetrado nesse território, mas antes, que eles deixaram de trabalhar ali, como um dos campos de seus esforços missionários. Tinham de passar por Mísia, a fim de chegarem a Trôade.

TRÓFIMO

1. *Nome*. Esta palavra grega significa "substancial". É mencionado nos seguintes lugares no Novo Testamento: Atos 20:4; 21:29; 2 Tim. 4:20.

2. *Informação sobre Sua Vida e Carreira*. Era um cris-

tão de Éfeso, o qual, juntamente com *Tíquico* (ver o artigo), acompanhou o apóstolo Paulo em sua terceira viagem missionária, quando ele regressava da Macedônia para a Síria (Atos 20:4). Foi a Jerusalém, onde inocentemente provocou um tumulto que culminou na prisão e encarceramento de Paulo. Infelizmente, ele era visto por alguns judeus como um não-judeu, e suscitou um súbito estardalhaço ao ser introduzido por Paulo no templo, o que era proibido aos gentios (Atos 21:27-29). Naturalmente Paulo, na qualidade de judeu, não teria feito algo que viesse a culminar na execução de Trófimo. Ele podia legalmente adentrar o Átrio dos Gentios, mas não avançar até o próximo nível de acesso, ou seja, o Átrio de Israel. De qualquer forma, Paulo foi acusado de profanar o templo.

A notícia de que Paulo o deixou em Mileto doente (2 Tim. 4:20) não se ajusta à terceira viagem missionária. Paulo não o deixaria naquela ocasião (Atos 20:15). Provavelmente esse incidente ocorreu depois da prisão de Paulo em Roma, num período de liberdade que antecedeu sua prisão final e execução, antes de 2 Timóteo ser escrita.

TROGÍLIO

No grego, **Trogúllion**. Aproximadamente trinta e dois quilômetros ao sul de Éfeso, um elevado promontório, ao norte da desembocadura do rio Meandro, forma um cabo que se projeta mar adentro, na direção do ocidente, formando um estreito canal entre o continente e a ilha de Samos. Esse canal forma uma passagem protegida, e onde uma embarcação costeira passaria a noite, antes de avançar e atravessar o golfo aberto até Mileto. Esse promontório, pois, chama-se Trogílio. O estreito deve ter pouco mais de um quilômetro e meio de largura. Essa parada, no ancoradouro protegido, é mencionado em Atos 20:15. Em nossa versão portuguesa, esse versículo diz: "...dali, navegando, no dia seguinte, passamos defronte de Quios, e de imediato tocamos em Samos e um dia depois, chegamos a Mileto". Isso concorda com a versão inglesa RSV (Revised Standard Version). Mas a Edição Revista e Corrigida, da mesma Sociedade Bíblica do Brasil, acrescenta as palavras "...e, ficando em Trogilio...", entre "Samos" e as palavras "e, um dia depois". Nisso, a Edição Revista e Corrigida segue a várias outras versões estrangeiras. Esse acréscimo deve ser deixado ao julgamento da crítica textual; mas a frase disputada não ocasiona qualquer dificuldade geográfica ou histórica. Há evidências de ruínas de uma cidade sobre o promontório, bem como um ancoradouro que, tradicionalmente, é conhecido por Porto de Paulo, tudo o que se reveste de muito interesse para os estudiosos.

TROMBETA

Ver sobre **Música e Instrumentos Musicais**.

TROMBETA, ÚLTIMA

I Cor. 15:52: *Num momento, num abrir e fechar de olhos, ao som da última trombeta; porque a trombeta soará, e os mortos serão ressuscitados incorruptíveis, e nós seremos transformados.*

A palavra *momento*, no original grego, é *atomos*, que significa "sem divisão". É a única ocorrência desse vocábulo em todo o NT. Originalmente esse termo era usado para denotar uma partícula indivisível, devido à sua pequenez. Literalmente, essa palavra significa "impossível de ser cortado", ou seja, incapaz de sofrer qualquer divisão. Daí essa palavra veio a indicar qualquer coisa minúscula.; e, em referência ao tempo, um "instante". Essa idéia o apóstolo procurou esclarecer ainda mais citando um "piscar" de olhos. Nossas traduções falam em "abrir e fechar d'olhos", mas não tem esse significado a palavra empregada pelo apóstolo. A forma verbal dessa palavra pode significar "lançar", e a sua forma nominal pode significar "lançamento". Já em outros trechos bíblicos, esse vocábulo significa "bater" de asas, o "zumbido" de um inseto, o "piscar" das estrelas, o salto repentino de um peixe. Está em foco qualquer movimento súbito.

1. Última Trombeta

a. Mui dificilmente há qualquer possibilidade de que essa trombeta diga respeito às várias trombetas alistadas no livro de Apocalipse, embora a última trombeta daquelas que ali são aludidas introduza o estado eterno (ver Apo. 11:15). A primeira epístola aos Coríntios foi escrita muito antes do Apocalipse, não sendo provável que Paulo tenha tomado por empréstimo essa idéia de alguma tradição oral que antecipasse as descrições do Apocalipse. É vão, pois, tentar construir argumentos, relativos ao tempo do arrebatamento dos crentes ou à sua natureza, através da comparação da trombeta aqui referida com o livro de Apocalipse (Ver o artigo sobre a *Parousia* que dá detalhes sobre o problema do elemento tempo).

b. As escrituras do AT já aludiam à trombeta escatológica e Paulo aludia exatamente àquele conceito; mas não podemos dizer qualquer coisa com certeza, sobre por que motivo o apóstolo a chama de "última", exceto que, segundo supomos, e isso de maneira vaga, as trombetas anunciam (figuradamente) os atos e os decretos de Deus. Por conseguinte, quando terminar o presente ciclo de coisas e o reino de Deus tiver início (por ocasião da "parousia" de Cristo), haverá uma "última trombeta", porquanto dar-se-ia no final deste ciclo, ou seja, após haverem soado outras trombetas semelhantes, anunciadoras de outros eventos e decretos.

O que está aqui em foco é a trombeta escatológica do trecho de Isa. 27:13 (se porventura tivermos de procurar um paralelo bíblico), que convocará de volta os dispersos, a fim de adorarem em Jerusalém. Essa trombeta também faz parte do quadro apocalíptico que aparece nos trechos de Mat. 24:31 e I Tes. 4:16. (Comparar também com Esdras 6:23).

Essa trombeta será "última" porque indica a última vez em que Deus tratará com o homem, antes do juízo final. Deus já terá advertido antes aos homens, tal como a trombeta avisa um exército que se prepara para as manobras; mas então soará o "último" desses avisos.

"A trombeta era usada para convocar a assembléia (ver Êxo. 20:18, Sal. 81:3 e 27:13) ou para soar o alarme. A última trombeta será aquela que concluirá uma série de advertências às nações (ver Sal. 47:5; Isa. 27:13 e Jer. 51:27)". (Shore, *in loc.*).

Não obstante, existem eruditos que pensam que o termo "último" se refere a uma série de três toques de trombeta, conforme era costumeiro fazer nas ordens dadas, ao exército romano, em que o toque final era a ordem de marcha, ao passo que os dois primeiros eram apenas preparatórios. Ainda outros intérpretes se referem às trombetas como se fossem as tradições rabínicas. A primeira representaria uma advertência, sendo sacudida a terra; a segunda representaria o pó sendo separado; a terceira representaria a junção de ossos; a quarta representaria o calor infundido aos membros do corpo: a quinta, a cabeça coberta de pele; a sexta, a alma reunificada ao corpo; e a sétima, todos redivivos e já de pé, vestidos com suas roupas. Tudo isso, porém, não passa

TROMBETA, ÚLTIMA – TROMBETAS, AS SETE

de tolice. É muito melhor considerarmos essa palavra como uma referência geral a uma série de advertências; essas trombetas seriam simplesmente sinais dos pontos que marcam o clímax (da história humana, após diversas outras espécies de trombetas divinas, que dariam início a importantíssimos acontecimentos; assim sendo, aquela trombeta seria a "última" no sentido de ser "final", e não porque completaria uma série. Por isso mesmo, as investigações acerca de alguma série que Paulo esperava (e também qualquer estudo sobre qualquer "série"), são fúteis, e só podem levar os estudiosos a várias conclusões errôneas. Resta dizer que essa trombeta (como todas as demais) representa a ocorrência súbita de algum acontecimento, como feito de Deus, não estando em foco qualquer trombeta literal, feita de metal, que deva soar algures.

2. Resultados Gloriosos

Os mortos ressuscitarão incorruptíveis. Está aqui em vista o corpo glorificado e espiritual, igual ao corpo ressuscitado de outros crentes, mas que será dado sem a intervenção da morte física. Ora, tudo isso ocorrerá num ápice de tempo. Não será algum longo processo para todos quantos sobreviverem até à segunda vinda de Cristo. Nesse exato instante todos os remidos se tornarão seres "imortais", e os que estiverem vivos até aquele instante não experimentarão a morte física.

É interessante, como já frisamos, que Paulo esperava esse grandioso evento para os seus próprios dias de vida, como algo que pudesse ocorrer a qualquer instante (isto é, seria "iminente"). Por isso mesmo ele se considerava estrangeiro e peregrino na Terra, visto que a sua verdadeira cidadania estava no reino eterno.

Que é, pois, este mundo para ti, meu coração?
Seus dons nem te alimentam e nem te abençoam.
Não és dono de Piada, neste mundo tão fugidio.
(J.H. Newman)
São mortos os que nunca acreditaram
Que esta vida é somente uma passagem,
Um atalho sombrio, uma paisagem
Onde os nossos sentidos se pousarem.
(Florbela Espanca, Via Viçosa, Portugal 1894- 1930)

3. A Identificação da Última Trombeta de Apo. 11:15 com Aquela de Paulo

Alguns estudiosos fazem esta ligação, e assim situam o arrebatamento no meio ou no fim da *tribulação* (vide). Quase certamente, não há qualquer ligação entre as duas, senão na imaginação dos intérpretes. É altamente improvável que o escritor do Apo. tenha emprestado uma trombeta de Paulo para fazer sua sétima e última.

TROMBETAS, AS SETE

Visão dos Sete Selos, Apo. 6:1-8:6. **Sétimo seio**:
Aparecimento das Sete Trombetas (Apo. 8:1-6). Nas notas de introdução no NTI ao sexto capitulo do Apocalipse, há comentários gerais sobre os *selos*. Ver também o artigo separado sobre Selos. Do sétimo selo em diante, um novo panorama abre diante de nós, porquanto o *sétimo selo consiste* no juizo das *sete trombetas*. No presente artigo, supomos que uma nova série de juízos sucessivos é revelada. E cremos que esses julgamentos também farão parte da *Grande Tribulação* dos últimos dias. Alguns intérpretes supõem que as *trombetas* são paralelas às taças, pelo que haveria o seguinte quadro comparativo:

8:7	16:2
8:8,9	16:3
8:10,11	16:4-7
8:12,13	16:8,9
9:1-12	16:10,11
9:13-21	16:12-14
10:7	17:17-21
(11:15-19)	

Quanto a informações sobre o raciocínio por detrás desse arranjo dos acontecimentos preditos no Apocalipse, ver a seção introdutória X, intitulada *Conceitos de Arranjo* no artigo sobre o *Apocalipse*.

Parece melhor, entretanto, pensar que os eventos aqui descritos são continuamente *sucessivos*. Quando esses acontecimentos estiverem ocorrendo, contudo, é que realmente haveremos de compreendê-los. Até então, não poderemos entender plenamente os mistérios deste livro.

O oitavo capítulo segue-se imediatamente ao "parênteses" que descreve o estado e o destino dos mártires, algo que exigia urgente definição nos tempos do vidente João, quando o imperador Domiciano perseguia a Igreja e fazia muitos mártires entre os cristãos, provocando caos e destruição. Essa explicação necessária interrompera a descrição sobre os sete selos. Este oitavo capítulo, pois, nos apresenta o sétimo selo, que consiste no julgamento das sete trombetas. O sétimo selo não nos levará imediatamente ao fim do caos, e nem à derrota de Satanás, com a conseqüente vitória de Deus e o estabelecimento do reino ou estado eterno, conforme se lê no Apocalipse do Pseudo–João 19:23. Antes, esse sétimo selo apresenta-nos uma série nova de catástrofes, produzidas por juízos divinos.

A tribulação e a grande tribulação, Ver sobre *Tribulação, a Grande*. Talvez seja correto dizer que a palavra "tribulação" apresenta o período inteiro das agonias finais da Terra. Mas pode representar, igualmente, a primeira porção daquelas tremendas agitações finais, a porção menos severa, embora já por si agonizante. Supomos que essa *tribulação* inclui os primeiros seis selos, e também as seis primeiras trombetas. Continuando a expor esse raciocínio, a "grande tribulação" seria a sétima trombeta, que traria os juízos das sete taças (Apo. 15-19).

Alguns estudiosos dividem a tribulação em dois períodos iguais cada um de três anos e meio, com base nas informações dadas por Dan. 9:27 e Apo. 11:2,3. Mas é quase certo de que a tribulação, a tremenda agonia da Terra, bem como a carreira do Anticristo envolverá um tempo muito mais longo do que esse, embora esse período contenha uma expansão de sete anos que seriam singularmente importantes para os judeus, especialmente em seu relacionamento com o Anticristo. Sem importar, porém, qual o período exato coberto pelo período de tribulação, cremos que nós e nossos filhos veremos diante de nossos olhos todos esses eventos preditos. Se esses acontecimentos são para os nossos tempos, quão importante para nós é o livro de Apocalipse. Ver o artigo sobre, **Profecia Tradição da, e a Nossa Época.**

"O sétimo selo. Quando foi aberto o selo sétimo, cessaram os louvores e as ações de graças nos céus (ver Apo. 8:1), a fim de que as orações de todos os santos que sofriam na Terra pudessem ser ouvidas diante do trono de Deus (ver Apo. 8:15).

TROMBETAS, AS SETE – TRONO

Em Apocalipse 7:1-3 lê-se que os juízos contra a Terra cessaram momentaneamente, até que os fiéis fossem selados, protegendo-os das pragas demoníacas que sobreviriam; aqui temos uma garantia nova e concreta de que a causa dos fiéis é também a causa de Deus e dos exércitos celestiais (Charles, *in loc.*).

As *trombetas* representam uma intensificação dos juízos divinos, em comparação com os juízos dos selos, incluindo a invasão da terra por parte de seres satânicos dotados de poder sobrenatural, os quais levarão a humanidade **quase à auto-extinção.**

As *Trombetas* são interpretadas como o resto do livro do Apocalipse, isto é: simbólica, histórica, preteristicamente ou como eventos que ainda esperamos num futuro próximo. Apresento aqui a interpretação da *Primeira Trombeta para ilustrar:*

Apo. 8:7: *O primeiro anjo tocou a sua trombeta, e houve saraiva e fogo misturado com sangue, que foram lançados na terra; e foi queimada a terça parte da terra, a terça parte das árvores, e toda a erva verde.*

Julgamento da primeira trombeta. Interpretações:

1. Os eruditos que pensam que as trombetas são paralelas aos juízos das taças, fazem o trecho de Apo. 8:2 ser paralelo ao de Apo. 16:2. É verdade que o julgamento das taças, em Apo. 16:2, cai sobre "a terra", mas fala de ferimentos graves sobre os homens que têm a marca da besta. É difícil ver como isso poderia ser paralelo, em qualquer forma exata como a única exceção possível do elemento tempo com a saraiva e o fogo, misturados com sangue, que figuram no presente versículo.

2. *Interpretação simbólica.* Alguns estudiosos pensam que essas trombetas simbolizam tendências de tipos de acontecimentos, e não eventos históricos isolados. Essas "ocorrências" podem significar ataques contra a Igreja, por parte de incrédulos e hereges, ou então desastres históricos de certos tipos. De modo geral, seriam os resultados destrutivos do pecado. Mediante essa interpretação aprendemos o que sucede aos pecadores que se recusam a arrepender-se, e quão grande caos o pecado traz ao mundo e à Igreja, mas nada diz sobre a "localização histórica".

3. *Interpretação histórica.* têm havido muitas tentativas para situar o versículo à nossa frente em algum contexto histórico passado. Eis alguns exemplos: a. A perseguição dos judeus, na Judéia, com a destruição de Jerusalém. b. O açoite do paganismo no mundo, especialmente por ser elemento destrutivo da Igreja. Muitas ocorrências individuais poderiam ser salientadas para ilustrar o ponto. c. As heresias que invadiram e ameaçaram destruir a Igreja, e, novamente, várias circunstâncias históricas têm sido frisadas. d. Invasões do império romano por parte dos góticos, hurios e outros povos hostis, que ameaçaram destruir certa porcentagem daquele império. Muitos desses eventos históricos, de índole destrutiva, são salientados pelos intérpretes da escola "histórica". É óbvio que tal interpretação faz do Apocalipse um livro fechado, pois é impossível afirmar quais eventos estariam realmente em foco. Outrossim, a temível natureza dos juízos faz impossível localizar os acontecimentos supostos na história passada. São tão prodigiosos que não se coadunam com qualquer circunstância da história passada, pois são universais e vastos, pelo que temos de reservá-los para o futuro.

4. *O ponto de vista preterista.* É a suposição dos que pensam que, em vista do Apocalipse ter sido escrito a uma igreja perseguida, o vidente João antecipou alguns terríveis acontecimentos que deveriam julgar o império romano, tal como as pragas sobrevieram ao antigo Egito, similares aquelas que lemos neste livro. Como exemplo disso, veja-se que o sétimo versículo deste capítulo se assemelha ao trecho de Êxo. 9:13-26. Sem dúvida, João tomava esses acontecimentos como "literais", tal como literais foram aquelas ocorrências do AT.

5. Em vez disso tudo, porém, pensamos que esses acontecimentos são "literais", mas também são *futuros*, devendo ter lugar durante o período da tribulação, conforme se vê nas notas expositivas em Apo. 7:14 no NTI. A chuva sangrenta, entretanto, não precisa ser de sangue quimicamente correto, mas algo que tem a aparência de sangue. Chuva vermelha como sangue é um fenômeno bem conhecido da ciencia. Swete chama nossa atenção para uma ocorrência parecida na Itália e no sul da Europa, em 1901, resultante, conforme se diz, do ar que estava repleto de partículas de areia fina vinda do deserto do Saara. As erupções vulcânicas poderiam explicar parte desse fenômeno. Em *Or. Sibyll.* v.377 há uma alusão a certos fenômenos assim (Charles, *in loc.*). O sexto céu é pintado, por alguns intérpretes rabinos, como um depósito de saraiva, tempestades, vapores venenosos, fechados dentro de portões de fogo (Ver *Chag.* 12:b quanto a essa informação). É possível que João se tenha referido a alguma tradição parecida, pois o juízo do presente versículo vem do céu, mesmo que ele não tenha especificado que veio do sexto céu. A referência principal, entretanto, é ao trecho de Êxo. 9:14, sendo paralelo indubitável daquela passagem, tencionando dizer-nos que os julgamentos aqui descritos são literais, como tempestades, incêndios, acontecimentos naturais prodigiosos, que se revestirão de tremendo poder destrutivo.

O juízo que ora consideramos diz respeito à terra toda. É óbvio que jamais uma terça parte da terra, das ervas e das árvores foi consumida, em toda a história. Se a interpretação tiver de ser a "histórica", segue-se que João exagerou sua descrição. Seja como for, os juízos descritos serão sinais e preparativos para a *parousia* (vide), ou seja, devem estar no futuro.

TROMBETAS DE CHIFRES
No hebraico, uma palavra que só aparece no sexto capítulo de Josué, yobel. Ver *Música e Instrumentos Musicais.*

TROMBETAS, FESTA DAS
Ver sobre *Festas (Festividades) dos Judeus.*

TRONCO
Temos a considerar uma palavra hebraica e uma palavra grega, a saber:

1. *Sad*, "algemas". Esse termo hebraico aparece somente por duas vezes, no livro de Jó (13:27 e 33:11). Em ambas as passagens, nossa versão portuguesa a traduz por "tronco".

2. *Ksúlon*, "madeira". Essa palavra grega ocorre por vinte vezes no Novo Testamento, de Mat. 26:47 a Apo. 22:19; traduzida em português, na maioria das vezes por "cruz", o que é uma tradução legítima, visto que as cruzes antigas eram feitas de madeira. Todavia, em Atos 16:24, na narrativa do aprisionamento de Paulo e Silas, em Filipos, a palavra é traduzida por "tronco". Essa também é uma tradução legítima, indicando um costume antigo mediante o qual os prisioneiros perigosos eram mantidos em segurança. Heródoto cita como um adivinho decepou um de seus pés, depois que os espartanos haviam prendido o mesmo em um "tronco guarnecido de ferro", no grego, *ksulo siderodeto.*

TRONO
I. Terminologia

TRONO – TRONO BRANCO

II. Caracterização Geral
III. Simbologia
IV. Observações Bíblicas
V. Descrições

I. Terminologia
Hebraico:
kisse (kisseh), as duas formas alternativas nas traduções portuguesas, com cerca de 135 ocorrências no Antigo Testamento. Exemplos: Gên. 41.40; Êxo. 11.5; Deu. 17.18; I Sam. 2.8; II Sam. 3.10; Nee. 3.7; Est. 1.2; Sal. 9.4, 7; Pro. 16.12; Zac. 6.13.

Aramaico:
Korse: Dan. 5.20; 7.9.

Grego:
1.*thronos*, com 59 ocorrências no Novo Testamento. Exemplos: Mat. 5.24; 19.28; Luc. 1.32, 52; 22.30; Atos 2.30; Heb. 1.8; 4.16; Apo. 1.4; 2.13; 21; 4.2.2-6, 9, 10; 5.1, 6, 7, 11, 13; 6.16; 20.4, 11, 12; 21.3, 5; 22.1, 3.

2.*bema*, com os significados de trono e tribunal, com 12 ocorrências no Novo Testamento. Exemplos: Mat. 27.19; João 19.13; Atos 7.5; 12.21; Rom. 14.10; II Cor. 5.10.

Latim:
thronus, a cadeira do estado, a cadeira real, o local de exaltação de um rei, uma autoridade do estado ou um juiz ou magistrado local e, metaforicamente, o poder de tal autoridade.

II. Caracterização Geral
Os termos usados podem significar qualquer assento elevado, ou cadeira especial para uma pessoa de autoridade, incluindo reis, magistrados civis ou o sumo sacerdote (I Sam. 1.8); um juiz (Sal. 122.5); um chefe militar (Jer. 1.15); um rei (I Reis 10.19); ou o trono de Deus (Isa. 6.1), que na visão de Isaías era "alto e elevado". A maioria dos tronos dos reis era elevada em algum tipo de plataforma e muitas vezes chegava-se a elas usando escadas. No caso de Salomão, seis degraus levavam ao trono. Os degraus eram "guardados" por um par de leões. A autoridade que sentava no trono de modo geral vestia roupas especiais para as ocasiões de julgamento, para promulgar decretos ou para reunir-se com outras autoridades para deliberações.

III. Simbologia
1. Em termos gerais, o trono pode simbolizar a pessoa que senta nele, sua autoridade, a autoridade de seu reino ou de seu ofício, ou um grupo de poderes, terrestres ou celestiais.

2. Símbolo de poder supremo e dignidade (Gên. 41.40).

3. Sentar no trono é o exercício de autoridade (Deu. 17.18; I Reis 16.11).

4. Tronos podem significar a sucessão de poderes terrestres ou, falando coletivamente, de poderes celestiais, como arcanjos (Col. 1.16).

5. O trono de Deus é o poder absoluto sobre os céus e a terra (Isa. 6.1).

IV. Observações Bíblicas
1. *Tronos dos faraós* (Gên. 41.40; Êxo. 11.5)
2. *Trono do rei de Nínive* (Jon. 3.6)
3. *Trono dos poderes babilônicos* (Dan. 5.20; Est. 5.1, 2)
4. *Trono dos governos* (Nee. 3.7)
5. *Trono das dinastias* (II Sam. 3.10; I Reis 1.13)
6. *Trono do trono eterno de Davi* (sua linhagem real), I Reis 2.45; Jer. 33.17).
7. *Trono de Deus, o poder supremo* (I Reis 22.19; Sal. 11.4; Apo. 5.11)
8. *Trono do Messias* (Zac. 6.13)
9. *Trono do Ancião de Dias* (Dan. 7.9)
10. *Trono dos usurpadores* que serão derrubados de seus lugares altos ao sheol (Isa. 14.13-15).

V. Descrições
Alguns tronos eram pouco mais do que cadeiras elevadas, mas a arqueologia demonstrou a natureza opulenta desses reinados. Um trono de rocha de cristal foi descoberto nas ruínas do palácio de Senaqueribe. O trono de Salomão era feito de marfim revestido de ouro, com uma complexa escadaria levando até ele, guardada em cada lado pelas estátuas de leões. A parte de trás do trono tinha a figura esculpida de um touro, símbolo de força (I Reis 10.18-20). Presumimos que esse trono tenha sido típico daqueles elaborados no Oriente.

Ver o artigo separado sobre *Trono Branco, o Grande*, na Enciclopédia de Bíblia, Teologia e Filosofia. Ver também *Trono da Graça e Trono de Satanás*.

TRONO BRANCO, O GRANDE
Sete Visões de como Satanás é Derrubado e seu Governo Termina. Apo. 19:11-21:8

Desaparecimento dos céus e da terra: o juízo final (20:11-15)

O trono branco.

Na cena à nossa frente, pode-se ver a onipotência de Deus. Esta surge aliada com a justiça. E a justiça, finalmente, será feita. Mas a justiça não poderá ser realizada sem haver vingança contra o pecado. Cada indivíduo terá de pagar sua dívida, e isso totalmente. O egoísmo humano terá de findar, e o homem terá de sujeitar-se a Cristo como Senhor (ver Fil. 29 e *ss*). A seção à nossa frente nos dá a certeza, nos termos mais simples, mais vívidos, de que o salário do pecado é a morte (ver Rom. 6:23); que o homem terá de colher o que houver semeado (ver Gál. 6:7,8); que não há como escapar das conseqüências do pecado; que a vida é intensa e que há muita coisa em jogo.

De modo geral, os eventos do Apocalipse seguem a ordem de acontecimentos dos apocalipses judaicos, (ver Apocalipse de Baruque 29-30; IV Esdras 7:29-30). O Messias retornará; o juízo será instaurado; prevalecerá a era áurea; os homens se revoltarão de novo; o juízo final dá a solução para tudo. Sim, o juízo final desimpedirá o caminho para o estado eterno. (Ver também *Oráculos Sibilinos* 3.666 e *ss*). A antiga cidade de Jerusalém, entretanto, será exaltada durante a idade áurea, mas mesmo assim não poderá usurpar a posição da Nova Jerusalém do estado eterno. Antes do aparecimento da Nova Jerusalém, todavia, novos céus e uma nova terra virão à existência, trazendo, para todos os seres a imensidade da eternidade. E isso será inaugurado pelo julgamento. A seção à nossa frente descreve de modo bem abreviado, mas em tons dignos e solenes, evitando os excessos dos apocalipses judaicos, aqueles prodigiosos acontecimentos.

Quais são os três grandes obstáculos ao bem eterno? São o Anticristo e o Falso Profeta, que procurarão estorvar o plano de Deus (esses serão lançados no lago do fogo, ver Apo. 19:20); Satanás, o enganador universal, cujas atividades se prolongarão por mais algum tempo, até sofrer a mesma sorte daqueles dois primeiros; ver Apo. 20:10; e os homens ímpios, que se recusarem a arrepender-se, repelindo a espiritualidade que a humanidade está destinada a ter, sofrendo, finalmente, a mesma sorte dos três anteriores (ver Apo. 20:15). Oh! a terrível realidade do juízo!

"Deus será exaltado, e os ímpios serão subjugados. Sabe-se o que um grande egoísta do século XIX teria dito:

TRONO BRANCO

'Não creio em Deus. Pois, se houvesse Deus, eu teria de ser Deus'. Aí se tem uma expressão bem clara daquele egoísmo presunçoso que é incapaz de olhar para cima. É incapaz de reconhecer qualquer autoridade acima de si mesmo. Nunca vê, em sua imaginação, um grande trono branco. Perdeu todo o senso de reverência; perdeu o senso de respeito religioso; tornou-se incapaz de toda a nobre obediência. O homem que, em seus pensamentos, não tem lugar para o trono exaltado já começou a perder o senso do significado da existência. E um dia terá de defrontar-se com o trono, embora agora este seja completamente varrido dos seus pensamentos" (Hough, *in loc.*).

Apo. 20: 11: *E vi um grande trono branco e o que estava assentado sobre ele, de cuja presença fugiram a terra e a céu; e não foi achado lugar para eles.*

1. *Grande trono branco*. (Quanto ao simbolismo do "trono", ver Apo. 4:2). Supomos que o trono de Deus nos céus está aqui em pauta, embora o mesmo seja agora visto de modo diferente. Não antecipamos, naturalmente, qualquer trono literal. O vidente João tomara por empréstimo a cena de um tribunal, para ensinar uma grande verdade espiritual no tocante ao juízo. O Rei de todos é agora o Juiz de todos. Supomos que isso será mediado por meio do Cristo (ver Atos 17:31). Observemos que ele compartilha do trono de Deus Pai (ver Apo. 3:21). (Comparar isso com Luc. 1:32,33; Mat. 19:28; Atos 2:30,34,35; 15:14-16). Deus está sentado, e os culpados, os acusados, acham-se de pé ou assentados diante dele.

a. *O trono aparece isolado*. Essa cena celestial não menciona qualquer hoste de anjos ou de quaisquer outros seres celestiais. Todos os olhos se fixarão diretamente sobre o trono, vasto e intenso e rebrilhantemente branco ocupa todo o campo da visão. Os próprios céus e a terra não mais podem ser vistos, ou porque deixaram realmente de existir, em antecipação à nova criação, ou porque, por causa da visão do grande Trono Branco, não chegam ao campo de nossa visão.

b. *O trono é grande*. É de vastíssimas dimensões, enchendo o campo inteiro de nossa visão; expulsa da vista todos os outros elementos. Ameaça; deixa a mente atônita. Trata-se de um *infinito* julgamento, diante do qual está o que é *finito*.

c. *O trono é branco*. Resplandece de pureza e de santidade divina, o que exige justiça, castigo, julgamento, purificação e retribuição. O trono de Deus é visto nesse novo aspecto, algo inteiramente diverso de tudo quanto antes fora dito, tanto no Antigo como no Novo Testamento (Ver o primeiro capítulo do Êxodo; I Reis 22:19; Êxo. 24:94 1; Dan. 7 e Apo. 4).

d. *O juízo será inflexível em sua justiça*. O que temos agora à frente não é todo um processo de julgamento, mas a declaração da sentença divina contra aqueles que já foram declarados culpados. O grau da punição de cada um, entretanto, será determinado pelas suas obras (ver o décimo terceiro versículo).

Fugiram a terra e o céu. Provavelmente isso deve ser entendido literalmente como o fim da antiga criação, conforme se vê em Apo. 21:1 e II Ped. 3:12,13, onde o leitor pode consultar as notas expositivas no NTI. Não se pode pensar em mera renovação por meio do fogo.. Antes, o que é antigo desaparecerá de vez, e uma criação inteiramente nova virá à existência.

Não se achou lugar para eles. Em outras palavras, nenhum espaço será achado para a antiga criação, nem mesmo os antigos lugares celestiais. A nova criação será exatamente isso, algo total e radicalmente novo. E isso será precedido pelo colapso da criação antiga, inchando o julgamento final. O vidente João não se preocupou com argumentos razoáveis, que expliquem a dificuldade do trono existir em um vácuo, não havendo mais nem céus e nem terra, ou onde se assentarão os que estiverem sendo julgados, porque parece que isso seria em um tribunal celeste. Tudo isso, porém, está fora de lugar, pois João alude à renovação de tudo nos termos mais absolutos.

2. *O Julgamento Deste Trono. O Lago de Fogo*

Lançados para dentro do lago do fogo. Isso quer dizer que o hades e a morte serão consumidos, mas não aqueles que tinham estado neles. O intuito específico desta seção é mostrar que os mortos ímpios serão finalmente julgados, e que o juízo será a "segunda morte". O que é "intermediário" agora cederá lugar ao que é "eterno" até "onde" isso envolve os perdidos. Não haverá mais morte e nem "hades" intermediário, conforme eram conhecidos até ali.

Naturalmente, é provável que este versículo também vise ensinar aquilo que se vê em Isa. 25:8 e 1 Cor. 15:26: "o último inimigo é a morte". Esta seria agora aniquilada. Para os crentes, isso é grande vitória, conforme a expressão de 1 Cor. 15:55: "Onde está, ó morte, a tua vitória? Onde está, ó morte, o teu aguilhão!" Sim, a morte será tragada pela vitória. Os capítulos vinte e um e vinte e dois do Apocalipse mostram exatamente o que isso significa para o crente. Por igual modo, II Esdras 8:53 diz como a morte "...se escondeu, e a corrupção e o hades, fugiram..."

Lançados. Não podemos deixar de sentir a dor envolvida na escolha desse vocábulo. Eles não irão para ali voluntariamente. Serão ali arrojados.

Lago do fogo. Ver o artigo separado sobre este assunto. O círculo temível do juízo agora está completo. O Anticristo e seu Falso Profeta já haviam sido lançados no lago do fogo. Então Satanás sofreu essa sorte (ver Apo. 20: 10). E agora chegara a vez dos perdidos.

A segunda morte. Somente neste livro temos a expressão "segunda morte". Supomos que o vidente João indica aqui a "ira de Deus", o Julgamento dos incrédulos... (Ver o artigo sobre *Ira*, um termo técnico para o "juízo", e não mera emoção. Ver também o artigo sobre *Julgamento*). A "segunda morte" é a cólera de Deus exercida no "Juízo final", o que é aqui definido mais especificamente como ser lançado no "lago do fogo". Isso, naturalmente, simboliza o fato de não se ter atingido a verdadeira vida em Cristo, a participação em sua vida divina, o tipo de vida que Deus possui (ver João 5:25,26 e 6:57). Trata-se de uma perda irreparável e infinita para o homem, cujo destino é ser um filho de Deus, participando de sua plenitude (ver Efé. 3:19) e de sua própria natureza (ver II Ped. 1:41). Os perdidos perderão tudo isso. Um indivíduo que não atinge essa "modalidade de vida", conforme é descrito aqui, está "morto", segundo a terminologia bíblica. Isso sucede porque a vida verdadeira não é a mera sobrevivência da alma ante a morte física, mas é uma forma de vida extremamente elevada, a participação na própria forma de vida de Cristo. Aqueles que não entrarem nos lugares celestiais e nem participarem das glórias e do bem-estar daqueles lugares, estão espiritualmente mortos; a morte espiritual, uma vez que sejam traçadas as fronteiras da eternidade, é a "segunda morte". A "primeira" fora a morte física.

A expressão *segunda morte*, embora encontrada somente no Apocalipse, em todo o NT, é de origem *rabínica*. "Que Rúben viva nesta era e não morra a segunda morte, com a qual morrem os ímpios no mundo vindouro" (Targum sobre Deut. 316). O Targum sobre Jer. 61:39,57 diz: "Que eles morram a segunda morte e

TRONO BRANCO – TRONO DE SATANÁS

não vivam no mundo vindouro. Curiosamente, o trecho do Targum sobre Isa. 22:14 diz: "Esse pecado não te será perdoado, até que morras a segunda morte", subentende que haverá o perdão do pecado, por intermédio da segunda morte. Em Enoque 99: 11 e 108:3, os espíritos dos ímpios são declarados "mortos no Seol". Isso, é claro, não é o aniquilamento, mas uma morte espiritual, a perda espiritual, a falta de participação na verdadeira vida, segundo ela é definida na Bíblia. Ela é "segunda" por ser da alma e por seguir-se à primeira, que é a morte do corpo. Isso arruina o destino da alma quanto ao seu propósito original.

3. *O Trono Branco, Segunda Morte e Esperança*
Existem evidências no Novo Testamento que indicam que o Trono Branco e o lago de fogo que segue, não falam a última palavra sobre o julgamento. Por exemplo, Cristo tinha uma missão no Hades para levar o Evangelho até o lugar do julgamento (ver I Ped. 3:18-4:6 e o artigo *Descida de Cristo ao Hades*). Também, Efé. 1:9,10 indicam que, afinal, uma unidade será formada ao redor do Logos, e isto implica numa restauração que a doutrina do lago de fogo (vide) não antecipa. Ver sobre *Restauração* para explicações detalhadas sobre a esperança além do lago de fogo. Estes conceitos salvam o Evangelho de um profundo pessimismo que, afinal, dificilmente, pode caracterizar a missão de Cristo. Ver o artigo sobre *Julgamento de Deus dos Homens Ímpios*.

TRONO DE GRAÇA
Ver Heb. 4:16.

O trono de Deus está em foco, o centro de sua glória, poder, majestade e julgamento. Mas agora o trono é visto envolvido na graça e na misericórdia. A obra do Filho é que fez as coisas desse modo, e agora ele está ao lado do trono, assegurando essas bênçãos para nós. Essa expressão se encontra somente aqui, em todo o NT, embora a menção do "trono" seja freqüente (Ver acerca do "trono da glória" em Mat. 18:28 e 25:31, e acerca do "trono da majestade", em Heb. 8:1). No livro de Apocalipse, o trono é mencionado por mais de quarenta vezes, em diferentes contextos; mas, normalmente, expressa as idéias de poder e majestade. O trono de Deus, aninhado na graça, mostra-nos que a graça nos é dada como dom do poder divino. Ele é "poderoso para salvar", "poderoso para ajudar", "poderoso para dar-nos vitória espiritual". Mas, é preciso que o busquemos para receber essas bênçãos. Somos ordenados a vir "ousadamente" a esse trono e rogar por aquilo que precisamos. Isso nos é exigido, e é nisso que fracassamos, usualmente através de indiferença espiritual e preguiça, pois andamos tolhidos pela carne e suas obras.

Recebermos misericórdia. O perdão dos pecados, a ajuda em nossas enfermidades, a renovação divina, a bondosa consideração divina, além daquilo que merecemos, de tal modo a inspirar-nos à renovação de nosso compromisso com Cristo, nossa outorga de alma a seus cuidados, são bênçãos que estão aqui era foco. Segundo se lê em Rom. 2:4 "... a bondade de Deus é que te conduz ao arrependimento". E é Ele, igualmente, que nos conduz à dedicação renovada.

Graça. Graça que pode ser recebida agora mesmo, sua operação e suas provisões graciosas em nosso favor; mas essa graça presente se alicerça sobre sua graça salvadora (Ver Efé. 2:8 e o artigo geral sobre *Graça)*. Certamente, a graça de Deus, que nos é conferida, –prové ajuda para escaparmos da frieza, da indiferença, do desvio espiritual e da apostasia.

Em ocasião oportuna. A expressão é indefinida, pelo que também ela pode envolver vários significados. 1. qualquer período de necessidade; ou 2. especificamente, o momento de necessidade, que é representado pela palavra "hoje" (ver Heb. 3:7,15), quando Deus nos ordena obedecer e evitar o exemplo desastroso dado pela geração do deserto, que não pôde entrar no descanso de Deus. No tempo oportuno receberemos ajuda em qualquer tribulação.

TRONO DE SATANÁS

Apo. 2:13: Sei onde habitas, que é onde está o trono de Satanás; mas reténs o meu nome, e não negaste a minha fé, mesmo nos dias de Antipas, minha fiel testemunha, o qual foi morto entre vós, onde Satanás habita.

Conheço o lugar em que habitas. Essas palavras foram ditas porque o lugar mesmo em que habitavam era notável lugar de maldade e de provação, o que poderia impulsionar aqueles crentes à apostasia ou, ao menos, à transigência com o paganismo. O lugar onde habitavam muito teve a ver com o caráter da Igreja, pelo que isso é especificamente mencionado aqui como um dos elementos importantes da carta. É algo quase equivalente a "conheço as tuas obras", que é frase comum à maioria dessas sete cartas. O saber sobre o "lugar" onde eles habitavam era equivalente a saber qual o "caráter" que disso resultava neles. Notemos aqui a influência do meio ambiente. É mais fácil a um crente ser santo em certos locais geográficos do que em outros. É mais fácil a um crente ser santo, se tiver certas associações humanas, e não outras. Sêneca queixava-se que algumas vilas romanas, especialmente lugares de retiro, exigiam uma moralidade mais relaxada do quê outros lugares. Contudo, a exigência do Evangelho é que, sem importar associações e localizações geográficas, os discípulos precisam de fidelidade.

Ver Apo. 2:15. Isto é, o lugar onde Satanás exerce autoridade, como se fora rei. A palavra "trono" (no grego, thronos) é usada no NT com o sentido de "trono real" (ver Luc. 1:32,52), ou com o sentido de "tribunal judicial" (ver Mat. 19:28 e Luc. 22:30). Também há alusão aos "*tronos*" de elevados poderes angelicais, ou aos próprios governantes humanos (ver Col. 1: 16).

As possíveis referências desse "trono" são as seguintes:
1. Pode ser a colina que havia por detrás da cidade, com trezentos metros de altura, na qual havia muitos templos e altares. Essa "colina" poderia ser o monte ou trono de Satanás, em contraste com o "monte" de Deus (ver Isa. 14:13 e Eze. 28:14,16), o qual, em I Enoque 25:3, é chamado de "trono".

2. Outros estudiosos pensam que a alusão é ao gigantesco altar dedicado a Zeus Soter, erigido sobre uma imensa base, a duzentos e quarenta metros acima do nível da cidade.

3. Também poderia haver alusão a um dentre vários templos, construídos com o propósito de oficializar o "culto ao imperador", em Pérgamo.

4. Também há aqueles que a alusão, neste ponto, é à própria cidade de Pérgamo, por ser o "trono de Satanás", não estando em vista qualquer emblema pagão. Pérgamo era um dos grandes centros do culto ao imperador, pelo que também era um lugar especial da manifestação das falsas religiões de Satanás.

5. Alguns eruditos pensam que a adoração a Esculápio, cujo símbolo era a serpente, está aqui em foco.

6. Ou então, a própria cidade, como acme da idolatria, era esse "trono" por si mesma.

TRONO DE SATANÁS – TUBAL

É impossível determinar exatamente a alusão do vidente João, neste particular. Sem dúvida, porém, foi entendido por seus leitores originais. Contudo, não sendo capazes de afirmar a alusão com certeza, sabemos que a mensagem é bem clara. O paganismo fanático que havia em Pérgamo era controlado por Satanás, a ponto da cidade ter-se tornado centro da propagação de religiões iníquas, que eram adversárias da igreja e a prejudicavam. O culto ao imperador era a manifestação central dessa religião ímpia.

Sem importar o que seja entendido por esse trono de Satanás, a linguagem atribui a Pérgamo a proeminência má de ser o centro do antagonismo a Cristo e seu Evangelho. Havia uma atmosfera doentia na qual podiam medrar plantas da graça, resultando no desenvolvimento de uma igreja pura de Cristo. Aquela pequena congregação, pois, era como uma barca lançada em mar tempestuoso, como uma rosa isolada, a florir em meio às areias do deserto.

TROVÃO

No hebraico, há duas palavras envolvidas, e, no grego, uma, a saber:

1. *Qol*, "voz". Palavra hebraica que, com esse sentido de "trovão", aparece por doze vezes: Êxo. 9:23,28,29,33,34; 19:16; 20:18; 1 Sam. 7: 10; 12:17,18; Jó 28:26; 38:25.
2. *Raam*, "trovão", "rugido". Um termo hebraico que é utilizado por seis vezes: Jó 26:14; 39:25; Sal. 77:18; 81:7; 104:7; Isa. 29:6.
3. *Bronté*, "trovão". Vocábulo grego que aparece por doze vezes: Mar. 3:17; João 12:29; Apo. 4:5; 6:1; 8:5; 10:3,4; 11:19; 14:2; 16:18 e 19:6.

O termo hebraico *qol* é cognato do acádico *qulu* e do ugarítico *ql*, "voz", "som". Esse vocábulo quase sempre aparece associado a outras palavras que indicam manifestações naturais próprias das tempestades, como, por exemplo, o raio (Jó 28:26), a saraiva (Êxo. 9:23) e a chuva (1 Sam. 12:17).

Na narrativa do livro de Êxodo, por ocasião da outorga da lei mosaica, ficou bem claro que o trovão foi uma das demonstrações do poder divino. Porém, divergindo daquilo que se disse no século XIX, não há qualquer ligação entre o trovão e o tetragramaton, YHWH (Yahweh). O trovão nunca aparece como o próprio Senhor, mas apenas como um fenômeno natural que é controlado por Deus (I Sam. 12:18). Um termo hebraico usado por menos vezes é *raam*, um vocábulo onomatopéico, isto é, que imita o som do fenômeno. Ainda há outros vocábulos hebraicos, que algumas traduções têm traduzido por "trovão", mas cujo sentido verdadeiro é "praga", "pestilência" (vide).

Tal como no Antigo Testamento, no Novo Testamento a palavra grega *bronté*, geralmente, aponta para alguma atividade divina (por exemplo, João 12:29). Mas esse vocábulo grego ocorre, em sua esmagadora maioria, no livro de Apocalipse (ver acima). Em todos esses casos, a alusão é à cena ocorrida no monte Sinai, por ocasião da outorga da Lei. Em Marcos 3:17 temos a única outra ocorrência do vocábulo no Novo Testamento, usado para descrever os dois discípulos, Tiago e João, ambos filhos de Zebedeu, e que o Senhor Jesus apodou de "Boanerges", ou seja, "filhos do trovão". Tradicionalmente, esse apelido tem sido interpretado como "dotado de temperamento ardente".

TROVÃO, FILHOS DO
Ver sobre **Boanerges**.

TSOU YEN
Suas datas foram 305 - 240 a. C. Acredita-se que foi ele quem introduziu a filosofia acerca do *Yin* e do *Yang* no pensamento chinês. Ver o artigo intitulado *Yin e Yang*.

TUBAL
Esse nome, de significado desconhecido, indica tanto um indivíduo, um dos filhos de Jafé (ver Gên. 10:2; 1 Crô. 1:5), quanto os seus descendentes, quando já formavam uma nação (ver Isa. 66:19; Eze. 27:13; 32:26; 38:2,3 e 39:1).

Os descendentes de Tubal formavam uma confederação localizada no centro das montanhas do Taurus, no sul da Anatólia (moderna Turquia), de onde se espalharam para vários lugares, tanto para o norte quanto para o ocidente. Nos tempos de Heródoto, historiador grego das coisas antigas, eles eram conhecidos pelos gregos como *Tibarenoi* (ver Heródoto 3.94). Visto que eles são mencionados em Gênesis 10:2 como um dos filhos de Jafé, juntamente com Javã, que já são os gregos orientais, então devem ter ocupado regiões contíguas às de seus irmãos, isto é, as "ilhas do mar", ou as costas do Mediterrâneo, posto que isso não exclui a ocupação deles em território continental asiático. De fato, há indícios de que eles se espalharam pela Sicília e até mesmo pelas costas da Espanha, no extremo ocidental do mar Mediterrâneo, como também pelo centro das estepes russas, sem falarmos em outras lugares.

Tubal (no acádico, *Tabal*) tornou-se um povo proeminente durante o primeiro milênio a.C., após o declínio do reino hitita de Hatusas. Na Bíblia, eles aparecem como fornecedores de escravos e de metais (Eze. 27:13 por exemplo). Na maioria das passagens do livro de Ezequiel, eles aparecem em companhia de Meseque (no acádico, *Mushki*), nome que sobrevive na capital da União Soviética, Moscou. Ora, muitos estudiosos pensam que Meseque é progenitor do povo que, séculos mais tarde, ficou conhecido como frígios, que vivia lado a lado com os gregos e macedônios, embora um pouco mais para o leste.

Quando o poder militar da Assíria expandiu-se para o norte e para oeste, entrou em um longo e amargo conflito com as confederações de tribos da Anatólia, desde que Assurbanipal tornou-se rei assírio (cerca de 870 a.C.), até o assalto feito pelos catas, que já seriam germânicos, em 679 a.C. Tubal é mencionado em numerosos registros de campanhas militares punitivas, enviadas contra a região do Taurus, durante aqueles dois séculos. Heródoto também mencionou (3.94) que os homens de Tubal eram supridores de tropas dos exércitos persas de Dario e de Xerxes. A ferocidade dos exércitos de Tubal fica comprovada pelo fato de que eles só foram derrotados, e sua máquina militar só foi destruída após centenas de anos de constantes conflitos armados. Sargão II (ver Isa. 20:1) morreu durante a campanha militar que desencadeou contra eles I em, 705 a.C.

De acordo com as profecias bíblicas para o fim, Tubal, Meseque e muitos outros povos, asiáticos, europeus e africanos, haverão de desfechar um tremendo ataque contra Israel, antes da segunda vinda do Senhor Jesus, quando então sofrerão esmagadora derrota (ver Eze. 38 e 39). Muitos intérpretes modernos pensam que isso se refere a algum ataque futuro encabeçado pela Rússia (ver o artigo sobre *Gogue*), com temíveis conseqüências para muitos outros povos, que serão indiretamente atingidos pela conflagração.

511

TUBALCAIM – TUMORES

TUBALCAIM
O nome *Tubal* significa *"tumulto"* e Tubalcaim significa "tumulto, o ferreiro". O Tubal posterior foi um dos sete filhos de Jafé, o neto de Noé. Mas *Tubalcaim* foi um antediluviano, filho de Lameque e Zila. Ver Gên. 4.22. Ele era um ferreiro habilidoso, que moldava toda a sorte de objetos cortantes, empregando cobre e ferro. Foi, segundo o relato da Bíblia, o inventor dos instrumentos de corte. A RSV fornece o versículo "... forjador de todos os instrumentos de bronze e de ferro", mas a tradução rabínica o torna um afiador de tais instrumentos. O cobre é um metal macio facilmente trabalhado até mesmo pelos antigos, enquanto o ferro é especialmente útil para instrumentos de corte. A entrada da palavra ferro nesse período muito primitivo é considerada um anacronismo por muitos intérpretes, mas não sabemos até onde se estendeu a idade do ferro.

TUBIAS
Uma forma do nome **Tobías**, segundo alguns livros apócrifos do Antigo Testamento.

TUBINGEN, ESCOLA DE
Esse é o título da escola germânica hegeliana que desenvolveu um tipo especial e distintivo de crítica bíblica e histórica, que exerceu profunda influência sobre a teologia subseqüente. Seu fundador foi F.C. Baur, e importantes membros dessa escola foram Schwegler, Zeller, Volkmar, Hilgenfeld, Lipsius, Hausrath, Weizsacker, Pfleiderer e Schmiedel. Ver o artigo geral chamado *Crítica da Bíblia*.

Idéias Dessa Escola:

1. *Christian Baur*, professor de teologia em Tubingen (1826 - 1860), e sobre quem oferecemos um artigo separado nesta Enciclopédia, procurou explicar o evolução do cristianismo em termos da filosofia hegeliana da história. Ver sobre *Hegel* e sobre as muitas tríades que faziam parte de seu pensamento filosófico.

2. Baur encontrava a tese e a antítese do cristianismo em Pedro e em Tiago, em contraste com Paulo. De acordo com sua teoria, Pedro e Tiago promoveram uma forma primitiva do cristianismo: Jesus foi o Messias dos judeus, e não o fundador de uma nova religião. Paulo, por sua vez, teria ensinado que Jesus foi o Messias do mundo inteiro, bem como fundador de uma nova fé, radicalmente diferente, inteiramente distinta do judaísmo. Assim, Pedro e Tiago teriam exposto uma *tese*; Paulo teria contraposto isso com uma *antítese*; e do conflito a buscada *síntese*.

3. *Conflito* teria sido o caráter fundamental do século I d.C., e daí teriam resultado os primeiros escritos neotestamentários. Os escritos que refletem isso são mais provavelmente apostólicos, em primeira ou em segunda mão.

4. Seriam certamente paulinas somente as epístolas aos Romanos, I e II Coríntios e Gálatas. Nesses escritos o conflito transparece claramente. Lucas representaria a oposição paulina; Mateus teria sido produto da posição judaica mais primitiva; Marcos teria sido o epitomista unificador; e João apareceu mais tarde, quando a união já estava sendo conseguida.

5. O segundo século cristão viu uma espécie de *síntese*, na qual a Igreja conseguiu obter uma espécie de unidade, distante do conflito da tese e da antítese que caracterizaram o século I d.C. Vários dos livros do Novo Testamento refletiriam esse período, estando distantes do conflito, porquanto agora já entrava em choque com o gnosticismo, que se tornara o grande oponente de um cristianismo unificado.

6. O Apocalipse, ainda segundo Baur, seria um livro hostil a Paulo, pelo que foi por ele considerado como bastante primitivo. No entanto, eruditos mais recentes dão ao livro de Apocalipse uma data bem posterior, e não pensam que o seu autor tenha sido o apóstolo João.

7. Os eruditos têm chamado a crítica da escola de Tubingen de "fracasso frutífero". E isso porque, apesar de ter cometido alguns graves erros, apresentou algumas sugestões úteis para a erudição do Novo Testamento. O décimo quinto capítulo de Atos, o primeiro capítulo de Gálatas e o teor geral da epístola de Tiago mostram claramente que houve um conflito legalístico severo na Igreja primitiva. Ver sobre o *Legalismo*. Contudo, não se deve fazer disso o grande critério por meio do qual devemos testar a crítica. E tentar ver as questões do cristianismo primitivo através dos olhos de Hegel foi um exagero, não há que duvidar.

TUMIM
Ver sobre **Urim e o Tumim**.

TUMOR Ver também sobre **Tumores**.
No hebraico, **ophel**, termo que ocorre por seis vezes no Antigo Testamento: Deu. 28:27; 1 Sam. 5:6,9,12; 6:4,5. Uma enfermidade cutânea dolorosa, enviada contra os filisteus, como um juizo divino. Os estudiosos pensam que esses tumores eram parecidos com as hemorróidas. A arqueologia tem demonstrado que os ofertantes pagãos ofereceriam a seus deuses representações em cera ou metal das porções de seus corpos que tinham sido curadas ou que eles esperavam que fossem curadas por intervenção dessas divindades. É interessante observar que, em Aparecida do Norte, muitos procuram curas comprando representações de cera das porções de seus corpos que eles querem ver curadas. Desse modo, as pessoas visualizam suas esperanças de cura, de forma concreta. E aqueles que tiveram algum severo caso de hemorróidas talvez tentem tal coisa, mesmo que o esquema tanto se pareça com o paganismo! O trecho de I Samuel 6:5 evidentemente alude a essa prática entre os filisteus. Eles estavam sendo julgados, pelo menos em parte, mediante essa aflição. A referência que ali se faz aos "ratos", provavelmente significa que eles foram punidos com algo relativo a eles, como a peste bubônica, pois esta última propaga-se por meio de moscas que enxameiam sobre os ratos. Aparentemente, imagens feitas dos defeitos e aflições físicas, bem como figuras de ratos, deveriam ser mandadas para Israel, juntamente com a arca da aliança. Sabe-se que uma das manifestações da peste bubônica é certa forma agravada de hemorróidas. Essa enfermidade atinge elevadas taxas de mortalidade, ou seja, cerca de setenta por cento dos casos, depois da primeira semana do aparecimento dos sintomas. Ver o artigo geral sobre as *Doenças da Bíblia*.

TUMORES
No hebraico, precisamos levar em conta duas palavras, ligadas a esse verbete, a saber:

1. *Techorim*, "tumores". Essa palavra ocorre por duas vezes somente, em I Sam. 6:11,16.

2. *Ophel*, "tumor" "ferida". Esse vocábulo ocorre por seis vezes: Deu. 28:27; 1 Sam. 5:6,9,12; 5:4,5.

Um tumor é um crescimento anormal de alguma parte do corpo; ou, então, pode ser um neoplasma, isto é, o desenvolvimento de tecidos anormais, distintos dos tecidos saudáveis que os cercam. Um neoplasma pode ser tão benigno como uma borbulha, ou tão maligno como um carcinoma.

TUMORES – TÚMULO

No relato sobre a devolução da arca da aliança, por parte dos filisteus (1 Sam. 5), os tumores feitos de ouro, provavelmente, serviam de emblemas dos bulbos que caracterizam aquela praga. Esses bulbos entumescem e afetam as glândulas linfáticas das imediações.

Quando os organismos infeccionadores, ou seus produtos tóxicos, chegam às glândulas linfáticas, estas últimas desenvolvem um grande esforço para impedir que esses organismos ou seus produtos tóxicos entrem na circulação sistêmica. E assim essas glândulas podem entumescer até cem vezes mais que o seu tamanho normal, na tentativa de impedir o avanço dos elementos indesejáveis, e então destruí-los. Algumas vezes, entretanto, o fluxo de material infeccionado é tão grande, como uma praga, que mesmo muitas glândulas linfáticas em sucessão são avassaladas, e o organismo sucumbe diante, da enfermidade. Ver também o artigo sobre as *Pragas*.

No hebraico, "queimaduras". Eram tumores endurecidos, dolorosos, uma ulceração inflamada com fluxo de pus misturado com sangue, em alguns casos. Nas Escrituras, a palavra envolvida (no "hebraico, *bashal*) parece referir-se a diversas enfermidades, como a úlcera (Êxo, 9: 10, 11; Lev. 13:18), um tipo de pústula maligna ou o sinal de uma praga (11 Reis 20:7, mas que nossa versão portuguesa também traduz por úlcera), ou então a lepra negra (Jó 2:7), embora essa última referência também possa aludir à úlcera comum. Alguns estudiosos supõem que a enfermidade de Ezequias (II Reis 20:7) foi um caso agravado de ulceração, de origem bacteriológica, e que foge a todo tipo de controle. Ver o artigo geral sobre as *Enfermidades*.

TÚMULO
I. Terminologia e Definições
II. Tipos de Enterro de Corpos Humanos
III. Locais de Enterro
IV. Conteúdo das Tumbas
V. A Esperança no Além

Forneço um detalhado artigo sobre **Sepultamento, Costumes de,** que faz um paralelo com este artigo e me permite ser breve aqui. Ver também Túmulo de Gordon na Enciclopédia de Bíblia, Teologia e Filosofia, que foi, possivelmente, o local autêntico do enterro de Jesus, o Cristo. Esse artigo adiciona informações sobre tumbas que não estão incluídas aqui. Ver ainda o Sepulcro Santo, na Enciclopédia de Bíblia, Teologia e Filosofia.

I. Terminologia e Definições
Hebraico:

1.*Qeber,* "sepulcro", aparecendo 65 vezes no Antigo Testamento. Exemplos: Gên. 50.5; Êxo. 14.11; Núm. 19.16, 18; II Sam. 3.32; I Reis 13.30; II Reis 22.20; Jó 3.22; 5.26; Sal. 88.5, 11; Isa. 14.19. Os enterros mais antigos eram simplesmente debaixo da terra, como nosso costume moderno. No sentido amplo, a tumba pode referir a esse tipo de enterro, não necessariamente se referindo a uma tumba esculpida na pedra.

2. *Sheol,* o significado mais primitivo do qual se diz simplesmente túmulo. Ver Gên. 37.35; 42.38; 44.29, 31; I Sam. 2.6; I Reis 2.6, 9; Isa. 14.11; 38.10, 18. O termo foi usado para o local dos fantasmas dos mortos, depois dos espíritos que uma vez estiveram encarnados, como desenvolvimento posterior. Ver detalhes completos no artigo sobre Sheol.

3. *Qeburah,* "sepulcro": Gên. 35.20; Eze. 32.23, 24; Deu. 34.6; Ecl. 6.3.

4.*Bei,* "montão", isto é, um monte de enterro, Jó 30.24. A versão em português fornece "montão de ruínas", mas o monte de enterro (túmulo) está sob consideração.

5. *Schacheth,* "corrupção", isto é, o local onde o corpo físico entra em decomposição. A versão portuguesa dá cova (Jó 33.22).

6. *Bor,* "poço", o local dos mortos, uma alusão à prática antiga de jogar corpos em tal lugar: Sal. 28.1; 88.6; Isa. 14.15.

Grego:

1. *mnema,* "sepulcro", "memorial": Mar. 53.5; 15.46; Luc. 8.27; Apo. 11.9.

2. *mnemeion,* "sepulcro", "memorial", Mat. 8.28; 23.29; 27.52, 53, 60; João 5.28; 12.17; 19.41, 42; 20.1-4, 6, 8, 11.

Latim:

tumba, um "monte de enterro". Tumbas construídas em rochas, ao lado dos morros ou em buracos naturais ou cavernas na rocha, eram uma prática das famílias mais afluentes.

II. Tipos de Enterro de Corpos Humanos

1. *Evidências arqueológicas* demonstram que em Jericó, no período neolítico, era usada a exposição em vez do enterro (cerca de 5000 a.C.), mas o costume hebraico-judeu não aceitava tal modo de dispor de corpos humanos. Isso era contrário ao seu sentimento de decência e respeito.

2. *A cremação ou a queima de corpos* era um antigo costume grego, embora eles também recorressem ao enterro. A cremação era empregada pelos hebreus apenas quando havia massas terríveis deixadas para trás pela guerra, o que tornava impraticável enterrar os corpos dos soldados, particularmente quando estava envolvida grande mutilação. I Sam. 31.12 registra uma cremação desse tipo, quando os corpos de Saul e de seus filhos foram descartados dessa maneira.

3. *Enterros simples* eram o principal modo de livrar-se de corpos no Oriente, inclusive entre os hebreus. Às vezes, os enterros eram feitos em cavernas, o que a arqueologia demonstrou ser o costume já nos períodos paleolítico e mesolítico. Enterros em cavernas às vezes eram comunais, com uma caverna particular servindo para uma família ou para um clã. Sessenta pessoas foram enterradas no wadi el-Mugharah, em Carmelo, c. 8000 a.C.

4. *Pedreiras revestidas de pedras* serviam como locais de enterro, o ancestral do costume de ter caixas de cimento tão comuns nos Estados Unidos hoje. Essas caixas, é claro, ficam embaixo da terra e uma pessoa nem imaginaria que embaixo de seus pés existe um tipo de caixa de cimento contendo um caixão. Esse tipo de cova também foi ancestral do caixão, que veio posteriormente.

5. *Aberturas naturais em montes* na Palestina muitas vezes ofereciam um tipo primitivo de enterro em tumba. Quando havia cavernas formadas pelas aberturas, os locais poderiam tornar-se "cemitérios" para o enterro de famílias. Era desse tipo a caverna de Macpela (ver o artigo), onde Abraão e a maioria dos membros de sua família foram enterrados. Ver Gên. 23.4-6. Tais túmulos foram os ancestrais das tumbas posteriores, esculpidas em pedra.

6. *Antes da época de Abraão,* havia monumentos de enterro no Egito, as pirâmides (ver o artigo), mas aqui estamos lidando com os locais de enterro dos faraós e de sua aristocracia superior. A mumificação fazia parte desse tipo de enterro.

7. *Urnas de enterro.* Os corpos eram colocados em posição pré-natal em receptáculos desse tipo, que funcionavam como uma espécie de caixão. Em Bilos, arqueólogos encontraram esqueletos de adultos em urnas assim, não apenas corpos de crianças.

8. *Cisternas.* Cisternas antigas, provavelmente não mais

TÚMULO – TÚMULO DE ABSALÃO

utilizadas, foram usadas como locais convenientes de enterro. Em Gezer foi encontrada uma que continha 15 corpos. A época era em torno de 1580-1100 a.C.

9. *Tumbas de Colméia de Abelha*. Eram construídas pequenas casas, geralmente escavadas nos lados de morros, que serviam para enterros. Algumas eram retangulares, redondas, ovais ou quadradas. A maioria era túmulo de famílias. Esse tipo de tumba era comum na Grécia em por volta de 1200 a.C.

10. *Sarcófagos, caixões com tampas*, eram usados pelos vizinhos de Israel, mas não muito pelos judeus hebraicos. A palavra grega significa "comedor de corpo". A maioria era feita de pedra. Uma vez que os corpos fossem "comidos", o que acontecia em algumas semanas, os ossos eram coletados e postos em ossuários, "caixas de ossos". Às vezes apenas o crânio era mantido, sendo supostamente considerado a única parte do esqueleto que merecia o esforço.

11. *Tumbas esculpidas em rocha*. Tais tumbas foram encontradas em épocas tão remotas quanto a idade do ferro, quando havia instrumentos adequados para fazer o trabalho de escavação. Muitas dessas tumbas eram para enterros de famílias. Elas eram feitas em vários estilos, mas o Talmude informa-nos que de modo geral eram "lares" dos mortos, geralmente com cerca de 2 m de comprimento, 3 m de largura e 3 m de altura. Nichos eram esculpidos e poderiam receber até oito corpos, três de cada lado e dois na parte de trás da escavação. Mas existiam outros maiores que poderiam conter até 13 corpos. A entrada de tais tumbas era, de modo geral, selada por uma grande pedra (Mat. 27.65; Mar. 15.46; João 11.38, 39). Obviamente, apenas as pessoas mais afluentes podiam ter tais tumbas.

12. *Sepulcros caiados*. Quando Jesus mencionou esse tipo de túmulos (Mat. 23.27, 28), não estava falando sobre as caprichadas tumbas esculpidas em pedra das classes mais altas, mas sim dos túmulos mais comuns nos quais alguém poderia andar e ficar "sujo" do ponto de vista cerimonial. Tais túmulos às vezes eram decorados e pintados de branco para conferir uma aparência melhor e marcá-los de modo que as pessoas pudessem evitá-los.

13. *Criptas*. Esses eram nichos esculpidos de pedra nos lados dos morros, a maioria preparada para apenas um corpo. Várias criptas poderiam ser feitas e formar uma fileira, ou uma série de fileiras, produzindo um tipo de "apartamento" para os mortos.

14. *Foram encontrados túmulos em torre*, monumentos construídos sobre túmulos subterrâneos para marcar seus locais, remontando aos tempos de Herodes. A Torre de Absalom e a Torre de Zacarias são representantes desse tipo de túmulo.

III. Locais de Enterro

1. Alguns antigos enterravam seus mortos sob andares de suas casas, e esse costume persistiu entre alguns índios brasileiros. Essa prática era popular na Assíria, Síria e em outros lugares do Oriente, mas nunca foi mantida em Israel, pelo menos do que podemos inferir. I Sam. 25.1 é uma exceção. Na Palestina, Jericó foi o sítio desse tipo de enterro, como era também o wadi el-Mugharah e Teileilate.

2. *Dentro da cidade*. Algumas pessoas importantes eram enterradas dentro dos muros da cidade, como foi o caso do rei Davi (I Reis 2.10). Arqueólogos descobriram o túmulo de uma mulher dentro dos limites da cidade de Gazer. Esqueletos foram encontrados dentro dos muros das cidades e em urnas mantidas dentro dos muros das cidades.

3. *Enterros ao longo de estradas* eram comuns, como também aqueles feitos próximo a árvores sagradas (ver Gên. 35.8, 19; I Crô. 10.12).

4. *O local comum para enterros* era fora da cidade para a maioria das pessoas. Os pobres, de modo geral, eram enterrados fora da cidade em pedreiras, cisternas, cavernas ou túmulos simples na terra (II Reis 23.6; Jer. 26.23; Mat. 27.7).

5. *Por motivos familiares, sentimentais*, às vezes as tumbas eram colocadas em jardins de certas famílias (II Reis 21.18, 26). Mas o local mais comum ficava em um tipo de necrópole, uma cidade dos mortos localizada fora da vila ou da cidade.

6. *As tumbas dos reis situavam-se na cidade de Davi*, dentro dos muros. Os reis de descendência real, davídica, eram tratados dessa forma quando morriam. Ver II Crô. 28.27; 32.33; I Reis 2.10; Nee. 3.16, et al. De Davi a Acaz, 13 reis foram enterrados naquele local.

IV. Conteúdo das Tumbas

Arqueólogos e ladrões têm sido os principais beneficiados das coisas deixadas para trás nas tumba. Há muito tempo as pessoas deixam objetos valiosos em tumbas, e a prática continua, o que encoraja os ladrões de hoje. Coisas de conveniência com itens de roupas, ferramentas, mesas, cadeiras, perfumes, barcos, animais de estimação empalhados, armas, lampiões, jóias, dinheiro e outros objetos de valor figuram entre as descobertas arqueológicas. Algumas dessas coisas pessoais eram, sem dúvida, apenas simbólicas ou sentimentais, como a corrente que foi colocada no pescoço de minha avó pois havia sido um presente especial de sua nora. Algumas coisas, contudo, eram consideradas potencialmente úteis para a alma em sua viagem ao outro lado, embora ninguém explique como a alma da pessoa morta seria capaz de carregar os objetos. Isso me lembra de uma história sobre o homem que transformou toda sua fortuna em cheques de viagem antes de morrer para que pudesse levar consigo toda sua riqueza na viagem ao além. Um homem fez uma observação "Espero que ele tenha colocado seus cheques na denominação certa!". Produtos alimentícios eram deixados em tumbas como ofertas para os deuses, que receberiam a alma da pessoa morta, ou como alimento para a alma. Os egípcios exageravam nessa prática, como demonstram as tombas extraordinariamente ricas de *Tutancamom e da rainha Shubade*.

V. A Esperança no Além

Quando um homem deita seu corpo e voa ao mundo da luz, ele fica feliz, sendo que o peso foi deixado para trás, o espírito está livre, e a verdadeira riqueza está à frente. Recentemente, assisti na TV ao final de um funeral que estava sendo realizado por um grupo religioso. A cena repulsiva do caixão sendo baixado ao túmulo para ser colocado na cova foi mostrada. Exatamente quando isso acontecia, a voz do homem que conduzia o ritual, soou forte, dizendo: "Ele não está morto. Nós o veremos novamente". Essa afirmação de fé, vinda como veio, no momento mais escuro da vida de várias das pessoas presentes, tirou o ardor da morte (I Cor. 15.55), pois sabemos que isso é verdade.

Ver os artigos a seguir na Enciclopédia de Bíblia, Teologia e Filosofia: Imortalidade (vários artigos); Alma; Experiências Perto da Morte.

TÚMULO DE ABSALÃO

Há um notável monumento que tem esse nome, no vale de Josafá, fora de Jerusalém. Fica perto da ponte mais baixa sobre o Cédron, um bloco quadrado isolado, escavado na rocha. A base do monumento tem cerca de oito metros de lado, em quadrado, sendo ornamentado

Túmulo com pedra que sela, encontrado
perto de Quiriate-Jearim
Cortesia, Matson Photo Service

Ossuário judaico

Pinturas nas paredes de sepulcros,
c. 1450 A. C. — Cortesia, The
Biblical Archeologist

Nômades fazendo tijolos, c. 1900 A. C.
Cortesia, The Biblical Archeologist

TÚMULO DE GORDON – TÚNICA

em cada lado por duas colunas e por duas meias-colunas em estilo jônico. Tem cerca de seis metros de altura. Os estudiosos modernos não crêem que o monumento tenha algo a ver com Absalão. (S)

TÚMULO DE GORDON

Ninguém sabe com certeza onde Jesus foi sepultado. mas um local favorito, para os estudiosos do assunto, é o chamado *Túmulo de Gordon*.

Mat. 27:60: *e depositou-o no seu sepulcro novo, que havia aberto em rocha; e, rodando uma grande pedra para a porta do sepulcro, retirou-se.*

" ... *depositou-o no seu túmulo novo* ..." Esse túmulo era para uso próprio de José de Arimatéia e sua família, mas ele o cedeu ao corpo de Jesus. Ver detalhes nas notas no NTI sobre vs. 54. Alguns arqueólogos creditados acreditam que esse túmulo tem sido identificado. É atualmente denominado de *Túmulo de Gordon*. Os pormenores a seu respeito são os seguintes:

Assim cumpriu-se a profecia que predisse que o Messias estaria -com o rico em sua morte* (ver Is. 53:9). O cumprimento dessa profecia seria extremamente improvável até o momento mesmo do aparecimento de José de Arimatéia, o qual sem dúvida não tinha a menor idéia de que estava cumprindo uma profecia. Muitos arqueólogos de renome acreditam que o túmulo de Gordon, localizado perto do muro norte de Jerusalém, próximo da elevação chamada colina do Crânio, é o sepulcro que pertencia a José de Arimatéia. Seu nome se deriva do general Christian Gordon, o qual, em 1881, descobriu o sepulcro. Trata-se de um espaço de 4,20m x 3,00m x 2,00m de altura. Dois sepulcros foram preparados dentro desse recinto. O sepulcro da frente parece jamais ter sido utilizado, mas existem indicações de que o outro o foi, embora não restem quaisquer traços de remanescença mortais, por mais que se fizessem testes. Eusébio revela-nos que o imperador romano Adriano edificou um santuário por cima do túmulo onde Jesus fora sepultado (135 d.C.). Constantino, primeiro imperador cristão, embora nominalmente, destruiu esse templo (330 d.C.). O general Gordon, em meio aos destroços que retirou do sítio, encontrou um santuário de pedra, em honra a Vênus. Também encontrou vestígios de uma construção que fora erígida sobre o sepulcro. Acima da entrada do mesmo, foram encontrados dois nichos, característicos dos templos dedicados a Vênus. Em uma abóbada contínua ao túmulo, tocando-o no subsolo foi encontrada a seguinte inscrição: "... sepultado perto de seu Senhor". Dentro do próprio sepulcro, sobre o lugar de descanso do corpo, foi burilada uma âncora na parede de pedra. A âncora era o símbolo primitivo dos cristãos. Na secção do sepulcro onde presumivelmente Jesus fora deixado, a parede onde ficariam os pés do corpo fora aprofundada um pouco mais do que se fizera originalmente. De conformidade com a tradição, Jesus era alto, ao passo que José de Arimatéia era baixo e por isso tornou-se necessário o alongamento. A localização desse túmulo, em relação a Jerusalém e aos demais fatos, parece confirmar que esse sepulcro realmente foi o lugar onde Jesus foi sepultado.

Os túmulos familiares usualmente ficavam *fora* dos muros das cidades, e tinham a forma geral de câmaras, com nichos em ambos os lados, onde os corpos eram depositados. Poderiam ser cavernas naturais ou escavadas na rocha, como no caso do túmulo de José de Arimatéia. A grande pedra que foi rolada para a porta do túmulo, provavelmente tinha forma de disco, podendo ser rolada para diante e para trás, dando acesso ao túmulo. Bons exemplos desse tipo de túmulo ainda podem ser vistos em Jerusalém, como o túmulo de Gordon, também chamado de *Túmulo do Jardim*, ou os "túmulos dos reis".

TÚMULO DE RAQUEL
Ver **Raquel, Túmulo de**.

TUNG CHUNG-SHU

Suas datas foram 179-104 a.C. Foi um dos mais importantes filósofos chineses. Ensinou na Universidade Nacional, Era reconhecido como um erudito de primeira categoria. Era confucionista convicto. Solicitou a ajuda do imperador, ao enfrentar dificuldades financeiras. Foi um confucionista yin yang (ver sobre *Yin e Yang*) cujos esforços deram ao confucionismo a supremacia exclusiva na China (o que foi reconhecido pelo imperador Wu, em 136 a.C.) Esse poder do confucionismo na China prolongou-se até 1905 a.C. Suas idéias foram favorecidas por governantes civis quase até os nossos próprios dias, e nunca, realmente, perderam a sua importância.

Idéias:

1. A bondade é, no homem, uma semente inata que só precisa ser cultivada para florescer. Seus sentimentos são potencialmente maus, e precisam ser controlados. Entre esses sentimentos temos vícios como a ganância. Esses vícios pertencem ao *yin*, ao passo que a boa natureza humana concordaria com o princípio do *yang*. Por isso, o *yang* precisa controlar o *yin*.

2. Pessoas superiores são um governante, um pai, um marido. Aqueles que devem obedecer são súditos, filhos, esposas. Aqueles pertencem ao *yang*; e estes últimos, ao *yin*. Um governante precisa receber do céu o seu mandato, pois o céu é a origem do *yang* e do *yin* cósmicos.

3. A bondade é superior à natureza humana; e um sábio é maior que a bondade. Um homem precisa receber uma boa educação, se quiser tornar-se bom. Os princípios humanos, bem como uma vida caracterizada pela lei do amor, resultam na bondade. Mas o amor precisa ser exercido em meio à sabedoria, e não meramente em meio aos sentimentos. A sabedoria é a correta manipulação do conhecimento. A sabedoria traduz o conhecimento em ações, com seus resultados práticos conseqüentes.

4. O homem é um *microcosmo* do *macrocosmo* da Natureza. Ao analisar os cinco elementos básicos (para ele a madeira, o fogo, a terra, o metal e a água), ele estabeleceu várias comparações que serviram para ilustrar a sua doutrina.

Escritos: Gemas Coruscantes da Primavera; Anais da Primavera e do Outono. Ver o artigo geral intitulado Confúcio, Confucionismo.

TÚNICA

Devemos pensar em uma palavra hebraica, outra aramaica, e outra grega, neste verbete, a saber:

1. *Kethoneth,* "túnica". Palavra hebraica que ocorre por vinte e nove vezes, conforme se vê, para exemplificar, em Gên. 3:21; 37:3,23,31-33; Êxo. 28:4,39,40; 29:5,8; 39:27; 40:14; Lev. 8:7,13; 10:5; 16:4; II Sam. 15:32; 16 30:18; Can. 5:1

2. *Petesh,* palavra aramaica usada somente por uma vez, em Dan. 3:21. Essa palavra aramaica significa "veste fina superior", mas a nossa versão portuguesa também a traduz por "túnica".

3. *Chitón,* "túnica". Esse vocábulo grego é utilizado por dez vezes: Mat. 5:40; 10: 10; Mar. 6:9; 14:63; Luc. 3:11; 6:29; 93; João 19:23; Atos 9:39 e Jud. 23. Ver também sobre *Vestes*.

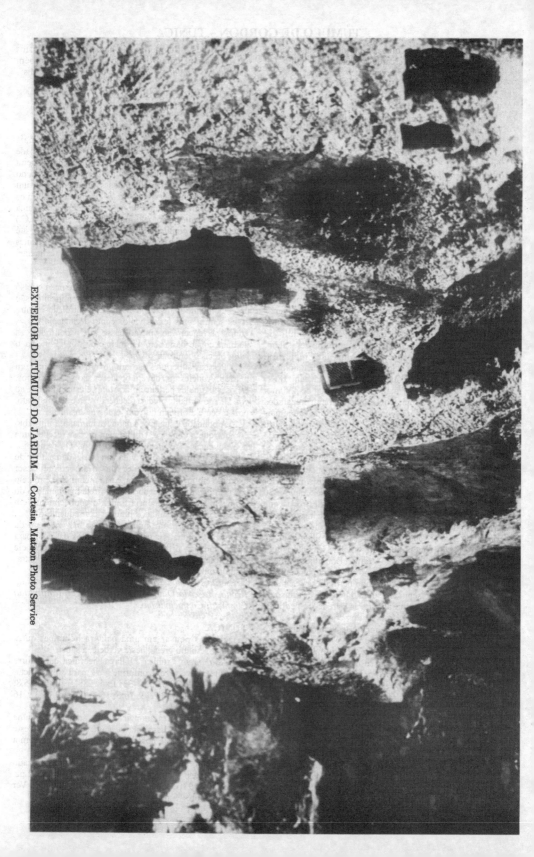

EXTERIOR DO TÚMULO DO JARDIM — Cortesia, Matson Photo Service

TÚMULO DO JARDIM — Cortesia, Matson Photo Service

TURBANTE – TUTOR

TURBANTE
Três palavras estão envolvidas nesse verbete, a saber:

1. *Peer*, uma palavra de provável origem egípcia, que apontava para mais do que um simples turbante feito de pano enrolado. Aparece em Isa. 3:20, (onde nossa versão portuguesa diz "coroa"; Isa. 61: 10; Eze. 24:17,23; 44:18). É óbvia a falta de coerência nas versões e traduções em geral, quanto à tradução desse termo. No entanto, fica claro que essa peça de vestuário, usada na cabeça, era um sinal de regozijo ou de solenidade, como adorno de sacerdotes e de noivos. Alguns estudiosos pensam que as palavras de Eze. 16: 10 "...te cobri de seda" se referem a um desses turbantes, feito de seda.

2. *Mitsnepheth*, uma palavra hebraica, que ocorre por doze vezes: Eze. 21:26; Êxo. 28:4,37,39; 29:6; 39:28,31; Lev. 8:9; 16:4. Essa palavra, geralmente, é traduzida por "mitra", em nossa versão portuguesa. Tal palavra, no hebraico, deriva-se lo verbo "enrolar", o que é característico.

3. *Tsaniph*, uma palavra hebraica empregada por cinco vezes: Isa. 3:23; 62:3; Jó 29:14; Zac. 3:5 (duas vezes). Essa palavra também é derivada do verbo hebraico que significa "enrolar".

TURIM, SUDÁRIO DE
Ver sobre *Sudário de Cristo*.

TURNOS DOS SACERDOTES E LEVITAS
Por causa da grande multiplicação do número de sacerdotes, Davi pensou ser conveniente dividi-los em vinte e quatro turnos, com um presidente para cada turno. Então os sacerdotes serviam ao altar em turnos. Cada turno recebeu o nome do membro mais distinto da família de onde foi tomado. Ver 1 Crô. 24:1-19. Esses sacerdotes deveriam servir a partir dos vinte anos de idade (1 Crô. 23:6,27). Dezesseis ordens foram dadas aos descendentes de Eleazar, e oito aos descendentes de Itamar, seu irmão. Nos períodos festivos, todos os turnos ativavam-se no sacerdócio. Em outras ocasiões, cada turno ministrava pelo espaço de uma semana; e havia mudança de turno no sábado antes do sacrifício vespertino (II Reis 11:5,9). Qual turno deveria servir, em ocasiões específicas, era determinado pelo lançamento de sortes. O oitavo desses turnos coube à família de Abias, à cuja família pertencia Zacarias, pai de João Batista (Luc. 1:5).

TURQUESA
Um mineral usado na joalheria, de cor azul esverdeado ou cinza esverdeado. Basicamente, trata-se de um fosfato hidratado de alumínio e cobre, bastante quebradiço, e com uma taxa de dureza similar à do ferro.

A turquesa é um mineral de origem secundária, que ocorre em veios finos, sob a forma de depósitos interrompidos, ou sob a forma de incrustações em emendas de rochas que passaram por profundas alterações químicas. A turquesa oriental, que tem grande valor, ocorre em rochas muito quebradas, juntamente com óxidos ferrosos secundários, na Pérsia. Também ocorre na península do Sinai, no wady Maghara e ao sul de Samarcanda, no Turquestão.

TUTMÉS
O nome egípcio é *dhwty-ms*, que significa "o (deus) Tote nasceu". Quatro faraós egípcios eram chamados assim:

1. *Tutmés I* (18ª dinastia), filho de Tmenohotepe I, conhecido por suas campanhas militares de êxito e por algumas construções.

2. *Tutmés II*, que teve um casamento distinto (sua mulher era uma meia-irmã sua!), mas uma carreira como faraó totalmente indistinta, não deixando nenhum grande legado. Não era incomum para um homem casar-se com uma irmã sua no Egito, e alguns reis e altas autoridades o faziam pensando que, sendo divinos, para preservar a pureza deveriam casar com familiares. Famílias reais, alegadamente, tinham origens divinas.

3. *Tutmés III*. O poder real até sua morte foi a mulher meia-irmã de *Tutmés II*, que era chamada de *Hatsepsute*. Uma vez que ela morreu, *Tutmés III* mostrou-se um hábil líder e comandante militar que se envolveu na Palestina e na Síria com grande sucesso. Ele já foi chamado de o "*pai do império egípcio*" e, quando não estava matando, para não ser morto, era hábil construtor.

4. *Tutmés IV* foi o último dos faraós com esse nome e assim acabou a 18ª dinastia. Nada especial se sabe sobre esse homem, de forma que a dinastia terminou um tanto sem glória.

A Bíblia não menciona nenhum desses reis por nome, mas alguns estudiosos acham que *Tutmés III* foi o faraó da opressão de Israel no Egito, antes de Moisés retirar seu povo de lá.

TUTOR
No grego, *epítropos*, uma palavra usada por três vezes no Novo Testamento: Mat. 20:8; Luc. 8:3 e Gál. 4:2. Em nossa versão portuguesa, em cada uma dessas três passagens, o vocábulo grego é traduzido de modo diferente, respectivamente por "administrador" e "tutor". Talvez seja assim porque a palavra grega é muito lata em seu sentido, podendo indicar qualquer pessoa incubida de uma missão ou tarefa. Consideremos estes pontos:

1. Pode estar em foco um "administrador", conforme se vê em Mat. 20:8, e também em Josefo (*Anti*. 15:406).

2. Josefo (*Anti*. 15:406), por igual modo, usa o termo grego com o sentido de "governador".

3. Um guardião ou tutor. Esse é o sentido que se vê em Tucídides (2.80,6), em II Macabeus 11:1; 112; 14:2 e Gál. 4:2. Lísias era *epítropos* sob Antíoco. Paulo usou essa palavra grega em Gál. 4:2, a fim de referir-se a alguém que tinha a responsabilidade de ensinar ou treinar uma criança. Daí a tradução "tutor", que aparece em nossa versão portuguesa. Aparentemente, a palavra é usada como sinônimo de *pedagogós* que aparece em Gál. 3:24, onde somos ensinados que a lei agiu como guia, professor ou aio, a fim de levá-los, finalmente, aos pés de Cristo.

Essa palavra grega, *epítropos*, era comumente empregada para indicar os tutores, que substituíam os pais dos órfãos. Sob as leis gregas, romanas e judaicas, um menino ficava sob a autoridade de seu tutor enquanto fosse menor de idade; mas o tutor só tinha autoridade sobre uma criança enquanto ela não atingisse a idade adulta. Os mordomos (no grego, *oikonomoi*) eram responsáveis pelas questões financeiras de alguém, até que esse alguém atingisse os 25 anos de idade. Quando uma criança assim atingisse a maioridade, ficava livre dessa autoridade. Se seu pai tivesse falecido, então, recebia a herança.

O Espírito de Deus é o grande *tutor* ou *guardião* das almas, conduzindo os homens através de muitas vicissitudes, levando-os a aprender com as suas experiências, dando-lhes oportunidade de ouvirem a mensagem espiritual, aplicando pressões sobre eles, aplicando-lhes os efeitos da missão de Cristo, tanto na terra como após a morte biológica segundo nos mostra 1 Pedro 4:6, devido à grande misericórdia de Deus.

A palavra latina *tutor* era um termo romano legal para

TYNDALE

indicar o guardião de algum menor de idade, que ainda não tinha chegado à idade suficiente para cuidar de sua própria vida. Essa palavra passou para o português exatamente com esse sentido. O termo grego *epítropos*, entretanto, também aparece em Mat. 20:8 (em nossa versão portuguesa, "administrador", e em Luc. 8:3 em nossa versão portuguesa, "procurador"), porquanto o termo grego tinha um sentido mais lato do que o termo latino *tutor*.

TYNDALE, WILLIAM

Suas datas foram 1495-1536. Foi reformador inglês. Traduziu a Bíblia para o idioma inglês. Nasceu perto da fronteira com o País de Gales. Morreu nas proximidades de Bruxelas, na Bélgica. Formou-se como Mestre em Artes, pela Universidade de Oxford, e tornou-se mestre-escola em Cambridge. Seu ideal era colocar o Novo Testamento na Inglaterra em números tais que "todo menino de arado" pudesse lê-lo e se tornasse mais profundo conhecedor das Escrituras que o próprio clero. Procurou arrastar o bispo de Londres em apoio ao seu projeto; mas esse bispo, embora fosse um humanista, também era habilidoso político, e pôde prever o conflito que tal projeto provocaria. Portanto, não prestou cooperação a Tyndale. Ademais, Tyndale estava sob a influência de Martinho Lutero, pelo que era uma figura que inspirava suspeita. Entrementes, ele deu início à sua tradução. Surgiram dificuldades, e ele foi a Hamburgo, e então a Wittemburgue, para fazer estudos mais avançados.

A impressão de seu Novo Testamento inglês começou em **1525**, mas João Doberneck, antigo deão da Igreja de Santa Maria, em Frankfurt am Main, conseguiu fazer a impressão estacar. E foi assim que a *Igreja* impediu a publicação do Novo Testamento! Além disso, Tyndale foi obrigado a fugir para Worms. Mas foi ali que foram impressas seis mil cópias de sua tradução. Foi lançada uma segunda edição, em 1534, e uma terceira edição, no ano seguinte. Cópias de sua tradução foram contrabandeadas para a Inglaterra. Mas o arcebispo Warham e o bispo Tonstall ordenaram que essas cópias fossem confiscadas e queimadas! E assim a *Igreja* queimou a Bíblia! Ato contínuo, Tyndale fugiu para Marlburgo, onde recebeu a proteção de oficiais. Tyndale chegou a defender idéias de Zwínglio acerca da eucaristia, e publicou várias obras teológicas. Tyndale viveu em meio a controvérsias, inclusive com Sir Thomas More. Tyndale, algum tempo depois, publicou uma tradução do Pentateuco. Mas, em maio de 1535, foi capturado em Antuérpia por oficiais de Henrique VIII, e foi encarcerado em Vilvorde, na Bélgica. Thomas Cromwell procurou salvar-lhe a vida, mas esses esforços deram em nada. Foi julgado sob a acusação de ser herege, foi condenado e sua "consagração foi-lhe suspensa. Foi então estrangulado, e seu corpo foi queimado na fogueira, em Vilvorde. Suas últimas palavras foram uma oração: "Senhor, abre os olhos do rei da Inglaterra". A *Igreja* havia acabado de fazer outra vítima.

Grande foi a influência de Tyndale sobre a literatura inglesa. Suas traduções foram usadas e incorporadas, pelo menos em parte, na Grande Bíblia, de Cranmer, em 1538; e então na King James Version, passando daí para as várias versões revisadas que se seguiram. Calcula-se que cerca de sessenta por cento do Novo Testamento inglês são provenientes do trabalho de Tyndale. Além dessa contribuição decisiva, a Parker Society publicou seus escritos coligidos, em três volumes.

1. Formas Antigas

fenício (semítico), 1000 A.C.   grego ocidental, 800 A.C.   latino, 50 D.C.

2. Nos Manuscritos Gregos do Novo Testamento

𝑣 ν ο

3. Formas Modernas

U *U* u *u*   U *U* u *u*   U *U* u *u*   U *u*

4. História

U é a vigésima primeira letra do albabeto português (ou a vigésima, se deixarmos de lado o *K*). Historicamente, deriva-se da letra semítica *waw*, «gancho». As letras F, V, Y e W também se derivam dessa consoante semítica. No grego, a letra teve a sua forma modificada, sendo chamada *úpsilon*, uma vogal com o som de «u». Os romanos alteraram sua forma para «V», mas preservando-lhe o som de «u». Todavia, a letra consoante W também tinha o som «u» para os latinos. Durante séculos, a letra romana «V» teve ambos os sons, mas no século X D.C., passaram a ser distinguidas as maiúsculas U e V. Por volta de 1500, surgiu a letra minúscula *u*, como letra separada do *v*. Essas duas letras, V e U, do latim passaram para muitos idiomas modernos.

5. Usos e Símbolos

Qualquer formato em U pode ser chamado pelo nome dessa letra, como uma curva em U, nas rodovias. *U* é o símbolo do *Codex 030*, que data do século IX D.C. Ver o artigo separado a respeito, em *U*.

Caligrafia de Darrell Steven Champlin

Reprodução Artística de Darrell Steven Champlin

Arte egípcia — um espelho de metal

U

U

Essa é uma abreviação quê representa o Códex Nanianus, um manuscrito grego dos séculos IX ou X, que contém os quatro evangelhos. Acha-se atualmente na Biblioteca de São Marcos, em Veneza, na Itália. Contém duzentas e noventa e uma páginas em velino, com letras maiúsculas douradas e outras cores, com propósitos decorativos. Também contém vários desenhos ilustrativos. Munter pôs em ordem esse manuscrito, em 1840; Tischendorf repetiu a tarefa em 1846; e Tragelles o fez em 1846. O manuscrito pertence à Família E. O Dr. Jacob Geerlings, meu professor e amigo, que ensinava na Universidade de Utah, fez um detalhado estudo sobre a Família E, em Marcos, Lucas e João, e eu fiz a mesma coisa quanto ao evangelho de Mateus. Minha publicação saiu em 1966 (*Studies and Documents*, Salt Lake City, impresso pela imprensa da Universidade de Utah), e as do Dr. Geerlings foram publicadas no ano seguinte.

A Família é um subgrupo de manuscritos relacionados que pertencem à tradição bizantina padrão (antiga). Nosso principal propósito foi o de reconstituir o arquétipo desse pequeno grupo de manuscritos (cerca de doze membros), o que foi feito com elevado grau de precisão.

UCAL

No hebraico, "sou forte". – De acordo com certas versões (mas não em nossa versão portuguesa), Ucal e Itiel seriam filhos, discípulos ou contemporâneos de Agur, aos quais este teria dirigido suas declarações oraculares (Pro. 30: 1). O nome Ucal não se encontra em nenhum outro trecho do Antigo Testamento. Já o nome Itiel aparece em Neemias 11:7, como um dos filhos de Jesaías, um benjamita. Nem a Septuaginta, nem a Vulgata Latina traduzem essas palavras-Ucal e Itiel-como nomes próprios. Por causa dessas e de outras considerações, alguns estudiosos eliminam, nesse trecho do livro de Provérbios, Ucal e Itiel como nomes próprios. Antes, rearranjam o texto hebraico, sem alterar nenhuma consoante, resultando naquilo que encontramos em nossa versão portuguesa, que acompanha versões estrangeiras, no tocante às três últimas palavras do texto hebraico: "Fatiguei-me, ó Deus; fatiguei-me, ó Deus, e estou exausto".

UEL

No hebraico, "vontade de Deus". Esse homem era filho (descendente) de Bani, da classe sacerdotal, e que se casara com uma mulher estrangeira na Babilônia. Terminado o exílio, de volta à Terra Santa, precisou separar-se dela (Esd. 10:34). No trecho paralelo de I Esdras 9:34, ele é chamado Joel. Viveu por volta de 445 a.C.

UFAZ

Uma palavra que, segundo muitos estudiosos, é uma forma corrompida de Ofir (vide). Trata-se de um nome que aparece por duas vezes no Antigo Testamento: Jer. 10:9 e Dan. 10:5.

Dali procedia ouro fino, certamente de origem aluvial. Um certo estudioso, D.J. Wiseman, pesquisando a etimologia dessa palavra, sugeriu que o termo nem mesmo indica um local geográfico, mas, antes, seria uma palavra técnica para indicar ouro refinado (ver NDB, pág. 1304). Uma outra sugestão é que essa palavra é uma corruptela de Ofir; e, de fato, a *Hexapla* síria diz Ofir, na primeira daquelas duas referências. Com base nisso, pode-se deduzir que a questão está longe de ficar inteiramente resolvida, permanecendo algumas dúvidas sobre o significado da palavra.

UGARITE

I. Identificação
II. Descobrimento
III.   Os Tabletes de Ugarite
IV. Revelações do Idioma
V. Religião

I. Identificação

Essa era uma antiga localidade da Fenícia, a moderna Ras Shamra, importante porto do norte da Síria, cerca de 90 km ao leste de Chipre. Essa antiga baía era chamada de Lukos Limen (o porto branco) pelos gregos. No início, era um centro de comércio na rota do Chipre à Mesopotâmia. Rigorosamente falando, a principal cidade na região localizava-se em Ras Shamra, mas havia outras habitações na área. Os tabletes encontrados contribuem para nosso conhecimento sobre a cultura da área, seu idioma, política, sistema jurídico, religião etc.

II. Descobrimento

Em 1928, um fazendeiro sírio acidentalmente descobriu as tumbas na região costeira do Mediterrâneo, na área diretamente oposta à ponta nordeste de Chipre. Os arqueólogos imediatamente suspeitaram que poderia haver um importante sítio da antigüidade esperando ser descoberto. As primeiras escavações em Ras Shamra ocorreram entre 1929 e 1939, e logo uma das mais importantes descobertas arqueológicas do século 20 veio à tona. Evidências surgidas indicaram que o local havia sido habitado em períodos tão remotos quanto o quinto e o sexto milênio antes de Cristo. Cinco diferentes níveis de ocupação foram identificados: a. neolítico; b. calcolítico; c. uma cidade cobriu a área do nível 3; o nível 4 foi chamado de Strata II e era pré-ugarítico; o nível 5 foi chamado de Strata I e aquela foi a época do florescimento da cultura ugarítica e o nível do qual se originaram os famosos Tabletes de Ugarite, ou de Ras Shamra.

III. Os Tabletes de Ugarite

Centenas de tabletes de argila foram descobertos em Ras Shamra durante o período de uma década inteira de escavações, iniciando em 1929. A maioria estava registrada em uma escrita alfabética de aparência cuneiforme que foi decifrada com sucesso sem a ajuda de um texto bilíngüe, sendo que o idioma era parecido com os idiomas cananeu, fenício e hebraico, do norte de Canaã. Os tabletes cobrem muitas áreas de conhecimento e cultura como épicos, textos litúrgicos, religiosos, mitologia e informações gerais sobre a cultura da época, em torno de 1400 a.C. Os tabletes têm grande valor para o entendimento dos povos ugaríticos da época e seus vizinhos, idioma, cultura, crenças religiosas, leis e ocupações, mitologias etc. Os épicos incluíam os relativos ao rei Niqmade II, que pagou tributos ao rei hitita Supiluliumas (1375-1430 a.C.); o épico relacionado a *Baal* descreve suas guerras contra outros deuses como Yam (o mar) e contra Mote (a morte). Ele buscou liderança suprema nos céus e na terra. Nesse épico, são vistas muitas noções religiosas, algumas das quais fazem paralelos às idéias e conceitos religiosos dos hebreus. O épico *Querete* fornece detalhes sobre um rei que conseguiu ser próspero e divino ao

518

UGARITE

mesmo tempo. Em uma época de medo, quando o rei temia por sua vida (ele havia perdido suas mulheres e não tinha herdeiro homem), El, o deus principal, apareceu e deu-lhe o conforto e as instruções necessárias para continuar sua vida. O homem então liderou campanhas militares de sucesso, conseguiu por mulher uma princesa, a filha de outro rei, e teve um herdeiro, que não foi, a propósito, o mais velho de seus filhos, sendo que o mais velho foi rejeitado, como acontece na história hebraica com Efraim, que recebeu a parte do leão da bênção em vez de seu irmão, Manassés, Gen. 48.24. O épico relacionado ao rei *Danel* (uma variante do nome Daniel) informa-nos como o filho daquele homem acidentalmente conseguiu um arco que de fato pertencia à deusa Anate. Ela apareceu e prometeu ao filho de Danel grandes riquezas, imortalidade e fama se ele entregasse o arco a ela. Ele deixou de reconhecê-la como deusa e recusou-se a entregar o arco, considerando suas promessas inúteis. Não desistindo, a deusa empregou um homem rude e violento para ir buscar o arco. Yatpun, o homem mau, bateu tão violentamente no filho de Daniel que, em vez de simplesmente derrubá-lo, o matou. A história pára aí, pois os tabletes que contavam o restante dela foram perdidos. Isso deixa à nossa imaginação a continuação de como o relato seguiria as veredas da vingança contra o homem mau por sua empregadora, a deusa. De maior interesse para os estudantes da Bíblia são as idéias sobre religião fornecida pelos tabletes, as quais resumo sob a seção V.

IV. Revelações do Idioma

O idioma dos Tabletes de Ugarite é o semita, desconhecido até o momento dessa descoberta. Ele foi facilmente decifrado por ser próximo à língua cananéia do norte da Palestina, e aos idiomas fenício, hebraico e aramaico. Esse grupo de idiomas pertence à família chamada de Semita do Noroeste. Foi desse ramo do idioma semita que surgiu nosso alfabeto. Ver o artigo separado sobre *Alfabeto*. Muitos usos e idéias hebraicas têm sido ilustrados a partir dos tabletes. Algumas porções da gramática e certas expressões hebraicas receberam iluminação. O idioma dos tabletes e o hebraico aparentemente compartilhavam as mesmas estruturas poéticas e dispositivos estilísticos. Algumas passagens anteriormente difíceis da Bíblia hebraica foram simplificadas através da comparação com o idioma dos tabletes. Um exemplo notável: a palavra *bamot*, que de modo geral significa "lugares altos" (valas sagradas nos montes), também podem significar as "costas" de um animal ou pessoa, mas isso não era sabido até a descoberta dos tabletes. Assim, em Deu. 33.29, que fala sobre os inimigos de Israel, "lugares altos" (*bamot*) provavelmente deve ser compreendido como esses invasores que andam em suas "costas". Há um número razoavelmente grande de outros auxílios no vocabulário que surgiram dessa descoberta.

V. Religião

Primeiro, temos de reconhecer que a antiga sustentação da religião semita passou por desenvolvimentos em cada cultura, de forma que o que queria se dizer por certo nome de um deus, ou idéia religiosa, com o passar do tempo, veio a significar coisas diferentes. *El* (o Poder) é um nome ugarítico comum para o principal deus dessa literatura, e um dos nomes hebraicos favoritos para Deus, como *Elohim* (a forma plural). Então havia muitas combinações de El tanto em nomes divinos quanto humanos. Exemplos: Dani*el* significa "Deus é meu juiz"; Rafael significa *curador divino*; outros nomes de anjos também incorporam o *el*, como Gabriel, Uriel, Miguel, Izidquiel, Hanael e Quefarel, cada um dizendo algo diferente sobre *El*. Gabri*el*, por exemplo, significa "homem de Deus". Claro, o El dos tabletes e El o da Bíblia Hebraica são diferentes: o primeiro é o deus-chefe de um panteão; o El hebraico é o Deus único.

Os deuses dos tabletes muitas vezes são personificações das coisas que o povo ugarítico temia ou admirava, como Mote (a morte), Yam (o mar) que assumem *status* divino nas mitologias desse povo. Baal representa a "vida" e, assim, está em conflito com Mote por supremacia. Na Bíblia, a morte é personificada, mas não ganha a estatura de um deus, apenas de uma circunstância que é comum à vida e com a qual se deve lidar, finalmente, para que a vida possa ser alcançada para o bem e para a vida eterna (I Cor. 15.26, 55; Apo. 20.14).

Os deuses dos tabletes são representados em termos humanos, tendo habilidades e profissões parecidas com as dos humanos, mas também poderes sobre-humanos de destruição e bênção. Hadade ou Baal Hadade é o poder que causa as tempestades; Yam causa a fúria do oceano; Ktar-wa-Khasis era um deus artesão que supria os outros com ferramentas úteis para o prazer ou para guerrear com outros poderes divinos. Yahweh, na Bíblia, é o General dos Exércitos, portanto às vezes é retratado como um deus da guerra, o que é verdade no caso das divindades ugaríticas. Yahweh também luta contra as forças caóticas da natureza como as *enchentes* (Sal. 29.10; 93.4; 98.8), ou as *águas poderosas* (Sal. 29.3; 77.19; Hab. 3.15). Então, o Monstro do Mar, o Levita (ver o artigo) não é concorrência para Yahweh, ou para aqueles favorecidos por ele. O nome ugarítico para ele é LTN. *Teofanias* (ver a respeito) de tempestades são comuns às duas culturas. Talvez a metáfora de Isaías sobre a Estrela do Dia (Isa. 14.12-15) seja uma reflexão de antigos símbolos semitas ou entidades divinas. Nos mitos ugaríticos, a estrela cadente é uma personagem demoníaca, a deidade caída *Athtar*, por exemplo, tentou roubar o trono de Baal mas foi derrubado, algo semelhante à história de Lúcifer, e então Satã do Novo Testamento (Luc. 10.18). Dou ilustrações suficientes para provar o ponto de que havia um histórico semita comum para os tabletes do Ugarite e partes da Bíblia hebraica, mas os tratamentos resultantes são diferentes, pois estamos lidando com culturas diversas que desenvolveram linhas muito diferentes. O *monoteísmo* hebreu (ver a respeito) transforma as forças de deuses menores em forças naturais, em vez de entidades divinas ou demoníacas. Esses tabletes, contudo, demonstram que as idéias dos hebreus não se desenvolveram em um vácuo. Havia influências culturais que eram tratadas de formas diferentes do que o que era feito por outras culturas. Tudo isso é para não esquecer da inspiração, que é um fato da vida humana e mais amplamente difundido do que nos atrevemos a acreditar. Há "poderes lá em cima" que podem e de fato inspiram a mente dos homens em todos os campos de conhecimento, não meramente o teológico ou religioso. É provável que muitas de nossas melhores artes, composições musicais e idéias científicas e invenções têm sido auxiliadas pela

ULA – ÚLTIMO DIA DA FESTA

inspiração divina. Um pouco disso opera, naturalmente, através de agentes de Deus, como os *anjos*, um tipo de palavra geral que significa poderes que não podemos ver com os olhos físicos, mas que são reais e às vezes se manifestam de alguma forma visível. Ver *Inspiração* e *Revelação* na *Enciclopédia de Bíblia, Teologia e Filosofia*.

ULA
No hebraico, "carga". Era um homem aserita, pai de Ara, Haniel e Rizia. Seu nome aparece somente em I Crô. 7:39. Ele deve ter vivido por volta de 1452 a.C.

ULAI
Na Septuaginta, **Oúlai**. Esse era um rio, ou então, mais provavelmente, um canal artificial de irrigação, perto de Susa, a capital da porção sudoeste da Pérsia, onde Daniel ouviu o som da voz de um homem, em uma visão (Dan. 8:2,16).

Atualmente, é muito difícil identificar esse lugar, devido às modificações topográficas, que podem ser muito rápidas e drásticas em terrenos de aluvião. Há estudiosos que sugerem que o atual alto curso do Kherlhah e do baixo curso do Karun, nos tempos antigos, formavam uma única correnteza, que desaguava em um delta, no alto do golfo Pérsico. O Ulai aparece em gravuras em alto relevo representando o ataque desfechado pelas tropas de Assurbanipal contra Susa, em 640 a.C. Com um sentimento sangüinário, próprio dos antigos monarcas sírios, esse rei afirma que avermelhou o rio Ulai com tanto sangue de seus inimigos mortos. O nome desse rio, nos tempos clássicos, era Eulaeus.

ULAMA
No árabe, "sábio", "erudito". O plural dessa palavra é *alim*. A palavra era usada como um substantivo coletivo para indicar os eruditos nas tradições e na lei canônica islâmica. O colégio dos dirigentes compõe-se dos *imams*, "sacerdotes", muftis; "expositores" e cadis, "juízes". E, coletivamente, são conhecidos como a *ulama*.

ULÃO
No hebraico, "primeiro", "líder". Alguns estudiosos também pensam no sentido de "solitário". Há dois homens com esse nome, nas páginas do Antigo Testamento, a saber:

1. Um homem manassita, cabeça de um clã dessa tribo (I Crô. 7:16,17). Era filho de Perez e irmão de Requém. Ele viveu em torno de 1400 a.C.

2. Um dos três filhos de Ezeque, que era cabeça de uma família benjamita, descendente de Saul através de Jônatas (I Crô. 8:39,40). O último versículo ajunta que Ezeque teve muitos filhos valentes, ótimos arqueiros, os quais também tiveram muitos filhos, em um total de cento e cinqüenta. O trecho de II Crô. 14:8 também menciona a existência de benjamitas arqueiros. Esse Ulão viveu por volta de 840 a.C.

ULCEROSO
No hebraico, *yabbal*. Esse vocábulo aparece somente por uma vez em todo o Antigo Testamento, em Levítico 22:22, onde lemos: "O cego, ou aleijado, ou mutilado, ou ulceroso" "não os oferecereis ao Senhor e deles não poreis oferta queimada ao Senhor sobre o altar". A úlcera, normalmente, é um tumor cutâneo benigno, mas o contexto daquela passagem refere-se a algum animal que estivesse com uma úlcera que supurasse, talvez uma forma de antraz. É que os animais oferecidos em sacrifício, ao Senhor Deus, não podiam ser defeituosos em nenhum sentido.

ULFILAS
Suas datas "aproximadas foram 311 - 383 d.C. Ele foi o apóstolo cristão enviado aos godos (os antigos povos germânicos; na Europa). Ele mesmo era godo, e nasceu próximo ao rio Danúbio. Ainda bem jovem, foi enviado a Constantinopla, onde se tornou um cristão de convicções arianas. Ver sobre o *Arianismo*. Quando estava com cerca de trinta anos de idade, foi enviado como missionário, com a posição de bispo, e ocupou-se em um ministério de evangelização e ensino por mais de quarenta anos, entre os godos. Ele e seus convertidos foram perseguidos pelas autoridades pagãs, e precisou fugir para o outro lado do rio Danúbio. Então Ulfilas e seus convertidos estabeleceram uma comunidade cristã, que serviu de veículo para a continuação da fé e dos labores deles.

Um importante aspecto do ministério de Ulfilas foi a tradução das Escrituras Sagradas para o gótico, a qual veio a ser uma das importantes versões antigas da Bíblia. Essa tradução fez o gótico tornar-se um idioma literário.

ÚLTIMA CEIA
Ver sobre **Ceia do Senhor**.

ÚLTIMAS SITUAÇÕES
Ver o artigo geral sobre **Jaspers**. Ele designava de "situações últimas" aquelas que determinam o destino, a liberdade e o ser histórico de um homem. Entre as maiores "situações últimas" estariam o nascimento, a morte, os sofrimentos, os conflitos e o senso de culpa. Ver o sétimo ponto do artigo acerca dele, quanto a detalhes sobre esse conceito.

ÚLTIMO, O GRANDE
Essa expressão era usada pelo filósofo chinês, Chou Tun-I, para indicar o Ser Supremo, ou Deus. Ver o artigo a respeito dele, mormente o seu primeiro ponto.

ÚLTIMO DIA DA FESTA
João 7:37: Ora, no último dia, o grande dia da festa, Jesus pôs-se em pé e clamou, dizendo: Se alguém tem sede, venha a mim e beba.

Ver João 7:37-52

O último Dia da Festa. Quando o festival religioso já se aproximava do fim, Jesus apresentou a mesma reivindicação que já fizera em Samaria, *Eu sou a água da vida, ou Eu sou a água viva*. Jesus já proferira a advertência de que a graça divina lhes seria retirada (vs. 34) e, em sua asseveração enigmática, deixara subentendido que a salvação da humanidade seria consumada em sua morte, ressurreição e ascensão, e que tal provisão divina poderia ser ignorada e rejeitada por homens dotados de vontade pervertida. Isso implicava a advertência profética do trecho de Isa. 55:6, que diz: "Buscai ao Senhor enquanto se pode achar, invocai-o enquanto está perto".

Porém, essas outras reivindicações apenas provocaram mais divisões entre o povo, o que, de resto, se tornou uma ocorrência comum. Os policiais do templo se justificaram à base de que Jesus era verdadeiramente

ÚLTIMO DIA – ÚLTIMOS DIAS

uma pessoa incomum, que proferia palavras profundas e convincentes e que uma aura de autoridade circundava a sua pessoa, o que não lhes permitiu aprisionarem-no. Os fariseus, por sua vez, repreenderam ironicamente aos policiais, afirmando que se haviam deixado iludir, juntamente com o povo comum. Mas eis que Nicodemos protestou contra o fato de um homem ser julgado sem que lhe tivesse sido dada a oportunidade de ser ouvido em uma defesa formal. Mas os fariseus voltam à carga e zombam também de Nicodemos, acusando-o de pertencer à mesma classe dos outros galileus, crédulos e desprezíveis como eram (ver João 7:50-52).

Esta seção identifica a água viva com as operações do Espírito Santo (ver o vs. 39), e isso serve ainda de outra ilustração do princípio que Jesus anunciara para a mulher samaritana, segundo podemos ler em João 4:10,14: A iluminação, a operação que transforma a alma e a regenera, finalmente, conduz o remido à experiência maravilhosa da glorificação, quando todos os redimidos haverão de participar da natureza e da vida divinas, tal como Cristo delas participa, elementos esses que nos chegam da parte de Cristo, por intermédio do Espírito de Deus.

No último dia, o grande dia da festa. Essa informação talvez aluda ao sétimo dia da festa, em que tinha lugar um cortejo com ramos de salgueiro, quando orações especiais eram feitas por sete vezes, ao redor do altar das ofertas queimadas; ou, segundo a opinião de outros estudiosos, pode ser uma alusão ao oitavo dia da festa, que era sempre observado em um dia de sábado, como também era o caso do primeiro dia da festa por ser um dia de convocação solene (ver Lev. 23:36 e Núm. 29:35). A maioria dos intérpretes opina preferencialmente em favor do oitavo dia da festa como a interpretação correta dessas palavras, posto lermos que foi o último dia da festa, sem falarmos no fato de que a versão da LXX (Septuaginta) se refere ao oitavo dia da festa como o "final". A única dificuldade que envolve a designação específica desse dia (sétimo ou oitavo) é que, durante os sete dias anteriores, antes do oitavo dia final, um sacerdote trazia água, em um vaso de ouro, tirada do tanque de Siloé, e então, acompanhado por um cortejo jubiloso, seguia até o templo, onde, diante do altar, despejava água sobre ele, juntamente com vinho, ao mesmo tempo que a cerimônia toda era acompanhada pelo cântico do Halel (Salmos 113 a 118). Essa cerimônia, evidentemente, comemorava a provisão de água, dada por Deus, quando a rocha foi ferida por Moisés; ou, talvez, fosse uma referência às chuvas providenciadas por Deus para que houvesse colheitas fartas no ano seguinte. Por esses motivos, as palavras de Jesus se coadunam melhor com as atividades do sétimo dia da festa.

Alguns intérpretes descrevem uma cena altamente emocional - dizendo que Jesus proferiu estas palavras: "Se alguém tem sede, venha a mim, e beba". no momento mesmo em que o sacerdote derramava a água sobre o altar, dessa forma, interrompendo a cerimônia e o cântico do Halel.

Porém, sem importar se isso expressa ou não a verdade (e sem importar qual o dia da festa em foco), o ensinamento continua sendo muito significativo, porque sem dúvida estariam bem cônscios da alusão de Cristo à cerimônia do derramamento de água e poderiam reconhecer a sua declaração, isto é, que de alguma maneira, ele asseverava ser pessoalmente mais importante do que aquela cerimônia da festa dos Tabernáculos. O autor sagrado, naturalmente, mediante o seu arranjo do material e mediante a interpretação dada (ver o vs. 39), deixou entendido que os elementos dessa festa eram meros símbolos da provisão de vida e bem-estar, que só nos pode vir por intermédio de Jesus Cristo. A festa toda era uma ocasião de intenso regozijo, pelo que também era dizer comum, entre os rabinos, que aquele que ainda não vira essas festividades não sabia o que é júbilo. Assim também, em Cristo, recebemos grande alegria, a saber, a alegria da alma, por causa das operações do Espírito Santo, na regeneração, por meio do que a própria vida de Deus é transmitida aos homens.

O último dia da festa dos Tabernáculos era denominado Dia do Grande Hosana, porque se fazia um circuito, por sete vezes, em torno do altar, ao mesmo tempo que todos clamavam Hosana! Mas outros chamavam-no de Dia dos Salgueiros ou Dia do Agitar dos Ramos, porquanto todas as folhas eram tiradas dos ramos dos salgueiros e as palmas das palmeiras eram batidas nos lados do altar, a fim de se despedaçarem.

É muito interessante a observação de que alguns escritos rabínicos associam essa cerimônia do derramamento de água, quando da festa dos Tabernáculos, com o derramamento do Espírito Santo.

ÚLTIMO TEMPO (ÚLTIMOS TEMPOS)

Ver os artigos intitulados **Escatologia** e **Últimos Dias**.

ÚLTIMOS DIAS

Ver o artigo geral sobre **Escatologia**.

Ver II Tim 3:1.

A expressão que aqui se encontra aparece somente nas "epístolas pastorais", em Atos 2:17 e em Tia. 5:1. Porém, expressa de maneira diferente, é de ocorrência comum. (Comparar com "último tempo", em 1 Ped. 1:5; com "fim dos tempos", em I Ped. 1:20; com "último tempo", em Jud. 18; com "nestes últimos dias", em Heb. 1:2).

Quanto a essa expressão, "últimos dias", vários são os usos que as Escrituras fazem dela, a saber:

1. Algumas vezes essa expressão indica "o dia do Senhor", que seriam os últimos dias, " que inscreverão o fim" sobre esta vida, mas que são o portal para o começo da vida vindoura. Contudo, essa expressão é ambígua. Assim é que, em Atos 2:17, lemos sobre os últimos dias ao passo que a profecia de onde ela é citada, isto é, Joel 2:28 e ss, diz "dia do Senhor". Isso pode indicar qualquer ocasião em que Deus fizer alguma obra especial, não necessariamente alguma obra de julgamento, apesar de que o julgamento com freqüência apareça associado a essa expressão.

2. Nos escritos judaicos, normalmente a expressão "últimos dias" alude aos dias finais desta dispensação terrena, imediatamente antes do primeiro advento do Messias, a fim de inaugurar a era messiânica.

3. Noutras ocasiões, nesses mesmos escritos judaicos, essa expressão indica a própria era messiânica.

4. Assim também, no cristianismo, veio a indicar a "era do evangelho", ou seja, a própria era cristã. Parece que tanto II Ped. 3:3,4 como Heb. 1:2 aplicam essa expressão à expansão inteira da era cristã.

5. Mas os cristãos primitivos normalmente viam essa era como necessariamente curta, pois eles esperavam o segundo advento de Cristo para quase imediatamente, ou, pelo menos, para o seu período de

existência terrena. Nesse caso, essa expressão assume a idéia dos "dias imediatamente anteriores" à *parousia* ou segundo advento de Cristo.

Em face do exposto, vê-se que essa expressão pode indicar tanto a própria era cristã como os dias imediatamente anteriores ao segundo advento de Cristo, ao mesmo tempo, já que, para os cristãos primitivos, esses dois pensamentos eram virtuais sinônimos. Ver I João 2: 18 e as notas expositivas no NTI ali existentes, onde se percebe que os dias em que viviam o autor sagrado e seus leitores eram tomados como os últimos dias no verdadeiro sentido de ocuparem o período imediatamente anterior ao segundo advento, ainda que, de fato fossem apenas o início da era cristã. Em I Tim. 12, bem como em I Tim. 4:1 e ss, os últimos dias, são estes dias de era cristã, embora compreendidos como os dias que precedem imediatamente a segunda vinda do Senhor. O fato é que os cristãos primitivos simplesmente não viam nenhuma longa "era da igreja". No tocante às próprias profecias, é possível que os autores sagrados acreditassem que aquilo que diziam estava tendo cumprimento, ou que em breve começaria a cumprir-se. Nas epístolas pastorais, por exemplo, a heresia gnóstica é amplamente referida nas passagens sobre a apostasia, como esta que ora consideramos. Contudo, com base na comparação com outros trechos bíblicos, sabemos que os cristãos primitivos esperavam uma "grande apostasia" naqueles dias que seriam verdadeiramente os "últimos". Não é necessário supormos que os próprios autores sagrados, em sua maioria, antevissem o cumprimento "a longo prazo" de suas predições.

6. Dentro dos escritos judaicos, a expressão "últimos dias" também se aplica ao reino milenar e ao juízo (ver Isa. 2:2-4; Miq. 4:1-7), um uso que não aparece no N.T. Essa idéia é declarada em II Ped. 3:10, pela expressão o "dia do Senhor".

Sobrevirão tempos difíceis, II Tim. 3:1. Notemos aqui o tempo futuro do verbo. O autor sagrado, mesmo que não tivesse sido Paulo, descrevia a sua própria época, mas de acordo com o ponto de vista de Paulo, ou seja, algo que para Paulo ainda era futuro. Além disso, porém, há aqui um genuíno elemento profético. A heresia do gnosticismo (vide) era suave e insignificante quando contrastada com as heresias futuras, que surgirão imediatamente antes da segunda vinda de Cristo. Então haverá uma apostasia de proporções gigantescas. Ver o artigo sobre Apostasia. O décimo terceiro capítulo do livro de Apocalipse descreve-a com detalhes. O próprio Satanás será adorado, por intermédio do anticristo. Portanto, no fim as coisas serão "piores", que é o sabor apocalíptico de várias passagens do N.T. O trecho de Apo. 6:19 nos dá, essencialmente, a descrição das condições que haverá naquele tempo; e o pequeno apocalipse do vigésimo quarto capítulo do evangelho de Mateus (igual, em todos os pontos essenciais, ao décimo terceiro capítulo do evangelho de Marcos), também descreve esse período futuro.

Tempos difíceis. No grego temos o adjetivo *chapelos*, que significa, "difícil", "árduo", dando a entender um período de "tensão", de "maldade". Aqueles tempos serão difíceis por causa das condições existentes no seio da igreja, produzidas pela apostasia, mas também por causa da grande tribulação que atingirá em cheio os crentes. Ver o artigo sobre a *Parousia*. Aqueles dias futuros também serão "difíceis" para os mestres cristãos. Mas isso é algo apenas implícito. Serão tempos "difíceis" para a igreja em geral. Notemos que este versículo favorece a idéia de que a igreja passará por esse tempo, e não que será livrada dele. Naturalmente, alguém poderia argumentar que a "apostasia" precederá à tribulação, o que daria margem a que a igreja continuasse na terra durante a apostasia, mas que ela seria arrebatada antes da grande tribulação. Respondemos, porém, que a real apostasia não se verificará antes da tribulação (ainda que antes da tribulação também haverá severo desvio), e, sim, "dentro" da tribulação, conforme se vê na sua descrição cronológica, no décimo terceiro capítulo do livro de Apocalipse. No segundo capítulo da segunda epístola aos Tessalonicenses também se verifica que a grande apostasia precederá imediatamente à "parousia" ou segunda vinda de Cristo.

ULTRAMONTANISMO

Esse termo vem do latim e tem o sentido de "além do monte". É usado para indicar algo que fica para além de alguma localização específica, ou de alguma situação local. A referência específica é aos montes dos Alpes, entre a Itália e a Suíça. Portanto, basicamente, está em foco alguém que vive para lá desses montes (o lado romano), contrastando-o com quem vive do lado de cá (não-romano: clamontano, este lado, não-romano dos Alpes). Essa palavra veio a indicar quem dá seu apoio à supremacia papal em oposição àqueles que queriam a autonomia para as igrejas nacionais. Esse termo deve ser contrastado com galicanismo, que comentamos em um artigo separado. Esse uso desenvolveu-se do fato de que, em relação à maioria dos povos europeus, os papas viviam além dos montes (ou seja, além dos Alpes). É o oposto do uso principal do termo, descrito acima, mas usado em oposição ao sentido da palavra galicanismo.

UM (UNIDADE)

Essa palavra portuguesa deriva-se do grego **oine** e do latim **unus**. Ver o artigo chamado **Número (Numeral, Numerologia)**. Esse artigo fornece detalhes sobre o pano de fundo da ciência e dos alegados significados dos números, bíblica e extrabiblicamente falando.

1. *Pitágoras*. O um e a díade eram considerados os geradores de todos os demais números. Pitágoras não sabia muito, mas parece que ele conseguiu antecipar a importância que a ciência moderna dá aos números, o que, finalmente, veio a ser comprovado pela teoria atômica.

2. *Platão*. Empregou e desenvolveu as idéias de Pitágoras. No artigo sobre os números apresentamos um relato sobre esse desenvolvimento. A partir de Platão, o princípio do Um mescla-se com as noções de beleza, verdade e bem, trazendo à superfície um eterno princípio de Unidade.

3. *Aristóteles*. Para ele, o Um referia-se ou ao que é naturalmente contínuo, ou ao princípio de totalidade, ou ao indivíduo, ou ao universo, como uma unidade.

4. *O Neoplatonismo*. Aqui o Um é o nome ou símbolo de Deus, que teria gerado o universo inteiro pelas emanações provenientes de sua realidade superessencial. Essa unidade é um conceito panteísta.

5. *Na Bíblia*. O número "um" na Bíblia é símbolo ocasional de unidade e de caráter ímpar. O Senhor Deus é o único Senhor" (Deu. 6:4). É o número do

monoteísmo (vide). A raça humana veio de um só homem, pelo que forma uma unidade (Atos 17:25). O pecado penetrou no mundo através de um único homem, Adão; mas outro tanto sucedeu no caso pelo que temos o primeiro Adão e o segundo (ou último) Adão (ver Rom. 5:12,15). Cristo ofereceu-se em um único sacrifício expiatório, suficiente para os pecados do mundo inteiro e de todas as épocas (Heb. 7:27). O Pai e o Filho são um só, em natureza e em propósito (João 10:30). Nos laços do matrimônio, o homem e a mulher, misticamente, e não apenas fisicamente, são um só (ver Mat. 19:6). No grande plano restaurador de Deus, finalmente tudo torna-se um em Cristo. Esse é o mistério da vontade de Deus e uma das nossas mais elevadas doutrinas (ver Efé. 1:9,10).

UMÁ

No hebraico, "união", "parentela". Esse era o nome de uma cidade do território de Aser, perto de Afeque ou Reobe. Atualmente ela ainda existe, com o nome de Alma, próxima de Ras Nakhura. No entanto, alguns manuscritos gregos e, portanto, da Septuaginta, dizem Aco, cidade que mais tarde mudou o nome para Ptolemaida, uma interpretação que tem sido aceita por muitos eruditos. O nome dessa cidade só figura em um trecho bíblico, Josué 19:30.

UMBIGO (Cordão umbilical)

No hebraico, **shor**, cujo sentido básico é "torcido". Essa palavra pode referir-se tanto ao umbigo quanto ao cordão umbilical. E também era usada no sentido comum de "cordão", "fio". Em Eze. 16:4, o sentido é o de "cordão umbilical" e, por extensão, indica o abdômen, porquanto o cordão umbilical está ligado ao abdômen (umbigo) do feto (ver I Reis 7:33). No décimo capítulo de Ezequiel temos um uso metafórico dessa palavra. O povo de Israel, em sua miséria, assemelhava-se a uma criança recém-nascida, sujeita à morte, sem que seu cordão umbilical tivesse sido atado. Se o cordão umbilical não for atado, o sangue arterial começa a drenar para fora do corpo da criança, e ela morre. Portanto, Deus tomou Israel como um nascituro abandonado, lavou-o e cuidou dele.

Usos metafóricos. O cordão umbilical é por onde os nutrientes chegam ao organismo do feto, podendo simbolizar essa idéia de transmissão de vida. Por outro lado, pode também ser emblema de uma dependência prolongada e exagerada de alguém de outra pessoa, condição ou coisa.

UBIQÜIDADE

Essa palavra deriva-se do latim, *ubique*, "por toda parte". Termo usado no século XVI, por Lutero, a fim de explicar seu ponto de vista da consubstanciação. Ver o artigo geral sobre esse assunto, bem como aquele chamado Eucaristia. Lutero defendia a presença real do corpo e do sangue de Cristo na eucaristia. E quando isso, obviamente, pareceu-lhe requerer a onipresença do corpo de Cristo, Lutero criou a monstruosa doutrina da ubiqüidade. E argumentou que o corpo de Cristo, em virtude de sua união com a natureza divina, adquiriu o atributo da onipresença virtual. Em outras palavras, mediante a vontade de Cristo (sempre que ele assim o desejar), seu corpo pode estar em todos os lugares ao mesmo tempo. A Fórmula da Concórdia, de origem luterana, incorporou essa fantástica teologia como seu sétimo artigo.

UM-ROSTO-VOLVERÁ

Em nossa versão portuguesa, essa palavra aparece exclusivamente em Isaías 7:3, como tradução bastante boa das palavras hebraicas *shear iashub*, que ali figuram.

Esse era o nome simbólico do filho mais velho do profeta Isaías (Isa. 7:3; cf. Isa. 8:18). Ele estava presente quando Isaías confrontou o rei Acaz, segundo se vê em Isaías 7:3. Seu nome simbolizava a mensagem entregue pelo profeta. O juízo divino, na forma de um exílio do povo, era um aspecto essencial da mensagem de Isaías, embora também houvesse a promessa da restauração de um remanescente purificado. A doutrina de um remanescente, ensinada por esse profeta, aparentemente formou-se durante o período inicial de seu ministério, porquanto aquele filho mais velho nasceu quase no início de sua carreira profética, o que é indicado pelo fato de que, por volta de 735 a. C., ele acompanhou seu pai àquele encontro com o rei Acaz. Ver sobre o Remanescente.

UNAMUNO, MIGUEL DE

1864 - 1936. Foi um filósofo espanhol, natural de Bilbao. Educou-se em Madri e ensinou em Salamanca, onde, finalmente, tornou-se reitor. Foi extraordinário mestre e escritor, e tornou-se um dos grandes homens de letras contemporâneos. De fato, era o homem mais universalmente lido em seus dias, embora nunca se tivesse afastado da Espanha. Também esteve envolvido na política, e o seu amor à liberdade e à independência fizeram-no cair em dificuldades com o governo. Nos últimos anos de sua vida, foi condenado a um período de prisão albergue, em sua própria casa.

Foi muito influenciado por Kierkegaard, e escreveu acerca dele antes desse filósofo dinamarquês vir a tornar-se conhecido fora de sua própria pátria. Com freqüência, é enumerado entre os existencialistas. Ver sobre o Existencialismo. Unamuno era um cristão devoto, embora não se tivesse identificado nem com os católicos, nem com os protestantes.

Idéias:

1. Ele concentrava sua filosofia sobre o homem como um ser concreto, dotado de corpo e sangue, não tanto como um ser pensante. Esse homem físico busca desesperadamente a imortalidade, e a sua carreira é assinalada pelo conflito. O ser humano enfrenta o grande desconhecido e precisa tomar decisões dependendo de sua própria vontade e de seus recursos.

2. O homem não pode depender somente da razão, a qual chega a decepcioná-lo e, naturalmente, volta-se para a fé. Mas a fé consiste somente na esperança de que a morte não significará aniquilamento. Destarte, o homem vive na tensão que se estabelece entre a razão e a fé. Sua vida é caracterizada pela agonia, pela paixão, pelo conflito e pela tensão. A esse pacto de elementos perturbadores ele chamava de "o trágico sentido da vida".

3. Para ele, o termo logos revestia-se de grande importância, embora ele não tivesse em mente o logos da filosofia ou da religião, e, sim, a expressão existencial íntima do homem de carne e sangue. Ele negava a possibilidade da obtenção da verdade objetiva, pelo que a crença verdadeira, por enquanto, deve ser suficiente para os homens. Mentiras são inventadas por homens que levam por demais a sério a si mesmos e a seus sistemas, que assim vão além daquilo que os homens podem realmente conhecer.

UNÇÃO

Escritos: *On Purism; Peace in War; Love and Pedagogy; Life of Don Quixote; Against This and That; The Tragic Sense of Life; Abel Sánchez; The Agony of Christianity; Saint Emanuel the Good.* Também foi um prolífico escritor de ensaios, sete volumes dos quais foram publicados.

UNÇÃO

No grego, **chrisma**. Esse substantivo aparece somente por três vezes em todo o Novo Testamento, sempre na primeira epístola de João: 2:20,27. O verbo *chrío*, "ungir", ocorre por cinco vezes: Lue. 4:18 (citando Isa. 61:1); Atos 4:27; 10:38; 11 Cor. 1:21; Heb. 1:9 (citando Sal. 45:8). Mas o adjetivo *christós*, "ungido", é usado por mais de quinhentas e quarenta vezes, desde Mat. 1:1 até Apo. 22:21.

Em todas as três ocorrências do substantivo, "unção", está em pauta a presença permanente do Espírito Santo com os crentes. O Senhor Jesus foi "ungido" com a presença do Espírito, que O capacitou para pregar o evangelho e realizar prodígios e milagres (Luc. 4:18). De acordo com as profecias bíblicas, o Messias (nome que procede do hebraico, correspondente em tudo ao termo grego Cristo, ou "ungido") era Servo de Deus por motivo de sua unção. O pensamento é reiterado em Atos 10:38. Por termos recebido o Espírito, também somos "cristos", ou "ungidos", segundo se vê em II Cor. 1:21,22: "Mas aquele que nos confirma convosco em Cristo, e nos ungiu, é Deus, que também nos selou e nos deu o penhor do Espírito em nossos corações". Hebreus 1:9 mostra-nos que a unção de Jesus, entretanto, era de um nível todo especial: "...por isso Deus, o teu Deus, te ungiu com o óleo de alegria como a nenhum dos teus companheiros". Ver também João 3:34.

A idéia de unção vem desde o Antigo Testamento, quando reis e sacerdotes recebiam a unção com óleo, literalmente falando, para ocuparem suas respectivas funções. Ver Exo. 40:13-15; Juí. 9:8; 1 Sam. 9:16. Já a unção dos profetas era dada diretamente por Deus, como uma operação espiritual. Ver 1 Reis 19:16 e, especialmente, Isa. 61: 1. Essa é a base da unção tanto de Cristo quanto dos crentes, com o Espírito Santo, conforme já vimos. No Novo Testamento, a única menção à unção literal é a de Tia. 5: 14, 15, mas onde o autor sagrado já usa uma palavra grega diferente, *aleipho*, "untar", "besuntar", quando diz, segundo a nossa versão portuguesa: "Está alguém entre vós doente? Chame os presbiterianos da Igreja, e estes façam oração sobre ele, ungindo-o com óleo em nome do Senhor".

Diversos vocábulos hebraicos são assim traduzidos, com raízes que significam "engordar", "esfregar", "derramar" e "ungir". No Novo Testamento temos *chrien*, "esfregar", "untar", e *aleifein*, "ungir". A idéia básica é a de esfregar com óleo (usualmente azeite de oliveira). Óleos eram especialmente preparados com essa finalidade, sobretudo se algum uso sagrado estivesse em pauta.

Pano de fundo: A prática da unção é antiqüíssima, podendo ser acompanhada até de culturas pré-hebréias. A prática pode ter surgido nas práticas nomádicas de sacrifício, como a de untar de gordura os potes totens, como parte de alguma refeição comunitária. Ou pode ter surgido com base em unções para fins medicinais, quando se esperava a cura. Várias formas dessa prática foram bem averiguadas na Babilônia e no Egito, antes dos tempos bíblicos. A unção de reis, sacerdotes, etc., eram formas comuns. Além disso, tal prática estava associada ao exorcismo e às cerimonias que preparavam os jovens para sua entrada na sociedade dos adultos.

Costume hebreu. No período pré-monárquico, temos em Gên. 31:13 o relato sobre como Jacó ungiu a coluna que erigira em Betel, aparentemente uma forma de dedicação. Durante a época dos juízes, a prática era usada por ocasião da consagração de governantes (Juí. 9:8,15).

Tipos de unção:

1. *De coisas*: Ver II Sam. 1:21 e Isa. 21:5, a unção de escudos, talvez a fim de consagrá-los para a guerra. O tabernáculo e seus utensílios foram ungidos, incluindo todos os seus móveis (Exo. 30:26-29; 40:94 1). O altar foi ungido (Êxo. 29:36), o que equivaleu à unção das colunas ou pilhas de pedras, que eram usadas como memoriais ou altares (Gên. 28:18; 35:14).

2. *De pessoas:*

a. Reis. O azeite era derramado sobre as cabeças dos reis como símbolo de sua consagração ao ofício. Sacerdotes ou profetas, como representantes de Deus, usualmente encarregavam-se do ato da unção. (I Sam. 10:1; 1 Reis 1:39,46; 19:16). A unção fazia do rei um servo de Deus. O rito da unção dos reis criou o termo "ungido do Senhor", que se tornou virtual sinônimo de "rei". (I Sam. 12:3,5; II Sam. 1:14,16; Sal. 20:6).

b. Sacerdotes. A unção de um sacerdote lhe conferia um ofício vitalício (Lev. 7:3 ss.; 10:7; 4:3; 8:12-30). Os sacerdotes eram consagrados ao Senhor para cumprirem os seus serviços.

c. Profetas. Elias comissionou Eliseu como seu sucessor por meio de unção (1 Reis 19.16) embora o próprio ato não seja literalmente historiado. A comparação do Sal. 105:15 e I Crô. 16:22 parece indicar que pelo menos alguns profetas foram ungidos, o que os consagrou como representantes de Deus para a promoção da mensagem espiritual.

d. De hóspedes e estranhos. A mulher ungiu os pés de Jesus, como sinal de respeito e hospitalidade (Luc. 7:38). Jesus frisou que Ele poderia ter sido assim honrado pelo Seu hospedeiro (Luc. 7:46), o que mostra que havia o costume de ungir os convidados. Seja como for, o costume era antigo, certamente não circunscrito à cultura dos hebreus. Trechos bíblicos como Sal. 23:5; Pro. 21:7; 27:9 e Sab. 2:7 podem ser alusões à prática.

e. Por razões estéticas e salutares. Os judeus ungiam-se quando saíam a visitar alguém, e também em muitas ocasiões ordinárias, talvez por higiene e para adornar a cútis, uma medida salutar e cosmética. (Deu. 28:40; Rute 13; II Sam. 14:2; Amós 6:6; Sal. 104:15). Os cabelos e a pele eram ungidos. Parece que a pele lustrosa era considerada bonita, e a crença dos antigos no valor medicinal do azeite indicava que tais unções eram medidas salutares, tal e qual se sucedia no caso da lavagem das mãos.

f. Dos mortos. Essa unção era feita após a lavagem do corpo. Talvez para refrear o processo da corrupção, mas o mais provável é que fosse um sinal de consagração do morto a Deus. (Núm. 5:22; Jer. 8:22; Mar. 14:1; Luc. 23:56).

Sentidos metafóricos:

1. Da unção do Espírito (Sal. 28:8; Hab. 3:13; II Cor. 1:22; I João 2:20:27).

2. Como termo técnico do Messias, pois Ele é, supremamente, "o ungido". Esse é o sentido da

UNÇÃO – UNGÜENTO

palavra "Cristo". Messias é uma transliteração do vocábulo hebraico que significa "ungido". No plural, "ungidos", a palavra veio a indicar os sucessores da linhagem real de Davi (Sal. 2:2; 18:50; 132:10). O esperado Messias foi assim designado por ser o mais digno dos sucessores de Davi, em Salmos de Salomão 17:36 e 18:8.

A unção separa a pessoa ungida para o seu ofício, falando sobre o caráter sagrado de sua chamada e comissão. Há aquele "óleo de alegria" para aqueles que cumprem bem a sua missão (Heb. 1:9). Assim são separados os homens para servirem a Deus (Rom. 1:1). Mas, em seu lado negativo, a prática da unção pode simbolizar o excesso de luxo (Amos 6:6).

Significado sacramental: Alguns intérpretes vêem um uso sacramental na unção, em Tia. 5: 14, nos termos de extrema unção (ver o artigo). As igrejas orientais continuam ungindo os enfermos em um rito formal, costume alicerçado sobre esse versículo. E outros grupos cristãos fazem o mesmo. (B E JP LAS S Z)

UNCIAIS

Esse termo é usado para contrastar certos manuscritos (escritos com letras maiúsculas) aos manuscritos chamados "minúsculos" (escritos com letras minúsculas). Ambos esses tipos de manuscritos eram escritos à mão (como é óbvio), mas o corpo (dimensões) de suas letras variava. "Uncial" significa "letra em caixa alta". É possível que esse adjetivo se derive do hábito de alguns publicadores romanos usarem doze letras por linha. Eles contavam doze polegadas para cada pé, como também doze onças para cada libra. A palavra latina *uncia* significava ou "polegada" ou "onça". E assim, os próprios manuscritos escritos com essas letras graúdas passaram a ser conhecidos como "unciais", enquanto os demais receberam o nome de "minúsculos". Quase todos os manuscritos do Novo Testamento até o século X d.C. eram unciais, mas, depois disso, a situação inverteu-se. Portanto, esses dois tipos de letras nos dão uma maneira aproximada de datar os manuscritos. Ver o artigo geral sobre os *Manuscritos da Bíblia*.

UNCIAL

Ver **Unciais** e o artigo geral sobre **Manuscritos Antigos do Novo Testamento**.

UNDERHILL, EVELYN (Sra. Stuart Moore)

1875 - 1941. Ela foi autora de importantes estudos sobre questões místicas. Foi poetisa religiosa de considerável habilidade, grande conhecedora de formas litúrgicas. Foi seguidora do anglicanismo, com simpatias por certos pontos distintos do catolicismo romano. Sua obra mais famosa é intitulada *Misticismo*, publicada pela primeira vez em 1911.

À medida que o tempo se passava, ela ia modificando alguns de seus pontos de vista, embora continuasse interessada por assuntos de ordem mística e tivesse continuado a publicar livros sobre esses assuntos. Seu poema religioso, Imanência, é reconhecido como obra-prima comparável aos escritos de poetas como Crashaw, Herbert e John Donne, grandes mestres da literatura inglesa. Underhill também escreveu estudos sobre místicos, conforme se vê em suas publicações intituladas *Concerning the Inner Life* e *Golden Sequence*. Era dotada de grande discernimento quanto ao sentido e às intenções da liturgia, embora não tivesse entendido a adoração livre dos grupos protestantes e evangélicos. Ver *Misticismo*.

UNGÜENTO

Esboço:
1. Termos Envolvidos
2. A Preparação de Ungüentos
3. Armazenamento
4. Valor
5. Usos dos Ungüentos
6. Usos Simbólicos
7. Cristo, o Ungido

1. Termos Envolvidos

a. *Shemen*, um termo hebraico que aparece em II Rei 20:13; Sal. 133:2; Pro. 27:16; Ecl. 7:1; Isa 1:6. Provavelmente, essa palavra indica vários tipos de óleo, embora usualmente esteja em foco o azeite de oliveira. Há outras referências veterotestamentárias, que as traduções têm traduzido de diversas maneiras, em um total de outras centos e oitenta menções.

b. *Roqach*, "composição", "ungüento". Êxo. 30:25, 35. *Roqach*, uma forma variante, aparece por oito vezes: Êxo. 30:25,33,35; 37:20; Ecl. 10:1; II Crô. 16:14; Eze. 24:10; I Crô. 9:30. Tratava-se de uma composição de elementos odoríferos.

c. *Múron*, "mirra". Uma palavra grega com freqüência traduzida como ungüento. Ver o artigo separado sobre *Mirra*. Esse termo grego foi usado por catorze vezes no Novo Testamento: Mat.26:7,12; Mar. 14:15; Luc. 7:37,38,46; 23:56; João 11:2; 12:3,5; Apo. 18:13.

2. A Preparação de Ungüentos

A base oleosa de quase todos os ungüentos referidos no Antigo Testamento era o azeite de oliveira. A isso adicionavam-se vários aromáticos, alguns deles importados (I Reis 10:10; Eze. 27:22). As principais especiarias assim utilizadas eram a mirra e o nardo (vide). Essas especiarias eram importadas da Fenícia em pequenos frascos de alabastro. A preparação de ungüentos era feita por profissionais que exerciam a atividade de farmacêuticos. Algumas pessoas envolvidas nessa atividade dirigiam ativos e extensos negócios. Às vezes, mulheres é que se mostravam muito habilidosas nessas misturas químicas. A arqueologia tem demonstrado que certos aromas são capazes de reter o seu poder odorífero durante muitos séculos, quando guardados em frascos bem fechados. Vasos de alabastro, encontrados no castelo de Alnwick, além de outros achados no antigo Egito, quando abertos, mostraram que seu conteúdo havia retido seus perfumes por mais de dois mil anos. Plínio informa-nos que a fórmula dos ungüentos requeria dois ingredientes principais: uma parte líquida e uma parte sólida. A parte líquida quase sempre era o azeite de oliveira, embora os egípcios também usassem óleos como o de rabanete, de colocíntidas, de sêsamo, de amêndoas, e até mesmo gorduras animais. As pessoas mais pobres usavam o óleo de mamona. A esses óleos e produtos graxos eram adicionados os ingredientes sólidos, como amêndoas amargas, anis, cedro, cinamomo, gengibre, mentol, rosa, sândalo, etc. Os trecho de Can. 1: 3 e 4: 10 trazem referências a certas substâncias odoríferas.

Não temos conhecimento completo sobre o modo de proceder exato para tais preparos. O azeite de oliveira era útil porque não se evapora facilmente. Eram usados vários processos de esmagamento. O pó

UNGÜENTO

era aquecido e então recebia a forma de bolas ou cones. No Egito havia uma guilda dos cozedores de ungüentos que se associavam aos barbeiros, farmacêuticos, médicos e sacerdotes. Nos dias de Neemias, eles tinham sua própria guilda. Na época de Jesus, essa profissão, com freqüência, tornava-se hereditária e era mantida como segredo de família. Visto que os produtos usados nessa indústria com freqüência eram importados, o preço dos ungüentos era elevado. Plínio revela-nos que os ingredientes eram fervidos juntos (112), e podemos supor que essa fosse uma prática universal.

3. Armazenamento

A fim de impedir a perda do odor, devido à exposição ao ar, e do volume, por causa da evaporação, os ungüentos mais caros eram armazenados em frascos de alabastro e caixas de chumbo estanques, que eram então guardados em lugares frescos. A arqueologia tem descoberto muitos desses vasos decorativos. Algumas vezes, eram usadas jarras de vidro, um tanto mais baratas. As tampas dessas jarras eram hermeticamente fechadas. Assim, quando alguém queria usar o ungüento, o gargalo fino dessas jarras tinha de ser partido. Ver Mar. 14:3.

4. Valor

Se alguém quiser saber algo sobre o valor dos perfumes, que indague a uma mulher. É admirável o quanto as mulheres estão dispostas a pagar por um bom perfume. Na antiguidade, os ungüentos chegavam a fazer parte de tesouros. Ezequias exibiu ungüentos em sua casa de tesouros, aos embaixadores babilônicos (ver II Reis 20:13). Esses ungüentos eram usados em lugar de dinheiro, e assim podiam ser usados para pagar dívidas de tributos (Osé. 12:1). Eram contados entre os artigos de luxo que foram denunciados pelo profeta Amós (6:6). Esse texto pode ser comparado com o trecho de Ecl. 7:1. Grande comércio cresceu em torno dos ungüentos. Judas Iscariotes queixou-se que o ungüento –desperdiçado na unção de Jesus poderia ter sido vendido por uma grande soma em dinheiro, que poderia ser distribuída entre os pobres (ver Mat. 26:9), circunstância essa que nos ajuda a entender o valor desse produto.

5. Usos dos Ungüentos

a. *Nas artes mágicas.* Os homens sempre se deixaram impressionar pelos ungüentos e seu grande valor, sendo apenas natural que os mesmos estivessem associados a práticas mágicas. Os médicos egípcios usavam ungüentos em conexão com seus ritos de cura, declarações mágicas e encantamentos. Um paralelo a esse costume era aquele de pintar o corpo dos pacientes. E nós, os cristãos, ungimos os enfermos com azeite, em consonância com o trecho de Tia. 5:14, embora sem imaginarmos que o azeite tenha qualquer propriedade mágica. Todavia, mesmo no mundo moderno, os ungüentos continuam sendo substâncias mágicas, pelo menos para certos povos mais primitivos. E na cristandade, o uso sacramentalista de líquidos retém um certo caráter mágico, de acordo com aqueles que rejeitam o sacramentalismo.

b. Nos ritos religiosos. Tal uso tanto era privado quanto formal (empregado pelos sacerdotes) entre os hebreus, até onde a história nos faz retroceder. Jacó consagrou uma pedra, em Betel, derramando azeite sobre ela (ver Gên. 28:18; 35:14). Era usado um azeite sagrado na consagração de sacerdotes, e do tabernáculo e seus móveis e utensílios (ver Êxo. 30:22-33). Certas regras foram ditadas a esse respeito (Êxo. 30:23-25,33). Profetas eram ungidos em reconhecimento de seu ofício divino, como se vê no caso de Eliseu (I Reis 19:16). Os reis de Israel também eram ungidos (I Sam. 10:1; II Reis 9:1-3). Portanto, o ato de ungir envolvia profetas, sacerdotes e reis. Cristo, o Ungido, está investido em todos esses três ofícios. Escudos e paveses também eram ungidos, em um ato de consagração, para proteção de seus usuários (ver II Sam. 1:21; Isa. 21:5). Algumas vezes, o processo da unção era acompanhado por alguma manifestação do Espírito Santo (I Sam. 16:13). O método de separação do óleo da santa unção é descrito em Êxo. 30:22-25.

c. Propósitos cosméticos. Os fortes raios solares do Oriente Próximo e Médio inspiraram o uso de óleos para tratamento e proteção da pele humana. Os egípcios tinham práticas elaboradas quanto a isso, empregando cremes, pomadas, ruges, talcos, pintura de olhos, esmalte de unhas, além de vários tipos de óleo, os quais, sem qualquer mistura, eram aplicados à pele. As pessoas mais idosas queriam ficar mais jovens, e as pessoas jovens queriam preservar sua aparência juvenil, principalmente no caso de mulheres, naturalmente. O papiro cirúrgico Edwin Smith, que data de cerca de 1500 a.C., fornece-nos uma fórmula que seria garantida para rejuvenescer pessoas idosas. Essa inverdade continua sendo pespegada às pessoas até hoje, mas as mulheres continuam acreditando nela. Plínio e Teofrasto escreveram ensaios referentes à manufatura de cosméticos. Ver o artigo separado intitulado *Cosméticos*.

d. Propósitos medicinais. A medicina antiga sempre esteve às voltas com itens mágicos e supersticiosos. Para muitos antigos, a unção com azeite não era apenas um ato simbólico. Assim, o azeite era usado para tratar ferimentos (ver Isa. 1:6 e Eze. 10:34), e, nos tempos modernos, óleos os mais variados têm sido usados à larga na medicina. Gileade era lugar conhecido por sua produção de um bálsamo com grande valor medicinal (Jer. 8:22). Também havia colírios (Apo. 3:18), e os enfermos eram ungidos com azeite (Tia. 5:14). Por conseguinte, parte de uma prática judaica foi transferida para a Igreja cristã, e assim nunca desapareceu.

e. Preparação para o sepultamento. Os cadáveres eram ungidos, embalsamados e envoltos em tiras empapadas em óleos (Gên. 50:2,3,26; Mar. 16:1). Pessoas ricas gastavam muito dinheiro com esses ritos, enquanto que os pobres tinham de contentar-se com a mera unção com azeite de oliveira.

f. Ritos de hospitalidade. Os servos tinham por tarefa ungir os convivas de um banquete, no Egito, na Assíria e na Babilônia. Além de óleos, também era usada água perfumada para salpicar nas vestes dos convidados. Jesus repreendeu a Simão, o fariseu, por ter deixado de prestar-lhe essa cortesia tipicamente oriental (ver Luc. 7:46).

g. Pagamento de dívidas ou de tributo. Visto que os ungüentos eram geralmente tão valorizados, algumas vezes eram usados com essas finalidades (ver Osé. 12:1).

6. Usos Simbólicos

a. Um sinal de alegria e satisfação (Sal. 45:7; Pro. 27:9; Isa. 61:3). b. Um sinal de hospitalidade (Sal. 23:5). c. Um sinal de prosperidade (Eze. 16:19). d. Um sinal de luxo e fausto (Pro. 21:17; Eze. 16:13). e. Um sinal de abundância (Deu. 32:13; 33:24). f. A ausência de unção simboliza tristeza e lamentação (II Sam. 12:20,21; Dan. 10:3), ou, então, de jejum (Mat. 6:16,17). g. Nos sonhos e nas visões, o ato de ungir

UNGÜENTO – UNIÃO COM DEUS

pode simbolizar a doação ou recebimento de autoridade espiritual, reconhecimento, o estado de alegria, vitória, ou a necessidade de curar ou ser curado.

7. Cristo, o Ungido

A palavra hebraica *messiah*, bem como a palavra grega *christós* significam, ambas, "ungido". Na qualidade de profeta, sacerdote e rei, Cristo é o maior de todos os ungidos, o Ungido por excelência. Ver os artigos Cristo e Messias.

UNI

No hebraico, "respondendo com Yahweh". Há dois homens com esse nome, nas páginas do Antigo Testamento, a saber:

1. Um levita que dirigia os cânticos dos cultos do tabernáculo, nos dias de Davi. Ele é mencionado em I Crô. 15:18,20. Viveu por volta de 1015 a.C.

2. Um levita que retornou do cativeiro babilônico para Jerusalém, em companhia de Zorobabel. Mencionado somente em Nee. 12:9. Viveu em torno de 536 a.C.

UNIÃO COM CRISTO

Ver o verbete **União com Deus,** que trata essencialmente do mesmo assunto que a União com Cristo. Além disso, apresentamos um minucioso artigo intitulado *Transformação Segundo a Imagem de Cristo*, que aborda detalhes de como o homem pode participar da natureza e dos atributos do Filho de Deus. A união espiritual é realizada através da transformação. A vida presente pode ver estágios preliminares dessa união, conforme foi sugerido no artigo sobre a *União com Deus*; mas somente na glorificação (vide) é que essa união será aperfeiçoada, e a glorificação será um processo eterno.

É claro que a salvação não consiste apenas em ficar alguém livre do pecado e ir viver algum dia, eternamente, no céu. A salvação também não consiste na participação da natureza dos anjos, o ponto máximo que atinge o ensino dos evangelhos sinópticos (ver Luc. 20:36). Em vários dos livros pseudepígrafos do Antigo Testamento, o recebimento da natureza angelical é o máximo de glória a que o homem pode aspirar, o que seria obtido no sexto céu. Mas o Novo Testamento, com a sua doutrina da transformação segundo a imagem do Filho, faz desse fato e desse evento o ponto culminante a que a alma humana remida pode atingir. Isso envolve a participação da natureza divina (e não da angelical; ver II Ped. 1:4), bem como da plenitude de Deus (ver Efé. 3:19), ou seja, de sua natureza e dos atributos resultantes.

Além dos verbetes mencionados, ver também *Visão Beatífica*, bem como os artigos gerais sobre o *Misticismo* e sobre o *Cristo-Misticismo*. Este último fornece informações sobre aspectos presentes da busca mística que redunda na união com Deus e com Cristo.

UNIÃO COM DEUS

O objetivo da busca mística, dentro da fé cristã, é a união com Deus. Há muitos objetivos secundários, como a iluminação da alma. A Visão Beatífica (vide) é uma expressão tradicional da união ideal com Deus. Muitas religiões incorporam esse ideal, tanto no Oriente quanto no Ocidente. "O neoplatonismo enfatizava a possibilidade, fazendo-a mediada através do Logos. De acordo com a fé cristã – e também com outras fés, a queda no pecado separou o homem de Deus. E a união é uma restauração, embora seja mais do que isso, visto que envolve o ideal de participação da natureza e dos atributos de Deus, sendo esse o nosso mais elevado conceito religioso. Deus é auto-existente e tem uma vida que não pode deixar de existir. Deus é independente, porquanto não depende de nenhum outro ser nem força para existir. Mas a alma humana é dependente, não tendo capacidade de existir por si mesma e tendo de depender de Deus para continuar existindo. A vida do homem não é necessária, pois pode deixar de existir. Mas Deus tem uma vida que é necessária. Deus não pode deixar de existir. Ora, a união com Deus confere ao homem a vida independente e necessária de Deus. O homem remido vem a participar dessa vida de Deus, porquanto recebe a natureza divina (ver II Ped. 1:4) e a plenitude de Deus (ver Efé. 3:19), a natureza divina em todos os seus atributos e em todas as suas manifestações. Isso ocorre através da transformação do homem interior segundo a imagem de Cristo, o Filho de Deus, o Logos encarnado (ver Rom. 8:29). E é o Espírito Santo quem transforma os remidos, mediante uma interminável série de estágios (ver II Cor. 3:18). Temos aí a glorificação (vide), que nunca chegará a estagnar e nunca chegará ao fim, pois seu escopo é ir aumentando cada vez mais. Passagens bíblicas como Gên. 1:26,27; Jó 3:14; Sal. 8:4 e Isa. 64:8 enfatizam a dependência do homem. A imagem de Deus, embutida no homem, está destinada a expandir-se, e essa expansão é a concretização da salvação, que haverá de prolongar-se por toda a eternidade futura, nunca deixando de operar.

De acordo com a fé cristã, essa união é mediada pelo **Logos**, o princípio do Filho, dentro da deidade. Os remidos são identificados com Cristo, o Logos encarnado, processo pelo qual os filhos estão sendo conduzidos à glória do Filho de Deus (ver Heb. 2: 10). A salvação tem por escopo a união com Deus, e não meramente o perdão dos pecados e um lugar melhor (celestial), isento de problemas e repleto de felicidade. Ver o artigo geral sobre a *Salvação*. Não é verdade, conforme afirmam equivocadamente alguns, que os homens podem ser unidos a Deus eticamente, mas não metafisicamente. Os versículos acima sugeridos referem-se claramente à união metafísica com Deus, mostrando que os remidos participarão da mesma essência de tipo de vida que Deus tem, posto que sempre em uma maneira finita. Contudo, essa finitude vai-se aproximando mais e mais da infinitude, a alma remida vai-se tornando cada vez mais parecida com Cristo, porquanto está em foco uma glorificação eterna e interminável.

Desde o presente há certa participação do crente da natureza divina, devido à união mística com ele; mas isso representa apenas os passos preliminares, aquele estágio que promete uma plena participação da natureza divina. Essa participação, posto que parcial, vai-nos transformando moral e espiritualmente. O artigo sobre o misticismo (vide) aborda toda essa questão. Paulo teve experiência com o "terceiro céu", posto que não tenha estado na presença mesma de Deus; mas isso resultou para ele em efeitos admiráveis, e podemos ter a certeza de que nunca mais Paulo foi o mesmo homem. Escritores cristãos como Agostinho, Bernardo de Clairvaux, Boaventura, Meister Eckhardt, São João da Cruz, Santa Teresa, Ramon Lull e Jacó Boehme experimentaram todos, em um grau ou outro (embora em essência a mesma coisa), uma profunda

UNIÃO DOS EGOÍSTAS – UNIDADE

união com Deus, algumas vezes com resultados simplesmente espetaculares. A Igreja Oriental busca a iluminação através da meditação o que, algumas vezes, produz a união preliminar com Deus. As religiões não-cristãs, naturalmente, também têm pensado que essa questão se reveste de fundamental importância.

Várias pessoas têm sugerido diretrizes quanto à união com Deus, e essa é a mensagem central do misticismo, sobre o que esta enciclopédia oferece um detalhado artigo. A tentativa quase sempre incorpora alguma forma de meditação e alguma busca por estados alterados de consciência. Sempre requer a pureza moral como condição fundamental, sem a qual qualquer busca espiritual séria é inútil, sem nenhum avanço. O êxtase místico é procurado como veículo da transformação mística. Mas todos esses estados, quando conseguidos pelo homem mortal, são limitados. A alma precisa libertar-se do corpo físico para que uma autêntica união com Deus possa tornar-se realidade. Isso não acontece automaticamente, ante a morte biológica do crente. De fato, faz parte da glorificação humana, que precisa atravessar muitas fases, durante um longo período de tempo (ver I Cor. 3:18). Na verdade, é mais correto dizermos que a glorificação é um processo eterno, e que a união com Deus é uma conseqüência desse processo.

UNIÃO DOS EGOÍSTAS

Esse assunto tem alguma importância no campo da ética. Alguns estudiosos têm proposto que o verdadeiro problema ético consiste em como todos os egoístas conseguem relacionar-se, em uma espécie de programa benéfico de dar e tomar. Fazer de um ser humano um ser altruísta é façanha impossível, e a liberdade e a expressão individuais precisam ser respeitadas. Por conseguinte, o ideal ético é uma união dos egoístas, não a eliminação do egoísmo.

UNIÃO HIPOSTÁTICA
Ver sobre **Unidade (União) Hipostática**.

UNIÃO PROSÓPICA
Ver sobre o **Nestorianismo**.

UNICÓRNIO

No hebraico, **reem**. A nossa versão portuguesa prefere pensar no "boi selvagem", e com toda razão, conforme veremos. Essa palavra ocorre por dez vezes: Núm. 23:22; 24:8; Deu. 33:17; Jó 39:9, 10; Sal 22:21; 29:6; 92:10 e Isa. 34:7. Sem dúvida, está em pauta aquela espécie de animal selvagem que, nas esculturas assírias, aparece com o nome de Rimu. Provavelmente, corresponde ao auroque, também conhecido como bisão europeu, uma espécie extinta.

Naquelas referências bíblicas, esse animal é descrito como forte, corpulento e feroz. Não era possível amansá-lo, para que ajudasse ao homem em seus labores agrícolas. Em vista de sua ferocidade, até mesmo caçá-lo era uma empreitada perigosa. O unicórnio, por sua vez, nunca existiu, senão nas lendas antigas. Ele era concebido como um animal bem menor que o touro, dotado de um único chifre, no meio da testa. Portanto, a nossa versão portuguesa mostra-se correta ao preferir "boi selvagem", e não "unicórnio". Ver também o artigo sobre *Boi Selvagem*.

UNIDADE (UNIÃO)

Nesta enciclopédia, oferecemos vários verbetes que tratam de vários aspectos da unidade. Ver *Unidade da Fé*; *Unidade da Raça Humana*; *Unidade de Tudo em Cristo*; *Unidade em Cristo*; *Unidades*; *As Sete Unidades Espirituais*; e *Restauração*, verbetes esses que aludem à unidade final que será formada em torno do logos. Ver também *União com Deus* e *União com Cristo*.

UNIDADE, AFINAL, DE TUDO NO LOGOS

Ver os verbetes *Unidade em Cristo*; *Unidade de Tudo em Cristo*; *Universalismo* e *Restauração*.

Uma Visão da Afirmação

Uma experiência visionária que ilustrou o *Mistério da Vontade de Deus* (vide).

Comecei a sentir aquela sensação de antecipação, agora familiar. Minha alma estava em paz com Deus, consigo mesma, e com o mundo. Estava na minha sala de visita, esperando o que me seria revelado e soube que não ia demorar muito. De súbito, um vale preto foi aberto diante de mim, e antes de poder registrar qualquer coisa mentalmente, eu fui nele absorvido. Uma iluminação mental informou-me imediatamente que o vale simbolizava a essência da rebelião, do pecado e da morte. O lugar não tinha, absolutamente, cor alguma, mas foi encoberto por cinzas, pretos e sombras sinistras. Montanhas altas e abruptas fecharam o vale e elas foram cobertas por nevoeiros tristes, porque suas formas não foram distintas. Eu fui obrigado a andar através do vale, e quando comecei, seu terror cobriu minha alma. Seus elementos sombrios se estenderam como coisas vivas e me agarraram. Eu senti as minhas forças vitais serem estranguladas dentro de mim. As essências melancólicas do vale foram me sufocando como se fossem tantas criaturas nojentas, cujos tentáculos me seguraram e oprimiram. Eu comecei a visionar a morte e a destruição das eras. Vi agressões intermináveis, a marcha de imensas multidões de tropas e ouvi o trovão blasfemo de armas e bombas. Corpos apodrecendo, massas de lixo e milhares de coisas imundas emanavam odores repugnantes que assaltaram os meus sentidos. Testemunhei inumeráveis mortes e ouvi os soluços dos desolados. Um desespero me engolfou.

De súbito, da extremidade do vale, vi uma bola gigante de fogo emergir. Sua radiação de luz, até daquela distância, era uma visão assustadora. Mas eu sabia que não tinha nada a temer daquele fogo. Em alegria, observei a bola de fogo consumindo cada coisa miserável do vale. Então o fogo se difundiu em luz e calor radiantes que engolfaram toda a minha visão. O próprio vale foi consumido e eu com ele, porque senti a desintegração de cada célula do meu ser.

A fúria de um vento ardente levou-me para cima e além, e eu cheguei a descansar num lugar de paz. Uma luz dourada abraçava tudo que é ou pode ser, formando uma unidade harmoniosa. Eu sabia que o fogo que tinha consumido o vale e a luz áurea de paz foram aspectos da mesma força. Além do desespero, da contenda, da complexidade e da dispersão, existe um só Deus, misterioso nas suas operações. Eu sabia que todas as coisas e todos os seres devem chegar afinal a descansar Nele, porque não podem existir fragmentos isolados do Total. Objetos de beleza estupefaciente passavam diante dos meus olhos, cristais intricados, diamantes que captaram todos os arco-íris, cálices ornados, todos brilhando com um resplendor sobrenatural.

UNIDADE – UNIDADE DA FÉ

Para a minha surpresa, o brilho áureo se formou num círculo giratório furioso. Eu observava pasmado, porque sabia que alguma grande mensagem ia ser comunicada por essa roda de luz. Eu vi todas as nações, raças e povos de todos os tempos, varridos para dentro do giratório, enquanto ganhava assustadoramente em velocidade. A roda radiante parecia esticar-se até a infinidade. Ao longo de suas bordas, eu vi os símbolos de todas as religiões e filosofias do mundo. Cada símbolo mantinha sua independência, a despeito da velocidade da rotação da roda. Cada um convidou-me com uma força compelativa. Precisamente no momento que ia ceder-me as suas chamadas, eu vi as deficiências de cada um e retirei-me. Então, a roda radiante ganhava mais e mais velocidade. Os símbolos não foram capazes de manter sua independência e assim todos eles foram absorvidos no giratório do brilho áureo. Tudo foi inundado com o calor de bondade e amor, e uma unidade abençoada reinava, afinal. Naquele instante, eu sabia: Foi aquela Unidade que eu tinha almejado e procurado toda a minha vida. Esta foi a essência da minha busca, embora não soubesse o que era que eu procurava.

Um amor todo-acolhedor, Deus como fogo no vale, Deus na roda áurea e brilhante, e descanso em um Deus, afinal.

A iluminação que se seguiu

A visão falou da morte e de um renascimento final para todos. Foi-me mostrado que todos os nossos sistemas são incompletos e devem ser absorvidos, afinal, numa Grande Unidade. A visão não tinha a intenção de ensinar que não devemos ser parte de um sistema, mas mostrou, meramente, a natureza fragmentária e transitória das nossas teologias e filosofias. De fato, a maior força na terra hoje é a cristoconsciência, e foi lá que o Logos implantou suas sementes mais vigorosas. Esta força dirige-nos na direção da Unidade, embora, no estado atual das coisas, ela possa habitar em diversos sistemas distintos. Paulo, inspirado, ensinou a substância daquilo que agora declaro:

"Considere o mistério da vontade de Deus, isto é, o que Ele pretende realizar, afinal. Ele tinha um propósito na missão de Cristo, e aquele propósito estava envolvido neste mistério. Ele tinha um plano, e a realização daquele plano é a substância do mistério. Quando todas as eras do tempo tiverem contribuído com sua parte, uma nova ordem de existência resultará. Esta Nova Ordem será uma Unidade todo acolhedora, uma Unidade de todos os seres e de todas as coisas em Deus". (cf. Efé. 1:9,10).

Quanto à minha avaliação sobre o Universalismo (vide), o leitor deveria consultar o verbete, que é bastante pormenorizado, nas seções IV e V.

UNIDADE DA FÉ
I. Uma Declaração de Importância

Efé. 4:13: *até que todos cheguemos à unidade da fé e do pleno conhecimento do Filho de Deus, ao estado de homem feito, à medida da estatura da plenitude de Cristo;*

Essa é uma das grandes declarações do N.T. no que concerne ao alvo vital e ao sentido do evangelho, o que sem dúvida ultrapassa os meros aspectos iniciais do perdão dos pecados e da futura transferência para os céus, ao que o evangelho geralmente vem sendo muitas vezes reduzido. Essa é uma declaração similar a outras fortes afirmativas, a saber:

1. A conformação à imagem de Cristo, mediante o propósito da predestinação (ver Rom. 8:29). Ver o artigo sobre a *Transformação Segundo a Imagem de Cristo*.

2. A participação da vida necessária e independente de Deus, ou seja, haveremos de compartilhar do mesmo "tipo" de vida que Deus tem, do que os anjos não participam por terem uma vida dependente (ver João 5:25,26 e 6:57).

3. A transformação do crente segundo a imagem de Cristo, de um estágio de glória para outro, através do Espírito Santo (ver II Cor. 3:18).

4. A condução dos filhos de Deus à glória, para que se tornem membros da divina família, sejam filhos tal como o Filho é e compartilhem com ele de sua natureza e herança (ver Rom. 8:14-17 e Heb. 2:10).

5. A participação na plenitude da divindade, tal como o próprio Cristo, o Deus homem, está completa nessa plenitude (ver Col. 2:19,10).

6. A participação de "toda a plenitude do próprio Deus Pai", (ver Efé. 3:19).

7. A participação da natureza divina (ver II Ped. 1:4).

Até. Provavelmente essa palavra não foi usada para distinguir a vida presente, na igreja, da vida futura nos lugares celestiais e, sim, para incluir ambas as idéias. Todos os aspectos da edificação, do processo de aperfeiçoamento fomentado no presente pela administração dos dons na igreja, visam à unidade final da fé, o pleno conhecimento do Filho de Deus, a ampla participação de tudo quanto ele é e possui, isto é, a sua "plenitude". Esse processo de aperfeiçoamento é aquilo que continuamente nos preenche mais e mais com a plenitude de Deus; mas, posto que Deus é infinito, a eternidade futura inteira se caracterizará por um preenchimento contínuo, pois no céu não há estagnação. A própria vida, em sua essência e caráter, consiste na inquirição eterna para que sejamos cheios de Deus a fim de que tenhamos sua natureza, sua santidade e sua plenitude.

Todos. Esse termo aponta para os crentes e remidos de todas as eras. No original grego temos a expressão "o todo", o que torna essa expressão coletiva e universal. Não diz, "todos nós", e, sim, "o todo". Devemos observar que crentes individuais isolados não poderão obter o elevadíssimo alvo aqui apresentado. A igreja inteira é que atingirá tal alvo. Somente a edificação e o desenvolvimento mútuos nos levarão a esse clímax espiritual. Meu progresso depende do progresso da comunidade cristã inteira, e o progresso da igreja depende de mim, por sua vez. Todos nós perfazemos o corpo único, o único organismo, e o crescimento se dá por igual. Não poderei atingir a perfeição e a completa glorificação até que todos os membros do corpo participem disso comigo. E esse é um poderosíssimo argumento em favor da necessidade de edificação mútua.

II Unidade da Fé: Definições

1. Não está em foco "a total harmonia em torno de proposições de fé", o acordo sobre em que deve consistir o "corpo de doutrinas". Deus cuidará das nossas "crenças"; mas não é isso que se destaca aqui, porquanto a palavra fé raramente tem a idéia de um conjunto de doutrinas, nas páginas do N.T. (ver I Tim. 1:2).

2. Pelo contrário, conforme é usual nos escritos de Paulo, devemos entender aqui a "fé salvadora". Assim

UNIDADE DA FÉ – UNIDADE DE TUDO

sendo, essa expressão significa "...até que todos nós cheguemos 'àquela unidade para onde nos conduz a entrega de alma' (ou fé) a Cristo".

A fé é o instrumento da salvação, e vivemos de fé em fé. Na fé é que entregamos a alma eternamente às mãos de Cristo, pois a fé é essa entrega. Porém, tal entrega se manifesta em diversos graus. Na experiência da igreja cristã, coletivamente, essa entrega será enfim absoluta, todos os remidos se entregarão de modo total e igual a Cristo, chegando àquela grande unidade que é o objeto de tudo quanto ocorre na igreja. Dentro dessa unidade, pois, os homens chegam à perfeita harmonia com Deus e seu Cristo, ficando removidos então todos os elementos separadores e alinhadores, o que significa que uma completa comunhão com o Senhor e com os irmãos será atingida, além de recebermos total benefício espiritual da parte do Senhor. Essa unidade é a finalidade mesma do mistério da vontade de Deus (ver Efé. 1:10). Isso se concretizará, primeiramente, no seio da igreja (ver Efé 3:3), quando ela se tornará o modelo de como Deus haverá de restaurar todas as coisas em Cristo, fazendo tudo entrar em harmonia com ele, por ser ele a cabeça de todos os mundos e de toda a criação.

Já existe no momento uma certa unidade criada pelo Espírito, a qual deve ser preservada por nós e aplicada no âmbito da igreja local (e essa é a mensagem clara desta seção inteira, "a começar pelo primeiro versículo, até o versículo décimo sétimo de Efé. 4). Porém, haverá aquela completa realização da unidade, a total restauração em Cristo, a perfeita harmonia com ele, como se fosse um corpo com sua cabeça; e esse é o aspecto final da unidade (o cumprimento da vontade de Deus), para o que o presente versículo aponta.

"Essa frase com freqüência tem sido mal-entendida na prédica e no ensino cristãos. Muitos eruditos acham que está em foco o exclusivismo da ortodoxia, uma unidade de um grupo fracionário de cristãos que aceitam uma formulação comum de confissão teológica". (Wedel, *in loc*.).

E prossegue o mesmo autor: "Não precisamos subestimar a ortodoxia. Essa palavra significa "crença correta". A fé cristã requer a crença correta, bem como formulações intelectuais corretas, e não errôneas, sobre o evangelho. A heresia foi e é, conforme esta epístola (aos Efésios) não tardara a demonstrá-lo (ver o décimo quarto versículo), um perigo constante para a igreja".

A unidade da fé aqui, entretanto, significa claramente aquela unidade exigida 'pela fé' em Cristo.

3. Fé em Cristo leva o homem a participar de tudo que o Cristo é, conforme o esboço oferecido nos pontos 1 a 7. Nestas realizações, participamos da estatura da plenitude de Cristo.

UNIDADE DA RAÇA HUMANA

Atos 17:26: *e de um só fez todas as raças dos homens, para habitarem sobre toda a face da terra, determinando-lhes os tempos já dantes ordenados e os limites da sua habitação.*

Ora, a *unidade da natureza humana* era uma doutrina fundamental do estoicismo, como também era aceita pelos cínicos. Estes últimos rejeitavam as identificações nacionais como algo válido, afirmando que todos os homens são cidadãos do mundo. Já na mitologia, representada por diversas culturas, fazendo contraste com essa posição, apresentava várias e distintas origens para as diversas raças humanas. Os atenienses, por exemplo, tinham um mito de que haviam "nascido por si mesmos", como se tivessem se originado da terra espontaneamente, como se fossem um feixe ou alguns rabanetes. Não é muito provável, entretanto, que a maioria da população ateniense nos tempos de Paulo levasse a sério esse mito. Não obstante, havia uma aguda distinção que os atenienses comuns faziam entre eles mesmos e os bárbaros.

A declaração do apóstolo Paulo, pois, atacava na raiz o exclusivismo grego, em qualquer expressão em que esse sentimento porventura se manifestasse; e também não perdoava o orgulho racial dos judeus, que sempre reputou as demais nações como pagãs e inferiores, isso para expressar de maneira suave os pensamentos dos judeus a respeito. (Para uma nota expositiva sobre a profundidade do exclusivismo judaico e seu ódio contra os gentios, ver o trecho de Atos 10:28 no NTI).

Alguns intérpretes têm considerado que a menção da identidade de sangue antecipou o conceito científico. Esses imaginam que Paulo tivesse querido dizer que a composição química do sangue é exatamente igual em todos os homens. Mas essa suposição é impossível. Pois, em primeiro lugar, conforme esclarecemos abaixo, a palavra "sangue não faz parte do texto original; e, em segundo lugar, ainda que assim fosse, não poderia ter esse sentido científico, porque, para os antigos, o vocábulo "sangue" era usado como sinônimo de raça, de origem, nada tendo a ver com as propriedades químicas do sangue. (Para uma ilustração sobre esse significado, ver as citações abaixo). Na Ilíada de Homero (ver *Aen*. vi. verso 211), lemos: "Glorio-me de pertencer àquela mesma raça e sangue".

Por igual modo, Virgílio (ver Aen. viii. ver. 142) declarou: "Sic genus amborum scindit se sanguine ab uno", que quer dizer: "Assim sendo, ambos os nossos ramos de nascimento, origem, se dividem de um só sangue".

Essas citações capacitam-nos a ver que, desde os tempos mais remotos, a palavra sangue era empregada com o sentido de "raça" ou "origem".

Do ponto de vista teológico dos judeus, esse argumento equivale a dizer que todos os homens descendem de um único genitor, conforme também declara o livro de Gênesis, o que significa que todos os homens têm uma origem comum. Ora, isso é um fator que une os homens, pondo-os em posição de igualdade aos olhos de Deus, declarando que a providência divina está igualmente interessada em todas as raças. Isso, por sua vez, concorda com o tema lucano da universalidade do evangelho, tema esse tão insistentemente enfatizado na narrativa da obra dupla: Lucas-Atos. O evangelho destina-se a todos os homens, sem nenhuma distinção de raça.

UNIDADE DE TUDO EM CRISTO
I. A Restauração Geral

Ver o artigo sobre *Restauração*; nisto temos a unidade de todas as coisas, afinal, segundo o Mistério da Vontade de Deus, Efé. 1:9,10,23.

II. A Unidade Espiritual de Todos os Remidos em Cristo, Efé. 2:11.23

Paulo descreve, por toda a seção doutrinária, dos capítulos primeiro a terceiro de Efésios, algo sobre o grande desígnio do *mistério da vontade de Deus*, que aparece em Efé. 1: 10, e que consiste na total unidade e

UNIDADE DE TUDO – UNIDADE EM CRISTO

na restauração de tudo em Cristo Jesus. Já no princípio desta epístola (ver Efé. 1:23), Paulo demonstrara o fato admirável de que todos os seres inteligentes e criados são encabeçados pelo homem que ocupa a posição mais elevada nessa unidade e restauração, como a "plenitude de Cristo, aquele que preenche tudo em todas as coisas", ou seja, que é "tudo para todos". Ora, isso não pode ser dito com respeito aos anjos, e eles jamais são chamados de "filhos" (pelo menos no N.T.). Por conseguinte, os remidos participam da família divina, sendo filhos de Deus que estão sendo conduzidos à glória (ver Heb. 2: 10), a fim de participarem da natureza e da herança do próprio Filho de Deus, o Senhor Jesus.

No segundo capítulo desta epístola, Paulo ainda não chega a discutir com clareza a questão da igreja cristã como uma entidade separada da antiga Israel espiritual; antes, mostra ali haver indiscutível unidade entre judeus e gentios, o que serve de exemplo e ilustração de tudo quanto Deus fará universalmente, afinal, quando o mistério de sua vontade estiver completamente cumprido. Portanto, esta seção de Efé. 2:11-22 salienta a unidade espiritual da humanidade, conforme ela se manifesta no seio da igreja. Ao terceiro capítulo desta epístola cabe exibir o "mistério da igreja". Revelações mais profundas sobre essa comunidade espiritual sem-par são dadas aí.

O grande desígnio de Deus, de juntar todo o universo criado em uma unidade total, é prefigurado por aquilo que está acontecendo no seio da igreja; de fato, tal desígnio já teve início nessa comunidade dos remidos. Ora, essa unidade espiritual da igreja é produzida, tal como todos os avanços e bênçãos de natureza espiritual, pela operação do Espírito Santo. No presente capítulo, vemos o Espírito do Senhor como o poder divino que habita em um templo; e esse templo é a congregação viva dos remidos em Cristo. O Espírito Santo, que em nós habita, leva a comunidade espiritual inteira a reconhecer ao Senhor Jesus como seu Cabeça, unindo-se a ele, exatamente aquilo que enfim ocorrerá no caso da criação inteira, porquanto todos os seres criados lhe prestarão obediência (ver Fil. 2:9-11). Ora, dentro dessa unidade da humanidade já temos começado a perceber que a posição e os privilégios da igreja ultrapassam aquilo que foi conferido à nação de Israel; e essa verdade se torna ainda mais evidente no terceiro capítulo desta epístola, em que o tema da "igreja" é desenvolvido ainda mais.

Não era nenhum mistério o fato de que os povos gentílicos também seriam salvos, porquanto isso foi predito desde o A.T. Mas o fato de que Deus traria os gentios para o seio de sua igreja, elevando-os à natureza do próprio Filho de Deus, é que era uma doutrina desconhecida nos tempos do A.T., e nem ao menos podia ser imaginada.

Os versículos décimo primeiro a décimo terceiro deste capítulo dão prosseguimento aos conceitos emitidos nos versículos primeiro a sétimo; contudo, mostram-nos tanto que a alienação chegou ao fim quanto o fato de que essa reconciliação produziu uma unidade da comunidade espiritual que transforma em um só os povos gentílicos e os judeus. Devemos observar que Paulo não considera aqui os crentes como situados nos lugares celestiais, segundo se vê nos versículos sexto e sétimo deste capítulo; antes, dá a entender que a presente unidade já é uma realidade espiritual.

Uma vez mais o apóstolo Paulo lembra os crentes efésios da posição anterior deles, no paganismo, em que paixões e concupiscências tinham reduzido esta terra a um quadro do inferno. Era conveniente que aqueles crentes não se olvidassem disso, à medida que ele desdobrasse perante eles as glórias da redenção no sangue de Cristo.

*Naquele duro mundo pagão caíram
Desgosto e nojo secreto;
Profundo cansaço e paixão arraigada
Fizeram da vida humana um inferno.
(Matthew Arnold)*

Antes de sua conversão, aqueles crentes tinham estado *mortos* (ver Efé. 2:1-5), e aquela morte espiritual em vida significava que estavam "alienados" de Deus (ver Efé. 2:11-13). Ora, a natureza da restauração, que nos tira dessa alienação, é justamente o tema da seção que temos à nossa frente.

III. O Novo Homem, Efé. 2:15

"...dos dois criasse em si mesmo novo homem, fazendo a paz". A palavra dois, neste caso, indica judeus e gentios, os quais, em Cristo, se tornam um só corpo, uma única comunidade religiosa, a nova comunidade que retém todas as bênçãos da antiga comunidade, e mais ainda, ultrapassa tudo quanto se conhecia no A.T. Em Cristo, sem importar procedência, raça ou privilégios religiosos anteriores, todos os crentes são um, conforme lemos em Gál. 3:28, onde o conceito da unidade em Cristo é apresentado. Neste ponto, entretanto, os crentes aparecem como novo homem e, no décimo sexto versículo, como um só corpo. Tudo isso, entretanto, se verifica em Cristo, a ênfase constante deste epístola aos Efésios, que fala sobre a nossa comunhão mística com Cristo, possibilitando a unidade e conferindo vida a essa unidade, a saber, a própria vida de Cristo. Ver o artigo *Cristo-Misticismo*.

O novo Homem não pode ser nacionalmente identificado com "judeus" ou com "gentios". Na realidade, não indica nem um, nem outro. Bem pelo contrário, o "novo homem" é "cidadão dos céus", apenas um "peregrino" nesta terra (ver Fil. 3:20 sobre a "cidadania celestial". Ver também Heb. 11: 13 sobre o fato de que somos "estrangeiros e peregrinos na terra"). Ora, um "novo homem" é a "feitura" referida no décimo versículo deste capítulo, e é denominado "nova criatura", em II Cor. 5:17

Ver os vebetes: **Restauração; Universalismo; e Mistério da Vontade de Deus.**

UNIDADE ECLESIÁSTICA

Ver sobre *Movimento Ecumênico*; *Unidade de Tudo em Cristo* e *Unidade em Cristo*.

UNIDADE EM CRISTO

Esboço:
I. Raças Unidas
II. Sexos Unidos
III.As Sete Grandes Unidades Espirituais
IV.O Destino Comum dos Remidos
V. A Unidade da Restauração Final

I. Raças Unidas

"... onde não pode haver grego nem judeu, circuncisão nem incircuncisão, bárbaro, cita, escravo, livre; porém, Cristo é tudo e em todos (Colossenses 3:11).

O evangelho foi derrubando as barreiras raciais e, juntamente com isso, as distinções religiosas e culturais

UNIDADE EM CRISTO

que essas barreiras impõem. Em Cristo, o judaísmo deixou de ser ímpar, e até os pagãos, as tribos barbáricas, como os citas (aparentados aos modernos povos germânicos, conforme muitos estudiosos pensam), tornaram-se sujeitos a essa transformadora mensagem cristã.

a. Os judeus. Os judeus tinham privilégios religiosos e uma longa tradição de revelações divinas, cristalizadas na forma de livros sagrados, o Antigo Testamento. Paulo referiu-se às muitas vantagens do povo de Israel (Rom. 3:1 ss). Antes de tudo, eles dispunham dos oráculos de Deus (ver Rom. 9:4 ss, onde há uma longa lista das vantagens religiosas de Israel). Mas, em Cristo, os pagãos e os selvagens tornam-se donos de todas essas vantagens e mais ainda. As vantagens dos judeus foram incorporadas na economia do evangelho, tornando-se parte dessa unidade em Cristo.

b. Os gregos e os bárbaros. Aos olhos dos judeus, os gregos eram bárbaros. Para os gregos, quem não falasse o grego, mas tivesse um idioma de fonemas ásperos e guturais, como "bar, bar", que não podiam ser bem compreendidos, era considerado um "bárbaro", pois essa é a origem da palavra. Antigamente, essa palavra, diferente do que se verifica hoje, não indicava algo cru ou selvagem. Mas, lentamente, o termo foi adquirindo tal sentido, pois os povos que não falavam o grego tinham, com freqüência, uma cultura inferior, mais crua. Platão dividia a humanidade em duas classes: os helênicos e os bárbaros. A partir da época de Augusto, o termo começou a ser aplicado pelos romanos a todas as outras nações, excetuando somente eles mesmos e os gregos. No entanto, os gregos continuaram chamando os romanos de "bárbaros". Os judeus também chamavam de bárbaros a todos os não judeus. O orgulho racial sempre se faz presente. Einstein chamava o nacionalismo de "sarampo da humanidade", por ser um sentimento de pessoas culturalmente infantis, que nunca chegaram a perceber a unidade da raça humana. Os estóicos tinham como uma de suas principais doutrinas essa unidade dos homens, declarando que todos nós somos cidadãos do mundo. A fé cristã unificou todas as raças da humanidade, mediante a unidade dos crentes em torno de Cristo, por terem uma só natureza e um único destino.

c. Citas. Essa palavra transmite a idéia de um *barbarismo cru*, pois os citas eram selvagens nômades que assaltavam a área do mar Mediterrâneo oriental, deixando atrás uma trilha de terror. Originalmente, eram uma tribo de nômades cavaleiros, guerreiros constantes, vindos da Sibéria ocidental para habitarem a área entre os mares Negro e Cáspio, desde épocas tão remotas quanto 2000 a.C. No fim do século VII a.C., mudaram-se para o norte da Pérsia e para Urartu, empurrando os cimérios na direção do Ocidente. Sargão II, da Assíria (727-705 a.C.), conseguiu fazê-los parar nesse avanço. Heródoto diz-nos que os citas vieram a dominar a parte ocidental da Pérsia por vinte e oito anos, através de várias aventuras militares. Ajudaram os assírios contra os medos. Mais tarde, assediaram a Palestina, e Psamético só conseguiu salvar deles o Egito, entregando-lhes dinheiro e tesouros. Heródoto fornece-nos uma chocante descrição acerca dos citas: Viviam em caravanas, ofereciam sacrifícios humanos, escalpavam os seus adversários e, algumas vezes, arrancavam a pele de suas vítimas, bebendo-lhes o sangue e usavam os crânios delas como vasos para beberem. Quando falecia um de seus reis, uma de suas concubinas era estrangulada e sepultada juntamente com ele, e, no fim daquele ano, cinqüenta de seus auxiliares também eram estrangulados, eram-lhes tiradas as entranhas, eram montados em cavalos mortos, e então deixados em círculo, ao redor do sepulcro. Isso indica a crença no após vida. Tais pessoas, segundo eles pensavam, acompanhavam os seus senhores até o mundo dos espíritos.

Alguns estudiosos acreditam que os capítulos trinta e oito e trinta e nove do livro de Ezequiel, que falam sobre Gogue, referem-se aos citas. Sob o governo de Ciluro, os citas estabeleceram sua capital em Neápolis, na Criméia, no ano 110 a.C. Eles acabaram controlando as estepes do sul da atual Rússia, tornando-se os intermediários no comércio proveniente da Rússia, especialmente dos produtos produzidos no campo e no comércio escravagista. É a esse povo, pois, que o apóstolo Paulo se refere, ao chamá-los de citas. O uso que ele fez do vocábulo mostra o poder do evangelho para unificar todos os povos em torno de Cristo, incluindo os povos mais selvagens. As missões modernas têm demonstrado, a sobejo, esse mesmo poder.

II. Sexos Unidos

"Destarte não pode haver judeu nem grego; nem escravo nem liberto; nem homem nem mulher; porque todos vós sois um em Cristo Jesus" (Gálatas 3-28).

Paulo repete aqui vários elementos que já vimos em relação ao trecho de Colossenses 3:11. Porém, neste trecho da epístola aos Gálatas ele vai um pouco adiante. Agora ele nos revela o ponto surpreendente que, na dispensação do evangelho, em contraste com o que ocorria no judaísmo, a mulher torna-se igual ao homem. Às mulheres israelitas a lei não era ensinada. Nas sinagogas, enquanto um escravo podia ler publicamente, uma mulher judia, embora livre, não podia fazê-lo. Um famoso rabino chegou a dizer: "Antes de ensinar a lei a uma mulher, é melhor queimar a lei". A grandiosa declaração paulina, que tanto dignifica a mulher, não foi devidamente implementada na Igreja primitiva. Nas páginas do Novo Testamento muitas regras ainda pesavam sobre elas, em consonância com os costumes sociais (ver I Coríntios 11 e 14), embora esses costumes, nos dias atuais, não sejam mais obrigatórios. Porém, no próprio seio da Igreja, às mulheres ainda não são dadas as vantagens que são dadas aos homens, refletindo o que ocorre na sociedade em geral. Não obstante, o princípio ensinado por Paulo, como um ideal e uma força ativa, permaneça de pé. Finalmente, é óbvio que o homem e a mulher têm destinos idênticos em Cristo, isto é, a transformação segundo a sua imagem e a participação da natureza divina (Rom. 8:29; II Ped. 1:4; Col. 2:10).

III. As Sete Grandes Unidades Espirituais

Começando no trecho de Efésios 4:4, encontramos as sete unidades espirituais, a saber: um só corpo, um só Espírito, uma só esperança de nosso chamamento, um só Senhor, uma só fé, um só batismo e um só Deus. Oferecemos um detalhado artigo sobre esse assunto, com o título: *Unidades: As Sete Unidades Espirituais*.

IV. O Destino Comum dos Remidos

O vocábulo "filiação" é sinônimo do termo Salvação (vide). Dentro desse termo encontramos a idéia da unidade da família de Deus, em que há um Irmão mais velho e os outros irmãos, os quais chegarão a compartilhar da imagem e da natureza do Pai, por meio da missão universal do Irmão mais velho. Ver Col. 2: 10; II Ped. 1:4; Rom. 8:28 e II Cor. 3:18. As

UNIDADE EM CRISTO – UNIDADES

operações do Espírito Santo realizam essa comunhão de natureza, que é a base de toda a unidade espiritual que os remidos desfrutam.

V. A Unidade da Restauração Final

Visto que a missão de Cristo é universal, também faz amplas provisões no caso dos não-eleitos. Os não-eleitos serão julgados, mas o julgamento será remedial, não apenas punitivo. Ver os artigos sobre a *Missão Universal do Logos* (Cristo) e sobre a *Restauração*. O propósito da missão de Cristo é reunir todas as coisas em uma só. Isso constitui o mistério da vontade de Deus, aquilo que o Senhor planeja fazer, em última análise, o que terá cumprimento quando da dispensação da plenitude dos tempos (Efé. 1:9, 10). O trecho de Colossenses 1:16 mostra-nos que a criação inteira procede de Deus. Esse mesmo versículo afirma que toda a criação terá de retornar, finalmente, a Deus. Deus não é apenas o Alfa, porque também é o Ômega. No final, a criação inteira será unificada em torno de Cristo. Cristo, tornar-se-ia, afinal, tudo para todos (Efé. 1:23). Esse é um aspecto otimista do evangelho que ultrapassa, por meio de revelações cristãs mais avançadas, igualmente incluídas no Novo Testamento, aquele evangelho mais pessimista, que fala sobre um interminável sofrimento reservado para a grande maioria dos homens. O poder predestinador de Deus, por conseguinte, resplandece por detrás do seu amor, e não por detrás de sua ira. Outrossim, a ira divina é um dedo de sua mão amorosa, realizando o bem, finalmente, uma vez que a devida retribuição contra os impenitentes seja sofrida.

UNIDADE (UNIÃO) HIPOSTÁTICA

Dentro do contexto da cristologia (vide), esse termo indica que embora o Pai, o Filho e o Espírito Santo sejam pessoas distintas em suas manifestações, são todas de uma só essência ou *hipóstase*. Esse vocábulo indica um "postar-se sob" que sustenta os seus acidentes ou qualidades. Cada substância divina está separada em uma das pessoas, mas todas elas estão unidas em uma única essência divina subjacente. Nas controvérsias trinitariana e cristológica, os vocábulos *hupóstasis* e *ousía* (ser, essência) com freqüência são usados como sinônimos. Porém, hipóstase pode referir-se à substância de cada uma das três Pessoas da Trindade, as quais são distintas uma da outra, embora pertençam à mesma essência.

Ver o artigo geral sobre *Hipóstasis*. Cristo é chamado de uma das hipóstases da natureza divina; mas, quando esse termo é aplicado a ele, compreendemos que inclui tanto a sua natureza divina quanto a sua natureza humana. A expressão unidade hipostática denota a união das naturezas divina e humana na única pessoa (hipóstasis) de Cristo. O Concílio de Calcedônia (451 d.C.) produziu esse conceito a fim de conciliar a alegada contradição entre a humanidade e a divindade de Cristo, o que parece dividir sua pessoa. O conceito assevera que as duas naturezas, embora distintas, estão inseparavelmente ligadas em Jesus Cristo. Ver o artigo geral sobre *Cristologia*.

UNIDADES: AS SETE UNIDADES ESPIRITUAIS

Ver Efésios 4:4-6

I. Idéias Sobre o Conceito de Unidade

Efésios 4:4: Há um só corpo e um só Espírito, como também fostes chamados em uma só esperança da vossa vocação.

I. *A unidade tem sete facetas.* (Efésios 4:6). Essas facetas é que servem de alicerce para a unidade cristã. A unidade exigida já é um fato inconteste no Espírito Santo, no seio da igreja mística e universal. E o apelo do apóstolo dos gentios, na presente seção, é que essa unidade fosse aplicada a todas as condições no seio da igreja local, a fim de que cada igreja local servisse de modelo e exemplo da unidade mística que prevalece na igreja universal.

2. *A fórmula trinitária ressurge.* Precisamos observar que, nestes versículos, a ênfase sobre Deus Pai, sobre Deus Filho e sobre Deus Espírito Santo se mostra bem clara. E cada uma das três pessoas da trindade tem seu papel a desempenhar no seio da igreja. Essa ênfase trinitária pode ser vista em várias porções da epístola aos Efésios, conforme se vê nas notas expositivas sobre Efé. 2:18 no NTI. Alguns acreditam que essa unidade de sete facetas se resume em três aspectos, cada um centralizado numa das pessoas da trindade. Assim, teríamos: 1. O Espírito Santo estaria ligado ao único corpo e à única esperança de nosso chamamento; 2. O Senhor (o Filho de Deus) apareceria vinculado à única fé e ao único batismo; 3. Deus Pai figuraria isoladamente; mas, sendo ele o Pai, apareceria como o alicerce de todas as unidades, sendo ele mesmo um tríplice poder unificador, a saber: a. devido ao seu poder soberano (ele está 'sobre todos'); b. devido à sua ação permeadora (ele se manifesta 'através de todos'); c. devido à sua presença universal e imanente (ele está 'em todos'). Contudo, essa formulação, apesar de interessante, parece dividir artificialmente as funções dos membros da trindade. Por exemplo, por que a esperança do nosso chamamento haveria de ser identificada mais com o Espírito Santo do que com o Filho de Deus? Ou por que o 'único corpo' haveria de ser mais particularmente identificado com o Espírito Santo, já que se trata do 'corpo de Cristo'? Portanto, parece-nos melhor compreender que essas facetas de unidade são uma categoria à parte, mas todas igualmente alicerçadas no Deus trinitário.

3. *Pano de fundo de todas as formulações de unidade.* O judaísmo helenista vinculava, de maneira similar ao que encontramos aqui, pessoas, o templo de Jerusalém e a lei, com a unidade da pessoa de Deus, onde Deus aparecia como 'o Grande'. A fórmula da Shema (palavra hebraica que significa ouve, o lema do monoteísmo judaico), e que deriva seu nome da primeira palavra do trecho de Deut. 6:4, e que diz: "Ouve, Israel, o Senhor nosso Deus é o único Senhor", consistia em três seções, a saber: 1. Deut. 6:4-9; 2. Deut. 11:13-21 e 3. Núm. 15:37-41, cujo uso era precedido e seguido por bênçãos. Essa era uma fórmula que exortava o povo hebreu a unificar-se em torno do único Deus. O trecho de Zac. 14:9 dá a entender que haverá a unidade final de toda a fé religiosa, porquanto na realidade só existe um Deus, o verdadeiro objeto de toda a adoração e fé dos homens. Josefo, o grande general e historiador judeu do fim da era apostólica, salientava a fé universal dos judeus, supondo que esta, finalmente, houvesse de absorver e unir todas as demais religiões, porquanto, dizia ele, "só existe um templo do Deus único, o qual é sempre caro para todos, comum a todos, assim como Deus é comum a todos". (Ver Josefo, Contra Ápoim, 11.193, a apologia de Josefo em favor do judaísmo). Por semelhante modo, Filo, um filósofo judeu da mesma época afirmava que visto

533

UNIDADES

que Deus é um só, deveria haver apenas um único templo. (Sobre Leis Especiais, 1.67). Posteriormente reafirmando as reivindicações judaicas contra a nova religião, "o cristianismo", o livro apócrifo Apocalipse de Baruque orgulhosamente assevera: "Todos nós somos um povo famoso, que temos recebido a lei, da parte do Deus único".

4. *A fórmula neotestamentária da unidade.* Essa fórmula vai bem além do que se conhece no judaísmo, porquanto acrescenta os pontos distintos da fé cristã, a saber, que há um Senhor distinto de Deus Pai, a saber, Deus Filho. (Ver I Cor. 8:6 "... para nós há um só Deus, o Pai, de quem são todas as cousas e por quem existimos; e um só Senhor, Jesus Cristo, pelo qual são todas as coisas..."). Além disso há o único Espírito, o qual é visto como alguém distinto de Deus Pai e de Deus Filho. É o Espírito Santo quem produz a unidade mística do corpo de Cristo, conforme aprendemos em I Cor. 12:12,13. Por conseguinte, a base da unidade, de conformidade com o N.T., e em contraste com o A.T., é de natureza "trinitária". Já a base da unidade no A.T. é o "monoteísmo" puro. Tendo dito isso, temos declarado a diferença básica entre o Antigo e o Novo Testamentos, bem como entre o judaísmo e o cristianismo. Todas as demais verdades distintas da fé cristã estão de alguma maneira baseadas sobre a distinção que há entre as três pessoas divinas. Até mesmo aquela maior e mais exaltada de todas as verdades distintas da fé cristã, a saber, a transformação do crente segundo a imagem de Cristo, a participação do crente da própria divindade, depende da atuação dessas pessoas distintas, em que são destacados os feitos de Deus Filho e de Deus Espírito Santo. A transformação do crente é "o propósito do Pai" "segundo o Filho" (ver Rom. 8:29), e isso é uma "operação do Espírito Santo" (ver II Cor. 3:18). Tão elevadas revelações, por conseguinte, se originaram de uma mais elevada compreensão acerca do próprio Deus, em sua natureza, em seus desígnios e em sua obra.

II. **As Sete Unidades**

1. **Um Corpo.** Isto é, a Igreja mística e universal, composta de todos quantos realmente têm depositado a sua confiança em Cristo, entregando-lhe a alma, tendo tido um contacto com o Espírito Santo, por meio da conversão, o passo inicial da regeneração. Isso não pode ser limitado a alguma igreja local, a alguma denominação, a algum grupo de igrejas, a algum credo, a alguma organização eclesiástica, a alguma raça humana, a algum país e nem mesmo pode ser circunscrito a este mundo, porquanto a maior parte da igreja universal já se encontra nos lugares celestiais, sua habitação legítima. Aqueles que têm a Cristo como seu Cabeça (ver Col. 2:19) pertencem à sua igreja.

Idealmente, as igrejas locais não deveriam ter membros senão aqueles que também pertencem à igreja mística; nesse caso, todas as igrejas locais, consideradas em seu conjunto, representariam a igreja universal militante, isto é, a face da terra. Porém, não é assim que as coisas são. Pertencemos a Cristo por meio da fé, o que leva à conversão, e não por estarmos associados a uma congregação local. Se assim não fora, a igreja é que seria a salvadora, em vez do Salvador ser o Senhor Jesus Cristo. Além disso, é impossível alguém pertencer a Cristo e não pertencer ao seu "corpo", pois não pode haver mais do que um corpo de Cristo. Todos os crentes são "membros" desse corpo, tendo a Cristo como o Cabeça, pois do contrário não são crentes de maneira alguma. Ninguém pertence a Cristo se não mantiver união vital com o Cabeça; portanto, é facilmente possível alguém pertencer a uma igreja local qualquer, de qualquer nome ou denominação, e não pertencer a Cristo. No outro extremo, é possível alguém pertencer a Cristo, tendo-o como seu Cabeça, e não pertencer a igreja local nenhuma, ou então pertencer a uma igreja local "errada". Tais condições não são ideais, mas certamente existem.

Somente o Espírito Santo sabe perfeitamente quem são aqueles que realmente pertencem a Cristo, quem são aqueles que têm uma união vital e mística com ele, por meio do Espírito Santo. Assim é que na parábola do trigo e do joio, somente os poderes angelicais, por ocasião da ceifa, serão capazes de separar o joio do trigo (ver Mat. 13:30). Essa tarefa, pois, não pode ser realizada por homem algum, e tal como essa separação precisa ser efetuada no mundo, assim também se dá na igreja e nas igrejas. Aqueles que crêem que só existe a igreja local, mas não a igreja universal ou mística, fazem "com que a igreja seja" salvadora das almas, pois estas têm de pertencer à igreja local, o que equivale a pertencer ao Cabeça, Cristo. Porém, apesar de que seria ideal para todos quantos realmente conhecem a Cristo pertencerem a uma assembléia local digna do seu nome, infelizmente essa condição não existe. Mas finalmente existirá nos céus, onde prevalecerá uma situação de homogeneidade.

O corpo místico e universal está unido a Cristo, e o poder residente do Espírito Santo o faz um corpo uno, conforme lemos em 1 Cor. 12:13, onde também esse conceito é comentado no NTI. Ver o décimo segundo versículo daquele capítulo acerca do ensinamento bíblico sobre o "corpo único". Ver também Efé 1:23 sobre esse mesmo tema. Ver ainda Rom. 12:4-8 acerca de como o corpo de Cristo, sendo um só, possui muitos membros, cada qual com uma função diferente, mediante os dons do Espírito Santo. O exame destas escrituras confere uma boa idéia sobre o "corpo único de Cristo", com seus vários sentidos possíveis, conforme o ensino neotestamentário.

"O 'corpo' se compõe da comunidade inteira dos crentes, do corpo místico de Cristo. (Comparar com Efé. 2:15; Rom. 12:5; I Cor. 10:17; 12:13 e Col. 1:24)". (Salmond, *in loc.*).

"Um só corpo místico de Cristo, a igreja ou reino espiritual. (Comparar com Efé. 1:23 e 2:16)". (Robertson, *in loc.*).

"'Um corpo' designa a totalidade dos crentes, como um 'corpo místico'; não é a mesma coisa que a igreja quando vista como um fenômeno 'externo', pois o corpo de Cristo está oculto. Mas trata-se de uma realidade, tal como o grupo de nervos é uma realidade oculta, que pode ser acompanhada, tornando-se perceptível. Assim é a igreja invisível, cuja unidade é enfatizada pelo apóstolo, para que se mantenha unida. (Braurie, *in loc.*).

2. **Um Espírito.** Alguns pensam que temos aqui a menção ao "espírito humano", ou então à disposição ou atitude humana, unidas em seu desígnio e propósito. Mas isso está completamente fora de lugar em relação ao contexto. Mas é o "Espírito Santo" quem está em pauta aqui. Só existe uma pessoa divina, o Espírito Santo, que é a influência unificadora entre todos os homens que têm a Cristo como seu Cabeça, ele nos batiza dentro do "corpo único", segundo aprendemos

UNIDADES

em I Cor. 12:13. Ele também regenera a todos (ver João 3:3-5) e transforma a todos os remidos segundo a imagem de Cristo (ver II Cor. 3:18). Sim, só há um que faz essas coisas, a pessoa divina do Espírito Santo. A formação do corpo místico e a conversão das almas, para que componham esse corpo, é uma operação que não pode ser realizada por qualquer ser ou organização humana. Trata-se de uma obra divina (ver Efé. 2:10), motivo por que é pela "graça divina" (ver Efé. 2:8).

A atitude de facção e desunião não se harmoniza com o Espírito Santo, o qual é o grande unificador dos crentes. Que tantas facções existem, entre crentes individuais e denominações inteiras, é algo que mostra até que ponto os homens ignoram a atuação do Espírito de Deus no seio da igreja.

"Como deveríamos temer toda forma de animosidade, se refletíssemos devidamente que tudo quanto nos separa dos irmãos também nos aliena do reino de Deus! No entanto, mui estranhamente, ao mesmo tempo que nos esquecemos dos deveres que os irmãos na fé devem ter uns para com os outros, jactamo-nos de ser filhos de Deus. Aprendamos de Paulo que ninguém está apto para aquela herança se não fizer parte do corpo único e não tiver o único espírito". (Calvino, *in loc.*).

Calvino, pois, considera a presente passagem como trecho que ensina a união vital da igreja, formando "um corpo e um Espírito", ou seja, uma união total, perfeita e completa, tal como a personalidade humana tem um corpo e um espírito unidos entre si. A despeito de que "espírito", na citação de Calvino, significa "o Espírito" (o que Calvino não percebeu), contudo essa idéia e suas observações são valiosas para ilustrar a necessidade da aplicação prática da unidade espiritual que já está formada. Na realidade, igreja é "um corpo e um espírito", mas esse espírito é o Espírito Santo, e não apenas alguma disposição vital de unidade existente na igreja, ainda que esse seja um dos resultados tencionados na unidade que já foi formada. O "homem inteiro" consiste na união entre corpo e alma. E o "homem inteiro", em Cristo, o "homem perfeito", é a união dos crentes na comunhão mística com o Espírito Santo, união que é uma entidade viva feita por Deus. Ver os artigos sobre o *Espírito Santo* e a *Trindade*.

Fostes chamados para a vocação cristã (ver Rom. 8:30 e o primeiro versículo de Efé. 4).

3. Uma só esperança da vossa vocação. (Quanto à "esperança do nosso chamamento", ver Efé. 1:18, no N.T., onde são apresentadas notas expositivas completas a respeito. Ver igualmente o primeiro versículo do capítulo 4 de Efé. Ver o artigo sobre a *Vocação Cristã*. Essa vocação indica a inteireza daquilo para que Deus nos chama em Jesus Cristo, a "completa salvação", pela qual atualmente embalamos "esperança", segundo se vê em Rom. 8:24,25).

Efé. 4:5: *um só Senhor, uma só fé, um só batismo;*

4. Um só Senhor. O emprego da palavra "Senhor" para indicar o Senhor Jesus Cristo é freqüente nas páginas do N.T. (Isso é comentado em Rom. 1:4 no NTI, como também o é o "senhorio" de Cristo). Ninguém pode ter mais de um senhor (ver Mat. 6:24), e nem a comunidade de remidos, que é a igreja, pode ter mais de um senhor. É por confiarmos nesse "Senhor" que temos vida, já que ninguém pode ter a vida eterna se não entregar a sua alma ao Senhor Jesus, como seu Senhor e Cabeça; e somente Cristo ocupa essa posição (ver Rom. 10:13 e Col. 2:19).

Este versículo salienta aquilo que também é frisado no primeiro capítulo do evangelho de João, há somente um criador, um único Deus, e não muitos criadores e muitos universos, nem muitos deuses que exercem autoridade sobre esses universos. Antes, todas as coisas pertencem ao poder e à autoridade criadora de Jesus Cristo, o Senhor, ele é o Senhor universal.

Talvez o Senhor Jesus delegue atos de criação, pois quiçá os elevados poderes angelicais possuam poderes criativos; e talvez o Senhor delegue governos (Efé. 1:21 mostra-nos que ele assim faz). Mas todos precisam prestar-lhe contas, sujeitando-se a ele. Portanto, no sentido absoluto, e especialmente no que concerne à igreja, há apenas um Senhor, Jesus Cristo. E o propósito do "mistério da vontade de Deus" (ver Efé. 1:10) consiste em unificarmos todas as coisas, universalmente, em toda a criação sob o seu poder. E a igreja não forma exceção a isso, mas, bem pelo contrário, é o ponto culminante dessa unidade que honra a Cristo. Pois na igreja está sendo demonstrado como essa honra lhe deve ser atribuída. Possuidores os crentes de um só Senhor, e mostrando-se ele ativo em seu senhorio, é mister que se forme entre eles a unidade prática, no seio da igreja local. Em contraposição a isso, onde houver facções, dissensões e confusões, não se estará honrando a Cristo como Senhor e Cabeça, mas antes, estará honrando a si mesmo ou a outros homens, como se fosse o senhor e o cabeça.

Os ditadores que surgem nas igrejas evangélicas, aqueles que impõem os caprichos de sua vontade aos outros, os quais normalmente consideram os outros como pessoas sem importância, na realidade fazem oposição ao senhorio de Cristo, pois se arrogam uma posição de mando sobre os homens como somente Cristo pode ter. As divisões eclesiásticas, que inevitavelmente têm seus líderes de facções, servem apenas para negar o senhorio de Cristo. Cristo é real e verdadeiramente o Senhor. Isso é um fato, embora a função de seu senhorio possa ser entravada por atitudes contrárias no seio das igrejas. A igreja de Cristo só pode ter um Cabeça. Uma igreja de várias cabeças é uma monstruosidade, tal como uma criatura de várias cabeças é uma aberração, sem importar se apenas nos mitos ou nos fenômenos teratológicos. Aqueles que usurpam o senhorio de Cristo fazem a igreja local transformar-se em uma monstruosidade.

A delegação de autoridade no seio da igreja não vai de encontro ao senhorio de Cristo. Deve haver autoridade na igreja. Mas essa deve ser aquela delegada por Cristo; portanto, essa autoridade deve ter raízes espirituais, como algo derivado realmente do Senhor. "E também há diversidade nos serviços, mas o Senhor é o mesmo" (I Cor. 12:5). Por isso mesmo, as diferenças de opinião sobre questões secundárias ou implícitas, ao contrário das questões primárias ou explícitas, sobre as quais temos preceitos neotestamentários ou bíblicos claros, ou as maneiras diferentes de fazer as coisas, não deveriam destruir nossa lealdade ao nosso único Senhor, nem a unidade da igreja que é própria dessa lealdade. A regra a ser seguida, quanto a essas diferenças deveria ser: "Quanto aos pontos essenciais, unidade; quanto às questões duvidosas, liberdade; em todas as coisas, amor", (Faucett, *in loc.*). Mas quando um indivíduo qualquer começa a dominar os outros, - a exagerar em certas idéias ou métodos, que produzem divisões no seio da igreja local, gerando a desunião, estará apenas abusando de seu poder delegado, servindo de força contrária ao senhorio de Cristo, porquanto não mais estará servindo de construtor, e, sim, de destruidor.

"Da idéia da 'vocação' (ver Efé. 4:4), o apóstolo passa, mui naturalmente, para aquele que nos chama, o 'único Senhor', bem como ao seu método de chamar-nos a si, a saber, primeiramente através da única fé, e então pelo único batismo, quando se faz profissão daquela fé única". (Barray, *in loc.*).

"O Senhor Jesus Cristo, que por direito de criação é Senhor de tudo, e por direito de redenção e matrimônio é o único Senhor de sua igreja e seu povo... ele é o cabeça do corpo, da igreja, o Rei dos santos, o Pai e Senhor da família que lhe toma o nome; pelo que também, devem os crentes concordar entre si, não sendo eles outros tantos senhores, cada qual querendo exercer domínio sobre os demais". (John Gill, *in loc.*).

Também somos chamados para ser aquilo que Cristo é, e também para compartilhar de tudo quanto ele possui, afim de que assim venhamos a possuir a "plenitude de Deus" (ver Efé. 3:19). O presente versículo, portanto, enfatiza que há apenas uma esperança vinculada ao corpo único de Cristo, bem como uma só chamada, um único destino. Não existem muitos corpos de Cristo, como também não muitos e variegados destinos. A única grande esperança é a esperança de todos. Além disso, devemos considerar que a palavra esperança, dentro do contexto cristão, não subentende nenhuma idéia de incerteza, mas tão-somente de expectativa de algo que finalmente possuiremos na realidade.

Da vossa vocação. Só há uma esperança que "pertence" à nossa chamada (no original grego temos o genetivo de posse). Esse é o "elemento" dentro do qual estamos unidos em comunhão mútua, e é dessa vocação que se "origina" esse sentimento de esperança; mas a primeira idéia, mui provavelmente, é a que é enfatizada neste ponto.

5. Uma só fé. Quanto a estas palavras, precisamos considerar os pontos seguintes:

a. Não se trata da "fé" como um corpo de doutrinas, o N.T., o que talvez apenas raramente apareça nas páginas do novo pacto. As epístolas católicas têm alguns exemplos deste uso.

b. Também não se trata da igreja cristã unida em um corpo de doutrinas.

c. Não é a força viva da fé cristã atuante no mundo (o que talvez seja o sentido do trecho de Gál. 1:23).

d. Não é também a fé como um "princípio abstrato".

e. Pelo contrário, é a fé evangélica que está aqui em foco, a saber, a "entrega de alma", feita pelo crente às mãos de Cristo. Temos aqui aquela "fé no Senhor Jesus Cristo", pela qual somos salvos. Essa é a fé mediante a qual recebemos a justificação; essa é a entrega subjetiva de alma que cada crente faz a Cristo Jesus. Ver o artigo sobre a *Fé*.

"Um único ato de confiança em Cristo, o mesmo para todos, judeus ou gentios, uma única maneira de salvação". (Robertson, *in loc.*).

Aqueles que realmente têm essa fé têm em si o vínculo da unidade, posto que confiam no mesmo Senhor, tendo todos entregue a alma a ele. Os crentes talvez difiram em suas opiniões sobre várias coisas, como também há corpos diferentes de doutrinas, mas os verdadeiros crentes entregaram todos a alma, confiantemente, nas mãos do mesmo Senhor.

6. Um só batismo. Uma vez mais precisamos desdobrar o comentário em vários pontos:

a. Apesar de haver aqui uma óbvia alusão ao batismo em água, não se trata de uma referência a esse rito em si mesmo como se tal cerimônia fosse uma das causas básicas de nossa unidade em Cristo. Pois nenhum mero rito pode servir de unidade fundamental da igreja cristã.

b. Também não está em foco o "batismo" do Espírito Santo, nem segundo a descrição de I Cor. 12:13, mediante o que somos unidos formando um só corpo, nem conforme a descrição de Atos 2:4, mediante o que recebemos poder e unção para o serviço cristão.

c. Antes, está aqui em foco a "realidade espiritual" da qual o batismo em água serve de sinal simbólico. Essa realidade espiritual é a nossa união com Cristo, em sua morte e em sua vida ressurrecta. O "sinal" dessa realidade, pois, é o batismo em água. A verdade simbolizada é a nossa identificação mística com Cristo, o nosso batismo espiritual dentro dele, para que desfrutemos total união com ele. Essa verdade simbolizada é a grande unidade espiritual que, juntamente com os demais seis elementos, formam as sete facetas da unidade fundamental da fé cristã. E o sinal dessa verdade espiritual, repetimos, é o batismo em água. Ver o artigo sobre *Batismo Espiritual*. O significado inteiro do batismo é incluído nesse artigo.

Esse "batismo" que é uma das grandes causas da unidade da igreja, precisa ser interpretado "misticamente", não sacramentalmente. Desafortunadamente, muitos excelentes intérpretes têm caído no "fosso sacramental". Aqueles que pensam que um só modo de batizar é o que está implícito nesse texto, naufragam totalmente em sua interpretação. Também é vão perguntar por que a "eucaristia" ou Ceia do Senhor não é incluída na lista de fatores tendentes à unidade. Pois se o próprio batismo, se estivermos falando apenas sobre o "rito" do batismo em água, também não está incluído. Nenhum rito ou sacramento pode ser motivo de uma unidade espiritual e mística, nem pode ser citado paralelamente ao corpo místico ou à vocação cristã, ao "Espírito Santo", ao "Senhor Jesus", a "Deus Pai", nem à "fé", porquanto nenhuma mera cerimônia pode ocupar tão augusta posição.

O batismo espiritual (a nossa identificação com Cristo) é que nos outorga uma autêntica unidade mística com ele e uns com os outros. O batismo em água pode simbolizar isso, como de fato simboliza, mas não é a sua substância. Esse "batismo espiritual" é experiência comum a todos quantos têm entregue a alma ao Senhor Jesus, tendo-se convertido a ele e a uma realidade espiritual, sem importar se segue ou não o batismo em água, o qual simboliza e abertamente ao mundo essa nossa identificação com Cristo. Isso em nada diminui a importância do batismo, mas o dizemos tão-somente a fim de situar o batismo em água dentro de sua perspectiva correta, dentro de seu lugar conveniente. O batismo espiritual consiste na nossa identificação com Cristo, em sua morte e em sua vida ressurrecta, na forma de comunhão e identificação místicas. Esse é o verdadeiro "único batismo", um dos motivos fundamentais da unidade da igreja. O batismo em água é tão-somente o símbolo externo daquele fato místico. Ver o artigo sobre *Batismo Espiritual*.

Efé. 4:6: *Um só Deus e Pai de todos, o qual é sobre todos, e por todos e em todos.*

7. O Deus único, que é o Pai de todos, é o alicerce de todas as unidades, por ser também a fonte originária de todos os seus motivos. Ver o artigo sobre a *Natureza de Deus*, ver também sobre *Monoteísmo*. O pai único

UNIDADES

é a base de toda a unidade cristã, tal como o "nosso Deus, o Senhor", era considerado o unificador na fórmula judaica do Shema. Porém, no cristianismo, esse único Deus é apresentado segundo a fórmula trinitária inerente aos versículos quarto a sexto deste capítulo. Nenhuma doutrina formal da trindade divina é exposta nas páginas do N.T., porém, há idéias trinitárias que posteriormente à formação do cânon neotestamentário vieram a ser formalizadas nos concílios eclesiásticos, quando a doutrina da trindade, como um dogma, foi formulada.

E Pai. Deus como Pai é a força unificadora da igreja, pois somos seus filhos, pertencentes à família divina. Toda a epístola aos Efésios enfatiza isso (ver Efé. 1:2,3,5,14,17; 2:18,19 e 3:14). Ver o artigo sobre a *Paternidade de Deus.* Há apenas "um Pai", e "uma família", o que explica a unidade mística. O Pai também é Deus, a força divina mais elevada, capaz de produzir a total unidade da igreja em Cristo, bem como a total unidade de todas as coisas, universalmente, em torno do Senhor Jesus (ver Efé. 1: 10). Foi o poder divino, portanto, que criou essa unidade e que a garante. Mas os filhos do Pai celeste estão na obrigação de preservar a unidade da família divina dentro de suas igrejas locais.

Podemos observar aqui que as idéias se encaminham ao seu clímax: igreja, Cristo, Deus; e depois Espírito Santo, Senhor, Pai – em ambos os casos há uma subida para o clímax do poder, que causa a unidade.

Todos. Essa palavra, por três vezes reiterada no original grego, está nos gêneros masculino e neutro, o que significa que pode estar em foco algo pessoal ou impessoal. Mas o neutro é preferível, pois estão em foco "todas as coisas", coletivamente consideradas, tanto as pessoais (os seres humanos e todos os seres inteligentes) como as impessoais (todas as coisas, a criação inteira). A paternidade de Deus, segundo já se leu, estende-se a todos os seres, e não apenas aos seres humanos (ver Efé. 3:15), e a sua deidade se estende por toda a criação, tanto a física como a espiritual, tanto a animada como a inanimada.

Variante Textual. As palavras "em todos vós", em vez do simples "em todos", aparecem nos mss. DFKL, em algumas versões e nos escritos de alguns dos pais da igreja. Porém, em favor do simples "em todos", conforme encontramos também nesta versão portuguesa, há os mss. P(46), Álefe, ABCP e os escritos de Inácio e Orígenes, pais da igreja, o que forma uma evidência irresistível e quase indiscutível em favor da forma mais breve. A adição da palavra "vós" foi uma glosa escribal, que procurou tornar mais pessoal a declaração deste versículo. Entretanto, o neutro "tudo", segundo deveria ser traduzido, já inclui todos os crentes e seres inteligentes.

A maneira pela qual Deus age como força unificadora de tudo no universo é enfatizada mediante três grandes aspectos específicos de sua atuação. É verdade que o jogo de preposições era um dos artifícios retóricos favoritos dos tempos do grego helenista, mas essas três expressões, a despeito disso, se revestem de sentidos todos próprios, a saber:

Sobre todos. Isso fala: 1. da transcendência; e 2. da onipotência de Deus. Ele é o governante soberano de tudo, cujo poder transcende tudo. Ele é o "Governante, o Guardião e o Guia, que manda em tudo (Braunc, *in loc.*). Ele é o "Rei dos reis" e o "Senhor dos senhores". Essa supremacia como Deus e Pai é salientada aqui.

Age por meio de todos. Essas palavras representam uma interpretação de "através de tudo" (*dia* no original grego). E isso fala do seguinte:

1. Da onipotência dos feitos de Deus em todos os lugares.
2. Mas, segundo outros estudiosos, falaria da "providência de Deus", no caso presente.
3. Ainda outros pensam que fala da influência permeadora e da presença universal do seu Santo Espírito.
4. Uma extensão dessa idéia é que ela fala da presença animadora e controladora sobre tudo.
5. De seu controle sobre tudo, mediante os muitos instrumentos usados pelo seu poder, como homens, seres angelicais e coisas físicas e inanimadas. Esta quinta posição parece expressar a idéia central, embora não haja acordo geral sobre como a palavra grega *dia* deva ser interpretada aqui. Também poderíamos combinar as idéias da terceira e da quinta posições, dizendo que se "trata da presença sustentadora e operante de Deus (Abbott, *in loc.*), que se manifesta através de instrumentos apropriados".

Em todos. Certamente isso fala da "imanência" de Deus. Ele se faz presente com os homens de Deus de toda a parte, em toda a criação, com todos os seres, mas sobretudo na igreja, por intermédio de seu Espírito residente, conforme tem sido salientado em Efé. 2:21,22. O fato de que Deus "habita em todos" naturalmente significa que essa é a maneira pela qual Deus aperfeiçoa os homens, essa é a maneira pela qual ele opera entre eles; e, no caso da igreja, isso significa o modo pelo qual ele mantém comunhão com eles. A energia do Espírito vivifica, ilumina, purifica e transforma os crentes segundo a imagem de Cristo.

É através desses meios, portanto, a saber, seu poder e governo onipotentes, sua atuação por intermédio de todos, e sua presença com todos, mediante o que ele influencia a todos, que Deus produz a unidade de todas as coisas, a começar pela igreja, no presente, que serve de modelo de como ele restaurará e unificará o universo inteiro, conforme Efé. 1: 10 já nos informou. Essa unidade universal requererá a operação de Deus Pai. Nenhuma força inferior a essa pode realizar tal feito. No que concerne aos homens, portanto, a salvação vem pela graça, mediante a fé, pois nenhum poder humano pode fazer o que aqui nos é exposto, ainda que essa operação requeira a cooperação da vontade humana, sendo exatamente nesse ponto que o divino se encontra com o humano.

Não há nenhuma alusão trinitária neste sexto versículo, considerado isoladamente, conforme se vê nos versículos quatro a seis, considerados conjuntamente. Todas essas três descrições, com as preposições "sobre", "por meio" e "em", não se referem respectivamente ao Pai, ao Filho e ao Espírito Santo, conforme alguns intérpretes supõem. Se isso fosse verdade, então "sobre" se referiria à total soberania de Deus, "por meio" se referiria ao trabalho do Filho como Cabeça e "em" se referiria à presença habitadora do Espírito. Porém, isso é um refinamento exagerado deste texto.

Por outro lado, não devemos reduzir a expressão a alguma maneira simples e indefinida de dizer algo como: "É a Deus que devemos tudo". Isso é verdade, porém o apóstolo Paulo parece ter querido designar mais exatamente como e por que devemos todas as coisas a ele.

Centro efusão de todas as distâncias;

UNIFORMIDADE – UNIGÊNITO

Velhice mãe de todas as infâncias;
E futuro de quanto há de morrer...
Possa a minha alma ver-te, um só segundo,
Presente e em ti, pretérito do mundo,
Infinito imortal do Verbo Ser!
(Antônio Correia, Lisboa, Portugal).

UNIFORMIDADE NA NATUREZA

Outros termos e expressões usados para indicar essa idéia de uniformidade são invariabilidade, constância e desígnio intrínseco. Está em pauta a maravilhosa maneira pela qual a natureza é governada por leis que podem ser descobertas pela experimentação. Daí obtemos os mesmos resultados, quando as experimentações são realizadas da mesma maneira e em idênticas circunstâncias. Sem esse princípio da invariabilidade, a ciência seria simplesmente impossível. De fato, se existe alguma idéia que exerce o controle máximo sobre o pensamento científico moderno, que integra os interesses da vida diária com os interesses da ciência, da arte e da filosofia, essa idéia é o princípio da invariabilidade. Aquilo que consideramos real e contínuo no mundo é aquilo que não sofre variação, é aquilo que tendemos a chamar de essência. Os acidentes podem variar, mas a essência das coisas permanece a mesma. Somente dessa maneira a ciência pode fazer experiências e considerar válidos os resultados. Se as mesmas experiências são realizadas novamente, resultam os mesmos resultados. Isso é assim porque alguma lei natural misteriosa governa todas as coisas. Os filósofos e os teólogos mui naturalmente tiram proveito dessa situação, usando-a como evidência do Legislador e Doador invisível e divino, a saber, o Ser Supremo. E assim o princípio da invariabilidade torna-se parte do *Argumento Teleológico* (vide). Se não interpretarmos as coisas por esse ângulo, terminaremos no ceticismo e no caos.

Leibnitz argumentava que deve haver uma razão suficiente para todas as coisas, ao desejar exprimir sua crença de que a mente racional está por detrás de todas as coisas. O ponto culminante da mente racional é a Mente Divina, fonte originária de toda inteligência e desígnio. Tudo quanto é estudado pela ciência aponta para um vasto e incrível desígnio em todas as coisas. A indução repousa sobre a certeza de que os itens de um processo qualquer têm validade, e têm validade porque há alguma verdade real a ser descoberta pelo método.

Quanto aos argumentos tradicionais a respeito da existência de Deus, ver o artigo *Cinco Argumentos em Prol da Existência de Deus*; e para um estudo ainda mais completo, ver *Deus*, em sua quinta seção, *Provas da Existência de Deus*. Ali são apresentadas cerca de vinte dessas provas.

UNIGÊNITO, CRISTO COMO O

Esboço:
I. O Unigênito: nas Escrituras
II. Diversas Interpretações
III. Declaração Antropomórfica
IV. Sumário de Usos da Palavra na Bíblia e em Outra Literatura

1. O Unigênito: Escrituras

O termo Unigênito, quando aplicado a Cristo, nos evangelhos se encontra exclusivamente em João. Ver João 1: 18 e 3:16,18. Ver também I João 4:9. Além dessas ocorrências do termo, encontramo-lo por quatro outras vezes nas páginas do N.T. e sempre para indicar um filho único (ver Luc. 7:12; 8:42; 9:38 e Heb. 11: 17). Esse vocábulo não dá a entender nem posterioridade, e nem inferioridade, mas sim, uma modalidade toda especial de relação. O trecho de Col. 1:15 diz, "primogênito de toda a criação". Para Deus, Cristo é o "unigênito" (o único que participa, desde toda a eternidade passada, da natureza divina). Para a criação, entretanto, Cristo é o "primogênito", porquanto nele reside o princípio do novo nascimento, a regeneração da criação inteira, especialmente no que diz respeito aos homens, os quais haverão de, uma vez redimidos, ser transformados segundo a sua imagem (Quanto a primogênito, ver também Rom. 8:29; Apo. 1:5, Heb. 1:6; 11:28 e 12:23).

O uso feito por Paulo desse termo assinala a relação eterna existente entre Cristo e o universo, ou criação. João destaca a relação sem-par existente entre Deus Filho e Deus Pai. O Filho "era", não "tornou-se". Ele é alguém eternamente gerado, porquanto não teve começo no tempo. Essa relação não é retratada como algo que teria ocorrido mediante alguma reforma moral, adoção ou geração moral, porquanto já existia ou "era" desde o princípio.

II. Diversas Interpretações

1. Alguns atribuem o vocábulo ao nascimento físico de Cristo, ensinando que significa que Jesus, em seu nascimento, foi o "unigênito" de Deus. Portanto, a referência diria respeito, principalmente, ao nascimento virginal de Jesus, a partir da ocasião em que ele teria passado a ser chamado de unigênito de Deus. Assim escreveu Adam Clarke (*in loc.*): "Isto é, o único filho nascido de uma mulher, cuja natureza humana não se deriva do modo comum de geração; porque era mais uma criação, operada no ventre da virgem, mediante a energia do Espírito Santo". Não obstante, a maioria dos intérpretes rejeita essa interpretação como explicação adequada para o termo "unigênito".

2. Outros vinculam o vocábulo "unigênito" à ressurreição de Cristo, dizendo que se refere à ocasião em que ele foi gerado por Deus para uma existência mais elevada. Isso expressa certa verdade, mas o termo "unigênito" não faz alusão alguma a essa ocorrência, e aparece em diversos trechos bíblicos de forma completamente desvinculada de qualquer ensino sobre a ressurreição. John Gill (*in loc.*) observa que muitos milhões de criaturas humanas compartilharão dessa ressurreição, e que, por isso mesmo, dificilmente Cristo poderia ser chamado de "filho unigênito", se a ressurreição estivesse em vista aqui.

3. Outros estudiosos são da opinião de que Cristo se tornou o filho "unigênito" de Deus por meio de uma adoção especial como filho, por parte de Deus Pai. Assim também pensavam os gnósticos. Porém, tornar-se "filho unigênito" não é a mesma coisa que ser adotado. Essas são duas idéias distintas entre si. Acresça-se a isso o fato de que ninguém pode demonstrar a idéia da adoção, aplicada a Cristo, por meio das Escrituras. Aqui temos a perversão gnóstica da cristologia.

4. Os socianistas e os unitários ficam muito aquém do verdadeiro significado do termo quando asseveram que ele simplesmente quer dizer bem-amado, expressando algum favor especial que Jesus desfrutava (acima de qualquer outro homem), por motivo de sua pureza de vida especial.

UNIGÊNITO – UNITARISMO

5. Bem ao contrário dessa idéia, o *credo niceno*, acompanhado por muitíssimos intérpretes, esclarece o termo da seguinte maneira: "O Filho unigênito de Deus, gerado por seu Pai antes de todos os mundos. Assim sendo, tal designação alude ao estado de existência pré-encarnada de Cristo, salientando alguma espécie de relação que havia entre Deus Pai e Deus Filho". Esse ensino equivale àquilo que os teólogos têm chamado de geração eterna do Filho.

III. Declaração Antropomórfica

"A declaração é de natureza antropomórfica (atribui forma humana e maneiras humanas de atividade a Deus, como quando falamos de 'mãos', 'face', 'olho' de Deus, etc., ou como quando lemos 'geração', como vemos aqui) e por isso mesmo não pode expressar plenamente a relação metafísica". (Vincent, *in loc.*). Posto que a expressão é antropomórfica, não podemos pressioná-la demasiadamente, exigindo-lhe uma explicação capaz de descrever apropriadamente a relação que há entre Deus Pai e Deus Filho.

O que se depreende de tudo isso é que Cristo é o princípio de todos os demais nascimentos e regenerações. "O vocábulo se refere ao *tekna* de Deus, que aparece no v.12 e determina a diferença entre Cristo e os crentes: 1. Ele é Filho unigênito no sentido de que não há outro que se lhe compare, mas eles são muitos. 2. Ele é o Filho de Deus desde a eternidade; eles se tornam filhos dentro do tempo. 3. Ele é o Filho de Deus por natureza; eles são feitos filhos, mediante a graça e a adoção. 4. Ele tem a mesma essência do Pai; eles são de substância diferente. (Apesar de isso demonstrar a verdade pelo momento, o desígnio do evangelho é que, finalmente, os filhos adotados venham a compartilhar da natureza essencial do Logos)." (Philip Schaff, *in loc*, no Lange's Commentary). Lutero disse (*in loc.*): "Deus tem muitos filhos, mas apenas um Filho unigênito, por meio de quem são feitas todas as coisas e todos os outros filhos".

Descrição

Cheio de graça e de verdade. Encontramos aqui uma combinação de virtudes bastante comum nas páginas do A.T. (ver Gên. 24:27,49; 32: 10; Êxo. 34:61 Sal. 40: 10, 11 e 61:7). Nessas palavras está resumido o caráter da revelação divina. Westcott, segundo citado (*in loc.*) por Vincent, diz: "A graça corresponde à idéia da revelação de Deus na qualidade de amor (I João 4:8,16), por meio daquele que é a vida; e a verdade corresponde à revelação de Deus como luz (I João 1:4), por meio daquele que é a luz. Não somente ele viu toda graça e verdade, mas graça e verdade parecem estar concentradas em Cristo. E justamente nisso consiste a sua glória, porquanto a graça e a verdade são os principais atributos de Jeová no Antigo Testamento, posto que o espírito messiânico reconhecia-o, preeminentemente, como o Deus da redenção ... Cristo, como redenção absoluta, era pura graça; e, como revelação absoluta, era pura verdade". (Lange, *in loc.*).

IV. Sumário dos Usos da Palavra na Bíblia e em Outra Literatura

1. Em Relação a Cristo

As três seções acima demonstram esse uso até com detalhes.

2. Outros Usos

a. Na literatura clássica. O termo *monogenés*, com suas formas variantes, *mounogénea* e *mounógonos*, encontra-se em uma grande variedade de escritores clássicos, incluindo Hesíodo, os hinos órficos, Parmênides, Platão, Heródoto, Apolônio, Ródio e outros. Essa palavra também tem sido encontrada em inscrições gregas. Nessa literatura, o sentido fundamental dela, em seu aspecto literal, é "filho único", "único filho gerado", "descendente único". Todavia esse vocábulo também tem os sentidos de "inigualável", "sem-par", "filho de qualidade especial", "filho semigual".

b. Na Septuaginta e em outros escritos judaicos em grego. Com o sentido de "o único" (Jul. 11:34; Pseudo-Filo 39: 11; Tobias 3: 15; 6:14). Com o sentido de "desolado", "solitário", "sozinho" (Sal. 25:16; 68:6). Com o sentido de "preciosíssimo", "insubstituível", "o maior tesouro" (Sal. 22:20; 35:17). Com o sentido de "favorecido", "escolhido", "ímpar" (Gên. 22:2 "Isaque, filho de Abraão"; Jubileus 18:2,11; Josefo, Anti. 1.222; 20.20). Em alusão à Sabedoria, no livro apócrifo Sabedoria de Salomão 7:22; Baruque 4:16. E, finalmente, com o sentido de "amado" (Zac. 12:10).

c. Clemente de Roma. Referindo-se ao pássaro misterioso, a Fênix, ele empregou essa palavra no sentido de "único de sua classe".

Esses diversos usos sugerem os sentidos possíveis que a palavra "unigênito" pode adquirir em relação a Cristo. No Novo Testamento, Cristo aparece como "o Filho único", "ímpar", "sem-par", etc.

UNIO MYSTICA

Essa é a expressão latina que significa "união mística". Refere-se à união com Deus como o ideal da busca mística. Ver também União com Deus e União com Cristo.

UNIPERSONALIDADE DE DEUS

Assim se chama o ponto de vista que diz que a deidade consiste em somente uma pessoa, conforme é ensinado pelo Unitarismo (vide).

UNITARISMO

1. Definições

O unitarismo consiste na afirmação de que **Deus é um** e que o Filho pode ser considerado divino, mas não no mesmo sentido em que Deus Pai é assim chamado, visto que os dois não compartilhariam da mesma essência. Nas formas modernas do unitarismo, devemos pensar em qualquer conceito em que a divindade plena de Cristo é negada ou mesmo omitida. A liberdade de religião, a liberdade de pensamento e de expressão, a utilidade dos ensinamentos religiosos e éticos de Cristo, o liberalismo e a noção de independência ou autonomia das congregações locais são crenças e práticas unitárias tradicionais.

2. Origens Históricas

Todas as religiões monoteístas, como o judaísmo e o islamismo, favorecem a idéia unitária do Ser divino. Os arianos (ver sobre o Arianismo) não podiam ver como qualquer tipo de visão triteísta ou trinitariana pode, de fato, preservar o monoteísmo (vide). Assim sendo, historicamente falando, podemos dizer que, dentro do cristianismo, o unitarismo começou com o arianismo. Ário, presbítero da igreja de Alexandria, negava as fórmulas trinitarianas e asseverava que houve tempo em que Deus Pai existia, mas não Deus Filho, o qual, por isso mesmo, teria sido criado por

UNITARISMO – UNIVERSAIS

Deus Pai. Assim, a Cristo era conferida uma espécie de divindade secundária, mas ele não seria da mesma substância do Pai. Cristo seria digno de adoração, mas não deveria ser adorado no mesmo sentido em que Deus Pai é adorado. Essa antiga forma de unitarismo foi condenada tanto pelo concílio de Nicéia (32.5 d.C.) como pelo concílio de Constantinopla (381 d.C.).

3. *Outros Incidentes Históricos da Doutrina*

O *adocionismo* (vide) e o *monarquianismo* (vide) defendiam variedades do unitarismo. Miguel Serveto (vide) também foi unitário, da mesma maneira que o foram muitos anabatistas. O unitarismo foi um dos alicerces teológicos do socianismo (vide), das noções de Laélio e Fausto Cocinus e do catecismo Rocoviano, de 1605. No socianismo, Cristo aparece como uma figura divina digna de adoração, mas não no mesmo sentido e grau em que o é Deus Pai.

4. *O Unitarismo Moderno*

Como movimento moderno, o unitarismo começou nos séculos XVI e XVII. O termo latino "unitarius" foi usado pela primeira vez em 1569, na Transilvânia, e então foi adotado pelas igrejas, em 1633. Na Inglaterra, o vocábulo apareceu pela primeira vez em 1682. A Reforma Protestante, afrouxando um tanto os laços dogmáticos, deu margem a fórmulas não-trinitarianas. A Igreja Unitária Húngara separou-se da Igreja Reformada em 1568. Ela tornou-se uma das quatro religiões reconhecidas, e continuou a desenvolver-se isolada. Grupos ingleses e norte-americanos desenvolveram-se independentemente desse grupo, e somente esses tinham algum tipo de contacto com a união, aí por 1821.

O unitarismo inglês desenvolveu-se entre 1548 e 1612. Muitos defensores do antitrinitarismo foram condenados, presos, executados na fogueira ou banidos. A Igreja oficial reagiu com sua usual violência, em nome de Deus. Alguns poucos unitários (que, afinal de contas, estavam apenas defendendo o monoteísmo à sua maneira) tiveram de retratar-se, para salvarem sua vida. Em 1705, foi estabelecida uma congregação londrina de unitários, apesar de feroz oposição. Em 1825, foi fundada a Associação Unitária Britânica e Estrangeira.

Nos Estados Unidos da América do Norte, pelos meados do século XVIII, o Harvard College tornou-se o centro de grandes debates, e o movimento unitário foi firmemente estabelecido ali. A Capela do Rei, em Boston, tornou-se depressa uma igreja unitária, pois uma grande porcentagem dos pregadores de Boston havia tomado a postura unitária. Em 1825, foi organizada a Associação Unitária Americana. Os unitários conquistaram, essencialmente, o congregacionalismo da Nova Inglaterra, e essa influência tornou-se preponderante na Universidade de Harvard.

5. *O Unitarismo Atual*

O transcendentalismo assumiu a posição unitária. Gradualmente foi-se firmando uma espécie de secularismo, e as posições se radicalizaram. O unitarismo original era essencialmente protestante, e a grande diferença estava na questão da Trindade. Mas essa posição original modificou-se totalmente, de tal modo que os unitários de nossos dias com freqüência são agnósticos ou mesmo ateus. Dentro do movimento não há nenhuma pressão para ninguém subscrever algum credo específico. Mas o liberalismo é quase um requisito para alguém pertencer às modernas igrejas unitárias e sentir-se à vontade. Tal como acontece com grande número de liberais, muitos unitários inclinam-se para a posição universalista. Em 1961, nos Estados Unidos da América do Norte, a Associação Unitária Americana fundiu-se com o movimento universalista.

UNIVERSAIS

Como sinônimos, também podemos usar os termos Idéias e Formas. A discussão sobre os universais sempre foi um dos principais problemas enfrentados pela filosofia.

Esboço:
I. Terminologia e Caracterização Geral
II. Teorias Principais a Respeito
III. Filósofos Falam sobre os Universais
IV. Importância dos Universais para a Teologia

I. Terminologia e Caracterização Geral

Nossa palavra portuguesa, "universais", vem do latim, *universalis*, "pertinente a tudo". Se Platão usava a palavra grega *eidos*, "idéia", Aristóteles preferia *katholikós*, "o todo", termo correspondente ao latim *universalis*. O universal faz oposição ao particular. Ver sobre *Particulares*. De acordo com a linguagem platônica, o universal é aquilo que pertence ao "mundo transcendental", o mundo das idéias, formas ou realidades metafísicas, enquanto os particulares são os objetos deste mundo material. De acordo com seu ponto de vista, os particulares foram criados pelo "demiurgo", imitando os Universais, ou então usando-os como padrões de sua criação material.

Em oposição a essa visão metafísica das coisas, os nominalistas enxergam o universal como meramente uma palavra de conotação geral, na linguagem, como "vermelho" descreve objetos dessa cor, mas não passa de um nome ou termo conveniente, e não é uma realidade metafísica de alguma espécie. Ver o artigo sobre *Idéia*, que dá dezessete definições filosóficas sobre esse termo. Há quatro conceitos básicos do universal: o realismo radical; o realismo moderado; o conceptualismo; e o nominalismo, sem falar em variações que distorcem a idéia central. Essas formas principais são discutidas na segunda seção deste artigo. Damos atenção a idéias secundárias, na terceira seção deste artigo. O grande problema filosófico no tocante aos universais é a sua condição ontológica.

"Universais e particulares. As coisas são particulares, e as suas qualidades são universais. Assim sendo, um universal é a propriedade predicada a todos os indivíduos de uma determinada classe ou categoria. Vermelho é um predicado universal de todos os objetos dessa cor. Alguns filósofos dizem que os universais têm existência distinta das coisas particulares que exemplificam aquela propriedade. Para Platão e os filósofos platônicos, "o mundo observável é apenas um reflexo do mundo real", que para Platão consistia nas Formas, as quais, para esse filósofo se assemelham algumas vezes aos universais" (F).

II. Teorias Principais a Respeito

1. Platão: Realismo Radical

a. O *universal* é real, de onde vem o uso do termo realismo, dentro desse contexto. Em outros contextos, essa palavra indica "o mundo exterior" como uma realidade, inteiramente à parte de minha percepção dele; em outras palavras, a idéia não é a única realidade. O realismo radical, dentro dessa questão dos universais, indica

UNIVERSAIS

que o universal é real e distinto do particular, além de ser uma categoria de ser superior ao particular. A ilustração acima demonstra o conceito. O U é maior que o P, e uma linha separa os dois.

b. No realismo platônico, o universal é a fonte do ser e determina a natureza dos particulares, os quais são cópias imperfeitas ou imitações do Mundo Real (das Idéias, Formas ou Universais).

c. A bondade, por exemplo, é um universal que se encontra em muitos particulares, mas há uma bondade suprema, um tipo de entidade metafísica que é imitada por outras pessoas ou coisas, dotadas de certa bondade (imperfeita).

d. Os particulares são objetos, conceitos, etc., físicos e mundanos. Ver o artigo sobre esse assunto, para explicações completas.

Descrições mais detalhadas das idéias de Platão aparecem na terceira seção, ponto primeiro, deste artigo. Platão apoiava a idéia de dualismo (vide), em sua teoria dos universais.

2. Aristóteles: Realismo Moderado

a. *O universal* é real, mas não distinto do particular. Ademais, agora o particular aparece como mais importante que o universal, pelo menos até onde nossa vida diária está envolvida. Isso deixa transparecer as atitudes científicas de Aristóteles. Encontra-se exatamente aqui na terra, podendo ser observado nos objetos físicos nas pessoas, em seus conceitos, etc. A bondade, para Aristóteles, não é uma entidade metafísica de uma dimensão superior da existência. Antes, é uma qualidade que pode ser achada em objetos terrenos, nas pessoas e nas suas idéias. Porém, é algo real, e não um mero termo da linguagem, que se refira a coletivos.

b. Outros detalhes aparecem na terceira seção, segundo ponto, deste artigo.

3. Sócrates: Conceptualismo

O *universal* é um conceito da mente divina, cósmica, ou, então, da mente humana, e não uma entidade real (distinta) e superior da dimensão do ser. Para ele, a bondade é uma idéia ou um ideal da Mente Divina, também chamada Mente Universal ou Mente Cósmica (vide). Para mais detalhes, ver a terceira seção, terceiro ponto, deste artigo.

4. Nominalismo

"Universal" é apenas um termo coletivo da linguagem, uma palavra que exprime generalidades. Não tem existência em nenhum mundo separado, nem é nenhum conceito da Mente Divina ou Mente Cósmica. É apenas uma palavra. Bondade é um termo de nossa linguagem, que pode aplicar-se a vários objetos, pessoas e idéias. É apenas um nome, conforme subentende o nominalismo. É provável que a maioria dos cientistas defenda o nominalismo; e, naturalmente, a maioria esmagadora dos céticos.

III. Filósofos Falam Sobre os Universais

1. Platão. Apresentei outro diagrama que ilustra os universais, conforme eram concebidos por Platão, no artigo sobre a Ética, em sua quinta seção, A Ética de Platão. Essa ilustração mostra uma hierarquia dos universais ou idéias. A Bondade é a maior dessas idéias, de onde todas as demais seriam oriundas. Mas em seguida haveria os importantes universais da Justiça, da Verdade, da Beleza (esta última é a mais importante das idéias, no diálogo Banquete, de Platão). Os universais têm importantes atributos e características, como absolutos, perfeitos, eternos, fora do espaço, imutáveis, eternos, racionais e imateriais. Pode-se perceber facilmente que encontramos aí os atributos comuns que atribuímos a Deus. De fato, no diálogo Leis, de Platão, o termo *theós*, "Deus", substitui o vocábulo Idéias (ou Universais). E aqueles atributos aparecem como atributos divinos, e não como entidades separadas. Entre os universais e os particulares haveria uma barreira de moralidade que separa os homens do mundo eterno ou dos universais. Os particulares são limitados, imperfeitos, temporais, espaciais, sujeitos ao tempo, mutáveis; (em estado de fluxo) e materiais. Os universais podem ser conhecidos pela razão, pela intuição e pelas experiências místicas. Mas os particulares são conhecidos por meio da percepção dos sentidos, a menos fidedigna das maneiras pelas quais tomamos conhecimento das coisas. O demiurgo é que teria criado os particulares, em imitação aos universais, de tal modo que tudo aquilo que vemos e conhecemos nesta terra são meras cópias inexatas da realidade. A inquirição da alma visa a retomar ao Mundo das Idéias, de onde ela veio, façanha realizada pela transformação moral e espiritual. Assim sendo, a ética reveste-se de suprema importância neste mundo, mesmo que indivíduos degenerados sempre queiram negar esse fato. A alma é uma espécie de universal, visto ser eterna, uma individualização da eterna essência divina. Seu destino é ser reabsorvida pelo Ser Divino.

O ponto de vista de Platão tem sido chamado de radicalismo extremo ou de radicalismo absoluto, porquanto o real (ou universal) pertence a uma essência diferente e superior de ser, muito mais importante que os particulares.

2. Aristóteles advogava um realismo moderado, que dava margem à realidade do universal, mas localizava-o somente neste mundo, encontrado nos particulares. Ele afirmava que as Idéias (ou universais) não existem por si mesmas, mas tão-somente são elementos ou formas dos objetos sensíveis (terrenos), ou de pessoas e idéias, que complementam a matéria. Aristóteles era cientista, e essa teoria ajustava-se melhor à sua busca do conhecimento, que ele pensava poder encontrar-se aqui mesmo, e não em algum mundo metafísico das idéias. De conformidade com Aristóteles, matéria e forma constituem a substância individual sensível.

3. Sócrates (refletido nos primeiros diálogos de Platão) assumia o ponto de vista conceptual dos universais. Ele buscava definições universais e pensava poder achá-los nos conceitos mentais. Esses conceitos gerais é que seriam os universais. Sócrates acreditava na Mente Universal e esforçava-se por encontrar os conceitos morais através da razão (mediante os diálogos) e da intuição. Foi Sócrates quem armou o palco para a secular batalha em torno da condição metafísica dos universais. Ele pressionava seus alunos para que dessem definições universais acerca de qualquer conjunto de coisas. Ele confiava que a Mente Universal (da qual participa a mente humana) já contém todos esses conceitos. Não precisamos inventá-los, precisamos somente descobri-los.

4. Plotino e os filósofos neoplatônicos (vide) chamavam o mundo das Idéias, de concepção platônica, de *Nous* (no grego, "mente"), a Inteligência Suprema, de onde emanam todas as coisas e que gera toda outra existência. Isso era outra forma de realismo radical (absoluto).

UNIVERSAIS

5. Porfírio tomava uma posição agnóstica sobre a condição metafísica dos universais, declarando que essas entidades estão além da capacidade de discernimento do ser humano. De maneira prática, ele tomava a abordagem aristotélica do problema.

6. Agostinho cristianizou o ponto de vista de Platão, a serviço da teologia cristã. Para ele, Deus é o grande Universal, e o Logos é o demiurgo. A salvação é o retorno do particular ao universal. Parece que ele subscrevia uma visão conceptualista da multiplicidade dos universais. Seriam conceitos da Mente Divina, embora também possamos considerá-los atributos divinos.

7. Boethius concordava com a abordagem agnóstica de Porfírio, mas a sua análise seguia o moderno realismo de Aristóteles. Foi a sua atividade filosófica que acendeu a grande controvérsia sobre esse problema, na Idade Média.

8. Erígena foi um realista radical (absoluto).

9. Anselmo seguia Platão e atacava o nominalismo de Roscelino.

10. Atribui-se a Roscelino a fundação do nominalismo, na filosofia, posto que as idéias que deram margem a tal formulação já existiam desde os filósofos sofistas.

11. Guilherme de Champeaux, embora tenha estudado com Roscelino, retornou ao realismo radical.

12. Abelardo estudou com Roscelino e Guilherme de Champeaux, e procurou encontrar uma posição intermediária entre os dois. Talvez ele tenha sido um conceptualista, ou então um realista moderado.

13. Gilberto de Porrée asseverava que a forma (universal) é individual e real em cada objeto, embora possamos compará-los, através de suas semelhanças, a membros de qualquer espécie ou gênero. Ele também defendia o conceptualismo. Os Universais, para ele, acham-se na Mente divina.

14. Tomás de Aquino defendia o realismo moderado (seguindo Aristóteles) sob a forma de explicação dada por Abelardo e João de Salisbury. Agostinho também influenciou o seu pensamento. Aquino ofereceu uma complexa explicação:

Pode-se falar sobre o universal em três conexões:

a. *Universale ante rem*: existem na mente de Deus, antes de existirem nas coisas: conceptualismo.

b. *Universale in rem*: existem, realmente, nas coisas, sendo essências individuais concretas, numericamente distintos, mas similares em todos os membros de uma dada espécie; uma forma de realismo moderado.

c. *Universale post rem*: existem após a coisa, no conceito universal abstrato na mente; uma forma de conceptualismo.

15. Duns Scotus acrescentou a essa já complicada discussão a noção de "distinção formal". Ele ensinava que existe uma distinção formal entre a *haecceitas* ("esta coisisse"), a essência individual (de Sócrates, por exemplo), e a natureza humana universal.

16. Guilherme de Ockham era contrário à multiplicação de entidades metafísicas com o intuito de explicar nossos problemas; e assim, com sua famosa "navalha", descontinuava o Mundo Universal de Idéias. Ele atacava todas as formas de realismo, asseverando que tudo quanto temos são termos universais (nominalismo), e não coisas universais.

17. Madhva, um filósofo indiano do século XIII, falava sobre uma "semelhança universal" entre as coisas, em substituição à idéia dos universais.

18. Thomas Hobbes ensinava uma teoria nominalista alicerçada sobre a ontologia materialista.

19. John Locke parecia hesitar entre o conceptualismo e o nominalismo.

20. Berkeley também hesitava entre o conceptualismo e o nominalismo.

21. Hume ensinava o nominalismo.

22. Emanuel Kant advogava certa forma de conceptualismo, mas afirmando que não podemos fazer juízos firmes sobre as "coisas em si mesmas", exceto através dos postulados da razão, da intuição e das experiências místicas.

23. Hegel era um realista. Ele identificava o racional com o real.

24. Whitehead defendia o realismo platônico.

25. Russell lançou mão das semelhanças universais a fim de dar apoio à sua teoria das classes, o que significa que não haveria uma semelhança universal única. Pois, tendo admitido a existência de um universal, podemos admitir a existência de outros universais, conforme, realmente, precisamos fazer em apoio às nossas explicações filosóficas.

26. Quase todos os realistas críticos e neo-realistas têm aderido a alguma forma de realismo.

27. Wittgenstein levou à maturidade a teoria da semelhança. Em lugar da idéia dos universais, ele preferia a idéia de "famílias de semelhanças".

IV. Importância dos Universais para a Teologia

1. Utilizando-nos de Platão como inspiração, podemos dizer que Deus Triuno (Pai, Filho e Espírito Santo) é o Universal, e que Cristo é o Demiurgo. A criação foi feita por meio das idéias da Mente divina (conceptualismo). E a alma humana, uma espécie de universal, busca sua Pátria Universal através da transformação espiritual e moral.

2. O nominalismo pode influenciar a teologia asseverando três pessoas distintas na deidade, ou seja, o triteísmo. Além disso, a igreja universal (uma espécie de universal) é a Igreja mística, mantida espiritualmente unida; mas o nominalismo a nega, reduzindo-a a igrejas locais, mediante a influência da maneira de pensar do nominalismo.

3. O realismo pode ser usado em apoio à doutrina romanista da transubstanciação. A essência real (universal) do corpo e do sangue de Cristo poderiam fazer-se presentes nos elementos físicos do pão e do vinho, mas sem se identificar com esses elementos, no tocante a seus acidentes. A consubstanciação também pode tirar vantagem desse raciocínio filosófico. Por outra parte, o pensamento nominalista dá apoio à visão simbólica da eucaristia. Dizemos (usando palavras) que, simbolicamente, Cristo está presente nos elementos, mas não asseveramos a sua presença real no pão e no vinho.

4. O realismo, de modo geral, dá apoio ao dualismo: há uma esfera transcendental e há uma esfera física, mundana. Ambas as esferas são reais, mas o Real é transcendental. A maior parte das pessoas religiosas tende para uma forma ou outra do realismo.

5. O nominalismo, grosso modo, dá apoio ao monismo (vide), ou, pelo menos, o sugere. Haveria apenas uma realidade: a material. Quase todos os agnósticos, ateus e céticos são nominalistas; e, visto que a ciência exibe a tendência de alinhar-se com esse pensamento filosófico, quase todos os cientistas são nominalistas. Todavia, tem havido muitas exceções.

6. O conceptualismo enfatiza a importância e o poder da mente. Ademais, confere alguma base à crença na Mente Universal ou Mente Cósmica (vide).

7. O realismo e o conceptualismo tendem a favorecer a ética absolutista: existiriam padrões absolutos de conduta, procedentes da Mente divina, ou então esses padrões seriam atributos divinos que precisam ser imitados pelos homens. O nominalismo, por sua vez, tende a dar apoio à ética relativista por causa de sua ênfase sobre o um, a realidade física, negligenciando a realidade transcendental.

8. O realismo radical, conforme é refletido na explicação original de Platão, pode ser usado como apoio ao politeísmo, incluindo o triteísmo. Mas aquela forma da posição, encontrada no diálogo Leis, também pode ser usada em apoio ao monoteísmo, em que os seres universais são vistos como atributos divinos, e não como entidades divinas distintas.

9. A doutrina do Logos aparece inerente na idéia da mediação do Demiurgo criador, empregando o padrão dos universais para guiar o tipo de criação por ele produzido.

Bibliografia: AM BENT C E EP MM P R

UNIVERSAL, MENTE

Ver sobre *Mente Universal*, *Mente Cósmica* (um artigo); *Cristo-Consciência* e *Consciência Cósmica*.

UNIVERSALIDADE DA MISSÃO DE CRISTO

Ver *Missão Universal de Cristo*.

UNIVERSALISMO

Esboço:
I. Definições e Caracterização Geral
II. Apoio Histórico na Igreja Cristã
III. Base Bíblica do Universalismo
IV. Alternativas Não-Viáveis e Viáveis do Universalismo
V. Avaliação do Universalismo

I. Definições e Caracterização Geral

O universalismo é a crença do bem-estar final de todos os homens, ou mesmo de todos os seres inteligentes, incluindo seres superiores aos homens. Esse bem-estar é definido de modo diferente, tal como a salvação é diferente. Os universalistas que se deixam orientar pela Bíblia falam em termos de salvação cristã (bíblica), mas os não-cristãos, como os neoplatônicos (com suas emanações e retornos de emanações) ou como os seguidores do bahaísmo (vide), definem o bem-estar de todas as criaturas em termos diferentes. O universalismo judaico não abordava questões como a salvação da alma, mas previa que os propósitos de Deus incluiriam todos os povos (ver Gên. 12:3; 26:4; 28:14; Amós 3:2; 9:7). Nos capítulos nono a décimo primeiro da epístola aos Romanos, essa forma de universalismo aborda a questão da salvação, e não apenas os privilégios materiais e espirituais das nações. Paulo concebia a reintegração universal da humanidade, em Cristo.

Mais apropriadamente falando, a doutrina envolve a restauração (vide) em seu sentido mais alto: finalmente, todas as almas humanas serão salvas. A palavra grega correspondente a "restauração" é *apokatástasis*. Há duas formas principais de universalismo no meio cristão. Alguns têm pensado que a graça de Deus será tão grande e abundante que a morte física do indivíduo assinalará o começo da restauração, e que o julgamento foi totalmente anulado pela missão de Cristo, incluindo a obra de sua expiação, que liberta a todos os homens, sem nenhuma necessidade de julgamento. A maior parte dos universalistas, porém, tem pensado que o julgamento é um agente necessário da salvação, porquanto a justiça precisa ser servida. Outrossim, a própria manifestação da justiça é uma manifestação do amor de Deus. Isso posto, o julgamento é um aspecto do amor de Deus, um de seus agentes, e precisa realizar a sua obra. Porém, uma vez que tenha terminado sua atuação purificadora, todas as almas serão remidas e participarão dos mais elevados benefícios da missão de Cristo.

Alguns universalistas-calvinistas asseguram-nos de que a predestinação é, na verdade, nossa amiga, não nossa inimiga. Deus predestinou todos os homens à salvação, e isso, meus amigos, é tudo quanto está envolvido no amor de Deus. A única diferença é quando cada alma individual será remida, porque algumas delas resistem mais tempo do que outras. Talvez as eras da eternidade futura sejam necessárias para a redenção de todos os homens. Ninguém pode prever quanto tempo será necessário para derrotar a Satanás e obter a vitória absoluta. Mas a graça predestinadora garantirá, de modo absoluto, a vitória final. Os universalistas místicos acreditam que entender essa imensa verdade é algo que requer uma iluminação especial do Espírito de Deus, porquanto o sectarismo e os preconceitos controlam quase todas as mentes. Os preconceitos é que promovem as antigas idéias de destruição. Mas o poder do amor liberta a todos os cativos. Os universalistas acreditam que a salvação final e completa, para todos, é o único conceito digno de uma avaliação apropriada do poder da missão de Cristo, e também o único que faz justiça ao amor de Deus.

Admite-se que podemos achar trechos bíblicos que dão apoio à idéia de condenação eterna para a vasta maioria dos homens. Mas os trechos bíblicos que assim ensinam pertencem a uma religião e uma revelação primitivas, a posição contrária também é ensinada na Bíblia, preferível à revelação anterior. Ver a terceira seção, intitulada Base Bíblica do Universalismo. Os universalistas mais modernos, menos limitados às Escrituras, não estão interessados na batalha em torno de textos de prova, visto que põem em dúvida a idéia inteira de provar verdades grandiosas meramente examinando referências bíblicas. Antes, a verdade precisa proceder de toda espécie de investigação, com a ajuda da razão, da intuição e das experiências místicas. Nunca será suficiente meramente apresentar capítulos e versículos acerca de algum tópico. Todas as denominações cristãs estão envolvidas nessa futilidade, e todas elas têm seus textos de prova preferidos. Isso posto, apesar de a Bíblia ser uma das fontes do conhecimento espiritual, não é a única fonte. Além disso, uma grande variedade de teologias tem apoio desse método de textos de prova. Por conseguinte, devemos buscar um método diferente de procurar a verdade, se quisermos ser sérios acerca da questão.

A maior parte dos universalistas não hesita em explicar suas crenças a todas as formas de vida inteligente, de tal modo que, segundo eles, não somente o homem caído, mas também os anjos caídos, serão devolvidos ao rei dos remidos. Se alguém sentir necessidade de algum texto de prova, bastar-lhe-á examinar o trecho de Efé. 1:9,10, que alude a todas as

UNIVERSALISMO

A RESTAURAÇÃO UNIVERSAL
EFÉSIOS 1:10, 23

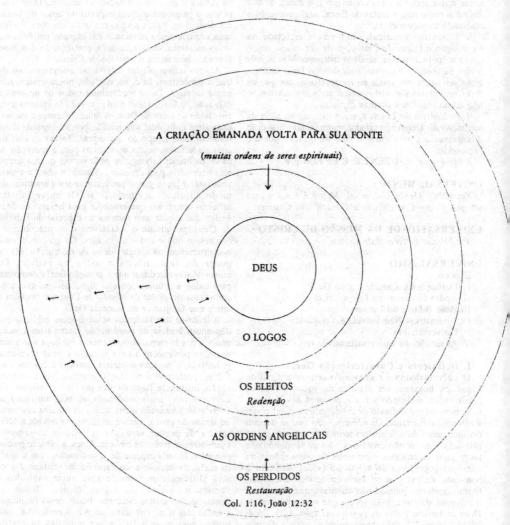

O julgamento é um dedo da mão amorosa de Deus. O julgamento efetua aspectos importantes do trabalho do amor de Deus.

O oposto de injustiça não é justiça — é *amor*.

O Livro de *Jonas* é o João 3:16
do Antigo Testamento.
O amor de Deus estende até os animais.
    (Jonas 4:11)

O amor de Deus é *real* universalmente,
    não meramente potencial.
O amor de Deus será absolutamente efetivo
    afinal
O amor de Deus é todo-poderoso e
    não admite obstáculos.
Amor divino, amor todo excelente
    Alegria do céu, desce à terra.
        (Charles Wesley)

Limites de pedra não podem conter o amor.
E o que o amor *pode* fazer, isso o amor
    ousa *fazer*. (Shakespeare)

O amor de Deus desce ao mais baixo inferno
Se pudéssemos encher de tinta os mares,
E cobrir os céus de pergaminho;
Se todas os pedúnculos fossem penas,
E todos os homens escribas profissionais —
Escrever o amor de Deus acima,
Ressecaria os oceanos;
E não haveria rolo para conter tudo,
Estendido que fosse de céu a céu.
O amor de Deus, quão rico e puro,
Quão sem medida e forte!
Perdurará para sempre...
    (F.M. Lehman)

••• ••• •••

coisas, e não somente aos homens como partícipes da unidade final que, inevitavelmente, formar-se-á em torno de Cristo, o Logos. Esse é o mistério da vontade de Deus: aquilo que ele fará, *finalmente,* no decorrer dos séculos e milênios da eternidade futura.

Oposição. A corrente principal das denominações cristãs, como o catolicismo romano, a Ortodoxia Oriental, os grupos protestantes e os anglicanos, nunca deu aprovação ao universalismo, embora figuras importantes de todos esses grupos se tenham pronunciado favoráveis a ele. Mas o *liberalismo* (vide), como uma classe ou como uma tradição cristã moderna, tem prestado todo o seu apoio a essa idéia. Muitos anglicanos defendem a posição como uma "esperança", não como um dogma, e evitam fazer pronunciamentos acerca do que, finalmente, haverá de ocorrer. A doutrina do universalismo foi condenada pelo concílio de Constantinopla, em 543 d.C.

II. Apoio Histórico na Igreja Cristã

1. Os Pais Alexandrinos. Clemente e Orígenes não hesitaram em propagar a idéia da restauração final, tendo definido essa restauração como salvação. Clemente foi o mestre de Orígenes, e este último faleceu em cerca de 254 d.C. Ele afirmou que ensinar um juízo que seja meramente retributivo é condescender diante de uma teologia inferior. Ele tinha a certeza de que o próprio julgamento é um poder purificador e restaurador de que Deus se utiliza a fim de produzir uma restauração geral, e não meramente para servir à justiça (embora essa também seja uma de suas funções). Ele pensava que todos os seres inteligentes, incluindo o próprio Satanás, seriam restaurados, após ter sofrido no inferno durante algum tempo, onde receberão o castigo que merecem. Mas os condenados, tendo sido assim purificados, estarão preparados para o céu (*Peri Archon* 1. 18 ss). Essa é a doutrina da *apokatástasis panton,* "restauração de tudo".

Justiça, julgamento, misericórdia e amor são sinônimos. Todas essas coisas são meros aspectos do amor de Deus. Em Deus há uma grande unidade de pensamentos e de atos, embora os homens prefiram separar essas coisas, dizendo: "Agora Deus está irado, e está julgando, e agora Deus está amoroso, e está abençoando". Mas os universalistas dizem: "Agora Deus está julgando, e isso manifesta o seu amor. Agora Deus está abençoando, e isso fomenta a manifestação de seu amor". Assim como Deus é Um em sua natureza, assim também é Um só em sua manifestação. A sua bondade é todo-poderosa e todo-conquistadora. Seu juízo é bom e atua em benefício de todos, da mesma maneira que um pai amoroso algumas vezes precisa infligir castigo a um filho amado. A dor do filho visa ao seu benefício, não lhe sendo prejudicial, pois, do contrário, aquele pai seria mau e perverso, não amoroso. A dor não é contrária ao amor, mas a condenação final certamente o é.

Um Estado Intermediário. Orígenes encarava o mundo presente como uma fase intermediária dos atos e das obras de Deus. Por enquanto seria um período de tutela e expurgo, de erudição e aprimoramento. Ele acreditava que essas condições prosseguem após a morte biológica do indivíduo e que os destinos eternos não são determinados por esse evento. Ele também acreditava que vastos ciclos estender-se-ão diante de nossos olhos na eternidade futura e que ali veremos o Logos atuando em favor de todos os seres inteligentes. E afirmou que tais seres, finalmente, serão purificados e salvos, como que através do fogo (ver I Cor. 3: 15), a fim de que Deus venha a ser, finalmente, "tudo em todos" (I Cor. 15.28). Somente isso pode satisfazer o poder da missão de Cristo e os requisitos do amor de Deus.

2. Gregório de Nissa, falecido em cerca de 395 d.C., foi outro campeão dessa causa. Foi ardoroso promotor da fé nicena, mas concordava com Orígenes quanto às suas conclusões essenciais acerca dos efeitos a longo prazo da missão do Logos, entendendo tais resultados em consonância com a estatura de Cristo, o que, naturalmente, é de ser esperado.

3. Teodoro de Mopsuéstia, falecido em 428 d.C, opunha-se às interpretações alegóricas dos pais alexandrinos da Igreja, mas concordava com eles no tocante ao universalismo. Devido à sua influência, a igreja nestoriana, em sua maior parte, tinha tendências universalistas.

4. Máximo, o Confessor, falecido em 662 d.C., deu prosseguimento ao pendor universalista da Igreja Oriental.

5. Igrejas Ortodoxas Orientais. O que Agostinho foi para a Igreja Ocidental, Orígenes foi para a Igreja Oriental. Apesar de essas igrejas (quase vinte denominações, nos tempos modernos) nunca terem incluído o universalismo em seus respectivos credos, muitos ortodoxos orientais têm advogado essa doutrina. Isso ocorre particularmente nos ramos grego e eslavo da Igreja Ortodoxa, apesar do fato de o quinto concílio ecumênico de Constantinopla (553 d.C.) ter condenado a doutrina. Nas Igrejas Ocidentais, pela influência de Agostinho, prevaleceram pontos de vista teológicos mais rígidos. O credo atanasiano (art. 43) expressamente assevera a doutrina da condenação eterna. A Igreja Ocidental tradicionalmente tem-se firmado sobre a idéia linear do tempo: uma pessoa nasce, vive e morre fisicamente; e daí resulta a estagnação, ou na vida eterna ou na condenação eterna. Já a Igreja Oriental tem defendido a noção circular do tempo: a preexistência da alma, cujo começo não pode ser assinalado em um círculo; a contínua oportunidade de salvação após a morte biológica; a obra restauradora de Deus encarnada como grande e eficaz. Esse "clima" interpretativo é favorável ao universalismo, embora não tenha arrastado denominações cristãs como um todo.

6. João Scotus Erigena, falecido em cerca de 877 d.C., foi um neoplatônico que, embora pertencesse culturalmente ao Ocidente, alicerçou-se com firmeza no pensamento Oriental quanto à sua teologia. Foi influenciado por Orígenes, por Gregório de Nissa e por Máximo, o Confessor, e assim acabou aderindo ao universalismo. Quanto a essa questão, no Ocidente, manteve praticamente sozinho essa posição na Idade Média.

7. Vincent Ferrer, falecido em 1419, foi um eloqüente missionário e pregador dominicano. Acreditava tão poderosamente no arrependimento que mantinha inclinações universalistas. Ensinava que Judas Iscariotes arrependeu-se e se teria prostrado perante a cruz de Jesus, se não tivesse sido impedido disso pela multidão. Ele suicidou-se com o específico propósito de libertar sua alma, a fim de que pudesse estar com Jesus! Verdadeiramente, gostaria que isso tivesse sucedido. Por outra parte, as Escrituras são taxativas quanto ao destino de sua alma: "Judas se transviou, indo para o seu próprio lugar" (Atos 1:25). E Jesus destacou a miséria espiritual de Iscariotes: "Melhor lhe fora não haver nascido!" (Mat. 26:24).

UNIVERSALISMO

8. *Após a Reforma Protestante*, vários grupos protestantes aderiram ao universalismo. A maioria dos anabatistas supunha que Cristo, na qualidade de Segundo Adão, tenha realizado uma obra universal, através de sua expiação, libertando a todos os filhos do primeiro Adão. Infantes e pagãos foram incluídos nessa obra universal, mesmo sem nunca terem ouvido o evangelho. Alguns evangélicos racionalistas, como Miguel Serveto (executado a mando de Calvino), aceitaram a causa do universalismo. E muitos morávios e cristadelfianos também aderiram ao universalismo.

9. John Bradley, capelão de Eduardo VI, foi executado na fogueira, por ordem de Maria Tudor, por haver ensinado – com base em Rom. 8:22 – que a salvação haverá de envolver todas as criaturas humanas, finalmente. Sua doutrina envolvia a curiosa, mas misericordiosa adição de que os próprios animais recebem um tipo de redenção em Cristo, sendo beneficiados por seu ministério, pois também teriam alma. Ver sobre *Alma dos Animais*.

10. *Várias Figuras de Diversas Denominações*. John Pordage (falecido em 1681) foi seguidor de Jacó Boehme, reitor de Bradfield Barks, e era universalista, como também o foi Jane Leade (falecida em 1704).

Ela falava sobre o evangelho eterno como uma mensagem universal em seu escopo, pois haveria de beneficiar a todos os filhos de Adão. Foi organizada uma sociedade para Avanço da Piedade e da Filosofia Divina, em Filadélfia, nos Estados Unidos da América, em 1670, organização essa que ensinava o universalismo. O batista Samuel Richardson era defensor convicto do universalismo. George Rust, bispo de Dromore, ensinava essa doutrina. Jeremias White, professor do Trinity College, em Cambridge 1712, publicou um livro em apoio ao universalismo. Essa obra tinha um título muito extenso, a saber, The Restoration of All Things: a Vindication of the Goodness and the Grace of God, to be manifested at last in the recovery of his whole creation out of their fall.

11. *Johann Whilhelm Peterson*. Foi um superintendente luterano, crítico da Bíblia e erudito. Contribuiu para o Comentário Bíblico Berleburg, de muitos volumes, e promoveu a posição do universalismo. Ele costumava utilizar-se do trecho de Apo. 21:5: "Eis que faço novas todas as cousas", passagem essa que nada tem a ver com o universalismo.

12. Johann Albrecht Bengel, um notável comentador bíblico luterano e erudito (falecido em 1752), acreditava no triunfo final de Deus, com a salvação de todas as almas humanas, e assim ensinava.

13. Friedrich Christoph Oetinger, pupilo de Bengel, acreditava que só se pode aceitar a doutrina do universalismo por via da inspiração divina, tão embotadas estão as mentes dos homens, devido aos preconceitos e à arrogância. Ele afirmava que costumava pregar às almas perdidas enquanto dormia (fazendo-o em espírito), assim promovendo a causa do universalismo.

14. *Nos Estados Unidos da América*, preeminentes expositores do universalismo foram Samuel Gorton (falecido em 1677); Sir Henry Varie (falecido em 1662); e o Dr. George De Benneville. Em 1753, os batistas alemães, ou *dunkers*, publicaram um artigo, O Evangelho Eterno, dando apoio ao universalismo.

15. *A Igreja Universalista da América*. A simpatia para com essa doutrina finalmente resultou na formação da Igreja Universalista, resultante dos labores, obras escritas e ensinamentos de James Relly (falecido em 1778), da Inglaterra, que influenciou a muitos na América do Norte. Era um dos convertidos de George Whitefield e abandonou, finalmente, seu tipo anterior de calvinismo, em favor do universalismo. Em seguida, ele fez as doutrinas da eleição e da predestinação ser aplicáveis a todos, e não somente a alguns.

John Murray (falecido em 1815) foi o verdadeiro fundador da Igreja Universalista Americana. Ele foi muito influenciado pela pregação e pelos ensinos de Relly. E quanto a isso temos um relato curioso. Um fazendeiro que vivia perto de um povoado chamado Good Luck, no atual estado de Nova Jérsei, orara pedindo um pregador para ocupar o púlpito de um templo da localidade. Em 1770, Murray velejou para a América do Norte, mas o navio em que viajava naufragou perto da costa de Inlet, em Nova Jérsei. Murray sobreviveu. Caminhando ao longo da praia, chegou a Good Luck. O fazendeiro reconheceu Murray como o homem enviado por Deus. E assim Murray pregou seu primeiro sermão universalista na América do Norte, na congregação de Potter. E em breve veio à existência uma igreja universalista. Posteriormente, ele partiu para Gloucester, estado de Massachussetts, e foi ali que foi preparada uma declaração de fé formal da igreja universalista, isso no ano de 1779. A maioria de seus membros provinha de outros grupos evangélicos. A declaração doutrinária do grupo ia além do mero universalismo, condenando a guerra, a escravatura, as disputas legais entre os crentes, os juramentos, e manifestando-se em favor da educação pública gratuita. Em 1809, quando Murray faleceu de derrame cerebral, era pastor da Primeira Igreja Universalista de Boston.

Elhanan Winchester viveu apenas quarenta e seis anos (1751 - 1797), mas foi um dos mais extraordinários universalistas. Antes de tudo, ele foi o mais intelectual dos universalistas de sua época. Em segundo lugar, ele sofreu a perda de quatro esposas, que morreram por causas naturais, e sua quinta esposa ficou louca. A princípio ele pregou em Filadélfia, nos Estados Unidos da América, e depois dirigiu grandes campanhas na Inglaterra. Murray havia sido um universalista de convicções calvinistas, mas Winchester pertencia à variedade arminiana. E ambos foram trinitarianos tradicionais.

Hosea Ballou (falecido em 1852) foi excluído pelos batistas, e tornou-se um grande porta-voz do universalismo. Ele alicerçava o universalismo sobre noções unitárias. Percorreu extensamente o estado da Nova Inglaterra, na América do Norte. Em 1803, a Profissão de Fé de Winchester foi redigida, tornando-se então uma espécie de base doutrinária e inspiração do movimento universalista. Sua publicação, A Expiação (lançada em 1805), tornou-se outra potência literária dentro do movimento. O âmago desse documento é a idéia do amor, um amor do qual se espera que faça grandes coisas, finalmente. Em 1818, após a morte de Murray (o que afastou a possibilidade de um cisma), Ballou foi para Boston, e tornou-se pastor da Segunda Igreja Universalista. Entrementes, Ellery Canning tornou-se líder dos unitários. Houve uma união dos universalistas com os unitários, mas essa situação não perdurou por muito tempo. A forte

UNIVERSALISMO

influência batista sobre o movimento, que se fazia sentir na ocasião, não permitia nenhuma união duradoura.

Houve um cisma temporário no movimento devido a desacordos sobre se algum julgamento purificador seria necessário à salvação. O movimento dividiu-se em dois por causa da questão; mas em 1841 a união foi restaurada.

Universidades. Três universidades surgiram dentre o movimento universalista: Tufts (1852), Saint Lawrence (1856), e Lombard (1862). Em seguida, foi organizada a Ryder Theological School, que terminou por associar-se à escola Meadville (atualmente localizada em Chicago). Essas escolas (atualmente três, pois a Lombard não prosseguiu por muito tempo) têm mantido sua categoria de universidades universalistas.

A Declaração de Boston dos Cinco Princípios não manteve o princípio da predestinação, que era idéia de Murray, e afirmou a necessidade de um julgamento purificador e retribuidor, a ser seguido por uma absoluta restauração a Deus, por parte de todas as almas.

16. Universalistas Modernos. A Igreja Universalista tem sido muito influenciada pelas idéias de Darwin, pelo liberalismo e pela alta-crítica da Bíblia. Tentou unir-se ao antigo Concílio Federal de Igreja (atualmente conhecido como Concílio Nacional de Igrejas, o ramo norte-americano do Concílio Mundial de Igrejas), mas não foi aceita. Assim sendo, em 1960, essa igreja tomou a decisão de unir-se à Igreja Unitária. O novo grupo que daí surgiu passou a denominar-se Associação Universalista Unitária, oficializada em 1961.

III. Base Bíblica do Universalismo

Apesar de os universalistas modernos não estarem muito preocupados em encontrar uma base bíblica para suas crenças, historicamente falando essa preocupação foi importante, visto que universalismo surgiu dentre o protestantismo evangélico, pelo menos em sua maior parte. Os primeiros convertidos a essa filosofia provinham de grupos evangélicos. Por conseguinte, pelo menos no começo, a Bíblia era usada como livro de texto de idéias universalistas.

Alguns Textos de Prova:

1. Atos 3:21 fala sobre a restauração de tudo (no grego, *apokatástasis panton*).

2. João 1:29 fala sobre como Cristo tirou o pecado do mundo, pois essa declaração é entendida de modo literal e inevitável pelos universalistas, e não meramente em um sentido potencial.

3. Romanos 5: 18 diz que a expiação de Cristo conseguiu a justificação para todos, tal como o pecado de Adão envolveu toda a humanidade.

4. I Coríntios 3:15 – todos acabariam sendo salvos, através do fogo espiritual.

5. I Coríntios 15:28 – Deus será tudo para todos, finalmente.

6. Efésios 4: 10-Cristo, o Logos, finalmente haverá de "encher todas as cousas", em consequência de seus labores no hades e em face do seu poder subseqüente nos céus, após a sua ascensão (ver Efé. 4:8-10).

7. Apocalipse 21:5 diz que Deus fará novas todas as coisas, o que soa como uma restauração universal.

8. Efésios 1:9, 10 ensina como, finalmente, na dispensação da plenitude dos tempos, haverá uma unidade absoluta em torno de Cristo, o Logos. Isso nos envolve no Mistério da Vontade de Deus (vide), o qual nos informa sobre aquilo que, finalmente, Deus tenciona fazer, tornando obsoletos todos os pontos de vista teológicos anteriores, que se referem às intenções e obras anteriores de Deus.

9. Col. 1:16: "...tudo foi criado por ele e para ele". A mesma criação que começou a existir pelo poder de Deus deve voltar para Deus, pelo amor divino. A vontade absoluta de Deus controla os dois fatores igualmente. Estes dois fatores são inevitáveis. O Sol Divino emanou seus raios, e estes, afinal, devem ser recolhidos na Fonte Divina. Col. 1: 16 concorda com a mensagem de Efé. 1:9, 10 e mostra a universalidade e natureza absoluta da expressão "todas as coisas" (*ta panta*).

Os textos utilizados giram em torno de quatro aspectos da teologia:

a. O propósito de Deus é universal, e não restrito;

b. Um meio adequado para cumprir esse propósito foi providenciado na missão do Logos;

c. A natureza da restauração é universal: todas as almas finalmente encontrarão unidade em Deus;

d. O intuito final de Deus, a manifestação final de sua vontade, é restaurar, e não julgar, e assim o julgamento servirá de meio (ou de um dos meios) da restauração.

Textos Bíblicos Contrários. É mister admitir que existem textos bíblicos contrários às idéias que enfatizam a separação eterna entre justos e injustos, entre salvos e perdidos. As passagens bíblicas que refletem essas distinções eternas são consideradas pelos universalistas, e outros, manifestações de uma revelação mais primitiva, uma visão inferior e míope que precisa ser ultrapassada por uma compreensão mais plena do amor de Deus. Para exemplificar, destaca-se o fato de que "as chamas do inferno foram acesas pela primeira vez no livro de I Enoque e esse aspecto da teologia foi tomado por empréstimo pelo Novo Testamento, em alguns lugares. Mas em outros lugares do mesmo Novo Testamento haveria uma visão mais iluminada, a do universalismo".

Os universalistas liberais evitam apelar para textos de prova bíblicos como uma atividade infrutífera e inútil. Eles afirmam que mediante a razão, a intuição e, talvez, as experiências místicas pode-se chegar à conclusão de que o universalismo reflete uma doutrina cristã mais avançada. Por essa e outras razões, um grande número de estudiosos liberais acredita em alguma forma de universalismo.

IV. Alternativas Não-Viáveis e Viáveis do Universalismo

1. O calvinismo radical é o pólo oposto do universalismo. Para tanto, essa posição radical tem de ignorar versículos bíblicos que ensinam o livre-arbítrio, os que afirmam que Deus ama ao mundo inteiro, os que aludem à expiação universal de Cristo pelos pecados de todos. O sistema calvinista radical mostra-se especialmente defeituoso quanto à sua insistência em que o amor de Deus é limitado, contradizendo assim a mais excelente mensagem do evangelho, ou seja, aquela que diz que a missão de Cristo foi inspirada pelo imenso amor de Deus por todas as almas humanas. Isso posto, o calvinismo (vide) é forçado a distorcer ou omitir um bom número de versículos do Novo Testamento. No entanto, o universalismo também deixa de lado ou distorce vários versículos neotestamentários, para poder desfrutar, aparentemente, de base bíblica, embora já tenhamos visto que os universalistas modernos não dependem de textos bíblicos para os seus raciocínios. Mas, em minha opinião, pelo menos os universalistas

erram do lado positivo, preferindo valorizar o aspecto do amor de Deus e mostrando simpatia para com os sofrimentos humanos. O calvinismo, por sua vez, erra do lado negativo, vetando aquilo que é mais precioso e necessário no ensino bíblico, demonstrando insensibilidade para com os sofrimentos dos homens. Assim, minha avaliação é que o calvinismo não é uma alternativa viável ao universalismo, mesmo porque o calvinismo é uma posição parcial do ensinamento bíblico. Deixa o ser humano em meio à tempestade que o evangelho veio anular. Ver o artigo intitulado *Teologia Além da Tempestade*.

2. O arminianismo admite o completo amor de Deus e o pleno potencial do evangelho para alcançar a todos os homens, porém, anula essa esperança, para todos os efeitos práticos, ao afirmar que, apesar desse potencial, sabemos que deixará de lado a vasta maioria dos homens, os quais se perderão e sofrerão tormentos eternos de condenação. Embora não teoricamente, mas de fato, o arminianismo termina onde o calvinismo também termina, manipulando alguns dos mesmos textos de prova bíblicos no que concerne ao julgamento. Assim sendo, o arminianismo também não é uma alternativa viável ao universalismo. O arminianismo também deixa os homens em meio à tempestade.

3. O ceticismo e a incredulidade, que escarnecem da necessidade da redenção humana, não oferecem nenhuma alternativa. Se o universalismo pode ser acusado de fé excessiva e sem base bíblica, o ceticismo pode ser acusado de uma ridícula ausência de fé, tão vital para a existência humana. O ceticismo também deixa o homem em meio à tempestade e não é uma alternativa viável ao universalismo.

4. O ateísmo remove do quadro o Deus que redime e não mostra respeito para com o Cristo que é o Agente da redenção. O ateísmo representa o desespero, usualmente alicerçado sobre a incapacidade de entender por que motivo há tanto sofrimento neste mundo. Ver o artigo sobre o Problema do Mal, para uma completa explicação dessa questão. O ateísmo também abandona os homens em meio à tempestade.

5. O existencialismo ateu reconhece a natureza aguda e premente do sofrimento humano e mostra simpatia para com a humanidade; mas não expõe nehuma plano ou esperança que liberte os homens daquela teologia que abandona os homens em meio à tempestade. Ver sobre *Teologia Além da Tempestade*.

6. Uma alternativa viável ao universalismo. Para mim parece claro que os problemas teológicos que precisam ser enfrentados aqui são:

a. Plena aceitação, não somente potencial, deve ser conferida ao amor de Deus. É uma heresia, se não mesmo uma blasfêmia, truncar o evangelho furtando-o de seu poder universal, ativado pelo amor de Deus. Afinal, Jesus veio para salvar o mundo, ao qual Deus amou, e alterar isso para que se refira ao "mundo dos eleitos" é por demais ridículo para que apresentemos algum argumento contrário.

b. Plena aceitação, não somente potencial, deve ser conferida à obra propiciatória de Cristo, a qual, segundo ensina o trecho de I João 2:2, foi oferecida "pelos nossos pecados, e não somente pelos nossos próprios, mas ainda pelos do mundo inteiro".

c. Plena aceitação, não somente potencial, deve ser conferida ao conceito de uma missão tridimensional de Cristo: na terra (na terra, cujos efeitos estão sendo concretizados entre nós); no hades (antes de sua ascensão, e que tem prosseguimento por meio de outros agora, em minha maneira de pensar); e no céu (iniciada em sua ascensão, e que continua no presente). Seria impossível a Cristo, o Logos, "preencher todas as coisas" ou tornar-se "tudo para todos" (Efé. 4:10), sem essa tríplice missão. Outrossim, é mister que a vitória de Cristo afete a todas as esferas (ver Efé. 1:20-22). Essa vitória é de natureza remidora, e não apenas judicial. Todo joelho haverá de prostrar-se diante de Jesus (o Salvador), e todos os seres criados hão de confessar o seu senhorio. Essa terá de ser uma confissão restauradora e redentora, e não apenas judicial, ou da parte de súditos diante de um rei. Ver Fil. 2:10. Ver também os artigos separados sobre *Descida de Cristo ao Hades*; *Ascensão* e *Missão Universal de Cristo*.

d. Plena aceitação, não somente potencial, deve ser conferida à vontade divina objetiva e final, conforme se vê no artigo *Mistério da Vontade de Deus*, no qual se aprende que haverá a restauração de todas as coisas. Ver Efé. 1:9,10. Deve-se observar aqui que esse texto deve apresentar alguma coisa inédita, pois, de outra sorte, não se poderia falar em um mistério (uma verdade divina antes oculta, mas agora revelada). Assim, se antigas idéias sobre o destino eterno das almas são contraditas ali, não nos devemos admirar. Nessa passagem aprendemos *algo novo* acerca da vontade de Deus no tocante a todos os homens e à sua criação em geral, pois, de outra maneira, isso não seria ensinado como um mistério. Os cristãos não pensam que labora contra a espiritualidade e contra o conhecimento espiritual o fato de que o Novo Testamento ultrapassa a revelação mais primitiva do Antigo Testamento. Por igual modo, não podemos estranhar que porções do Novo Testamento ultrapassem e até contradigam outras porções do mesmo Novo Testamento, quando algum de seus autores recebeu maior iluminação que outros. Se não admitirmos essa tese, teremos destruído os mistérios paulinos, que nos fornecem verdades novas, especialmente no tocante à Igreja e ao destino humano, desconhecidas para outros autores sagrados. É ridículo alguém ficar com o décimo sexto capítulo de Lucas (o relato sobre o rico e Lázaro), como texto de prova sobre o estado final dos homens, pois essa passagem meramente reflete uma antiga teologia judaica transportada para o Novo Testamento, especialmente depois de já contarmos com os mistérios paulinos (que mostram o intento final da divina vontade), que ultrapassam as idéias judaicas.

e. Plena aceitação deve ser conferida à idéia de que agora sabemos mais acerca do propósito do próprio julgamento do que se dava no judaísmo e no cristianismo primitivo. Orígenes certamente tinha razão ao dizer que ver apenas o aspecto de retribuição no julgamento (como uma realização apenas retributiva, sem nenhuma elemento remedial) é condescender diante de uma teologia inferior. A história da descida de Cristo ao hades, com sua conclusão (I Ped. 4:6) ensina, mui claramente, que o juízo divino tenciona remediar, e não apenas punir. Eis por que homens foram julgados na carne, para que possam *viver como Deus vive*, no espírito. A verdade é que as chamas do inferno foram acesas, pela primeira vez, em I Enoque, um dos livros pseudepígrafos. A doutrina do inferno eterno de chamas, que tanto caracteriza alguns ramos do cristianismo, era uma doutrina judaica helenizada, que não aparece no Antigo Testamento. Reaparece no Novo

UNIVERSALISMO

Testamento, em algumas passagens. Mas há lugares que vão além desse ensino, e é um erro rejeitar essa revelação superior. O julgamento tem uma importante e benéfica obra a realizar. Esse juízo não meramente pune. Ademais, o julgamento é um dedo da mão amorosa de Deus. Não é contraditório ao amor. A cruz foi um poderosíssimo julgamento, mas de natureza remidora. Os crentes são julgados e castigados, visando ao próprio bem deles. Outro tanto dar-se-á no caso do julgamento dos incrédulos. Isso faz rebrilhar para sempre o amor de Deus.

f. Plena aceitação deve ser conferida à realidade de que se a propagação do evangelho fosse entregue somente aos homens, esse evangelho falharia, porque é claro que a missão da Igreja nunca atingirá a grande maioria dos homens. A Igreja nunca conseguiu alcançar a todos os homens, e jamais o fará. Assim, tornou-se necessária a intervenção da missão tridimensional de Cristo. Naturalmente, no outro lado da existência, provavelmente a Igreja continuará envolvida na propagação da mensagem de redenção, o que parece ficar entendido no trecho de Efé. 1:22. A Igreja ajuda a fazer Cristo tornar-se tudo para todos, e isso não apenas na vida presente. Nesse caso, fica ampliada a dimensão da participação humana no plano divino. Mas essa participação fracassaria miseravelmente sem a intervenção divina.

A Igreja Oriental sempre interpretou essas questões segundo essa linha mais otimista de idéias, conforme tenho demonstrado neste artigo. É no Ocidente que tem dominado a visão mais pessimista do evangelho, com seus parcos resultados potenciais. Por Igreja Ocidental devemos entender a Igreja Católica Romana com suas "filhas desviadas", os grupos protestantes e evangélicos, que se afastaram da Igreja-mãe no século XVI. O Oriente já se separara do Ocidente em 1054.

O amor de Deus é muito maior
Do que pena ou língua podem mostrar;
A qualquer estrela é superior,
Até ao inferno costuma baixar.
(F.M. Lehrnan)

Ver o artigo intitulado *Julgamento de Deus dos Homens Perdidos*.

g. Plena aceitação, não somente potencial, deve ser conferida à idéia da restauração, conforme se vê em Efé. 1:9,10, que é o objetivo mesmo do mistério da vontade de Deus, em suas operações finais. Ver o artigo *Restauração* para mais detalhes a esse respeito. A passagem em pauta ensina que essa obra avançará pelas eras da eternidade futura, e é lógico supormos que o julgamento continuará operando como parte dos métodos divinos para realização de seus propósitos benéficos. Isso posto, o julgamento divino é uma questão muito séria. Prosseguirá para sempre, no sentido de que homens serão restaurados, embora não remidos, restaurados esses que terão sofrido a perda de seu pleno potencial, ou seja, a redenção, que importa na participação da natureza divina. Não obstante, é um erro falarmos zombeteiramente da magnificente obra da restauração meramente porque a obra da redenção é muitíssimo mais gloriosa. Todas as realizações do Redentor-Restaurador são magníficas.

h. Plena aceitação deve ser conferida ao caráter ímpar da redenção (vide). Essa redenção beneficiará a alguns poucos (relativamente falando), conforme podemos depreender de todos esses textos que abordam as duas grandes categorias de homens, bem como a questão da eleição (vide). Não devemos ignorar esse tema das Escrituras.

i. Portanto, concluo que a obra tridimensional de Cristo, o Logos, inclui tanto a redenção dos eleitos quanto a restauração dos perdidos, de tal modo que todos os homens serão beneficiados pela obra de Cristo, ainda que de diferentes modos e em diferentes graus. Dessa forma, a missão de Cristo obterá plenos efeitos, e não apenas um potencial que redundará em bem pouco, afinal de contas. Raciocinando dessa forma podemos aceitar na íntegra aqueles versículos que abordam essa questão dos resultados dos vários aspectos da missão de Cristo. O universalismo requer a salvação para todos os homens. O ponto de vista aqui exposto por mim outorga a salvação a alguns poderosos (os eleitos), havendo uma obra secundária (a da restauração) em favor de todos os demais. Essa ação glorifica o amor de Deus, exalta a missão de Cristo e é otimista, não pessimista. Contudo, não oblitera as duas categorias de homens, que é um tema bíblico indiscutível. A redenção dos eleitos significa que eles virão a participar da própria natureza divina (ver II Ped. 1:4), compartilharão de toda a plenitude de Deus, de sua natureza e das manifestações de seus atributos (ver Efé. 3:19), e participarão da natureza divina, do mesmo modo que o Filho dela participa, embora os remidos venham a participar dela de modo finito (embora crescente) (ver Rom. 8:29; II Cor. 3:18). Nisso consiste a salvação (vide), e o seu aspecto futuro da glorificação (vide) será um processo eterno, e não um acontecimento isolado, com bons resultados conseqüentes. Por sua vez, a restauração (vide) não incluirá a participação na natureza divina, e isso importa em uma grande perda, no tocante ao potencial espiritual do ser humano. Não obstante, a restauração (considerada em si mesma, sem nenhum contraste com a redenção) será uma magnificente obra do Redentor-Restaurador. Estou certo de que os homens restaurados serão muito superiores, abençoados e felizes do que a maior parte dos membros da Igreja antecipa atualmente, no que concerne aos remidos. E os remidos, por sua parte, serão muito superiores àquilo que a maior parte dos cristãos está afirmando acerca do próprio Deus. Essa é a minha fé, que acredito tenha uma firme base bíblica; e essa é a minha alternativa para o universalismo.

CRÍTICA E CONTRACRÍTICA

Crítica do Pastor João Marques Bentes; de certos pontos de vista apresentados acima, seguida pela contracrítica do Dr. Russell Champlin.

Crítica sobre a solução oferecida pelo Dr. Champlin. Estes parágrafos são de autoria do tradutor desta Enciclopédia, pastor João M. Bentes. Diante da doutrina universalista, o Dr. Champlin busca uma solução para o que lhe parece a posição inexpugnável dessa doutrina: a oposição a ela parece minimizar o amor de Deus. E assim ele postula várias idéias que, em seu conjunto, solucionariam o problema. Entre as quais se destaca uma suposta missão tridimensional de Cristo, na terra, no céu e no hades; e, em segundo lugar, a divisão dos homens em remidos e restaurados, aqueles beneficiários da obra primária da redenção, e estes beneficiários de um segundo resultado da morte de Cristo, em que os homens, embora jamais participantes da natureza divina, pelo menos terão uma existência melhorada, no decurso das intermináveis eras da eternidade.

UNIVERSALISMO

Penso que o problema é mal colocado pelo Dr. Champlin. Não é para a benevolência de Deus que devemos olhar, mas para a justiça divina, quando queremos combater o universalismo. A justiça divina, alicerçada sobre a santidade de Deus, requer que a justiça seja servida, com a punição do injusto, do impenitente. Isso posto, se Deus não fizesse justiça eterna, Deus estaria sendo um Juiz injusto, e esse pensamento é simplesmente inaceitável. Reforçando isso, observamos que na Bíblia inteira não há o menor traço de ensino de que os sofrimentos no hades (ou na geena) tenham por propósito recuperar a alma, conforme o Dr. Champlin reiteradamente afirma em muitos dos verbetes por ele redigidos. Antes, o que se depreende das Escrituras Sagradas é que a condição dos condenados é algo fixo, eterno, sem nenhum alívio. A permanência, tanto da salvação quanto da condenação, é algo claramente ensinado por Cristo: "E irão estes para o castigo eterno, porém os justos para a vida eterna" (Mat. 25:46). Só podemos aceitar a idéia da melhoria do estado dos perdidos, na eternidade, se também admitirmos que os remidos não têm garantida a sua felicidade eterna, pois Jesus adjetivou tanto a salvação quanto a condenação com o mesmo termo, "eterno".

Em defesa de sua tese, o Dr. Champlin vê-se forçado a fazer algumas distorções teológicas, entre as quais queremos destacar três: a. Haveria contradições entre os escritores sagrados, mesmo nas páginas do Novo Testamento. Mas asseveramos que, se existem contradições, estas aparecem nas "nossas" interpretações daquilo que eles disseram, e não nos ensinos próprios dos escritores da Bíblia. A inerrância das Escrituras está garantida pelo seu Autor maior, o Espírito Santo: "... homens falaram da parte de Deus, movidos pelo Espírito Santo" (II Ped. 1:21b). Só pode haver contradições reais entre os escritores sacros, portanto, se o Espírito Santo entrou em choque Consigo mesmo. b. Alicerçando-se em Efé. 1:9,10, o pastor Champlin postula uma missão tridimensional de Cristo. No entanto, ao examinarmos a passagem em pauta, verificamos que Paulo referiu-se a uma missão bidimensional, e não tridimensional: "...de fazer convergir nele [Cristo], na dispensação da plenitude dos tempos, todas as cousas, tanto as do céu como as da terra". Na restauração de tudo, o inferno não será afetado; por isso mesmo, Paulo omite qualquer menção às dimensões infernais quando explana nesse trecho o que entende por "todas as cousas". A idéia da restauração do inferno é idéia do pastor Champlin, e não de Paulo. c. Baseado no fato de que a revelação bíblica é gradual, o Dr. Champlin diz que o apóstolo Paulo tinha uma revelação superior sobre o destino das almas humanas e que Cristo limitou-se a uma doutrina judaico-helenista que só pode ser achada nos livros pseudepígrafos do Antigo Testamento, refletida ocasionalmente no Novo Testamento, como no décimo sexto capítulo de Lucas. Mas essa interpretação esquece que "a graça e a verdade vieram por meio de Jesus Cristo" (João 1:17). Jesus nunca ensinou meias-verdades. É verdade que os apóstolos, movidos pelo Espírito Santo, puderam expandir ensinos de Jesus, mas jamais ensinaram de modo a ultrapassar algum ensinamento dele, tornando-o obsoleto. A interpretação dada pelo pastor Champlin a essa questão do desdobramento da doutrina neotestamentária mostra o quanto ele precisou distorcer para defender sua tese. Mas o fato é que a doutrina bíblica da restauração jamais contempla os perdidos como beneficiários, mas tão-somente o povo de Israel, a terra e os céus. Em face de sua posição, o pastor Champlin vê-se obrigado a dividir a humanidade em "remidos" e "restaurados", ao passo que a Bíblia divide os homens em "eternamente remidos" e "eternamente condenados". A solução para o universalismo, portanto, não é a explicação *sui generis* do estimado pastor Champlin, mas, sim, a aceitação do fato de que dois destinos diametralmente opostos esperam os homens, tudo dependendo de estarem eles "salvos" ou "perdidos".

CONTRACRÍTICA

O Pastor Bentes tem feito um bom serviço representando fielmente a teologia ocidental sobre os destinos dos homens. "Teologia ocidental" quer dizer as idéias que se tornaram comuns na teologia da Igreja Romana Católica e depois na teologia da Reforma Protestante, nas igrejas Protestantes e Evangélicas que provocaram a fragmentação da Igreja Romana. A Igreja Oriental já se tinha separado do Ocidente em 1054. Em em oposição a esse tipo de teologia (ocidental), a minha doutrina, neste ponto (sobre os destinos das almas humanas) segue mais as interpretações da Igreja Ortodoxa Oriental. Concernente ao destino humano, e à oportunidade para obter a salvação, acredito que esta Igreja (seguindo as interpretações do Novo Testamento dos pais gregos, e não dos pais latinos) tem demonstrado uma sabedoria superior. Portanto, as idéias que eu apresento concordam mais com as crenças típicas da Igreja Cristã Oriental, enquanto as de Bentes seguem a Igreja Ocidental.

A controvérsia é antiga, e cada pessoa, seguindo sua consciência e razão, tem o direito de se posicionar de acordo com o que acha melhor e mais sábio. O que é ignorante é o ataque pessoal e a arrogância que desconhece ou ignora as idéias dos outros, na suposição de que suas próprias idéias automaticamente são certas e o resto é heresia. Acreditar não comprova; não acreditar não descomprova. Portanto, investigue. Ler para considerar, não para acusar.

Sobre justiça. Existe tal coisa como uma justiça nua, destituída de amor; uma justiça crua e cruel; uma alegada justiça que somente castiga e destrói. Este tipo de justiça eu rejeito. O oposto de injustiça não é justiça (crua), mas, sim, O AMOR. Não existe uma justiça verdadeira que não opera segundo o princípio do amor. O verdadeiro castigo divino cura; ele cura, não meramente castiga. Portanto, não há nada contra a justiça de Deus dizer que o próprio julgamento restaura através de punição. A cruz foi um julgamento de Deus, mas ela tornou-se um meio de restauração e uma expressão do amor de Deus. Um atributo do amor de Deus é o castigo que exige justo pagamento dos pecados. Um atributo da justiça de Deus é o amor, e a justiça sem amor não é a justiça de Deus. A justiça castiga, mas não destrói, afinal. Muito pelo contrário, a aplicação da justiça de Deus, cura o ofensor. I Ped. 4:6 declara que o julgamento de Deus é restaurador, não meramente punitivo. Esta idéia sempre fez parte da teologia da Igreja Oriental, mas a teologia ocidental a rejeita. Talvez, a melhor definição que possa ser dada é: a justiça é um dedo da mão amorosa de Deus. O julgamento, a bondade e o amor de Deus são sinônimos porque efetuam as mesmas obras espirituais. A justiça de Deus, portanto,

UNIVERSALISMO

exige tanto a restauração como a redenção das almas humanas. A justiça de Deus é severa justamente para ser eficaz na sua função de restaurar. É isso que I Ped. 4:6 declara.

A santidade de Deus. A santidade de Deus é satisfeita quando os homens são curados de seus pecados e dos efeitos inevitáveis desses pecados. A santidade de Deus não é satisfeita pelo sofrimento sem propósito benéfico. A santidade de Deus exige justo pagamento por todos os males, mas esta mesma santidade, porque é exigente, transforma aqueles que sofrem. A santidade de Deus faz os homens santos através de castigos severos que transformam almas rebeldes. Nesta transformação, os mais resistentes à santidade aprendem o erro de seus caminhos e vêm correndo, afinal, para Deus para receber a santidade dele. É isso que Deus quer, e é por isso que ele castiga. Nisto a santidade dele é realmente satisfeita, porque opera o bem, não a destruição. É isto que o Deus de amor quer e não a miséria humana. Deus tem poder para efetuar esta obra, e a efetuará.

O próprio julgamento gera a vida eterna como I Ped. 4:6 afirma:

"Pois, é por isto que foi pregado o evangelho até para os mortos que, na verdade, fossem julgados segundo os homens na carne, mas vivessem segundo Deus em espírito."

Este versículo conclui a história da descida de Cristo ao hades (que começou em 1 Ped. 3:18). O versículo 20 demonstra que a mensagem que Cristo levou ao hades foi pregada aos "rebeldes" não aos santos daquele lugar. I Ped. 4:6 define esta mensagem como o evangelho que dá vida, uma vez que o castigo (julgamento) fez feito sua obra. O julgamento recupera afinal.

A crítica acima afirma que não há o menor traço de ensino de que os sofrimentos no hades tenham por propósito recuperar a alma, mas o próprio Pedro declara exatamente isto (a recuperação), e esta doutrina é o ABC da Igreja Cristã Oriental e da Comunhão Anglicana. A maioria dos pais da Igreja histórica interpretou a história da descida de Cristo ao hades como redentora ou restauradora, a sua missão no hades como salvífica. Ver os dois artigos que demonstram este fato: *Descida de Cristo ao Hades;* e *Descida de Cristo ao Hades: Perspectiva Histórica.*

As interpretações (não "distorções") que ofereço naqueles artigos (e nos parágrafos anteriores presente artigo) são honradas na Igreja histórica, modernamente, mais na Igreja Oriental e Anglicana

As Alegadas Três Distorções Teológicas

A crítica chama de "distorções" o que são, realmente, interpretações honradas da Igreja cristã, histórica. Precisamos evitar a mentalidade que honra somente as nossas próprias idéias. Há muita coisa que merece honra que não cabe bem dentro de um sistema teológico específico que *nós* aprovamos. A teologia ocidental é bastante deficiente quando se expressa sobre os destinos finais das almas humanas. Neste ponto a teologia oriental tem demonstrado uma sabedoria superior.

a. A primeira alegada distorção: contradições entre os diversos escritores dos livros bíblicos:

Os apóstolos discutindo. Quando os apóstolos se sentaram à mesa para discutir a teologia, sem dúvida, discordaram sobre alguns pontos, e debates calorosos resultaram. É impossível imaginar que, embora, concordando sobre a grande massa de idéias, que eles tenham conseguido, em qualquer época, uma concordância perfeita.

Os apóstolos escrevendo os livros do Novo Testamento (diretamente ou através de seus discípulos imediatos), naturalmente não concordaram sobre tudo. Nenhuma teoria da inspiração das Escrituras deve exigir acordo absoluto. É um dogma humano que exige tal acordo, não um ensino do próprio Novo Testamento. Que existem algumas diferenças entre os escritores do Novo Testamento é um fato que a investigação confirma. Dou algumas evidências a seguir. Nenhuma exigência da espiritualidade ou da inspiração nos convence da teoria da harmonia absoluta, que é um ensino de algumas pessoas, mas uma tese negada pela maioria dos teólogos sérios. Acreditar não comprova; desacreditar não desaprova: portanto, investigue. Ler para considerar, não para condenar.

Meus amigos, a noção de que a Bíblia não pode ter contradições e que tudo que contém está em perfeita harmonia é um dogma humano; um dogma que teólogos tem inventado para garantir conforto mental. A Bíblia não contém nenhuma doutrina deste tipo. Não sinto a necessidade de defender este dogma contra evidências claras, ao contrário. Somente os teólogos de direita extrema defendem a tese de que não há contradições entre os diversos escritores dos livros bíblicos. O fato é que a Bíblia não é uma coleção de livros de caráter totalmente homogêneo.

O próprio fato de que existem muitas denominações cristãs, todas dizendo que representam melhor a Bíblia ou o Novo Testamento, demonstra que a própria Bíblia pode ser o ponto de partida para vários sistemas. É arrogante dizer que EU tenho a verdade e que os outros são hereges. O Novo Testamento é realmente um tesouro de teologia bastante distinta do Velho. Se não fosse assim, o cristianismo nunca teria tomado o lugar do velho judaísmo. O Novo Testamento contradiz o Velho em pontos vitais, não meramente triviais, e não é meramente um cumprimento do Velho. Jesus e Paulo foram executados por serem realmente diferentes, porque abandonaram o judaísmo em pontos vitais e porque criaram novas idéias contrárias, não meramente suplementares. Portanto, não é contra verdade declarar que os próprios escritores das Escrituras entram em choque. A revelação cresce, e velhas posições são contraditas e abandonadas.

Mesmo dentro do Novo Testamento temos posições diferentes sobre alguns pontos importantes, embora persista um acordo sobre a massa de idéias.

1. *Paulo e Tiago* (ou alguém que escreveu no nome dele) não concordaram sobre o meio da justificação. De fato, o livro de Tiago tinha entre seus propósitos (especificamente capítulo 2), a intenção específica de contradizer a doutrina de Paulo da justificação pela fé somente. Isto é claríssimo no segundo capítulo de Tiago em comparação com o quarto capítulo de Romanos. Um grande número de intérpretes cristãos, antigos e modernos, tem reconhecido esta contradição. Outros, querendo preservar sua exigência de acordo total nas Escrituras, conseguem, contra todas as evidências claras, propagar o seu dogma. Lutero tinha razão quando ele reconheceu esta contradição. Ele não incluiu o livro entre aqueles do cânon especificamente porque contradisse Paulo neste ponto importante de doutrina. Pessoalmente, tenho usado Tiago como fonte de sermões e lições. Existem muitas coisas úteis no livro e, para mim, ele merece seu lugar no cânon. Nem por isso, estou cego ao fato de que, sobre a justificação, não há acordo entre o livro de

UNIVERSALISMO

Tiago e a carta de Paulo aos Romanos. A verdade é que a teologia cristã deste livro é bastante deficiente. O livro tem pouco que é distintamente cristão. Tiago é o tipo de leitura que alguém podia ter ouvido nas sinagogas no primeiro século. A posição de Tiago é primitiva dentro do quadro teológico, representando a transição do judaísmo para o cristianismo, quando os dois sistemas não tinham sido ainda totalmente separados. Atos cap. 15 demonstra o fato de que alguns cristãos mantiveram posições rigidamente legalistas, mesmo aceitando Jesus como o Messias. Ver o artigo sobre *Legalismo*.

2. O conceito da salvação. Os evangelhos sinópticos (Mateus, Marcos e Lucas) apresentam um tipo de pré-salvação que fala essencialmente sobre o perdão dos pecados e a transferência, afinal, para um bonito lugar (o céu), que se torna o lar da alma. O evangelho de Paulo é diferente, sendo uma tremenda graduação além da mentalidade dos sinópticos. Seu conceito de salvação inclui a participação da natureza divina, na imagem e natureza do Filho (Rom. 8: 29; Col. 19, 10); a participação da plenitude de Deus, isto é, da sua natureza e dos seus atributos (Efé. 3:19); a transformação da alma à imagem do Filho, pelo poder do Espírito de Deus, de um estágio para outro, continuamente (II Cor. 3:18). O conceito de Paulo da salvação é realmente diferente do conceito simples dos evangelhos sinópticos, e o argumento de "suplementação" não fala toda a história. Naturalmente, Paulo incorporou o evangelho de estágios preliminares dos sinópticos, mas através da inspiração, revelou outro conceito da salvação, que havia entre os mistérios revelados por ele. A prova da real diferença é demonstrada pelo fato de que nas igrejas cristãs de hoje é o conceito dos evangelhos sinópticos que domina e o conceito de Paulo até recebe oposição.

3. Lucas cap. 16, que fala sobre Lázaro e o rico no hades, não antecipou a maior, melhor e mais otimista revelação de 1 Ped. 3:18-4:6, onde a descida de Cristo ao hades é formalmente apresentada. A doutrina de Lucas sobre o hades foi emprestada do judaísmo helenista. A doutrina de Pedro foi dada por inspiração superior e olha além da religião primitiva judaica, revelando que a missão de Cristo no hades foi especialmente poderosa e anulou o abismo que separa o justo e o injusto. Esta anulação Lucas certamente não antecipou. A missão de Cristo no hades espalhou seu evangelho para lá, aumentando-lhe grandemente o potencial. Esta doutrina assim afirma que Cristo abriu o hades como um campo missionário, doutrina essa que a Igreja Cristã Oriental e a Comunidade Anglicana sempre proclamaram alegremente, mas que a teologia ocidental ignorou ou negou totalmente. Eu procuro demonstrar a larga aceitação e afirmação desta missão benéfica de Cristo nos dois artigos: *Descida de Cristo ao Hades e Descida de Cristo ao Hades; Perspectiva Histórica*.

4. O julgamento. É claro que Pedro contradisse a doutrina inferior de Lucas quanto ao julgamento. Ele recebeu mais luz neste ponto do que Lucas. Paulo também contradisse a visão de Lucas cap. 16 em Efé. 4:9, 10, em que a descida de Cristo tem o mesmo propósito de sua ascensão: fazer Cristo tudo para todos.

A revelação é progressiva, não somente entre o Velho e o Novo Testamentos, mas dentro do próprio Novo Testamento. Nenhuma doutrina sã coloca os outros escritores do Novo Testamento no mesmo nível de iluminação do apóstolo Paulo, cujos mistérios desenvolveram uma visão da Igreja como uma entidade singular nas obras de Deus. Se os mistérios de Paulo não fossem revelações novas e mais avançadas, então não seriam mistérios (segredos divinos escondidos, mas agora revelados).

Quando Paulo pronuncia um mistério, ele está dizendo: "Isto vocês não sabiam antes; eis uma verdade importante, uma vez desconhecida, mas agora revelada".

5. O destino final dos homens. É historicamente verdade que o fogo do inferno foi aceso pela primeira vez no livro pseudepígrafo I Enoque. Ver o artigo sobre esse livro para uma ampla demonstração do fato. O mistério da vontade de Deus (vide) representa uma revelação muito superior a outra idéia, maior, mais otimista, mais razoável e mais esperançosa. Ver Efé. 1:9,10. Uma visão pessimista foi substituída por uma visão mais otimista. Note bem que temos aqui um *mistério*. Paulo, pela inspiração divina, apresentou uma *nova teologia* sobre o destino final dos homens, garantindo que deve expressar-se "uma união de tudo (*ta panta*) em Cristo". É impossível fazer união por exclusão. Se não há uma diferença entre a velha idéia do julgamento (e seus resultados conseqüentes) e o mistério da vontade de Deus, então, isto não era um mistério. Paulo mentiu. Ele não apresentou mistério algum.

II Ped. 1:21 fala: "...homens falaram da parte de Deus, movidos pelo Espírito Santo". Isto foi falado do Velho Testamento, não do Novo. Mesmo assim, o Novo abandonou e anulou muitas das posições básicas do Velho. Se não fosse assim, o cristianismo não seria diferente do judaísmo antigo. Mas é claro que é bem diferente. Jesus e Paulo foram executados como hereges. Portanto, o versículo não é contra a revelação progressiva, embora alguns falem somente em suplementos, não em diferenças radicais. O Novo Testamento trouxe idéias *revolucionárias*, não meramente suplementares. Isto também acontece dentro do próprio Novo Testamento.

6. Outra contradição óbvia no Novo Testamento é aquela sobre a questão do batismo. Marcos 1:16 e Atos 2:38 ensinam o regeneração batismal. Mas, na minha opinião, este ensino é claramente contra os ensinos do apóstolo Paulo. A Igreja Cristã tem-se dividido sobre esta questão. A Igreja Católica Romana, muitos Anglicanos, Luteranos, a Igreja de Cristo, os Mórmons, e outras partes da Igreja, aceitam, sem nenhuma hesitação, os dois textos mencionados e procuram fazer Paulo concordar. Mas a maioria dos Evangélicos, agarrando-se aos textos de Paulo, torcem os textos de Marcos e Atos. Para mim, não há dúvida de que alguns escritores do Novo Testamento, aplicando analogia da circuncisão judaica, viram no batismo algo necessário à salvação. Outros, com uma teologia mais iluminada, (como Paulo), rejeitaram esta antiga teologia.

7. A segurança eterna do crente. Os escritores do Novo Testamento não concordaram sobre esta doutrina, e é justamente por isso que tanta controvérsia sobre o assunto sempre tem existido na Igreja cristã. Textos de prova podem ser produzidos para comprovar os dois lados da questão. Este assunto nos envolve, naturalmente, no problema e nas controvérsias maiores do determinismo e livre-arbítrio, sendo uma subcategoria dele. Ver discussões completas sobre estes problemas nos seguintes artigos: *Segurança Eterna do Crente; Determinismo; Predestinação; Livre-Arbítrio*.

UNIVERSALISMO

b. A segunda alegada distorção: a Missão tridimensional de Jesus é uma doutrina honrada pela Igreja histórica. Paulo não fala especificamente sobre as três esferas em Efé. 1:9,10, mas vai além de qualquer simples divisão, utilizando o termo tudo inclusivo, *ta panta*, "o total" da existência. Mas se precisamos da uma menção do esfera de hades como um lugar beneficiado por Jesus, além de I Ped. 3:18-4:6, temo-la em Efé. 4:9,10, onde a descida de Cristo tem o mesmo propósito da ascensão, isto é, fazer Cristo tudo para todos. Também, em Fil. 2:10,11, as três esferas da atividade de Cristo são especificadas: "...céus ... terra ... debaixo da terra" (hades), isto sendo uma expressão comum para designar aquele lugar. O texto fala do Senhorio Universal de Cristo, pelo qual, afinal, todas as almas humanas serão sujeitas à autoridade divina. Efé. 1:9,10 mostra que isto resultará numa união abençoada de todas as coisas em Cristo. O senhorio de Cristo não é meramente judicial; é também redentor e restaurador, porque os joelhos se dobrarão a Jesus (Salvador). Se não fosse assim, não teríamos uma união. É impossível fazer união por exclusão de uma parte. A união em Cristo vai beneficiar todos, mas não da mesma maneira. Portanto, postulo a teologia da redenção e "restauração".

Considere a mensagem de Col. 1:16. A mesma criação que começou a existir pelo poder de Deus deve voltar para Deus pelo amor divino. A vontade de Deus controla os dois fatores (a saída e a volta) igualmente, e os dois são inevitáveis. O Sol Divino emanou seus raios, e estes, afinal, devem ser recolhidos na Fonte Divina. Col. 1:16 concorda com a mensagem de Efé. 1:9,10 e mostra a universalidade da expressão "todas as coisas" (*ta panta*).

Cristo é o fim, pois Cristo foi o começo, Cristo é o começo, pois o fim é Cristo. (F.W.H. Meyers)

"Ele é a finalidade da criação, contendo a razão, em si mesmo, por que a criação existe e por que é como é" (Alford sobre Col. 1:16).

A criação será restaurada a Ele novamente. O mesmo conceito é declarado no tocante a Deus Pai. Ver I Cor. 8:6 e Rom. 11:36. O Logos é o Alfa e o Ômega, não meramente o Alfa.

Se usarmos a terminologia aristotélica, o Logos é:

1. *a causa material*. Pois ele é a substância na qual tudo tem seu potencial. Isso é semelhante à idéia do "nele" que figura em Col. 1:16.

2. *a causa formal*. Nele se acha o plano de desenvolvimento e seu potencial. Essa idéia faz parte inerente da palavra "nele" que há em Col. 1: 16.

3. *a causa eficiente*. Pois ele é o grande agente da criação, a força criadora. Essa idéia é expressa pelas palavras "por ele" em Col. 1: 16.

4. *a causa final*. Porquanto nele se cumprem todos os desenvolvimentos e *fruições*; ele é o alvo da criação. Isso é expresso dentro do conceito sugerido pelas palavras "para ele" em Col. 1: 16.

O mistério da vontade de Deus é a mãe de todos os mistérios do evangelho e a grande esperança de toda a humanidade.

c. A terceira alegada distorção: os beneficiados das missões de Cristo.

Aqui temos a crítica fantástica de que não há o menor traço de ensino de que os sofrimentos de Cristo no hades (ou na geena) tenham por propósito recuperar a alma. Já respondi a esta crítica amplamente, portanto aqui simplesmente afirmo de novo que I Ped. 4:6, a conclusão da história da descida, fala enfaticamente na vida do espírito que a missão de Cristo naquele lugar trouxe para os rebeldes (I Ped. 3:20). Uma porção considerável da Igreja Histórica tem afirmado o benefício para os perdidos que a descida trouxe. Mas a teologia ocidental, no seu incrível pessimismo, escolheu a interpretação pior no lugar da visão maior, sem dúvida, para preservar a velha visão pessimista e miserável do julgamento, que surgiu nos tempos helenistas. Esta doutrina é deficiente e não reconhece o poder das missões de Cristo. Esta teologia deixa o homem dentro da tempestade. A visão mais iluminada tira o homem dessa miséria.

O castigo eterno será mesmo eterno no sentido de que os perdidos, embora restaurados, perderão a salvação evangélica que inclui a participação da natureza divina e seus atributos, que sempre aumentará em suas dimensões, a glorificação sendo um processo contínuo e eterno. Mas os não-remidos obterão os benefícios fantásticos da obra secundária do Logos, em si mesma magnífica. Isto foi o mistério que Paulo revelou.

Conclusão

1. Meus amigos, se entendemos os fogos do julgamento em sentido metafórico, então aprendemos algo sobre a severidade do castigo que devemos saber. Mas se interpretamos esses fogos literalmente e fazemos o Deus de Amor queimar e torturar almas humanas para sempre, então criamos uma teologia monstruosa, a distorção teológica número-um de todos os tempos.

2. Fico com as declarações que fiz na seção IV, que afirmam que existem certas teologias não-viáveis como alternativas ao universalismo. Entre elas, coloco as interpretações típicas da Igreja Ocidental sobre os destinos finais do homem que foram as bases da crítica apresentada. Falo sobre a doutrina desta teologia dos destinos finais dos homens, não sobre a teologia propriamente dita.

3. A teologia da redenção-restauração resolve o *Problema do Mal* (vide).

4. O debate é positivo e resulta em crescimento quando evitamos a hostilidade e a arrogância. Mais importante do que debate, todavia, é a lei do amor que deve governar todas as nossas ações e pensamentos. Destruidores que acham que fazem a vontade de Deus estão simplesmente auto-enganados.

5. *A Igreja sempre falhou*. Meus amigos, considerem este fato. Se números significam alguma coisa (e as Escrituras dizem que sim: Deus amou o mundo; Deus não quer que nenhum homem pereça), então, a Igreja jamais, em nehuma época, cumpriu sua missão evangelística. Quanto mais a população do mundo tem aumentado, mais a Igreja tem falhado miseravelmente. É irreal esperar da Igreja algum grande êxito, se números significam algo.

Se um rei quer ganhar uma guerra, ele prepara e manda um exército suficientemente forte e numeroso para ter chance de vencer. Se um técnico de um time esportivo quer vencer, ele prepara uma equipe capaz para realizar seu desejo. Deus, ao contrário, sempre preparou um exército fraco e um time deficiente. Se somente a Igreja na terra é um instrumento evangelístico, então, a derrota está garantida. A Igreja leva-se a sério demais quando fala como se ela fosse o único instrumento de evangelização. Muito ao contrário, Cristo teve e tem uma missão tridimensional e tem seus instrumentos em todas as

UNIVERSALISMO

esferas da existência. Onde as almas humanas existem, Cristo pode alcançá-las. É isto que garante uma vitória gloriosa, afinal.

6. A teologia não deve tornar-se uma arma para ser usada em favor do ódio teológico. Ver sobre *Odium Theologicum*.

Ó Deus, que carne e sangue fossem tão baratos!
Que os homens viessem a odiar e matar,
Que os homens viessem a silvar e decepar a outros
Com línguas de vileza...
Por causa de...
"Teologia".
 (Russell Champlin)

Da covardia que teme novas verdades;
Da preguiça que aceita meias-verdade;
Da arrogância que pensa saber toda a verdade,
Ó Senhor, livra-nos!
 (Arthur Ford)

V. Avaliação do Universalismo

Essa é uma grande questão, pelo que minha avaliação é um tanto superficial, embora não inútil. Pelo lado positivo, essa questão enfatiza corretamente o amor de Deus e o poder (não meramente potencial) da missão de Cristo. Essa questão corretamente percebe um progresso na revelação bíblica, até mesmo dentro do Novo Testamento, e não meramente dentro do Novo Testamento em confronto com o Antigo Testamento. Também mantém corretamente uma visão otimista das operações de Deus e dos esperados resultados da missão de Cristo. Por igual modo, opõe-se corretamente a posições que reduzem o evangelho a bem pouco, além de acenar com elevadas esperanças próprias da benevolência de Deus, fazendo com que o poder de Deus se manifeste por detrás dessa benevolência, como um poder restaurador, e não destruidor.

Pelo lado negativo, porém, o universalismo ignora a importância da doutrina da eleição, pensando que todos os homens são eleitos, o que é uma contradição de termos. A eleição implica seleção, o que indica uma parte. Nesse erro, alguns universalistas têm anulado completamente a doutrina do julgamento; mas há outros que fazem do juízo divino uma força beneficente, o que, até onde posso ver, é uma posição correta, que concorda com I Ped. 4:6. O universalismo liberal tem caído nas mesmas armadilhas que têm colhido o liberalismo em geral; mas isso afeta o protestantismo como um todo, e não meramente o ramo universalista do protestantismo. Ver sobre *Liberalismo*. Tem falhado em reconhecer que Deus pode abençoar a todos os homens, de diferentes modos. A salvação ou redenção é um propósito divino que beneficiará relativamente a poucos embora posta à disposição de todos os homens, potencialmente. No entanto, podemos louvar o amor e bondade de Deus pelo fato de que, embora nem todos os seres humanos venham a ser redimidos, ainda assim há uma abençoada obra de restauração para todos os não-eleitos, que também é uma gloriosa obra do Redentor Restaurador.

Bibliografia. **AM B C E EDD P R**

Mistério da Vontade de Deus
Interpretação alternativa
Por Pastor João Bentes

Este artigo deveria ter entrado em **M**, acompanhando meu artigo com o mesmo título. Mas quando ele o entregou para mim, **M** já tinha sido montado. Portanto, o artigo (com sua interpretação alternativa, do **Mistério da Vontade de Deus** está apresentado aqui. Ver minha **Crítica** do artigo ao fim dele.

Esboço:
Introdução
I. A Posição Pessoal do Pastor Champlin
II. Um Evangelho Pessimista?
III. Onde Acaba a Oportunidade de Salvação?
IV. A Fixidez dos Destinos Eternos
V. A Doutrina da Restauração
VI. O Mistério da Vontade de Deus
Conclusão

Introdução

De vários modos esta Enciclopédia tem-se mostrado imparcial, diante das várias posições assumidas pelos evangélicos e cristãos em geral quanto às doutrinas que eles defendem. O estimado pastor Dr. Russell N. Champlin tem dado exemplo, pessoalmente, de imparcialidade. Ele é o autor de todos os artigos de cunho histórico - filosófico desta Enciclopédia e de cerca de duas terças partes dos artigos de natureza bíblica e teológica. A mim, pastor João Marques Bentes, coube redigir cerca de uma porção dos artigos de natureza bíblica e teológica, e de traduzir para o português tudo quanto foi escrito pelo pastor Champlin, e de tecer pequenos comentários adicionais ao que ele escreveu, sem alterar a íntegra de seus artigos. Em diversos verbetes, o pastor Champlin afasta-se da posição teológica do cristianismo ocidental, apresentando-se como expositor de posições cristãs orientais e anglicanas, ou como expositor de pontos de vista pessoais (o que ele tem todo o direito de fazer). E eu, que atuo nesta, quando vejo necessidade disso, em vários verbetes e notas tenho-me esforçado por ser o porta-voz das posições teológicas advogadas pela maioria dos grupos evangélicos. Neste verbete de minha autoria, novamente assumo essa posição que acabo de definir. Não há aqui nenhum intuito de entrar em choque com o pastor Champlin, mas somente relembrar o que outros evangélicos têm ensinado sobre vários pontos da doutrina cristã, e quais poderiam ser seus argumentos. Naturalmente, na exposição abaixo, não consigo deixar de lado as minhas convicções pessoais, algumas das quais também poderão parecer estranhas a alguns de nossos leitores, partícipes conosco da maravilhosa chamada do evangelho. O esboço anterior dá os pontos que pretendo ventilar.

I. A Posição Pessoal do Pastor Champlin

O pastor Champlin tem tomado uma posição escatológica que eu reputo *sui generis*. Alguns o considerariam um universalista. (Ver sobre o Universalismo). Mas ele mesmo repele a posição. O que ele realmente deseja mostrar é que o amor de Deus, extensível a todos os homens, terminará fazendo a missão de Cristo redundar em bem a todos, posto que não no mesmo grau. Conforme ele mesmo resume pensamento: "para os eleitos, redenção; para os não-eleitos, restauração". Ver o artigo intitulado *Restauração*.

II. Um Evangelho Pessimista?

Em vários artigos, o pastor Champlin diz que o evangelismo ocidental prefere destacar os aspectos pessimistas da mensagem cristã, porque não acena aos não-eleitos com nenhum gesto de esperança, ao dizer que todos eles torrarão eternamente no inferno. Segundo ele, o elemento de otimismo consistiria em

UNIVERSALISMO

anunciar que, em algum ponto dos ciclos da eternidade, Deus melhorará a condição dos perdidos, em harmonia com o seu amor e com as avançadas doutrinas da Restauração e do Mistério da Vontade de Deus (vide). Para ele, essas duas doutrinas representam o acme da revelação bíblica; nelas nos deveríamos firmar, considerando revelações inferiores e obsoletas tudo quanto fique abaixo delas.

Ora, penso que estou exprimindo a voz da maioria dos evangélicos ao dizer que a Palavra de Deus é espada de dois gumes: "... somos para com Deus o bom perfume de Cristo; tanto nos que são salvos, como nos que se perdem. Para com estes, cheiro de morte para morte; para com aqueles, aroma de vida para vida" (II Cor. 2:15,16). Nossa prédica é otimista para com os que se salvam, os penitentes; e pessimista para com os que se perdem, os impenitentes. Mas isso não depende da natureza do evangelho, e, sim, da reação dos homens às boas-novas. A pregação desse evangelho otimista-pessimista tem salvado a milhões de seres humanos, e isso durante vinte séculos, sem nenhuma necessidade de adicionar que as condições dos perdidos melhorarão em algum ponto da eternidade futura!

Não se prega o evangelho aos eleitos de Deus, mas aos pecadores em geral. A doutrina da eleição esclarece, aos que já foram salvos, o motivo pelo qual alguns aceitam a oferta gratuita da salvação, mas outros a rejeitam.

Quanto à noção da melhoria das condições dos perdidos na eternidade, nem o pastor Champlin define em que ela consistirá, nem a Bíblia nos ensina nada explicitamente, a respeito. Acho que a maioria dos crentes consideraria essa doutrina mero subjetivismo—uma tentativa de explicar aquilo sobre o que as Escrituras guardam silêncio!

III. Onde Acaba a Oportunidade de Salvação?

Impõem-se duas perguntas: A oportunidade de salvação acaba na morte física (conforme dizem quase todos os grupos evangélicos)? Ou termina no hades (opinião de alguns cristãos do passado e do presente)? Podemos equacionar melhor ainda a questão: A oportunidade de salvação não pode estender-se até após o juízo final. E isso porque então, sem nenhuma possibilidade de debate, serão fixados os destinos eternos dos salvos e dos perdidos. O pastor Champlin não ensina que haverá salvação após o juízo final. O argumento dele é que no hades o estado intermediário entre a morte física e o juízo final, seus residentes recebem uma segunda oportunidade de salvação, e isso com base em ouvirem o evangelho, arrependerem-se e crerem. Em vários verbetes, ele expõe argumentos em prol dessa idéia, a saber: a missão de Cristo no hades; o fato de que muitas pessoas não ouviram o evangelho enquanto viviam na terra; o fato de que muitos morrem na infância, antes de poderem crer; Cristo é o Salvador em todas as dimensões da existência: na terra, no hades e nos céus. Examinemos, pois, esses argumentos:

a. A Missão de Cristo no Hades. Já que a Bíblia diz que Jesus desceu ao hades, de nada adianta negarmos a verdade. Essa verdade é ensinada profeticamente no Antigo Testamento e é historiada no Novo. E também não se pode negar que Jesus, em espírito, entre a sua morte e a sua ressurreição, pregou o evangelho no hades (ver I Ped. 4:6). O problema com a posição exposta pelo pastor Champlin é que, de novo, a Bíblia não ensina explicitamente que almas foram salvas no hades quando Cristo esteve ali. Se alguns dos pais da Igreja opinaram que houve então casos de salvação, por outro lado, na Bíblia, não se lê que Cristo tenha jamais salvado a alguém no hades. Pode-se mostrar somente que ele anunciou ali o evangelho. Mas, como já vimos, o evangelho é espada de dois gumes. É válida a inferência que Cristo anunciou o evangelho no hades para confirmar a condenação eterna dos perdidos, em virtude de eles nunca se terem arrependido e nele crido!

Cristo pregou no hades; mas e nas gerações seguintes? Houve continuidade a prédica do evangelho no hades? Certos pais da Igreja supuseram que ilustres santos de Deus tornaram-se missionários no hades; mas a própria Bíblia mostra-se silente a respeito. Portanto, temos aí somente, uma outra especulação, não uma doutrina bíblica. Ver sobre Orígenes.

b. O fato de que muitas pessoas não ouviram o evangelho enquanto viviam na terra. Mas para que alguém seja condenado, não é mister que tenha primeiro ouvido e rejeitado o evangelho. Essa rejeição apenas agrava a condenação do impenitente. Por ser pecador, o homem já está condenado, antes mesmo de ouvir o evangelho. Ver Rom. 2:12 ss. Com ou sem a revelação divina, os homens já estão perdidos.

c. O fato de que muitos morrem na infância, antes de poderem crer. Há coisas que não nos foram reveladas e pertencem a Deus (ver Deu. 29:29). Não podemos especular com base em algo que não nos foi desvendado, ultrapassando o que foi escrito. Essa é uma questão que precisamos entregar aos cuidados da misericórdia divina, sem criar teorias em busca de uma solução. Mas, ver Mar. 10:14.

d. Cristo é o Salvador em todas as dimensões da existência. À primeira vista, esse parece ser um forte argumento. Mas após breve meditação, descobre-se a sua debilidade. Se Cristo fosse mesmo o Salvador em todos os mundos, então ele continuaria salvando na eternidade futura. A geena (também chamada "lago de fogo", ver Apo. 20:10-15) é uma dimensão da existência. Mas, até o pastor Champlin reconhece que ali não mais haverá salvação. O céu, por igual modo, é uma dimensão da existência. Porém, nunca uma alma humana chegou perdida ao céu para então ser salva ali por Cristo. Assim sendo, fica de pé somente a questão se Cristo salva ou não no hades (isso veremos mais abaixo). Na Bíblia, a única coisa de que se tem certeza é que Cristo salva pecadores na terra. Isso é ponto pacífico para todos os evangélicos. Diferente é dizer que Cristo teve ou continua tendo um ministério tríplice: na terra, no hades, no céu, pois esse seu ministério não é exclusivamente salvatício. Nem na terra Jesus é somente Salvador; antes, ele é o Juiz de vivos e de mortos! Se Cristo condena na terra, por que não pôde condenar no hades, quando ali esteve!

No relato de Jesus sobre Lázaro e o rico no hades, destaca-se um detalhe: Se o hades fosse um lugar onde a salvação também é oferecida, por que Abraão não pregou o evangelho ao rico? E por que Abraão disse que a salvação dos irmãos do rico dependia de darem eles ouvidos a "Moisés e os profetas" (Luc. 16:29-31)? Abraão falava sobre a vida na terra, onde ainda estavam os irmãos do rico. Logo, a terra é onde a salvação pode ser obtida. Houve jamais tão magnífica oportunidade de Jesus (em cuja boca nunca se encontrou dolo) ensinar que a salvação é extensiva às almas encerradas no hades, esperando o juízo final? Se Jesus (que narrou o episódio) sabia que a salvação é possível

554

UNIVERSALISMO

no hades, mas nem ao menos lembrou-se do fato, então pecou por omissão, o que é simplesmente inconcebível. É por razões assim que a maioria dos evangélicos ensina que agora, nesta vida terrena, é que aos pecadores é oferecida a salvação: "assim, pois, como diz o Espírito Santo: Hoje, se ouvirdes a sua voz, não endureçais os vossos corações" (Heb. 3:7,8a). Para mim, como para a maioria dos crentes, neste ponto termina essa questão da possibilidade de salvação no hades.

IV. A Fixidez dos Destinos Eternos

"E irão estes [os perdidos] para o castigo eterno, porém, os justos para a vida eterna" (Mat. 25:46). O mesmo adjetivo qualificativo, *eterno*, é usado no caso dos destinos dos perdidos e dos salvos. A diferença está nos destinos: os primeiros vão para a perdição; os segundos, para a salvação. Trechos bíblicos como esse não deixam dúvida sobre a fixidez desses respectivos destinos finais dos homens. Mas cabe aqui um reparo. Se é possível a melhoria da situação dos perdidos, na geena (vulgarmente chamada inferno), em alguma era remota da eternidade futura, então a sua recíproca tem que ser verdadeira: também é possível a piora das condições dos salvos, no céu. Se pudermos aceitar que a miséria dos condenados será suavizada na eternidade, então teremos que admitir que a felicidade eterna dos salvos irá esmaecendo. Essa é uma lógica inescapável.

V. A Doutrina da Restauração

Em suas exposições, como já dissemos, o pastor Champlin fala sobre a "redenção" dos eleitos e sobre a "restauração" dos não-eleitos. A indagação que aqui se impõe é: A "restauração" dos perdidos é a contraparte exata da "redenção" dos salvos? Resposta: Não! O oposto da "redenção" é a "condenação". E a "restauração"? Essa nada tem a ver com a salvação ou com a condenação.

Há aqueles que usam a doutrina da restauração para ensinar a reversão total e absoluta de todo mal em bem. Segundo eles, todos os homens acabarão sendo salvos, e o próprio Satanás voltará a ser Lúcifer. Como já vimos, o pastor Champlin não ensina tal coisa. Mas, visto que a doutrina da restauração é nebulosa para muitos crentes, apresento aqui um breve estudo a respeito.

"...Jesus, ao qual é necessário que o céu receba até aos tempos da restauração de todas as cousas, de que Deus falou por boca dos seus santos profetas desde a antiguidade" (Atos 3:21). Assim diz a versão portuguesa que temos usado como base, nesta Enciclopédia e no NTI: Ela dá a impressão de que haverá uma restauração absoluta, "de todas as cousas". Porém, no original grego, as palavras aqui traduzidas por "de que" deveriam ter sido traduzidas por "das quais" (pois no grego encontramos o vocábulo *ôn*, o genitivo plural de *ós*). Ora, para quem conhece o grego, isso faz uma diferença capital. A verdadeira tradução do versículo é a seguinte: "...Jesus, ao qual é necessário que o céu receba até aos tempos da restauração de todas as cousas das quais Deus falou por boca dos seus santos profetas desde a antiguidade". A ênfase não recai sobre a palavra "todas", e, sim, sobre a frase "todas as cousas das quais Deus falou por boca dos seus santos profetas". Vale dizer, a restauração não abrangerá tudo, em sentido absoluto, mas somente aquelas coisas mencionadas pelos antigos profetas de Deus. E isso, como é claro, remete-nos ao Antigo Testamento.

Quando examinamos as profecias preditivas do Antigo Testamento, o que é abarcado pela doutrina da restauração? Eis a resposta: a. A nação de Israel (ver, por exemplo, Isa. 1:26; Eze. 20:40; Zac. 1:17; Mal. 14); b. a terra e os céus (ver, por exemplo, Isa. 65:17; 66:22). Ambos esses aspectos da restauração reaparecem no Novo Testamento (para exemplificar, Rom. 11:25-27, acerca de Israel; Apo. 21:1 - 22:5, a respeito da terra e dos céus). Na Bíblia inteira não há ensino sobre a restauração de outras coisas além desses dois pontos. A restauração de Israel dar-se-á durante o milênio; e a restauração dos céus e da terra, por sua vez, terá lugar logo no início do estado eterno, como sua inauguração. Mas a Bíblia não ensina a restauração da Igreja (como alguns andam pregando), nem a restauração de Satanás e seus anjos, nem a restauração dos perdidos! A doutrina da restauração nada tem a ver com uma suposta melhoria das condições dos perdidos, na geena, no futuro estado eterno.

VI. O Mistério da Vontade de Deus

Lemos em Efé. 1:9,10: "...desvendando o *mistério da sua vontade*, segundo o seu beneplácito que propusera em Cristo, de fazer convergir nele, na dispensação da plenitude do tempo, todas as cousas, tanto as do céu como as da terra". Ora, pois, no que consiste o "mistério da vontade de Deus"? No fato de que, finalmente, Cristo será o "Cabeça das coisas dele dependentes, as quais serão o seu corpo. Essa idéia, que envolve uma metáfora similar à de Cristo como o Cabeça da Igreja, fica um tanto obscurecida em nossa versão portuguesa, pois, no v. 10 as palavras "de fazer convergir nele", deveriam ter sido traduzidas por "de encabeçar ele". Ora, em sua exposição sobre esse profundo mistério, por diversas vezes o pastor Champlin toma as palavras "todas as cousas", do v. 10 em sentido absoluto, sem nenhuma qualificação. E, então, apresenta a idéia que Cristo unificará em torno de si a terra, o céu e o inferno. E daí ele parte para a conclusão de que as almas condenadas após o juízo final, em algum momento da eternidade futura, serão beneficiadas, em algum sentido, pelo amor de Deus, segundo esse amor foi expresso em Cristo. No caso dos condenados, já na eternidade, teríamos uma espécie de resultado secundário da expiação de Cristo, que lhes confere uma existência digna de ser vivida.

Mas se o pastor Champlin não limita o alcance da frase "todas as cousas", Paulo apressa-se a fazê-lo: "...tanto as do céu como as da terra". Para o apóstolo, a abrangência dos efeitos da morte expiatória de Cristo envolve duas dimensões: o céu e a terra. Para o pastor Champlin, essa abrangência envolve três dimensões: o céu, a terra e o inferno (geena).

É óbvio que quando Cristo capitalizar o universo em si mesmo, terminado o processo de restauração, após a criação de novos céus e de nova terra, o Senhor Jesus não terá feito nehuma modificação na geena (inferno) a fim de torná-la parte daquilo sobre o que Ele será cabeça. Como efeito da redenção, a Igreja formada por todos "os remidos" será o corpo ou complemento de Cristo; e, como efeito da restauração, os céus e a terra renovados estarão unificados sob o domínio direto de Cristo. Mas a geena, com todos os seus residentes (Satanás e os demônios, o anticristo, o falso profeta e todos os perdidos), estará fora dessa unidade em torno de Cristo. Pois, repisando, Paulo limita o alcance dessa realização final de Cristo aos céus e à terra. Muito errou Orígenes, originador da idéia da restauração universal absoluta, como também

555

UNIVERSALISMO

os universalistas, que continuam as idéias dele. Vista a questão por esse prisma, também é inaceitável a idéia de que os não-eleitos, na geena, terão a sua situação melhorada em alguma remota era da eternidade. Só haveria possibilidade disso se Cristo viesse a ser o Cabeça das regiões infernais. Mas, nesse caso, teríamos, realmente, a redenção dos perdidos, não apenas a suavização de suas misérias.

Conclusão:

A doutrina do inferno eterno pode parecer cruel e horrorosa para alguns. E os sentimentos desses queridos irmãos são perfeitamente compreensíveis. Eu também digo: *Quem dera pudesse ser diferente!* Mas isso não passa de raciocínio e sentimentalismo humanos. Deus, que é todo-sábio e todo-justiça, não planejou conforme a nossa maneira de pensar e sentir. No estado eterno, "de uma lua nova à outra, e de um sábado a outro, virá toda carne a adorar perante mim, diz o Senhor. Eles sairão e verão os cadáveres dos homens que prevaricaram contra mim, porque o seu verme nunca morrerá, nem seu fogo se apagará e eles serão um horror para toda "carne" (Isa. 66:23,24). "E serão atormentados de dia e de noite, pelos séculos dos séculos" (Apo. 20: 10).

CRÍTICA

Este artigo é uma versão mais longa de comentários já apresentados nos parágrafos anteriores. Portanto, minhas contracríticas têm aplicação ao artigo mais longo, e não apresento aqui uma outra contracrítica detalhada. Limito-me a algumas pequenas observações adicionais.

1. O pastor Bentes louva-me declarando que inventei uma teologia nova, quando diz: "uma posição escatológica que eu reputo *sui generis*". A interpretação do "melhoramento", devido a missão tridimensional de Cristo, todavia, já apareceu no comentário de *Ellicott*, um clássico inglês do século XIX. *Ellicott* apresenta uma versão diferente em detalhes do que a minha. De fato, a versão dele é menos desenvolvida, mas é sugestiva da mesma linha de pensamento.

Além disto, preciso lembrar o leitor de que uma das grandes características do Misticismo (vide) é o otimismo. Aplicando esta característica podemos afirmar, com confiança, que as coisas não podem terminar como a teologia ocidental prevê. Se for assim, caímos num profundo pessimismo, e não otimismo. Sendo assim, anulamos a iluminação do misticismo que prevê um fim otimista do destino humano. O fim otimista pode incluir um melhoramento substancial do estado dos perdidos, não uma redenção. A definição da natureza do melhoramento depende dos esforços dos teólogos e, mais ainda, da revelação do futuro, quando Deus fará o que é certo, positivo, cheio de bondade e misericórdia, segundo o seu grande amor.

2. É claro que a maioria dos evangélicos rejeita essas idéias por ser representante da teologia ocidental, na qual eles (os evangélicos) sempre foram inundados ao ponto de perderem uma visão mais otimista do destino do homem que sempre fez parte da teologia da Igreja Oriental.

3. O melhoramento e a redenção são os assuntos específicos do Mistério da Vontade de Deus, segundo uma interpretação histórica da Igreja Cristã, portanto, é errado dizer que a Bíblia não dá nenhuma informação sobre este assunto. O fato é que a Igreja Ocidental tem ignorado a visão mais otimista que a Bíblia apresenta, agarrando-se, ignorantemente, a uma visão terrível do julgamento que uma teologia mais sensata já ultrapassou.

4. É verdade que durante algum tempo entendi que a missão de Cristo melhorou o estado das almas perdidas somente no hades e, provavelmente, efetuou a salvação de alguns naquele lugar. Mas, nos últimos anos, tenho chegado a crer que não podemos fazer tal limite. A missão tridimensional de Cristo pode alcançar almas humanas em qualquer lugar onde elas existam, mesmo na geena. Acredito, porém, que as almas seguirão caminhos diferentes e daí surgirá uma evolução espiritual que criará muitas espécies de seres espirituais. Não acredito que o número de eleitos (redimidos) será muito grande. Mas acredito que a oportunidade será realmente vasta e que ignorará os limites de esferas e tempo. Também acredito que os não-redimidos serão transformados pelo poder do amor de Deus, por meio das missões de Cristo, assim para terem vida útil e cheia de glória.

I Ped. 4:6 certamente estende o dia da salvação até a Segunda Vinda de Cristo, mas acredito que este limite não é absoluto e que o mistério da vontade de Deus olha além daquele ponto.

5. Tudo que Cristo fez foi um precedente. Portanto, é razoável pensar que sua missão no hades foi continuada por missionários naquele lugar. As Experiências Perto Da Morte (vide) confirmam que há missionários nos níveis do hades. Efé. 4:7 ss implica isto quando faz a descida de Cristo ao hades ter o mesmo propósito de sua ascensão. O poder salvífico de Cristo (o Logos) continua em todas as esferas por ser ele o Salvador. Portanto, não é verdade dizer que sua missão tinha aplicação somente a terra. Se for assim, ela terminou no maior fracasso. A Igreja nunca fez muita coisa em favor das grandes massas. Uma intervenção de Deus foi necessária, e esta intervenção funciona universalmente. Somente assim o evangelho tem chances de êxito.

6. É inútil juntar textos de prova para falar sobre os destinos finais das almas humanas usando o Antigo Testamento e aquelas partes do Novo Testamento que foram escritas antes da revelação do mistério da vontade de Deus (Efé. 1:9, 10). Um mistério cancela a teologia anterior, ou não é um mistério.

7. É claro que Jesus ensinou a velha teologia do julgamento por ser ela anterior à revelação que foi dada a Paulo, mas isto é verdade em relação a muitas doutrinas que seguiram o tempo de Jesus. Ele mesmo afirmou que aconteceria assim, através do ministério do Espírito (João 16:13). É impossível construir uma teologia cristã dos ensinos de Jesus. É um erro não reconhecer a natureza realmente radical (em comparação com o velho judaísmo) das revelações dadas a Paulo.

8. É inútil voltarmo-nos para a visão da restauração contida no Antigo Testamento (com o apoio de alguns versículos do Novo). Claramente, isto tem pouco a ver com a visão mais iluminada de Paulo, quando ele revelou o mistério da vontade de Deus. É ignorância anular a nova e esperançosa visão com uma velha teologia ultrapassada.

9. Na minha contracrítica, nos parágrafos anteriores, dei ampla evidência da realidade da missão tridimensional de Cristo, que inclui aquela no hades. O mistério da vontade de Deus afeta *ta panta*, a existência inteira. Dei referências bíblicas adequadas para demonstrar isto, portanto, não entro mais no assunto aqui.

10. O pastor Bentes fez bom serviço neste artigo, apresentando aqueles textos de prova que a teologia ocidental sempre usa, incorporando também, certa teologia do Antigo Testamento. É claro que a maioria das igrejas evangélicas tem defendido esta teologia por serem elas descendentes historicamente da Igreja Ocidental. Mas devemos nos lembrar que há uma outra interpretação destas doutrinas, histórica e honrada na Igreja Oriental. As idéias desta Igreja são também biblicamente baseadas, mas em outros textos de prova.

11. Se é verdade o que o pastor Bentes escreveu aqui, então Paulo não revelou nenhum mistério. Isto é demonstrado pelo fato óbvio de que o pastor Bentes escreveu seu artigo com o apoio de textos de prova escritos antes da revelação do mistério da vontade de Deus. Este artigo não reflete nenhuma novidade na teologia. Todos os conceitos contidos nele já existiam no judaísmo helenista. Onde está o mistério?

12. Finalmente, preciso me declarar em favor do amor de Deus e do poder da missão tridimensional de Cristo. É impossível que Deus queime pessoas para sempre. Esta teologia surgiu primeiro nos livros pseudepígrafos dos judeus. É impossível que Deus seja este tipo de ser. Podemos rejeitar um conceito negativo e destrutivo de Deus sem rejeitar o próprio Deus.

A teologia do inferno, como interpretada na Igreja Ocidental, é a maior perversão teológica de todos os tempos, uma perversão que eu alegremente rejeito, a despeito de qualquer jogo de textos de prova que possa ser produzido. Alegremente, também, agarro-me aos textos de prova que apresentam uma visão mais otimista dos destinos dos homens.

UNIVERSO

O vocábulo vem do latim, *universus*, "virado", "combinado em". Deriva se de duas palavras latinas básicas, *unus*, "um", e *vetere*, "virar". Esse termo é usado para indicar o agregado total de todas as coisas, e abrange todos os corpos celestes, o espaço cósmico, a humanidade, etc. Usualmente, porém, é empregado para indicar a totalidade das coisas distintas de Deus, o qual aparece como o Criador do universo. Os filósofos, entretanto, algumas vezes falam acerca de "diferentes universos", dando a entender sistemas separados, criações ou sistemas de mundos, etc. Essa palavra também é usada na epistemologia para referir-se a alguma "esfera de estudo", "discurso", "investigação", etc.

UPANISHADAS

Essa palavra sânsrita significa "tratados filosóficos". O termo era usado para designar os textos filosóficos básicos do hinduísmo (vide). As escolas ortodoxas dessa fé afirmam que esses tratados fazem parte de seus Livros Sagrados. Há treze principais Upanishadas, quase todos eles de um período realmente remoto, embora outros sejam comparativamente mais recentes. Esses treze tratados chamam-se Brihad Aranyaka, Chandogya, Aitareya, Kena, Mundaka, Isa, Taittiriya, Svertasvatara, Prasna, Maitrayana, Katha, Kaushitaki e Mandukya. São tratados preparados por sábios hindus que procuravam entender a natureza do mundo, do ser, da realidade última, de questões sobre moral e salvação, etc. Há mais de duzentas dessas composições. As mais antigas podem ser datadas como pertencentes aos séculos VIII e VII a.C. Para mais detalhes, ver o artigo intitulado vedas, especialmente em seu quarto ponto. As Upanishadas formam uma das divisões dos vedas.

UR

No hebraico, "chama". Esse era o nome do pai de Elifal, um dos trinta valentes guerreiros de Davi. Seu nome aparece somente em I Crô. 11:35. Viveu por volta de 1070 a.C. No trecho paralelo de II Sam. 23:34, quem figura como pai de Elifelete, que deve ser o mesmo Elifal, é Aasbai. Ou Aasbai era o mesmo Ur, ou então devemos pensar que um desses dois trechos saltou alguma geração.

Ur dos Caldeus Ver depois de **Ur-Marcos**.

UR-MARCOS

Esse é o nome dado, por alguns teorizadores, a uma suposta edição mais antiga do evangelho de Marcos, que, com a passagem do tempo, teria recebido a sua forma como atualmente o conhecemos. No entanto, ninguém jamais encontrou nenhum manuscrito que contivesse essa suposta forma primitiva de Marcos. Principalmente por essa razão é que essa teoria caiu no total descrédito. Ver também o artigo sobre Marcos, Evangelho de.

UR DOS CALDEUS

No hebraico, "chama dos caldeus", ou "luz dos caldeus", ou ainda "resplendor dos caldeus". No grego, *chôra tôn Chaldáion*, "região dos caldeus". Essa era uma cidade da Mesopotâmia, de onde Abraão migrou para Harã (ver Gên. 11:28,31; 15:7 e Nee. 9:7).

Esboço:
I. Nome e Localização
II. Escavações Arqueológicas
III. História

I. Nome e Localização

Até o ano de 1850, "Ur dos Caldeus" era considerada como Urfa, perto de Harã, no sul da Turquia. Há uma antiga tradição local de que ali residia Abraão, quando enviou seu servo de confiança, Eliezer, para ir buscar uma esposa para seu filho, Isaque (ver Gên. 24:1-10), na "terra onde nascera". Essa teoria, ainda recentemente, tem sido revivida por alguns estudiosos, que interpretam o Antigo Testamento como se desse a entender uma antiga tradição nortista, pois eles pensam em Ura', perto de Harã, pensando que Abraão teria sido um príncipe negociante. Esses também pensam que o termo "caldeu" pode ser adequadamente explicado como uma referência ao norte da Mesopotâmia (o que pensam ser o lugar aludido em Isa. 23:13).

Contra essa teoria, há o fato de que qualquer tradição que ligue Abraão com Urfa/Edessa, retrocede somente até o século VIII ou IX d.C. Mas o Antigo Testamento subentende, mui superficialmente, que Abraão foi um negociante, ou que ele se mudou apenas de Ur para Harã, o que, afinal, não é nenhuma grande distância, mesmo se considerarmos as circunstâncias de sua época. Outrossim, as palavras, "minha terra natal", em Gên. 24:7, de acordo com a frase no hebraico, também poderiam significar "terra dos meus parentes". Além disso, há vários lugares antigos denominados Ura', como um porto marítimo da Cilícia, e também uma fortaleza dos hititas, na porção nordeste da Anatólia.

Casa de Ur, representação artística

Templo de Ningal — UR

Escavações dos túmulos reais de Ur — Cortesia, University Museum, University of Pennsylvania

Quarto de hóspedes numa casa de rico

Casa simples com telhado de terra, comum na Palestina

Casa com um lugar no teto para dormir nas noites quentes do verão

UR DOS CALDEUS

Em favor de uma localização mais sulista de Ur dos Caldeus, poderíamos citar certa tradição local muito insistente, que vincula Abraão tanto com Warka (Ereque) quanto com Kitha (Tell Ibrahim). E Eusébio, escrevendo sobre Eupolemo, em cerca de 100 a.C., faz ligação com Kamerina ("a cidade lua"), na Babilônia, que alguns chamavam de cidade Urie.

Por volta de 1866, o nome *U-ri* foi encontrado em várias edificações e outras inscrições existentes em Tell el-Muqayyar, no sul do Iraque, cerca de dez quilômetros a suleste de Nasiriyah, às margens do rio Eufrates. Essa antiquíssima cidade de Ur por certo ficava no território chamado Kaldu (Caidéia), existindo desde o começo do primeiro milênio a.C, Visto que essa área, normalmente, recebia nome das tribos que ali habitavam, e visto que nenhum nome geral mais antigo é conhecido, não é científico chamar Ur de "dos caldeus", no segundo milênio a.C. porquanto isso envolve um claro anacronismo. Por conseguinte, neste artigo, preferimos aceitar a identificação sulista para a cidade de Ur, mencionada nas páginas da Bíblia.

II. Escavações Arqueológicas

Em 1853 e 1854, o vice-cônsul inglês em Basra, a pedido do Museu Britânico, investigou o local conhecido como "Múgeyer". Ele explorou o zigurate ali existente e as circunvizinhanças. Em 1918 foram feitas algumas sondagens arqueológicas, uma técnica não tão dispendiosa como a escavação propriamente dita, e, algum tempo depois, com a atenção concentrada em Ubaid, a seis quilômetros e meio para noroeste, foi encontrada uma estrutura de forma oval, com um templo muito decorado, em honra a Ninursague, que havia sido usado em tempos pré-históricos (cerca de 4000 a.C.), até à terceira dinastia de Ur (2113- 2066 a.C.). Entre 1922 e 1934, uma expedição conjunta do Museu Britânico e do Museu da Universidade de Pennsylvania, encabeçada por Sir C.L. Wooley, um dos mais famosos arqueólogos do mundo, escavou grandes áreas do local, numa extensão de 1200 x 675 metros. Ali habitara uma população calculada em trinta e quatro mil pessoas, que talvez representassem um quarto de milhão de habitantes, se levarmos em conta o distrito inteiro da Grande Ur.

a. *O Zigurate.* A pirâmide de três degraus, uma torre construída por Ur-Namu (2113-2096 a.C.), e remodelada por Nabonido (556-539 a.C.), dominava a cidade de Ur. Essa maciça estrutura feita de tijolos de argila comum, recoberta por tijolos queimados no forno, tinha uma base de 61 x 45 metros, elevando-se pouco mais de vinte e um metros acima do nível da planície, embora, atualmente, só restem apenas quinze metros da plataforma mais inferior. Há algumas evidências de que cada um dos três andares era colorido de forma diferente dos outros andares. O andar superior, onde estava o santuário dedicado a Nanar, consistia em um único aposento prateado. Nanar era o deus melancólico. Nos terraços havia árvores, artificialmente plantadas. A identificação do zigurate de Ur, por seu nome, e a obra de restauração feita por Nabonido, têm sido possíveis pela descoberta de depósitos de material para alicerces, nas quatro esquinas da edificação. Perto do zigurate havia um santuário dedicado a Ningal e, no ângulo formado pela escadaria principal, que levava até o alto do zigurate, havia duas pequenas capelas. Um único pórtico conduzia a um espaçoso armazém, onde eram guardadas as oferendas. E no pátio havia um outro templo dedicado a Ningal (ou Enuma), um palácio de Amar-Su'en, um pouco mais para suleste, e o palácio de Ur-Naniu e Shulgi. O complexo inteiro de edificações ficava separado da cidade por uma muralha que foi reconstruída, pela última vez, por Nabucodonosor II.

b. *O Cemitério Real.* Uma das mais notáveis descobertas foi a dos túmulos dos governantes do começo da brilhante terceira dinastia de Ur, cujos monarcas viveram por volta de 2500 A.C. Esses túmulos ficavam perto e abaixo do mausoléu dos reis Shulgi e Amar-Su'en. As mais bem equipadas das dezesseis sepulturas ali encontradas eram a de Meskalamshar e sua "rainha", Pu-Abi (ou Shubad) e a de Mesanipada, fundador da primeira dinastia, também pertencente a seu filho, Anipada. Conforme se sabe, esses dois reis foram contemporâneos dos primeiros reis de Mari. O ritual dos sepultamentos incluía sacrifícios humanos. Na oportunidade, entre seis e oitenta acompanhantes do monarca, ao túmulo, eram mortos, ou por sufocamento ou por envenenamento. Nesses templos foram encontrados objetos de ouro, de prata, pedras preciosas, enfeites de madeira, de marfim e de conchas, com incrustações de lápis lazúli. Esses objetos foram encontrados em grande abundância, mostrando as grandes riquezas materiais de Ur, desde o começo de sua história. Também foram encontradas carruagens, marretas, apoios para várias peças, instrumentos musicais, armas, vasos, tabuleiros de jogos e muitas jóias de uso pessoal. Um cemitério fora da cidade, já em Diqdiqqeh, produziu muitos objetos, encontrados nos sepulcros, mas pertencentes a um período posterior.

c. *Sinais do Dilúvio.* Em uma profunda sondagem, feita em solo virgem, o arqueólogo Wooley encontrou, a 4,5 m acima do nível do mar uma camada de areia de aluvião, com mais de três metros de espessura, que ele considerou ter sido depositada em duas camadas subseqüentes, no fim do período chamado 'Ubaid, ou seja em cerca de 3500 a.C. Wooley ligou essa camada de areia com a narrativa do dilúvio, no livro de Gênesis, também relatado no épico babilônico de Gilgamés. Porém, embora alguns estudiosos pensem que isso dá testemunho acerca dessa catástrofe (ver o artigo sobre o Dilúvio), nem por isso os arqueólogos pensam que a tal camada de areia seja prova incoteste do dilúvio bíblico. Seja como for, essa camada parece ter sido formada pelo acúmulo de entulho e caliça, não sendo estritamente paralela a outras camadas similares, encontradas em outros locais mais intimamente relacionados ao dilúvio bíblico, conforme se vê, para exemplificar, em Kish e Shurrupak, pertencente à época aproximada de 2.500 A.C. Em Eridu, que ficava apenas a dezenove quilômetros a sudoeste de Ur, não foi encontrada nenhuma camada de entulho correspondente. Portanto, aquela camada encontrada em Ur parece ter sido muito mais um fenômeno local, demasiadamente limitado para ser considerado uma prova das alagações universais de que lemos em Gênesis 7:1-8:19. Assim opinam muitos arqueólogos.

d. *Residências Particulares.* Uma quarta parte da área da cidade, ocupada durante o período de Isin-Larsa, foi limpa dos escombros, para mostrar o plano de uma cidade com residências particulares onde habitavam muitas pessoas. Com base em muitos tabletes inscritos, podemos reconstituir as atividades do mercado da cidade e do porto (pois Ur era uma cidade portuária). Os negociantes da cidade comerciavam com lugares

UR DOS CALDEUS – URBANO

distantes, por via marítima, até mesmo com a India e com a África, através do golfo Pérsico. O porto de Ur formava uma espécie de bacia, onde as embarcações chegavam por meio de um canal.

III. História

Nos tempos dos sumérios, Ur era uma cidade florescente, que dominava todo o sul da Babilônia. E, após um período de eclipse, depois da infiltração gutiana (2150-2070 a.C.), a influencia de Ur chegou até plagas distantes. Cerca de duzentos anos antes, Ur encontrara em Agade uma cidade que lhe fazia sombra, durante o período de dominação de certa dinastia semítica (23.50-2150 a.C.). Essa cidade rival de Ur havia prosperado durante o período histórico conhecido como Agade III. Ficava ao norte de Ur. Mas a dinastia de Ur, fundada por Ur-Narmi, conseguiu reviver a prosperidade dos sumérios; e a área de influência de Ur novamente chegou à Síria e ao norte da Mesopotâmia, o que teve prosseguimento durante o reinado de seus sucessores, Shulgi e Amar-Su'en, sobre quem já nos referimos.

Quando os amorreus dominaram a porção sul de toda aquela região, Amurabi (1792-17, 50 a.C.) controlou a cidade de Ur durante algum tempo. Mas, quando Ur se rebelou contra o governo do filho daquele, acabou sendo saqueada. Todavia, a importância de Ur, como um centro religioso, impediu que a mesma ficasse abandonada por muito tempo, e monarcas posteriores, como Kurigalzu II (13451324 a.C.) e Marduque-nadin-ahhe (1098-1081 a.C.), vieram a reparar suas ruínas. O mesmo fizeram Nabucodonosor II e Nabonido (550-539 a.C.). Este último reconstruiu o zigurate da cidade. Além de outros santuários, antes de instalar a sua própria filha, Bel-Shalti-Nanar, como sumo sacerdotisa, em seu próprio novo palácio. Em sua época, Ciro deu grande atenção aos santuários pagãos da cidade de Ur; mas, após o século IV a.C., Ur entrou em um período de declínio, devido ao desvio do leito do rio Eufrates e ao entulhamento do sistema de canais que servia à cidade.

URBANO

No grego, **Ourbanós**; no latim, **Urbanus**, "urbano", "citadino", "refinado". Ele era membro da comunidade cristã de Roma, - a quem Paulo enviou saudações. Esse apóstolo intitulou-o de "... nosso cooperador em Cristo..." (Rom. 16:9). O nome era comum nos antigos tempos romanos. Acerca dele mesmo, porém, nada mais se sabe além desses poucos fatos.

URBANO I, PAPA, SANTO

Não se sabe quando ele nasceu, mas somente que morreu em 230 d. C. Governou como papa entre 222 e 230 d.C. Seu pai foi o nobre romano, Ponciano. Foi o sucessor de Calixto I. Ver o artigo geral intitulado *Papa, Papado*. Nada é sabido acerca das atividades de Urbano I.

URBANO II, O BENDITO (Odo de Lageri)

Suas datas aproximadas são 1042 - 1099. Pontificou entre 1088 e 1099. Era pupilo de Bruno, em Reims, na França. Foi um monge de Cluny. Ajudou a Gregório VII em seus labores. Foi bispo-cardeal de Óstia. Atuou como legado papal na França e na Alemanha. Sucedeu a Vítor III como papa, mas opôs-se ao antipapa Clemente III, que exerceu autoridade em Roma e gozava do apoio do imperador Henrique IV. Só conseguiu livrar-se de seus conflitos no último ano de seu pontificado. Foi o promotor da Primeira Cruzada, através do concílio de Clermont, de 1095. Tentou reunir os segmentos Oriental e Ocidental da Igreja, mas falhou. Apoiou a validade das eleições papais e requereu vigorosamente o celibato do clero.

URBANO III, PAPA (Uberto Crivelli)

Não se sabe quando ele nasceu, mas faleceu em 1187. Seu pontificado perdurou de 1185 a 1187. Foi bispo-cardeal de Milão. Opôs-se às autoridades civis que invadiam os direitos da Igreja. Foi forçado a ir para o exílio, onde passou a maior parte do seu pontificado. Pretendeu excomungar a Frederico I, Barbaroxa, imperador do Santo Império Romano, mas não conseguiu a cooperação dos cardeais nessa empreitada. Durante sua administração, nada aconteceu de mais notável.

URBANO IV, PAPA (Jaques Panteléon)

Faleceu em 1264. Pontificou entre 1261 e 1264. Era filho de um sapateiro remendão francês. Nasceu em Troyes, na França. Tornou-se um distinto erudito na Universidade de Paris. Cumpriu uma missão religiosa na Alemanha. Tornou-se bispo de Verdun, e então patriarca de Jerusalém. Ao tornar-se papa, embora sem intenção pessoal, criou condições para a facção francesa que controlou o papado durante cento e cinqüenta anos. Ao nomear cardeais, favorecia clérigos franceses, o que criou o clima para aquela situação. Esteve profundamente envolvido na política. Excomungou Manfredo e convidou Carlos de Anjou a ascender ao trono da Sicília. Deu apoio a Henrique III, da Inglaterra. Foi um administrador capaz, enérgico e inteligente. Foi ele quem instituiu a festa religiosa do *Corpus Christi*.

URBANO V, PAPA (Guillaume de Grimoard)

Suas datas são 1310 - 1370. Foi papa entre 1362 e 1370. Era cidadão francês. Foi notável conhecedor da lei canônica, e monge beneditino. Foi legado nas cortes italianas. Como papa, a princípio residia em Roma, mas, finalmente, voltou a Avignon, na França. Esteve muito envolvido na política. Reconciliou com a Igreja o imperador do Império Romano do Oriente, João V. 'Fundou as Universidades de Cracóvia e de Viena, e foi patrono e promotor de outras universidades. Combateu energicamente o que entendia serem heresias.

URBANO VI, PAPA (Bartolomeu Prignano)

Suas datas são 1318 - 1389. Pontificou entre 1378 e 1389. Foi homem severo e intransigente. Fez uma campanha para fazer retornar o papado de Avignon, na França, para Roma. Foi reformador do clero, mas mostrou-se arbitrário em seus envolvimentos políticos, razão pela qual fez inimigos por todos os lados. Chegou ao extremo de mandar executar a cinco cardeais que lhe faziam oposição. Isso levou à declaração de que sua eleição fora inválida sob acusação de que havia sido forçada. Roberto de Genebra foi escolhido como papa, em substituição a Urbano, em 1378. Mas Roberto (que assumiu o título de Clemente VII) acabou sendo obrigado a fugir para Avignon, e assim começou o grande Cisma Ocidental, que se prolongou até 1417. Entrementes, Urbano deu prosseguimento à sua agitada carreira papal, em Roma. Ver o artigo intitulado Grandes Cismas.

URBANO – URIEL

URBANO VII, PAPA (Giambattista Cantagna)
Suas datas são 1521 - 1590. Pontificou somente durante certa porção do ano de 1590. Foi notável administrador. Foi delegado ao concílio de Trento. Foi anúncio papal a várias cortes. Foi arcebispo de Rossano; cumpriu várias missões eclesiásticas e tornou-se cardeal. Foi homem virtuoso, dedicado à caridade. No entanto, foi papa somente durante dez dias!

URBANO VIII, PAPA (Maffeo Barberini)
Suas datas são 1568 - 1644. Governou como papa de 1623 a 1644. Educou-se no Colégio Romano. Foi governador de Fano e núncio papal à França. Tornou-se arcebispo de Espoleto; foi cardeal-padre; e legado papal em Bolonha. Embora tenha sido uma figura capaz e iluminada, seu papado foi maculado pelo nepotismo. Era homem de vida pessoal devota. Foi ele quem canonizou santos a Filipo de Neri, Inácio de Loyola e Francisco Xavier. Fez oposição à astrologia e à escravatura, esta última então praticada no Paraguai, no Brasil e nas Índias Ocidentais. Esteve interessado no trabalho missionário católico romano e abriu campos missionários na China e no Japão. Também foi autor notável, que compôs hinos, escreveu artigos, comentou sobre as atividades de outros papas e revisou o Breviário. Condenou o jansenismo (vide) e disciplinou Galileu (vide). Fundou o Colégio Urbano, para treinar missionários; deu início ao Seminário do Vaticano. Construiu o Palácio Barberini e fundou sua biblioteca. Erigiu o baldaquino sobre o altar papal, na basílica de São Pedro. Foi político habilidoso, tendo atuado durante as últimas fases da Guerra dos Trinta Anos (vide). Apôs-se aos termos da Paz de Westphalia. Foi capaz de negociar um tratado entre a França e a Espanha, embora tenha fracassado em outros empreendimentos políticos.

URI
No hebraico, "iluminado". Há três homens com esse nome, nas páginas do Novo Testamento:

1. Um filho de Ur, pai de Bezalel, o principal construtor do tabernáculo do deserto (Êxo. 31:2; 35:30; 38:22; I Crô. 2:20; II Crô. 1:5). Ele viveu por volta de 1525 a.C.

2. O pai de Geber, um dos oficiais de Salomão em Gileade, encarregado do recolhimento de impostos (I Reis 4:19). Viveu em cerca de 1040 a.C.

3. Um dos porteiros do templo, da época de Esdras (Esd. 10:24). Ele se divorciou de sua esposa estrangeira, que adquirira quando Israel ainda estava exilado na Babilônia. Viveu por volta de 445 a.C.

URIAS
No hebraico, "Yahweh é luz". O Antigo Testamento menciona cinco pessoas que tinham esse nome, os quais listo em ordem cronológica:

1. O primeiro marido de Bate-Seba, que pertencia à elite de trinta guerreiros defensores especiais e guarda-costas do rei Davi. Ele era *heteu*. Ver II Sam. 23.23-30. Enquanto esse homem guerreava com Raba, Davi tirou proveito da situação para ter um caso com sua linda mulher. Quando ela descobriu que estava grávida, para livrar-se de seu marido, o rei deu um jeito de que ele fosse morto em batalha (II Sam. 11.15). Quando o homem foi morto, Davi assumiu sua mulher. O filho morreu pouco depois de nascer, mas essa mulher se tornou a mãe do rei Salomão. A combinação de adultério e assassinato foi o ponto mais baixo da existência de Davi e mostrou os defeitos berrantes de sua espiritualidade. O nome Urias aparece 23 vezes na Bíblia, nos seguintes exemplos: II Sam. 11.3,6-12,14-17, 21, 24, 26; 12.15; 23.39; I Reis 15.5; I Crô. 11.41. Ele viveu em torno de 1000 a.C.

2. Um sumo sacerdote de Judá que viveu na época do rei Acaz. Esse homem, atendendo a uma solicitação do rei, projetou um altar a ser colocado no templo que duplicava aquele que o rei havia visto em Damasco. O rei vira o altar quando foi pagar tributos ao rei da Assíria, e ficou muito impressionado com ele; assim sendo, quis um como aquele no templo de Jerusalém. Sacrifícios eram então oferecidos no altar pagão que fazia parte da apostasia da época. Isaías denunciou a coisa toda e as condições de Jerusalém, no geral. Urias foi uma das testemunhas das profecias de temor de Isaías. Ver II Reis 16.10-16; Isa. 8.2. A época foi em torno do século 8 a.C.

3. Um filho de Semías, residente de Quiriate-Hearam, profeta que previu a destruição de Jerusalém na mesma época em que o fez Jeremias. Ele fugiu para o Egito a fim de escapar da ira do rei Jeoiaquim, mas foi trazido de volta por agentes especiais enviados para buscá-lo e acabou executado por ordem real (Jer. 26.20-23). Viveu no século 6 a.C.

4. Um levita que ficou do lado direito de Esdras quando ele fez a leitura da lei de Moisés ao povo quando o restante de Judá retornou a Jerusalém após o cativeiro babilônico (Nee. 8.4). Isso ocorreu no século 5 a.C.

5. O pai de Meremoto, um sacerdote, homem em quem Esdras confiou para liderar uma equipe de quatro líderes de Judá para pesar o ouro e a prata, além de vasos preciosos, que o remanescente trouxe de volta da Babilônia quando retornou a Jerusalém. Esse homem também ajudou a reparar os muros de Jerusalém sob a direção de Neemias. Ver Esd. 8.33 e Nee. 3.4. Ele viveu no século 5 a.C.

URIEL
No hebraico, "El é luz". *El* é um dos principais nomes de um dos principais deuses dos semitas, e o mesmo nome foi emprestado pelos hebreus como um de seus nomes para o Deus de Israel. Ver sobre *Deus, Nomes Bíblicos* na Enciclopédia de Bíblia, Teologia e Filosofia. *El* significa "o Poder". Dois *homens* no Antigo Testamento eram chamados assim. No livro pseudepígrafo de I Enoque e Tobias (um livro apócrifo), esse é o nome de um arcanjo, um dos sete principais anjos da angeologia judaica.

1. Um filho de Taate, levita da família de Coate e ancestral do profeta Samuel (I Crô. 6.24). Viveu no século 13 a.C.

2. O chefe de uma família de levitas que havia descendido de Coate. Ministrou no tabernáculo na época do rei Davi, em torno de 1000 a.C. Estava entre o grupo de levitas que trouxe a arca da aliança da casa de Obede-Edom a Jerusalém. Do tabernáculo de Davi a arca foi finalmente transferida para o templo de Salomão. Isso terminou a série de deslocamentos que a arca sofreu até desaparecer da história no cativeiro babilônico. Ver I Crô. 15.5, 11.

3. O arcanjo, um dos sete principais anjos da coletânea angélica judaica, mencionado no livro pseudepígrafo chamado I Enoque 9.1 e em Tobias (um livro apócrifo). Tobias 12.15 fornece os nomes dos

URIEL – URIM E TUMIM

sete principais anjos, como Rafael, Gabriel, Uriel, Miguel, Izidquiel, Hanael e Quefarel. Observe que todos incorporam o nome divino *El*, o poder, e cada um diz algo diferente sobre esse poder que representavam. Uri*el* significa, "El é Luz"; Gabri*el* significa "homem de Deus"; Rafael significa "o poder cura" etc. Para outras informações, ver o artigo sobre *Rafael*. I Enoque menciona Uriel em diversas passagens. Uma de suas tarefas foi avisar Noé sobre a inundação por vir. Ele falou a Enoque sobre o julgamento que viria sobre os anjos caídos (Enoque 21.5 ss.) e disse que eles seriam condenados por 10 mil anos, sendo que, depois disso, presumivelmente, teriam outra chance. Esse anjo era especialmente sábio quanto à natureza e aos movimentos das estrelas (Enoque 33.4) e da lua (75.3, 4; 78.10; 79.6; 80.1). II Esdras mostra esse anjo condenando Esdras por causa de seu questionamento das maneiras misteriosas de Deus. Ele presumivelmente ajudou Adão e Abel a entrar no Paraíso. É chamado de o anjo que lutou com Jacó (Gên. 32.25 ss.), mas não no próprio Antigo Testamento. Tais materiais pertenciam à coletânea judaica no período entre o Antigo e o Novo Testamento.

URIM E TUMIM
I. Nomes e Significados
II. Adivinhações sobre Sua Natureza e Uso
III. Divinação
IV. Seu Desaparecimento
V. Significado Espiritual

I. Nomes e Significados

As palavras *Urim e Tumim* quase sempre ocorrem juntas (Êxo. 28.30; Lev. 8.8; Deu. 33.8; Esd. 2.63; Nee. 7.65; I Esd. 45.40; Sir. 45.10). Em Núm. 27.21 e I Sam. 28.6 aparece apenas *Urim*. Ambas as palavras estão no plural, embora, aparentemente, se refiram a dois objetos apenas. Esse é um exemplo do *aumentativo* hebreu, que aumenta a estatura de algo ao tornar a palavra plural. Outra instância conspícua é a constituição da palavra El, Elohim (o plural), ainda que se referindo a um único Poder Divino. Os nomes são de origem incerta, o que é ilustrado pelo fato de que as versões (traduções do hebraico) não as entendiam. Uma opinião comum é a de que signifiquem "luzes e perfeição". Urim pode ser o plural de *ur*, que significa *fogo*. Tumim pode derivar de *tom*, que significa presumivelmente que a Luz traz a perfeição ou completa o conhecimento quando os objetos são usados como forma de divinação.

II. Adivinhações sobre Sua Natureza e Uso

Ninguém realmente sabe o que esses objetos eram. É claro que estavam às vestes sacerdotais do sumo sacerdote que os empregava, ou à placa do peito. É claro também que os objetos eram usados para divinação a fim de determinar a vontade de Yahweh ou responder a perguntas. Mas exatamente o que eram e como eram empregados continua um mistério. Algumas adivinhações são:

1. Josefo (Ant. iii.7.5) identificou os objetos com os quartzos do ombro do efode. Presumivelmente, essas pedras mudavam de cor ou de brilho, significando, quando brilhavam, "sim" ou "faça", e, quando ficavam escuras, "não" ou "não faça".

2. Ou, nas dobras da veste do sumo sacerdote, uma pedra (pedra preciosa) ou placa de ouro era colocada e manipulada em alguma forma de divinação, ou empregada para induzir um transe no qual a mente do sumo sacerdote era inspirada a dar respostas a problemas difíceis. Alguns incrementam essa adivinhação afirmando que o nome sagrado de Deus, *Yahweh*, estava gravado nesses objetos, o que ampliava o processo de divinação.

3. Alguns transformam o número desses objetos em três. Em um estaria escrito "sim", em outro "não", enquanto no terceiro não haveria nada escrito. Assim as respostas poderiam ser dadas como "sim", "não" ou "não tenho opinião ou desejo a revelar", se a pedra em branco fosse a que aparecesse. Possivelmente essas pedras eram manipuladas pela mão do sumo sacerdote, sendo mantidas em uma dobra de sua veste. Quando recebesse uma pergunta, ele colocaria a mão na dobra e tiraria uma. Presumivelmente, o espírito guiaria sua mão à pedra certa.

4. Ou as pedras eram lançadas, ou eram equivalentes a dados que tinham gravações esculpidas nos lados, e os lados que aparecessem após o lance determinariam as respostas.

5. Um era um diamante, o outro um tipo diferente de pedra preciosa, e os dois juntos tinham o poder de induzir um estado de transe no qual o sumo sacerdote poderia dar respostas psíquicas ou espirituais que transcendiam seus poderes de razão. Ou as pedras brilhavam em alguma forma de brilho divino, influenciando a mente do sacerdote.

6. Eram duas pedras, uma branca, uma preta, que, quando retiradas da veste do sacerdote, indicavam "sim" (branca) e "não" (preto).

Com base em Núm. 27.21; I Sam. 14.41; 28.6 e Esd. 2.63, fica claro que as respostas buscadas não estavam sempre ao alcance, assim não sabemos (deixando de lado as adivinhações) como uma resposta neutra ou indefinida era obtida.

III. Divinação

Quando o pagão usava formas de divinação, os hebraicos judeus os condenavam, mas, quando *eles* usavam as mesmas formas, a prática era "santificada" por serem eles os hebreus que eram, presumivelmente, liderados por Deus através da divinação. Mesmo os apóstolos usaram uma forma de divinação ao selecionar um novo apóstolo para tomar o lugar de Judas (Atos 1.26). Ver os artigos detalhados sobre *Adivinhação* e *Magia e Feitiçaria*. A maioria das divinações é inútil, mas há vezes quando divinações funcionam positiva ou negativamente. A maioria das divinações que funciona é psíquica, não espiritual, não sendo nem positiva nem negativa, mas podendo ser usada para qualquer dos dois. Ver o artigo sobre *Parapsicologia* na *Enciclopédia de Bíblia, Teologia e Filosofia*. Há uma ciência psíquica que é tão legítima quanto a biologia ou fisiologia, e não está diretamente relacionada à divinação.

IV. Seu Desaparecimento

Com o desaparecimento do templo de Salomão, Urim e Tumim também deixaram de ser usados. Esd. 2.63 implica que, depois do retorno do remanescente do cativeiro babilônico, essa forma de divinação não era mais usada. Ben Sira não via necessidade da divinação se havia a lei a seguir (33.3). O Talmude fala sobre o Urim e sobre o Tumim, mas não prevê suas restaurações aos cultos de Israel. Não há registro sobre seu uso no Segundo Templo nem no templo de Herodes. De acordo com os registros, Abiatar foi o último sumo sacerdote a usar essa forma de divinação (I Sam. 23.6-9; 28.6; II Sam. 21.1). Alguns intérpretes dizem que uma revelação superior pelos profetas (após o período do reino de Davi) tornou obsoletos o Urim e Tumim. Mas acho que esse modo de determinar as coisas era essencialmente inútil, e se não inútil, não muito confiável. De que vale algo se ele não funciona? Se funcionava e continuava a funcionar, provavelmente teria durado até o período dos profetas e formado um importante paralelo àquele ministério.

V. Significado Espiritual

Mesmo para as pessoas envolvidas em divinação, é mais divertido como jogo do que eficaz para determinar as respostas a problemas difíceis e sérios. *I Ching*, por exemplo, parece funcionar por poder psíquico, de forma que uma pessoa é capaz de fazer aparecer hexagramas que estão de acordo com suas expectativas ou desejos, mas que podem ser inúteis para resolver um problema. Ver o artigo sobre essa forma de divinação sob o título *Livro de Mudanças*, na *Enciclopédia de Bíblia, Teologia e Filosofia*. Ben Sira estava correto quando colocou o estudo da lei acima do Urim e do Tumim. Para os cristãos há modos superiores de determinar o que fazer em qualquer dada circunstância e de determinar o desejo de Deus, em questões espirituais, do que qualquer forma de divinação. Por outro lado, é simplista atribuir a Satanás a questão da divinação, embora, às vezes, o mal entra em algo mesmo tão simples quanto isso. Ver o artigo sobre *Vontade de Deus, Como Descobri-la* na *Enciclopédia de Bíblia, Teologia e Filosofia*.

URNA

No grego, **Stámnos**, "vaso", "urna", uma palavra que ocorre somente por uma vez em todo o Novo Testamento, em Heb. 9:4. Lemos ali que uma urna de Ouro continha o maná que fora recolhido durante as jornadas dos israelitas pelo deserto. Essa urna foi posta dentro da arca da aliança, juntamente com as tábuas da lei e a vara de Aarão, que florescera. E a arca, como é sabido, estava no interior do Santo dos Santos (vide).

URSINO, ZACARIAS

Suas datas foram 1534 - 1583. O catecismo de Heidelberg teve dois autores, um desses autores foi Ursino, conhecido como um calvinista moderado. O outro autor foi Oleviano, que lhe emprestou sua piedade fervorosa e simplicidade de linguagem. Ver sobre *Heidelberg, Catecismo de*. Ursino fazia parte do corpo letivo da Universidade de Heidelberg, e Oleviano era um pregador popular daquela cidade.

URSO

No hebraico **dob**. É palavra que aparece por treze vezes no Antigo Testamento (I Sam. 17:34,36,37; II Sam. 17:8; II Reis 2:24; Pro. 17:12; 28:15; Isa. 11:7; 59: 11; Lam. 3: 10; Dan. 7:5; Osé. 13:8; Amós 5: 19). No grego é árktos, vocábulo que figura apenas em Apo. 13:2. A palavra hebraica quer dizer "peludo".

Muitos naturalistas modernos têm duvidado da existência de ursos na Síria e na África em qualquer tempo. Porém, as muitas referências a esse animal, no Antigo Testamento, asseguram-nos que uma espécie de urso, ou mesmo diversas, existiam na Palestina nos tempos bíblicos. Atualmente, o urso aparece na Síria somente muito raramente, sempre nas regiões elevadas do Líbano, do Antilíbano e de Amano. Também algumas raras vezes podem ser encontrados em Basã,

Gileade e Moabe. No entanto, o urso nunca é visto na porção ocidental da Palestina. A espécie em foco é o Ursus syriacus, que tem um pêlo acinzentado. É evidente que essa espécie já foi abundante na Palestina.

Idéias Extraídas das Escrituras. O urso é astuto (Lam. 3:10). O urso defende furiosamente suas crias (II Sam. 17:8; Pro. 17:12). Tem muita força em suas patas (1 Sam. 17:37). Metaforicamente, há um provérbio bíblico de que alguém pode fugir de um leão, somente para ter de enfrentar um urso, correspondente ao provérbio brasileiro: Se ficar o bicho pega; se fugir o bicho come". (Amós 5:19; I Sam. 17:36). Esse provérbio bíblico sugere que o urso representava o pior dos dois perigos.

Hábitos. Os ursos são classificados como carnívoros; mas, na verdade, eles são onívoros, isto é, alimentam-se de grande variedade de coisas, incluindo plantas das mais variadas espécies, peixe, pequenos animais, etc. Também comem formigas, abelhas e suas colméias, e até mesmo carne putrefacta. Os ursos usualmente evitam o homem e seus animais domésticos; mas, no fim do inverno e começo da primavera, após saírem de sua hibernação parcial, os ursos, muito famintos, podem lançar-se contra os rebanhos ovinos, nas terras baixas, que se alimentam da relva que ressurge (I Sam. 17:34). As ursas só têm filhotes uma vez por ano, dando até quatro crias de cada vez. Quando acompanhada por seus filhotes, qualquer ursa é perigosa (II Sam. 17:8). Um único golpe da pata de um urso pode esmagar a cabeça de um homem ou animal. (ID ND UN)

ÚRSULA, SANTA

Foi uma virgem martirizada em Colônia, algum tempo antes do século IV d.C. Os detalhes concernentes à sua vida são considerados essencialmente lendários. Uma lenda acerca do século IX quer fazer-nos crer que ela era a esposa de um rei britânico e teria feito uma peregrinação a Roma, acompanhada por onze mil virgens! No caminho de volta à Grã-Bretanha, teriam sido massacradas pelos hunos, perto de Colônia, na atual Alemanha. Sua festa religiosa era celebrada em 21 de outubro, mas em 1969, essa festividade foi descontinuada, em face da historicidade duvidosa do que costumava ser dito em sua biografia.

USO APROPRIADO DA VIDA
I. Idéia Geral

João 12:25: "Quem ama a sua vida, perdê-la-á; e quem neste mundo odeia a sua vida, guardá-la-á para a vida eterna".

Declarações semelhantes a esta se encontram nos evangelhos sinópticos, nos seguintes trechos: Mat. 10:39; 16:25; Mar. 8:35; Luc. 9:24 e 17:33. Posto que tais declarações se encontram em diversas conexões, é provável que Jesus com freqüência tivesse ensinado esse princípio básico em diferentes circunstâncias e de diferentes maneiras. Esse princípio determina que o auto-sacrifício é o verdadeiro caminho para uma existência útil, e esse serviço aos nossos semelhantes perfaz uma existência digna de ser vivida, ao passo que o seu oposto, isto é, a vida egoísta, que só visa aos próprios interesses, na realidade é uma vida inútil. Sócrates asseverou que a vida sem disciplina não é digna de ser vivida, e isso não está muito distante do que o Senhor Jesus nos ensina aqui. A vida não consiste na abundância das coisas que um homem possui. Pelo

USO APROPRIADO DA VIDA – USO DO ANTIGO TESTAMENTO

contrário, consiste no que ele faz pelos seus semelhantes. Tudo isso foi supremamente ilustrado na vida terrena do próprio Cristo, o qual, tendo deixado suas glórias celestiais, que ele possuía na qualidade de Logos divino e eterno, veio a sacrificar tudo, incluindo a própria vida, a fim de outorgar uma espécie de vida superior aos homens. A passagem central desse ensinamento bíblico é Fil. 2:3-10. (Ver especialmente o sétimo versículo desse capítulo. Ver o artigo sobre a Humanidade de Jesus).

II. Descrições

1. Temos aqui uma lição simples dada pelo evangelho que nosso intelecto reconhece, embora pouco conhecida na prática. Odeia a tua vida! Comparativamente falando, bem entendido, por ser desnatural que alguém odeie a si mesmo (Efé. 5:29). Mas ama tão intensamente as coisas espirituais, concentra-te de tal modo em servir ao próximo, que chegues a uma espécie de negligência quanto à tua própria pessoa, como se te odiasses.

2. A nota chave do egoísmo acha-se na frase "Quem ama a sua vida..." Isso indica que o homem serve só a si próprio e fica implícito, odeia ao resto da humanidade, negligenciando o que for de natureza espiritual. Tal homem duvida que exista algo para além do sepulcro.

3. Amamos a Deus quando servimos a Cristo. Servimos a Cristo quando servimos ao próximo. Mat. 25:31-46 deixa isso bem claro.

Como princípio integrante do evangelho de Cristo esse amor aos nossos semelhantes e esse auto-sacrifício em favor deles é algo compreendido como parte do discipulado cristão (ver o vs. 26 deste capítulo) e tem como seu alicerce e origem o poder de Jesus. Somente o indivíduo regenerado pode morrer com êxito para si mesmo, passando a viver pelos outros, porquanto somente tal homem realmente compartilha da vida e das atitudes de Cristo. Contudo, ser regenerado não consiste em professar crença em algum credo; pelo contrário, é a participação da vida de Cristo. (Ver João 3:3,5, 15, acerca dessa questão)

Nisso tudo é que consiste o viver pela fé (ver João 3:16, Heb. 11: 1, e o artigo sobre Fé). A fim de vivermos a vida que Cristo viveu, em sacrifício pelo próximo, e amar segundo ele amou, "é mister autopreservação, é a lei da autodestruição" (Brown, *in loc.*).

4. O Exemplo de Jesus

O texto de Fil. 2:3-12 mostra-nos que Jesus entregou completamente a sua própria vida, mas que em breve a recuperou, na forma de vida imortal. Então seguiu-se a sua glorificação, por parte do Pai, por ter ele agido dessa maneira. Outro tanto precisa ocorrer conosco, sendo muito significativo o compartilharmos de sua natureza. Ora, essa participação tem começo na conversão (ver o artigo e João 13) e vem a ser realidade através da regeneração progressiva. Já a completa regeneração consiste na total participação da natureza moral e metafísica de Deus, segundo é exibida na pessoa de Cristo Jesus.

Certa feita conheci um filósofo ateu que concordava, em seus pontos essenciais, com a filosofia pragmática de John Dewey, mas dizia que o mais profundo princípio moral que há no mundo é justamente o que encontramos neste versículo, embora ele o tivesse citado segundo a versão de Mar. 8:35. Existe algo de muito elevado e nobre em torno desse princípio que força até mesmo os incrédulos mais radicais a reconhecerem sua veracidade.

"... a perda da própria vida não ocorre apenas no futuro, mas também no presente e a cada momento, quando um indivíduo ama e procura salvar a sua vida; e então, por causa dessa própria busca, na realidade ele está sempre a perdê-la". (Ellicott).

Esse princípio foi enunciado por Jesus nos termos mais fortes possíveis, porquanto o ódio é aqui aplicado como a atitude que um homem deve ter para com a sua própria vida – não no sentido, naturalmente, que ele deva desperdiçá-la tolamente, e, sim, que ele deve dedicá-la de tal forma aos outros, mediante a sua consagração a Cristo, que chegue a parecer que só cuida dos outros, e nunca de si mesmo; que ele ama aos outros, mas odeia à sua própria vida.

A palavra grega *psuche* é usada aqui para dar a idéia de vida; está em foco o indivíduo essencial, a expressão de sua personalidade, no plano terreno, e não a porção imaterial e imortal do homem, em contraste com a porção física, conforme geralmente esse vocábulo é usado nas páginas do N.T. Freqüentemente o vocábulo significa ,vida na existência distintiva de um indivíduo. (Cremer, segundo foi citado por Vincent, *in loc.*).

5. A Renúncia

A renúncia do próprio ser é o caminho da espiritualidade. O apóstolo Paulo demonstrou isso quando escreveu: "Assim, pois, amados meus, como sempre obedecestes, não só na minha presença, porém, muito mais agora, na minha ausência, efetuai a vossa salvação com temor e tremor".

"Ó eloqüente, justa e poderosa morte! A quem não se deixava aconselhar, tu persuadiste; o que ninguém ousava, tu realizaste; e a quem o mundo inteiro somente lisonjeava, tu somente lançaste fora do mundo e desprezaste; tens ajuntado toda a grandeza dispersa, bem como o orgulho, a crueldade e a ambição dos homens, e tens coberto tudo com estas duas pequenas palavras, *HIC JACET* (aqui jaz)". (Sir Walter Raleigh, *liv.* v. cap. VI, sec. 12).

A esperança mundana sobre a qual os homens põem suas esperanças

Se transmuta em cinzas - ou prospera; e em breve,
Tal como a neve, sobre a face poeirenta do deserto,
Depois de brilhar por uma hora ou duas, desaparece de vez.

(*O Rubaiat*, de Omar Khayyam, estrofe XVII).

6. A Niveladora

Também podemos meditar sobre a grande niveladora, a morte, que destrói tudo aquilo por que um homem pode viver, deixando a alma inteiramente despida. Após a morte é que se sabe se houve algum valor real na existência terrena de um indivíduo; e o evangelho ensina-nos que o verdadeiro valor de uma vida humana está exclusivamente em Cristo, e vem por meio dele; isto é, depende de essa vida ter sido vivida por intermédio de Cristo. Porém, essa vida precisa ser semelhante à que ele viveu neste mundo, isto é, em sacrifício pelos outros.

USO DO ANTIGO TESTAMENTO PELOS CRISTÃOS PRIMITIVOS

Esboço:
1. Ilustrações Desse Uso
2. A Autoridade do Antigo Testamento
3. Variações e Adaptações
4. Rejeição de Posições Antigas
5. A Autoridade Primária do Novo Testamento

USO DO ANTIGO TESTAMENTO

1. Ilustrações Desse Uso

Ver o artigo sobre Antigo Testamento, em seu quinto ponto, que alude a citações diretas do Antigo Testamento no Novo Testamento. Isso ilustra até que ponto a Igreja cristã primitiva lançava mão do Antigo Testamento. Ver o artigo intitulado Profecias Messiânicas Cumpridas em Jesus. Ver também o artigo sobre a fórmula "está escrito".. Essa fórmula foi muito usada para introduzir citações extraídas do Antigo Testamento no texto do Novo Testamento.

2. A Autoridade do Antigo Testamento

Os autores do Novo Testamento eram judeus piedosos (com a única exceção de Lucas, autor do evangelho de seu nome e do livro de Atos), quase todos de persuasão farisaica. Isso significa que eles aceitavam (sem dúvida, incondicionalmente) o cânon palestino dos trinta e nove livros do Antigo Testamento. E talvez também aceitassem alguns livros apócrifos e pseudepígrafos, honrados pelos judeus dos tempos helenistas. Seja como for, é claro no Novo Testamento, com suas muitas citações do Antigo Testamento, que os autores neotestamentários anelavam por fazer a fé cristã alicerçar-se sobre os fundamentos do Antigo Testamento. Autores do Novo Testamento, como Paulo, sempre quiseram apoiar as suas doutrinas com citações tiradas do Antigo Testamento. Isso não significa, porém, que a autoridade das revelações que produziram novas idéias fosse secundária, e que o Antigo Testamento fosse primário, mas significa que os autores do Novo Testamento estavam firmemente convictos da continuação da porção essencial do judaísmo revelado na fé cristã. Esses autores consideravam-se judeus piedosos da primeira linha, ao passo que a corrente principal do judaísmo havia apostatado, por ter rejeitado ao seu próprio Messias. A declaração que se acha em II Tim. 3:16: "Toda Escritura é inspirada por Deus..." reflete a atitude padrão dos autores sagrados do Novo Testamento no tocante ao Antigo. Os artigos referidos no primeiro ponto, acima, demonstram a extensão em que os autores do Novo Testamento usaram o Antigo como documento autoritário. Mas, se ansiavam por ter o Antigo Testamento como de autoridade basilar, não temiam ultrapassá-lo quanto a várias categorias importantes, especialmente no que diz respeito à cristologia (vide). Seus escritos tornaram-se uma segunda grande autoridade, de onde surgiu a nossa Bíblia, composta por Antigo e Novo Testamentos. É muito difícil acreditar que isso sucedeu por mero acaso. Ver o artigo geral intitulado *Autoridade*.

3. Variações e Adaptações

Qualquer leitor sem preconceitos do Antigo e do Novo Testamentos descobre que o Novo Testamento ultrapassa o Antigo Testamento e chega a contradizê-lo quanto a alguns pontos fundamentais. Assim, no Antigo Testamento, a justificação é pela fé e pelas obras. Mas Paulo alterou esse conceito para o sistema da graça-fé. Apesar de o trecho de Isa. 9:6 nos dar uma previsão da cristologia, é impossível dizer que o Antigo Testamento antecipava o amplo desenvolvimento do conceito do Cristo divino do Novo Testamento. O desenvolvimento das doutrinas do céu e do inferno não eram conceitos bem formados no Antigo Testamento, mas estão mais alicerçadas sobre desenvolvimentos que aparecem nos livros apócrifos e pseudepígrafos do Antigo Testamento. O Novo Testamento tirou proveito de alguns conceitos desses livros no tocante a essas questões e no tocante ao Messias de origem celeste, com algumas adições; e isso produziu algumas doutrinas distintivamente cristãs. Ver o artigo sobre I Enoque para a uma demonstração sobre essas declarações.

Quando buscamos apoio no Antigo Testamento no tocante à autoridade, ou buscando a continuação do judaísmo sob formas novas e mais elevadas, verificamos que algumas vezes os autores do Novo Testamento tiveram de fazer adaptações, produzindo variações que, sem dúvida, não concordavam com a exegese dos rabinos quanto às suas próprias Escrituras. Modernamente, chamaríamos essa atividade de "citação fora do conceito", pois foram feitas aplicações dos textos sagrados, não tanto uma exposição exegética deles, em um bom número de casos. Ou, poderíamos dizer, algumas vezes os autores do Novo Testamento fizeram *eisegese*, em vez de exegese. Ver os artigos sobre ambos esses termos. Paulo, para exemplificar, em Gál. 4:22 ss, produziu uma alegoria na qual Hagar e o monte Sinai são vinculados entre si, para então as duas coisas representarem Jerusalém em sua apostasia. Então, contrastada a essa cidade, temos a Jerusalém celestial, a verdadeira mãe dos espirituais. Sem dúvida, os rabinos chegaram a reclamar ao lerem essas manipulações de suas Escrituras Sagradas.

Quatro tipos de atividades participaram dessa questão do uso de textos de prova do Antigo Testamento, a saber:

a. Um uso perfeitamente legítimo que incluiu muitas profecias messiânicas.

b. Eisegese, que empresta aos textos sagrados novos significados que nenhum rabino teria previsto.

c. Alegorização, ou seja, conferir aos textos sagrados sentidos simbólicos.

d. Seleção de textos de prova, com exclusão de outros. Em outras palavras, partes do Antigo Testamento foram levadas avante, mas outras partes foram deixadas para trás. A epístola aos Hebreus fornece-nos um exemplo clássico à isso. O sistema sacrificial inteiro do Antigo Testamento foi descontinuado, sendo substituído por Cristo e seu sacrifício expiatório. Apesar de que isso representa um ABC para a doutrina cristã, podemos imaginar a consternação que deve ter causado aos judeus ortodoxos nos dias de Paulo.

Isso posto, apesar de todos os livros do Antigo Testamento terem sido reconhecidos no Novo Testamento como autoridade, como na clássica declaração de II Tim. 3:16; contudo, na realidade, uma boa porção do Antigo Testamento foi deixada de lado, deixando de ter qualquer autoridade sobre os cristãos. A questão da lei mosaica, em contraste com o sistema da graça-fé, é um sistema que fere a vista. O sacerdócio levítico foi rejeitado, e um novo sacerdócio foi criado. Na verdade, o Novo e o Antigo Testamentos são radicalmente diferentes em muitos pontos, apesar de a autoridade do Antigo Testamento continuar reconhecida. Sem essa atividade, o Novo Testamento não poderia sobreviver. De fato, o Novo Testamento é muito mais do que mera modificação do Antigo Testamento. Antes, trata-se de algo radicalmente novo.

4. Rejeição de Posições Antigas

A transição do Antigo para o Novo Testamento ilustra um importante fato acerca da idéia inteira da inspiração das Escrituras. Apesar de a inspiração do

USO APROPRIADO DA VIDA – ÚTERO

Antigo Testamento ser defendida pelos escritores do Novo Testamento, contudo, na realidade, eles tiveram de crer que novas revelações fazem com que certas antigas revelações se tornem obsoletas, podendo até mesmo contradizê-las em termos nada indefinidos. Portanto, não é princípio verídico aquele que diz que uma nova revelação precisa concordar com uma antiga revelação a fim de ser válida. Uma nova revelação pode fazer mais do que suplementar. Pode até contradizer e tornar o antigo obsoleto. À medida que for crescendo o conhecimento espiritual, teremos um processo natural. E chego a afirmar que isso sucede até mesmo no corpo do Novo Testamento, não meramente no Novo Testamento em relação ao Antigo Testamento. Assim, parece que Paulo tinha uma visão mais clara e completa sobre a justificação do que Tiago. E certamente o ponto de vista do julgamento que emerge do relato sobre a descida de Cristo ao hades é mais lógico e esperançoso e abrangente do que a doutrina que fala em condenados a queimar para sempre, segundo se vê em alguns versículos do Novo Testamento, um conceito tomado por empréstimo dos livros pseudepígrafos. Assim também, quando Paulo escreveu sobre os seus mistérios, ele foi além de outros escritores do Novo Testamento quanto à questão. Não havia necessidade de Paulo concordar com o que fora dito antes dele, visto que a revelação anterior nem ao menos abordava a essência de seus mistérios. Por isso mesmo, os mistérios paulinos não precisavam concordar com idéias preliminares sobre o mesmo assunto. O mistério da vontade de Deus, de que Paulo fala em Efé. 1:9,10, certamente, ultrapassa todos os demais pontos de vista no tocante ao que Deus, finalmente, fará na redenção e na restauração da humanidade. Quanto a ilustrações sobre essas questões, ver os artigos, *Descida de Cristo ao Hades*; *Restauração*; e *Mistério da Vontade de Deus*.

Portanto, faremos bem em ter uma visão dinâmica da revelação, e não uma visão estagnada. Há muitas coisas por serem reveladas ainda; e algum dia (embora não saibamos dizer quando), uma terceira revelação pode ultrapassar o nosso Novo Testamento, da mesma maneira que este ultrapassou o Antigo Testamento.

5. A Autoridade Primária do Novo Testamento

Jesus Cristo e Paulo são ali as autoridades primárias. De fato, deles é que emergiu o cristianismo bíblico. O Antigo Testamento serviu de pedra fundamental para o Novo Tempo, embora não fosse o seu verdadeiro alicerce. Quando o Novo Testamento veio à existência, houve a tendência de rejeitar o Antigo Testamento, o que se vê no caso dos mestres gnósticos, que abandonaram totalmente a autoridade do Antigo Testamento. Isso foi um exagero que os escritores do Novo Testamento e os primeiros pais da Igreja (vide) rejeitaram, com toda a razão. Porém, não há que duvidar que o Novo Pacto foi realmente novo, e não mera graduação sobre o Antigo Pacto.

USSHER, JAMES

Suas datas são 1581 - 1656. Foi arcebipo anglicano de Armague, e primaz da Irlanda. Foi um dos mais eruditos dos teólogos reformados. É lembrado principalmente devido à cronologia bíblica que desenvolveu no tocante ao Antigo Testamento, dependente quase inteiramente das genealogias veterotestamentárias. Essa cronologia foi inserida em muitas edições da King James Version da Bíblia, no livro de Gênesis. De acordo com essa cronologia, a criação teria ocorrido no ano de 4004 a.C. Infelizmente, contra toda a razão e as descobertas científicas, algumas pessoas continuam a propalar essa idéia. Ver os artigos *Criação*; *Antediluvianos* e *Astronomia*, onde há abundantes contra-evidências dessa idéia.

Ussher fez várias contribuições à literatura e à erudição. Entre esses labores, podemos citar que ele firmou a autenticidade de sete epístolas de Inácio de Antioquia, separando-as de escritos espúrios, que até então também lhe eram atribuídos. Foi autor prolífico, cujas obras foram publicadas em dezessete volumes. Foi professor da Faculdade Trindade cuja biblioteca ajudou a ampliar. Inclinava-se ao calvinismo e deu apoio aos puritanos em suas disputas com os anglicanos, mas também atuou como elemento conciliador no conflito. Após ter ocupado uma longa série de ofícios eclesiásticos, terminou sua carreira como arcebispo e primaz da Irlanda.

USURA

Ver o artigo sobre Ganho, Lucro.

UTA

No grego da Septuaginta, *Outá*. Ele aparece em I Esdras 5:30 como um israelita cujos filhos retornaram à Palestina, terminado o cativeiro babilônico, em companhia de Zorobabel. No entanto, esse nome é omitido nas passagens paralelas dos livros canônicos de Esdras (2:45) e de Neemias (7:48).

UTAI

No hebraico, "Yahweh é a ajuda". Nas páginas do Antigo Testamento há dois homens com esse nome, e, nos livros apócrifos também há menção a um homem com essa denominação, a saber:

1. Um membro da família de Judá, que retornou do exílio babilônico, para residir em Jerusalém. Seu nome ocorre em I Crô. 9:4 Ele era filho de Amiúde, descendente de Perez. Ele viveu por volta de 536 a.C.

2. Um filho de Bigvai (Esd. 8:14), que fazia parte do grupo que viajou em companhia de Esdras, da Babilônia para Jerusalém, nos dias do rei persa, Artaxerxes (Esd. 8: 1). A caravana estacou no rio perto de Aava pelo espaço de três dias, a fim de permitir que Esdras recrutasse alguns levitas para se juntarem ao grupo que retornava a Jerusalém. Isso sucedeu em torno de 457 a.C.

Na literatura apócrifa há menção a um Utai, cujos filhos teriam retornado do cativeiro babilônico juntamente com Zorobabel. Ver I Esdras 5:30.

UTENSÍLIOS

No hebraico, **kelim**. Essa palavra indica qualquer coisa ou objeto material que pode ser manuseado ou carregado, como um instrumento, uma arma, um implemento agrícola, um vaso, um receptáculo, etc. A palavra é repetidamente empregada, em nossa versão portuguesa, para indicar vários itens usados no tabernáculo, armado por Israel, no deserto, ou no templo de Jerusalém. Por exemplo, Êxo. 25:39; 27:3,19; 30:27,28; 31:8,9; I Crô. 9:28,29; II Crô. 24:14-19.

ÚTERO

Ver sobre **Órgãos Vitais,** sexto ponto.

UTI–UTOPIA

UTI
Forma do nome Utai, que aparece em algumas versões e nos livros apocalípticos apócrifos.

UTILIDADE
Essa palavra deriva-se do latim *utilis*, "útil". É usualmente empregada na filosofia para indicar aquelas coisas que têm valor por causa de alguma função específica e benéfica, e não necessariamente por terem algum valor intrínseco. Uma moeda de ouro pode comprar alguma coisa útil, mas a pequena quantidade de metal contida na moeda não tem valor intrínseco.

Idéias dos Filósofos

1. Spinoza usava a palavra "utilidade" para aludir àqueles elementos e condições que preservam o indivíduo, um fator fundamental de sua psicologia racional. Existem coisas secundárias, relativamente falando, e que ajudam a pessoa a adaptar-se ao seu meio ambiente. Mas as coisas verdadeiramente úteis são aquelas que levam o indivíduo a desenvolver a própria razão.

2. David Hume introduziu o termo no campo da ética, fazendo da utilidade a principal consideração na conduta humana.

3. O utilitarismo em geral (ver sobre Ética, em sua sétima seção, Bentham, Jeremy e Mill, John Stuart) dizia que aquilo que funciona é que é útil, a idéia ética principal de seu sistema. Naturalmente, o útil tem sido definido de muitas maneiras diferentes, começando pelo prazer e chegando à felicidade geral da maioria ou mesmo de todos. Mas a melhor definição é aquela que diz que a utilidade consiste na obediência à vontade expressa de Deus.

4. A idéia de utilidade acha-se no centro mesmo do pragmatismo (vide).

5. Croce pensava que a utilidade é a base da economia. Em seu sistema, esse termo pode ser intercambiado com a palavra demanda.

UTILITARISMO
Oferecemos um detalhado artigo sobre essa filosofia ética, como a sétima seção do artigo gerado sobre a Ética. Ver também os artigos sobre Bentham, Jeremy e Mill, John Stuart, quanto a mais detalhes, por terem sido os principais promotores dessa filosofia.

UTILITARISMO TEOLÓGICO
A adaptação teológica de princípios utilitaristas faz com que a "felicidade para todos" seja a base da teoria ética, crendo que os corretos princípios e práticas teológicas devem tender para esse resultado. As obrigações e os juízos morais são então aprovados ou não com base nessa tese. Seus advogados afirmam que a vontade de Deus está especificamente direcionada à obtenção da felicidade para todos, razão pela qual o universalismo (vide), com freqüência, é a posição favorecida pelos filósofos-teólogos que promovem o utilitarismo teológico. William Paley (vide) foi o principal arquiteto dessa filosofia. Ele interpretava a ética cristã à luz do que é útil, segundo determinado pela benévola vontade divina.

UTNAPISHTIM (PER-NAPISHTIM)
Esse foi o Noé da concepção babilônica. A narrativa sobre o dilúvio, oriunda na Babilônia, tem impressionantes paralelos com o relato bíblico (a versão hebréia). Sua história aparece na tábula XI da *Epopéia de Gilgamés* (vide).

UTOPIA
Esse vocábulo deriva-se do grego *oû*, "não", e *tópos*, "lugar", com a aparente intenção de dizer que "a utopia não é nenhum lugar que possa ser visto", melhor do que qualquer lugar conhecido e, por conseguinte, fruto da imaginação. O vocábulo foi cunhado por Thomas More, em 1516, para indicar um lugar imaginário, um estado ideal. Naturalmente, em sua *Utopia* imagina-se um lugar onde condições ideais podem ser achadas. Rabelais adotou a palavra, aplicando-a a uma imaginária ilha onde imperam condições perfeitas. A partir daí, filósofos, teóricos sociais, poetas, etc. têm empregado o termo para indicar suas várias esperanças e criações imaginárias. O estado utópico é um estado imaginário em que prevalecem condições ideais, naturalmente um esquema visionário e impraticável.

Idéias dos Filósofos e Teólogos:

1. Platão refere-se ao antiqüíssimo estado de Atlântida, que alguns pensam ser um mero mito, embora muitos místicos insistam que foi um lugar real. Seja como for, sua civilização foi muito superior a qualquer coisa que os povos da antiguidade remota chegaram a conhecer, e é presumível que as raízes da civilização, conforme conhecida no antigo Egito e na antiga Grécia, devem ser procuradas na antiqüíssima Atlântida. A descrição da Atlântida acha-se no diálogo de Platão, Timeu. Os ideais de Platão, na sua obra, República, embora não relacionados à Atlântida, também retratam uma espécie de estado ideal, utópico, que jamais se concretizou. Nesse diálogo, somente governantes especialmente treinados seriam capazes de promover a utopia. Platão cria sinceramente que tal classe de governantes deveria ser cuidadosamente preparada, tal como qualquer outra classe profissional.

2. Thomas More (vide), em sua *Utopia*, combinou idéias da República de Platão com idéias do epicurismo, e aumentou ainda mais a salada, com princípios cristãos.

3. Francis Bacon criou o estado científico utópico, ideal, em seu livro, *A Nova Atlântida*. Ele pensava que a ciência é a chave para a felicidade, concebendo um estado controlado por cientistas, os quais, naturalmente, devotavam a vida ao ideal utópico.

4. Campanella acompanhou as sugestões de Platão, em sua obra Cidade do Sol, mas preferia pensar em um filósofo-rei-sacerdote, e não apenas em um filósofo-rei, conforme fizera Platão.

5. Mandeville escreveu uma espécie de tratado antiutópico, "chamado Fábula das Ovelhas. Ele insurgia-se contra uma sociedade altruísta como uma comunidade sem nehuma força motivadora inerente. E procurou mostrar que os vícios particulares, individuais, são benéficos para a coletividade.

6. Rousseau, em sua democracia ideal, inventou um tipo de utopia. Seus escritos, intitulados *Discurso Sobre a Desigualdade* e *Émile*, contêm essas idéias.

Utopias têm atraído a atenção de vários filósofos, conforme temos mostrado acima, mas sociólogos e políticos também têm dado sua dose de atenção a tais imaginações. Consideremos os casos abaixo:

7. Plutarco de Queronéia forneceu-nos um quadro ideal (exagerado) de Esparta, em seu livro *Vidas*, na seção intitulada Licurgo. James Harringon, por sua vez, criou uma espécie de ideal utópico em seu livro *Oceana*, fazendo da propriedade a base da autoridade.

Etienne Cabet, com seu volume, *Viagem à Icária*, deu outro vôo de fantasia utopica. William Morris foi criador de uma fantástica utopia socialista, em seu livro *Notícias de Parte Nenhuma*. B.F. Skinner abordou o ideal utópico do ponto de vista de um cientista social em seu livro *Walden Two*.

8. Marx e Engels consideravam-se socialistas científicos, dando ao mundo outra visão de como se pode conseguir uma utopia em uma sociedade destituída de classes. Ver os artigos Comunismo e sobre esses dois pensadores.

Mas também podemos pensar nas utopias literárias, românticas, segundo se vê abaixo:

9. *Gargântua* e *Pantagruel*, de Rabelais; *Viagens de Gulliver*, de Swift; *Rasselas, Príncipe da Abissínia*, de Samuel Johnson; *A Corrida Futura*, de Bulwer Lytton; *Olhando Para Trás*, de Edward Bellamy; *Antecipações*, de H.G. Wells; *Admirável Mundo Novo* (uma utopia negativa), de Huxley; Revolução dos Bichos (outra utopia negativa), de George Orwell.

Naturalmente, também foi mister aparecerem utopias religiosas, conforme a lista abaixo:

10. O estado teocrático hebreu, idealizado por Moisés, mas que nunca chegou a concretizar-se, realmente, pode ser considerado uma utopia religiosa tentativa.

11. O milênio (vide) é a nossa verdadeira utopia bíblica, a qual, segundo as predições bíblicas, tornar-se-á realidade mediante a intervenção divina, no meio do seu Filho, Jesus Cristo, mediante a *parousia* (vide). Talvez seja correto dizermos que o milênio fará parte do palco da *parousia*, ou segunda vinda de Cristo.

12. O estado eterno, na restauração (vide), em cumprimento do Mistério da Vontade de Deus (vide), promete-nos que condições ideais, finalmente, haverão de governar a vida de todos os seres inteligentes. Novamente, somente o poder divino pode realizar isso. A redenção (vide) e a restauração apontam para essas condições utópicas, como seus agentes efetuadores. As "primeiras cousas terão passado" (ver Apo. 21:4).

UTTARA MIMAMSA

No sânscrito, essas palavras significam "pensamento posterior reverenciado", referindo-se a uma escola filosófica indiana que trata da porção mais recente dos Vedas (vide). Essa escola também é conhecida como Vedanta (vide), nome esse que significa "fim dos Vedas". Ver o artigo geral sobre o *Hinduísmo*. O artigo sobre Vedanta fornece detalhes sobre o assunto que não aparecem aqui. Tradicionalmente, esse é um dos seis grandes sistemas da filosofia indiana. Esses seis sistemas são descritos na quinta seção do artigo Hinduísmo.

UVA

Ver sobre **Vinha, Vinhedo**.

UVAS BRAVAS

No hebraico, *beushim*. Esse vocábulo hebraico, ocorre exclusivamente no livro de Isaías (5:2,4). Lemos ali: "...meu amado teve uma vinha num outeiro fertilíssimo... Ele esperava que desse uvas boas, mas-deu uvas bravas...como, esperando eu que desse uvas boas, veio a produzir uvas bravas?" Naturalmente, a alusão é ao rebelde povo de Israel. A tradução daquela palavra hebraica também ficaria correta como "uvas más". Isso indica que o profeta acreditava que tanto existe uma vinha boa (a Vítis vinefera, segundo seu nome científico moderno), quanto há uma vinha brava (ou Vitis orientalis). Esta última espécie produz uvas de pouco valor econômico. As uvas são negras, secas, pequenas e extremamente ácidas. Tal planta pode ser encontrada em várias regiões ao redor do mar Mediterrâneo.

Na linguagem metafórica do profeta, pois, Deus não tinha mais proveito e utilidade para o povo de Israel. De fato, não demorou muito para que o povo judeu fosse rejeitado, tendo seguido para o exílio.

UVAS SECAS

No hebraico, **enab yabesh**, que aparece somente em Núm. 6:1 Esse item aparece na lista de alimentos que os nazireus não tinham permissão de comer. Naturalmente, uvas secas não eram proibidas para a população em geral. Todos os produtos derivados da uva entravam nessa lista, durante todo o tempo da separação do nazireado (vs. 4).

UZ

No hebraico, "firmeza", presumivelmente de *Uz*, filho de Arã, filho de Sem, e assim o território onde ele e seus descendentes viviam. Alguns dizem que o nome significa "consulta". O Antigo Testamento contém três pessoas chamadas assim, além de um território.

1. Um filho de Arã (Gên. 10.23; I Crô. 1.17), neto de Sem. Viveu em torno de 2200 a. C.

2. Um filho de Naor por sua mulher Milca (Gên. 22.21). Sua época foi em torno de 2000 a. C.

3. Um filho de Disom da família de Seir, ancestral distinto dos horeus (Gên. 36.28), que viveu em torno de 1700 a. C.

4. A terra de Uz, onde dizia-se que Jó vivia (Jó 1.1). A Bíblia fornece várias observações que nos ajudam a localizar essa terra: era um país (território) localizado próximo aos sabeus e caldeus (Jó 1.1, 1517). Era acessível aos temanitas e naamitas (Jó 2.11). Os buzitas estavam relacionados a ela (Jó 32.2). Os edomitas governaram o lugar em épocas passadas (Jer. 24.20; Lam. 4.21). Ficava próxima a um deserto (Jó 1.19). Teve vários xeques, chefes de tribos, povos semitas (Jer. 25.20, 23). Na terra de Uz ficava a colônia de Edom, que é uma "filha" do local (Lam. 4.21).

Além das observações da Bíblia, temos o testemunho de Josefo, que situava o lugar no nordeste da Palestina, dizendo "Uz fundou Traconites e Damasco" (Ant. 1.6.4). As tradições árabes estão de acordo com isso. Talvez o wadi Sirhan moderno, ao sul de Jebel ed Druz, seja situado no antigo território. Essa é uma grande depressão rasa, parecida com uma planície, de cerca de 300 km de extensão e com uma média de 30 km de largura. Possui terra pastoril abundante, o que se ajusta a Jó 1.3. Há água suficiente para suportar animais silvestres e domesticados, além de uma população humana razoável, especialmente se os povos envolvidos fossem tribos nômades de números pequenos de indivíduos. Os mapas da *Zondervan Pictorial Encyclopedia of the Bible* localizam Uz próximo a Damasco, mas o wadi Sirhan, a leste do mar Morto, de forma que contradiz os aspectos das informações dadas acima. A localização a leste do mar Morto parece ser mais lógica. Ver as anotações sobre Jó 1.3 no *Antigo*

Testamento Interpretado, que aumentam as informações.

5. Servos do templo (escravos) chamados *netinins*, eram representados entre os exilados que retornaram a Jerusalém após o cativeiro babilônico. Um deles era chamado de Uz (Esd. 2.49; Nee. 7.51). Ele viveu em torno de 536 a. C.

UZA

No hebraico, esse nome aparece com duas **grafias** levemente diferentes, mas ambas com o sentido de "força". Há quatro personagens com esse nome, nas páginas do Antigo Testamento:

1. Um filho de Abinadabe e irmão de Aiô. Seu nome aparece por oito vezes, em II Sam. 6:3,6-8; I Crô. 13:7,9-11. Uzá morreu quando tocou na arca da aliança, quando esta estava sendo transportada da casa de seu pai, Abinadabe, para Jerusalém. Davi, desejando aumentar o prestígio de Jerusalém, que ele escolhera como capital do seu reino, resolveu trazer para ali a arca da aliança, que tempos antes fora devolvida pelos filisteus e ficara na casa de Abinadabe. Os filhos deste, Uzá e Aiô, puseram a arca em um carro puxado por bois. Mas, a certa altura do trajeto, parece que os animais tropeçaram, a carroça balançou e a arca deve ter ameaçado tombar. Uzá estendeu a mão para segurar a arca e, no mesmo instante, foi morto misteriosamente. A morte dele foi atribuída à violação do caráter sagrado da arca. O incidente deixou Davi profundamente abalado, e ele cancelou imediatamente o seu plano de levar a arca até Jerusalém. Em vez disso, a arca foi depositada na residência de Obede-Edom. E o rei apelidou o local de Perez-Uzá, "irrompimento contra Uzá", sem dúvida, devido ao fato de que o Senhor irrompera, em sua ira, contra Uzá, por causa da irreverência deste (II Sam. 6:7,8). E assim a arca da aliança ficou na casa de Obede-Edom por três meses, antes de ser, finalmente, levada para Jerusalém (ver II Sam. 6:12 ss). Uzá, pois, era contemporâneo de Davi.

2. Um dos descendentes de Merari, filho de Levi, também se chamava Uzá (I Crô. 6:29). Uzá foi um dos homens a quem Davi encarregou do serviço dos cânticos da casa do Senhor, depois que a arca da aliança foi transportada para Jerusalém (I Crô. 6:31). Portanto, ele também foi um dos contemporâneos de Davi.

3. O proprietário de um jardim, onde Manassés e Amom, reis de Judá, pai e filho, foram sepultados (II Reis 21:18,26). Ao que parece, aquele jardim havia pertencido a esse homem, Uzá, acerca de quem só sabemos o nome. Ali encontrava-se a residência desses dois reis de Judá, provavelmente, adquirida por compra, embora não tenhamos informação alguma a esse respeito, nas Escrituras. Trata-se apenas de uma conjectura. Portanto, nada mais se pode dizer sobre Uzá, e nem sobre a época em que ele viveu, a não ser que deve ter sido da época de Manassés para trás, ou seja, antes de 680 a.C.

4. Um dos servos do templo, ou netinins, que retornou do exílio babilônico para Jerusalém. Seu nome aparece por duas vezes na Bíblia, em Esd. 2:49 e em Nee. 7:51. Viveu por volta de 536 a.C.

UZAI

No hebraico, "esperado". Esse era o filho de um homem de nome Palal, que ajudou Neemias no reparo das muralhas de Jerusalém (Nee. 3:25). Ele viveu por volta de 445 a.C.

UZAL

No hebraico "andarilho", embora alguns pensem que o nome seja de significado incerto.

1. *Tabela das nações*. Ver Gên. 10.27 e I Crô. 1.21. Em vista está o sexto dos treze filhos de Joctã. Ele, por sua vez, era trineto de Sem, filho de Noé. Provavelmente Joctã foi um dos fundadores das tribos árabes. De qualquer forma, Uzal foi um líder de uma tribo do deserto, mas é impossível atribuir certa data a ele.

2. *Uma tribo*. Uma tradição árabe conta-nos que Uzal era o nome original de Sanaa, a capital do Iêmen no sudoeste da Arábia.

3. Ou, talvez, Uzal seja Azala, que ficava na vizinhança de Medina. O nome desse local é mencionado nos registros do rei assírio Assurbanipal, quando eles falam sobre suas campanhas contra os nabateus. Junto com essas informações ele menciona duas cidades principais do território, Iarqui e Hurarina, que são nomes semelhantes aos de Joctã, mencionado em Gên. 10.26, 27, isto é, Jerá e Adorão. Ver sobre *Nabateus*.

4. O local associado a *Veda* e *Java*, na versão revisada de Almeida da Imprensa Bíblica Brasileira em Eze. 27.19. Vedão, Java e Uzal eram três pontos de parada para romeiros a caminho de Meca e Medina.

5. Talvez Sanaã, da metrópole de Iêmen, marque o local antigo.

UZÉM-SEERÁ

No hebraico, "ponto de Seerá". Esse era o nome de uma das três aldeias edificadas por Seerá, uma mulher que aparece como filha ou descendente de Efraim, filho de José (I Crô. 7:24). Alguns estudiosos pensam haver identificado a aldeia desse nome, que seria a moderna *Beit Sira*. Mas outros eruditos preferem pensar que não se sabe a localização de nenhuma das três vilas fundadas por Seerá. Além de Uzém-Seerá, ela também fundou a Bete-Horom de baixo e a Bete-Horom de cima. Uzém-Seerá ficaria a três quilômetros a sudoeste de Bete-Horom. Ver os artigos sobre Seerá e sobre *Bete-Horom*.

UZI

No hebraico, "minha força" ou "forte", o nome de sete pessoas do Antigo Testamento, que listo em ordem cronológica.

1. Um filho de Tola e neto de Issacar. Ele, juntamente com seus irmãos, liderava a tribo de Issacar e era conhecido por suas habilidades militares, sendo um "poderoso guerreiro" (I Crô. 7.2). Viveu no século 16 a. C.

2. Um filho de Bela e neto de Benjamim. Foi líder da tribo de Benjamim, conhecido por suas habilidades de guerreiro (I Crô. 7.2). Sua época foi em torno de 1600 a. C.

3. Um filho de Buqui (o sacerdote) e pai de Zaraías, ancestral distante de Esdras (I Crô. 6.5, 6, 51; Esd. 7.4). É difícil localizá-lo no tempo.

4. Um filho de Micri e pai de Elá. Ele era da tribo de Benjamim e estava entre os exilados que conseguiram retornar a Jerusalém após o cativeiro babilônico (I Crô. 9.8). Sua época foi em torno do século 6 a. C.

5. Um filho de Bani, líder dos levitas após o retorno dos exilados do cativeiro babilônico (Nee. 11.22). Viveu na época de Neemias, em torno de 445 a. C.

6. Líder de uma família de sacerdotes, descendente

de Jedaías. Era um sacerdote importante quando Jeoaquim, o sumo sacerdote, tomou parte na cerimônia da dedicação da reconstrução dos muros de Jerusalém (Nee. 12.19, 42). Viveu em torno de 445 a. C.

7. Um levita que participou na cerimônia da rededicação dos muros de Jerusalém que haviam sido reconstruídos após o cativeiro babilônico (Nee. 12.42). A época era em torno de 445 a. C. É possível que os números 6 e 7 se refiram à mesma pessoa.

II Esd. 1.2 menciona outro homem por esse nome, que era o pai de Arna e um ancestral de Esdras.

UZIA

No hebraico, "minha força é Yahweh". Esse foi o nome de um homem, da cidade de Astarote, alistado entre os "heróis guerreiros" de Davi (I Crô. 11:44). Viveu por volta de 1048 a.C.

UZIAS

Nome de cinco personagens do Antigo Testamento. Esse nome significa "Yahweh é forte", ou a força de Yahweh". Um deles foi um dos reis de Judá, sobre quem damos um artigo especial nesta enciclopédia, intitulado *Uzias, o Rei*. Os outros quatro homens desse nome foram os seguintes:

1: Um filho de Uriel, um coatita. Seu nome figura somente em I Crô. 6:24. Viveu em cerca de 1100 a.C.

2. O pai de Jônatas, que tomava conta dos tesouros do rei, nos campos, nas cidades, nas aldeias e nos castelos, nos dias de Davi. Seu nome só figura por uma vez em toda a Bíblia, isto é, em I Crô. 27:25. Deve ter vivido por volta de 1050 a.C.

3. Um dos sacerdotes, que voltou do cativeiro babilônico, e que se havia casado no exílio com uma mulher estrangeira, tendo tido de divorciar-se dela, de acordo com o pacto firmado por todo o povo de Israel. Ver Esd. 10:21. Viveu em cerca de 445 a.C.

4. O pai de Ataías, que veio residir em Jerusalém, terminado o cativeiro babilônico. Ver Nee. 11:4. Viveu por volta de 445 a.C.

UZIAS, O REI
I. Nome e Família
II. Cronologia
III. Observações Históricas
IV. Arqueologia
V. Doença e Morte

I. Nome e Família

Seu nome significa "Yahweh é força", que alguns interpretam como "Yahweh é *minha* força". Em algumas passagens, ele é chamado de Azarias, que pode ser uma forma longa da outra, ou um erro de escriba. Ver II Reis 14.21; 15.1, 6, 8, 17, 27.

Ele era filho de Amazias, rei de Judá. Quando foi assassinado, Uzias tomou seu lugar, tornando-se o décimo rei daquela nação. Ele tinha apenas 16 anos de idade quando assumiu o poder. Sua época de reinado foi 781 a. C. a 740 a. C. Como se pode ver, ele ficou muito tempo no poder.

II. Cronologia

Há problemas cronológicos, considerando-se que parece que esse homem foi co-regente com seu pai durante um longo tempo antes de tornar-se rei. Isso dificilmente permitiria uma condição em que ele se tornaria rei em seus próprios direitos, aos 16 anos de idade. Os intérpretes caem em contorções ao tentar explicar as observações bíblicas e não posso fazer nada melhor do que informar ao leitor aquilo que diz a *Zondervan Pictorial Encyclopedia of the Bible* sobre o assunto:

"Uzias provavelmente foi co-regente com Amazias por muitos anos. As evidências estão em II Reis: 1.) 14.23, que o reino de Jeroboão durou 41 anos; 2.) 15.1, que Uzias se tornou rei (implicando que seu pai morreu) no 27º ano de Jeroboão; 3.) 15.8, de que o reino Jeroboão terminou no 38º ano de Uzias. Da rebelião de Jeú em 841 a. C., através dos reinos de Atalia, Joás e Amazias, a data da morte do último pode ser determinada em 768-767 a. C. Com base nisso, Uzias começou a contar seus anos de 792-791 a. C. e morreu em 740-739." Albright dá seu período de reino em torno de 783-742 a. C.

III. Observações Históricas

Um breve resumo:

1. No início ele regeu com justiça (II Reis 15.3; II Crô. 26.4, 5).

2. Ele derrotou com êxito os filisteus e os árabes (II Crô. 26.7).

3. Ele fortificou e fortaleceu Judá significativamente (II Crô. 26.9, 15).

4. Seu orgulho o corrompeu (II Crô. 21.23).

5. Por causa de sua atitude arrogante, ele foi julgado com "lepra" e teve de viver isolado do povo até sua morte (II Reis 15.6, 7). O *saraat* hebraico, muitas vezes traduzido como lepra, de fato era um termo geral que incluía muitas doenças de pele e mesmo a verrugas que penetravam nas roupas. Sem dúvida, a lepra é um de seus significados.

Alguns detalhes:

1. Depois do assassinato de seu pai, o rei Amazias, Uzias assumiu o trono (II Reis 14.21), cerca de 783 a. C. Ver o ponto 2. *Cronologia*.

2. Ele teve sucesso em derrubar os inimigos de seu pai, começando com os edomitas (II Reis 14.22; II Crô. 26.1).

3. Outras guerras de sucesso foram realizadas no sul, especialmente com as tribos árabes e os filisteus (II Crô. 25.7). Ele fundou cidades fortificadas novas no território dos filisteus.

4. Ele fortificou Jerusalém; foi um sério promotor da agricultura; reteve seus cultos a Yahweh, sendo influenciado pelo profeta Zacarias (II Crô. 26.5, 9, 10).

5. Jerusalém e sua região sofreram poderoso terremoto em sua época, o que causou medo e distúrbios sociais (Amós 1.1; Zac. 15.4).

6. II Crô. 26 revela que ele foi um dos reis mais energéticos e bem-sucedidos de Judá.

7. Ele assumiu a liderança de uma coalizão de reis para bloquear o avanço assírio do norte sob *Tiglate-Pileser III* (ver o artigo). Esse esforço, contudo, não obteve êxito. O poder assírio derrotou Arã e Israel, e Judá teve de se contentar com guardar sua própria segurança e independência. Os registros (anais) do rei assírio falam de seu ataque a Azryiau e Yauda, que alguns estudiosos pensam referir-se a Uzias (Azarias) e Judá, mas uma interpretação alternativa relaciona esses nomes com o estado do norte da síria, *Ydi*, que é mencionado em inscrições aramaicas.

IV. Arqueologia

Talvez a questão de Tiglate-Pileser III, mencionada acima, qualifique como confirmação arqueológica a relação de Uzias com aquele poder, mas isso foi questionado, como explicado. Uma pedra encontrada fala do reenterro de Uzias em Jerusalém. A inscrição está em aramaico, mas em letras como as comuns às inscrições hebraicas. O texto diz: "Para esse local os ossos de Uzias, o rei de Judá, foram trazidos. Não abra". Sua data é o primeiro século, quando Jerusalém estava passando sob expansão sob Herodes, e todos os túmulos, exceto as tumbas dos reis, foram movidas para fora dos muros da cidade. Como Uzias tinha lepra, seu corpo não foi enterrado nas tumbas reais.

V. Doença e Morte

Com o orgulho elevado por causa de suas muitas vitórias que deram a ele uma carreira distinta, Uzias decidiu celebrar e queimar incenso no altar no templo. O sumo sacerdote fazia oposição a ele e isso com a ajuda de vários outros. O rei ficou muito bravo com a resistência a ele, um grande homem, e seguiu adiante com sua idéia. Repentinamente foi atingido pela lepra. Sua condição exigia isolamento, e assim acabou a carreira de um grande homem. Quando morreu, ele não foi enterrado nas tumbas dos reis (II Crô. 26.23). A história de sua enfermidade e morte é contada em II Reis 15.5-7 e II Crô. 26.16-23. Certamente, a palavra hebraica *saraat*, tão comumente traduzida por "lepra", pode significar diversas doenças da pele e até mesmo fazer referência a verrugas que entram nas roupas. Portanto, nunca poderemos ter certeza se a lepra real é a o que o termo refere nesse caso, embora, sem dúvida, *às vezes* seja.

UZIEL

No hebraico, "Deus é força", que alguns interpretem como "Deus é minha força". Seis pessoas do Antigo Testamento tinham esse nome. Listo essas pessoas em ordem cronológica:

1. Um filho de Bela e neto de Benjamim. Ele e seus irmãos eram líderes da tribo de Judá e poderosos guerreiros (I Crô. 7.7). Ele viveu em algum momento no século 16 a. C.

2. Um filho de Coate e neto de Levi. Um descendente dele, chamado pelo mesmo nome, foi tio de Moisés e Arão. Então outro homem com o mesmo nome foi proeminente na época de Davi, o rei. Ver as Escrituras a seguir, que falam dessas pessoas: Êxo. 6.18, 22; Lev. 10.4; Núm. 3.19, I Crô. 6.2; 15.10; 23.23, 30; 24.24. O primeiro desse grupo viveu no século 16 a. C.

3. Um músico, filho de Hemã, que cooperou com o ministério musical de Davi (I Crô. 25.4). Esses músicos eram profissionais que desenvolveram habilidades com diversos instrumentos como a lira, a harpa, o címbalo, e alguns compunham música apropriada para os cultos no tabernáculo e, mais tarde, para o templo. A época desse homem foi em torno de 1000 a. C.

4. Um filho de Isi da tribo de Simeão. Ele e seus irmãos lideraram um grupo de 500 homens que afugentaram os amalequitas do monte Seir em uma batalha decisiva ali ocorrida. Com tal vitória, os simeonitas conseguiram aumentar seu território. Eles habitaram a terra conquistada na época de Ezequias, o rei (I Crô. 4.42). A época foi em torno de 700 a. C.

5. Um levita da família de Jedutum que purificou o templo de Jerusalém, ao obedecer à ordem de Ezequias, o rei (II Crô. 29.14 ss.). Sua época foi em torno de 700 a. C.

6. Um filho de Haraias, ourives, que ajudou a reparar os muros de Jerusalém depois que o remanescente dos exilados retornou do cativeiro babilônico, em torno de 445 a. C.

1. Formas Antigas

fenício (semítico), 1000 A.C.   grego ocidental, 800 A.C.   latino, 50 D.C.

2. Nos Manuscritos Gregos do Novo Testamento

ϒ V U (*formas derivadas de U*)

3. Formas Modernas

V V v υ   V V v v   V v

4. História

V é a vigésima segunda letra do alfabeto português (ou a vigésima primeira, se deixarmos de lado o *K*). Historicamente, deriva-se da letra semítica consonantal *waw*, «gancho». As letras F, U, Y e W também procedem dessa letra semítica. O grego adotou-a e chamou-a de *úpsilon*, que tem o som de *u*. O latim conferiu-lhe seu formato moderno de «V». V e U foram formas alternativas, em vários idiomas, com o mesmo valor fonético; mas gradualmente o U veio a designar a vogal, e V a consoante. No latim antigo, o V tinha o som de W, sendo que esta última letra acabou sendo eliminada do alfabeto latino. As letras maiúsculas, «U» e «V» começaram a ser distinguidas uma da outra no século X D.C., mas as letras minúsculos correspondentes continuaram sendo intercambiáveis até o século XV. Do latim, o U e o V passaram para muitos idiomas modernos.

5. Usos e Símbolos

Os romanos usavam o V para indicar o numeral 5. Mas o V também representa volt, versus e vitória. O V é usado como símbolo do *Codex Mosquensis*, descrito no artigo separado, *V*.

Caligrafia de Darrell Steven Champlin

Reprodução Artística de
Darrell Steven Champlin

Arte egípcia — peixes e plantas pintados sobre um vaso

V

A designação do manuscrito chamado **Codex Mosquesis**, anteriormente localizado no mosteiro de Vatopedi no Monte Athos, mas agora em Moscou (como seu nome indica).

Contém os evangelhos com algumas omissões; data do século VIII ou IX; escrito em letras maiúsculas até João 8:39, onde começam letras minúsculas. O texto produzido nestas letras (que vai até o fim) data do século XIII. O tipo de texto de todo o manuscrito é bizantino. Ver sobre **Textus Receptus**, que representa o estágio final deste tipo de texto. Ver também o artigo geral sobre os **Manuscritos** do Novo Testamento.

Esta enciclopédia oferece estudos detalhados sobre os manuscritos da Bíblia. Ver os artigos, **Manuscritos Antigos do Antigo Testamento** e **Manuscritos Antigos do Novo Testamento**.

VACA
Ver sobre **Gado**.

VAEBE EM SUFÁ

Essas estranhas palavras aparecem em nossa versão portuguesa, no trecho de Núm. 21:14, como parte do que estaria escrito no livro das Guerras do Senhor. Isso reflete o texto da Revised Standard Version. Porém, ninguém sabe o que tais palavras significam e nem onde estariam localizados tais lugares. A Berkeley Version, em nota de rodapé, explica que Vaebe seria uma cidade próxima do rio Arnon, um pouco mais para o norte. Mas, na base do quê, não diz.

Outras traduções e outros estudiosos dão uma interpretação inteiramente diferente a essas palavras. Assim, a versão de King James diz: "O que ele fez no mar vermelho". É mister que os hebraístas investiguem um pouco mais a respeito, e se manifestem. Essa passagem bíblica, por enquanto, permanece envolta em brumas. O que eu posso dizer acerca de Sufá é que temos aí uma transliteração do termo heb. *suphah*, "tempestade", "redemoinho", que ocorre por 15 vezes nas páginas do Antigo Testamento, conforme se vê, por exemplo, em Jó 21:18; Isa. 5:28; 29:6; Jer. 4:13 e Osé. 8:7.

VAGÃO
Ver sobre *Carruagem*.

VAGUEAÇÃO NO DESERTO POR ISRAEL

Esboço:

1. *Cenário*. Israel saiu do Egito sob a liderança de Moisés. Ver sobre *o Êxodo*. Mas uma falha de constância e de fé fez com que a posse da terra de Canaã fosse adiada por quarenta anos. E Israel começou a vaguear pelo deserto, pagando assim o preço por sua falha.

2. *Território*. Ficava dentro da península do Sinai, ou seja, aquela área dentro do ângulo ou garfo entre os dois ramos do mar Vermelho–o golfo de Suez e o golfo de Ácaba. A Terra Santa ficava ao norte dessa região. E aquela porção da Arábia conhecida como Arábia Petrea (ou Arábia Rochosa). Seus distritos distantes eram: *o deserto de Sur (ou Etã*, a porção do Egito que vai desde Suez até o mar Mediterrâneo); *deserto de Parã*, que ocupa a porção central da península; *deserto de Sin*, que ocupava a porção inferior da península; *deserto de Zim*, para o nordeste. Foi nessa região que Israel ficou vagueando, quando retrocedeu de Cades, embora as vagueações tivessem envolvido as áreas adjacentes. Essa área inteira contava com pouca água e com poucas fontes de alimentos naturais, o que explica a situação crítica de Israel e sua necessidade de intervenção divina.

Israel, ao partir do Egito, seguiu diretamente para o Sinai, e então para Cades. As vagueações começaram depois que Israel começou a retroceder de Cades (ver Núm. 14:33; 32:13).

3. *Estágios da vagueação*. Em primeiro lugar, houve a viagem direta para o Sinai, estritamente falando, não uma parte das vagueações, mas apenas a parte inicial do êxodo de Israel. Israel repousou durante cerca de um ano no Sinai, e em seguida mudou-se para Parã (ver Núm. 10:12), para Taberá (ver Núm. 11:3), para Hezerote, (ver Núm. 11:35 e 33:17), para Arabá, por meio do monte Seir (ver Deu. 1: 1, 2,19), para Ritmá (ver Núm. 33:18), e então para Cades, no deserto de Parã (ver Núm. 12:16; 13:26). *Em segundo lugar*, houve o começo mesmo das vagueações: de Cades a Rimom-Perez (ver Núm. 33:19), para Libna (vs. 20), para Rissa (vs. 21), para Queelata (vs. 22), para o monte Séfer (vs. 23), para Harada (vs. 24), para Maquelote (vs. 25), para Taate (vs. 26), para Tara (vs. 27), para Mitica (vs. 28), para Hasmona (vs. 29), para Moserote (vs. 30), para Bene-Jaacã (vs. 31), para Hor-Gidgade (vs. 32), para Jotbatá (vs. 33), para Abrona (vs. 34), para Eziom Geber (Núm. 20: 1); ao longo das faldas do monte Seir (Deu. 2: 1). *Em terceiro lugar*, de Cades ao rio Jordão. Durante essa fase os lugares atravessados foram Beertoe (Deu. 20:22), que tem sido identificada com Moserá (Deu. 10:6), onde Aarão morreu, Gudgodá (vs. 7), Jotbatá (vs. 7), ao longo do mar Vermelho (Nún. 21:4), Eziom-Geber (Deu. 2:8), Elate (vs. 8), Zalmona (Núm. 33:41), Punom (vs. 42), Obote (21:10), Ije-Abarim (21:11), Iim (33:14), daí ao vale de Zerede (Nún. 21:12), ao ribeiro do Amom (vs. 13), a Dibom-Gade (Núm. 33:45), a Almom-Diblataim (vs. 46), a Beer (21:16,18), a Matana (21:18), a Naaliel (vs. 19), a Ranote (vs. 19), a Pisga (vs. 20) ou montes de Abarim, perto de Nebo (33:47), ao longo de Basã até as planícies de Moabe, perto do rio Jordão (21:33; 22:1; 33:48). Então Moisés faleceu, e foi sepultado em um lugar desconhecido. O povo de Israel entrou na Terra Prometida, havendo terminado os 40 anos de suas vagueações pelo deserto.

4. *Lições Espirituais*. Más decisões ocasionam dolorosas derrotas espirituais. Essas derrotas retardam nosso progresso por muito tempo. A vida terrestre é caracterizada por lições difíceis que a alma precisa aprender, tirando proveito de suas oportunidades. A graça de Deus outorga-nos sempre novas oportunidades. E o triunfo pode vir, afinal. Outra interpretação metafórica diz respeito à vida terrena (as vagueações) e à nossa entrada nos céus, a vida espiritual (a posse da Terra Prometida). Moisés (a lei) governa a vida terrena; Josué (a graça de Jesus) governa a vida celeste.

VAIBHASIKA

Esse é o nome de uma das quatro principais escolas filosóficas do *budismo* (vide). Pertencia ao ramo *Hinayana*.

VAIDADE

I. No Antigo Testamento

A idéia de "vaidade", nas páginas da Bíblia, passou por um complexo processo de desenvolvimento, incluindo as fases de algo vazio, daí para as porções de inutilidade, de ludíbrio e de iniqüidade. E, de acordo com seu propósito de revelar a verdade, que é final e duradoura, as Escrituras advertem-nos contra aquilo que tem mera aparência de realidade, que tem mera aparência de valor.

VAIDADE

Posto que as pessoas estão sendo desviadas do reto caminho, mediante essas coisas ilusórias, a Bíblia, pois, as revela e as denuncia. Acompanhemos esse desenvolvimento, através dos vocábulos hebraicos correspondentes:

A. Idéia de coisa vazia. Estão envolvidas palavras como *nabab* (Jó 11:12), "oco"; *ruach* (Jó 15:2; 16:3), "vento" ; *riq* ou *req* (Lev. 26:16,20; Jó 39:16; Sal. 2:1; 73:13; Isa. 49:4; 65:23; Jer. 51:58; Deu. 32:47; Juí. 9:4; 11:3; II Sam. 6:20; II Crô. 13:7; Pro. 12:11; 28:19), "vazio"; *tohu* (I Sam. 12:21; Isa. 45:18,19), "ruína", "coisa vazia".

B. A idéia de inutilidade. Está envolvida aí a palavra hebraica mais comumente traduzida nas traduções e versões por "vaidade", ou seja, *hebel*, que figura por nada menos de sessenta e cinco vezes no Antigo Testamento, conforme se vê por exemplo, em Jó 9:29; 21:34; 35:16; Sal. 39:6; Pro.31:30; Ecl. 6:12; Isa. 30:7; 49:4; Jer. 10:3; Lam. 4:17; Zac. 10:2; Ecl. 1:2; 12:8. Essa palavra tem o sentido de "inutilidade", "futilidade".

C. A idéia de ludíbrio ou falsidade transparece, principalmente, em uma palavra hebraica como *shaw*, utilizada por cerca de vinte e uma vezes, conforme se vê, por exemplo, em Jó 7:3; 15:31; 31:5; 35:13; Sal. 12;2; 24;4; 41:6; 119:37; Pro. 30:8; Isa. 5:18; Jer. 18:15; Eze. 13:6,8,9,23; 21:29; 22:28 e Osé. 12:11. Essa palavra hebraica significa "ludíbrio".

D. A idéia de iniqüidade, que ´o último estágio dno desenvolvimento da noção de "vaidade", entre os hebreus, envolve palavras como: *aven* (Jó 11:11), "iniqüidade"; *havvah* (Sal. 5:9; 52:7; 55:11), "calamidade"; *zimmah* (Lev. 18:17; 19:29; 20:14); "artifício" , "mau pensamento"; *avlah* (II Sam. 7:10; I Crô. 17:9; Jó 11:14; 24:20; 27:4; 89:22), "perversidade"; *olah* (Sal. 58:2) "perversão"; ra (Gên. 6:5; 39:9; Deu. 13:11; Juí. 9:56; 20:3,12; I Sam 12:17,20; II Sam. 3:39; I Reis 1:52; II Reis 21;6; Jó 20:12; Sal. 7:9; 107:34; Ecl.7:15; Isa. 47:10; Jer. 1:16; 2:19; 22:22; 23:11,14; Eze. 16:23; Osé. 7:1-3; 9:15; 10:15; Joel 3:13; Jon. 1:2; Naum 3:19), "maldade", "ruindade", "tristeza"; *resha* ou *rishah* (Deu. 9:27; I Sam. 24:13; Jó 34:10; 35:8; Sal. 5:4; 84:10; Pro. 4:17; 16:12; Ecl. 3:16; 8:8; Isa. 58:4,6; Jer. 14:20; Eze. 3:19; 31:11; 32:12; Osé. 10:13; Miq. 6:10; Deu. 9:4,5; Pro. 11:5; 13:6; Isa. 9:18; Eze. 5:6; 18:20,27; 33:12,19; Zac. 5:8; Mal. 1:4, "erro".

II. No Novo Testamento

1. *Kenós*, "vazio", "vão". Essa palavra aparece por dezoito vezes: Mar. 12:3; Luc. 1:53; 20:10,11; Atos 4:25; (citando Sal. 2:1); I Cor. 15:10,14,58; II Cor. 6:1; Gál. 2:2; Efé. 5:6; Fil. 2:16; Col. 2:8; I Tes. 2:1, 3:5 e Tia. 4:5.

2. *Kenophonía*, "som inútil", é termo gregoque aparece por duas vezes no Novo Testamento: I Tim. 6:20 e II Tim. 2:16. Kenoó, o verbo, em II Cor. 9:3.

3. *Mátaios*, "vão", "inútil", "sem proveito". Palavra grega que foi usada por seis vezes: Atos 14:15; I Cor 3:20 9citando Sal. 94:11); |I Cor. 15:17; Tito 3:9; Tia. 1:26; I Ped. 1:18.

4. *Mataiótes*, "vaidade", "inutilidade". Palavra grega usada por apenas três vezes: Rom. 8:20; Efé. 4:17; II Ped. 2:18. O verbo, mataióomai, "tornar vão" ou " tornar inútil", ocorre apenas por uma vez, em Rom. 1:21.

5. *Máten*, "em vão". Palavra que ocorre por duas vezes: Mat. 15:9 e Mar. 7:7.

6. *Eikê*, "em vão", "à toa". Esse advérbio figurapor cinco vezes no Novo Testamento: Rom. 13:4; I Cor. 15:2; Gál. 3:4; 4:11 e Col. 2:18.

7. *Doreán*, "livremente", "em vão", "sem preço". Outro advérbio grego, que só aparece por uma vez com o sentido de "em vão", isto é, em Gal. 2:21.

No Antigo Testamento, a palavra hebraica *hebel* é usada trinta e cinco vezes, somente no livro de Eclesiastes, o que é típico da mensagem desse livro. O ponto de vista do mesmo pode parecer um tanto negativo e pessimista, mas isso somente do ângulo desta vida, cuja grande característica é a futilidade. Poderíamos memso dizer que a mensagem central desse livro é que a única coisaque vale a pena, nesta vida terrena, é: "Teme a Deus, e guarda os seus mandamentos; porque isto é o dever de todo homem. Porque Deus há de trazer a juízo todas as obras, até as que estão escondidas, quer sejam boas, quer sejam más" (Ecl.12;13,14).

Nesta vida terrena há muita coisa que, à primeira vista, parece ter sentido, valor e substância; mas que, após análise mais detida, mostra ser falso e ilusório. Uma dessa ilusões é a adoração idólatra. De fato, por várias vezes os ídolos são chamados "vaidades" (por exemplo, Deu. 32:21; I Reis 16:13,26; Jer. 18:15). Há estudiosos que afirmam que as artes mágicas e as bruxarias tambémcabem dentro da categoria dessas coisas falsas, que só parecem ter valor enquanto não mais profundamente examinadas. para exemplificar, ver Jó 7:13; Isa. 5:18; 30:28; Jer. 18:15. O mesmo se dá no caso do perjúrio (ver Sal. 114:8).

III. Idéias Paralelas

Idéias paralelas, que não podem ser esquecidas em um estudo completo, são as de *calamidade* (Pro. 22:8), *falta de bom senso* (Zac. 10:2 e Ecl. 8:14), *precipitação* (Pro 13:11), *destruição* (Isa. 30:28) e *acontecimentos lamentáveis, entristecedores* (Ecl. 6:4).

IV. As Vaidades Denunciadas

Também poderíamos preparar uma lista de coisas que, nas Escrituras, são designadas como vaidades, a saber:

1. Os pensamentos e as palavras dos ímpios (Jó 15:35; Sal. 10:7 e 144:8).

2. Deixar os resultados do trabalho de uma vida inteira a outras pessoas que, por muitas vezes, nem conhecemos (Ecl. 2:19,21).

3. O fato de que tanto os sábios quanto os insensatos acabam tendo a mesma sorte, neste mundo (Ecl. 2:15).

4. O fato de que os homens, apesar de tudo, não têm qualquer vantagem acima dos animais irracionais, se considerarmos que uns e outros terminam morrendo (Ecl. 3:19).

5. A própria vida neste mundo é uma grande futilidade (Ecl. 9:9 e 11:10).

6. Os profetas falsos (Eze. 13;6,8,9,23; 21:29; 22:28).

7. As nações, juntamente, com seus príncipes e governantes (Isa. 40:17,23).

8. Os prazeres deste mundo (Ecl. 2:1).

9. As riquezas materiais (Ecl. 5;10; cf. 4:7,8; 6:2; Pro. 13:11 e 21:6).

10. Cada indivíduoque vem a este mundo (Sal. 39:5,11; 62:9; 144:4).

11. Todas as coisas que há nesta vida terrena (Ecl. 1:1; 12:8).

V. Idéia Moderna de Vaidade

Em português, e outros idiomas modernos, a idéia de "vaidade" é bastante diferente daquilo que encontramos nas páginas da Bíblia. Há elementos da moderna "vaidade" que não figuram nos vocábulos bíblicos, a saber: 1. a noção de orgulho pessoal, que faz a pessoa sentir-se importante; 2. a noção de riquezas materiais, de ostentação, de poder pessoal ou de excesso nos adornos pessoais. No entanto, conforme certos estudiosos, há três casos, nas páginas do Novo Testamento, que poderiam ser citados como cognatos, a saber: em Filipenses 13, encontramos o termo grego *kenodoksía,* "vanglória". Essa mesma palavra aparece como outra categoria gramatical, em Gál. 5:26, onde nossa versão portuguesa diz: "...Não nos deixemos

VAIDADE – VAISESHIKA

possuir de vanglória, provocando uns aos outros, tendo inveja uns dos outros". E, finalmente, em 1 João 2:16, aparece o vocábulo grego *alazoneia*, "orgulho", "arrogância". "Lemos ali: ....porque tudo que há no mundo, a concupiscência da carne, a concupiscência dos olhos e a soberba da vida, não procede do Pai, mas procede do mundo". E é precisamente devido à sua origem, que todas as coisas que há neste mundo são "vaidade", pelo menos comparativamente falando, quando postas em confronto com as realidades espirituais e eternas.

VAIDADE, FUTILIDADE DA VIDA

Vaidade, Rom. 8:20 ou **futilidade**, conforme preferem algumas versões. É focalizada aqui a totalidade do "*problema do mal*" (vide), ou seja, todo o sofrimento, toda a confusão aparente em que se encontra a natureza, toda a enfermidade, as catástrofes, a crueldade humana e o fenômeno da morte, tanto física como espiritual. Deus sujeitou a sua criação inteira a uma existência aparentemente "vã", pois, através disso, ele quis ilustrar o horror do pecado e da rebelião, ensinando a todos os seres inteligentes quão sábio é dar preferência ao direito, e não ao erro, somente porque o direito é certo, e porque os seus resultados inevitáveis, em face da intervenção divina, são muito preferíveis aos resultados obtidos pelo erro, por fazerem parte do reino das trevas. O apóstolo Paulo apresenta-nos a solução para o problema do mal, ou seja, que o mal terminará por redundar em um bom resultado, servindo-nos como se fosse uma escola de treinamento. Tais lições são dificílimas de aprender, porém, uma vez que são aprendidas, a recompensa dos estudantes será grande.

Além disso, o versículo que ora comentamos, pinta a totalidade do quadro como algo que está sob o controle da vontade e da mente de Deus, por conseguinte, não se trata de uma situação caótica, conforme a maldade e a miséria generalizadas parecem dar-nos a impressão. Não nos olvidemos, por semelhante modo, que as difíceis lições que precisamos aprender são merecidas pela nossa rebeldia, e que, por conseguinte, o homem é o autor dos seus próprios sofrimentos, embora Deus é quem tenha estabelecido as leis espirituais que tornam o homem responsável por esse mal, o que põe em execução a lei da colheita segundo a semeadura, o que é mencionado como princípio divino no trecho de Gál. 6:7,8.

Davi, na oração registrada em I Crô. 29:15, referiu-se à aparente inutilidade, vazio e vaidade de sua vida, quando cantou: "... *como a sombra são os nossos dias sobre a terra, e não temos permanência*". Os homens, pois, precisam aprender quão vazia de sentido é a vida diária de acordo com princípios carnais, 'motivo pelo qual Deus permitiu que os homens se desviassem e ingressassem nessa escola de lições tão árduas. Tudo isso, entretanto, visa a um propósito definido - produzir aquela redenção final que terá efeitos universais, mas que afetará, mais particularmente ainda, os homens, sobretudo, os eleitos. Este versículo, pois, deixa entendida a mensagem central do primeiro capítulo da epístola aos Efésios.

Por causa daquele que a sujeitou. Essas palavras poderão ser melhor compreendidas se as desdobrarmos como segue:

1. Não foi Adão quem sujeitou a criação à vaidade, conforme têm pensado alguns intérpretes.

2. Também não foi Satanás, como outros têm imaginado.

3. *Deus mesmo* sujeitou a criação à vaidade. Pois somente Deus tinha autoridade para produzir eventos e condições de amplitude cósmica. Isso, entretanto, não faz de Deus autor do mal e do sofrimento, que é a razão pela qual certos intérpretes tanto anseiam por atribuir a causa dessa vaidade a Adão ou a Satanás. Deus meramente permitiu que suas leis naturais, que governam o bem e o mal, tivessem os seus devidos efeitos. O mal precisa sofrer as suas próprias conseqüências, e uma grande "futilidade", ou aparente futilidade da existência, é um desses resultados. O pecado não pode escapar ao castigo; e esse castigo, de conformidade com a vontade de Deus, é *disciplinar*, e não meramente retributivo. E essa é a posição assumida nesta enciclopédia, em todas as questões atinentes ao julgamento, conceito esse amplamente exibido nesta passagem da epístola aos Romanos.

O presente versículo se reveste de um grande motivo de consolo para nós. Esse consolo se deriva da observação de que a sentença imposta a todos os homens e à criação, por causa do pecado, que levou à "...vaidade..." ou "futilidade" a própria existência (o que envolve o problema inteiro do mal), não foi baixada em ira feroz, mas antes, sobre a base benigna *da esperança*. O próprio julgamento visou produzir uma esperança mais profunda, e não mera miséria e uma suposta *justiça* no juízo, que muitos crentes, infelizmente, descrevem sob termos horrivelmente exagerados. Os versículos 20 e 21 deste capítulo, pois, oferecem-nos um excelente quadro sobre a natureza beneficente de Deus. A justiça, em todas as suas exigências, é atendida na maneira como *Deus cuida* de sua criação, no entanto, essa própria justiça no castigo contra o pecado se fundamenta sobre a "esperança", e essa esperança tem o seu propósito ou escopo, que é o de *livrar* a corrupção, bem como de conduzir à participação, por parte da criação inteira de Deus, de uma maneira ou de outra, na gloriosa liberdade dos filhos de Deus. (I IB LAN NTI)

VAISATA

Esse nome significa "nascido de Izede". Ele era o décimo filho de Hamã, o perseguidor dos judeus, nos tempos da rainha Ester. Juntamente com seus nove irmãos, ele foi executado quando da reação judaica contra o perseguidor. Ver Est. 9:9. Ele viveu por volta de 510 a.C.

VAISESHIKA

Palavra sânscrita, que significa "particularidade". Esse é o nome de um dos seis sistemas do pensamento indiano. Ver sobre *Hinduísmo*, quinta seção, quanto a uma discussão sobre esses sistemas e suas idéias principais. A *Vaiseshika Sutra* (literatura sagrada) foi composta por Kanada algum tempo após 300 a.C.

Idéias:

1. Os objetos da percepção dos sentidos compõem-se de átomos invisíveis que participam, individualmente, em uma das quatro características básicas das coisas físicas: terra, água, luz e ar. Esses elementos seriam eternos.

2. As almas eternas habitam, por algum tempo, em alguma substância física. Cada alma é ímpar, tanto enquanto estão em um corpo quanto quando já se libertaram do mesmo.

3. Existem nove substâncias: terra, água, luz, ar, éter, tempo, espaço, alma e mente. Essas são as formas básicas da realidade, da qual todas as coisas participam.

4. Deus teria aparecido tardiamente dentro desse sistema, tomado por empréstimo da Nyaya, a fim de que a filosofia da mesma pudesse ficar completa.

5. Há sete categorias de experiências: substância, qua-

VAISYA – VALE, PORTA DO

lidade, atividade, generalidade, particularidade, inerência e não-existência.

6. Originalmente, foi proposta uma teoria mecanicista dos átomos e das almas (jivas); finalmente, porém, o sistema acabou envolvendo especulações acerca da transmigração das almas e sua liberação final. Parece que a explicação era que essa liberação indicava o fim da existência, da mesma maneira que as chamas se extinguem por falta de combustível. Ou então poderíamos entender que o *tipo* de existência que antes existia foi substituído por uma nova forma de existência (agora inefável).

VAISYA

Essa é a terceira dentre as quatro castas tradicionais da filosofia indiana, a mais inferior das classes duplamente nascidas. Essa classe incluía os criadores-fazendeiros. O *Rig Veda* (10:90,12) tem o mito de que essa classe foi formada das coxas do homem cósmico.

VALA (FOSSO)

Trata-se de uma profunda e larga trincheira, escavada em redor das muralhas de uma cidade fortificada, ou em torno de qualquer outra edificação. Usualmente o fosso era então cheio de água, para impedir a aproximação de atacantes e para controlar melhor o acesso ao lugar. Ver Dan. 9:25.

VALE

Há quatro palavras hebraicas envolvidas neste verbete. Dois desses vocábulos cabem dentro de uma categoria geral de vale; e os outros dois, dentro da outra categoria possível. Essas categorias são: a. uma depressão; e b. uma garganta. Na Palestina, as duas palavras da primeira categoria se aplicavam, primariamente, a características geológicas como a planície de Esdrelom e o vale do rio Jordão. Outro exemplo é "o vale de Jericó" (Deu. 34:3), em um ponto onde o vale tem cerca de 19,5 Km de largura. E as duas palavras da segunda categoria descrevem vales resultantes do desgaste de terrenos de natureza calcária, mediante a ação de correntes de água. No clima muito seco da Palestina, isso criava uma paisagem altamente dissecada, criando uma topografia própria de *terras más*. As gargantas e fendas assim formadas representavam um sério obstáculo à movimentação de homens e animais, pelo que desempenhavam um papel muito importante nas operações militares, nos tempos bíblicos. Cf. Jos. 8: II, e I Sam. 17:3. Essas quatro palavras hebraicas, divididas em suas duas categorias, são:

A. 1. *Emeq*, "depressão", "lugar difícil". Esse vocábulo hebraico ocorre por 69 vezes, conforme se vê, por exemplo, em Núm. 14:25; Jos. 1:19; 5:15; 7:1,8,12; 8:13; 13:19,27; 17:16; 18:28; 1 Sam. 6:13; 31:7; 1 Reis 20:28; 1 Crô. 10:7; 12:15; 14:13; 27:29; Jó 39:10,21; Sal. 65:13; Can. 2:1; Isa. 22:7; Jer. 21:13; 31:40; 48:8; 49:4; Miq. 1:4; Joel 12,12,14.

2. *Biqah*, "vale". Essa palavra ocorre por 20 vezes, conforme se vê, por exemplo, em Deu. 8:7; 11:11; Sal. 104:8; Isa. 41:18; 63:14; Eze. 37:1,2.

B. 1. *Nachal*, "ravina", "vale com um riacho". Essa palavra ocorre por um total de 138 vezes, sendo que 23 vezes delas com o sentido específico de *vale*, a saber: Gên. 26:17,19; Núm. 21:12; 24:6; 32:9; Deu. 1:24; 3:16; 21:4,6; Juí. 16:4; I Sam. 15:5; II Reis 3:16,17; II Crô. 33:14; Jó 21:33; 30:6; Sal. 104:10; Pro. 30:17; Can. 6:11; Isa. 7:19; 57:5.

2. *Ge*, "garganta". Esse termo hebraico figura por 60 vezes, conforme se vê, para exemplificar, em Núm. 21:20; Deu. 3:29; 34:6; Jos. 8:11; 15:8; I Sam. 17:3,52; II Reis 2:16; I Crô. 4:39; II Crô. 26:9; Nee. 2:13,15; 3:13; Sal. 23:4; Isa. 28:1,4; Jer. 2:22; Eze. 6:3; 7:16; 31:12; 32:5; 35:8; 36:4,6; Miq. 1:6; Zac. 14:4,5.

Visto que o povo de Israel, uma vez instalado na Terra Prometida, tornou-se, essencialmente, um povo montanhês, a visão que eles tinham das terras baixas, ou vales, que os circundavam, dependia dessa circunstância, sobretudo devido ao fato de que era nos vales, principalmente, que habitavam os seus inimigos. Em conseqüência disso, a expressão "o vale" era reservado, pelos israelitas, para indicar uma região específica, que ficava entre a região montanhosa da Judéia e o mar Mediterrâneo. Essa faixa de terreno baixo era chamada por eles de "depressão", e que, na geografia moderna da Palestina, é a Sefelá. Ver também o artigo sobre a Palestina. Curiosamente, essa região não forma, realmente, um vale. Pelo contrário, é uma espécie de zona de colinas baixas, entre a planície costeira, propriamente dita, e as montanhas da Judéia, e separada dessas montanhas por um estreito e autêntico vale. A região da qual falamos aparece em passagens como Deu. 1:7; Jos. 10:40 e I Reis 10:27.

Outro ponto interessante é que, no moderno estado de Israel, o termo não qualificado, "o vale", refere-se não à histórica Sefelá, e, sim, à planície de Esdrelom.

No Antigo Testamento há menção a 36 vales diferentes, a saber: *Emeq*, 17 ao todo: vale de Acor (Jos. 7:24,26; 15:7; Isa. 65:10; Osé. 2:15); vale de Aijalom (Jos. 10:12); vale de Baca, ou vale da Bênção (Sal. 84:6); vale de Beracá (II Crô. 20:26); vale da Decisão (Joel 3:14); vale de Elá (1 Sam. 17:2,19; 21:9); vale dos Gigantes, que era a porção norte do vale de Hinom (vide) (Jos. 15: 8; 18: 16); vale de Gibeom (Isa. 28:21); vale de Hebrom (Gên. 37:14); vale de Josafá (Joel 12,12); vale de Jezreel (Jos. 17:16; Juí. 6:33; Osé. 1:5); vale de Quezia (que nossa versão dá como Emeque-Queziz) (Jos. 18:21); vale do Rei (Gên. 14:17; II Sam. 18:18); vale de Refaim (II Sam. 5:18,22; 23:13; I Cró. 11:15; 14:9; Isa. 17:5); vale de Savé, que é o mesmo vale do Rei (Gên. 14:17); vale de Sidim (Gên. 14:3,8,10); vale de Sucote (Sal. 60:6; 108:7). *Biqah*, quatro ao todo: vale de Jericó, (Deu. 34:3); vale do Líbano (Jos. 11: 17); vale de Megido (II Crô. 35:22; Zac. 12:11). *Nachal*, cinco ao todo: vale de Escol (Núm. 32:9; Deu. 1:24); vale de Gerar (Gên. 26:17); vale de Sitim, ou das Acácias (Joel 3:18); vale de Soreque (Juí 16:4); vale de Zarede (Núm. 16:4). *Ge*, dez ao todo: vale dos Artífices (I Crô. 4:14; Nee. 11:35); vale de Hamom-Gogue (Eze. 39:11,15); vale de Hinom (Jos. 15:8; 18:16; Nee. 11:30); vale de Iftá-El (Jos. 19:14,27); vale dos Montes (Zac. 14:5); vale dos Viajantes (Eze. 39:11); vale do Sal (II Sam. 8:13; II Reis 14:7; I Crô. 18:12; II Crô. 25:11; Sal. 60, no titulo); vale do Filho de Hinom, que é o mesmo vale de Hinom (Jos. 15:8; 18: 16; II Reis 23: 10; II Crô. 28:3; 316; Jer. 7:31,32; 19:2,6; 32:35); vale de Zeboim (I Sam. 13:18); vale de Zefatá (II Crô. 14:10).

Além desses vales, também há menção ao vale da Visão, mas que é apenas um nome simbólico da porção baixa de Jerusalém, em Isa. 22:1,5. Damos um artigo especial, nesta enciclopédia, sobre o *Vale de Refaim* (vide), e um outro intitulado *Vale, Porta do*.

VALE, PORTA DO

No hebraico **shaar ge** (porta do vale). Jerusalém era uma cidade cercada de muros e era necessário um portão ocasional para que fosse possível entrar e sair da cidade. Alguns dos portões tinham propósitos especializados, enquanto outros eram simples instalações de entrada e saída. Dou uma ilustração dos portões de *Jerusalém* no artigo sobre aquela cidade. Observe que esse portão fica-

VALE DE REFAIM – VALENTINO

va no lado sudeste dos muros. O portão do vale estava equipado com torres que o rei Uzias construiu quando fortificou a cidade em torno de 760 A. C. (II Crô. 26.9). Quando Neemias fez seu *tour* ao redor dos muros da cidade para inspecioná-los (após eles terem sido reconstruídos pelos exilados que retornaram do cativeiro babilônico), ele começou deste portão. É provável que esse portão levasse à Fonte de Giom, mas outros podem estar certos em presumir que levasse aos morros ao sudoeste. Para referências bíblicas relacionadas àquele local, ver Nee. 2.13; 3.13; II Crô. 26.9 e 33.14. Talvez o local corresponda ao portão Jafa atual.

VALE DE REFAIM

No hebraico, *Raphaim Emeq*, que significa "vale de gigantes". Ver o artigo separado sobre *Refaim* para informações completas sobre o povo que deu ao vale este nome. O vale estava localizado ao sudoeste de Jerusalém, embora o povo assim chamado tenha habitado a Transjordânia. A extremidade norte desse vale marcava a fronteira norte da tribo de Judá e a fronteira sul de Benjamim (Jos. 15.8; 18.16). O vale de Hinom toca nesse vale ao norte. As diversas referências feitas a esse vale pelo nome *Refaim* não nos dão nenhuma indicação de porque ele recebeu esse nome, sendo que os locais geográficos do povo e do vale não são os mesmos (cf. Gên. 14.5; 15.2; Jos. 17.15). É provável que alguns desses gigantes tenham em algum momento da história tenham migrado ao vale em questão, que então assumiu o nome deles. Referências bíblicas ao local são as que seguem: Jos. 15.8; 18.16; II Sam. 5.17-21; 5.22-25; I Crô. 11.15-19; 14.10-17; Isa. 17.5. Ver outras informações sobre o assunto no artigo chamado de *Refains, Vale dos*.

VALE DO REI

Esse foi o vale onde o rei de Sodoma encontrou com Abraão, quando este voltava, após ter derrotado Quedorlgoner (Gên. 14:17). Foi ali que Abraão erigiu uma coluna (I Sam. 18:18). Um outro nome para esse vale, dado nesse mesmo versículo, é "vale de Savé". Aparentemente ficava localizado perto de Salém, a cidade onde residia Melquisedeque, e onde, posteriormente, foi edificada a cidade de Jerusalém. Muitos estudiosos identificam o vale do Rei com o vale de Josafá (que vide).

VALE DOS ARTÍFICES

Esse vale, no hebraico, era chamado *charashim*, "dos artífices". Esse nome aparece somente em I Crô. 4:14 e Nee. 11:35. No Antigo Testamento, é o nome de um clã e de uma localização geográfica, a saber:

1. Um clã queneu de artífices, cujo antepassado era Joabe, filho de Seraías, filho de Ofra, filho de Meonotai (I Crô. 4:14). O lugar em que viviam veio a ser conhecido como "vale dos artífices", o que, por sua vez, deu nome ao clã.

2. Uma área que ficava próxima de Lode e de Ono (Nee. 11:35). Após o exílio babilônico, os benjamitas reocuparam o local. Os nomes das cidades mencionadas em associação ao lugar, subentendem um dos vales que margeava a planície de Sarom. Várias sugestões têm sido feitas como identificação do lugar antigo com locais modernos, como o wadi esh-Sellal e Sarafan el-Kharab, ou Hirsha, a leste de Lode, isto é, a moderna Lida. Isso parece significar que o clã que tinha esse nome (ver o primeiro ponto, acima) na verdade vivia fora das fronteiras de Judá, o que poderia ser possível, devido às exigências do comércio.

VALE DOS VIAJANTES

No hebraico, *biqah abar*, uma expressão que aparece exclusivamente em Eze. 39:11, onde se lê: "Naquele dia darei ali a Gogue um lugar de sepultura a Israel, o Vale dos Viajantes, ao oriente do mar...."

Alguns estudiosos têm pensado que se trata do mesmo *vale de Abarim* (vide), seguindo a antiga versão cóptica. Esse vale existe a leste do mar Morto, nos montes de Abarim, entre cujos montes estava o Nebo. Não há qualquer razão sólida para essa opinião ser refutada.

VALENTES

Ver sobre **Homens Valentes (Poderosos)**.

No hebraico *gibborim*. Essa palavra hebraica, variedamente traduzida por "valente", "poderoso", etc., descreve notáveis homens de guerra. Todos os homens de Gibeom eram assim chamados (Jos. 10:2), um adjetivo que também foi aplicado aos guerreiros de Davi, em II Sam. 23:8-39. Em Gên. 6:4, porém, é empregado um outro nome, no hebraico, *nephilim* (vide), que aparecem ali como descendentes dos filhos de Deus e as filhas dos homens. Essa explicação de sua origem tem deixado perplexos aos intérpretes, dando margem a interpretações conflitantes.

VALENTINO

Suas datas aproximadas foram 135 – 165 d.C. Foi homem dotado de mente brilhante líder gnóstico. Ver *Gnosticismo*. Nasceu em Alexandria, no Egito. Ensinou naquela cidade, antes de mudar-se para Roma, e faleceu em Chipre. Ele misturava o platonismo, o estoicismo e algumas idéias cristãs. Salientava o *dualismo*. A purificação é algo indispensável, de tal modo que o indivíduo precisa triunfar sobre o mau princípio material, libertando sua alma, em seu vôo para os mundos materiais. Inventou uma mitologia especial para ilustrar o seu sistema: o Pai do Abismo une-se ao princípio feminino, o Silêncio. Dessa união teria nascido a *Nous* (mente) e a *Aletheía* (verdade). E isso não teria dado uma *tétrada* da existência, o Pai, a Mãe e os dois produtos. Essa *tétrada* dá origem a oito elementos. E é que aparecem os aeons (tão importantes para o gnosticismo). O conjunto de *aeons* constituiria a *pleroma* (ver a respeito), a qual, na teologia cristã central era atribuída à pessoa de Cristo e não a alguma hierarquia de seres angelicais.

A explicação de Valentino acerca dos *aeons* (ver a respeito) diferia disso. Entre os aeons ele incluía o Verbo, a Vida, o Homem Primevo, a Igreja, Sofia (a Sabedoria) e o Purificador (Cristo). Retornamos à espiritualidade por meio da *Sofia*, e assim obtemos a união com o Pai Primevo. O Purificador tomou sobre si mesmo a tarefa da redenção. Os remidos subirão na escala do ser e tornar-se-ão parte da *pleroma*. Então o mundo material será destruído em uma grandiosa e todo-poderosa conflagração.

VALENTINO E DIA DE SÃO VALENTINO

Valentino foi um antigo mártir cristão que morreu durante as perseguições promovidas pelo imperador Cláudio II (que governou entre 268 e 270 d.C.). Morreu no mês de fevereiro de 269 d.C., mas nada se sabe acerca de sua vida a não ser que atuou como ministro cristão em Roma e foi martirizado. As tradições lendárias em torno de seu nome, porém, acabaram mescladas com as de outro mártir cristão do mesmo nome, bispo de Interamna, moderna cidade de Terni, cerca de 80 quilômetros a nordeste de Roma. Os antigos martirológios, na verdade, mencionam três Valentinos, lembrados no mesmo 14 de fevereiro.

VALENTINO – VALOR

Valentino acabou sendo associado aos que se amam, e o "dia de São Valentino" é mais ou menos o equivalente do mais moderno "dia dos namorados". Parece que isso sucedeu por causa do fato de que os pássaros iniciam seu período de cruzamento mais ou menos na época dessa festa religiosa. Os namorados começaram a chamar-se mutuamente de "valentinos", e, especialmente em alguns lugares, cartões especiais de saudações eram enviados uns aos outros. Um dos serviços supostamente prestados por São Valentino era o de pacificar os namorados que brigassem, no interesse da concórdia e do amor restaurado.

Outra explicação sobre como São Valentino acabou tendo seu nome misturado com os amantes é menos romântico, mas provavelmente é mais veraz. Os pagãos costumavam desenhar gravuras bastante sensuais de suas namoradas. em honra a Februata Juno, uma deusa da fertilidade, cujo festival ocorria até pelos meados de fevereiro. Mediante sincretismo, Valentino tomou o lugar até então conferido a Februata Juno.

VALIDADE

Essa palavra vem do latim, *yaliditas*, "força". Essa palavra tem uma larga aplicação, mas na filosofia aplica-se principalmente à lógica. Aquilo que é válido é aquilo que, de acordo com as evidências, é sadio, bem escolhido, suficiente, eficaz e amplo. Validar significa mostrar ser veraz, digno ou bom, e isso através de uma adequada demonstração de fatos.

1. *Na lógica dedutiva*, a validade é semântica, ou seja, depende da veracidade das premissas. Se as premissas são verdadeiras, e se forem seguidas as leis fundamentais, então as conclusões serão válidas e verazes. Mas, em caso contrário, então as conclusões serão falsas, a despeito da obediência às leis básicas da lógica dedutiva.

2. "Em todos os sistemas formais e logísticos, incluindo o cálculo proposicional, a validade é sintática. Em outras palavras, é antes uma propriedade do sistema do que dos argumentos isolados. Os diversos tipos de argumentos dos sistemas logísticos, também conhecidos como 'esquemas funcionais da verdade', são válidos sob qualquer interpretação de 'fórmulas bem formadas' do sistema" (P).

3. *Peirce* (e depois, outros) aplicava a palavra *válido* à lógica indutiva quando os argumentos acumulados "pendem na direção da verdade" que estiver sendo considerada. As evidências acumuladas produzem conclusões que podem ser consideradas válidas.

4. *Em uma fé religiosa, o* primeiro teste da validade é a revelação, usualmente achada em Livros Sagrados. Outras provas são a vida moldada segundo a lei do amor, que é o grande princípio ético, bem como a razão e a intuição. Não fica anulada a investigação empírica, embora ela receba uma importância secundária, na concepção da maioria das pessoas de mente religiosa. A *validação trivial*, infelizmente popular, é o método de texto de prova, mediante o qual uma citação extraída de algum livro sagrado, como a Bíblia, supostamente solucionaria, instantaneamente, todas as questões neste mundo e fora dele.

VALIDADE (VALOR)

Ver os seguintes artigos que se relacionam a esses termos: *Validade; Valor; Valor, Juízes de Valor e Liberdade-de-Valor; Valor, Teorias de; Valores Finais.* Ver também *Axiologia.*

VALOR

Essa palavra vem do latim valere, "ser forte", "ser digno". Um valor é algo que "vale alguma coisa" para alguém. Um valor não é algo necessariamente "verdadeiro", embora seja considerado assim por aquele que o considera. Alguns valores são falsos. Um valor é algo desejável ou útil. As pessoas não concordam quanto aos *valores,* pelo que muita filosofia e teologia circunda a questão. São numerosas as teorias de valor. Posso *valorizar* uma fotografia ou algum item que, para outrem, não tenha nenhum valor. Avaliações subjetivas tornam-se parte integrante dessa questão e nem sempre estão envolvidas questões de certo e errado. Mas muitos valores têm uma valia intrínseca e objetiva. Alguns valores são práticos ou pragmáticos; mas outros pertencem ao terreno do bem-estar da alma. Possuir uma casa confortável é um valor pragmático muito importante para alguns. Mas higidez da alma é um valor intrínseco.

Idéias dos filósofos:

1. *Platão* encontrava valores instrumentais nesta esfera terrena, embora achasse valores intrínsecos e permanentes no mundo das *Idéias (Formas, Universais,* vide). Todos os valores terrenos, para ele, são pobres imitações dos valores eternos. Os valores terrenos usualmente são instrumentais: buscam algum cumprimento prático. Os valores eternos pertencem a Deus (segundo se vê no diálogo platônico *Leis*).

2. *Sorley* seguia, de modo geral, a análise platônica. Porém, aplicava valores instrumentais às coisas, e valores intrínsecos às pessoas.

3. *Dewey* referia-se aos valores instrumentais em sua forma de *pragmatismo* (ver a respeito), onde faziam parte de sua doutrina de contínuo de meios-fins. Todos os fins tornam-se novos meios, pelo que jamais poderá haver estagnação. Ele pensava que todos os valores podem ser extrínsecos (intermediários) ou intrínsecos e evitava o sistema de valores dualista da concepção platônica.

4. *R. B. Perry* alistava oito categorias de valores, e a essas categorias como um todo chamava de "reino". Esses valores são morais, estéticos, científicos, religiosos, econômicos, políticos, legais e costumeiros.

5. *Alexandro Korn* distinguia nove tipos de valores: econômicos, instintivos, eróticos, vitais, sociais, religiosos, éticos, lógicos e estéticos. E concebia que cada um desses tipos tinha seu respectivo pólo. Para exemplificar, os valores econômicos teriam um pólo útil e outro inútil; os valores instintivos teriam um pólo agradável e outro desagradável. Cada grupo de pólos também poderia ser classificado quanto ao seu tipo básico, como utilitário, hedonista, etc.

6. *Scheler* inventou um sistema de hierarquia de valores, tendo alistado os principais valores como os sensórios, a vida, os valores espirituais e religiosos, subindo na ordem da importância.

7. *C.S. Lewis* distinguia cinco tipos de valores, classificando-os quanto às funções ou natureza específica: utilitários, instrumentais, inerentes, intrínsecos e contribuidores.

8. *G.H. von Wright* considerava todos os valores como aspectos da bondade, tendo descrito tipos específicos: instrumentais, técnicos, utilitários, hedônicos e do bem-estar.

9. A *axiologia* é a "filosofia dos valores". Usualmente são distinguidos três sistemas básicos de valor: ética, religião e estética. Ver sobre *Axiologia.*

10. *A mente religiosa* assevera que Deus é a origem dos grandes valores da vida, embora admita que existam valores terrenos, instrumentais. Também haveria valores

VALOR EXTRÍNSECO – VALOR, TEORIAS DE

como os técnicos, hedônicos, e mesmo eróticos, os quais devem ser levados em conta, com moderação, sem jamais nos esquecermos de que os principais valores deveriam governar-nos na vida. Ver sobre *Valores Finais*.

VALOR EXTRÍNSECO

Ver o contrário, o valor intrínseco. Um valor extrínseco é algo que tem valor por causa dos efeitos que produz, e não por causa daquilo que a coisa é em si mesma. Uma expressão sinônima é *valor instrumental*. A distinção entre valores intrínsecos e valores extrínsecos foi desenvolvida dentro da filosofia grega, pelo menos desde a época de Platão *(República)*. Dewey, nos tempos modernos, desafiou a validade dessa distinção em conexão com o seu raciocínio acerca dos contínuos meios e finalidades. Os fins, que poderíamos postular como *finalidades,* por si mesmos tornam-se os meios para a busca de novos valores, pelo que todos os valores seriam, na verdade, *instrumentais ou extrínsecos*.

VALOR INTRÍNSECO

Um valor intrínseco é algo que é valioso em si mesmo, à parte de consequências ou fatores condicionadores. A expressão "valor final" é usada como sinônimo desse conceito. Na *ética* (vide) de quase todos os sistemas, a lei *do amor* é tida como tão valiosa e profunda que ela é válida por si mesma, sem precisar de qualquer outra prova ou comprovação externa, embora, como é óbvio, seus resultados derivem-se de seu valor. Outros valores intrínsecos seriam a bondade, a inocência, a justiça e a utilidade. Aquelas coisas que são valiosas por produzirem bons resultados são chamadas de valores extrínsecos (vide). Temos aí o pragmatismo (vide) em operação. Assim, aquilo que funciona bem é valioso, embora seja evidente que aquilo que funciona bem para uma pessoa não funciona bem, necessariamente, para outra. A distinção entre dois alegados tipos de valor vem sendo reconhecida na filosofia desde a época de Platão. Dewey e outros pragmatistas, entretanto, negam essa distinção, supondo que todos os valores sejam práticos e instrumentais. Ver o artigo separado *Valores, Teoria dos*.

VALOR, JUÍZOS DE E LIBERDADE-VALOR

Os filósofos falam muito sobre *os juízos de valor*. São *avaliações* morais, éticas e religiosas a respeito das condições da sociedade, dos atos pessoais e coletivos, etc. Essas avaliações indicam se os atos ou condições são "bons", "maus", "úteis", "inúteis", "legais", "ilegais", etc. Em certo sentido, a *lei* é um sistema que faz os juízos de valor tornarem-se oficiais e obrigatórios para uma sociedade. As religiões muito estão envolvidas nessa questão de fazer juízos de valor. Os modernos cientistas sociais mostram-se cautelosos quanto a fazer juízos de valor a respeito das condições sociais que estudam, como se todos estivessem certos, se é que pensam que o estão. Naturalmente, é verdade que um juízo de valor, com frequência é algo subjetivo, condicionado pela cultura em que uma pessoa foi criada, ou pela religião que segue. Muitos juízos de valor, entretanto, equivocam-se. Por outra parte, a ética é impossível sem os juízos de valor.

Liberdade-Valor. Esse é o nome que se dá à asserção que diz que os cientistas sociais (ou filósofos) deveriam evitar fazer juízos de valor, concedendo liberdade para todos, sem qualquer censura. Porém, a *Lei de Hume* certamente está com a razão. Aquilo que é, não é necessariamente o que *deveria ser*. A falácia naturalista não passa, realmente, de uma falácia. O que existe na natureza não é, necessariamente, o que deveria existir, e equiparar o *é* com o *deve ser,* é apenas uma falácia. Uma excessiva liberdade-valor ajusta-se a essa falácia.

VALOR, TEORIAS DE

Ver o artigo geral sobre a *Axiologia,* que aborda os três campos amplos da *ética,* da *estética* e da *religião,* bem como os valores desses sistemas. As *teorias de valor* distinguem determinado número de tipos diversos, conforme mostramos no artigo intitulado *Valor,* onde são alistados os filósofos envolvidos e as idéias que eles têm ensinado.

Termos úteis relacionados à teoria de valores são: cognitivo, não-cognitivo; absoluto, relativo; natural, desnatural, sobrenatural; essencialista, existencialista, justificável e não-justificável; divino e humano.

Idéias de Vários Filósofos:

1. *Pitágoras* identificava os valores com os números, o que, até certo ponto, foi uma antecipação da teoria atômica. Para ele, o valor é a matemática aplicada. Naturalmente, isso deu origem à numerologia.

2. *Heráclito* pensava que o conflito é o poder que gera todos os valores, de natureza cósmica, terrena ou pessoal.

3. *Platão* rejeitava aquelas filosofias que acham valor nas considerações meramente terrenas, especialmente de tendências hedonistas e pragmáticas. Ele buscava os valores intrínsecos e eternos, que vão além do campo dos sentidos e das coisas que os sentidos são capazes de detectar. Ele cria que os verdadeiros valores podem ser descobertos pela razão, pela intuição e pelas experiências místicas (como a contemplação). Descobria verdadeiros valores na hierarquia das *Idéias* (ou Universais, vide), e dava supremo valor à *Bondade* (virtualmente o seu Deus). Daí ele extraía valores principais, como a justiça, a verdade, a beleza, etc.

4. *Aristóteles* buscava seus valores neste mundo material, os quais seriam determinados pelos interesses e benefícios humanos, com freqüência alicerçados na utilidade, principal virtude do homem, segundo ele.

5. *Sidgwick, G. E. Moore* e W.D. Ross acreditavam que os valores são descobertos pelos poderes intuitivos do homem.

6. *Nietzsche* asseverava que os valores são arquitetados a partir da experiência humana, embora continuem sujeitos ao juízo de "melhor e pior". Usualmente, esses valores viriam à tona em situação de conflito, de ressentimento e de luta pelo poder, mas seriam capazes de uma transformação criativa.

7. *Kant* e o neokantianismo opinam que os valores são objetivos, um fator que subjaz à existência, uma parte das categorias da mente, que se impõe a este mundo da percepção dos sentidos. Os valores seriam uma chave, se não mesmo "a chave" para a teoria do conhecimento. Munsterberg (seguindo as idéias de Fichte) acreditava que os valores dependem da Vontade Absoluta.

8. *Meinong* asseverava que os valores derivam-se de sentimentos dotados de algum valor intrínseco.

9. *C.S. Lewis* referia-se aos valores em termos de "reação". O homem teria reações morais, cognitivas e estéticas, as quais é que emergiriam os valores.

10. *Dewey* cria que os valores são instrumentais. Os valores derivar-se-iam do hábito humano de "valorizar ou privilegiar", uma atividade que é oriunda de seus interesses e necessidades específicas. Os valores têm uma tarefa a realizar, para que as coisas almejadas sejam concretizadas.

11. *Moritz Schlick* afirmava a natureza relativa dos valores, e mediante o raciocínio positivista, rejeitava a idéia de valores absolutos.

VALOR, TEORIAS DE – VALORES FINAIS

12. *Sartre* asseverava que os valores são meras invenções dos homens, enredados em seu dilema existencial. Mas nem seriam essências de coisas eternas e nem seriam justificáveis.

13. *Charles Stevenson* acreditava que os valores estão baseados nas emoções. As emoções das pessoas têm a capacidade de produzir reações eficazes diante das situações, criando normas que facilitam a avaliação. Os sistemas éticos não estariam alicerçados sobre diferenças de *crença*, mas sobre atitudes diferentes.

14. As *religiões*, de maneira geral, afirmam a *natureza divina* dos valores impostos aos homens, "de cima para baixo", pelos poderes divinos, por Deus, por alguma hierarquia de espíritos, etc. Isso não nega a realidade de valores pragmáticos e instrumentais, mas afirma que existem valores absolutos que não são criações humanas. O bem-estar e o destino da alma estão envolvidos nesses tipos mais elevados de valores, éticos e espirituais em sua essência.

VALORES DA VIDA

Os valores verdadeiros na vida. O que realmente importa? Não os ritos, ou ordenanças, ou cerimônias, ou espetáculos externos, ou o ser membro de alguma organização religiosa, ou o batismo, ou a Ceia do Senhor, embora todas essas coisas tenham a sua própria importância, dentro de sua própria categoria. O que realmente importa, é:

1. *Ser nova criatura*, nova criação, recebendo a transformação segundo a imagem de Cristo, através do processo místico. (Ver Rom. 8:29).

2. A participação na natureza divina. (Ver o artigo sobre *Divindade, Participação dos Homens na*).

3. Em Gál. 5:16 encontramos outra resposta paulina: "Porque em Cristo Jesus, nem a circuncisão, nem a incircuncisão, têm valor algum, mas a fé que atua pelo amor". Isso porque o amor é o cumprimento mesmo da lei inteira (ver Rom. 13:10).

4. Em I Cor. 7:19, o que tem valor é a "observância dos mandamentos de Deus". Paulo não aborda aqui a questão, mas isso é feito através do *amor*, o grande motivador espiritual de todas as atividades cristãs. (Quanto a esse mesmo princípio, ver os trechos de João 14:15; 15:12 e I João 4:21. Quanto ao grande tema do "amor", ver o artigo separado; ver João 3:16; 14:21; 15:10; e Rom. 5:5,8). A passagem do décimo terceiro capítulo da primeira epístola aos Coríntios apresenta-nos o grande hino de louvor ao amor cristão.

5. A grande verdade é que o amor é *a estrada mais rápida* de retorno a Deus. Em outras palavras, no espírito do amor, o homem é mais prontamente reconciliado com o seu próprio eu mais elevado, com os seus semelhantes e com Deus. O amor é fruto do Espírito de Deus, e nunca uma realização humana, se porventura é um fator espiritual verdadeiro (ver Gál. 5:22,23). O amor cristão transforma moralmente os homens, e essa transformação moral provoca a transformação metafísica, por intermédio da qual assumimos a própria natureza de Cristo, no sentido mais literal do termo. Ora, tudo isso está envolvido na "observância dos mandamentos de Deus", o que o apóstolo dos gentios identifica neste versículo como aquilo que realmente tem importância.

6. *Guardando as ordenanças de Deus*, I Cor. 7:19. Como aplica o texto aqui, deve ser interpretado através dos olhos paulinos. É impossível que a expressão possa ser interpretada legalisticamente. Paulo não volta, num momento de descuido, para a noção de "salvação através das obras". Ele fala de guardar os mandamentos de Deus pelo poder transformador do Espírito, e os mandamentos aqui são a exigência moral divina escrita no coração. Obviamente, este tipo de guardar as ordenanças é necessário à salvação, porque isto é somente uma outra maneira para dizer: "o Espírito trabalha em nós para formar a imagem de Cristo na alma.. Isto é a própria essência da salvação".

7. *As obras como sinônimo da graça*. A graça nos traz a força transformadora do Espírito. Esta força ativa podemos chamar de "obras", mas as obras, neste caso, são divinas, não humanas. Este tipo de obra é "guardando as ordenanças de Deus" misticamente, isto é, pela comunhão que temos com o Espírito. Este processo exige, naturalmente, a cooperação da vontade humana que é a parte que o homem tem no processo espiritual (ver Efé. 2:8-10).

8. Tais tipos de obras estão envolvidas na questão de galardões e galardões são envolvidos na "glorificação". A glorificação é a fruição da salvação futura. Portanto, estes tipos de obras são a verdadeira essência da nossa salvação. Ver o artigo separado sobre *Galardão*, bem como a *Lei da Semeadura e Colheita*.

9. Esses tipos de "obras" não são meros "resultados" da nossa salvação. São a própria salvação nas suas operações.

10. A capacidade de guardar as ordenanças de Deus, é criada pelo exercício dos meios espirituais como estudo: treinamento do intelecto nas coisas espirituais, oração, meditação, prática da lei do amor, santificação, o toque místico (dons espirituais).

VALORES FINAIS

Ver o artigo *Validade (Valor)*, onde são alistados vários artigos que abordam essa questão dos *valores*. Ver também o artigo geral *Axiologia*. Um *valor final* é aquele que uma pessoa qualquer considera o alvo principal de sua vida. Esse alvo pode ser secular ou transcendental. Naturalmente, alguns filósofos não crêem na existência de tais valores, pois assumem uma atitude pragmática ou cética.

Idéias dos filósofos:

1. *Platão e Aristóteles*. O primeiro foi o mestre do segundo, mas não concordavam quanto a tudo. De fato, quanto a algumas questões, assumiram pontos de vista contrários. Platão concebia seu valor final em termos do retorno da alma ao mundo das *Idéias* (Formas ou Universais). Ver sobre *Universais*. Esse retorno envolveria a absorção da alma pelo Eterno, quando ela deixaria de ser meramente perene para ser imortal. Nesse retorno é que se acharia a verdadeira felicidade.

Aristóteles, por sua vez, achava que o valor final dos homens encontra-se nesta esfera terrestre, exaltando a função (completa auto-realização) como a principal virtude a ser buscada. Essa função consistiria na tarefa específica que cada indivíduo precisa realizar na sociedade, para seu bem e para bem da comunidade. Desse modo, o homem seria *feliz*, a idéia que Aristóteles mais afagava como valor final do ser humano. *Tomás de Aquino* aceitava essa análise, embora conferindo-lhe uma interpretação cristã, pois via a felicidade em Deus e no bem-estar eterno da alma. A *felicidade* (no grego, *eudaimonía*) sempre foi a principal candidata para ocupar o lugar de valor final na filosofia e na religião. Entretanto, esse termo tem sido definido de maneiras muito diferentes.

2. *O prazer* sempre foi o valor final para muitas pessoas. Para algumas em seu aspecto físico (como para os hedonistas; ver sobre *Hedonismo);* e para outros em seu

VALORES FINAIS – VAMPIRO

aspecto mental (como no *Epicurismo;* vide). Nomes vinculados à teoria do prazer são Aristipo (vide), fundador da escola cirenaica, Epicuro, Demócrito, Pirro (vide) e Lucrécio. Para o epicurismo, o prazer é a *ataraxia, o* prazer moderado (principalmente mental), desfrutado na *tranqüilidade.* Na filosofia moderna, Jeremy Bentham, James Mill, John Stuart Mill, Sigmundo Freud e a maioria dos pragmatistas têm exaltado alguma forma de prazer como o valor final do ser humano.

3. *O confucionismo* (vide) nunca salientou algum valor final, mas tem sugerido *o jen* (humanidade), o *li (propriedade)* e a *sinceridade,* como os principais valores.

4. *O taoísmo* (vide) tem ensinado que a adaptabilidade, a flexibilidade, o viver acompanhando o tempo, a inação e a tranqüilidade são os principais valores. A combinação dessas coisas é que comporia o caminho do Tao; e o homem espiritual deixar-se-ia envolver por elas.

5. *O estoicismo* tinha apenas um valor final, a *apatia.* De acordo com o estoicismo romano, moderação e tranqüilidade foram substituídos pela total impassibilidade.

6. *O cristianismo* salienta o *amor* (no grego, *agapé)* como o valor final na vida diária. Alguns filósofos, com C.S. Peirce, têm destacado o *agapismo,* o aumento gradual do amor em todos os relacionamentos humanos. No cristianismo, o valor final encontra-se em Deus, e o homem obtém esse valor, neste lado da existência, na *Visão Beatífica (vide),* que resulta em profunda transformação do ser humano segundo a imagem de Cristo e a participação na natureza divina (ver II Ped. 1:4; Rom. 8:29; II Cor. 3:18 e Efé. 3:19).

7. *Teodoro,* o *Ateu,* ensinava que a inteligência prática pode levar o homem a gozar de uma alegria *permanente, que* era o seu valor final.

8. *Petrarca* designava o *autocultivo* como o principal valor do homem. Telésio preferia pensar na "autopreservação".

9. *Spinoza* ensinava que a felicidade, obtida por meio da sabedoria, é o valor final.

10. *Schopenhauer,* em seu fantástico pessimismo, ainda assim pensava que há valor na *simpatia.* De fato, para ele, esse seria o único valor final que podemos encontrar neste mundo lúgubre. Para evitar a dor, ele pensava que a *renúncia* revestia-se de valor, o que poderia ser classificado como um valor secundário.

11. *Comte,* em sua abordagem positivista, localizava o valor no aqui-e-agora, pensando que a "ordem e o progresso" (incidentalmente, o lema que aparece na bandeira brasileira) sejam as questões mais importantes.

12. *A auto-realização* ou autocumprimento tem sido o principal valor, na concepção de muitos, como os neo-hegelianos, e, naturalmente, a ênfase aristotélica sobre a virtude como função, o que já sugeria isso. T.H. Green interpretava a auto-realização em termos de um impulso na direção da *perfeição humana.* Stirner opinava que a *individualidade bem desenvolvi*da é necessária para o ser humano.

13. *Nietzsche, em* sua busca pelo super-homem, faz da força *de vontade a* principal virtude humana, o seu principal valor. Se aquilo que o homem quiser pode ser concretizado, então a criação do super-homem é a mais importante empreitada da humanidade.

14. *Royce* opinava que a *lealdade* é aquilo que os homens mais deveriam valorizar.

15. *Albert Schweitzer* pensava que a *reverência* à *vida* é a principal atitude que devemos cultivar. Para ele, esse é o valor final, bem como a chave mesma da ética.

16. *William Temple,* refletindo a maioria das religiões, dizia que Deus é o valor final do homem. Mas *como* Deus é esse valor, tem sido variadamente interpretado. Ver o sexto ponto.

17. *Ortega y Gasset e Jean Paul Sartre* salientavam a autenticidade como o valor final do homem. De modo geral, os valores são invenções humanas, e a autenticidade é uma realização humana. Para o primeiro, a "verdadeira vocação" é a esfera da autenticidade. Para o último, o homem inventa os seus valores à luz da afirmação de que "Deus está morto". O homem torna-se autêntico por si mesmo, quando deixa de lado falsas suposições. Inventa a pessoa que queres ser (excetuando apenas a pessoa de Deus), e serás essa pessoa (autêntica).

18. *Camus* opinava que a *solidariedade humana* (outro nome para o *"amor")* é a principal finalidade da vida humana.

19. *O summum bonum,* o valor final da existência humana, é variadamente interpretado pelas religiões, mas quase todas elas encontram esse valor em Deus e em como Deus relaciona-se com os homens. Na Igreja cristã, popularmente, o valor principal consiste em terem sido perdoados os pecados de alguém, que um dia transferir-se-ia para o céu, desfrutando de condições utópicas para sempre. Os teólogos costumam salientar a Transformação à Imagem de Cristo (vide) como o principal valor, que faria parte intrínseca da Visão Beatífica (vide), o que, por sua vez, envolve a participação na própria natureza divina (ver II Ped. 1:4), mediante a participação na natureza e nos atributos do Filho de Deus (ver Rom. 8:29) e na pleroma, a totalidade da natureza e dos atributos de Deus Pai (ver Efé. 3:19).

VALORES INSTRUMENTAIS

Ver sobre *Valor,* pontos primeiro e segundo. Ver também os artigos intitulados *Bem Instrumental e Bem Intrínseco.*

VAMPIRO

Parece que a origem desse vocábulo é eslava; mas os dicionários *não ousam* sugerir o que a palavra significava originalmente. Todavia, a tradição a respeito dos vampiros é bastante clara. Estão em vista os mortos-vivos, ou seja, cadáveres que, presumivelmente, poderiam ser reanimados, *cadáveres vivos*, se é possível imaginar tal aberração. Tal cadáver precisa de sangue para continuar "vivendo", o que explica por que vive constantemente à cata de sangue. Quando um vampiro morde alguém, esse alguém é infeccionado pelo vampirismo, e assim a espécie se vai multiplicando!

A ciência tem demonstrado que existe uma espécie de vampirismo. Trata-se de uma condição patológica na qual a pessoa tem tremenda necessidade de sangue, e passa a morder as pessoas e a lamber-lhes e sorver-lhes o sangue. No entanto, a pessoa afetada é apenas alguém que está enfermo, e jamais um *morto-vivo*. Mas há muitas "superstições", surgidas em torno dessa questão. Uma delas é que se um gato saltar por cima de um cadáver, quando este está no esquife, antes de ser sepultado, esse corpo será reanimado, tornando-se um vampiro. As lendas também asseveram que os vampiros só agem à noite, a menos que se transformem em morcegos, o que pode ampliar seu período de consciência. De outra sorte, o vampiro ficará adormecido. Se alguém puder apanhar um vampiro enquanto estiver "dormindo" em seu caixão (sua residência constante) enfiando-lhe uma estaca no coração, terá diminuído a população vampiresca. E uma outra maneira de aniquilar um vampiro é conseguir dar um tiro no coração de um vampiro que esteja atacando, com bala de prata. O sinal da cruz assusta os vampiros, mas não consegue ser uma proteção permanente. Isso explica a necessidade de as pessoas terem sempre à mão algum revólver munido com balas de prata.

Ainda recentemente li um artigo sobre vampirismo que leva muito a sério essa questão. Confesso que o artigo me perturbou um pouco, embora não tenha perdido o sono por sua causa. O autor garantia que a verdade sobre os vampiros é que eles são criados pela feitiçaria. O indivíduo morre e sua alma abandona o corpo físico. Mas, mediante a feitiçaria, um outro espírito, maligno e não-humano, vem incorporar-se no cadáver. Daí surgiria um vampiro, sedento de sangue.

Naturalmente, tudo isso não passa da pior forma de superstição. Mas se uma noite dessas você estiver caminhando por alguma estrada deserta, e um morcego passar esvoaçando em cima de sua cabeça, talvez você venha a pensar que essa história de vampiros *pode ser* uma verdade.

VANIAS

No hebraico, "Yahweh é louvor". Esse era o nome de um filho de Bani. Vanias havia se casado com uma mulher estrangeira; e, tendo regressado a Jerusalém, terminado o cativeiro babilônico, teve de divorciar-se dela. Seu nome aparece somente em Esd. 10:36, entre os livros canônicos. Mas também em 1 Esdras 9:34, entre os livros apócrifos. Ele viveu por volta de 456 a.C.

VANTAGENS DE ISRAEL

Rom. 9:4: *os quais são israelitas, de quem é a adoção, e a glória, e os pactos, e a promulgação da lei, e o culto, e as promessas;*

Até este ponto o apóstolo Paulo vinha expressando sua própria infelicidade pessoal concernente à apostasia e à dureza da nação Israel. Isso levou-o à consideração dos problemas teológicos criados por essa apostasia; porquanto eram "...*israelitas*..." aos quais haviam sido feitas promessas especiais, donos que eram de privilégios e posições sem-par. O propósito de Paulo foi, antes de tudo, descrever exatamente quais eram os privilégios de Israel, para em seguida entrarem no problema das modificações que isso dá ao destino dessa nação, especialmente agora, que a igreja cristã havia se apossado do destino espiritual que Israel tão insensatamente rejeitara. Haveria a nação de Israel de perder definitivamente esses privilégios, ou ainda haveria uma fruição futura nos propósitos divinos relativos a ela? Quais seriam as relações entre a presente nação de Israel e a igreja cristã, tanto agora como no futuro?

Ora, constituía *ironia* das mais abismais que os gentios, que nunca haviam recebido privilégios similares àqueles que haviam beneficiado a nação de Israel, fossem exatamente aqueles que deram acolhida a Jesus de Nazaré. Até mesmo na época em que Paulo escrevia as suas epístolas, a Igreja cristã consistia sobretudo de elementos gentílicos, de tal modo que os judeus constituíam um elemento estranho, marginalizado quanto à economia divina das bênçãos espirituais.

"... primeiramente, meditemos profundamente nessa questão da dor incessante de Paulo por causa de Israel, a fim de que, em nossa superficialidade gentílica, não ajuizemos erroneamente sobre a importância desse acontecimento perante Deus, isto é, que Israel, entre os quais ele habitara, se tornara desobediente, e assim fora separado de suas bênçãos; a fim de que, em nosso próprio conceito, não nos tornemos demasiadamente importantes, não tendo mais interesse pelos israelitas. Permitiríamos que Paulo, nosso grande apóstolo, sinta sozinho essa 'dor incessante', essa 'profunda tristeza' em seu coração? Não, pois Paulo não teria ventilado a questão para nós exceto se esperasse nossa simpatia no Espírito. Não nos assemelhemos, pois, àqueles milhares de judeus que abominavam o ensino da graça, declarando que Paulo era um judeu apostatado, que realmente negara a fé de seus antepassados, estando amargurado contra a sua própria raça, a fim de obter favor entre os desprezados gentios. Esses judeus espalharam a notícia falsa de que Paulo 'ensinava aos homens de toda a parte contra Israel, contra a lei e contra o templo' (Atos 21:28). Quão similar ao de Cristo era o amor que havia no coração de Paulo, amor esse que persistia, chegando mesmo a desejar a perdição, em favor dos israelitas incrédulos que tanto o acusavam! Em segundo lugar, podemos enumerar e examinar a oito particularidades que o apóstolo Paulo declara serem diferenciações entre Israel, e todas as demais nações, perante os olhos de Deus". (Newell, *in loc.*).

1. São israelitas. Essas palavras significam que os descendentes de Abraão eram herdeiros do pacto feito com Israel, seu progenitor, quando seu nome deixou de ser Jacó. Israel significa "príncipe de Deus" (Gên. 32:28).

"Com base no nome de Israel é que os seus descendentes foram chamados israelitas, tendo sido separados por Deus, para sua glória e louvor. O próprio nome deles, 'israelitas', deixava entendida a sua elevada dignidade; eles constituíam uma 'nação real', príncipes do Deus Altíssimo". (Adam Clarke, *in loc.*).

Os privilégios espirituais dos israelitas provinham diretamente do fato de estarem relacionados a alguém favorecido por Deus. Ora, Jesus Cristo também era um desses "favorecidos", de fato, o mais favorecido de todos; e o Israel espiritual deriva os seus privilégios das relações que mantém com ele. Isso ilustra algo acerca do exercício da vontade divina, que recebe tão notável proeminência neste nono capítulo da epístola aos Romanos. Todas as bênçãos foram dadas a Israel por causa do exercício dessa vontade divina.

2. Adoção. Lemos as seguintes palavras em Êxo. 4:22: "Dirás a Faraó: Assim diz o Senhor: Israel é meu filho, meu primogênito". Similares são as palavras do trecho de Deut. 7:6: "Porque povo santo és ao Senhor teu Deus: o Senhor teu Deus te escolheu, para que lhe fosses o seu povo próprio, de todos os povos que há sobre a terra". E também lemos a seguinte declaração em Amós 3:2: "De todas as famílias da terra a vós somente conheci; portanto, todas as vossas injustiças visitarei sobre vós". Pode-se examinar, por igual modo, a passagem de Isa. 66:22, que diz: "Porque, como os céus novos e a terra nova que hei de fazer, estarão diante da minha face, diz o Senhor, assim há de estar a vossa posteridade e o vosso nome".

Portanto, as promessas divinas feitas a Israel, como nação, terão fatalmente sua futura concretização, a despeito do retrocesso temporário a que foi sujeitada essa nação, por haver rejeitado seu próprio Messias, o Senhor Jesus. Finalmente, entretanto, haverão de aceitá-lo, reconhecendo o seu fatal equívoco e sua cegueira de coração. O alicerce real dessa adoção foi a chamada de Abraão e o pacto estabelecido com ele. (Ver notas no NTI a respeito em Atos 3:25. Quanto à doutrina bíblica que assevera que todos os crentes são *filhos espirituais* de Abraão, ver Rom. 4:11).

Na adoção divina se alicerçam todos os privilégios espirituais que são enumerados neste versículo, porquanto somente os filhos de Deus poderiam receber tão elevadas bênçãos espirituais. A adoção terrena da nação de Israel

VANTAGENS DE ISRAEL

foi um tipo simbólico daquela filiação mais alta, que seria conferida à igreja cristã, através do Senhor Jesus Cristo.

"Portanto, fica compreendida, embora apenas germinal e tipicamente, a união íntima do crente com Cristo, o Filho unigênito que estava no seio do Pai desde a eternidade, que envolve Deus e os homens, através da regeneração do Espírito Santo". (Philip Schaff, *in loc.*).

A adoção de Israel, em um de seus aspectos, tinha por intuito ser o alicerce e o guia daquela adoção espiritual e superior, em Cristo. (Ver Gál. 4:1 e ss, quanto a esse conceito).

3. A glória. Está aqui em foco a *kabhodh* ou presença de Deus, conforme é mencionado nos trechos de Êxo. 16:10; 24:26; Eze. 1:28 e Heb. 9:5, além de diversas outras passagens. É por esse motivo que diz Meyer *(in loc.)*: "Trata-se da presença simbólica e visível de Deus, conforme ela se manifestou no deserto, como uma coluna de nuvem e fogo, ou como a nuvem sobre a arca da aliança...". Diversos comentadores bíblicos chamam a isso de glória *shekinah*, "palavra hebraica que significa habitação", dando a entender a presença habitadora de Deus, o que algumas vezes assumia um aspecto visível para os olhos humanos. Todavia, existem diversas outras interpretações, que precisam ser rejeitadas, a saber:

a. O anjo do Senhor, que ocasionalmente aparecia, a fim de cumprir alguma missão divina, seria essa glória, na opinião de alguns.

b. Também não se trata de "gloriosa altitude do privilégio", a que foram elevados os israelitas.

c. Por semelhante modo, não está em vista a glória vindoura do reino futuro de Deus.

d. Por igual modo, não se trata meramente da arca da aliança (ver I Sam. 4:22). A arca da aliança representava a presença de Deus entre o povo de Israel.

e. Paulo não quis dar a entender a própria "glória de Israel", como uma nação distinta dentre as demais.

O trecho de Tia. 2:1 se refere ao Senhor Jesus como a *glória de Deus,* e isso em sentido perfeitamente real, porquanto a antiga glória "Shekinah" do A.T. fora substituída pela presença de Cristo em sua igreja, através do Espírito Santo, o seu "alter ego". O Emanuel, isto é, *Deus conosco,* é a mais exaltada expressão da presença de Deus entre os homens, do que a glória que é aludida nas páginas do A.T. que servia meramente de prefiguração.

4. As alianças. Esse vocábulo pode ser melhor entendido em seu significado, através do desdobramento do que nele está envolvido, negativa ou positivamente:

a. Não se trata do A.T. ou antigo pacto.

b. Também não é o pacto judaico e o pacto cristão.

c. Mui provavelmente também não se trata somente do pacto abraâmico, referido aqui no plural, por haver sido renovado em diversas oportunidades. (Ver Gên. 15:18; 17:2,7,9 e Êxo. 2:24).

d. Também não são as duas tábuas da lei mosaica.

e. Antes, estão em foco os diversos pactos estabelecidos com os patriarcas, incluindo o pacto abraâmico e o pacto davídico. Ver Gên. 6:18; 9:9; 15:18; 11 Sam. 7:11-16; Sal. 89:28; Livro da Sabedoria 18:22; Ben Siraque 44:11; II Macabeus 7: 15; Efé. 2:12; Gál. 3:16,17. Ver o artigo sobre *Pacto Davídico* (ver Atos 2:30). Ver também o artigo sobre *Pacto Abraâmico.* (Ver Atos 3:25).

5. Legislação. Está aqui em foco tanto o ato divino da outorga da legislação mosaica como a própria legislação. Para nenhuma outra nação Deus outorgou essas leis básicas. Não podemos separar a substância da lei do ato de sua outorga, por conseguinte, a substância da lei mosaica também deve estar em foco aqui, embora o próprio original grego fale especificamente do ato de sua outorga. O apóstolo Paulo jamais negou a majestade e a elevada significação da lei mosaica, embora houvesse ensinado doutrinas consideradas não ortodoxas sobre as funções da lei mosaica, conforme vemos nos capítulos terceiro a sétimo desta epístola aos Romanos. Em certo sentido, a lei mosaica foi uma revelação de Deus, sobretudo no que concerne às exigências morais de sua natureza. Somente a nação de Israel recebeu esse tipo de revelação direta, embora a própria natureza possa prestar-se para conferir aos homens pensamentos corretos posto que incompletos, sobre Deus, segundo também insiste o primeiro capítulo desta epístola. Conforme Paulo explicou, entretanto, a lei tinha por sua função principal mostrar aos homens a necessidade que têm de Cristo, pois embora ela aponte para a justiça, não pode produzi-la no homem. Cristo, por intermédio do seu Espírito Santo, é quem produz no crente as demandas da justiça, exigidas pela lei.

6. O culto. Em outras palavras, os ritos, as cerimônias, os sacrifícios e as ordenanças religiosas, que são úteis para os homens, em sua expressão religiosa, e que simbolizavam o Cristo ou Messias que haveria de vir, mas que se tornaram todos supérfluos, em face de sua vinda. O templo de Jerusalém era o centro onde tais práticas encontravam sua mais elevada expressão; esse templo, por si mesmo, era veículo desse tipo de "adoração" ou "culto". Alguns intérpretes esperam que essa forma de adoração venha a ser restaurada em Israel, durante o período do milênio, pois esses estudiosos aceitam algumas passagens do A.T. de forma literal. Porém, se realmente isso vier a suceder, tal adoração será memorial, e não profética, conforme acontecia nos tempos do A.T., sob a lei mosaica.

7. As promessas. Mui provavelmente essa palavra indica as promessas específicas esboçadas nos vários pactos: os pactos soteriológicos feitos com Abraão e os pactos sobre o reino, estabelecidos com Davi. Em ambos esses tipos de pactos, transparecem as muitas promessas sobre a glória futura da nação de Israel que formam o tema fundamental dos escritos dos profetas. Essas promessas incluem o aparecimento do Messias, isto é, as promessas messiânicas; e isso tanto no que se refere ao primeiro como ao segundo advento de Cristo. Ver os artigos sobre *Pactos* e *Pacto Abraâmico.* Ver Rom. 4:13-20; Heb. 7:6; Gál. 3:16,17. As promessas incluem a *restauração,* Rom. 26:6,7. As promessas incluem a restauração, Rom. 11:25,26.

Rom. 9:5: *... de quem são os patriarcas; e de quem descende o Cristo segundo a carne, o qual é sobre todas as coisas...*

8. Patriarcas. É evidente que as palavras os *patriarcas,* não podem ser limitadas aos mais antigos dentre eles, como Abraão, Isaque e Jacó, mas devem incluir os outros famosos líderes de Israel, como José, Moisés e Davi. Pode-se verificar como Estêvão empregou esse termo em um sentido bem lato, em Atos 7:11,12,19,39,44; e é óbvio que o apóstolo Paulo também se utilizou do vocábulo nesse sentido amplo, em Atos 13:17. Já os trechos de Atos 3:13 e 7:32 encerram essa palavra em um sentido mais restrito, indicando exclusivamente Abraão, Isaque e Jacó. E não é impossível que esse tenha sido o uso dessa palavra, no trecho que ora comentamos. Porém, sem importar se esse vocábulo foi usado em sentido lato ou estrito, o fato é que Paulo via tais homens como antepassados dos israelitas, o que importava em uma vantagem distinta, porque, através deles é que fluíam as bênçãos divinas, decorrendo deles, por semelhante modo, a instauração de

VANTAGENS DE ISRAEL – VASNI

Israel como nação privilegiada por Deus, como depositária das revelações divinas.

9. Deles descende o Cristo. O Messias, Jesus de Nazaré, foi enviado ao povo de Israel como seu Salvador e Deus. Tal como mais tarde os apóstolos tinham por norma pregar o evangelho primeiramente aos judeus, assim também Cristo veio em primeiro lugar aos judeus. Excetuando alguns poucos episódios isolados, o ministério do Senhor Jesus envolveu quase exclusivamente os judeus. Ora, essa foi uma vantagem não conferida a qualquer outra nação, embora houvesse sido brutalmente ignorada pela maior parte dos cidadãos da nação judaica. Jesus Cristo pois, descendia fisicamente dos patriarcas, conforme é reiterado em muitas referências neotestamentárias. (Ver Rom. 1:3; 4:1 e ss).

Os patriarcas não teriam nenhuma significação especial, não fora a vinda do Filho de Deus, o Senhor Jesus. Cristo, por conseguinte, foi a maior de todas as bênçãos divinas a Israel, na pessoa de quem se centralizavam todas as promessas e pactos, pois, à parte dele, essas coisas não têm sentido algum. Todas as demais bênçãos espirituais de Israel servem tão-somente para apontar simbolicamente para Cristo, tendo sua fruição em sua pessoa.

Segundo a carne. Essas palavras fazem alusão ao nascimento e à natureza humana de Jesus Cristo, descendente que ele era da linhagem davídica.

VÃO
I. Terminologia
II. Vários Significados Possíveis

I. Terminologia
Hebraico:
Chinnam (gratuito, em troca de nada): Pro. 1:7; Eze. 6.10; *ruach* (vento, espírito, vão): Jó 15:2; 16:3; *saphah* (lábio, palavras vazias, vão): Isa. 36:5.
Grego:
Kenos (vazio, vão): Rom. 4:14; I Cor. 1:17; 9:15; II Cor. 9:3; Fil. 2:7; Tia. 4:5; *dorean* (gratuitamente, de modo vão): Gál. 2:11; *eike* (ao acaso): Rom. 13:4; I Cor. 15:2; Gál. 3:4, 11; Col. 2:18.

II. Vários Significados Possíveis
Os significados básicos, com exemplos, são dados na seção *Terminologia*, de forma que comentários breves são suficientes aqui. Aquilo que é vazio é algo vão, algo que não entrega o que promete. Uma vida pode prometer muito, mas acabar proporcionando apenas dor e futilidade a uma pessoa (Ecl. 6.12). As pessoas esperam coisas que não acontecem, sendo assim tais esperanças são vazias (Jer. 23.16). Um empreendimento que falha, não afetando aquilo pelo qual se esperava, é vão e vazio (Jó 9.19; Pro. 1.17; Eze. 6.10; Gál. 3.4). Uma idéia destituída de razão é inútil e vazia (Juí. 9.4; 11.3; II Crô. 13.7; Col. 2.18). Uma coisa vã engana e desaponta; é inútil e ilusória (Jó 11.11; Eze. 13.7).

Para maiores informações, ver o detalhado artigo sobre *Vaidade*.

VARA
Precisamos pensar em quatro palavras hebraicas e uma palavra grega, de alguma forma envolvidas na discussão desse verbete. As palavras são:
1. *Choter,* "rebento", que figura apenas por duas vezes (Pro. 14:3, "vara"; e Isa. 11:1, "rebento", em nossa versão portuguesa).
2. *Maqqel,* "vara", que é usada por 18 vezes (por exemplo: Gên. 30:37-39,41; 32:10; Jer. 1:11; 48:17; Êxo. 12:11; Osé. 4:12; Zac. 11:7,10,14).
3. *Matteh,* "bordão", usada por 65 vezes com esse sentido, e por 182 com o sentido de "tribo". Para exemplificar: Êxo. 4:2,4,17,20; 7:9-20; Núm. 17:2-10; Miq. 6:9 com o sentido de "bordão"; Êxo. 31:2,6; Lev. 24:11; Núm. 1:4,16,21,47,49; Jos. 7:1,18; 13:15,24, 29; II Crô. 6:6-80; Heb. 3:9-com o sentido de "tribo".
4. *Shebel,* "cetro". Palavra que figura por 190 vezes, das quais 141 têm o sentido secundário de *tribo.* Para exemplificar: Êxo. 21:20; Lev. 27:32; II Sam. 2:14; Sal. 2:9; 23:4; Pro. 10:13; 29:15; Isa. 9:4; Jer. 10:16; Eze. 20:37, etc., com o sentido de "cetro", e Gên. 49:16; Êxo. 24:4; Núm. 4: 18; Deu. 1: 13; Jos. 1: 12; Juí. 18: 1; 1 Reis 8: 16; II Reis 17:18; Sal. 78:55; Isa. 19:13; Eze. 47:13,21-23, etc. com o sentido de "tribo".
5. *Rabdos,* "cetro", palavra grega que figura por 11 vezes no Novo Testamento (ver Mat. 10:10; Mar. 6:8; Luc. 9:3; I Cor. 4:21; Heb. 1:8,9; 11:21; Apo. 2:27; 11:1; 12:5; 19:15).

A vara era um ramo de árvore ou o tronco fino de um arbusto, sendo moldado para uso individual, reto e com uma extremidade mais grossa ou com um gancho de pastor. As palavras hebraicas mais usadas são difíceis de distinguir uma da outra, pois suas raízes são praticamente iguais. A palavra *shebel,* a princípio significava uma "muleta", depois um cajado de pastor, e, finalmente, um cetro. A palavra "vara", sem importar qual o original hebraico ou grego, era usada simbolicamente para indicar a orientação e o cuidado divinos, "...a tua vara e o teu cajado me consolam" (Sal. 23:4). Também simbolizava a autoridade, "Moisés levava na mão a vara de Deus" (Êxo. 4:20), com a qual ele e Aarão operaram numerosos prodígios. A "vara da disciplina" (Pro. 22: 15), era aplicada a crianças, a filhas e às costas dos insensatos (ver Pro. 10:13; 13:24; 14:3; 23:13,14 e 26:3), e também aos escravos (ver Êxo. 21:20). Como símbolo da ira divina e do castigo celeste, a palavra ocorre em inúmeras passagens (por exemplo, II Sam. 7:14; Jó 9:34; Lam. 3:1; I Cor. 4:21). O fato de que Jesus governará todas as nações com "cetro de ferro" foi predito em Salmos 2:9 e retratado em Apocalipse 2:27; 12:5 e 19: 15. A vara era usada na contagem das ovelhas (ver Lev. 27:32) e, simbolicamente, na enumeração dos eleitos de Deus (ver Eze. 20:37). Finalmente, uma vara foi usada, nas visões de João, para medir a Nova Jerusalém (ver Apo. 11:1 e 21:15,16).

VARREDOURA
No hebraico, *mikmereth,* "rede arrastão". Aparece somente em Habacuque 1:15,16. Era uma rede de pesca que deve seu nome ao fato de que roça o fundo do rio, lago, etc., onde é lançada. Eram redes grandes, também usadas para apanhar animais. Para finalidades de pesca, a parte inferior da rede era munida de pesos, o que a fazia descer até o fundo. A parte superior da rede era mantida acima da linha da água, e então a rede era arrastada, o que explica o nome que lhe é dado em nossa versão portuguesa, "varredoura". Pescar desse modo era comum nos dias de Jesus. A única referência à pesca com anzol, no Novo Testamento, fica em Mat. 17:27, quando foi apanhado um peixe com uma moeda na boca, para pagar a taxa por Jesus e por Pedro.

VASNI
No hebraico, "Yahweh é forte". Essa palavra ocorre na tradução da Septuaginta com as formas de *Sanei* e *Sani.* Ver I Crô. 6:28. No entanto, visto que o trecho de I Sam.

VASNI – VASO, RECEPTÁCULO

8:2 e o texto grego do Antigo Testamento, por Lagarde, e a versão siríaca de I Crô. 6:28, dão Joel como o primogênito do profeta Samuel, quase todos os eruditos textuais acreditam que esse nome, Vasni, foi apagado do texto massorético por motivo de *homoioteleuton* (vide). Em seguida, eles restauraram o nome, adicionando o artigo definido e escrevendo novos sinais vocálicos na palavra hebraica "vashni", obtendo então a tradução que vemos refletida em nossa versão portuguesa: "...o primogênito, Joel, *e depois,* Abias". A Edição Revista e Corrigida, da Sociedade Bíblica do Brasil, diz naquele versículo: "E os filhos de Samuel: Vasni, seu primogênito, e o segundo, Abias". Conforme se calcula, Vasni teria vivido por volta de 1070 a.C.

VASO, RECEPTÁCULO
I. As Palavras Bíblicas

Temos duas palavras hebraicas e duas palavras gregas a considerar, neste verbete:

1. *Keli*, palavra usada por mais de 270 vezes no Antigo Testamento. Sendo palavra de sentido muito geral, é variadamente traduzida, como por "vaso", "instrumento", "coisa", "armadura", "móvel", "arma", etc. Ver, por exemplo: Gên. 43:11; Êxo. 25:39; 27:3,19; 40:9, 10; Lev. 6:28; 8: 11; 15: 12; Núm. 1:50; 3:31,36; 19:15,17,18; Deu. 23:24; Jos. 6:19,24; Rute 2:9; 1 Sam. 9:7; 21:5; II Sam. 8:10; 17:28; 1 Reis 7:45,47,48,51; 17:10; II Reis 4:3,6; 25:14,16; 1 Crô. 9:28,29; 28:13; 11 Crô. 4:18,19; 5:5; 36:7,10,18,19; Esd. 1:6,7, 10, 11; Nee. 10:39; Est. 1:7; Sal. 2:9; 31:12; Pro. 25:4; Isa. 18:2; 66:20; Jer. 14:3; 18:4; 49:29; 52:18,20; Eze. 4:9; Dan. 1:2; Osé. 8:8; 13:15.

2. *Man*, "vaso", "utensílio". Esse vocábulo aramaico aparece por sete vezes: Esd. 5: 14, 15; 6:5; 7:19; Dan. 5:2,3,23.

3. *Skeúos*, "vaso". Palavra grega que figura por 23 vezes: Mat. 12:29; Mar. 3:27; 11: 16; Luc. 8:16; 17:31; João 19:29; Atos 9:15; 10:11,16; 11:5; 27:17; Rom. 9:21-23; 11 Cor. 4:7; 1 Tes. 4:4; 11 Tim. 2:20,21; Heb. 9:21; 1 Ped. 17; Apo. 2:27; 18:12.

4. *Aggeion*, "vaso", "utensílio". Esse termo grego ocorre somente por uma vez, em Mat. 25:4. Há uma variante, em Mat. 13:48, que também usa essa palavra. Nossa versão portuguesa diz aí "cestos".

II. Caracterização Geral

Um vaso é algum receptáculo para líquidos ou outra substância fluida, feito de material duradouro, sobretudo para uso doméstico, empregado em conexão com o preparo de alimentos ou bebidas. Os vasos eram usados para guardar alimentos e outros itens valiosos. Também havia um uso metafórico da palavra, conforme se vê nos escritos de Paulo: "Temos, porém, este tesouro em vasos de barro, para que a excelência do poder seja de Deus e não de nós" (II Cor. 4:7). Os materiais empregados na feitura dos vasos iam desde a cerâmica comum, das antigas civilizações, até os metais preciosos, o vidro e as pedras ornamentais, como o alabastro (ver Mar. 14:3).

Cestas de vime e odres, feitos de peles de animais, também eram considerados vasos (embora não usemos assim essa palavra). As dimensões variavam desde os pequenos frascos, usados para guardar cosméticos, até grandes jarras, conforme podem ser vistas, nas descobertas arqueológicas, como aquelas dos armazéns do palácio de Minos, em Cnossos, na ilha de Creta. Eram penduradas por meio de cordas. As cestas variavam em suas dimensões, desde aquelas que podiam ser transportadas na cabeça ou no ombro de uma pessoa (Gên. 40:16; Êxo. 29:3), feitas com o propósito de carregar frutas (Jer. 24:1,2), ou para levar os utensílios usados pelos pedreiros (Sal. 8:6), até receptáculos com espaço interno tão grande que era suficiente para ali esconder-se um homem (Atos 9:25; II Cor. 11:33).

III. Tipos de Vasos

A lista abaixo, dada em ordem alfabética, está longe de apresentar uma relação completa, mas é apenas representativa:

1. *Bacias*. Eram usadas, principalmente, nas libações, pelo que são freqüentemente mencionadas em conexão com os utensílios usados nos rituais do tabernáculo e do templo de Jerusalém (por exemplo, Núm. 7:13; I Reis 7:42,50), embora também fossem utilizadas em contextos domésticos (II Sam. 17:28; João 13:5).

2. *Batos e Medidas*. Esses vocábulos indicavam, respectivamente, medidas para líquidos e secos. Portanto, não eram tanto receptáculos para guardar coisas, mas serviam como medidas (I Reis 7:26,38; II Crô. 2:10; Isa. 5:10; no grego, *módios*: Mat. 5:15; Mar. 4:21 e Luc. 11:33).

3. *Cântaros*. Esses vasos eram empregados para tirar água dos poços e outros mananciais. Um cântaro podia ser arriado até a água por meio de uma corda, presa ao seu cabo. Não há certeza se os cântaros eram feitos de couro ou de madeira (Gên. 24:14-19; João 4:11).

4. *Cestos*. Além dos trechos de Atos 9:25 e II Cor. 11:33, conforme já vimos mais acima, poderíamos adicionar aqui aquelas passagens referentes à multiplicação dos pães para os cinco mil e para os quatro mil homens. No primeiro desses casos (Mat. 14:20), encontramos a palavra grega *kophinos*, um tipo de cesto feito de talas ou de vime, que os judeus costumavam usar para conter alimentos não poluídos pelo contato com estrangeiros. Juvenal menciona essa palavra ao aludir a judeus que residiam no gueto que ficava fora do Portão Capena, em Roma (Sat. 3:14). Mui curiosamente, na segunda instância (Mat. 15:37), temos uma outra palavra grega, *suprís*, que descrevia uma cesta grande, em forma de odre, usada pelos gentios. O incidente ali narrado teve lugar em um território ocupado predominantemente por gentios, em Decápolis.

5. *Copos*. A nomenclatura é muito ampla e as distinções são incertas, após a passagem de tantos milênios. É possível, pois, que os estudiosos façam uma certa confusão entre essa palavra e a sétima, nesta lista, especialmente no tocante a certos trechos bíblicos. O copo de José, no Egito, era usado em suas "adivinhações", algo sobre o que os estudiosos ainda não chegaram a um acordo. Todavia, é possível que esse fosse um antigo costume egípcio, e que José tivesse falado assim para emprestar ao incidente uma atmosfera mais local, embora ele mesmo não usasse tal utensílio com essa finalidade (Gên. 44:2,4,5). Jeremias alude ao "copo de consolação", que seria oferecido aos que lamentavam (Jer. 16:7). Também houve o famoso *cálice* da última Ceia, que não passava de um copo, afinal de contas (Mat. 26:27; I Cor. 11:25,28; e também se vê na Bíblia um uso figurado desse objeto, em Sal. 23:5; Jer. 25:15; João 18:11 e Apo. 14:10).

6. *Odres*. Esses vasos eram feitos com peles de animais. Eram usados para transportar água (Gên. 21:14,15,19), leite (Juí. 4:19) e vinho (Jos. 9:4,13; I Sam. 1:24; 10:3; 16:20; II Sam. 16:1). A palavra também é usada em sentido figurado, segundo se vê em Jó 32:19 e Isa. 40:15.

7. *Pratos*. Usualmente, eram postos à mesa, para neles serem servidos alimentos, à hora das refeições. Até hoje, entre os beduínos do deserto, os pratos são grandes e fundos, feitos de bronze. É possível que a tradução "taça de príncipes", de Juí. 5:25, se refira a isso. Esse objeto foi servido por Jael, mulher de Héber, a Sísera, general dos

cananeus. Também é possível que um prato desse tipo tivesse sido usado por ocasião da última Ceia, como também em todas as celebrações da Páscoa. Ver Pro. 19:24; 26: 15 e Mat. 26:23. Nesta última referência se lê: "E ele (Jesus) respondeu: O que mete comigo a mão no prato, esse me trairá".

Interessante é o uso figurado que se vê, em Eclesiastes; 12:6, acerca do cântaro: "…e se quebre o cântaro junto à fonte…" Sem dúvida, isso alude à fragilidade da vida humana. De fato, esse é um tema constantemente repisado nas Escrituras. Ver também I Ped. 1:24,25.

VASSALO
1. Definição
Nas Escrituras, a idéia de vassalagem aparece em Lamentações 1:1, que lamenta a sorte da cidade de Jerusalém, onde se lê: "…(outrora) princesa entre as províncias, ficou sujeita a *trabalhos forçados!*" Portanto, esse foi o estado de servidão ou vassalagem a que os invasores babilônicos reduziram os habitantes de Jerusalém. No original hebraico, essa idéia é transmitida por meio da palavra *mas*, "tributário". Todavia, não se deve pensar em uma vassalagem semelhante àquela que prevaleceu durante a Idade Média, em que o senhor de terras protegia militarmente aos que o serviam, presos à terra.

2. Nos Exílios
O que foi envolvido, no caso dos exilados judeus, é uma queda na escala social. Antes livres, governados por seus próprios reis, os judeus perderam a liberdade e foram exilados para o estrangeiro.

3. No Reino do Norte
Isso já havia acontecido, cerca de um século e meio antes, com o reino do norte, Israel. Menaém e Oséias, reis de Israel, no período imediatamente anterior à queda da capital desse reino, Samaria (o que ocorreu em 722 a.C.), haviam sido forçados a reconhecer a soberania da Assíria. Por semelhante modo, quase todos os monarcas do reino do sul, Judá, a partir de Acaz até a queda de Jerusalém (o que sucedeu em 586 a.C.), se tornaram vassalos, primeiramente da Assíria, e, finalmente, da Babilônia.

4. Na Dominação Persa
Além disso, durante o período da dominação persa sobre Judá, homens como Zorobabel e Neemias foram meros governantes vassalos da Pérsia, com o título de "governadores". Assim, exceutuando durante o breve período do governo da Judéia pelos Macabeus (vide), a história inteira subseqüente dos judeus foi uma história de vassalagem ou aos egípcios, ou aos sírios ou, finalmente, aos romanos.

Os monarcas que se tornavam vassalos de outros monarcas gozavam de uma suficiente dignidade e de riquezas. Não obstante, eram forçados a pagar tributo aos poderes dos quais eram dependentes. Além disso, só permaneciam em seus postos de governo enquanto assim o quisesse o capricho de seus senhores. Ver também o artigo intitulado *Tributo*.

5. Na Dispersão
Após tantos séculos de dispersão (desde 70 d.C. até 1948 portanto, 1878 anos), finalmente, foi formado o estado de Israel, graças a esforços de grandes líderes do movimento sionista (vide), com o apoio das Nações Unidas. Não se pode dizer que o moderno estado de Israel vive em estado de vassalagem para quem quer que seja; mas é inegável que só sobrevive circundado pelos árabes, que lhe são quase cinqüenta vezes superiores em número devido à tutela de certas nações ocidentais, mormente os Estados Unidos da América.

6. Em Relação ao Anticristo
Quando do surgimento do Anticristo, este proporá a Israel uma proteção segura, estabelecendo com essa nação um acordo que terá a vigência prevista de sete anos. Porém, na metade desse período, o Anticristo haverá de romper o seu próprio acordo com Israel. E, de protetor, passará a ser o mais cruel de todos os perseguidores que os descendentes físicos de Abraão já tiveram. O Senhor Jesus retrata essa perseguição com as seguintes palavras: "Quando, porém, virdes Jerusalém sitiada de exércitos, sabei que está próxima a sua devastação. Então os que estiverem na Judéia fujam para os montes; os que se encontrarem dentro da cidade, retirem-se; e os que estiverem nos campos, não entrem nela. Porque estes dias são de vingança, para se cumprir tudo o que está escrito. Ai das que estiverem grávidas e das que amamentarem naqueles dias! porque haverá grande aflição na terra, e ira contra este povo. Cairão ao fio da espada e serão levados cativos para todas as nações; e, até que os tempos dos gentios se completem, Jerusalém será pisada por eles" (Luc. 21:20-24). Entretanto, por ocasião do retorno de Jesus Cristo, tudo isso chegará ao fim. Por isso mesmo, ele ajuntou, pouco adiante: "Ora, ao começarem estas cousas a suceder, exultai e erguei as vossas cabeças; porque a vossa redenção se aproxima" (Luc. 21:28). E nunca mais o povo de Israel se encontrará em estado de vassalagem.

VASSOURA DA DESTRUIÇÃO
A expressão é usada em Isaías 14:23 para indicar metaforicamente destruição e julgamento. É como se Deus quisesse dizer que destruiria a Babilônia e deixaria limpo o antigo local da cidade. A vassoura, mui provavelmente, era feita de uma planta bastante comum na Palestina, a *Retama raetam*, um denso arbusto que, algumas vezes, cresce até 3,70 m de altura, nos lugares ermos da Terra Santa.

VASTI
No hebraico, o sentido do nome é desconhecido, porquanto deveria ser algum nome persa, cujos fonemas foram transliterados, para o hebraico, e, daí para o português. Ela era a esposa do rei Assuero, que foi repudiada, por motivo de desobediência, tendo sido substituída por Ester (vide). O seu nome aparece por dez vezes, no livro de Ester (ver 1:9,11,12,15-17, 19; 2:1,4,17). Ela deve ter vivido por volta de 520 a.C.

Por não querer ela atender ao rei, que desejava exibir sua beleza, Assuero baniu-a e expediu um decreto (Est. 1: 22) dizendo que, em seu império, cada homem governasse o seu próprio lar. Essa também deve ser a norma em cada lar cristão (ver, por exemplo, o trecho de Efé. 5:23: "…porque o marido é o cabeça da mulher, como também Cristo é o cabeça da igreja…."). Os movimentos feministas modernos procuram igualar homem e mulher. De fato, eles são iguais quanto a privilégios, mas não quanto a funções, e isso é o que o feminismo moderno não quer perceber. Nenhum outro sistema funciona tão bem, na humanidade, como aquele em que a família tem um cabeça, o marido, que planeja e provê e protege a sua esposa, os seus filhos e os demais dependentes.

Heródoto (7.61; 9.108-112) afirma que a rainha de Xerxes (que as Escrituras chamam de Assuero) era Amestris (cf. SOTI, pág. 404, e ATS, pág. 516, quanto a uma completa discussão a esse respeito). Lembremo-nos, entretanto, que os antigos monarcas tinham muitas esposas e rainhas, e que as favoritas eram trocadas quase com a mesma freqüência como que se trocavam de roupas. Assim como Vasti foi substituída por Ester, com igual facilidade Ester poderia ter sido substituída por outra. E quem garante que Vasti foi a primeira esposa de Assuero? Contudo, outros estudiosos tentam identificar Vasti com Estateira, a rainha de Artaxerxes II (404-358 a.C.), embora a maioria dos especialistas opine que isso não é provável. Ainda outros pensam que Vasti poderia ter sido uma concubina, que satisfez ao monarca somente durante algum tempo. Nenhuma dessas conjecturas, entretanto, nos capacita a harmonizar o relato bíblico com aquilo que nos chegou por meio da história secular, embora não se deva pensar que o relato bíblico seja uma invenção, pois a vida de Assuero, como a de inúmeros outros monarcas antigos, está envolta em muitos pontos obscuros. E, quanto a tais personagens, as Escrituras só nos fornecem "flashes", que não nos permitem reconstituir uma história completa e bem coordenada.

VASUBANDHU

Não se sabe acerca das datas de seu nascimento e de sua morte, mas ele foi um filósofo indiano dos séculos V ou IV a.C. Ele teria sido o sistematizador do Caminho da Ioga, uma das principais escolas indianas filosóficas. Seu irmão, Asanga, foi o fundador dessa escola. O artigo geral sobre o *Hinduísmo* descreve seus "quatro caminhos", na quarta seção.

VATICANO

A residência oficial do papa é a cidade do Vaticano, incrustada na cidade de Roma, na Itália. O Vaticano está dividido nos seguintes departamentos: os apartamentos papais; os apartamentos dos prelados, dos oficiais e do pessoal administrativo; os apartamentos do Estado; várias capelas; a Biblioteca do Vaticano; os arquivos da Igreja Católica Romana; cinco museus de antiguidades; duas galerias de artes; uma imprensa poliglota e um observatório astronômico. As capelas, tanto a Sixtina quanto a Paulina, estão decoradas com famosas obras de arte. Os cardeais reúnem-se na capela Sixtina a fim de eleger um novo papa. A capela Paulina é separada da Sixtina pela Sala Régia, servindo de igreja paroquial do Vaticano. As obras de arte, contidas no Vaticano, são de um inestimável valor. Na Galeria Chiaramonti há mais de 300 esculturas, principalmente criação de escultores gregos que trabalharam em Roma. Muitas culturas antigas transparecem nessas obras de arte. Também existem ali inúmeros artefatos antigos. O Museu Pio-Clementino, que é apenas um dentre vários museus do Vaticano, dispõe de 11 salões de exibição.

A Biblioteca do Vaticano encerra alguns dos mais importantes manuscritos da Bíblia, como o Codex Vaticanus ou *B* (vide), que data do século IV d.C. Conta com mais de 60.000 manuscritos, e com mais de um milhão de livros.

A Galeria Lapidar contém mais de seis mil inscrições em pedras, e um grande número de inscrições de outra natureza. Os arquivos são um incalculável tesouro de registros e documentos da Igreja, a correspondência dos oficiais eclesiásticos através dos séculos. Ali são abundantes os papéis de natureza histórica, importantes para muitas nações.

O Vaticano tem sido a principal residência dos papas, desde o retorno das cortes papais a Roma, após o seu exílio em Avignon, na França, em 1377. E é a residência oficial dos papas, a partir de 1870. Entre 1870 e 1929, o Vaticano fez parte do Reino da Itália, mas, ao terminar esse período, tornou-se um estado extraterritorial, por determinação de Mussolini, passando a chamar-se Cidade do Vaticano.

O palácio do Vaticano (residência dos papas) foi construído pelo papa Símaco (498 - 514 d.C.), contíguo à Basílica de São Pedro; mas tem sido reedificado e grandemente ampliado pelos papas subseqüentes. Somente uma pequena parte desse palácio é residencial. Quase todo o espaço é ocupado pelas coisas acima descritas. Não pode ser calculado o valor cultural, histórico e religioso do Vaticano.

VATICANO, CONCÍLIOS DO

Ver o artigo geral sobre os *Concílios Ecumênicos*. Esse artigo alista os concílios ecumênicos, aludindo à filosofia por detrás dos mesmos, bem como a autoridade que lhes tem sido atribuída. Ver também o artigo *Autoridade*.

O Primeiro Concílio do Vaticano foi um concílio ecumênico e oficial da Igreja Católica Romana, efetuado em 1869 - 1870. Após o concílio de Trento, de 1563, esse foi o primeiro concílio, ou seja, quase 300 anos após aquele. **O Segundo Concílio do Vaticano** foi levado a efeito em 1962, seguido por um importante Sínodo interpretativo (vide), em 1985.

O Primeiro Concílio do Vaticano foi também o vigésimo concílio ecumênico da Igreja Católica Romana, e foi convocado pelo papa Pio IX. O motivo principal foi a necessidade de definir a doutrina da infalibilidade papal, um assunto que foi largamente discutido e debatido. Quando sua intenção tornou-se conhecida, o historiador alemão Dollinger deu início a uma campanha contra o conceito de infalibilidade papal. Cerca de 700 bispos estavam presentes quando esse concílio teve início, em 8 de dezembro de 1869. As primeiras questões discutidas foram: a criação, a revelação, a fé, a relação entre a fé e a razão. Esses assuntos faziam parte do *Dei Filius*, um documento promulgado em 24 de abril de 1870. Em seguida, ocorreu o mais importante dos debates sobre as prerrogativas do papa, que se prolongou entre os meses de maio a julho. A maioria dos prelados manifestou-se em favor da doutrina da infalibilidade papal; mas uma minoria, formada por prelados alemães, austro-húngaros, franceses e norte-americanos, em sua maioria, opôs-se a qualquer pronunciamento oficial a respeito. Porém, prevaleceu a maioria, e assim foi publicada a constituição *Pastor Aeternus*, em 18 de julho de 1870. Os eruditos protestantes objetam como doutrinas tão importantes podem vir à tona somente muitos séculos após a fundação da Igreja cristã. Mas a Igreja Católica Romana acredita nas idéias da revelação progressiva e do desenvolvimento dos dogmas. Para eles, nesse processo o Espírito Santo vai guiando os homens a verdades mais profundas, conforme se vai fazendo necessário. Assim, paralelamente à noção da infalibilidade papal, também foi aprovada a idéia do primado papal. O dogma da infalibilidade provocou o cisma dos *Antigos Católicos* (vide), e tem servido de obstáculo à união geral da Igreja cristã organizada, desde então. Até hoje, mais de 120 anos depois, o assunto continua sendo acaloradamente debatido, e muitos que pertencem à Igreja Católica Romana têm abandonado essa doutrina, a despeito da decisão do *Primeiro Concílio do Vaticano*. Faz parte dos dogmas eclesiásticos romanistas que as decisões dos concílios não podem laborar em erro. Temos aí outra infalibilidade que não é aceita pelos grupos protestantes e evangélicos, pois o simples exame dessas decisões conciliares mostra as discrepâncias e incongruências que há entre as mesmas.

Segundo Concílio do Vaticano. Esse foi o vigésimo

VATICANO, CONCÍLIOS DO

primeiro concílio ecumênico da Igreja Católica Romana. Foi efetuado em Roma, na Cidade do Vaticano, entre 1962 e 1965. Foi ímpar em sua natureza, pois não foi convocado para condenar heresias ou para definir dogmas. Esse concílio foi convocado pelo papa João XXIII (o qual faleceu em 3 de junho de 1963), razão pela qual o concílio continuou sendo dirigido, até o fim, pelo papa Paulo VI. Teve início em 25 de dezembro de 1961; tendo-se reunido durante quatro outonos sucessivos. O principal motivo desse concílio foi inquirir no que consiste a Igreja, e qual o papel dela no mundo moderno. Cerca de 2500 delegados, de 135 países, fizeram-se presentes. Delegados enviados por outros agrupamentos religiosos também estiveram presentes, como observadores. Nenhum dos documentos expedidos por esse concílio contém definições dogmáticas ou alguma brusca condenação. Foram rebuscadas soluções para problemas sobre a natureza da Igreja e sua relevância para o mundo moderno, bem como acerca da adoração e da vida de adoração por parte dos católicos romanos. A *Constituição Dogmática da Igreja (Lumen gentium)* é o âmago das decisões desse concílio, salientando a oculta realidade espiritual da Igreja, em vez de suas estruturas jurídicas. Ali a Igreja é chamada de "o povo de Deus", unido pelo Espírito.

Caracterização Geral. Os atos desse concílio consistem em 16 documentos de três variedades: Constituições, Decretos e Declarações.

1. *Constituições (Lunien Gentium)*. Esse documento trata sobre assuntos como o mistério da Igreja; o povo de Deus; a constituição hierárquica da Igreja; os leigos; a bendita Virgem Maria, com a tradicional afirmação que se conhece como *Mariolatria* (vide); a revelação e a importância das Escrituras; o papel da tradição.

2. *Decretos*. Houve um total de nove decretos. Todos com considerações práticas acerca do *ecumenismo*. Estavam em foco novos esforços tendentes à unidade organizacional. Católicos romanos e outros grupos saudaram tais esforços como valiosos. O decreto sobre a Igreja Oriental (*Orientalium ecclesiarum*) restaura, de maneira inequívoca, a Igreja Oriental a uma posição de boa estima. Também houve decretos acerca da posição dos leigos e suas atividades; sobre a condição e os privilégios das mulheres; sobre a necessidade de uma mais intensa atividade missionária; sobre a necessidade de renovação e de espiritualidade; sobre as instruções acerca das instituições religiosas; sobre o ofício pastoral dos bispos; sobre o ministério e a vida dos sacerdotes; sobre a necessidade de santidade. Mas foi o decreto sobre as comunicações sociais que recebeu o maior número de votos negativos, devido às suas óbvias deficiências.

3. *Declarações*. Para muitas pessoas, revestiu-se de grande importância a declaração sobre a liberdade religiosa (*Digmtatis humanae*). A consciência humana serviu-lhe de guia. Ninguém pode ser forçado a crer ou a agir contra sua própria consciência. A liberdade religiosa é um direito básico do ser humano; deve haver tolerância para todos. Outra importante declaração é aquela que fala acerca das religiões não-cristãs (*Nostra aetate*). Ali é condenado o anti-semitismo, de forma absoluta, pondo fim à afirmativa católica comum que responsabilizava os judeus pela morte de Cristo. Essa declaração aceita tudo quanto é bom nas fés não-cristãs, afirmando que aquilo que é aproveitável nelas deve ser respeitado, porquanto isso representa "as sementes do Logos", nelas implantadas. Essa idéia, naturalmente, sempre foi opinião comum da Igreja Oriental, e alegra-me que essa verdade tenha sido oficialmente reconhecida naquele concílio. Ver o artigo chamado *Rationes Seminales*, cujo correspondente grego é *Logoi Spermatikoi*. Essa crença particular é importante para minha teologia pessoal, desde alguns anos atrás. E era importante para os pais gregos da Igreja, os quais percebiam as atividades do Logos por toda parte, a fim de que, finalmente, venha a ser conseguida a unidade final de tudo, em torno de Cristo (o Logos) (ver Efé. 1:9, 10). Ademais, podemos considerar a declaração sobre a educação (*Gravissimum educationis*), ou seja, o direito que todos os homens têm de receber uma educação cristã, onde os pais aparecem como os principais educadores. As sociedades não devem impedir que os pais tenham seus direitos reconhecidos, e os pais devem mostrar-se ansiosos por exercer sua devida função educativa. As preocupações pastorais, expressas nessas declarações, têm originado a formação de novos corpos dentro da Igreja Católica Romana, com o propósito de promover cuidados pastorais, campanhas contra a pobreza e a fome, e campanhas contra as injustiças sociais.

Nos anos de 1985 - 1986, houve o *sínodo* que assinalou o vigésimo aniversário do Segundo Concílio do Vaticano. Os sínodos são convocações periódicas feitas aos bispos, para aconselharem o papa e implementarem medidas recomendadas pelos concílios, nas atividades gerais da Igreja. Esses concílios também atuam como agentes interpretativos; mas não são autoritários e nem são considerados infalíveis. Não têm autoridade própria e não podem legislar. Desde o segundo concílio do Vaticano, nada menos de sete sínodos têm sido efetuados para discutir tópicos específicos como o papel da família cristã, o sacramento da penitência e outras questões doutrinárias. O sínodo de 1985-1986 muito se preocupou com a autoridade dos bispos, em relação à autoridade papal. Poderes maiores para as conferências episcopais, bem como uma maior autonomia para as dioceses, foram as principais preocupações de alguns delegados. As reformas liberais do segundo concílio do Vaticano foram discutidas, tendo sido buscados meios para melhor promovê-las. A obediência dos católicos romanos ao papa foi uma outra questão discutida.

O tema subjacente foi variedade em unidade, e o tom das reuniões foi conciliador, ainda que, algumas vezes, envolvesse pontos controvertidos. Foi discutida a secularização da Igreja, e enquanto os elementos liberais exigiam maior envolvimento social ainda, os conservadores asseveravam que a Igreja já se envolvera demais na sociologia e na política. Foi apresentada a moção de produzir-se um catecismo para a Igreja inteira, um compêndio de ensino publicado sob os auspícios do Vaticano, a fim de esclarecer os ensinos católicos romanos às massas. Os direitos femininos foram uma das questões debatidas. Durante o sínodo, uma mulher católica romana leiga, norte-americana, feminista, tentou celebrar uma missa de imitação, sobre um altar da Basílica de São Pedro. Ela foi retirada, mas a cena enfatizou a importância da questão na Igreja Católica Romana atual. Por outra parte, o conceito espiritual da Igreja foi enfatizado por prelados conservadores, na tentativa de fazer as pessoas voltarem à mensagem central e à missão da igreja. Esse sínodo demonstrou o fato óbvio de que o catolicismo romano de nossos dias, ao redor do mundo, é mais pluralista do que jamais o foi em qualquer outro período de sua história, e que é mister muito cuidado para que esse pluralismo não venha a causar um grave cisma. Culturas e situações locais requerem maior autonomia. A atual crise católica romana pode ser criativa, o que resultará em crescimento; mas, se vinculada a movimentos como a *Teologia da Libertação* (vide), poderá vir a provocar um dos piores cismas. Foi enfatizado o ministério de ensino da Igreja, e foi feito um aviso acerca do controle por parte do Estado e acerca do perigo representado pelo ensino secularizado. (AM C E P)

VAU

No hebraico, *maabar* ou *mabarah*, palavras que aparecem por dez vezes no total: Gên. 32:22; 1 Sam. 13:23 (maabar); Jos. 2:7; Juí. 3:28; 12:5,6; I Sam. 14:4; Isa. 10:29; 16:2; Jer. 51:32.

Um vau é um lugar mais raso, em algum rio ou outra correnteza, onde é possível os homens fazerem a travessia a pé ou a cavalo, etc., sem a necessidade de alguma ponte. Nos lugares destituídos de pontes, os vaus são essenciais às viagens e às comunicações. Na Palestina, os romanos construíram muitas pontes, mas, antes disso, a população dependia de travessias naturais.

Um pouco acima do mar Morto, dois vaus existem no rio Jordão, perto de Jericó, que podem ser atravessados quase todos os meses do ano. Esses vaus ligavam estradas que saíam das colinas da Judéia com estradas principais vindas de Gileade e de Moabe. A passagem de Samaria para Gileade era possível por causa de diversos vaus. Alguns vaus têm de 0,90 m a 3,60 m de profundidade. Naturalmente, durante os meses em que o regime de chuvas aumenta, esses vaus não podem ser usados (Jos. 3:15).

VAV

Essa sexta letra do alfabeto hebraico, quando escrita na escrita quadrada, aparecia como um risco vertical com um pequeno gancho para a esquerda. Essa letra recua até uma forma epigráfica que se assemelha a um "Y" maiúsculo, com diagonais curtas e uma longa cauda vertical. Por sua vez, dentro da escrita encontrada em Serabit el-Khadim, em inscrições sinaíticas, parece que isso representava um cacete de guerra (uma vara curta e potente com uma pedra em formato de pêra em uma das extremidades). Esse tipo de maça de guerra, com freqüência, aparece nos baixos relevos dos Faraós do Egito. Se, a princípio, essa letra representava mais ou menos o que o "w" representa hoje em inglês, com o tempo veio a ter o valor equivalente ao "v" do português, segundo se vê, atualmente, no hebraico que está sendo recuperado em Israel. Como algarismo (pois os antigos israelitas não dispunham de sinais numéricos separados), o *vav* representava o número seis.

VEADO

No hebraico, *ayyal*. Essa palavra ocorre por onze vezes: Deu. 12:15,22; 14:5; 15:22; I Reis 4:23; Sal. 42:1; Can. 2:9,17; 3:14; Isa. 35:6; Lam. 1:6.

Pelo menos três espécies de veados viviam na Palestina antiga: 1. O veado vermelho. Essa espécie estava largamente disseminada, vivendo em áreas de bosques da Europa, do sudoeste asiático, do norte da África. Também vivia na Palestina, mas parece haver desaparecido dali vários séculos antes da era cristã. É possível que seu mais próximo descendente seja o veado da moderna Anatólia e da Grécia. Perde o pêlo anualmente e tem uma altura de cerca de 1,50 m nas espáduas. 2. O *gamo*. Esse animal é um tanto menor que aquele que acabamos de descrever, e tem o dorso pintado. Vivia nas regiões montanhosas do Oriente Médio. A espécie tornou-se extinta na Palestina, embora sobreviva em um representante mais corpulento, nos montes Zagros do Luristã, na Pérsia. 3. O *cervo*. Esse é um pequeno animal com a altura de cerca de 60 cm, à altura das espáduas. É um animal solitário, que nunca anda em bandos, em contraste com as duas espécies acima descritas. Vive em área de bosques. Antigamente era abundante na Palestina, mas não mais vive ali. Ver Deu. 12:22. Os informes sobre os hábitos alimentares de Salomão sugerem que esse animal era abundante e procurado pela excelência de sua carne. Ver I Reis 4:23. Alguns dizem que esse animal pode ser ocasionalmente visto nos bosques de Gileade, no Carmelo e no lado oriental do rio Jordão. (BOD)

VEDÃ E JAVÃ, DE UZAL

Entre os estudiosos tem havido algumas discussões sobre a significação desses três nomes. Essa é a forma do texto, que encontramos em nossa versão portuguesa. Uma leve variante disso diz: "Vedã, Javã e Uzal..." Sabemos que esses eram, precisamente, os nomes de três postos de parada ou estacionamento usados pelos peregrinos que chegavam às imediações de Meca e Medina, na Arábia. Opinamos que essa última forma é que deveria ser adotada nas traduções. Os três nomes também figuram em Eze. 27:19.

Vedã tem sido identificada com *Waddan*, também designada *al-'Abwa'*, uma localidade situada entre Meca e Medina, envolvida na primeira expedição feita por Maomé (vide). Uzal, por sua parte, figura como nome de um dos filhos de Jactã, o que parece corresponder a alguma outra localidade da Arábia, provavelmente, a cidade chamada Sanaá, capital do Iêmen. Vedã parece ser uma forma cognata do vocábulo assírio *dannu*, que indicaria uma grande jarra para armazenagem de vinho. Notar, igualmente, o trecho de Gên. 10:27, onde se lê: "... a Hadorão, a Uzal, a Dicla..."

VEDANTA

Essa palavra vem do termo *veda*, "conhecimento", e *anta*, "fim". Refere-se ao ideal desse sistema de pensamento hindu. Aponta para "o fim ou aperfeiçoamento do conhecimento e da revelação". A *Vedanta* é uma das seis escolas filosóficas do *hinduísmo*. No meu artigo sobre o assunto, em sua quinta seção, ofereço uma descrição sobre essas seis escolas. Essa escola interessava-se particularmente pelas porções finais dos hinos *Vedas* (vide), o que pode ter dado origem ao nome, em vez da idéia acima sugerida. A *Vedanta Sutra*, composta por Badarayana (materiais que datam de 500 a 200 a.C.), também é conhecida como *Uttara Mimamsa* (vide). A palavra *Vedanta* é empregada para denotar três diferentes períodos do pensamento hindu, e também, em particular, os últimos sistemas sectários que não são mais considerados obrigatórios como revelação geral. Denota o período final dos textos védicos, as *Upanishadas* (de cerca de 800 a.C.), ou então denota os comentários sobre as Upanishadas, as *Brahma-Sutras*, escritas no século I d.C. Mas também pode indicar o período de sistematização, baseado tanto nas *Upanishadas* quanto nas *Brahma Sutras*.

A *Uttara Mimamsa* trata de temas religiosos e filosóficos das porções finais dos Vedas; a *Purva Mimamsa* aborda as porções anteriores. As 555 *Sutras* (vide) da *Vedanta Sutra* também são chamadas *Brahma Sutra* e *Sariraka Sutra*, e abordam, principalmente, doutrinas relacionadas a Brahman, o "eu" não–condicionado.

Principais Interpretações da Vedanta:
1. *Shankara* afirmava que Brahman é a única realidade, pelo que o mundo captado por nossos sentidos seria ilusório. Brahman e Atman seriam idênticos.
2. *Ramanuja* admitia um pluralismo: Deus, os "eus" individuais e o mundo são individuais; mas os dois últi-

VEDANTA – VEIO POR ÁGUA

mos existem como o "corpo" de Deus, que se manifestaria de duas maneiras diversas. Ele acreditava na contínua existência das almas "emancipadas" (salvas).

3. *Mahva* asseverava a individualidade permanente de Deus, os "eus" e a matéria. E também ensinava a interpretação orgânica da natureza das coisas que existem.

Autoria. São dados nomes aos primeiros Vedas, mas esses nomes indicam figuras vagas, provavelmente mitológicas. A questão de autoria não era importante no caso daquelas escrituras religiosas, em contraste com as idéias de alguns cristãos, no tocante às suas próprias Sagradas Escrituras. *Brahmin Yajnavalkya*, um dos melhores brahmins, é mencionado como um de seus autores. Provavelmente, ele foi um autor-compilador. Yajnavalkya proveu muitas explicações de idéias. Outros nomes aparecem como co-debatedores: Raikva (de casta incerta), a esposa de Yajnavalkya, de nome Maitreyi, uma filósofa chamada Gargi, e um rei dos videhas, de nome Janaka. Esses nomes estão ligados às porções mais primitivas do material. Quanto ao segundo período vedanta *(Vedanta-Sutras)*, Badarayana (também conhecido como Vyasa) é mencionado como seu autor, mas não há qualquer personalidade bem definida ali. Talvez *Vyasa* refira-se à função profética e didática literária, e não a algum indivíduo, visto que essa palavra significa "colecionador", ou seja, algum editor ou editores pode ter estado envolvido no trabalho. Ou então Vyasa tenha sido um indivíduo que se ocupou desse tipo de trabalho. Quanto ao terceiro período de composição, três são as pessoas mencionadas: Shankara (cerca de 900 a.C.), Ramanuja (século I d.C.) e Madhva (século XIII d.C.). Esses três, sem qualquer sombra de dúvida, foram autores e compiladores históricos.

Outros detalhes acerca dessas questões e ensinamentos podem ser encontrados no artigo geral sobre o *Hinduísmo*.

VEDAS

Esse termo vem da palavra sânscrita que significa "conhecimento". Essas são as Sagradas Escrituras do hinduísmo, compiladas sob a forma de hinos, ritos, regulamentos sobre ritos e sacrifícios e ensaios religiosos e filosóficos. Esse material é chamado *sruti*, que quer dizer "a vera palavra revelada da divindade". Os mais antigos desses escritos remontam aos primeiros séculos das migrações arianas para a Índia, e alguns desses hinos certamente antecedem até mesmo esse período. Tão sagrados eram os Vedas nas mentes dos seguidores do hinduísmo, que nos primeiros dias, nenhuma pessoa de casta inferior podia ouvi-los ou recitá-los. Se ousasse fazer tal coisa, era derramado metal derretido sobre seus ouvidos e sobre a sua língua.

Divisões e Descrições

1. *Os Samhitas,* ou seja, hinos dirigidos a deuses e deusas, empregados nos cultos de adoração e nos sacrifícios. Existem quatro coletâneas dos mesmos: Rig, Sama, Yajur e Atharva, que eram empregadas por sacerdotes especificamente nomeados para a tarefa.

2. *Os Brahmanas,* que eram, essencialmente, uma coletânea de regras aplicadas aos sacrifícios.

3. *Os Aranyakas,* interpretações de sacrifícios e das idéias de natureza religiosa, filosófica, teológica e mística.

4. As *Upanishadas,* a parte concludente dos Aranyakas. Ver o artigo separado sobre as *Upanishadas*. Encontramos aí o ponto culminante dessas composições. As *Upanishadas* também eram conhecidas como *Vedantas* (vide). Existem mais de 200 desses hinos. As mais antigas *Upanishadas* datam de nada menos do século VIII a.C. Provêem as doutrinas básicas e ortodoxas do hinduísmo, chamadas *astikas*. Muitos desses hinos são filosoficamente neutros, provendo interpretações conflitantes, mas sem asseverar quais interpretações seriam melhores. Mas foi com base nos mesmos que emergiram os conceitos fundamentais da fé hindu. Consideremos os sete pontos abaixo:

a. *Atman,* a pessoa real, a alma. A contemplação é que nos fornece conhecimento acerca desse ser. b. A realidade de Brahman, o Absoluto. O conceito hindu do Ser supremo. Ele é a origem e o controlador de todas as coisas. c. O Brhadaranyaka Upanishadas, com seu *neti neti* (não isto, não isto), que é a abordagem negativa ao ser divino. Podemos dizer muitas coisas acerca do que Deus não é, ao mesmo tempo em que nos faltam definições positivas quanto à sua natureza real. Seja como for, Brahman é "a verdade da verdade". d. A real (atual) e final identificação *de Atman com Brahman,* que é outra maneira de falarmos na participação na natureza divina. e. Ignoramos esses grandes mistérios, e assim buscamos iluminação, mediante a meditação. e. O mundo material é ilusório, e podemos chegar a perceber isso, à medida que aumentam nossa iluminação e conhecimento. f. A vereda espiritual é caracterizada pela iluminação, pela fé, pelas boas obras e pelo conhecimento. g. Uma doutrina cardeal é o *karma,* vinculado à reencarnação.

5. *As Sutras* formam o último estágio da literatura védica, sendo, essencialmente, expressões e declarações aforísticas, que aludem às idéias principais e aos requisitos da religião védica. As Sutras abordam uma grande variedade de idéias: as questões místicas; os costumes e os deveres dos sacerdotes; os deveres sociais; a filosofia; a mágica; a astronomia, etc. As *Dharma Sutras* abordam, em sua maior parte, a questão dos deveres sociais; as Leis *de Manu* formam a parte principal desse material.

VEÍCULOS DO BUDISMO

Ver o artigo geral sobre *Budismo*. A palavra sânscrita por detrás dessa idéia é *yana,* que significa "carreira", "veículo", no sentido literal ou metafórico. Os veículos fariam a alma atravessar o mar da vida e da morte, até o *nirvana*. Dependendo dos intérpretes, haveria entre um e cinco desses veículos.

1. *Os Três Veículos (Triyana) da Escola Mahayana:* a. A *Sravaka* (ouvinte), também chamada de "pequeno veículo": a pessoa torna-se um *arhat,* um digno adepto, se seguir as quatro nobres verdades (ver sobre o *Budismo,* em sua segunda seção, ponto oitavo); b. a *Pratyeka-Buddha,* "Buda para o próprio indivíduo", que é o veículo intermediário, correspondente a um estágio mais alto de desenvolvimento espiritual. c. A *Bodhisattva,* "o Buda futuro", quando a alma altamente desenvolvida conduz outras almas à salvação. Esse é chamado de *Grande Veículo*.

2. *O Veículo Único (Ekayana),* a vereda recomendada pelas escolas Hua-yen e T'ien-t'ai. Essas escolas dizem que a multiplicidade dos "veículos" são meros caminhos expedientes. O Veículo Único, o Veículo Buda (Buddhayana) é descrito no *Lotus Sutra,* sendo considerado como o único veículo verdadeiro e todo-poderoso, e que pode conduzir os homens ao nirvana, ou seja, à participação naquilo que Buda teria alcançado em sua glória.

VEIO POR ÁGUA E SANGUE, CRISTO

Cristo veio por água e sangue; Testemunho do Espírito. (1 João 5:6-12).

O autor sagrado neste texto apressa-se a voltar à sua polêmica e declara agora o valor da morte de Cristo como expiação. Os gnósticos não criam que o Espírito-Cristo pudesse encarnar-se, porquanto consideravam a matéria como o próprio princípio do pecado, e o corpo humano participaria desse princípio. Se algum "aeon" ou o Cristo (o qual seria apenas um dentre muitos "aeons") se encarnasse na "matéria", ficaria contaminado. Além disso, parece que não criam na possibilidade metafísica da *encarnação*. Pensavam, portanto, que o Espírito–Cristo meramente viera apossar-se do corpo do homem Jesus de Nazaré, quando de seu batismo, tendo-o abandonado quando de sua crucificação. Nunca teria havido uma pessoa que era, ao mesmo tempo, divina e humana.

Essa *rejeição à encarnação* levava os gnósticos a pensarem que a autoridade de Cristo residia somente em seu *batismo*. Diziam eles: "Cristo veio pela água". Porém, não acreditavam que um "aeon" (como seria Cristo) pudesse morrer. Assim sendo, somente o homem Jesus teria morrido. Sua morte teria sido, quando muito, a morte de um mártir, que morrera por uma causa boa - não poderia ter qualquer valor como expiação, como se o próprio Cristo não pudesse sofrer ou morrer. Isso significa, além disso, que Cristo não viera "pelo sangue", pois sua missão não poderia ter incluído a morte. Portanto, não haveria qualquer valor expiatório na missão de Cristo. A seção à nossa frente ataca essa suposição errônea. O autor sagrado já havia demonstrado que Cristo realmente se encarnara, pelo que fora possível a "morte de Cristo". Agora, o autor sagrado haverá de mostrar que assim, realmente, sucedera, e que a morte de Cristo fora o motivo da expiação, ficando assim incorporada essa questão em sua missão e autoridade. Cristo viera "pelo sangue", e não somente pela água.

A verdadeira confissão, por conseguinte, reconhece sua encarnação; e a sua morte expiatória também está em foco, e não meramente a autoridade do batismo de Jesus Cristo. Os gnósticos reconheciam somente a autoridade de seu batismo, quando o *aeon* descera supostamente sobre o homem Jesus. Nisso, pois, os gnósticos haviam reduzido consideravelmente a compreensão da missão de Cristo. O Espírito Santo, entretanto, dá testemunho acerca da encarnação *e da expiação de Cristo,* porquanto o Espírito Santo é da verdade e propaga a verdade. Sobre a terra há três testemunhos: o do *Espírito* (que é o mediador da missão de Cristo em favor dos homens); *a água (o batismo -* o seu e o nosso, ao identificar-se conosco); *e o sangue,* que é a *expiação*.

VELA DA PÁSCOA
Ver **Páscoa, Vela da.**

VELAS
Ver sobre **Navios e Embarcações.**

VELHO TESTAMENTO (SEU USO PELOS CRISTÃOS PRIMITIVOS)
Ver *Uso do Antigo Testamento Pelos Cristãos Primitivos.*

VELHOS CATÓLICOS
Ver sobre *Católicos Antigos.*

VENCER, VENCEDOR
O verdadeiro crente terá de **vencer**, finalmente. A fé cristã é muito mais do que uma compilação de idéias teológicas. Mas pressupõe que o ministério do Espírito Santo torna a doutrina cristã operante na vida do crente. Várias passagens bíblicas descrevem esses vencedores:

1. *No Evangelho de João.* Jesus venceu o mundo, o qual é antagônico a Deus Pai. A missão do Filho chegou a bom termo e mostrou-se eficaz (ver João 16:33). Outras passagens do Novo Testamento mostram que Cristo desarmou as forças antagônicas (ver Luc. 11:22 e Col. 2:15).

2. *Em I João.* Vemos ali que os crentes em Cristo também vencem em seu conflito com o Maligno (ver 2:13,14). E isso é aplicado ao anticristo e seus agentes (4:4), e também ao mundo (5:4,5). A vitória moral está inseparavelmente ligada à sã doutrina e à verdadeira fé. Da mesma forma que Jesus teve uma missão a cumprir, e a cumpriu, assim também se dá no caso de seus irmãos, os crentes. O poder de Deus Pai está por detrás deles, da mesma forma que esteve por detrás de Cristo.

3. Na *Epístola aos Romanos.* O bem é um meio que nos capacita a vencer o mal (ver Rom. 12:21). Essa batalha contra o mal não pode ser vencida mediante a nossa passividade. O bem é um cultivo do Espírito de Deus, pelo que qualquer vitória do bem precisa ser atribuída à sua influência e atuação. Podemos ser supervencedores, conforme se aprende em Rom. 8:37, podendo derrotar um formidável exército de adversários. Isso é conseguido por causa do fato de que estamos identificados com Cristo.

4. *No Apocalipse.* As sete cartas dirigidas às sete igrejas da Ásia contêm, cada uma delas, um desafio dirigido aos vencedores. Ver 2:7,11,17,26; 3:5,12,21. Nesses casos, os vencedores são aqueles que atendem as exigências constantes naquelas cartas. Temos ali muitos mandamentos de cunho moral e espiritual, juntamente com proibições acerca de certos males. Além do desafio, em cada carta há alguma promessa ou promessas específicas, feitas aos vencedores, envolvendo a vida eterna e as realidades que a acompanham. Promessas aos vencedores são feitas em Apo. 21:7, atinentes à futura vida bem-aventurada dos remidos. O Cordeiro foi morto, mas, finalmente, vencerá os seus inimigos (Apo. 17:14). E a vitória dele é a nossa vitória. Na qualidade de Leão da tribo de Judá, é um vencedor total e inevitável. O mundo perdido haverá de seguir ao anticristo, a ímpia imitação do Cristo. Esse anticristo, ou fera, exercerá grande poder, mas, depois de um breve período, sucumbirá, afinal de contas.

VENENO
Esboço:
1. As Palavras e suas Definições
2. Referências no Antigo Testamento
3. Referências no Novo Testamento
4. Veneno nos Sonhos e nas Visões

1. As Palavras e suas Definições
Há duas palavras hebraicas envolvidas, e uma grega, a saber:

a. *Chemah,* "calor", "fúria". O sentido desse vocábulo deve-se à circunstância que alguns venenos causam uma sensação de queimadura no sistema digestivo ou sobre a pele. Ela figura por seis vezes com o sentido de "veneno": Deu. 32:24,33; Jó. 6:4; Sal. 58:4; 140:3.

b. *Rosh,* "veneno". Essa palavra hebraica só ocorre por uma vez em todo o Antigo Testamento, em Jó 20:16.

c. *Iós,* "veneno". Esse termo grego figura por três vezes no Novo Testamento, em Rom. 3:13 e Tia. 3:8; 5:1 Na primeira dessas referências, há uma citação de Sal. 140:3.

Um veneno é qualquer substância, química, mineral ou vegetal que, ao entrar em contato com o organismo humano, ou por ingestão, ou por contato com a pele, pode exercer um efeito maléfico.

VENENO – VENTO

2. *Referências no Antigo Testamento*
As plantas venenosas que medravam na Palestina incluem: a cicuta (Osé. 10:4; em nossa versão portuguesa, "erva venenosa"); e a colocíntida (II Reis 4:39). E também devemos pensar nas águas de Mará (Êxo. 15:23) e nas águas de Jericó (II Reis 2:9), talvez envenenadas devido a alguma erva venenosa. Também são mencionados animais dotados de peçonha, como os répteis e as serpentes (ver Deu. 32:24; Sal. 57:4), os dragões (Deu. 33:33) e a áspide (Sal. 140:3). O trecho de Jó 20:16 mostra como os ímpios serão punidos com veneno de áspides. Um uso ritualista era o caso da água amarga que uma mulher suspeita de adultério precisava ingerir (ver Núm. 4:11-31). Ver esse incrível costume hebreu descrito no artigo chamado *Água Amarga*. Outrossim, devemos levar em conta a desumanidade do homem contra o homem, no emprego das flechas envenenadas (ver Jó 6:4).

3. *Referências no Novo Testamento*
Lemos em Rom. 3:13: "...veneno de víboras está nos seus lábios..." Essas palavras são descritas metaforicamente para descrever a depravação de homens ímpios, que assim precisam de redenção a fim de reverterem o seu curso maligno. E a passagem de Tiago 3:8 fala sobre a língua venenosa de certas pessoas, que a usam como instrumento que fere e calunia, para detrimento de seus semelhantes.

4. *Veneno nos Sonhos e nas Visões*
Um ódio concentrado contra alguém pode ser simbolizado, nos sonhos e nas visões, mediante o ato de envenenar essa pessoa. O veneno também pode ser emblema de más idéias que corrompem a mente, ou de atitudes odiosas que perturbam a alma, e que acabam por prejudicar a outras pessoas.

VENERAÇÃO À VIRGEM MARIA
Ver os dois artigos chamados *Mariolatria* e *Mariologia*.

VENERAÇÃO AOS SANTOS
Ver sobre *Santos (Eclesiásticos)*, quinta seção, *Veneração aos Santos*.

VENERAÇÃO DE HERÓIS
Na cultura da época clássica, um **herói** era uma espécie de semideus, que atingira essa posição por meio de atos de bravura, especialmente em batalha, ou então, por causa de algum elevado serviço prestado ao povo. Além desses, havia os heróis de uma cultura qualquer, que teria ensinado aos homens os princípios daquelas atividades essenciais, como a agricultura, a edificação de prédios, a tecelagem, a medicina e as muitas artes que fazem parte de todas as civilizações. Alguns heróis, de acordo com as tradições dos povos, tornaram-se chefes de clãs, fundadores de povos, ou então santos (e fundadores) de religiões. Dentro das mitologias, os cabeças de clãs ou profetas, com freqüência, recebiam a posição de heróis, se os serviços por eles prestados tivessem merecido para eles a condição de seres semidivinos.

Os antepassados de uma certa dinastia que dominou a China chegaram a ser reputados deuses que habitavam nos céus, pelo que eram uma espécie de heróis. Muitos dos deuses populares da antiguidade eram apenas homens que vieram a ser considerados divinos, em face das vidas que tiveram. No Egito, os reis falecidos supostamente adquiriam elevadas posições no após-túmulo, e então começavam a ser adorados. Os imperadores do Japão recebiam a devoção de seus súditos, como se fossem descendentes da deusa sol. Os heróis dos poemas épicos dos países nórdicos, na Europa, ou então da Grécia e da Índia por serem poderosos guerreiros eram reverenciados, pelo que eram até mesmo adorados. De acordo com a antiga religião hindu, os heróis eram adorados porque eram tidos como encarnações de divindades. No Japão, os homens que morrem com bravura, na guerra, são reverenciados e tratados como divinos. Na antiga Grécia, o culto aos heróis tinha posição de destaque. Esse era um culto funcional, visto que se esperava que os heróis voltassem a viver, ajudando ao povo em tempos de crise, observando e recompensando aquelas atividades no culto, ajudando as mulheres a serem férteis, ajudando os soldados em batalha, curando, e realizando toda forma de serviço em favor dos devotos. O paralelo às crenças sobre os "santos", na Igreja cristã, é muito parecido com isso para passar despercebido. Apesar de os espíritas (vide) não venerarem os espíritos que estão do outro lado da vida (no que eles mostram ser mais sábios do que outros religiosos), por outro lado, esperam ajuda, orientação e instrução, da parte de almas que se acham do outro lado da existência. Doutrinas como essas originaram-se na ansiedade dos homens por afirmarem que aquilo que uma pessoa faz nesta vida pode reverberar grandemente no outro lado da existência, por ocasião da glorificação dessa pessoa. As Escrituras Sagradas concordam com essa tese. Os homens são glorificados em Cristo, e chegam mesmo a participar da natureza divina (II Ped. 1:4; Col. 2:10). Porém, isso não os transforma em um grupo de mediadores, dignos de veneração da parte dos homens. Sem dúvida alguma, Deus pode delegar os espíritos e realmente o faz, e isso de vários níveis, para ajudar aos homens. Na verdade, é nisso que consiste o ministério dos anjos. Porém, no caso dos anjos, não podemos pensar em venerá-los, sob hipótese alguma.

VENÉREA
Ver sobre **Doenças Venéreas.**

VENIAL (PECADO)
Ver o artigo *Pecado Mortal e Pecado Venial*.

VENTO
Temos a considerar uma palavra hebraica e três palavras gregas, quanto a este verbete, isto é:

1. *Ruach*, "vento". Esse vocábulo hebraico aparece por um total de 370 vezes, com o seu sentido principal de "espírito", além de outros. Com o sentido de "vento", aparece por 91 vezes, desde Gên. 8:1 até Zac. 5:9.

2. *Ãnemos*, "vento". Essa palavra grega ocorre por 30 vezes no Novo Testamento: Mat. 7:25,27; 8:26,27; 11:7; 14:24,30,32; 24:31; Mar. 4:37; 4:39,41; 6:48,51; 13:27; Luc. 7:24; 8:23,25; João 6:18; Atos 27:4,7,14, 15; Efé. 4:14; Tia. 3:4; Jud. 12 e Apo. 6:13; 7:1.

3. *Pneuma*, "espírito", "vento". Com o sentido de vento, figura apenas por uma vez, em João 3:8, nas famosas palavras de Jesus a Nicodemos, pois, certamente, o trecho emprega um jogo de palavras: "O vento sopra onde quer, ouves a sua voz, mas não sabes donde vem, nem para onde vai; assim é todo o que é nascido do Espírito".

4. *Pnoé*, "vento". Palavra grega usada somente por duas vezes, em todo o Novo Testamento: Atos 2:2 e 17:25.

O termo hebraico *ruach* é cognato do ugarítico *rh*, que algumas autoridades pensam ser oriunda da raiz *r w h*, embora isso seja duvidoso, pois o cognato fenício é apenas *rh*. O sentido dessa raiz é difícil de determinar, embora muitos estudiosos aceitem "sopro" ou "brisa". É uma palavra usada para indicar qualquer agitação ou movi-

VENTO – VENTO, PÉ DE

mento do ar, seja pela força de alguma tempestade, como em Osé. 13: 15, seja pela respiração do homem, como em Jó 9:18. A distribuição dialética de vocábulos para indicar sopro, nos idiomas semíticos, exibe um padrão bastante confuso, com muitas expressões idiomáticas. No tocante ao volume do Antigo Testamento, é interessante observar que essa palavra hebraica, *ruach*, faz-se totalmente ausente, ao passo que é muito freqüente, em outros livros daquela coletânea. Em um sentido derivado, esse termo hebraico também indica "vaidade", em um sentido metafórico, algo tão sem substância quanto o ar, conforme se vê em Jer. 5: 13.

A mais difícil ocorrência do termo hebraico *ruach* encontra-se em Gênesis 1:2. Tradicionalmente, essa passagem tem sido vinculada ao trecho de Gênesis 8:1, mas, sem qualquer razão verdadeira. Em nossa versão portuguesa, essas passagens dizem, respectivamente: "...o Espírito de Deus pairava por sobre as águas"; e: "...Deus fez soprar um vento sobre a terra, e baixaram as águas". É claro que as duas passagens não estão falando sobre uma mesma coisa. Antes, a ligação de Gênesis 1:2 é com Jó 33:4, onde lemos: "O Espírito de Deus me fez; e o sopro do Todo-poderoso me dá vida". Gênesis 1:2 e Jó 33:4 indicam atividades divinas, pelo Santo Espírito.

No Novo Testamento, o termo principal é *ánemos*, termo grego que corresponde à palavra portuguesa vento. Essa é a palavra que a Septuaginta usa para traduzir o termo hebraico *ruach*, em cerca de 50 ocorrências, quase exclusivamente quando descreve fenômenos naturais. *Pneuma*, outra palavra grega, entretanto, também foi empregada como tradução de *ruach*, em 264 citações. Explica-se isso facilmente, dizendo que ruach encerra os dois sentidos, que o grego desdobra em *pneuma* e em *ánemos*. *Pneuma* aponta muito mais para o "espírito", ao passo que *ánemos* indica muito mais o "vento".

Usos Simbólicos. É fácil compreender como o vento é usado ilustrativamente para muitas idéias de cunho espiritual, visto que, embora invisível diretamente para o olho humano, seus efeitos são perfeitamente perceptíveis. Podemos perceber 13 desses usos ilustrativos do vento.

As operações do Espírito de Deus (Eze. 37:9; João3:8; Atos 2:2).
A vida humana (Jó 7:7).
Os discursos dos desesperados (Jó 6:26).
Os terrores que perseguem a alma humana (Jó 30:15).
As imagens de escultura (Isa. 41:29).
A iniqüidade, que conduz à destruição (Isa. 64:6).
As falsas doutrinas (Efé. 4:14).
Os ímpios, sob a forma de palha tangida pelo vento (Jó 21:18; Sal. 1:4).
Os que se jactam de dons falsos, sob a forma de vento sem chuva (Pro. 25:14).
Os juízos de Deus (sob a forma de vento destruidor) (Isa. 27:8; 29:6; 41:16).
A maldição do pecado (sob a forma de ventos semeados) (Osé. 8:7).
As vãs esperanças (sob a forma de vento como alimento) (Osé. 12:1).
As expectações que não se cumprem (Isa. 26:18).
Ver também o artigo *Clima*. E também outros vinculados a este, como *Tempestade, Tufão, Pé-de-Vento, Redemoinho*, etc.

VENTO, PÉ DE

Quatro palavras hebraicas devem ser consideradas neste verbete. Embora sejam muito raros os verdadeiros tornados na Palestina, há violentos vendavais que ocorrem nas proximidades das montanhas e dos lagos que ficam próximos dos desertos quentes. Sabe-se hoje, mediante os estudos da meteorologia, que camadas de ar quente e de ar frio, quando se encontram, causam aguaceiros e vendavais. A porção norte do vale do Jordão, bem como a área de Tiberíades, tanto no Antigo quanto no Novo Testamento, tornaram-se notórias devido à freqüência com que surgem essas condições tempestuosas. As quatro palavras hebraicas são as seguintes:

1. *Suphah*, "vendaval", "pé-de-vento". Esse vocábulo aparece por 15 vezes: Jó 37:9; Pro. 1:27; 10:25; Isa. 5:28; 17:13; 21:1; 29:6; 66:15; Jer. 4:13; Osé. 8:7; Amós 1:14; Naum 1:3; Sal. 83:15; Jó 21:18; 27:20. No Antigo Testamento, nenhuma outra palavra ocorre com mais freqüência do que essa, para dar a entender essas tempestades.

2. *Saar*, "tempestade", "vendaval". É um termo cognato do acádico *saru*, "vento", que é um sentido secundário dessa palavra, no Antigo Testamento. Como substantivo, esse termo figura por 14 vezes: Hab. 3:14; Zac. 7:14; Jer. 23:19; 25:32; 30:23; Dan. 11:40; Isa. 54:11; Sal. 55:8; 58:9; 83:15; Amós 1:14; Jon. 1:4,12. Em Jer. 25:31 e outras passagens, a palavra é usada como símbolo do mal ou do julgamento divino.

3. *Searah*, "redemoinho". Com duas formas variantes na grafia, essa palavra figura por 18 vezes: II Reis 2:11; Jó 9:17; 38:1; 40:6; Isa. 29:6; 40:24; 41:16; Jer. 23:19; 30:23; Zac. 9:14; 107:25,29; 148:8; Eze. 1:9; 13:11,13; Naum 1:1

4. *Timeroth*, "coluna de fumaça". Está em foco um redemoinho em miniatura, mencionado somente por duas vezes, em Can. 3:6 e Joel 2:30. Citamos ambas essas passagens: "Que é isso que sobe do deserto, como colunas de fumo ...?" "Mostrarei prodígios no céu e na terra; sangue, fogo e colunas de fumo..." Na antiguidade, essas colunas de fumaça eram comuns nas porções mais secas da Palestina. Se isso fala na sequidão do estio, então a passagem de Joel reveste-se para nós de um interesse todo especial, por ser um dos sinais da aproximação da segunda vinda do Senhor Jesus. Pela lógica, pode-se deduzir que haverá condições de grande seca, dominando boa parte da terra, com todas as misérias que isso representa. Nesse caso, também podemos evocar a atuação dos dois profetas do Apocalipse. Lemos ali: "Elas (as duas testemunhas) têm a autoridade para fechar o céu, para que não chova durante os dias em que profetizarem..." (Apo. 11:6).

No Novo Testamento encontramos a palavra grega *lailaps*, por três vezes utilizada, em Mar. 4:37; Luc. 8:23 e II Ped. 2:17. Nos evangelhos, a palavra é empregada para indicar o tufão de vento que se levantou sobre o lago ou mar da Galiléia, quando Jesus e seus discípulos atravessaram-no em uma embarcação, quando, então, Jesus operou um dos seus mais notáveis milagres sobre a natureza (ver Mar. 4:35-41, quanto à história inteira). Na passagem de II Pedro, o apóstolo caracterizava a inconstância espiritual e moral daqueles que abandonam o reto caminho do Senhor. Escreveu ele: "Esses tais são como fonte sem água, como névoas impelidas por temporal. Para eles está reservada a negridão das trevas..."

O termo grego *lailaps* indica "pé-de-vento". Na linguagem simbólica da Bíblia, os redemoinhos, pés-de-vento, temporais, etc., apontam para a ira retributiva de Deus. Citemos Jer. 23:19. "Eis a tempestade do Senhor! O furor saiu e um redemoinho tempestuou sobre a cabeça dos perversos". Além desse significado simbólico, também há um uso metafórico que indica os frutos da injustiça, conforme se depreende de Osé. 8:7: "Porque semeiam ventos, e segarão tormentas...", o que faz lembrar imediatamente um ditado popular.

VENTO ORIENTAL – VERDADE

VENTO ORIENTAL

Ver o artigo sobre os *Ventos*. O vento oriental era e continua sendo uma força ressecadora, destruidora. Soprava através do deserto. Foi o vento oriental que ressecou as espigas do sonho de Faraó. Mais estritamente falando, esse vento era o vento sudeste (*chamsin*). Sopra do interior do deserto, principalmente em maio e outubro, e resseca a vegetação (Gên. 41:6; Eze. 17: 10). Secam-se então as fontes de água e os riachos (Osé. 13:15). Algumas vezes, esse vento sopra com força suficiente para causar danos às propriedades (Jó 1:19). Esse foi o vento que a Providência divina usou para dividir as águas, a fim de que Israel pudesse cruzar a pé enxuto o mar Vermelho (Êxo. 14:21). A seca é um juízo divino, e esse vento era um instrumento desse propósito (Isa. 27:8; Jer. 4:11,12; 18:17). Esse vento deixou Jonas aborrecido (Jon. 4:8). Foi um vento oriental, na direção nordeste, que fez o navio de Paulo afastar-se de sua rota, chamado Euroaquilão (Atos 27:14). A expressão "ardente calor", em Tia. 1:11 poderia referir-se ao siroco (no grego, *kauson*), um vento sudoeste que sopra da costa norte-africana para a Itália, a Sicília e a Espanha. Trata-se de um vento quente, seco e, com freqüência, poeirento. Essa palavra vem do árabe, *sharaqa*, "nascimento", por meio do italiano, *scirocco*.

VENTRE

Há cinco palavras hebraicas e três gregas, que precisam ser levadas em consideração neste verbete:

1. *Beten*, "ventre", palavra hebraica usada por cerca de 70 vezes. Por exemplo: Núm. 5:21,22, 27; Jó. 3:11; Sal. 17:14; Pro. 13:25; Hab. 3:16.

2. *Gachom*, "ventre dos répteis", palavra hebraica usada por duas vezes apenas, Gên. 3:14 e Lev. 11:42.

3. *Keres*, "papo". Palavra usada por apenas uma vez, em Jer. 51:34.

4. *Meim*, "intestinos", palavra usada por 32 vezes. Por exemplo, Cant. 5:14; Dan. 2:32; Jon. 1:17; 2:1.

5. *Qobah*, "oco". "Palavra usada somente em Núm. 25:8.

Apesar do hebraico ter uma palavra específica para "útero" (no hebraico, *racham* ou *rechem*), na maioria das vezes é usada a designação mais geral, "ventre", para indicar esse órgão feminino. A mesma coisa se dá com o grego. O vocábulo grego geral é *gastér*, "ventre", mas são usadas duas outras palavras, *koilia*, "oco", *e métra*, "útero". Outro tanto se dá com o português, pois falamos no ventre de um homem ou de uma mulher, mas só falamos no útero de uma mulher.

6. *Gastér*, "ventre". Palavra grega usada por nove vezes. (Ver Mat. 1:18, 23; 24:19; Mar. 13:17; Luc. 1:31; 21:23; I Tes. 5:3; Tito 1:12; Apo. 12:2).

7. *Koilia*, "oco". Palavra grega usada por 22 vezes. Ver Mat. 12:40; 15:17; 19:12; Mar. 7:19; Luc. 1:15,41,42,44; 2:21; 11:27; 15:16; 23:29; João 3:4; 7:38; Atos 3:2; 14:8; Rom. 16:18; I Cor. 6:13; Gál. 1:15; Fil. 3:19 e Apo. 10:9,10.

8. *Métra*, "útero". Palavra grega usada somente por duas vezes: Luc. 2:23 e Rom. 4:19.

Entre os antigos hebreus, o ventre era considerado sede dos afetos carnais. Isso é refletido em Fil. 3:9 e Rom. 16:19. As referências literais, no Antigo Testamento, incluem trechos como Juí. 3:21; Sal. 17:14; Pro. 13:25; Sal. 22:9; 139:13. Números 5:21-27 fala sobre o abdome distendido da mulher que, suspeita de adultério, submetia-se à prova do ciúme, e era apanhada como culpada. Quanto aos intestinos como local das emoções, ver Isa. 16:11; Jer. 4:19. Como sede do riso, ver Gên. 18:12. E como sede dos pensamentos, ver Jer. 4:14.

Usos Figurados. 1. O ventre simboliza o coração ou a alma, difíceis de serem sondados (Pro. 18:8). 2. Lugar onde o engano é preparado (Jó 15:35). 3. Uma série de males que podem sobrevir a um homem é representado pelo ventre (Jer. 4:19), embora nossa versão portuguesa, mais em consonância com os sentimentos de hoje em dia, fale sobre o "coração". 4. O ventre e as coxas de bronze do sonho de Nabucodonosor, que representavam o império grego de Alexandre o Grande. 5. Os habitantes de Creta, inclinados à glutonaria, ao ócio e à preguiça (Tito 1: 12). 6. O ventre do peixe que engoliu Jonas, e dentro do qual ele se sentia como que na sepultura (Jon. 2:2). 7 . O coração (João 7:39). (ID ND S Z)

VÊNUS

Esse era o nome da deusa romana que equivalia à divindade grega *Afrodite*, a deusa do amor e da beleza. Os mitos que se tinham acumulado em torno de Afrodite foram adotados pelo culto romano a Vênus.

VERÃO

No hebraico, *qayits*, "arrancar" ou "recolher" isto é, a "colheita". Essa palavra ocorre por 11 vezes com esse sentido, e também pode significar "fruto de verão". Essas 11 vezes são: Gên. 8:22; Sal. 32:4; 74:17; Pro. 6:8; 10:5; 26:1; 30:25; Isa. 28:4; Jer. 8:20; Amós 3: 15; Zac. 14:8. Nossa versão portuguesa usa o vocábulo "verão" ou "estio", para indicar essa estação do ano. No grego encontramos a palavra *théros*, "verão", por três vezes: Mat. 24:32; Mar. 13:28 e Luc. 21:30. O termo aramaico cognato, *gayit*, aparece somente em Dan. 2:35.

No hebraico, a mesma palavra é usada para indicar o verão e os produtos agrícolas do verão, que nossa versão portuguesa traduz por "frutos do verão". Na Palestina, o verão ocorre entre maio e outubro. Esses meses são praticamente sem qualquer precipitação de chuva. Portanto, no verão havia seca (Sal. 32:4), um calor opressivo, mas também de muito trabalho nos campos (Pro. 10:5; Jer. 8:20). A principal atividade humana no verão era a colheita (razão pela qual, no grego, o verbo "colher", é *therizo*, baseado no substantivo *théro*, um verbo que ocorre por 20 vezes, de Mat. 6:26 a Apo. 14:15,16). Primeiramente havia a colheita das primícias (cf. Isa. 28:4, onde nossa versão portuguesa diz "figo prematuro"), e somente mais tarde vinha a colheita principal. Se a colheita fosse adiada por algum tempo, o produto da terra tornava-se maduro demais e se estragava, como se vê na visão dos "frutos de verão" (Amós 8:1,2).

Dentro do simbolismo cristão, no tocante à ressurreição, esta aparece como uma colheita. O Senhor Jesus aparece então como as "primícias", e todos os crentes regenerados como a "colheita principal". Explicou o apóstolo Paulo: "Cada um, porém, por sua própria ordem: Cristo, as primícias; depois os que são de Cristo, na sua vinda." (I Cor. 15:23).

VERBO

Ver o artigo intitulado **Logos (Verbo)**.

VERBO (O LOGOS)

Ver o artigo sobre **Logos (Verbo)**.

VERDADE

Esta enciclopédia oferece vários artigos a respeito deste tema. Ver uma lista na introdução do artigo que segue: *Verdade (Na Bíblia e Outras Considerações)*.

VERDADE

A filosofia lingüística ensina-nos que é impossível definir grandes termos como "justiça", "bondade", "beleza", "verdade", etc. Nossos esforços para definir terminam em descrições parciais. Os diversos artigos apresentados sobre a *Verdade* servem para descrever a verdade de vários ângulos.

VERDADE (Na Bíblia e Outras Considerações)

O estudo sobre a **Verdade** é vasto. Diversos artigos sobre este tema são apresentados nesta enciclopédia. Além do artigo que segue, que é essencialmente bíblico, ver os seguintes:
1. *Conhecimento e a Fé Religiosa*, especialmente seção II, Teorias da Verdade–Critérios.
2. *Verdade, Cristo Como*.
3. *Verdade, O Evangelho Como*.
4. *Verdade na Filosofia*.
Esboço:
I. Terminologia e Usos Bíblicos
II. Três Conceitos da Verdade na Bíblia
III. Conceitos Filosóficos da Verdade
IV. Teorias da Verdade

I. Terminologia Bíblica

No hebraico devemos considerar uma palavra e no grego, também uma, a saber:
1. *Emeth*, "verdade", "constância". Esse vocábulo hebraico ocorre por 92 vezes no Antigo Testamento, conforme se vê, para exemplificar, em Gên. 24:27; 42:16; Êxo. 18:21; Deu. 13:14; Jos. 24:14; Juí. 9:15; I Sam. 12:24; II Sam. 2:6; I Reis 2:4; II Reis 20:3,19; II Crô. 18:15; Est. 9:30; Sal. 15:2; 25:5,10; 30:9; 31:5; 40:10,11; 43:3; 51:6; 57:10; 61:7; 71:22; 91:4; 145:18; 146:6; Pro. 3:3; 8:7; 12:19; 23:23; Ecl. 12:10; Isa. 10:20; 16:5; 38:18,19; Jer. 4:2; 9:5; Dan. 8:12; 9:13; Osé. 4:1; Miq. 7:20; Zac. 8:3,8,16,19; Mal. 2:6. Há outras formas dessa palavra e outros vocábulos que ocorrem por algumas poucas vezes, e que também podem ser traduzidos como "verdade".
2. *Alétheia*, "verdade". Palavra grega que é usada por 110 vezes: Mat. 22:16; Mar. 5:33; 12:14,32; Luc. 4:25; 20:21; 22:59; João 1:14,17; 3:21; 4:23,24; 5:33; 8:32,40,44-46; 14:6,17; 18:37,38; Atos 4:27; 10:34; Rom. 1:18,25; 2:2,8,20; I Cor. 5:8; 13:6; II Cor. 4:2; 6:7; 13:8; Gál. 2:5,14; 5:7; Efé. 1:13; 4:21,24,25; 5:9; 6:14; Fil. 1:18; Col. 1:5,6; II Tes. 2:10,12,13; I Tim. 2:4,7; 3:15; 4:3; 6:5; II Tim. 2:15,18,25; 3:7,8; 4:4; Tito 1:1,14; Heb. 10:26; Tia. 1: 18; 3:14; 5: 19; I Ped. 1: 22; II Ped. 1:12; 2:2; I João 1:6,8; 2:4,21; 3:18,19; 4:6; 5:6; II João 1-4; III João 1,3,4,8,12.

No Antigo Testamento, a palavra *emeth* e seus cognatos indicam as idéias de firmeza, estabilidade, fidelidade, alguma base fidedigna de apoio. É uma qualidade atribuída tanto a Deus quanto às criaturas. Também é atribuída não somente às mais diversas afirmações (por exemplo, Rute 3:12), mas também à conduta (ver Gên. 24:49) e às promessas (II Sam. 7:28). A verdade é associada na Bíblia à gentileza (Gên. 47:29), à justiça (Nee. 9:13 e Isa. 59:14) e à sinceridade (Jos. 24:14). Por essas razões, a Septuaginta, com freqüência, a traduz pelo termo grego *pístis*, "fé", "fidelidade", "convicção", a fim de expressar o aspecto moral, em vez de empregar *alétheia*, "verdade".

Nas páginas do Novo Testamento, *alétheia* retém a ênfase moral e personalista que o termo paralelo hebraico tem no Antigo Testamento, embora a noção de fidelidade, com mais freqüência, seja transmitida através da palavra grega *pístis*. Etimologicamente, *alétheia* sugere que alguma coisa tenha sido descoberta, revelada, segundo a sua verdadeira natureza, dando a idéia daquilo que é real e genuíno, em contraposição com o que é imaginário ou espúrio, ou, então, daquilo que é veraz, em contraposição com o que é falso. Assim, lemos a respeito do "verdadeiro Deus" e da "verdadeira vinha", tal como o Credo Niceno fala sobre "o vero Deus do vero Deus". O adjetivo grego, *aléthinos*, aparece em contextos assim, ao passo que *alethés* é palavra empregada como um predicado (ver Mat. 22:16; João 3:33, etc.). A julgar pelo uso que esses dois adjetivos têm no Novo Testamento, não se pode averiguar qualquer diferença essencial no significado fundamental desses dois termos, Porém, as referências neotestamentárias a declarações verazes tornam evidente que o conceito de verdade cognitiva deriva-se das noções de franqueza ou caráter fidedigno (ver, por exemplo, Mar. 5:33; 12:32; João 8:44-46; Rom. 1:25 e Efé. 4:25).

O conceito cognitivo é mais explícito no Novo Testamento do que no Antigo Testamento. A verdade está ligada não somente à fidelidade e à justiça, mas também ao conhecimento e à revelação. Isso se deve, pelo menos em parte, à intrusão da cultura grega com seus interesses mais acentuadamente teóricos no mundo judaico; e, também, em parte, ao idioma grego, e, portanto, seria um erro supormos que a língua grega e, portanto, o uso que o Novo Testamento faz do vocábulo *aletheia*, reflita um dualismo platônico, e, portanto, uma epistemologia platônica ou mesmo gnóstica. Pois, em primeiro lugar, a filosofia grega é muito variada do que isso subentende: não havia somente uma epistemologia grega. Em segundo lugar, os escritos bíblicos moldavam os significados que queriam dar a entender, mediante o seu próprio uso criterioso dos vocábulos. Sem dúvida alguma, ao escreverem para uma cultura já helenizada, com suas diferentes compreensões acerca da verdade, esses escritores conservavam em mente a idéia de verdade cognitiva. Todavia, a maneira de pensar dos escritores sagrados era mais diretamente moldada pelos conceitos veterotestamentários e acima de tudo, pela crença de que o verdadeiro Deus, o Deus *alethinós*, não vive oculto, mas antes, age e fala com uma franqueza totalmente digna de confiança *(alethés)*.

A Verdade que Conhecemos

1. Sabemos bem pouco, mas aquilo que sabemos é imensamente importante.
2. Em contraste com o conhecimento de um historiador, que depende de pesquisas do passado distante, e isso contando com meios inadequados, a busca pela verdade religiosa depende da revelação. A revelação depende do interesse de Deus pelo mundo, e é evidência do mesmo.
3. A verdade é comprovada nas vidas daqueles que são transformados segundo a imagem de Cristo. Poder é necessário para que isso se concretize, e o que é bom traz consigo suas próprias evidências.

A sabedoria não é finalmente testada nas escolas,
A sabedoria não pode passar de quem a tem para quem não a tem,
A sabedoria da alma não é suscetível de prova, é sua própria prova.
(Walt Whitman, Canção da Estrada Aberta).

Conforme disse Aristóteles (Retórica 11.13), a verdade é que os homens se vão tornando menos e menos dogmáticos, à proporção que envelhecem, reconhecendo cada vez mais a *vastidão* da verdade, e isso certamente é o caso da verdade de Cristo, pois é infinitamente ampla e não pode ser contida por qualquer credo ou denominação religiosa, porquanto é impossível alguém cercar Deus com uma sebe.

VERDADE

4. *Contra a Arrogância*
a. A fé não consiste em não crer em algo que não é a verdade. Um dogma pode servir de obstáculo para a verdade.
b. Nenhuma denominação ou fé isolada pode ser guardiã da verdade divina. Podemos aprender coisas de outros, e as janelas deveriam ser mantidas abertas, para permitir que a luz entre, para que possa haver crescimento.

Da preguiça que aceita meias verdades,
Da arrogância que pensa conhecer toda a verdade,
Ó Senhor, livra-nos.
(Arthur Ford)

O próprio Paulo exibiu grande confiança: "Sei em quem tenho crido", e, no entanto, aludiu a si mesmo como mero principiante na inquirição pela verdade espiritual. (Ver II Tim. 1:12, em comparação com Fil. 3:10-14. Quanto a Jesus como a personificação da "verdade", ver João 14:6).

5. *Descrições e Elementos da Verdade*
Deus é o Deus da verdade (Deu. 32:4; Sal. 31:5).
Cristo é a verdade (João 14:6 com João 7:18).
Cristo estava repleto de verdade (João 1:14).
Cristo falou a verdade (João 8:45).
O Espírito Santo é o Espírito da verdade (João 14:17).
O Espírito Santo nos guia a toda verdade (João 16:13).
A Palavra de Deus é a verdade (Dan. 10:21; João 17:17).
Deus encara a verdade favoravelmente (Jer. 5:3).
Os juízos divinos são segundo a verdade (Sal. 96:13; Rom. 12).
Os santos deveriam:
Adorar a Deus na verdade (João 4:24 com Sal.145:18).
Servir a Deus na verdade (Jos. 24:14; 1 Sam. 12:24).
Andar diante de Deus na verdade (I Reis 2:4; II Reis 20:3).
Observar as festividades religiosas na verdade (I Cor.5:8)
Estimar a verdade como preciosíssima (Pro. 23:23).
Regozijar-se na verdade (I Cor. 13:6).
Falar a verdade uns com os outros (Zac. 8:16; Efé. 4:25).
Meditar sobre a verdade (Fil. 4:8).
Escrever a verdade sobre as tábuas do coração (Pro.3:3).
Deus deseja a verdade no coração (Sal. 51:6).
O Fruto do Espírito se verifica na verdade (Efé. 5:9).
Os ministros deveriam:
Falar a verdade (II Cor. 12:6; Gál. 4:16).
Ensinar a verdade (I Tim. 2:7).
Ser aprovados pela verdade (II Cor. 4:2; 6:7,8; 7:14).
Os magistrados deveriam ser homens caracterizados pela verdade (Êxo. 18:21).
Os reis são preservados pela verdade (Pro. 20:28).
Os que dizem a verdade:
Exibem a retidão (Pro. 12:17).
Serão firmados (Pro. 12:19).
São deleitáveis para Deus (Pro. 12:22).
Os ímpios:
São destituídos da verdade (Osé. 4:1).
Não dizem a verdade (Jer. 9:5).
Não sustentam a verdade (Isa. 59:14,15).
Não pleiteiam pela verdade (Isa. 59:4).
Não são corajosos em defesa da verdade (Jer. 9:3).
Serão punidos por não terem a verdade (Jer. 9:5,9; Osé. 4:1).
O evangelho, como a verdade:
Veio por meio de Cristo (João 1:17).
Cristo dá testemunho da verdade (João 18:37).
Ela se acha em Cristo (Rom. 9:1; I Tim. 2:7).
João deu testemunho da verdade (João 5:33).
Ela é segundo a piedade (Tito 1:1).
Ela é santificadora (João 17:17,19).
Ela é purificadora (I Ped. 1:22).
Ela faz parte da armadura cristã (Efé. 6:14).
Ela é revelada abundantemente aos santos (Jer. 33:6).
Ela permanece com os santos (II João 2).
Ela deveria ser reconhecida (II Tim. 2:25).
Ela deveria ser crida (II Tes. 1:12,13; 1 Tim. 4:3).
Ela deveria ser obedecida (Rom. 2:8; Gál. 3: 1).
Ela deveria ser amada (II Tes. 2:10).
Ela deveria ser corretamente manuseada (II Tim. 2:15).
Os ímpios se afastam da verdade (II Tim. 4:4).
Os ímpios resistem à verdade (II Tim. 3:8).
Os ímpios estão destituídos da verdade (I Tim. 6:5).
A igreja é a coluna e o baluarte da verdade (I Tim. 3:15).
O diabo é despido de verdade (João 8:44).

II. Três Conceitos de Verdade na Bíblia

O uso que a Bíblia faz da palavra *verdade*, sugere três conceitos relacionados entre si, a saber: 1. a verdade *moral;* 2. a verdade *ontológica;* e 3. a verdade *cognitiva.* Naturalmente, os conceitos 2 e 3 dependem, logicamente, do conceito 1; e o conceito 3 depende, logicamente, dos conceitos 1 e 2. Em cada um desses casos, entretanto, a base da verdade se encontra em Deus, que é a fonte originária e o padrão de 1, a retidão; *2, o* ser; e 3, o conhecimento.

1. A Verdade Moral. A verdade é *um* dos *atributos* de Deus. Como tal, esse vocábulo se refere à integridade, ao caráter digno de confiança e à fidelidade de Deus. Um poeta hebreu celebra esse atributo em Salmos 89, e o profeta Oséias o faz em Osé. 2:19-23. Em ambos os casos, a verdade divina é combinada com a misericórdia e o amor de Deus. De acordo com Deuteronômio 32:4, Salmos 100:5 e 146:6, a fidelidade de Deus é revelada por meio da criação; e, no livro de Apocalipse, esse é o atributo de Deus sobre o qual repousa a expectativa de juízo (ver Apo. 3:7,14; 6:10; 15:3,4; 19:11 e 21:5).

Visto que o caráter divino deve ser imitado pelos homens, a verdade também deveria ser uma qualidade, virtude ou atributo humano. Por esse prisma, a verdade importa em honestidade (Sal. 15:2; Efé. 4:25) e justiça civil (Isa. 59:4,14,15). Dizer a verdade, portanto, para o homem constitui uma obrigação, de tal maneira que a veracidade (verdade cognitiva) seja uma das características do homem em quem se pode confiar (verdade moral). Entretanto, espera-se de cada indivíduo que se mostre íntegro diante de Deus e de seus semelhantes (Êxo. 18:21; Jos. 24:14). Nesse sentido moral, a verdade não é algum mero verniz superficial, pelo contrário, parte do próprio coração, distinguindo o caráter inteiro do homem interior (I Sam. 12:24; Sal. 15:2; 51:6).

2. A Verdade Ontológica. Originando-se no conceito de que o indivíduo que é inteiramente digno de confiança é veraz, temos aquele outro conceito do indivíduo que efetivamente é aquilo que se propõe a ser. Isso significa que tal indivíduo não vive uma ficção, não procura enganar ao próximo, e nem é um homem que dê um exemplo imperfeito ou negativo. Nesse sentido, "a verdadeira luz" (João 1:9) é a perfeição que João Batista refletia em parte, em sua pessoa; "o verdadeiro pão" (João 6:32) faz contraste com o imperfeito maná de Moisés; e "os verdadeiros adoradores" (João 4:23) fazem contraste com aqueles que adoravam por mera antecipação, aguardando por quem não conheciam o Messias. Os crentes tessalonicenses abandonaram seus ídolos a fim de servirem ao verdadeiro Deus (I Tes. 1:9). Cristo é a verdade personificada. Ver o artigo *Verdade, Cristo Como.*

É nesse sentido que falamos sobre "um verdadeiro homem", "um verdadeiro erudito" ou "um verdadeiro filho",

VERDADE

dando a entender alguém que é fiel a algum ideal, que representa perfeitamente algum padrão de virtude. A teoria grega dos *universais* via, em todos os particulares, uma participação, em algum grau, nas formas ideais dos universais. Pensadores cristãos como Agostinho, Anselmo e Tomás de Aquino equipararam essas formas com as idéias e os decretos divinos (verdades eternas), tendo atribuído uma "verdade ontológica" aos objetos naturais que dão corpo a essas idéias e decretos. Entretanto, essa noção não se originou dos ensinamentos bíblicos, mas pela combinação das teorias gregas sobre a forma com o conceito bíblico de um Criador que faz todas as coisas em consonância com a sua perfeita vontade.

3. *A Verdade Cognitiva*. Um outro fator resultante da verdade moral é que o indivíduo veraz diz a verdade e não a mentira ou falsidade. Em Deus, a verdade origina-se na sua onisciência, de tal modo que o atributo da verdade se refere, pelo menos em parte, ao seu perfeito conhecimento de todas as coisas (Jó 28:20-26; 38:39). Visto que Deus é o Criador, tudo quanto sabemos depende, em última análise, do Senhor. Toda verdade é uma verdade divina. Nossas habilidades cognitivas são uma criação de Deus, e o caráter inteligível da natureza confirma a sabedoria de Deus. Por conseguinte, o conhecimento de Deus é um conhecimento arquétipo, do qual o nosso conhecimento é parcial, uma *imitação*. Aquilo que declaramos verdadeiro, só o é à proporção que concorda com a verdade, que só se manifesta perfeitamente na pessoa de Deus. Isso posto, a verdade terrestre é contingente, dependente, limitada, provisória. É por um motivo assim que o apóstolo dos gentios explicou que "... agora vemos como em espelho, obscuramente...", e que somente na presença imediata de Deus, quando estivermos na glória, é que "...veremos face a face ...". Sim, ainda no dizer do apóstolo, agora conhecemos apenas parcialmente; no céu conheceremos tal e qual somos conhecidos. Em contraste com o nosso conhecimento refletido, a verdade arquétipa é ilimitada, imutável e absoluta. No caso do homem, a verdade permanece em formação constante; mas, no caso de Deus, a verdade já é perfeita, completa.

Isso é expresso através do conceito do *Logos*, nos escritos de João, bem como na discussão, na epístola aos Colossenses, sobre o fato de estarem ocultos, em Cristo, "...todos os tesouros da sabedoria e do conhecimento..." (Col. 2:3). O Cristo, por intermédio de Quem todas as coisas foram criadas, e que agora sustenta a tudo em existência, é aquele que empresta, à natureza e à história, inteligibilidade, boa ordem e propósito. Conhecer a Cristo é conhecer a fonte onisciente de toda a verdade, de todo o conhecimento, não a fim de que possamos saber de tudo quanto ele sabe, mas a fim de podermos compreender como são possíveis todo o conhecimento e toda a sabedoria. Cristo é aquele que garante o caráter fidedigno de qualquer verdade que podemos obter.

Apesar de ser evidente, no Novo Testamento, o conceito cognitivo da verdade (ver, por exemplo, Mar. 5:33; 12:32; Rom. 1:25), é particularmente aplicado ali à mensagem anunciada por Cristo e seus apóstolos (João 5:33; 8:31-47; Rom. 2:8; Gál. 2:5; 5:7; Efé. 1:13; I Tim. 3:15; I João 2:21-27). Um mensageiro cristão fiel fala a verdade que procede de Deus; e, correspondendo a essa verdade de Deus, o crente confia em Deus, de quem procede essa verdade. A fé, pois, consiste tanto no assentimento da verdade como na dependência ao que Deus declara. Por isso é que se lê que uma pessoa "pratica a verdade", quando dá o seu assentimento à mensagem do evangelho e confia em Cristo, em vista de sua "verdade moral" ou fidelidade (ver I João 1:6-8; 2:4; 3:18,19).

III. Conceitos Filosóficos da Verdade

1. Quanto à Verdade Cognitiva. Se Deus é a fonte originária de toda verdade, então quaisquer verdades que cheguemos a conhecer dão testemunho sobre Deus.

a. *Agostinho.* Reconhecendo isso, Agostinho de Hipona (354-430 d.C.) arquitetou um argumento em favor da existência de Deus, partindo do nosso conhecimento da verdade, intitulado *Sobre o Livre-Arbítrio II*. A mente humana apreende certas verdades universais e necessárias, que não podem ser modificadas, que incluem as verdades lógicas como "A é ou B ou não B", e também as verdades matemáticas. Tais verdades nem são decretadas verdadeiras e nem são emendadas pela mente humana, como se fossem verdades inferiores; pelo contrário, a mente humana se submete de bom grado a essas verdades, deixando-se julgar e corrigir por elas, como verdades absolutas. A verdade existe independentemente da mente humana, e é superior a ela. Quando muito, a mente humana a descobre. Mas a mente humana flutua em sua apreensão da verdade, embora a própria verdade permaneça para sempre. O que explica a posição eterna, imutável e universal da verdade? É que as verdades individuais precisam participar da própria Verdade, isto é, o Deus eterno e imutável, em quem e por meio de quem todas as coisas existem e subsistem.

O argumento de **Agostinho** reflete o fato de que ele transformou a teoria platônica das **formas** em um contexto teísta. De acordo com esse argumento, não existem mais arquétipos subjacentes, unificados na *Forma do Bem*. Agora as formas são eternas verdades *(rationes aeternae)*, subsistindo na mente de Deus, para quem todas as verdades estão unificadas em uma só. Essas formas também podem ser conhecidas por meio da memória, porquanto Agostinho também adaptou a teoria platônica das idéias inatas e do método dialético; porém, segundo ele dizia, toda e qualquer verdade que os homens apreendam deve-se ao Logos, "que nos ensina no interior", iluminando a cada indivíduo que vem a este mundo *(Sobre o Mestre* e *Solilóquio)*.

b. *Anselmo* de Canterbury (1033-1109 d.C.) seguiu as diretrizes assinaladas por Agostinho, ao distinguir três sentidos diferentes na "verdade", a saber: 1. Uma proposição é verdadeira quando declara aquilo que realmente existe; mas 2. aquilo que realmente existe é aquilo que deveria ser ("verdade ontológica"), quando se amolda, e 3. a idéia arquétipa na mente de Deus ("verdade eterna"). De conformidade com isso, Deus é a causa eterna de toda verdade. Anselmo também discutiu sobre "a verdade na vontade", com o que se referia ao conceito da "verdade moral", sobre o que já falamos.

c. *Tomás de Aquino* (1223-1274) modificou esse esquema, ao argumentar *(De Veritate,* quesito 1), que a verdade deveria ser predicada, primariamente, a algum intelecto, e somente em sentido secundário, a alguma coisa. Pois uma coisa qualquer só pode ser chamada de verdadeira ("um homem verdadeiro", etc.) à medida que se conforma com alguma idéia. As coisas naturais são aquilo que são por causa das idéias arquétipas, existentes no intelecto divino. Por conseguinte, a verdade existe, em última análise, no intelecto divino. Apesar de poderem ornar o intelecto humano e os homens aprendem até através das coisas naturais, a verdade, em última análise, procede de Deus. Em Deus, a verdade significa que o seu conhecimento concorda, antes de tudo, com a sua própria essência, e, em segundo lugar, concorda com as coisas que ele criou.

VERDADE – VERDADE, CRISTO COMO

Tomás de Aquino, portanto, definiu a verdade como a adequação do pensamento a alguma coisa, e então aplicou essa definição tanto ao conhecimento divino quanto ao conhecimento humano. Ao assim fazer, ele lançou os alicerces para a moderna teoria da verdade chamada *Correspondência.*

d. *René Descartes* (1596-1650) foi educado na escola jesuíta de La Flèche, e a influência do pensamento escolástico foi permanente sobre ele. De acordo com essa formação, não é surpreendente que ele tenha feito repousar o caráter fidedigno da razão humana e da percepção dos sentidos humanos sobre o caráter de Deus *(Meditações IV e V).* Conforme ele argumentava, a possibilidade lógica de chegarmos à verdade depende de sabermos que Deus existe, e que ele jamais nos enganaria. Acrescenta-se a isso que jamais podemos atribuir qualquer culpa a Deus, mas o erro surge quando a vontade humana afirma ou nega alguma coisa que jaz além do limitado escopo da razão humana. Mas a verdade fica assegurada mediante o uso lógico e cuidadoso do intelecto criado em nós. Em última análise, a verdade depende de Deus.

e. *Outros pensadores cristãos* do período da Renascença e do Iluminismo assumiram posições idênticas a essa. Assim, Malebranche, Berkeley, Leibniz e outros afirmaram, segundo os termos de seus próprios esquemas filosóficos, que toda a verdade, afinal de contas, é verdade de Deus, e que o conhecimento que possuímos da verdade, depende, em última análise, de Deus. As teorias, da correspondência clássica e da coerência da verdade foram formuladas desse modo; a primeira, dentro do contexto de epistemologias empíricas, e a última mais dentro de um contexto racionalista e idealista. O pensamento não teísta, ao desvincular dessas amarras a teoria da verdade, levanta sérias dúvidas acerca da possibilidade de chegarmos à verdade e à objetividade da verdade. As epistemologias de pendor pragmático e relativista resultam, como é lógico, de filosofias naturalistas e de outras filosofias não teístas. Por semelhante modo, o aparecimento da ciência moderna, em seus primeiros passos, com a sua confiança indevida na investigação racional das descobertas empíricas, pode ser explicado como resultante da crença de que um Deus racional e digno da nossa confiança criou tanto um Universo inteligível quanto mentes finitas, dignas da nossa confiança no que diz respeito aos propósitos tencionados. Quanto a esses aspectos, o conceito bíblico da verdade cognitiva tem permeado e inspirado todo o pensamento ocidental.

2. A *Verdade Moral.* A verdade moral, no sentido bíblico de retidão pessoal, historicamente tem sido posta à margem, dando-se preferência à verdade cognitiva, por parte dos pensadores, em suas investigações. Soren Kierkegaard (1813-1855) foi o principal responsável moderno pela redescoberta da verdade moral. Em sua obra, *Pós-Escrito Não Científico Final,* ele distinguiu entre a vereda "objetiva" para a verdade, através da inquirição histórica ou filosófica, e a vereda "subjetiva" de investigação. Segundo ele afirmava, apreender a verdade é algo "subjetivo". Com isso, porém, Kierkegaard, não queria dar a entender que a verdade seja relativa ou particular. Antes, queria dar a entender que o indivíduo deve se aproximar da verdade como uma pessoa completa, assumindo totalmente o seu papel de sujeito, apaixonadamente envolvido e inteiramente autocrítico em seu interesse. Esse tipo de reação é que distinguiria entre o crente verdadeiro e o crente meramente nominal. Seria isso que o Novo Testamento chama de "estar na verdade".

O conceito de Kierkegaard da verdade, tal como o de Descartes ou o de Leibniz, entretanto, tem sido distorcido pelos não teístas. O resultado dessa distorção é o ponto de vista existencialista, que considera a verdade como uma questão inteiramente pessoal, como se não houvesse qualquer verdade objetiva, na mente de Deus, que possa ser inteligível para as mentes finitas. Em outras palavras, a verdade moral pode ser retida sem o concurso da verdade cognitiva; e, além disso, o indivíduo chegaria à verdade moral através da experiência existencial. A análise feita por Heidegger (O *Ser e o Tempo,* § *44*), a respeito da verdade, como o "desvendamento" do Ser, é extremamente valiosa, porém, a sua análise sobre o ser (Dasein), em termos de nós mesmos nos encontrarmos no mundo, tende por limitar a verdade à autodescoberta, ou auto-autenticação pessoal. A influência do pensamento de Heidegger sobre a verdade evidencia-se, por um lado, na teologia de Paul Tillich, e, por outro lado, no niilismo (vide) de Jean-Paul Sartre, cujos pensamentos ressentem-se da ausência do conceito bíblico e teísta da verdade.

A insuficiência e inadequação tanto do conceito cognitivo da verdade quanto do conceito existencial da mesma, se considerados isoladamente, levou certo pensador, Herman Dooyeweerd, a requerer a elaboração de uma idéia da verdade que fosse verdadeiramente cristã. Essa idéia cristã rejeitaria tanto a suposta neutralidade religiosa da verdade teórica, como também faria justiça à preocupação bíblica com a verdade "no coração", fazendo assim a vinculação necessária entre a verdade teórica e a verdade moral. Os ingredientes que se fazem necessários para uma formulação assim, sem dúvida, já estão presentes tanto nas Sagradas Escrituras como no pensamento cristão através dos séculos.

IV. Teorias da Verdade

Ver o artigo chamado *Conhecimento e a Fé Religiosa,* secção II.

VERDADE, CRISTO COMO

É a verdade, João 14:6. Quanto a este particular, poderíamos destacar os pontos seguintes:

1. Jesus é a verdade de *Deus* porque, na qualidade de "Logos" eterno (ver João 1:1), ele é a perfeita revelação de Deus e de sua verdade, e isso não meramente para os homens, mas também para todos os seres criados.

2. Jesus é, especialmente, a *revelação de Deus* aos homens, no que concerne à salvação deles. Sua própria pessoa representa realmente essa verdade, porque nele, segundo os eternos conselhos divinos (ver Efé. 1:15), ele sempre esteve unido a Deus Pai, e o plano da redenção dessa maneira se originou dele. Assim sendo, em sua encarnação, ele trouxe essa verdade da redenção aos homens. Em sua ascensão, ressurreição e glorificação, ele assegura aos remidos a mais plena participação em toda a sua glória e em sua natureza divina. Portanto, por esses motivos ele é a verdade metafísica do homem.

3. Jesus é a *verdade do caminho* pelo qual os homens devem retornar a Deus, porquanto ele é o exemplo supremo e o ilustrador desse caminho. Essa é a verdade envolvida em sua encarnação. Tudo quanto o homem precisa saber está contido em sua pessoa. Jesus é a verdade ética do homem.

4. Dessa maneira, em sua própria pessoa, Cristo Jesus combina *tudo* quanto os homens precisam saber, crer e ser, tanto no que diz respeito à natureza de Deus como no tocante à natureza e à posse da redenção e da glória eterna.

5. Jesus é a verdade, *em oposição* à religião falsa, como o judaísmo desviado e obstinado. Ele é aquela verdade para a qual apontava a lei mosaica, e da qual o pacto do A.T. era apenas uma sombra pálida. Ele é a materialização

VERDADE – VERDADE NA FILOSOFIA

da verdade espiritual, e não meramente um profeta de Deus ou uma representação parcial polêmica cristã contra os judeus incrédulos, que rejeitaram o seu próprio Messias. O autor sagrado queria que tais pessoas soubessem que tudo aquilo em que confiavam, como uma revelação da parte de Deus, nada significava à parte da pessoa de Jesus Cristo, posto ser ele a concretização de toda a verdade de Deus, ao passo que Moisés, a lei e os profetas meramente apontavam para Cristo.

6. Em sua *própria essência*, Cristo também é a verdade de Deus, porquanto ele mesmo é divino, e assim nos tem mostrado qual é a natureza de Deus ou a verdadeira forma de vida que ele possui, que ele está *transmitindo aos homens* através de Cristo. Essa é justamente a mensagem de um trecho como Col. 2:9, onde se lê: "...porquanto nele habita corporalmente toda a plenitude da divindade..." Ou então do trecho de Col. 1:15: "Ele é a imagem do Deus invisível..." (ver II Ped. 1:4). (I LAN NTI)

VERDADE, O EVANGELHO COMO

A Verdade em III João 8.

Essa palavra aponta para o *evangelho* que fala de Cristo, que é a Verdade personificada (ver João 14:6). O evangelho, nas epístolas joaninas, é a afirmação especial da encarnação, da fusão das naturezas divina e humana em Jesus, o Cristo, da expiação por seu sangue, de seu evangelho, que anuncia a exigência moral da santidade, itens esses que os falsos mestres gnósticos ignoravam ou negavam ativamente. (Nas epístolas joaninas, ver as seguintes referências acerca da "verdade": I João 1:8, a verdade é um poder residente no íntimo, uma comunhão mística da alma humana com Deus; I João 2:4, a verdade não está nos gnósticos anticristãos; I João 2:21, os crentes verdadeiros conhecem a verdade, no que fazem contraste com os hereges; I João 2:27. Nossa unção nos dá discernimento especial quanto à verdade; I João 3:18, devemos amar 'em verdade', isto é, em realidade, e não meramente na forma de declarações, pois o amor praticado é prova de que estamos na verdade; 1 João 4:6, há um "espírito de verdade" e um "espírito do erro"; a verdade e o erro são inspirados e dirigidos por forças externas a este mundo; I João 5:6. O Espírito Santo é a verdade, a concretização da verdade divina, e também o inspirador da verdade; II João 1, o amor é o ambiente da verdade evangélica, devendo ser expresso de forma genuína; II João 3, a graça de Deus, juntamente com sua misericórdia e paz, é dada verdadeiramente e na verdade; II João 4, o andar cristão deve ser genuíno, dentro da verdade espiritual, em consonância com as exigências morais do evangelho; III João 1, o amor cristão deve se mover dentro da verdade, no "domínio da verdade", para que seja genuíno; III João 3, a verdade permanece no crente e é um poder transformador; III João 4, o andar cristão deve ser feito na verdade, confessando-se o verdadeiro Cristo e obedecendo-se à sua lei; II João 8, podemos ser cooperadores com a Verdade, bem como daqueles que disseminam o evangelho, contribuindo com nosso dinheiro para sustento dos pregadores; III João 12, certos homens dão bom testemunho da verdade, sendo confirmados pela mensagem cristã, por serem fiéis a essa mensagem).

"...*William Carey*, ao comparar suas realizações missionárias à exploração de uma mina, disse: 'Eu descerei, se vocês segurarem as cordas' ". (Smith, *in loc.*).

Cooperação na Verdade

"O princípio de cooperação foi uma das primeiras e mais importantes idéias do reino de Cristo. Aqueles que procuram trabalhar sozinhos perdem a força poderosa da simpatia, certamente cometem equívocos e não deixam de despertar oposição, além de correrem o risco de nutrirem em suas almas um insuspeitado espírito voluntarioso, autoconfiante e orgulhoso. Aqueles que não se importam em ajudar o bom trabalho de outros, quando muito, são crentes frios, crentes débeis; fracassam na grande virtude do amor cristão, que é crítica e confirmatória; limitam as operações de Deus, que determinou que operaria por meios humanos." (Sinclair, *in loc.*).

VERDADE, TEORIAS DA

Ver o artigo sobre *Conhecimento e a Fé Religiosa*, secção II.

VERDADE NA FILOSOFIA

Ver os artigos separados sobre *Verdade (na Bíblia)* e *Conhecimento e a Fé Religiosa, O*, em sua segunda seção, *Teorias da Verdade - Critérios*. Neste artigo apresento um breve sumário daquilo que certo número de filósofos têm dito a respeito da *verdade*.

O termo latino para "verdade" é *veritas*; e o vocábulo grego é *aletheía*. A maior parte dos filósofos pensa sobre o conhecimento como a busca pela verdade, e as religiões fazem da verdade um elemento extremamente importante. Atributos de Deus são "verdade" e "veracidade", e os códigos morais recomendam essas qualidades aos homens. Por outra parte, a falsidade assume lugar no pólo oposto, estando associado não meramente à ausência de informação ou de conhecimento, mas também estando associada à malignidade.

A. Várias Definições

1. Temos aqui as várias *teorias da verdade* que tenho examinado longamente, nos artigos acima mencionados.

2. *As teorias da verdade* também têm os seus critérios, incluídos na discussão do segundo daqueles dois artigos. Os critérios teológicos estão alicerçados, essencialmente, sobre o misticismo, do qual a revelação é uma subcategoria. O pressuposto teísta (Deus existe e se comunica) é fundamental para a teologia. Conhecimento e verdade podem ser dons de Deus.

B. A Antiga Inquirição

Tanto na teologia quanto na filosofia, a busca pela verdade é basilar, pelo que tem ocupado a atenção dessas disciplinas, desde seus primórdios.

1. *Os filósofos pré-socráticos* buscavam a grande verdade daquilo que seria o elemento básico da existência, e do qual todas as coisas derivar-se-iam. Essa inquirição prossegue até hoje. Os materialistas apontam para a matéria como esse elemento; os idealistas apontam para a mente; e os teólogos preferem postular a Mente divina. Os filósofos sofistas gregos negavam que possa haver tal coisa como uma verdade objetiva a ser investigada, quanto menos a verdade absoluta, pelo que, para eles, a verdade era a praticabilidade. O relativismo (vide) tem ocupado um significativo espaço na busca pela verdade, por parte dos filósofos. Ver também sobre *Ceticismo* quanto ao segmento da filosofia que tem abandonado a busca pela verdade.

2. *Platão* tinha certeza de que existe a verdade objetiva, e que a mesma deve ser um alvo de nossas investigações filosóficas. No entanto, ele não a buscava nesta esfera terrestre. Antes, ele propunha que a verdade deve ser encontrada no mundo das Formas (Idéias ou Universais), afirmando que as coisas deste mundo são apenas imitações das verdades existentes naquela esfera das Formas. Não se pode achar a verdade através da percepção dos

VERDADE NA FILOSOFIA

sentidos. A razão avança um tanto além a percepção dos sentidos, mas a intuição, e, supremamente, as experiências místicas (na *contemplação*) fornecem nos nossos melhores discernimentos acerca da verdade. As Formas podem ser achadas por meio da razão, podem ser intuídas, e, finalmente, podem ser diretamente contempladas. A alma conhece toda a verdade, porquanto já esteve com as Idéias e as conhece. Porém, devido à queda no pecado, esse conhecimento tem sido ocultado e precisa ser redescoberto através da *memória* ou, *reminiscência* (vide; no grego *anamnesis*).

3. *Aristóteles*, seguindo a liderança de Platão, desenvolveu a teoria da correspondência da verdade. Ver o vol. I, pág. 954, quanto a essa teoria. Ele aplicava a teoria cientificamente, abandonando a abordagem transcendental da verdade, por parte de Platão. Suas categorias foram uma espécie de guia na busca pelo conhecimento e pela verdade. Ele tinha a fé que o verdadeiro juízo, aliado a uma completa descrição (acerca de qualquer coisa), desvenda-nos a verdade. Essa é a abordagem científica, embora a ciência moderna não creia que nos seja possível apresentar uma completa descrição da verdade, em face de nossos métodos e de nossas limitações presentes.

4. *Os céticos*, como *Carneades* (vide), abandonam *toda busca pela verdade*, acreditando que se existe qualquer coisa como verdade absoluta, não dispomos de meios para descobri-la. Ver os artigos *Pirronismo* e *Ceticismo*.

5. *Nagarjuna*, um filósofo budista, distinguia dois possíveis campos da verdade, um empírico e outro absoluto. A verdade empírica seria mera aparência. A verdade absoluta, por sua vez, estaria além da intelecção humana.

6. *Plotino* apresentou uma espécie de *teoria da identificação*, asseverando que a verdade só pode ser conhecida quando a coisa e o pensamento unificam-se mediante a experiência mística, como se dá na iluminação e na obtenção da unidade com Deus.

7. *A teoria da dupla verdade* (criada na Idade Média, conforme se vê nos escritos de Averróis) afirma que aquilo que é verdadeiro na filosofia pode ser falso na teologia, e vice-versa.

8. *Tomás de Aquino,* quanto às questões práticas e terrenas, deu continuação à teoria da correspondência da verdade, embora dando-lhe uma aplicação religiosa. Algumas verdades, entretanto, de acordo com essa teoria, estão fora do alcance de nossa investigação, e precisam repousar sobre a fé, na confiança da revelação divina. As idéias da mente divina são verazes, sem importar se correspondem ou não às nossas formas de pesquisa.

9. *Hobbes* abandonou a busca pela verdade absoluta, fazendo da verdade um atributo da linguagem, e não das coisas.

10. *Descartes* aceitava a teoria da correspondência da verdade, empregando seu método da dúvida para torná-la operante. Duvidava de tudo quanto podia, embora não pudesse duvidar de Deus, do próprio eu e do mundo. Essas três verdades ele sublinhava mediante a razão. Ver sobre *Coerência, Teoria da Verdade da*. Um sinal da veracidade de uma idéia qualquer é a sua clareza e sua natureza distinta.

11. *Spinoza* argumentava que a verdade é o seu próprio padrão, da mesma forma que a luz revela tanto a si mesma quanto às trevas. A razão e a intuição fornecem-nos os indícios necessários, bem como o senso de direção, em nossa busca.

12. *Leibniz* aludia a dois campos da verdade: verdades da razão e verdades de fato. As primeiras repousam sobre o princípio da identidade, e as segundas sobre o princípio da razão suficiente. Ver sobre *Princípio da Razão Suficiente*.

13. *Locke* empregava a teoria da correspondência da verdade à maneira científica, requerendo que os fatos da investigação sejam confirmados pela experimentação. Ao abordar idéias, ele dependia da teoria da coerência da verdade. No entanto, ele insistia sobre a investigação empírica com vistas à definição das idéias. A verdade e a falsidade relacionam-se a proposições, e não meramente a idéias simples.

14. *Hume* abandonou a inquirição pela verdade, pois supunha que as coisas só possam ser conhecidas através da fé animal, que não nos dá asserções acerca de muitas coisas.

15. *Kant* não acreditava que podíamos obter a verdade absoluta acerca de essências reais, ou seja, de "coisas em si mesmas". Nossas verdades são analíticas, porquanto obedecem às inerentes categorias mentais, que impõem alegadas verdades ao mundo. Ademais, temos a considerar os postulados da razão, da intuição e das experiências místicas, as quais provêem para nós sistemas filosóficos adequados, mas que não garantem o conhecimento de absolutos. Nossas proposições analíticas são comprovadas de maneira sintética (experimental), e isso é o que ocorre na ciência, na experiência diária. Para além disso, precisamos depender de postulados.

16. *Hegel* falava sobre a verdade formal, como aquela que se vê na matemática ou na história, que aborda existências concretas. Toda verdade depende da *Mente Absoluta*, a qual se manifesta por meio da tríade de tese, antítese e síntese. Sua explicação é ilustrada em suas complexas e intermináveis tríades, segundo fica ilustrado no artigo sobre ele, nesta enciclopédia. Ele empregou, essencialmente, a teoria da coerência da verdade como o seu método.

17. *Kierkegaard* falava sobre a verdade como apropriação subjetiva e como aproximação objetiva. A ciência está ocupada em uma interminável aproximação, através da percepção dos sentidos, e nisso consiste a aproximação objetiva. Contudo, na intuição encontramos uma apropriação subjetiva, conferindo-nos um conhecimento sobre as verdades mais profundas, de ordem moral e espiritual.

18. *Peirce,* fundador do *pragmatismo* (vide), abandonou a pesquisa pela verdade absoluta, tendo descoberto que aquilo que funciona é verdadeiro; aquilo que é prático é verdadeiro. Todavia, ele insistia em uma busca completa e científica, a fim de ser definido aquilo que funciona. A verdade é o resultado da *inquirição*.

19. *William James* foi um pensador pragmático que pensava na verdade como aquilo que funciona, que tem "valor econômico". Porém, mostrava-se amplo em sua maneira de estabelecer o que é prático, empregando até mesmo as evidências providas dos fenômenos psíquicos e do misticismo. Seu pragmatismo levava-o à alma e a Deus, e não meramente a questões práticas da vida diária.

20. *F. H. Bradley,* um bem conhecido idealista, apegava-se à teoria da coerência da verdade, a qual se ajusta bem aos sistemas racionalistas. A verdade é o Absoluto, e todas as verdades estão vinculadas ao Absoluto. O indivíduo busca, contra o "bom senso", visões da verdade, nas experiências absolutas, que só podem ser obtidas de maneira individual.

21. *H.H. Joachim*, em seu livro, *The Nature of Truth*, asseverou que a teoria da coerência da verdade é a única teoria razoável e operante. Ele buscava uma verdade absoluta, que encerrasse todas as demais verdades.

VERDADE NA FILOSOFIA – VEREDA (CAMINHO)

22. *John Dewey* encontrava a verdade na experimentação que envolve a solução de problemas. Porém, ele buscava verdades pragmáticas, e não a verdade absoluta. O alvo do solucionamento de problemas é a modificação de situações, e não a descoberta de verdades abstratas. Ele substituía os termos "verdade" e "conhecimento" pela expressão "afirmatividade garantida".

23. *Santayana* dependia da fé animal a fim de abordar a verdade, mas ele não esperava encontrar a verdade absoluta. A verdade científica consiste apenas em uma descrição padronizada das coisas.

24. *F. C. S. Schiller* também preferia uma abordagem pragmática, à moda de William James.

25. *Bertrand Russell* empregava a teoria da correspondência da verdade. A verdade deve ser interpretada pela correspondência entre um fato ou fatos e alguma proposição (ou sentença) acerca desse fato ou fatos. Sua teoria do *atomismo lógico* (explicado no artigo sobre ele, nesta enciclopédia), era o âmago de seu tipo de teoria da correspondência da verdade.

26. *G.E. Moore* defendia a teoria da correspondência, de acordo com a qual uma crença aparece como correspondente a um fato. Uma crença falsa não corresponde a qualquer fato, exceto na mente daquele que nela crê, embora não se trate de qualquer fato. A correspondência é estabelecida mediante a experimentação.

27. *Jaspers* pensava que a verdade é histórica, inseparável de quem pensa e de sua situação. A verdade transcendental não pode ser expressa conceptualmente. A verdade é algo histórico, condicionada pela existência dentro deste mundo empírico. Para os homens, a verdade é encontrada na *autenticidade*, e a descoberta de seu verdadeiro ser e de suas verdadeiras ações concorda com isso. A comunhão existencial com o Absoluto fornece-nos a mais elevada verdade. Essa comunicação é indireta, uma espécie de intuição da alma.

28. *Wittgenstein* elaborou uma teoria da correspondência da verdade em sua obra intitulada *Tractatus*, fazendo da linguagem o principal fator em seu método. As sentenças precisam corresponder aos fatos.

29. *Heidegger* asseverava que o homem, em sua liberdade, expõe o seu "eu" à verdade, em intuição e empatia.

30. *Unamuno* negava a possibilidade da verdade objetiva, substituindo-a pela "crença verdadeira". Em oposição a isso ele postulava "a mentira", e não meramente a falsidade. Ele dependia da fé e da intuição, e não da razão.

31. *Blanshard* apresentava uma versão modernizada da teoria da coerência da verdade. O indivíduo precisa contar com um sistema unificado que dependa da coerência de suas partes. Aí a palavra-chave é "sistema". A razão é básica para a constituição de um sistema.

32. *Tarski* asseverava uma versão semântica da verdade, onde a verdade aparece meramente como metalinguagem, e não asserção acerca da própria realidade. A sentença proferida é o critério da verdade. A isso ele chamava de "convenção". A *metalinguagem* é o conjunto de sinais que se refere a outros sinais da linguagem. Há uma linguagem usada nas circunstâncias diárias, e também há uma metalinguagem que faz parte da linguagem que se refere aos sinais da própria linguagem.

33. *Nagel* dizia que uma teoria *satisfatória* em sua aplicação e operações é verdadeira. Naturalmente, isso é uma visão pragmática da verdade.

34. *Strawson* afirmava que "verdadeiro" e "falso" não são termos descritivos, mas apenas exprimem acordo ou desacordo com algo que fora dito. Crer não é a mesma coisa que provar; descrer não é a mesma coisa que desprovar. Expressamos acordo com uma proposição ou sentença, e esse acordo é assinalado pela palavra "verdadeiro". Mas, quando discordamos, então tem aplicação a palavra "falso". As nossas afirmações não criam existência. Esta é apenas pressuposta, e não afirmada.

35. *As fés religiosas* fazem rebrilhar a luz do misticismo sobre a questão da verdade, e os livros sacros são importantes como revelação da verdade. O artigo intitulado *Verdade (na Bíblia)* toma essa forma de abordagem, mas ali também há alguns úteis subsídios pedidos por empréstimo da filosofia.

VERDE

Ver o artigo sobre *Cores*, especialmente no seu sétimo ponto. Além das descrições oferecidas naquele artigo, destacamos aqui os significados simbólicos dessa cor: o verde aponta para a vida, para coisas vivas, para o crescimento, para o vigor e para a vitalidade e também pode indicar o sentimento de *esperança*, porquanto pensamos sobre os verdejantes pastos de um dia melhor, lá nos céus. Por outro lado, essa cor pode falar sobre a inexperiência, a simplicidade e a inadequação, visto que várias plantas começam verdes, então amadurecem, e aí adquirem uma nova coloração.

Além disso, a *inveja* também pode ser representada pela cor verde. Aqueles que podem ver a *aura humana* (vide) afirmam que ela adquire uma coloração esverdeada quando a pessoa sente ciúmes ou inveja. Finalmente, a cor verde também pode estar associada às enfermidades, por causa da palidez da pele quando a pessoa adoece gravemente.

VERDUGO

No grego, *basanistés*, uma palavra que figura somente em Mateus 18:34, embora o verbo *basanízo*, "atormentar", ocorra por doze vezes (Mat. 8:7,29; 14:24; Mar. 5:7; 6:48; Luc. 8:28; 11 Ped. 2:8; Apo. 9:5; 11:10; 12:2; 14:10 e 20:10), e o substantivo *basanismós*, "tormento", apareça por cinco vezes, sempre no livro de Apocalipse (9:5; 14:11; 18:7,10, 15). O termo "verdugo", em Mat. 18:34; aponta para algum carcereiro, cuja tarefa consistia não somente em guardar os prisioneiros, mas também em atormentá-los, até que suas dívidas fossem pagas. Normalmente, os endividados eram vendidos como escravos, quando não podiam saldar suas dívidas; mas, outras vezes, eram postos na prisão, como castigo.

VEREDA (CAMINHO)

No estudo da Bíblia, quanto a este verbete, o que nos interessa é a inquirição espiritual no uso metafórico dos vocábulos traduzidos por "vereda". Assim, os trechos de Gên. 18:19; Deu. 9:16 e 1 Reis 2:3 referem-se ao "curso de conduta" requerido pelo Senhor ao homem. Os homens têm corrompido esse caminho (ver Gên. 16:12). Samuel, como representante de Deus, forneceu instruções quanto a esse caminho (ver I Sam. 12:23). O trecho de Isa. 59:7,8 alista várias maneiras em que os homens têm corrompido essa vereda. Eles desconhecem o caminho da paz e têm seguido por um caminho de desolação e destruição. Suas próprias veredas também são tortuosas. Os ímpios têm seus próprios caminhos, que contradizem o bom senso e uma prática reta (ver Jer.12:1).

Por outra parte, há uma vereda estreita, que conduz à vida (Sal. 5:15; 15:24; 16:11). Todavia, algumas pessoas começam a caminhar pelo reto caminho, para então abandoná-lo, preferindo um caminho tenebroso (Pro. 2:13). As nações seguem seus próprios caminhos (ver Atos 14:16), como o fazem os indivíduos (I Reis 1:33; II Reis 8:27). Alguns profetas também seguem uma vereda má e

VEREDA (CAMINHO) – VERGONHA

pervertida; o exemplo mais notável disso foi dado por Balaão (ver II Ped. 2:15). Paulo, em contraste com isso, seguia uma reta vereda, governada pela doutrina de Cristo (I Cor. 4:17). No Novo Testamento, essa vereda reta é o caminho de Cristo (ver João 14:6), o qual culmina nos lugares celestiais. Esse caminho não deve ser abandonado por nós em toda a nossa peregrinação. O caminho (Atos 9:2; 19:9; 22:4; 24:14,22) pode indicar a doutrina cristã e o modo de viver que ela requer de nós. Jesus contrastou dois caminhos possíveis: um leva à vida, e o outro conduz à perdição (ver Mat. 7:13,14).

Elementos Inerentes à Metáfora: 1. Uma vereda algumas vezes se faz por meio do esforço pessoal, e, presumivelmente, de acordo com algum plano específico. 2. Trata-se de um caminho que leva de um lugar a outro. 3. Alude a certo modo de conduta, visto que uma vereda limita os passos do indivíduo a um desígnio e intuito específicos. 4. Refere-se à conduta (modo de andar) de uma pessoa, bem como às regras, às aspirações, às diretrizes e ao destino seguidos por essa pessoa. 5. Refere-se ao início e à chegada, incluindo o curso inteiro da vida do indivíduo. 6. A vereda espiritual afasta-nos daquelas coisas que dirigem os homens comuns, inconversos. Nessa vereda espiritual pomos em prática os diversos meios do desenvolvimento espiritual, como o estudo dos documentos sagrados e outros livros que nos ajudam em nosso desenvolvimento espiritual e intelectual; a oração e a meditação são meios importantes nessa vereda para a espiritualidade; as boas obras devem ser postas em prática; a santificação é um fator essencial nessa vereda; uma missão específica deve fazer parte de nossos alvos gerais. Mas, acima de tudo, devemos pensar nos toques místicos. Precisamos aprender a buscar a presença do Senhor, deixando-nos transformar interiormente pelo seu Santo Espírito (ver II Cor. 3:18).

VERGA DA PORTA

Ver Êxo. 12:22,23. Nas portas antigas, essa era uma peça superior, de madeira, que suportava o peso da estrutura, acima dela. Os israelitas foram instruídos a aspergir um pouco do sangue do cordeiro pascal sobre essa peça da porta de entrada de suas casas, quando da instituição da páscoa. A palavra hebraica envolvida, *mashqoph*, significa "projeção", "saliência".

VERGONHA

I. Palavras Hebraicas

Há quatro palavras hebraicas principais envolvidas, além de outras, e também cinco palavras gregas, a saber:

1. Bosheth, "vergonha", "coisa vergonhosa". Palavra hebraica que ocorre por cerca de 27 vezes. Por exemplo: II Crô. 32:21; Sal. 35:26; 40: 15; 132:18; Isa. 30:3,5; Jer. 3:24,25; Sof. 3:5.

2. Cherpah, "opróbrio". Palavra hebraica que é usada por 71 vezes. Para exemplificar: Gên. 30:23; II Sam. 13:13; Isa. 4:1; 47:3; Dan. 12:2; Osé. 12:14; Joel 2:17,19; Sof. 3:18; Sal. 15:3; 22:6; 31:11; 39:8; 44:13; 69:7,9,10,19,20; 119:22,39; Jer. 6:10; 20:8; 51:51.

3. Kelimmah, "corar", "envergonhar-se". Palavra hebraica que aparece por 30 vezes. Para exemplificar: Sal. 4:2; 109:29; Eze. 16:52,54,63; 32:24,30; 36:6,7,15; 44:13; Miq. 2:6.

4. Qalon, "confusão", "vergonha". Palavra hebraica que ocorre por 17 vezes. Por exemplo: Sal. 83:16; Pro. 3:35; 9:7; 11:2; Isa. 22:18; Jer. 13:26; 46:12; Osé. 4:7,18; Hab. 2:16.

Além dessas palavras mais usadas, há outras, como *bosh*, "envergonhar-se" (Jer. 48:39); *sushah*, "vergonha" (Sal. 89:45; Miq. 7: 10); *boshnah*, "vergonha" (Osé. 10:6); *kelimmuth*, "vergonha" (Jer. 23:40); *ervah*, "nudez" (Isa. 20:4); e *shimtsah*, "desprezo" (Êxo. 32:25).

II. As Palavras Gregas Envolvidas São as Seguintes:

1. *Aischrón*, "coisa vil". Termo grego usado por quatro vezes: I Cor. 11:6; 14:35; Efé. 5:12 e Tito 1:11.

2. *Aixehúne*, "vileza", "baixeza". Essa palavra grega ocorre por seis vezes: Luc. 14:9; II Cor. 4:2; Fil. 3:19; Heb. 12:2; Jud. 13 e Apo. 3:18.

3. *Aschemosiine*, "inconveniência", "falta de decoro". Palavra grega que aparece por duas vezes: Rom. 1:27 e Apo. 16:15.

4. *Atimía*, "desonra". Palavra grega que ocorre por sete vezes: Rom. 1:26; 9:21; 1 Cor. 11:14; 15:43; II Cor. 6:8; 11:21; II Tim. 2:20.

5. *Entropé*, "recolhimento", "vergonha". Vocábulo grego que ocorre por duas vezes: I Cor. 6:5; 15:34.

A idéia de vergonha, opróbrio, etc., ocorre na Bíblia por cerca de 150 vezes, em associação com idéias como derrota, reprimenda, nudez, insensatez, desprezo, pobreza, inconveniência, crueldade e nulidade. Trata-se de uma emoção aviltante, que se origina na autoconsciência da impropriedade, da ofensa, da reputação prejudicada, do orgulho ferido ou do senso de culpa. Na maioria das referências bíblicas, essa emoção aparece mesclada com questões religiosas, havendo apenas algumas poucas instâncias ligadas à perda de prestígio social. Apesar de haver muitas facetas no sentido de vergonha, dois aspectos destacam-se, pelo que podemos classificá-los como segue:

III. Vergonha Subjetiva

O pecado é o principal manancial do senso de vergonha, expressando-se por vários meios. Biblicamente falando, o primeiro desses meios é a nudez, com um duplo significado: nudez física e nudez espiritual. Em seu estado primordial, "...o homem e sua mulher estavam nus, e não se envergonhavam" (Gên. 2:25). No entanto, depois que transgrediram, envergonharam-se de sua nudez, na presença de Deus (Gên. 3:10; cf. Apo. 3:18).

Quando foram expulsos do jardim do Éden, verificou-se que a retidão exclui a vergonha, ao passo que a impiedade a desperta. Davi rogou ao Senhor como segue: "Deus meu, em ti confio, não seja eu envergonhado... Com efeito, dos que em ti esperam, ninguém será envergonhado" (Sal. 25:2,3). Esse apelo é freqüentemente reiterado pelos salmistas e pelos profetas (Sal. 25:20; 31:1,17; 119:6,31,46; Isa. 49:24; Jer. 17:18; cf. Sof. 3:11). Paulo se utilizou de um antigo refrão dos hebreus, quando escreveu: "... não fiquei envergonhado...", e também: "... não me envergonharei..." (II Cor. 7:14 e 10:8). E, citando a profecia de Isaías a respeito de Cristo, disse ele: "...e aquele que nela (na pedra) crê não será confundido" (Rom. 9:33b) Cf. I Ped. 2:6.

Uma pessoa pode atrair vergonha contra si mesma, como sucedeu com os israelitas, quando pediram para Aarão fazer o bezerro de ouro, no deserto (Êxo. 32:25). Tamar rogou a seu irmão, Amom, que a poupasse da vergonha da fornicação e de ser violentada (II Sam. 13:13). Aqueles que odeiam e zombam do povo de Deus estão convidando sua própria vergonha (Jó 8:22; Sal. 57:3; 71:24; 129:5; 132:18; Isa. 66:5). Aqueles que adoram imagens de escultura (Sal. 97:7), e aqueles que fabricam e adoram ídolos, são envergonhados (Isa. 42:17; Jer. 50:2; 51:17), como também os adivinhos (Miq. 3:7). As nações pagãs e seus deuses serão envergonhados: o Egito, Quiriataim, Moabe, Bel e Merodaque (Jer. 46.24; 48:1,20; 50:2). A apostasia de Israel trouxe grande opróbrio, devi-

VERGONHA – VERIFICAÇÃO DE CRENÇAS

do aos juízos divinos (Esd. 9:7; Isa. 3:24; 30:15; Eze. 16:36; Osé. 10:6; Naum 3:5). Outrossim, Deus, através de seus juízos, mediante outras nações, lançou Israel em opróbrio e vergonha (Jer. 2:35,36).

Indivíduos rudes e ímpios podem provocar vergonha por parte de pessoas de natureza mais nobre. Os servos de Davi, tão cheios de boa vontade, foram "grandemente envergonhados" pelo tratamento humilhante que lhes foi dado pelo rei amonita, Hanum (II Sam. 10: 1 -5). Davi invocou a Deus, devido ao que ele chamou de "a minha vergonha e o meu vexame" provocados por seus adversários (Sal. 69:19). Um filho violento é filho "que envergonha e desonra" (Pro. 19:26). Os sobreviventes do exílio babilônico, segundo foi anunciado, estavam "em grande miséria e desprezo" (Nee. 1:3). Acima de qualquer outro, Jesus Cristo suportou a ignomínia da cruz, às mãos de homens ímpios (Heb. 12:2; cf. Isa. 50:6).

IV. Vergonha Objetiva

A vergonha é um dos componentes do juízo divino contra o pecado. Portanto, é um instrumento a ser temido por nós, que também pode ser empregado contra os inimigos de nossas almas.

Os hebreus se deleitavam diante do opróbrio sofrido pelos ímpios. "Envergonhados sejam os soberbos, por me haverem oprimido injustamente..." (Sal. 119:78; cf. sobre os "perversos", em Sal. 31:17). O lugar final dos incrédulos foi amaldiçoado com o opróbrio: "... Deus dispersa os ossos daquele que te sitia; tu os envergonhas, porque Deus os rejeita" (Sal. 53:5). Elã, e todos aqueles que foram seus ajudantes no crime, haveriam de levar a sua vergonha, e "os seus sepulcros foram postos nas extremidades da cova, e todo o seu povo se encontra ao redor do seu sepulcro" (Eze. 32:23). Quando da ressurreição dos mortos, "... ressuscitarão, uns para a vida eterna, e outros para vergonha e horror eterno" (Dan. 12:2).

Pior coisa que um hebreu podia desejar para um inimigo seu era que este fosse envergonhado. A vergonha contra os tais era freqüentemente invocada, algumas vezes associada a outra maldição qualquer. "... confundidos e cobertos de vergonha..." (Sal. 35:4); "...envergonhados e consumidos..." (Sal. 71:13), "...sejam à uma envergonhados e cobertos de vexame..." (Sal. 40:14). Cf. também Sal. 70:2; 109:28; Jer. 17:18.

V. No Novo Testamento

Somos ensinados, no Novo Testamento, a evitar cair em opróbrio e vergonha. José não quis sujeitar Maria ao opróbrio (Mat. 1:19). Jesus ensinou que o decoro modesto, nas festas para as quais somos convidados, evita muita vergonha (Luc. 14:9). Paulo ensinou que os sábios e poderosos deste mundo são envergonhados devido o fato de que Deus escolhe os fracos e insensatos (I Cor. 1:27). No tocante à má conduta, declarou esse apóstolo: "Porque o que eles fazem em oculto, o só referir é vergonha" (Efé. 5:12). Alguns indivíduos são tão mundanos e pervertidos que "...a glória deles está na sua infâmia..." (Fil. 3:19). Paulo sentia vergonha pelos membros da igreja de Corinto, porquanto ali não havia homens suficientemente sábios para serem os pacificadores de seus irmãos (I Cor. 6:5). Ao jovem Tito, Paulo escreveu que o comportamento de um crente deve ser tal que "...o adversário seja envergonhado, não tendo indignidade nenhuma que dizer a nosso respeito" (Tito 2:8; cf. 1 Ped. 3:16). Com suas palavras, Jesus fez seus adversários gratuitos se envergonharem. "Tendo ele dito estas palavras todos os seus adversários se envergonharam" (Luc. 13:17). O crente deve permanecer fielmente em Cristo, "...para que, quando ele (Cristo) se manifestar, tenhamos confiança e dele não nos afastemos envergonhados, na sua vinda" (I João 2:28). De todas as vergonhas, a pior será um suposto seguidor de Cristo ser repelido por ele. Isso ocorrerá diante de todas as criaturas inteligentes. "Mas ele vos dirá: Não sei donde vós sois, apartai-vos de mim, vós todos os que praticais iniqüidade" (Luc. 13:27).

VERIFICAÇÃO, CRITÉRIOS DE

Ver o artigo separado intitulado *Verificação de Crenças Religiosas*.

VERIFICAÇÃO DE CRENÇAS RELIGIOSAS

A Crença Religiosa e o Problema de Verificação
Russell Champlin
Esboço:
Declaração introdutória. Parábola do crítico musical sem o senso de tonalidade.
 I. Definição e Comentários sobre a Verificação
 II. Qual a razão das dúvidas? O Problema e Sugestões Preliminares Acerca das Soluções
 III. A Verificação com Base na Experiência Religiosa
 IV. A Verificação Moral
 V. A Verificação Mística
 VI. A Verificação Científica
 VII. A Verificação Escatológica
  Bibliografia

Declaração Introdutória. Parábola do crítico musical sem o senso de tonalidade.

Se um personagem político, um militar ou um homem violento declara que "a religião é o ópio do povo", com o que, como é óbvio, quer dar a entender algo que "detrata", milhões de pessoas concordam com ele, até mesmo muitos que não se acham debaixo de sua autoridade. Chegam mesmo, alguns, a considerarem "pensadores avançados" a ele e aos que refletem seus sentimentos. Mas se um homem, cujo conhecimento sobre a física se limita ao que aprendeu no curso ginasial, chegar a ouvir uma conferência, dirigida por um físico mundialmente famoso, que descreve a mais recente teoria sobre o seu campo, vier dali dizendo-nos que é "loucura" o que declarara o augusto professor, dificilmente chamaríamos tal homem de pensador avançado. É estranho, pois, que homens que são claros inimigos da religião, mas que pouco conhecimento têm dela, dotados ainda de menor experiência no campo da fé religiosa, sejam reputados pensadores avançados quando se manifestam, de modo negativo, sobre os valores e as verdades religiosas. É "conduta científica" comum não levar a sério as declarações daqueles que pretendem ser autoritários em suas afirmações concernentes a coisas "fora de seu campo". A fé religiosa merece a mesma consideração que damos, de bom grado, a outros campos do conhecimento e da experiência.

Parábola do Crítico Musical sem Senso de Tonalidade

Seguindo essa linha de raciocínio, consideremos esse *crítico musical*. Foi contratado por representantes de uma companhia que vende discos de "música popular", a fim de ouvir e de criticar uma sinfonia que tocaria peças de Ludwig von Beethoven. Todavia, não tinha ele senso de tonalidade, e aqueles insidiosos vendedores de "música pop" sabiam disso. Já anteviam o tipo de relatório que ele faria. Seus comentários totalmente negativos os ajudariam a desviar aficionados da música clássica para o produto deles. E também sabiam que o crítico sem senso de tonalidade seria ouvido, porque, nos termos desta parábola, aquele homem era *famoso*, em algum outro campo de conhecimento. Digamos que ele era famoso no campo da arqueologia. E assim foi armado o palco para o total

VERIFICAÇÃO DE CRENÇAS

"desmascaramento" de Beethoven. E o famoso arqueólogo, mas infame crítico musical, ultrapassou em muito ao que dele esperavam os vendedores dos discos. Declarou ele que a música era tão terrível que não poderia ficar ouvindo a chamada "sinfonia" até o fim; abandonou-a pelo meio, suspeitando que alguma forma de plano sinistro e até mesmo diabólico estava envolvido, tão desagradável lhe parecera a apresentação.

E os vendedores de música popular, que já sonhavam com o fiasco de Beethoven, declaram tal crítico de "pensador avançado". Quanto a nós, nos sentiríamos mais inclinados por chamá-lo de pior dos filisteus. "Mas isso jamais poderia acontecer na realidade!" dirá alguém. Contudo, em *outros campos*, é justamente isso que está sucedendo todos os dias, por inspiração dessa mesma espécie de críticos.

1. Definição e Comentários Sobre A Verificação

1. A verificação não é algo necessariamente 'lógico', e nem é uma "afirmação detalhada, segundo o modo de proceder científico". Se a verificação consistisse nisso, ficariam "sem" verificação algumas profundíssimas verdades, daquela categoria que aceitamos todos os dias. Aceitamos que a eletricidade é um fato, e conhecemos algumas "maneiras" de usá-la; mas pouco ou nada sabemos acerca de sua verdadeira natureza, de sua formação metafísica. Sabemos algumas coisas acerca da matéria, mas, quanto a seu elemento primário, estamos tão em trevas a respeito como estavam os filósofos jônicos. Para cada coisa que sabemos quanto aos processos biológicos do corpo humano, somos confrontados por um milhar de mistérios; mas não é por essa razão que negamos a existência e as funções do corpo humano. E segundo dizia Walt Whitman: "Um feijão, em seu pé, confunde a erudição de todos os séculos" (parte de seu poema, "A Hub for the Universe"). Contudo, sabemos que o "feijão" é bom como alimento, e que coisas semelhantes a ele são essenciais para a vida e o bem-estar.

2. A verificação consiste na *remoção de dúvidas razoáveis* sobre alguma coisa. É isso que deve ser, "basicamente", para nós, a verificação, para que qualquer "afirmação" tenha sentido. Contudo, a verificação envolve algo mais. Por exemplo, se me dissessem que no quarto contíguo há um artigo exótico, vindo do *Oriente*, a fim de "verificar" o acerto dessa declaração, tudo quanto eu teria de fazer era entrar nesse quarto e ver o objeto pessoalmente. Ao entrar no quarto, eu veria um objeto deveras estranho. Sem maiores investigações, eu não poderia dizer muito sobre o objeto, e certamente nada poderia dizer sobre a sua "função". Mas, com uma simples olhada, eu terei "verificado" a assertiva básica que foi feita. Com maior investigação, raciocínio e experimentos, eu seria capaz de dizer muito mais sobre o tal objeto, fazendo, desse modo, uma verificação mais detalhada. As crenças religiosas básicas podem ser verificadas de maneira "básica"; e os "técnicos" dentro desse campo, quanto ao conhecimento e à experiência, podem oferecer-nos alguns detalhes que julgaríamos não serem possíveis.

3. Quando a verificação se torna vital. A verificação pode ser 'válida', sem que ela seja 'vital'. Ter encontrado o 'exótico' objeto oriental no quarto contíguo é "verificação válida" sobre a declaração de alguém, que dissera que tal objeto existia. Foram-me assim "removidas" as dúvidas razoáveis sobre aquela assertiva; mas, para mim mesmo, isso pode nada significar. Todavia, se eu me sentir curioso acerca daquele objeto, poderei exigir maior verificação. Ao examinar o objeto, digamos, descubro um fio elétrico no mesmo. Com base em minha experiência com fios elétricos, poderei supor que estou manuseando com alguma espécie de máquina. Verifico que há uma tomada, que pode ser ligada na parede. E é o que faço, esperando que a corrente necessária seja a de 110 volts. E, por sorte, assim sucede. Um motor elétrico começa a funcionar com energia; posso sentir um ar que sopra. Um saco de plástico estufa para fora, e daí concluo que o exótico objeto é uma espécie de um secador de cabelos comum. Isso ainda não é algo vital para mim, embora possa sê-lo para minha esposa (ou para minha filha adolescente, cujos cabelos são mais longos que os de minha mulher). Portanto, convido minha esposa a ver o objeto. Ela o experimenta. Diz-me ela que o objeto aquece bem e que pode calcular o tempo que exigiria para enxugar-lhes os cabelos lavados. É que ela tem uma espécie de conhecimento que nem mesmo o fabricante possui, a saber, o da "experiência pessoal". Se eu estiver interessado, poderei ler um livreto que acompanha o aparelho, obtendo assim ulteriores informações, como especificações para seu uso, sugestões para manutenção, reparo, etc. Se esse tipo de aparelho tiver algum uso em minha vida, tal verificação terá cessado de ser básica e meramente informativa. Agora assumiu certo aspecto de "vitalidade", porquanto tal aparelho se reveste de algum "uso" prático em minha vida.

Na opinião de alguns filósofos do campo da filosofia religiosa, a verificação, necessariamente, deve incluir *algo vital* à experiência humana, algo que faz "diferença" na vida. Mas a ilustração acima pode mostrar que a "verificação", que faço pode não alterar minha vida de modo algum, nem mesmo chegando a despertar o meu interesse. Tomando um exemplo concreto, posso ficar convencido de que as "curas pela fé" são mais do que o condicionamento psicológico, porquanto envolve a transferência de certa corrente "energia desconhecida", que pode ser posta em ação por meios "religiosos". Porém, se eu estiver gozando de saúde, talvez em nada me interesse por esse fenômeno. Admito sua realidade, mas isso não é vital para mim, em sentido experimental, "fazendo diferença" quanto ao meu modo de viver. O "fenômeno" citado não admite qualquer dúvida para mim; e me parece religiosamente significativo; mas, para mim, esses são "fatos" indiferentes. Nesse caso, mesmo que eu sempre conserve essa atitude, aquilo que não tem "valor experimental" para mim, pode ser, não obstante, admitido como algo "religiosamente significativo", um *fato verificável* e que se reveste de importância para pessoas religiosas, para quem se trata de algo vital. É mesmo possível imaginarmos, sem que isso envolva qualquer contradição em relação a esse raciocínio, que poderia não haver qualquer pessoa interessada no fenômeno das curas espirituais; elas permaneceriam sendo um fato verificável. Todavia, a maioria dos "fatos religiosos verificáveis" também é "vital" para muitas pessoas.

O positivismo lógico não se dispõe a vincular a palavra conhecimento a qualquer coisa que não tenha uso prático; e o pragmatismo concorda com isso. O presente artigo defende a posição que até mesmo esse critério pode ser satisfeito. A verdade religiosa pode ser verificada, incluindo a idéia de que *faz diferença* na vida de uma pessoa.

4. Atitude do cristianismo para com a verificação. Há cristãos de mente mais conservadora que supõem que a "fé" se baseia sobre fatos "verificáveis" da história, da ciência, do misticismo e da moralidade. Tomemos, por exemplo, o fato de que a ressurreição de Cristo foi um evento histórico autêntico, e que isso envolve implicações tremendas, relativas à nossa própria sobrevivência sobre a morte e relativas ao nosso bem-estar no estado

VERIFICAÇÃO DE CRENÇAS

espiritual. E outros alicerces da fé, que são "historicamente fidedignos" poderiam ser salientados. A "verificação" da fé cristã, por conseguinte, do ponto de vista conservador, nos faz penetrar em muitos ramos do estudo humano, incluindo até mesmo pesquisas puramente científicas. As conclusões que são buscadas em tão alta investigação não precisam ser "completas" ou totalmente válidas para dizermos que, de modo geral, a fé religiosa tem sido confirmada. Algumas crenças baseadas na "história" não mais estão sujeitas à investigação científica, tendo-se tornado questões do "credo", podendo ser aceitas exclusivamente pela fé. Mas até mesmo os credos, despidos de toda a verificação "científica", têm transformado muitas vidas para melhor, o que significa que satisfazem à necessidade central da verificação, a saber, que tais crenças fazem "diferença" na vida das pessoas.

A maior parte dos cristãos liberais supõe que a fé religiosa possa sobreviver de modo bem aceitável sem qualquer base histórica, ou mesmo sem a investigação da ciência. Salientam eles que a fé pode ser transmitida até mesmo com símbolos mitológicos. De fato, os símbolos mitológicos têm servido de veículos da fé religiosa, desde os primórdios do tempo; mas isso não quer dizer que a verdade religiosa só é possível quando os veículos são "reais". Por exemplo, em meu credo religioso pode haver o mito acerca do conflito que teria havido entre um deus da vida e um deus de muitas cabeças, de nome - Morte - que foi morto. Se meu deus da vida venceu ao monstro da morte, então poderia afirmar, com toda a confiança: "A morte não pode matar". E isso me dotará da crença válida na existência após a morte física. Essa crença pode ser transmitida a mim através de um mito; mas, apesar disso, ela é perfeitamente válida. No meu caso, a "verificação" dessa crença teria de ser feita mediante um veículo não histórico, mais ou menos da forma descrita na discussão mais abaixo, nas seções III a VII. O propósito deste artigo é, meramente, o de frisar que a fé religiosa tem seus próprios métodos de verificação, e não o de abordar a dissensão que existe entre as várias escolas de pensamento, dentro dos limites do cristianismo. Todos os crentes são tais porque foram convencidos, formal ou informalmente, consciente ou inconscientemente, que pelo menos certas das suas crenças são passíveis de verificação. A continuação da igreja cristã depende dessa "consciência" da possibilidade de verificação. Sua própria continuação, assim sendo, serve de prova de que muitas pessoas se satisfazem com a "verificação" da sua fé religiosa, embora de maneira bem ampla e talvez, até nebulosa.

5. Algumas afirmações não são verificáveis, mas não podem ser falsificadas. Essa circunstância serve de ajuda à fé religiosa, sem dúvida, mas não é algo absolutamente necessário. Dentro do campo da matemática pode ser ilustrada tal situação. O símbolo matemático "pi" representa a "relação da circunferência de um círculo para com seu diâmetro". Vale 3,14159265... Alguém poderia argumentar que visto tratar-se de uma dízima periódica, que, finalmente aparecerão quatro números sete em seguida. Alguém poderia responder que isso é altamente improvável; e esse alguém poderia estar com toda a razão. Mas a própria afirmação não é "falsificável", porquanto poderíamos passar a eternidade adicionando números decimais após a vírgula. Por outro lado, essa afirmativa é potencialmente "verificável", ou seja, pode ser verdadeira. E assim poderíamos asseverar que a vida após a morte física, no caso da personalidade humana, é algo 'verificável'. Tudo quanto precisamos fazer, para verificar tal afirmação, é morrer. Porém, se não há sobrevivência da perso-

nalidade humana, após a morte biológica, então não haverá ninguém para dizer "Eu bem que disse", pelo que a proposta não é "falsificável". Essa circunstância é que permite às pessoas religiosas muito falarem sobre "coisas futuras" com plena confiança, sem qualquer possibilidade de "falsificação" de suas crenças, porquanto elas descrevem apenas condições futuras. Contudo, apesar de que, ocasionalmente, algumas pessoas religiosas se aproveitam dessa circunstância para continuar ensinando os seus pontos de vista, a maioria dos cristãos anseia para que a verificação da sua fé religiosa envolva muito mais do que isso. Desejam mais do que a mera verificação potencial, sem qualquer possibilidade de *falsificação*.

II. Qual a Razão das Dúvidas?

O problema e sugestões preliminares acerca das soluções. Ver o artigo sobre *Problema do Mal*.

1. O grande culpado é *o problema do mal*. Se existe um Deus Todo-poderoso, todo bondoso e onisciente, por que ele permite que tanta maldade e tanta agonia existam neste mundo? Esse é um dos mais difíceis problemas de toda a filosofia e de toda a teologia. Tem sido apresentado de muitas maneiras, e respondido com as mais diferentes respostas. Torna-se ainda mais complexo porquanto envolve a "maldade natural", isto é, o sofrimento que procede de "causas naturais", como as inundações, os incêndios, as enfermidades e a morte (atos divinos, segundo a concepção popular), ou de "causas morais", ou seja, o sofrimento que se deriva da pervertida vontade humana, como as guerras, os assassinatos, os muitos abusos de homens contra seus semelhantes, a desumanidade do homem contra o homem. É difícil, para muitas pessoas, admitirem que Deus está envolvido em tanto sofrimento. Sentem elas que, se estivessem no lugar de Deus, tendo elas os poderes que lhe são atribuídos, teriam criado um universo muito melhor do que aquele em que vivemos hoje em dia.

É possível que Epicuro tenha exposto o problema tão claramente quanto o poderia fazer qualquer outro, ao afirmar:

Ou Deus quer remover a maldade deste mundo, mas não pode; ou ele pode mas não quer; ou ele não pode e nem quer; ou, finalmente, ele tanto pode como quer fazê-lo. Se ele tem a vontade, mas não o poder, isso mostra fraqueza, o que é contrário à natureza de Deus. Se ele tem o poder, mas não a vontade, isso mostra malignidade, e isso também é contrário à sua natureza. Se ele não pode e nem quer, então tanto é impotente quanto maligno e, conseqüentemente, não pode ser Deus. E se ele pode e quer (a única possibilidade coerente com a natureza de Deus), então de onde vem o mal, ou por que ele não o impede?

A existência do mal, neste mundo e no homem, tanto o natural quanto o moral, leva-nos, aparentemente, a ter de confrontar ele si alguns dos atributos divinos contra outros. Ele sabe que todas as coisas devem ocorrer, mas não impede o mal. Se ele é Todo-poderoso, por que não o faz? Se ele não sabe tudo quanto sucederá, isto é, se o mal pega-o de surpresa... isso é difícil de imaginarmos acerca de Deus. Se ele sabe o mal que ocorrerá, mas nada faz para impedi-lo, então podemos supor que ele não é "todo-bondoso" conforme o credo cristão declara que ele é. Ora, se tivermos de nutrir dúvidas sobre o próprio Deus, então não restará muita coisa de valor dentro da religião, com exceção, talvez, de seus aspectos éticos, os quais podemos cultivar sem o acompanhamento de qualquer religião formal. A psicologia, a filosofia e a política têm os seus respectivos sistemas éticos., que podem ser reti-

VERIFICAÇÃO DE CRENÇAS

dos sem qualquer vinculação religiosa.

As respostas que têm sido dadas sobre o problema do mal, conforme veremos, não são conclusivas, não satisfazem a quem quer que seja, simplesmente porque esse problema transcende à nossa capacidade mental; não podemos sondá-lo. Abaixo expomos as tentativas feitas para solucionar tal problema. Algumas delas são decididamente melhores do que outras; e certamente alguma verdade há ali, embora não fiquemos totalmente satisfeitos com a dose de verdade que nos é assim transmitida.

2. Respostas para o Problema do Mal

a. O próprio Epicuro sugeriu o argumento *natural*, fundamentado no "deísmo", do qual ele foi o genitor filosófico. O *deísmo* (vide) ensina que apesar de haver um *Deus*, Poder ou Ser sobre-humano ou uma "força cósmica criadora" está ele "divorciado" de sua criação, tendo estabelecido as leis naturais para reinarem em seu lugar. Não faria intervenção na história da humanidade, e nem castigaria ou galardoaria aos homens. A onipotência de Deus, portanto, na realidade seria apenas "matéria em movimento", e a sua "benevolência" consistiria apenas de processos de causa e efeito. De acordo com esse ponto de vista, o "mal" existe; mas não há qualquer deus no quadro, ainda que, "em algum ponto" exista algum ser ou alguma coisa suprema. Mas, se existe mesmo um deus, terá este abandonado à sua criação. O mal, portanto, procederia de causas naturais, como também do modo como os homens pervertem a si mesmos, e não de um deus ou de Deus. A maior parte das pessoas religiosas não encontra qualquer satisfação, razão ou consolo na "explicação deísta". Pois lhes parece pouco ou nenhum consolo se existe um deus cuja existência não faz qualquer diferença para a vida humana.

b. Um ponto de vista *teísta*, embora pessimista, permeava a antiga cultura grega. Segundo diziam os gregos, Deus ou alguns deuses realmente existiriam; mas, à nossa semelhança, eles seriam tanto bons quanto maus, pelo que poderiam ser causas diretas do mal. Esse ponto de vista *pessimista* elimina a perfeita "benevolência" de Deus. Ele poderia ser Todo-poderoso, mas não todo bondoso. Os gregos também imaginavam a existência de deuses todo bondosos e benévolos, mas aos quais simplesmente faltava o poder ele imporem sua vontade, exceto em esferas e meios muito limitados. De acordo com esse raciocínio, o mal existe, mas está fora do poder ou da vontade de Deus e dos deuses de controlá-lo completamente, o que explicaria a existência do mal neste mundo.

c. Há um ponto de vista *otimista* que estipula que "este é o melhor mundo possível". Essa maneira de encarar o problema simplesmente assevera a nossa ignorância, pois não sabemos por que este mundo não é melhor; e assim admitimos que não podemos chegar a qualquer argumento compreensível acerca do que fazer com os atributos divinos que, aparentemente, se entrechocam, os quais não podem entrar em ação todos ao mesmo tempo, no tocante ao mal que há neste mundo. Pela fé, supomos que temos o melhor mundo possível, embora nossa razão contradiga tal idéia.

d. Uma variação da idéia acima é que, "finalmente", o bem triunfará sobre o mal, embora não tenhamos uma boa explicação acerca da "origem" do mal, e nem por que razão o mal se demora entre nós por tanto tempo. Podemos fazer algumas tentativas para explicar esses problemas, mas repousamos mais sobre a confiança de que o bem triunfará finalmente, e não sobre o raciocínio sobre o presente tempo, que busca a "razão" das coisas.

e. Alguns dos primeiros pais da igreja e teólogos cristãos procuraram solucionar o problema do mal negando a própria existência do mal. O mal, segundo diziam, é apenas a ausência do bem, tal como as trevas são a ausência da luz. Agostinho e Tomás de Aquino propuseram esse ponto de vista. Alguns casos há em que essa idéia parece funcionar. Por exemplo, se eu quisesse descrever o mal do adultério, poderia dizer algo como: "O adultério é apenas um desejo legítimo 'mal orientado' e não um desejo mau". Mas, apesar de vermos nisso algum sentido, o que se pode dizer no caso de certos pecados como o homicídio? Certamente tal pecado é causado por um estado "privado" do bem; mas claramente parece ser um ato 'abertamente' maldoso, e não meramente a ausência de algum bem.

f. *A explicação religiosa popular*. Quando um ministro cristão for indagado acerca do problema do mal, certamente responderá que o mal de fato existe, mas que teve (e tem) sua origem e "perpetração" na pervertida vontade do homem. Se for dele indagado como isso pode relacionar-se ao "mal natural", como o das inundações, dos incêndios e outros desastres naturais, sem dúvida dirá que essas coisas também "resultaram" do caos causado pela queda, primeiramente, a queda dos anjos, e então a do homem. Essas declarações contêm alguma verdade, mas o problema volta à tona quando se pergunta por que Deus criou os anjos e o homem, sabendo perfeitamente bem o que ambos fariam; e então permitiu que essas criaturas trouxessem o caos à criação? Isso não faz de Deus, indiretamente, uma causa do mal, ou, até mesmo a sua causa? Se, propositalmente, eu deixar à solta um lunático com tendências homicidas, e ele vier a matar alguém (embora eu mesmo não seja o assassino), nesse caso, não terei sido uma causa indireta do assassinato? Não seriam muitos os tribunais que me julgariam inocente nesse caso, se eu, realmente, tivesse conhecimento sólido sobre as tendências assassinas do tal lunático. Afirmamos que Deus tem perfeito conhecimento de tudo, mas que criou grande número de lunáticos homicidas, (isto é), sabendo ele, a todo o tempo que eram potencialmente tais, embora os tenha deixado seguir o seu próprio caminho.

g. *Há um outro ponto de vista teísta popular*. A maior parte do que é asseverado acima, no ponto "f", também é estipulado; porém, mais um item é adicionado, o qual afirma que apesar de Deus haver "permitido" a entrada do mal, conforme é descrito acima, ele tinha um plano mediante o qual esse próprio mal tornar-se-ia instrumento, nas mãos de Deus, que levaria a um bem maior. Desse modo, a redenção obtém para o crente mais do que perdera ele na queda no pecado. Mas a maioria dos crentes não se dispõe a incluir nesse quadro os "incrédulos", os quais deverão sofrer o mais horrendo castigo pelas maldades que tiverem praticado. Nesse caso, simplesmente somos forçados a admitir, por força desse próprio argumento, que a "maior parte da criação" foi criada diante do perfeito conhecimento que teria sido melhor se nunca houvessem os incrédulos nascido. Ora, isso nos lança na agonia (se é que chegamos a meditar) de ter de sustentar o conceito que faz Deus criar um aborto tremendo que termina em indescritível sofrimento, por toda a eternidade a coisa mais temível que alguém pode imaginar, mas que, dificilmente resolve qualquer *problema do mal*. Isso antes faz Deus parecer mais a grande causa do mal do que a causa do bem. Muitos bons teólogos têm agonizado ante isso; e somente um homem dotado de sentimentos superficiais, se porventura defende tal ponto de vista, é que não teria razões para alarme teológico diante dessa horrenda situação.

VERIFICAÇÃO DE CRENÇAS

h. Sem a pretensão de *ter a resposta* para o problema do mal, gostaria de sugerir um "modo de pensar" que nos poderia conduzir na direção da solução. Deus foi o Criador; ele é todo-bondoso, onisciente e Todo-poderoso. Contudo, o mal existe e é bem real no mundo. Não queremos usar o truque filosófico, pensando que o mal é apenas a ausência do bem, mas entendemos que Deus criou tudo, sabendo perfeitamente bem que os seres que ele criou (alguns deles, pelo menos) haveriam de preferir o mal e criar o caos. Contudo, foi mister que ele desse a esses seres o "livre-arbítrio", embora soubesse que perverteriam o uso do mesmo. Deus lhes concedeu o livre-arbítrio a fim de que, através da criação, ele chegasse a uma "criação espiritual" superior à primeira, na qual compartilharia de sua própria natureza com o homem, a própria natureza divina (ver II Ped. 1:4). O homem não poderia vir a participar dessa natureza divina sem o *veículo* do livre-arbítrio, porque isso é que o levaria, positivamente, às dimensões da bondade superior, através da experiência. Por conseguinte, para Deus havia "algo mais importante" do que preservar um universo destituído de mal. E essa coisa mais importante "a final elevação do homem à glória suprema" levou-o a "permitir" a existência do mal, no presente. O mal não surpreende a Deus e nem o deixa sem solução para o mesmo. Antes, até mesmo o mal pode ser usado como parte do programa de treinamento que leva o homem a desejar e então a buscar o bem supremo, o "summum bonum". Se nos for imposto o argumento, como certamente sucederá, que ainda assim Deus é a "causa indireta" do mal, podemos admitir que isso expressa a verdade, embora de maneira "não-maligna", que não prejudica a natureza toda bondosa de Deus. E isso se dá, em primeiro lugar, porque a própria vontade pervertida do homem é a causa direta do mal; e, em segundo lugar, porque o livre-arbítrio fazia parte necessária da obtenção do supremo bem; em terceiro lugar, porque até mesmo esse mal não é finalmente importante, já que não é permanente; e, finalmente, porque até mesmo o mal "temporário" é uma lição necessária a nós, a saber, que devemos buscar o bem por amor ao próprio bem, já que o bem é bom e produz bons resultados. Se compreendermos, realmente, o que o mal faz conosco, finalmente haveremos de escolher o bem. Quando todos os homens, finalmente, tiverem escolhido o bem, o caos que há na natureza também desaparecerá.

Finalmente, se nos for apresentado o argumento de que a *maioria dos homens*, segundo os padrões e credos do cristianismo, não irão participar do "bem final", poderemos responder com as revelações dadas nos trechos de I Ped. 3:18-20; 4:6 e o primeiro capitulo da epístola aos Efésios onde se aprende que a bondade divina, em Cristo, produzirá uma *restauração absolutamente universal*, embora essa venha a se manifestar em graus variados de bem-estar, mas todos atingidos pela lealdade prestada a Deus por intermédio de Cristo. E isso significa, usando-se a terminologia teológica, que apesar de nem todos os homens serem *eleitos*, todos participam do grandioso plano da criação espiritual que Deus traçou por meio de Cristo. Ver o artigo sobre *Restauração*.

i. Tendo-nos assim munido de uma solução "razoável" para o problema do mal, vemos que não precisamos do ateísmo, que elimina do universo a própria existência de Deus, a fim de explicar por que as coisas podem ser tão más. E também não precisamos da suposição exposta pelo positivismo lógico, que considera vãs todas essas especulações, supondo que o único conhecimento que podemos ter é aquele "cientificamente orientado", o qual nos fornece os meios do bem-estar prático e físico. Certamente esse é um ponto de vista míope sobre a vida, em todos os seus aspectos. Afirmamos que pode haver e há meios de verificarmos a fé religiosa.

III. A Verificação Com Base na Experiência Religiosa

Tendo visto o que é a definição de verificação, e porque algumas pessoas duvidam que se pode dizer que muito de significativo sobre o assunto, agora damos início a vários argumentos a fim de mostrar como a crença religiosa pode ser verificada. Comecemos com a simples experiência religiosa. Temos por suposição básica que somente os "técnicos", no conhecimento e nas experiências de caráter religioso podem verificar corretamente suas crenças. E como é que conseguem esse feito?

1. Abordagens negativas ao problema da verificação com base na experiência religiosa. Nossa discussão não poderia ser honesta ou completa se não observássemos esse modo de pensar.

a. *A parábola do jardineiro*. Suponhamos que dois homens chegam a uma certa clareira, nos bosques, onde encontram um pequeno trecho de flores. Um deles se maravilha ante o "desígnio" do arranjo das flores e, convenientemente, ignora as ervas daninhas e sinais de caos. O outro nota claramente o caos e as ervas daninhas e atribui o suposto desígnio da formação ao puro acaso. O primeiro argumenta que um "jardineiro" estivera ali trabalhando. O outro assegura que não poderia ter havido qualquer jardineiro, pois não permitiria ele aquelas ervas daninhas, a sufocarem as flores. A fim de dar solução à discussão, concordam em vir vigiar o local, para ver se um jardineiro viria ou não cuidar das flores. Ficam em vigilância por várias noites. Mas nenhum jardineiro ali aparece. Aquele que afirmava "não" haver jardineiro, mostra-se triunfante; mas o que dizia haver um jardineiro meramente assevera que o jardineiro é *invisível*. Por isso, colocam um aparelho eletrônico, capaz de detectar a aproximação de qualquer campo eletromagnético, mesmo que seja invisível para o olho humano. Novamente, nada é notado. Quando o primeiro homem salienta isso, o segundo diz que o jardineiro tanto é invisível como não tem qualquer campo eletromagnético conhecido. Contudo, afirma ele, o jardineiro existe e cuida do seu jardim. Nessa altura, o que dizia "não" haver jardineiro, desiste desgostoso, pois sabe que esse jardineiro continuará existindo sem importar quanta evidência, e de que tipo, ele possa apresentar, para mostrar a impossibilidade de sua existência.

A aplicação dessa parábola ao problema da crença religiosa é óbvia. A mesma experiência humana, de que todos compartilham mutuamente, indica para alguns que o Jardineiro (Deus) existe; mas, para outras pessoas, isso indica que sua existência é impossível de ser comprovada, o que significa que tal existência, pelo menos, é duvidosa. Para aqueles que têm essa última opinião, a crença religiosa é uma questão de interpretação de experiências mútuas, e não de experiências diferentes e teisticamente convincentes. A parábola relatada acima aprova o "ateísmo", como a maneira inevitável de entender a existência humana, no tocante aos conceitos dos "poderes" mais elevados. Neste artigo, porém, tentamos mostrar que existem "visitas discerníveis" do jardineiro, refletidas em experiências "diferentes" que pessoas religiosas têm, mas pessoas não-religiosas não têm. Portanto, o problema da verificação da crença religiosa não pode ser resolvido exclusivamente com base na interpretação de certos tipos de experiência, de que compartilham todos os seres humanos.

b. *A parábola do "blique"*. Devemos o vocábulo

VERIFICAÇÃO DE CRENÇAS

"blique", a R.M. Hare, da Universidade de Oxford, embora a idéia envolvida no mesmo esteja conosco há muito tempo. O Dr. Hare pede-nos que imaginemos certo lunático, que tivesse um blique acerca de todos os professores universitários. Esse lunático imagina o que todos os indivíduos dessa profissão são maus e tencionam prejudicá-lo. Não importa o que eles lhe façam, e nem quão bem intencionados estejam, pois ele continua a supor que daqueles "professores" não poderá vir outra coisa senão a maldade. As ações bem-intencionadas são consideradas como truques, que buscam enganá-lo, de maneira a prejudicá-lo de alguma forma diabólica. É que o lunático tinha um "blique", por conseguinte, é uma "crença", ao mesmo tempo infalsificável, mas também possível de ser averiguada, pelo menos no caso daquele que a sustenta. Não se trata do tipo de questão que possa ser investigado por qualquer meio de verificação.

Consideremos, porém, o "blique" que envolve a confiança no volante de um automável. Fazemo-lo girar para a esquerda ou para a direita. Talvez nada saibamos a respeito de seu funcionamento mecânico, e nem acerca da resistência do metal empregado. Mas temos um blique acerca de volantes de automóveis. Confiamos neles, sem exigir qualquer prova, sem argumentos, sem discussão. Nesse caso o "blique" é veraz, baseado em fatos, em contraste com o caso anterior, que é evidente, inteiramente *falso*.

Portanto, segundo supomos, o Dr. Hare assim pensava acerca das crenças religiosas, no tocante ao problema da verificação. Nada pode apelar à crença, sem importar se essa crença é negativa (contrária à crença religiosa), ou é positiva, a posição oposta à primeira. A crença, outro assim, pode estar alicerçada sobre fatos metafísicos, ou pode não ter base alguma. A crença, entretanto, não está sujeita à investigação. Essa idéia, naturalmente, elimina o conceito inteiro de "verificação", embora nem por isso torne falsa a crença religiosa. A maior parte das pessoas religiosas acredita que mais pode ser dito em favor de sua fé do que isso. Acreditam que podem descobrir evidências em favor da "visita do Jardineiro". O conceito de "blique" é quase totalmente - positivista lógico - em sua mentalidade, atitude essa que afirma que a investigação quanto aos assuntos religiosos, ou quanto à metafísica, é algo inteiramente inútil, porque nosso conhecimento se limita aos sentidos, o que não pode ser empregado em tal investigação. Contra a mentalidade do positivismo, entretanto, tal conceito dá a entender que algumas crenças religiosas podem ser verazes, a despeito da ausência de meios para sua investigação. O positivismo lógico não afirma, dogmaticamente, que a crença religiosa seja algo destituído de bom senso, mas a sua mentalidade deixa isso implícito.

2. *Abordagens positivas* do problema da verificação com base na experiência religiosa:

a. A fé. A fé transforma. Isso está sujeito à verificação com base na experiência. Já que a fé transforma, pode-se concluir que tem base em fatos. A causa pode ser subentendida como tão grande quanto seus efeitos.

Nossa fé é um farol, e não apenas um portal em uma tempestade, Mas um raio constante de vida a ser vivida, em qualquer forma.

Ela nos guia e dirige; quando o mundo se escurece, ela fica firme;

Ela ilumina todos os recantos, enquanto queima esplendorosamente.

(Marcella I. Siberstorif)

Fé

Oh, mundo, não escolheste a melhor parte!
Não é sabedoria ser apenas sábio;
E fechar os olhos para a visão interna;
Mas é sabedoria crer no coração.
Colombo encontrou um mundo, e não tinha mapa,
Salvo o da fé, decifrado nos céus;
Confiar na suposição invencível da alma
Era toda a sua ciência, e sua única arte.
Nosso conhecimento é uma tocha de pinho fumarento,
Que ilumina a vereda apenas um passo à frente.
Que atravessa um vácuo de mistério e medo.
Ordena, pois, à terna luz da fé que brilhe,
Mediante o que somente é guiado o coração mortal
Para pensar os pensamentos divinos. (George Santayana)

A fé na exigência de Deus, a fé em sua provisão por meio de Cristo, a fé na existência e na sobrevivência da alma após a morte física; os homens vivem e morrem por essa fé; as vidas dos homens são melhoradas porque têm uma fé assim. E quem pode dizer que a grande companhia de "crentes" está equivocada em suas suposições?

b. Agostinho argumentava que Deus ordenou o mundo de tal modo que o "ceticismo" naturalmente leva um homem a habitar nas *trevas* espirituais. Sendo um crente ortodoxo, acreditava ele que o conflito entre o poder divino e o poder diabólico, em nível cósmico, é real, e que os homens são envolvidos nesse conflito. A maldade cósmica envolve muitos truques, e um deles consiste em insuflar no indivíduo o ceticismo. Nessa "atmosfera mental", o indivíduo é cegado por um poder literalmente cósmico, mas perverso, a fim de, primeiramente, reagir e então negar, as realidades espirituais. Torna-se ele o cego do mundo espiritual sem os meios para perceber a verdade. E assim apalpa nas trevas, e a estas chama de luz. Para si mesmo é um "pensador avançado"; mas, segundo uma estimativa autêntica, não passa de um cego. Por isso é que dizia Agostinho: Creio, a fim de compreender.. Segundo a sua estimativa, a *compreensão* não nos é dada quando primeiramente duvidamos, e então investigamos. Pois quais "incrédulos" estão realmente interessados em investigar as crenças religiosas? Antes, a própria compreensão tem início e medra na sola da *fé*. Os céticos puseram a árvore da vida sem uma fruto, plena de desespero. Por essa razão é que o cético, Bertrand Russell, dizia que vivia em confiante "desespero". O ceticismo, por assim dizer, é um "julgamento divino contra os homens que preferem *não crer*, de tal modo que não podem vir a ser iluminados. As jóias da fé jazem esmagadas debaixo da mão de ferro do professor cético; e seus cegos estudantes dão vivas à morte de Deus. Congratulam-se consigo mesmos por terem lançado fora o Jugo da superstição", mas, na realidade, só racharam os vasos que contêm a água da vida, e em breve terão de enfrentar uma sede que não pode mais ser saciada.

c. As pessoas religiosas acreditam que a "intuição" e o "sentimento correto" acompanham a fé. Isso é verdade porque as grandes verdades (conforme afirmam os filósofos), estão além da investigação dos sentidos. Elas precisam ser-nos reveladas através da razão, da intuição, dos sentimentos, ou através de revelações divinas que são formas de misticismo. Se alguém frisar que as várias religiões não têm os mesmos "sentimentos" ou "intuições" acerca das coisas, basta-nos replicar que o "quadro básico", dentro das várias religiões, é constante, e que Deus, finalmente, cuidará dos "detalhes" da crença religiosa.

VERIFICAÇÃO DE CRENÇAS

As pessoas religiosas vêem todas, bem claramente, a verdade de Deus, a verdade da alma, a verdade da necessidade de mediação (como no caso de Jesus Cristo), e a verdade moral. Essas crenças, agindo como guias da vida, são suficientes para que, por elas, sacrifiquemos a vida.

Não o encontrei no mundo ou no sol,
Nas asas da águia ou nos olhos do inseto;
Nem através de indagações feitas pelos homens, As tolas teias que eles têm tecido;
Se, tendo a fé caído no sono,
Eu ouvisse uma voz: "não creias mais". E ouvisse uma praia que retumbasse com ondas no abismo da impiedade,
Um calor dentro do peito dissolveria a parte mais gélida da razão.
E, como homem iracundo. o coração
Erguer-se-ia e diria: 'MAS EU SINTO!'
(Alfred Lord Tennyson)

IV. A Verificação Moral

Temos aqui, na realidade, uma subcategoria do ponto anterior, sobre a "experiência religiosa", embora a julguemos suficientemente importante para exigir menção separada.

A despeito das idéias diversas que as várias religiões possam ter, quase todas elas compartilham de uma *base moral* comum. Aquelas coisas que são "certas ou erradas", aquilo que "deve ou não deve ser feito", a necessidade de amor, etc., são questões sobre as quais há concórdia quase universal entre as pessoas religiosas.

O problema do bem. Temos falado acerca do problema do mal e acerca de como muitas pessoas são empurradas para o *ateismo,* devido ao que está "errado no mundo". "Por que não podemos falar sobre o problema do bem", acerca do que está "certo no mundo", sendo levados para o "teísmo", desse modo? É um fato fácil de verificar que a fé religiosa dá às pessoas uma atitude mais humana para com a vida, além de conferir-lhes amor ao próximo. Apesar do fato de que algumas pessoas religiosas são os piores "odiadores profissionais" contra tudo que não concorda com o "credo" delas, a realidade é que a crença religiosa muito tem feito para fazer surgir o que há de melhor nas pessoas. Quando a fé leva um homem a ser melhor, isso é indicação clara, é uma evidência de que o Jardineiro realmente faz visitas ao seu jardim.

Consideremos o recente acontecimento, em que um casal e seus seis filhos, ao passearem pelos maravilhosos campos do Alaska, no inverno, subitamente se viram frente a frente com um furioso urso marrom. O homem e sua esposa levavam seus filhos em sacos, às costas. O urso atacou, primeiramente ao homem, e feriu-o tão severamente que ele ficou impossibilitado de reagir. A mulher, vendo isso apanhou um galho para defender a todos. Ela ficou batendo no urso, sem causar-lhe dano, mas insistentemente. E de repente, sem qualquer motivo aparente, o urso resolveu bater em retirada. A família inteira foi salva pela coragem da mulher, ou houve algo mais? Não teria sido esse um daqueles casos em que o amor conquista a tudo? Mais tarde, disse o chefe daquela família: "Não me venham dizer que a família está morta, ou que Deus está morto!"

Estamos falando sobre a verificação moral da fé religiosa. Há um fortíssimo amor que é impulsionado por essa fé; há uma vida aprimorada; homens são transformados pela fé. Não serão essas coisas visitas do Jardineiro? Se existe um problema do mal mediante o qual os homens são levados a duvidar da própria existência de Deus, o que dizer sobre o problema do bem? Não será possível que o fantasma que há na máquina seja o Espírito Santo?

Consideremos o caso do alcoolismo. Os Alcoólatras Anônimos têm obtido sucesso na reabilitação de indivíduos de vida destroçada. Os dois princípios usados por eles, administrados com a ajuda de drogas medicinais, têm sido a "solidariedade humana" e a confiança em um *Ser Supremo;* ambas as coisas são conceitos religiosos centrais. A fé religiosa tem salvado vidas arruinadas de muitas formas, que eram escravizadas por décadas. O fato de que isso não tem funcionado, no caso de alguns que supostamente passaram por essa experiência da "conversão", nada é contra o fato de que tem ela transformado efetivamente a muitas outras vidas, no âmbito moral. Não podemos considerar como coisa superficial o "Cristo na vida".

Cristo na Vida
Cristo na vida, valor incomparável, que isso te baste;
Nenhum outro argumento, nem defesa nem apelo eloqüente ou artifício,
Eu te apresento, mas antes, Cristo na vida, que isso te baste.
Não falo do excelente e sutil debate da filosofia,
De argumentos ontológicos, teleológicos, cosmológicos, disso não falo;
Desafio-te com as exigências da alma,
Repreendo a teu espírito, morno, à tua rebeldia e ignorância;
Que esta palavra chegue, a voz que põe fim a toda contenda,
Que isto te baste: Cristo na vida! (Russell Champlin)

V. A Verificação Mística

Embora nem todas as pessoas religiosas tenham consciência disso, o fato é que todas as religiões têm base no misticismo; as experiências místicas estão por detrás das revelações e da autoridade da fé religiosa. As visões tidas por homens, as visitações divinas, etc., formam a base de nossos livros sagrados. Apesar de a fé religiosa poder sobreviver sem o misticismo, não há que negar que é a "voz dos profetas" que empresta poder à fé.

1. Personagens religiosos bem conhecidos e o poder do *misticismo.* É errônea a suposição de que todos os místicos são pessoas de baixo nível mental ou de parcas realizações educacionais, o que tornariam dúbias as suas declarações no tocante a qualquer tipo de avanço no conhecimento. Consideremos a honrada tradição dos místicos: Platão, Paulo, Plotino, Agostinho, Inácio, Tomás de Aquino. Alguns deles têm sido homens de grande gênio filosófico e analítico, ao passo que outros têm sido homens dotados de profundo poder e discernimento espirituais. É muito difícil supormos que a mensagem que eles têm anunciado a respeito de Deus e da alma, estivesse equivocada, e todos eles nos trouxeram, pelo menos, essa mensagem. Tomás de Aquino foi um dos maiores filósofos analíticos, mas, em seus últimos anos de vida, deixou de escrever. Quando foi interrogado por seus estudantes por que assim agia, replicou que suas experiências religiosas eram tão grandes que seus escritos lhe pareciam apenas palha. Ficara sob a influência de Bernardo, o místico, a maior influência moral de sua época.

Os místicos concordam pelo menos sobre dois importantes temas: a. a experiência mística *ilumina,* sobretudo espiritualmente, provendo importante discernimento quanto a áreas vitais da crença; e b. a experiência mística também *transforma* moralmente o indivíduo. Santa Tereza, quan-

VERIFICAÇÃO DE CRENÇAS

do foi acusada por membros de sua própria igreja de entrar em contacto com o diabo, mediante o que ela estaria recebendo suas visões, replicou que suas experiências místicas a tinham transformado moralmente, pelo que era impossível que fossem obra do diabo. Esse é o melhor critério que temos para distinguir o falso do autêntico misticismo. É teste mais válido que ele pode sugerir.

Inácio disse ao padre Laynez, certo dia, que uma única hora de meditação, em Matiresa, lhe ensinara mais verdades sobre as realidades celestiais que todos os ensinamentos de todos os doutores, juntamente, poderiam ter-lhe ensinado. Suas visões o iluminaram para que compreendesse mistérios profundos, como o da Trindade, invadindo a sua alma com tal doçura que a mera memória das mesmas, tempos depois, faziam-no derramar lágrimas em abundância. (Bartoli-Michel, Vie de Saint Ignace de Loyola i. 34-36). Com base em uma outra tradição, sabe-se que Jacó Boehme veio a receber grande conhecimento, especialmente no que diz respeito à natureza e à razão da criação, bem como ao sentido e ao destino da vida.

Tomás de Aquino, ao raciocinar acerca da revelação e das experiências místicas, procurou traçar linhas mestras que ajudem a distinguir o que é espiritual e autêntico do que é meramente psíquico, ou, em outros casos, do que é realmente falso. 1. As revelações ou experiências místicas devem ser "morais". Em outras palavras, não podem contradizer o que se conhece por princípios justos; não inspiram atos imorais e ímpios. 2. As experiências místicas concordam com as Escrituras Sagradas e com a autoridade da igreja, se forem autênticas. 3. As experiências místicas autênticas podem transcender à razão e à lógica, mas não as contradizem inerentemente. Certamente podemos descobrir algumas falhas, nessas declarações de Tomás de Aquino, mas são válidas de modo geral. Poderíamos acrescentar a elas uma subcategoria ao argumento moral. As experiências místicas "transformam moralmente" o indivíduo. Elas são uma força positiva em favor do bem; elas promovem a inquirição espiritual. Quase todos os místicos salientam esse ponto, embora não o façam na forma de um argumento formal.

As experiências místicas autênticas, com seu poder moral e suas graças iluminadoras, podem ser encaradas como traços de visitas do Jardineiro divino entre os homens. Muitos grandes homens e santos têm sido formados através de experiências místicas, e eles mesmos confirmam a realidade do Jardineiro que não deixou o homem sem testemunho, sem poder

2. *As modernas experiências místicas* tendem por servir de verificação da fé religiosa. Aquilo a que chamamos de "dons espirituais" se evidencia no cristianismo atual. Milagres, certamente, não são coisas do passado. Tememos que haja ali muito do que é falso entre o que é veraz, mas isso em nada diminui a glória do que é verdadeiro. Existem hoje, como nos séculos passados, pessoas de alto poder espiritual, que fazem verdadeiros milagres. O "fantasma na máquina" pode ser o Espírito Santo, como algum filósofo sugeriu. Quando um homem faz alguma coisa além das capacidades humanas comuns, encontramos neste ato, um traço dos passos do Jardineiro divino, quando ele visita o homem.

O misticismo (isto é, um contato genuíno de Deus ou do Espírito com o homem) continua a iluminar os homens. Consideremos a experiência do Dr. R . M. Bucke, um psiquiatra canadense:

Eu passara a noite em uma grande cidade, em companhia de dois amigos, a ler e discutir poemas e filosofia. Separamo-nos à meia noite. Eu tinha de fazer longa viagem em um trole, até onde eu estava alojado. Minha mente, sob profunda influência das idéias, imagens e emoções, relembrava a leitura e as conversas, sentindo-se calma e tranqüila. Eu me achava em um estado de *prazer calmo,* quase passivo, não realmente pensando, mas deixando que as idéias, imagens e emoções fluíssem por si mesmas, por assim dizer, através de minha mente. *Subitamente,* sem qualquer advertência, vi-me envolto em uma nuvem de cor de fogo. Por um instante pensei em FOGO, uma imensa conflagração em algum lugar próximo, naquela grande cidade; mas logo em seguida percebi que *o fogo estava dentro de mim mesmo.* Imediatamente depois desceu sobre mim um senso de exultação, de imensa alegria, acompanhada ou imediatamente seguida por uma *iluminação* intelectual impossível de descrever. Entre outras coisas, eu não vim meramente a *crer,* mas vi que o universo não se compõe de matéria morta, mas, bem pelo contrário, é uma *Presença Viva;* tornei-me cônscio da vida eterna em mim mesmo. Não se tratou da convicção de que eu teria a vida eterna, mas da consciência de que ali mesmo eu possuía a vida eterna; vi que todos os homens são imortais, e que a ordem cósmica é tal que, sem qualquer dúvida, todas as coisas cooperam para o bem de cada um e de todos; que o princípio fundamental deste mundo, e de todos os mundos, é aquilo a que denominamos *AMOR,* e que a felicidade de cada um e de todos, em última análise, é algo absolutamente certo. A *visão perdurou* apenas por alguns segundos, e desapareceu, mas a memória da mesma e o senso de realidade do que ela me ensinara, ficaram comigo durante o quarto de século que se tem passado desde então. Eu sabia que o que a visão me mostrara era uma verdade. Eu atingira um ponto de vista do qual pude perceber que tudo deveria ser veraz. Esse *ponto de vista,* essa convicção, e, segundo posso dizer, essa *consciência,* nunca se perdeu, nem mesmo durante períodos da mais profunda depressão (Extraído de seu livro, intitulado, *Cosmic Consciousness*, 1901, págs. 7,8).

O estudo sobre o primeiro capítulo aos Efésios demonstra que a maioria desses discernimentos já estava contida "nas antigas revelações cristãs", embora alguns segmentos da moderna igreja cristã neguem alguns desses itens. (Ver, especialmente, Efé. 1.9,10).

3. *Uma moderna experiência mística,* conhecida pessoalmente pelo autor do presente artigo. Meu irmão, que é missionário no Suriname, teve uma experiência mística de primeira magnitude. No interior daquele país domina o paganismo cru. Juntamente com várias crianças de sua escola, e outros convertidos cristãos, ele foi convidado a ver uma exibição do médico feiticeiro, na qual ele dançaria sobre vidros quebrados e sobre brasas, sem qualquer dano para si mesmo. Sem suspeitar de quaisquer motivos escusos, meu irmão foi, juntamente com as pessoas mencionadas, a fim de ver aquela demonstração de poderes estranhos. Mas, quando o médico feiticeiro terminou a exibição, conforme tinha dito que faria, então desafiou ao povo a retornar aos "velhos caminhos", abandonando a fé cristã. E prometeu que, se assim fizessem, ele também lhes daria o poder de fazerem o que tinha feito. Isso iluminou, em um instante, a mente do missionário, quanto à razão por que fora convidado. Foi então que ele aceitou o desafio. Declarou que faria a mesma coisa que fizera o médico feiticeiro, porque Deus é dotado de poder. Tirando os sapatos, ele pisou sobre os cacos de vidro. Quando percebeu que os seus pés não estavam sendo cortados, pisou sobre os cacos cada vez com mais força, quebrando

VERIFICAÇÃO DE CRENÇAS

os pedaços maiores em menores. Então pôs-se a pisar sobre as brasas, que ainda estavam bem acesas e crepitantes. É verdade que sentiu o calor, mas o fogo não o queimou. A exibição terminou com argumentos acalorados e em confusão geral. Naquela noite o missionário se ajoelhou e fez esta oração simples: "Senhor, se, pela manhã, houver ferimentos ou queimaduras em meus pés, terás sofrido uma tremenda derrota". Chegada a manhã seguinte, o missionário saltou da cama e examinou os próprios pés. Não havia nenhuma marca, nem queimaduras, e nem golpes. E ainda no começo do dia, os habitantes da vila vieram ver o missionário. "Deixe-nos ver os seus pés pediram eles". O missionário lhes mostrou os pés. Não havia marcas e nem queimaduras. Oh, exclamaram, *Deus realmente tem poder!*

Esse é um caso, absolutamente verídico, que cria diversos problemas para os céticos, quanto ao poder da religião e à validade das crenças religiosas. Pois o médico feiticeiro e o missionário evangélico fizeram o mesmo prodígio, algo que um professor universitário não estaria disposto a tentar, quanto menos a realizar o mesmo.

Como é que o médico feiticeiro e o missionário evangélico fizeram tal coisa! O médico feiticeiro diz: "Por meio do poder dos espíritos". E o missionário evangélico diz: "Por meio do poder do Espírito". Este último alude ao mesmo Espírito Santo, mediante o qual o progresso da fé cristã tem tido prosseguimento em meio a um povo que, de outro modo, teria sido tentado a voltar ao paganismo. Ambos confirmam a existência do poder espiritual, a validade das crenças religiosas; e ambos deram apoio às suas declarações com uma tremenda demonstração. O escopo deste artigo não permite entrar nos "comos" e "porquês" daquele feito, realizado por ambos, mas somente procura destacar que há um "como genuíno" que responde a importantes porquês - existem poderes espirituais, negativos e maus, ou então positivos e benéficos.

4. *Os místicos são os técnicos* no campo da crença e das experiências religiosas. O âmago do presente artigo é esta seção sobre o misticismo. Lembrem-se acerca de como começamos a falar, sobre o crítico musical sem senso de tonalidade. Quando ele teceu algum comentário de desprezo a Beethoven, ninguém o chamou de "pensador avançado". A despeito de quaisquer outras qualificações que porventura ele tivesse, ninguém diria que seu relatório sobre a sinfonia foi justa e digna de confiança. Ora, os místicos são aqueles que escutam melhor a música celestial, aos "tons espirituais da existência humana". Esses são os "técnicos" aos quais devemos dar atenção. O que quer que o mais humilde homem diga, descrevendo o que passou, por "experiência" própria, é digno de ser ouvido. Mas qualquer coisa que algum homem diga (erudito ou não), em sua ignorância, devido à sua falta de experiência, não merece um momento sequer de nossa atenção. Não faz muitas décadas que os homens mais "sábios" negaram a existência mesma dos meteoritos, intitulando a exemplares dos mesmos de "rochas feridas por descargas elétricas", porque, segundo diziam, qualquer tolo sabe que não caem pedras do céu. No entanto, durante quatro mil anos vinham sendo guardados meteoritos em templos, pois os aldeões "sabiam" que os mesmos tinham, realmente, caído do céu, pelo que, segundo pensavam, deveriam ter consigo algum poder ou graça divina.

E quando um representante de Tomás Edison visitou a Academia Francesa de Ciências, a fim de mostrar como funcionava o "disco", foi expulso fisicamente dali, pois qualquer tolo sabe que "a cera não pode falar", e julgaram que tudo não passava de um truque barato de ventriloquismo. A lição é clara. Há técnicos no campo da religião. É lógico que a eles é que devemos apelar, quando queremos declarações acerca da verificação das crenças religiosas. Alguns desses têm sido mentes universais.. Consideremos Platão, Paulo, Agostinho, Tomás de Aquino etc. Eles estavam acordes entre si sobre grandes verdades: a verdade de Deus; a verdade da alma; a verdade da moralidade; a verdade da mediação. Diferiam entre si quanto a detalhes, mas, em que campo do conhecimento não se verifica outro tanto?

VI. A Verificação Científica

O que tem a ciência a dizer, em defesa das crenças religiosas? Bastante, por mais surpreendente que isso possa parecer para alguns. É verdade que os homens de ciência, através da história, têm atacado a religião, e a maioria de seus ataques se tem mostrado bem sucedida. A cristandade já defendeu a idéia de uma terra plana que não se move, e da terra como centro do universo. E as autoridades eclesiásticas defendiam denotariamente essas posições, como também o faziam muitos cientistas. Mas os dogmas desnecessários, fortes como o ferro e sem misericórdia como o bronze, em vão defendem o erro. Os pioneiros da ciência, através de muita agonia, finalmente abriram o caminho que conduziu à derrota do dogma. Mas a derrota não tem servido de lição. A igreja tem por hábito acumular dogmas indefensáveis, que lhe dão deleite mas que lhe são prejudiciais. Mas, apesar disso, tem sido ela a guardiã de outra grande e vital verdade. A ciência presente, através da "parapsicologia", está à beira de demonstrar a existência da alma, após a morte física, bem como a existência de seres espirituais. Trata-se de profunda verdade, que nos é vital. Quase todos nós estamos interessados na questão da sobrevivência após a morte física. Se a ciência chegar a demonstrar que isso, realmente, pode suceder, muitos céticos terão de considerar longamente, uma segunda vez, a muitas de suas posições de crença-dúvida.

Ver os artigos sobre a *Alma* e diversos sobre a *Imortalidade*.

Muitas outras formas de estudo dessa natureza poderiam ser mencionadas. Porém, basta-nos dizer que a ciência, finalmente, poderá ser a *campeã da alma*, e, nesse caso, a mentalidade da humanidade inteira terá de modificar-se. Até mesmo aqueles que têm crido na alma e sua sobrevivência, subitamente terão uma nova apreciação do impacto dessa verdade sobre toda a vida. Certamente essa descoberta, confirmada em laboratório, promoverá um interesse geral e profundo pelas realidades espirituais. A igreja falará com nova e convincente autoridade; os cientistas se aproximarão de seus estudos com admiração, acerca da realidade da vida. Haverá a síntese entre o pensamento científico e o pensamento religioso; e os homens perceberão quão veraz é a declaração dos filósofos, que afirmam que "a verdade é uma só". Sem qualquer pejo, os homens começarão novamente a dizer: "Eu creio". A ciência, em nossos dias, está verificando pelo menos uma importante crença religiosa. Amanhã será tão comum falar na "alma", em nossos estudos sobre a personalidade humana, como é comum falar atualmente sobre a circulação do sangue; e quando o conhecimento humano tiver chegado a esse estágio, nos laboratórios, toda a humanidade muito terá ganho. Até mesmo sinais das pegadas do Jardineiro a ciência está descobrindo com suas experiências. Os homens verão o seu "rosto" quando chegarem, não somente a crer, mas também a sabendo, que a alma é imortal.

VERIFICAÇÃO DE CRENÇAS

VII. A Verificação Escatológica

A pessoa confiantemente religiosa dirá: "Finalmente, todos vereis que eu estou com a razão". É que ela acredita que haverá uma "verificação escatológica", embora não dependa disso para ter aquela confiança religiosa.

1. *Parábola da viagem à cidade celeste.* Dois homens se arrastavam ao longo de uma estrada difícil. Um deles era cético e ateu, e o outro, religioso.

A estrada era dificultosa e poeirenta. O cético só encontrava ali evidências de tristeza e dor, de mistura com o caos em geral. Para ele, a estrada não ia para parte alguma. "Mas o crente descobria, naquela mesma experiência e naqueles mesmos acontecimentos dos quais ambos experimentavam, evidências de benevolência e desígnio. O cético pensava que a estrada só levava ao desespero e, finalmente, à morte, o mal final. Mas o crente cria que a estrada conduzia à "cidade celeste". O crente asseverava: "Algum dia, você verá!" É que tinha a confiança de que a vida se reveste de propósito e tem um grande destino. No presente, porém, não "contava com qualquer comprovação esmagadora e talvez contasse apenas com algumas poucas indicações; no entanto, pensava que o "futuro" mostraria que ele tinha razão. "Tinha ele uma *verificação escatológica*. Por enquanto, deixamos ambos de lado sem a concretização da prometida *verificação,* mas, pelo menos, temos sido levados a pensar, temos sido levados a embalar esperança. As outras formas de verificação, que temos observado no presente artigo, justificam a nossa esperança quanto ao futuro.

2. *Parábola da sala de aquecimento central.* Nos países frios, geralmente há nas casas o que se chama de "aquecimento central". Um forno grande, usualmente em um quarto especial, no porão, bombeia ar quente, por meio de tubos que vão por toda a casa, levando calor a cada cantinho frio. Imaginemos agora dois "seres subterrâneos", que nunca viram o mundo lá de cima, que de algum modo foram varando caminho até o "porão" e entram diretamente na sala do forno. Para conveniência da nossa parábola, imaginemos que no mundo subterrâneo daqueles seres, encoberto por seu teto de pedras, que havia rumores, dogmas e histórias sobre o "mundo lá de cima", com um "céu aberto" de estranha beleza, com muitas habitações e com uma raça de seres muito superiores aos seres subterrâneos. Alguns dos seres subterrâneos denominavam tais histórias de *mitos*. E outros diziam: "Como se pode saber com certeza?" E ainda outros diziam: "É impossível investigarmos tais coisas, pois nosso conhecimento se limita à percepção dos sentidos, que se confinam ao nosso mundo, e ninguém pode investigar o que porventura exista acima do teto de pedras". Mas a verdade é que alguns daqueles seres afirmavam a realidade do "mundo lá de cima", embora nunca o tivessem visto. E alguns dentre eles até asseveram ter tido visões do mesmo, referindo-se ao "mundo superior" como algo "inspirado".

Mas, voltemos agora para a sala da fornalha. Acabam de chegar ali dois subterrâneos. O primeiro pensa que tão-somente chegaram a outro nível do seu próprio mundo. Mas o outro supõe que foi feita nova e grandiosa descoberta. O cético salienta quão desagradável é a atmosfera do lugar. Está cheia de fumaça; há ratos e baratas correndo ao redor. Portanto, não seria o portal de coisa alguma, mas apenas um final horroroso. O outro, entretanto, percebe desígnio. naquela sala, apesar de seu meio ambiente enfumaçado. Supõe, após inspeção, que ela deve ter alguma função, que essa função é boa, e que, de alguma maneira, está vinculada ao "mundo lá de cima". Não pode ver a mansão. que lhe fica imediatamente por cima, apesar do que postula a sua existência. Sabe que a sala da fornalha é um local miserável, mas também está convencido de que é começo de algo melhor. Deixemos de lado os dois seres subterrâneos, um dos quais duvida, enquanto o outro crê. Admitimos que "carregamos" esta parábola com itens em favor do "teísmo". Mas esperamos que o presente artigo indique que esse "carregamento" seja justificado, isto é, que a fé religiosa seja passível de verificação.

3. *Finalmente, consideremos a parábola do ateu* que sobreviveu à morte física. "É preciso que eu tenha provas", dizia ele. E assim, a morte mostrou-lhe que a morte não mata. Ele morreu no corpo físico, mas continuava existente. Essa foi a sua primeira surpresa. Vê o seu corpo caído ali, morto como a proverbial maçaneta da porta. Mas ele exclama: "Não estou morto – não sou aquele corpo". Especulemos, por conseguinte, o que isso significaria para ele:

a. Se ele sobrevive em *qualquer estado.* Se porventura ele sobrevive em qualquer estado, se a morte biológica não mata a personalidade humana, então ele terá de admitir que uma importantíssima doutrina religiosa estava com a razão, e que ele estava equivocado. Ora, se ele estava equivocado em uma área tão importante, é razoável pensar que ele poderia estar enganado quanto a muitas outras áreas. Deus, por exemplo, bem que poderia existir mesmo, como um ser espiritual puro, conforme agora ele se via ser.

b. Se ele sobrevive, mas entra em um *estado pior.* Nesse caso, agora lhe foram conferidas duas grandes revelações. A primeira é que a religião cristã tinha razão ao afirmar a existência da alma e sua sobrevivência ante a morte física; e a segunda é que ela parece ter tido razão ao predizer o Julgamento; porquanto faz parte do ensinamento cristão geral que um homem julgado "entra em um estado pior" do que aquele em que vivia quando em seu estado mortal. Esse "estado pior" pode não ser exatamente semelhante ao que lhe tínhamos dito, e pode até mesmo ser bem diferente de nossa descrição; todavia, sendo "pior", ele terá de interpretar que o mesmo envolve alguma espécie de Julgamento. Ele havia espalhado desespero, e não esperança, e agora colhia o que tinha semeado. Terá de admitir, portanto, que estava equivocado quanto a duas áreas vitais do pensamento; e isso abre a possibilidade de estar ele equivocado ainda em outras áreas vitais.

c. Se ele sobrevive em um estado *muito parecido* àquele que conhecemos à face da terra, ele deve ter as mesmas formas de pensamento descritas sob ponto "a", acima.

d. Se ele sobreviver em um *estado melhor,* terá de admitir duas coisas: a primeira é que a fé religiosa estava com a razão acerca da "questão da sobrevivência" da alma, ao passo que ele estava equivocado; e a segunda é que a fé religiosa falava acerca de um "Deus benévolo" e de certa *solução* para o problema do mal. E esse era o problema que o levara a duvidar até mesmo da existência de Deus. E agora que ele, antes ateu rebelde, se acha em um estado melhor que o anterior, sem importar o grau de melhoramento, tem de admitir, embora ainda não veja a Deus, que deve haver alguma "força benévola" que opera no universo, que reverte os horrores dos sofrimentos terrenos, que faz a morte tornar-se um benefício e não o desastre final. Essas considerações poderiam até mesmo conduzi-lo a Deus, a buscar ao Senhor, a crer. A antecipação das mesmas faz muitos homens crentes, agora mesmo.

Temos de admitir que corregamos essa palavra em fa-

VERIFICAÇÃO DE CRENÇAS – VERME

vor do *teísmo*, por semelhante modo. Mas a verificação científica da alma, que temos discutido há pouco, permite-nos e até mesmo encoraja-nos a fazê-lo. Essa espécie de verificação, sem qualquer outra ajuda, permite-nos afirmar a validade potencial da "parábola do ateu que sobrevive" à morte física, sem importar no que resulte de sua morte física. Ver o artigo sobre *Experiências Perto da Morte*.

Oh, se traçarmos um circulo prematuro,
Sem nos importarmos do ganho além,
Ansiosos por lucro imediato, certamente
Má terá sido a nossa barganha!
(Robert Browning)
Edifica para ti mansões mais imponentes, ó minha alma,
Enquanto as rápidas estações se passam!
Deixa de lado teu passado de teto baixo!
Que cada novo templo, mais nobre que o anterior,
Te feche do céu com uma cúpula mais vasta,
Até que, por fim, estejas livre,
Deixando tua concha pequena no mar agitado da vida.
(Oliver Wendell Holmes)

Observações:
1. Este artigo é *filosófico*, portanto, não procura fazer finas distinções teológicas. O artigo procura investigar modos de pensar sobre o assunto tratado e não apresentar conclusões dogmáticas.
2. Alguns dos pensamentos oferecidos nos argumentos não representam as próprias convicções do autor. Por exemplo, na parábola sobre o ateu não achamos que ele vai encontrar um estado melhor, no mundo espiritual depois da morte. I Ped. 4:6 claramente indica que qualquer melhoramento no estado dos desobedientes será realizado através do julgamento, não sem ele.
3. O artigo foi escrito essencialmente para céticos, portanto, enfatiza argumentos que vêm através da religião natural, embora não exclua o "misticismo", que obviamente, é um meio de verificação que vem diretamente da religião revelada.
4. Neste tratado, a palavra *misticismo* indica qualquer contato genuíno (embora seja sutil) com uma força super-humana. Esta definição é a mais básica da palavra. O cristianismo, como deve ser claro, segundo esta definição, é uma religião altamente mística. As Escrituras se baseiam sobre as experiências místicas (visões, inspirações) dos profetas e apóstolos. As experiências místicas, históricas e modernas, são os meios mais poderosos para demonstrar à validade da fé religiosa.
5. Temos muitos meios para alcançar a verdade de Deus. A verdade é uma só, e se discutirmos científica, filosófica, ou teologicamente, (se nossa discussão for válida) alcançaremos a mesma verdade.
6. Em Atenas, entre filósofos, Paulo não hesitou em utilizar argumentos filosóficos. I Ped. 3:15 nos mostra que devemos estar prontos para fazer uma defesa em favor da esperança da nossa fé. Acreditamos que esta defesa pode incluir os diversos tipos de argumentos apresentados neste artigo.

Bibliografia. AM B E F EP MM P

VERME

Nada menos de cinco palavras hebraicas e de uma palavra grega são traduzidas, nas versões em geral, pela palavra genérica "verme", a saber:
1. *Tola*, "verme". Essa palavra, que também significa "carmesim", significa "verme", por uma vez, em Êxo. 16:20, onde nossa versão portuguesa a traduz por bicho. "Eles, porém, não deram ouvidos a Moisés, e alguns deixaram o maná para a manhã seguinte; porém, deu bichos e cheirava mal..."
2. *Rimmah,* "verme". Essa palavra hebraica ocorre por sete vezes no Antigo Testamento: Êxo. 16:24; Jó 7:5; 17:14; 21:26; 24:20; 25:6; Isa. 14:11.
3. *Tolaath,* "verme". Esse termo hebraico aparece por sete vezes: Deu. 28:39; Jó 25:6; Sal. 22:6; Isa. 14:11; 41:14; 66:24; Jon. 4:7.
4. *Zachal*, "verme". Esse termo hebraico também só aparece por uma vez com o sentido de "verme", embora a nossa versão portuguesa prefira interpretá-lo como "*répteis*", conforme se vê no trecho de Miquéias 7:17: "Lamberão o pó como serpentes; como répteis da terra, tremendo, sairão dos seus esconderijos....
5. *Sas,* "verme". Esse é um outro vocábulo hebraico que foi utilizado somente por uma vez em todo o Antigo Testamento, em Isaías 51:13, onde a nossa versão portuguesa, novamente, o traduz por "bicho". Lemos ali: "Porque a traça os roerá como a um vestido, e o bicho os comerá como a lã".
6. *Skóleks,* "verme". Essa palavra grega foi empregada somente por uma vez em todo o Novo Testamento, em certa declaração do Senhor Jesus, em Marcos 9:48: "onde não lhes morre o verme, nem o fogo se apaga". Outras versões, seguindo certos manuscritos inferiores, fazem toda essa sentença repetir-se nos versículos 44 e 46 desse mesmo capítulo do segundo evangelho. Nossa versão portuguesa, entretanto, coloca essas reiterações entre colchetes, demonstrando assim que os seus revisores tinham consciência de que há uma dúvida quanto a essas reiterações, se elas deveriam ou não ser incluídas no texto sagrado.

Em vista da tremenda dificuldade de tradução dos vocábulos hebraicos (incluindo todo o vocabulário hebraico relativo à fauna e à flora, nas páginas do Antigo Testamento), não imaginemos que a nossa versão portuguesa tenha sido mais feliz que outras versões, portuguesas e estrangeiras, na interpretação desses vocábulos relativos aos *vermes*.

Além dos sentidos literais, que todos os estudiosos reconhecem ser dificílimo de deslindar uns dos outros, desde o Antigo Testamento até o Novo, as palavras traduzidas por "verme" também revestem-se de sentidos metafóricos, conforme se vê, por exemplo, em Isaías 41:14: "Não temas, ó vermezinho de Jacó, povozinho de Israel; eu te ajudo, diz o Senhor..."

Passamos a comentar de modo abreviado cada um desses seis vocábulos (cinco hebraicos e um grego), na mesma ordem de apresentação da lista acima:
1. *Tola*. Segundo já vimos, esse vocábulo hebraico aparece dentro do contexto do recolhimento do maná, por parte do povo de Israel, no deserto. Esse recolhimento deveria ser feito em porções adredemente determinadas, a cada dia, conforme se vê no décimo sexto capítulo do livro de Êxodo. Uma possível explicação para a podridão que se manifestou no maná guardado de um dia para o outro, excetuando em dia de sábado, é que esse verme seria, na verdade, a larva da mosca. Em um clima quente como aquele que fazia no deserto, e em um período histórico em que as questões e as medidas sanitárias ainda eram tão precariamente conhecidas, não nos é difícil imaginar tal possibilidade. Quanto ao fato de que essa palavra hebraica também significava "carmesim", não devemos imaginar nada de especial. Em todos os idiomas, antigos e modernos, há palavras que significam mais de uma coisa.

VERME – VERMELHO

2. *Rimmah*. Visto que esse termo hebraico foi freqüentemente usado em um sentido metafórico, e isso da maneira mais variada, segue-se que esse deve ter sido um termo geral para indicar "verme". No cântico fúnebre da profecia de Isaías, lamentando pelo rei da Babilônia, encontramos os seguintes dizeres: Derribada está na cova a tua soberba, também o som da tua harpa; por baixo de ti uma cama de gusanos, e os vermes são a tua coberta. Curiosamente, nesse trecho, gusanos é que corresponde ao termo hebraico *rimmah*; e a palavra portuguesa verme, que ali também aparece, corresponde ao vocábulo hebraico *tolaath*, sobre a qual comentamos abaixo.

3. *Tolaath*. O que se reveste de maior interesse, no tocante a essa palavra hebraica, é que, em combinação com *shani*, "vermelho", por nada menos de 27 vezes ela significa uma cor, -escarlate-. Isso se vê, por exemplo, em Isaías 1:18 "...ainda que os vossos pecados são como a escarlate, eles se tornarão brancos como a neve..." Talvez a explicação mais razoável para isso seja o fato de que o pigmento vermelho dos antigos era extraído de um inseto cujo nome científico moderno é *Cocus illicis*, que se hospeda no olmeiro, uma árvore muito abundante no norte da Palestina. Esses insetos têm um corpo muito mole, como o dos vermes; e, por causa disso, eles preparavam uma capa protetora, feita de cera, por cima de alguma pequena cavidade na casca daquela planta. O pigmento vermelho era extraído exatamente dessa capa protetora, que se parecia com uma escama. De acordo com a química moderna, sabe-se que o ingrediente ativo desse pigmento é o ácido quermésico, e que o corante obtido do mesmo é uma das antroquinonas. Dissolvido na água assume uma cor vermelho-amarelada, mas torna-se vermelho-violeta em soluções ácidas. O próprio inseto em pauta é minúsculo, pertencente à classe dos piolhos das plantas. Outros estudiosos, com base nas mesmas indicações, pensam que se tratava de alguma lagarta.

4. *Zachal*. Visto que nossa versão portuguesa, em sua única referência no A. Testamento (Miquéias 7:17), traduz essa palavra como *répteis* (ver acima), temos a dizer que muitos eruditos não acreditam nisso, porquanto preferem pensar em algum tipo de verme, a despeito das palavras de Miquéias: "...sairão dos seus esconderijos...", pois até os vermes podem esconder-se em esconderijos, e não somente os répteis. A versão Berkley da Bíblia inglesa, diz ali (agora vertido para o português): "...como vermes da terra, tremendo, sairão de suas fortalezas..." Naturalmente, essa passagem fala de homens, tremendamente assustados diante da aproximação do Senhor Deus, daí também eles sairão de suas "fortalezas".

5. *Sas*. À primeira vista, o contexto de Isaías dá a entender que está em foco a lagarta da traça. E essa é a posição que muitos comentadores têm tomado. Mas, visto que a lagarta da traça não se parece nem um pouquinho com um verme, outros estudiosos preferem pensar na barata, ou em algum outro inseto similar, dado à destruição de fibras e tecidos. Ver também o artigo sobre a Traça. Isso exibe a dificuldade de interpretar essas palavras hebraicas.

6. *Skóleks*. Esse é o termo usado para indicar a tênia solitária em seu estado embriônico. A única passagem onde essa palavra aparece no Novo Testamento é em Marcos 9:48: "...onde não lhes morre o verme, nem o fogo se apaga". Temos aí uma citação direta de Isaías 66:24. Ora, em Isaías encontramos o termo hebraico, *tolaath* (ver acima). Por conseguinte, não se deve pensar em qualquer interpretação literal da palavra grega em Marcos, a menos que alguém consiga provar que a *tolaath* era o verme da tênia solitária.

Seja como for, o quadro mental que se forma, ante aquelas palavras de Jesus, em referência aos que serão lançados na Geena de fogo, não é nenhum quadro agradável, que indique alguma subida na escala do ser. Bem pelo contrário, os condenados à perdição eterna (ao menos comparativamente com os remidos).

Embora seja legítimo falar comparativamente, usando palavras severas para comparar o estado dos perdidos com aquele dos remidos, uma teologia mais iluminada leva em consideração que a missão tridimensional de Cristo (na terra, no Hades e nos céus) beneficiará os perdidos também. Alcançarão, afinal, através do julgamento, uma glorificação notável, embora não aquela dos remidos. Ver estes conceitos desenvolvidos nos artigos: *Restauração; Mistério da Vontade de Deus; Missão Universal de Cristo e Descida de Cristo ao Hades*.

VERMELHO

Ver o artigo geral sobre *Cores*, quinto item.

Está em pauta o termo hebraico *shashar*, de etimologia desconhecida. A Septuaginta traduz esse termo por *míltos*, "ocre vermelho". Nossa versão portuguesa o traduz por "vermelhão" e por "vermelho", respectivamente, nos dois únicos trechos onde essa palavra ocorre: Jer. 22:14 e Eze. 23:14.

O vermelhão é um pigmento vermelho, obtido em várias fontes, usado em pinturas. Primeiramente foi usado o inseto feminino do gênero cochonilha, cujo nome em árabe, *kermis*, está vinculado à nossa palavra *carmesim*. Também era feito a partir do cinábrio ou sulfeto de mercúrio, de cor muito vermelha. O cinábrio, é usualmente, encontrado em forma maciça, granular, de cor vermelha brilhante, Mas o vermelhão também pode ser fabricado a partir da hematita, um minério de ferro, também chamado "ocre vermelho" (no grego, *míltos*).

Nos dias do profeta Jeremias, o vermelhão era usado pelas pessoas das classes abastadas para pintura das paredes de suas residências. O rei de Judá, da época, Jeoaquim, foi condenado pelo profeta porque se preocupava mais em adornar o seu palácio do que em praticar a justiça (Jer. 22:14). Em uma alegoria, relatada pelo profeta Ezequiel, Oolibá, uma prostituta que representava a cidade de Jerusalém, teria visto "...homens pintados na parede, imagens dos caldeus, pintados de vermelho" (Eze. 23:14). Isso sugere que o vermelhão também era usado nas decorações murais. E também era empregado para pintar ídolos de madeira, feitos pelos carpinteiros. Ver Sabedoria de Salomão 13:14.

Os gregos usavam o vermelhão para pintar suas peças de cerâmica, o que chegou a ser imitado pelos romanos. Os homens das tribos africanas cobriam seus corpos com vermelhão, como pintura de guerra. Ver Heródoto 55.191,194; 7.69. Isso nos faz lembrar de nossos indígenas, que também se pintam de vermelho, feito de urucum, e que assim se adornam tanto para a guerra quanto para as suas freqüentes festas e cerimoniais. De fato, todos os mongóis apreciam muito a cor vermelha.

Como adjetivo ou como verbo, aparece como várias palavras hebraicas e gregas, no A.T. hebraico, no N.T. grego e na LXX. Ver Gên. 25:2S; 49:12; Pro. 23:29; Lev. 13:14; Mat. 16:2,3; Jó. 16:16.

Da longa lista de palavras hebraicas e gregas, a raiz hebraica mais comum se baseia na cor do solo vermelho do Oriente Médio. A palavra grega mais comum (*purrôs*), vem da palavra que significa "fogo". Em conexão com a

VERMELHO – VERSÕES EGÍPCIAS

palavra hebraica, temos o nome do primeiro homem, "Adão", que foi criado com terra vermelha. O nome da nação "Edom" tem os mesmos elementos radicais. Outra conexão é entre a palavra hebraica para "vermelho" e a palavra hebraica para "sangue". O trecho de II Reis 3:22 tem um jogo de palavras com essas duas palavras.

O vermelho era uma cor natural de alguns cereais (Gên. 25:30), do vinho (Pro. 23:31), de uma novilha (Núm. 19:2), de alguns cavalos (Zac. 1:8; Apo. 6:4) e do firmamento antes do tempo bom (Mat. 16:2 s). Pontos vermelhos em uma pessoa podem indicar lepra, de acordo com Lev. 13:19; ou pode indicá-la em uma peça de vestuário (Lev. 13:49). O vermelho ou a púrpura era usado em coisas dispendiosas, como as peles de carneiro tingidas de vermelho, usadas na cobertura do tabernáculo (No. 25:5), ou como os escudos de guerra (Naum 2:3). Isaías 1:18 usa três palavras paralelas para indicar vermelho, para descrever o pecado.

VERÔNICA, SANTA

A figura de Verônica ao que tudo indica é lendária, fruto da imaginação daqueles que viram um famoso quadro de Cristo, pertencente ao século XII d.C. Verônica e a impressão em uma peça de tecido acabaram entretecidas no relato da paixão de Cristo, embora a Bíblia faça total silêncio a respeito. A Verônica é um pedaço de fazenda sobre o qual teria ficado impresso o rosto de Cristo, quando ele estava a caminho do Calvário, e ela o interrompeu, para enxugar-lhe o rosto. Quando ela retirou o pano do rosto de Cristo, eis que a imagem de seu rosto estava impressa no pano. Popularmente, embora não cientificamente, a palavra verônica derivar-se-ia da combinação da palavra latina *verum*, "verdadeiro", e da palavra grega *ikon*, "imagem".

VERSÃO ARMÊNIA

A versão armênia da Bíblia foi feita no ano de 410 d.C. por Miesrob, com a ajuda dos seus estudantes Janes Eclensis e Josefo Palnensis. Parece que o patriarca Isaque foi o primeiro a tentar fazer uma versão armênia, porque os persas haviam destruído todas as cópias da versão grega, a fim de fazer uma tradução do siríaco peshito. Miesrob tornou-se seu ajudante, tendo sido feita uma tradução do siríaco. Mas o texto do Antigo Testamento em armênio, juntamente com as versões árabe, georgiana e eslavônica, foram feitos da Septuaginta, e não do hebraico. A versão do Novo Testamento em armênio data do século V d.C.

A Armênia era um país a leste da Ásia Menor e ao norte da Mesopotâmia, entre os impérios romano e persa, tendo sido evangelizada desde o século III d.C., por missionários de língua siríaca. Alguns eruditos pensam que a versão armênia foi traduzida do grego, e não do siríaco, mas o siríaco parece ser a melhor idéia, o que se demonstra pelo fato que essa versão inclui a terceira epístola de Paulo aos Coríntios, um livro apócrifo, e omite a epístola a Filemom, o que também se dá com a versão siríaca. Seja como for, o texto é parcialmente alexandrino e parcialmente ocidental, o que os críticos textuais de nossos dias chamam de *Cesareano*. Quanto a maiores detalhes, ver o artigo sobre os *Manuscritos*, sob *Versões*.

A maioria dos manuscritos mais antigos dessa tradução omite os últimos doze versículos de Marcos; mas um deles, datado de 989 d.C., os contém, embora haja uma nota que diz que foram compostos pelo ancião *Arístion*, que viveu no século I d.C., tendo sido mencionado por Papias como um dos discípulos originais do Senhor Jesus. Ninguém sabe quão fidedigna é essa tradição. Ver o artigo sobre *Arístion*. (KE ME)

VERSÃO BOÁRICA

Uma tradução feita no norte do Egito, de todo o Novo Testamento. Testifica sobre o texto alexandrino. Ver o artigo sobre os *Manuscritos do Novo Testamento*, quanto a uma discussão geral sobre as versões do Novo Testamento. Ver também o artigo separado sobre *Bíblia, Versões da*.

VERSÃO CÓPTICA

Ver o artigo sobre *Bíblia, Versões da*.

VERSÃO DE ÁQUILA

Trata-se de uma versão grega do Novo Testamento, conhecida por referências; no mundo judaico-cristão. Ocupava a terceira coluna da Hexapla de Orígenes (ver o artigo). Fragmentos dessa versão podem ser encontrados em algumas notas marginais de alguns manuscritos da Septuaginta. O Áquila envolvido nessa versão teria sido cunhado do imperador Adriano. Ele tem sido identificado com Onquelos, autor do Targum aramaico, mas tal identificação é incerta. Alegadamente, foi pupilo do rabino Aquiba. Ele mostra grande preocupação com o sentido de sílabas e letras, que presumivelmente poderiam ser encontrados no texto da Bíblia hebraica. Usou sua erudição para produzir uma mui rígida tradução do hebraico para o grego, usando raízes gregas correspondentes às raízes hebraicas, mesmo quando isso distorcia o verdadeiro sentido, na tradução grega. Aparentemente, ele estava mais interessado em dar um guia sobre o texto hebraico inspirado do que em realmente traduzi-lo de modo significativo. A tradução evidentemente foi feita para leitores judeus, versados no hebraico, mas menos versados no grego. A tradução pertence ao segundo século da era cristã. (KE REI Z)

VERSÍCULOS, DIVISÃO DA BÍBLIA EM

A Vulgata Latina havia sido dividida em capítulos no século XIII, por Estêvão Langton. E Roberto Etienne (*Stephanus*, conforme é a forma latina de seu nome, usualmente impressa) foi quem introduziu a divisão da Bíblia em versículos. Etienne foi um impressor francês. Essa inovação foi introduzida pela primeira vez no texto do Novo Testamento grego, em 1551, quando foram marcados sete mil novecentos e vinte e nove versículos. William Whittingham, de Genebra, adotou essa divisão em sua edição do Novo Testamento grego, em 1557. As divisões em versículos estenderam-se também ao Novo Testamento e aos livros apócrifos do Antigo Testamento, na Bíblia de Genebra, em 1560. Daí, essa divisão passou para as traduções bíblicas em diversos outros idiomas. Apesar de haver algumas variações, parcialmente devido aos manuscritos hebraicos e gregos com textos um tanto mais breves (pelo que lhes faltam certos versículos), que têm sido usados nas traduções, esse sistema tem sido preservado de forma notavelmente coerente.

VERSÕES ARAMAICAS

Ver sobre *Manuscritos Antigos do A. Testamento*.

VERSÕES DA BÍBLIA

Ver o artigo detalhado *Bíblia, Versões da*. Várias versões são consideradas em separado, nesta enciclopédia, com o título Versão. O artigo sobre *Manuscritos Antigos do Antigo e Novo Testamentos* tem alguma informação adicional.

VERSÕES EGÍPCIAS DO NOVO TESTAMENTO

Ver os artigos sobre *Bíblia, Versões da* bem como o

613

VERSÕES ESLAVÔNICAS – VESPASIANO

artigo geral sobre *os Manuscritos do Novo Testamento*, em seu quarto ponto, *Descrição das Versões e Escritos dos Pais da Igreja*.

VERSÕES ESLAVÔNICAS
Ver sobre *Bíblia, Versões da*

VERSÕES ETÍOPES
Ver sobre *Bíblia, Versões da*, e *Manuscitos Antigos do A. e N. Testamento*.

VERSÕES LATINAS
Ver os artigos sobre **Bíblia, Versões da** e **Manuscritos Antigos do A. e N, Testamento.**

VERSÕES SIRÍACAS
Ver *Bíblia, Versões da* e *Manuscritos Antigos do Novo Testamento*.

VESPA
No hebraico, *tsirah*. Esse vocábulo ocorre por apenas três vezes em todo o Antigo Testamento, a saber, em Êxo. 23:28; Deu. 7:20 e Jos. 24:12.

Deus prometeu aos israelitas que combateria por eles, lançando as forças naturais violentas contra os seus adversários, sem falar em causas psicológicas, no íntimo dos inimigos. Uma dessas forças naturais seria o ataque de vespas e animais ferozes. Destarte, certos inimigos seriam expelidos da Terra Prometida, embora lentamente, para que os israelitas pudessem ir ocupando paulatinamente as terras abandonadas por adversários como os cananeus e os heteus. Pode-se imaginar cenas como aquelas que, modernamente, têm sido imaginadas em certos filmes de terror, em que populações inteiras são aterrorizadas por animais e insetos que, normalmente, não dão trabalho maior aos homens, como as formigas, os passarinhos, os cães e as vespas!

Todas as três passagens referidas aludem a essa ajuda prestada pelo Senhor Deus, na expulsão de inimigos de Israel, mais fortes, preparados e aguerridos que o antigo povo de Deus.

VESPAS
No hebraico, *sira*, uma palavra que significa "ferroadora". Ver Êxo. 23:28; Deu. 7:20; Jos. 24:12 e Sabedoria de Salomão 12:8. O termo grego correspondente é *sphekas*, que nunca aparece nas páginas do Novo Testamento.

Na Palestina abundam vespas de várias espécies. As passagens acima citadas têm sido entendidas em sentido literal ou figurado pelos intérpretes. As vespas, com suas formidáveis ferroadas, podem servir de instrumentos, nas mãos de Deus, para infligir castigo. Ou então, elas podem servir de símbolos do látego divino. Há registros históricos de ataques de vespas que, literalmente, expulsaram as populações dos lugares onde residiam, como em Aélia (ver *Hist. Anim.* 9:28).

A vespa é o maior dos insetos himenópteros, que vive em colônias. Pertence a espécies bem variadas, distinguindo-se pelas dimensões. "Faz ninhos suspensos em ramos de árvores. Facilmente pode ser enfurecida, e ataca em grandes números as suas vítimas. Um ninho de vespas contém uma rainha e muitas obreiras, de menor tamanho, suas filhas, que buscam o néctar e o mel de plantas, como também outros insetos, de corpos moles, para alimentarem suas larvas em desenvolvimento.

Usos Figurados. 1. Em Êxo. 23:28, a vespa simboliza *o temor;* e, de fato, a palavra terror aparece no versículo imediatamente anterior. Assim, o temor que Deus infunde, por seus atos de juízo, pode ser tipificado pelas vespas (Deu. 2:25; Jos. 2: 11). 2. Outros têm identificado a vespa com o símbolo sagrado dos Faraós do Egito. Nesse caso, a vespa mencionada em Deu. 7:20 e Jos. 14:12 poderia aludir às campanhas dos egípcios em Canaã, antes do êxodo de Israel; mas essa interpretação não tem encontrado muitos adeptos.

VESPASIANO
1. O Nome
Seu nome completo era Titus Flavius Sabinus Vespasianus. Foi o nono imperador romano (69-70 d.C.), depois que o trono romano, após a morte de Nero, passou em rápida sucessão pelas mãos de três homens em um só ano, Galba, Oto e Vitélio.

2. Relação a Jerusalém
Vespasiano, que estivera dirigindo o cerco de Jerusalém, em face da revolta dos judeus, foi convocado para assumir o poder imperial em Roma. Ele deixou o seu filho, Tito, como general em chefe das forças romanas que combatiam contra os judeus. A principal tarefa de Vespasiano, ao chegar em Roma, consistiu em reconstruir o império, após o desgoverno de Nero e o ano de anarquia que se seguiu a ele. Vespasiano era homem direto e franco, de caráter honesto, de mistura com a simplicidade de vida e um grande bom senso, tudo o que o predispunha admiravelmente para a incumbência que tinha à frente. Além disso, os vários problemas fronteiriços e outros, do império, foram sendo corrigidos. Primeiramente, a revolta dos judeus foi abafada no ano seguinte, 70 d.C.; uma revolta via Gália também foi suprimida; e, aí pelos fins do ano 80 d.C. todas as fronteiras do império romano estavam pacificadas. E isso causou o reavivamento da confiança popular nos seus governantes. Certo de que seu governo funcionaria, em celebração à nova era, que se iniciava com sua subida ao trono, Vespasiano não tardou muito a reconstruir o templo romano da colina Capitolina.

3. Problemas Especiais
Um dos problemas mais vexatórios com que Vespasiano se defrontou foi o estado financeiro do império. Mas o monarca enfrentou o problema cortando as despesas internas inúteis, elevando as taxas cobradas das províncias e pondo em vigor um estrito programa de cobrança de impostos. Além disso, fez devolver ao Estado terras públicas que haviam sido ilegalmente ocupadas por certos indivíduos. Esses métodos financeiros, juntamente com a imposição de novas taxas, em Roma, deram-lhe a reputação de ser homem parcimonioso. No entanto, esse programa de austeridade nas finanças serviu para beneficiar o império, a curto e a longo prazo. Endireitadas as finanças, Vespasiano começou a construção do famoso Coliseu (um dos cartões postais de Roma, até hoje); e, pelas províncias em geral mandou construir estradas e edifícios públicos, onde esses se fizessem necessários. Também patrocinou a produção de obras de arte e encorajou a atividade educacional em muitos sentidos.

4. Postura Política
Quanto à sua postura política, Vespasiano mostrou ser bastante liberal. A fim de preencher as cadeiras vagas do senado romano, ele nomeou tanto a italianos de nascimento quanto a indivíduos das províncias romanas. Conferiu direitos latinos a todas as cidades da Espanha e encorajou a romanização das províncias mais afastadas da capital, que se encontravam em estado de atraso. Tam-

bém encorajou e fomentou a vida municipal por todo o seu vastíssimo reinado, nomeando governadores e outros oficiais, sobre os quais, entretanto, exercia estrito controle, e esses, quando administravam mal, eram severamente punidos. No entanto, sua política exterior era um tanto mais conservadora: preferiu fortalecer as fronteiras já existentes, em vez de expandi-las.

Embora Vespasiano quase não tivesse alterado a constituição vigente, tendo demonstrado grande respeito pelos senadores, ao consultá-los formalmente em todas as ocasiões necessárias, pendia para a autocracia. Para exemplificar isso, Vespasiano deixou bem claro que seus dois filhos, primeiramente Tito, então Domiciano, deveriam ser seus sucessores. Essa imposição do poder imperial, no entanto, provocou forte oposição por parte da aristocracia estóica, o que resultou na execução do seu principal líder, Helvídio Prisco. Sem embargo, a estima geral em que Vespasiano era tido por todo o império é indicada pelo fato de que, ao falecer, no ano de 79 d.C., foi deificado pelo senado.

VESTA

De acordo com a mitologia romana, ela era a deusa da lareira, protetora do Estado, guardiã do fogo sagrado. Ela era identificada com a deusa grega Héstia (deusa da lareira). Ela era considerada fundadora e protetora da família. Em Roma ela era tida como a chefe das divindades domésticas. Ver o artigo *Virgens Vestais*.

O imperador Teodósio I aboliu o culto a Vesta, em 394 d.C., o que estava de acordo com seu intuito de erradicar o paganismo do império romano cristianizado.

VESTE SUNTUOSA

No hebraico, *pethigil*. A palavra ocorre somente em Isaías 3:24, indicando aquela porção das vestes femininas que encobriam a boca do estômago e o peito. É difícil dizer por que nossa versão portuguesa diz "veste suntuosa", pois até mesmo versões estrangeiras do século XVII, como a King James Version, haviam acertado quanto à tradução desse termo grego. Na King James Version encontramos o termo inglês *stomacher*, cobridor do estômago (tradução literal). Mas, a tradução portuguesa mais correta seria "corpete". Talvez a nossa versão portuguesa tenha seguido a Revised Standart Version, que diz *rich robe*, "veste rica", embora isso represente um retrocesso, e não um avanço, quanto ao sentido da palavra hebraica.

O corpete, usado por mulheres elegantes até o começo do século XX, era uma peça ricamente ornamentada, usada debaixo de um justilho com laço. Todavia, cumpre-nos acrescentar que muitos estudiosos preferem pensar que o sentido da palavra hebraica é incerto, ou mesmo desconhecido.

VESTES

Ver *Vestimenta (Vestimentos)*.

VESTES FESTIVAIS

Temos nisso uma expressão hebraica que denota não apenas uma mudança de roupas, mas roupas próprias para a participação em alguma festa. Os trajes comuns de uma pessoa são mudados por vestes festivais, que davam o privilégio da tal pessoa participar de uma festa ou banquete. Ver Gên. 45:22; Juí. 14:12,13,19; II Reis 5:5,22,23. Os reis orientais e outras altas autoridades expressam sua estima e aprovação a alguém presenteando esse alguém com roupas luxuosas, para serem usadas em ocasiões especiais. A *imortalidade* é simbolizada nas Escrituras pelo ato de vestir uma veste branca (Apo. 3:4). Paulo falou em estar "vestido", aludindo à alma que se está preparando para a existência nos mundos eternos (II Cor. SA).

VESTES SACERDOTAIS

Ver *Sacerdotes, Vestimentas dos*,

VESTIÁRIO, GUARDA-ROUPA

No hebraico, *shamar begadim*, "guardador das vestimentas" ou "guardador das capas". Essa expressão refere-se a um dos serviçais do palácio real, que cuidava dos paramentos do rei. Balúm, contemporâneo de Josias, era um deles. Na passagem correspondente a ele, o título que nossa tradução portuguesa lhe dá é "guarda roupa". Ver II Reis 10:22; 22:14; II Crô. 34:22.

VESTÍBULO

No hebraico temos a considerar duas palavras, e no grego, três, a saber:

1. *Ulam*, "pórtico", "arco". Esse vocábulo hebraico é utilizado por 34 vezes, conforme se vê, por exemplo, em I Reis 6:3; 7:6-8,12,19,21; II Crô. 3:4; 29:7,17; Eze. 8:16; 40:7-9,15,39,40,48,49; Joel 2:17.

2. *Misderon*, "pórtico". Palavra hebraica usada por apenas uma vez, em Juí. 3:23.

3. *Proáulion*, "vestíbulo". Termo grego usado somente por uma vez, em Mar. 14:68. Em grego, esse é o verdadeiro vestíbulo.

4. *Pulôn*, "portão". Palavra usada por várias vezes, conforme se vê em Mat. 26:71; Luc. 16:20; Atos 14:13; Apo. 21:12,13,15,21,25.

5. *Stoa*, "pórtico". Vocábulo grego usado por quatro vezes: João 5:2; 10:23; Atos 3:11 e 5:12.

No templo de Jerusalém, o vestíbulo era uma área parcialmente fechada, usada como entrada para um ambiente maior. Essa característica arquitetônica já vinha sendo usada desde tempos memoriais, mas a forma mais conhecida era a *bit hilani*, da Síria, encontrada desde o século XI a.C., que servia de entrada grandiosa para algum palácio. Na frente era parcialmente fechada, e inteiramente fechada dos lados, enquanto que a parte de trás dava para o salão. Ver *Arquitetura* e *Pórtico*. A fachada do vestíbulo, usualmente, tinha colunas decorativas, que também serviam para sustentar o seu teto.

Em todas as passagens do Antigo Testamento (excetuando I Reis 7:6), a alusão é ao templo de Salomão (ver sobre *Templo de Jerusalém*), um espaço parcialmente fechado, com dez metros; de frente e cinco metros de fundo. As colunas denominadas Jaquim e Boaz (vide) ficavam defronte do pórtico, embora talvez não fizessem parte da estrutura, servindo de adorno memorial do caráter de Deus, como o Sustentador e o Protetor de sua Palavra e de seu povo.

A altura presumível do pórtico, até o seu teto, era de 15 metros, a mesma altura que havia no Lugar Santo. Mas o trecho de II Crônicas 3:4 diz, que a altura do pórtico era de 120 côvados (60 metros, aproximadamente), a altura que também tinham as muralhas construídas por Jotão (ver *Templo de Jerusalém*).

Os pórticos das entradas do templo, no livro de Ezequiel, tinham colunas feitas de madeira de cedro com 30 metros de altura e um metro em quadrado, o que, novamente, serviriam de memorial ao Deus de Israel. Esses pórticos tinham doze metros e meio de largura por quatro de comprimento, sendo fechados parcialmente. As pessoas atravessavam os mesmos para chegarem aos portões, o que formava um apropriado ponto de parada para fun-

VESTÍBULO – VESTIMENTA

ções religiosas, antes de se prosseguir avante. O pórtico do portão norte da casa de Deus tinha quatro mesas, usadas na preparação dos animais a serem oferecidos em holocausto. Interessante é a estipulação de que o príncipe haveria de entrar pelo portão oriental a fim de fazer a sua oferta (ver Eze. 44:3).

VESTIMENTA (VESTIMENTOS)

Quase todas as civilizações, do passado e do presente, têm achado conveniente as pessoas usarem roupas. Aqueles grupos humanos que não usam vestes intitulamos de *primitivos ou não - civilizados*. No entanto, na atualidade, vemos o espetáculo em que as pessoas estão se despindo de quase toda a sua roupa, ao mesmo tempo em que as leis se vão tornando mais e mais liberais sobre a questão. A nudez, que há apenas alguns poucos anos teria sido punida pela lei, agora aparece publicamente na televisão, e poucas pessoas parecem preocupadas com a questão. Ver o artigo sobre *Nudismo*. Seja como for, usar vestes parece ser, de alguma maneira, um requisito da psique humana. Há algo de embaraçoso em aparecer nu, e permito que os psicólogos e teólogos tentem descobrir o *porquê*. Certo comentador cujo comentário tenho à minha frente diz que as vestes são um "dom de Deus". Isso faria das vestes, de modo bem definido, uma categoria da teologia, embora secundária, segundo suponho.

Seja como for, o propósito deste artigo não é tentar dizer ao leitor por qual motivo as roupas existem, mas somente como elas eram, nos tempos bíblicos. Muitos fatores estão envolvidos no estilo das vestes empregadas em alguma cultura qualquer: há questões como o clima, a matéria prima disponível, as idéias religiosas sobre a modéstia e as classes sociais, a posição das mulheres, e o simples desenvolvimento, porquanto as pessoas ficam cansadas de usar um único estilo, pelo que avançam para outros estilos, *ad infinitum*.

Esboço:
I. Por que Vestimos Roupas?
II. Fontes Informativas
III. Materiais Empregados
IV. Vestes Masculinas
V. Vestes Femininas
VI. Vestes para Ocasiões Especiais
VII. Vestes Sacerdotais
VIII. Metáforas

Informações Gerais Introdutórias

Há palavras hebraicas e gregas que significam pano, pedaço de pano, lã, pedaço de lã, linha ou seda. Também havia vestimentas feitas de cânhamo, pêlos de animais e outras fibras. As informações que encontramos na Bíblia, quanto à arte de fazer roupas, nos são dadas de forma bastante incidental. Há nomes de certo número de materiais, conforme já dissemos. E também há certo número de tipos de vestimentas que sugerem como esses materiais eram usados. Além disso, há algumas sugestões sobre como esses materiais eram preparados. Combinando essas escassas informações, com as descobertas arqueológicas, chegamos a um quadro mais ou menos completo.

1. *Cores:* José ganhou de seu pai, Jacó, uma túnica multicolorida (Gên. 37:3). Tiago diz que certos homens freqüentavam a sinagoga em trajes luxuosos (12,3). A arqueologia nos tem permitido tomar conhecimento de como os antigos tingiam tecidos, bem como das plantas ou dos animais marinhos usados com essa finalidade. Ver o artigo sobre *Artes e Ofícios* (4.g). Ver também sobre *Tintureiros*, quanto a detalhes sobre a questão.

2. *Tecelagem.* No mesmo artigo sobre *Artes e Ofícios*, descrevi a prática e a profissão dos tecelões, o que pode ser visto em (4.1). Os *tecelões*. Nas Escrituras, há referências literais e metafóricas a essa prática e profissão, e as informações ali existentes cobrem ambas as questões. Essa arte começava no lar, onde a dona-de-casa era quem tecia para a sua própria família. Em tempos de maior abastança e luxo, surgiu a profissão dos tecelões. A lã e os pêlos de cabras foram os primeiros e preferidos itens para o fabrico de vestes. Os egípcios dispunham de teares grandes e complicados, ao passo que os da Palestina eram bastante primitivos, lentos e difíceis de manejar. Por essa razão era que uma boa dona-de-casa não podia mostrar-se preguiçosa (Pro. 31:13-27). Não havia agulhas de aço, mas somente agulhas toscas, feitas de osso ou de bronze.

3. *Boa Variedade de Vestimentas*. Os povos mais primitivos faziam e continuam fazendo vestimentas de peles de animais. Provavelmente as peles de ovelhas vêm sendo usadas para esse mister desde tempos bem remotos. Capas, com formato quadrado, como um cobertor, eram usadas como veste externa, ou como proteção contra o frio. Ver o artigo sobre *Manto*. Posteriormente, os fios de lã das ovelhas eram utilizados no fabrico de tecidos, e também os pêlos de cabra. Esse tipo de tecido era um pano grosso e negro, chamado cilício (No. 35:26; Can. 4:1 e 6:5). O cilício era o tecido usado pelos pobres (Heb. 11:37). João Batista usava vestes feitas de pêlos de camelo. Tal tecido era grosso e à prova d'água, podendo ser usado como boa saca de dormir. A lei mosaica não permitia que um manto dessa natureza fosse dado como penhor, tão essencial era o mesmo para os pobres, como abrigo durante a noite (Êxo. 22:26,27). A túnica grosseira tornou-se marca dos profetas, que protestavam contra o luxo excessivo dos ricos. Paulo pediu que lhe fosse trazida a capa, a qual ele precisava para enfrentar o frio do inverno, na prisão onde se encontrava (II Tim. 4:13). Dentre todos os materiais usados para o fabrico de tecidos, provavelmente a lã era o que vinha sendo usado desde os tempos mais remotos. A época da tosquia era uma ocasião festiva na antiguidade. Na Palestina, a lã vinha principalmente da Judéia, enquanto que a Galiléia especializava-se no fabrico de tecidos de linho. A melhor lã era a do cordeiro. A lã era branqueada, ou então colorida. Aos sacerdotes não se permitia que usassem vestes de lã, provavelmente para distingui-los do resto do povo de Israel (Eze. 44:17).

O linho e *o linho fino,* feitos da planta do linho ou do cânhamo, eram usados em vestes internas e externas. As vestes reais egípcias eram feitas de linho. Os ricos apreciavam muito esse material (Luc. 16:19). Um bom tecelão da Palestina era capaz de produzir um linho tão fino quanto a seda. Alguns tecidos de linho chegavam a ter um efeito translúcido.

O algodão era conhecido na China e na Índia. Porém, os tradutores têm falado no algodão, em certos trechos da Bíblia, quando, na verdade, deveriam ter-se referido ao linho ou ao cânhamo.

A seda era um tecido reservado aos ricos, que a usavam para seu luxo e ostentação. Na época dos romanos, esse material tornara-se comum, pelo que já não simbolizava tanto as classes abastadas. A seda também era tecido usado para embrulhar os rolos das Escrituras Sagradas. Metaforicamente, em Apocalipse 18:12, a seda é mencionada em conexão com os pecados e extravagâncias dos ricos, que abusavam dos pobres.

4. *Lavagem de Vestimentas.* Homens e mulheres, os

VESTIMENTA

lavandeiros, utilizavam-se de riachos ou poços para lavar roupas; ou então a água era transportada em receptáculos até tanques, onde era usada com esse propósito. Como medida preliminar, as peças eram ensopadas na água. O tecido era então esfregado e batido. Por esse motivo, a prática da lavagem de roupas veio a ser uma boa metáfora para indicar a lavagem do pecado (Sal. 51:2,7), o que pode ser uma experiência bastante amarga e difícil. O sabão dos antigos usualmente era feito de uma mistura de óleo vegetal e álcali (Jer. 2:22). As descobertas arqueológicas chegam a surpreender-nos. Embora os antigos não possuíssem as máquinas e a técnica de que dispomos, a maioria dos processos que usamos no campo da tecelagem, do tingimento e da fabricação de tecidos já era conhecida por eles, embora de maneira crua e primitiva, sem a ajuda dos materiais sintéticos e da química avançada, que usamos em nossos dias. Por isso, até os nossos próprios dias, os têxteis tecidos manualmente no Oriente são procurados no Ocidente, sendo adquiridos por aqueles que podem fazê-lo.

5. *Usos Metafóricos.* a. Muitos profetas vestiam-se com roupas feitas de tecidos crus e grosseiros, como um protesto contra a vida luxuosa dos ricos, que pouco cuidavam dos valores espirituais (Mat. 14). b. Tecidos de luxo, como aqueles feitos de seda, simbolizam os ricos e decadentes, moralmente falando (Apo. 18:12). c. Uma capa ou manto pode simbolizar a possessão e proteção de uma mulher, mediante casamento, e também o ocultamento da malícia e da incredulidade (1 Tes. 2:5; 1 Ped. 2:16). Também podem simbolizar o zelo do Senhor por punir seus inimigos e por livrar os justos, porquanto Deus veste um manto de justiça (Isa. 59:17). d. As vestes brancas que Cristo prometeu aos membros da mundana igreja de Laodicéia (Apo. 3: 18), simbolizam a sua santidade, que oculta a vergonha da vida espiritual inadequada dos crentes que andam afastados da santidade. Laodicéia era uma cidade rica, conhecida por sua manufatura de tecidos finos; e isso nos mostra quão apropriada era aquela metáfora.

e. Uma pessoa pode revestir-se com a salvação e o louvor, estando plenamente protegida, espiritualmente falando (Isa. 163,10). f. Um mestre falso pode disfarçar-se com uma pele de ovelha, fingindo santidade (Mal. 7:15). g. O ato de rasgar as próprias vestes expressa profunda tristeza e consternação (Atos 14:14). Ver o artigo abaixo. (I B ID NTI Z)

Várias palavras hebraicas e gregas devem ser consideradas neste verbete:

1. *Beged,* "veste". Palavra hebraica usada por 214 vezes (por exemplo: Êxo. 31:10; 35:19; 39:1; Núm. 4:6-9,12,13; I Sam. 19:13; II Sam. 20:12).

2. *Simlah,* "pano". Palavra hebraica usada por 29 vezes (por exemplo: Deu. 22:17; I Sam. 21:9).

3. *Makber,* "tecido grosso". Palavra hebraica usada por apenas uma vez, em II Reis 8:15.

4. *Othónion,* "tira de pano". Palavra grega usada por cinco vezes: Luc. 24:12; João 19,.40; 20:5-7.

5. Sindôn, "linho fino". Palavra grega usada por cinco vezes: Mat. 27:59; Mar. 14:51,52; 15:46; Luc. 23:53.

I. Por que Vestimos Roupas

Faço uma pausa momentânea a fim de especular a esse respeito, sem tentar ser psicólogo ou teólogo. O terceiro capítulo de Gênesis mostra-nos que o pecado deixou Adão e Eva cônscios de sua *nudez*. Alguns estudiosos supõem que, antes da queda, o homem e a mulher eram cobertos por uma espécie de glória espiritual, de tal modo que o corpo físico deles não podia ser visto. Mas isso é pura especulação, naturalmente. O que o relato bíblico parece ensinar é que, após a entrada do pecado, o homem tornou-se cônscio de sua nudez, de uma maneira diferente de antes. Assim dizendo, fazemos a questão do pecado vincular-se à questão do trajar-se com modéstia. Ouvi de certa feita um pregador dizer que o corpo humano é "obsceno", e ele pensava que os órgãos sexuais são feios. Porém, a maioria das pessoas não compartilha dessa opinião. Não obstante, muita gente parece sentir que há certa obscenidade no corpo humano despido, sobretudo em lugares públicos. Também sinto isso, mas, racionalmente, rejeito a idéia, quando me dou ao trabalho de meditar sobre a questão. Além disso, há a questão da *excitação sexual*. Algumas pessoas sentem que a nudez total ou a nudez parcial excita o apetite sexual. O *nudismo formal* (em colônias estabelecidas com esse propósito) parece não confirmar essa teoria; mas o nudismo *particular* e público (informal) certamente parece ter certo efeito sobre o apetite sexual. Algumas pessoas não acreditam que é errado excitar esse apetite, e assim elas não podem perceber a razão de tanta confusão acerca da nudez pública. Entretanto, há pessoas que pensam que a nudez envolve uma questão moral. É um erro excitar sexualmente as pessoas de modo desnecessário, público e frívolo. Posso sentir o peso desse argumento. Portanto, até onde posso ver as coisas, o vestir roupas apropriadas está envolvido na moralidade.

Também devemos pensar na questão do *conforto* pessoal. Algumas pessoas não se banham suficientemente. Os odores do corpo podem ser ofensivos, e as vestes ajudam a diminuir os mesmos. Também é boa medida banhar-se com freqüência e usar desodorantes. Além da questão do conforto, pois, há a questão da *higiene*. Penso que provavelmente é verdade que certas enfermidades transmitem-se com mais dificuldade quando as pessoas usam roupas. Portanto, por razões médicas, convém que as pessoas usem roupas. Finalmente (visto que não vejo razão para levar adiante a questão), há também a razão *estética*. Sem dúvida, algumas pessoas têm melhor aparência quando vestidas do que quando despidas. Certas pessoas, especialmente mulheres, podem ocultar muitos defeitos do corpo usando as roupas do tipo certo. É difícil aceitar que houve alguma melhoria na aparência, quando certas mulheres usam calças compridas. Eu havia dito, finalmente, mas eis que me ocorre a *melhor* razão para o uso de roupas. Precisamos delas para nos protegermos das intempéries, pois a maioria dos dias do ano seriam frios demais se não usássemos roupas. Mesmo nos países de clima tropical, pode tornar-se úmido e frio no começo da noite e até o raiar do sol.

II. Fontes Informativas

1. *Fontes Literárias*. Na Bíblia há muitas referências a vestes. Muitas dessas referências não nos ajudam a compreender muita coisa sobre o assunto; mas, consideradas em seu conjunto, elas nos suprem uma rica fonte informativa. Outro tanto se dá com as referências literárias extrabíblicas.

2. A *arqueologia* tem descoberto muitas peças de vestuário, o que nos fornece evidências diretas. Há muitos monumentos que exibem muitos estilos de vestimentas. Gravuras em paredes, em túmulos, etc., nos dão uma boa idéia de como Israel e os povos vizinhos se vestiam.

3. As *vestimentas atuais* do Oriente refletem, em parte, os costumes antigos. Alguns itens em nada se alteraram durante todos esses séculos. As vestimentas das figuras religiosas, moldadas segundo documentos religi-

VESTIMENTA

osos, preservam uma certa semelhança através dos séculos. As vestimentas usadas pelas tribos que vivem nos desertos têm conservado muitos aspectos tradicionais, que se derivam dos tempos antigos.

Ricas Descobertas que Ilustram o Modo de Vestir da Antiguidade. Os monumentos do Egito, da Babilônia e os monumentos hititas têm-nos provido muita informação sobre as vestes da antiguidade. O túmulo de Kunhotep, em Bem-Hasan, no Egito, proveu-nos com murais coloridos, onde há um cortejo de asiáticos, vestidos em trajes intensamente coloridos, incluindo até mesmo pintura para os olhos. É provável que Abraão e outros nômades do tempo da XII dinastia egípcia usassem roupas similares àquelas que aparecem nesse mural. Se tentássemos descrever as vestes típicas da época, diríamos que uma peça padrão era o pano passado em torno da cintura, como um robe longo ou curto. Também havia uma veste superior e uma túnica. Um cinto mantinha tudo no lugar, e também era comum algum tipo de turbante para a cabeça. As mulheres usavam véus; e o calçado mais comum era a sandália.

III. Materiais Empregados

Lemos, em Gên. 17, que Adão e Eva usaram folhas de figueiras. Produtos vegetais, sem dúvida foram usados no início. "As peles de animais também foram usadas, desde o começo" para fazer vestimentas e tendas, uma prática que nunca foi interrompida por toda a história, visto, que túnicas feitas de peles de animais continuam populares, embora adaptadas, e, algumas vezes, intrincadamente trabalhadas. O trecho de Gên. 3:21 fornece-nos uma antiga referência sobre o uso de peles de animais. Aparentemente, Elias usava uma capa feita com peles de animais, o que veio a tornar-se uma característica do ofício profético (Zac. 13:5; Mat. 7:15). Também havia vestes manufaturadas mediante pêlos de animais entretecidos (Êxo. 26:7; 35:6). A túnica de João Batista era feita de pêlos de camelo (Mal. 3:4). A lã das ovelhas desde bem cedo começou a ser usada no fabrico de vestes grosseiras (Gên. 38:12; Lev. 13:47; Deu. 22:11). Também havia vestes de linho. Mas a seda, pelo menos nas terras bíblicas, começou a ser usada bem mais tarde (Eze. 16:10,13). Teciam-se panos com fios adredemente tingidos (No. 35:25). Os ricos usavam vestes feitas de tecidos bordados a ouro.

O trabalho com agulhas provia decoração com a incorporação de figuras geométricas, além de várias figuras de objetos, animados ou inanimados. O trecho de Salmos 45:13 menciona roupas decoradas com fios de ouro. Também eram empregados fios de prata. Ver Atos 12:21, acerca de trajes reais que com freqüência eram entretecidos com fios de metais preciosos. Os trajes da realeza ou dos ricos eram bordados (Eze. 16:13; Juí. 5:30; Sal. 45:14). Evidentemente, essa arte foi inicialmente desenvolvida no Egito e na Babilônia. Panos tingidos eram importados da Fenícia, mas eram bastante caros, pelo que eram usados somente pelas classes abastadas. Havia tecidos tingidos de púrpura (Pro. 31:22; Luc. 16:19) e de escarlate (II Sam. 1:24). Tírios ricos (Eze. 27:7), reis midianitas (Juí. 8:26), nobres assírios (Eze. 216) e oficiais persas (Est. 8:15) usavam roupas feitas de tecidos tingidos, muito dispendiosos. O trecho de Apocalipse 18:16 retrata Babilônia (Roma) como uma mulher vestida esplendidamente, em linho fino, púrpura, escarlate e adornos de ouro, de pedras preciosas e pérolas. Podemos supor que os ricos gostavam desses excessos. O trecho de Isaías 3:18-14 nos dá uma longa lista de vestes e ornamentos para as mesmas. Havia anéis para os artelhos, toucas, pendentes, braceletes, véus esvoaçantes, encantamentos, amuletos, turbantes, cintas, caixas de perfumes, cintos de vários estilos e materiais, sinetas, jóias pendentes do nariz, vestidos festivos, mantos, xales, bolsas, espelhos, camisas de pano fino, atavios, etc. A história de Abraão, que buscava uma noiva para Isaque, descreve os tipos de vestes e ornamentos de Rebeca. Ela usava pendentes de ouro no nariz e braceletes de ouro nos braços (Gên. 24:22,47); e também jóias de ouro e de prata, e trajes finos (vs. 53).

IV. Vestes Masculinas

1. *A túnica.* No hebraico, *ketoneth* (por exemplo, Êxo. 28:4,39; 29:5). No grego, chitón (por exemplo, Mat. 5:40; Mar. 6:9; Luc. 3:11). Era uma espécie de paletó, mas correspondente a uma camisa ou camisola. Algumas túnicas eram feitas de uma única peça de tecido, e outras de duas peças de tecido, costuradas uma à outra. Esse era um item do vestuário masculino tão padrão que sair à rua sem trazer a túnica equivalia a estar despido (I Sam. 19:24; João 21:7). Algumas túnicas eram longas, chegando aos pulsos e aos tornozelos, sendo amarradas à cintura por meio de um cinto. Os sacerdotes usavam uma peça desse tipo, e, provavelmente, também José (Gên. 37:3,23). Já o *chitón* dos gregos era uma peça interna, usada de encontro à pele, usada por ambos os sexos (Mat. 10:10; Mar. 6:9). O plural dessa palavra indicava "vestes" em geral, e não várias dessas peças, usadas ao mesmo tempo.

2. *A túnica externa.* No hebraico, *meil* (por exemplo, I Sam. 2:19). No grego, *imátion* (por exemplo, Mat. 5:40; João 114,12; Apo. 3:4,5,18). A palavra grega tem sentido bem amplo, podendo referir-se a qualquer tipo de vestimenta. (Ver Filo, *Leg. All.* 3,239; Mat. 27:35). Porém, também pode referir-se à túnica externa, fazendo contraste com o *chitón* (Mal. 9:20 ss; Mar. 8:44; João 19:2). Essa peça do vestuário compunha-se de um robe, usualmente bastante longo, aberto no alto, que podia passar pela cabeça, e com aberturas laterais, por onde passavam os braços. Era uma peça comum do vestuário, de modo que todas as classes a usavam, como o reis (I Sam. 24:4), os profetas (I Sam. 28:14), os nobres (Jó 1:20), os jovens (I Sam, 2:19). Jesus tinha um *imátion* feito de uma única peça de tecido, aparentemente um item bastante caro, pois, do contrário, os soldados que o crucificaram não estariam interessados em jogar em disputa do mesmo (João 19:23). O cumprimento de certa predição esteve envolvida nisso (ver Sal. 22:18). No entanto, alguns estudiosos dizem que era costume dos romanos, por ocasião de alguma execução na cruz, ficar com alguma peça mais dispendiosa do condenado, sendo provável que qualquer peça de vestuário mais caro tivesse despertado a cobiça dos soldados.

3. *O manto.* No hebraico, *simlah* (por exemplo, Gên. 41:14; Êxo. 3:22; Rute 13). Essa era uma peça de pano de formato quase quadrado. Era uma espécie de cobertor. Durante os meses mais quentes, era usado em torno dos ombros. À noite, ou durante os meses frios, servia de cobertor, sendo muito valorizada pelos pobres. Moisés estabeleceu como preceito que se essa peça fosse usada como garantia ou penhor por um empréstimo, não podia ser conservada com o credor até depois do pôr-do-sol (Êxo. 22:25,26; Deu. 24:13; Jó. 22:6). No entanto, essa lei também podia referir-se ao *meil*, ou túnica externa. O trecho de Mat. 5:40 aparentemente é um reflexo disso, onde encontramos, contrastados, o *chitón* e o *imátion*, sem qualquer alusão a alguma manta adicional. A manta, algumas vezes, era grande bastante para ser usada para transportar objetos, e era tirada quando a pessoa ia fazer algum tra-

VESTIMENTA (VESTIMENTOS)

Roupas judaicas diversas

Prisioneiros israelitas no Egito

Cintos egípcios

Elevadores

Pano de saco

VESTIMENTA (VESTIMENTOS)

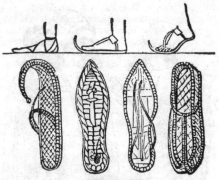

Sandálias egípcias

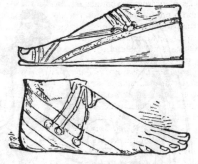

Sandálias assírias

Roupa judaica de luxo

Roupas babilônicas

Roupa média — Roupa persa

Roupas árabes

VESTIMENTA (VESTIMENTOS)

O faraó do Egito

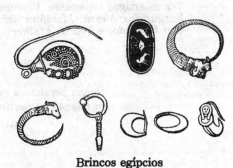

Brincos egípcios

Nobres assírios

Brincos de Nariz

Ver — VIII. *Metáforas* — no lado reverso.

VESTIMENTA (VESTIMENTOS)

VIII. METÁFORAS

Ver os artigos separados: *Vestimentas, Rasgar das; Vestir, Metáfora de; Veu Rasgado;* e *Veu da Mulher.*

Alguns versículos que empregam metáforas em relação ao vestimento

••• ••• •••

Revesti-vos, pois, como eleitos de Deus, santos e amados, de coração compassivo, de benignidade, humildade, mansidão, longanimidade. (Col. 3:12)
A mulher deve ter sobre a cabeça sinal de poderio, por causa dos anjos. (I Cor. 11:10)
Agora despojai-vos também de tudo isto: da ira, da cólera, da malícia, da maledivência, das palavras torpes da vossa boca. (Col. 3:8)
Vos vestistes de novo, que se renova para o pleno conhecimento, segundo a imagem daquele que o criou. (Col. 3:10)

Gememos, desejando ser revestidos da nossa habitação, que é do céu. Se, todavia, estando vestidos, não formos achados nus. (II Cor. 5:2,3)
...há muito que se teriam arrependido com saco e cinza. (Mat. 11:21)
Ver o artigo *Sacerdotes, Vestimentas dos* que explicam alguns usos metafóricos em relação ao sacerdócio.

••• ••• •••

VESTIMENTA

balho (Mal. 24:18). O termo grego *imátion* também indicava essa peça, pelo que indicava tanto a túnica externa quanto a manta, se alguém usava as duas peças.

4. *A capa real*. No hebraico, *addereth* (por exemplo, Gên. 25:25; Jos. 7:21,24; Zac. 114). Era uma peça feita de material caro (Jos. 7:21,24), usada pelos reis e altos oficiais (Jon. 16), bem como pelos profetas (I Reis 19:13,19). Provavelmente era feita de peles de animais.

5. *Calções ou cuecas*. Era uma peça usada sob a túnica, uma espécie de calças curtas. Essa peça evidentemente era usada somente pelos sacerdotes. Ver o artigo separado sobre *Sacerdotes, Vestes dos*.

6. *Cinto*. No hebraico, *ezor* (por exemplo, II Reis 1:8; Isa. 11:5; Jer. 111-11). Todas aquelas longas peças do vestuário dos hebreus impediam a liberdade de movimentos. Por essa razão, o cinto era usado em volta da cintura, para manter aquelas peças junto ao corpo. Em casa, quando alguém estava descansando, era tirado o cinto; mas, se alguém quisesse sair fora de casa, punha o cinto, conforme fica refletido em trechos como II Reis 4:29; 9:1; Isa. 5:27; João 21:7. Os cintos eram feitos de peles de animais, de linho, de algodão ou de seda. Alguns cintos eram bastante elaborados e bordados. O cinto era posto em volta da cintura, do que se deriva a expressão "cingir os lombos" (I Reis 18:46; Isa. 11:5; Jer. 1: 17). Esse item do vestuário era um meio conveniente para levar alguma arma ou instrumento (I Sam. 25:13; 11 Sam. 20:8-10), ou para formar uma bolsinha para levar moedas ou outros pequenos objetos de que a pessoa necessitasse (II Sam. 8: 11; Mat. 10:9).

7. *O turbante*. No hebraico, *migboath* (por exemplo, Êxo. 28:40; Lev. 8:13. Ver também Jó 29:4; Isa. 61:3, 10 quanto a vários tipos de peças usadas na cabeça). Essa palavra era usada somente para indicar a mitra dos sacerdotes, uma espécie de faixa que segurava no lugar os cabelos, e que talvez tivesse o formato de um turbante. Em Isaías 61:10 encontramos o turbante do noivo; e em Isaías 3:20, o turbante aparece como uma peça usada pelas mulheres elegantes, em Israel. O sumo sacerdote usava um turbante de linho (No. 28:4,37,39; Lev. 8:9). A realeza também usava turbantes (Eze. 21:26). Tinha o formato de um cone, mediante o enrolamento sucessivo de uma faixa de pano, que culminava em ponta (Êxo. 29:9; Lev. 8:13). Monumentos e gravuras mostram simples faixas usadas como peças para envolver a cabeça, ou então grinaldas que cobriam parte ou a totalidade da cabeça, as quais podiam ser simples ou enfeitadas com objetos de metal ou pedras preciosas. A maioria das pessoas, porém, usava a cabeça descoberta. Quanto a *coroas*, como uma peça do vestuário antigo, ver o artigo separado a respeito.

8. *A estola*. No hebraico, *ephoti* (por exemplo, Êxo. 25:7; Juí. 8:27; II Sam. 6:14). Era uma peça usada pelos sacerdotes e por homens ilustres. Era uma peça bem ajustada ao corpo, sem mangas, e de vários comprimentos, mas que usualmente descia até às cadeiras. Esse nome aparece em antigos textos assírios do século XIX a.C., bem como em textos ugaríticos do século XV a.C., sob as formas de *epadu e epattu*. Algumas estolas eram bastante elaboradas, bordadas e decoradas de várias maneiras. No caso do sumo sacerdote, a peça era feita de linho. Ver 1 Sam. 2:28 e 14:3 quanto à referência a esse item do vestuário. Era segura em torno da cintura com uma espécie de cinto, e, nos ombros, era seguro por peças que passavam por cima dos ombros. Ver o artigo separado sobre a *Estola*.

9. *Calçados*. A maioria dos pobres nunca usava qualquer tipo de calçado. Mas a sandália era o calçado comum. No hebraico, *naal* (por exemplo, Êxo. 12:11; Deu. 29:5; Eze. 24:17,2 , 3). Os calçados eram tirados quando se entrava em algum lugar santo (Êxo. 3:5; Jos. 5:15). Os que lamentavam os mortos, imitando os pobres, andavam descalços (II Sam. 15:30; Isa. 20:2; Eze. 24:17,23). Os homens de autoridade e de elevada posição tinham escravos que os calçavam e descalçavam, levando os calçados por onde seus donos iam (Mat. 3:11; Mar. 1: 7; João 1:27). As solas das sandálias eram feitas de couro ou de madeira.

10. *Jesus e Seus Discípulos*. A maneira como eles se vestiam pode ser deduzida das instruções dadas aos doze e aos setenta (ver Mat. 10:5-15; Luc. 10:1-12), acerca do que podiam levar ou não em suas jornadas missionárias. Eles podiam usar túnicas (no grego, *chitón),* sandálias (no grego *upádema),* cintos (no grego, *zopé*), bolsas de dinheiro (no grego, *bafiántion),* e cajado (no grego, *rábdos).* Eles não podiam levar consigo duas túnicas. O termo grego usado nessa proibição é *chitón,* mas o plural pode referir-se a roupas em geral, e a proibição pode ser contra duas peças internas, ou não. Uma delas, provavelmente, era para ser levada como peça avulsa, não sendo provável que Jesus tivesse proibido o uso de duas peças ao mesmo tempo. Em tempos de frio, naturalmente, duas peças internas eram comumente usadas.

V. Vestes Femininas

Examinando as gravuras das vestimentas dos homens e das mulheres, na antiguidade, não posso ver grandes diferenças entre as peças. Unger concorda comigo ao dizer que a diferença entre as vestes masculinas e as vestes femininas era *pequena,* pois consistia principalmente na *finura* do material usado e no *comprimento* das peças. Em algumas denominações evangélicas atuais, o *comprimento* das vestes femininas continua sendo uma questão crítica. Os antigos judeus sabiam fazer a diferença entre as vestes masculinas e femininas, porque o trecho de Deu, 22:5 proíbe que os homens usassem vestes femininas, e vice-versa. Além de usarem tecidos mais finos e vestes mais compridas, as mulheres também tendiam por enfeitar-se mais que os homens. Essa decoração consistia mais nestes pontos: a. usavam mais cores; b. decoravam-se com jóias; e. usavam o todo importante véu (que vide); d. algumas vezes acrescentavam uma espécie de cauda a seus vestidos; e. empregavam vários tipos de xales. As mulheres geralmente se envolviam em apreciável quantidade de panos, o que é demonstrado pelo fato de que Rute foi capaz de receber, no colo, uma boa quantidade de cereal, que Boaz lhe deu (Rute 3:15).

O Novo Testamento emprega as palavras gregas *chitón* e *imátion* para indicar, respectivamente, a veste interna e externa das mulheres. Ver Mat. 10: 10; Atos 9:39 *(chitón);* Atos 9:39; 1 Tim. 19; 1 Ped. 3:3 *(imátion).* Os cintos que as mulheres usavam (Isa. 3:24) eram similares, se não mesmo iguais àqueles dos homens, como também as suas sandálias (Can. 7:1; Eze. 16:10). Há alguma evidência de que as sandálias das mulheres cobriam maior área do pé do que as sandálias masculinas. As peças usadas na cabeça eram idênticas às dos homens, mas, devido às suas cabeleiras mais vastas, elas eram capazes de fazer coisas que os homens não podiam, em termos de decoração. Pedro não se sentia satisfeito diante de todos os adornos e penteados que as mulheres usavam, no mundo externo, ou mesmo no seio da Igreja, conforme se vê em I Pedro 3:13. Ele também pensava que elas se vestiam com demasiada elegância, e que não deveriam usar tantas jóias.

Isaías referiu-se à vaidade e ao espírito altivo das *fi-*

VESTIMENTA – VÉU

lhas de Sião, deplorando as sinetas dos tornozelos, seus passos curtos (porque suas pernas eram limitadas, na dimensão dos passos, por cadeias decorativas, que iam de uma perna à outra), os braceletes e os véus esvoaçantes, os anéis e as argolas para o nariz, os linhos finos e todas as coisas sobre as quais lemos em Isaías 3:16 ss. Além disso tudo, Isaías acusou-as de andarem à caça de homens, com olhos impudentes (vs. 16). Parece que as coisas não têm mudado muito no decorrer dos séculos. Naturalmente, questões genéticas estão envolvidas nisso, pois, do contrário, como poderiam mulheres antigas e modernas, de culturas tão diferentes, exibir as mesmas características femininas?

VI. Vestes para Ocasiões Especiais

Ainda recentemente, ouvi de uma dama que alugara um vestido que usaria somente durante uma festa, tendo pago por isso um salário e meio. E outra observou: "Não foi muito caro!" Espantoso! Algumas mulheres teriam de trabalhar durante quase dois meses para ganhar o dinheiro que uma dama elegante gastou em uma única noite. As vestes festivas eram distinguidas, nos tempos bíblicos, das vestes de todos os dias, principalmente devido ao grande valor dos materiais e o excesso de decorações, jóias, etc. Ver Gên. 27:15; Mat. 22:11,12; Luc. 15:22. As mulheres gostavam de adornar suas roupas com fios de ouro e de prata (II Sam. 1:24; Sal. 45:9; Eze. 16:10,13). Além de finos materiais para as ocasiões festivas, também havia cores especiais, para essas ocasiões (Ecl. 9:8; Mar. 11:3; Apo. 3:4).

Em contraste com isso, havia vestes especiais para o luto e a lamentação. Era então usada uma roupa feita de pano grosseiro, às vezes, diretamente sobre a pele (Gên. 37:34; II Sam. 3:31; I Reis 21:27; II Reis 6:20). O pano de saco ou cilício era usado nessas oportunidades. Usualmente era feito de pêlos de cabra (Isa. 50:3; Apo. 6:12). O nome desse tecido grosseiro deriva-se do fato de que era usado para fazer sacas (Gên. 42:25; Lev. 11:32). Algumas vezes, esse tecido era usado como uma veste externa protetora (Jonas 3:6), em lugar da túnica externa.

VII. Vestes Sacerdotais

Ver sobre *Sacerdotes, Vestimentas dos*.

VIII. Metáforas.

Ver ao fim das ilustrações que seguem. (EDER HOU LUT ND UN Z)

VESTIMENTAS, RASGAR DAS

O ato de rasgar as próprias vestes era uma maneira comum e simbólica de exprimir alguma emoção forte, como ira, tristeza ou consternação. De algumas vezes, o ato era espontâneo, como no caso de Rúben, quando descobriu que a cisterna onde o jovem José fora deixado preso, estava vazia (Gên. 37:29,34). Gradualmente, porém, o ato foi-se formalizando, com freqüência, realizado de forma artificial, como quando o sumo sacerdote fingiu-se consternado diante da suposta blasfêmia de Jesus (Mat. 26:65). Todos os presentes ter-se-iam surpreendido se ele não tivesse feito aquela encenação, sob as circunstâncias do momento. Contudo, dentro do contexto do Antigo Testamento, o ato fazia parte da lamentação pelos mortos; e Arão foi proibido de expressar tristeza, dessa maneira, ante a morte de seus filhos delinqüentes (Lev. 10:6). Os intérpretes já vêem certa formalidade, envolvida na prática, nos casos que aparecem em Josué 7:6; 11 Samuel 13:19 e Jó 1:20 e 2:12. A base desse ato parece ser o fato de que as vestes eram artigos dispendiosos. Portanto, qualquer pessoa que propositalmente rasgasse as suas vestes, com sua própria perda, deveria estar realmente consternada! Aqueles que faziam tal coisa, a menos que fossem ricos, certamente sentiam-se mal após o ato, o que usualmente é o que sucede àqueles que agem de forma insensata e descabida.

Detalhes do Ato. As proibições existentes no Antigo Testamento, contra um sacerdote rasgar suas vestimentas (Lev. 21: 10), provavelmente aplicava-se a períodos de luto pelos mortos, não proibindo o sentimento de consternação. Além de Mateus 26:65, encontramos outras referências em que algum sacerdote realizou tal ato, como em Josefo, *Guerras II*. 15,4. O sumo sacerdote rasgou a sua *símla* ou capa externa, e não suas vestes sumos sacerdotais propriamente ditas, as quais ele só usava quando ministrava no templo. Maimônides menciona as regras relacionadas a esse ato, e declara que se deveria rasgar a roupa do pescoço para baixo, cerca de um palmo. As roupas íntimas e a túnica eram deixadas intactas. O trecho de Atos 14:14 mostra que até mesmo Paulo e Barnabé, em momentos de grande consternação, rasgaram as suas vestes. Isso posto, a prática deveria ser generalizada, sendo efetuada espontaneamente em certas ocasiões. Ao que parece, Barnabé era homem de possessões modestas (Atos 4:36), e suponho que ele remendou suas vestes, posteriormente. Ou então, alguma costureira habilidosa pode ter consertado a rasgadura. Doutra sorte, esse costume seria difícil de ser compreendido. (I B LAN NTI RO)

VESTIR, METÁFORA DE

Col. 3:12: *Revesti-vos, pois, como eleitos de Deus, santos e amados, de coração compassivo, de benignidade, humildade, mansidão, longanimidade*,

Neste ponto encontramos a pêntada de virtudes, que é precedida por duas pêntadas de vícios (ver os *versículos quinto e oitavo*).

Revesti-vos. Paulo reinicia a metáfora do despir e de vestir (como que de roupas), a fim de expressar a idéia da revolução moral. A natureza velha é despida, com todas as suas corrupções; e a "nova natureza" (o novo homem) é vestida, com todas as suas virtudes, porque essa é a natureza regenerada, que deve exibir a imagem de Cristo. (Ver essa metáfora salientada nos versículos oitavo e décimo). A velha e corrupta natureza é que nos leva a buscar aquelas coisas que são identificadas com o reino das trevas, como o orgulho, os interesses próprios, etc., que são atitudes contrárias ao amor e à graça.

VÉU (NO TABERNÁCULO E NO TEMPLO)

I. Terminologia e Referências Bíblicas
II. Descrição e Arranjos
III. "Porta" do Lugar Mais Sagrado
IV. Referências do Novo Testamento

I. Terminologia e Referências Bíblicas

No hebraico, *paroketh*, que significa "separação", do *acádico paraku*, que significa "barrar" ou "fechar"; a Septuaginta apresenta "cortina". A palavra hebraica tornou-se uma designação técnica para falar da grossa cortina que separava o local sagrado do tabernáculo (e templo) do local mais sagrado. Há 24 usos da palavra no Antigo Testamento, alguns dos quais são os que seguem: Êxo. 26.31, 33, 35; 30.6; 35.12; 36.35; Lev. 4.6, 17; 16.2, 12, 15; Núm. 4.5; 18.7; II Cor. 3.14. A cortina era um tipo de tapeçaria espessa que fechava o acesso à Presença (a Glória que se manifestava no lugar mais sagrado), exceto para o sumo sacerdote, que poderia abrir a cortina uma vez por ano para realizar suas obrigações no *Dia da Expiação* (ver a respeito). Ver também o artigo *Acesso*. Em Cristo, a cortina foi rasgada de cima para baixo, e possibilitando o acesso à Presença de Deus (Heb. 4.14; 10.19).

VÉU – VÉU DA MULHER

II. Descrição e Arranjos

As cortinas (portas) do tabernáculo e então do templo serviam para bloquear as multidões e para permitir que apenas pessoas autorizadas entrassem nas diversas seções do prédio. O pátio externo era para Israel. Em tempos posteriores havia um pátio para os gentios, um para as mulheres, e outro para homens de Israel, todos antes da primeira cortina que isolava o local sagrado e permitia que apenas os levitas hebreus e judeus entrassem. E os levitas deviam ser da linhagem de Arão dos descendentes de Levi. Então, apenas o sumo sacerdote podia ir além do segundo véu e entrar no local mais sagrado e mesmo assim apenas uma vez por ano. Para maiores detalhes, ver o artigo chamado de *Templo (Átrios)*. (Ver Lev. 16.2 ss.; Núm. 18.7; Heb. 9.7.)

Quanto ao véu e sua descrição e materiais, o Antigo Testamento informa-nos que ele era feito de linho fino torcido bordado azul, roxo, vermelho com figuras de querubins (Êxo. 26.31-37; 36.35). Na mentalidade dos hebreus judeus, havia simbolismo e significado místico em quase tudo, de forma que era natural que eles pensassem que as cores da cortina tivessem significados especiais, e Josefo lembra-nos disso (*Guerras*, V.v.2). A cortina era pendurada em ganchos de ouro que estavam ligados a quatro pilares de madeira acácia coberta com ouro. Os ganchos de ouro eram inseridos em soquetes de prata. A cortina, de acordo com fontes posteriores, era da largura da mão de um homem, e apenas algum tipo de tapeçaria poderia ter realizado isso.

Quando os romanos se aproximaram do templo de Herodes, os sacerdotes, cientes de que haveria grande destruição, removeram os móveis e a decoração do lugar mais sagrado para que os invasores, ao adentrar o santuário, nada encontrassem.

III. "Porta" do Lugar Mais Sagrado

Os hebreus tinham portas em suas casas, e as pessoas afluentes tinham portas maciças decoradas, feitas de madeira e metais. Mas as "portas" do tabernáculo (e posteriormente do templo) eram meras cortinas grossas, provavelmente por ser mais conveniente desmontadas e carregadas nas costas de animais de carga ao próximo local de parada no deserto. Quando o templo ofereceu a *arca da aliança* e outros móveis do lugar sagrado e do lugar mais sagrado um lar permanente, o arranjo de cortinas no lugar de portas permaneceu. É provável que a cortina tenha continuado a ser usada para lembrar o povo de sua experiência no deserto, onde vaguear era um meio de vida. No máximo, somos estrangeiros e romeiros nessa terra, onde nada é permanente e tudo nos lembra de quão temporárias as coisas de fato são.

IV. Referências do Novo Testamento

Na morte de Jesus, o Cristo, a cortina que fechava o lugar mais sagrado espontaneamente se rasgou de cima para baixo (Mat. 27.41; Mar. 15.38; Luc. 23.45). Isso provavelmente ocorreu quando os sacerdotes estavam ocupados com seus sacrifícios de final de tarde, de forma que *o Sacrifício* substituiu todos os outros sacrifícios, como nos informa o livro de Hebreus. O lugar mais sagrado foi, assim, exposto, simbolizando que o acesso à Presença havia sido aberto a todos, não meramente a um ministro especial. Ver Heb. 6.19, 20; 9.11, 12; 10.19, 20.

Ver o artigo separado sobre *Véu Rasgado*, que dá outros detalhes e materiais ilustrativos.

VÉU DA MULHER

I Cor. 11:5: Mas toda mulher que ora ou profetiza com a cabeça descoberta desonra a sua cabeça, porque e a mesma coisa como se estivesse rapada.

Encontramos aqui as instruções paulinas sobre o véu das mulheres. Os versículos cinco, seis, nove, dez, doze, treze e quinze ensinam, mui dogmaticamente, que a mulher deve usar o véu quando ora ou profetiza. Que assim deve ser está de acordo com o princípio geral exarado no terceiro versículo deste capítulo, e que Paulo considerava estar sendo violado pelos crentes de Corinto. É uma interpretação suicida, portanto, fazer os versículos 15 e 16 contradizer o ensino geral desta passagem, supondo que os cabelos das mulheres (se forem longos, conforme o texto requer) lhes foram dados em lugar ou em substituição ao véu, tornando desnecessário o uso do mesmo, conforme alguns estudiosos têm interpretado o décimo quinto versículo. Igualmente incoerente e contrário ao texto inteiro é aquela interpretação que supõe que, no 16º versículo, Paulo diz que se algum homem desejar levantar objeção acerca dessa questão, "ele estava disposto a esquecer-se do assunto inteiro, permitindo que as mulheres fizessem como bem lhes entendessem". Não é isso que o 16º versículo ensina.

I. Interpretações Antigas e Modernas

1. O próprio texto é claríssimo. A mulher deve usar um véu e também trazer os cabelos longos. Nenhuma outra interpretação é possível, considerando-se os conceitos do judaísmo antigo, quando as mulheres sem véu eram tidas como prostitutas, mulheres em período de luto ou esposas infiéis, cujos véus lhes tinham sido tirados e cujos cabelos lhes tinham sido raspados, a fim de que exibissem o seu opróbrio. Nenhuma mulher de respeito retirava seu véu em público ou trazia os cabelos cortados rente.

2. Gradualmente, porém, os costumes foram mudando, pelo que, atualmente, nem o véu nem os cabelos longos são requeridos, e nenhum estigma é imposto às mulheres que negligenciam um ou outro desses cuidados. A igreja cristã, por conseguinte, adaptando-se aos modernos costumes sociais, tem ignorado essas instruções de Paulo. Ou então, em vez de ignorá-las, tem preferido distorcê-las, adaptando-as aos nossos costumes atuais. Mas isso é anacrônico e absurdo. (Ver as notas a respeito em I Cor. 11: 15 no NTI).

3. Parece impossível, para certos homens religiosos, simplesmente admitirem que não estamos seguindo (e nem temos a intenção de seguir) certos mandamentos de Paulo, quando estes se derivam de costumes antigos e não são mais válidos em nossa sociedade. Pois pensam que, de alguma maneira, estão seguindo todas as instruções dadas por Paulo, e por isso distorcem trechos bíblicos como aqueles que proíbem, de modo absoluto, que as mulheres falem na igreja, ou que requerem que as mulheres tragam os cabelos longos e usem véus. Mas que Paulo realmente determinou essas três coisas é bem patente neste capítulo e no 11º capítulo de I Corintios. E que ele só pode ter querido que esses preceitos fossem observados é algo exigido pelo conhecimento que temos dos antigos costumes e atitudes dos hebreus. Além disso, a história da igreja primitiva mostra-nos que essas coisas eram praticadas estritamente nos primeiros séculos, exceto nos centros cosmopolitas e pagãos, como Corinto.

4. É impossível tornar compatíveis os costumes da igreja do século XXI, no que diz respeito às mulheres e ao que podem fazer na igreja, com os costumes do primeiro século da era cristã. A tentativa é absurda! e as interpretações dadas por aqueles que não querem à risca esses preceitos são desonestas ou baseadas na falta de conhecimento próprio.

VÉU USADO FORA DE CASA

ESTILOS DE CABELO NO MUNDO GRECO-ROMANO DO DIA DE PAULO

VÉU USADO DENTRO DE CASA

VESTIDO DE NOIVA

TRAJE DE UMA JOVEM MULHER JUDIA

Um Jardim em Jerusalém

Hardy

VÉU DA MULHER – VÉU RASGADO

5. Não estamos praticando o que Paulo determinou. O que fazemos, então, para justificar-nos? Dizemos: "Os costumes se alteraram, e as exigências também". Essa é uma resposta honesta. Que cada um refute ou justifique essa resposta. Aqueles que a refutarem terão necessidade de pôr em prática o que o apóstolo determinou. Aqueles que a justificarem terão de satisfazer a própria consciência, diante da determinação da Palavra de Deus.

Nas catacumbas, nos desenhos que representam os cultos públicos dos cristãos primitivos, as mulheres são vistas a usar xales apertados em torno da cabeça, que ocultavam completamente os seus cabelos. O propósito do véu era o de ocultar os cabelos. Por conseguinte, os modernos substitutos, como os chapeuzinhos ou os lenços de cabeça dificilmente satisfazem as exigências do texto que ora comentamos.

II. Quais são as Razões Especificas para o Uso do Véu? Abaixo enumeramos as razões bíblicas:

1. A fim de manter a ordem divina sobre as posições que homens e mulheres devem ocupar. A mulher usa o véu a fim de mostrar que está subordinada ao homem. (Ver I Cor. 11:3).

2. Não usar o véu é desonrar essa ordem de coisas, bem como a própria mulher, que é assim reduzida à posição de uma prostituta; e isso desonra a sua própria "cabeça", a sua própria pessoa, além de desonrar, em segundo lugar, o homem que é sua cabeça. (Ver o quinto versículo).

3. Paulo diz que se a mulher não se cobre com véu, então que também raspe os cabelos, a exemplo dos homens. Duas palavras diferentes são usadas pelo apóstolo Paulo para indicar o corte dos cabelos, neste texto. Uma delas indica raspar *com* navalha (nos versículos quinto e sexto), e a outra indica "cortar com tesoura" (no sexto versículo). Esse corte dos cabelos era o sinal social da escravatura, ou talvez de uma mulher de luto. Paulo assim diz que a emancipação que algumas mulheres buscavam, querendo desfazer-se do véu ou querendo cortar os cabelos (o que também era um dos costumes das prostitutas), na realidade era uma degradação, levando as mulheres a regredirem em sua dignidade, não uma emancipação.

4. A mulher é a glória do homem, porquanto "vem dele" e é "para ele" (ver os versículos sétimo a nono), pelo que também não pode ser emancipada a ponto de ser igual a ele. O véu serve de símbolo dessa posição subordinada, pelo que também deve ser usado pelas mulheres crentes. (Ver os mesmos versículos).

5. Os anjos observam os cultos de adoração dos crentes, sendo eles os guardiães da ordem divina. Assim, por causa deles, a mulher deveria mostrar o devido respeito por eles, usando o véu. (Ver o décimo versículo).

6. É "decente" ou apropriado para as mulheres usarem o véu, segundo igualmente ditavam os costumes sociais da época. (Ver o 13º versículo).

7. A própria natureza confirma quão próprio é as mulheres usarem véu, tendo-as dado cabelos longos, e isso não em lugar do véu, e sim, como uma coberta ou mantilha natural, que é, ao mesmo tempo, uma espécie de véu natural e primário. O véu de pano secundário corresponde ao véu primário dos cabelos, o que serve para nos mostrar que a própria natureza ensina às mulheres que elas *devem* colocar o véu. Sim, a própria natureza pôs certo véu sobre a mulher. A igreja cristã deveria aprender essa lição, requerendo que as suas mulheres usem o véu de pano. A vontade das mulheres crentes deveria concordar com a vontade expressa pela própria natureza.

8. No entanto, se os crentes de Corinto quisessem mostrar-se contenciosos, que soubessem que a igreja em geral não tem *nenhum outro costume* além desse, isto é, não adotaria qualquer inovação, derivada de Corinto. Não seguiriam os crentes em geral tais costumes locais de Corinto, como se os mesmos fizessem parte integrante da "liberdade cristã" (ver o 16º versículo).

III. Interpretando I Cor. 11:15

mas se a mulher tiver o cabelo comprido, é para ela uma glória. Pois a cabeleira lhe foi dada em lugar de véu.

Melhor: *para ser um véu.*

Compreendendo Corretamente Este Texto

1. Os cabelos longos servem para a mulher de um véu natural; e por si mesmos declaram: "Estou sujeita ao homem, especificamente a meu marido. Reconheço a minha subordinação".

2. O véu serve à mulher de véu secundário (artificial), que a mulher deve pôr sobre seus cabelos como símbolo da mesma realidade representada pelos cabelos longos. Os cabelos longos da mulher requerem o uso de um véu; não servem de substituto. Se o véu for retirado, a mulher terá também de raspar os cabelos (ver vs. 6). Que seja usado o véu, e este confirmará o significado dos cabelos longos. Os cabelos longos da mulher como que "convidam" o uso do véu, porquanto as duas coisas encerram o mesmo simbolismo.

3. O que se pode dizer sobre o uso do véu na sociedade moderna? Será atualmente necessário o seu uso? Ver seção 1, *Interpretações, Antigas e Modernas.*

"Se uma mulher usa naturalmente cabelos compridos, que lhe foram dados *como cobertura* para a cabeça, então não deve constituir vergonha para ela o cobrir a cabeça com um véu. Portanto, que ela use véu. A vontade deve corresponder à natureza". (Shore, *in loc.*).

Não como substituto do véu, porquanto isso faria da palavras de Paulo uma estultícia; mas sim, 'na natureza de uma cobertura', algo que "equivalha ao véu". (Findlay, *in loc.*).

"É fato indiscutível que os cabelos longos, em um homem, o tornam desprezível; mas, em uma mulher, os cabelos compridos a tornam mais amigável. A natureza e o apóstolo falam o mesmo idioma; podemos tentar explicar isso como bem quisermos fazê-lo". (Adam Clarke, *in loc.*).

"Não é em lugar de véu e, sim, correspondente ao véu (*anti,* no sentido em que essa palavra é usada em João 1:16), como um adorno permanente." (Robertson, *in loc.*).

John Gill *(in loc.),* narra uma interessante história, que mostra a importância do véu para as mulheres, na antiga nação de Israel: "As mulheres judias costumavam considerar uma imodéstia permitir que outros lhe vissem os cabelos. Por essa razão cuidavam, tanto quanto possível, em escondê-los sob uma cobertura. Certa mulher, cujo nome era Kimchith, tinha sete filhos; e todos ministraram como sumos sacerdotes. Os sábios lhe perguntaram de certa feita: O que fizeste, que és mulher tão digna? E ela respondeu: Todos os dias os caibros de minha casa nunca viram as madeixas de meus cabelos; isto é, nunca foram vistos por qualquer pessoa, nem mesmo no interior de minha casa". (Extraído do Talmude Bab. Yoma, fel. 47:1). **(G HA I IB LAN NTI)**

VÉU RASGADO

Mat. 27:5 1: E *eis que o véu do santuário se rasgou em dois, de alto a baixo; a terra tremeu, os pedras se fenderam.*

O véu do santuário se rasgou. Se confiamos em Deus e cremos em seu poder, por que haveríamos de duvidar de determinadas ocorrências físicas, havidas quando da mor-

VÉU RASGADO – VIA DOLOROSA

te de Cristo? Ele era Filho de Deus em sentido todo especial. A natureza protestou contra a iniqüidade dos homens, e esse protesto chegou até o interior do próprio templo. O véu do templo era extremamente espesso e resistente. Tinha a largura de uma mão de espessura, tecido com 72 dobras torcidas, cada uma feita com 22 fios, Media cerca de 18 metros de altura por nove de largura. Seria mister uma força poderosíssima para conseguir tal prodígio.

O véu dividia *o Santo Lugar* do *Santo dos Santos,* onde (Um sumo sacerdote entrava no dia da expiação (ver Êxo 26:31 e Lev. 16:1-30). A presença de Deus estava associada ao Santo dos Santos e, assim sendo, em tipo ou símbolo, o acesso maior a Deus, através de Cristo, posto à disposição de todos os homens, foi indicado. O trecho de Heb. 10:20 usa o véu como símbolo do corpo partido de Jesus. Através desse corpo alquebrado o acesso é provido. Não podemos deixar de crer, igualmente, que o véu rasgado simbolizou o fim da adoração judaica, como expressão válida da alma em busca da veracidade de Deus. Outrossim, o véu rasgado - foi um protesto contra os homens, externamente piedosos, mas que crucificaram ao Cristo de Deus. Os judeus confiavam na adoração que eles efetuavam no templo, como dotada de valor espiritual; não obstante, os seus corações estavam totalmente destituídos de qualquer reverência à fé em Deus. Portanto, viram que o véu se rasgara em dois e ante isso souberam que a ira de Deus pairava sobre eles, e que seus dias estavam contados. Havia dois véus no templo: um entre o átrio exterior e o Santo Lugar, e o outro entre o Santo Lugar e o Santo dos Santos. Este último é que se rasgou em dois. Certo livro apócrifo (evangelho segundo aos Hebreus) revela-nos que, em adição a esse rompimento do véu, o umbral onde estava pendurado, despedaçou-se sozinho. Os líderes do templo haviam sido falsos para com o concerto, e o lugar de adoração deles foi deixado desolado.

Porém, mais fenômenos ainda haveriam de demonstrar a mesma coisa. Josefo e o Talmude narram ambos vários portentos que procederam à queda de Jerusalém, e alguns desses prodígios começaram a ocorrer logo depois da crucificação de Jesus, até à destruição final da cidade, em 70 d.C. (Quanto a uma descrição dessas diversas experiências místicas, que aconteceram como profecias de advertência, ver as notas no NTI em Mat. 24:2).

Lemos, em Atos 6:7, que "... também muitíssimos sacerdotes obedeciam à fé", isto é, convertiam-se ao cristianismo. Não é de forma alguma improvável que o conhecimento do que ocorreu no templo, ao tempo da crucificação de Jesus, tenha ajudado a muitos deles "enxergarem a verdade, reconhecendo que Jesus era" Cristo, o que os levou a abraçarem sem tardança a nova religião revelada.

Interpretação Metafórica

"Quantas cortinas divisórias *Cristo rasgou* de alto a baixo com a sua morte! A divisão entre sacerdotes e adoradores se dissipou; a igreja é o sacerdócio de todos os crentes. A divisão entre judeus e gentios se dissipou: agora os gentios podem ir além do átrio exterior, entrando no Lugar Santo, sim, e até mesmo no próprio Santo dos Santos. A barreira entre escravo e liberto ruiu, porquanto todos são servos de Cristo e, por isso mesmo, usufruem de perfeita liberdade. 'A cortina do templo se rasgou em duas partes", (Buttrick, in loc.). (I IB NTI)

VIA ÁPIA

Foi a primeira estrada romana pavimentada. Recebeu o nome de Ápio Cláudio Caecus, o censor. Foi iniciada em 312 a.C., alongando-se com a passagem dos anos. A princípio ia de Roma a Cápua, e depois estendeu-se até Beneventum e Brundísio, onde chegou em 244 a.C. Ali foi fundada uma colônia romana. A largura da estrada era de 4,5 m, tendo chegado a atingir 560 km. Ainda restam porções da mesma, como testemunho da habilidade dos engenheiros romanos. A porção inicial da estrada era ladeada por estruturas notórias, cujas ruínas até hoje permanecem. A capela de Domine *Quo Vadis* está situada na junção da estrada com a muralha de Roma. As catacumbas de São Calisto e a basílica de São Sebastião são outros santuários cristãos da área. Provavelmente, Paulo usou parte dessa estrada a caminho de Putéoli a Roma (ver Atos 28:13-16). O Ápio Fórum (ver o artigo abaixo) era um mercado na Via Ápia, a quase 64 km de Roma, na direção sul. (11) Z)

VIA DIALÉTICA

Ver sobre *Teologia Dialética.*

VIA DOLOROSA

Também chamada de "Caminho das Tristezas", essa é a rota tradicionalmente seguida por Jesus, desde o pretório, ou tribunal de julgamento de Pilatos, até o Gólgota, onde foi crucificado. O trajeto exato seguido por Jesus, depois de haver sido condenado à morte por Pilatos (Mat. 27:26; Mar. 15:15; Lue. 23:25; João 19:16), depende da localização do tribunal de Pilatos e do Gólgota ou Calvário. Sobre ambos os locais há sérias dúvidas a respeito. Assim, o pretório tem sido localizado por alguns no palácio de Herodes, perto do portão Jafa, ao passo que outros pensam que o local seria o castelo de Antônia, na esquina noroeste da área do templo. E, por semelhante modo, a localização do Gólgota tem sido disputada. Uns pensam na Igreja do Santo Sepulcro e outros no Calvário de Gordon (ver os artigos sobre esses dois locais).

A rota tradicional seguida modernamente pelos peregrinos começa perto do chamado arco do *Ecce Homo* (vide), nas vizinhanças do convento das Irmãs de Sião, na moderna cidade de Jerusalém. Mas, na verdade, as ruas atuais estão vários metros acima do nível das ruas da Jerusalém do primeiro século da Era Cristã, e o arco do Ecce Homo só foi construído depois da morte de Cristo. Tudo isso contribui, incrivelmente, para dificultar a localização exata do trajeto seguido pelo Senhor Jesus, até o local de sua crucificação.

Entretanto, escavações arqueológicas, efetuadas no terreno da propriedade das Irmãs de Sião, têm encontrado remanescentes que dão todos os sinais de pertencerem ao antigo castelo de Antônia (vide).

A Via Dolorosa segue na direção oeste, até à Igreja do Santo Sepulcro. Nesse trajeto há 14 marcos, representando várias cenas, algumas delas relatadas nos evangelhos mas outras preservadas apenas nas tradições. Esses marcos ou estações são os seguintes: 1. Jesus é condenado à morte; 2. Jesus recebe a cruz, a fim de carregá-la; 3. Jesus cai pela primeira vez; 4. Jesus encontra-se com a sua mãe aflita; 5 . Simão, o cireneu ajuda Jesus a carregar a cruz; 6 . Verônica enxuga o rosto de Jesus; 7. Jesus cai pela segunda vez; 8. Jesus fala às filhas de Jerusalém; 9. Jesus cai pela terceira vez; 10. são tiradas as vestes de Jesus; 11. Jesus é encravado na cruz; 12. Jesus morre na cruz; 13. O corpo de Jesus é tirado da cruz; 14. Jesus é posto no sepulcro.

Embora a autenticidade da Via Dolorosa não possa ser firmemente estabelecida, visto que as estruturas existentes na moderna cidade de Jerusalém quase impossibilitam isso,

VIA APIA — Cortesia, Matson Photo Service

VIA DOLOROSA — Cortesia, Matson Photo Service

VIA EMINENTIAE – VIA NEGATIONIS

ainda assim os acontecimentos daquela importantíssima sexta-feira da paixão tornam-se mais vividos quando contemplados dentro do contexto da antiga cidade de Jerusalém. Todavia, o que mais importa não é seguir os passos físicos que teriam sido dados por Jesus até o local de sua crucificação, e, sim, aceitar o pleno valor de sua morte e acompanhar-lhe os passos, espiritualmente falando. "...(Cristo) pelo seu próprio sangue, entrou no Santo dos Santos, uma vez por todas, tendo obtido eterna redenção" (Heb. 9:12). "...Cristo sofreu em vosso lugar, deixando-vos exemplo para seguirdes os seus passos" (I Ped. 2:21).

VIA EMINENTIAE

No latim, essa expressão significa "caminho da eminência", e alternativamente é chamada "via positiva". Trata-se de um método tentativo de descrever Deus. Na tentativa de dizer algo significativo sobre Deus, a pessoa diz tantas coisas positivas quantas lhe forem possíveis. "Essas coisas são extraídas da natureza humana, da filosofia, da razão, das Escrituras, e também do entendimento intuitivo e das experiências místicas. Vários filósofos e teólogos têm tomado por empréstimo as declarações de antigos filósofos, como Platão, que afirmava que as *Idéias* (Formas ou Universais; vide), são além do tempo e do espaço, eternas, imutáveis, etc., termos esses que chegaram a descrever Deus, nas tradições hebréias e cristãs.

Maimônides e Tomás de Aquino fizeram acréscimos a essa descrição, aludindo ao Movedor Inabalável da concepção aristotélica, com suas respectivas modificações. Deus é a causa de tudo, incluindo o "movimento", que não inclui somente a idéia espacial, mas também aquele envolvido no crescimento, na transformação e na evolução. Além disso, a discussão aristotélica das *causas* veio a ser usada para descrever-se como os atos de Deus, do começo ao fim, se processam, tanto na criação quanto no processo evolutivo que se seguiu. Além disso, o estudo da natureza (incluindo todas as ciências), tornou-se parte do como procuramos descrever a pessoa de Deus. Quanto a isso descrevemos suas operações e podemos dizer que ele é Super-Inteligente e Super-Poderoso, porquanto as evidências apoiam esses pressupostos. Tomás de Aquino falava sobre as perfeições de Deus, ao observar perfeições menores, de onde, mediante a razão, pode partir para a *Superperfeição*, Essa descrição axiológica. também tem sido empregada para a formação de um argumento em prol da existência de Deus. Ver sobre o *Argumento Axiológico*. Os argumentos filosóficos tradicionais (ver sobre os *Cinco Caminhos),* apesar de terem sido particularmente traçados para provar a existência de Deus, também fornecem-nos algumas descrições acerca de seu ser. Ele é a causa todo-poderosa e sustentadora de todas as coisas; em sua inteligência, ele determinou um desígnio para todas as coisas. De Deus requer-se que explique o que podemos observar neste mundo. Ele é o Grande Mistério por detrás de inúmeros outros mistérios. A bondade porventura existente neste mundo subentende uma Superbondade ou Perfeição. Deus deixou suas pegadas neste mundo, e, através das mesmas, podemos compreender algo acerca da imensidade de Deus.

As experiências místicas provêem-nos outra frutífera maneira de descobrirmos algo a respeito de Deus. Neste ponto entendemos a sua imensidade, seus desígnios positivos para os homens e para todos os seres inteligentes (otimismo, e não pessimismo). Na *revelação bíblica* (uma forma de misticismo) encontramos os elementos antropomórficos que nos fornecem informações acerca de Deus. Aquilo que o homem é *em parte,* Deus *é em grau infinito.* Julgamos que ele é uma pessoa. Assim como o homem tem algum poder, Deus é onipotente; assim como o homem tem alguma bondade, Deus é perfeito em sua bondade; assim como o homem tem algum conhecimento, Deus é onisciente; e assim como o homem ocupa algum espaço, Deus é onipresente. Aquilo que o homem é em parte, Deus o é eminentemente. Por isso é que o título dado a essa maneira de nos aproximarmos de Deus é *via eminentiae.*

A *abordagem positiva* tem sofrido algumas distorções no *antropomorfismo* (vide). Ver também o *Princípio Protestante,* de autoria de Paul Tillich, que enfatiza o *Deus transcendental,* em lugar do Deus ou dos deuses que os homens inventam em suas teologias e filosofias. Ver sobre *Via Negationis,* quanto ao método oposto de nos aproximarmos do conhecimento de Deus.

VIA NEGATIONIS

Expressão latina que significa **via negativa,** ou seja, uma maneira de tentarmos entender como Deus é. Não estando satisfeitos com a *via eminentiae* (vide) ou com a via positiva e o *antropomorfismo* (vide), alguns filósofos e teólogos têm sentido que tudo quanto podemos dizer acerca de Deus é que ele "não é isto", "não é isto". A transcendência de Deus é assim enfatizada, fazendo contraste com a sua proposta imanente na criação. Assim sendo, o fator controlador é o fato de que Deus pertence a outra categoria do ser. Como é óbvio, Deus tem que permanecer como o grande mistério, se isso tiver de ser levado às suas conclusões lógicas. Ver sobre *Mysterium Tremendum.* O fato de que Deus pertence a outra categoria de ser significa que podemos nos aproximar dele negando o mundo. Quando evitamos as descrições frívolas de Deus, que fazem dele um super-homem, e não Deus, então, mediante a intuição, e talvez mediante a iluminação mística, chegamos a entender algo acerca da natureza divina.

Historicamente, *a via negativa* é associada à teologia especulativa do neoplatonismo (vide), a começar por Proclus (410 - 485 d.C.), o que foi desenvolvido em relação à teologia cristã nos escritos do Pseudo-Dionísio (cerca de 500 d.C.). Sua Teologia Mística relembra-nos constantemente que a linguagem humana é irremediavelmente inadequada para descrever a pessoa de Deus, e também que podemos obter alguma compreensão mediante a contemplação e as experiências místicas.

Muitos filósofos e teólogos têm empregado tanto a via *negationis* quanto a *via eminentiae.* Tomás de Aquino acreditava que devemos começar pela primeira, e então desenvolver outras idéias, através da segunda, iluminada pela razão, pela intuição e pela revelação bíblica. Na Igreja Oriental, a *via negationis* é enfatizada, sendo chamada pelo nome de *apofática,* palavra que vem do grego e significa "negação".

O *budismo* costuma salientar a via *negationis,* provavelmente por causa de sua abordagem contemplativa, e não racional, da fé religiosa. É justo dizermos que tanto a abordagem negativa quanto a abordagem positiva têm seus problemas, sendo maneiras inadequadas de descrever Deus. E nisso nada há de surpreendente, visto que Deus é o *Mysterium Tremendum,* pelo que qualquer coisa que dissermos ou acreditarmos a respeito de Deus ficará aquém da verdade. De fato, é justo dizer-se que se alguém pudesse apresentar uma verdadeira descrição da natureza divina, não a poderíamos entender, da mesma maneira que um aluno de primeiro ano dificilmente poderá entender a teoria da relatividade de Einstein, ou algum outro augusto assunto da ciência. Aqueles que fazem declara-

VIA NEGATIVA – VIAGENS

ções pretenciosas acerca de como compreendem Deus, usualmente caem no triteísmo, e não no *trinitarianismo*, e criam toda variedade de *humanologia*, e não teologia. Na realidade, quase tudo quanto pode ser chamado de teologia, na verdade é apenas *humanologia*. Ver o artigo *Linguagem Religiosa* quanto a outros detalhes sobre essa questão. Os pontos quarto e quinto daquele artigo discutem especificamente essas questões.

VIA NEGATIVA
Ver sobre **Via Negationis**.

VIA POSITIVA
Ver sobre **Via Eminentiae**.

VIAGENS
O artigo a seguir é, essencialmente, um breve resumo de um longo artigo apresentado na *Zondervan Pictorial Encyclopedia of the Bible*. Esse assunto é raro nos materiais de referência para o estudo bíblico, mas não deve ser omitido.
I. As Estradas
II. Principais Estradas da Palestina
III. Estradas Secundárias da Palestina
IV. Viagens Internacionais através da Palestina
V. Viagens por Via Fluvial e Marítima
VI. Viagens Terrestres no Novo Testamento
VII. Viagens Marítimas no Novo Testamento
VIII. Razões para Viagens nos Tempos Bíblicos

I. As Estradas
Nos tempos bíblicos iniciais, apenas os fenícios dominavam as viagens por mar, e, embora Israel fosse um país que habitava ao lado do mar, não era *do* mar. A maioria das viagens na Palestina era feita por terra, algo comum em todo o período do Antigo Testamento. As rotas primitivas de caravanas foram possibilitadas com o uso de burros, mas os camelos, a longo prazo, tornaram-se os "cavalos do deserto". Os cavalos eram empregados apenas para propósitos militares. As carruagens não eram usadas em rotas de caravanas, pois não se adaptavam às más condições que as estradas, inevitavelmente, apresentavam. Carroças pesadas serviam para transportar cargas grandes, pois havia um limite ao que burros ou camelos conseguiam carregar. O tabernáculo portátil era transportado em uma carroça (Núm. 7.3 ss.), e os filisteus usaram o mesmo meio para conduzir a *arca da aliança* depois de tê-la roubado do tabernáculo em Silo e levado a peça para a Filístia. Tais veículos tinham rodas sólidas de madeira, e a variedade de duas rodas era a mais comum, embora existissem carroças com quatro rodas.

Grandes caravanas empregavam centenas de animais, variando entre 1.000 e 5.000, o que significa que muitos dos suprimentos alimentares precisavam ser levados junto com a carga que seria vendida ou trocada em alguma terra distante.

As estradas eram extremamente ruins pelos padrões modernos, piores do que as piores estradas até mesmo nos países mais pobres de hoje. Isto significa que a viagem era extremamente lenta. As estradas serviam essencialmente para uso durante tempo bom, até que os romanos pavimentaram suas melhores estradas com pedras. Nas estações chuvosas, rotas de caravanas eram pouco utilizadas, sendo que, como hoje, as estradas nas montanhas ficam fechadas no inverno por causa da neve. As caravanas dependiam de oásis por causa de sua necessidade de renovação de água e suprimentos.

II. Principais Estradas da Palestina
A rota *norte-sul* mais importante para o comércio na Palestina era chamada de "via do mar", que recebeu esse nome porque seguia o mar Mediterrâneo do Egito a Gaza. Dali ia a Jope, e então ao canto da planície de Sarom. Depois prosseguia à Galiléia até chegar à junção com Hazor. Nesse ponto cruzava o rio Jordão no lago Hulé. Então ia até a Síria e diretamente a Damasco. Essa era a estrada mais rápida na Palestina e a estrada internacional mais usada na época.

Outra estrada internacional chamava-se *Estrada do Rei*. Ela passava pelo alto platô ao leste da Jordânia e era por onde se dava o comércio árabe de Eziom-Geber a Maan, posteriormente substituída por Petra. Dali a estrada ia ao norte, entre o deserto e as montanhas, finalmente alcançando o vale do Jordão. Entre as cidades que se situavam no caminho, estavam Quir de Moabe, Dibom, Medeba, Hesbom, Rabate Amom, Edrei e Damasco.

Uma estrada estritamente nacional (israelita) era a que ia de norte a sul, começando em Berseba e estendendo-se à crista central do oeste da Palestina em Hebrom. Dali continuava até Jerusalém, Betel, Siquém, Samaria, Dotã e a planície de Esdrelom. Se a pessoa desejasse continuar dali, teria de passar à estrada internacional descrita acima.

Estradas de Leste a Oeste. Havia duas estradas principais nesse sentido. Uma partia do mar Mediterrâneo, em Jope, e ia para o noroeste, até Siquém, passando entre o monte Gerizim e o monte Ebal. Dali descia o vale até o rio Jordão, que cruzava em Adão. Na Transjordânia, ela passava pelo vale de Jaboque, atravessando Gileade. A estrada encontrava a Estrada do Rei, que levava os viajantes a Damasco.

Outra rota de leste a oeste era curta, mas importante. Corria ao longo do mar Mediterrâneo, de Aco em direção ao sudeste, a uma planície de Acre, indo até a Planície de Esdralon, e então a Jezreel, cruzando o rio Jordão em Bete-Seã. Dali ascendia até o grande planalto produtor de trigo, onde encontrava com a Estrada do Rei, próximo a Damasco.

III. Estradas Secundárias da Palestina
1. Uma estrada curta que passava ao longo do mar Mediterrâneo de Aco (chamada de Ptolomaida no Novo Testamento) a Tiro e Sidom.
2. Uma estrada que ia de Siquém à Planície de Esdrelom, via Samaria.
3. Uma pequena estrada de norte a sul cruzava o vale do Jordão, de Jericó a Cafarnaum.
4. Na Transjordânia, uma pequena estrada seguia paralela à Estrada do Rei em parte de seu percurso. Passava ao lado do deserto.
5. Uma estrada de leste a oeste passava ao sul de Siquém, subia pelo vale do Aijalom até a crista central. Naquele ponto, um ramo dela ia para o sul, até Jerusalém. Essa era a única estrada militar de uma planície filistéia até aquela cidade. Outro ramo ia para o norte, até Betel, a poucos quilômetros de distância, e então descia ao rio Jordão, a Jericó. Finalmente subia até Rabate-Amom.
6. Outra estrada curta, mas importante, de leste a oeste, ia de Aco até a depressão chamada Sahl Battuf, e então até o mar da Galiléia.
7. Outra pequena estrada de leste a oeste ia do porto de Asquelom até Hebrom.
8. Outra estrada ia de Gaza a Berseba.

IV. Viagens Internacionais através da Palestina
Viagens internacionais eram realizadas por dois motivos principais em épocas antigas: campanhas militares e comércio. As grandes civilizações da época tinham esse

VIAGENS

tipo de intercâmbio constantemente. Na época do Antigo Testamento, havia dois grandes centros de civilização fora de Israel: ao sul, o eterno Império Egípcio; ao norte, as civilizações do crescente fértil, primeiro a Assíria e então a Babilônia, que ocupou essencialmente o mesmo território. As pessoas estavam interessadas em guerrear e ganhar dinheiro, e isso tornava as estradas descritas acima (nas seções I e II) lugares movimentados. A viagem pela água também dava apoio às guerras e à economia, mas aparecia bem menos do que viagem por terra, pelo menos até o período romano (ver a seção V). Embora não se comparassem à grandiosidade das grandes civilizações ao norte e ao sul, dentro da própria Palestina havia civilizações notáveis que provocavam guerras e faziam comércio. Além de Israel, havia sete pequenas nações que os hebreus/judeus finalmente conseguiram deslocar. Ver II Sam. 5.17-25; 8.10; 12.26-31; 21.15-22; I Crô. 18.1. As maiores civilizações do norte e do sul tinham contato com as localidades mais distantes, como aquelas ao longo do mar Mediterrâneo (como através de comércio com os fenícios), na Ásia e na Índia, de forma que os produtos daqueles lugares distantes de comércio chegavam à Palestina.

V. Viagens por Via Fluvial e Marítima

O único grande poder marítimo antes da época romana foi a Fenícia. Os hebreus sempre foram essencialmente ignorantes em ciência e matemática e não tinham capacidade de construir embarcações confiáveis e tentar viajar pelo mar. É claro que Salomão teve sua aventura marítima e ganhou muito dinheiro, mas para tanto teve de alistar a cooperação da Fenícia (I Reis 9.26, 28; 10.11, 12, 22). Salomão detinha o monopólio da indústria do cobre, o principal fator econômico que lhe permitiu trazer a época áurea a Israel. Os compradores do cobre de Salomão estavam localizados ao longo das rotas de comércio marítimo e, sem a ajuda da *Fenícia*, Israel não teria alcançado sua grandeza como poder militar e econômico na época de Salomão.

Os fenícios conseguiram dominar todo o mar Mediterrâneo, chegando a Társis (Espanha) e até as Ilhas Britânicas, onde havia comércio de latão. Sólidas evidências mostram que os fenícios chegaram até a América do Norte, mas, exceto por algumas inscrições, essa parte da história foi perdida.

Portos importantes da época eram Gaza, Jope, Dor, Ofir, Eziom-Geber no Golfo de Ácaba e Elate.

Para maiores detalhes, ver o artigo geral sobre a Fenícia, especialmente o ponto III, *História 5. A Fenícia como Senhora dos Mares*.

VI. Viagens Terrestres no Novo Testamento

O único fator revolucionário que se desenvolveu na época do Novo Testamento em contraste com os do Antigo Testamento para viagens por terra foram as estradas pavimentadas dos romanos. Essas estradas, de modo geral da largura apenas de uma faixa de sua contrapartida moderna, eram pavimentadas com rochas, e algumas partes delas sobrevivem ainda hoje. Embora a Palestina, na época de Jesus e de Paulo, provavelmente tivesse bem poucas ou nenhuma estrada romana, o mundo "lá fora", ao redor do mar Mediterrâneo, tinha, e isso facilitou consideravelmente a propagação do evangelho cristão. As viagens missionárias de Paulo através da Ásia Menor e por partes da Europa, principalmente pela Grécia, certamente foram facilitadas por melhores estradas. Mais pessoas, mais carruagens, mais carroças de frete "corriam" pelas estradas, isso e por mais tempo durante o ano: os problemas causados pela lama tinham sido resolvidos parcialmente. Antigas fontes informam que era comum que as pessoas viajassem a cavalo até 70 km por dia servindo às agências do governo. Os negócios, é claro, floresceram. As viagens internacionais foram facilitadas e era possível chegar à Alemanha, à China, aos países escandinavos, à Rússia e à África Central.

VII. Viagens Marítimas no Novo Testamento

Os romanos tinham a vantagem do progresso que os fenícios haviam feito pelo mar. As embarcações eram propulsionadas por velas e remos. Os romanos não inventaram nenhum novo sistema de propulsão, mas escavaram canais artificiais que encurtavam consideravelmente as viagens. Um exemplo é o Istmo de Corinto (8 km de largura), que evitava uma viagem de cerca de 300 km ao redor do cabo Malea, onde ocorreram muitos desastres de navios. Assim, a segurança foi melhorada, não apenas a velocidade.

As embarcações eram grandes e pequenas. Uma embarcação grande era um navio de grãos da Alexandria, que poderia chegar a medir 60 m e transportar cerca de 1.200 toneladas de carga. Josefo sofreu um desastre de navio em uma embarcação com 600 tripulantes, o que exigia, obviamente, um tamanho razoável. Estudos de embarcações antigas encontradas no fundo do mar auxiliaram na determinação de sua natureza exata.

VIII. Razões para as Viagens nos Tempos Bíblicos

1. *Dinheiro* sempre foi o grande negócio. Viajar fazia parte do comércio, da compra e venda de muitos produtos que qualquer área particular não tivesse como produzir.

2. A *guerra* sempre foi algo grande. Rotas de viagem eram naturalmente usadas por exércitos quando saíam para matar ou para serem mortos.

3. *Emprego internacional*. As pessoas viajavam para conseguir empregos melhores ou para vender seus produtos em diversos lugares. Havia vendedores viajantes, mercadores, comerciantes, banqueiros.

4. *Romarias religiosas*. As pessoas viajavam para chegar aos santuários, como o templo de Jerusalém, ou a outros lugares sagrados para os povos. Na época do Novo Testamento, romarias religiosas levavam pessoas de todo o mundo conhecido da época a Jerusalém (Atos 2.5-11). Santuários pagãos que atraíam muitos viajantes nacionais e internacionais eram Atenas, Éfeso e Elêusis. As pessoas viajavam para conseguir cura, consultar oráculos, pagar promessas, orar pelos mortos e buscar ajuda para resolver problemas pessoais e familiares.

5. *Eventos de atletismo*. Os Jogos Olímpicos atraíam pessoas de toda a área do Mediterrâneo. Os locais de tais jogos variavam, acontecendo em locais tão distantes quanto a Espanha e até a Antioquia. Atletas profissionais viajavam e os fãs dos esportes os seguiam de um lugar para outro.

6. *Educação*. Centros educacionais como Alexandria, Atenas, Roma e Jerusalém atraíam professores e estudantes interessados em muitas buscas intelectuais. Alexandre, o Grande, que mantinha ávido interesse pelas ciências e pela filosofia (Aristóteles foi um de seus primeiros professores), levou cientistas e professores junto com ele em suas campanhas militares e encorajava o aprendizado em todos os lugares aonde ia.

7. A *migração de povos* era "viagem em massa". Algumas migrações foram forçadas, como no caso dos cativeiros assírio e babilônico, mas algumas eram voluntárias. Os heteus (povo indo-europeu), por exemplo, acabaram na Palestina e tornaram-se inimigos de Israel!

8. *Turismo*. Como agora, naquela época muitas pessoas que tinham dinheiro viajavam "para ver o mundo", o que para algumas pessoas é um grande prazer. Pausânio

VIAJANTE – VÍBORA

até escreveu um livro de guia para turistas, e um pouco da *História* de Heródoto é turismo puro. Mas tudo o que ele aconselhava era "Vá ver". No tangente ao Egito, ele disse: "Você tem de ver para acreditar". Os antigos não eram bons em fazer viagens durante o inverno, portanto a maioria das viagens de navio não era permitida (exceto em casos de extrema emergência) entre cerca de 10 de novembro e 10 de março.

9. *Serviço de correio*. Os persas inventaram um serviço de correio relativamente rápido que empregava cavalos que corriam por certa rota, com outros esperando para continuar "para fazer o correio chegar". A maioria das cartas, contudo, era entregue por agentes do governo que se especializavam na profissão, ou por amigos pessoais do escritor que por acaso estavam indo naquela direção ou que, por amizade, realizavam a tarefa de entregar uma carta ou livro. A maioria das cartas de Paulo foi transportadas por amigos pessoais. Algumas dessas cartas chegaram ao nosso Novo Testamento, e quem sabe quantas não chegaram.

VIAJANTE

No hebraico, *arach*, "usador do mesmo caminho". Ver Juí. 18:17; II Sam. 12:4; Jer. 9:2 e 14:8.

Um viajante era alguém que caminhava, geralmente a pé, ao longo das estradas. Na antiguidade, as viagens eram muito mais perigosas do que hoje em dia, o que é ilustrado por trechos bíblicos como Juí. 5:6 e Isa. 33:8. Lemos na última dessas passagens: "As estradas estão desoladas, cessam os que passam por elas." em um trecho onde o profeta prevê as aflições que sobreviriam a Jerusalém.

A parábola do Bom Samaritano, no Novo Testamento, é outra excelente ilustração desse perigo das viagens, na antiguidade. Descreveu o Senhor Jesus: "Certo homem descia de Jerusalém para Jericó, e veio a cair em mãos de salteadores, os quais, depois de tudo lhe roubarem e lhe causarem muitos ferimentos, retiraram-se, deixando-o semimorto" (Luc. 10:30).

Visto que as hospedarias eram raras, com freqüência, os viajantes ficavam dependendo da compaixão e da hospitalidade de estranhos, nas cidades e aldeias por onde tivessem de passar (ver Juí. 19:16-30; II Sam. 12:4). Josefo, o grande historiador judeu, contemporâneo da geração que se seguiu à de Cristo, muito escreveu a respeito do banditismo que imperava na Palestina, durante os tempos de dominação romana. E Paulo, ao referir-se aos muitos perigos pelos quais passara em suas viagens missionárias, referiu-se a perigos de ladrões, perigos nas cidades e perigos no deserto (ver II Cor. 11:26,27). O fato de que, dentro do império romano, todas as estradas conduziam à capital, Roma, deve ter significado uma decisiva vantagem para os viajantes de todas as categorias. Mas, por outro lado, a ausência de policiamento e a escassez de estalagens e hospedarias, tornava às viagens uma aventura muito perigosa para todos os viajantes.

VIANDAS

Ver sobre *Alimentos*.

VÍBORA

No hebraico temos duas palavras, e no grego, uma, a saber:

1. Epheh, "víbora". Esse vocábulo aparece por três vezes: Jó 20:16; Isa. 30:6; 59:5.

2. *Akshub*, "áspide". Esse termo hebraico figura por apenas uma vez, em Sal. 140:3.

3. *Échidna*, "víbora". Esse vocábulo grego foi usado por cinco vezes no Novo Testamento: Mat. 3:7; 12:34; 23:33; Luc. 3:7; Atos 28:3.

As quatro ocorrências da palavra hebraica *epheh* aparecem todas em passagens figuradas ou proféticas, que em nada nos ajudam a identificar precisamente a espécie. Todavia, esse termo hebraico é idêntico ao árabe *afa'a*, que pode indicar tanto as serpentes de modo geral quanto as víboras, mais especificamente. O contexto das passagens bíblicas envolvidas nos ajuda no sentido de que as espécies aludidas sempre são venenosas; e, em Jó 20:16, o escritor sagrado novamente relembra a antiga noção de que o veneno das cobras venenosas reside em sua língua, quando diz: "Veneno de áspides sorveu; língua de víbora o matará". O trecho de Isaías 59:5 é puramente figurado, e lemos ali: "... se um dos ovos é pisado, sai-lhe uma víbora". Essa frase talvez confirme que se trata mesmo de uma víbora, porquanto a víbora é ovípara, ou seja, põe ovos. Na maior parte dos membros da espécie víbora, os ovos são retidos no interior do corpo da fêmea, até que se chocam e, então, emergem, pelo oviduto. E, se uma dessas víboras grávidas for esmagada, então os ovos aparecem. Tal acidente, sem dúvida, deu origem à antiga história de que a víbora engole seus filhotes a fim de protegê-los de algum perigo. Quanto à outra palavra hebraica, *akshub*, os peritos não conseguem identificar qual a espécie exata de cobra está em foco, embora também possa estar em vista alguma espécie de víbora, motivo porque a alistamos acima.

Dentre as cinco ocorrências da palavra grega *échidna*, quatro aparecem dentro da expressão "raça de víboras", utilizada tanto por João Batista (Mat. 3:7; Luc. 3:7) quanto pelo próprio Senhor Jesus, em diferentes contextos (Mat. 12:34; 23:33). É claro que a alusão, nessas passagens, é a serpentes venenosas, ao passo que a palavra "raça" sugere os filhotes da víbora, que emergem de dentro do corpo da cobra mãe. A outra referência, em Atos 28:21, é a única referência literal a uma víbora, em todas as Sagradas Escrituras, onde se registra que Paulo foi mordido por uma víbora, mas não morreu e nem mesmo sentiu os efeitos do veneno. Essa espécie é, tradicionalmente, identificada como a víbora comum da área do mar Mediterrâneo; mas, atualmente, estão extintas todas as serpentes venenosas da ilha de Malta (vide). É possível que as víboras se tivessem extinguidas ali com a passagem do tempo; também é possível que a espécie em foco não fosse venenosa (em países subdesenvolvidos, até hoje, toda cobra é considerada venenosa, e até mesmo a mordida de uma cobra não venenosa causa um choque nas pessoas); ou, finalmente, conforme parece ficar entendido no texto sagrado, houve mesmo uma intervenção divina, não permitindo que a peçonha da víbora o afetasse. Isso concordaria com o que diz Marcos 16:18, "...pegarão em serpentes...", em que pese o fato de que os versículos 12-20 desse capítulo do segundo evangelho, não aparecem nos melhores e mais antigos manuscritos. Poderíamos dizer que a víbora é quase sinônimo da áspide. Ver também o artigo sobre *Serpente*.

Serpentes venenosas, cujas precisas identificações são impossíveis. Os nomes hebraicos sem dúvida indicavam várias espécies. Quatro palavras hebraicas são traduzidas por víbora, serpente, etc., nas traduções modernas. Ver Gên. 49:17; Sal. 140:3 (Rom. 3:13); Sal. 58:41; 91:13; Jer. 8:17; Ecl. 10:11 e Jer. 8:17. Três palavras usadas, por serem onomatopéicas, sugerem o silvar de várias víboras, ou então o ruído que certa espécie de víbora do deserto faz, ao esfregar suas escamas ásperas. A víbora da areia deu origem ao hieróglifo "f", no antigo Egito.

VÍBORA – VICENTE DE PAULA, SÃO

1. *Usos simbólicos*: a. Qualquer coisa astuciosa, prejudicial, potencialmente perigosa; incluindo a ameaça de qualquer tipo de iniqüidade (ver Deu. 32:33 - os rebeldes hebreus). b. Vinho em demasia (ver Pro. 23:32). c. A ameaça do dia do Senhor (ver Amós 5:19). d. Opressores estrangeiros (ver Isa. 14:29). e. Guerra, fome e julgamentos divinos (ver Núm. 26:4-6; Jer. 8:17; Amós 9:13). f. O próprio Satanás (ver Gên. 3; Apo. 12:9,14, 15). g. O ludíbrio (ver Mat. 23:33) que se origina no próprio arquienganador. h. A sabedoria, sem haver qualquer má conotação necessária (ver Mat. 10:16). i. Os hipócritas (ver Mat. 23:33). j. Um mal inesperado (ver Ecle. 10:8).

2. *Usos espirituais*: 1. O sinal realizado por Moisés diante do povo de Israel (ver Êxo. 4:2-5; 28:30) e por Moisés e Aarão diante de Faraó (ver Êxo. 7:8-12). Isso aludia ao poder e à autoridade de Deus, e em conseqüência, a seus representantes, em contraste com os deuses pagãos e seus agentes. 2. A serpente de metal, posta no alto do poste, para cura de um povo rebelde (ver Núm. 21:9), tornou-se um símbolo de Cristo, que foi levantado na cruz para cura de todos os pecadores crentes. Esse símbolo introduz a famosa declaração de João 3:16. (Ver João 3:14-16). 3. O grande poder maligno e iludidor do próprio Satanás, que é astucioso e mortífero. O tentador que fez o homem mergulhar no pecado (ver Gên. 3), o contínuo opositor do bem e do direito, até o final dos tempos (ver Apo. 12:9,14,15).

3. *Serpentes bíblicas*: Excetuando adivinhação, a identificação de espécies de serpentes, no tocante a passagens bíblicas específicas, é muito incerta. O cálculo pode ser devido a localidades ou condições locais específicas, que favoreçam a existência de mais de uma espécie que de outras. Há menção a serpentes por 70 vezes no Antigo Testamento e por 32 vezes no Novo Testamento. Muitas serpentes da Palestina não são venenosas, mas há várias espécies perigosas. Algumas são pequenas e outras chegam a atingir dois metros. Estão bastante espalhadas, dos desertos às florestas. Umas têm hábitos noturnos, e outras, diurnos. Todos os répteis e anfíbios são animais de sangue frio, o que significa que não têm controle automático da temperatura do corpo, dependem de fontes externas de calor, pelo que precisam ou buscar ou evitar o sol, dependendo da necessidade do momento. A hibernação é empregada para proteger esses animais dos rigores do frio. A temperatura do corpo precisa ser conservada na faixa entre os 150 e os 270 centígrados.

a. A serpente do terceiro capítulo de Gênesis é um problema teológico, e não zoológico.

b. Serpentes produzidas por varas (ver Êxo. 4 e 7) abordam questões como magia negra ou intervenção sobrenatural. Encantamento de serpentes e maldições por serpentes eram aspectos comuns da religião egípcia, muito antes do êxodo de Israel. Alguns intérpretes insistem que a transformação de varas em serpentes era apenas um truque dos mágicos, mas essa opinião apenas subestima o poder do mal. O Antigo Testamento definitivamente não indica que se tratava apenas de um truque. A serpente nisso envolvida podia ser uma dentre as maiores espécies, a inofensiva serpente Montpelier; mas os intérpretes preferem ver nisso a cobra egípcia (Naja haje), que até hoje é usada pelos encantadores de serpentes, no Egito. No Egito antigo, os amuletos tipo escaravelho retratavam cobras seguras pelo pescoço, que é a maneira correta de se manusear serpentes venenosas.

c. As serpentes abrasadoras do deserto (ver Núm. 21 e João 3:14). O local onde elas apareciam era o deserto de Neguebe, nas fronteiras com Edom, provavelmente a sudeste do mar Morto. Essas serpentes eram extremamente peçonhentas. A localização delas e essa condição reduzem a escolha a apenas quatro espécies: 2 víboras da areia (*cerastes vípera*), a *víbora tapete (Echis coleratus)* e a *Carinatus* ou *Carinatus cerastes*, que pode atingir mais de noventa centímetros de comprimento, e é bem adaptada às condições de vida no deserto. Algumas se escondem na areia, deixando de fora apenas uma parte da cabeça. Quase sempre matam roedores, mas sua picada também pode ser fatal para os seres humanos. A *Cerastes vípera* é pequena, com menos de 45 cm, e menos perigosa. Como em todas as víboras, na parte da frente do maxilar superior, há um par de presas que se ocultam em dobras de pele que forram o palato duro. Essas presas são aguçadas e ocas, permitindo que o veneno seja injetado na vítima, inoculando-a assim daquele conteúdo natural.

A mais provável é que naquela narrativa bíblica esteja envolvida a víbora tapete, com escamas serrilhadas. Cresce até cerca de sessenta centímetros, e é bastante fina. As espécies podem ser encontradas no oeste e no leste da África, no sudoeste da Ásia, no norte da Índia, e na área bíblica em questão. Produzem um som desagradável quando roçam suas escamas, fazendo um movimento característico de oito. Seu veneno é típico da família das víboras, com efeitos hemolíticos, isto é, sobre o sangue, pois quebra os vasos capilares e rompe os *corpúsculos*, causando a morte por hemorragia interna generalizada. O processo da morte pode ser lento ou rápido. Esse efeito lento ou rápido do veneno assemelha-se aos efeitos do pecado sobre a alma. Os moribundos podem sentir-se relativamente bem por dois ou três dias, mas acabam morrendo, um quadro gráfico do pecador que se sente bem, mas que está em perigo mortal. (FA ND S UN Z)

VICENTE DE PAULA, SÃO

Suas datas foram 1581 - 1660. Foi pastorzinho na infância, e era de família humilde. Nasceu em Pouy, na Gasconha, França, e faleceu em Paris, a 27 de setembro de 1660. Estudou na Universidade de Toulouse. Tornou-se padre católico romano, e continuou estudando, até o bacharelato. Foi capturado por piratas da barbárie quando viajava de Marselha para Narbone. Foi vendido como escravo em Túnis, mas conseguiu fugir, em 1607. Começou a elevar-se como autoridade religiosa. Tornou-se capelão-tutor da rainha Margarida de Valois, e tutor do filho mais velho de Filipe Emanuel de Gondi. Tornou-se missionário de lugares rurais e ficou pasmo diante das necessidades físicas e espirituais da população rural francesa.

Fundou a *Congregação dos Padres da Missão* (Vicentinos ou Lazaristas), como também as *Senhoras da Caridade*. Ele teve a mais brilhante carreira do catolicismo romano do século XVII. Por assim dizer, tornou-se o protetor dos pobres e o restaurador do clero, e passou a ser conhecido como o grande santo. Além das obras formais aqui mencionadas, estabeleceu alianças espirituais para cuidar dos enfermos e necessitados, hospitais, escolas, capelas e organizações de caridade, tudo de acordo com a melhor tradição católica romana, que sempre salientou as questões atinentes à caridade e à educação. As *Senhoras da Caridade* (cujos membros eram damas dotadas de abundantes posses materiais) tinham por tarefa levantar fundos para suas muitas obras. As *Filhas da Caridade*, que levaram avante o trabalho assim iniciado, foram oficializadas pelo papa oito anos após a morte de Vicente de Paula. Embora suas realizações muito se tivessem expandido, assumindo proporções internacionais, ele continuou sendo um homem simples, humilde e piedoso, o que, por

VÍCIOS

si só, era uma grande realização. Ele sempre atribuía o seu sucesso à graça de Deus, e não às suas habilidades pessoais. Foi canonizado pelo papa Clemente XII, em 1737, e foi declarado Patrono Universal das Obras de Caridade pelo papa Leão XIII, em 1885. Foi um gigante espiritual, cujas atitudes bem faríamos em emular. Vivia a lei do amor, de forma admirável.

VÍCIOS
Um Estudo Sobre as Manifestações do Pecado
Esboço
I. Listas de Vícios
II. As Características do Pagão
III. Empregando o Método da Pêntada
IV. A Maior Lista de Vícios dos Evangelhos Sinópticos
V. Os Vícios Como Obras da Carne
VI. Os Vícios de II Tim. 3:2-4: as Características dos Homens dos Últimos Dias
VII O Vício do Ódio
VIII.O Vício da Idolatria
IX. O Mundanismo

I. Listas de Vícios

O estoicismo romano utilizava listas de vícios e virtudes para ensinar seus princípios éticos. Estas listas foram, às vezes, construídas sem qualquer desígnio especial, mas, outras vezes, em pêntadas alternativas de vícios e virtudes. Outros métodos foram empregados, talvez por razões de estilo literário ou para facilitar a decoração das listas, como, em tempos modernos, crianças na Escola Dominical decoram os Dez Mandamentos. A ética (vide) é o estudo da *conduta ideal*, e é impossível alcançar este ideal sem saber o que fazer e o que evitar. Ensinos sobre vícios e virtudes nos ajudam a determinar os elementos desejáveis e indesejáveis de ação moral. O Apóstolo Paulo emprestou este método de ensino do estoicismo romano, obviamente achando que tinha algum valor para o homem espiritual. Demonstrou, com estas listas, a seriedade do pecado, e ilustrou a profundidade do estado pecaminoso do homem. Longe de Cristo, o homem é, verdadeiramente, cheio de vícios.

Estudando o pecado. Alistando e examinando os muitos vícios dos homens, aprendemos muitas coisas sobre a própria natureza e manifestações dos pecados (vide).

II. As Características do Pagão: Rom. 1:28 ss

Por haverem desprezado o conhecimento de Deus. Paulo continua, neste ponto, a sua descrição acerca da mentalidade pagã, que rejeitava o conhecimento inerente do verdadeiro Deus, substituindo esse conhecimento pela idolatria, o que resulta nas degradações morais que o apóstolo ventila. A palavra grega, nesse caso, significa pleno conhecimento, no dizer de Vincent, in loc.: "Não pensam esses homens que vale a pena conhecer a Deus. Pode-se comparar isso com I Tes. 2:4: Não permitem eles que a revelação rudimentar, dada pela natureza, se desenvolva até o pleno conhecimento".

Disposição mental reprovável. Literalmente traduzida do grego, essa expressão significaria "não passam no teste". Trata-se de uma espécie de atitude mental que não pode ser aprovada por Deus, ficando subentendida uma atitude pervertida, à qual falta razão e bom senso. É uma atitude que rejeita o conhecimento inerente e que prefere criar absurdos. No original grego há um jogo de palavras, posto que o vocábulo que descreve como os homens desprezam o conhecimento de Deus também é usado em outra forma (a mesma raiz vocálica é empregada) para descrever a atitude mental a que Deus os entregou. É por esse motivo que Alford (Í in loc.) traduz: "Posto que reprovaram o conhecimento de Deus, Deus os entregou a uma mente reprovada". Também poderíamos traduzir essa sentença por:

"Visto que eles desprezaram o conhecimento de Deus, Deus os entregou a uma mente desprezível"; ou ainda: "Visto que não aprovaram o conhecimento de Deus, Deus os entregou a uma atitude mental reprovável". E isso serve de demonstração da lei da colheita segundo a semeadura. Os homens recebem exatamente aquilo que semeiam.

Os Vícios dos Pagãos

Rom. 1:29: *estando cheios de toda a injustiça, malícia, cobiça, maldade; cheios de inveja, homicídio, contenda, dolo, malignidade;*

Os adjetivos aqui utilizados, isto é, *cheios* e *possuídos*, demonstram claramente que o caso é maligno, característico do paganismo, agravado e contínuo, e não algo cometido ocasionalmente. Observemos que "toda" sorte de injustiça é que os caracteriza.

1. *Injustiça.* Essa palavra mui provavelmente é usada como termo geral para descrever o cabeçalho da lista. Sumaria a disposição mental característica que leva os homens a perpetrarem muitos tipos de maldades contra os seus semelhantes, maldades essas descritas a seguir.

"É o egoísmo, entronizado contra todo o direito alheio". (Newell, *in loc.*).

"Trata-se de todo o vício contrário à justiça e à retidão". (Adam Clarke, *in loc.*).

2. *Malícia.* Temos aqui a atitude mental de quem se deleita com a ruína, com o desconforto, com o infortúnio alheio; é uma atitude odiosa, que se deleita na perversidade. É o desejo de prejudicar, a malignidade de espírito que produz uma vida cancerosa. É a opressão do homem contra o homem.

3. *Avareza.* Representa o "eu" entronizado, o egoísmo total, a mais completa desconsideração para com os direitos dos outros, que deseja todos os benefícios apenas para si mesmo. Está em pauta o amor intenso ao lucro, a qualquer preço, o gênio de uma alma perenemente insatisfeita com o que já possui, numa atitude extremamente materialista, que expulsa todos os motivos mais elevados. Esse pecado é invariavelmente classificado entre os piores vícios, porquanto é a própria antítese da "piedade". Consiste em fazer do próprio "eu" um deus, conferindo a si mesmo o que pertence somente a Deus e aos nossos semelhantes (ver Jer. *22:17;* Hab. *2:19-* Mar *7:22;* Efé. *5:3;* Col. *3:5* e II Ped. *13*, que são versículos bíblicos que abordam esse pecado). A passagem de *Col. 3:5* define esse erro como "idolatria", porquanto se trata de um desejo pervertido de obter coisas, de desejar anelantemente as possessões materiais, como se a posse das mesmas pudesse satisfazer à alma, ficando assim criado um "deus" das riquezas. Sócrates comparava o homem avarento a um vaso todo esburacado. Sem importar o quanto fosse derramado em tal vaso, ele sempre desejava mais, jamais ficando cheio ou satisfeito. As almas dos ignorantes, no dizer de Platão, são esburacadas. (Ver *Górgias, 493*).

4. *Maldade.* Temos aqui a má vontade, numa atitude radical e essencialmente perniciosa. É bem possível que essa palavra seja aqui usada num sentido passivo, indicando um vício íntimo, que é a motivação por detrás das ações malignas mais francas. Trata-se daquela malícia que abriga o desejo de prejudicar os outros.

5. *Possuídos de inveja.* Trata-se de um sentimento de ódio contra alguém que nos é superior, quer em posição social, quer em qualidade de caráter, quer em possessão

VÍCIOS

material, que desejamos mas não podemos obter. Assim é que lemos sobre Pilatos: "Pois ele bem percebia que por inveja os principais sacerdotes lho haviam entregue" (Mar. 14:10). O Senhor Jesus era santo e bom, sem qualquer mácula em seu caráter; mas o hipócrita não podia tolerar tal coisa. A inveja consiste na tristeza de alguém em face do sucesso de outrem, bem como na alegria quando outro incorre em erro ou é derrotado (ver I Cor. 13:6).

"(A inveja) é a dor sentida e a malignidade concebida em face da excelência ou da felicidade de outrem". (Adam Clarke, *in loc.*).

"É a atitude errônea em face do conhecimento e da erudição superiores, em face das riquezas ou prosperidade, em face da felicidade e da prosperidade exterior de outros". (John Gill, *in loc.*).

Os pagãos não somente tinham tal vício, mas eram também *possuídos,* pelo mesmo, o que nos mostra que os vícios os controlavam e não eles os vícios.

6. *Homicídio.* Esta palavra, no grego, tem um som similar à palavra anterior, e sem dúvida aparece na lista, nesta altura, simplesmente por esse motivo; e isso nos mostra, conforme afirmam alguns intérpretes, que essa lista não pode ser dividida em categorias bem claras e definidas. É simplesmente uma tentativa do apóstolo de fazer uma lista de um bom número dos pecados que caracterizavam o paganismo, sem qualquer ordem especial ou sem qualquer inter-relação entre esses pecados. Todos esses vícios caracterizam ações anti-sociais, conforme vemos nos versículos 24º a 27º, que apresentam uma lista de pecados pessoais, morais. Só podemos fazer essa divisão sobre os vícios humanos, mas qualquer coisa mais detalhada do que isso tende para a artificialidade.

O homicídio é um ato da mais pura violência, que se deriva de uma perversão íntima, inspirada por qualquer dos vícios anteriores. A inveja pode causá-lo; a avareza também pode produzi-lo; a má vontade íntima, que abriga o desejo de prejudicar a outros também pode ser sua fonte; e a malícia, que se deleita na ruína do próximo, pode ser a sua base fundamental. O trecho de Mat. *5:21-26* nos mostra que o ato de homicídio é mais do que um ato desenfreado; pode ser também uma atitude interna, um sentimento de ódio cultivado contra outrem. Muitos daqueles que não ousariam matar a outro, mediante essa atitude íntima criticam e prejudicam seus semelhantes com suas palavras, cometendo autênticos assassinatos de caráter. Essa atitude é tão comum na igreja cristã que se tornou proverbial; pois o que é mais comum do que se falar sobre as "maledicências" das senhoras de uma igreja, quando elas se reúnem em grupo? E muita gente boa é vitimada por esses homicidas morais.

Esse pecado se tem tornado tão generalizado que se tornou motivo de piadas e palavras impensadas, em vez de ser severamente censurado. O ódio íntimo contra outra pessoa é uma forma de assassinato; e quem não se tem tornado culpado disso, numa ou noutra ocasião? E existem almas mais egoístas que são continuamente culpadas desse pecado? (Que o leitor consulte o trecho de Mat. 5:21-26).

7. *Contenda.* Literalmente traduzida do grego, essa palavra significa o espancamento produzido quando de alguma desavença. "Verdadeiramente, quão repleta de contendas é esta raça humana!" Newell. No entanto, a mitologia grega criou desse vício uma deusa!

8. *Dolo.* Encontramos nesta palavra o espírito e a prática da mentira, da falsidade, da prevaricação, da desonestidade. Essa palavra portuguesa se deriva do verbo grego *delo,* que significa "apanhar com uma isca", ou seja, enganar mediante falsificação. O Senhor Jesus designou Natanael como "Eis um verdadeiro israelita em quem não há dolo!" (João *1:47).* Homens como Natanael são extremamente raros. A sociedade humana virtualmente sobrevive em meio ao ludíbrio, especialmente no que diz respeito ao mundo dos negócios. Usa-se de engano nas escolas, no comércio e nas relações pessoais que se baseiam na confiança mútua; os homens preferem usar do ludíbrio à honestidade; são mentirosos no coração e são mentirosos com a língua.

9. *Malignidade.* Diz Adam Clarke *(in loc.),* a respeito disso: "Essa atitude consiste em aceitar tudo no pior sentido... o que leva o seu possuidor a dar a interpretação mais negativa a toda a ação. Aos melhores atos, se dá o pior motivo". Trata-se de um sentimento especialmente pernicioso, sendo uma perversão do espírito que se deleita na maldade e que a vê em tudo, mesmo onde ela não existe. É indicação de uma disposição totalmente maliciosa.

Rom. 1:30: *sendo murmuradores, detratores, aborrecedores de Deus, injuriadores, soberbos, presunçosos, inventores de males, desobedientes aos pais;*

10. *Difamadores.* O vocábulo grego produz um som sibilante, que provavelmente era produzido em imitação àqueles que habitualmente se mostram caluniadores. O som sibilante sugere o sibilo da serpente, porquanto a língua ferina com grande freqüência tem sido assemelhada aos ataques furtivos e repentinos das serpentes venenosas. O pecado aqui referido é aquele cometido pelos caluniadores em secreto, e no versículo 30 começa a falar sobre os "caluniadores". O fato é que os "caluniadores" não são melhores do que os difamadores. São igualmente peçonhentos e destruidores em seus ataques. O termo usado neste 29º versículo se refere àqueles que secretamente se dirigem a alguém, transmitindo-lhe alguma informação que supostamente é só *para esse alguém.* Mas, ao assim fazerem, atacam difamadoramente o caráter de outro, em sua reputação, lançando dúvidas sobre a sua honestidade ou outra virtude, procurando armar um escândalo qualquer.

11. *Caluniadores.* Essa palavra designa aqueles que fazem, aberta e publicamente, aquilo que os "difamadores" fazem em segredo, na surdina. O termo usado no presente versículo significa "falar contra", subentendendo, normalmente, os acusadores falsos ou caluniadores. O leitor pode examinar o trecho de 1 Ped. 2:12, onde se comenta sobre o uso dessa palavra.

12. *Aborrecidos de Deus,* indica aqueles que desafiam abertamente a toda autoridade não temendo nem a Deus e nem aos homens. E embora supostamente cônscios do desprazer divino, não se deixam refrear por tal conhecimento. Odeiam a todos os objetos sagrados, e ridicularizam aqueles que crêem em Deus e na alma. São totalmente profanos, e ainda se ufanam disso. Demonstram seu ódio pelas coisas sagradas porque, no íntimo, odeiam a Deus. Essa rebelião contra Deus, que caracteriza a todos os corações não convertidos, domina tais pessoas completamente. Servem tais indivíduos de suprema ilustração da verdade que o "pendor da carne é inimizade contra Deus, pois não está sujeito à lei de Deus, nem mesmo pode estar". (Rom. 8:7). São pessoas que não mostram apenas uma irreligiosidade passiva, mas são antes ativas e declaradamente profanas. No dizer de Adam Clarke *(in loc.):* "Parece ser esse o toque de acabamento de um caráter diabólico".

13. *Insolentes.* Essa palavra descreve os homens que têm prazer em insultar e injuriar seus semelhantes. Em sua forma verbal, significa tratar com injuriosa insolência. São os indivíduos tempestuosos, turbulentos e

VÍCIOS

abusivos de caráter. Conforme comentou John Knox (*in loc.*): "... uma atitude desavergonhada que não se deixa vergar à atitude de reverência, nem se humilha ante a própria conduta errada, nem restringe a sua própria conduta, sem importar a consciência que porventura tenham da presença de Deus. Naturalmente, daí se segue que se mostram altivos em suas relações com seus semelhantes, porquanto são insolentes em sua atitude para com Deus, motivo também por que não mostram qualquer senso de restrição em sua autoglorificação e nos louvores com que favorecem a si próprios".

14. *Soberbos,* isto é, tomados de orgulho altivo. É o vício de caráter daqueles que louvam a si mesmos, demonstrando uma atitude exatamente oposta à do Senhor Jesus, que disse: "Vinde a mim todos... porque sou manso e humilde de coração..." (Mat. 11:28-30). Em contraste com o Senhor Jesus, tais indivíduos estão tão repletos de si mesmos que não têm espaço algum de sobra para a consideração sobre as coisas relativas a Deus ou aos seus semelhantes. Gloriam-se em seus supostos poderes e realizações, desprezando aos outros. Essa palavra se deriva de uma combinação de palavras que tem o sentido de "brilhar acima". Querem que os outros recebam suas palavras, como se fossem oráculos. Magnificam o espírito de Satanás, e pregam na atitude de Nietzsche e de Trasímico, que viveu muito antes deles, os quais diziam que "a força é o direito".

Não nos podemos equivocar quanto ao fato inegável de que uma geração selvagem e descontrolada está entesourando para si a punição, talvez mesmo de uma forma nacional e catastrófica, como uma guerra atômica, acompanhada da fome, da miséria, das revoluções sociais e do destroçamento econômico, que ocorrerá nos últimos tempos. As tribulações pelas quais o mundo passará, perto do fim do presente século XX, pelo menos em parte se deverão à natureza descontrolada e desvairada da atual geração jovem, que não considera coisa alguma sagrada. A lei da colheita segundo a semeadura é inflexível, porquanto tudo quanto um homem semear, isso também ceifará.

15. *Presunçosos.* Essa palavra se deriva, no original grego do verbo que significa "supor", "tomar", "arrebatar", "agarrar", indicando uma atitude de vanglória, de egoísmo e de arrogância.

16. *Inventores de males.* "São os inventores de instrumentos destruidores, a exemplo de Alexandre, o Grande. São os inventores de novas modalidades de vícios morais, a exemplo de Nero, que exibiu em espetáculo a tortura dos cristãos, em seus jardins, tendo chegado ao extremo de convidar seus hóspedes a contemplarem tal espetáculo. São aqueles que têm inventado costumes, ritos, modas, etc., de caráter destruidor. Entre esses podemos citar aqueles que criaram certas cerimônias religiosas diferentes entre os gregos e os romanos, como as orgias de Baco, os mistérios de Ceres, as lupercálias, as festas da Bona Dea ... Multidões de cujas maldades, na forma de cerimônias destruidoras e abomináveis, se encontram sempre, por toda a adoração pagã" (Adam Clarke, *in* loc.).

17. *Desobedientes aos pais.* Temos aqui um pecado tão moderno e comum em nossos dias, que nem choca mais os nossos ouvidos. No entanto, tal pecado era extremamente chocante para os antigos judeus, com seu código moral mui estrito em certos particulares, o que fazia com que esse pecado fosse considerado por eles como uma falta gravíssima. Literalmente traduzida, essa palavra grega significa "incapazes de serem persuadidos pelos pais" A passagem de II Tim. 3:1 2 revela-nos que essa péssima característica humana seria própria dos últimos dias. Esse pecado é uma maldição para o desenvolvimento harmonioso da família, estendendo-se à comunidade inteira dos homens, servindo de verdadeira praga da sociedade. Um dos poucos mandamentos vinculados a uma promessa é aquele que nos ordena respeitarmos e honrarmos nossos genitores: "Honra a teu pai e a tua mãe, para que se prolonguem os teus dias na terra que o Senhor teu Deus te dá" (Êxo. 20:12). E com isso podemos comparar o que diz o trecho de Prov. 30:17: "Os olhos que zombam do pai, ou desprezam a obediência da mãe, corvos do ribeiro arrancá-los-ão, e os pintãos da águia os comerão".

Com freqüência o castigo é adaptado à natureza do pecado cometido; ocasionalmente, entretanto, o castigo não tem conexão alguma aparente com o delito. Uma coisa é certa: nenhum pecado deixa de receber a sua justa retribuição.

Rom. 1:31: *néscios, infiéis nos contratos, sem afeição natural, sem misericórdia;*

"Esta passagem bíblica se aproxima de seu final inexorável. A bancarrota completa do homem sem Deus fica demonstrada pelo seu fracasso intelectual, na falta de lealdade às suas obrigações, no terreno da vontade e das ações, bem como na ausência dos apegos emocionais mais simples e naturais. Neste ponto, uma vez mais, a vida de sua própria geração ilustrava amplamente os males aos quais Paulo se referiu apenas de passagem. Visto que "a afeição natural", se ausentara, tanto o divórcio como o infanticídio se tinham tornado extremamente comuns. Quando o vínculo verdadeiro que deve unir homem e mulher se afrouxa, nenhum outro laço é suficiente para mantê-los juntos; quando aqueles que são responsáveis pela procriação dos filhos não se sentem obrigados a aceitar nem mesmo a mais simples responsabilidade por eles, uma nova vida não tem qualquer segurança, porque também não tem valor. Dois outros comentários completam o delineamento oferecido por Paulo sobre a vida humana, quando os homens tentam se separar de Deus. A amargura e o ressentimento se cristalizam na forma de um endurecimento invencível, e as fontes mais naturais da misericórdia se ressecam". (Gerald R. Cragg, *in loc.*).

18. *Insensatos.* Alguns intérpretes pensam que essa palavra envolve alguma forma de insensibilidade moral, traduzindo-a por "sem entendimento moral". (Pode-se comparar isso com Mat. 13:14,15; 19:23, 51). Na forma de adjetivo, pois, esse vocábulo pode significar exatamente isso, a falta de entendimento sobre as realidades divinas, a ausência de discernimento moral apropriado. E posto que essa palavra foi usada aqui em um contexto teísta e posto não ser provável que o apóstolo Paulo quisesse dizer que tais pessoas não tivessem compreensão sobre as realidades materiais, como as ciências, etc., é bem provável que devamos compreendê-la em sentido religioso, ainda que, literalmente, tal vocábulo queira dizer, meramente, "desconhecedores". Essa mesma palavra é usada no versículo 21º, para indicar uma descrição sobre o "coração", isto é, um "coração insensato", desconhecedor das realidades divinas.

19. *Pérfidos, ou* seja, sem "boa fé", "infiéis", no sentido de que tais indivíduos não sentem obrigação alguma a contratos ou acordos, pois as suas promessas são sem valor. Essa palavra indica uma espécie de mentalidade de quem não tem a intenção de cumprir promessas, votos ou pactos.

"Contratos comerciais rompidos, tratados nacionais violados, confianças pessoais facilmente traídas, tudo isso

VÍCIOS

tem raiz nessa odiosa condição da alma". (Newell, *in loc.*).

"Assim como todo o pacto ou acordo é feito como que na presença de Deus, assim também aquele que se opõe ao ser e à doutrina de Deus é incapaz de sentir-se obrigado ante qualquer aliança; não pode comprometer-se a uma determinada conduta". (Adam Clarke, *in loc.*).

20. *Sem afeição natural.* Essa falta de afeição pode ser vista no caso das criancinhas abandonadas, em que os genitores não se importam com o seu bem-estar; mas tal atitude cruel também pode ser percebida na atitude de tantos filhos desumanos para com seus pais. Entretanto, essa palavra envolve relações mais amplas contra a outra, já que os homens, simplesmente porque são seres humanos, normalmente sentem interesse e cuidados pelos seus semelhantes. Por motivo desses cuidados naturais é que se desenvolveram instituições como a educação, os hospitais, os centros sociais e os governos justos, para nada dizermos a respeito das instituições espirituais, como as escolas religiosas e as igrejas. Alguns indivíduos, entretanto, são tão imperfeitamente desenvolvidos espiritualmente que não se importam em prejudicar, física ou espiritualmente a outros homens, ou mesmo a assassiná-los. É entristecedor e lamentável o fato de que os maiores heróis da história humana também têm sido os seus mais fabulosos homicidas, e não aqueles que têm realmente ajudado aos seus semelhantes a progredirem de alguma forma. A história política pouco mais é do que a crônica sobre as atrocidades que os homens têm cometido contra os outros homens. Todas essas coisas lamentáveis servem de provas supremas da avaliação paulina sobre a raça humana, quando vive longe de seu Deus.

"Deus 'deleita-se na misericórdia'; mas a 'desumanidade do homem contra o homem faz milhões chorarem'. Considerai: um Deus misericordioso! criaturas destituídas de misericórdia!" (Newell, *in loc.*).

"Os pagãos, de modo geral, não sentem escrúpulos por exporem às intempéries (a fim de que morram), as crianças que julgam não serem dignas de sobreviver, e nem sentem escrúpulos por deixarem seus pais morrerem, quando se tornam idosos e não podem mais trabalhar" (Adam Clarke, *in loc.*).

O vocábulo grego aqui utilizado significa, estritamente, amor aos parentes de raça, com a partícula negativa. Porém, provavelmente estamos corretos ao compreendê-lo no sentido mais profundo do amor para com qualquer ser humano, porque todos os homens, em certo sentido, o sentido físico, são nossos irmãos e, em outro sentido, o espiritual, são nossos semelhantes.

21. *Sem misericórdia.* O original grego significa exatamente isso: o negativo é prefixado à palavra "misericórdia". Diz-se que Nero se divertia torturando insetos, arrancando-lhes as asas, as pernas, etc., quando era criança. Na sua idade adulta entretinha seus convidados, nos jardins de seu palácio, em Roma, com a tortura e o assassínio de incontáveis cristãos. Foi ele o iniciador das primeiras perseguições oficiais ferozes do império romano contra os cristãos. Não existem muitos homens sem entranhas como Nero, mas até mesmo os indivíduos mais excelentes podem descobrir, em si mesmos, especialmente em explosões de ira, o ódio e a sanha destruidora, em lugar da gentileza e da misericórdia. Até mesmo os chamados bons cristãos, às vezes, mostram-se tão amargos em suas palavras que ferem aos seus semelhantes, incluindo nesses ataques, não raramente, até mesmo as pessoas melhores e mais santas. A miséria, que o mundo sofre, por motivo da falta de compaixão é surpreendente, tendo criado aquilo que os filósofos denominam de "problema do mal moral", isto é, como se pode explicar a existência de tantos males à face da terra, inspirados pela vontade humana?

Variante Textual. A palavra *implacáveis* aparece também nesta lista, em alguns manuscritos posteriores, como Aleph(3), CD(3), KLP, no que são seguidos pelas traduções AC,F,KJ e M. Todas as demais traduções, usadas para efeito de comparação nesta enciclopédia, omitem tal palavra, seguindo a evidência textual superior, isto é, os manuscritos P(40), Aleph(1), ABD(I), EG. Algum escriba deve ter aumentado levemente a lista de vícios já por si devastadora, como uma característica humana perversa, de acordo com a realidade dos fatos, pois a idéia da implacabilidade envolve um espírito maldoso, tão vil e violento, que não aceita conciliação, mas sempre prefere a vindita, a violência e a injúria. Essa atitude é própria daqueles que propositada e maliciosamente rejeitam a "paz". Ninguém pode pacificar tal indivíduo, porquanto suas fibras íntimas foram entretecidas com a própria fibra da vingança e da destruição. Tais pessoas não se interessam nem pela reconciliação com Deus, e nem com os seus semelhantes.

Um missionário que trabalhou há muitos anos, R.H. Graves, que passou muitos anos na China, narrou que um chinês, ao ler esse capítulo, declarou que o mesmo não poderia ter sido escrito pelo apóstolo Paulo, mas somente por um missionário evangélico moderno que tenha estado na China poderia fazê-lo. Contudo, o que alguém chegue a dizer sobre a China pode ser aplicado ao mundo inteiro, porquanto Paulo descrevia a natureza aviltada da raça humana inteira, quando se encontra afastada de Deus. Mais adiante o apóstolo dos gentios haveria de mostrar como os homens podem ser redimidos, até mesmo de um estado tão moralmente aviltado como esse. Isso significa que há esperança para todos, porque se Deus pode corrigir tais males, nada existe que ele não possa fazer.

Resultados
Rom. 1:32: *os quais, conhecendo bem o decreto de Deus, que declara dignos de morte os que tais coisas praticam, não somente as fazem, mas também aprovam os que as praticam.*

O Decreto de Deus

1. Deus determinou a ira para a incredulidade e a rebelião (ver Rom. 1:18).

2. Os homens reconhecem intuitivamente esse decreto, da mesma maneira que reconhecem a Deus. Certo homem dizia: "Temo que a Bíblia diz a verdade!". O que ele queria dizer é: "Continuo em meu caminho de rebeldia; a Bíblia diz: "Haverás de colher o fruto de tuas ações. Espero, pois, que a Bíblia esteja equivocada!" Ora, mesmo sem a Bíblia, os homens sabem que isso expressa a verdade.

3. A opção é entre o julgamento e o caos, pois se o bem não será galardoado e se o mal não será punido, então este mundo se transforma em caos, porquanto opera sem razão e sem alvo.

4. O homem, em sua apostasia e em seus múltiplos vícios, desafia a Deus para que faça algo a respeito. Mas, em seu coração, ele sabe que Deus o fará, em algum tempo, em algum lugar. Sua alma talvez chegue mesmo a desejar essa providência divina, inconscientemente, pois os juízos divinos armam o palco para o exercício de sua misericórdia (ver Rom. 8:32), sendo eles corretivos, e não meramente retributivos (conforme aprendemos em I Ped. 4:6).

5. O homem pode continuar a usar seu livre-arbítrio para o mal, mas algum dia, Deus porá ponto final em

VÍCIOS

tudo isso. O julgamento divino é a única coisa capaz de retificar novamente as tortuosidades tão laboriosamente criadas pelo homem. Assim sendo, que venha o julgamento divino!

Aprovação social ao pecado: os homens aprovam os pecados alheios. O pecado é mutuamente aprovado.

1. Um homem pode querer fazer muitas coisas encorajado pela turbamulta, as quais não realizaria de outro modo. Isso se aplica ao caráter geral de sua vida. Um homem, aplaudido pela multidão, é capaz de pôr em prática um vício qualquer. Os homens apreciam praticar juntos os seus vícios e, com freqüência, os mais horrendos pecados se tornam formas de entretenimento.

2. Este versículo ensina-nos como os homens "aprovam" os pecados de seus semelhantes. Por certo isso os encoraja a prosseguirem. Essa "aprovação" (quase sempre mútua) serve de uma espécie de desculpa psicológica para o erro. Eu faço isto ou aquilo; aquele outro também faz; portanto, deve ser algo que para nós está certo! Mas então a consciência irrompe com o grito de *Mentiroso!*

3. Uma das mais solenes declarações de Jesus é aquela que nos adverte de que aquele que encoraja a outrem ao pecado, será mínimo no reino dos céus (ver Mat. 5:19). É uma insensatez alguém pecar sozinho, de modo proposital. É loucura encorajar outros a fazê-lo.

4. Quais são os verdadeiramente grandes? São aqueles que obtêm a aprovação de outros no tocante ao que fazem? Não. São aqueles que observam os mandamentos de Deus.

5. Podemos observar que, em nossa época, até mesmo o terrorismo, os homicídios e a violência em massa, são erros aprovados por certas organizações, e esses erros são mesmo considerados ali como "causas santas". A ira de Deus fará reverter todos esses juízos humanos pervertidos. Alguns homens caminham de cabeça para baixo no teto, mas chamam-no de assoalho.

"Que tremenda descrição sobre este mundo de pecadores, desta raça de alienados da vida de Deus, que estão em inimizade contra Deus e que vivem a contender uns com os outros! Mas todos estão em uma unidade infernal da maldade" (Newell, *in loc.*).

III. Empregando o Método da Pêntada: Col. 3:5

"Paulo, em Col. 3:5, adota uma forma literária que não se acha em qualquer outra porção de suas epístolas. Em vez de apresentar um catálogo geral de vícios completo, conforme se vê em Rom. 1:26-31 e Gál. 5:19,21, ele usa aqui o esquema artificial das pêntadas – duas de vícios e uma de virtudes. Dificilmente isso teria sido de sua invenção, não tem conexão necessária com qualquer coisa em seu próprio pensamento. É possível que seus adversários, em Colossos, tivessem traçado esquemas similares, com base na correspondência com os cinco sentidos, que constituiriam os apetites do homem natural. Entretanto, visto que a mesma forma é usada no primeira epístola de Pedro (notemos a pêntada de vícios em 1 Ped. 2: 1, e a pêntada de virtudes em 1 Ped. 3:8), provavelmente temos aqui uma convenção dos moralistas helenistas". (Beare, *in loc.*). (Quanto a essas pêntadas (grupos de cinco) ver o quinto versículo (a primeira) e o oitavo versículo (a segunda). Notemos também o décimo segundo versículo, onde há uma pêntada de virtudes, perfazendo um total de três pêntadas).

O homem, seu próprio maior inimigo

Há uma antiga lenda escocesa que conta acerca de um fazendeiro que se viu a braços com um horrível monstro destruidor. O monstro derrubou seus celeiros, matou e espalhou seu gado, arruinou suas plantações e, finalmente, matou seu próprio filho primogênito. Entristecido e irado, o que venceu momentaneamente o seu terror, resolveu caçar o monstro e matá-lo. Assim, em uma noite fria, se pôs de tocaia em uma ravina. A memória do que o monstro fizera, conservava-lhe a coragem. Repentinamente, ele ouviu suas passadas pesadas, que se aproximavam. Enfurecido, lançou-se para a frente, soltando um grito de guerra. Seu impulso lhe deu uma vantagem temporária, e o monstro foi derrubado. Mas o monstro era mais forte que o homem havia antecipado, e não demorou a revidar com golpes e maldições. O fazendeiro começou a ser dominado, mas, em desespero de causa, reiniciou a luta heroicamente, de tal modo que enfraqueceu o monstro. Finalmente, o monstro foi subjugado. O fazendeiro puxou da espada e se preparou para desfechar o golpe mortal. Nesse momento, um raio de luar incidiu sobre o rosto do monstro. Horrorizado, o fazendeiro retrocedeu - o rosto do monstro era o seu próprio rosto!

Pêntada de Col. 3:5

1. *Prostituição.* No grego é *porneia*. A melhor tradução aqui seria "imoralidade", porque tal pecado não é apenas o tráfico comercial do sexo, conforme a palavra "prostituição" significa para nós. A tradução "fornicação", que algumas versões usam, também não é boa, pois essa palavra tem o sentido, hoje em dia, de pecados sexuais praticados antes do casamento. A palavra é usada mui geralmente a fim de indicar todas as formas de pecado sexual, a despeito do fato de que se deriva do vocábulo grego *porne*, "prostituta". Trata-se do agir como uma prostituta, com sua mentalidade e seu estilo de vida. Esse vício também figura em Efé. 5:3.

2. *Impureza.* No grego é *akatharsia*, isto é, qualquer forma de "impureza moral"; mas também está em foco qualquer impureza espiritual ou física. No presente contexto, porém, mui provavelmente estão em foco as impurezas sexuais, que corrompem o indivíduo, espiritual e fisicamente. Esse mesmo vício também aparece em segundo lugar na lista de Efé. 5:3, onde figura a palavra "toda", isto é, toda a forma de "impurezas". Os pagãos se caracterizavam por muitos vícios sexuais, que eram chocantes para a mentalidade judaica, pelo que também em todas as listas de vícios, os pecados sexuais são os mais atacados, e isso sob boa variedade de termos.

3. *Paixão lasciva.* No grego é *pathos*. Não se encontra na lista de vícios da epístola aos Efésios. Tal vocábulo pode indicar anelos bons ou maus, dependendo do modo como é empregado. Pode indicar uma emoção passiva ou ativa; mas, usualmente, é usado para indicar *paixões violentas* e *prejudiciais,* que irrompem na forma de cólera, de ira descontrolada. Também é usada essa palavra em Rom. 1:26, onde tem sentido sexual, isto é, "paixões infames", como o homossexualismo ou a concupiscência desordenada. É bem provável que o apóstolo dê aqui prosseguimento aos sentidos "sexuais" deste versículo, o que aponta para paixões ilegítimas e descontroladas. Em Hebr. 4,1,6, essa palavra é usada para indicar uma mulher adúltera.

4. *Desejo maligno.* No grego é *peithumia*, acompanhada essa palavra do adjetivo *kaken*, "maligno", palavra que também não faz parte da lista de vícios da epístola aos Efésios. Indica todos os "anelos" malignos e "desejos desviados". Tal palavra era usada positiva ou negativamente; aqui temos o último caso, com o acréscimo da palavra "maligno". Trata-se do desejo pelo que é proibido e pervertido, os desejos insensatos (ver I Tim. 6:9); as paixões da mocidade (ver II Tim. 2:22); os desejos dominadores, que levam a práticas pecaminosas (ver I Ped. 1: 14); as

VÍCIOS

paixões contaminadoras (ver II Ped. 2: 10); os desejos enganadores (ver Efé. 4:22); os desejos da carne (ver Efé. 2:3; I João 2:16 e II Ped. 2: 11). Esses são outros exemplos do uso dessa palavra no N.T.

5. *Avareza*. Trata-se do desejo de possuir coisas pertencentes a outros, a cobiça pela fama, pelo lucro ou pelas vantagens terrenas. Esse vício se encontra na lista de Efé. 5:3,5, no contexto semelhante. Entretanto, ali é ensinado que, entre os outros vícios, nem deveríamos nomear tal coisa como característica de um "santo". O quinto versículo, tal como o presente, identifica-o com a "idolatria". O trecho de Efé. 4:19 também envolve essa palavra, onde se lê que é uma coisa que não deveria caracterizar os que "aprenderam de Cristo". O indivíduo adora aquilo que ama, seja o dinheiro, as vantagens sociais ou os prazeres. E isso se torna o seu "deus", o seu ídolo, o que significa que suplanta o lugar de Deus em sua vida. Os moralistas estóicos viam esse pecado como a fonte originária de todos os males. O trecho de I Tim. 6:16 expressa idéia similar, embora ali o dinheiro seja o ofensor, isto é, apenas uma das várias coisas que tornam um homem um idólatra. A equiparação da cobiça com a idolatria é correta, e mostra que apesar de hoje em dia poucos adorarem ídolos de madeira e pedra, contudo, quase todos os homens continuam sendo idólatras.

Cobiça. 1. Vem do coração (ver Mar. 7:22,23). 2. Embota o coração (ver Eze. 3:31 e II Ped. 2:14). 3. É idolatria (ver Efé. 5:5 e Col. 3:5). 4. É uma raiz de todos os males (ver I Tim. 6:10). 5. Nunca se satisfaz (ver Ecl. 5: 10 e Heb. 3:5). 6. É vaidade (ver Sal. 39:6). 7. Não convém aos santos, pois lhes é elemento deletério (ver Efé. 5:3 e Heb. 13:5). 8. É especialmente errada nos ministros da palavra (ver I Tim. 3:3).

O que é idolatria. Consideramos as idéias abaixo. Referências e idéias. A *idolatria*:
1. A idolatria é proibida (ver Êxo. 20:2,3 e Deut. 5:7). 2. A idolatria consiste em se prostrarem os homens perante imagens de escultura (ver Êxo. 20:5 e Deut. 5:9). 3. Consiste em sacrificar perante imagens de escultura (ver Sal. 106:38 e Atos 7:41). 4. Consiste em adorar a outros deuses (ver Deut. 3:17 e Sal. 81:9). S. Consiste em ir após outros deuses (ver Deut. 8: 19). 6. Consiste em adorar ao verdadeiro Deus por meio de alguma imagem de escultura, etc. (ver Êxo. 32:4-6 com Sal. 106:19,20). 7. A idolatria é descrita como uma abominação a Deus (ver Deut. 7:25). 8. É odiosa para Deus (ver Deut. 16:22 e Jer. 44:41). 9. É desprezível (ver I Ped. 4:3).

Mortificai!
Mortificai!
Uma palavra–brutal–franca–dura!
Mas, nada menos do que isso
Pode retardar a onda da maré do pecado,
Retardar e parar o cortejo da carne,
Cedendo a Cristo, resoluto na vida,
Só isso pode nos dar vitória hoje.
(Russell Champlin ao meditar sobre Col. 3:5).

Pêntada de Col. 3:8
1. *Ira*. (Ver Efé. 4:26). – Esta passagem é paralela a Efé. 4:26, e a maioria dos vícios também é referido dentro da metáfora do "despir" do mal e do "vestir" a nova natureza. O grego diz aqui "orge". Esse vocábulo também figura em Efé. 4:31. Significa "ira", "indignação", sendo uma emoção alicerçada sobre uma disposição dura e amarga. É uma das obras da carne, tal como o são todos os outros vícios mencionados, tanto no quinto versículo como aqui (ver Gál. 5:19,20).

"Melhor é o longânimo do que o herói da guerra, e o que domina o seu espírito do que o que toma uma cidade" (Pro. 16:32).

A ira consiste na impaciência com o próximo, em que são usadas palavras de despeito, maculados pelo egoísmo contra o próximo, de mistura com sentimentos de superioridade e de ódio.

"Há quatro tipos de disposição. Em primeiro lugar, há aqueles que facilmente se iram, mas facilmente são pacificados; esses ganham por um lado e perdem por outro. Em segundo lugar, há aqueles que não se iram facilmente, mas só com dificuldade são pacificados; esses perdem por um lado e ganham por outro. Em terceiro lugar, aqueles que dificilmente se iram e facilmente se deixam pacificar; esses são os bons. Em quarto lugar, há aqueles que facilmente se iram, e só com dificuldade se deixam pacificar; e esses são os ímpios". *(Midrash hannalam*, cap. v.11).

"A ira começa com a insensatez e termina com o arrependimento". (John Dryden).

"Temperamento: qualidade que, nos momentos críticos, produz o aço da melhor qualidade e o que é pior nas pessoas". (Oscar Hammling).

"A melhor resposta para a ira é o silêncio" (Probérbio alemão).

"A resposta branda desvia o furor, mas a palavra dura suscita a ira" (Prov. 15:1).

Referências e idéias:
1. *A ira:*
A *ira* é proibida (ver Ecl. 5:22 e Rom. 12:19). 2. É uma das obras da carne (ver Gál. 5:20). 3. Caracteriza aos insensatos (ver Pro. 12:16). 4. É companheira da crueldade (ver Gên. 49:7). Acompanha a desavença e a contenda (ver Pro. 21:19 e 29:22).

2. *Indignação*. No grego é *thumos*, alistado em Gál. 5:20 como uma das obras da carne. Em Efé. 4:31 também está vinculada à palavra anterior, embora figure antes dela. Significa "paixão", "ira apaixonada", "cólera", "explosão de ira". Talvez a primeira forma, "orge", fale de uma disposição fixa, ao passo que esta última alude a manifestações súbitas, explosivas, embora os dois vocábulos, com freqüência, sejam meros sinônimos.

3. *Maldade*. No grego é *kakia*, palavra de muita aplicação, como "depravação", "impiedade", "vício", "malícia", "má vontade", "malignidade". Por ter um significado tão amplo, ao usá-lo, Paulo ataca grande variedade de maldades. Inclui até mesmo a idéia de "prejudicar ao próximo" (Suidas), mas envolve até mesmo mais do que isso. É termo empregado também em I Cor. 5:8; 14:20; Efé. 4:3 1; Tito 3:3 e 1 Ped. 2: 1. Aparece num total de onze vezes, nas páginas do N.T.

4. *Maledicência*. No grego é *blasphema*, a fala abusiva contra Deus ou contra os homens. A linguagem abusiva contra Cristo também é assim chamada (ver Mat. 27:39 e Mar. 15:29). (No tocante a tal abuso contra o nome de Deus, ver Rom. 2:24; 11 Clemente 13:2; I Tim. 6:1 e Apo. 1:36). Trata-se da difamação, da injúria contra a reputação alheia, contra a calúnia, conforme se vê em 1 Cor. 4:13 e Atos 13:44 e 18:6, onde é usada acerca dos homens.

5. *Linguagem obscena do vosso falar*. No grego temos uma única palavra, *aischrologia*, que significa "linguagem obscena" ou "linguagem abusiva". Provavelmente se deve compreender aqui por "linguagem abusiva", devido à sua conjunção com a "ira" e a "indignação". O termo grego *aischros* significa "feio", "vergonhoso", "vil", "aviltante". Esta é a sua única menção em todo o N.T.

VÍCIOS

Algumas traduções preferem traduzi-la por "abuso de boca suja", que retém tanto a idéia de profanação como a idéia de obscenidade, juntamente com a idéia de abuso.

É da abundância do coração que a boca fala. Um homem, em uma explosão de ira, revelará a condição de seu coração, o que pode ser aquilatado pelo tipo de linguagem que emprega. A carnalidade se expressa mediante linguagem imunda, abusiva e iracunda, conforme se pode verificar todos os dias, na sociedade humana.

Notemos a importante adição do trecho de Efé. 4:29, após as palavras "palavra torpe", a saber: "...unicamente a que for boa para edificação, conforme a necessidade, e assim transmita graça aos que ouvem". Essa adição mostra o uso que os crentes devem fazer da faculdade da fala, em contraste com a linguagem dos incrédulos.

"Falar é fácil". 'Palavras, palavras, nada senão palavras'. 'Ele é apenas um falador'. Essas afirmativas ilustram a depreciação comum da importância da fala. Porém, haverá coisas no mundo mais poderosas em favor do bem ou do mal, do que as palavras? A fala é a faculdade que distingue o homem dos animais. É o sinal da personalidade. O autoconsciente se manifesta somente pela fala. O pensamento é impossível sem palavras, que enfeixam idéias. As ações são antecedidas pelo pensamento. Conforme diz Heine: 'O pensamento antecede à ação, como o relâmpago antecede ao trovão'. Mas o pensamento é impelido pela sugestão verbal. Toda a cooperação entre os seres humanos depende, para seu sucesso, da comunicação verbal. A solidariedade cultural de um grupo se alicerça sobre uma linguagem comum. O caráter é revelado pela própria maneira de falar. '...porque a boca fala do que está cheio o coração' (Luc. 6:45). Assim sendo, Tiago (no terceiro capítulo de sua epístola) não está grandemente equivocado quando dá tanta ênfase à "língua". (Easton, referindo-se ao trecho de Tia. 12).

IV. A Maior Lista de Vícios dos Evangelhos Sinópticos

Comparando-se a lista de pecados, em Mat. 15: 19-20 com aquela exposta por Marcos, nota-se que Marcos (7:21,22) apresenta uma lista mais completa. Mateus se refere a "falsos testemunhos", que Marcos nem menciona; porém, Marcos declara os seguintes pecados: "...avareza, malícia, dolo, lascívia, inveja, soberba e loucura", os quais não foram registrados por Mateus. Portanto, teremos de acompanhar aqui palavra por palavra das que foram empregadas por Marcos, dando-lhes as explicações correspondentes:

1. *Maus desígnios.* "Os atos perversos se originam dos pensamentos." Alguns relacionam esses "maus desígnios" aos pensamentos pervertidos dos homens que criaram as "tradições" religiosas que suplantaram as leis morais de Deus. Essa idéia talvez esteja incluída, mas a intenção foi de sentido geral, isto é, designa toda a esfera de pensamentos pervertidos que criam, em última análise, os atos pecaminosos. John Gill *(in loc.)* diz: "Todas as imaginações iníquas, os raciocínios carnais, os desejos pecaminosos e as invenções maliciosas estão incluídos aqui!"

2. *Prostituição* ou fornicação. Pecados sexuais dos solteiros. Essa palavra pode ser sinônimo de "adultério", e também pode significar pecados sexuais *em geral;* mas, pelo fato de também haver "adultério" na lista, provavelmente o autor sagrado falava do pecado dos solteiros ou da impureza de modo geral, sem qualquer relação ao estado civil das pessoas em questão.

3. *Furtos.* Apropriação indébita de objetos alheios. Essa ação pode ser praticada de modo violento, por ludíbrio ou por desonestidade.

4. *Homicídios.* Arrebatamento da vida humana intencionalmente, pela própria mão ou por mão alheia. Talvez Jesus quisesse incluir aqui os atos que não vão além da intenção, mas que têm a mesma natureza daqueles que são realizados, conforme se aprende em Mat. 5:21,22.

5. *Adultério.* Esta palavra sempre significa os pecados sexuais dos casados. Novamente é possível que Jesus quisesse incluir aqui a idéia não somente do ato em si, conforme vemos em Mat. 5:27,28.

6. *Avareza.* Amor ao dinheiro; desejo maior pelas coisas materiais do que pelas espirituais, o que resulta em uma vida dirigida por princípios materiais, ou pelo materialismo. Ver o manifesto de Jesus contra o materialismo, em Mat. 6:25-34.

7. *Malícias.* Ódio, atos violentos, maldade.

8. *Dolo.* Engano ou ludíbrio mediante artifícios; desonestidade por palavra ou ação. O caçador procura uma vítima por meio de uma *isca.*

9. *Lascívia.* Palavra de derivação incerta no original. Freqüentemente tinha o sentido que lhe damos atualmente; mas, no grego clássico, indicava um tratamento violento para com os outros, falta de respeito. No N.T. é usada com a idéia de satisfação sexual sem restrições. A palavra pode incluir a idéia de desvios sexuais.

10. *Inveja.* Literalmente, "mau olhado" e, portanto, "inveja" (segundo as traduções AA, AC e IB) é a interpretação correta dessa palavra. Trata-se de uma atividade maliciosa, que procura causar malefício ao próximo, especialmente por motivo de inveja de suas riquezas ou bens, e com a intenção de roubar-lhe os mesmos. O trecho de Mat. 20:15 se utiliza dessa palavra: "Porventura não me é lícito fazer o que quero do que é meu? Ou são maus os teus olhos porque eu sou bom?" Por conseguinte, o sentido da palavra "inveja", neste caso, é a sua forma mais virulenta.

11. *Blasfêmia.* Linguagem injuriosa, usada contra Deus ou contra os homens (ver Mat. 12:31).

12. *Orgulho próprio.* A idéia inerente ao vocábulo grego, é a de alguém que ergue a cabeça acima da dos demais. Está em vista um coração altivo contra Deus e contra os homens. Essa é uma palavra rara no N.T. O adjetivo cognato aparece em Rom. 1:30 e II Tim. 12.

13. *Loucura.* Literalmente, "falta de bom senso"; mas é usada com freqüência no sentido de insensatez. Prática de atos ilógicos, desarrazoados. Pode ser realizada por palavras ou por atos. Esse vocábulo também é raro no N.T., porquanto figura somente em II Cor. 11:1,17,21 e neste trecho do evangelho de Marcos. Em Pro. 14:18 e 15:21 é interpretado como um tipo de loucura que se constitui da ausência de temor a Deus, a louca paixão da impiedade.

14. *Falsos testemunhos. O* evangelho de Mateus acrescenta este pecado à lista apresentada por Marcos. Consiste em dar falso testemunho aos outros ou a respeito de outros, em conversa pessoal ou em tribunal de justiça; mentiras particulares e públicas.

Treze vícios aparecem na lista de Mar. 7:21,22, ao passo que Mateus contém apenas sete pecados. A adição de "falsos testemunhos", pelo autor deste evangelho, foi tomada de empréstimo dos dez mandamentos. Outras listas de vícios e virtudes são dadas em Rom. 1:29-31 e Gál. 5:19-23. Tais listas são mais características da filosofia popular greco-romana do que das idéias religiosas dos judeus.

As Coisas que Contaminam o Homem: Mat. 15:20

São estas as coisas que contaminam o homem; mas o comer sem lavar as mãos, isso não o contamina.

VÍCIOS

"São estas as cousas que contaminam o homem".
Jesus repete o seu argumento de forma abreviada e enfática. O Senhor demonstrou diversas coisas que quebram os mandamentos de Deus, como: 1. maus desígnios, que de algum modo quebram a qualquer dos mandamentos. 2. Homicídios, que quebram o sexto mandamento. 3. Prostituição e adultério, que quebram o sétimo mandamento. 4. Furtos, que quebram o oitavo mandamento. 5. Falsos testemunhos, que quebram o nono mandamento. 6. Blasfêmias, que quebram o terceiro mandamento.

Todas essas coisas contaminam o indivíduo, tornando-o *indigno* de participar da adoração a Deus, pessoal ou publicamente. E essa contaminação é autêntica, porquanto *procede do coração*, que indica o homem real, interior, que é sede de seu caráter, mas que não tem qualquer vinculação com as coisas externas, como a lavagem ou não das mãos. Jesus fez a antítese entre "mãos" e "coração". As coisas das "mãos" (que são físicas) não contaminam o homem; mas as coisas do "coração" (que são espirituais) é que, sendo moralmente erradas, certamente contaminam o homem. Esse tipo de moralidade é para nós um conceito comum, o qual aceitamos sem fazer qualquer objeção. Porém, para os judeus daquele tempo era uma idéia revolucionária, pois eles viviam sob a influência de indivíduos que enfatizavam (ato de extrema tolice) as exigências inerentes às leis cerimoniais.

V. Os Vícios como Obras da Carne: Gál. 5:18-21
Esses vícios mui naturalmente se dividem em quatro categorias: 1. pecados sensuais, vs. 19. 2. Pecados de superstição ou religião falsa, vs. 20. 3. Pecados de mau temperamento, vss 20,21. 4. Pecados de várias formas de excessos, vs. 21.

1. *Prostituição.* A tradução *imoralidade* ficaria muito melhor aqui, como tradução do termo grego *porneia*, visto que o termo "prostituição" dá a entender o tráfico comercial do sexo. O sentido original desse vocábulo podia realmente ser traduzido por "prostituição", visto que ela se deriva da raiz grega "porne", que significa "prostituta". No entanto, o substantivo "prostituição" gradualmente foi assumindo um significado mais lato. O termo básico, no grego, é paralelo a "permeni", que significava "vender", o que alude ao comércio que as mulheres faziam e fazem do sexo. Porém, a tradução *imoralidade* indica todas as formas de pecado de natureza sexual.

Algumas versões dizem aqui *fornicação;* mas essa tradução também é inadequada, porquanto atribuímos a esse termo a idéia de pecados sexuais anteriores ao casamento. Todavia, a fornicação e a prostituição são tipos de imoralidade. Na realidade, a palavra aqui usada pode indicar até mesmo o "adultério", isto é, o pecado sexual entre pessoas casadas com outras. Os chamados "cultos de fertilidade", que havia nos dias de Paulo, glorificavam todas as modalidades de imoralidade, transformando-as em atos de devoção religiosa. O dinheiro que as prostitutas religiosas profissionais recebiam de suas nefandas atividades nos templos pagãos, era empregado para o sustento e a expansão de formas de adoração idólatra; por isso mesmo era natural que os judeus sempre tivessem associado a idolatria e pecados sexuais de muitas variedades. A idolatria, pois, era encarada como a raiz da imoralidade sexual. Somente na cidade de Corinto, mais de mil prostitutas religiosas infestavam os seus vários templos pagãos. (Ver o trecho de Rom. 1: 18-27, onde Paulo denuncia abertamente os pagãos, por sua imoralidade). Entre as muitíssimas razões pelas quais não deveríamos participar de tal forma de pecado, destacamos aquela que aparece em I Cor. 6:13-20 e 10: 1- 13, a saber, tais pecados são uma violação de nossa relação e de nossa comunhão com Cristo.

2. *Impureza. No* original grego, é *akatharsia,* que significa, literalmente, "impureza", imundícia, "refugo", ainda que, figuradamente, indicasse *imoralidade, vício,* "impureza nas questões sexuais". Tal vocábulo era empregado para indicar uma ferida suja, na carne, ou a depravação moral do espírito, a iniquidade, embora não necessariamente de ordem sexual. Porém, neste contexto, certamente Paulo tinha em mente as impurezas sexuais praticadas com tantas variedades indefinidas. Os vícios sexuais estão em foco, como a homossexualidade, o abuso das funções sexuais que corrompem o indivíduo a ponto de torná-lo espiritualmente imundo. Essa mesma palavra era utilizada para indicar a "impureza cerimonial", na versão da Septuaginta, do A.T., adquirida mediante o toque em um cadáver, em um leproso, em um animal proibido, etc. As impurezas sexuais nos tornam imundos, e isso é o que Paulo enfatiza aqui, sem especificar nenhuma forma particular de vício.

3. *Lascívia.* No grego, *aselgeia,* que significa "licenciosidade", *sensualidade exagerada*. Está em pauta a conduta assinalada por indulgência sexual irrestrita, por violência e voluntariedade pervertida. No grego clássico tal palavra não tinha, necessariamente, uma conotação sexual; porém, visto que ela é agrupada com outros vocábulos que têm tal sentido, e por ter tal sentido comum, é altamente provável que Paulo tenha continuado a frisar pecados sexuais, embora agora o faça sob a luz daqueles que são exageradamente sensuais, violentos, que abusam da moralidade pública e privada. No texto de Efé. 4:19, vemos que aqueles que destroem completamente a consciência, tendo-a "cauterizada", entregando-se ao "deboche", aos pecados sexuais exagerados (a mesma palavra é usada naquele texto), entregavam-se à "lascívia".

4. *Idolatria, vs.* 20. Os judeus consideravam esse pecado como o motivo básico da corrupção do homem, aquele que aliena o homem de Deus, servindo, dessa forma, de alicerce para todos os demais pecados (ver Rom. 1: 18-32).

"Típica da guerra incansável do judaísmo contra a idolatria destaca-se a epístola de Jeremias, que descreve os ídolos como poeira, como ninhos corroídos de morcegos, de aves e de gatos; não sendo deuses sob hipótese alguma, mas antes, obras das mãos dos homens, impotentes e inúteis como um espantalho em um pepinal. A história de Bel e o Dragão amontoa derrisão e ridículo contra Esculápio, o deus pagão da cura, onde Daniel aparece como alguém que abateu sua serpente ao dar-lhe a fórmula prescrita de piche, gordura e cabelos! Os gentios inteligentes admitiam que os ídolos não são os próprios deuses, mas insistiam que os representavam. Os cristãos primitivos replicavam que esses supostos deuses e senhores não são senão demônios (ver I Cor. 8:4-6 e 10:19-21). A idolatria, portanto, era uma 'obra da carne'. Mediante a idolatria a natureza humana não regenerada cria suas divindades segundo a imagem humana e conforme os desejos humanos, edificando uma teologia capaz de racionalizar a maneira como os pagãos viviam e como tencionavam continuar vivendo. Por todo o decurso da história da humanidade a sua forma mais sutil e perigosa tem sido sempre o estado da adoração ao próprio 'eu'". (Stamn, *in loc.*).

5. *Feitiçarias,* é tradução do termo grego *pharmakeia,* alusão ao uso de drogas de qualquer espécie, benéficas

VÍCIOS

ou venenosas. Visto que as feiticeiras e bruxas usavam drogas em seus ritos, essa palavra veio a designar a prática da feitiçaria, da mágica, das bruxarias e de todas as formas de encantamento. A lei de Moisés mostrava-se extremamente severa nesse particular, exigindo a pena de morte para aqueles que praticassem ou participassem de tais coisas. As Escrituras do A.T. e os comentários sobre as mesmas denunciam os egípcios, os babilônios e os cananeus pela prática de todas essas atividades. (Ver Atos 13:6; 19:15,19 sobre a "mágica").

A experiência mostra-nos que tais práticas, embora em muitos casos sejam fraudulentas, não deixam de ter certo poder; isto é, não há que duvidar que espíritos malignos, de vários níveis do mundo espiritual, algumas vezes se envolvem nessas manifestações, outorgando aos homens os seus desejos, mas furtando-lhes o controle sobre o mal, sobre as poluições morais e reduzindo-os a estados mais profundos ainda de inimizade contra Deus. Nos tempos de Paulo essa prática era evidentemente comum na Ásia Menor. E desnecessário é dizer que, sob as mais variadas formas, a bruxaria continua bem viva no nosso mundo moderno.

6. *Inimizades*. No grego, *echthrai,* ou seja, "ódios", "inimizades", uma palavra usada no plural, indicando muitas modalidades de ódios, contra Deus e contra os homens. Essa emoção é o oposto exato do amor, pois, em vez de buscar o benefício e o bem-estar do próximo, busca prejudicá-lo, almejando a sua destruição; e assim fica exibido um caráter profano, visto que Deus é amor. As inimizades geram as hostilidades de todas as formas.

7. *Porfias.* E a tradução do vocábulo grego "eris", "desavença", "contenda". Trata-se da atitude mental hostil, que cria problemas os mais inesperados entre as pessoas, resultando em dissensões e divisões. É a mesma coisa que a "discórdia", a "querela", a "briga". É caracterizada essa atitude pela *ambição,* desatenção, enfeitamento e derrisão.

Mais corretamente, *facções.* Derivado de *erithos,* "servo alugado". *Erithia* era, primariamente, "trabalho por contrato" (ver Tobias 2:11).

8. *Ciúmes.* No grego, *"zelos",* variadamente traduzida por "emulações", "invejas". Mas o termo também tinha um sentido positivo, como "zelo", "ardor". Porém, é óbvio que, neste caso, está em foco um desejo intenso pela vantagem pessoal, com a degradação das realizações e qualidades dos outros. Naturalmente, a inveja é uma forma maligna de egoísmo, de par com uma avaliação inferior sobre o valor alheio, que deseja o mal ao próximo, e não o seu bem. Nos escritos clássicos podia significar uma paixão nobre, uma emulação que impulsionava à obtenção de coisas melhores, um sentimento ardoroso para com outrem, em contraste com o vocábulo "phthonos" , isto é, "inveja". Porém, até mesmo nesses escritos clássicos por muitas vezes esses dois termos gregos são meros sinônimos.

9. *Iras.* No grego, *thumoi,* "iras", "raivas", uma palavra usada no plural. Esse termo indica a "alma", o "espírito", o "coração", e daí se derivaram as idéias de "coragem", de "mau temperamento", de "ira". É bem provável que Paulo quisesse destacar aquelas explosões de ira, que criam sentimentos de hostilidades contra nossos semelhantes. Também podia indicar "ardor" ou "paixão", mas a simples ira é o significado natural aqui. Tal vocábulo era usado tanto para Deus como para os homens (ver Apo. 14:10,19; 15: 1, etc.). Indicava tanto a indignação divina como a fúria de Satanás (ver Apo. 12:12). Apontava para a ira dos homens (ver Luc. 4:28; Atos 19:28; II Cor. 12:20 e Col. 3:8). Essa emoção é causa de muitos conflitos pessoais, domésticos e religiosos. É o contrário da ação benigna do Espírito Santo. Tal emoção solapa e destrói o espírito de amor cristão. Transforma em adversários aqueles que deveriam amar-se mutuamente.

10. *Discórdias,* no grego *eritheiai,* que quer dizer "facções", "espírito partidário". Trata-se de uma das formas pela qual se manifesta o egoísmo, o que causa divisões e partidarismos (ver Rom. 16:17). Originalmente, esse vocábulo indicava a idéia de "trabalhar em troca de salário"; mas posteriormente degenerou em seu sentido, passando a indicar a feitura de algo com propósitos egoístas, com espírito de facção. Na passagem de Fil. 2:3 aparece como aquilo que faz oposição direta à mente de Cristo. É a explosão egoísta, que provoca contendas e divisões.

11. *Dissensões. No* grego original é *dichostasiai,* ou seja, "sedições", "levantes". Podiam ser de natureza política, social ou particular. Paulo quis indicar aqui as várias querelas entre irmãos, que ameaçavam a unidade do corpo de Cristo. (Comparar com o trecho de Rom. 16:17, onde Paulo nos adverte contra as dissensões, que são provocadas por aqueles que servem a si mesmos, e não a Cristo Jesus).

12. *Facções,* no grego, *aireseis,* cuja tradução mais literal seria "heresias", mas que, neste trecho bíblico, bem provavelmente indica "espírito faccioso", porquanto sua aplicação a doutrinas "não ortodoxas" é de desenvolvimento posterior, que não se encontra nas páginas do *N.T.* A raiz do termo grego indica a idéia de "escolher", pelo que também *airesis* é uma "escolha", uma "preferência". Na linguagem filosófica, denotava a tendência demonstrada por uma escola de pensamento qualquer. As diferenças de opinião podem ser úteis ou destrutivas, dependendo de sua natureza tão-somente. Porém, as idéias e as ambições rivais tendem para a formação de partidos ou divisões no seio do cristianismo. Essa é a atitude que Paulo condena neste ponto. Paulo condena essa rivalidade baseada no egoísmo, o que produz tais divisões. Ver o trecho de Atos 24:14, onde esse vocábulo indica um "grupo", ou "seita". Na passagem de Atos 24:5, essa palavra indica a "seita dos nazarenos". Já em Mart. Pol. Epil. 1, esse vocábulo é empregado para designar uma "heresia", tal e qual o termo é usado hoje em dia. Porém, isso já depois do período apostólico, depois da escrita do *N.T.* (ver I Cor. 9:19 e II Ped. 2:1, quanto a outras passagens neotestamentárias que têm essa palavra).

O Mundo é Demais Para Nós
O mundo é demais para nós; tarde e cedo,
Obtendo e gastando, desperdiçamos nossas forças:
Pouco vemos na natureza que seja nosso;
Temos vendido nossos corações, um sórdido favor!
Este mar que desnuda seu seio para a lua;
Os ventos que uivam a todas as horas,
E que são colhidos agora como flores dormentes;
Para isso, para tudo, estamos desafinados;
Nada nos impulsiona. - Grande Deus! Prefiro ser
Um pagão amamentado em um credo desgastado;
 Assim pudesse eu, de pé sobre esta aprazível campina,
Ter visões que me fizessem sentir menos destituído;
Ter visões de Proteu a erguer-se do mar;
Ou ouvir o velho Tritão soprar sua trombeta espiralada.
(William Wordsworth, 1770 - 1850).

13. *Invejas, (v.* 21). A palavra grega é *phthonoi.* Deve-se notar o plural que denota várias modalidades de desejos

VÍCIOS

invejosos. Tal vocábulo também podia significar "malícia" e "má vontade". Todos os homens estão familiarizados com as ações malignas provocadas pelos homens, quando se deixam arrastar por tais paixões. Os trechos de Mat. 27:18 e Mar. 15: 10 dizem que por inveja é que os adversários do Senhor Jesus o entregaram a Pilatos.

"É a dor sentida e a malignidade concebida, à vista da excelência ou da felicidade. É a paixão mais vil e a menos passível de cura, dentre todas quantas desgraçam ou degradam a alma decaída (ver sobre Rom. 13:13)". (Adam Clarke, *in loc.*).

"Uma aflição inquieta tortura a mente, entristecida ante o bem alheio, porque alguém se encontra em igual ou melhor situação". (John Gill, *in, loc.*).

14. *Bebedices*. No grego, é *methai,* que significa "bebida alcoólica" e "alcoolismo", causado pelo uso excessivo de bebidas. - A forma plural bem provavelmente indica aquilo que realmente se verifica, a saber, a "repetição" do estado de bebedeira. A bebedeira é um excesso extremamente prejudicial ao corpo, ou seria suficiente para levar essa condição a ocupar lugar entre as obras da carne. Porém, conforme é fato bem conhecido, o alcoolismo também leva o indivíduo a diversos outros vícios, porquanto remove as inibições naturais, deixando-o livre para praticar coisas degradantes. Essa circunstância faz da bebedeira algo ainda mais culposo, como uma das manifestações carnais. As obras da carne, mencionadas no décimo nono versículo deste capítulo (vários excessos de ordem sexual), são encorajadas pelo alcoolismo, conforme é o caso das "farras", o último vício aludido nesta impressionante lista.

15. *Glutonarias*. Originalmente, essa palavra indicava, no grego, um *cortejo festivo,* em honra ao deus pagão do vinho, Dionísio. Era uma refeição e um banquete festivos; mas com freqüência seus participantes perdiam o domínio próprio e tudo se transformava em ocasião de glutonaria e bebedeiras, de orgia das piores. Assim essa palavra veio a indicar "glutonaria" e "orgia", sendo possível que a lista de vícios, preparada por Paulo, quisesse nos levar a compreender ambos esses sentidos da palavra. As traduções modernas escolhem um ou outro desse significado.

Dionísio (Baco) era adorado com os excessos sexuais próprios desse culto, com a bebedeira, com a glutonaria, com os excessos; e os que tais coisas praticavam racionalizavam, tal como se verifica hoje em dia, que nada se fazia de errado com tais atos, apelando para uma ou para outra desculpa. A "adoração ao deus" era boa, segundo pensavam, a despeito das maldades que daí resultavam. O conceito de "liberdade" era identificado com o "direito" de participar de tais festividades, acompanhado da imunidade da censura pública. E hoje em dia, por semelhante modo, muitas pessoas identificam a "liberdade" com o direito de praticar excessos, e ainda exigem os seus "direitos" de fazerem o que bem lhes pareça. Essa atitude tem invadido até mesmo a igreja cristã (ver I Cor. 11:21), mas Paulo via uma cura para tais excessos com a intervenção decisiva do Espírito de Cristo, em substituição ao espírito do deus Dionísio.

Lista Representativa

"cousas semelhantes a estas". Paulo não afirma ter apresentado uma lista completa de vícios que condenam a alma. Antes, expõe-nos uma lista representativa, uma indicação dos tipos de coisas que destroem a vida espiritual.

Conseqüências da Prática dos Vícios

Não herdarão o reino de Deus os que tais coisas praticam. É usado aqui o particípio presente (no original grego) do verbo "praticar", mui provavelmente a fim de indicar uma ação contínua. Assim sendo, a idéia de "prática" destaca o sentido almejado. Vinculado ao artigo definido como está, o particípio presente indica "aqueles que se entregam à prática". Se um ato ocasional qualquer de tais vícios, impedisse de ser alguém membro do reino celeste, virtualmente ninguém estaria qualificado para fazer parte do mesmo. Por outro lado, o sistema da graça divina, longe de encorajar a prática do pecado, ou de desculpá-lo, depois de haver sido praticado, assevera claramente que o Poder do Espírito Santo deve ser tão real que a atitude do vício seja substituída pela atitude própria de Cristo. A totalidade da mensagem distinta do cristianismo depende da realidade da presença do Espírito de Deus no íntimo do crente, do que resultam a conversão genuína e a transformação moral. Ora, se essa transformação for real, então não haverá a prática de tais vícios. O crente desfrutará de vitória sobre toda a forma de vício. Em caso contrário, será um crente somente de profissão doutrinária, e não como uma realidade espiritual. Essa é a crua e dura verdade que o apóstolo dos gentios ensina aqui.

Reino de Deus. Neste ponto, essa expressão é equivalente a *vida eterna* conforme também se lê com freqüência no evangelho de João. Não está em foco algum reino político a ser estabelecido quando da "parousia" (segundo advento de Cristo). Mas essa "vida eterna" sem dúvida alguma, é vista como algo que será inaugurado pela "parousia".

VI. Vícios de II Tim. 3:2-4. As Características dos Homens dos Últimos Dias

1. *Egoístas*. No grego é *philautos,* que literalmente poderia ser traduzido como "amantes de si mesmos". Aristóteles *(de Repub.),* refere-se a esse defeito de caráter mui corretamente, ao dizer: "Não se trata tanto de amor próprio, mas de amar indevidamente, tal como o amor às possessões materiais". Portanto, trata-se de um mal, de um vício. O fato de que devemos amar ao próximo como a nós mesmos mostra-nos que o amor próprio é natural, algo perfeitamente esperado. Mas é quando amarmos a nós mesmos, com exclusão do próximo, que teremos cometido o mal aqui condenado. Essa palavra se encontra somente aqui, em todo o N.T., sendo uma das 165 palavras peculiares às "epístolas pastorais" (vide).

2. *Avarentos*. No grego é *philarguros,* que literalmente significa "amantes da prata", isto é, "amantes do dinheiro". Esse vocábulo é usado somente aqui e em Luc. 16:14, em todo o N.T. O "amor ao dinheiro" é uma forma de "avareza", que, por sua vez, é uma forma de idolatria (ver 1 Tim. 6: 10 quanto ao "dinheiro", como uma das raízes de todos os males).

Os pequenos deuses. Até mesmo os homens que não fazem e nem servem a ídolos de madeira, de pedra ou de metal, têm os seus deuses, que são eles mesmos ou certas coisas. O indivíduo egoísta, faz do seu próprio "eu", um deus. E o cobiçoso tem como seu deus o dinheiro, as possessões materiais. Há também aqueles cujo deus são os prazeres carnais (ver os versículos quarto a sexto de II Tim. 3 e também Efé. 5:3). O amor ao próprio eu e o amor ao dinheiro servem de substituições ao amor a Deus, fazendo do próprio eu o centro do universo; e isso é idolatria.

3. *Jactanciosos*. No grego é *alazon,* que significa "presunçoso", "arrogante". Sua raiz é "ale", que quer dizer "perambulação". Era palavra usada para indicar a atitude mental enlouquecida ou distraída. Os "vagabundos" geralmente eram indivíduos de caráter vil, fingidos, impos-

VÍCIOS

tores; e assim a forma verbal dessa palavra veio a indicar os fingidos, os enganadores; e, em sua forma nominal, veio a indicar os "jactanciosos", que proferiam coisas altissonantes sobre eles mesmos, mas que era apenas pretensão (ver o trecho de Rom. 1:30 quanto a essa palavra que aparece na lista de vícios ali existente). Em todo o N.T. aparece *somente em* Rom. 1:30 e nesta passagem.

4. *Arrogantes.* No grego temos o termo *uperepítianos*, que significa "altivo", "orgulhoso". Na literatura bíblica tal palavra é usada *somente em* mau sentido, ainda que nos escritos clássicos algumas vezes figurasse com o sentido de "magnificente", "nobre". Sua forma verbal significa "brilhar mais que algo", "mostrar-se conspícuo". *Aqueles homens*, pois, se fariam conspícuos através do louvor próprio, desconsiderando a outros que, *supostamente*, *seriam menos importantes do que eles mesmos*. Esse vocábulo aparece por cinco *vezes nas* páginas do N.T., a saber, aqui e em Luc. 1:51; Rom. 1:30; Tia. 4:6 e I Ped. 5:5.

5. *Blasfemadores.* No grego é empregado o termo *blasphemos*, aquele que profere palavras abusivas e degradantes. Sua forma verbal pode significar "falar com profanação", como quem degrada algum objeto sagrado. No presente contexto, não há que duvidar que devemos pensar nessa significação. Os gnósticos diminuíam a pessoa de Cristo e a doutrina cristã, a fim de exporem suas doutrinas; por conseguinte, eram indivíduos blasfemos, mesmo que assim não tencionassem ser. Essa palavra também figura por cinco vezes no N.T., aqui e em Atos 6:11,13; 1 Tim. 1: 13; II Ped. 2:11.

6. *Desobedientes aos pais.* (Ver o trecho de Rom. 1:30 que também tem esta expressão numa longa lista de vícios). A falta de amor aos pais, além de total desconsideração para com sua autoridade, é própria do "paganismo"; mas igualmente caracteriza aqueles que repelem a autoridade de Deus, na "apostasia". (Comparar com I Tim. 1:19 onde se fala sobre os "parricidas e matricidas"). Na passagem de Tito 1:6 é exigido dos "pastores" que eles criem seus filhos sob sujeição.

7. *Ingratos.* No grego é *acharistos*, "sem gratidão", forma privativa de *charidzomai*, "ser grato", "ser agradecido". Esse pecado também é atribuído aos pagãos, em Rom. 1:21. A apostasia, portanto, será o levantamento do espírito pagão mais depravado, que não terá respeito por qualquer objeto sagrado, e que se mostrará totalmente deletério em seus intuitos e em sua atuação. Nas páginas do N.T., essa palavra só se encontra aqui e em Luc. 6:35.

8. *Irreverentes.* No grego é *anosios*, que quer dizer "sem santidade", ou seja, "iníquo", sem restrição na maldade praticada. Temos aqui a forma privativa de "osios" que significa "sancionado", "aprovado pelas leis da natureza", e que fazia contraste com *ieros*, que significava "santo".

9. *Desafeiçoados.* No grego é *astorgos*, isto é, "sem afeição natural", palavra usada somente aqui e em Rom. 1:31, onde o apóstolo descreve os pagãos apóstatas (ver Rom. 1:31). Trata-se da forma privativa de "stergo", verbo que indica "amor mútuo" entre pais e filhos, entre reis e seus súditos. A apostasia, que é a rebeldia descontrolada contra Deus, arruina até mesmo os sentimentos humanos naturais, transformando as pessoas em subseres humanos. Tal vocábulo se encontra somente aqui e em Rom. 1:31.

10. *Implacáveis.* No grego é *aspondos*, que também aparece na lista de vícios de Rom. 1:31, mas em nenhuma outra porção do N.T. (Ver essa passagem referida, onde esse vocábulo é mais amplamente comentado no NTI). Essa palavra significa "irreconciliável". Trata-se da forma privativa de "sponde", "libação", algo oferecido aos deuses. E visto que tal palavra geralmente vinha vinculada à feitura de tratados, naturalmente, veio a envolver a idéia de reconciliação, em que duas partes interessadas mostram o desejo de viver em paz, expressando tal desejo por meio de um voto. Mas algumas pessoas, invadidas por grande amargor de espírito, e sem respeito por seus semelhantes, não se sentem nunca aplacadas.

11. *Caluniadores.* No grego é usado o termo *diabolos*, um dos títulos dados a Satanás, que destaca seu caráter de "caluniador" (ver II Tim. 2:26). Estão aqui em foco as pessoas que procuram prejudicar a seus semelhantes com palavras cortantes, que normalmente envolvem o exagero nas informações, distorcendo a verdade até o ponto da mentira desavergonhada. Tais pessoas não somente entram em choque com os seus semelhantes, mas também gostam de propagar as dissensões, lançando uns contra os outros. Promovem querelas devido à sua malignidade. Essa palavra figura por 38 vezes no N.T.

12. *Sem domínio de si.* No grego temos *akrates*, que significa "sem autocontrole", inclinados para a "auto-indulgência". Essa palavra é a forma privativa de *kratos*, isto é, "O poder". Portanto, estão em pauta os que "não têm o poder de controlar a si próprios". A perversão moral leva o indivíduo a esse extremo, porquanto essa perversão leva o homem a formar hábitos tão arraigados que sua fibra moral é destruída. O resultado final é um "escravo" das paixões e concupiscências, um homem "viciado" em muitas práticas daninhas. Essa palavra grega é usada exclusivamente aqui, em todo o N.T.

13. *Cruéis.* No grego é *anemeros*, ou seja, "selvagem", "brutal". Indica alguém privado de *emeros*, que significa "manso", "domesticável" (no caso de animais irracionais). Este é o único lugar, em todo o N.T., onde essa palavra é empregada, pelo que se trata de uma das 175 palavras dessa categoria, nas epístolas pastorais. (Ver o artigo sobre as *Epístolas Pastorais*, seção 1, parte quatro, quanto às "peculiaridades lingüísticas" dessas epístolas, que afetam a questão de autoria).

14. *Inimigos do bem.* No grego temos uma única palavra, *aphilagalhos*, forma composta da forma privativa de "amar" e da palavra "bom". Portanto, são indicados aqueles que não têm amor natural pelo que é bom. Todavia, isso é deixado indefinido neste ponto, talvez indicando o "bem de todas as espécies", que tem origem em Deus, que é o "summum bonum". Tais indivíduos farão oposição a Deus e a todas as suas manifestações. Essa palavra se encontra somente aqui, em todo o N.T, embora sua forma positiva, isto é, "amantes do bem", se encontre em Tito 1:8, como sua única outra ocorrência. Ambas as formas aparecem entre os 175 termos peculiares das "epístolas pastorais".

15. *Traidores.* No grego é *prodotes*, que figura por três vezes nas páginas do N.T., isto é, aqui e em Luc. 6:16 e Atos 7:52. Significa exatamente isso, "traidor", "traiçoeiro". Em Luc. 6:16 tal termo alude a Judas Iscariotes, o principal apóstata do N.T.

16. *Atrevidos.* No grego temos *propetes*, usado somente aqui e em Atos 19:36, e que se refere a uma pessoa "ousada". Deriva-se de uma raiz que significa "cair para diante", "inclinar-se para a frente". Sua forma verbal, *propipto*, significa "cair para frente" ou "lançar-se para a frente". Esse atrevimento pode ser nas palavras ou nas ações. São pessoas ousadas quando se entregam à maldade, visto que estão debaixo da influência de paixões descontroladas (ver os trechos de Pro. 10:14; 13:3 e Siraque 9:18).

VÍCIOS

17. *Enfatuados*. No grego é *tetuphomenos*, forma participial perfeita de *tuphoo*, *"orgulhar-se"*, "mostrar-se arrogante". Essa palavra é usada somente aqui e em I Tim. 6:4, ou seja, é um dos 175 vocábulos que figuram somente nas "epístolas pastorais". "Tuphos", significa "fumaça", "nuvem", "neblina". Tais indivíduos, pois, andam "nebulosos de orgulho". Seu bom senso está obscurecido pelo orgulho, por seu senso de elevada importância pessoal.

18. *Amigos dos prazeres, mais do que amigos de Deus*. No grego é *philedonos*, forma composta encontrada exclusivamente aqui, em todo o N.T. O autor sagrado das "epístolas pastorais" muito aprecia as formas compostas. Está aqui em foco o "hedonismo", que indica aquela filosofia que exalta os "prazeres" como o sumo bem e o alvo de toda a existência. Alguns indivíduos religiosos, infelizmente para eles, se deixam dominar por essa filosofia; e mesmo que não o façam em seu credo, fazem-no como prática da vida diária. Vejamos os contrastes: no segundo versículo, "amantes de si mesmos" e "amantes do dinheiro"; no terceiro versículo, "inimigos do bem"; e agora, "amigos dos prazeres", mas "inimigos de Deus". (Ver igualmente II Tim. 2:3, onde se lê "Participa dos meus sofrimentos…"; I Tim. 6:18, "…pratiquem o bem..."). Quanto àqueles indivíduos, cujas atitudes são previstas, os "prazeres" se tornarão seu deus. No mundo de hoje em dia não há deus mais servido do que esse, pois seus adoradores são bilhões. Ver a passagem de I Tim. 5:6 quanto ao fato de que a pessoa que vive "nos prazeres" embora viva, está morta. Ali a alusão é aos pecados sexuais.

Não há que duvidar que o aspecto sexual desses "prazeres" faz parte do pensamento do presente versículo, ainda que sua referência seja mais ampla do que isso. O sexto versículo deste capítulo mostra-nos que vários dos mestres falsos eram sedutores que também se deixavam seduzir, eram professantes amadores, evidentemente se prostituindo com elementos femininos das igrejas locais. Mui provavelmente eram os libertinos gnósticos. É interessante que, normalmente, a ética do gnosticismo se inclinava para pontos extremos, ou para o lado da libertinagem, ou para o lado do ascetismo severo. Os trechos de I Tim. 4:3 e Gál. 2:16,17,20 e ss se referem ao tipo de gnosticismo ascético. Os seus defensores criam que o corpo é a sede do pecador, porquanto participa da matéria, que seria totalmente incapaz de redenção.

Razões Apresentadas Como Desculpas pela Imoralidade

1. Aqueles que preferem levar vidas imorais, sempre podem encontrar razões para assim agirem. Os mestres gnósticos procuravam justificar suas vidas pútridas, declarando que o corpo físico por si mesmo é um mal. Segundo diziam, o corpo participa da matéria, que é má em si mesma; e, assim sendo, não importaria o que um homem faz através de seu corpo. Na verdade, segundo diziam eles, é conveniente que o homem abuse de seu corpo, porquanto esse abuso contribui para a destruição do corpo; e essa destruição é um bem, pois assim o espírito se liberta.

2. Hoje em dia, como sempre sucedeu, é comum ouvir-se a corrupção ser definida em nome da *liberdade*. Alguns indivíduos se consideram livres, quando praticam qualquer ato maligno que desejam fazer. São esses os que andam ao contrário, dependurados de cabeça para baixo no teto. Jactam-se daquilo que praticam de vergonhoso; sua liberdade é a pior espécie de escravidão.

Os indivíduos viciados como que buscam derrubar a Deus de seu trono, preferem fazer de coisas temporais, e até mesmo pecaminosas, o grande objetivo de sua vida. Esquecem-se os tais que Deus é o *summum bonum*, a fonte originária de toda a vida, como também o seu alvo colimado (ver I Cor. 8:6).

VII. O Vício do Ódio: II João 2:9

Aquele que diz estar na luz, e odeia a seu irmão, até agora está nas trevas.

O veneno do ódio. "A pessoa que não ama não sabe que não é amorosa; imputa a outros as falhas de si mesma. Também não sabe o desastre inevitável a que sua maneira de andar a leva. Em certo sentido, anda nas trevas, porque as trevas, a cegaram; em outro sentido, ela está cega, porque tem andado nas trevas. Aquele que se recusa a ver, finalmente não pode mais ver. O ódio constante destrói progressivamente a capacidade para o bem. Finalmente (segundo fica implícito no décimo versículo), faz outros tropeçarem. O ódio enerva outros e os faz revidarem; a vindita com freqüência prejudica aos inocentes; a vingança envenena os motivos que se vêem nos outros; a hipocrisia do crente que diz que anda na luz, mas odeia a seu irmão, é um opróbrio para a igreja, repelindo ao inquiridor sincero e edificando aos cínicos. O ódio pode prejudicar os tecidos do corpo e induzir enfermidades. Um médico diz que meia dúzia de palavras amargas fazem a própria pepsina do estômago perder seu efeito. O ódio desequilibra e inflama a mente. Subverte o pensamento, transformando-o em paixão e mina o julgamento inteligente. Um comentador fez a seguinte paráfrase: "ele" anda nas trevas; não pode pensar direito" (C.H. Dodd, *in* loc.).

Assim como o verdadeiro amor consiste no altruísmo verdadeiro, assim também o ódio consiste no *egoísmo agudo*. Quase todos os problemas humanos podem ser traçados até alguma forma de egoísmo. O amor produz harmonia; o ódio tem na discórdia a sua própria natureza. A ciência médica sabe bem que nossas emoções afetam a saúde. Aquele que odeia estará, naturalmente, sujeito a várias doenças porquanto seu sistema físico entrará em mal funcionamento. Até mesmo as enfermidades, como câncer, podem ter causas psíquicas.

VIII. O Vício da Idolatria

1. *Todos os homens são idólatras!* Alguns adoram ídolos, imagens, figuras de madeira ou metal, etc. Mas todos os homens, praticamente, adoram o "dinheiro ou a si mesmos".

2. A idolatria, com freqüência, está vinculada ao adultério, e isso é uma excelente colocação, pois a idolatria é o adultério espiritual, por causa do que os votos mais sagrados são quebrados e desprezados.

3. A idolatria é a alteração propositai da imagem de Deus, na imagem de alguma coisa, material ou mental, para em seguida haver a adoração dessa nova imagem. É bem possível que certas imagens representem forças satânicas e que, através dessas imagens, essas forças estejam recebendo honrarias que pertencem exclusivamente a Deus. Também podemos levantar ídolos no próprio coração (ver Eze. 14:3,4), mesmo que não os guardemos em nichos, em nossos lares.

4. A idolatria é uma abominação (ver I Ped. 4:3), e não traz qualquer proveito (ver I Juí. 10:14).

5. Deus aborrece a idolatria (ver Jer. 44:4), sendo uma das grandes características daqueles que se olvidam de Deus (ver Jer. 18: 15), e, por conseguinte, que se desviam dele (ver Eze. 44:10).

6. Por causa da idolatria, muitos se esquecem de Deus totalmente (ver Jer. 16:11).

7. Pecadores obstinados são entregues por Deus à idolatria (ver Deu. 4:28).

VÍCIOS – VIDA

8, A idolatria exclui o indivíduo da glória celeste (ver I Cor. 6:9,10).

IX. O Mundanismo: I João 2: 15

Não ameis o mundo, nem o que há no mundo. Se alguém ama o mundo, o amor do Pai não está nele.

O amor (vide), é a força mais poderosa do mundo. Todos os homens amam alguma coisa. Até o egoísmo é um tipo de amor, isto é, o amor excessivo do próprio ser, que existe sem ser contrabalançado pelo amor a outros. A grande maioria dos homens ama o mundo bem mais do que o bem, a justiça, e a espiritualidade.

O amor intenso. A verdadeira espiritualidade exige um intenso amor às coisas espirituais. Mas, o homem comum só ama intensamente o mundo físico e material. Os objetos deste amor são três: 1. coisas que pertencem às *sensações físicas,* a concupiscência da carne. O sexo é o rei de quase qualquer lugar. 2. *Os desejos* dos olhos. Os homens procuram as vantagens do mundo, as coisas materiais, possessões, riquezas, confortos, abundância física. Os homens têm uma cobiça gloriosa, para a qual, gastam tudo que têm. 3. A *soberba* da vida: posições na sociedade (ou na igreja!), fama, glória, vantagem social, poder político, exaltação.

A Natureza dos Vícios Mundanos

1. Transgridem contra a lei de Deus (ver I João 3:4).
2. Possuem conexões metafísicas, a saber, a criação e estimulação de Satanás e suas forças perniciosas (ver I João 3:8). O pecado jamais é meramente o ato de um indivíduo isolado.
3. Não fazer o que devemos, constitui um vício (ver Tia. 4:17).
4. A falta de fé inspira os vícios (ver Rom. 14:23).
5. Os vícios se originam no coração do homem (ver Mat. 15: 19).
6. Conduzem à morte espiritual (ver Rom. 6:23).

Desejando ser Livre
Que Mugidos Insensatos são Esses?
Que mugidos e balidos insensatos são esses?
Quem trouxe esses touros ruidosos e essas cabras berradoras
Até à porta do santuário?
A esta porta do santuário de minha vida?
Que ruídos estranhos são esses que
Desviam a minha mente dos céus?
Os prazeres mundanos, sua fama, suas vantagens
São apenas touros ruidosos e cabras berradoras,
Ruidosos e fedorentos exigem admissão,
Saltitando loquazmente à porta,
A presença fragrante de Deus e do bem
Não tardarão a dissipar.
(Russell Champlin)
Bibliografia: *I IB* HA LAN NTI

VICO GIOVANNI BATISTA

Suas datas foram 1668 - 1744. Especializou-se na filosofia da história, e publicou trabalhos valiosos nessa área. Nasceu em Nápoles, na Itália. Ali tornou-se professor. Era racionalista, historiador, defensor das idéias de Descartes.

Idéias:

1. O homem compreende melhor o que ele mesmo faz, pelo que a observação crítica dessas observações provê uma situação de aprendizado. Deus criou, e podemos aprender com base em sua criação. Não podemos depender somente da coerência cartesiana, segundo a qual idéias claras, confrontadas com outras, dão-nos as nossas idéias sobre o Real.

2. A história é tudo quanto podemos obter, mediante a desordem que nos envolve, se quisermos descobrir o que é construtivo e educativo. Existem leis que controlam o desenvolvimento dos movimentos e acontecimentos históricos. As sociedades vão avançando através de estados definidos, como deuses, heróis e homens. As sociedades têm passado do estado teocrático para o heróico, e daí para o racional. Os mitos desempenham um importante papel nesse desenvolvimento. Crises e destruições assinalam o fim dos ciclos. Porém, grandes destruições são seguidas por novos ciclos, que repetem a síndrome de deuses, heróis e homens.

3. Por detrás do levantamento e queda de nações e de ciclos existe o Ideal Eterno da história, uma espécie de visão platônica de como o tempo (e os particulares) relaciona-se com o eterno (e com as Idéias). A providência divina está por detrás da história.

Escritos: Sobre o Método dos Estudos de Nosso Tempo; Sobre o Mais Antigo Conhecimento dos Italianos; Direito Universal; Princípios de uma Nova Ciência.

VIDA

Esboço:
I. Definições e Termos Básicos
II. Algumas Idéias Filosóficas
III. Idéias Bíblicas
IV. O Caráter Sagrado da Vida
V. Vida, Jesus Como a
VI. Valores da Vida
VII. Vida, Sua Avaliação e Uso
VIII. Vida, Cristo Como a Nossa
IX. Jesus Como o Pão da Vida
X. A Vida Eterna
XI. A Vida e Suas Finalidades

I. Definições e Temos Básicos

1. *O Termo Latino.* A palavra portuguesa *vida* vem do termo latino *vita,* uma palavra de sentido amplo, que pode indicar qualquer tipo de vida, física ou espiritual. Essa palavra também pode ser usada para indicar "maneira de viver", ou seja, *vita* metaforicamente compreendida. Também pode estar em foco a *alma;* e, de conformidade com a antiga teologia romana, a *sombra* ou a fantasmagórica virtual não entidade do submundo. Essa palavra também podia indicar os *homens vivos,* no sentido de *mundo ou humanidade,* coletivamente falando.

2. *Modernas Definições Léxicas.* Essas distinguem a vida orgânica das substâncias inorgânicas e da vida orgânica morta. Essa é a *vida física.* Todavia, a vida também pode indicar uma *essência vital,* dotada de propriedades misteriosas, sem a qual a vida biológica não poderia suster-se. Acresça-se a isso que a vida também pode ser encarada do ângulo de uma existência consciente e inteligente, o que sugere que as entidades orgânicas inferiores não possuem vida verdadeira.

No campo da teologia, entretanto, a *vida* é sempre uma realização espiritual, derivada da fonte divina, se for verdadeira vida. Metaforicamente falando, os homens estão mortos em seus delitos e pecados, enquanto não acham a vida, mediante a conversão e a santificação. Esse ensino reflete-se em 1 Tim. 5:6: "...entretanto, a que se entrega aos prazeres, mesmo viva, está morta". É verdade que alguns físicos teóricos insistem que todas as coisas estão vivas, e que todas as coisas são uma espécie de presença viva. Mas, essa é apenas uma idéia *panteísta* (vide), e que até agora não teve comprovação científica. Seja como for, é difícil explicar como coisas *mortas* podem envol-

VIDA

ver tão intrincados movimentos, aparentemente guiados por alguma inteligência.

3. *Palavras Hebraicas. Chaiyim* é termo que se refere à vida física, conforme se vê claramente em Deu. 28:66. Essa palavra está no plural; juntamente com sua forma singular, *chaiyah,* ela ocorre por cerca de 142 vezes no Antigo Testamento, embora também possa significar "fera", "período de vida", "apetite", "tropa", etc. Para exemplificar, ver Gên. 2:7,9; 3:14; Êxo. 1:14; Lev. 18:18; Deu. 4:9; 6:2; 32:47; Jos. 1:5; Juí. 16:30; I Sam. 1:11; 25:29; II Sam. 1:23; I Reis 4:21; 15:5,6; II Reis 4:16,17; Esd. 6:10; J6 3:20; 7:7; 36:14; Sal. 7:5; 16:11; 27:1; 133:3; 143:3; Pro. 2:19; 3:2,18,22; 22:4; 31:12; Ecl. 2:2,17; 9:9; Isa. 38:12,16,20; Jer. 8:3; Lam. 3:53,58; Eze. 7:13; 33:15; Dan. 7:12; 12:2; Jon. 2:6. Entre os hebreus, a verdadeira vida era aquela que usufruía da aprovação e da bênção de Deus, o que era evidenciado pelo bem-estar e pelo progresso materiais. Ver Deu. 30:15-20. Moisés disse acerca do cumprimento dos mandamentos de Deus: "Cumprindo os quais o homem viverá por eles..." (Lev. 18:5).

Uma outra palavra hebraica é *nephesh.* Lemos em Gên. 2:7: "...formou o Senhor Deus ao homem do pó da terra, e lhe soprou nas narinas o fôlego de vida, e o homem passou a ser alma vivente". Esse versículo tem sido cristianizado, para indicar que Deus acrescentou *a alma* ao corpo físico do homem, passando o homem a ser uma dualidade. Os teólogos judeus, entretanto, frisam que o conceito sobre a porção espiritual do homem não fazia parte das idéias dos antigos hebreus; e também que o Pentateuco não contém esse conceito em qualquer sentido. De fato, nos cinco livros de Moisés não há qualquer doutrina de recompensa pelo bem praticado, e nem ameaça eterna pela maldade praticada, no após-túmulo. De fato, é muito difícil supormos que se o conceito da imortalidade da alma existisse, naquele remoto período, que o mesmo tivesse sido deixado inteiramente de lado, na ventilação de questões éticas. Naturalmente, os comentadores rabínicos posteriores, tal como seus colegas cristãos, injetaram em textos, como o de Gên. 17, o conceito de "alma".

O *Dictionary of Theology,* de Baker, diz sobre esse ponto: "*Nephesh.* A mais freqüente tradução da palavra, na Authorized Version, em inglês, é 'alma'. Porém, isso não deve ser considerado como uma entidade espiritual separada, dentro do homem e, sim, a vida individual que pertence a cada homem ou animal". Alguns eruditos pensam que essa palavra aponta para uma espécie de idéia primitiva sobre a vitalidade que anima a parte animal, uma espécie de "alma que respira", e que se libera por ocasião da morte física; em outras palavras, uma espécie de entidade fantasmagórica, que fica pairando no Hades, uma forma de fantasma destituído de mente. Parece que essa doutrina fazia parte do pensamento hebraico e grego primitivos. Além disso, observe-se que *nephesh* aparece como algo que está intimamente associado ao sangue como a sede da vida biológica (ver Lev. 17:11-14). Porém, isso nem ao menos se aproxima de qualquer doutrina da "alma". O que é certo é que, entre os antigos hebreus e outros povos, toda vida era concebida como dependente de Deus, quanto ao seu início e à sua manutenção, segundo se vê em Gên. 2:7 e Sal. 104:27-30. Pelo tempo em que foram escritos os salmos e os livros dos profetas, os hebreus tinham a idéia de que a vida psíquica do indivíduo continua após a morte. Em outras palavras, a idéia da alma veio a fazer parte do pensamento hebreu em algum tempo antes de 1000 a.C. Pouco tempo depois da época de Samuel, temos a história da invocação de sua alma (I Sam. 28: 11 ss), por parte da médium de En-Dor.

Esse é um texto de prova válido quanto à crença dos hebreus na existência de uma alma imaterial. A palavra hebraica *nephesh* ocorre no Antigo Testamento por mais de 600 vezes, desde Gên. 9:4 até Jon. 4:1.

Outras palavras hebraicas envolvidas são: *Yom,* "dias" (ver I Reis 3:11; II Crô. 1: 11; Sal. 61:6; 91:16) e *etsem,* "osso" (ver Jó 7:15).

4. Palavras Gregas. Devemos considerar quatro termos gregos, nessa conexão:

a. *Bíos,* "vida biológica", "período de vida". Esse termo ocorre por dez vezes no Novo Testamento: Mar. 12:44; Luc. 8:14,43; 15: 12,30; 21:4; I Tim. 2:2; 11 Tim. 2:4; I João 2:16 e 3:17.

b. *Zoé,* "vida", "movimento", "atividade". Essa palavra grega aparece por 134 vezes no Novo Testamento. Exemplos: Mat. 7:14; 18:8,9; 9:43,45; Luc. 10:25; 18:18,30; João 1:4; 3:15,16,36; 6:27,33; 10:10,28; 11:25; 14:6; Atos 2:28 (citando Sal. 16:11); 3:15; 5:20; 8:33 (citando Isa. 53:8); Rom. 2:7; 5:10,17,18,21; I Cor. 3:22; 15:19; II Cor. 2:16; Gál. 6:8; Efé. 4:18; Fil. 1:20; 2:16; 4:3; Col. 3:3,4; I Tim. 1: 16; 4:8; 6:12,19; II Tim. 1: 1, 10; Tito 1:2; 3:7; Heb. 7:3,16; Tia. 1:12; 4:14; I Ped. 3:7,10 (citando Sal. 34:13), II Ped. 1:3; 1 João 1:1,2; 2:25; 3:14,15; 5:11-13; Jud. 21; Apo. 2:7,10; 11:11; 13:8; 17:8; 22:1,2,14,17,19.

Essa é a palavra que melhor indica a "psique", a vida não material do ser humano. Os escritores pagãos que escreviam em grego usavam *zoé* para indicar a vida física, em contraste com a morte, quando essa vida física cessa. Porém, no Novo Testamento, a palavra é usada para indicar certa "qualidade de vida", a vida derivada de Deus, que se torna possessão daqueles que receberam a "vida eterna", a salvação em Cristo. Portanto, essa vida é derivada de Cristo (João 1:4), proporcionada ao crente mediante a fé (Rom. 6:4; 1 João 5:12). Ela sobrevive à morte física, e entra na eternidade (I Ped. 5:4; I Tim. 1: 10). Em contraste com a palavra grega anterior, *bios,* esta última, usualmente refere-se à vida terrena (ver Luc. 8:14; I Tim. 2:12; II Tim. 2:4).

c. *Psuché,* "vida animal", "respiração", "alma". Esse termo grego foi usado por 101 vezes no Novo Testamento. Para exemplificar: Mat. 2:20; 6:25; 12:18 (citando Isa. 42:2); 26:38; Mar. 3:4; 8:35-37; Luc. 1:46; 2:35; 6:9; 14:26; 17:33; 21:19; João 10:11,15,17,24; 12:25,27; 15:13; Atos 2:27 (citando Sal. 16:10); 2:41,43; 8:23 (citando Deu. 18:19); 4:32; 7:14; Rom. 2:9; 11:3 (citando 1 Reis 19: 10); 13: 1; 1 Cor. 15:45 (citando Gên. 2:7); II Cor. 1:23; Efé. 6:6; Fil. 1:27; Col. 3:23; 1 Tes. 2:8; Heb. 4:12 (citando Hab. 2:4); 10:39; Tia. 1:21; 5:20; I Ped. 1:9,22; 2:11,25; 3:20; 4:19; II Ped. 2:8,14; I João 3:16; III João 2; Apo. 6:9; 18:13,14; 20:4. Essa palavra é freqüentemente traduzida por "alma" ou "espírito"; e era a palavra platônica comum para indicar a porção imaterial do homem. Todavia, em sentido geral, pode indicar a "vida espiritual" (Mat. 10:45), a qualidade da presente vida espiritual (Mat. 6:25). Essa forma de vida abandona o corpo físico, por ocasião da morte (Luc. 12:20). Trata-se de uma palavra de amplo sentido, podendo indicar a "vida terrena" (ver Josefo, Anti. 18.358). E a "alma" imaterial também pode ser indicada por essa palavra, segundo se vê em Platão, *Faedo* 28. par. 80A. A alma deve ser entregue aos cuidados de Deus (I Ped. 4:19). As almas dos mártires trucidados foram vistas no céu pelo vidente João (Apoc. 6:9). O corpo físico pode ser destruído, mas não a alma imaterial, embora ela possa ser prejudicada no tocante ao seu propósito original (Mat. 10:28). Uma única alma vale mais do que o mundo físico inteiro (Mar. 8:36,37).

d. *Pneuma*, "espírito", "vento". Embora essa palavra seja usada por muitas vezes com esses sentidos, há uma ocorrência, em Apo. 13:15, onde algumas traduções a traduzem por "vida". Nossa versão portuguesa diz ali: "... e lhe foi dado comunicar fôlego à imagem da besta..."

II. Algumas Idéias Filosóficas

1. *Platão*. Ele concebia toda vida como psíquica, e que os corpos materiais, sem importar sua espécie, servem apenas de veículo da vida. Isso significa que o princípio da vida, propriamente dito, é não material, e que todas as coisas vivas participam desse princípio imaterial. Outrossim, esse princípio vivo é eterno, embora a individualização seja um acontecimento cronológico. Os *arquétipos* (vide), isto é, "formas" ou "idéias", estariam por detrás de todas as formas de vida, e cada forma é uma espécie de cópia ou imitação do seu arquétipo. Os *arquétipos* seriam eternos, fazendo parte do mundo eterno, o que, para Platão, equivalia ao céu hebreu cristão. Esse ensino poderia ser usado para falar-se sobre todas as formas de vida, como dotadas de alma, embora não saibamos dizer o que Platão manifestaria a esse respeito. Em outras palavras, haveria uma espécie de energia psíquica comunal (a essência da vida), da qual as formas corporais participam. Em minha opinião, é perfeitamente possível que pelo menos formas de vida superiores, embora não humanas, tenham almas individuais. Essa questão está circundada de mistérios, apesar do que há alguma evidência de que não estamos falando apenas de uma teoria.

2. *Sócrates*. Em seu *conceptualismo* (vide), todas as formas de vida teriam sua origem na *idéia divina* sobre cada espécie. A idéia é eterna, embora a sua manifestação específica e particular ocorra dentro do tempo.

3. *O Panteísmo*. Ver o artigo separado sobre esse assunto. Essa palavra vem do grego, *pan*, "tudo", e *theós*, "Deus", isto é, "tudo é Deus". Esse conceito assevera que todas as coisas, na verdade, estão vivas, visto que tudo emana de Deus. Deus é a cabeça do mundo, e o mundo é o corpo de Deus. Essas emanações de Deus não seriam idênticas umas às outras, quanto ao seu brilho e poder, pelo que tendem por ser menos esplendorosas e mais sonolentas, à medida que estão afastadas do fogo central. Todavia, não haveria tal coisa como *matéria morta*. O universo inteiro seria uma *presença viva*.

4. *Panenteísmo*. Também vem do grego, *pan*, "tudo", e *theós*, "Deus". A palavra indica que a *vida divina* está *em todas* as coisas, mas sua natureza é *distinta*. Deus inclui o universo da mesma maneira que um organismo vivo inclui todas as suas células individuais, mas (quebrando a analogia), as células individuais não têm a mesma essência ou natureza que Deus tem. Há uma dualidade de princípios. Ver o artigo separado sobre este assunto.

5. *Pampsiquismo*. Outra palavra derivada do grego, *pan*, "tudo", e *psuché*, "alma"). Todas as coisas possuem alma, ou seja, o princípio vital, mesmo que se trate do que o vulgo chama de "matéria morta", embora, nada, realmente, seja destituído de vida. Esse princípio empresta poder à teoria da evolução, no tocante à chamada "matéria morta", visto que tudo teria, em si mesmo, o princípio da vida; e, sob certas circunstâncias, poderia adquirir vida, conforme a vida é definida pela ciência moderna.

É possível que os filósofos hilozoístas (ver sobre o *Hilozoísmo)*, como Tales de Mileto, tenham concebido essa idéia, quando diziam que todas as coisas estão *cheias de almas*. O fato de que os cientistas, em seus laboratórios, têm sido capazes de produzir formas de vida que podem reproduzir-se, partindo de reações químicas, sugere que se oculta alguma verdade na idéia do *pampsiquismo*. Nesse caso, posso supor que leis naturais controlem essa questão, e que a vida pode vir à existência sem qualquer intervenção direta de Deus. Naturalmente, Deus foi quem estabeleceu essas leis naturais, e, nesse caso, em última análise (mesmo que não imediatamente), a vida derivou-se e continua se derivando de Deus. Ver o artigo separado intitulado *Pampsiquismo*.

6. *Deus Seria a Origem*, mas as *leis naturais* seriam capazes de produzir a vida. Estou abordando a questão em separado, embora já tenha sido sugerida no quinto ponto, acima. Deus é o princípio originador da vida, a fonte de toda e qualquer forma de vida. Porém, o seu *modus operandi*, mediante o qual ele traz a vida à luz, pode transcender à criação original. A vida está continuamente vindo à existência, através da agência das *leis naturais,* que operariam separadamente da direta intervenção de Deus.

As leis naturais, embora muito impressionantes, não são perfeitas, porquanto podem errar e, realmente, erram. Poderíamos acusar Deus pela existência de animais prejudiciais, bactérias, vírus e insetos como o pernilongo? Não seria melhor asseverarmos que esses tipos de vida vieram à existência através das leis naturais, e que o potencial de uma grande variedade de vida, através dessa agência, é muito grande? Isso posto, novas espécies de vida poderiam vir à existência, não meramente através do desenvolvimento de espécies mais antigas, mas até da chamada "matéria morta". Nesse caso, então, talvez os homens, algum dia, sejam capazes de engendrar a vida, e até mesmo espécies complexas de vida. Os homens já têm conseguido obter formas simples de vida, mediante reações químicas. Quando isso suceder, então poder-se-á dizer que o homem terá descoberto os tijolos que formam a vida biológica, conforme eles existem dentro das leis naturais. Em outras palavras, os homens terão encontrado o código de como a vida física pode vir à existência. Porém, não nos esqueçamos que foi Deus quem criou esse código. Além disso, devemos observar que esse tipo de vida não é espiritual, mas apenas biológico. *Por enquanto*, o homem desconhece tudo sobre a criação da vida imaterial. Talvez, algum dia, até seja capaz de sondar essa questão, mas, como é claro, isso não ocorrerá imediatamente.

7. No *hinduísmo*, o curso da vida, e como a mesma se desenvolve, está dividido em uma sucessão de quatro estágios, intitulados *ashramas;* e cada um desses estágios envolve deveres e aspirações especiais. Ademais, haveria tipos básicos de pessoas, como os psíquicos, os trabalhadores, aqueles que seguem a vereda do amor, os eruditos, cada qual seguindo uma maneira melhor de cumprir o seu próprio dever na vida. Cada uma dessas tendências ajudaria o indivíduo a livrar-se do "ego" e tornar-se parte integrante de Deus, mediante o desenvolvimento espiritual. Ver o artigo sobre *o Hinduísmo*.

8. Nos escritos de *Kierkegaard* (vide), encontramos a idéia da vida em ascendência mediante qualidades e conceitos estéticos, éticos e religiosos.

9. *Heidegger* aludia ao conceito de *existir-para-morrer,* com o que ele dava a entender que a vida deveria ser vivida de tal modo que sempre tivéssemos diante dos olhos a realidade da morte. Isso equivale a morrer diariamente, sabendo-se que todas as coisas são meramente temporais. Esse tipo de atitude, ao que se pode presumir, fornece uma autenticidade extra à vida. No sentido cristão, estamos falando sobre como toda a vida depende de Deus, e como deveríamos deixar as nossas vidas aos cuidados do Senhor.

VIDA

10. *Marias* fazia a distinção entre "existir" e "viver". Existir é a coisa menor, uma espécie de *antecipação* da verdadeira vida. A vida é a realidade maior, tanto agora quanto na eternidade. A vida é eterna, e todas as coisas que dela participam são eternas.

11. *A Filosofia cristã* parte do pressuposto de que Deus é a origem, o meio e o alvo de toda a vida; e isso mediado através do Filho de Deus (ver 1 Cor. 8:6). O alvo mesmo da existência humana é a participação na natureza divina (ver 11 Ped. 1:4), mediante a transformação segundo a imagem e a natureza do Filho de Deus (Rom. 8:29). Trata-se de uma evolução espiritual, produzida pelo poder do Espírito Santo, conforme se aprende em II Cor. 3:18.

III. Idéias Bíblicas

1. A vida começou com um decreto de Deus (Gên. caps. 1 e 2).

2. Esta vida, de acordo com a visão hebréia mais antiga, não envolveria nenhum dualismo, visto que aquela visão ainda não envolvia a idéia da imortalidade da alma. Quanto a detalhes sobre isso, ver a primeira seção, terceiro ponto.

"A vida é dada ao homem como uma unidade psicossomática, onde não existem as distinções que fazemos entre vida física, vida intelectual e vida espiritual" (ND, citando Allmen). O ponto de vista veterotestamentário do homem pode ser descrito como um "corpo animado" (Robinson). Isso posto, a *alma* pode ser concebida em paralelo com a *carne* (Sal. 63: 1), com a "vida" (Jó 33:28) ou com o "espírito" (Sal. 77:2 ss). De acordo com esse ponto de vista antigo, o "eu" vive e o "eu" morre, e não haveria qualquer eu imaterial que continuasse existindo. No entanto, Jesus lia a idéia da sobrevivência da alma, diante da morte física, mesmo nos escritos do Pentateuco, conforme se vê em Mat. 22:32: "Eu sou o Deus de Abraão, o Deus de Isaque e o Deus de Jacó? Ele não é Deus de mortos, e, sim, de vivos"! Portanto, se essa idéia não era explícita no Antigo Testamento, devemos vê-la ali implicitamente.

3. Essa insuficiente visão da vida foi abandonada pelo judaísmo posterior, conforme se vê na história da médium de En-Dor, que invocou o espírito de Samuel (I Sam. 28:11 ss), como também pela triunfante declaração de Jó de que, em sua própria carne, após a ressurreição, ele veria a Deus (Jó 19:26). Na verdade, a palavra hebraica que, nesse texto de Jó, é traduzida como "em", na frase, "em minha carne", aparece dentro de um texto corrompido, deixando os estudiosos em certa dúvida. Há mesmo quem a traduza por "fora de". Mesmo assim, isso seria uma clara antecipação do fato de que a alma contempla a Deus, mesmo à parte do corpo físico. Por outro lado, a expressão "em minha carne", provavelmente refere-se à expectativa da ressurreição, embora esse texto não entre no mérito da natureza do corpo ressurreto, mas somente que haverá o corpo ressurreto. É possível que a alteração, no hebraico, de "em" para "fora de", nesse trecho de Jó, tenha sido feita por algum escriba antigo, que preferia a idéia da imortalidade da alma, em lugar da ressurreição do corpo. Não obstante, no judaísmo posterior, *ambos* os conceitos eram aceitos paralelamente; e ambos os conceitos passaram adiante, como a doutrina ensinada no Novo Testamento. Em Jó 14:14 é feita uma importantíssima indagação: "Morrendo o homem, porventura tornará a viver?" Alguns estudiosos pensam que essa pergunta foi formulada, tendo em pauta a reencarnação; mas outros pensam ou na ressurreição ou na imortalidade da alma. Seja como for, não pode haver dúvidas que a teologia judaica ultrapassou da antiga idéia do "eu" que vive e que morre. Assim, o verdadeiro "eu" do homem nunca morre. Ver vários artigos apresentados sob o título *Imortalidade*. Ver também sobre *Alma*.

4. O *Deus vivo* é a fonte originária de toda a vida, conforme a Bíblia assevera desde o seu primeiro capítulo. Deus é quem dá a vida e a respiração, e também as retira (Gên. 3:19; Jó 10:9; Sal. 144:4; Ecl. 12:7). As doutrinas mais antigas sobre o sheol (vide) faziam do mesmo um destruidor da vida (Eze. 31 e 32; Isa. 14:4 ss). Em contraste com isso, o judaísmo posterior reconheceu que o *Deus Vivo* garante a imortalidade *humana*. No Novo Testamento, somente Deus é dotado de verdadeira imortalidade (I Tim. 6:16), mas ele compartilha esta forma de vida com os homens (II Ped. 1:4; Rom. 8:29; II Cor. 3:18).

5. O propósito de Deus é livrar o homem do *sheol*. Ver Isa. 25:8; 26:19; Jó 19:26; Sal. 16:8-11; 49:14 ss; Dan. 12:2; 1 Ped. 3:18-4:6.

6. *A Vida Ressurreta*. Ver Jó 19:26; Isa. 26:19,27; Dan. 12:2. Esse tema teve prosseguimento durante toda a história do judaísmo, atravessando o período intertestamentário, embora quase sempre de mistura com expressões que davam a idéia de um crasso materialismo. Segundo os escritos judaicos extrabíblicos, os corpos seriam ressuscitados e restaurados, e enviados por meio de túneis até Jerusalém, o único local onde um homem de respeito aos seus próprios olhos haveria de querer ser ressuscitado. Mas Paulo, no décimo quinto capítulo de I Coríntios, espiritualizou o conceito da ressurreição. Nessa passagem encontramos um corpo ressurreto que não é material (ver o vs. 40). O corpo ressurreto será um veículo espiritual da alma, e não um corpo constituído de átomos. Não fica claro, entretanto, se o corpo ressurreto dependerá ou não dos elementos do antigo corpo. Talvez tratar-se-ia de um substituto para o antigo corpo, uma nova criação, embora chamado de corpo ressurreto porquanto substituirá o corpo antigo. Até onde podemos ver as coisas, nada há de errado quanto a essa doutrina. Diversos dos pais da Igreja assim acreditavam afirmando que à medida que avançar a evolução espiritual, vários corpos, ou veículos da alma, serão postos de lado, mais ou menos como uma cobra desfaz-se de sua pele, periodicamente, e assume uma nova pele. Se isso exprime uma verdade, então a *ressurreição*, até mesmo em seu estágio avançado de glorificação, será um processo contínuo, e não um acontecimento de uma vez por todas. Seja como for, a ressurreição será o aspecto inicial da eterna glorificação. Ver o artigo geral sobre a *Ressurreição*, onde são oferecidos muitos detalhes a respeito.

7. *A Imortalidade da Alma*. O Antigo Testamento foi-se aproximando mais e mais dessa idéia. O judaísmo helenista adotou esse ensino quase universalmente. O Novo Testamento ensina abertamente essa doutrina. A verdadeira imortalidade não consiste em simples existência eterna. Mas é idêntica à "vida eterna", ou seja, certa modalidade de vida, a saber, a participação na própria forma de vida de Deus, visto que somente ele é verdadeiramente imortal (ver I Tim. 6:16). Os homens tornam-se imortais mediante a participação na vida necessária e independente de Deus (ver João 5:25,26), mediante o poder transformador do Espírito de Deus (II Cor. 3:18), através da participação na *pléroma* ou plenitude de Deus (Col. 2:9,10; Efé. 3:19). E isso vai transformando os remidos segundo a imagem do Filho de Deus (Rom. 8:29), tornando-os partícipes da essência divina ou do tipo de vida de Deus (II Ped. 1:4). Platão exprimiu lindamente essa idéia, quando disse que os homens deixarão de ser eternos para se tornarem imortais. A verdadeira vida, pois, não consiste em mera existência, mas é antes uma forma

VIDA

de vida que produz um certo tipo de existência. A verdadeira vida nos é dada por intermédio do Filho de Deus, que é o Logos. Deus é a fonte originária, a agência e o alvo de toda vida I Cor. 8:6).

8. *Escrituras Específicas que Ensinam a Imortalidade da Alma*. Sal. 86:13; Pro. 15:24; Eze. 26:20; 32:21; Isa. 14:9; Ecl. 12:7; João 32:8; Mat. 10:28; 17:1-4; Mar. 8:36,37; Luc. 16:19-31; 23:43; Atos 7:59; Fil. 1:21-23; II Cor. 5:8; 12:4-4; Heb. 12:23; I Ped. 3:18-20; 4:6; Apo. 6:9,10; 20:4.

Entre o sono e o sonho
Entre mim e o que há em mim, e o que eu me suponho,
Corre um rio sem fim.
Passou por outras margens, Diversas mais além,
Naquelas várias viagens que todo o rio tem.
Chegou onde hoje habito, a casa que hoje sou.
Passa, se eu me medito; Se desperto, passou.
E quem me sinto e morre no que me diga a mim,
Dorme onde o rio corre,
Esse rio sem fim.
(Fernando Pessoa, Lisboa).

Tu, cujo semblante exterior deixa entrever
 A imensidade da alma;
Tu, melhor dos filósofos, que contudo reténs;
Tu, herança; tu, olho entre os cegos,
Que, mudo e silente, lês o Abismo Eterno.
Freqüentado para sempre pela Mente Eterna.
Poderoso profeta! vidente bendito!
Sobre quem repousam essas verdades,
E que lutamos a vida inteira por descobrir,
Em trevas perdidas, as trevas do sepulcro;
Tu, sobre quem a tua Imortalidade
Se aninha como o Dia, um senhor sobre um escravo,
Uma Presença que não pode ser evitada!
...
Ó alegria! que em nossos membros
É algo que vive,
Que a natureza ainda relembra,
Embora tão fugidia!
(William Wordsworth)

9. *O Uso Apropriado da Vida*. A Bíblia é um livro altamente teísta. Deve-se conhecer o contraste entre o *teísmo* e o *deísmo* (ver ambos os artigos com esses nomes). Deus, sendo o autor da vida, cuida da vida humana. A vida humana é melhor vivida quando Deus é o seu alvo contínuo. O Novo Testamento é uma espécie de manual de instruções sobre como o homem deveria viver. Temos desenvolvido esse pensamento no artigo intitulado *Vida, Avaliação e Uso*.

Toma a minha vida e que ela seja
Consagrada, Senhor, só a Ti;
Toma minhas mãos e que elas se movam,
Ao impulso do teu amor.
Toma minha vontade e fá-la tua,
E ela não será mais minha;
Toma meu coração, pertence só a Ti;
E te servirá por trono real.
(Frances R. Havergal)

10. *Palingenesia*. Essa é a palavra grega que significa "renascimento" ou "regeneração". Desdobramos essa idéia nos pontos abaixo:

a. A vida de Deus nos é dada no novo nascimento (João 3:3-5). Isso pressupõe uma mudança vital e radical. O princípio da *palingenesía* aplica-se ao indivíduo, mas também aos homens, coletivamente falando. O homem nunca é visto apenas como um indivíduo isolado. Antes, ele faz parte da comunidade dos homens, e a humanidade é o arquétipo. Ver o artigo detalhado intitulado *Regeneração*.

b. *A Regeneração*. Jesus ensinou que o mundo haverá de renascer (ver Mat. 19:28). E isso faz parte do mistério da vontade de Deus (ver Efé. 1:9,10). A criação inteira haverá de ser renovada, recebendo uma nova forma de vida, por meio da ressurreição, na era vindoura, o que incluirá a restauração geral. O trecho de Rom. 8:19 ss descreve o anelo da criação inteira por esse evento, ou antes, por essa série de eventos encadeados.

11. *A Restauração*. O que Deus tenciona fazer, finalmente? *Restaurar* é o verbo chave da resposta. Ver Efé. 1:9,10. Meu ponto de vista sobre a restauração geral é que os eleitos ou remidos receberão a forma de vida que Deus tem, e assim haverão de ocupar o nível mais elevado na escala da criação. Todavia, todas as coisas participarão no ato restaurador de Deus.

Também faço contraste entre os finalmente remidos e os finalmente restaurados, embora os remidos devam ocupar uma posição supinamente superior à dos restaurados. O leitor poderá rever os detalhes dessa questão no artigo chamado *Restauração*. A verdade acaba triunfando. Em muitas igrejas, especialmente do cristianismo ocidental (católicos romanos, protestantes e evangélicos), é mantido um ponto de vista pessimista da vida futura, com a teimosa insistência sobre uma fase mais antiga da teologia, onde a grande maioria dos homens termina em sofrimentos eternos. Em contraste com isso, a Igreja Ortodoxa Oriental, acompanhando as diretrizes dos pais gregos da Igreja, tem visto uma mensagem mais otimista em algumas passagens do Novo Testamento. Essa é a mensagem que procuro salientar no artigo sobre a *Restauração*. Vejo a vontade de Deus como algo que, finalmente, produzirá um grande tapete. Aquele que trabalha sobre esse tapete (toda a vida e os seres viventes que finalmente, surgirão em cena) é o Grande Artista. Ele não perde uma pincelada sequer; ele nunca incorre em erros. Ele sabe misturar as cores brilhantes e as apagadas; ele mistura o dourado com o negro; ele faz o contraste entre a luz e as trevas. Mas, no fim, o tapete, em todo o seu intrincado desenho, é uma obra prima que é digna do Grande Artista. Os remidos são ali representados pelo dourado; mas os restaurados são as cores contrastantes, que dão equilíbrio e beleza ao todo. O julgamento ajudará a produzir esse efeito. O julgamento divino não será algo contrário ao programa de Deus. De fato, Deus pode fazer melhor algumas coisas através do julgamento do que por outro meio qualquer. O julgamento divino é apenas um dedo da amorosa mão de Deus. O amor de Deus, finalmente, livrará todos os homens da tempestade, não deixando de lado a nenhum deles. Mui provavelmente, isso precisará de longo, longo tempo. O primeiro capítulo da epístola aos Efésios fala sobre *eras* que estarão envolvidas nisso tudo. O julgamento operará durante essas eras; mas seu propósito não será destruir, finalmente. Bem pelo contrário, será um aspecto da obra restauradora de Deus. O julgamento tem um aspecto remedial, segundo se aprende em I Ped. 4:6.

12. *A Descida de Cristo ao Hades* (vide), ampliou a missão do Logos ao *Hades*, o lugar onde se acham as almas perdidas. Isso posto, a missão de Cristo teve um aspecto terreno, um aspecto infernal e um aspecto celestial "uma *tríplice*" missão. Isso é o que era necessário para que Deus desse as devidas dimensões à obra de Cristo, sendo exatamente o que poderíamos esperar da parte do amor de Deus. A missão de Cristo no Hades mostra que a oportunidade de salvação vai além de sepulcro, o que é

VIDA

especificamente afirmado em I Ped. 4:6. Esse versículo ultrapassa em alcance o trecho de Heb. 9:27, que faz parte da teologia mais antiga e inferior. Isso posto, a provisão de Deus ofereceu vida aos homens, e vida em abundância.

13. *A Vida Eterna.* Quanto a esse assunto, ver o artigo separado com esse título.

14. *O Reino de Deus* (vide). O artigo separado com esse nome mostra-nos como o plano de Deus operará entre as nações e nos lugares celestiais. Ver também o artigo sobre o *Milênio*.

IV. O Caráter Sagrado da Vida

1. Visto que toda a vida emana de Deus, a vida merece nosso respeito. Sinto-me inclinado a excluir daí aquelas formas destrutivas de vida, como bactérias, vírus, insetos e animais daninhos, que atribuo às leis naturais, e não à direta agência de Deus. Não me pareço com o hindu que oferece tigelas de leite para alimentar os ratos de sua casal. As pessoas gostam de fazer piadas sobre os hindus. Por que eles não matam as vacas? E respondem: Porque talvez uma delas seja a mãe ou a avó de um deles, que se reencarnou naquela forma de vida! Mas, embora talvez alguns hindus acreditem nisso, o argumento deles contra a destruição da vida, sob qualquer forma, exibe *profundo respeito pela vida*, não estando envolvida a questão da reencarnação, pelo menos na maioria dos casos. Os antropólogos têm mostrado que é nas sociedades primitivas que se tem prazer na tortura dos animais. Quanto mais avançada for uma civilização, maior respeito haverá pela vida dos animais, e não meramente pela vida humana. Seja como for, temos subestimado grandemente a qualidade da vida animal.

2. *Problemas Especiais*

a. *Aborto.* Temos apresentado um artigo separado sobre esse assunto. Pessoalmente, não creio que um feto seja um ser humano. Um ser humano vem à existência no nível da alma, que penso ser preexistente. *Uma personalidade humana* (parte material + parte imaterial) vem à existência quando a alma (a porção imaterial) apossa-se do corpo físico que se estava formando. E isso pode ocorrer pouco antes do nascimento, por ocasião do nascimento, ou mesmo depois do nascimento. E isso significa que matar um feto não é cometer um assassinato, embora seja cortar uma vida humana em potencial. Todavia, tal ato causa sofrimento, e isso é errado. Portanto, o aborto não é uma questão moralmente indiferente. Além disso, um feto é uma forma de vida que requer todo o nosso respeito.

b. *Cuidados com os Idosos.* Conforme disse minha mãe, cerca de dois anos antes de seu falecimento: "As pessoas idosas simplesmente atravancam o caminho". A verdade é que muitas pessoas idosas precisam de ajuda de membros mais jovens de suas famílias (ou da sociedade), a fim de que possam avançar os últimos passos que tiverem de dar na vida humana. Em algumas sociedades abastadas, as pessoas de idade são postas em lares especiais, enquanto o resto da família fica gozando a vida. Minha mãe, em sua idade avançada e enfermidade, não quis viver com alguma outra pessoa, e somente nas semanas finais de vida consentiu em receber cuidados diretos. Porém, suponho que a maioria das pessoas idosas não tem a mesma atitude que ela. Assim, pessoas que tenham perdido suas energias físicas ou mentais, devem ser objeto de cuidados especiais de suas famílias ou da sociedade. Isso faz parte do respeito que se deve ter pela vida, porque a vida é sagrada.

c. *Eutanásia.* No grego, "boa morte". Mas, no vocabulário moderno significa tirar misericordiosamente a vida a alguém. Isso pode ser feito de modo passivo, ou seja, as medidas heróicas para prolongamento da vida não são empregadas, a fim de que a pessoa não fique a sofrer desnecessariamente. E também pode ser feito de modo *ativo*. Alguma medida é aplicada que *causa* a morte, quando se pensa que isso é um ato de misericórdia. Sabemos que tanto a eutanásia passiva quanto a eutanásia ativa estão sendo praticadas em muitos hospitais, hoje em dia. Nada vejo de errado na forma passiva de eutanásia. De fato, muitos pacientes parecem ansiar que seus sofrimentos desnecessários terminem. O prolongamento desnecessário da vida, por parte de muitas autoridades médicas e outras, parece alicerçar-se sobre a filosofia que diz, antes de tudo, que a vida física é a única vida que existe; e, em segundo lugar, que qualquer vida é melhor do que vida nenhuma. Ambas as idéias, porém, são absurdas. Apesar de devermos respeitar a forma de vida biológica, uma vez que esse corpo seja quase esmigalhado, traspassado por dores excruciantes, torna-se uma questão real quanto respeito deve-se ter por essa forma de vida. Pessoalmente, não creio que já possuímos conhecimento suficiente, sobre as questões morais, para nos manifestarmos, com toda segurança, acerca da *eutanásia ativa*; mas tenho confiança de que, de algum modo, o nosso conhecimento ético crescerá até o ponto em que a *eutanásia passiva* tornar-se-á aceitável. Para tanto, será mister a humanidade adquirir maiores conhecimentos sobre os estados realmente terminais de saúde. A eutanásia ativa poderá ser, algum dia, aceitável *moralmente*. Se isso for o caso, haverá provisões legais a esse respeito, de tal maneira que somente eutanásias autênticas terão lugar, e não reais assassinatos representados como matanças por misericórdia. Ver o artigo geral sobre a *Eutanásia*.

V. Vida, Jesus Como a
Ver o artigo separado com esse título.

VI. Valores da Vida
Ver o artigo separado com esse título.

VII. Vida, Sua Avaliação e Uso
Ver o artigo separado sobre esse título.

VIII. Vida, Cristo Como a Nossa
Ver o artigo separado sobre esse título.

IX. Jesus Como o Pão da Vida
Ver o artigo separado com esse título.

X. A Vida Eterna
Ver o artigo separado com esse título.

XI. A Vida e Suas Finalidades

A vida é dinâmica. Talvez Orígenes estivesse com a razão, ao especular que nos encontramos agora em um grande cicio, e que o tempo não pode ser considerado de maneira linear. Em outras palavras, não podemos marcar quando começou o tempo, e nem quando o tempo terminará em estagnação. Apesar de estarmos aguardando uma obra divina final, que se assemelha a um tapete, com aspectos de redenção e de restauração, envolvendo o futuro da humanidade e da criação inteira, é filosoficamente difícil imaginar que uma vez que isso seja atingido. através da cooperação dos séculos e das eras, ou de grandes ciclos de tempo, cada qual contribuindo com sua parcela, que a criação terminará, afinal, em uma imensa estagnação. O mais provável, bem ao contrário disso, é que o futuro nos reserva muitas e grandes surpresas, e que novos ciclos emanarão da imensidade de Deus. Dessa maneira imensamente prolongada, talvez seja melhor supormos que não haverá tal coisa como um destino fixo. Talvez seja melhor supormos que a vida é tão imensa, procedente da vastidão infinita de Deus, que nada existe que não possa ser revertido, não há esperança que não possa, finalmente, concretizar-se, e nem há porta que ficará final e absolutamente fechada. (B C E EP F NTI)

VIDA, AVALIAÇÃO E USO – VIDA COMUNAL

VIDA, AVALIAÇÃO E USO

Diversos pontos de vista sobre o uso da vida. Tiago, em 4:13, apresenta certo ponto de vista - não devemos ter cuidados que não sejam postos sob o governo de Deus. Isso representa uma inquirição espiritual que é deleitosa para a mente divina. Isso também agrada a Jesus Cristo, que é nosso Senhor. A resposta dos epicúreos, entretanto, era: "Vive para os prazeres". A resposta dos estóicos, era: "Vive com apatia, indiferente a qualquer emoção". Aristóteles recomendava: "Vive para alguma função virtuosa". Platão declarava: "Vive para o mundo eterno, para que passes para as dimensões do espírito puro, quando fores liberto do corpo". O filósofo chinês, *Yang Chu*, tomava o ponto de vista epicúreo ou hedonista ao dizer: "Cem anos é o limite de uma longa vida. Nem uma pessoa, em cada mil, consegue chegar a esse ponto. Contudo, se alguém atingi-lo, a infância inconsciente e a idade avançada furtarão metade desse tempo. O tempo em que passará inconsciente, enquanto dorme, à noite, e aquilo em que desperdiça os seus pensamentos, durante o dia, também totaliza a outra metade do tempo restante. Além disso, as dores e enfermidades... preenchendo alguns anos, de modo que realmente ficará apenas com dez anos, mais ou menos, para seu aprazimento... Portanto, devemo-nos apressar a gozar a vida, sem dar atenção à morte... Permite que os ouvidos ouçam o que lhes agrada, que os olhos vejam o que lhes agrada, que o nariz sinta as fragrâncias que lhe parecerem agradáveis, e que a boca diga o que melhor lhe parecer, e que o corpo desfrute dos confortos que puder, para que faça o que melhor lhe parecer". *(Yu-lan Eung. A Comparative Study of Life Ideals*, págs. 82-84).

Talvez essa última citação indique um bom raciocínio, especialmente se imaginarmos que não há imortalidade, se as ações desta vida não têm efeito atinente à *vida futura*. Na realidade, porém, a vida é um grande contínuum. Passa através de vários estágios, antes do nascimento, no nascimento, após o nascimento, na morte, após a morte e por todo o tempo é a mesma pessoa que vive, pois a alma é imortal. A morte não mata. E, por conseguinte, o indivíduo é responsável por aquilo que pratica, pouco importando por quanto tempo ele viva na terra; pois o que importa é a maneira de sua vida. A morte não nos leva a escapar da vida, e nem da necessidade de prestarmos contas. Somos responsáveis por aquilo que fazemos, de bom ou de mal (ver II Cor. 5:10). Ver o artigo sobre o *Julgamento do Crente*. A vida física, na realidade, é bem passageira; mas o que importa é que estejamos vivendo de acordo com a dimensão eterna; e a nossa inquirição espiritual deve visar aquela forma de imortalidade que o próprio Deus possui (ver João 5:25,26 e 6:57).

Avaliando a Vida e os seus Valores

1. *O ateu* diz: "Há boas evidências como o mal existente no mundo, seus desastres, violências, ódio, etc., e que Deus não existe. Portanto, viverei essencialmente para mim mesmo, e talvez, um pouco para mais uma ou duas pessoas".

2. *O agnóstico* diz: "É impossível decidir se Deus existe ou não. Há evidências positivas e negativas quanto a isso. Porém, como não posso saber (pelo menos por enquanto) qual a verdade da questão, conduzirei a minha vida como um ateu prático. Agirei como se Deus não existisse, até obter maiores luzes. Viverei essencialmente para mim mesmo, e somente para o presente.

3. *O positivista lógico* diz: "Não há qualquer evidência, nem a favor e nem contra a existência de Deus, porquanto questões como essa estão completamente fora da possibilidade de nossas investigações. O único tipo de conhecimento que possuímos é de ordem científica; por conseguinte, viverei para a ciência e para as coisas que ela pode oferecer. Viverei exclusivamente para este mundo. Não me preocuparei com especulações metafísicas".

4. *O hedonista* diz: "O alvo da vida é o prazer. Empregarei a minha inteligência e todos os recursos físicos para fomentar a quantidade e a qualidade dos meus prazeres. Este mundo é meu. Viverei para o mundo".

5. *O teísta* diz: "Creio em Deus e em suas leis. Creio que sou responsável diante de Deus, porque ele intervém na história humana e porque os homens lhe estão sujeitos. Portanto, viverei para o mundo vindouro. Minha vida, neste mundo, será governada pela dimensão eterna. Aquilo que o Senhor quiser, isso farei. O que ele não quiser, não farei".

VIDA, CAMPOS DE
Ver *Aura Humana (Campo de Vida)*.

VIDA COMUNAL DA IGREJA PRIMITIVA

Os primórdios da vida comunal. Atos 2:42-47. É bem provável que tenhamos duas fontes informativas separadas entre aquela que foi preservada para nós, por detrás da narrativa sobre o dia de Pentecoste, e este registro referente à vida comunal da igreja cristã primitiva, dos discípulos em Jerusalém. Alguns comentadores consideram que a fonte informativa que descreve esse tipo de vida é ainda mais antiga que a outra, que preservou para nós a experiência do dia de Pentecoste, porém, sobre isso não possuímos conhecimento exato, e nem a questão se reveste de grande importância. Foi com a finalidade de vincular essas duas fontes informativas distintas que Lucas registrou os versículos 42 e 43, que são editoriais. Já os versículos 44 a 47 contam-nos sobre o caráter da vida na comunidade cristã primitiva. Quatro características podem ser distinguidas, como elementos principais:

1. *A doutrina dos apóstolos*. Sem dúvida a maior parte dessa doutrina se alicerçava nas palavras de Jesus, preservadas principalmente pelos próprios apóstolos, com base na memória e talvez também com base em documentos escritos extremamente primitivos, além, das tradições orais fixas que se formaram desde bem cedo, na história da igreja cristã. A formação dessas tradições, desde o princípio, em forma padronizada de doutrina expressa, é indicada em trechos como Rom. 6:17 (menção de Paulo sobre a "forma de doutrina"), II Tim. 1:3 *(o padrão das sãs palavras)* e II Ped. 3:16 *(as demais Escrituras)*, com o acréscimo das contribuições paulinas, em suas epístolas, o que foi desenvolvimento posterior desse mesmo processo formativo. Esses ensinamentos padronizados dos apóstolos, baseados nas instruções do Senhor Jesus, tornaram-se o material informativo dos evangelhos primitivos.

2. *Outra característica fundamental* da igreja cristã primitiva era o seu *companheirismo íntimo*, o amor fraternal que caracterizava os primeiros crentes. Essa é a palavra favorita de Paulo, para descrever a unidade dos crentes, tanto uns como os outros com o Senhor Jesus Cristo. Ver I Cor. 1:9. O apóstolo João também transmite para nós essa idéia, em suas epístolas. (Ver I João 1:5-7). Tal companheirismo se alicerçava primariamente na correta relação de cada crente com Deus o que por si mesmo garantia a correta relação entre os crentes. Tal comunhão florescia na forma de uma partilha comunal de bens, em que todos se utilizavam de um fundo comum. E provável que isso se tivesse tornado necessário por causa das severas perseguições contra os cristãos judeus, o que os reduziu a grande estado de penúria, exigindo que os crentes distribuíssem seus bens uns com os outros, a fim de que

VIDA COMUNAL

pudessem sobreviver. Entretanto, a vida comunal mui provavelmente se alicerçava em mais do que no companheirismo; pois os cristãos, odiados por todos os outros, naturalmente foram se aproximando uns dos outros como nunca, e começaram a viver em comunidades distintas e separadas, em resultado de que dividiam entre si as suas possessões materiais. Como arranjavam o problema de moradia, não sabemos dizê-lo. Não há qualquer indicação definida que nos mostre que vivessem juntos, amontoados em pequeno espaço, como usualmente se dá nos casos modernos de vida comunal. Jesus e os seus discípulos levavam um tipo de vida comunal; e o que sucedeu entre os crentes, após o dia de Pentecoste, foi apenas a continuação desse estilo de vida dos discípulos de Cristo.

3. *O partir do pão,* forma primitiva da Ceia do Senhor ou eucaristia, era um rito central que vinculava os seguidores de Cristo uns com os outros; através do qual, igualmente, jamais se embotava a sua memória quanto ao sacrifício cruento de Cristo, bem como quanto ao fato de que Cristo Jesus é o pão espiritual, do qual necessitavam agora mais do que nunca. Esse partir do pão era realizado em vários lares, no primeiro dia da semana, em comemoração ao dia da ressurreição do Senhor Jesus. Isso, naturalmente, estava vitalmente ligado à adoração dominical, tendo sido um dos grandes fatores que levou a igreja primitiva a descontinuar a freqüência às sinagogas, formando não somente uma comunidade religiosa distinta, mas também uma adoração cristã típica e um dia distintivamente cristão, a saber, o dia do Senhor", no qual Jesus saiu vivo do sepulcro, tendo-se mostrado Senhor da morte e Rei do universo, conforme foi igualmente comprovado por sua ascensão aos lugares celestiais, ascensão essa que, tanto neste livro de Atos como nos escritos de Paulo, sempre subentende a ressurreição. (Ver Atos 20:7 quanto a esse costume de partir o pão no primeiro dia da semana).

4. As *devoções e orações* dos primitivos cristãos eram sinais distintivos, por semelhante modo. Sem dúvida alguma, muitos deles, tendo sido criados como judeus; devotos, não negligenciavam as formas comuns de adoração. tanto no templo de Jerusalém como nas sinagogas. O versículo 46 mostra-nos que o templo continuava sendo reputado local sagrado para aqueles crentes judeus, parte integrante de sua devoção religiosa. À proporção que as perseguições se intensificaram, entretanto, gradualmente os crentes judeus se foram separando dos métodos e costumes judaicos, e as suas congregações se tornaram o centro de suas atividades religiosas diárias. As congregações mais primitivas dos cristãos eram organizadas nos lares dos próprios crentes; depois, porém, foram construídos templos especialmente dedicados ao culto, em substituição ao templo judaico. Naturalmente, no caso das comunidades cristãs gentílicas, até mesmo aquelas que se encontravam em terras da Palestina, o rompimento com o judaísmo fora quase completo já desde o começo do cristianismo. Pela altura do fim do livro de Atos (isto é, dos acontecimentos ali narrados), em cerca do ano 60 d.C., tal rompimento já deveria estar quase completo, no tocante a todo o movimento cristão e certamente isso se concretizou de vez, após a destruição da cidade de Jerusalém, no ano 70 d.C.

Desse modo, esta pequena seção mostra-nos que o cristianismo *é mais* do que mera adição ao judaísmo antigo, na forma de algumas doutrinas adicionais. Pelo contrário, é um meio de vida, em que os primitivos cristãos se mostravam extremamente *intensos e devotos,* ocupando-se daquela devoção estrita que sempre caracterizou o judaísmo.

Atos 2:44: *Todos os que criam estavam unidos e tinham tudo em comum.*

No tocante à vida comunal da Igreja cristã primitiva, acrescentamos aqui o seguinte comentário: O fato de os crentes estarem juntos, conforme aqui é declarado, parece indicar a existência de assembléias formais, provavelmente para o ato sagrado da adoração; além disso, é bem provável que haviam começado a formar comunidades de natureza predominantemente cristã; e assim, em certo sentido, passavam os crentes boa parte de sua vida diária juntos uns aos outros. Não há qualquer evidência entretanto, de que os crentes primitivos tenham chegado aos excessos seguidos pelos modernos grupos comunais, que tendem a avolumar-se em pequenas áreas. em que muitas famílias ocupam uma única casa. Assim sendo, é aqui ilustrada a unidade de espírito daqueles crentes primitivos, embora o próprio termo não tenha aqui tal significado. Pelo menos com base neste versículo, podemos inferir que passavam juntos, aqueles crentes, grande parte de seu tempo, na área do templo, em suas congregações, nas casas uns dos outros, e em todas as formas de contato social.

Atos 2:45: *E vendiam suas propriedades e bens e os repartiam por todos, segundo a necessidade de cada um.*

Vendiam as suas propriedades. Encontramos aqui o cumprimento literal das palavras do Senhor (ver Luc. 12:33), que contempla uma sociedade não fundamentada sobre a lei, os interesses próprios e a competição, mas sim, sobre a simpatia e a autonegação. Tinham todas as coisas em comum, não por abolição compulsória dos direitos de propriedade (ver Atos 2:44), mas pela energia espontânea dada pelo amor cristão. O dom do Espírito Santo mostrou o seu poder, não somente na forma de línguas e profecia, mas na forma do caminho mais excelente do amor cristão. Era próprio que o resplendor inimitável do amor se manifestasse por algum tempo, como farol luminoso para as gerações posteriores, a despeito do que a experiência ensinou à Igreja, no decurso do tempo, que essa distribuição geral e generosa não era o método mais sábio de conseguir um bem permanente, e que até mesmo uma economia discriminada, tal como aquela que o apóstolo Paulo ensinou (ver II Tes. 3: 10 e I Tim. 18), era necessária como salvaguarda contra os abusos. Talvez possamos crer que isso resultou, pelo menos parcialmente, em conseqüência da rápida exaustão dos seus recursos, no fato de a igreja de Jerusalém ter ficado dependente, durante muitos anos, da generosidade abundante das igrejas cristãs dos gentios (ver Atos 11:29). (Sábias palavras, *in loc.,* de E.H. Plumptre).

Naturalmente, temos, nessa prática da igreja cristã primitiva, determinada forma de comunismo. Não aquela forma ditada pelo estado, mas sim, aquela forma em que cada um participava voluntariamente, por causa da generosidade gerada nos seus corações, pela influência do Espírito Santo. Naturalmente, não pode haver termo de comparação entre essa ação espontânea, controlada pela compaixão dos crentes primitivos, com o comunismo cruel, ímpio, tirânico, político e materialista que se espraia pelo mundo atual. Porquanto o alicerce do comunismo político é o materialismo, a negação tanto da porção espiritual do homem como da existência e realidade de Deus, em lugar de quem os comunistas exaltam o determinismo *econômico*. Em outras palavras, o *deus* do comunismo é a idéia de que por detrás de cada alteração social há uma certa modalidade de determinismo econômico. Conforme esse conceito, um sistema econômico, em oposição a outro sistema, causa uma determinada tensão entre os dois; e dessa tensão se cria um novo sistema

648

VIDA COMUNAL – VIDA, CRISTO COMO NOSSA

político e econômico. Os comunistas políticos de nossos dias imaginam vãmente que, no princípio da existência humana, todos eram comunistas, fazendo do homem um "selvagem nobre". Ainda segundo a opinião dos modernos teóricos do comunismo, alguns indivíduos não estavam satisfeitos com essa ordem de coisas, mas se deixaram arrastar pela cobiça, escravizando a outros homens. A revolta contra a escravidão é que teria feito surgir o feudalismo. E dos abusos do feudalismo é que apareceu o capitalismo. Ora, o capitalismo preservaria o domínio de alguns poucos privilegiados economicamente, pois uma pequena minoria dominante, nesse caso, é um abuso. Isso explica a *tensão* criada na sociedade humana, do que teria resultado o socialismo. O socialismo, em sua *tensão* com o capitalismo, é que criaria o comunismo, o que é um retorno à situação do *selvagem nobre*.

Naturalmente, essa interpretação representa uma filosofia sobre a natureza da história. Pode-se perceber facilmente que o fator dominante, nessas considerações, é o fator econômico. No sistema comunista não há qualquer lugar para a existência de Deus, do espírito e do mundo espiritual; mas antes, os comunistas negam que esses fatores, autênticos como são, tenham qualquer coisa a ver com a história da humanidade ou com as presentes condições sociais. A idéia geral do comunismo se baseia no idealismo dialético de *Hegel*; porém, em vez da "idéia" (isto é, do espírito absoluto, que ele postulava), o comunismo colocou a *matéria*. Por conseguinte, segundo a teoria do comunismo, a história inteira opera com base na tríade: tese, antítese e síntese (esta última resultante final da tensão entre as duas primeiras). Por exemplo: tese (capitalismo), antítese (socialismo) e síntese (comunismo). Tudo isso seria produzido pelo todo-poderoso fator econômico, sem qualquer ligação com Deus ou com qualquer realidade espiritual.

Assim nos é mostrada a vasta diferença entre o que a Igreja cristã era, em sua generosidade e espontaneidade, com o sistema político sobre o qual nos referimos, que jamais deixou de agir senão mediante a força bruta, tendo começado em uma revolução sangüinária. Pode-se, por exemplo, confrontar a *benevolência espontânea* da primitiva comunidade cristã com os assassínios, os seqüestros e a tortura de pessoas inocentes, a perseguição e a ameaça contra diversas nações, mediante exércitos selvagens, o terrorismo e o propósito fixo de conquista mundial, que deixam óbvia a malevolência do comunismo. Esse contraste demonstra claramente que não há termo de comparação entre o comunismo político de nossos dias e a comunidade de bens que foi praticada pela igreja cristã primitiva.

Outrossim, não há base para a suposição de que a comunidade de bens, na igreja primitiva, constituiu *um sucesso* econômico. Pelo contrário, realmente a tentativa terminou *em fracasso*, tendo produzido (pelo menos como causa parcial) a *dependência econômica* da comunidade cristã de Jerusalém às igrejas gentílicas, a despeito de todas as boas intenções e do espírito de amor que ditava essas ações. A igreja de Jerusalém dependeu economicamente das igrejas gentílicas principalmente por causa das perseguições que vitimaram os crentes judeus, em que os seus bens foram confiscados e foram desmanteladas as suas fontes de ganho. Todavia, não há motivos para pensarmos que a experiência de comunidade de bens, por parte da igreja cristã primitiva, tenha sido um sucesso econômico, por mais benévolos e bem intencionados que tivessem sido os seus desígnios. Mas pelo menos é indiscutível que a experiência não prosseguiu por muito tempo, entre os próprios crentes judeus, e que jamais foi transferida para o território gentílico; mas antes, a regra estrita em que cada um provesse para as suas necessidades, mediante o seu trabalho, é princípio básico subentendido em trechos como II Ped. 3:10-12; Efé. 4:28 e I Tim. 18. Naturalmente, essa regra bíblica não é contrária à benevolência e à caridade, porquanto o apóstolo Paulo indicou que o trabalho é aconselhável, não meramente para que sejam supridas as necessidades básicas do indivíduo, mas também para que cada crente tivesse bens extras que pudessem ser dados voluntariamente aos que padecessem penúria. Outrossim, a prática das esmolas era muito importante no judaísmo e no cristianismo antigo, mais do que na igreja cristã moderna. (H I ID NTI)

VIDA, CRISTO COMO NOSSA

1. "Para mim o viver é Cristo, e o morrer é lucro" (Fil. 1:21). "Estou crucificado para o mundo. A vida que agora levo, não é minha própria vida, mas Cristo vive em mim" (sentido de Gál. 2:20). Nisso, muito mais do que meros *motivos* está envolvido. Antes, desfrutamos de "união espiritual" com Cristo, em sua vida e em sua morte *(batismo espiritual*, anotado em Rom. 6:3). Isso significa que o Espírito habita em nós, tornando tudo isso uma realidade para nós. Ele nos transforma de maneira tal que nossas vidas se caracterizam pela "semelhança com Cristo".

2. Quando Cristo é a nossa vida, então vivemos espiritualmente, utilizando-nos dos meios de desenvolvimento espiritual.

3. Cristo é tudo para nós, segundo é indicado em Efé. 1:23. Ele é a motivação de nosso viver diário, bem como de nosso destino. Se vivermos para ele, compartilharemos de sua natureza (ver Rom. 8:29), de sua plenitude (ver Col. 2:10).

4. A ênfase de Gál. 2:20 recai sobre a vida que agora levamos diariamente. Antes, nossas vidas nos pertenciam. Vivíamos para o que era carnal e mundano Mas agora nossas vidas pertencem a Cristo (somos Cristo em formação). Portanto, vivemos para as "realidades espirituais". Viver para Cristo agora, significa reunir-se a ele, e em sua vida celestial, mais tarde.

5. Algumas vezes, a contemplação da "praia distante", ajuda-nos agora a obter orientação. Assim, pois, sabendo que nosso destino está centralizado em Cristo, e que passaremos de um estágio de glória para outro, interminavelmente, somos ajudados a orientarmos a vida nessa direção.

6. Quando Cristo aparecer (regressando em sua "parousia"), levará à plena fruição aquilo que começara. Cremos que essa ocasião está bem próxima, que o anticristo já vive à face da terra, e que em breve terá início a tribulação, coisas que sucederão antes do retorno de Cristo. Ver o artigo sobre *Profecia: Tradição da, e a Nossa Época*.

7. Somos cidadãos da pátria celeste, tal como o é nosso Irmão mais velho. Ele já foi para aquela pátria. Agora, espera pela nossa chegada. Entrementes, procuramos viver a sua vida, pois ele é a nossa vida, tanto agora como por toda a eternidade. Ver Fil. 3:20.

8. Há muitos níveis de existência, a começar pelos animais unicelulares. Há também as vidas mais complexas dos insetos, das aves, dos peixes, dos mamíferos; há a vida humana, a qual incorpora o físico e o espiritual. Há seres que são espíritos puros (como os anjos). Há também a vida de Cristo, que é o Deus Homem, porquanto a sua mortalidade como homem foi transmutada em imortalidade humana. E a mais elevada forma de vida é a de

VIDA, CRISTO COMO NOSSA – VIDA ETERNA

Deus que é a origem de toda a vida. Os remidos chegarão a possuir essa mais elevada forma de vida, conforme ela se realiza na pessoa do Filho. Neste último sentido é que Cristo é a nossa vida, pois ele possui o tipo de vida que, finalmente, haveremos de possuir. (Ver os artigos sobre *Vida Eterna* e *Transformação segundo a Imagem de Cristo*). *(113 NTI)*

VIDA DE JESUS
Ver sobre *Jesus, Vidas de*.

VIDA ESPIRITUAL
Ver o artigo detalhado sobre *Espiritualidade*, que descreve os ideais da vida espiritual. Naquele artigo, alistei as virtudes cardeais do homem, que podem também. ser chamadas de *virtudes espirituais*. Ver também *Desenvolvimento Espiritual, Meios do*.

I. Elementos Principais
A expressão **vida espiritual** implica em duas coisas fundamentais. A primeira é que há uma alma ou espírito, parte essencial do homem, e da qual o corpo físico é um veículo, e não o homem real. Oferecemos certo número de artigos que tentam demonstrar essa realidade dos pontos de vista científico, filosófico e bíblico. Ver sobre *Alma* e sobre *Imortalidade*. Ver também sobre *Experiências Perto da Morte* e *Parapsicologia*, que reforçam os argumentos científicos.

A segunda coisa fundamental é que a expressão *vida espiritual* subentende que esse espírito chamado homem deve buscar uma ênfase espiritual em sua vida. Em outras palavras, deve ter um desenvolvimento espiritual e deve seguir a vida espiritual. Esse é o aspecto do conceito que salientei nos artigos citados em primeiro lugar, no parágrafo acima. Fica entendido que o homem espiritual deve ser guiado pelo Espírito Santo, estando interessado no cultivo dos meios do crescimento espiritual, sujeito ao processo da santificação. Como é óbvio, para começo de conversa, tal homem deve ser convertido, alvo do poder transformador e sempre presente do Espírito. O alvo de uma vida assim será a sua transformação segundo a imagem de Cristo, até que venha a compartilhar da plenitude da própria natureza divina. Ver os artigos detalhados intitulados *Transformação Segundo a Imagem de Cristo* e *Divindade, Participação na, Pelos Homens*. O homem espiritual precisa possuir dons espirituais, que podem expressar-se ou não segundo *o modus operandi* do século 1 d.C. Precisa ser homem que faça mais do que ler a Bíblia e orar. Pois também precisa possuir o poder do Espírito, nele atuante, o que é essencial à vida espiritual. Na ética prática, será considerado como nada, se não estiver vivendo segundo a lei do amor. Ver o artigo *Amor*. Não existe real espiritualidade sem esse amor.

2. Pensamentos Sobre a Natureza da Vida Espiritual
Tem havido várias contribuições para a formação desse conceito. Consideremos a citação abaixo:
"Que a vida espiritual está acima do sensível foi algo enfatizado pelos filósofos platônicos. E que se trata de um poder transformador, de uma obra da graça divina, foi contribuição do apóstolo Paulo. Que leva à união com Deus é discernimento do misticismo tanto oriental quanto ocidental. Que se trata de um poder racional, que edifica a sociedade, ficou demonstrado por Hegel. Que é nobremente superior ao que é *meramente humano*, foi pensamento de Eucken. No Oriente, a vida espiritual durante séculos tem sido cultivada como 'ioga', ou seja, união com Deus.

Uma das principais características da vida espiritual é sua relativa liberdade de determinações da parte de condições físicas ou econômicas, em combinação com a devoção à tarefa de alterar essas condições, quando as mesmas são passíveis de alteração, ou à tarefa de ultrapassar a elas, quando tais condições não podem ser alteradas... A fé religiosa leva a vida espiritual à sua fruição mais sublime, quando a espiritualidade humana é considerada como uma cooperação consciente com o eterno Espírito de Deus, tendo por base um poder eterno que jamais será derrotado" (E).

3. Hierarquia de Valores
Um homem espiritual pode não ser ministro do evangelho, e até pode estar empregado em uma atividade secular. Porém, esse trabalho secular tal homem aproveita como meio de servir ao próximo, pelo que fica incorporado em sua vida espiritual. O homem espiritual sempre conta com uma correta hierarquia de valores. Ele não abandona sua inquirição espiritual em troca do que é material, pessoal e egoísta.

4. Quando o Homem Assemelha-se a Deus
Paulo refere-se a isso no décimo terceiro capítulo de I Coríntios. Um homem torna-se mais parecido com Deus quando ama. Esse é o solo onde são plantadas todas as demais virtudes espirituais. Ver o artigo separado sobre *Fruto do Espírito*. O homem espiritual experimenta os mais elevados valores do amor, da bondade, da verdade e da santidade. Um homem cultiva a presença e o poder do Espírito vivendo a lei do amor, na santificação, na oração, na meditação e nas experiências místicas, as quais fortalecem e vitalizam a espiritualidade.

VIDA ETERNA
Esboço:
I. A Vida Eterna na Pregação da Igreja Evangélica e Outras
II. A Vida Eterna nos Evangelhos Sinópticos
III. No Evangelho de João
IV. Nas Cartas de Paulo
V. Sumário

I. A Vida Eterna na Pregação da Igreja Evangélica e Outras
Na pregação da Igreja, normalmente, a *vida eterna* inclui as idéias do perdão do pecado que vence a segunda morte; a imortalidade da alma; a ressurreição do corpo para que a alma tenha um veículo nos lugares celestiais. Infelizmente, este conceito é freqüentemente materializado com a asserção de que este corpo não é muito diferente do corpo físico agora conhecido, enquanto, realmente, deve ser de energia não material ou não poderia existir num *lugar imaterial*. Também, infelizmente, muita pregação nas igrejas procura nos convencer de que os destinos dos homens são determinados por uma vida física e que depois da morte biológica, o estado de cada um é estagnado. Se isto fosse a verdade, o corpo de Cristo (portanto, o próprio Cristo, o Cabeça) seria eternamente doente - o que é ridículo. Normalmente, a pregação na igreja sobre a vida eterna nada fala sobre nossa transformação à imagem de Cristo, que nos faz participar na natureza divina.

II. A Vida Eterna nos Evangelhos Sinópticos
O evangelho da Igreja moderna evangélica e romana é essencialmente o evangelho dos evangelhos sinópticos, sem a iluminação das cartas de Paulo. A evangelização de uma boa parte da Igreja segue os princípios e conceitos de Atos, sem a iluminação paulina. Assim, temos os elementos essenciais mencionados sob o primeiro ponto.

III. No Evangelho de João
Aqui, nós temos alguns conceitos que avançam além

VIDA ETERNA

do conceito da vida eterna nos evangelhos sinópticos e Atos. João 5:25,26 introduz o conceito da *vida necessária* do Pai que é compartilhada com o Filho, e através do Filho, pelos filhos. Esta vida é necessária e independente, porque não pode não existir, e tem a fonte *de ser,* dentro de si, não de uma força exterior. É a vida da natureza divina, compartilhada de modo finito com os homens. Isto concorda com o conceito declarado em II Ped. 1:4

João 3:15: *para que todo aquele que nele crê tenha a vida eterna.*

O Reino Espiritual

Neste ponto, João introduz o seu grande sinônimo para o *reino,* a saber, a *vida eterna.* Dessa maneira, notamos que o conceito foi espiritualizado. Não mais devemos esperar a inauguração de um reino político, temporário, à face da terra mas antes, a nossa grande esperança é aquele reino do alto, onde somente os nascidos de novo são capazes de entrar. Ver o artigo sobre *o Reino de Deus.* Tendo sido escrito mais tarde que os demais evangelhos, o evangelho de João enfatiza não o reino político (ainda que essa idéia tenha sido incorporada no ensino cristão sobre o milênio e seu reino), mas antes, "o significado da missão de Cristo nesta terra, que é a salvação eterna da humanidade. Assim também, agora, a entrada no reino é uma doutrina pertencente ao outro mundo, sendo tão-somente uma expressão que equivale à "vida eterna". Este versículo indica que a dádiva (A vida eterna aos homens repousa firmemente sobre a *expiação* realizada na cruz, ou seja, no sentido que essa cruz tem para a humanidade.

Embora a expressão *vida eterna* com freqüência se revista de certa significação temporal, isto é, indica uma vida sem princípio, sem fim, ou ambas as coisas, contudo, o mais provável é que nesta passagem, conforme normalmente sucede neste evangelho, o sentido da expressão é antes determinada *qualidade de vida; e* assim é enfatizado o seu aspecto qualitativo. Existe um reino celestial, habitado por seres transformados, seres que com muita propriedade são chamados filhos de Deus; e esses são os homens regenerados, que receberam o revestimento da natureza metafísica de Cristo. Compartilham da vida de Deus, e esse tipo de vida é muito mais do que uma vida meramente sem fim; pelo contrário, é uma *forma de vida.* Na realidade, é a vida e natureza de Deus, em contraste com o tipo de vida com o qual estamos familiarizados nesta dimensão terrena.

IV. Nas Cartas de Paulo

1. No seu aspecto terreno, inclui todas as condições e todos os efeitos da conversão, da santificação e das operações do Espírito sobre a alma. Os homens começam a participar da vida de Cristo quando ainda estão aprisionados ao corpo físico. Ver o artigo sobre *Batismo Espiritual,* e Rom. 6:3.

2. Em seu aspecto celeste, a vida eterna inclui a glorificação da alma, a participação na natureza e imagem do Logos, o que importa na participação na vida necessária e independente do próprio Pai. Ver as notas em II Ped. 1:4 e João 5:25,26 no NTI.

3. É a participação na plenitude de Deus, isto é, na natureza e nos atributos divinos, Efé. 3:19.

4. É a participação na plenitude de Cristo, Efé. 1:23.

5. Portanto, não é meramente vida sem fim (simples imortalidade), e sim, um tipo de vida, a vida mais elevada que existe.

6. Trata-se de uma vida na qual a imagem de Deus é duplicada no homem, segundo o padrão do Filho mais velho.

7. Os eleitos compartilham de modo finito dessa forma de vida divina, ao passo que o Filho goza de uma participação infinita. Porém, a eternidade toda terá o propósito de ir intensificando essa participação. Assim, os eleitos irão de um estágio de glória para outro, *ad infinitum,* II Cor, 3:15.

8. A qualidade dessa vida é simbolizada pelas coroas (doações ou capacidades espirituais).

9. Ela capacita os eleitos a realizarem obras poderosas e elevadas, com o intuito de ajudar a criar a unidade de todas as coisas em torno de Cristo (ver Efé. 1: 10), para que ele, afinal, seja "tudo em todos", Efé. 1:23. A Igreja será o principal agente dessa restauração.

10. Ela inclui lindas moradias nas esferas celestiais, porém, consiste, sobretudo, no que acontece à própria pessoa, e não no que ela virá a possuir.

Paulo define isso como participação na imagem de Deus, conforme ela é vista na pessoa de Cristo; e é por isso mesmo que Paulo diz como segue, a respeito: "E todos nós, com o rosto desvendado, contemplando, como por espelho, a glória do Senhor, somos transformados de glória em glória, na sua própria imagem, como pelo Senhor, o Espírito" (II Cor. 3:18). E dessa maneira chega até nós a grandiosa promessa da transformação das nossas próprias naturezas, de forma a trazermos, finalmente, a natureza metafísica do próprio Cristo; e assim participaremos da vida divina, da santidade e da glória de Deus, tal como Cristo delas participa. Trata-se de uma forma de vida, que não focaliza meramente a sua duração - e nisso consiste a vida eterna. Outrossim, não podemos contemplar qualquer tipo de estagnação nessa participação e expressão da vida divina e do labor divino, em seus propósitos eternos, porquanto isso seria contrário a tudo quanto sabemos.

V. Sumário

Quando da ressurreição de Jesus, esse tipo de vida surgiu no corpo físico de Cristo e o *espiritualizou.* Quando de sua ascensão, Cristo foi ainda mais profundamente aperfeiçoado e glorificado, como o primeiro bom em "divino" imortal. Foi-nos prometida a mais completa participação nesse aspecto da vida eterna, que evidentemente nos é apresentado, a fim de salientar o fato de que a personalidade humana, em sua inteireza, sobrevive, é glorificada, e se reveste da vida eterna. Essa vida eterna é "minha" vida, porquanto a nós foi prometida a continuação da identidade pessoal, e não alguma substância etérea, absorvida por alguma mente universal, conforme dizem os ensinos de algumas religiões orientais, ou então que venha a se tornar parte do intelecto supremo e puro, segundo pensava Aristóteles.

Ora, essa vida está *nele* (em Cristo), porquanto é em Jesus que encontramos o *protótipo* e o padrão da vida eterna, conforme ela se manifestará finalmente na humanidade remida; e é exatamente por essa razão que Jesus assumiu a nossa natureza humana, sofreu os rigores da existência humana em um corpo mortal, morreu da morte de um mortal, foi ressuscitado e glorificado - e assim nos mostrou o caminho, abrindo a vereda para o homem, conduzindo-o pelo caminho, até que, finalmente, juntamente com Cristo, haveremos de participar plenamente de tudo aquilo de que ele também participou. É por esse motivo que Deus criou o homem, e é nessa direção que a criação inteira labuta.

Finalmente, devemos observar que essa vida eterna significa que os remidos tornar-se-ão seres *independentes,* isto é, terão vida em si mesmos, tal como Deus também tem vida em si mesmo, e conforme ele propiciou tal vida ao Filho, em sua encarnação como homem. Isso é o que nos ensina o trecho de João 5:25-27.

VIDA ETERNA – VIDEIRA VERDADEIRA

Dessa maneira se cumprirá o grande plano de todos os séculos, para a humanidade, quando atingirmos o alvo da criação, para que os homens sejam verdadeira e completamente transformados à "imagem de Deus", por intermédio de Cristo, compartilhando de sua vida e natureza, conforme Cristo delas compartilha.

Ver os artigos separados que suplementam grandemente a informação dada aqui: *Salvação; Transformação Segundo a Imagem de Cristo; Divindade, Participação dos Homens na; Imortalidade; Alma. (1 113 NTI Z)*

VIDA, JESUS COMO

... *e a vida,* João 14:6. O evangelho, em sua totalidade, leva-nos a compreender a veracidade dos pontos abaixo discriminados:

1. Jesus é a *vida* devido ao fato de que, na qualidade de Logos divino e eterno, ele *compartilha* da mais elevada forma de toda espécie de vida, a vida do próprio Deus. Por conseguinte, ele é verdadeiramente a vida.

2. Essa vida divina, porém, Jesus *transmite aos homens* regenerados, tal como a mesma lhe foi transmitida, quando de sua encarnação humana. Os trechos de João 5:26 e 6:57 ensinam-nos justamente esse tema, que os teólogos e filósofos denominam de *vida necessária ou vida independente.* Trata-se de uma vida necessária, por ser o tipo de vida que não pode cessar de existir. E é independente porque não depende de qualquer outro ser, para sua continuação e renovação. Ela é a sua própria continuação e renovação. Somente Deus tem essa forma de vida, a qual é chamada de vida eterna, não somente porque não tem princípio e nem fim, mas porque se trata de uma espécie de vida: a vida que ele conferiu ao Senhor Jesus, quando de sua encarnação, e que o Senhor Jesus, por sua vez, pela autoridade que recebeu da parte do Pai, conferiu a todos os homens que dele se valem, a fim de recebê-la. Dessa forma, os remidos tornar-se-ão verdadeiramente "eternos", tal como o próprio Deus é eterno. Ora, Jesus nos dá essa vida, e ela se encontra na sua própria pessoa.

3. Em sua encarnação, o Senhor Jesus veio ensinar aos homens como *devem compartilhar* dessa sua vida, porque ele demonstrou a eles como a recebeu, mediante uma transformação moral e metafísica. Quando ele ressurgiu triunfalmente do sepulcro, trouxe essa forma de vida aos homens por haver saído da sepultura como o primeiro homem realmente imortal. Quando de sua ascensão e glorificação, Jesus veio participar ainda mais intensamente da vida de Deus, qualidade de primeiro homem imortal, tornando-se assim as primícias de muitos outros homens igualmente imortais. Dessa maneira, Cristo está conduzindo muitos filhos à glória, os quais participam dessa mesma vida. E esse aspecto mais completo que denominamos "vida eterna".

4. Jesus transmite a vida real, não como símbolo, e, sim, como *um fato,* em contraste com o judaísmo, que não passava de um símbolo, segundo os ensinamentos dos profetas, na lei de Moisés e nos ritos cerimoniais. Nisso encontramos, novamente, certo elemento da polêmica cristã primitiva, dirigida contra os judeus incrédulos e outros incrédulos, os quais confiavam em meras exterioridades ou sombras, ao mesmo tempo que rejeitavam a substância mesma da vida, concretizada na pessoa de Jesus Cristo.

5. Jesus Cristo é a vida, tanto a *vida futura* como o *princípio e a fonte* originária de toda a vida, pelo que também aquele que não se achega a Deus, por intermédio dele, está sujeito à condenação, à morte espiritual.

Ninguém vem ao Pai senão por mim. O destino legítimo do homem é chegar até as regiões onde habita Deus Pai, retornando assim a ele; mas isso não meramente em sentido espacial e, sim, com todo o seu ser, participando finalmente da *perfeita natureza* moral de Deus, compartilhando de sua natureza *divina* tal como Cristo Jesus dela participa. Portanto, os homens que não atingem esse alvo, ficam aquém do destino feito à imagem de Deus, sendo afetado especificamente em sua pessoa pelo modelo que é Cristo, em tudo quanto Cristo foi e fez, bem como em tudo quanto Cristo é e está fazendo. Assim, pois, não participar dessa glória é o mesmo que a morte espiritual. Isso significa que o alvo é Deus Pai. E é exclusivamente por intermédio de Cristo que esse alvo pode ser atingido.

6. I Ped. 4:6 ensina que a missão de Cristo incluiu um ministério no Hades (vide), - o lugar do julgamento. Assim, Cristo abriu o Hades como um campo missionário. A morte biológica, portanto, não é o fim da oportunidade para participar na redenção. Este fato exalta o poder da missão de Jesus. Ele pode alcançar os homens em qualquer lugar, físico ou espiritual. Quão grande é o amor e o poder de Deus!

(I IB LAN NTI)

VIDA, RESPEITO PELA (REVERÊNCIA PELA)

Ver o artigo *Reverência Pela Vida*.

VIDE BRAVA

No hebraico, *gephen nokri,* "vinha forasteira". A expressão ocorre, exclusivamente, em Jeremias 2:21, onde nossa versão portuguesa diz "...uma planta degenerada, como de *vide brava?"*

Os estudiosos acreditam que a planta em pauta é a *Vitis orientalis,* um nome sinônimo da *Ampelopsis orientalis,* uma trepadeira arbustiva que se assemelha à videira, mas que produz frutos vermelhos, muito parecidos com os da groselheira. Essa trepadeira é bem conhecida por toda a Ásia Menor e a Síria. É possível que essas pequenas, ácidas e inúteis bagas sejam a mesma coisa que as "uvas bravas" de Isaías 5:2 e 4.

Há estudiosos que afirmam que a vide brava seria uma muda inútil da videira ordinária, a qual, como é claro, se parecia muito com uma videira cultivada, mas que produzia frutos imprestáveis. Trata-se do mesmo "pau da videira" de que fala Ezequiel, no décimo quinto capítulo de seu livro, e que, no dizer do profeta, servia apenas para ser "lançado no fogo, para ser consumido".

VIDEIRA VERDADEIRA

João 15: *1: Eu sou a videira verdadeira, e meu Pai é o agricultor.*

I. *A Polêmica*

1. Existem videiras falsas, como se dava com os apóstatas provenientes do judaísmo dos dias de Cristo.

2. Israel fora descrita como uma videira de vida (Jer. 2:21), mas, ao rejeitar ao Messias, perdera esse privilégio.

3. O Logos é a fonte absoluta da vida para os homens (João 14:6). Rejeitá-lo em sua missão em Cristo é ignorar a vida espiritual, pois ele é o Caminho.

A escolha da *videira,* como representação da vida eterna, que é prerrogativa e doação do Messias, é particularmente apta, pelas seguintes razões:

1. Porque a videira é um *organismo vivo,* que supre vida a outros organismos vivos. Assim também sucede no caso de Cristo, que vive mas também outorga vida a outros, segundo vemos explicado em tais passagens como João 3:16; 5:26 e 6:57. O sexto capítulo do evangelho de João, em sua inteireza apresenta Cristo como o Pão da

VIDEIRA VERDADEIRA

vida; isso é abundantemente ilustrado no décimo primeiro capitulo desse mesmo evangelho, no caso da ressurreição de Lázaro.

2. Porque o Messias figurava na literatura judaica como uma videira ou ramo e, portanto, como um organismo vivo que *proporciona vida* a outros, os quais, dessa maneira, tornam-se outros tantos organismos vivos, permeados da vida de Jesus Cristo. (Ver Rabino Mosem. Hadersan em Galatin. de Arcan. Cathol. verit. 1,8.c.4). Os doutores cabalísticos (rabinos que interpretavam as Escrituras do A.T. de forma alegórica e mística), denominavam a "glória" de Deus ou "shekinah" de "videira" (ver *Zohar* em Gênesis, fel. 127.3, onde o Messias é vinculado a uma videira).

3. Porque foi uma excelente escolha de símbolos para ilustrar a pessoa de Cristo, posto que no templo havia uma gigantesca videira de ouro, que ficava próxima ao portão principal, - da qual pendiam cachos de uvas, como ornamentação. Essa videira era tão grande como a estatura de um homem. (Ver Josefo, *Antiguidades 1:15*, cap. 11 e seção 3). Ora, isso serve de símbolo da frutificação espiritual, da vida e da prosperidade do crente, reconhecendo que o Senhor Jesus é a concretização desse princípio, e não um mero símbolo.

4. Porque foi um símbolo muito bem escolhido para ilustrar Cristo, visto que a videira e seus *frutos* constituem uma das grandes fontes de sustento para muitos, tal como Jesus é fonte de sustento e bem-estar espirituais.

5. Nas moedas dos tempos dos Macabeus, a *nação de Israel* era representada como a imagem de uma videira, cunhada nas mesmas; e esse simbolismo, conhecido por toda a parte, sem dúvida ajudava os ouvintes do Senhor Jesus a compreenderem o que ele queria dizer, como quando declarou "Eu sou a videira verdadeira...", por ser ele o maior de todos os filhos de Israel e, de fato, o Messias, o que implica o ser ele a Videira verdadeira.

6. O suco do fruto da videira, que é o vinho, serve de símbolo ilustrativo da alegria e o Senhor Jesus é a alegria da vida dos homens, aquele que conduz os remidos ao seu destino certo e apropriado. Tudo isso importa em regozijo para Deus Pai, para Deus Filho e para todos os remidos, que estão sendo transformados segundo a imagem de Cristo. "Ele, Cristo é o tronco e o caule do reino do amor, de seu fruto e efeito revigorador e inspirador: a videira representa um júbilo festivo sob a forma de simbolismo terreno, mais uma filha do sol celestial do que do solo terreno". (Lange, *in loc*.).

Tão bem arraigada estava a idéia de que o Messias seria como a videira, no judaísmo antigo, que se costumava dizer: "Quem sonhar com um ramo de videira, verá o Messias". *(Berachoth,* fol. 89).

Meu pai é o agricultor. Não está necessariamente em vista o proprietário da vinha, embora isso talvez esteja subentendido. Pelo contrário, está em foco aquele que assumiu a responsabilidade de verificar que a videira está sendo adequadamente tratada, para poder produzir fruto. O "georgos" (vocábulo grego empregado aqui, traduzido por "agricultor") ocupava uma posição superior àquela ocupada pelo "ampelourgos" *(viticultor,* como em Luc. 13:7) caso em que talvez esteja indicado o proprietário da vinha. (Ver o trecho de II Crô. 26:10, na tradução da Septuaginta, onde essa palavra é aplicada ao rei Uzias. Também foi empregada para indicar Noé, em Gên. 9:20).

Deus Pai é comparado aqui ao proprietário da vinha, que pessoalmente pode ocupar-se em podar as videiras, sem ser forçado a sempre entregar essa tarefa às mãos de algum subordinado.

II. As Idéias Centrais da Alegoria

1. *Deus Pai* é o proprietário da vinha, o Senhor dos homens e o Deus do universo (sendo aqui simbolizado sob o termo "agricultor").

2. Nessa qualidade, faz parte de sua incumbência extrair fruto da videira; ele conserva entre as mãos o destino dos homens e o seu grande interesse consiste em produzir a vida e o desenvolvimento espirituais característicos do verdadeiro crente (o que é simbolizado pelo fruto).

3. *O Senhor Jesus* é a fonte originária de toda a vida, e nele se concentra a comunhão divina (o que é simbolizado pela videira).

4. Alguns indivíduos crescem e se desenvolvem espiritualmente, e possuem vida espiritual, expressando-a diante de outros, por estarem vitalmente ligados à grande fonte de vida espiritual, que é Jesus Cristo (verdade essa simbolizada pelos ramos, que fazem parte integrante da videira).

5. Mas existem outros indivíduos que *não* se mostram frutíferos, porquanto não têm qualquer conexão vital com a vida divina, pelo que também não podem manifestá-la, posto não estarem em comunhão ou contacto com Jesus Cristo, em face do fato de não pertencerem a ele (o que é simbolizado pelos ramos cortados da videira).

6. A vida e o desenvolvimento espirituais (crescimento e frutificação) se tornam realidades somente através da comunhão mística com Cristo, o que repete, sob forma simbólica a mensagem da passagem de João 14:6: "ninguém vem ao Pai senão por mim". (ver João 14).

7. Por outro lado, um notável progresso na vida e nas bênçãos espirituais (de conformidade com outros textos bíblicos, isso inclui até mesmo, a participação final na própria natureza divina, como se vê em II Ped. 1:4) é algo que se torna possível mediante a união com Cristo, pois através dele é que flui a vida divina (ver João 15:5).

8. *O destino dos homens,* quando separados da pessoa de Jesus Cristo, não pode ser frutífero; e os homens têm de sofrer as conseqüências do fato de estarem separados de Cristo, quando preferem se manter na incredulidade. (Ver João 15:6, onde se observa que os ramos são queimados por serem inúteis, por não estarem cumprindo a sua função de produtores de fruto).

9. A frutificação e a comunhão espirituais têm *diversos resultados,* a saber: a. vida é transmitida; b. as evidências desse fato são vistas nos crentes, na forma de desenvolvimento espiritual, o que, mui naturalmente, inclui o fato de estarem servindo de instrumento de Deus para outorgar vida a terceiros, tal como Cristo, que é a Videira verdadeira, dá vida aos homens (ver João 15:7,8); e. orações eficazes acompanham esse desenvolvimento espiritual, como instrumentos da vida espiritual (ver João 15:7); d. o Pai é glorificado por motivo de todos aqueles que permanecem vinculados à Videira verdadeira (ver João 15:8); e. há plenitude de alegria e de prosperidade espirituais na vida dos ramos, que são os crentes autênticos.

10. Essa comunhão do crente com Cristo, e a frutificação do crente, são evidenciadas pela observância dos mandamentos de Jesus. (Ver João 15:10-14).

11. Essa questão, em sua inteireza, modifica as relações que existem entre Cristo e os seus discípulos, os quais se tornam não meros servos e, sim, amigos, em cuja posição são feitos enviados especiais, para anunciarem a sua mensagem e servirem de expressões de sua vida, perante os homens (ver João 15: 15, 16).

12. Essa comunhão com Cristo também *altera* as relações entre o crente e o mundo, porque assim como este mundo hostil odiou e matou o Messias, assim também os seus discípulos seriam odiados e maltratados (ver João

VIDEIRA VERDADEIRA

15:18-22). Aqui encontramos tanto uma predição (feita pelo Senhor Jesus) como um reflexo histórico das primeiras perseguições movidas contra os cristãos, tanto da parte dos judeus como da parte dos romanos.

13. Esse tipo de ódio se expressaria contra os seguidores do Senhor Jesus, mas, ao mesmo tempo, reflete ódio contra Deus Pai, porquanto ele é o *agricultor*, ele foi quem enviou o Cristo, ele foi quem ordenou que a vida eterna viesse por meio de Jesus; e assim sendo, maltratar e não acolher um dos discípulos de Cristo é, ao mesmo tempo, exibir ódio contra Deus Pai.

14. João cap. 15 encerra com uma declaração do Senhor Jesus acerca do divino "Consolador" ou *"paracleto"*, o Espírito da verdade, e que declara que esse Espírito haveria de consubstanciar a mensagem que Cristo houvesse de anunciar por intermédio dos discípulos aos homens, testificando sobre a veracidade, tanto da pessoa como da mensagem de Cristo.

III. A Necessidade da Participação na Vida da Videira

João 15:2: *Toda vara em mim que não dá fruto, ele a corta; e toda vara que dá fruto, ele a limpa, para que dê mais fruto.*

Para alguns é motivo de dificuldade a presença das palavras *"...estando em mim..."*, acrescido ao fato de que há ramos vinculados à videira que não dão fruto, e que, por isso mesmo, são cortados e, finalmente, são queimados. Como, pois, podemos entender essas palavras, "estando em mim"?

Sumário de Idéias

1. O texto aponta para indivíduos, e essa permanência alude à participação na regeneração real e na vida espiritual. No presente caso, estamos diante do problema da segurança do crente, pois o texto demonstra que tais ramos podem ser cortados e queimados. Ver as notas em João 8:31 no NTI sob o título "Discípulos Temporários", onde a questão é considerada. Ver o artigo separado sobre *Segurança Eterna do Crente*. (Ver Rom. 8:39). Em Col. 1:23 tenta-se reconciliar aquelas escrituras que ensinam a "segurança", com aqueles que parecem contradizer esse ensino.

2. Alguns, para evitar o problema da segurança, supõem que o texto fala de comunhão na igreja, ou entre nações, ou em Israel como um todo, etc., e não que se refere a indivíduos. Assim sendo, Israel poderia ser cortada (ao passo que meros indivíduos não poderiam sê-lo), ou os gentios poderiam ser cortados (posto que os regenerados entre eles, não poderiam) (ver Rom. 11:11 e ss). Isso talvez fique subentendido no texto à nossa frente, mas certamente, o texto fala sobre indivíduos. Jesus se dirigia aos doze, e não a alguma comunidade.

3. Alguns teólogos calvinistas fazem este texto aplicar-se frouxamente à mera profissão de permanecer em Cristo. Mas isso é mera tentativa de evitar uma verdade, para manter uma opinião doutrinária.

4. Outros ainda dizem que não está em foco a salvação, mas apenas a produção de frutos espirituais. Assim, alguém poderia perder o poder de frutificar, apesar de reter a salvação. Mas isso é outra fuga doutrinária.

"... *e todo o que dá fruto...*" Em contraste com o que acima foi exposto, existem aqueles que podem ser comparados a ramos *constante e vitalmente ligados à* Videira verdadeira, e que continuamente participam das propriedades transmissoras de vida da Videira verdadeira, por meio do Espírito Santo.

Idéias Suplementares

1. Comparar esta passagem com a parábola do "semeador", em Mat. 13:4 e ss. Há solos bons que produzem com abundância. Há solos que se recusam a produzir. A salvação pessoal e sua fruição por certo estão em pauta, como no texto em consideração.

2. A produção espiritual se dá pelo labor do Espírito, mas deve contar com a cooperação da vontade humana (ver Gál. 5:22 em comparação com Fil. 2:12 e Tia. 2:22).

3. A fruição espiritual concede-nos a própria vida divina (II Ped. 1:4), a natureza e a imagem de Cristo (Rom. 8:29), e a participação na plenitude de Deus (Efé. 3:19).

4. Não pode haver fruição, presente ou futura, sem a poda, isto é, a disciplina (ver Heb. 12:5-7).

5. O evangelho é exigente, requerendo completa renúncia quanto ao mundo, em parceria com a total dedicação a Cristo.

6. Espiritualmente falando, um homem não vai a parte alguma sem a santificação, Heb. 12:14.

"Uma videira que foi podada – aqui um raminho cortado, ali um outro que foi inclinado noutra direção – aqui um rebento que parecia promissor para o olho menos arguto, mas que foi cortado e não poupado pelo viticultor, que percebe ser o mesmo inteiramente inútil... tal é o quadro familiar da videira natural tal é, por semelhante modo, aquela sabedoria mais elevada do que a nossa, tal é o quadro da vida humana". (Ellicott, *in loc.*).

Essa poda pode ser aplicada à comunidade da igreja cristã, ou pode ser aplicada exclusivamente ao crente individual; mas, seja como for, temos aqui um quadro verdadeiro da disciplina que se faz mister para assegurar a participação apropriada do crente na vida de Cristo.

> Paraíso
> *Bendigo-te, Senhor, porque cresço,*
> *Entre as árvores, que em fileira*
> *Devem a ti fruto e ordem.*
>
> *Que força franca ou encantamento oculto*
> *Pode destruir-me o fruto, ou fazer-me mal,*
> *Enquanto a cerca protetora for teu braço?*
>
> *Cerca-me ainda, pois temo retroceder,*
> *Sê para mim severo e duro,*
> *Mas não me deixes sem tua mão e arte.*
>
> *Quando poupas mais severo julgamento,*
> *E com tua faca podas e cortas,*
> *Arvores se tornam ainda mais frutíferas.*
>
> *Essa severidade mostra o mais doce amigo,*
> *Tais golpes antes curam do que ferem.*
> *E tais começos produzem um ótimo fim.*

Em determinado sentido, por conseguinte, a vida é uma escola e um agente de treinamento. Temos aqui muitas lições para aprender, muitas modificações a sofrer. Muita coisa ainda precisa ser completamente decepada de nossas vidas, ao mesmo tempo que outras coisas precisam ser diminuídas, aumentadas ou melhoradas, e todo esse quase interminável processo com a finalidade de tornar-nos produtores de fruto espiritual, pessoalmente, no que diz respeito às graças cristãs no homem interior, ou externamente, em nossa expressão diária diante de nossos semelhantes, no que estaremos ajudando os mesmos a também se tornarem frutíferos, levando homens aos pés de Cristo, para que igualmente venham a possuir a vida eterna, que está nele.

VIDENTE – VIDRO, MAR DE

VIDENTE
Ver *Profecia, Profetas*

VIDRO
1. *Caracterização Geral*. O vidro é um dos principais produtos da indústria moderna. A descrição dessa indústria, da manufatura do vidro e de seus usos ocupa nada menos de 15 páginas na *Encyclopedia Americana*. Foi um dos primeiros materiais compostos fabricados pelo homem. Resulta quando a areia com alto teor de sílica e algum alcalino (com freqüência soda ou potassa) são misturados e aquecidos a elevadas temperaturas, dissolvendo os componentes. Não é um produto natural da natureza terrestre, mas os astronautas encontraram na lua vidro produzido por condições naturais.

Sua *manufatura* consiste em: 1. preparar a mistura; 2. aquecer a mistura até cerca de 2800 graus Farenheit, para produzir uma completa fusão; 3. passar-se algumas horas cozendo e purificando a massa dissolvida; 4. modelar a massa mediante sopro, pressão ou moldagem; 5. resfriamento gradual; 6. fazer as decorações desejadas; 7. cortar, polir, dourar ou esmaltar, se isso for desejado.

Tipos de Vidro: 1. vidro para vasos decorativos; 2. vidro para construções, como janelas, painéis, tanques, insulação, revestimentos, etc.; 3. vidros para aplicações científicas, como lentes e todos os tipos de instrumentos; 4. fibra de vidro para têxteis e aplicações elétricas e eletrônicas. O vidro pode variar quanto à corta, sendo transparente ou opaco. Certas tonalidades no vidro resultam da presença de óxidos metálicos, como o ferro (verde), o manganês (violeta), o níquel (marrom), o cobalto (azul), o estanho (esbranquiçado como leite), o ouro (vermelho vivo). O vidro também pode ser artificialmente colorido.

2. *História*. Ninguém sabe quem foi o primeiro homem a fabricar o vidro. Mas Plínio, o historiador romano, que escreveu em cerca de 77 d.C., informa-nos, em sua *Naturalis Historia* que foi um grupo de marinheiros fenícios que, acidentalmente, descobriu como se poderia fabricar o vidro. Faltando-lhes um vaso no qual cozinhar, eles usaram blocos de soda, que havia na carga do navio, e, aquecendo-os no fogo, fizeram desses blocos fornos toscos. Aquecendo-se a solda na praia arenosa, onde isso estava sendo feito, os dois elementos fundiram-se, e o vidro amolecido começou a fluir da fogueira. Isso teria acontecido em cerca de 5000 a.C., se o relato de Plínio é veraz. Seja como for, há evidências de que os egípcios sabiam fabricar vidro, desde tão cedo quanto 3000 a.C. Na Universidade de Chicago há um cilindro de vidro verde, feito mais ou menos nessa época, na Mesopotâmia. Há um bloco de vidro azul, feito pelo homem, que foi encontrado em Abu Sharein, no Iraque, havendo provas da existência de uma vidraça para casa, feita desse material, desde tão cedo quanto 2500 a.C. A obscuridade com que começa toda essa questão chega ao fim em cerca de 1500 a.C., no Egito, onde a arte do vidro foi altamente desenvolvida. O Museu de Berlim conta com um mosaico de vidro, manufaturado no Egito, mais ou menos nesse tempo.

Os egípcios faziam todos os tipos de vasos e receptáculos de vidro, como pontinhos para cosméticos, taças e até mesmo cálices. Um lindo cálice de Tutmés III, de cerca de 1490 a.C., encontra-se atualmente no Museu Metropolitano de Arte, na cidade de Nova Iorque, nos Estados Unidos da América do Norte. Os egípcios davam grande valor ao vidro, como se o mesmo fosse uma pedra preciosa. Por esse motivo é que havia até mesmo jóias feitas de vidro, na forma de contas ou de escaravelhos. Os fenícios faziam do vidro um artigo de comércio. O vidro era conhecido pelos gregos desde o século XIV a.C. Em Micenas, havia uma indústria vidraceira nessa época. O vidro era usado na arquitetura grega e há referências literárias que informam que alguns banheiros e aposentos eram forrados com vidro, nas residências de pessoas abastadas. Os romanos criaram a técnica do fabrico do vidro marrom, entre 250 e 100 a.C. Eles encabeçavam uma grande expansão no uso e comércio do vidro, por toda a área do mar Mediterrâneo. Os próprios romanos não se interessavam muito pela manufatura do vidro, mas dirigiam um grande comércio com vidros, com centros em Sidom e em Alexandria. Pessoas dessas localidades migraram para Roma, e ali iniciaram a indústria do vidro romano.

Estrabão comentou sobre o grande número de fábricas de vidro, que havia em seus dias (63 a.C. em diante). *Plínio, o Velho* (23 - 79 d.C.) informa-nos que, no seu tempo, vasos de beber, feitos de vidro, já haviam substituído vasos de metal. *Sêneca* (54 a.C. - 39 d.C.) fala sobre itens de luxo feitos de vidro, lamentando-se pelo fato de que não tinha meios para incluir, em sua casa, um aposento de vidro, com telhas e painéis de mosaico feitos de vidro.

Janelas com vidraças tornaram-se um item obrigatório nas residências dos ricos no século 1 d.C. Foi encontrada uma vidraça dessas medindo cerca de 112 cm por 81 em, na destruída cidade de Pompéia. Provavelmente, a vidraça estava em uma moldura de metal, fazendo parte de uma casa de banhos.

3. *Referências Bíblicas ao Vidro*. Com base em Jó 28:17, ficamos sabendo que, na região da Palestina e adjacências o vidro era considerado um material tão precioso quanto o ouro. Há locais na Palestina, já no começo da era do Bronze (2600 a.C.) que exibem conhecimento do fabrico do vidro. Em cerca de 1500 a.C., o vidro era fabricado em Gezer, Laquis, Megido e Hazor. Há referências ao vidro em textos hititas e assírios. Os textos de Ras Shamra contêm a palavra *spsg*, que significa "vitrificado", palavra essa refletida em Provérbios 26:23, onde está em foco alguma espécie de processo de fabrico de vidro: "Como vaso de barro coberto de escórias de prata..." O vidro antigo não era límpido como o que se fabrica atualmente, mas era apenas translúcido, devido às impurezas que o processo de fabricação impedira de serem removidas. O cobalto e o manganês eram os agentes usados na coloração do vidro, o que significa que quase sempre era azul ou violeta, quanto à cor.

No período helenista houve refinamentos no fabrico do vidro. O *alabastro*, partido por ocasião da cena da unção de Jesus com o ungüento, provavelmente, era um receptáculo de vidro, com gargalo longo, chamado vaso gota. Ver Mat. 21:7; Mar. 14:3; Luc. 7:37. Em Apocalipse 4:6 e 15:2, há menção do *mar de vidro*, um item tomado por empréstimo das descrições sobre o céu, nos livros pseudepígrafos. Ver as notas expositivas no NTI nessas referências. Os antigos acreditavam que o cristal fosse alguma espécie de água congelada. A cidade de Nova Jerusalém (Apo. 21:18) é descrita como se fosse feita de ouro, tão refinado que parecia ser vidro. Ver sobre o *Mar de Vidro*. O *espelho*, referido em II Cor. 3:18, não era feito de vidro, prateado no reverso (conforme se vê nos espelhos modernos), mas antes. era uma folha de metal polido. chamado, em latim, *speculum*. Ver sobre Espelho. (AM CEN ND S UN Z)

VIDRO, MAR DE
Apo. *4:6: também havia diante do trono como que um mar de vidro, semelhante ao cristal; e ao redor do trono,*

VIDRO, MAR DE

um ao meio de cada lado, quatro seres viventes cheios de olhos por diante e por detrás;

Na cosmologia judaica, o firmamento seria uma abóbada elevada, um teto arredondado, uma substância sólida, o que explica seu nome, *firmamento*. Acima desse "firmamento" abobadado, que separaria os céus da terra, haveria um mar. Essa idéia pode ter sugerido a presente descrição, embora não se trate da mesma coisa. Seja como for, os céus de Deus estão associados a um mar, embora celestial e simbólico, e não algum mar literal. Pelo tempo em que o vidente João escreveu seu livro, não é provável que continuasse sobrevivendo tal conceito cosmológico, embora expressões usadas nesse conceito tivessem permanecido, tendo sido empregadas por ele.

O mar é aqui descrito como "de vidro". Essa referência se deriva da antiga crença que o cristal era apenas água pura congelada, por um longo processo, tornando-se em algo mais duro que o gelo. Por isso também se cria que o cristal só pode se formar em lugares frios. O vidente João fala de uma cena em que apareceu algo semelhante a um mar, mas não aludia a qualquer coisa literal, pois esse *mar* é simbólico, e não real.

Simbolismo do mar:

1. O mar é de água, e a água é símbolo de "vida". Essa água estaria solidificada ou cristalizada, o que daria a entender que a vida é permanente. Além disso, é *clara*, isto é, pura, acima de todas as formas terrenas de água, isto é, de vida.

2. *O mar* representa as nações, isto é, homens de todas as nações, "remidos", que subseqüentemente aclimam seu lar nos Céus. A isso pode ser acrescentada a idéia de todos os "seres celestiais que habitam nos céus". Esses *circundam o trono* de Deus, pois foram elevados àquele lugar. Os homens estão sendo *espiritualizados* a fim de serem capazes de habitar ali, e isso seria simbolizado pelo *cristal* que muitos consideraram ser água profundamente congelada. Mas alguns estudiosos meramente dizem que a igreja glorificada está aqui em pauta. O mar terrestre representa as nações mortais (ver Apo. 13:1). Assim, o mar celestial seria as *nações celestiais*. Esse mar é calmo e puro, em contraste com as águas agitadas e imundas dos mares terrenos.

3. Fazendo objeção a um sentido tão exageradamente simbólico, poderíamos supor que o mar é meramente uma parte do panorama celestial, sem qualquer significação especial. As crenças antigas, entretanto, afirmavam que as *águas* acima do firmamento eram "masculinas", e que as águas abaixo eram femininas. A mistura dessas duas modalidades de água teria produzido os deuses. Assim sendo, apesar de que o autor sagrado sem dúvida rejeitaria essa espécie de absurda significação em relação ao *mar*, é perfeitamente possível que simbolizasse algo semelhante para ele; não era apenas uma paisagem.

4. Outras interpretações certamente erróneas fazem com que esse *mar* represente o *batismo*, ou então as *Escrituras Sagradas*. *Ou*, então, seria o *pavimento* literal dos céus, liso e brilhante. Outras interpretações igualmente prosaicas falam desse mar simplesmente como a "atmosfera celestial".

5. Outros eruditos pensam que esse *mar* é apenas um outro símbolo dos *julgamentos de* Deus, juntamente com os relâmpagos, os trovões e as vozes referidos no quinto versículo deste capítulo; mas é muito difícil entender como isso pode ser.

6. Ou, então, o "governo de Deus" pode estar em vista em cujo caso o mar de vidro indicaria que esse governo é puro, calmo e majestático.

7. No *Testamento de Levi II*, o mar celeste está localizado no segundo céu, (como em Apo. 17) ou então pendurado entre o primeiro e o segundo céus; mas aqui, está no mais elevado céu (presumivelmente o sétimo), pois ali é visto o trono de Deus. No paraíso egípcio, há um grande lago nos campos da paz, e para ali é que irão as almas dos justos, que se reuniriam aos deuses. Os escritos rabínicos comparam o assoalho rebrilhante do templo com o cristal; e visto que os céus seriam uma espécie de templo glorificado, naqueles escritos, esse assoalho rebrilhante teria seu paralelo no mar celestial. Nesse sentido, o mar poderia ser apenas parte do cenário do templo celeste, sem qualquer valor simbólico definido.

Pano de fundo do simbolismo. Charles **(in loc.)** traça o pano de fundo do simbolismo aqui empregado. Deriva-se dos escritos judaicos, especificamente o Testamento de Levi. Em 3:3 desse livro vemos um mar celeste, muito maior que o mar terrestre, Em 2:3 (Nesse livro vê-se que esse mar, apesar de se encontrar no primeiro céu, está entre o primeiro e o segundo céus, e esse "pendurar" significa provavelmente, "na direção do firmamento", que separava as águas *em cima* e as *águas embaixo*, conforme se vê em Gên. 1:7. Em *Jubileus* 2:2 (outro escrito judaico do período helenista) somos distintamente informados da mesma coisa, a saber, que o firmamento, concebido como um teto elevado e sólido, que separava a terra dos céus, contém água em ambos os seus lados. Por debaixo do mesmo haveria a atmosfera de nuvens da terra; por cima, haveria o mar celeste. Esse mito é aludido em *Epiphan. Haer.* 1xv, 4, pelo que era idéia bem conhecida nos tempos antigos, e em mais do que uma cultura. Em I *Enoque* 54-8 lê-se que as águas superiores (o mar celeste) seriam "masculinas" ao passo que as águas terrestres (a atmosfera com suas nuvens) seriam "femininas". Os mitos assírios supunham que quando essas duas águas se reuniram, os "deuses" foram produzidos. A passagem que acabamos de mencionar, em I Enoque, sugere a mesma coisa, pela designação desses mares como feminino e masculino. Os trechos de II Enoque e 28:2 29:3 parecem reverberar essa idéia: "E das ondas é que criei as rochas... e da rocha cortei fora um grande fogo, e do fogo criei as ordens das dez tropas incorpóreas de anjos". Salmo 104:3 talvez também seja eco dessas antigas crenças cosmológicas: "... pões nas águas o vigamento da tua morada, tomas as nuvens por teu carro, e voas nas asas do vento", onde se vê, que o mar tem algo a ver com a habitação de Deus. É quase certo que o simbolismo do mar celestial se derivou desses antigos documento" e dessas antigas crenças. (Ver o artigo sobre o Apocalipse, em seu ponto IV, intitulado *Dependência Literária*, onde se demonstra o fato de que o vidente João empregou vários dos livros de escritores judaicos, pertencentes ao período helenista, que atualmente se intitulam "pseudo-epígrafes", incluindo os diversos Testamentos dos Patriarcas, além de I e II Enoque).

Significado do simbolismo: É muito mais fácil traçarmos o simbolismo histórico do que lhe atribuir qualquer significado indiscutível. Não cremos que o vidente João cresse em grande parte do que esse simbolismo sugeria, embora não tivesse hesitado em empregar os símbolos. Supomos que a segunda interpretação, dada acima, mostra mais provavelmente o que ele visava dizer. A primeira dessas interpretações não é contrária a isso, e talvez faça parte do seu sentido.

O vidro (vide). Pelo menos há três mil e oitocentos anos atrás, o vidro já era produzido no Egito. Tinham até garrafas de vidro. O ato de soprar vidro é pintado nos

VIDRO, MAR DE – VIGIA, TORRE DE

túmulos egípcios, e ruínas de fornalhas de vidro têm sido encontradas nos lagos Natron. O vidro egípcio era famoso em grande parte do mundo antigo, sendo intensamente utilizado em Roma e outros famosos centros de civilização. Uma vidraça de vidro foi descoberta em Pompéia. É possível, portanto, que a referência neste versículo, ao "vidro", indique vidro literal. Mais provavelmente, entretanto, estaria em foco o "cristal" que se assemelha ao vidro. É curioso observar que os astronautas exploradores da lua encontraram vidro que foi naturalmente produzido, devido a certas condições ali existentes, sem qualquer fabrico inteligente.

VIENA, CÍRCULO DOS POSITIVISTAS LÓGICOS

Ver o artigo geral intitulado *Positivismo, Positivismo Lógico*.

O *Círculo de Viena* foi uma importante fase histórica do positivismo em geral. Foi uma espécie de movimento reformador da filosofia, que teve lugar na Universidade de Viena, durante duas décadas, de 1920 a 1940. Sua inspiração foi o desenvolvimento de uma filosofia científica que evita as armadilhas da metafísica e outras considerações, que, na verdade, estão fora do terreno apropriado da investigação por parte da mente humana. Na universidade em pauta, foi estabelecida uma cadeira chamada Filosofia das Ciências Indutivas, no ano de 1895; e isso favoreceu, tempos depois, o desenvolvimento do Círculo de Viena. Houve vários filósofos antiespeculadores naquele lugar, e que foram os primeiros inspiradores daquilo que veio a ser o positivismo, entre os quais podemos citar Ernest Macch, Bolzano, Bretano, Marty, Meiriong Hofler, Poincará, Duliem, Philipp Frank, Otto Neurath e Hans Hahn.

Aí por 1920, essa maneira de pensar encontrou apoio e inspiração na obra de *Wittgenstein* (vide) e na *Principia Mathematica* de Russell e Whitehead.

Em 1922, *Moritz Schlick* (vide) foi nomeado para a cadeira de filosofia de Mach. Carnap uniu-se à universidade, e o círculo foi-se assim formando. Em seguida apareceram Herbert Feigl, Kurt Godel, R. vort Mises e E. Schrodinger. Filósofos e cientistas começaram a reunir-se regularmente, para discutirem entre si, para debaterem e para inspirarem-se e instruirem-se mutuamente.

Entrementes, filósofos em outros países estavam promovendo uma espécie similar de expressão. Entre esses estavam um berlinense, Hans Reichenbach, o círculo de Lógicos de Varsóvia (Tarski, Lukasiewicz, Kotarbinski), além de muitos indivíduos ao redor do globo.

Em 1929, a publicação do jornal *Wissenschaftlich Weltanschatiung, Der Wiener Kreis,* apresentou ao mundo científico a visão do Círculo de Viena. O jornal *Ekkenntnis* mostrou ser útil nas pesquisas, nos debates e como fator de propaganda. O *Journal of Unified Science* (iniciado em 1939) foi uma publicação similar. Depois Neurtah, Carnap, e Charles Morris publicaram a *International Encyclopedia of the Unity of Science,* iniciada na cidade de Haia, na Holanda, e mais tarde transferida para Boston, nos Estados Unidos da América do Norte, com o intuito de promoverem a causa do positivismo lógico.

Mas, finalmente, o grupo dispersou-se. Schilick foi assassinado; o nazismo chegou ao poder na Alemanha; veio a Segunda Guerra Mundial. Vários membros do grupo mudaram-se para os Estados Unidos da América, e começaram a ensinar em várias universidades norte-americanas.

O artigo chamado *Positivismo* mostra as principais idéias e ideais dessa forma de filosofia.

VIENA, CONCÍLIO DE

Ver o artigo geral **Concílios Ecumênicos**. O concílio de Viena foi o décimo quinto concílio ecumênico. Teve lugar em 1311 - 1312. Foi convocado pelo papa Clemente V, a fim de tratar da questão da supressão dos Cavaleiros Templários, de uma cruzada, da reforma moral e da defesa da liberdade eclesiástica. Perderam-se quase todas as decisões desse concílio, embora saibamos algo dos seus resultados: os templários não foram condenados; foi votada uma verba para a cruzada; foram condenados os erros de Pedro João Olívio, e vários decretos de reforma foram expedidos.

VIGÁRIO

O padre de uma paróquia, ou qualquer pessoa incumbida que não seja um reitor. Ou, então, o padre encarregado de uma capela, dentro de uma paróquia, ou encarregado de uma paróquia, quando o bispo é o reitor. A palavra vem do termo latino *vicárius*, "substituto" referindo-se a alguém que seja autorizado a realizar funções em lugar de outrem. Dentro do uso católico romano, está em pauta um substituto ou representante de um oficial do clero. Dentro da comunidade anglicana, está em foco um padre de uma paróquia, cuja fonte de renda principal é apropriada por um leigo, e em que o próprio padre recebe salário, ou qualquer incumbente de uma igreja paroquial que não seja um reitor.

VIGÁRIO, APOSTÓLICO

Um prelado que, sendo bispo, é delegado pelo papa para exercer certa autoridade jurisdicional, fora de sua própria diocese. Ou, então, um prelado comissionado para administrar uma só vaga, ou desincumbir-se das funções de um bispo diocesano cujas funções foram descontinuadas. Além disso, em países onde há missões católicas romanas, um vigário apostólico é algum bispo titular delegado pelo papa para cuidar de coisas ali, até que a Igreja venha a ser dirigida por bispos indígenas.

VIGÁRIO DE CRISTO

Um palavra usada para descrever certa teoria da *expiação* (vide), de acordo com a qual o sacrifício de Cristo foi oferecido em *substituição* ao pecador (que merecia aqueles sofrimentos), e que destarte vê-se livre de seus pecados, mediante a sua identificação com Cristo, em seus sofrimentos, obra e natureza. Desse modo, o indivíduo é levado a *participar* do ato sacrificial de Cristo e de seus resultados. O termo latim *vicárius*, "substituto", é o vocábulo empregado.

VIGIA, TORRE DE

No hebraico, *mitspeh*, que ocorre somente por duas vezes: Isa. 21:8 e II Crô. 20:24. Lemos na primeira dessas passagens: "Então gritou como um leão: Senhor, sobre a torre de vigia estou em pé continuamente durante o dia, e de guarda me ponho noites inteiras". Uma outra palavra hebraica, *tsaphith*, "*torre* de tijolos", também é empregada com o sentido de "posto de vigia", conforme se vê em Isa. 21:5. Entretanto, nessa passagem, nossa versão portuguesa diz "estendem-se tapetes", em vez de "vigia na torre de vigia". Algumas versões estrangeiras dizem ali "acende as lâmpadas". A explicação disso é que a passagem está vazada em um hebraico muito obscuro, dando margem a diversas interpretações por parte dos tradutores.

Todos os aldeamentos antigos, como no período neolítico, que têm sido explorados pelos arqueólogos, no

VIGIA, VIGILANTE – VIGIAR

Oriente Próximo, exibem restos de posições elevadas fortificadas, torres de vigias ou outras construções feitas de pedra. Assim, nas mais antigas aldeias do Iraque, ou nos níveis mais baixos do cômoro de Jericó, têm sido encontradas essas formas de construção arquitetônica. Em uma época de grandes dificuldades de locomoção e comunicação e de contínuos ataques armados, as torres de vigia eram uma necessidade imperiosa para a segurança das comunidades, fossem elas grandes ou pequenas. Logo, tornou-se fácil transferir a idéia de uma torre vigia literal, material, para uma postura mental de vigilância, segundo já vimos na citação que fizemos, no início deste artigo, de Isa. 21:8. No tocante ao crente, essa idéia quase sempre aparece vinculada à noção da oração, conforme se percebe, por exemplo, em Col. 4:2: "Perseverai na oração, vigiando com ações de graça".

VIGIA, VIGILANTE

1. *Terminologia*. No hebraico, *tsaphah*, "vigiar", "espiar": I Sam. 14.16; II Sam. 18.24-27; II Reis 9.7, 18, 20; Isa. 52.8; Eze. 3.17; *shamar*, "observar", "cuidar", "vigiar": Can. 3.3; 5.7; Isa. 21.11; Jer. 51.12; *natsari* (cognato do acadiano *massaru (massartu)*, "vigia noturno". No grego, *phulaks, phulake* e a forma verbal *phulasso*, "guardar", "vigiar": Mat. 5.25; 14.10; Heb. 11.36; Apo. 2.10. No latim, "vigília" (uma guarda) e "vigilante" (acordado), o estado de estar em guarda, o que pode ser aplicado a funções religiosas como devoções noturnas, orações, exercícios espirituais. Cf. Mar. 14.38, "Vigiai e orai", onde a palavra grega usada é *gregoreu*. A mesma palavra é empregada em I Cor. 16.13; Col. 4.2 e I Tess. 5.6 para vigília espiritual. Então temos *nepho* com usos semelhantes: II Tim. 4.5 e I Ped. 4.7.

2. *Locais e funções*. Cidades antigas tinham muros, mas em número eram insuficientes. Era preciso ter guaritas com homens estacionados à procura de inimigos que poderiam atacar repentinamente. Guaritas também eram colocadas nos morros, nas torres construídas em postos militares avançados (II Sam. 18.24; II Reis 9.17-20). Havia torres construídas em parreirais e plantações para proteção de predadores, humanos ou animais (II Reis 17.9; II Crô. 20.14; Jó 27.18).

3. *Profetas e ministros* são vigias que cuidam do bem-estar das nações e dos indivíduos (Isa. 21.6; 52.8; 62.6; Jer. 6.17; Eze. 3.17). Por outro lado também havia vigias falsos que faziam mal ao povo (os "atalaias cegos", Isa. 56.10). "Obedecei aos vossos guias e sede submissos para com eles; pois velam por vossa alma, como quem deve prestar contas..." (Heb. 13.17).

4. *Torres: oran* (a torre da ocupação: Isa. 23.13); *migdol* (uma torre de qualquer tipo, em qualquer local, do significado de raiz "ser forte"); *pinnoth* (os cantos dos muros construídos de forma alta para servir como guarita: Sof. 1.16; 3.6; II Crô. 26.14); *ophel* (uma torre em um morro: II Reis 5.24); *masor* (uma fortificação que tinha torres: Hat. 2.1); no grego, *purgos*, uma torre em um local fortificado (Luc. 13.4) ou torres de parreirais (Isa. 5.2; Mat. 21.33; Mar. 12.1).

VIGIAR
I. Palavras Bíblicas

Quanto a esse verbo, temos a considerar quatro palavras hebraicas e cinco palavras gregas, a saber:

1. *Tsapah*, "vigiar", "espiar", "espião", etc. Como verbo, a palavra ocorre por cerca de vinte e uma vezes, conforme se vê, por exemplo, em Gên. 31:49; I Sam, 4:13; II Sam. 13:34; Sal. 37:32; Isa. 21:5; Lam. 4:17; Naum 2:1 e Hab. 11.

2. *Shamar,* "observar", "cuidar", "vigiar". Essa outra palavra hebraica aparece por mais de quatrocentas e quarenta vezes, somente como verbo, conforme se vê, por exemplo, em Juí. 7:19; 1 Sam. 19:11; Jó 14:16; Sal. 59, no titulo; 130:6; Jer. 8:7; 20:10; Gén. 37:11; Êxo. 12:17,24; Deu. 5:32; 6:3,25; 8:1; Isa. 42:20; Eze. 20:18; 37:24; Jon. 2:8.

3. *Shaqad,* "despertar", "vigiar". Esse termo hebraico é usado por dez vezes com esse sentido, pois também significa "apressar-se", "permanecer", e, no plural, "moldar como amêndoas". Por exemplo: Esd. 8:29; Sal. 102:7; Pro. 8:34; Isa. 29:20; Jer. 5:6; 31:28; Dan. 9:14.

4. *Quts,* "despertar", "vigiar", "levantar-se". Esse verbo, aparece por 21 vezes, conforme se vê, por exemplo, em Eze. 7:6; 1 Sam. 26:12; Jó 14:12; Sal 3:5; 17:15; Pro. 23:35; Isa. 26:19; 29:8; Jer. 31:26; Dan. 12:2; Joel 1:5 e Hab. 2:19.

5. *Agrupnéo,* "vigiar", "montar guarda", "estar desperto". Esse verbo grego foi utilizado por quatro vezes nas páginas do Novo Testamento: Mar. 13:33; Luc. 21:36; Efé. 6:18 e Heb. 13:17. O substantivo, *agrupnía*, "vigilância", aparece por duas vezes.: II Cor. 6:5 e 11:27 (em nossa versão portuguesa, "vigília", uma perfeita tradução, igualmente).

6. *Gregoréo,* "estar vigilante", "estar desperto", "vigiar". Esse verbo grego foi usado por 23 vezes: Mat. 24:42,43; 25:13; 26:38,40,41; Mar. 13:34,35,37; 14:34,36,38; Luc. 12:37,39; Atos 20:31; I Cor. 16:13; Col. 4:2; 1 Tes. 5:6, 10; 1 Ped. 5:8; Apo. 3:2,3; 16:15.

7. *Népho,* "vigiar", "estar sóbrio". Verbo grego empregado por seis vezes: I Tes. 5:6,8; II Tim. 4:5; 1 Ped. 1:13; 4:7; 5:8.

8. *Paratéreo,* "vigiar juntamente com". Esse verbo reforçado aparece por seis vezes: Mar. 12; Luc. 6:7; 14:1; 20:20; Atos 9:24 e Gál. 4:10.

9. *Teréo,* "vigiar", "guardar", "preservar". Verbo grego usado por 77 vezes: Mat. 19:17; 213; 27:36,54; 28:4,20; Mar. 7:9; João 2:10; 8:51,52,55; 9:16; 12:7; 14:15,21,23,24; 15:10,20; 17:6,11,12,15; Atos 12:5,6; 15:5; 16:23; 24:23; 25:4,21; I Cor. 7:37; II Cor. 11:9; Efé. 4:3; I Tes. 5:23; I Tim. 5:22; 6:14; II Tim. 4:7; Tia. 1:27; 2:10; I Ped. 1:4; 1I Ped. 2:4,9,17; 17; I João 2:15; 3:22,24; 5:3,18; Jud. 1:6,13,21; Apo. 1:3; 2:26; 3:3,8,10; 12:17; 14:12; 16:15; 22:7,9.

II. No Antigo Testamento

Nos dias do Antigo Testamento, quando as comunicações eram precárias, era extremamente necessário "manter vigilância", para que as comunidades, maiores ou menores, pudessem sobreviver. Em muitos lugares, pois, havia os vigias, que tinham por função avisar o resto da cidade quanto a aproximação de qualquer pessoa, fosse ela amigável ou hostil. Assim, lemos em Sam. 14:16: "Olharam as sentinelas de Saul em Gibeá de Benjamim..." A menção ao ato de vigiar, aos vigias, etc., é extremamente comum no Antigo Testamento. Isso em sentido literal. Foi fácil passar do literalismo para linguagem simbólica, conforme se vê, para exemplificar, em Sal. 127: 1: "Se o Senhor não edificar a casa, em vão trabalham os que a edificam; se o Senhor não guardar a cidade, em vão vigia a sentinela".

III. No Novo Testamento

No Novo Testamento, são patentes as mesmas noções de "vigilância" que se encontram no Antigo Testamento, mormente no que concerne à dedicação da comunidade cristã à causa do Senhor e à vigilância no tocante à *parousia* (vide), ou segunda vinda de Cristo. Das cinco palavras gregas ventiladas acima, destacamos o termo *népho*, a fim de esclarecer que a melhor tradução seria "manter o autocontrole". Lemos em I Ped. 1:13: "Por isso, cingindo o vosso entendimento, sede sóbrios e esperai inteiramente na graça que nos está sendo trazida na revelação de Jesus Cristo". O termo grego corresponde a "sede sóbrios", dentro dessa passagem, uma tradução que dá a entender o autocontrole.

VIGÍLIAS

Quarta vigília, Mat. 14:25. Significava as horas entre as 3:00 e as 6:00 horas da manhã. Nos tempos do A.T. os judeus dividiam a noite em três vigílias de quatro horas cada uma. O trecho de Lam. 2:19 menciona a primeira vigília; Juí. 2:19, a segunda; e Êxo. 14:24, a terceira. No V.T. não há qualquer referência à "quarta vigília". Nesse tempo, as três vigílias dos judeus eram: 1ª: pôr-do-sol às 22:00; 2ª: 22:00 às 2:00 da madrugada; 3ª: 2:00 da madrugada ao raiar do sol, Porém, os romanos dividiam a noite em quatro vigílias, de três horas cada uma, costume esse que, evidentemente, foi adotado pelos judeus desde os tempos de Pompeu, e que se reflete nas Escrituras do N.T. Essas vigílias começavam, respectivamente, às 18:00 horas, às 21:00 horas, às 24:00 horas e às 3:00 horas.

VILA

1. As Palavras Bíblicas

Há sete palavras hebraicas e uma palavra grega envolvidas neste verbete:

1. *Chatser,* "átrio", "vila". Essa é a palavra hebraica mais constantemente usada para indicar uma vila ou aldeia. Ocorre por 46 vezes com o sentido de "vila", por exemplo: Êxo. 8:13; Lev. 25:31; Jos. 13:23,28; 18:24,28; 21:12; 1 Crô. 4:32,33; 6:56; 9:16,22,23; Nee. 11:25,30; 12:28,29; Sal. 10:8; Isa. 42:11.

2. *Bath,* "filha", "aldeião". Com o segundo sentido, esse termo hebraico ocorre por doze vezes, embora seja muito mais freqüente com o sentido de filha.: Núm. 21:25,32; 32:42; II Crô. 28:18; Nee. 11:25,27, 28,30,31.

3. *Kephir, kaphar* e *kopher,* palavras hebraicas cognatas, aparecem raras vezes, em um total de quatro vezes: Nee. 6:2; 1 Crô. 27:25; Can. 7:11; I Sam. 6:18. Poderíamos traduzir todas essas três palavras por localidade".

4. *Paraz, perazon* e *perazoth,* cujo sentido parece duvidoso, mas que alguns estudiosos pensam significar "vila aberta", "aldeias sem muros" (conforme diz nossa versão portuguesa). Essas também são palavras cognatas que aparecem por algumas poucas vezes: Hab. 3:14; Juí. 5:7,11; Est. 9:19 e Eze. 38:11. Daí deriva-se, igualmente, uma outra palavra cognata, perazi, "habitante de vila", que figura em Est. 9:19 e Deu. 3:5.

5. *Kóme,* "vila". Esse vocábulo grego aparece por 28 vezes no Novo Testamento: Mat. 9:35; 10:11; 14:15; 21:2; Mar. 6:6,36,56; 8:23,26,27; 11:2; Luc. 5:17; 8:1; 9:5,12,52,56; 10:38; 13:22; 17:12; 19:30; 24:13,28; João 7:42; 11:1,30 e Atos 8:25.

II. Vilas e Cidades

Conforme já vimos, a palavra hebraica mais comum para "vila" é *chatser.* Esse vocábulo tem raiz no verbo correspondente a "cobrir", o que nos dá uma idéia de proteção (ver I Crô. 27:25), fazendo contraste com a palavra hebraica para "cidade", *ir,* que já dá a entender um "lugar fechado (com muralhas)". Os armazéns reais, os arsenais do exército e os tesouros do rei podiam estar localizados tanto nas cidades quanto nas vilas; e, visto que os impostos e as taxas, com freqüência, eram pagos em espécie, e não em dinheiro, as vilas armazéns também serviam de centros de coleta de impostos. Ver Lev. 25:29; Deu. 15; I Sam. 6:18, onde é possível perceber claramente a distinção entre uma cidade e uma vila ou aldeia.

Essa distinção também é feita nitidamente no relatório prestado pelos espias que haviam sido enviados por Moisés, quando voltaram (Núm. 13:28). Assim, fazendo contraste com uma cidade, uma vila não dispunha de muralhas, pelo que podia ser facilmente conquistada pelo inimigo. Por isso mesmo quando eram ameaçados por forças armadas, os aldeões se concentravam em alguma cidade murada, aumentando desse modo o perigo da fome, se houvesse o cerco desta última (cf. II Reis 6:24-29). Entretanto, com a passagem do tempo, por muitas vezes uma vila acabava se tornando uma cidade, conforme se vê, por exemplo, em I Sam. 217. Lemos ali: "...pois entrou numa cidade de portas e ferrolhos". Ora, visto que toda cidade antiga era murada e tinha portas e ferrolhos, encontramos nesse trecho uma redundância, demonstrando que, algum tempo antes, Queila havia sido uma mera vila, sem muralhas, mas depois tornou-se uma cidade, dotada de muralha.

Ademais, em contraste com as cidades, as vilas ou aldeias não dispunham de instalações militares, como torres, portões fortificados e fossos defensivos. Ver Eze. 38:11. Nessa passagem, o termo hebraico empregado é *perazoth,* que indica pequenos povoados, dispersos pelo território. Nos tempos talmúdicos, uma comunidade era considerada uma "vila" enquanto não dispusesse de uma sinagoga. Nos dias do Novo Testamento, as vilas, as cidades e os campos foram objeto do ministério de Cristo (Mar. 6:56); mas, não fica claro, no Novo Testamento, se só as cidades de então contavam com sinagogas. Contudo, é digno de atenção que Tiago (ver Atos 15:21), atribuiu a existência de sinagogas em "cada cidade" (no grego, *polis*), mas não se refere às vilas e aldeias como possuidoras de suas respectivas sinagogas.

III. Aumento de Número

As vilas aumentavam em número à medida que se partia da região do Neguebe e se caminhava para o norte, porquanto o sul da Terra Prometida era estéril até tornar-se deserto franco. Só havia chuvas abundantes mais para o norte. Nos tempos calcolíticos, na era do Bronze Médio e na era do Ferro, entretanto, o território do Neguebe foi bem ocupado; e, mais intensamente ainda no período nabateu bizantino quando havia grande conservação da escassa água da chuva que ali se precipitava. Do Hebrom para cima havia o aumento gradual do número de vilas, como quem ia na direção de Jerusalém. Mas, o número de vilas e povoados aumentava ainda mais no território de Zebulom da Baixa Galiléia, onde as chuvas se faziam mais abundantes. Nos tempos da dominação romana, esse território mais bem irrigado pela chuva foi transformado em um território pacífico, onde a população vivia sem temor e onde a agricultura e a indústria florescia, em inúmeras vilas. A Alta Galiléia era por demais interrompida e recoberta de matas para permitir a avicultura necessária à vida em aldeias. A Transjordânia, por sua vez, também era salpicada de aldeias e vilas, antes do século XIX a.C., e, então, depois do século XIII a.C., quando as vilas são novamente mencionadas nos registros das conquistas militares. Os ataques historiados no décimo quarto capítulo de Gênesis, bem como a destruição de Sodoma e Gomorra, parecem estar relacionados a um período em branco, nesses registros.

IV. Governos

O governo das aldeias locais era administrado pelos anciãos, que também atuavam como juízes locais (Rute 4:2); mas as aldeias e vilas estavam sob a jurisdição das cidades maiores (cf. Jos. 15:20-62; 18:24,28, etc.). A cena dessas freqüentes funções governamentais dava-se em entrada das cidades. Algumas vezes, ali já eram postos bancos de propósito, para as pessoas se assentarem.

As dimensões das vilas variavam, tudo dependendo da intensidade do cultivo agrícola da região. Nos centros agrícolas, os cereais eram debulhados nos limites das aldeias. A atividade aumentava muito por ocasião da colheita; mas, em outras ocasiões, o número de habitantes das vilas diminuía bastante, pois quase todos ficavam ocupados nos cuidados com o seu gado. Os judeus algumas vezes erraram, não dando valor aos habitantes das vilas e aldeias, porquanto grandes homens procediam, às vezes, desses pequenos lugares, como Davi e Cristo, que nasceram na minúscula Belém (Miq. 5:2).

VINAGRE

Precisamos examinar uma palavra hebraica e uma palavra grega, quanto a este verbete, a saber:

1. *Chomets*, "vinagre". Essa palavra é de rara freqüência, aparecendo apenas por seis vezes, em todo o Antigo Testamento: Núm. 6:3; Rute 2:14; Sal. 69:21; Pro. 10:26 e 25:20.

2. *Óksos*, "vinagre", "vinho", "azedo". Esse vocábulo grego figura no Novo Testamento por cinco vezes: Mat. 27:48; Mar. 15:36; Luc. 23:36; João 19:29,30, ou seja, somente nos quatro evangelhos.

O vinagre consiste em um líquido formado por ácido acético diluído, devido à fermentação do vinho ou de alguma outra bebida alcoólica. Métodos inferiores e indevidos de produção resultavam em uma grande tendência para o vinho azedar e transformar-se em vinagre. Por isso mesmo, tanto a palavra hebraica quanto a palavra grega dão a idéia de "embotado", "ácido".

O vinagre equivalia àquilo que os romanos chamavam de *posca*, um vinho barato e azedo, que, uma vez misturado com água, era a principal bebida das classes pobres e dos aldeões. Ver Rute 2:14, onde há menção a esse tipo de bebida.

O voto do nazireado excluía totalmente a ingestão de qualquer tipo de bebida alcoólica, incluindo o vinho azedo, mas até mesmo o vinho de melhor qualidade, usado pelas pessoas de nível mais elevado. Isso porque esse voto podia ser feito por pessoas de todas as camadas sociais. Ver Núm. 6:1. O trecho de Provérbios 10:26 refere-se ao paladar muito ácido do vinagre. Por igual modo, diz Provérbios 25:20, aludindo à capacidade irritante do vinagre: "...Como vinagre sobre feridas, assim é o que entoa canções junto ao coração aflito".

Todavia, o vinho usado como anti-séptico, pelo bom samaritano, no homem que fora atacado e ferido pelos ladrões, era da variedade mais dispendiosa (ver Luc. 10:34). A passagem de Salmos 69:21 alude ao vinagre como a uma bebida, consumida pelos mais pobres. E o vinagre oferecido a Cristo era a *posca* romana, que fazia parte da ração dos soldados romanos. Visto que a crucificação provocava intensa sede, devido à exposição do corpo despido às intempéries, não se deve pensar que o vinagre lhe tenha sido oferecido como zombaria, e, sim, até como um ato de gentileza. O próprio Senhor Jesus dissera: "Tenho sede!" E foi em face disso que lhe deram uma esponja embebida em vinagre, para que a chupasse. Isso cumpria uma certa predição (ver Sal. 69:21: "...Por alimento me deram fel, e na minha sede me deram a beber vinagre"). Era a última gota. "Quando, pois, Jesus tomou o vinagre, disse: Está consumado! E, inclinando a cabeça, rendeu o espírito" (João 19:28-30). Não se deve confundir esse vinagre com o "vinho com fel", de Mat. 27:34 e Mar. 15:23, que o Senhor Jesus não quis beber, mas que apenas provou. Pois aquilo foi no começo da execução, antes de ele haver sido encravado à cruz, ao passo que o vinagre servido na esponja foi no último minuto de sua vida, na terra, passadas as seis horas da crucificação do Senhor.

Uma curiosidade literária é a chamada "Bíblia do vinagre". Esse apelido deriva-se do fato de que, na parábola da vinha, houve um erro de impressão, e a vinha aparece como o "vinagre", em Lucas 22. Essa edição foi produzida por Baskett, em 1717, que ficou assim mal marcada para sempre. O vinagre azeda até as produções literárias!

VÍNCULO

No grego temos *súndesmos*, "laço de união". (Ver Atos 8:23; Efé. 4:3; Col. 2:19 e 3:14). Na primeira dessas referências, nossa versão portuguesa traduz o vocábulo grego por "laço". Nas outras aparece o substantivo ou o verbo, ou seja, "vinculo" ou "vincular". Simão, o mágico, que aceitara superficialmente o evangelho, mediante a pregação de Filipe, estava preso por laços de amargura, visto que o povo não mais o considerava um grande poder, diante do poder espiritual maior exibido por Filipe. A paz ou concórdia entre os crentes, na segunda dessas referências, aparece como o laço que preserva entre eles a unidade do Espírito. Em Colossenses 2:19 a idéia é que o corpo místico de Cristo, a Igreja, composto por inúmeros membros, está unificado por fortes razões e realidades espirituais, o que lhe permite desenvolver-se espiritualmente. E, na última dessas referências, o amor aparece como o laço que nos une em torno do ideal da perfeição, onde todo o remido, finalmente chegará. É como se Paulo tivesse dito: "O amor é o caminho mais seguro para a perfeição espiritual". (Ver também o artigo sobre *Laço*, que explica o sentido literal da palavra).

VINDA DE CRISTO

Ver sobre: *Parousia*.

VINDIMA

Há duas palavras hebraicas e uma palavra grega que devemos estudar, neste verbete, a saber:

1. *Batsir*, "vindima", "colheita da uva". Esse verbo hebraico aparece por oito vezes no Antigo Testamento: Lev. 26:5; Juí. 8:2; Isa. 24:13; 32:10; Jer. 48:32; Miq. 7:1; Zac. 11:2.

2. *Kerem*, "vinha", "vindima". Com esse último sentido, a palavra ocorre somente por uma vez, em Jó. 24:6.

3. *Trugáo*, "colher", "vindimar". Esse verbo grego ocorre somente por três vezes: Luc. 6:44; Apo. 14:18,19. Consoante o sentido mais especial da palavra, nossa versão portuguesa corretamente a traduz por "vindimar", embora também quisesse dar a entender qualquer tipo de colheita. De fato, em Lucas e no Apocalipse está em foco a colheita de uvas, ou vindima.

VINGADOR DO SANGUE

Esse termo é aplicado ao parente mais próximo de uma pessoa assassinada (ver II Sam. 14:7,11; Jos. 20:3,5,9; Sal. 8:2), que tinha o direito de vingar o homicídio. As culturas antigas, antes mesmo de Moisés, incorporavam essa provisão. Ver Gên. 9:5. Todos os membros de uma tribo eram considerados como de um só sangue, pelo que um crime de sangue que afetasse a um dos membros envolvia todos os outros membros; e o parente mais próximo tinha a responsabilidade, e não apenas o direito, de vingar o crime. A lei mosaica permitia que o vingador matasse o assassino, mas ninguém mais da família do

VINGADOR DO SANGUE – VINGANÇA

assassino (ver Deu. 24:16; II Reis 14:6 e II Crô. 25:4). Provisões extraordinárias foram decretadas para o caso de homicídios acidentais, havendo cidades de refúgio e lugares seguros para os homicidas não-internacionais, onde estes eram protegidos do vingador do sangue. Essa provisão reconhecia gradações de culpa, o que está incluído em quase todas as legislações. A vingança pelo sangue derramado persistia durante o reinado de Davi (ver II Sam. 14:7,8; II Crô. 19: 10). De fato, a prática sempre foi generalizada, sem importar se sancionada por lei, ou não. Os ofensores, mesmo quando condenados, usualmente recebiam sentenças leves.

Prática no seio do cristianismo. Muitos cristãos estão certos de que as provisões do Antigo Testamento não somente permitem, mas também exigem a punição capital. Certas leis, em todos os países cristãos, têm sido influenciadas pelas provisões do Antigo Testamento. Porém, outros cristãos não vêem qualquer solução na violência, preferindo apelar para a restauração e a aplicação da lei do amor, mesmo no caso dos mais empedernidos criminosos. Ainda outros cristãos tomam uma posição intermediária, dizendo que cada caso precisa ser julgado por seus próprios méritos. Assim, alguns casos são melhor resolvidos por meio da punição capital, mas não outros. Nenhum crente verdadeiro, entretanto, quererá reverter a posição da antiga lei, tornando vingança pessoalmente e ignorando as leis que regulamentam esses crimes. Aqueles que se opõem à punição capital tomam uma posição intermediária, apontando para o caso de Paulo. Sem dúvida ele foi culpado de muitos assassinatos, embora nunca tivesse pessoalmente matado alguém. Mas enviava as pessoas para a morte certa. No entanto, foi perdoado, e sabemos qual foi o resultado disso. Assim também, atualmente. Talvez a melhor solução seja a posição intermediária, que evita ambas as posições extremas. O meio-termo usualmente é o melhor. (ND UN Z)

VINGANÇA

Esboço:
I. As Palavras Bíblicas
II. Tipos de Vingança
III. Lex Talionis
IV. Na Sociedade
V. A Natureza Remedial e Restauradora da Vingança Divina

I. As Palavras Bíblicas

No hebraico temos a considerar duas palavras; e no grego, igualmente, duas, a saber:

1. *Naqam,* "vingança". Essa palavra hebraica aparece por 47 vezes com esse sentido, conforme se vê, por exemplo, em Gên. 4:15; Deu. 32:35,41,43; Sal. 58:10; Pro. 6:34; Isa. 34:8; 35:4; Eze. 24:8; 25:12,15; Miq. 5:15.

2. *Neqamah,* "vingança". Esse termo hebraico ocorre por 22 vezes, conforme se vê, para exemplificar, em Juí. 11:36; Sal. 94:1; Jer. 11:20; 20:12; 51:6,11,36; Lam. 3:60; Eze. 25:14,17.

3. *Dike,* "justiça", "vingança". Esse vocábulo grego foi usado por três vezes, no Novo Testamento: Atos 28:4; II Tes. 1:9 e Jud. 7.

4. *Ekdíkesis,* "vingança completa". Esse termo grego, reforçado, foi usado por nove vezes, a saber: Luc. 18:7,8; 21:22; Atos 7:24; Rom. 12:19 (citando Deu. 32:35); II Cor. 7:11; II Tes. 1:13; Heb. 10:30; 1 Ped. 2:14.

II. Tipos de Vingança

A vingança é um castigo infligido por causa de alguma injúria ou ofensa, no interesse de satisfizer a justiça ferida. Diferentes aspectos da questão podem ser percebidos, mediante o exame de contextos de passagens, e mediante paralelismos:

1. A ira, como força motivadora da ação, nos casos de vingança, aparece como um fator proeminente, em muitos casos (Pro. 6:34; Isa. 59:17; 63:4; Naum 1:2; Eclesiástico 5:7; 12:6; Rom. 15). Todavia, a ira humana também pode ser maliciosa, exagerando todos os seus efeitos.(Lev. 19:18; I Sam. 25:26; Lam. 3:60; Eze. 25:12,15).

2. A idéia de punição por causa do pecado ou de alguma ofensa aparece com bastante freqüência (Lev. 26:25; Sal. 99:8; Luc. 21:22). Gradualmente isso foi cedendo lugar aos conceitos da retaliação e retribuição (Gên. 4:15; Isa. 34:8; Jer. 50:15; Eclesiástico 35:18).

3. A justiça de Deus, ou então, a fidelidade demonstrada por seus servos, é vindicada mediante o castigo imposto a adversários da retidão (Juí. 11:36; Sal. 94:1; II Tes. 1:8). Algumas vezes, vemos como algum indivíduo clamou ao Senhor, pedindo vingança (Sal. 58:10; Jer. 11:20; 15:15; 20:12). Um dos casos mais impressionantes, previsto para o futuro, será o das almas dos mártires do anticristo, que dirão: "Até quando, ó Soberano Senhor, santo e verdadeiro, não julgas nem vingas o nosso sangue dos que habitam sobre a terra?" (Apo. 6:10). Nesse caso, os injustos algozes terão sido toda a humanidade incrédula, e as vítimas terão sido aqueles que não aceitarem as imposturas e a ditadura do anticristo, ou, vale dizer, os crentes verdadeiros.

Na maioria dos casos, o próprio Deus é quem aplica a vingança. E isso ele assim faz ou diretamente (ver Deu. 32:35; Sal. 94:1,2; Isa. 59:17, 18; Jer. 56:10; Juí. 8:27; 16:17; Rom. 12:19; Heb. 10:30), ou através de ordens baixadas a seu povo (Núm. 31:3; Jos. 22:23; Jer. 50: 15; Juí. 9:2), ou ainda, através de outros meios quaisquer (Sabedoria de Salomão 11: 15; Eclesiástico 39:28).

Dentre as doze passagens bíblicas em que a vingança tem impulso no próprio homem, uma delas (Pro. 6:34) é apenas uma observação acerca de uma tendência natural do homem; outra (I Sam. 25:26) é o caso onde Davi foi impedido de tomar vingança; outra (Lev. 19:18) é uma ordem para que não tomemos vingança (cf. Eclesiástico 28:1); e três (Lam. 3:60; Eze. 25:12,15) são vinganças tomadas contra o povo de Judá, por parte de seus inimigos (cf. Juí. 6:5; 1 Macabeus 6:9). Isso posto, é amplamente apoiado, por todas as Sagradas Escrituras, o ensinamento contido em Rom. 12:19: "...não vos vingueis a vós mesmos, amados, mas dai lugar à ira; porque está escrito: A mim me pertence a vingança; eu retribuirei, diz o Senhor". Ver também Deu. 32:35 e Heb. 10:30.

Talvez haja alguns poucos incidentes onde o autor de algum ato de vingança não fica bem claro (ver Gên. 4:15; Sabedoria de Salomão 1:8; Eclesiástico 7:17). Judas Macabeu se vingou daqueles dentre sua própria nação, que tinham desertado de sua causa ou que se tinham rebelado contra ele (1 Macabeus 7:24).

III. Lex Talionis

Lex talionis (vide), significa no latim, *lei do tal.* De *talionis* temos o português, tal. O princípio que qualquer infração deve ser paga em *termos iguais,* como, por exemplo, vida pela vida, olho por olho, dente por dente, etc. Ver Êxo. 21:23 e ss; Lev. 24:19,20; Deut. 19:21. Esta lei não permitia que qualquer indivíduo tomasse a justiça em suas próprias mãos. Contrariamente, as ofensas eram punidas segundo a *lei,* e isso com a sanção divina. Portanto, os linchamentos estão fora de lugar, de acordo com os preceitos divinos. E embora muitos se tenham feito culpados, para então passarem sem castigo por parte dos

VINGANÇA

homens, eles são considerados culpados diante de Deus, e haverão de prestar contas disso no juizo.

IV. Na Sociedade

Nos trechos de Atos 28:4; II Tes. 1:9 e Jud. 7 encontramos o termo grego *díke*. Cremer comentou que essa palavra está alicerçada sobre a idéia de que a justiça, na sociedade humana, impõe-se, essencialmente, sob a forma de *julgamento* ou *vingança*. Quanto à primeira dessas passagens, comentou Robertson: "Os nativos referiam-se a Dike como se fosse uma deusa; mas nada sabemos sobre alguma deusa com esse nome na ilha de Malta, embora os gregos adorassem meras abstrações, como o faziam em Atenas". Ver também o artigo chamado *Vingador do Sangue*.

A vingança oficial, coletiva, da parte da sociedade inteira, é autorizada nas Escrituras, conforme fica claro em passagens como o décimo terceiro capítulo de Romanos. De fato, esse tipo de vingança é direcionado por Deus, investido nas autoridades humanas. Mas a vingança *privada* é proibida, antes de tudo, de acordo com as palavras de Jesus (ver Mat. 5); e, em segundo lugar, pelas instruções dadas por Paulo: "... não vos vingueis a vós mesmos, amados, mas dai lugar à ira; porque está escrito: A mim me pertence a vingança; eu retribuirei, diz o Senhor. Pelo contrário, se o teu inimigo tiver fome, dá-lhe de comer; se tiver sede, dá-lhe de beber; porque, fazendo isto, amontoarás brasas vivas sobre a sua cabeça. Não te deixes vencer do mal, mas vence o mal com o bem (Rom. 12:19-21).

Essa passagem incorpora nossa exposição mais espiritual acerca da vingança pessoal. Em lugar da vingança, pessoalmente deveríamos exercer amor para com os nossos inimigos e ofensores. Porém, o Estado tem o direito e até a necessidade de castigar aos ofensores.

A *punição capital*, algumas vezes, é uma correta vingança da sociedade.

Vingança: uma medida capaz de pagar dívidas e um meio de promover reformas. Espera-se da punição devidamente aplicada que ela reforme uma pessoa, como quando um criminoso está sendo punido pela sociedade. As prisões deveriam ser reformatórios. Por outro lado, o crime requer a devida retribuição, inteiramente à parte da idéia de qualquer reforma. Eis a razão pela qual, pessoalmente, sou favorável à *punição capital* (vide). A posição deste co-autor e tradutor é idêntica, embora com um reparo. Há vezes em que os erros da justiça cometem cruéis injustiças contra inocentes. A *punição capital* só deve tornar-se lei quando a maquinaria judicial estiver habilitada, para que não haja vítimas inocentes da sociedade, em nome da justiça e do combate ao crime. Mas reconheço que a própria Bíblia dá respaldo à punição capital, em casos de grave ofensa.

É bom, para as almas de alguns criminosos especialmente maliciosos, pagarem por seus graves crimes com suas próprias vidas. Se a oportunidade de salvação estende-se até além da morte biológica, tendo alguém sofrido *execução*, por causa de algum crime hediondo, isso deve exercer um forte poder reformador sobre a alma da pessoa, de tal maneira que a entrada nos mundos espirituais pode ser positivamente ajudada desse modo.

Uma Vívida Ilustração. Há alguns anos, no estado de Utah, um homem entregou-se ao furto e ao homicídio. Ele matava suas vítimas para facilitar os furtos, mas também gostava de ver suas vítimas morrerem. De certa feita, ele entrou em um pequeno hotel e exigiu que lhe fosse dado todo o dinheiro que o gerente do hotel tivesse consigo. O gerente entregou-lhe o dinheiro, sem protestar. Ainda assim, o ladrão não estava feliz, pelo que resolveu assassinar o homem. E deu-lhe um tiro na cabeça, dizendo: "Este foi por mim!" Então deu outro tiro na cabeça do homem, dizendo: "Este foi por minha namorada!. E foi-se embora. A esposa do gerente, ouvindo os tiros, correu para onde ele estava. Ali, encontrou-o em uma poça de sangue. O sangue ainda esguichava dos ferimentos na cabeça. Ela tinha ouvido dizer que aplicar pressão a um ferimento pode fazer parar o fluxo de sangue. E assim, aflitiva mas inutilmente, ela aplicou pressão aos ferimentos, com os dedos; mas, naturalmente, isso de nada adiantou.

O criminoso acabou sendo apanhado, e confessou esse e vários outros crimes semelhantes. Foi encarcerado, julgado e condenado a ser executado. Pessoas que se opõem à punição capital tentaram impedir a execução do cruel criminoso. Mas o próprio bandido, sabendo que enfrentava morte certa, voltou-se para a fé religiosa. Sua inquirição acabou mudando sua maneira de pensar. Começou a crer fervorosamente na imortalidade da alma. Sua espiritualidade fortaleceu-se. E ele entendeu que era apenas *justo* ele pagar a sua dívida com a morte, e enfrentou a punição com coragem. Entrementes, muita gente pressionava ao governador do estado de Utah para que abrandasse a sentença do criminoso, não permitindo a sua execução. Em face das pressões, o governador ofereceu ao homem essa opção. Mas ele repeliu, asseverando: "O governador do estado de Utah é um homem sem fibra moral!

Talvez os meus leitores pensem que o que passo a dizer é ofensivo; porém, emito aqui minha opinião sincera. No Brasil, as pessoas rilham os dentes só de pensarem em punição capital. O argumento eternamente usado é que a punição capital não reduz a criminalidade. Talvez isso seja verdade; mas, por outra parte, há crimes que *devem* ser punidos com a execução capital, sem importar se isso reduz ou não a taxa de criminalidade. Existem crimes que, por amor à justiça, precisam ser pagos com a vida do criminoso. A *justiça* é um princípio muito maior do que a mera redução da taxa de criminalidade. No entanto, nas prisões brasileiras um indivíduo pode ficar preso apenas por seis anos, por haver cometido um homicídio! Há criminosos tão empedernidos e irreformáveis que só não estão cometendo alguma grave infração da lei quando estão presos em segurança. Se vierem a obter liberdade condicional, ou vierem a fugir, na esmagadora maioria dos casos voltarão à senda do crime, assim que conseguirem sua liberdade. Sim, há casos sem recuperação. De cada vez em que uma pessoa assim fica à solta, qualquer um pode ser sua vítima, e a sociedade inteira corre perigo. Ultimamente, apareceu a AIDS, que está executando eficazmente a muitos criminosos detentos, que as leis brasileiras não tiveram a coragem de executar. Parece que falta aos legisladores a fibra necessária, ou, então, andam cegos devido a falsos sentimentos humanitários, que acabam favorecendo ao criminoso, em vez de protegerem às suas vítimas.

V. A Natureza Remedial e Restauradora da Vingança Divina

O julgamento da cruz foi um julgamento verdadeiro, embora também tenha visado à redenção dos pecadores. O julgamento terreno do crente (castigos aplicados por Deus, como meios disciplinadores) pode ser severo, mas tem um aspecto remedial, conforme deixa claro o trecho de Heb. 12:7. De fato, o Pai celeste pode castigar a um de seus filhos tendo em vista o bem do mesmo. O julgamento dos perdidos, no Hades, também é um julgamento remedial, a fim de que eles "vivam no espírito segundo Deus" (I Ped. 4:6), ...Por conseguinte, apesar de nossa conta corrente com Deus vir a ser devidamente corrigida, mediante o julgamento, de acordo com a lei da colheita segundo a semeadura (ver Gál. 6:7), o julgamento divino (vingança) sempre será algo positivo, procurando ajudar o ser humano na sua reforma espiritual, no seu progresso, na sua redenção ou na sua restauração. E isso, meu amigo, é uma manifestação do notável amor de Deus que atinge ao mais profundo inferno. Verso *Restauração, e Julgamento.*

VINHA DE SODOMA

No hebraico, *gephen sodom*. Essa expressão ocorre no trecho de Deuteronômio 32:32, onde lemos: "Porque a sua vinha é da vinha de Sodoma e dos campos de Gomorra; as suas uvas são uvas de veneno, seus cachos, amargos..."

Provavelmente está em pauta uma planta cuja designação científica moderna é *Citrullus colocynthus*, uma espécie de videira selvagem que se espraia e sobe por sobre muros e outros obstáculos. O fruto é arredondado, parecido com uma laranja, algumas vezes salpicado de verde. A polpa desse fruto é amarga e venenosa. Essa planta podia ser encontrada medrando selvagem, em redor do mar Morto. O simbolismo ali contido é que a qualidade espiritual do povo de Israel, acerca de quem foi feita a comparação, era extremamente negativa, mas também que o seu fim, seria como o da destruição de Sodoma e Gomorra. É evidente que a comparação termina aí. Pois se Sodoma e Gomorra foram deixadas como exemplo perpétuo de castigo divino, a Israel foram feitas doces promessas de futura restauração, tanto no sentido material (reorganização como nação independente), quanto no sentido espiritual e religioso (quando Israel aceitar a Jesus Cristo como o Messias, Salvador e Senhor). Ver o artigo intitulado *Restauração de Israel.*

VINHAS, BOSQUE DAS

Esse nome locativo não aparece em nossa versão portuguesa, como, em várias outras. Mas essa é a tradução literal do nome Abel-Queramim, que figura em Juí. 11:33. Essa era uma localização geográfica a leste do rio Jordão, até onde Jefté perseguiu aos amonitas em fuga, em sua campanha militar contra eles.

VINHAS DE EN-GEDI

Um local que figura em Can. 1:14. Ficava na costa ocidental do mar Morto, cerca de 56 quilômetros de Jerusalém. (Z)

VINHO, BEBEDORES DE

Precisamos examinar uma palavra hebraica e uma palavra grega, quanto a este verbete:

1. *Sobe yayin*, "bebedor de vinho". Expressão hebraica que ocorre somente por uma vez, em Provérbios 23:20,21, onde lemos: "Não estejas entre os bebedores de vinho, nem entre os comilões de carne. Porque o beberrão e o comilão caem em pobreza..."

2. *Oinopóteis*, "bebedor de vinho". Esse termo grego ocorre por duas vezes, em Mat. 11:19 e Luc. 7:34. Ambas as passagens repetem uma acusação injustificada que os adversários de Jesus faziam contra ele: "Veio o Filho do homem, que come e bebe, e dizem: Eis aí um glutão e bebedor de vinho, amigo de publicanos e pecadores! Mas a sabedoria é justificada por suas obras", diz a primeira dessas referências.

VINHO, VINHA

I. Terminologia e Referências Bíblicas
II. Vinicultura em Épocas Bíblicas
III. A Vinha
IV. Regulamentações Mosaicas
V. Safra
VI. Usos Figurativos

I. Terminologia e Referências Bíblicas

Hebraico:

1. *gephen* (literalmente, pareado), encontrado muitas vezes na expressão *gephen hayyayin* (a trepadeira do vinho), 52 ocorrências no Antigo Testamento. Exemplos: Gên. 40.9, 10; Núm. 20.5; II Reis 4.39; Eze. 15.2, 6.

2. *sorek* (um vinho de escolha): Jer. 2.21; Isa. 5.2; Gên. 49.11.

3. *nazir* (não podado) ou "despido", Lev. 25.5, 11. Os parreirais, como plantações, tinham de ser deixados parados (sem cultivo e uso) a cada 7º e 50º ano, para evitar a exaustão do solo.

4. *kerem* (vinha cercada), cerca de 90 vezes no Antigo Testamento. Exemplos: Gên. 9.20; Êxo. 22.5; Lev. 19.10; Deu. 6.11; Can. 1.6, 14.

Grego:

1. *ampelos* (videira), 9 vezes no Antigo Testamento. Exemplos: Mat. 26.29; Mar. 14.25; Luc. 22.18; João 15.1, 4, 5; Tia. 3.12; Apo. 14.18, 19.

2. *ampelon*, 23 vezes no Novo Testamento. Exemplos: Mat. 20.4, 7, 8, 12; 21.28, 33, 39-41.

3. *botruas tes ampelou* (cachos de uva), Apo. 14.18.

II. Vinicultura em Épocas Bíblicas

A uva e seus produtos têm valor alimentício, isto é, "valor nutricional", como vitamina C e ferro, e capacidade de reduzir o colesterol, mas os hebreus eram um povo do vinho, mulheres e canção, e *seu vinho* aumentava a diversão. Assim, se um homem tivesse "figos" e "parreiras" em sua própria propriedade, um tipo de ambição mínima para a boa vida havia sido alcançado (Zac. 3.10). Ver também II Reis 4.25. O *figo* representa sustentação física e o *vinho*, a diversão de viver. Os hebreus não eram tão burros assim, sendo que até a ciência moderna mostra que o prazer é quase tão importante para a vida saudável quanto a nutrição que os alimentos trazem.

A "Canção do Parreiral" (Isa. 5.1-7) descreve os passos essenciais exigidos para plantar e colher uvas: 1. O solo tinha de ser limpo e as pedras, retiradas. 2. De modo geral, os estoques de parreiras eram plantados ou, na primeira vez, sementes tinham de ser usadas. 3. As pedras que haviam sido retiradas podiam então ser usadas para construir um muro protetor a fim de manter os predadores fora, como porcos silvestres (Sal. 80.3) e raposas (Can. 2.15). 4. Uma guarita para ver os inimigos chegando de longe era importante, especialmente em tempos de colheita, quando os maiores predadores eram humanos (Isa. 5.2). 5. Podas eram um processo necessário para manter a produtividade e a qualidade (Lev. 25.3; Isa. 18.5; João 15.2). 6. Uma prensa de vinho era uma estrutura necessária para o processo final, sendo que as uvas eram plantadas primariamente não para serem chupadas, mas sim transformadas em vinho.

Talvez, de alguma forma, as parreiras tenham sido nativas, originalmente, das praias do mar Cáspio. A cultura das uvas que existe hoje existe essencialmente entre os graus 21 e 15 de latitude norte, indo de Portugal no oeste até os confins da Índia no leste. Os vinhos mais finos, contudo, são produzidos na parte média desse cinturão de produção um tanto extenso. A Palestina foi favorecida com a terra e o clima certo para esse tipo de empreendi-

VINHO

mento (Deu. 6.11; 28.30; Núm. 13.23). Na Palestina, permite-se que as vinhas sejam espalhadas pelo chão, pois acredita-se que as uvas amadurecem mais lentamente sob a sombra das folhas, com menos exposição ao sol. Às vezes as vinhas eram situadas de tal forma que crescessem entre as folhas das árvores (Eze. 19.11). Mas, em alguns lugares, treliças eram empregadas, se pudessem ser colocadas em locais frescos, fora da luz direta do sol (I Reis 4.25). As uvas começam a amadurecer em julho e podem continuar a frutificar até outubro, mas setembro é a época tradicional de colheita. O vinho das frutas colhidas cedo demais é amargo, então temos o ditado "... os pais comeram uvas verdes, e os dentes dos filhos é que se embotaram" (Jer. 31.29, 30; Eze. 18.2), querendo dizer que as disposições e condições dos pais controlam o destino de seus filhos, para o bem ou para o mal. Ver a exposição sobre esses versos no *Antigo Testamento Interpretado*.

Subprodutos. Algumas uvas eram desidratadas para que pudessem ser armazenadas e ingeridas mais tarde. O armazenamento de modo geral era feito em jarras de cerâmica. Daí havia aquilo que era chamado de "mel de uva", o *debash* dos hebreus. A fervura reduzia as uvas a esse líquido até o ponto em que elas se transformavam em geléia. Algumas referências na Bíblia a *mel* são feitas no tangente a esse produto, em vez de ao mel de abelhas. Ver também a seção VI, último parágrafo.

Um homem que quer ter uma boa colheita de uvas deve ser dedicado, pois esse tipo de plantação requer cuidados constantes (Sof. 1.13). Há nesse fato uma lição: a vida espiritual requer cuidado constante para ter produtividade.

III. A Vinha

A palavra hebraica é *kerem*, e a palavra grega *ampelon*. Dá muito trabalho e custa muito dinheiro produzir uma boa vinha. Os métodos não mudaram muito em todos os séculos que se passaram desde a época bíblica, em contraste com a maioria dos empreendimentos agrícolas. A área onde a vinha era plantada devia ser limpa e depois cercada com muros de rocha ou arbustos mantidos com estruturas permanentes. Em contraste, terras de pastoreio e de outros tipos de produtos eram mantidas sem cercas. Muitas vezes, na antiga Palestina, um tipo de campo contendo vigas amplas era preparado para que as vinhas passassem por cima, pois esse tipo de pedra grande retinha umidade, protegendo o chão da luz direta do sol. Prensas de vinho tinham de ser feitas de materiais não-perecíveis, pois precisavam resistir a muito abuso. Receptáculos tinham de ser construídos para transportar e receber o suco. Os parreirais que não eram colocados ao longo das vilas requeriam casas para os trabalhadores, e isso representava ainda outra despesa. As torres eram adicionadas para aumentar a vigilância contra os predadores, animais e homens.

IV. Regulamentações Mosaicas

1. As frutas não poderiam ser consumidas durante os primeiros três anos de crescimento do parreiral.

2. A produção do quarto ano pertencia a Yahweh e seu conjunto de servos (sacerdotes e levitas).

3. Apenas no quinto ano é que um homem podia colher sua produção para uso pessoal (Lev. 19.23-25). Durante os anos, contudo, tais regras rígidas eram relaxadas por causa de outras colheitas serem mais rentáveis e por causa de as plantações para a produção de vinho serem um empreendimento tão caro. Mas até isso acontecer, as produções dos quatro primeiros anos eram guardadas para que aqueles que passassem e fossem tentados a apanhar algumas uvas não pudessem fazê-lo.

4. A produção de uvas era proibida no 7º e no 50º ano após a plantação original, de forma que o parreiral pudesse descansar e conservar sua produtividade (Êxo. 21.11; Lev. 25.11).

5. Era preciso deixar ofertas para os pobres, para aqueles que estavam passando pela terra e para os que não tinham trabalho (Jer. 49.9; Deu. 24.21)

6. Os parreirais eram apenas para o cultivo de uvas. A mesma área não podia ser usada para outros produtos agrícolas (Deu. 22.9). Apesar disso, às vezes eram plantadas figueiras junto às vinhas (Luc. 13.6; cf. com I Reis 4.25).

V. Safra

O hebraico *basir*, que significa "cortado", é a palavra para safra. O processo começava em setembro, um mês de grande festividade. Muitas vilas, especializadas nesse tipo de agricultura, se transferiam para os parreirais na época da colheita e havia um tipo de relaxamento da moral, uma "moralidade da colheita da uva" durante essa época, quando as mulheres que não queriam envolver-se em excessivas atividade sexuais tinham de se resguardar com todo o cuidado. O livro de Rute dá dicas sobre essa "moralidade da colheita da uva", mesmo no caso da própria Rute, que teve tanta coragem quanto a de entrar na tenda de Boaz à noite para tentá-lo, que é a maneira razoável de entender o texto. Temos de lembrar que o vinho estava fluindo e que a canção e a dança excitavam as paixões, praticamente como a época do Carnaval, no Brasil. Ver Jer. 25.30 para detalhes sobre a felicidade da ocasião.

As uvas eram usadas primariamente para o fabrico de vinho, mas havia a produção de uvas passas e mel de uva, que menciono na seção II, sob o título *Subprodutos*. O mel era usado essencialmente como condimento a ser colocado em alimentos, o ancestral da geléia de uva. Então, os cortes das vinhas e das folhas eram misturados com a carne e o arroz. As folhas também eram usadas como ração para os animais e a madeira servia como combustível (Eze. 15.3, 4; cf. João 15.6).

VI. Usos Figurativos

1. O empreendimento da vinha, tão *laborioso* e *caro*, ilustra a busca e a missão espiritual de uma pessoa. As coisas de valor são realizadas por trabalho zeloso, de modo geral com consideráveis gastos financeiros.

2. O negócio do vinho de uva não podia ser manejado por um único indivíduo. Esse era um esforço de uma família, ou mesmo de uma comunidade, e o mesmo é verdade para a maioria dos trabalhos espirituais.

3. A nação de Israel foi comparada a uma vinha trazida do Egito (Sal. 80.8; Isa. 5.2 ss.). A vinha devia ser plantada em outro lugar, para que pudesse permanecer fiel.

4. *Uvas silvestres*, ou uma "vinha vazia", um vinho *estranho* e *degenerado*, falam de um povo rebelde, perverso e espiritualmente improdutivo, especificamente Israel (Isa. 5.2, 4; Jer. 2.21; Osé. 10.1).

5. Uma *vinha improdutiva* era uma contradição em termos, sendo que uma vinha desse tipo havia perdido a razão de existir, Jer. 8.13. Ela seria boa apenas para ser cortada e queimada (Eze. 19.12). A Israel apóstata era uma vinha desse tipo.

6. Uma vinha saudável e que cresce simboliza a condição desejada de Israel ou de qualquer povo ou pessoa espiritual (Osé. 14.7).

7. A madeira da vinha era praticamente inútil para combustível, e isso simboliza a falta de produtividade de pecadores e apóstatas (Eze. 15.2, 3, 6).

8. Uma vinha que não produz desaponta as expectativas divinas, o que é algo muito sério (Osé. 10.1)

VINHO – VIRGEM (VIRGINDADE)

9. Uma vinha atacada, assaltada ou destruída simboliza o julgamento de Deus (Isa. 5.7; 27.2; Jer. 12.10; Mat. 21.33).

10. Ser dono de sua própria propriedade e ter em seu jardim uma figueira e algumas parreiras é símbolo de felicidade e bem-estar doméstico (I Reis 4.25; Sal. 128.3; Miq. 4.4; Zac. 3.10).

11. A parábola de Jesus sobre os trabalhadores das vinhas, em que todos receberem salários iguais, embora tivessem começado a trabalhar em épocas diferentes, simboliza a generosidade e a justiça divina que muitas vezes não são bem compreendidas pelo homem (Mat. 20.1-16).

12. O mau trabalhador da vinha (Mat. 21.33-41) simboliza a falha de Israel (ou de qualquer nação ou pessoa) em respeitar os privilégios, abusando das vantagens divinamente concedidas. Tais homens tornam-se assassinos quando mataram os profetas e, finalmente, o Messias, o Filho.

13. A falha da vinha em produzir simboliza a *calamidade*, causada divinamente (Isa. 32.10).

14. Jesus é a *verdadeira vinha* em João 15.1, e seus discípulos são seus ramos espirituais. Para produzir, seus seguidores devem ter união vital com ele. A igreja substituiu Israel como a vinha sagrada, a entidade que tem união espiritual com o divino. O Pai é o trabalhador de vinha que planeja e executa seu propósito entre os homens.

VINTE E CINCO ARTIGOS

Os tradicionais *Trinta e Nove Artigos* (vide) da comunidade anglicana foram reduzidos a vinte e cinco por João Wesley, para o metodismo, especialmente para o ramo norte-americano daquela organização religiosa. Esse credo foi adotado pela Conferência de Baltimore, em 1784, como uma espécie de base informal de crença, como uma diretriz, e não como uma absoluta declaração de fé. Vários artigos de fé do credo mais antigo foram modificados, sobre a base de diferenças doutrinárias, que tinham aplicação à Inglaterra, embora não à nova denominação. Além disso, foi injetada uma ênfase wesleyana a esses artigos.

VIOLA

Ver sobre *Música e Instrumentos Musicais*.

VIOLÊNCIA

Ver os artigos intitulados, *Autodefesa; Guerra Justa; Terrorismo; Pacifismo e Revolução*. Esses artigos explicam como o homem espiritual deveria relacionar-se à violência e suas várias manifestações. A tarefa da teologia cristã não consiste em formular uma teologia ou filosofia da violência (embora alguns tenham feito precisamente isso, promovendo supostas revoluções "justas"); antes, essa tarefa consiste em estudar casos específicos, quando parece que o indivíduo deve ou pode ver-se envolvido pela violência. Um desses casos é aquele coberto pelo "pacifismo". Pode um cristão ir à guerra e matar? Outra questão envolvida é a da revolução. Pode o crente deixar-se envolver em movimentos revolucionários? Os artigos abordam esses casos.

VIOLETA AZUL

No hebraico, *tekeleth*. Essa cor era uma variedade do azul. Na antiguidade, era a cor de um corante extraído do molusco *Helix ianthina*, existente nas costas do mar Mediterrâneo. Esse corante era usado para tingir vestes sacerdotais (Êxo. 28:31), vestes reais (Est. 8: 15), vestes populares e simples peças de tecido (Núm. 15:38), além de cortinas (Êxo. 25:4). Visto que o controle de qualidade era algo impossível na antiguidade, esse corante aparece em vários tons. Ver também o artigo intitulado *Cores*.

VIRGEM (VIRGINDADE)

Ver o artigo separado sobre *Nascimento Virginal de Jesus*.

Alguém, do sexo masculino ou feminino, que ainda não experimentou contato sexual. Usualmente a palavra é feminina (embora também haja homens virgens, como é lógico), indicando donzelas em idade de casamento.

Esboço:
I. Terminologia
II. Virgem no Antigo Testamento
III. Virgem no Novo Testamento
IV. A Igreja como Noiva Virgem
V. Na Igreja Católica Romana

I. Terminologia

Vários termos hebraicos são utilizados no Antigo Testamento para dar a idéia de virgem e de virgindade. A palavra "virgem" usualmente é feminina, usada para indicar jovens mulheres que chegaram à idade do casamento; mas também podia ser usada para homens, conforme se vê em Apo. 14:3,4: E ninguém pôde aprender o cântico, senão os cento e quarenta e quatro mil que foram comprados da terra. São estes os que não se macularam com mulheres, porque são castos (no grego, *párthenoi*, "virgens"). São eles os seguidores do Cordeiro por onde quer que vá..." Sem dúvida está aí em foco uma virgindade moral, o estado de não contaminação com pecados sexuais, e não que o ato sexual entre marido e mulher seja impuro. Devemos pensar em três palavras hebraicas e duas palavras gregas, quanto a este verbete, a saber:

1. *Bethulah*, "virgem". Essa é a palavra hebraica específica e mais freqüentemente usada para indicar uma virgem. É empregada por cinqüenta vezes, conforme se vê, por exemplo, em Gén. 24:16; Êxo. 22:17; Lev. 21:3,14; Deu. 22:19,23,28; Juí. 21:12; II Sam. 112,18; 1 Reis 1:2; 11 Reis 19:21; Est. 2:3,17,19; Sal. 45:14; Isa. 214,12; Jer. 14:17; 18:13; Lam. 1:4,15,18; Joel 1:8; Amós 5:2; 8:13.

2. *Almah*, "donzela", "mulher jovem", "velada". Essa palavra apontava principalmente para o véu que as donzelas solteiras usavam em Israel. Não indicava, necessariamente o estado de virgindade das donzelas, embora subentendesse isso, mas indicava principalmente sua pouca idade. É usada essa palavra hebraica por sete vezes: Sal. 68:25; Êxo. 2:8; Pro. 30:19; Gên. 24.43; Can. 1:3; 6:8; Isa. 7:14. Esta última referência, em Isaías, é aquela que Mateus citou, em 1:23 de seu evangelho, ao referir-se à virgindade de Maria, o que Lucas também fez, em 1:27 de seu livro, embora apenas de forma subentendida.

3. *Bethulim*, "sinais de virgindade". "virgindade". Essa palavra hebraica ocorre por oito vezes: Lev. 21:13; Deu. 22:15; 22:17,20; Juí. 11:37,38; Eze. 23:3,8.

4. *Párthenos*, "virgem". Esse termo grego significa, especificamente, "virgem". É empregado por quinze vezes no Novo Testamento: Mat. 1:23 (citando Isa. 7:14); Mat. 25:1,7,11; Luc. 1:27; Atos 21:9; I Cor. 7:25,28,34,36-38; II Cor. 11:2; Apo. 14. É significativo que Mateus se tenha utilizado dessa palavra grega para traduzir o trecho de Isa. 7:14. Ele tinha à sua disposição outra palavra grega, *meánis*, que significa *jovem*, se quisesse dizer somente que Maria ainda era jovem (mas não necessariamente virgem), quando ficou grávida de Jesus, pela atuação miraculosa do Espírito Santo. O mínimo que se pode dizer aqui é que o Antigo Testamento revelou a pouca idade da mãe de Jesus, e que o Novo Testamento revelou também que, além de jovem, ela era "virgem".

VIRGEM (VIRGINDADE)

5. *Parthenía,* "virgindade". Essa palavra grega é usada apenas por uma vez no Novo Testamento, em Luc. 2:36, referindo-se à profetisa Ana: Havia também uma profetisa, Ana, filha de Fanuel, da tribo de Aser. Era já avançada em idade, tendo vivido com o marido sete anos desde a sua virgindade. Nossa tradução não inclui a idéia de virgindade, que no original aparece em lugar de "se casara". Uma tradução mais literal diria: "... que vivera com seu marido sete anos, desde a sua virgindade..."

II. Virgem no Antigo Testamento

O termo hebraico *bethulah,* "virgem" (ver acima) é cognato do ugarítico *btit,* um termo, com freqüência, usado como um dos títulos da deusa Anate. Em outras línguas também havia cognatos, como o acádico *batultu* e o no assírio, *batussu.* Esse era o termo específico para a idéia de "virgem intacta", da mulher que não tivesse tido seu hímen violado em um primeiro contato sexual.

A virgindade é uma virtude na ordem da criação dos seres vivos, especialmente no caso da mulher, por três razões básicas: a. a relação matrimonial precisava ser mantida inviolável, dentro do sistema de casamentos monógamos (um homem e uma mulher) (ver Êxo. 22). b. O casamento de um homem com uma mulher virgem garantia a pureza da herança, que era fundamentalmente importante no ofício sacerdotal de grupos específicos dentro da nação de Israel (ver Lev. 21:14). c. A virgindade, por si mesma, era reputada como uma condição desejável (ver Est. 2:2). Esse ponto de vista é refletido até no Novo testamento, nos escritos paulinos, onde ele diz: "E assim quem casa a sua filha virgem faz bem; quem não a casa faz melhor" (I Cor. 7:38).

De acordo com essa atitude judaica, a perda da virgindade deveria ocorrer dentro das relações matrimoniais. Qualquer perda de virgindade, por ato de violência, era duplamente lamentada (ver, por exemplo, II Sam. 13:13,14). Em Gênesis 24:16, encontramos um detalhe interessante. Lemos ali: "A moça era mui formosa de aparência, virgem, a quem nenhum homem havia possuído ...". O detalhe é que além de Rebeca ser declarada virgem, foram acrescentadas as palavras a quem nenhum homem havia possuído, como segurança para se entender que não havia qualquer dúvida quanto à virgindade dela, embora ela fosse classificada como virgem (no hebraico, *bethulah*).

No Antigo Testamento, por várias vezes a palavra "virgens" era usada para indicar a comunidade das "virgens", como representante de um estado ou nação.

Geralmente, as virgens formavam o grupo humano mais protegido e recluso da nação. E, por isso mesmo, a felicidade delas (ver Can. 6:8), o escárnio com que fossem tratadas (ver II Reis 19:21; Isa. 37:22) ou a miséria delas (ver Isa. 46: 11) indicavam a rigidez e a segurança do povo a que pertenciam. Assim é que a posição de virgindade, por muitas vezes, é comparada com a pureza da adoração a Yahweh, por parte do povo de Israel. Esse conceito tem o seu devido reflexo no Novo Testamento, na idéia de que a Igreja é a pura Noiva de Cristo (ver o ponto quarto deste artigo, A Igreja como Noiva Virgem). Por outro lado, a idolatria do povo de Israel, sempre que se manifestou, é retratada no Antigo Testamento como as raias da depravação sexual. Ver, especialmente, quanto a isso, o livro de Oséias.

No Antigo Testamento, todos os pecados sexuais, como a bestialidade, o incesto, a sedução e a promiscuidade são categorizados como ofensas capitais, cujos culpados eram passíveis de execução. Assim, o preço da santidade do corpo físico era nada menos que uma outra vida: "...se não achou na moça a virgindade, então a levarão à porta da casa de seu pai, e os homens de sua cidade a apedrejarão, até que morra; pois fez loucura em Israel, prostituindo-se na casa de seu pai: assim eliminarás o mal do meio de ti" (Deu. 22:20,21).

Tudo isso encarece muito o valor da santidade do corpo no Novo Testamento. Disse Paulo: "Fugi da impureza! Qualquer outro pecado que uma pessoa cometer, é fora do corpo; mas aquele que pratica a imoralidade peca contra o próprio corpo. Acaso não sabeis que o vosso corpo é santuário do Espírito Santo que está em vós, o qual tendes da parte de Deus, e que não sois de vós mesmos? Porque fostes comprados por preço. Agora, pois, glorificai a Deus no vosso corpo" (I Cor. 6:18-20). No entanto, a humanidade atravessa uma época de tremendas imoralidades, em que a conservação da virgindade é até considerada uma inferioridade qualquer! Quão diferentes devem ser os crentes dos incrédulos, nesse particular da santidade do sexo!

III. Virgem no Novo Testamento

Conforme já demos a entender, todos os ensinamentos acerca da virgindade e da moralidade, que há no Antigo Testamento, passam intactos e até são elaborados no Novo Testamento.

Em nenhuma das quinze ocorrências do termo grego *párthenos,* "virgem", há qualquer menção a outra coisa senão a virgens. A única passagem ambivalente é a de I Cor. 7:36, embora esse trecho possa ser facilmente explicado pelo contexto. A única passagem neotestamentária onde as virgens são homens é Apocalipse 14:4, que fala sobre os cento e quarenta e quatro mil homens virgens que acompanharão o Cordeiro por onde quer que Ele vá. Mas ali a contaminação que foi evitada por eles é de natureza moral e religiosa.

No Novo Testamento, a discussão primária sobre a questão da virgindade é aquela que cerca o caso de Maria, mãe de Jesus. É evidente que a sua virgindade é exposta em termos tipicamente semitas. Lemos em Lucas 1:34: "Como será isto, pois não tenho relação com homem algum?", que reflete, com leve variação, o que se lê em Gên. 24:16, "...a quem nenhum homem havia possuído..."

O Novo Testamento ensina em termos inequívocos a virgindade de Maria, embora mencione o assunto somente por duas vezes, em Mat. 1:18-25 e Luc. 1:26-38.

Ver o artigo separado sobre *Nascimento Virginal de Jesus.*

A Atitude de Paulo. Os intérpretes debatem-se diante de I Cor. 7:7 ss, por causa daquilo que Paulo diz ali em favor da virgindade, como um estado melhor que o do casamento, o que não concorda com seus padrões e preferências doutrinárias. Alguns afirmam que Paulo manifestou-se assim face à crise de perseguição que imperava em seus dias; mas não há razão alguma em pensarmos que ele fez tal limitação, em sua maneira geral de pensar sobre a questão. O trecho de I Cor. 7:26 menciona angustiosa situação presente; e isso sem dúvida é um fator que deve ser levado em consideração, mas a parte inicial do capítulo mui definidamente mostra quais as atitudes gerais de Paulo acerca da virgindade, em contraste com o matrimônio. Alguns pensam que essa atitude paulina não combinava com a do judaísmo, o que é uma verdade, se pensarmos na corrente principal do judaísmo. Porém, não podemos esquecer que os essênios favoreciam o celibato e a virgindade. Também sabemos que aquele movimento separatista (que fazia objeção a muitas coisas que faziam parte do judaísmo central) exer-

VIRGEM (VIRGINDADE)

ceu poderosa influência sobre o movimento cristão primitivo. Diante desses fatos, é melhor admitirmos que Paulo dava preferência ao estado de solteiro, para ele mesmo e para outros cristãos. Contudo, ele não fazia disso uma regra geral (conforme o vs. 7 o demonstra); e certamente ele não estava falando acerca do clero, em contraste com os leigos. Não obstante, uma *preferência apostólica* tem peso, e aquela passagem de I Coríntios tornou-se uma espécie de texto de prova que, posteriormente, foi usado em apoio ao celibato obrigatório, especialmente por parte do clero.

IV. A Igreja como Noiva Virgem

A Igreja de Cristo, retratada como uma *noiva virgem,* é um tema que, no volume do Novo Testamento, segundo os seus livros componentes acham-se arrumados em nossas Bíblias de edição protestante, aparece pela primeira vez em 11 Cor. 11:2, onde lemos: "Porque zelo por vós com zelo de Deus; visto que vos tenho preparado para vos apresentar como virgem pura a um só esposo, que é Cristo".

Todavia, nas parábolas de Jesus, esse tema é aludido. Ver, por exemplo, Mateus 25:1: "Então o reino dos céus será semelhante a dez virgens que, tomando as suas lâmpadas, saíram a encontrar-se com o noivo..." Ver II Cor. 11:2.

Tudo isso fala sobre a pureza moral e espiritual da Igreja, lavada no sangue de Cristo, que a deixa imaculada. E Paulo se referia à necessidade de nós, os crentes, não permitirmos que essa alvura seja manchada em qualquer sentido. O pano de fundo da idéia é o mundo "greco-romano" que serviu de berço do cristianismo. Esse mundo era herdeiro direto da Babilônia, com todas as suas impurezas e abominações. Em uma época em que predominava o hedonismo, a idéia que a vida humana foi feita para desfrutar todos os prazeres, contanto que, nesse processo se evitasse toda dor, a luta dos cristãos primitivos em prol da moralidade e da pureza nas relações sexuais deve ter parecido muito radical. Porém, somente assim os crentes em Jesus não poderiam ser confundidos com os homens do mundo, cuja grande característica é o rebaixamento de todos os seus valores sexuais, com muitos vícios de natureza sexual, de mistura com idéias religiosas pagãs. Até os deuses dos povos pagãos eram promíscuos e imorais. Basta que lembremos Diana dos Efésios, com suas dezenas de seios; ou Vênus, a deusa romana do amor erótico. Por isso mesmo, a pureza da Igreja de Cristo não deve ser vista somente como uma questão de relacionamentos sexuais corretos, mas também como uma questão de pureza *religiosa!*

Essa idéia mais completa, em todo o seu impacto, transparece mais claramente no livro de Apocalipse, onde a Igreja aparece como a pura Noiva de Cristo. Citamos dois trechos dali, um deles sobre a grande meretriz, a Igreja falsa, a Babilônia, e o outro sobre a autêntica Noiva de Cristo. Lemos em Apocalipse 18:23: "Também jamais em ti brilhará luz de candeia; nem voz de noivo ou de noiva, jamais em ti se ouvirá, pois os teus mercadores foram os grandes da terra, porque todas as nações foram seduzidas pela tua feitiçaria". A palavra "feitiçaria" reflete os piores aspectos da religiosidade humana, inspirada pelos demônios. "Vi também a cidade santa, a nova Jerusalém, que descia do céu, da parte de Deus, ataviada como noiva adornada para o seu esposo" (Apoc. 21:2; ver também Apo. 21:9 e 27).

Esse simbolismo da meretriz, que contrasta com o simbolismo da pura Noiva de Cristo, é retratado com maiores detalhes no décimo sétimo capítulo do Apocalipse. A Noiva será apresentada intacta a Cristo; "mas a meretriz" "...com ela se prostituíram os reis da terra; e com o vinho de sua devassidão foi que se embebedaram os que habitam na terra.. Além disso, ela também é descrita como "Babilônia, a Grande, a Mãe das Meretrizes e das Abominações da Terra. (Apo. 17:2 e 5). Tanto a Noiva virgem de Cristo quanto a grande meretriz são resultantes da cristandade. Correspondem, respectivamente, ao trigo e ao joio de certa parábola de Jesus (ver Mat. 13:24-30).

A cena pareceu tão dantesca para o vidente João que, ao receber a visão da grande meretriz, ele disse: "...quando a vi, admirei-me com grande espanto" (Apo. 17:6). Mas, quando João contemplou a noiva, a esposa do Cordeiro, ele observou que ela "...tem a glória de Deus" (Apoc. 21:11)

V. Na Igreja Católica Romana

Vários fatores achavam-se por detrás do dogma que se desenvolveu na Igreja Católica Romana acerca da virgindade e do celibato. A *atitude paulina* (ver o último parágrafo da terceira seção) sem dúvida foi um fator. Se Paulo não *exigiu* a virgindade para os ministros do evangelho, e nem para qualquer crente, o próprio fato de que ele *preferia* esse estado para si mesmo (e para outros) serviu de poderosa influência sobre os homens de mente espiritual. Também precisamos considerar o caso da Virgem Maria, outro fator bíblico em favor dos estados de celibato e virgindade. Temos ventilado abundantemente ambas as questões nos artigos chamados *Mariologia; Nascimento Virginal de Cristo* e *Celibato.*

Quando recebia meu treinamento teológico, conheci vários jovens evangélicos que se declararam em favor do celibato para si mesmos, como ministros futuros do evangelho, e alguns deles iniciaram campanhas para arrastar a outros para essa "causa". Isso era feito com base em uma suposta "superior espiritualidade", e não por causa de qualquer decreto eclesiástico que favorecesse o celibato. Naturalmente, um a um aqueles jovens defensores do celibato foram cedendo diante de suas inclinações naturais, pois as jovens serviam de poderosa força de atração. Todavia, conheci um deles que resistiu ao casamento por certo número de anos; porém, uma vez no campo missionário, acabou contraindo matrimônio. É fácil compreendermos que esses sentimentos manifestavam-se fortemente na Igreja primitiva. Mas na Igreja Católica Romana tais sentimentos finalmente foram reduzidos a dogmas, tendo recebido o apoio papal como confirmação.

Também há um certo *fator psicológico,* do qual muitos compartilham, sem importar se admitem ou não, os quais pensam que há algo "sujo" com o sexo, mesmo dentro dos limites do casamento. Os pronunciamentos em favor do celibato (conforme mostra o artigo sobre esse assunto), sem dúvida, evidenciam isso. Os gnósticos, que eram ascetas, sem dúvida encaravam o sexo como uma corrupção; mas, como também eram libertinos, abusavam das funções sexuais com o intuito mesmo de debilitar o corpo físico, no aguardo de sua destruição final, o que, de acordo com a doutrina deles, libertaria a alma. Essa atitude está alicerçada sobre a suposição de que o próprio sexo é mau, e o princípio do pecado, e que qualquer expressão sexual (mesmo dentro dos laços matrimoniais) envolve uma maldade, uma imoralidade. Assim sendo, se por uma parte o cristianismo combateu o gnosticismo, por outra parte deixou-se influenciar por algumas de suas atitudes, infectando a corrente principal e organizada da cristandade.

Acima de tudo, temos a considerar o exemplo dado por Jesus. Somente os mórmons insistem que Jesus, finalmente, casou-se, e com duas mulheres (Maria e Marta). Mas todos os grupos que se chamam cristãos vêem em Jesus um exemplo de suprema dedicação, que o levou

VIRGEM (VIRGINDADE) – VIRTUDE (BÍBLICA)

a sacrificar o casamento por amor à sua missão. Isso posto, foi apenas natural que os "seguidores de Jesus" exaltassem a virgindade.

A *expectação celestial* serviu de outro fator em prol da virgindade e do celibato. O trecho de Mat. 22:30 encerra uma declaração de Jesus que indica que a vida da alma, no estado eterno, não envolve o sexo. É verdade que isso não tem sido um conceito aceito por muitos; mas, no caso daqueles que se inclinam para a virgindade e o celibato, isso serve de outra influência encorajadora, como se fosse uma espécie de texto de prova bíblico em prol da superioridade do estado de celibato.

Aí pelo século IV d.C., a perpétua virgindade de Maria já se tornara um dogma da ortodoxia. Então o celibato estava sendo salientado (embora não ainda oficialmente requerido) no caso do clero. Agostinho fez certas declarações que demonstram que ele considerava o sexo algo degradante e pecaminoso, mesmo quando permitido e santificado no matrimônio cristão. Ele queixava-se de sonhos eróticos que o deixavam envergonhado, mesmo depois de haver cessado suas atividades sexuais por muito tempo.

O movimento em favor do celibato tornou-se incontrolável durante a Idade Média, conforme fica provado no artigo intitulado *Celibato*. Finalmente, prevaleceu na cristandade organizada esse ponto de vista, tendo sido criado um dogma, reforçado por pronunciamentos do papado. Esse é um dogma que os papas têm a autoridade de reverter. Muitos tinham fortes esperanças de que o papa Paulo VI faria exatamente isso. Mas tais expectativas foram amargamente desapontadas quando ele reafirmou, "em termos enfáticos", a superioridade do celibato para o clero, em contraposição ao estado de casado. O número de dissidentes na Igreja Católica Romana, no tocante a essa posição, tem aumentado de forma dramática em nossos dias, havendo grandes probabilidades de que, finalmente, o clero católico romano terá permissão de casar-se.

VIRGEM, APOCALIPSE DA

Era inevitável que o nome da Virgem Maria fosse empregado como um presumido recipiente de revelações nos tempos posteriores ao Novo Testamento. Os livros com essas revelações fictícias formaram parte dos livros neotestamentários apócrifos e pseudepígrafos. Outros livros semelhantes, alegando *pseudônimos* como autores, foram atribuídos aos apóstolos e a outros importantes cristãos primitivos. Ver os artigos sobre *Livros Apócrifos e Pseudepígrafos* na *Enciclopédia de Bíblia, Teologia e Filosofia*. Ver também sobre a *Assunção da Bendita Virgem*, outra obra apócrifa e pseudepígrafa que, não obstante, não têm conexão literária com os dois apocalipses que levam seu nome.

1. *O Apocalipse Grego da Virgem*. À Virgem faltava informação sobre o estado dos perdidos no inferno, por isso orou para ser iluminada sobre o assunto. Sua oração foi atendida, e ao laborioso arcanjo Miguel foi dada a tarefa de guiá-la através do sinistro submundo dos condenados. Pecados particulares recebem graus específicos de castigo, embora todos os pecadores estejam no "rio de fogo" em diferentes profundezas. Este "rio de fogo" é uma figura tomada por empréstimo de Enoque e foi precursora do "lago de fogo" do Novo Testamento. Os que negavam a doutrina da Trindade eram tratados de forma muito hostil; os que ficavam no leito até tarde no domingo de manhã, quando deveriam estar na igreja, bem como os que não respeitavam os sacerdotes, ficando de pé quando entravam numa sala, eram colocados sobre assentos em brasa! Pecadores especiais, como os judeus que crucificaram a Jesus, tinham sua residência do lado de fora do Paraíso. Maria, perturbada com todos os horrores que via, passou algum tempo em ardente intercessão (com a cooperação de todos os santos) em favor dos pecadores. Suas orações foram ouvidas; daí seu Filho estabeleceu um dia em cada ano, a saber, o dia de Pentecostes, em que todos os condenados obteriam descanso de seus tormentos. Alguns crêem que as orações de Maria poderiam ter feito bem mais que isso!

2. *O Apocalipse Etíope da Virgem*. Quase a totalidade deste apocalipse é um empréstimo direto do *Apocalipse de Paulo*. Ver o artigo sobre *Livros Apócrifos do Novo Testamento*, 2.d. E assim temos aqui um antigo caso de plágio. Entretanto, uma seção revela afinidade com o Apocalipse de Pedro. Maria revela vários mistérios que lhe foram confiados. Este apocalipse é essencialmente os capítulos 13-44 do *Apocalipse de Paulo*, mas contém um número de citações bíblicas para ilustrar o material apresentado.

VIRGENS VESTAIS

As sacerdotisas assim chamadas eram as guardiãs do fogo perpétuo que havia no *Átrio de Vesta* (vide). No começo, eram quatro sacerdotisas, mas depois o número delas aumentou para seis. As mulheres que faziam esse serviço serviam pelo espaço de trinta anos, e não podiam casar-se. Tinham muitas prerrogativas reais, e protetores pessoais. Havia assentos reservados para elas, nos jogos públicos; e eram respeitadas até pelos mais altos oficiais. Se algum criminoso, a caminho da execução, encontrasse em seu caminho uma dessas mulheres, era imediata e automaticamente perdoado. Esse culto perdurou somente de 6 a 36 d.C.

VIRTUDE

Vários artigos têm sido providos nesta enciclopédia, que estudam essa questão da *Virtude*. Ver os seguintes: *Virtude (Bíblica); Virtude na Filosofia; Virtudes Cardeais; Virtudes Dianoéticas* e *Virtudes Intelectuais*.

VIRTUDE (BÍBLICA)

Neste verbete, cumpre-nos estudar uma palavra hebraica e duas palavras gregas, a saber:

1. *Chayil*, "força", "exército", "valor". Com o sentido de virtude, encontramo-la somente por quatro vezes em todo o Antigo Testamento: Rute 3:11; Pro. 12:4; 31:10; 31:29. O exame dessas passagens mostra que está sempre em foco alguma virtude tipicamente feminina. O capítulo 31 do livro de Provérbios é a passagem veterotestamentária que mais exalta as virtudes femininas. Entre as virtudes femininas ali salientadas temos a operosidade, o cuidado com as necessidades domésticas, a ajuda prestada aos aflitos, a tranqüilidade de espírito diante do futuro, a sabedoria de linguagem, etc. Diante dessas qualidades, seu marido comenta: "Muitas mulheres procedem virtuosamente, mas tu a todas sobrepujas". Essas virtudes são contrastadas com a mera beleza física: "Enganosa é a graça e vã a formosura, mas a mulher que teme ao Senhor, essa será louvada" (Pro. 31:29,30).

2. *Areté*, "força mental", "excelência", "virtude". Esse vocábulo grego figura por quatro vezes no Novo Testamento: Fil. 4:8; 1 Ped. 2:9; II Ped. 1:3,5. Devemos pensar, sobretudo, em "virtude ou excelência moral", quando encontramos essa palavra grega. Contudo, no caso de Fil. 4:8, Robertson, o maior gramático do grego koiné, pensa que a idéia é sinônima de "louvor". Em nossa versão portuguesa lemos nesse versículo de Filipenses: "... irmãos,

VIRTUDE (BÍBLICA) – VIRTUDE NA FILOSOFIA

tudo o que é verdadeiro, tudo o que é respeitável, tudo o que é justo, tudo o que é puro, tudo o que é amável, tudo o que é de boa fama, se alguma *virtude* há e se algum *louvor* existe, seja isso o que ocupe o vosso pensamento". Ali as palavras *virtude* e *louvor*, pois, poderiam ser consideradas aspectos da excelência moral dos crentes.

No trecho de I Pedro 2:9 destaca-se a virtude de Deus, Aquele cujas excelências cabe-nos anunciar ao mundo. Poderíamos pensar aqui na graça, na misericórdia, no amor, na santidade, na longanimidade, etc., de Deus, sobretudo quando essas virtudes se manifestaram na pessoa de Jesus Cristo.

Sem dúvida, II Ped. 1:3-11 é trecho fundamental para quem quiser estudar acerca do desenvolvimento do cristão, que o prepara para o reino eterno de Cristo. Poderíamos imaginar esse desenvolvimento como uma escadaria. O primeiro degrau na subida cristã é a "fé". Mas o segundo degrau é a "virtude", ou seja, a excelência moral (que envolve tanto evitar toda manifestação de erro e pecado, como também o cultivo das qualidades morais). Somente então o crente pode galgar degraus maiores, como o conhecimento (por experiência própria com Deus), o domínio próprio, a perseverança, a piedade (o temor a Deus, que leva a uma obediência respeitosa, como de filho para pai), a fraternidade (o amor por simpatia), e, finalmente, o amor (aquele que percebe o valor do objeto amado). Oh, minha alma, engrandece ao Senhor e roga que te seja dado subir todos esses maravilhosos degraus! A fé nos é dada gratuitamente pelo Senhor. Daí por diante, começando pela "virtude", requer-se a cooperação com o Espírito de Deus. A importância dessa ascensão espiritual pode ser vista nas palavras de Pedro: "...estas cousas, existindo em vós e em vós aumentando, fazem com que não sejais nem inativos, nem infrutuosos no pleno conhecimento de nosso Senhor Jesus Cristo... procedendo assim, não tropeçareis em tempo algum. Pois, desta maneira é que vos será amplamente suprida a entrada no reino eterno de nosso Senhor e Salvador Jesus Cristo" (II Ped. 1:8 ss).

3. *Dúnamis,* "poder". Poderíamos dizer que assim como as *areté* refletem o aspecto moral, os *dúnamis* refletem a ascensão metafísica do crente, a espiritualização do remido, com a manifestação dos poderes de Cristo em sua vida. Essa palavra grega é bastante comum nas páginas do Novo Testamento. Aparece por 118 vezes: exemplos - Mat. 6:13; 7:22; 26:64; Mar. 5:30; 14:62; Luc. 1:17,35; 4:14,36; Atos 1:8; 2:22; 3:12; 4:7,33; 1:4,16,20; 8:38; 9:17 (citando Êxo. 9:16); I Cor. 1: 18,24; 2:4,5; II Cor. 1: 7; 4:7; 6:7; Gál. 3:5; Efé. 1:19,21; 3:7,16,20; Fil. 3:10; Col. 1:11,29; I Tes. 1:5; 11 Tes. 1:7,11; 2:9; II Tim. 1:7,8; 3:5; Heb. 1:3; 2:4; 6:5; 7:16; 11:11,34; I Ped. 1:5; 3:22; II Ped. 1:3,16; 2:11; Apo. 1:16; 3:8; 4:1; 5:12; 7:12; 11:17.

Nos três evangelhos sinópticos, está em foco a capacidade do Senhor Jesus de realizar milagres. No capítulo 12 de I Coríntios, há menção aos *poderes* como um dos dons do Espírito: "...operações de milagres...", diz a nossa versão portuguesa.

Interessante é que nos livros apócrifos certos objetos aparecem como se tivessem virtudes, que seriam as propriedades naturais. Ver, por exemplo, Eclesiastes 38:5; Sabedoria de Salomão 7:20; 13:2 e 19:20. Mas, naturalmente, esse uso já foge da maneira bíblica de empregar tal palavra.

Voltando ao uso bíblico, vale a pena destacar o trecho de I Coríntios 1:24,25, onde lemos: "...para os que foram chamados, tanto judeus como gregos, pregamos a Cristo, poder de Deus e sabedoria de Deus. Porque a loucura de Deus é mais sábia do que os homens; e a fraqueza de Deus é mais forte do que os homens". Paulo se referia ao evangelho e seu ato central, a morte de Cristo por crucificação. Para quem tem olhos para ver, em nenhum outro momento Deus manifestou tanto poder. Porquanto, em Cristo, ele estava reconciliando consigo mesmo todas as coisas, segundo também explica Paulo: "...havendo feito a paz pelo sangue da sua cruz, por meio dele reconciliasse consigo mesmo todas as cousas, quer sobre a terra, quer nos céus" (Col. 1:20). Mediante o pecado dos anjos que pecaram e da humanidade inteira, estabeleceu-se uma brecha entre Deus e sua criação. E as forças do mal como que se riam da situação. Mas Deus, em Jesus Cristo triunfou sobre tais poderes com um poder ainda maior: o poder da reconciliação, através do sangue de Cristo. "...despojando os principados e as potestades, publicamente os expôs ao desprezo, triunfando deles na cruz" (Col. 2: 15). Cabe aqui o ditado popular: Ri melhor quem ri por último. Somos partícipes dessa vitória de Cristo sobre todo o poder da maldade. Ele é o poder e a sabedoria de Deus!

VIRTUDE NA FILOSOFIA

A palavra grega básica traduzida no Novo Testamento por "virtude" é *areté*. O termo latino correspondente é *virtus,* "varonilidade". Os significados originais estavam relacionados a esses conceitos, porquanto a varonilidade sugere a idéia de "força", como a base de excelentes qualidades. Porém, a idéia de virtude pode significar algo de qualidade moral, como "bom", "certo", "santo" ou "excelência moral". Assim, qualquer "qualidade admirável" é uma virtude. Em vários escritos antigos, o termo grego *areté* indica o "poder de Deus", correspondendo à idéia de "força", conforme foi dito linhas acima.

Idéias dos Filósofos:

1. *Sócrates* interpretava a virtude como um "agir virtuosamente", como quando sabemos o que é melhor para nós. Assim sendo, o conhecimento produziria uma conduta digna e útil.

2. *Platão* concebia quatro virtudes principais: virtude, coragem, temperança e justiça. Os filósofos escolásticos fizeram a lista de virtudes aumentar para sete, acrescentando as virtudes platônicas às três virtudes paulinas da fé, da esperança e do amor. Ver o artigo separado intitulado *Virtudes Cardeais.*

3. *Aristóteles pensava* que a função de cada indivíduo é a sua "virtude". Ademais, ele pensava que as virtudes morais são atos que evitam extremos, que exprimem o *meio - termo áureo.* Tenho ilustrado detalhadamente essa questão no artigo acerca de *Aristóteles.* Ver também sobre *Meio (Meio -Termo Áureo).*

4. *Os estóicos* faziam da "apatia" a verdadeira virtude humana. Apático, o homem manter-se-ia distante dos sofrimentos. O estoicismo romano pensava que a principal virtude é a *moderação,* e, no caso da sociedade como um todo, a *justiça.* Marco Aurélio acreditava que a justiça é sua própria recompensa, bem como a origem principal de satisfação humana. Para, o estoicismo, todas as virtudes estariam alicerçadas na natureza (a lei natural), podendo ser descobertas pela razão humana.

5. *Ambrósio* cunhou a expressão "virtude cardeal", para ser usada na filosofia, com base nas sugestões que lera nos escritos de Platão e Cícero, além dos seus sentimentos cristãos.

6. *Agostinho* fazia do amor a maior de todas as virtudes, acompanhando os ensinamentos paulinos (ver 1 Cor. 13).

7. Na *Idade Média,* as discussões giravam em torno das sete virtudes cardeais cristianizadas, onde a fé, a es-

VIRTUDE NA FILOSOFIA – VISÃO (VISÕES)

perança e o amor ocupavam uma posição central.

8. *Hobbes* localizava as virtudes morais no desejo de paz, a principal lei da natureza. Ele alistava a gratidão, a modéstia, a eqüidade e a misericórdia, como virtudes da lei da natureza. Mas ele percebia que os homens, em seus hábitos e em sua linguagem, fazem entrar certa ambigüidade na discussão sobre a virtude, a despeito das instruções que lhes são dadas pela natureza.

9. *Geulinox* nomeava a diligência, a obediência, a justiça e a humildade como as virtudes cardeais.

10. *Spinoza* pensava que a virtude primordial é a "autopreservação". Todas as virtudes precisam desenvolver-se através da razão e do planejamento.

11. *Locke* pensava que as virtudes são convenções sociais e individuais, com base naquilo que é "apreciado" ou "desprezado", ou naquilo que é "louvado" ou "censurado".

12. *Malebranche* opinava que "o amor à ordem" é a principal virtude, que dá orientação à vida humana.

13. *Montesquieu* exaltava o "amor à lei" e o "amor à pátria" como as grandes virtudes políticas, das quais se derivariam todas as demais virtudes.

14. *Voltaire* referiu-se às virtudes usando termos sociais, pensando que o esforço por promover "o bem do próximo" é a maior das virtudes da vida humana.

15. *Rousseau* dizia que a virtude consiste em se seguir aquilo que a natureza requer, e que a razão nos dará as indicações necessárias (um retorno à maneira de pensar dos filósofos estóicos).

16. *Kant* referiu-se à virtude como a "obediência" àquilo que está alicerçado sobre a nossa natureza, no que devemos seguir o princípio de nada fazer que não queiramos que se torne uma lei universal. Ver sobre o *Imperativo Categórico*. O indivíduo deve buscar a felicidade, mas também deve ser "digno da felicidade". A verdadeira virtude atua naturalmente, conduzindo o indivíduo à felicidade.

VIRTUDES CARDEAIS

Ver o artigo sobre as *Sete Virtudes Cardeais*, onde há mais detalhes a esse respeito. As quatro virtudes fundamentais, das quais todas as demais dependem, são: a justiça, o controle próprio, a constância e a prudência. Dessas dependem todas as demais virtudes, como se elas fossem um eixo, sendo esse o sentido da palavra latina *cardo*, de onde vem o termo cardeal. Essa classificação em quatro aspectos encontra-se desde a filosofia clássica de Platão, Aristóteles e Cícero. Ambrósio, segundo todas as evidências, foi o primeiro cristão a aplicar o termo *cardeal às* principais virtudes cristãs. O apóstolo Paulo, porém, refere-se a três virtudes cristãs principais: a fé, a esperança e o amor (ver I Cor. 13:13). Os estóicos contavam com listas de virtudes e de vícios, acompanhando as sugestões de Platão e Aristóteles. Dali, a prática foi transferida para as páginas do Novo Testamento. Ver Gál. 5:19 ss, quanto a listas de vícios e de virtudes. Ali, o *amor* é a primeira das virtudes, originária e controladora de todas as demais, sendo esse o ponto de vista da maioria das religiões e das filosofias. O trecho de I João 4:7 ss, ilustra essa ênfase. Ver Romanos 1:29-31 para a mais completa lista de vícios que há na Bíblia. Ver I Coríntios 5:9 ss, quanto a outra lista de vícios; e ver Filipenses 4:8 quanto a outra lista de virtudes. Ver o artigo sobre *Vícios*. (AM NTI)

VIRTUDES DIANOÉTICAS

No grego *dianoia* é "intelecto", "mente". A expressão significa "virtudes intelectuais". Aristóteles estabeleceu distinção entre as virtudes morais e as virtudes intelectuais. As primeiras referem-se a como o homem controla a sua natureza afetiva, através da razão. As segundas falam sobre a função do raciocínio e da apreensão, por meio do intelecto.

VIRTUDES INTELECTUAIS

Ver sobre *Virtudes Dianoéticas*.

VISÃO (VISÕES)

Esboço:
I. Palavras Bíblicas Envolvidas
II. Variedade de Conceitos
III. Um Fenômeno Comum
IV. Explicações e Distinções
V. O Misticismo
VI. Crítica e Avaliações

I. As Palavras Bíblicas Envolvidas

Temos a considerar dez vocábulos hebraicos e três palavras gregas, a saber:

1. *Chezev*, "visão", "aspecto". Esse termo aramaico é usado por 12 vezes: Dan. 2:19,28; 4:5,9,10,13; 7:1,2,7,13,15,20.

2. *Chazon*, "visão". Esse termo hebraico é empregado por 35 vezes: I Sam. 3: 1; 1 Crô. 17:15; 11 Crô. 32:32; Sal. 89:19; Pro. 29:18; Isa. 1:1; 29:7; Jer. 14:14; 23:16; Lam. 2:9; Eze. 7:13,26; 12:22-24,27; 13:16; Dan. 1:17; 8:1,2,13,15,17,26; 9:21,24; 10:14; 11:14; Osé. 12:10; Oba. 1; Miq. 3:6; Naum 1:1; Hab. 2:2,3

3. *Chazuth*, "visão". Essa palavra hebraica é utilizada por apenas duas vezes, com esse sentido, isto é, em Isa. 21:2 e 29:11.

4. *Chizzayon*, "visão". Palavra hebraica empregada por nove vezes: II Sam. 7:17; Jó 4:13; 7:14; 20:8; 33:15; Isa. 22: 1,5; Joel 2:28 e Zac. 13:14.

5. *Machazeh*, "visão". Termo hebraico que figura por apenas três vezes, em todo o Antigo Testamento: Gên. 15:1; Núm. 24 e Eze. 13:7.

6. *Chazot*, "visão". Palavra hebraica que só ocorre por uma vez, em todo o Antigo Testamento: II Crô. 9:29.

7. *Marah*, "aparição", "visão". Vocábulo hebraico que foi usado por uma vez com o sentido de "espelho", em Êxo. 38:8; e por 11 vezes com o sentido de "visão": Gên. 46:2; Núm. 12:6; 1 Sam. 3:15; Eze. 1:1; 8:3; 40:2; 43:3; Dan. 10:7,8,16.

8. *Mareh*, "aparição", "visão". Palavra hebraica que ocorre por quarenta e oito vezes, conforme se vê, por exemplo, em Eze. 8:4; 11:24; 43:3; Dan. 8:16,26,27; 9:23 e 10:1; Núm. 9:15,16 e Joel 2:4.

9. *Roeh*, "visão". Palavra hebraica que aparece por apenas uma vez em todo o Antigo Testamento, em Isa. 28:7.

10. *Raah*, "ver". Verbo hebraico traduzido como "visão", em II Crô. 26:5.

11. *Órama*, "coisa vista", "espetáculo". Palavra grega usada por 12 vezes no Novo Testamento: Mat. 17:9; Atos 7:31; 9:10,12; 10:3,17,19; 11:5; 12:9; 16:9,10.

12. *Órasis*, "aspecto", "visão". Vocábulo grego usado por quatro vezes no Novo Testamento: Atos 2:17 (citando Joel 3:1); Apo. 4:3 e 9:17.

13. *Optasía*, "aparição", "visão", "visualidade". Palavra grega que figura por quatro vezes no Novo Testamento: Luc. 1:22; 24:23; Atos 26:19 e II Cor. 12:1.

II. Variedade de Conceitos

Apesar de a palavra portuguesa, "visão", poder indicar a percepção ocular, geralmente aponta para as dimensões extrafísicas de certas experiências místicas, algo visto,

VISÃO (VISÕES)

que não pela capacidade ocular normal dos seres humanos, mas antes, contemplado como que em sonho ou êxtase, algo revelado visualmente a um profeta. Está em foco alguma imagem visual sem conteúdo físico, material. Alguns pensam que se trata de um forte poder da imaginação, mas é melhor pensarmos em um discernimento incomum, em forma visual, dado pelo Espírito de Deus, ou, então, por algum espírito maligno, ou mesmo pelas capacidades psíquicas naturais dos seres humanos. Naturalmente, quando se trata de servos de Deus, como os profetas, os apóstolos, e outros, devemos pensar em alguma experiência mística inspirada pelo Espírito Santo.

III. Fenômeno Comum

O número de palavras hebraicas envolvidas (dez), mostra que o fenômeno era bastante comum nos dias do Antigo Testamento. Cerca de uma décima parte das ocorrências dessas palavras aparece no livro de Daniel. O conteúdo do livro talvez nos dê a entender melhor a natureza peculiar e sugestiva das visões.

O uso da idéia, no Antigo Testamento, parece perfeitamente coerente com a natureza revelada de Deus. Pois, por todas as páginas da Bíblia, Deus aparece como alguém *que se revela* e se manifesta aos homens, tornando os seus caminhos conhecidos por parte de indivíduos escolhidos. Assim, por várias vezes os patriarcas mostram que a revelação por meio de visões era um dos métodos escolhidos pelo Senhor para tornar-lhes conhecida a sua vontade. Para exemplificar: "Depois destes acontecimentos veio a palavra do Senhor a Abraão, numa visão, e disse: Não temas, Abraão, eu sou o teu escudo, e teu galardão será sobremodo grande" (Gên. 15:1). E também: "Ouvi agora as minhas palavras: se entre vós há profeta, eu, o Senhor, em visão a ele me faço conhecer, ou falo com ele em sonhos". (Núm. 12:6).

A palavra hebraica de uso mais freqüente para indicar "visão", é *mareh*. Damos dois exemplos de seu uso: "Eis que a glória do Deus de Israel estava ali, como a glória que eu vira no vale" (Eze. 8:4). "E ouvi uma voz de homem de entre as margens do Ulai, a qual gritou e disse: Gabriel, dá a entender a este a visão" (Dan. 8:16).

Outra palavra muito usada no Antigo Testamento é *chazon*, que também exemplificamos com duas citações: "Naqueles dias a palavra do Senhor era mui rara; as visões não eram freqüentes" (I Sam. 3:1). "...buscarão visões de profetas; mas do sacerdote perecerá a lei e dos anciãos o conselho" (Eze. 7:26).

Tentando explicar as visões, muitos estudiosos têm emitido sua opinião a respeito. Malebranche (1638–1715) pensava que as percepções normais de nossos sentidos físicos não seriam orgânicos, mas tornar-se-iam possíveis devido à conexão entre a alma humana e Deus; e, então, poderia haver mais do que visões orgânicas, através do olho humano, visto que haveria visões da alma. De certa feita, este tradutor teve um sonho de revelação, dentro do qual duas figuras de branco fulgurante diziam uma a outra: "Deus criou o olho humano, que vê o que lhe está diante. Mas, quando Deus quer dar o dom de visões, volta os olhos da alma para dentro, e então mostra o que ele quiser!" Para mim, isso constitui uma grande revelação, mostrando um pouco da extensão da alma humana, e como o Espírito de Deus controla e santifica os poderes da mesma. Ver também os artigos sobre Sonhos, Transe e *Misticismo*.

IV. Explicações e Distinções

Há pessoas que pensam que as visões só ocorrem quando a pessoa está dormindo, porquanto confundem as visões com os sonhos, posto que há visões sob a forma de sonhos, estando a pessoa no sono. Mas que há visões dadas nos momentos despertos pode-se ver, por exemplo, em passagens como Dan. 10:7 e Atos 9:7, quer de dia (Cornélio, Atos 10:3; Pedro, Atos 10:9 ss, conf. Núm. 24:4-16), quer de noite (Jacó, Gên. 46:2). E que há visões quando a pessoa está dormindo, prova-se através de Núm. 12:6; Jó 4:13; Dan. 4:9.

Um ponto que não deve ser esquecido é que as visões, por mais estranhas que possam ser, vez por outra, as suas cenas, usualmente, têm pontos de contato com as experiências da vida real. Um dos casos mais nítidos do que dizemos foi a visão do "homem da Macedônia", que o Senhor deu a Paulo (ver Atos 16:9), que pôde ser reconhecido, sem dúvida, por causa de seus trajes, e, talvez de sua aparência pessoal. E a "escada de Jacó". (ver Gên. 28:12) também não é difícil de ser interpretada, pois todos sabemos para o que serve uma escada. Todavia, as visões podem ser extremamente simbólicas, não podendo ser interpretadas literalmente. Assim, uma arvore frondosa pode indicar um homem no viço da saúde ou com boa espiritualidade, ao passo que uma árvore doente reflete a saúde periclitante, ou, então, uma má situação espiritual. No quarto capítulo do livro de Daniel lemos que declarou o rei Nabucodonosor: "Tive um sonho, que me espantou; e, quando estava no meu leito, os pensamentos e as visões da minha cabeça me turbaram" (Dan. 4:5). Vemos aí tanto visões durante um sonho, como também árvore do sonho representando a vida de Nabucodonosor, conforme também explicou o profeta: "A árvore que viste... és tu, ó rei..." (Dan. 4:20,22).

O caráter das revelações conferidas por meio de visões também pode revestir-se de um duplo aspecto, dentro da narrativa bíblica. Em certo sentido, uma revelação dessas pode propor uma orientação imediata. Isso pode ser visto nos casos de Abraão (Gên. 15: 2), Ló (Gên. 19: 15), Balaão (Núm. 22:22), e, no Novo Testamento, Pedro (Atos 12:7). Em outro sentido, uma revelação mediante visões pode esclarecer algum aspecto ou desenvolvimento do reino de Deus, condicionado às idéias morais e ao avanço espiritual do povo de Deus. Isso pode ser visto em muitas das visões de homens espirituais como Isaías, Ezequiel, Oséias, Miquéias, Zacarias, etc., e, nas páginas do Novo Testamento, Paulo, e, acima de tudo, João, com suas tremendas visões do Apocalipse. O primeiro tipo, isto é, revelações para dar orientação imediata, tem muitos pontos de contato com a vida dos piedosos de todos os séculos. Por outro lado, as visões proféticas que chegam a perscrutar o avanço espiritual da nação de Israel ou da Igreja de Cristo, mostram a imperiosa necessidade do crescimento espiritual dos crentes, segundo a imagem ou modelo de Cristo, sem o que qualquer indivíduo, instituição humana ou nação estão condenados à derrota espiritual, porquanto vida requer crescimento, e a morte é que corresponde à fixidez.

A natureza das visões dadas pelo Espírito Santo, como instrumentos da comunicação divina, está intimamente vinculada aos reavivamentos religiosos (ver Eze. 12:21-25; Joel 2:28; cf. Atos 2:17). Por outra parte, a ausência de visões está diretamente ligada ao declínio espiritual, conforme se vê em Isa. 29:11,12; Lam. 2:9; Eze. 7:26; Miq. 3:6, etc. Precisamos do *toque místico* na nossa fé. Ao outro lado, existe um *misticismo falso* (vide). Crentes imaturos não sabem distinguir a diferença.

V. O Misticismo

Muitas pessoas evangélicas têm receio das experiências místicas, temendo até mesmo a palavra "misticismo", como se isso se aproximasse de espiritismo ou de experiências

VISÃO (VISÕES) – VISÃO BEATÍFICA

com demônios. Porém, se entendermos *misticismo* como termo que indica o contato de um ser humano com algum poder espiritual superior, como um anjo do Senhor, e, sobretudo, com o Espírito de Deus, então compre-enderemos que um homem pode ser um visionário, sem que isso importe em qualquer mau sentido. Sem dúvida, ninguém haveria de querer considerar homens santos e espirituais como Abraão, Moisés, Jacó, Isaías, Ezequiel, Daniel, Paulo e João, que foram homens visionários extraordinários, como indivíduos esquisitos, ou que deveríamos evitar, somente porque eles eram diferentes da maioria dos homens, que nunca recebem uma visão sequer na vida. Qualquer estudo sério que se faça de suas vidas e realizações demonstrará que as experiências místicas que eles tiveram, longe de servir-lhes de estorvo, muito os ajudaram em seu desenvolvimento espiritual, o que também explica a grande utilidade que tiveram no reino de Deus.

O homem dotado de visões é o homem que se mantém em contato santo e íntimo com as realidades espirituais. Não nos olvidemos que um dos mais fortes impulsos de Deus é o de entrar em contato com o homem e comunicar-se com ele; e, conforme já vimos, no começo deste artigo, Deus manifesta-se aos profetas, segundo ele mesmo declarou, por meio de visões e sonhos (ver Núm. 12:6).

Ver os três artigos separados intitulados: *Misticismo; Desenvolvimento Espiritual, Meios do; e Maturidade*.

VI. Crítica e Avaliações

Conforme foi amplamente demonstrado nas seções anteriores deste verbete, é claro que as visões são o principal poder por detrás da formação de Livros Sagrados, incluindo a Bíblia. Uma visão é uma expressão do *misticismo* (vide), com base no pressuposto de que Deus pode revelar-se e realmente revela-se através da experiência visionária dos profetas. A iluminação, a revelação e as visões fazem parte do campo geral do misticismo.

Também é patente que existem visões falsas, como na atividade demoníaca e nas condições psicológicas patológicas. Assim, instrumentos humanos de Satanás também têm visões, e igualmente os mentalmente desequilibrados.

Quanto às Visões Triviais. A ciência tem comprovado, de forma insofismável, que as visões podem ser triviais. A privação da percepção dos sentidos pode fazer uma pessoa ter "visões", que são alucinações da primeira ordem. Certa experiência científica consistiu em imergir as pessoas em um ambiente fechado, em tanques de água. Tais pessoas ficaram assim privadas de qualquer possibilidade de ver, não ouviam qualquer som, e só contavam com um limitado sentido de tato. E algumas das pessoas submetidas ao teste, dentro do breve espaço de 24 horas começaram a ter visões de tão notável qualidade que disseram que a menos que mantivessem em mente que estavam sendo submetidas a um teste, não teriam podido distinguir essas visões da realidade. Algumas dessas visões eram engraçadas, outras eram aterrorizantes, outras eram iluminadoras, outras comunicativas, e algumas apenas entretinham. Certas drogas também causam visões. Talvez, algumas vezes, essas visões sejam genuínas no sentido de que a perturbação do delicado equilíbrio entre o corpo e o espírito pode levar o espírito a manifestar-se um pouco mais do que na vida diária comum. Por outra parte, existem alucinações visuais patentes que algumas pessoas confundem com visões espirituais válidas. A primeira coisa que um místico *sério* faz é questionar a validade de suas visões; mas um *misticismo barato* (que se manifesta entre pessoas de pouca instrução, que confiam cegamente e não têm qualquer atitude de crítica mental) pode produzir toda espécie de visões triviais, que são consideradas importantes, embora não o sejam.

Além disso, devemos levar em conta a questão da receptividade. Aquele que busca ter essas manifestações, mas não possui o desenvolvimento moral e espiritual necessário, pode tornar-se vítima de forças estranhas, sem importar sua natureza exata. E então uma forma de patologia espiritual é exaltada como se fosse uma espiritualidade superior.

Sem importar os abusos e os precipícios, a fé religiosa vê-se reduzida a pouco mais do que exercícios da razão (conforme se vê na religião natural), a menos que visões de profetas possam comunicar mensagens espirituais genuínas. Isso é ensinado na própria Bíblia.

Por isso mesmo, não devemos rejeitar visões e profecias como meio de iluminação e crescimento espirituais. Carecemos do toque místico em nossas vidas, embora também necessitemos de conhecimento, erudição e atitudes críticas. O homem verda-deiramente espiritual será capaz de conseguir esse bom *equilíbrio* em sua atuação. Mas há muitas pessoas envolvidas em um misticismo barato, que estão brincando com algo que não sabem controlar, e terminam por ser prejudicadas.

VISÃO BEATÍFICA

Essa expressão teológica indica a visão que os homens podem ter de Deus. A idéia está contida nas Escrituras (Mat. 5:8; 1 Cor. 13:2; Apo. 22:4), e até mesmo nos livros apócrifos (II Esdras 7:98). Também pode-se ver a essência da visão beatífica em trechos como Rom. 8:29; II Cor. 3:18 e II Ped. 1:4.

Segundo afirmam os teólogos, essa visão será obtida *in patria* (nos mundos celestiais), e não *in* via, ou seja, ao longo da peregrinação terrestre. Não obstante, mesmo neste mundo pode haver experiências que prefiguram aquela que os remidos desfrutarão no céu. Alguns supõem que grandes santos e líderes espirituais, como Moisés, Paulo e Tomás de Aquino tivessem tido essa experiência enquanto ainda viviam na face da terra. Mas suas experiências, apesar de extraordinárias, foram apenas previsões. Isso é assim porque a visão beatífica não consiste apenas em uma visão, pois é a essência que consiste em tornar-se um ser imortal. Platão afirmava, de modo certo e artístico, que os remidos deixam de ser apenas eternos, para tornarem-se imortais. Em outras palavras, eles obtêm em si mesmos a própria fonte da vida, deixando de ser dependentes. O quinto capítulo do evangelho de João ensina algo similar. Aprendemos ali que o Pai deu ao Filho o poder de ter vida em si mesmo; e o Filho, por sua vez, confere esse poder aos filhos de Deus (João 5:25,26).

I. Declaração de Características

1. *Verão a Deus,* Mat. 5:8. Estas palavras têm duas aplicações: a. compreensão e visão *interiores* da natureza da pessoa de Deus, como em Efé. 1:18. b. Esta visão nesta vida tem *aperfeiçoamento* no futuro na visão beatífica, a experiência mística mais alta possível, Devem existir muitos níveis da visão de Deus pela alma. De fato, contemplamos *um processo eterno* que começa com a *Parousia* (vide). I Jo.3:2, Rom. 8:29, II Cor. 3:18 descrevem aspectos desta visão. Não há dúvida de que o propósito é a participação na natureza divina, II Ped. 1:4, de maneira real, mas finita. Os teólogos debatem se Deus pode ou não ser visto, pelas percepções humanas. Fisicamente, pelo menos, isto é impossível, I Tim. 6:16. Mas alguns acham que nem seres invisíveis e imateriais podem ver o Grande Invisível.

De qualquer maneira, as *manifestações* de Deus po-

VISÃO BEATÍFICA

dem ser vistas, e grandes *mistérios* cercam o resto. É inútil tentar esclarecer este assunto. "O que significa ver a Deus?" A visão beatífica tem sido um alvo milenar, tanto do filósofo, como do santo, mas essa bem–aventurança promete mais do que *mera visão*. Talvez nosso mais profundo anelo, se pudéssemos analisar os nossos desejos, consista em ver a Deus. Tennyson deixou instrução de que o seu *Atravessando a Barra* sempre deveria ser posto no fim de suas obras publicadas. Termina como segue:

*Espero ver meu Piloto face a face
Quando eu tiver atravessado a barra.*

2. *No império medo-persa*, havia sete conselheiros e amigos íntimos que se avistavam pessoalmente com o "rei", Est. 1: 14. Talvez esse costume estivesse na mente de Cristo quando fez essa promessa (Mat. 5:8). Shelley insistia em que essa bem-aventurança é uma representação metafórica de nossa convicção de que a virtude é sua própria recompensa. De qualquer maneira, é a finalidade da busca ética e espiritual do homem. Obviamente, não é o ato de meramente ver a Deus; é a transformação total da alma *pela* visão de Deus, uma experiência multiforme, contínua e eterna.

3. *Haveremos de vê-lo como ele é*, I Jo.*3:2*. A *visão beatífica*. Podemos observar, em II Cor. 3:18, como o crente é pintado como quem contempla a si mesmo em um espelho. Porém, em vez de ver a si mesmo, vê a Cristo, o Homem ideal, aquilo que haverá de ser o homem, dentro do imenso plano divino da redenção. Estando o homem a contemplar continuamente a Cristo, vai sendo transformado *de um estágio de glória para outro*, até que, finalmente, chegará a participar de sua mesma imagem, da mesma natureza do Homem ideal. Essa "contemplação" é mística, é a comunhão da alma com o ser divino. O Espírito Santo é o autor e aperfeiçoador desse processo. Tal processo é uma espécie de contínua visão beatífica; e tal visão é um poder transformador. Somos Cristo em formação Deus está duplicando o seu Filho unigênito em seus filhos. Por ocasião da *parousia* (sobre o que fala o presente versículo), haverá a "mais profunda contemplação" de Cristo, aquilo que os teólogos têm convencionado chamar de "visão beatífica" no nível da alma. Essa visão de Cristo, quando da *parousia*, dará aos remidos a natureza essencial de Cristo; e a eternidade inteira será passada na obtenção de maior grau dos atributos e perfeições do Filho, embora já participemos, então, de sua natureza. Portanto, a "parousia" representa um imenso salto para frente. De fato, será tão grande que nem podemos começar a imaginar o que ela significará. Mas sabemos que nos elevará muitíssimo acima da natureza e da estatura dos anjos, porquanto estes jamais foram chamados "filho", no sentido em que Cristo é o Filho de Deus. Em comparação ao Filho, os anjos são apenas fumaça que se esvai ou um lampejo de luz (ver Heb. 1:7).

Esses conceitos são profundíssimos e representam verdades *prodigiosas*. É disso que consiste o evangelho. É lamentável que, nas igrejas comuns, o evangelho tenha sido reduzido a nada mais além do perdão dos pecados e da mudança para as dimensões celestiais, algum dia. A salvação consiste em muito mais do que nos sucede; de como o ser humano assume a natureza divina, de como a natureza divina é insuflada no ser humano. Ver os artigos separados intitulados, *Transformação Segundo a Imagem de Cristo, Filiação; Divindade, Participação dos Homens na; Salvação*.

II. Natureza dessa Transformação

1. Essa transformação à imagem de Cristo envolve genuína participação em sua própria forma de vida. Dessa maneira, a alma humana será elevada até muito acima do poder e inteligência de qualquer forma de vida angelical. Ver o artigo sobre a *Transformação Segundo a Imagem de Cristo*.

2. Ser conformado à imagem do Filho significa participar da natureza divina, segundo Cristo a possui (ver II Ped. 1:4). Os filhos de Deus participam dessa natureza em grau finito, mas de maneira sempre crescente, por toda a eternidade. O Filho participa dela de maneira infinita, por fazer parte da Trindade. Porquanto há uma infinitude com que devemos ser enchidos, deve também haver um enchimento infinito. Os filhos de Deus sempre haverão de obter mais e mais dos atributos divinos, da mesma maneira que um filho vai se tornando mais e mais parecido com seu pai, em força física e maturidade.

3. A participação na natureza do Filho equivale a obter os seus atributos (a sua plenitude; ver Col. *2:10*). E isso concomitantemente com a participação na plenitude do Pai (ver Efé. 3:19).

4. Tal como todas as coisas foram criadas por ele, assim também tudo terá de retornar a ele (ver Col. 1: 16). O que é dito acerca do Filho, nesse versículo, é dito acerca do Pai, em I Cor. 8:6. Esse "retorno" ao Pai, através do Filho, equivale a nos tornarmos membros da família divina (ver Heb. 2:10). Por conseguinte, filiação é salvação. A transformação segundo a imagem do Filho constitui a salvação (ver Heb. 2:3).

5. A "parousia" (segunda vinda de Cristo) determina a ocasião em que a alma remida começará a participar metafisicamente na natureza do Filho. 1 João 3:2 certamente fala *dos primórdios* dessa participação. A eternidade inteira irá aumentando as dimensões dessa participação, a julgar por II Cor. 3:18, pois iremos passando de um estágio de glória para outro, interminavelmente. E assim participaremos da vida necessária e independente de Deus, isto é, da verdadeira imortalidade. (Ver o artigo sobre a *Imortalidade*).

*Oh! Imensidade a que Chamo de "Eu"
Oh! imensidade a que chamo de 'eu',
Minha alma, engrandecida por Deus és tu.
A pequenez do mundo, a miséria e o pecado
Por longo tempo ocultaram isso de minha visão.
Essa grande verdade está oculta daqueles que
Aspiram apenas habitar em algum lugar celeste,
Quando o destino da alma é ter suas riquezas,
Ser o que Ele é, pela graça;
Ser o que Ele é, divindade compartilhada,
Verdade dominante, fato admirável,
O caminho por Ele preparado.*
(Russell Champlin)

III. Efeitos Eternos

Gradações de explicações:

1. O patamar teológico mais baixo sobre essa questão é aquele que assevera que os remidos "verão a Deus", uma vez que sejam transferidos para o céu, o seu lar eterno. Eles serão "imaculados diante da sua glória" (Jud. 24). Naturalmente, já é coisa muito importante essa capacidade, mas dificilmente isso pode ser classificado como o sumo bem da evolução espiritual do homem. Vinculada a essa posição aparece a discussão sobre a *maneira* como os homens verão a Deus. Deus é um ser que pode ser visto pelos *olhos* do corpo remido e glorificado, o novo veículo da alma? Ou essa visão precisa ser antes compreendida em sentido metafórico? Não temos resposta para essa pergun-

ta, e nossa teologia antropomórfica, que expressa tudo em termos humanos, não nos ajuda a encontrar a verdade.

2. A visão beatífica é muito mais do que apenas estar na presença de Deus, ou de ver Deus, sem importar no que isso resulte. Antes, consiste em compartilhar da própria natureza de Deus (II Ped. 1:4). O primeiro capítulo do evangelho de João vincula a luz à vida. A iluminação produz uma *forma de vida* diferente no crente. Isso relaciona-se à transformação dos homens remidos segundo a imagem de Cristo (Rom. 8:29), mediante um processo de evolução espiritual que leva os remidos de um estágio de glória para outro, em um processo interminável (II Cor. 3:18). Portanto, ser iluminado, no seu sentido mais elevado, também aponta para a natureza metafísica transformada, de tal maneira que a pessoa torna-se um filho de Deus no mais exaltado sentido possível. Essa participação na natureza divina não é questão meramente *moral,* conforme alguns afirmam. Antes, é real e essencial. Em outras palavras, a mesma natureza divina que caracteriza Deus será dada aos remidos, embora em dimensões finitas. O ser criado, embora remido, sempre será um ser finito, embora continuamente se aproximando mais e mais da infinitude de Deus. A nossa finitude assemelha-se àquela assumida pelo Filho de Deus, quando ele se identificou com a humanidade, tornando-se homem. Porém, há uma real participação na natureza divina, e não apenas uma participação moral. Essa participação nos levará a experimentar crescentemente a glória, a majestade e o poder de Deus.

3. A glória que os remidos finalmente atingirão será tão profunda que ultrapassará a nossa atual capacidade de compreensão sobre a natureza e a glória de Deus. Isso equivale a dizer que os remidos serão maiores do que aquilo que, atualmente, concebemos a respeito de Deus. Também faz parte de minhas crenças, em face de passagens como Efésios 1: 10, que falam sobre uma restauração universal (ver o artigo a respeito), que os homens restaurados, em contraste com os homens remidos, embora condenados, obterão algum grau de elevada glória, mediante o julgamento e a subseqüente transformação operada pelo Espírito, de tal maneira que eles alcançarão um estado de glória e poder superior ao que agora atribuímos aos eleitos ou redimidos. Portanto, estou conjecturando que a visão beatífica, em um grau inferior do que no caso dos remidos, transformará os não-eleitos, isto é, envolverá os restaurados, e não apenas os remidos. O fato de que a glória dos restaurados será menor, embora magnificente, exalta a graça de Deus, que opera através da missão do Logos. O mistério da vontade de Deus, conforme é descrito em Efésios 1:10 é precisamente um "mistério". Todo mistério é alguma grandiosa verdade e operação de Deus, desconhecidos pela teologia que já podemos alcançar. Era uma verdade desconhecida enquanto não foi revelada a alguém, como Paulo. Ultrapassa a todos os pontos de vista anteriores, no tocante ao destino final dos homens. (Ver as notas no NTI sobre Efésios 1:10).

Parece não estar longe da verdade a seguinte conclusão: Quanto mais magnificamos o poder e a abrangência da missão de Cristo, quanto mais a universalizamos, mais próximos ficamos da verdade. Os universalistas (entre os quais não nos classificamos), naturalmente fazem essa visão beatífica ser universal e igual para todos. (Ver sobre o *Universalismo*). Porém, parece estar mais em consonância com a verdade bíblica falar em termos de "remidos" e "restaurados", ou seja, em graus distintos de participação na visão beatífica. A visão beatífica é o máximo da bondade e da grandiosidade providas pela graça divina. Se declarações como as que aqui exponho forem consideradas incompatíveis com o raciocínio e o bom juízo, responderei que aquilo que Cristo realizou em favor dos homens ultrapassa toda a razão humana, não podendo ser contido, ou restringido pelas cercas que os homens levantam em torno do mistério da vontade de Deus. Quando falamos sobre as realizações da missão de Cristo, devemos permitir jubilosamente que as trombetas soem, derrubando muralhas e desintegrando cercas humanas. Dessa maneira, podemos obter uma visão maior sobre o que está envolvido no evangelho. Há muitos evangelhos pequenos e insuficientes sendo anunciados pelas bandeiras denominacionais. Mas a verdade é maior que qualquer deles ou todos eles reunidos. (B C E NTI)

VISÃO DE DEUS

Ver o artigo *Visão Beatífica*. Essa é a visão final, aquela que determina o destino da alma humana redimida. Porém, existem visões menores, recebidas ainda neste lado da existência. Aos profetas, por exemplo, é conferida uma espécie de visão limitada de Deus, uma espécie de ato de *ver* a Deus, por meio de alguma *teofania* (vide), por meio de alguma outra experiência que o permite "ver" o que a vontade divina quiser que ele veja, e que então pode ser interpretado como ver a Deus. O trecho de João 1:18 declara enfaticamente que ninguém jamais viu a Deus no sentido literal, ou seja, ver a Deus em sua essência, o que é simplesmente impossível para os seres humanos, e que talvez nunca se torne possível para eles. Isso envolve profundos mistérios, acerca dos quais podemos tão-somente especular.

Ademais, os *místicos* têm visões que podem envolver o ato de ver alguma manifestação de Deus, que um místico não-crítico pode chamar de "ver a Deus". Ver o artigo *Visão (Visões)*. O artigo geral sobre o *Misticismo* dá muitas informações ao leitor sobre essa e outras questões afins. Os místicos sérios aceitam suas experiências a fim de atingirem a iluminação espiritual, o que, em certo sentido, pode envolver a idéia de "ver a Deus". A visão de Deus traz, até o nível do indivíduo, em certo sentido, o Deus transcendental, tornando-o, pelo menos durante aqueles breves momentos, imanente à experiência humana. A Igreja Católica Romana e a Igreja Ortodoxa Oriental (como também certas religiões orientais, não-cristãs), sempre destacaram a experiência mística e a iluminação espiritual. O protestantismo (excetuando suas expressões místicas) tem procurado contentar-se com a iluminação. Mas essa insistência tem debilitado as experiências espirituais entre os grupos protestantes, embora possa ter evitado certas armadilhas para as quais sua gente não está ainda preparada, por absoluta falta de conhecimento sobre essas realidades.

VISHNU (Vishnuísmo)

Essa figura imaginária começou como uma divindade solar secundária, nos hinos védicos; mas a sua estatura foi crescendo até tornar-se membro da elevada *tríade* divina hindu. Ver o artigo *Tríades (Trindades) na Religião*. No hinduísmo, a tríade divina consiste em *Brahma* (o Criador), *Shiva* (o Destruidor) e *Vishnu* (o Preservador). Um conceito central do vishnuísmo é o da encarnação dessa divindade. Quando as coisas se tornam muito más, Vishnu sente ser necessário encarnar-se, a fim de dar orientações aos homens. Os *avatares* (vide) são indivíduos especiais, encarnações de Vishnu; e, de acordo com a fé hindu, Jesus foi uma dessas encarnações. Mas as maiores encarnações (ou avatares) seriam Krishna, Rama e Buda; e nos lugares onde a fé cristã exerce influência entre os hindus, *Cristo* é adicionado a essa relação. O sincretismo busca incluir outras figuras, além de Buda e Cristo, naturalmente. *Satya Sai Baba* (vide) é considerado por muitos como um avatar vivo.

O vishnuísmo apresenta um teísmo pessoal, dentro do hinduísmo. Ver sobre o *Teísmo*. O *Bhagavad-Gita* (vide) informa-nos quanto a Vishnu e seus requisitos, com a fé que gira em torno dele. Ramanuju e Ramananda teriam sido dois importantes mestres que fomentaram o vishnuísmo. De fato, representavam subdivisões dessa fé. Subdivisões posteriores foram Mahvas (século XIII d.C.), Vallabha-Charyas e os Chaitanyas (século XVI).

O vishnuísmo é caracterizado pelo tempo *bhakti* da adoração e da conduta, o *caminho da devoção*, que consiste no amor e na fé, um dos três "caminhos" reconhecidos pelo hinduísmo. Os *bhaktas* são aqueles que seguem esse caminho do amor e da fé, e que desse modo buscam a salvação *(moksha)*. Essa escola tem produzido um grande acúmulo de literatura. Os hindus sincretistas do tipo *bhakti* consideram que o cristianismo pertence ao mesmo tipo de religião, visto que Cristo provoca grande devoção e amor, por parte de seus seguidores. As expressões mais avançadas do vishnuísmo são monoteístas em suas crenças e práticas. Ver o artigo geral sobre o *Hinduísmo*.

VISITAÇÃO

Temos a considerar uma palavra hebraica e outra grega, a saber:

1. *Pequddah*, "busca", "inspeção", "supervisão". Essa palavra hebraica aparece por 31 vezes, conforme se vê, por exemplo, em Núm. 16:29; Jó 10:12; Isa. 10:3; Jer. 8:12; 10:15; 11:23; 50:27; 51:18; Osé. 9:7; Miq. 7:41.

2. *Episkopé*, "inspeção", "supervisão". Esse vocábulo grego foi usado por quatro vezes no Novo Testamento: Luc. 19:44; Atos 1:20 (citando Sal. 109:8); 1 Tim. 3:1 ; I Ped. 2:12.

Quase sempre está em vista a idéia de uma inspeção divina sobre os atos humanos, tendo em vista castigar aos homens, se errados; todavia, também pode haver uma visitação com a finalidade de abençoar (Gên. 50:24; Rute 1:6; Jer. 29:10). A tradução inglesa, Revised Standard Version, quase sempre traduz a palavra hebraica *pequddah* por "punição". Das quatro ocorrências de *episkopé*, duas delas têm em mira uma visitação no sentido de abençoar, tanto em Luc. 19:44, quanto em I Ped. 2:12. Dizem esses dois trechos, respectivamente: "...não reconheceste a oportunidade da tua visitação" (ou seja, a primeira vinda de Cristo). E também: "....mantendo exemplar o vosso procedimento no meio dos gentios, para que, naquilo que falam contra vós outros como de malfeitores, observando-vos em vossas boas obras, glorifiquem a Deus no dia da visitação" (onde a idéia parece ser que quando a luz raiasse no coração deles, haveriam de glorificar a Deus, embora, por enquanto, falassem mal dos servos do Senhor).

A palavra "visitação" (no grego, episkopé), que poderia ser traduzida por "inspeção", "supervisão", etc., que aparece em Luc. 19:44, indica a promoção da operação da salvação entre os homens. E o ministério geral de Jesus poderia ser explicado da mesma maneira, segundo se vê em Luc. 1:67,68; 7:16; Atos 15: 14.

Teísmo. A idéia de visitação, tanto por seu aspecto negativo (a fim de julgar) quanto por seu aspecto positivo (a fim de abençoar e trazer a salvação), serve de prova da tese defendida pelo *teísmo* (vide). Deus nunca abandonou a sua criação, conforme ensina o *deísmo* (vide). Antes, Deus faz-se presente no mundo a fim de abençoar e julgar; ele faz intervenção na história humana e nas vidas individuais.

VISITAS DE PAULO A JERUSALÉM

Atos 11:27: *Naqueles dias desceram profetas de Jerusalém para Antioquia;*

Atos 11:27-30: *A visita a Jerusalém, ao tempo da fome.*

Esta breve seção tem produzido toda sorte de problemas históricos e de interpretação. Parece-nos que se por essa altura a igreja cristã de Antioquia enviava bens materiais a Jerusalém, a fim de ajudar a aliviar a situação de pobreza e de fome que ali imperava, que já se dera a mudança de poder, de Jerusalém para Antioquia, ou, pelo menos, que estava ocorrendo então essa transferência do poder central de Jerusalém para aquela cidade. Alguns eruditos, entretanto, têm duvidado da autenticidade de toda essa seção, com base nos seguintes argumentos:

1. Nenhuma profecia, segundo lemos aqui, teria sido feita, tudo não passando de uma *reiteração* da narrativa de Atos 21:10,11, onde encontramos o mesmo profeta, Ágabo, em operação. Essa narrativa, pois, no presente texto, teria sido criação do autor sagrado, que simplesmente duplicou eventos com relação a Ágabo. Observe-se que nessa seção há certa similaridade de conteúdo, o que tem dado origem a esta sugestão.

2. Alguns estudiosos duvidam da autenticidade histórica desta seção, visto que evidentemente ela não é aludida na epístola aos Gálatas, e nem em qualquer das demais epístolas paulinas, como parte das atividades de Paulo. A visita descrita por esse apóstolo, no trecho de Gál. 1:18-24, corresponde ao que se lê em Atos 9:26,29, ao passo que o informe de Gál. 2:1-10 corresponde ao que está registrado em Atos 15:2-29, visita essa que, normalmente, é chamada de "visita ao concílio".

3. A visita aqui historiada – Atos 11:27-30 – aparentemente teria ocorrido *entre* as duas outras visitas ali mencionadas; mas quanto a isso não contamos com qualquer registro nas epístolas paulinas. Os intérpretes que assim dizem, pensam que é fatal, para esta seção que ora comentamos, a observação de que a epístola aos Gálatas certamente teria algum registro sobre essa visita, se realmente ela houvesse ocorrido, posto que o apóstolo Paulo ansiava por registrar todas as suas atividades relacionadas a Jerusalém, porquanto queria demonstrar que recebera o evangelho independentemente dos outros apóstolos e, sim, diretamente da parte do Senhor Jesus, o que o qualificava a ser um apóstolo, tal como aqueles outros, devido ao fato de que o Senhor tratara diretamente com ele, aparecendo-lhe pessoalmente, do mesmo modo que fizera com os demais apóstolos. Ora, dizem ainda os mesmos intérpretes, que se tivesse havido alguma outra visita a Jerusalém, que não foi mencionada, poder-se-ia imaginar que, nessa oportunidade, Paulo poderia ter-se consultado com os apóstolos, e que o seu evangelho era uma mensagem emprestada de outros.

Certo número de soluções tem sido oferecido para responder a essas dificuldades, a saber:

1. Alguns estudiosos supõem que o incidente aqui registrado seja historicamente autêntico, mas que tenha chegado ao conhecimento de Lucas como vaga reminiscência, tendo sido escrito fora de sua devida posição cronológica, pois sua posição certa seria após a narrativa do décimo quinto capítulo de Atos. Isso faria do registro uma reiteração histórica de sua última visita, posta ali por antecipação. Poderia ter sido uma visita posterior ao tempo

VISITAS – VISUALIZAÇÃO

que parece ser sugerido pela sua posição dentro do livro de Atos, e como resultado da admoestação feita pelos apóstolos, quando do concílio de Jerusalém, para que Paulo e seus colegas de ministério entre os gentios, segundo ele mesmo diz, "...*nos lembrássemos dos pobres...*" (Gál. 2:10).

2. Alguns outros estudiosos pensam que essa anterior viagem e missão realmente teria ocorrido, e que Paulo tivera a intenção de ir também. Mas, por alguma razão, para nós desconhecida, somente Barnabé pôde fazê-lo. Lucas, tendo encontrado em seu material informativo, a idéia de que Paulo também fora escolhido para fazer essa viagem, e assim escreveu, embora esse apóstolo, realmente, não tenha feito a citada viagem.

3. A narrativa sobre essa *visita da fome* e a narrativa sobre a "visita ao concílio", na realidade, seriam uma reiteração, isto é, descrições sobre o mesmo acontecimento, embora baseadas em fontes informativas diferentes, narradas de diferentes pontos de vista. Uma dessas fontes informativas salientaria a generosidade da igreja de Antioquia (a que está por detrás da *visita da fome*), ao passo que a outra frisaria o debate havido em Jerusalém, sobre a legitimidade do cristianismo gentílico, - que, incidentalmente, incluiu eventos similares àqueles aqui historiados. A primeira fonte informativa estaria na igreja de Antioquia, e a localidade da segunda (ver o décimo quinto capítulo do livro de Atos) seria a igreja de Jerusalém. Um bom número de críticos modernos aceita essa explicação para o problema, mas as explicações seguintes podem ter também alguma dose de verdade, contrárias ao ponto de vista aqui exposto.

Essa posição acima faz o trecho de Gál. 2:1-10 e o décimo quinto capítulo de livro de Atos exporem a mesma questão e, portanto, deixa sem explicação as sérias discrepâncias existentes entre esses dois textos. Por isso mesmo tem sido oferecida ainda outra solução. A passagem de Gál. 2:1-10 deveria ser identificada com a "visita da fome", e não com a visita ao *concílio*. As duas ocorrências, portanto, seriam distintas, tal como Lucas registrou. Deve-se observar, na epístola aos Gálatas, que Paulo assevera que subiu a Jerusalém por revelação (ver Gál. 2:2), e isso poderia ser uma referência à inspirada advertência dada ao profeta Ágabo, em Atos 11:28, concernente à fome que haveria de prevalecer. As ações de Paulo e Barnabé, por conseguinte, também estariam conforme a injunção que lhes recomendava se lembrarem dos pobres (ver Gál. 2: 10). *A visita da fome*, feita por Paulo, pois, teria sido feita em antecipação à posterior e maior "coleta para os santos", o que, pelo menos em parte, resultou das decisões tomadas pelo concílio de Jerusalém. Outrossim, a conduta duvidosa de Pedro em Antioquia, ao recusar-se a comer em companhia de gentios, por causa das pressões que sofria da parte dos judaizantes, torna-se muito mais compreensível, se isso ocorreu antes do concílio formal de Jerusalém, que tratou exatamente da posição dos irmãos gentios (ver Gál. 2:11 e s). Assim, pois, fica uma vez mais comprovado que o trecho de Gál. 2:1-10 mais provavelmente descreve a "visita da fome", e não a "visita ao concílio".

Essa posição é assumida por Turner, em *Chronology of the New Testament*, (Dictionary of the Bible), James Hastings, Nova Iorque, 1900; e por Sir William M. Ramsey (aparentemente o primeiro erudito de fama a sugerir essa idéia), como também por C.W. Emmet, em um ensaio intitulado *The Beginnings of Christianity*, II. págs. 277 e ss. Assim sendo, o segundo capítulo da epístola aos Gálatas descreveria, se essa posição está certa, um debate de natureza particular e informal, e não um debate público, que teria a natureza da ocorrência descrita no décimo quinto capítulo do livro de Atos.

Mas ainda existem outros problemas de cronologia, a saber:

Josefo (ver *Antiq.* xx.5.2) informa-nos que houve uma fome em cerca de 46 d.C. Isso dataria a "visita da fome", feita por Paulo a Jerusalém. A visita a Jerusalém, conforme aparece mencionada no trecho de Gál 2:1, teria ocorrido "14 anos" antes, de acordo com o cômputo inclusivo, que era o método antigo de contar uma série qualquer, situaria a data em 33 d.C. E a conversão de Paulo teria sido dois anos antes (ver Gál. 1:18), ou seja, em 31 d.C., segundo ainda o mesmo método de cômputo inclusivo. A crucificação teria ocorrido em cerca de 29 d.C. Talvez, entretanto, os "14 anos" aludidos em Gál. 2:1 sejam "quatro anos", segundo alguns estudiosos conjecturam, em que um erro primitivo teria sido preservado em todos os manuscritos bem conhecidos da epístola aos Gálatas, em cujo caso a cronologia seria a seguinte:

A crucificação   29 d. C.
A conversão de Saulo   31 ou 39 d.C.
Primeira visita, após três anos 33 ou 42 d.C.
"Visita da fome" após 14 anos   49 d. C.

A primeira viagem missionária de Paulo (em cerca de 47 ou 48 d.C.), que é descrita no décimo terceiro capítulo do livro de Atos, mui provavelmente ocorreu entre a segunda e a terceira visitas. Foi durante esse mesmo tempo que, mui provavelmente, foi escrita a epístola aos Gálatas. Posto que nem Lucas e nem Paulo resolveram dar uma narrativa cronológica completa, e posto que talvez haja alguma deslocação de material, isto é, que nem sempre tenha sido seguida uma ordem estritamente cronológica na apresentação das narrativas, a nós foi dado conhecer apenas alguns dentre muitos acontecimentos. Questões exatas permanecem em dúvida, não havendo forma totalmente adequada e isenta de dúvidas para examinarmos essas questões agora, passados mais de 1900 anos.

Levando-se em conta todas as considerações, entretanto, parece melhor identificarmos a "visita da fome" com a narrativa do segundo capítulo da epístola aos Gálatas, ao passo que a visita ao concílio como algo realizado em data posterior. A visita da fome, pois, é assim corretamente distinguida pelo Lucas da visita de Paulo ao concílio de Jerusalém, registrado no décimo quinto capítulo do livro de Atos. A visita da fome, por conseguinte, assinalou uma crise real na carreira de Paulo como apóstolo, visto que foi então que ocorreram as acerbas disputas, com os irmãos de tendências legalistas, em Jerusalém. Mas a ação de Paulo foi posteriormente justificada, quando do concílio de Jerusalém, conforme o registro do décimo quinto capítulo do livro de Atos. Nessa oportunidade, contudo, Paulo se tornou realmente bem conhecido, e o seu ministério entre os gentios foi amplamente reconhecido por todos, como merecedor de aprovação.

VISÕES

Ver sobre *Visão* (*Visões*).

VISUALIZAÇÃO

Temos aí uma espécie de exercício e realização espiritual que tem muitas aplicações. É possível visualizar a fim de obter a cura de alguma enfermidade. Certa visualização envolveu um menino com leucemia, que visualizou seus leucócitos sob a forma de ursos polares, que marchavam por sua corrente sangüínea a devorar as células cancerosas. Muitas dessas visualizações lutam

VISUALIZAÇÃO – VITÓRIA, VENCEDOR

contra as enfermidades, e os pesquisadores dizem que há poder nessas visualizações.

A visualização também tem sido usado em busca de iluminação. Os sonhos e as visões obedecem a "quadros mentais", dando respostas aos inquiridores, conferindo-lhes informações procuradas. Alguns têm usado essa técnica na tentativa de influenciar os acontecimentos futuros. Assim, coisas desejadas são visualizadas. Um homem que quer oferecer um concerto de piano visualiza-se a fazê-lo; e um outro que deseja convencer a outrem acerca da necessidade de alguma coisa, visualiza seu diálogo, no qual expõe os seus argumentos. Todos os tipos de desejos e ambições são visualizados. E aqueles que têm trabalhado em pesquisas sobre a questão testificam de sua eficácia.

A teoria básica por detrás do fenômeno diz que "os pensamentos são coisas", e que esses pensamentos podem ser realizados mediante a visualização, que agiria como uma força capaz de concretizar os desejos. Informações desejadas são procuradas visualizando-se uma tela branca de cinema, na esperança de que ali apareçam as imagens que darão o conhecimento procurado. Para tanto é mister que haja treinamento e disciplina; mas a maioria das pessoas é mentalmente preguiçosa demais para que consiga, afinal, a façanha. Mas aqueles que não cabem dentro dessa categoria testificam sobre resultados significativos. Se é legítimo esforçarmo-nos por algo físico, por que pensaríamos ser errado fazermos esforços mentais, igualmente?

VITALISMO

Essa designação é dada àquela interpretação dos fenômenos biológicos (ver o artigo *Biologia*, segundo ponto) que dá a entender que deve haver alguma força ou princípio, dentro do organismo, que não pode ser reduzido às categorias da física e da química, mas que se mostra poderosa e atuante, explicando todas as maravilhas que encontramos nos seres vivos. Esse ponto de vista favorece a teologia, ao mesmo tempo em que ficam rejeitados o caos e o acaso, como possibilidades de explicação. H. Driesch e H. Bergson argumentavam que a "força vital" é essa energia vital, e que não podemos reduzir isso a explicações de natureza materialista.

VÍTOR, MÍSTICOS DE SÃO

Ver sobre *São Vitor, Místicos de*.

VITÓRIA, VENCEDOR
Esboço:
I. Sobre o Mundo: I João 5:5
II. Vitória do Novo Nascimento: I João 5:4
III. A Vitória da Fé
IV. Vitória sobre o Pecado
V. A Vitória da Imortalidade

I. Sobre o Mundo: I João 5:5
Quem é o que vence o mundo, senão aquele que crê que Jesus é o Filho de Deus?
Este versículo sumaria a presente seção:
1. Há certa vitória a ser obtida sobre o mundo e todas as suas várias espécies de hostilidades, derrotas ameaçadoras e tentações. Isso reitera a mensagem de I João 5:4.
2. Mas essa vitória nos é dada mediante a fé (ver o quarto versículo novamente).
3. Essa fé se reveste de uma qualidade particular, a fé em Cristo, encarnado em Jesus (contrário ao "docetismo", o que reitera as idéias do primeiro versículo deste capítulo).
4. Mas essa fé não consiste na mera aceitação da genuinidade da encarnação e, sim, de uma autêntica entrega da própria alma a Cristo, como Senhor (ver o versículo anterior). Isso é evidenciado pela vida revolucionada da santidade e do amor (ver os versículos segundo e terceiro), com base na participação na natureza divina (ver os versículos primeiro e quarto deste capítulo).

Quem é? Somente o indivíduo em quem essas estipulações são uma realidade é que obtém a vitória autêntica, pois esse é, verdadeiramente, "nascido de Deus".

Este versículo também faz essa proposição tornar-se pessoal e individual - fala-se sobre a vitória da Igreja, mas também a do crente individual. Este versículo age como transição para a idéia da seção seguinte, isto é, a natureza da confissão, que reconhece Cristo naquilo que ele é, naquilo que ele tem feito na redenção humana.

Crê. A fé, confessional e credal está em foco; mas também é focalizado aqui muito mais do que isso; está em pauta a outorga da própria alma a Jesus como o Senhor. Ver o artigo separado sobre *Fé*.

Jesus, isto é, o homem Jesus de Nazaré também é o "Filho de Deus", a saber, o Deus Filho encarnado em forma e natureza humana. Precisamos crer na "identificação" da natureza divina e da natureza humana em uma única pessoa. Essa é a confissão que assevera a veracidade das duas naturezas em uma única pessoa, possibilitada através de uma genuína encarnação.

Col. 1:15-20 ilustra as doze *superioridades* de Cristo, mostrando que ele é Deus, que ele é humano, que ele é o criador, o revelador de Deus, o sustentador de tudo, o Alfa e o Ômega da existência dos seres inteligentes, humanos ou angelicais. O mundo é "Cristo-cêntrico" para o cristianismo, tal como quase todas as religiões são "Deus-cêntricas". Tudo quanto Deus é e faz em nosso favor é mediado por meio de Cristo. O autor sagrado queria que os seus leitores fizessem essa forma de confissão, mediante suas palavras e sua vida diária - a outorga da própria alma aos cuidados de Cristo.

"*Filho de Deus...*" Essa expressão é aqui usada a fim de indicar a divindade de Cristo, embora nem sempre seja usada assim nas Escrituras. Contudo, normalmente, quando é aplicada a Cristo, nas páginas do N.T., ela tem exatamente esse significado. (Ver Mar. 1:1 e o artigo especial sobre o *Filho de Deus* e comparar com I João 1:3,7,22-24; 3:7,23; 4:9,10,14,15; 5:5,9,10-13,20, onde esse título é usado para designar a pessoa de Cristo).

Essa confissão implica na *participação* naquilo que o Filho é; nele, nos é dada a própria vida de Deus, a saber, a sua natureza divina (ver I Ped. 1:4). Somente aquele que é o verdadeiro Filho de Deus, participante da natureza e da vida divinas, poderia transmitir-nos essa modalidade de vida (ver João 5:25,26 e 6:57 quanto a esse mesmo pensamento). O trecho de I João 3:2 mostra-nos que, na *parousia* ou segunda vinda de Cristo, a natureza de Cristo nos será transmitida, quando então o "corpo ressurreto" nos será conferido, que servirá de veículo espiritual à nossa alma, não sendo de natureza corpórea, atômica (ver 1 Cor. 15:20,35,40).

"Temos aqui um apelo à *consciência dos crentes*. Se há outros, além dos discípulos de Jesus, que venceram tudo quanto se opõe a Deus, onde estão eles?... Não se trata de Sócrates, com sua falta de senso de pecado e sua tolerância do mal; e nem se trata de Cícero, com sua atormentadora vaidade; e nem se trata dos gnósticos, com suas vidas questionáveis – somente aqueles sobre quem raiou a brilhante Estrela da manhã". (Sinclair, *in loc.*).

"Fixa teus olhos sobre teu Senhor crucificado, e tudo te parecerá fácil" (Santa Teresa).

VITÓRIA, VENCEDOR

A vitória em Cristo é acompanhada de certos *sinais*, a saber:

1. O crente fica perfeitamente convicto de que este mundo é adversário veemente de sua alma, de sua santidade, de sua salvação e de sua bem-aventurança (ver 1 João 2:16).

2. O crente percebe que deve fazer parte da missão do Salvador, bem como de sua própria salvação, ser remido e tirado deste mundo maligno (ver Gál. 1:4).

3. O crente percebe na vida e na conduta do Senhor Jesus, sobre esta terra, que este mundo precisa ser renunciado e vencido.

4. O crente é ensinado e influenciado pela morte do Senhor Jesus, aprendendo a mortificar-se e a crucificar-se para o mundo (ver Gál. 6:14).

5. O crente é gerado pela ressurreição de Jesus Cristo dentre os mortos, para a vívida esperança do bem-aventurado mundo superior (ver 1 Ped. 1:3).

6. O crente reconhece que o Salvador foi para os céus, e que ele está ali preparando um lugar para seus seguidores sérios (ver João 14:2).

7. O crente reconhece que o seu Salvador voltará, pondo fim a este sistema mundano, julgando a seus habitantes e acolhendo a seus discípulos em sua presença e glória (ver João 14:3).

8. O crente passa a ser possuído por um espírito e disposição que não se satisfaz com este mundo, porquanto olha para além do mesmo, pressionando, esforçando-se na direção do mundo dos céus (ver II Cor. 5:2). Por conseguinte, a religião cristã oferece aos seus seguidores um império universal. "Quem em todo o mundo, senão o crente em Jesus Cristo, pode assim vencer ao mundo?" (Matthew Henry, *in loc.*).

II. Vitória do Novo Nascimento: I João 5:4

Ver sobre a *Regeneração*.

I João 5:4: *porque todo o que é nascido de Deus vence o mundo; e esta é a vitória que vence o mundo: a nossa fé.*

Nesta primeira epístola de João, isso envolve as seguintes verdades: 1. a prática da "retidão"; porquanto a retidão de nós requerida é a retidão do próprio Deus Pai, e não mera imitação humana (ver Rom. 3:21), é somente através da transmissão da natureza divina que isso pode se cumprir na vida do crente (ver I João 2:29). 2. Portanto, nenhum daqueles que nasceu de Deus é "praticante" do pecado; a vitória moral é conseqüência necessária desse nascimento (ver I João 3:9). 3. O amor e a capacidade de exprimi-lo, vem desse nascimento (ver I João 4:7). 4. A capacidade de possuir fé autêntica em Cristo (a outorga da própria alma a seus cuidados), também se deriva de tal nascimento (ver I João 5:1). A capacidade de vencer a este mundo hostil, e às suas muitas tentações, resistindo o crente a seus cercos, vem do fato de que ele nasceu do alto (ver 1 João 5:4). Naturalmente, a experiência do novo nascimento, neste nível terreno, é apenas o passo inicial daquele verdadeiro novo nascimento, que nos conferirá plenamente a própria natureza de Cristo (ver 1 João 3:2). O décimo oitavo versículo deste mesmo capítulo reitera a declaração de 1 João 3:9: Todo aquele que nasceu de Deus, não é "praticante do pecado". Se porventura não houver vitória, então é que não houve novo nascimento. O evangelho é enfático quanto a esse particular.

Nascimento e vitória. O apóstolo João vincula aqui o nascimento cristão à vitória. Ele nos diz que o fim natural e destinado na vida sobrenatural é a conquista... A batalha é uma batalha de soldados. A vitória ideal abstrata se concretiza na vida de luta, de cada um, que é uma vida de fé permanente. Os triunfos não são apenas de uma escola ou de um partido. A questão envolve um desafio triunfal que percorre as fileiras inteiras: Quem é o perene conquistador do mundo, senão o perene crente que é o irmão de Jesus, o Filho de Deus?

O texto promete-nos duas formas de vitória.

1. É prometida a vitória à *Igreja universal*. 'Todo aquele que é nascido de Deus vence o mundo!' A conquista se encontra na fé e quase se identifica com ela.

2. A segunda vitória prometida é *individual*, para cada um de nós. "Não somente onde catedrais espiraladas elevam bem alto a cruz triunfal; ou em campos de batalha que têm acrescentado reinos à cristandade; mediante a fogueira dos mártires, ou na arena do Coliseu onde essas palavras se têm mostrado verazes. A vitória desce até nós. Nos hospitais, nas lojas, nos tribunais, nos quartos de enfermos, elas se cumprem em nosso favor. Vemos sua verdade na paciência, na doçura, na resignação das criancinhas, de homens idosos, de mulheres fracas... Algumas vezes somos tentados a clamar, esse é o exército de Cristo? São esses os seus soldados, que podem ir a qualquer lugar e fazer qualquer coisa? ... "contudo, somos mais que vencedores, por meio daquele que nos amou". Essa arrogância da vitória... é ao mesmo tempo tão esplêndida e tão santa". (Alexander, *in loc.*).

Vence o mundo. Neste caso, não está em foco a humanidade, e nem mesmo o mundo físico e, sim, o sistema cósmico inteiro, em sua hostilidade contra o Senhor, que tem varrido a terra e a maioria de seus habitantes, tragando-os (ver 1 João 2: 15). Satanás é o cabeça desse sistema hostil, que se conserva em rebeldia contra Deus (ver I João 3:8,10), sendo ele mesmo o genitor dos rebeldes. Satanás propaga o ódio e a contenda, em vez de espalhar o amor e a harmonia.

Vence. De que maneira?

1. Mediante a vitória sobre as práticas pecaminosas; libertando-nos do poder do pecado.

2. Mediante a participação na vitória cósmica, o triunfo do direito moral sobre o erro.

3. Mediante o recebimento da santidade positiva, que nos dá a natureza moral de Deus, não consistindo isso na mera "ausência" de pecados graves na vida (ver Gál. 5:22,23).

4. Finalmente, mediante a obtenção da própria santidade de Deus, as perfeições divinas (ver Mat. 5:48), através da total transformação espiritual segundo a imagem e a natureza de Cristo (ver Rom. 8:29 e 11 Cor. 3:18). A própria eternidade será a fruição da vitória; e seu alvo é a nossa participação na plenitude de Deus (ver Efé. 3:19).

III. A Vitória da Fé

Esta é a vitória que vence o mundo, a nossa fé. A fé consiste na outorga da própria alma aos cuidados de Cristo. Desse modo, o Espírito Santo vem assumir o controle de nosso ser, fazendo do mundo eterno o alvo de nosso anelo e de nossa inquirição (ver Heb. 11: 1, e na realidade, esse capítulo inteiro, onde se vê que os remidos aspiram por uma cidade e por uma pátria criadas por Deus, uma habitação celeste, em razão do que são estrangeiros e peregrinos neste mundo). O mundo eterno deve tornar-se o alvo e o padrão de toda a existência.

O grande e único objeto da *fé é Cristo*. Nesta primeira epístola de João, temos em foco o *Espírito-Cristo*, o Verbo, que realmente se encarnou, fazendo-se homem, na pessoa de Jesus de Nazaré. O autor sagrado combate aqui o "docetismo" dos mestres gnósticos (ver o artigo sobre *Gnosticismo*). Devemos ter uma opinião correta sobre o grande objeto de nossa fé. Não obstante, a opinião correta não é suficiente, pois também devemos entregar-lhe a pró-

VITÓRIA, VENCEDOR

pria alma, já que a fé, nas páginas do N.T., jamais é reduzida à mera aceitação de um credo. Pelo contrário, é a aceitação da alma, para que ela passe a orbitar em um mundo inteiramente novo, onde habita o Senhor. Seu intuito é dar-nos a própria natureza do Senhor. Aquele que tem essa forma de fé derrotará a este mundo hostil, externa e internamente.

Vitória. Uma metonímia para *meios de vitória.* Assim, 'nossa fé' é usada no sentido tanto de crença como de discernimento, como a dotação paralela da 'vida', que é o meio pelo qual 'temos vencido', ou pelo qual 'vencemos definitivamente' o mundo. (O verbo 'vencer' está no tempo aoristo). A vitória obtida sobre os cismáticos (ver I João 4:4) faz parte do que está aqui em pauta. Wilder, *in loc.,* desenvolve os seguintes pensamentos: "... a alegria sobre a infelicidade (ver 1 João 1:4); a comunhão sobre a solidão (ver 1 João 2:19; 3:13 e 4:5); a honestidade sobre o orgulho moral e a auto-ilusão (ver I João 1:6-10); a retidão e a santidade sobre o pecado (ver I João 2:1,2,12,13; 3:8-10 e 5:18); a pureza sobre as concupiscências mundanas (ver 1 João 2:15-17); a verdade sobre o erro (ver 1 João 2:20-27; 4:1-16 e 5:20); a confiança sobre o temor, a dúvida e o desencorajamento (ver I João 2:20-27; 4:1-16 e 5: 20); a confiança sobre o ódio (ver I João 2:10; 3:14-18 e 4:7-21); a vida eterna sobre o tempo e a morte (ver I João 1:2; 2:17,25; 3:14; 4:9,16,17 e 5:11-13,20). O ataque que o mundo desfecha contra o homem assume muitas formas, vindo de dentro e de fora; vindo de inclinações más e paixões primárias do íntimo, o que, se não for dominado pelo poder divino, alinhará o indivíduo com o mal demoníaco, produzindo sua destruição; ou vindo do lado de fora, em formas tais como a hostilidade (ver I João 3:13), a tentação (ver I João 2:15 e 5:21), a perseguição e o martírio (ver I João 3:16). Mas o campo de batalha sobre o qual o crente vence o mundo não é tanto o pensamento teológico e, sim, a esfera de sua vida diária. O conceito metafísico de João acerca do mundo não deve obscurecer o fato de que é no campo de batalha das circunstâncias comuns que a fé cristã ganha ou perde, onde a coroa do caráter cristão é obtida ou é perdida".

IV. Vitória sobre o Pecado

1. Não podemos continuar no pecado por causa do "batismo espiritual" que é a união mística com Cristo. Pois fomos identificados com ele em tudo quanto está envolvido em sua morte e ressurreição.

2. Tornamo-nos servos de um novo senhor, pelo que também não podemos atender às exigências do antigo senhor de escravos que era o pecado, e que opera por intermédio dos poderes do reino das trevas (ver Rom. 6:12 e ss; 7:5 e ss).

3. Fomos unidos em novo matrimônio, desta vez a Cristo, e não à lei, pois esta só provoca ainda mais o princípio duplo do pecado-morte. Nenhuma mulher pode ser esposa de dois homens ao mesmo tempo; e nem pode obedecer a dois homens, especialmente quando suas exigências entram em choque. Porém, houve uma morte, que separou o crente do princípio legal, e que nos vinculou legitimamente a Cristo.

4. Embora a luta contra o pecado possa ser muito real na experiência cristã, contudo há uma *vitória final,* através de Cristo e de seu Espírito Santo (ver Rom. 7:6-8:2).

5. O Espírito de Cristo habita em todos os crentes, pois, do contrário, nem ao menos pertencem a ele (ver Rom. 8:9). Essa presença habitadora do Espírito garante a vida de santidade, a vitória final, e precisa manifestar-se obviamente em todos os crentes.

6. A *filiação* a Deus, se é uma realidade, significa que filhos de Deus compartilham da natureza do Pai; e a natureza do Pai é santa (ver Rom. 8:14 e s).

7. Até mesmo a vaidade *ou futilidade* existente no mundo que poderia servir de obstáculo para o crente, em seu desenvolvimento espiritual, porquanto poderia ser o crente vencido pelo senso de futilidade, opera em favor dele, redundando em uma glória maior, porquanto dirige-o na direção dos lugares celestiais, levando-o a anelar pelos benefícios de sua filiação, bem como pela fruição final de sua salvação (ver Rom. 8:20 e ss).

8. A presença habitadora do Espírito Santo tem por intuito *específico* ajudar o crente a vencer todas as fraquezas, entrando assim na posse da fortaleza de Deus. É o Espírito Santo quem intercede por nós, e, quanto a isso, vence em nós as nossas fraquezas, as quais são inerentes à natureza humana (ver Rom. 8:26 e 27).

9. Todas as coisas, terrenas e celestiais, os propósitos de Deus e as vicissitudes da vida, produzem nosso maior bem, e isso garante-nos a santidade.

10. Finalmente, a maior declaração evangélica de todas, que é a *transformação* do crente segundo a imagem moral e metafísica de Cristo, e que é o destino apropriado dos homens, sobretudo dos remidos, garante essa vida de santidade; porque agora o processo de transformação já começou. E, no futuro, esse processo produzirá os seus devidos frutos.

V. A Vitória da Imortalidade

I Cor. 15:57: *Mas graças a Deus que nos dá a vitória por nosso Senhor Jesus Cristo.*

Deus é o manancial da vida, tanto da física como da espiritual, cujos decretos têm dado aos homens o mais elevado destino possível, a saber, a participação na própria vida divina e suas perfeições. Não obstante, a justiça de Deus não permitirá que isso se concretize enquanto a barreira do pecado e a degradação impedir que o homem se aproxime daquela perfeição de que necessita para que possa ficar de pé na presença de Deus. Todavia, a graça que há em Cristo, a sua redenção pelo seu sangue, tem provido o meio necessário para que fique eliminado o pecado e também a sua sócia, a morte. Também ficou satisfeita a lei, que, embora santa, tornara-se aliada do princípio do pecado-morte, porquanto emprestara ao mesmo toda a sua força. Mas as provisões de Deus nos conferem a vitória; e em vista disso expressara o apóstolo as suas mais profundas ações de graça.

... *vitória.* Em que sentido? Consideremos os três pontos seguintes:

1. Houve vitória sobre o princípio do pecado-morte.

2. Há vitória para sermos vencedores, a despeito do fortalecimento desse princípio por causa da lei. Em outras palavras, uma graciosa provisão foi feita em Cristo, mediante a qual um homem, completamente condenado pela lei, e como toda a justiça, contudo, pode retornar a Deus por intermédio de Cristo, mediante a fé nele (ver Rom. 5:1-11 e Efé. 2:8-10).

3. Mas este capítulo inteiro requer que a vitória mencionada inclua não somente o perdão dos pecados e o caminho de aproximação a Deus (assim revertendo os efeitos da queda no pecado), mas também que uma vida muito elevada seja incluída nessa idéia.

A Vitória da Verdadeira Imortalidade

1. Nisso está envolvida uma imensa vitória, que muitos homens bons têm olvidado. A missão de Cristo não pode fracassar, embora venha a ter êxito sob diferentes formas, no que se aplica a diversos seres.

2. Para os eleitos, essa vitória significará a grandiosidade da salvação e da vida eterna (vide), (ver

VITÓRIA, VENCEDOR – VITÓRIA DIVINA

João 3:15 e Heb. 2:3). Tudo quanto for inferior, tudo quanto for físico, tudo quanto for desastre e obstáculo, tudo quanto for desapontamento, será tragado para sempre no grito de vitória da vida eterna.

3. Essa vitória transbordará por sobre a criação inteira, e não apenas sobre os eleitos. (Sobre como isso poderá ser, ver as notas no NTI em I Cor. 15:58, sob o título como *Deus será tudo em todos*). (Ver também o artigo sobre *Restauração*).

... *nosso Senhor Jesus Cristo*. Paulo usa aqui o título completo de Jesus de Nazaré, como uma honra a ele prestada, como também a fim de lembrar-nos de seu senhorio, mediante o que obtemos a vitória que ele mencionou. (Quanto a notas expositivas sobre esse título completo de Cristo, ver Rom. 1:4 no NTI, notas essas que incluem igualmente a doutrina neotestamentária do *senhorio* de Cristo).

"Vitória em Jesus, meu Salvador para sempre..."

Essa vitória, que nos está reservada essencialmente para o futuro, é considerada como certa, infalível; e isso pelos seguintes motivos:

1. Cristo ressuscitou, e ele é a garantia de nossa própria entrada na vida eterna plena, através do recebimento do corpo espiritual.

2. Isso é prometido aos crentes mortos, aos quais Jesus trará em sua companhia, e através da transformação daqueles outros crentes que continuarem vivos até o seu segundo advento.

3. A morte de Cristo fez expiação por nós e quebrou de vez o poder do pecado e dos poderes espirituais malignos (ver Rom. 3:24 e Col. 2: 15).

4. A "vida" de Cristo também é nossa e exerce seus efeitos transformadores em todos os níveis da existência (ver Rom. 5: 10). Por meio da vida de Cristo é que estamos salvos, tanto agora como no futuro. Participamos de sua vida ressurreta e assunta aos céus. O fato de que ele possui tal forma de vida garante que também a possuímos e a possuiremos em toda a sua plenitude, quando de sua segunda vinda.

"Aqui foi usado o particípio presente, 'Que nos está dando a vitória...' Porque se trata de um processo que continua interminavelmente, à proporção que os crentes se apropriam daquilo que foi conquistado para eles por Cristo e, na força de Cristo, conquistam a morte. (Ver II Cor. 12:9; 1 Tes. 4:8; comparar com Rom. 8:37)" (Robertson e Plummer, in loc.).

Pode-se ver o contraste disso nas palavras de Sir Walter Raleigh, com as quais ele concluiu a sua obra, intitulada *História do Mundo*: "Portanto, somente a morte pode levar um homem a conhecer a si mesmo subitamente. Ela mostra, aos orgulhosos e insolentes, que eles são seres abjetos, humilhando-os em um instante; e fá-los clamarem, queixarem-se e arrependerem-se; sim, até mesmo odiarem sua felicidade passada. A morte chama os ricos a prestarem contas, mostrando-lhes que são paupérrimos, esmoleres, desnudos, que não têm interesse em coisa alguma, senão no bocado que lhes enche a boca. A morte apresenta uma taça perante os olhos das pessoas mais belas, e leva-as a perceberem ali a sua deformidade e podridão; e elas reconhecem tudo".

"Ó eloqüente, justa e poderosa morte! a quem ninguém podia aconselhar, tu persuadiste; o que ninguém ousara ainda, tu fizeste; e a quem o mundo inteiro lisonjeara, tu somente o lançaste fora do mundo e o desprezaste. Reuniste toda a excessiva grandeza, todo o orgulho, toda a crueldade e ambição dos homens; e cobriste a todos eles com aquelas duas breves palavras: *Aqui Jaz*".

Quão mais nobre é a obra de Cristo, que nos propicia a vida, que a obra da morte; e quão mais importante é.

Um Epitáfo
Aqui jaz uma belíssima dama:
Leve de passos e de coração era ela;
Penso que ela foi a mais bela dama
Que já foi vista no oeste.
Mas a beleza se desvanece; a beleza passa;
Por mais rara, rara que seja;
E quando eu falecer, quem se lembrará
Daquela dama do oeste?
(Walter de la Mara, 1873-1956).

Se a morte pudesse agir à sua vontade, não haveria mais lembrança de qualquer ser humano que porventura já viveu. Porém, Cristo Jesus garante que ninguém será esquecido, e também que a vida triunfará, finalmente. Por tudo isso, Paulo agradecia ao Senhor.

Da morte para a vida eterna,
Da terra para o firmamento,
Nosso Cristo nos levou,
Com hinos de vitória.
  (João de Damasco).

Terminou a Luta
A luta terminou, a batalha é finda,
A vitória da vida foi ganha;
O Cântico de triunfo começou.
  Aleluia!

Os poderes da morte fizeram o que podiam,
Mas Cristo dispersou suas legiões;
Que a alegria santa irrompa;
  Aleluia!
Os três dias tristes logo se passaram,
Ele ressuscitou em glória dentre os mortos;
Toda a glória para nosso Cabeça ressurreto!
  Aleluia!
Ele fechou o portão diante do Hades.
Caiu a barreira do portão do céu,
Os hinos de louvor contam seu triunfo!
  Aleluia!
  (Antigo hino latino).

VITÓRIA DIVINA

As Escrituras apresentam-nos um Deus que, finalmente, obterá a vitória sobre o mal, e não apenas a separação entre as forças do bem e as forças do mal, posição esta que é a tese fundamental do *dualismo*. Apesar de as forças do mal serem perturbadoras na criação, elas não poderão, finalmente, triunfar. Naturalmente, aquelas escatologias e visões do juízo divino que asseveram que apenas alguns serão salvos, e que a vasta maioria dos seres humanos queimará para sempre, conferem a vitória a Satanás, se é que os números significam alguma coisa, ou se o sofrimento humano significa algo. Posto-me contra essa doutrina como pessimista, ao mesmo tempo em que declaro que a fé cristã deveria ser otimista. No tocante à visão otimista do cristianismo, ver os dois artigos detalhados: *Mistério da Vontade de Deus e Restauração*. Ver também o artigo *Julgamento de Deus dos Homens Perdidos*, acerca de como o juízo divino pode ser encarado por um prisma otimista. Deus pune o pecado e galardoa pela retidão (Deu. 11:26,28), mas também muda o pecador através do próprio julgamento (I Ped. 4:6). Além disso, devemos levar em conta o poder da missão tridimensional de Cristo, ou seja, na terra, no hades e no

VITÓRIA DIVINA – VITÓRIA ESPIRITUAL

céu, o que garante um resultado universalmente positivo. *Vitória* é uma palavra que usamos a fim de vindicar o propósito e os atos de Deus, no sentido de que eles não podem falhar.

No Antigo Testamento, o conceito de vitória gira em torno dos conflitos de Israel com os seus adversários. No Novo Testamento, porém, esse conceito é espiritualizado. Está garantida a vitória de Cristo nas eras vindouras (ver Apo. 5:5 e 6:2), pois Satanás será derrotado (Apo. 19: 11 - 20:3).

A *vitória*, na vida presente, consiste na participação, por parte dos crentes, no poder e na benevolência de Deus, sendo sempre uma qualidade espiritual (ver 1 João 4:4; 5:4,5; João 16:33; Rom. 8:37; Efé. 6:10). Talvez a melhor declaração bíblica acerca da vitória do crente, com base no triunfo de Cristo, apareça em 1 Cor. 15:24-28 e 54-57. Não é vão o nosso labor em Cristo. A vitória final nos aguarda, tanto agora quanto escatologicamente falando.

Ver o artigo separado *Vitória, Vencedor.* Ver também como os homens atravessam diversos estágios da inquirição espiritual, a fim de obterem a vitória final. Isso é descrito no artigo intitulado *Vitória Espiritual: Estágios da Inquirição Espiritual.*

VITÓRIA ESPIRITUAL; Estágios da Inquirição Espiritual

Ver o artigo paralelo denominado *Desenvolvimento Espiritual, Meios do.*

A vereda espiritual não somente tem seus respectivos meios, mas também os seus *estágios* de desenvolvimento. Esses estágios podem assinalar uma vida caracterizada pelo indivíduo espiritual sério, que se divide em períodos distintos enquanto ele vai crescendo no conhecimento e na proficiência, dentro da vereda espiritual. Estão em vista atitudes e tipos de experiências espirituais.

A expressão terrena da inquirição do homem pela verdade e pelo crescimento espiritual é despertada progressivamente na *busca da alma*. Poderíamos salientar aqui *sete estágios* que, embora não sendo absolutos, pelo menos são sugestivos.

1. Materialismo

A alma é imersa no bem-estar físico, dominada pelo egoísmo, afligida pelo agnosticismo, pelo ceticismo e, talvez, até pelo ateísmo. Anelos espirituais ocasionalmente agitam a alma, mas esses anelos não são fatores principais na experiência da alma. Nesse estágio, não há um real reconhecimento da existência após a morte biológica, ou na existência do Ser Supremo. Temos aqui o homem secular, terreno.

2. Superstição

As evidências de poderes super-humanos são suficientes para convencer a alguns de que a abordagem materialista não pode explicar todos os fenômenos pelos quais passa um ser humano nesta vida. Há uma tomada inicial de consciência acerca de forças e entidades maiores que o ser humano. Mas bem pouco é reconhecido acerca de tais forças, e a imaginação cria toda espécie de mito e tabu. Ritos são efetuados na tentativa de aplacar as forças invisíveis. As pessoas passam a usar amuletos; sacrifícios de animais e até seres humanos tornam-se expressões importantes nesse estágio. As forças sobre-humanas são encaradas com temor, e os seres divinos são imaginados como se fossem dotados de vícios humanos, incluindo a violência, o egoísmo exacerbado, os conflitos, a ira, os impulsos destruidores, etc. É nesse estágio que surge a crença na vida após-túmulo, mas há idéias pessimistas quanto àquilo que terá de ocorrer à alma.

3. Fundamentalismo Rígido, Farisaico

Revelações divinas, através de profetas, produzem os Livros Sagrados, que quase sempre tornam-se objetos de adoração. Ver sobre a *Bibliolatria,* quanto a uma ilustração desse fenômeno. As principais atividades, durante esse estágio, são crenças rígidas e invenções de credos que, supostamente, conteriam todas as verdades importantes que devem ser cridas. E aqueles que não aderem a esses credos são perseguidos ou mesmo mortos. A hostilidade é uma das principais características das pessoas que estão nesse estágio. Deus aparece aí como o capitão de exércitos. As denominações religiosas tornam-se campos armados, havendo um atrito contínuo entre elas. O amor para muitos manifesta-se apenas da boca para fora, mas não é muito importante durante esse estágio. Surgem líderes fortes que criam denominações, e a fragmentação generaliza-se. Pequenos pontos de doutrina tornam-se pontos focais, em torno dos quais os homens entram em choque. Tudo é provado a partir de textos de prova extraídos de Livros Sagrados. Doutrinas não especificamente referidas nesses Livros são encaradas com suspeita. A liberdade de expressão é desejada para o próprio indivíduo, mas é relutantemente concedida a outras pessoas. A liberdade religiosa é pregada, mas aqueles que não se ajustam são castigados por serem diferentes. Nesse estágio, a tradição é mais forte do que a verdade, mas as tradições são ensinadas como se fossem *a própria verdade.* Até mesmo porções dos Livros Sagrados são distorcidas ou omitidas por aqueles que criam sistemas. O desejo de obter *conforto mental* é mais poderoso do que o desejo de obter a verdade. Apesar de essas desvantagens e vícios, algumas pessoas nesse estágio são capazes de alcançar um bom grau de piedade pessoal e de espiritualidade. Mas outras pessoas substituem isso pela mera aderência a algum credo aceito, pensando que nisso demonstram uma grande virtude.

4. A Mente Inquiridora, Iluminada

Nesse estágio, os homens começam a pensar por si mesmos. Há uma espécie de despertar da auto-responsabilidade. As convicções religiosas são mantidas, mas há menos dependência ao mero dogma. Nesse estágio, os homens exibem maior respeito pela vida, e não meramente pela vida humana. A *tolerância* (vide) passa a ser um importante aspecto durante essa fase. O indivíduo obtém uma maior apreciação pelos ensinamentos mais profundos de seu próprio credo, mas acaba admirando-se do fato de que várias outras denominações têm ensinado (o tempo todo) *verdades* que ele tem negligenciado ou mesmo combatido. A lei do amor torna-se mais importante, e começa a ocupar seu devido lugar. O intelecto é posto por detrás da inquirição espiritual, tornando-se uma espécie de guardião da mesma. São percebidas as inadequações do *antiintelectualismo* (vide). São investigadas as reivindicações dos místicos. O indivíduo começa a ter um ponto de vista mais universal (mais livre de idéias sectaristas).

5. Perseguição e Perseverança

A alma do indivíduo é afligida por profundos anelos espirituais. Há muita tensão interior, ou mesmo angústia, que se origina do intenso desejo de compreender os significados ocultos e os mistérios da vida. A pessoa toma consciência da relativa superficialidade de sua expressão espiritual, até esse ponto. Há uma espécie de luta por um segundo nascimento, por uma reconversão. A busca pela verdade e pela evolução espiritual, com freqüência, assume a forma de longas leituras, estudo e associação com grupos que enfatizam mais as experiências místicas do que os credos. Os homens buscam por grandes verdades que porventura existam em outros sistemas religiosos (cristãos e não-cristãos), percebendo que a verdade pertence a Deus, e que nenhuma denominação ou sistema exerce monopólio sobre a mesma. Há também aqueles que adotam a meditação, em busca de iluminação. O princípio do amor cristão passa a ser apreciado naquilo que o mesmo é. Alguns sentem mais profundamente a dor do que outras pessoas. Misericórdia e compaixão afloram mais facilmente, enquanto que o egoísmo era a atitude constante anterior.

6. A Vereda Mística

A alma esforça-se por desvencilhar-se das muitas cadeias do dogma, dos costumes e dos preconceitos que a escravizam. É buscada a Presença do Espírito de Deus. A meditação e outros modos de avançar nas experiências místicas tornam-se parte da vida diária. É procurada a *união com Deus*. O indivíduo eleva-se acima do mundo da percepção dos sentidos, da razão e da intuição, e busca comunhão direta com Deus. Nesse estágio, o amor torna-se supremo no mundo ético, pois, em termos práticos, não há princípio maior que o amor. Aparece como que um elevado monte, a ser escalado ou ultrapassado, que representa as realizações espirituais. É possível escalar por um dos lados dessa montanha mediante a meditação, o misticismo subjetivo e a contemplação transcendental. Mas também é possível escalar essa montanha pelo lado oposto mediante a meditação, o misticismo objetivo e a metafísica intelectual. Ver o detalhado artigo acerca do *Misticismo*. Paulo disse que possuímos a mente de Cristo. Ver sobre o *Cristo-Misticismo*. O próprio apóstolo era homem dotado de muitas visões e experiências místicas, e parte do nosso Novo Testamento origina-se das coisas que ele aprendeu por meio de tais experiências. Paulo encarecia a *iluminação* (vide; Efé. 1:18). Esteve no terceiro céu e ficou pasmo diante das coisas que ouviu e viu, embora não tivesse recebido a permissão de revelá-las, em sua maior parte (ver II Cor. 12:1-3). Destarte, aproximou-se da presença de Deus e foi transformado. Essas experiências ajudaram-no em sua transformação segundo a imagem de Cristo (ver *Transformação Segundo a Imagem de Cristo*). Talvez não estejamos longe da verdade ao afirmarmos que a epístola aos *Gálatas* representa o *estágio fundamental*ista do desenvolvimento espiritual de Paulo, quando estava em conflito aberto com seus adversários. Mas a sua epístola aos *Efésios* representa o seu estágio místico, ao passo que o trecho de II Coríntios cap. 13 confere-nos algumas informações sobre suas experiências pessoais durante esse avançado estágio.

7. Estágio Final

Na verdade temos aí o processo eterno dá *glorificação*. Ver os artigos intitulados *Visão Beatífica; Glorificação; Salvação* e *Transformação Segundo a Imagem de Cristo*.

VITRIFICAR

É possível que, em Provérbios 26:23, esteja em foco alguma espécie de processo de vitrificação, aplicado a vasos de cerâmica: "Como vaso de barro coberto de escórias de prata ..." Mas, nossa tradução portuguesa não dá impressão nenhuma que se trata desse processo. Por isso mesmo, há estudiosos da Bíblia que pensam que não há, nessa passagem de Provérbios, qualquer menção ao vidro ou à vitrificação, conforme entendemos hoje essas coisas. Ver o artigo geral sobre o *Vidro*.

VIÚVA
I. Terminologia
II. Legislação Mosaica
III. Um Grupo Social Distinto: Antigo e Novo Testamento
IV. Usos Figurativos

I. Terminologia
Hebraico:

1. *almanah* (viúva, silenciosa), com 53 ocorrências no Antigo Testamento. Exemplos: Gên. 38.11; Êxo. 22.22, 24; Lev. 21.14; Núm. 30.9; II Sam. 14.5; I Reis 7.14.

2. *almanuth* (viuvez, silêncio): Gên. 38.14, 19; II Sam. 20.3; Isa. 54.4.

3. *almon* (viuvez, silêncio): Isa. 47.9.

Grego:

chera (viúva, destituída), com 26 ocorrências no Novo Testamento. Exemplos: Mat. 23.13; Mar. 12.40, 42, 43; Luc. 2.37; Atos 6.1; 9.39; Tia. 1.27; Apo. 18.7.

II. Legislação Mosaica

Nenhuma legislação garantia manutenção para essa classe de mulheres destituídas; não havia fundos de pensão. Como elas haviam sido dependentes de seus maridos, tornavam-se dependentes de seus pais ou famílias, ou das famílias de seus maridos. Contudo, algumas legislações humanitárias aliviavam um pouco a situação:

1. O filho mais velho assumia a família, se tivesse idade. Ele tinha a parte do leão da herança e, na situação média, era o mais capaz de sustentar sua mãe.

2. Havia um triênio, terceira doação que ajudava essa categoria (Deu. 14.29; 26.12).

3. Essas mulheres tinham ritos de colheita laboriosa e lenta (Deu. 14.29).

4. Elas podiam participar livremente de banquetes (Deu. 16.11, 14).

5. A lei as protegia contra a opressão e contra a fraude (Sal. 94.6; Eze. 22.7; Mal. 3.5), mas tais leis, tão freqüentemente, ficavam apenas no papel e não eram colocadas na prática. As viúvas eram facilmente defraudadas (juntamente com os estrangeiros).

6. *Lei do levirato* (ver o artigo). Essa lei exigia que um irmão (ou possivelmente outro membro da família, do lado do marido) assumisse a viúva como sua mulher e, se ele já fosse casado isso não faria nenhuma diferença, já que a sociedade judaica era polígama (Deu. 25.5, 6; Mat. 22.23-30). Essa lei, contudo, não era absoluta. Havia maneiras pelas quais o homem poderia escapar, e muitos (se não a maioria) o faziam. De fato, todas as leis preparadas para favorecer as viúvas não eram muito respeitadas e isso ocasionou uma "classe destituída". Jó 24.21 fala sobre aqueles que não faziam nada de bom para a viúva como uma classe especial de pecadores. Então havia aqueles que cometiam violências contra elas em roubos ou mesmo assassinatos para conseguir o que tinham de dinheiro e suas propriedades (Sal. 94.6; cf. Isa. 1.23). Tal abuso continuou no Novo Testamento, o que é demonstrado pela denúncia de Jesus daqueles que "devoravam" as casas das viúvas (Mat. 23.14).

III. Um Grupo Social Distinto: Antigo e Novo Testamento

Para esse grupo, era necessária uma legislação especial, pois ele era objeto de perseguição e exploração. A viúva poderia ser identificada porque de modo geral usava uma vestimenta típica (Gên. 38.14). Pecadores especialmente maus tentavam até conseguir suas roupas como segurança caso ela devesse dinheiro por qualquer motivo, e isso devia ser denunciado por uma lei especial (Deu. 24.17). Simplesmente pronunciar a palavra "viúva" já fazia com que uma pessoa dos tempos bíblicos pensasse em uma classe distinta, sendo que poucas

VIÚVA – VIZINHANÇAS DE GEBA

delas eram absorvidas de volta ao seio da sociedade através de novo casamento. Pela lei do levirato, uma mulher participaria da herança da família de seu marido, e esse era um dos motivos pelos quais tantos irmãos de homens mortos não estavam dispostos a assumir a responsabilidade. As histórias bíblicas de Tamar (a nora de Judá) e do livro de Rute ilustram esse ponto.

Na época do Novo Testamento, viúvas judias continuavam a viver precariamente, mas as viúvas da comunidade cristã tinham um *status* melhor (ver Atos 6.1; 9.39 ss.). Sistemáticas contribuições caridosas faziam parte da política da igreja primitiva, pelo menos em Jerusalém. Naquela época as viúvas reuniam-se como um grupo distinto para realizar trabalhos de caridade. Algumas dessas viúvas tornaram-se diaconisas, ofício que parece ter sido ativo na igreja primitiva em contraste com a igreja de hoje. Ver o artigo detalhado sobre *Diaconisa*, que não era um ofício exclusivo de viúvas.

No início parece ter havido um tipo de ordem reconhecida de viúvas (I Tim. 5.9-15). Citações dos pais primitivos da igreja (Inácio, Policarpo e Tertuliano) mostram que esse grupo distinto continuou existindo no segundo século. Depois disso não há registros dele.

IV. Usos Figurativos

1. Usos figurativos modernos da palavra "viúva" de modo geral têm algo que ver com *privação*. Ser uma "viúva de livro" significa que seu companheiro ou potencial amigo está tão ocupado com livros (escrevendo, lendo etc.) que tem pouco tempo para você. Ser uma "viúva da igreja" significa que seu companheiro está tão envolvido com a igreja que ele (ela) tem pouco tempo para você.

2. Uma pessoa ou país desolados pelo julgamento divino, como foi o caso da "filha da Babilônia", são chamados de *viúva*, tendo perdido suas posses e seu orgulho, e boa parte de sua população (Isa. 47.1, 7).

3. Jerusalém, oprimida pelo cativeiro babilônico, tornou-se como uma viúva (Lam. 1.1), desolada e abandonada.

4. A Babilônia do Apocalipse no Novo Testamento, que em breve cairia, tinha orgulho de ser uma rainha e uma estranha à lamentação, não sabendo que logo seria reduzida à viuvez (Apo. 18.7).

VIVOS, OS

Três palavras hebraicas e uma palavra grega devem ser consideradas neste verbete:

1. *Chai*, "ser vivente". Ver Gên. 6:19; 8:1,21; Jó 12:10 e Sal. 145:6.

2. *Chaiyah*, "ser vivente". Ver Gên. 1:28; 8: 17; Eze. 1:5,13-15,19,20,22; 3:13; 10:15,17,20.

3. *Yequm*, "substância viva". Ver Gên. 7:4,23.

4. *Zôon* (particípio presente do verbo grego záo, -viver-). Ver Heb. 13:11; 11 Ped. 2:12; Jud. 10; Apo. 4:6-9; 5:6,8,11,14; 6:1,3,5-7; 7:11; 14:3; 15:7 e 19:4. Também deve ser considerada a palavra *zoopoiéo*, "vivificar", "dar vida" (João 5:21; 6:63; Rom. 4:17; 8:11; I Cor. 15:22,36,45; II Cor. 3:6; Gál. 3:21 e I Ped. 3:18).

Tanto *chai* quanto *zôon* são usadas para indicar grande número de seres ou coisas vivas, começando por *Deus*, a origem de toda espécie de vida, física ou espiritual. Não sabemos dizer até que ponto podemos aplicar nossos vocábulos a fim de descrever a vida de Deus; mas é boa teologia asseverar que todas as coisas vivem em Deus, dependendo dele. Somente Deus é possuidor da verdadeira imortalidade, isto é, vida que não pode deixar de existir, porquanto nele estão as fontes de toda forma de vida. "...o único que possui imortalidade" que habita em luz inacessível, a quem homem algum jamais viu, nem é capaz de ver" (I Tim. 6:16). Essa é a mais profunda mensagem do evangelho cristão: os remidos haverão de compartilhar dessa imortalidade, recebendo a vida necessária e independente. Ver João 5:25,26; II Ped. 1:4 Isso ocorrerá mediante a transformação segundo a natureza e a forma de vida do Filho de Deus (Rom. 8:29), mediante a ação do Espírito Santo (II Cor. 3:18), o que irá levando os remidos de um estágio de glória para o outro. Quanto a Deus como o grande ser vivo, ver Deu. 5: 26; Jos. 3: 10; I Sam. 17:26,36; Mat.16:16; 26:63; Atos 14:15.

1. *Chai* é palavra que também fala sobre a vida humana, primeiramente conforme foi criada por Deus, tornando-se então um ser animado (dotado de alma) segundo se vê em Gên. 2:7. Ver também Lam. 3:39. *Os animais também são descritos como tais (Lev. 16:20).*

2. *Metaforicamente* falando, a água é ocasionalmente adjetivada de "viva", porquanto transmite a vida física, tal como o Espírito de Deus transmite a vida espiritual. Ver Jer. 2:13; 17:13; Zac. 14:8. Cristo trouxe até nós a água viva., em seu evangelho. E ele mesmo é a "água viva" (ver João 4:11,13,14). O Espírito Santo é simbolizado pela água viva. (João 19:34).

3. A vida física, em contraste com a morte é referida como *zôon*, em Mat. 22:32; Atos 10:42; Rom. 14:9; II Tim. 4:1; I Ped. 4:5.

4. Cristo é vivo (Mat. 16:16; I Ped. 2:4), tal como o Espírito Santo (João 7:38). Em razão disso, a vida procede deles.

5. A vida espiritual, dada por meio da regeneração, é referida pelo termo grego zoe (Efé. 2:1; Col. 3:1). Podemos chegar à presença do Senhor através do "novo e vivo caminho", a saber, a carne de Cristo,. conforme se vê em Heb. 10:20.

6. Os santos estão aguardando pela "cidade do Deus vivo" (Heb. 12:22), porquanto tornaram-se filhos do Deus vivo (Rom. 9:26). Os crentes tornam-se fontes de água viva, porquanto o poder do Espírito flui através deles (João 4:10). Os remidos banqueteiam-se espiritualmente com o pão vivo, que é Cristo, em sua função de doador da vida espiritual (João 6:51).

7. Os crentes possuem uma "viva esperança", visto que a expectação deles resulta na vida eterna (1 Ped. 1:3).

8. A vida cristã deveria ser vivida em total dedicação ao Senhor, nos termos expressos em Rom. 12:1, quando os crentes tornam-se um "sacrifício vivo", o que contrasta com os sacrifícios mortos, oferecidos de acordo com a legislação mosaica.

VIVOS, VIVIFICAR

Vivos reflete um adjetivo hebraico usado em Núm. 16:30; Sal. 55:15 e 124:3. No N.T. temos um verbo grego traduzido em português por "vivificar", que significa "dar vida". Assim como Deus é juiz "de vivos e de mortos" (Atos 10:42; 1 Ped. 4:5), assim também Cristo vivifica a quem ele quer (João 5:21; Rom. 4:17 e 8: 11). O Espírito Santo vivifica o crente por ocasião da regeneração (João 6:63; Efé. 2:5; Col. 2:13). Ver *Regeneração*.

VIZINHANÇAS DE GEBA

No hebraico, *maareh-geba*, prados de Geba, ou "prados de Gibeá". A palavra básica, *maareh*, significa "aberto". Visto que a Septuaginta diz *dusmon*, e que a Vulgata Latina diz *occidentali urbis parte*, alguns eruditos pensam que o original hebraico dizia *maarab*, "oeste". Foi dessa localidade que os homens de Israel atacaram os homens de Benjamim devido à atrocidade por estes últimos cometida: segundo se vê em Juí. 20:33.

VOCAÇÃO – VOLUNTARISMO

VOCAÇÃO
Ver sobre *Chamada*.

VOFSI
No hebraico, "rico". Esse era o nome do pai de Nabi, representante da tribo de Naftali, como um dos espias enviados à terra de Camiã, antes da mesma ser invadida por Israel (Núm. 13:14). Ele deve ter vivido por volta de 1515 a.C.

VOLTA DA MORTE CLÍNICA
Algumas vezes as pessoas morrem clinicamente (não há mais pulsações e nem ondas cerebrais e os intestinos deixam de funcionar; enfim, cessam os sinais vitais); e, no entanto, elas voltam à vida física, com um relato que conta o que lhes aconteceu durante aquele período. Outras pessoas, ao que parece, chegam bem perto da morte, com ou sem a perda total dos sinais vitais, e voltam à vida física. Ver o artigo *Experiências Perto da Morte*, quanto àquilo que se sabe acerca dessa experiência, e o que ela tem a ensinar-nos acerca da sobrevivência da alma humana, diante da morte biológica.

VOLTA IMINENTE DE CRISTO
Ver sobre *Iminente*, Volta de Cristo e Parousia.

VOLTAIRE
Essa era a alcunha literária de François Marie Arouct, um filósofo francês, um ensaísta. Voltaire foi um proeminente autor e crítico social, e esteve associado aos *filósofos* do século XVIII, um grupo de pensadores. Suas datas foram 1694 - 1778. Ficou conhecido por seus labores nos campos da filosofia e da história, bem como por causa de suas atitudes agnósticas e céticas acerca da fé religiosa, que ele salientava com invulgar vigor. Ele foi uma das principais figuras do *Iluminismo* (vide). A Academia Francesa elegeu-o como um de seus membros, em 1764. Mas seus escritos provocaram intermináveis disputas. Ele foi perseguido, acionado e encarcerado. Voltaire era deísta, e não exatamente um ateu. Ver sobre o *Deísmo*. Certamente ele foi um pensador anticristão e anticlerical, e os prelados eram objetos constante de seus ataques.

Embora nascido em Paris, Voltaire passou a maior parte de sua vida fora da França. Por duas vezes foi encarcerado, em razão de suas crenças. Passou três anos na Inglaterra e viveu em semi-exílio em Lorraine e em Genebra. Já perto do final de sua vida, retornou à França e foi calorosamente saudado pelo povo, e assim experimentou uma série de triunfos pessoais que de alguma maneira, curaram suas muitas feridas e insucessos. Foi um prodigioso trabalhador, não se alimentava regularmente. Trabalhava (escrevia) mesmo quando se recolhia ao leito. Sempre se mostrava eloqüente, e debatia continuamente.

Idéias:
1. Ele valorizava a educação como um fim. em si mesmo, e por causa de seus resultados. Sua vida foi um testemunho de suas idéias céticas, humanitárias, liberais.

2. Lutava contra a intolerância. Ver o artigo *Tolerância*. A Voltaire é atribuída a asserção: "Posso não crer em uma palavra do que dizes, mas defenderei até à morte o direito de o dizer". Seus argumentos em prol da liberdade de expressão nunca foram ultrapassados.

3. Ele não acreditava que fôssemos capazes de resolver os grandes mistérios da existência, e assim combinava o ceticismo com um humanitarismo prático.

4. O *amor-próprio* e a justiça para ele eram os poderes por detrás da ética. A autopreservação faz parte do amor-próprio. A amor à boa ordem levou Voltaire a modificar o seu amor-próprio, expressando-se então em termos humanitários. O bem, para o próprio indivíduo e para o próximo, são os pólos da essência da história, e assim a batalha tem prosseguimento. Os governos e as religiões adicionam combustível à fogueira. Espera-se que o progresso ocorra, embora o progresso não seja parte inevitável da história.

5. Voltaire estava convicto da existência de um Ser Supremo (que ele não definia), e isso em face do desígnio que há no mundo, mas preferia a visão deísta de Deus, e não acreditava que possamos definir a sua natureza, mormente através de projetos antropomórficos. Deus pode ser bom ou não. Deus teria uma inteligência assustadora e seria incrível planejador, mas além disso não temos muito a dizer a respeito dele.

6. As leis da natureza é que determinariam a nossa vontade; mas o homem é suficientemente livre para realizar os seus desejos, a despeito de poderes externos. Contudo, os homens não têm o Poder de escolha, sem algum condicionamento eterno. A razão e outras forças sempre se fazem presentes. O livre-arbítrio jamais se manifesta sozinho, cruamente.

7. Não podemos determinar se a alma é imortal ou não.

8. *O Problema do Mal* (vide). Para Voltaire essa era uma questão critica e insolúvel. Ele ficou tremendamente impressionado com o terremoto de Lisboa, em 1775, que foi de proporções gigantescas. E negava o argumento de Leibnitz, que afirmava que este é o melhor de todos os mundos possíveis. Ao examinar a questão se Deus estaria ou não castigando os homens, através dos males existentes neste mundo, por causa dos pecados deles, ou se Deus simplesmente mostrava-se indiferente diante de tudo, ele preferia a última alternativa, como a explicação mais plausível.

Escritos Principais: Cartas Filosóficas; Elementos da Filosofia de Newton; Ensaio sobre os Costumes e o Espírito das Nações; Cândida; Tratado Sobre a Tolerância; Dicionário Filosófico; Filosofia da História.

VOLUNTARISMO
Essa designação vem do latim, *voluntas*, "vontade", indicando que a vontade, mormente a vontade divina, é suprema, atuando como principal forca ativa na criação, e não a razão. O termo foi introduzido na filosofia por F. Tonnes, em 1883, e foi prontamente adotado pelos filósofos e teólogos.

O voluntarismo contrasta com o racionalismo, com o livre-arbítrio humano (nas discussões acerca do determinismo vêrsus livre-arbítrio), com o intelectualismo e com o universalismo. Os filósofos têm usado amplamente a idéia fundamental, embutida no conceito, aplicando-a à teologia, à metafísica, à psicologia, à ética, à epistemologia e a discussões concernentes à vontade do homem, em contraste com a vontade divina.

O "voluntarismo". Trata-se da noção filosófico-teológica de que a vontade de Deus é suprema, pois Deus agiria principalmente de acordo com a sua vontade, e não de acordo com sua "razão". Isso significaria, por sua vez, que tudo aquilo que Deus determina por sua vontade é correto, sem importar o que o homem possa pensar sobre a moralidade dos atos divinos. Foi Sócrates quem ventilou a questão crucial, quando perguntou: "Uma coisa é direita porque Deus a determina pela sua vontade, ou Deus determina alguma coisa porque ela é direita?". E a noção do "voluntarismo" retruca: "Algo é direito porque assim Deus determina pela sua vontade". Portanto, se porventura Deus envia alguns homens para matarem e fazerem violência contra outros (conforme algumas passagens do A. T, mos-

VOLUNTARISMO

tram ao Senhor), isso se torna automaticamente correto, ainda que outras passagens bíblicas indiquem que matar é um pecado.

Em outras palavras, segundo essa posição do *voluntarismo*, Deus pode fazer o que bem entender mesmo se contradisser as nossas idéias de moralidade. Foi com base nesse pensamento que se criou a proposição que diz que Poder é direito". Porém, precisamos confiar em Deus de que ele faz todas as coisas segundo *a razão e a justiça*, e não meramente de forma caprichosa e arbitrária. Outrossim, precisamos crer que Deus não pratica aquilo que ele mesmo proibiu aos homens fazerem. Por conseguinte, o ponto de vista do "voluntarismo", acerca da personalidade de Deus, dentro ou fora das Escrituras, sob qualquer forma que esse ponto de vista assuma, é errôneo, e deve ser peremptoriamente rejeitado.

Considerações sobre o Voluntarismo

1. O voluntarismo é o âmago mesmo da reprovação ativa, pois, mediante esse fator é que Deus endurece, condena e julga, devido à sua própria vontade soberana, inteiramente à parte do que o homem tenha sido, seja ou possa vir a ser.

2. Não podemos ignorar a mensagem do nono capítulo de Romanos, supondo que se relacione somente a juízos temporais, à eleição de nações, e não de indivíduos, ou que estejam envolvidos apenas princípios religiosos, e não individuais.

3. Se asseverarmos que existem "razões" por detrás da "vontade" divina, então já teremos abandonado a idéia do verdadeiro voluntarismo, o que dá a idéia de mera ação da vontade, levada pelo capricho. Isso será uma verdade, mesmo que cheguemos a supor que as *razões* são divinas, completamente ocultas da inteligência e da pesquisa humanas. A maioria dos teólogos supõe a existência de motivos, divinos ou humanos, ou mesmo ambos, pelo que não são verdadeiros seguidores da idéia do voluntarismo.

4. O voluntarismo se relaciona com a "reprovação", e há notas completas sobre esse tema, em Rom. 9:10 no NTI. Ver também o artigo sobre *Reprovação*.

5. O trecho de Rom. 9:30 - 10:21, ensina-nos que a vontade e o agir humano entram em cena na questão da salvação, pelo que qualquer forma de voluntarismo é abandonada. Se nos determos no nono capítulo desta epístola, porém, não poderemos afirmar tal coisa. Será isso, igualmente, um paradoxo? O voluntarismo é uma verdade, por um prisma divino; porém, não é a única verdade, posto existirem considerações humanas. Mas é verdade, seja como for, que estamos manuseando aqui elevadas doutrinas e profundas realidades espirituais que são essencialmente misteriosas para nós, no presente; e que essa é uma das chaves da interpretação dessas questões complicadas.

"De nada nos vale tentar suavizar essas expressões bíblicas. Malaquias tencionou que elas fossem compreendidas bem literalmente... e elas foram literalmente aceitas pelo apóstolo Paulo. (Porém, não nos devemos olvidar, como também ficará bem claro mais adiante, que Paulo falava, pelo menos até certo ponto, *hipoteticamente*). O ato divino da seleção de Jacó, pois, foi um ato de pura graça, não estando condicionado aos méritos de Jacó e nem ao fracasso moral de Esaú. Paulo, portanto, poderia ter concluído, como parte de seu argumento, o seguinte: 'Agora, o que impediria Deus de tomar uma decisão posterior, sobre quem pertenceria a Israel que haveria de receber o cumprimento de suas promessas? De fato (conforme ele diz em Rom. 4:16), os beneficiários dessa Promessa não precisavam ser judeus, sob hipótese alguma'. Em outras palavras, o pacto de Deus com Israel não poderia ser considerado invalidado, mesmo que todos os judeus rejeitassem o evangelho e perdessem o cumprimento da promessa, porque *Israel* significa não os judeus, por descendência natural, e, sim, os eleitos, sem importar a nação de que vieram". (John Knox em Rom. 9:13).

"A atitude *profana* de Esaú foi o motivo paralelo, mas não a causa da seleção divina de Jacó. A razão dessa escolha só pode ser encontrada no profundo do coração de Deus, aquele mundo *escuro de tanta luz*. Tudo está bem ali, mas nós não conhecemos tudo quanto existe ali.

"Assim somos elevados até à porta fechada do santuário da escolha divina. Toquemos nela; ela é adamantina, e está hermeticamente trancada. Nenhum tirano inacessível está assentado em seu interior, brincando com ambos os lados de um jogo da sorte, indiferente aos clamores das almas humanas. O portador da chave, cujo Nome está gravado na porta, é: '...e aquele que vive; estive morto, mas eis que estou vivo pelos séculos dos séculos, e tenho as chaves da morte e do inferno' (Apo. 1:18). E se porventura apurarmos os ouvidos, haveremos de ouvir palavras no íntimo semelhantes à suave e profunda voz de muitas águas, mas que procedem do coração eterno: 'Sou o que sou; quero o que quero; confiai em mim' Não obstante, a porta está trancada, e a voz é misteriosa". (Moule, sobre Rom. 9:13, que salienta aqui um elemento necessário para a nossa interpretação sobre toda esta passagem. Pois as questões relativas à predestinação e à eleição não podem ser explicadas por qualquer raciocínio humano, embora tenhamos algo de significativo para dizer).

Não nos devemos esquecer do ponto principal de toda essa discussão, que retrocede até o versículo seis deste capitulo e da proposição ali proferida. O propósito de Deus não falhou, embora a maioria da população israelita tenha rejeitado o Messias, já que o acolhimento ao Messias dependia da eleição da graça. Paulo não ventila o outro lado do paradoxo, isto é, qual o papel desempenhado pelo homem. Esta idéia se evidencia, entretanto, em outras passagens das Escrituras.

Idéias de Alguns Filósofos e Teólogos:

1. *A discussão de Agostinho* sobre a predestinação e o livre-arbítrio humano enfatizou o poder controlador da vontade divina.

2. *Avicebron (um* filósofo judeu do século XI d.C.) exaltou a vontade divina na criação e na providência, fazendo tudo depender da mesma.

3. *Duns Scoto* fazia da vontade divina a fonte e a sanção de toda moralidade e ética. Mas também fazia do livre-arbítrio humano a base da liberdade humana necessária. Temos aí um *voluntarismo humano*, o qual operaria através da liberdade e seria caracterizado pela responsabilidade.

4. *Guilherme de Ockham* reinterpretou o voluntarismo humano, postulado por Scoto, como garantia de uma genuína liberdade humana. E percebia o voluntarismo divino por detrás da graça e das leis morais da natureza.

5. *Hobbes* enfatizou. certa forma de *voluntarismo psicológico*, ao tentar explicar o comportamento humano em termos de desejo ou aversão, que são funções da vontade.

6. *Descartes*, ao salientar os princípios do racionalismo (a razão como fator supremo em Deus e no homem), afirmou que ocorre o erro quando a vontade predomina, sem o controle da razão. Conceber Deus como Alguém que opera através da vontade pura, sem o controle da razão, cria um conceito inaceitável acerca do Ser divino. O homem derivaria sua liberdade de seu livre-arbítrio, e isso faz parte necessária de qualquer sistema de ética.

VOLUNTARISMO – VONTADE DE CRER

7. *David Hume* foi um filósofo voluntarista, no sentido ético e no sentido psicológico. Conforme ele ensinava, a razão é escrava das paixões, e tanto a ética quanto a teoria política são oriundas do lado emotivo do homem e não do seu lado racional.

8. *Emanuel Kant*, apesar de seus esforços na obra *Crítica da Razão Pura*, foi um pensador voluntarista. ético. Os juízos éticos dependem da vontade moral do homem.

9. *Fichte* concordava com a avaliação feita por Kant. As decisões filosóficas, segundo ele, seriam tomadas em termos dos requisitos da vontade.

10. *Schopenhauer* foi um supremo voluntarista metafísico e ético, ao insistir que a vontade de seu Deus Insano controla e destroça a tudo, razão pela qual deveríamos ter uma visão pessimista da vida. A melhor coisa que poderia suceder, na opinião dele, era que Deus quisesse que tudo desaparecesse da existência, pois então a paz reinaria. Mas Deus quer que a existência prossiga, pelo que a miséria continua. E a razão fracassa em sua tentativa de explicar o que está sucedendo no mundo, apresentando, quando muito, apenas pensamentos eivados de desejos. Assim, a vontade seria, ao mesmo tempo, cega e insana.

11. *Paulsen* pensava que o universo tornava-se consciente através da vontade humana, que é suprema no campo da ética.

12. Bergson frisava o voluntarismo humano, e encontrava, na vontade, a origem de toda liberdade. O *elan vital* é uma expressão da vontade, além de ser a força ativa de toda vida e dinamismo no mundo.

13. O *arminianismo*, de modo geral, rejeita o voluntarismo divino, embora enfatize o voluntarismo humano. E o *calvinismo* reverte esse quadro. Isso demonstra a natureza parcial de ambas as posições.

14. O voluntarismo teológico, metafísico e divino enfatiza um dos pólos do Ser divino e seu propósito, deixando de parte o aspecto racional, além de ignorar o legítimo lugar que cabe à vontade humana e à liberdade humana. Ver os artigos *Sincretismo*; *Sinergismo e Polaridade*. O voluntarismo divino puro avulta por detrás da doutrina dúbia da Reprovação, bem como da visão exagerada acerca da *Predestinação* (vide), posições essas que deixam de lado boas porções das Sagradas Escrituras e ignoram a liberdade humana como a base necessária da moralidade e da responsabilidade.

VONTADE
Ver *Livre-Arbítrio*.

VONTADE-ADORAÇÃO

Essa expressão vem do grego *ethelontheskeia* (que aparece em Col. 2:23), um termo que tem sido muito debatido, sem que se chegue a um resultado definitivo. As interpretações acerca da mesma incluem estas seis possibilidades: 1. Uma adoração conforme a fantasia ou vontade própria de cada um. 2. Uma adoração imposta pela vontade humana, mas sem base na autoridade divina. 3. Rigor na devoção. 4. Culto de si mesmo. 5. Culto criado pelo próprio indivíduo. 6. Culto espiritual. Essa palavra grega composta, que aparece somente no trecho de Col. 2:23, pode ter sido cunhada por Paulo, o que explicaria sua obscuridade, sem jamais aparecer em qualquer outra literatura. Seja como for, Paulo acusou os mestres gnósticos de terem esse tipo de adoração a si mesmos, sem qualquer autorização divina. Se é que esse é o sentido tencionado por ele.

VONTADE, PODER DA

Nietzsche defendia o ideal de um incansável super-homem, acreditando que tal personagem pode ser atingida pela força da vontade. Ele pensava que essa força da vontade é o impulso básico mais fundamental do homem. Dessa maneira, o homem busca a plena fruição de seus poderes e habilidades. Ele sentia que a sua missão especial no mundo era filosofar com uma marreta-, quebrando as idéias inferiores. Suas descrições da vontade e de como o homem deve utilizar-se dela, representavam os golpes da marreta. O super-homem que se utilize apropriadamente de sua força de vontade tornar-se-ia um criador, e não uma vítima das circunstâncias.

VONTADE DA CARNE, VONTADE DO VARÃO

João 1:13
O Novo Nascimento não ocorre segundo estes Princípios.
Diversas interpretações de.
"... nem da vontade da carne..."
a. impulsos sexuais da mulher (diversos pais e intérpretes modernos)
b. os impulsos sexuais de modo geral
c. impulsos inferiores, paixões animalescas
d. qualquer propósito humano
e. qualquer coisa que o coração corrupto do homem possa planejar ou efetuar
f. a descendência humana, física, ou nascimento nobre (como na descendência de Abraão)
g. todas essas idéias, de várias maneiras, exigem origem divina para o nascimento dos filhos de Deus.
"... nem da vontade do varão..."
a. impulsos sexuais do homem
b. motivos humanos que transcendem aos impulsos meramente físicos, como as nobres intenções dos homens
c. a paternidade humana
d. qualquer coisa que uma pessoa possa fazer em prol de outrem
e. qualquer esforço humano, inclusive os de ordem religiosa, ou os esforços mais nobres, etc.
f. geral: qualquer coisa que alguém possa fazer em proveito próprio. As duas declarações em conjunto: Exigem, de modo absoluto, que o novo nascimento ocorra pelo poder divino, através das operações do Espírito. Este texto antecipa João 13-5. No homem não há qualquer qualidade que mereça a salvação. O homem nada pode fazer para torná-la realidade. Pela graça sois salvos, Efé. 2:8.
"*mas de Deus...*". A regeneração da alma, que a capacita para ocupar um lugar no reino celestial, e que, finalmente, a conduz à total conformação com a imagem de Cristo, tanto moral como *substancialmente* (isto é, segundo a sua própria essência ou natureza), tem lugar através de meios espirituais, e tem por sua origem o próprio Deus. Por intermédio do Espírito Santo é que Deus opera uma total transformação, um autêntico novo nascimento. Esse nascimento não ficará totalmente completo enquanto não entrarmos na perfeição absoluta; contudo, podemos dizer que ela já ocorreu, posto que o seu passo inicial foi realizado quando do exercício da fé salvadora, nos primeiros estágios da regeneração. Dessa maneira, os homens são *nascidos do alto agora*, no aspecto que os primeiros passos da regeneração já tiveram lugar; porém, no sentido absoluto, não "nasceremos do alto" enquanto não tiver ocorrido a completa transformação de nossos seres mortais.

VONTADE DE CRER

Essa expressão foi cunhada por William. James, por meio da qual ele asseverava que, algumas vezes, precisamos ir "além das evidências", em nossas crenças, quando estão em pauta questões momentosas. Nem todas as coisas po-

VONTADE DE CRER – VONTADE DE NÃO CRER

dem ser determinadas mediante evidências empíricas e racionais. O espírito humano precisa estar livre para dar um salto até à verdade que sente ser necessária, ou que intui ser necessária, mesmo quando há ausência de evidências comprobatórias. Ver sobre *Vontade de Não Crer*, que aponta para a atitude de ceticismo que se recusa a crer, sem importar o acúmulo e a importância das evidências.

VONTADE DE DEUS (MISTÉRIO DA)
Ver sobre *Mistério da Vontade de Deus*.

VONTADE DE DEUS, COMO DESCOBRI-LA

Jesus, quando agonizava de tristeza e pavor no jardim de Getsêmani, precisou buscar e aceitar a vontade de Deus: "Todavia, não seja como eu quero, e, sim, somo tu queres". (Mat. 26:39). Podemos supor que a vida de oração de Jesus muito envolvia essa questão de discernir a vontade do Pai, em todas as circunstâncias de sua vida. Procurando diretrizes quanto a essa importante questão, ofereço as seguintes observações:

1. *Evitar trivializar a questão* da orientação divina, aplicando-a a toda pequena questão. Há pessoas que adquirem o mau hábito de dizer, a todo instante: "Deus assim quis", "O Senhor mostrou-me isso", Deus me guiou. Tudo, desde a cor das toalhas de banho, até à marca de automóvel que a pessoa guia, torna-se motivo de busca da vontade divina. Mas a verdade é que há muitas coisas acerca das quais devemos utilizar nosso próprio bom senso, pois a respeito delas deve, certamente, haver uma divina *indiferença*. Conta-se a história de um homem que, ao olhar para fora da janela de sua casa, observou que alguém batera no seu automóvel, deixando a lataria ligeiramente amassada. E, então, comentou: Não sei por que, Senhor, quisestes que teu carro fosse acidentado", como se aquilo pertencesse à vontade divina de Deus. Essa abordagem à vontade divina é *infantil*, e, de fato, é o tipo de coisa em que as crianças envolvem-se, em seu relacionamento com seus genitores, onde cada coisinha fica sujeita à aprovação de "papai" e "mamãe".

2. *A Questão do Desenvolvimento Espiritual*. O homem elevadamente espiritual mui naturalmente mostrar-se mais sensível para com os requisitos divinos em sua vida do que o homem que continua imerso no materialismo, no egoísmo e nos vícios. O indivíduo deve usar os vários meios de crescimento espiritual (*ver sobre Desenvolvimento Espiritual, Meios do*) para que esteja *condicionado* e possa reconhecer a vontade divina, tendo a força necessária para segui-la. Entre esses meios, podemos pensar na *oração*, um agente primário na busca pela vontade divina. Esse agente pode operar arranjando as circunstâncias, embora também possa provocar a *iluminação*. Não nos devemos esquecer do toque místico. O homem está sujeito a receber iluminação através da meditação ou através de outros exercícios espirituais. Outrossim, os dons espirituais, como o conhecimento e a sabedoria, podem manifestar-se de forma real através da mediação do Espírito Santo; e assim a vontade de Deus pode tornar-se clara para nós, quanto a casos difíceis.

3. *Condicionamento na Santificação*. Essa é uma questão importante no tocante ao desenvolvimento espiritual do indivíduo e à sua receptividade à voz de Deus. Sem isso, um homem deixa muitos obstáculos na sua vereda, e decepa as linhas espirituais de comunicação.

4. *Condicionamento no Treinamento para Cumprir a Própria Missão*. Uma importante parte nessa questão de cumprirmos a vontade de Deus consiste naquilo que fazemos com as nossas vidas, de modo a cumprirmos as missões que devemos realizar. Se um homem preparar-se por meio da educação e da experiência, a fim de ser um bom instrumento quanto à tarefa para a qual foi designado, então, automaticamente ele haverá de receber orientação divina *quanto* à *tarefa* que deve realizar, bem *como* acerca de como deverá fazê-lo. Mas o indivíduo preguiçoso, que negligencia o seu desenvolvimento pessoal e que ignora a busca pela excelência, não estará preparado para muita coisa. Assim, seria inútil tal homem saber o que o Senhor quer que ele faça, porquanto não se preparou como devia para a tarefa. Posições extremistas, como a do *antiintelectualismo* (vide) com freqüência servem de refúgio para os preguiçosos, os quais preferem poupar trabalho. Quanto mais reduzimos o escopo das habilidades humanas, e suas possíveis aplicações, tanto mais reduzimos o homem, no que concerne a como a vontade de Deus pode estar operando nele.

5. *A Lei do Amor*. Queremos fazer a vontade de Deus, não queremos servir-nos ao próprio eu e, sim, para servirmos melhor ao próximo. Se essa for a nossa atitude, então estaremos em um estado espiritual em que *agradará* a Deus dar-nos sua orientação. Ao dirigir-nos, Deus capacita-nos a servir melhor ao próximo. Sempre que o amor for real e vital, sempre o Senhor nos orientará.

6. *O Bloqueio Egoísta*. Em vez de viverem a lei do amor, muitos ocupam-se em atividades egoístas, e ainda invocam a Deus para ajudá-los nisso. Tiago ensina-nos que Deus não está muito interessado por esse tipo de atividade: "...pedis, e não recebeis, porque pedis mal, para esbanjardes em vossos prazeres" (Tia. 4:3).

7. *Condicionamento Final*. Aquele que está sendo transformado à imagem de Cristo (ver Rom. 8:29), para compartilhar da natureza divina (ver II Ped. 1:4) para participar da pleroma (plenitude) de Deus (ver Efé. 3:19), e que está sendo guindado, pelo Espírito, de um grau de glória para outro (ver II Cor. 3:18) naturalmente tornar-se-á um homem que não somente saberá qual é a vontade de Deus, mas também será de tal modo transformado que lhe serão dadas coisas significativas para fazer, em consonância com a vontade divina. Ocasionalmente, vemos gigantes espirituais, que recebem tarefas gigantescas a realizar. Devemos emular tais pessoas.

VONTADE DE NÃO CRER

1. É verdade: alguns têm a **vontade de crer.** A necessidade íntima de ver algo além da crassa matéria bruta, faz-se sentir tão fortemente, que certos se sentem compelidos a crer quase em qualquer coisa.

2. Porém, também existe a vontade de não crer, que não se deixa convencer por acúmulo nenhum de evidências comprobatórias. Essa vontade se origina na rebeldia humana.

3. Os ímpios pervertem o caminho de Deus e as suas próprias almas. Tal perversidade destrói qualquer teoria da verdade que se possa reconhecer. Os homens, para começo de raciocínio, caíram para longe de Deus, e os resultados dessa queda passaram a fazer parte integrante de suas próprias estruturas e de sua própria natureza. Mas, além disso, propositalmente eles corrompem ainda mais a si próprios.

4. Dessa maneira eles se colocam a uma distância onde é impossível reagirem à espiritualidade, e somente a intervenção divina pode trazê-los de volta à verdade. O evangelho é a expressão dessa intervenção divina.

"Rom. 1:18 ensina-nos que a verdade pode ser afogada em um oceano de maldade". (John Knox, *in loc.*).

"(Os homens) abafam, prendem a verdade na impiedade, como que numa masmorra. Os homens encarceraram a ver-

VONTADE DE NÃO CRER – VONTADE ESCATOLÓGICA DE DEUS

dade e a retêm cativa sob restrições e suspeitas, com as grades e as prisões de uma vontade depravada e de hábitos perniciosos, de tal modo que ela não pode sair e respirar o ar puro, nem pode apreciar a luz e agir de conformidade com a sua própria natureza". (Wordsworth, *in loc.*).

"Esta passagem subentende, entretanto, que o homem possui os remanescentes da imagem divina em si mesmo, apesar de tudo; e que, embora caído em Adão, pode afundar ainda mais profundamente, obscurecendo e suprimindo os elementos da verdade que restam em sua razão e consciência". (Philip Schaff, *in loc.*, no Comentário de Lange).

Permanece assim de pé a lei da semeadura e de sua respectiva colheita; porquanto os homens recebem aquilo que merecem, no sentido mais absoluto do termo, isto é, podem suceder coisas a um homem que, talvez ele repute injustas, mas que, na realidade, são os pagamentos entregues à sua alma, devido à sua perversão, perversão essa praticada por tantas vezes, e de tantas maneiras diferentes, que a mente consciente do indivíduo já não guarda memória dela.

A vida está sempre *encontrando-se "consigo mesma"*, e isso para sua vantagem ou para sua desvantagem. Por conseguinte, pode-se ver a ira de Deus operar no momento presente na forma de enfermidades, acidentes, tragédias, vidas destroçadas, lares desfeitos, morte física, catástrofes ditas naturais, etc., através de cujos sofrimentos se espera que os homens vejam algo sobre si mesmos. Em face desses desastres, os homens deveriam parar e meditar: é assim que eu sou; é isso que eu mereço. Eu mesmo causei essas coisas com minhas más ações. Não obstante, é muito raro que um indivíduo que viva suprimindo a verdade, em sua própria consciência consiga elevar-se suficientemente, em sua percepção espiritual, para que possa ver essas verdades.

VONTADE DIVINA

Ver sobre *Voluntarismo* posição filosófica-teológica, que exagera o papel da vontade divina, em contraste com a vontade e a liberdade humanas, Ver sobre *Livre-Arbítrio,Determinísmo e Predestinação*.

Ver também sobre *Polaridade*.

1. Definições e Descrições. A vontade de Deus é a força suprema na criação, na preservação e na salvação, e várias passagens bíblicas apresentam isso de maneira não-qualificada, conforme se vê, por exemplo, no nono capítulo de Romanos. Por outra parte, outras passagens bíblicas dão o devido valor à vontade humana, como um fator necessário e básico do homem, ser que compartilha da imagem divina. Sem essa vontade, e sem a liberdade que dela depende, o homem deixaria de ser homem, pois não mais compartilharia da imagem de Deus. Seria reduzido a outra coisa qualquer, e a criação seria anulada.

No Antigo Testamento. O termo hebraico *hapes* designa a idéia de "conselho divino", com base em seu beneplácito, conforme dizem algumas traduções. Ver Isa. 44:28; 46:10; 53:10. A palavra hebraica *rason* alude à boa vontade, ao favor de Deus, ou seja, a vontade divina empregada no interesse do bem-estar dos homens. Ver Esd. 10:11; Sal. 40:9; 103:21; 143:10. Não encontraremos qualquer dificuldade na idéia da vontade suprema de Deus, se a pusermos por detrás de uma atitude divina beneficente, e não destrutiva. É exatamente aí que o *Mistério da Vontade de Deus* (vide) a põe. O vocábulo hebraico *esa*, "conselho", refere-se àquilo que foi deliberadamente planejado pela vontade divina (ver Sal. 33: 11; 73:24; Pro. 19:21; Isa. 5:19; 46:10).

No Novo Testamento. Temos aí o termo grego *boulé*, aquela determinação divina que está por detrás de seus propósitos e deliberações (ver Luc. 7:30; Atos 2:23; 4:28; 20:27; Efé. 1: 11). O termo grego *thélema* refere-se à vontade e às inclinações divinas (ver Atos 22:14; Rom. 12:2; Efé. 1:9; 5:17; Col. 1:9). A palavra grega *eudokía* indica o beneplácito de Deus, mediante o qual a sua vontade faz aquilo que agrada a Deus e é benéfico para o homem (ver Luc. 2:14; Efé. 1:5,9; Fil. 2:13).

2. A Vontade Condicionada de Deus. A vontade de Deus é condicionada pela sua própria bondade, razão e amor. Se não quisermos reconhecer esses condicionamentos, teremos de cair no crasso *voluntarismo* (vide). A salvação foi planejada em favor do homem, não porque ele a merece, mas porque Deus amou ao mundo e agradou-se a formular as coisas, através de sua vontade, visando ao bem-estar do ser humano. Sem dúvida esse é o princípio normativo de todos os atos da vontade de Deus. Até mesmo a vontade de julgar é uma vontade que concorda com o amor, visto que o próprio juizo é um dedo da amorosa mão de Deus. Ver 1 Ped. 4:6, quanto a seus resultados altamente benéficos, que inclui até mesmo viver no espírito como Deus vive.

3. Os Decretos de Deus (como a *eleição, a redenção* e a *restauração;* ver os artigos sobre cada um desses assuntos) jamais são arbitrários ou cruéis. Esses decretos determinam tudo quanto tem que acontecer (ver Sal. 115:31; Dan. 4:17,25,32,35; Atos 2:23; Efé. 1:5,9, 11). A vontade moral de Deus mostra-nos como os homens devem viver (ver Mat. 7:21; João 4:34; 7:17; Rom. 12:2). Apesar de Deus não ser a causa do pecado, de algum modo isso concorda com o seu propósito eterno, ativa e passivamente considerado. Deus controla e pune, mas também usa o pecado para ensinar aos homens certas lições. Ver Êxo. 4:21; Jos. 11:20; I Sam. 2:25; Atos 2:23; 4:28; II Tes. 2:11.

4. A Vontade de Deus e a Salvação. Por detrás da salvação do homem manifesta-se a vontade divina. Esse é o ABC do próprio ensino do evangelho. A vontade eletiva de Deus seleciona quem deve ser salvo (ver Efé. 1:1 ss); mas também devemos pensar na vontade restauradora de Deus (ver Efé. 1:9,10), que envolve a todos os não-eleitos.

5. Os homens pervertem a vontade de Deus, ensinando uma *Reprovação* (vide) não-qualificada.

6. Um dos grandes ensinos do Novo Testamento consiste no *Mistério da Vontade de Deus* (vide). Ver Efé. 1:9,10; onde se aprende o que a vontade divina resolveu fazer, finalmente, no tocante a todos os homens. Ver também o artigo intitulado *Restauração*.

7. A Vontade de Deus é Inescrutável. Ninguém pode entender plenamente a vontade divina, da mesma maneira que ninguém pode compreender o próprio Deus. Ver Jó 9: 10; Rom. 11: 33. Desse modo, submetermo-nos obedientemente à vontade divina, sabedores de que ele sempre agirá de forma justa e correta (ver Isa. 45:12,13; Rom. 9:16-23). Por outra parte, em sua ansiedade por compreender tudo, alguns fazem de Deus o grande destruidor, e não o grande restaurador, e assim criam um inaceitável conceito de Deus. Quando renegamos a esse conceito que comete uma injustiça contra Deus, não estamos blasfemando de Deus. De fato, quando alguém salienta um lado negativo da vontade divina, esquecendo-se do amor de Deus e da posição central do amor nas Escrituras, acaba blasfemando de Deus.

8. Vontade de Deus-Como Descobri-la? Ver o artigo intitulado *Vontade de Deus, Como Descobri-a.*

VONTADE ESCATOLÓGICA DE DEUS
Ver *Mistério da Vontade de Deus.*

VONTADE GERAL – VOTO

VONTADE GERAL

Filósofos franceses enfatizavam a importância dos julgamentos ideais que uma sociedade pode fazer. Eles supunham que esse juízo é autoritarista e soberano. A expressão francesa por detrás da expressão portuguesa é *la volonté générale*, que foi usada por Rousseau e seus sucessores. Esse princípio foi muito importante no desenvolvimento dos governos democráticos, embora, para tanto, não precise ser aplicado em termos absolutos, como se a sociedade humana não pudesse errar em seus juízos.

Dentro da *fé religiosa*, como parte do *concensus gentium* (vide), esse conceito também tem aplicação. Alguns pensadores têm sentido que indivíduos e a própria sociedade, através dos poderes da intuição, podem saber o que é certo e o que é errado. Quando as pessoas em geral pensam uma certa coisa, então é que elas devem estar com a razão. Assim, provas em favor da existência de Deus e da alma têm sido formuladas com base nessa crença generalizada. Naturalmente, isso nem sempre funciona. Antes de certas descobertas científicas, as pessoas em geral acreditavam em uma terra plana; e a opinião da maioria não conseguiu fazer com que essa falsa noção correspondesse à realidade. A despeito de tais lapsos, essa posição ainda é defendida por muitos, com base na idéia de que o raciocínio e a intuição podem ditar grandes verdades, sem qualquer necessidade de investigação.

VONTADE HUMANA

A menos que a vontade humana tenha sobrevivido à queda no pecado (visto que essa vontade faz parte inerente da *imagem de Deus*, herdada pelo homem, fazendo o homem ser o que ele é), seria simplesmente impossível constituirmos qualquer sistema moral que inclua a idéia da responsabilidade moral. Essa e outras considerações aparecem nos artigos *Livre Arbítrio*; *Determinismo* e *Predestinação*, onde essas idéias são ventiladas.

VONTADE NA FILOSOFIA

Ver sobre *Livre-Arbítrio; Determinismo; Polaridade e Voluntarismo*. A palavra grega usualmente traduzida por "vontade" é *boúlema*. Seu correspondente latino é *voluntas*. Esses termos dão idéia de potência, força, escolha, seleção, determinação, imposição. Ver o artigo chamado *Vontade*. O termo *vontade* também é empregado por alguns para aludir à natureza básica da realidade, tanto de Deus quanto do homem, apontando para alguma qualidade metafísica essencial, e não apenas para a capacidade de escolher ou rejeitar.

Idéias dos Filósofos:

1. *Platão* dividia a alma humana como uma entidade *tripartite*: razão, vontade e apetites. A tarefa da razão seria controlar a vontade e os apetites, os quais podem errar e exagerar, levando os homens a caírem em toda espécie de situação prejudicial. Os atos da razão tendem para a unidade do homem, contribuindo para sua harmonia e tranqüilidade, na esfera ética. A vontade pode aliar-se aos apetites, se for pervertida, ou pode ser uma valiosa aliada da razão. A alma humana é uma instância da *nous*, a razão divina, uma espécie de *Idéia (Forma ou Universal;* vide).

2. *Thomas Hobbes* vinculava a vontade aos apetites, pensando que o elo final da cadeia é que leva o homem a entrar em ação.

3. *Descartes* dava maior peso ao poder da vontade do que ao poder da razão, considerando o poder da vontade como algo quase sem limites. Ele asseverava que é a genuinidade da vontade que torna possível a liberdade humana.

4. *Schopenhauer* fazia da *vontade* o seu Deus, a essência do Absoluto, uma vontade insana, sem qualquer desígnio, que assim criou um mundo pessimista, onde tudo está errado.

5. *Emanuel Kant* acreditava que a vontade pode operar sem as influências dos apetites, e virtualmente identificava-a com a razão. A vontade seria a razão prática.

6. *Freud* apresentou uma filosofia similar à idéia da alma tripartite de Platão e de Aristóteles, dividindo o homem em Id, Ego e Superego. "Falando a grosso modo, o ego, servindo de mediador entre os "refreamentos do superego e as paixões do id, representa a função volitiva" (P).

VOTO

Compete-nos considerar, neste verbete, duas palavras hebraicas e uma palavra grega, a saber:

I. As Palavras Utilizadas

1. *Nadar*, "voto". Palavra hebraica usada por 32 vezes, conforme se pode ver, por exemplo, em Gên. 28:20; 31:13; Lev. 27:8; Núm. 6:2,21; 30:2,3,10; Deu. 12:11,17; Juí. 11:30,39; I Sam. 1:11; II Sam. 15:7,8; Sal. 76:11; Ecl. 5:4,5; Isa. 19:21; Jer. 44:25; Jon. 2:9; Mal. 1:14.

2. *Neder*, "voto". Essa palavra hebraica aparece por 60 vezes, segundo se vê em Gên. 28:20; 31:13; Lev. 7:16; 22:18,21; Núm. 6:2,5; 15:3,8; 21:2; 29:39; 30:2-9,11-14; Deu. 12:6,11,17,26; 23:18,21; Juí. 11:30,39; I Sam. 1:21; II Sam. 15:7,8; J6 22:27; Sal. 22:25; 50:14; 56:12; Pro. 7:14; Ecl. 5:4; Isa. 19:21; Jer. 44:25; Jon. 1:16; Naum 1:15.

3. *Euché*, "oração", "voto". Com o sentido de oração, esse vocábulo grego aparece somente em Tia.5: 15; e com o sentido de voto, aparece por duas vezes, isto é, em Atos 18:18; 21:23.

Dentro do contexto bíblico são mais importantes os votos religiosos. Mas a Bíblia dá-nos conta, igualmente, de votos ou compromissos atinentes a negócios e outras questões. Ver o voto que está envolvido na história de Judá e Tamar (Gên. 38:17,18,20). E o trecho de Deu. 24:10,11,13 alude a questões financeiras, ao falar sobre voto. Um acordo verbal podia ser considerado um voto; mas objetos de valor também podiam servir de penhor ou garantia de intenções. Os trechos de Jó 22:6 e Pro. 27:13 falam sobre votos dentro de contextos econômicos, como também a passagem de Eze. 18:7. Nessas situações, fazia-se questão da honestidade, de mescla com a misericórdia, a generosidade e a compaixão.

Pelo lado espiritual da questão, há uma palavra grega, *arrabón*, "penhor", garantia, que indica que o Espírito Santo nos foi dado como garantia de nossa herança em Cristo. Ver Efé. 1: 14 O próprio Espírito Santo é a garantia da nossa imortalidade em Cristo. O restante deste artigo aborda os votos e os compromissos espirituais.

II. Voto Religioso

Um voto é um juramento ou um compromisso de caráter religioso, e também uma transação qualquer entre o homem e Deus, de acordo com a qual o indivíduo dedica si mesmo ou o seu serviço ou alguma coisa valiosa a Deus. Essa era uma característica comum nas religiões antigas, e um freqüente exercício religioso entre os israelitas. Deve ter sido esse costume a base daquilo que, em nossa terra, dá-se o nome de "promessas", geralmente feitas a algum santo da devoção escolhida do indivíduo. Mas, na antiguidade, embora houvesse promessas feitas com a expectativa do recebimento de algum favor divino intensamente desejado, também havia votos voluntariamente impostos, por motivo de autodisciplina, tendo em mira a obtenção de um caráter melhor formado, ou, então, por motivo de autodedicação, com vistas a certos alvos morais ou espirituais.

VOTO

III. Voto como Promessa

Os votos do primeiro tipo, com freqüência, denominados "barganhas" (pois eram feitos com a condição de Deus abençoar, em recompensa), são como aqueles feitos por Jacó, que, em Betel, votou que faria de Betel um santuário e que daria os dízimos do que ganhasse a Deus, se Deus suprisse as suas necessidades e o protegesse (Gén. 28:20-22); por Jefté, que votou a Deus sacrificar em holocausto a primeira pessoa que viesse ao seu encontro, quando ele retornasse à sua casa, se Deus lhe concedesse a vitória sobre os amonitas (Juí. 11:30,31); por Ana, que votou que se Deus lhe desse um filho, ela o consagraria ao serviço de Deus (I Sam. 1:11,27,28). Sem dúvida, a essa natureza pertence a maioria dos votos, tão freqüentemente mencionados nos Salmos, como os de ação de graças e de sacrifício feitos a Deus, por orações respondidas e livramentos proporcionados (Sal. 22:2S; 50:14; 56:12; 65:1,2,8; 116:14,18). Um tanto relacionado a essa categoria de votos é aquele, feito por Absalão, de que serviria ao Senhor, se Deus o fizesse regressar a Jerusalém. Todavia, sabemos que ele perverteu esse voto, conspirando contra seu próprio pai, Davi (li Sam. 15:7 ss). Os votos feitos pelos marinheiros, depois que Jonas foi lançado do navio ao mar, talvez pertencessem mais à natureza de uma tentativa pagã de propiciar a alguma divindade, à qual eles "...temeram... em extremo ..." (Jon. 1:15,16).

IV. Votos de Disciplina e Missão

Existem votos de disciplina da vida ou tendo em mira algum propósito, em dedicação a Deus ou com a finalidade de ser atingido algum alvo. Dentro dessa classe de votos, o mais importante era o *nazireado*, que envolvia a consagração e separação para Deus, juntamente com a prescrição de certas medidas de austeridade e de abstinência (ver Núm. 6:1-8). E a pessoa que assim se comprometesse era livre de seus votos terminado o período dos mesmos ou cumpridas as condições impostas (ver Núm. 6:13-21). Sansão, Samuel e João Batista, ao que tudo indica, eram nazireus por toda a vida. Mas havia votos dessa classe, de mais breve duração, como aqueles de Davi, que declarou que não teria descanso enquanto não encontrasse uma casa para o Senhor (Sal. 132:2-5); os votos de escolha., associados ao chamamento do povo de Israel à obediência (Deu. 12:11); os votos associados às oferendas voluntárias (Núm. 29:39) e a solene outorga da própria alma a Deus (Núm. 30:2). *Paulo* e seus companheiros fizeram votos a fim de exibirem conformidade com a legislação judaica, procurando aplacar a seus perseguidores religiosos, sem ferirem a própria consciência (Atos 18:18; 21:23,24). De caráter de valor um tanto inferior foi, por exemplo, o juramento de Saul de que ninguém deveria comer qualquer coisa enquanto não se obtivesse a vitória militar sobre o inimigo (ver I Sam. 14:24), bem como o voto dos adversários de Paulo de que se absteriam de todo alimento, enquanto não lhe tirassem a vida (ver Atos 23:21).

Cabem aqui certas observações que parecem óbvias, mas que devem ser levadas em conta. O que já fosse obrigatório em Israel, por qualquer motivo, não podia ser objeto de um voto. Se havia votos de caráter condicional, isto é, aqueles em que o indivíduo consagrava algo ou alguém a Yahweh ou ao templo (Gén. 28:20; Núm. 21:2; Jul. 11:30,31; I Sam. 1:11; II Sam. 15:7,8), também havia aqueles votos de caráter incondicional, de acordo com os quais o indivíduo abstinha-se de alguma coisa a fim de obter do Senhor um favor desejado (I Sam. 14:24; Núm. 30). Acresça-se que os votos, geralmente, eram confirmados mediante algum juramento ou maldição (I Sam. 14:24), o que dificulta aos estudiosos distinguirem entre um voto e um juramento (vide). Cumpridos os votos, a pessoa salmodiava em sincera gratidão, pela ajuda recebida de Deus. Foi dessa forma que foram compostos certos salmos, como os de número 65, 66, 116 e o trecho de Jon. 2:39. E também há salmos (como o 61), em que na sua própria letra é formulado o voto.

V. Seriedade dos Votos

No Antigo Testamento não havia determinação para as pessoas fazerem votos, embora fossem cuidadosamente regulamentados. Não era considerado pecado deixar de se fazer um voto (ver Deu. 23:22); porém, uma vez feito, tornava-se solenemente mandatório (Deu. 23:21,23; Ecl. 5:4). Por essa precisa razão havia advertências acerca dos votos precipitados (Ecl. 5:5,6 e Pro. 20:25). Um pai podia desfazer, com sua palavra, um voto precipitado ou inconveniente, feito por sua filha; e outro tanto podia ser feito pelo marido de uma mulher, que se precipitasse quanto a algum voto (Núm. 30:5, onde se vê que, no primeiro caso, só se a filha fosse menor. Ver também Núm. 30:8).

Como tudo quanto é instituição humana, os votos também foram sujeitos a certos abusos. Aliás, os preceitos mosaicos já continham estipulações quanto a esses abusos, e os profetas também se manifestaram a respeito (ver Deu. 22:21-23; Núm. 30:2,3; Naum 2:1; Ecl. 5:4-6). E até mesmo nos livros apócrifos há menção e combate a esses abusos (ver Eclesiástico 18:22,23). Não se podia fazer ofertas de coisas sem valor (Luc. 22:21-23; Mal. 1:4) ou impuras (Deu. 22:19). Ao que parece, as mulheres antigas de Israel propendiam por fazer votos com extrema facilidade, tendo sido necessário refrear e delimitar a leitura de votos, em vez de promovê-los. Como é natural, isso acabou por debilitar o senso de obrigatoriedade, que se via nos tempos mais antigos. Chegou-se mesmo a facilitar tanto a questão que bastava ser feito o pagamento segundo a avaliação feita por algum sacerdote (ver Lev. 27). E, destarte, foi amainando o senso religioso dos votos, embora eles nunca tivessem sido descontinuados pelos judeus, até mesmo no caso dos apóstolos, conforme já ilustramos com Paulo. O ponto extremado a que chegaram os abusos acerca dos votos pode ser demonstrado pelo fato de que, no dia da expiação, os judeus costumavam oferecer uma prece, *koi nidre*, invalidando os votos que eles viriam a fazer no decurso do ano seguinte.

Deixando de lado o aspecto abusivo dos votos, nos dias do Antigo Testamento a obrigatoriedade dos votos era fortemente salientada, como uma significativa indicação da piedade humana e da fidelidade do povo de Deus (Sal. 25:25; 50:14; 56:12; 76:11; Isa. 19:21; Jer. 44:25; Jon. 2:9; Naum 1:15). Ninguém podia votar a Deus o que não lhe pertencesse. Os primogênitos, de homens e animais, bem como os dízimos do produto da terra e do trabalho eram considerados como já pertencentes a Deus, e não podiam ser prometidos ao Senhor (Lev. 27:26-30). Um detalhe interessante é que a paga de uma prostituta ou os salários ganhos por algum prostituto cultual não podiam ser oferecidos como votos a Deus, pois eram considerados abomináveis (Deu. 23:18). Essa era uma medida moralizadora extremamente necessária, haja em vista o que sempre aconteceu no paganismo, onde a prostituição religiosa, em prol de alguma divindade, era uma constante.

VI. Votos Perversos

Jesus Cristo combateu a hipocrisia de certos que, a fim de escaparem de suas obrigações para com seus pais idosos e necessitados, votavam a Deus aquilo que poderiam (mas que deixavam de dar) a eles (Mat. 15:3-9; Mar. 7:9-13). A grande diferença entre os votos veterotestamentários e a dedicação cristã é que os primeiros eram uma obrigação passageira, que nunca envol-

VOTO – VULGATA

via a outorga do próprio coração e da alma aos cuidados do Senhor, ao passo que a dedicação cristã sempre envolve uma relação vital com Cristo e sua cruz (Mat. 16:24; Rom. 12:1,2; I Cor. 6:20; I Ped. 1: 15- 19). Cumpridos os votos feitos, a pessoa se sentia livre de qualquer compromisso; em contraste, o crente nunca se sente desobrigado de dedicar toda a sua vida, em todos os seus aspectos, ao Salvador. A dedicação cristã, pois, está muito mais próxima do que os votos do Antigo Testamento do espírito do mais importante dos mandamentos: "Amarás o Senhor teu Deus de todo o teu coração, de toda a tua alma, e de todo o teu entendimento. Este é o grande e primeiro mandamento" (Mat. 22:37,38). Ver também o artigo intitulado *Adoração*.

VOZ

Esse vocábulo é usado de muitas maneiras na Bíblia, como o som dos instrumentos musicais (11 Sarn. 15: 10; Mat. 24:3 1), o som feito pela água (Eze. 1:24; Apo. 1:5), o ruído feito pelas multidões (Isa. 114; Apo. 19:1), o ribombar do trovão (Sal. 68:34; Apo. 19:6), o rufar de asas (Eze. 1:24), o barulho feito pelos cavalos e pelas carruagens (Apo. 9:9), o moer das pedras de moinho (Apo. 18:22), o cântico dos pássaros (Eci. 12:4), o estalido dos espinhos que queimam (Ecl. 7:6), o clamor dos animais (M. 4:10), o rumor da fama (Gén. 45:16).

A Voz de Deus. Essa voz pode indicar o som audível em uma teofania (I Reis 14-21); a misteriosa voz que sai das chamas (Deu. 4:12). Também pode estar em pauta qualquer revelação, incluindo um cicio não articulado (I Reis 19:12).

Na teologia judaica posterior, encontramos menções ao *bath qol*, literalmente, "filha da voz", ou seja, a voz mística que vem de parte nenhuma e revela algo acerca da vontade de Deus. Os trechos bíblicos de Dan. 4:31; Mat. 3:16 e Atos 9:4 são considerados incidentes escriturísticos desse fenômeno. Ver sobre *Bath Kol* (Qol), onde a questão é descrita detalhadamente.

VOZ, FENÔMENO DA

Ver sobre *Fenômeno da Voz*.

VULGATA

Ver *Bíblia, Versões da*, segunda seção, ponto sexto; Vulgata Latina (Antigo Testamento, e Novo Testamento, segunda seção, oitavo ponto, Vulgata Latina).

1. Formas Antigas

fenício (semítico), 1000 A.C.   grego ocidental, 800 A.C.   latino, 50 D.C.

2. Nos Manuscritos Gregos do Novo Testamento

ϓ Ʋ Ʊ *(formas derivadas de Ʋ; ω não existe no NT)*

3. Formas Modernas

W W w w   W W w w   W W w w   W w

4. História

W é a vigésima terceira letra do alfabeto português (ou a vigésima segunda, se deixarmos de lado o *K*), embora seja usada somente em palavras de origem estrangeira. Historicamente, essa letra deriva-se da letra semítica *waw*, «gancho». As letras F, U, V e Y também derivam-se dessa consoante semítica. Os idiomas semíticos tinham um som *w*, como também sucedia ao grego antigo; mas, posteriormente, esse som foi descontinuado. O latim preservou os sons *w* e *u*, embora designados pela letra «v». O verdadeiro som *w* finalmente foi descontinuado do latim. Em cerca do século XI, foi criado o duplo *uu*, para suplementar o alfabeto latino no interesse daqueles idiomas, como o inglês, que preservaram o fonema. Mas essa letra era escrita como um duplo *vv*. Na ortografia moderna esse duplo *vv* foi ligado, resultando no nosso W.

5. Usos e Símbolos

W representa o watt. Também é usado para indicar o *Codex Washingtonianus*, que é descrito no artigo separado *W*.

Caligrafia de Darrell Steven Champlin

**Reprodução Artística de
Darrell Steven Champlin**

**Arte egípcia — colheres cortadas em madeira
sobre vasos usados para conter líquidos
cosméticos e outras substâncias**

W

W

Essa é a designação do Códex Washingtoniano, que pertence à Coleção Freer de manuscritos. Acha-se guardado no Museu Freer, que faz parte do Instituto Smithsoniano, de Washington, d.C., nos Estados Unidos da América. Data do século IV d.C. Foi o sr. Charles L. Freer, da cidade de Detroit, nos Estados Unidos da América, quem adquiriu o manuscrito, no Egito, em 1906. Contém os quatro evangelhos, mas não na ordem usualmente achada, e sim, Mateus, João, Lucas e Marcos. Há várias iluminuras nesse manuscrito. Sem dúvida, é uma cópia de vários outros manuscritos, conforme demonstra o seu variegado tipo de texto. No evangelho de Mateus e no trecho de Luc. 8: 13 -14:53, o texto é bizantino. Em Mar. 5:31 16:20, é cesareano, parecido com o texto de P(45). Em Luc. 1:1- 5:11 e João 5:12 - 21:25 (esta seção procedente do século VII d.C., ao que parece, em substituição a uma parte perdida do manuscrito original) o texto é alexandrino. No trecho de Mar. 15 encontramos o texto ocidental, próximo da antiga versão latina. Após Mar. 16:14, temos um final variante desse evangelho. Jerônimo informa-nos que esse final podia ser encontrado "em algumas cópias, principalmente gregas", sem dúvida um final inventado para dar ao segundo evangelho um final melhor do que aquele que o decepa em 16:14 (conforme terminam os mais antigos testemunhos desse evangelho). Essa seção variante diz: "E respondendo e disseram: Esta geração de ímpios e infiéis está sob Satanás, que não permite que a verdade de Deus prevaleça sobre as coisas imundas dos espíritos. Portanto, manifesta a tua retidão. Assim disseram eles a Cristo, e Cristo lhes disse: O cômputo dos anos do domínio de Satanás está cumprido, mas outras coisas terríveis aproximam-se, e em razão dos pecados deles fui entregue à morte, para que retornem à verdade e não pequem mais; a fim de que possam herdar a glória espiritual e incorruptível da retidão que há no céu".

Esse manuscrito acha-se exposto no Museu Freer, fechado em uma redoma de vidro, aberto nas páginas que contêm esse final variante de Marcos.

Alguns têm especulado que a razão desse texto misto é que os evangelhos foram reconstituídos de fragmentos recolhidos de vários manuscritos, depois que o imperador Diocleciano tentou esmagar o cristianismo e (segundo diz essa teoria) conseguiu destruir a maioria dos manuscritos cristãos. Isso talvez seja verdade, mas não há como confirmar a história. Ver o artigo geral sobre os manuscritos bíblicos, particularmente o intitulado Manuscritos do Novo Testamento.

WADI

Um vale ou ravina que fica seco exceto durante a estação chuvosa; também o riacho que por ali corre. A palavra é árabe, mas tornou-se um termo técnico entre os estudiosos, para indicar essa conformação geográfica.

WALDENSES (PEDRO WALDO)

Pedro Waldo foi um rico negociante de Lyons, na França. Suas datas aproximadas foram 1140 - 1218. Waldo havia passado por uma crise espiritual, ao meditar sobre a brevidade da vida, e, conforme diz certa tradição, ao sentir-se culpado por haver ganho tanto dinheiro através da usura. Além disso, ao que parece em 1173, ele se sentiu chocado diante da morte súbita de um cidadão proeminente da cidade. Ainda uma outra tradição afirma que ele ficou muito impressionado diante da lenda de Alexis, um pobre santo do século IV d.C., e então resolveu seguir o seu exemplo. O resultado de todos esses abalos foi que Waldo consultou um padre, que recomendou que ele vendesse tudo quanto tinha e ingressasse na vida religiosa. E foi exatamente o que ele fez, em 1176.

Adquiriu o intenso desejo de conhecer as Escrituras, mas não sabia ler latim. Por esse motivo, empregou dois homens para que traduzissem extensas porções das Escrituras latinas para seu dialeto francês local, juntamente com algumas histórias acerca dos santos. Resolvendo empobrecer ainda mais, doou sua casa à sua esposa e fez suas filhas ingressarem em um convento, distribuindo o que ainda lhe restava aos pobres. Então saiu a pregar. Não demorou para que tivesse muitos seguidores. Esses seguidores tornaram-se, essencialmente, uma sociedade de leigos informais (não-oficiais), sem propriedades, celibatos, estudiosos das escrituras, que costumavam viajar em pares. Recitavam passagens da Bíblia, que haviam memorizado no vernáculo. Sustentavam-se principalmente pedindo esmolas. Foi-lhes negada a solicitação de se tornarem uma ordem formalmente reconhecida, mas o papa lhes deu permissão para pregarem por onde quer que os bispos locais lho permitissem. Todavia, essa restrição nem sempre foi observada pelos seguidores de Pedro Waldo. Buscaram autoridade no Terceiro Concílio de Latrão (1179), – mas essa autoridade lhes foi negada. Todavia, continuaram pregando. A oposição aumentou, e eles passaram a ser ridicularizados, saindo pelas redondezas quase despidos, em farrapos, pregando (contavam apenas com algumas passagens bíblicas, traduzidas para o vernáculo) e mendicando. Visto que sofriam oposição, também começaram a opor-se à Igreja organizada.

Aos poucos, foram-se tornando mais fundamentados na Bíblia. E assim, vieram a repudiar doutrinas como as indulgências, o purgatório, o uso das imagens, a veneração aos santos, as missas rezadas em favor dos mortos, além de negarem a eficácia dos sacramentos, quando administrados por ministros indignos (que os waldenses consideravam ser a maioria deles). Mas, por faltar-lhes a maior parte das Sagradas Escrituras, eles não tinham qualquer teologia sistemática fixa. E além de sua postura anti-Igreja, quanto a muitas doutrinas, também eram pacifistas e opunham-se à punição capital.

A princípio ficaram conhecidos como Homens Pobres de Lyons, mas logo esse nome foi abreviado para "Homens Pobres". A oposição a eles, porém, foi crescendo, e isso resultou em que acabaram sendo formalmente condenados como hereges, quando do concílio de Verona, em 1183.

Waldo e seus adeptos tiveram de fugir. Embora perseguidos, propagaram-se a outros países. A devoção e a santidade de vida obteve em eles certa aceitação não-oficial da parte de certos segmentos da Igreja Católica, embora hoje possamos classificá-los como um tipo de grupo pré-Reforma. Atualmente, a Igreja Waldense é uma comunidade protestante, que adota uma posição calvinista. Os waldenses modernos afirmam-se de origem apostólica, e gostam de negar a sua própria história como um movimento separatista, que se destacou da Igreja Católica. Parece que os *cátaros* (vide) acabaram sendo absorvidos pelos waldenses, pois, pelo menos durante uma parte de sua história, esses dois grupos se confundem.

Na década de 1520, os waldenses buscaram entrar em boas relações com os líderes reformados luteranos e zwinglianos. Calvino interessou-se por eles, e foi instrumento no treinamento de certo número de seus líderes. Nos últimos cem anos, os waldenses têm demonstrado um novo vigor, ajudados por simpatizantes britânicos e norte-americanos. Atualmente eles contam com cerca de duzentos centros na Itália, e têm formado algumas colônias nos Estados Unidos da América.

WANG CH'UNG

Suas datas aproximadas são 27 - 100 d.C. Foi um pensador chinês taoísta em sua metafísica, embora não possa ser identificado com nenhuma das escolas taoístas. Foi um dos três grandes gênios chineses de seus dias. Fez oposição ao confucionismo, que havia descambado na superstição, e tornou-se uma espécie de filósofo naturalista que negava as coisas em que deveria crer, mas tinha um interessante modo de expressar-se, que chamava a atenção de todos.

Idéias:

1. Contra a adivinhação, ele asseverava que se algo antes predito por uma buenadicha, acontecesse a alguém, isso se deveria ao mero acaso.

2. Negava totalmente a teleologia.

3. Sua doutrina acerca de certas virtudes, como o sentimento de humanidade, a retidão, o senso de propriedade, a sabedoria e a fidelidade, era bastante estranha. Ele as associava aos órgãos físicos, como o coração, o fígado, o estômago, os pulmões e os rins. Ser inteligente e bom é ter esses órgãos em bom estado, funcionando normalmente. Mas devemos convir que é difícil seguir esse tipo de "ética naturalista".

4. A morte seria a extinção das forças vitais, cessando-se as inteiramente. A morte indica o nada, razão pela qual não deveríamos temer nem à morte, nem aos mortos.

5. É inútil tentar seguir os ditames do céu, pois o céu não tem mais interesse por uma pessoa do que por um grilo oculto em uma rachadura na parede. Se algum grilo chegar a obedecer, sua rachadura na parede em nada se altera; e nem o estado de alguém se altera, somente por haver tentado obedecer ao céu. As ações éticas são pragmáticas e humanistas.

6. A natureza opera espontaneamente, liberando a força vital (que é material e temporal), mas a natureza não atua de acordo com nenhum desígnio ou propósito.

Escrito principal: *As Inquirições Equilibradas.*

WARFIELD, BENJAMIM BRECKINRIDGE

Suas datas são 1851 - 1921. Foi um teólogo calvinista norte-americano. Era natural de Lexington, Kentucky. Educou-se em Princeton. Estudou em Leipzig. Foi professor do Novo Testamento no WesternTheological Seminary e, depois em Princeton. Foi um dos principais líderes da chamada "teologia de Princeton", encabeçada por Charles Hodge e seu filho, A.A. Hodge.

Warfield foi homem de notável erudição. Mas, apesar disso, conseguiu chegar a algumas ridículas conclusões. Para exemplificar, ele defendia a inerrância das Escrituras com especial vigor, embora limitando isso aos manuscritos autógrafos. E assim, quando qualquer tipo de erro lhe era mostrado (como os erros gramaticais do evangelho de Marcos e do livro de Apocalipse), ele negava que tais erros se encontrassem nos manuscritos originais, ou autógrafos. Naturalmente, não mais existem os manuscritos autógrafos. A conclusão a que temos de chegar é que todas as nossas cópias são defeituosas, pelo que de que nos adianta saber se os manuscritos autógrafos não tinham os erros que aparecem nas cópias de que dispomos?

Sua obra sobre teologia sistemática (vide) estava solidamente calcada sobre a revelação das Escrituras, pelo que outras fontes não receberam grande atenção. Foi vigoroso oponente da teologia liberal e das revisões credais.

Foi o editor-chefe da revisão presbiteriana e reformada, como também, por muitos anos, do Princeton Theological Review. Foi notável erudito, infatigável em seus estudos do Novo Testamento e da teologia, muito habilidoso nos campos da patrística, da história eclesiástica e da teologia reformada. Expôs as suas crenças em muitos artigos e livros. Não obstante, grande parte de seus escritos era de natureza polêmica e crítica e não construtiva, pondo em prática a principal atitude do fundamentalismo, ou seja, a hostilidade. Não obstante, muito realizou, tendo produzido obras que deixaram para nós muita coisa de valor duradouro.

Principais Escritos: *Introdução à Crítica Textual do Novo Testamento; O Evangelho da Encarnação; O Senhor da Glória; O Plano de Salvação*. Seus artigos foram tão numerosos que foram publicados em dez volumes. Alguns títulos desses artigos foram: Estudos Sobre Tertuliano, e Agostinho; Calvino e o Calvinismo; Perfeccionismo; A Assembléia de Westminster e sua Obra.

WARREN, CANAL (ESCAVAÇÃO) DE

Uma das mais interessantes descobertas arqueológicas relacionadas à cidade de Jerusalém foi o engenhoso sistema subterrâneo que supria água à cidade. De fato, essa fonte de água potável foi a única que Jerusalém teve até o século XX.

Ao estabelecer a sua capital, Davi escolheu Jerusalém, contígua ao vale do Cedrom, porquanto ficava perto da fonte de Geom, que prometia ser um manancial permanente de água, importantíssimo em uma terra árida. E, a fim de proteger esse suprimento de água dos ataques de inimigos, ele planejou um impressionante sistema subterrâneo, e uma maneira de armazenar a água canalizada desde a fonte de Geom. Em períodos de assédio por parte de exércitos inimigos, visto que a água era trazida para o interior da cidade por meios subterrâneos, não lhe faltaria o precioso líquido, sem importar quais dificuldades os seus habitantes tivessem de experimentar.

Davi mandou escavar um túnel horizontal em plena rocha, com 33,5 polegadas, sob a cidade. Esse túnel levava a uma perfuração vertical, com 12,80 polegadas de alto a baixo. A água proveniente da fonte de Geom corria primeiramente por um canal, em seguida descia pela perfuração vertical e, finalmente, escoava pelo túnel horizontal. Mediante esse elaborado sistema, a água era levada até à cidade, no interior de suas muralhas. No fundo da perfuração vertical também havia um depósito de água até onde era possível às pessoas se aproximarem por meio do túnel. Os geólogos determinaram que a perfuração vertical não fora feita pelo homem. Antes, era uma falha geológica natural que ali já existia quem sabe desde quando? Davi, pois, incorporou essa perfuração natural em seu sistema subterrâneo. Ele conquistou Jerusalém, até então pertencente aos jebuseus, penetrando pelo túnel horizontal que levava diretamente da fonte ao interior da cidade. Porém, uma vez tendo incorporado a fenda natural ao sistema fornecedor de água, nenhum inimigo era capaz de repetir o ato. A fenda precisou ser desimpedida, o que os engenheiros fizeram com grande técnica. Essa perfuração foi descoberta pelo arqueólogo Charles Warren, em 1857, o que explica o nome da escavação.

Atualmente, os visitantes da cidade podem percorrer o túnel com três mil anos de antiguidade que leva até à fenda natural. Podem-se ouvir as águas provenientes da fonte de Geom fluindo pelas paredes da fenda até o fundo. Salomão, por sua vez, ampliou ainda mais o sistema, formando o poço de Siloé. Ezequias (aí por volta dos fins do século VIII a.C.), ampliou o sistema com o chamado túnel de Ezequias, que tem quase 460 polegadas de extensão. Esse túnel continua intacto até hoje. A parte construída por Davi forma, atualmente, um local muito interessante da cidade de Davi (vide), que ainda recentemente foi franqueada aos pesquisadores e arqueólogos.

Quanto a uma possível referência bíblica à Fenda de Warren, ver o trecho de II Samuel 5:8. Diz ali a nossa versão portuguesa: "Davi naquele dia mandou dizer: Todo o que está disposto a ferir os jebuseus suba pelo canal subterrâneo e fira os cegos e os coxos..." Esse canal fica na colina sudeste, cujo sopé começa nas proximidades da fonte de Geom e data de tempos pré-israelitas. Quanto coube a Davi construir no canal horizontal, e quanto ele já achou feito, é algo que minhas fontes informativas não esclarecem.

WATSON, J.B.

Suas datas são 1878 - 1958. Foi um psicólogo materialista norte-americano. Educou-se na Universidade de Chicago. Foi fundador da escola de Psicologia Behaviorista. Rejeitava toda introspecção e força imaterial, preferindo supor que a consciência, o propósito e a própria mente sejam meros epifenômenos do cérebro. Ver sobre *o Behaviorismo*.

Suas principais obras escritas foram: *Behavior; Psychology from the Standpoint of a Behaviorist; Behaviorism; The Ways of behaviorismo*.

WEISS, JOHANNES

Suas datas são 1863 - 1914. Foi um teólogo alemão, professor do Novo Testamento em Gottingen, Marburgo e Heidelberg, na Alemanha. Sua mais importante obra se fez na tentativa de entender o Jesus histórico. Ver o artigo intitulado *Jesus Histórico*. Esse assunto foi especificamente abordado em seu monograma *Die Predigt Jesus vom Reich Gottes*. Também escreveu comentários bíblicos, mas sua obra mais importante foi na área da história do cristianismo.

WEISSE, CHRISTIAN H.

Suas datas são 1801 - 1866. Foi um filósofo alemão. Nasceu em Leipzig – onde se educou e também tornou-se professor. No começo foi um filósofo hegeliano que acabou mudando de parecer sobre algumas de suas idéias basilares. Acabou rejeitando o panteísmo e salientou a existência de um Deus pessoal. Evitava identificar Deus com o Absoluto. Juntamente com o filho de Fichte, Immanuel Hermann, ele construiu um sistema ao qual chamaram de "teísmo especulativo". Suas idéias fundamentais eram: Deus é uma pessoa infinita; o panteísmo deve ser rejeitado; o homem é um ser livre, embora finito; tanto a revelação quanto a filosofia têm importantes papéis a desempenhar no desenvolvimento da teologia e do pensamento humano em geral.

Escritos: *The Idea of the Divine; Main Features of Metaphysics; Dogmatic Philosophy* (Philosophy of Christianity); *Psychology and the Doctrine of Immortality*.

WESLEY, CHARLES

Suas datas são 1707 - 1788. Líder religioso britânico. Foi o fundador do Clube Santo, com raízes no metodismo. Educou-se em Oxford. Uma vez despertado de sua letargia espiritual, tornou-se grande influência em favor do bem entre os jovens de Oxford, onde estudara. Seu irmão, John, tornou-se o principal líder do movimento metodista, e ele tornou-se grande compositor de hinos sacros, tendo composto mais de seis mil hinos, no decorrer de sua vida. Por conseguinte, provavelmente é verdadeira aquela declaração que diz que Charles Wesley foi "o maior compositor de hinos de todos os séculos".

Um ponto curioso acerca dele é que ele muito se opusera à separação dos metodistas da Igreja Anglicana, afirmando que isso não era nem legítimo, nem expediente. Retirou-se de uma liderança mais ativa entre os metodistas, sentindo-se desencorajado pelo que considerava uma "tendência à dissidência". No entanto, continuou a ministrar em capelas metodistas até a morte. Seus filhos, Charles e Samuel, tornaram-se músicos e compositores preeminentes. Foi sepultado no pátio da igreja de Santa Marylebone, de acordo com seu pedido pessoal.

Sua grande contribuição foram hinos cristãos. Transformou os metodistas em um grupo cantante de cristãos e compôs muitos hinos sacros, que têm sido usados em muitas denominações. A mensagem do metodismo vital foi expressa por esses hinos, a despeito do que, como um todo, eles não são sectários. Não concordava com todas as doutrinas ensinadas por seu irmão, John, objetando, por exemplo, à professa perfeita santificação, também chamada perfeccionismo. Ver o artigo geral e detalhado intitulado Metodismo.

WESLEY, JOHN

John e Charles Wesley foram o décimo quinto e o décimo oitavo filhos de Samuel e Susana Wesley. As datas de John são 1703 - 1791. John Wesley foi um líder religioso inglês, fundador do metodismo (vide), juntamente com seu irmão mais novo, Charles (vide). Tornou-se a figura central desse movimento, que emergiu dentre o "Clube Santo", um movimento estudantil na Universidade de Oxford. Transferiu a direção do metodismo para o estado da Geórgia, nos Estados Unidos da América, em 1736. Exibiu grande interesse pelas missões ao estrangeiro, e realizou nada menos de quarenta e sete viagens à Irlanda, além de vinte e duas visitas à Escócia. Vale dizer que hoje o metodismo é uma denominação cristã internacional.

Narrei essa história com abundância de detalhes no artigo sobre o Metodismo. Esse artigo também descreve as doutrinas distintas de John Wesley e do metodismo.

Escritos: *Memoirs of John Wesley* (três volumes); *Sermons* (quatro volumes); *Doctrine of Original Sin; Appeals to Men of Reason and Religion; Plain Account of Christian Perfection; Plain Account of the People Called Methodists*. A coletânea de suas obras escritas consiste em catorze volumes.

WESTCOTT E HORT

Eruditos de Cambridge que se tornaram famosos em razão de seu texto crítico do Novo Testamento Grego, publicado em 1881, após vinte e oito anos de estudos laboriosos. Nesse trabalho, foram criados novos métodos e novas regras de crítica textual, superiores a tudo quanto até então se fizera, que vieram a fazer parte integrante da evolução dessa ciência. No meu artigo intitulado Manuscritos do Novo Testamento, em sua oitava seção, apresento uma breve história do processo utilizado por Westcott e Hort, mas que eles não criaram.

Os nomes completos desses eruditos eram Brooke Foss Westcott (1825 - 1901) e Fenton John Anthony Hort (1828 - 1892). A sétima "seção do artigo discute como textos corretos foram escolhidos, quando apareciam passagens conflitantes nos manuscritos.

WESTFÁLIA, PACTOS DE

Temos aí vários tratados que se seguiram à Guerra dos Trinta Anos (vide). Esses conflitos duraram de 1618 a 1648. O primeiro tratado foi assinado em Münster, entre o imperador do Santo Império Romano e os franceses; e o segundo foi firmado em Osnabruck, na Westfália, entre os imperiais e os suecos. Ambos revestiram-se de significação

WESTFÁLIA – WESTMINSTER

religiosa e política. A Westfália era uma província da Prússia, a qual, desde 1945, faz parte da Westfália do Norte do Reno, na Alemanha Ocidental. As negociações em favor da paz já se vinham processando fazia muitos anos. Um novo papa (Inocente X), e um novo cardeal-governante da França (Jules Mazarin), bem como uma nova rainha da Suécia (Cristiana, com dezoito anos de idade), fizeram uma nova tentativa em favor da paz e foram coroados de sucesso. Ademais, os povos europeus estavam cansados de tanta guerra. As facções em conflito são descritas no artigo sobre a Guerra dos Trinta Anos.

Quando a paz foi finalmente instituída, deu solução a muitas coisas, embora tivesse deixado outras questões sem solução, e os atritos continuaram. Ainda durante algum tempo, a Espanha e a França permaneceram em guerra, mas os Países Baixos Unidos conseguiram sair do conflito. Os suíços, que durante muitos anos se haviam debatido para livrar-se dos Hapsburgos, finalmente concretizaram o seu objetivo. A França, que havia feito intervenção e prolongava a guerra, visava, acima de tudo, a ganhos territoriais. Os cardeais franceses tinham-se aliado mesmo aos hereges protestantes contra as forças da Contra-Reforma, com essa finalidade. E o resultado foi que os franceses ampliaram sua esfera de influência sobre a Alsácia (incluindo Estrasburgo), e mantiveram os três bispado: de Metz, Toul e Verdun.

Os suecos controlavam o mar Báltico e anexaram cidades e bispados da área, chegando mesmo a dominar o mar do Norte. A Saxônia reteve a Lusácia, que lhe fora outorgada pelo tratado de Praga (1635). O Brandemburgo beneficiou-se com a obtenção da Pomerânia Oriental (Hinterpomern) e do vale do rio Elba, e assim surgiu como um forte poder europeu. O palatinado foi dividido entre a Bavária e Carlos Luís, filho de Frederico V, e sua capital tornou-se a cidade de Heidelberg.

Esses tratados políticos e novos arranjos desfecharam o golpe de morte sobre o Santo Império Romano, ainda que, de nome, tivesse continuado até 1806. Cada principado ou estado germânico tornou-se plenamente soberano. O Santo Império Romano (vide) prevaleceu na Europa central e ocidental de 962 a 1806. Deve ser considerado uma extensão do Império Romano do Ocidente, bem como a forma temporal do domínio do qual o papa era o chefe espiritual, o que explica o adjetivo "santo", que faz parte de seu nome. A Paz de Westfália, portanto, teve como um de seus mais notáveis resultados o quebrantamento do poder papal, com o surgimento de vários estados soberanos europeus.

No lado religioso, além daquilo que já dissemos, deve-se salientar que esses pactos consolidaram certas coisas que a Reforma Protestante havia iniciado. Houve tolerância para com as igrejas reformadas, algo que os luteranos já vinham desfrutando, pelo menos parcialmente, desde a paz de Augsburgo (1555). A Contra-Reforma agora estava freada. O papa Inocente X recusou-se a aceitar esses tratados, tendo-os atacado vigorosamente em sua bula *Zelo domus*. Todavia, agora imperava a paz, um grande desafogo para a Alemanha e para o Santo Império Romano. A unificação germânica foi entravada, pelo menos durante os próximos duzentos anos. Seja como for, a Paz de Westfália foi um marco importante na história da Europa. A liberdade religiosa havia obtido uma vitória parcial, que haveria de expandir-se com a passagem dos anos.

WESTMINSTER, ASSEMBLÉIA DE

Ver sobre Assembléia de Westminster. Uma das tarefas dessa assembléia foi formular a famosa Confissão de fé de Westminster (vide).

WESTMINSTER, CATECISMOS DE

Ver o artigo – Westminster, Confissão de Fé de, no último parágrafo. Ver também o artigo geral Catecismo.

A oposição ao sistema episcopal da Igreja da Inglaterra resultou em uma tendência temporária para o calvinismo. A Confissão de Fé de Westminster e os Catecismos Menor e Maior derivaram-se dessa vitória temporária do calvinismo. A essência desses catecismos foi incorporada no *Livro de Oração Comum;* mas esses três documentos, a longo prazo, exerceram bem pequena influência sobre a Igreja Anglicana. Charles II, em 1660, restaurou o episcopado, de acordo com os Trinta e Nove Artigos (vide). O Catecismo Menor continuou sendo usado pela Igreja da Escócia, e com freqüência tem sido reputado como o fruto mais sazonado da experiência puritana. Mais do que todos os outros catecismos, destaca-se por suas declarações diretas e precisas, bem como pela precisão de suas perguntas e respostas, cujo intuito era atuar como um breve documento de doutrinamento, especialmente no caso de crianças. Os batistas e os presbiterianos incorporaram, em seus credos e catecismos, a substância do Catecismo menor. Naturalmente, essa substância consiste simplesmente do Catecismo Menor. Mas os protestantes liberais têm abandonado o uso desse catecismo, bem como da Confissão de Fé de Westminster, por ser demais restrito como expressão teológica, uma típica declaração de teologia calvinista, pertencente a uma época que não mais pode servir-nos de guia no campo da teologia.

WESTMINSTER, CONFISSÃO DE FÉ DE

O puritanismo calvinista obteve uma vitória temporária na Inglaterra, e a monarquia foi abolida. Durante algum tempo houve uma forte atitude antiepiscopal. Um dos resultados de tudo isso foi a Confissão de Fé de Westminster, cujo intuito era substituir os Trinta e Nove Artigos (vide). Essas condições, entretanto, não foram permanentes, e assim retornaram tanto a tradicional Igreja Anglicana quanto a monarquia. Mas se aquelas condições temporárias se tivessem tornado permanentes, então a Igreja da Inglaterra, hoje em dia, seria presbiteriana, não anglicana.

A Confissão de Fé de Westminster veio à existência quando a Câmara dos Comuns, em 1645, solicitou à Assembléia de Westminster (vide) formulasse uma confissão para a Igreja da Inglaterra. Essa assembléia já vinha considerando a questão fazia algum tempo, pelo que prontamente pôde atender à solicitação. O trabalho se efetuou (com algumas interrupções) entre julho de 1645 e dezembro de 1646.

Essa confissão resume a doutrina cristã em trinta e três capítulos, que ocupam cerca de trinta e cinco grandes páginas. Ela foi, essencialmente, o trabalho de teólogos puritanos, com a cooperação de alguns escoceses. Incorpora a teologia britânica calvinista essencial, mas assume uma posição um tanto moderada acerca da doutrina da predestinação. Enfatiza a teologia federal (vide), também conhecida como doutrina dos pactos. Sua principal fonte escrita foram os Artigos Irlandeses do arcebispo Usher (vide). Essa confissão foi publicada em 1647, e recebeu aprovação parcial do parlamento inglês em 1648. É verdade que não perdurou por muito tempo a vida desse credo oficial da Igreja Anglicana, mas foi adotada, em 1647, pela Assembléia Geral da Igreja da Escócia, onde até hoje exerce considerável autoridade. Ademais, a Declaração de Savóia (1658), dos congregacionais ingleses, e a Confissão Londrina dos Batistas Ingleses (1658), incorporaram-na em seus pontos essenciais. A confissão foi o padrão doutrinário do congregacionismo da Nova Inglaterra, no século XVIII, tendo obtido também uma decisiva influência entre os presbiterianos ortodoxos, embora com algumas modificações na interpretação e na ênfase. Conforme se pode ver, esse tem sido um dos mais importantes e influentes credos do protestantismo.

"A Confissão de Fé de Westminster e os Catecismos Maior e Menor, foram todos publicados em 1647. Essa confissão não tem relação estrutural com nenhum outro documento do continente europeu, mas foi, em grande parte, uma revisão ampliada dos Artigos Irlandeses do arcebispo Usher, de 1615. É uma declaração calvinista firme, incluindo a doutrina da eleição, com o aspecto da reprovação, sob a forma modificada de preterição. O pacto de obras firmado com Adão, aparece ali ultrapassado pelo pacto da graça, e este último é concebido como tendo duas dispensações, as promessas e tipos do Antigo Testamento e o evangelho. O Catecismo Menor é um breve e explícito manual de doutrinamento, enquanto o Catecismo Maior é mais um diretório para o uso de mestres. Os documentos da Assembléia de Westminster apresentam uma declaração condensada, abrangente e extraordinariamente precisa do calvinismo do século XVII" (C). Ver o artigo intitulado *Calvinismo*.

WHITEFIELD, GEORGE

Ver o artigo geral sobre o Metodismo. As datas de Whitefield são 1714 - 1770. Ele foi um líder religioso inglês que fazia parte do movimento metodista. Juntamente com John e Charles Wesley (ver os artigos sobre eles), foi fundador do reavivamento evangélico que resultou na Igreja Metodista e seu esforço missionário. Nasceu em Gloucester. Educou-se em Oxford. Tornou-se membro do Clube Santo, o mais importante fator no surgimento da Igreja Metodista. Foi ordenado diácono pela Igreja Anglicana. Iniciou sua notável carreira de pregador em 1736, tornando-se um grande evangelista e líder religioso. Foi poderosa figura e orador eloqüente, tendo exercido grande influência na Grã-Bretanha e na América do Norte. Seu calvinismo estrito, porém, serviu de obstáculo a uma maior cooperação dele com os irmãos Wesley. Em 1740, houve a ruptura final entre eles, visto que Whitefield insistia quanto às doutrinas da eleição e da perseverança final, além de rejeitar a idéia de perfeita santificação (à qual Charles Wesley também se opunha). Depois houve a reconciliação; mas dali por diante, John Wesley e Whitefield seguiram suas respectivas veredas. Foi extraordinária a influência de Whitefield sobre os evangélicos da Igreja Anglicana, tendendo, mui naturalmente, para reforçar o calvinismo (vide) dentro daquela denominação.

Embora Whitefield tenha estado atarefado em muitos empreendimentos, sua vida consistia em uma grandiosa campanha de evangelização. Em sua sétima visita aos Estados Unidos da América, com esse propósito específico, veio a falecer, desgastado por seus labores incessantes. Foi sepultado no local de seu nascimento, em Newburyport, estado de Massachusetts.

Não podemos dizer que Whitefield tenha sido um teólogo. Antes, foi poderoso pregador de púlpito. Calcula-se que tenha pregado dezoito mil sermões, dos quais somente noventa sobrevivem em forma impressa. Somos informados de que sua presença física não era imponente. O sarampo, que o afetara na meninice, deixara-o com um olhar meio desviado. Seus gestos eram dramáticos e impressionantes, embora sem exageros. Sua voz era agradável e atrativa. Acima de tudo, expressava-se de forma a demonstrar grande zelo e intensidade, tornando-se uma espécie de protótipo dos grandes evangelistas que se seguiram.

WHITEHEAD, ALFRED NORTH

Suas datas são 1861 - 1947. Nasceu em Ramsgate, na ilha de Thanet, na parte oriental de Kent, na Inglaterra. Estudou matemática no Trinity College, em Cambridge. Foi eleito mestre de matemática, naquela instituição, como também na Real Sociedade, em 1903. Ensinou no Imperial College of Science, em South Kensington. Foi professor da Universidade de Harvard, entre 1924 e 1947. Colaborou com Bertrand Russell quanto aos alicerces lógicos da matemática. Desenvolveu as suas idéias metafísicas estando ainda em Harvard, e ali recebeu a comenda da Ordem do Mérito.

Foi um filósofo universal, que contribuiu para vários ramos da filosofia, desde o aspecto científico até o aspecto metafísico.

Idéias e Relizações

1. Produziu, juntamente com Russell, a imortal obra *Principia Mathematica*, que conferiu à matemática um fundamento lógico. Antes mesmo disso, estivera intensamente envolvidos nas questões matemáticas, e suas descrições gerais e formais da adição e da multiplicação (conforme expressas na álgebra) foi um trabalho que ganhou para ele a admissão na Sociedade Real.

2. *Na filosofia da ciência*, Whitehead afirmava que a natureza consiste no mundo captado pela percepção de nossos sentidos. Apesar de ser um representante do empirismo britânico, acreditava que as mentes individuais vivem fora da natureza, portanto, fora do escopo da filosofia empírica. Destarte, ele estabeleceu um grande abismo entre a filosofia da ciência e a metafísica. No terreno da filosofia empírica, um evento é um fato final da consciência dos sentidos. Os eventos, pois, são os fatos mais concretos da natureza. Estendem-se ao tempo e ao espaço, mesclando-se com outros eventos, criando assim uma grande complexidade. Os dados captados pelos sentidos, nos quais consistem a nossa experiência, são eventos isolados no espaço–tempo, e existem de forma independente de qualquer mente perceptiva (ver sobre o *Realismo*). A essas ocorrências, Whitehead chamava de motivos. Acima dos motivos existe um mundo das essências, ou objetos eternos. Este mundo em que vivemos é uma seleção de objetos eternos ou universais, onde Deus é a principal conexão. Em contraste com os eventos, os objetos reaparecem, ao passo que os eventos se vão, e nunca mais voltam. Os objetos são abstrações, e nos entram na experiência por meio do reconhecimento intelectual. Os objetos ingressam nos eventos. São reais, mesmo quando nenhuma mente humana toma conhecimento deles. Os eventos ocorrem, e os objetos relacionam-se uns aos outros em um complexo quadridimensional do espaço–tempo. A isso ele chamava de contínuo extensivo. Cientificamente, derivamos conhecimento de abstrações extensivas.

Whitehead defendia uma teoria da relatividade um tanto diferente da de Einstein. Ele a alicerçava sobre o realismo filosófico, e não sobre o operacionalismo. Einstein derivava os eventos das intercessões de partículas de matéria. Mas Whitehead derivava a matéria de eventos, como uma de suas características contingentes. Einstein buscava uma teoria unificada de campo. Whitehead frisava a atomicidade da natureza, bem como a sua continuidade. Dentro de uma teoria unificada, Whitehead sentia que nenhum conhecimento é impossível para mentes finitas, dotadas apenas de uma percepção parcial deste mundo.

3. *Metafísica*. Esse campo do saber terminou sendo o principal foco de interesse de Whitehead. Ele procurou traçar um esquema categórico que pudesse ser aplicado a

todas as experiências; e, para isso, ele precisava de uma categoria do fator último que incluísse o conceito do vir a ser. Assim, ele criou um complexo sistema de oito categorias da existência, e de vinte e sete categorias de explicações. Ele substituiu a categoria tradicional da substância pelo conceito que chamou de Motivo Real ou Entidade Real. Os motivos reais são coisas reais finais, de que se comporia o mundo. Deus caberia dentro desse esquema, como também as coisas mais triviais. Ele pensava que esses motivos reais são inteiramente atômicos.

Objetos Eternos. Além dos motivos que existem no mundo, também existem as essências dos objetos eternos. O mundo real é uma seleção desses objetos ou universais (vide). Deus é o princípio de ligação dentro desse complexo esquema. Os objetos eternos se interseptam em qualquer dado motivo, tornando a coisa especificamente real. Os objetos eternos fazem parte da potencialidade do contínuo extensivo, além de serem parte da natureza primordial de Deus. Os predicados das proposições referem-se a esses objetos eternos.

O Contínuo Extensivo. A potencialidade é a origem da continuidade. O contínuo extensivo inclui tanto a extensão temporal quanto a espacial, e abrange avanços criativos qualitativos, divisões espaciais e agregações. Os motivos reais atomizam o contínuo e lhe fazem adições.

Tempo e espaço são apenas estruturas relacionais às quais o "de" é articulado no vir a ser dos sentimentos e das relações. A liberdade e a indeterminação caracterizam o tempo. Não existem eventos futuros, pois são apenas potencialidades antecipadas; e isso implica o próprio Deus, não apenas os homens. O próprio Deus está em processo. Ele é o preservador de tudo, e as nossas experiências, ainda que venham a perecer, sobrevivem eternamente em Deus. Deus é o perfeito sintetizador dos eventos, o que garante um todo significativo, na direção do qual todas as coisas avançam. O homem tem autodeterminação e liberdade inerente, que é a própria essência de todo evento–unidade da realidade. Sem a liberdade, a realidade nada seria, pois quem jamais ouviu falar em um Deus estagnado, ou em obras divinas estagnadas? Deus pode impor limites às discórdias ou conflitos entre a pluralidade das liberdades, mas as próprias essências transparecem sem nenhum empecilho. Deus é a base da ordem e da harmonia, mas vale-se da liberdade para realizar os seus propósitos.

Deus é primordial e não-condicionado; mas também seria finito em sua natureza, que se manifesta em suas obras. Deus é potencialidade, concretização e é o garantidor da união simpática entre todas as coisas. Tudo quanto acontece no mundo é um reflexo dessa natureza básica de Deus.

A natureza divina é bipolar: primordial, não-condicional; em suas manifestações na natureza conseqüente. Ele é condicionado, e isso provê a base de todo o vir a ser. Todos os eventos tornam-se parte integrante de sua natureza. Ele não é impassível, como o Movedor Inabalável concebido por Aristóteles, mas antes é um co-sofredor neste mundo de mudanças e misérias.

Sentimentos. Esse fator é muito enfatizado na tese de Whitehead. Cada motivo real busca a sua própria satisfação, e disso os sentimentos sempre fazem parte.

Esses sentimentos acham-se em um nível abaixo da consciência. Assim, ao salientar os sentimentos, os movimentos dinâmicos e o avanço criativo, Whitehead chegou a rejeitar todos os modelos mecanicistas da realidade, e designava à sua própria abordagem do entendimento de "filosofia de organismo".

O Problema do Mal. A tragédia final não consistiria na perda daquilo que é real, mas antes, consistiria na ocorrência do sofrimento como algo real, e também a não-ocorrência do que poderia ter-se tornado realidade, mas que assim não se tornou por causa dos conflitos de liberdades. Essa tragédia é herdada pela natureza conseqüente de Deus, ainda segundo Whitehead. Portanto, é "profano" chamá-lo de "onipotente", porque isso remove dele o quadro do sofrimento humano e do vir a ser. Destarte, Deus compartilharia de nossas limitações e tristezas. Ver o artigo *Problema do Mal*.

WILLIAM DE OCKHAM
Ver sobre Ockham, William de.

WITTENBERG, CONCORDIA DE
A conferência de Wittenberg foi um detalhe levado a efeito entre teólogos luteranos e reformados que procuravam obter maior unificação doutrinária na emergente Igreja protestante. As principais discussões giraram em torno dos sacramentos. Essa conferência ocorreu em Wittenberg, na Alemanha, em 1536. Os teólogos reformados (seguidores de Zwínglio na Suíça e na Alta Saxônia) concordavam com os pontos de vista de Lutero em que, na eucaristia, estão substancialmente presentes no corpo e no sangue de Cristo. Eles afirmavam acerca do batismo que é válido para os infantes e que por meio dele é dado o perdão do pecado original. Os signatários dessa concórdia foram Lutero, Melanchthon e Bugenhagen (luteranos); e Bucer, Capito e Aulbert (reformados). Mas tudo não passou de um exercício fútil, visto que as grandes esperanças dos participantes não demoraram a desmoronar em face da recusa de muitos a aceitar as conclusões a que tinham chegado os conferencistas.

WITTGENSTEIN, LUDWIG
Suas datas são 1889 - 1951. Foi um dos grandes filósofos do método científico e da linguagem. Ele era austríaco, nascido em Viena. Estudou engenharia em Berlim, na Alemanha, e em Manchester, na Inglaterra. Seus interesses pela matemática levaram-no a estudar as obras de Frege e de Russell. De fato, durante algum tempo, trabalhou em Cambridge na companhia deste último. Serviu no exército austríaco durante a Primeira Guerra. No decorrer de uma batalha, passou por profunda experiência mística que lhe revolucionou a vida. Mas acabou prisioneiro de guerra na Itália. Um dos resultados disso foi que uma polpuda herança que havia recebido foi distribuída entre os necessitados, enquanto ele mesmo precisou ensinar alunos do nível elementar na Áustria.

As vicissitudes de sua vida levaram-no a manter valiosas amizades e associações com vultos como Russell, Schlick e Waisman (do Círculo de Viena), pelo que ele teve fortes contactos com o positivismo (vide). Finalmente, Wittgenstein foi ensinar na Universidade de Cambridge, onde permaneceu até 1947. Em seus últimos anos de vida teve graves problemas de saúde e, finalmente, morreu de câncer.

Durante toda a sua carreira, teve uma permanente preocupação com a filosofia da linguagem. De fato, foi nessa esfera do conhecimento filosófico que deixou sua marca permanente. Seu livro, *Tractatus Logico Philosophicus* foi a sua obra-prima nesse terreno, embora posteriormente tivesse contribuído com algumas adições substanciais e algumas modificações de idéias.

Idéias:
1. Este mundo é objeto da investigação científica por estar composto de uma série de fatos elementares aparentemente isolados uns dos outros.

2. A linguagem tem por função exprimir esses fatos por meio de "quadros mentais". Quando isso é feito, aparece certa similaridade estrutural entre a linguagem e a realidade aludida. Aquilo que é verdade no mundo, deve ser verdadeiro na linguagem, visto ser essa a nossa maneira de comunicar e de saber. Os quadros mentais da linguagem são como as proposições atômicas lingüísticas, com paralelos nos fatos da existência. Há uma correspondência de um por um, entre os objetos e os elementos da linguagem.

3. Qualquer proposição que deixe de enquadrar um fato ou deixe de exprimir uma tautologia é destituída de sentido. Para ele, as declarações metafísicas e éticas cairiam dentro dessa categoria, conforme também afirma o positivismo (vide).

4. Ele considerava "contra-senso" a seus próprios escritos, mormente o seu *Tractatus*, ainda que do tipo útil, visto que, através dos exercícios ali sugeridos, o indivíduo é capaz de descobrir que a filosofia é inútil. Entretanto, seus desenvolvimentos filosóficos posteriores mostram que ele veio a rejeitar essas reduções simplistas ao nada.

Suas investigações posteriores, e também mais iluminadas, foram incorporadas em duas obras suas, intituladas *The Blue and Brown Books* e *Philosophical Investigations*. Durante algum tempo, ele abandonou todo esforço filosófico, por pensar que já havia exaurido tudo quanto há de útil na filosofia. Depois, porém, percebeu que essas suas idéias eram superficiais.

5. Nos estágios finais de seu pensamento, percebeu que a linguagem tem variegados propósitos, e não meramente o de "descrever" alguma idéia, conforme se disse anteriormente. Antes, ele passou a falar sobre vários "jogos da linguagem", envolvidos na linguagem. A "descrição" é um desses jogos, mas ela não abrange o todo da linguagem. Há outras categorias e jogos da linguagem, como a oração, o louvor, a maldição, a solicitação e a saudação cerimonial. Há muitas coisas assim envolvidas na linguagem, sendo inútil procurar uma teoria unificada da linguagem que seja capaz de explicar tudo em termos simplistas. A linguagem veio a ser considerada um "instrumento social", com uma larga gama de aplicações e usos, que busca o cumprimento de variegados propósitos.

6. Nossa tarefa consiste em entender os jogos da linguagem. Palavras específicas não podem ser reduzidas à realização de alguma tarefa única e simples. Antes, os vocábulos são plásticos, podendo tornar-se "sinais" de muitas coisas, dentro do contexto de diferentes jogos que estejam sendo jogados. Mas poderíamos perceber "semelhanças de família" que as palavras apresentam; porém cada caso, ou seja, cada jogo, precisa ser julgado segundo os seus próprios termos.

7. Metodologia. a. Os conceitos que apresentam dificuldades devem ser descritos em termos ou figuras de linguagem aparentemente paradoxais ou contraditórios. Geralmente, nesse ponto, surgem as perplexidades. b. Por meio da investigação, da comparação e da descrição, a pessoa gradualmente elimina o quebra-cabeça que se havia apresentado. c. O indivíduo tenta desvendar a natureza do jogo da linguagem que está sendo jogado essencialmente por inventar novos jogos da linguagem, que melhor expliquem aquilo que se tenta expressar. d. Mediante tais exercícios, tudo é desvendado, e como que por um passe de mágica podemos ver que nada mais há para ser explicado. Quando isso ocorre, temos vencido o feitiço intelectual. Como é patente, Wittgenstein, em sua paixão pela linguagem, esperava demais dos jogos da linguagem, quando a verdade é que a linguagem humana é inadequada para exprimir as verdades mais profundas, e que nosso conhecimento terá sempre de permanecer como algo fragmentar, apesar das experiências místicas que podemos ter, as quais ultrapassam a linguagem e abordam o mundo inefável, onde mais sentimos do que expressamos a verdade.

8. Uma linguagem individual é impossível, visto que toda linguagem implica "acordo" entre pelo menos duas pessoas. As palavras também não exprimem estados mentais nunca antes observados; e isso também seria uma espécie de linguagem individual.

9. A matemática influenciou seus pontos de vista, visto que os símbolos matemáticos são quadros concretos das realidades, havendo uma correspondência numérica exata entre as realidades e a matemática.

10. No tocante à estética, Wittgenstein pensava que a correção de formas é um fator mais fundamental do que a beleza.

11. Apesar de Wittgenstein ter superestimado o poder da linguagem para descrever a realidade e expressá-la, sua contribuição ao campo da filosofia analítica foi considerável.

WOLFF, CHRISTIAN

Suas datas são 1679 - 1754. Nasceu em Breslau, na Alemanha. Educou-se em Jena e em Leipzig, e ensinou em Halle e Marburgo. Foi amigo de Leibnitz, que exerceu poderosa influência sobre as idéias de Wolff. Imitou o método cartesiano. Foi o primeiro pensador alemão a estabelecer uma "escola" de filosofia, combinando teorias de Leibnitz com conceitos de Aristóteles e de outros, e retendo o arcabouço da escolástica. Desenvolveu uma filosofia interessada na promoção do conceito de razão suficiente (com o qual Leibnitz também laborou) e que aborda os princípios da contradição. Opunha-se ao tomismo e ao pietismo. Ora, a cidade de Halle era o próprio quartel-general do movimento pietista, e Wolff foi alvo dos ataques do rei Frederico Guilherme. Isso fez Wolff mudar-se para Marburgo, pelo que abandonou o seu posto em Halle. Mas Frederico, o Grande, chamou Wolff de volta a Halle, muitos anos mais tarde, para torná-lo chanceler do reino ali. Conseguiu muitos seguidores de suas idéias, entre os quais destacamos Emanuel Kant, que empregou ou modificou algumas de suas idéias. Depois do ano de 1728, abandonou a língua alemã como seu veículo de expressão, e passou a escrever suas obras em latim, na esperança de assim conseguir uma audiência de amplitude internacional.

Idéias:

1. Wolff exaltava a filosofia como a ciência que pode investigar aquilo que é passível de investigação, e nisso abrangia todo o conhecimento humano. Dividia a filosofia em vários segmentos:

a. Filosofia teórica: a lógica formal e material e a metafísica. A metafísica, por sua vez, era subdividida em metafísica geral (ontológica) e metafísica especial (teologia, cosmologia e psicologia racional).

b. Filosofia prática: ética, economia e política.

c. Criteriologia: teoria do conhecimento.

2. Para Wolff, a ontologia é a ciência do ser, a "primeira filosofia". Nesse segmento, Wolff aplicava a dedução e o princípio da razão suficiente, e o seu alvo era a verdade necessária.

3. Psicologia racional e psicologia empírica. A primeira trata da análise e da metafísica da alma; e a segunda examina como o senso interior do homem pode revelar as coisas a respeito da alma.

4. Os postulados e os axiomas. Os primeiros são práticos, relacionados a casos particulares, os segundos são

proposições universais, teóricas, que não podem ser demonstradas.

5. A ontologia (termo popularizado, embora não cunhado por Wolff) provê a base do estudo da cosmologia (termo que Wolff introduziu na filosofia). A cosmologia é um estudo *a priori* daquilo que se pode conhecer acerca da natureza. Wolff oferecia uma explicação da monadologia essencialmente tomada por empréstimo de idéias ensinadas por Leibnitz.

6. O dualismo. Wolff aderia a um dualismo espírito-material.

7. A teologia. Ele promovia os argumentos cosmológico e ontológico em favor da existência de Deus.

8. A política e a ética. Essas ciências ele alicerçava sobre a lei natural. O bem seria aquilo que contribui para o bem-estar humano; o mal diminuiria esse bem-estar.

9. Introdução de termos. Foi Wolff quem introduziu termos como cosmologia, monismo, teleologia, bem como o termo alemão *Begriff*, para dar a entender o dualismo "corpo-mente".

10. Wolff unificou o pensamento filosófico alemão, tendo desenvolvido um vocabulário que continua em uso até hoje.

Escritos: *Rational Philosophy of Logic; General Cosmology; Empirical Psychology; Rational Psychology; Natural Theology; Practical Philosophy; Elements of Universal Mathematics; Laws of Nature; Laws of Nations; Economics; Moral Philosophy of Ethics.*

WORDSWORTH, WILLIAM

Suas datas são 1770 - 1850. Poeta inglês, cujos poemas exibem grande discernimento sobre as questões metafísicas. Sentiu-se atraído pelas idéias revolucionárias francesas, e passou um ano turbulento na França, no começo da Revolução Francesa. O resto de sua vida foi relativamente destituído de acontecimentos importantes; mas foi então que ele surgiu como um importante poeta da língua inglesa. Nesse labor, ele foi influenciado por Coleridge, em parceria com quem publicou seus primeiros poemas, com o título *Baladas Líricas*. No prefácio dessa obra ele asseverou que a poesia deve estar fundamentada sobre os sentimentos do homem comum, de tal modo que exprima uma mensagem universal. Sua filosofia transcendental e seu panteísmo-religioso-natural foram influências em seu pensamento. Em seus Sonetos Eclesiásticos, ele procurou harmonizar algumas de suas idéias com os pensamentos cristãos. E compôs poemas metafísicos imortais como aqueles intitulados Intimations of Immortality e Ode to Duty. Entretanto, suas obras não compõem uma teologia sistemática ou uma filosofia, embora reflitam seu profundo transcendentalismo (vide).

WORMS, CONCORDATA DE

Assim foi denominado um acordo firmado pelo imperador Henrique V, por um lado, e o papa Calixto II, por outro lado, que pôs fim à controvérsia sobre as investiduras na Alemanha, que se revestiram de natureza tão tumultuada durante quase um século. Essa controvérsia atingira seu ponto culminante nos conflitos entre o imperador Henrique IV e o papa Gregório VII. As condições desse pacto estipulavam que Henrique V desistiria de seus privilégios de investidura (a outorga de ofícios eclesiásticos, mediante algum símbolo, como o anel, o báculo, as chaves, etc.) e permitiria a livre eleição de bispos. Calixto, entretanto, concordou que as eleições não seriam efetuadas sem o conhecimento e a cooperação do imperador, o qual também teria autoridade a ser investida quanto a certos poderes temporais, sob a forma de alguma função oficial.

WORMS, DIETA DE

Essa dieta ocorreu em 1521, convocada pelo imperador alemão Carlos V. Reuniu-se na cidade de Worms, na Alemanha, a fim de considerar o caso de Martinho Lutero, provendo-lhe a oportunidade de defender a si e à sua causa religiosa. Na ocasião, Lutero já havia sido excomungado, pelo que essa questão não fez parte do episódio. Lutero apelou para as Escrituras Sagradas como base de sua defesa, tendo afirmado que não podia ser contrário à sua própria consciência. Também mostrou denodadamente que não aceitava as decisões dos concílios, mormente o de Constança, onde haviam sido condenados os pontos de vista de Huss e Wycliffe (outros hereges, segundo a Igreja Católica Romana), que tinham manifestado idéias semelhantes às de Lutero. Ver sobre *Constança, Concílio de*. Assim, foi rejeitada a noção da infalibilidade dos concílios, para não falar na infalibilidade papal. Essas posições tornaram-se comuns entre os protestantes e os evangélicos. A declaração concludente de Lutero tornou-se famosa: "Aqui estou. Não posso agir de outro modo. Que Deus me ajude. Amém". Apesar de essa defesa corajosa ter ganho a simpatia de muitos para ele, a própria dieta condenou a Lutero, declarando-o fora da lei. No dia seguinte, o eleitor Frederico da Saxônia acolheu a Lutero, a fim de protegê-lo, abrigando-o no castelo de Wartburgo, onde ele preparou sua tradução da Bíblia para o alemão. Essa tradução assinalou o começo do alemão moderno, tendo unificado os vários dialetos alemães. Podemos afirmar, sem nenhuma contradição, que a dieta de Worms se reveste de significação universal por ter sido um marco dramático em favor da liberdade de expressão e da liberdade de consciência. No entanto, há grupos protestantes de nossos dias que não concedem essas liberdades àqueles que com eles não concordam quanto a pontos de doutrina. Certamente, naquele mesmo século, essas liberdades não foram concedidas por vários grupos protestantes, quando estes obtiveram as rédeas do poder. Ver o artigo chamado Calvino, para abundantes demonstrações desse triste fato.

WORMS, EDITO DE

Ver sobre **Edito de Worms**.

WYCLIFFE (WYCLIF), JOHN

Suas datas aproximadas são 1320 - 1384. Ele foi um filósofo escolástico e teólogo inglês. Nasceu em Ipreswel, perto de Richmond, em Yorkshire. Estudou em Oxford, onde também veio a tornar-se professor. Tem sido chamado de último dos importantes "escolásticos de Oxford". Seu incansável filosofar finalmente levou-o a várias conclusões que seus adversários consideravam questionáveis, razão pela qual ele tem sido chamado de "bisavô da Reforma". Wycliffe não poderia ter assumido tais posições, sem pôr em perigo a própria vida, se não contasse com a dupla proteção da Universidade de Oxford e das autoridades inglesas, o que perdurou por algum tempo. Mas nem todos os seguidores de suas idéias, em outros países, tiveram a mesma sorte favorável que ele. Suas doutrinas foram transportadas à Boêmia e foram implantadas no currículo da universidade daquele país. João Huss, que abraçou a mesma causa, meio século depois de Wyciffe, pode ser chamado de "avô da Reforma". Huss conseguiu criar uma Igreja protestante nacional; mas, finalmente, foi preso, condenado e executado na fogueira.

A figura histórica que exerceu grande influência sobre a

WYCLIF

Tradução de Wyclif, Século XIV, cortesia, Bodleian Library

Codex D, séc. V; grego-latim, Lucas 5:19 ss
Cortesia, Cambridge University

WYCLIFFE

maneira de pensar de Wycliffe foi Agostinho, o qual também tanto influenciaria, mais tarde, a Lutero. Em sua postura teológica, Agostinho foi essencialmente luterano (apesar do anacronismo implicado nessa afirmação) e, por essa razão, o apelo feito às idéias de Agostinho por parte dos pré-reformadores e reformadores era inevitável. Além disso, Lutero foi um monge agostiniano, e podemos dizer que Agostinho estava mais próximo dos ensinos paulinos do que Tomás de Aquino estava. Assim sendo, podemos dizer que há uma linha constante de ensino que acompanha Paulo-Agostinho-reformadores protestantes. Ainda falando em termos gerais, por outro lado podemos ver uma linha de ensino que acompanha Tiago-Tomás de Aquino-Igreja Católica. Naturalmente, em tudo isso temos uma grande simplificação, embora seja essa uma observação que se reveste de algum valor, se quisermos dividir as tendências filosófico-teológicas em dois grandes ramos latos.

Wycliffe, e então os reformadores protestantes que se seguiram, representam um tipo de movimento "de volta à Bíblia", ainda que, quanto a certos particulares, eles tenham meramente perpetuado a teologia comum da Igreja Ocidental (Católica Romana), e não da Igreja Oriental (Ortodoxa Oriental, que se separou do Ocidente em 1054). Ver o artigo detalhado intitulado *Protestantismo*. Esses homens também produziram a fragmentação da Igreja Ocidental, porquanto atacaram a base da autoridade que havia emprestado à Igreja sua autoridade central e unidade, ou seja, as noções da infalibilidade dos concílios, das tradições e do papado. Em lugar dessas infalibilidades, esses líderes puseram a infalibilidade das Escrituras. Mas a verdade da questão é que somente Deus é infalível, visto ser esse um atributo exclusivo da Deidade; e todas as outras formas de infalibilidade são formas de idolatria, ainda que bém-intencionadas. Ver o artigo intitulado *Bibliolatria*.

Idéias:

1. Wycliffe adotava a posição realista sobre os *Universais* (vide), ou *conceptualismo* (vide), dizendo que os universais existem *ante rem* (antes da coisa, ou "particular"), na Mente de Deus. Ele ensinava que todo ser ou coisa criada é o mesmo que sua idéia (forma, universal). Assim sendo, a transubstanciação (vide), doutrina que insiste que as substâncias do pão e do vinho são transformadas no corpo e no sangue de Cristo, não pode ser verdadeira, porquanto isso exigiria o aniquilamento dos universais do pão e do vinho. Segundo Wycliffe afirmava, isso é uma impossibilidade. Antes, ele ensinava o mesmo ponto de vista luterano (que só surgiu mais tarde), que diz que os universais do pão e do vinho permanecem com os universais do sangue e do corpo de Cristo, ao que ele chamava de remanência. A doutrina da consubstanciação (vide), ensinada por Lutero, exprime essencialmente a mesma idéia.

2. Todo poder e todo domínio procedem de Deus; mas Deus outorga poder temporal, como no caso das autoridades civis. Da Igreja não é esperado que se preocupe com questões temporais. Isso posto, se algum governante civil decidir confiscar propriedades do clero, poderá fazer isso legitimamente. Além disso, Wycliffe dizia que é "pecaminoso" para o clero manter propriedades materiais, o que servia de base desse tipo de raciocínio.

3. O rei seria vigário de Deus na face da terra e, portanto, seria superior ao clero ou à Igreja, em todas as questões pertinentes ao que é secular e terreno. O clero deveria cuidar das questões espirituais, deixando todos os demais cuidados às autoridades civis. É fácil entender por que motivo esse ensino provocou tantas dificuldades durante a Idade Média, quando os papas tiveram de lutar contra os reis por causa de propriedades, posses e domínios materiais.

4. Wycliffe chamava as Escrituras Sagradas de "carta" patente da fé cristã, tendo sido o responsável pela primeira tradução da Bíblia para o inglês. Essa tradução foi feita com base na Vulgata Latina. Wycliffe pensava que Agostinho, em oposição às figuras eclesiásticas posteriores, havia compreendido corretamente a Bíblia, o que explica sua postura agostiniana quanto a muitas questões. Ele dizia que visto que a Bíblia é a lei cristã, ela deve ser lida e entendida no vernáculo de cada leitor, pelo que também deve ser traduzida para o vernáculo, para que todos possam entendê-la.

5. Ele rejeitava a doutrina da infalibilidade papal. Seus escritos com freqüência tratavam dos abusos praticados pelas autoridades eclesiásticas. Ele ensinava a doutrina da Igreja universal, com seus ramos celeste e terrestre, e fazia de Cristo seu único cabeça, sem nenhum vigário ou substituto, obviando assim o papado.

6. Ainda segundo Wycliffe, a Igreja não é idêntica à organização religiosa que esse nome, que é visível. Antes, compõe-se dos eleitos de todos os séculos, predestinados para tanto. Nesse particular, Wycliffe também antecipou a Reforma Protestante, especialmente a Igreja Reformada.

7. Rejeitava a eficácia do batismo em água e de ser membro de uma igreja como razões da salvação, alicerçando esta última sobre a fé, a graça divina e a predestinação.

8. Ensinava o sacerdócio de todos os crentes e negava a validade da teoria da sucessão apostólica, a qual confere aos bispos uma autoridade quase-absoluta.

9. O papa merece honra somente quando obedece o evangelho e seus requisitos e vive piedosamente. Mas a Igreja pode viver sem o papado.

10. Wycliffe enviou muitos pregadores leigos, que viviam entre o povo e ensinavam a Bíblia. Todavia, não deveriam rivalizar com o clero local, embora isso nem sempre tenha sido obedecido. Esse método antecipou os movimentos não-clericais, não-profissionais do protestantismo, exemplificados primeiramente no metodismo, e então em muitos outros grupos que se seguiram.

11. Quando sua postura contra a doutrina da transubstanciação foi condenada em Oxford, Wycliffe apelou ao rei pedindo apoio, não ao papa, porque apelar ao papa teria sido um gesto inútil.

12. A Revolta dos Camponeses ocorreu em 1381, o mesmo ano no qual em Oxford foi condenada a opinião de Wycliffe sobre a transubstanciação; e essa revolta contra a autoridade dificultou em muito a vida de Wycliffe, porque as pessoas estavam cansadas de dissensões, sempre ameaçadoras à vida. Assim, teve início uma reação contra Wycliffe, e ele foi condenado quando do sínodo do Terremoto, visto que tal reunião foi perturbada por um abalo sísmico, embora providencial, segundo alguns diziam. Porém, as autoridades seculares recusaram-se a tomar qualquer providência contra ele.

13. Wycliffe intensificou suas atividades "protestantes", condenando doutrinas como a confissão auricular, a absolvição clerical, a confirmação, a veneração aos ídolos, o poder das chaves, a invocação aos santos, o purgatório, além de muitas outras crenças e práticas católicas romanas típicas. Por causa disso, Wycliffe tem sido apelidado de *Estrela Matutina da Reforma*. Ver sobre *Reforma Protestante*.

14. Os eruditos modernos vêem Wycliffe à luz de contextos sociais e políticos, e não meramente teológicos. Ele compartilhava da reação do século XIV contra as tradições, o autoritarismo e o secularismo, mormente aqueles de inspiração católica romana.

15. As idéias e a influência de Wycliffe espalharam-se

WYCLIFFE – WYCLIF, VERSÃO DE

tão rapidamente que veio a tornar-se declaração comum que "todo pardal trinava acerca dela" (sua doutrina).

A Wycliffe Bible Translators, uma agência internacional, tem feito mais para pôr a Bíblia nos idiomas dos povos do que qualquer outra agência na história. Essa organização honra memória de John Wycliffe.

Escritos: *Summa do Ser; Os Limites do Domínio; Sobre o Domínio Civil; Summa Theologiae; Sobre a Eucaristia; Diálogo; Opus Evangelicum; Sobre o Ofício de Rei; Sermões*; e uma tradução da Vulgata Latina para o inglês, a primeira das traduções modernas para o vernáculo.

WYCLIF, VERSÃO DE
Ver *Versões da Bíblia*.

1. Formas Antigas

fenício (semítico), 1000 A.C.   grego ocidental, 800 A.C.   latino, 50 D.C.

2. Nos Manuscritos Gregos do Novo Testamento

3. Formas Modernas

X X x x   **X** *X* x *x*   X *x x x*   *X x*

4. História

X é a vigésima quarta letra do alfabeto português (ou a vigésima segunda, se deixarmos de lado o *K* e o *W*). Originalmente, o X era uma variante ortográfica do T, pois ambas essas letras derivavam-se da letra semítica consonantal *taw*, «marca». Era natural que as pessoas marcassem as coisas com um T, com a barra horizontal no meio, +, ou, então, como um X. Os gregos adotaram a forma X chamando-a de *chi*, com o som gutural *ch*. Eles também tinham a letra E, com o fonema *ks*, e que não tem correspondente em latim ou português. O latim adotou a letra «X», tendo passado para muitas línguas modernas com certa variedade de sons.

5. Usos e Símbolos

X é usado na matemática como símbolo de multiplicação; e também de *versus*, em qualquer fórmula que indica competição. Um X substitui a assinatura de pessoas analfabetas. Também pode exprimir qualquer entidade, quantidade ou qualidade indefinida, algumas vezes em sentido pejorativo, como «marca-X», em contraste com alguma qualidade melhor. No latim, designava o valor numérico 10. Isolada, essa letra pode representar *Cristo*, visto que no idioma grego essa palavra era grafada *Xristós*. X é usado como símbolo do *Codex Monacensis*, descrito no artigo separado *X*.

Caligrafia de Darrell Steven Champlin

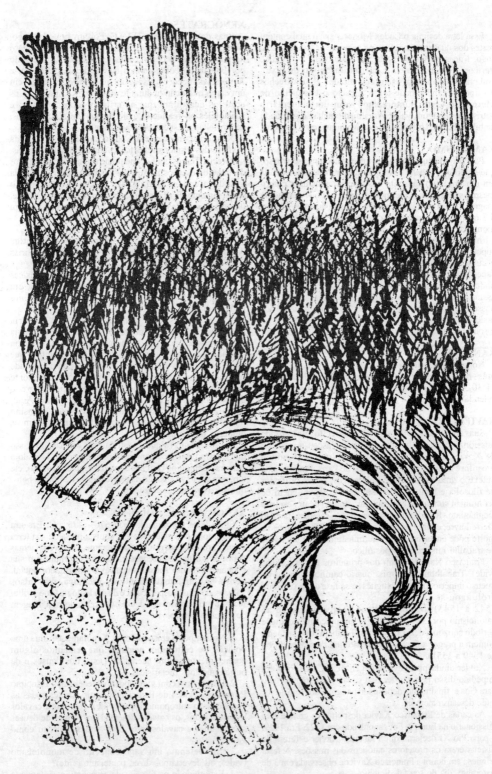

Ao pôr-do-sol — representação artística

X

X

Essa letra designa o Códex Monacensis, o qual contém partes dos quatro evangelhos na seguinte ordem: Mateus, João, Lucas e Marcos. Data dos séculos IX ou X d.C. Pertence, essencialmente, ao tipo bizantino de texto, embora nele também sejam encontrados alguns trechos do tipo alexandrino de texto. Exceto o evangelho de Marcos, o texto é intercalado com um comentário patrístico de algum valor. Atualmente acha-se guardado na biblioteca da Universidade de Munique, na Alemanha.

XAMANISMO

Palavra aportuguesada de um termo tunguse (russo) que significa *"asceta"*. Ao que tudo indica, está baseada em um vocábulo sânscrito bastante semelhante e com o mesmo significado. O termo referia-se a um sacerdote ou mágico de certas religiões. Uma definição mais precisa diz que aludia a um sacerdote tunguse, um dos povos mongóis, que habitam na Sibéria Oriental e no norte da China. Um xamã era um médico-sacerdote que supostamente era dotado de poderes espirituais de profeta e curador. Uma definição mais lata indica qualquer sacerdote tribal que, supostamente, é dotado desses poderes e encabeça as práticas religiosas de um grupo assim chamado. Nessas religiões é comum a crença na possessão de algum espírito como fonte da maioria dos males e dificuldades dos homens. Ver sobre *Demonologia* e sobre *Possessão Demoníaca*.

XÂNTICO

No grego, *Ksanthikós*. Esse era o nome do primeiro mês do calendário da Macedônia (II Macabeus 11:30,33,38). Corresponde ao mês de nisã (abril) do calendário judaico.

XAVIER, FRANCISCO

Suas datas são 1506 - 1552. Xavier foi um grande missionário do catolicismo romano. Nasceu no castelo de Xavier, na província basca de Navarra. Estudou filosofia e teologia na Universidade de Paris, França, onde obteve o grau de Mestre em Artes. Tornou-se professor de filosofia e teologia. Foi estudante brilhante, além de ser homem simpático e encantador, dotado de um espírito magnânimo. Residiu em companhia do também famoso Pierre Favre, e entre os dois houve uma amizade que só a morte pôde encerrar. Ambos terminaram tendo uma vida de trabalho missionário apostólico.

Francisco Xavier foi um dos primeiros frades jesuítas (vide). Trabalhou como missionário católico romano no imenso império índico português (essa fase de sua carreira prolongou-se de 1542 a 1545). Muitos indianos converteram-se ao catolicismo por sua prédica. Em um único mês daquele período batizou a dez mil pessoas. Também foi o primeiro homem a pregar a fé cristã no Japão (uma fase que durou de 1549 a 1551).

Xavier ainda planejava evangelizar a China, mas foi impedido disso pela morte. Seu cadáver foi transportado para Goa e, finalmente, depositado na Igreja do Bom Jesus, onde descansa até hoje.

As cartas de Francisco Xavier despertaram grande zelo missionário na Europa. Foi canonizado em 1622. Em 1929, o papa Pio XI declarou que Francisco Xavier e Teresa de Lisieux eram os protetores católicos das missões. A festa religiosa em honra a Francisco Xavier é observada em 3 de dezembro, dia do seu falecimento.

XENÓCRATES

Suas datas são 396 - 314 a.C. Foi um filósofo grego. Acompanhou a Platão e a Espeusipo (sobrinho de Platão) na primeira visita deles a Siracusa. Platão foi sucedido por Espeusipo como cabeça da Academia platônica; e Xenócrates sucedeu a Espeusipo na mesma academia, em um cargo que ocupou durante vinte e cinco anos. Alguns eruditos acreditam que as críticas feitas a Platão e Aristóteles na realidade, pelo menos em alguns casos, foram feitas a Espeusipo e Xenócrates.

Xenócrates nasceu em Calcedônia, na Bitínia, Ásia Menor, mas a sua carreira foi levada a efeito em Atenas, na Grécia. Temos conhecimento de setenta e cinco títulos de tratados escritos por ele, os quais mostram que dava grande atenção às questões éticas e à teoria do conhecimento. Era homem conhecido por sua integridade, dignidade e cortesia. Foi mestre brilhante, mas não um pensador original, conforme o foi Platão.

Idéias e Contribuições

1. Xenócrates foi um bom representante da antiga Academia, mas não foi criador de novas idéias e teorias filosóficas.

2. Ele deu à filosofia algumas classificações básicas tripartites, como a epistemologia (subdividida em conhecimento, opinião e percepção) e conhecimento (subdividido em lógica, física e ética).

3. Xenócrates dava grande importância à teoria numérica de Pitágoras, conforme Platão também havia feito. Talvez ele tenha antecipado um tanto a teoria atômica, em que o número significa tudo. Acreditava que todos os números são gerados a partir do Um e da Díade (um par ou grupo de dois). O Um seria o Ser divino, fonte originária de toda realidade. A Díade seria, talvez, o demiurgo (vide), a força originadora intermediária. Aqui, como é óbvio, Xenócrates estava misturando o ensino platônico sobre as Idéias (Formas, Universais) com os números pitagoreanos.

4. Ele acreditava que as estrelas são divinas, ao passo que a terra estaria contaminada por demônios. Usando a palavra "demônios" em seu sentido original e amplo, ele também aceitava a noção da existência de demônios bons, que atuariam na face da terra.

XENÓFANES DE COLOFON

Suas datas aproximadas são 570 - 475 a.C. Era um filósofo jônico. Viveu após a conquista persa de sua terra natal. Tornou-se um refugiado itinerante. Escreveu poemas contrários a muitas crenças e costumes comuns em sua época, porquanto foi um incansável reformador social. Sentia-se impaciente diante da preguiça, dos falsos valores, do fausto espetacular e da má teologia (que atribui vícios e brutalidades aos deuses, concebendo-os à imagem de homens corruptos).

Idéias:

1. No campo da epistemologia, Xenófanes assumia uma posição de ceticismo, negando que tenhamos algum conhecimento seguro acerca de Deus, dos deuses e de outras questões metafísicas.

2. Empregava com vigor, por antecedência, o Princípio Protestante (vide) de Paul Tillich, pois atacava todas as variações do antropomorfismo (vide). "Se bois e cavalos tivessem mãos, os cavalos desenhariam formas de deuses semelhantes a cavalos, e os bois os desenhariam como gado..."

3. Ele defendia um vago conceito de monoteísmo (vide); ou deveríamos dizer, panteísmo (vide)?

4. Examinando os fósseis, ele asseverou corretamente

XENÓFANES DE COLOFON – XERXES

que a terra havia sido sujeita a muitas e extensas inundações.

5. Referia-se a Deus como inabalável, imutável, todo-percebedor, homogêneo e soberano sobre todas as coisas e esferas da existência. Deus seria a Unidade de todas as coisas e o Seu Espírito é o governante. "A totalidade de Deus vê; a totalidade pensa; a totalidade ouve".

6. Talvez a posição de Xenófanes fosse mais panteísta, se é que ele realmente identificava Deus com a natureza. Nesse caso, talvez ele compartilhasse da conclusão a que chegaram os eleásticos posteriores, que diziam que os movimentos e as mudanças são ilusórios, mas que não podemos ter nenhuma certeza quanto a esse particular. Pode mesmo ter sido precursor dos eleásticos, conforme alguns têm afirmado.

7. Os deuses não teriam revelado todas as coisas aos homens desde o começo, mas os homens inquiridores continuam descobrindo coisas úteis.

8. Xenófanes foi um dos maiores intelectos de seus dias, além de ter sido um reformador social e religioso.

XENOFONTE

Suas datas aproximadas são 430 - 355 a.C. Nasceu em Atenas e foi um escritor e moralista grego, muito ativo na vida civil. Foi contemporâneo mais jovem e amigo de Sócrates, e é uma das nossas fontes informativas sobre este, em sua obra *Memorabilia*, também intitulada *Reflexões de Sócrates*.

Xenofonte não foi filósofo, mas assumiu a tarefa de transmitir informações a respeito de Sócrates, tendo negado a validade das acusações alinhadas contra ele. Esse material aparece em seu livro, *Memorabilia*. Xenofonte descreveu Sócrates como mestre de virtudes, que exercia uma influência benéfica sobre todos quantos chegavam a conhecê-lo, mas ao que despertava inveja devido à sua superioridade e ao seu hábito de atacar a falsa sabedoria. Todavia, não foi tão bom intérprete das idéias de Sócrates quanto o foi Platão, porquanto não estava filosoficamente preparado para a tarefa. Xenofonte também foi o autor da famosa obra *Anábasis*, que os estudantes do grego clássico normalmente, são obrigados a ler, uma vez que tenham dominado a gramática de maneira funcional. O grego em que esse antigo livro foi escrito é um grego ático relativamente simples. A grande contribuição de Xenofonte deu-se no terreno da história, e não no da filosofia.

Escritos: *Anábasis; Apologia; Memorabilia (Reflexões) de Sócrates; Administração Doméstica; Simpósio; A Educação de Ciro; Helênica*.

XERXES

No persa antigo, *xsayarsan;* no elamita, *ikseirigsa;* no acádico, *hisiarsa*. Seguindo essa pronúncia, o Antigo Testamento hebraico diz 'kshwrsh (sem as vogais, como era costumeiro), provavelmente pronunciado como 'ahshawarash. No entanto, posteriormente, foi vocalizado com a forma de 'ahashwerosh, o que explica a forma portuguesa Assuero (ver Ester 1:1,2,9,10,15-17,19; 11,12,16,21; 11,6-8,12; 6:2; 7:5; 8:1,7,10,12; 9:2,20,30; 10:1,3).

Os escritores gregos, dentre os quais se destaca Heródoto, grafavam *Ksérkes*. E é precisamente daí que se deriva o nome Xerxes, que ocorre em português, na literatura profana.

Xerxes ou Assuero sucedeu ao trono da dinastia acamenida, da Pérsia (vide), por ocasião do falecimento de seu pai, Dario, o Grande (522-486 a.C.). Sua mãe chamava-se Atossa, filha de Ciro, o Grande, o fundador do império persa. Ele foi escolhido por seu próprio pai, Dario, para ser o próximo monarca persa. O governo de Dario terminou ao mesmo tempo em que focos de rebelião explodiam por todo o seu vasto império. Entretanto, parece que a escolha não foi das mais sábias. Assuero era homem de poucas habilidades no governo, inclinado a depender, mui lamentavelmente, dos conselhos e opiniões de cortesãos e eunucos do harém. Após ter conseguido suprimir uma revolta que explodira no Egito, tendo usado de grande violência e provocado muitas destruições, ele recrutou marinheiros do Egito e de seus aliados gregos, formou uma marinha de guerra, e começou a traçar planos para invadir Mica, na Grécia atual. E os seus súditos fenícios transportaram em barcaças o seu exército, atravessando o Helesponto, mediante uma dupla fileira de barcaças. E foi dali que o imenso exército persa, formado por contingentes armados, provenientes de quase cinquenta nações, marchou na direção sul e capturou a cidade de Atenas.

Entretanto, a maré da guerra mudou rapidamente de direção, quando a grande frota de navios de guerra de Xerxes foi aniquilada, por ocasião da batalha subseqüente de Salamina, em 480 a.C. Foi nessa oportunidade que Xerxes, uma vez mais, demonstrou sua fraqueza de caráter, ao mandar executar o seu almirante fenício e provocar a deserção de suas forças navais. O comandante das forças persas que estavam estacionadas na Grécia, Mardônio, tentou negociar com os atenienses, mas sem nenhum resultado favorável. A guerra prosseguiu, e as forças persas foram finalmente derrotadas, por ocasião da batalha de Platéia (479-478 a.C.). E os atenienses, engrossadas as suas forças com um grande número de desertores do exército persa, completaram o seu sucesso invadindo a área do rio Eurimedom, pondo fim às esperanças persas de conquistar a Europa.

Xerxes retirou-se para os seus palácios de Persépolis, (vide) e de Susã (vide), que ele expandiu e decorou de acordo com um estilo colossal e superornamentado.

Para nós, evangélicos, reveste-se de grande interesse o seu entusiasmo religioso. De forma diferente de seus antecessores, ele não aceitava a validade dos arcaicos cultos religiosos do Egito e da Babilônia. Pelo contrário, extinguiu ambas essas manifestações religiosas. Inscrições de Xerxes, existentes em Persépolis, proclamam como ele destruiu os templos das falsas divindades, em todos os seus domínios, e como prestava fidelidade ao deus Auramazda. É bem possível que a inflexibilidade religiosa de seus súditos judeus, como também de sua própria esposa judia, Ester (vide), tenha confirmado sua adesão teimosa ao masdeísmo.

Interessante é observar que, fora dos livros bíblicos, nenhuma menção é feita a Ester ou ao povo judeu. Todavia, todos os peritos na história antiga reconhecem que os antigos anais e registros históricos tinham um caráter exclusivista e propagandístico, pelo que seria de surpreender que as questões internas do harém real tivessem ficado registradas nos documentos oficiais do período.

A personalidade essencial de Xerxes, conforme nos descreve por Heródoto (suspeito para falar, devido ao fato de ser grego, e estar-se manifestando sobre o principal adversário dos gregos) além do testemunho deixado pelas suas próprias inscrições, apesar de tudo, é bem semelhante àquilo que podemos deduzir com base no livro de Ester, nas Escrituras Sagradas. A história mostra-nos que a carreira política de Xerxes foi o começo do colapso da dinastia acamenida, da Pérsia, o que sucedeu por ocasião das conquistas militares encetadas por Alexandre, o Grande, da Macedônia. Ver o artigo sobre Alexandre, o Grande. Ver também o artigo intitulado Pérsia. E aquele outro, chamado *Assuero*.

XIITAS
Ver sobre os *sunitas* e o artigo geral sobre o *Islã*.

XIMENES DE CISCERNOS, FRANCISCO
Suas datas são 1435 - 1517. Ximenes foi um famoso estadista e prelado espanhol. Era franciscano, e foi arcebispo de Toledo e chanceler de Castela. Fundou a Universidade de Alcalá. Tornou-se Grande Inquisidor no ano de 1502.

Em 1502, o cardeal Ximenes começou a compilar um manuscrito grego impresso; mas essa publicação só foi lançada em 1522, pelo que foi Erasmo de Roterdã quem primeiro lançou o Novo Testamento Grego impresso, no ano de 1514. Contudo, a publicação de Ximenes foi uma magnífica Bíblia poliglota (textos em hebraico, aramaico, grego e latim), conhecida como a Poliglota Complutensiana. Vários eruditos participaram do projeto.

XINTOÍSMO (RELIGIÃO)
As raízes verbais desse termo vêm do japonês, em que têm o sentido de "caminho dos deuses". Ao que parece, sua origem é chinesa, *shin*, "deus", e *tao*, "caminho", "lei". O xintoísmo é a religião primitiva do Japão e consiste, acima de tudo, na adoração dos antepassados, na adoração da natureza, além da adoração de muitas divindades étnicas, a principal das quais era o imperador, considerado descendente dos deuses e, por conseguinte, uma divindade ele mesmo. Esse conceito, porém, foi abandonado em conseqüência da Segunda Guerra Mundial. O xintoísmo foi a religião oficial do Japão, entre 1868 e 1945. Durante esse período foram incorporados muitos elementos nacionalistas e militaristas, os quais, desde então, foram desenfatizados.

A história do xintoísmo remonta ao século VI d.C. Essa religião está dividida em xintoísmo oficial e xintoísmo sectário, com milhares de santuários e um número de membros que, teoricamente, envolve a população japonesa inteira, embora, na prática, não seja assim, naturalmente.

O antigo xintoísmo era um complexo de antigas crenças e rituais populares dos japoneses, o qual, gradualmente, desenvolveu-se em um culto nacional patriótico. As primitivas formas incorporavam inúmeras crenças e ritos locais, incluindo os abstêmios (ascetas), os especialistas em tabus, os adivinhos e os recitadores de tradições e cerimônias. O xintoísmo incluía a magia quanto a ritos de fertilidade, cerimônias de purificação, festas das estações do ano, crença em muitas divindades e poderes sobrenaturais, com sacrifícios a esses, e, finalmente, lendas da criação e da descida de vários deuses para povoar as ilhas japonesas.

No século VI d.C., o budismo foi importado da Coréia para o Japão. Aí pelo século VIII d.C., houve muitos empréstimos extraídos da cultura e da religião chinesas, e o budismo acabou por ser uma potência no Japão. O xintoísmo e o budismo entraram em choque. Mas essas duas religiões foram combinadas no kanti-no-michi, que significa "caminho do poder divino". Em seguida, a palavra xintoísmo foi cunhada, a fim de distinguir do budismo o xintoísmo mais antigo, tradicional. As divindades do xintoísmo tornaram-se budas avatares (deidades encarnadas). Destarte, houve um grande amálgama das religiões. Posteriormente, entretanto, o xintoísmo voltou a fortalecer-se e, embora as crenças budistas não tivessem sido abandonadas, o xintoísmo oficial veio a ser o poder religioso dominante, paralelamente à sua nova ênfase.

O xintoísmo não tem nenhuma teologia fixa e toda-dominante, como também não conhece a adoração comunal. O movimento gira em torno do complexo conceito de KAMI, que significa "deus"; mas, na prática, muitos tipos e níveis de divindades foram incorporados nesse sistema. Algumas forças divinas são impessoais, enquanto outras são pessoais. O conceito chega a abarcar o que é misterioso e desconhecido e, por conseguinte, indefinido. No kami estão envolvidas as mais diversas idéias, como espíritos dos ancestrais, bravos guerreiros, o sexo, lindas paisagens, objetos mágicos, etc. Há santuários xintoístas que honram as mais notáveis divindades do céu e da terra, os antepassados dos imperadores e heróis nacionais. Os santuários locais são consagrados a uma interminável lista de poderes celestes e terrestres, divindades e influências. No xintoísmo, talvez o poder maior seja o da adoração aos antepassados.

Terminada a Segunda Guerra Mundial, foi abolido o xintoísmo oficial. Por sua vez, o xintoísmo popular expandiu-se extraordinariamente. Os cultos populares dessa expansão chamam-se Tenrikyo, Konkokyo, Kurozumi-kyo, Odoru Shukyo, Mioshie e Seicho-no-ie. Antigos santuários nacionais foram reduzidos a monumentos históricos. O xintoísmo sectário existe sob a forma de treze seitas oficialmente reconhecidas, além de muitas subseitas. (AM E P)

XISTO
Esse foi o nome escolhido por cinco papas, segundo se vê na lista abaixo:

1. Xisto I, santo e papa, cujo pontificado foi entre 116 e 125 d.C., aproximadamente. Praticamente nada se sabe a respeito dele. Foi o sucessor de Alexandre I, e pontificou durante a primeira parte do governo do imperador Adriano. Presumivelmente, foi martirizado.

2. Xisto II, santo e papa, que pontificou entre 257 e 258 d.C. Foi o sucessor de Estêvão I. Reconciliou as igrejas do norte da África e da Ásia Menor com a igreja de Roma no tocante à questão do rebatismo (vide). Foi martirizado durante o governo do imperador Valeriano.

3. Xisto III, santo e papa, cujo pontificado foi entre 432 e 440 d. C. Foi o sucessor de Celestino I. Aprovou as decisões do concílio de Éfeso (431 d.C.) e restaurou a basílica de Libério. Fez-se conhecido por sua tentativa de reconciliar João de Antioquia com Cirilo de Alexandria.

4. Xisto IV, cujo verdadeiro nome era Francesco Della Rovere. Suas datas são 1414 - 1484. Foi pontífice entre 1471 a 1484. Ingressou na ordem dos franciscanos ainda jovem. Foi nomeado cardeal pelo papa Paulo II, e foi seu sucessor. Foi notável patrono das artes e das ciências e também conseguiu ampliar a Biblioteca do Vaticano, franqueando seus tesouros aos eruditos. A capela Sistina foi embelezada pelos famosos afrescos de Miquelângelo e outros grandes artistas. Pelo lado negativo, porém, tornou-se culpado de flagrante nepotismo, e impôs pesados impostos.

Sua tentativa de promover uma cruzada falhou. Também não foi bem-sucedido na tentativa de reunir Roma à Igreja Russa. E também não colheu os frutos da conspiração de Pazzi, liderada por um seu sobrinho, Girolemo Riário, contra a poderosa família Médici, o que

XISTO – XOFRANGO

resultou no assassínio de um membro dessa família. Embora tenha suprimido vigorosamente os Waldenses (vide), desaprovou os excessos da Inquisição Espanhola (vide). E os decretos do concílio de Constança, que não haviam sido expressamente confirmados por seus antecessores, foram anulados por ele.

5. Xisto V. Nasceu em 1521 e faleceu em 1590. Foi papa de 1585 a 1590. Era membro da ordem dos franciscanos. Foi reitor da escola franciscana de Veneza. Foi conselheiro da inquisição nessa mesma cidade. Mostrou um zelo incomum na perseguição e na brutalidade, e acabou sendo reconvocado a Roma. Não obstante, muitas honrarias foram-lhe conferidas pelo papa de então, Pio V. Mostrou ser um habilidoso administrador da sede papal. Efetuou reformas civis e eclesiásticas. Conseguiu controlar criminosos e aventureiros que perturbavam os estados da Igreja, e obteve tranqüilidade. Nessa nova atmosfera, foram promovidos o comércio e a agricultura. Também fundou muitos colégios novos em Roma e construiu o edifício da Biblioteca do Vaticano, que permanece de pé até hoje. Melhorou a disciplina entre o clero, atarefou-se em guerras estrangeiras; instalou uma imprensa no Vaticano para a publicação da versão da Septuaginta (tradução do Antigo Testamento hebraico para o grego), e ocupou-se de outras atividades literárias.

Sua bula, *Aeternus Ille,* proveu a base para a publicação de suas próprias obras e de uma versão da Vulgata Latina, que ele ordenou ser usada com exclusividade na Igreja Católica Romana. Após sua morte, essa restrição, porém, foi levantada. Em sua época, Roma tornou-se uma cidade de estilo barroco; providenciou-se água potável de boa qualidade, e as artes e ciências foram cultivadas.

Foi esse papa quem mandou erigir os aposentos papais no Vaticano e assegurou que a cúpula da basílica de São Pedro fosse completada por Michelângelo. Foi ele, igualmente, quem fixou o número de cardeais em setenta.

XOFRANGO, ÁGUIA MARINHA

No hebraico, *ozniyyah*. Essa ave é mencionada somente em Lev. 11:13 e Deu. 14:12. Tal como no caso de tantos animais e aves do Antigo Testamento, especialmente no caso de espécies mencionadas poucas vezes, a identificação dessa ave é problemática. Alguns estudiosos identificam-na com uma das variedades da águia segundo se vê em nossa versão portuguesa. Mas outros estudiosos julgam tratar-se de uma variedade de abutre. O termo hebraico parece querer dizer "barbado", o que talvez explique a tradução "xofrango" da edição Revista e Corrigida da Sociedade Bíblica do Brasil. Há estudiosos que pensam que essa ave até hoje pode ser vista em áreas desérticas da Palestina. Seja como for, uma ave de rapina certamente está em foco, pois o contexto do décimo primeiro capítulo de Levítico trata de animais imundos, que não podiam ser consumidos pelos israelitas.

1. Formas Antigas

| fenício (semítico), 1000 A.C. | grego ocidental, 800 A.C. | latino, 50 D.C. |

2. Nos Manuscritos Gregos do Novo Testamento

ϓ Ѵ Ο (formas derivadas de U; Y não existe no NT)

3. Formas Modernas

Y *Y* y *y*   Y *Y* y *y*   *Yy*

4. História

Y é a vigésima quinta letra do alfabeto português (ou a vigésima terceira, se deixarmos de lado o *K* e o *W*). Em nosso idioma é usada somente no caso de palavras de origem estrangeira. As letras F, U, V, W, e Y derivam-se, historicamente, da letra semítica consonantal *waw*, «gancho». No grego, o *waw* tornou-se o *úpsilon*, embora retendo a forma de Y no grego antigo. O latim adotou a letra, dando-lhe o formato de V. Por volta do século I D.C., os romanos começaram a usar o formato de Y para essa letra. Do latim espalhou-se para muitos outros idiomas, nos quais essa letra é, essencialmente, uma variação ortográfica de I.

5. Usos e Símbolos

Na teoria das múltiplas fontes informativas do Pentateuco, chamada *J. E. D. P. (S.)* (vide), o *Y* da palavra hebraica *Yahweh* é representado pelo *J*. (jeovista). *Y* também é símbolo do *Codex 034*, descrito no artigo separado *Y*.

Caligrafia de Darrell Steven Champlin

St. Paul's Church
(EPISCOPAL)

Igreja Episcopal — Representação Artística
Salt Lake City, Utah, E.U.A.

Y

Y

Essa letra designa dois manuscritos do Novo Testamento, a saber:

Uma porção do evangelho de João (16:3 - 19:41), que data do século VIII D.C., que pertence ao tipo de texto bizantino. Está localizado na Biblioteca Baberini, em Roma, Itália.

Há um outro manuscrito, assim igualmente designado, embora também conhecido pelo número 034. Pertence ao século IX D.C. Encontra-se em Cambridge, e contém o tipo de texto bizantino.

Nenhum desses dois manuscritos aparece no aparato crítico do *Greek New Testament* das United Bible Societies, que alista somente os principais manuscritos e versões do Novo Testamento.

YAHWEH

Essa é a forma vocalizada de um dos três grandes nomes hebraicos de Deus, originalmente expresso pelo *tetragrammation*, YHWH. Para os israelitas posteriores, esse nome era por demais sagrado para ser proferido ou escrito, o nome inefável de Deus: o Eterno; o Eternamente Existente, de Quem todas as coisas criadas procederam. Esse nome não era pronunciado senão com as vogais dos outros dois nomes, Adonai ou Elohim. Ver o artigo geral intitulado, *Deus, Nomes Bíblicos de*.

Ver o artigo sobre *Jeová* que apresenta mais detalhes do que existem aqui.

Temos aí a transliteração, em letras latinas, para o português, desse que era o nome mais destacado de Deus, nas páginas do Antigo Testamento. A Septuaginta traduziu tanto esse nome de Deus, quanto um outro, *Adonai* (vide), pelo termo grego *Kúrios*, "Senhor". Portanto, no Novo Testamento quando encontramos o termo português "Senhor", sabemos que, por detrás do mesmo encontramos a palavra grega *Kúrios*; e, por detrás desta, dois dos nomes de Deus, no Antigo Testamento, Yahweh e Adonai. Conclusão: as Escrituras mostram-nos que Jesus Cristo, o "Senhor", é o próprio Yahweh e Adonai. Ver também sobre o verbete *Elohim*, que é outro grande nome de Deus, no Antigo Testamento, que chegou ao Antigo Testamento português como Deus.

A palavra Yahweh é uma vocalização de suas quatro letras consonantais, de acordo com a maneira como muitos eruditos pensavam que esse nome divino era pronunciado nos tempos do Antigo Testamento. A forma Jeová, por sua vez, é um erro cometido por certos cristãos do passado, resultante da combinação das consoantes de Yahweh com as vogais de Adonai. Essa forma espúria apareceu pela primeira vez, nos manuscritos de Martini, Pugio Fidei, no ano de 1278, publicados no século XIV.

Os eruditos modernos têm divergido muito quanto à correta forma de grafar, em letras latinas, esse nome de Deus que procede do hebraico. Após muitos estudos, finalmente, chegou-se à conclusão de que a grafia mais próxima do original hebraico é Yahweh. E essa é a forma do nome que temos adotado nesta enciclopédia.

Esse nome está vinculado à raiz hebraica do verbo ser. Lê-se em Êxodo 3:13,14: "Disse Moisés a Deus: Eis que quando eu vier aos filhos de Israel e lhes disser: O Deus de vossos pais me enviou a vós outros; e eles me perguntarem: Qual é o seu nome? Que lhes direi? Disse Deus a Moisés: Eu Sou o que Sou. Disse mais: Assim dirás aos filhos de Israel: Eu Sou me enviou a vós outros". Por conseguinte, temos aí um nome revelado de Deus. E também nos é esclarecido quando esse nome foi revelado. Lemos em Êxodo 6:2,3: "Falou mais Deus a Moisés e lhe disse: Eu sou o Senhor (no hebraico, *Yahweh*). Apareci a Abraão, a Isaque e a Jacó como o Deus Todo-poderoso; mas pelo nome, O Senhor (no hebraico, *Yahweh*), não lhes fui conhecido". Portanto, o nome *Yahweh* foi o terceiro dos nomes de Deus a ser revelado. O primeiro foi *Elohim*, que aparece logo no primeiro versículo de Gênesis. "No princípio criou Deus (no hebraico, *Elohim*) os céus e a terra." O segundo foi *Adonai*: "Depois destes acontecimentos, veio a palavra do Senhor a Abraão, numa visão, e disse: Não temas, Abraão, eu sou o teu escudo, e teu galardão será sobremodo grande. Respondeu Abraão: Senhor (no hebraico, *Adonai*) Deus, que me haverás de dar, se continuo sem filhos, e o herdeiro da minha casa é o damasceno Eliezer?" (Gên. 15:2). Como vemos, esse segundo nome de Deus, *Adonai*, aflorou dos lábios do grande patriarca, Abraão. E o terceiro, *Yahweh*, foi revelado a Moisés, diante da sarça ardente, como acabamos de ver.

Se desdobrarmos um pouco mais esse nome, então verificaremos que a segunda porção do nome, no *hweh*, está vinculada ao verbo "ser", a primeira parte do mesmo *ya*, tem um significado ejaculatório, exclamativo. De fato, nas línguas semíticas, esse *ya* é uma exclamação comum. Portanto, a opinião deste tradutor e co-autor é que esse nome sagrado tem um significado parecido com algo que poderíamos agora explicar como: "Ah! Ele existe!"

Alguns estudiosos têm contendido que *Yahweh* era, originalmente, uma deidade nâo-hebréia. Porém, todas as conjecturas nesse sentido têm terminado não provando coisa alguma, estando alicerçadas sobre meras aparências fonêmicas. Em outras palavras, nunca houve alguma divindade pagã chamada *Yahweh*, da qual os hebreus tivessem concebido o seu Deus. Ocasionalmente, porém, aparece a forma contraída desse nome, isto é, *Yah*, segundo se vê em Êxo. 15:2; 17:16; por trinta e oito vezes no livro de Salmos; em Isa. 12:2; 26:4 e 38:11.

Patética é a tentativa de alguns encontrarem a palavra *Yahweh* no Novo Testamento. Em que pesem tais esforços, – nunca se encontrou qualquer manuscrito grego do Novo Testamento que contivesse essa palavra hebraica. Em todas as citações neotestamentárias do Antivo Testamento, onde aparecem os nomes dados a Deus no antigo pacto, sempre aparece alguma tradução grega dos mesmos, isto é: *Elohim* = *Theós* = Deus. *Adonai* = *Kúrios* = Senhor. *Yahweh* = *Kúrios* = Senhor. Vale dizer, no Novo Testamento só encontramos, como designativo de Deus as palavras gregas *théos* e *kúrios*. E foi este último nome que os escritores sagrados do Novo Testamento aplicaram a Jesus Cristo, mostrando assim que ele é *Yahweh* e *Adonai*, todas as vezes que lemos a expressão "Senhor", aplicada a Jesus. Citamos apenas uma dentre centenas de passagens possíveis: "...é que hoje vos nasceu na cidade de Davi, o Salvador, que é Cristo, o Senhor" (Luc. 2:11).

YAHWEH-JIRÉ

No hebraico, Yahweh verá. Ver o artigo geral sobre *Jeová* quanto ao significado desse nome. *Yahweh* pode ser encontrado em várias combinações. Quando estava prestes a sacrificar a Isaque, Abraão usou o nome *Yahweh-Jiré*, ou seja, "O Senhor verá e proverá um substituto para ser sacrificado em teu lugar, ó Isaque". Isso ocorreu no monte Moriá. Isso posto, alguns estudiosos têm insistido que essa expressão "Yahweh-Jiré" pode dar a entender ambas as idéias, a de ver e a de prover. Assim, *Yahweh* veria e interviria, o que serve de grande encorajamento para todos quantos Nele confiam.

YAHWEH-NISSI – YIDDISH E LADINO

YAHWEH-NISSI
No hebraico, esse nome composto de Deus significa "Yahweh, minha bandeira". Moisés usou esse nome para comemorar a derrota dos amalequitas no deserto de Refidim. Josué foi o condutor israelita para a vitória. Ver Êxo. 17: 15. O nome de Deus é exibido por aqueles que trabalham para ele; e, na força desse nome, eles vencem. Moisés erigiu um altar para preservar a memória da intervenção divina em favor de Israel. Mas, não se sabe dizer se esse altar visava receber holocaustos, ou se era meramente memorial.

YAHWEH-SALOM
No hebraico, Yahweh é paz. Gideão, em Ofra, usou esse nome quando Deus lhe deu a missão de libertar o povo de Israel dos midianitas, tendo recebido a promessa confirmatória da vitória, mediante milagres apropriados e a certeza de que dali resultaria a paz. Ver Juí. 6:24. O Anjo do Senhor assegurou a Gideão de que ele não morreria enquanto não visse a vitória que Deus proveria, com a resultante paz e liberdade de que Israel desfrutaria. O Anjo do Senhor lhe disse: "Paz seja contigo!" (Juí. 6:23). E essa saudação foi uma virtual promessa de paz para o povo de Israel.

YAHWEH-SAMÁ
No hebraico, esse nome composto de Deus significa Yahweh está ali. Esse foi um título dado à restaurada e adornada Jerusalém do reino messiânico, que Ezequiel contemplou em uma visão. Ver Eze. 48:35. O que isso indica é que, durante o reino milenar, Yahweh novamente fará chover o seu favor sobre Jerusalém, conferindo-lhe uma porção especial de sua augusta presença. Então, Jerusalém tornar-se-á a capital religiosa e política do mundo restaurado, após os desastres da Grande Tribulação. Os desígnios de Deus incluem Jerusalém, de modo todo especial, no futuro. Aqueles que rejeitam as indicações literalmente proféticas dessa passagem de Ezequiel aceitam esse nome de Deus de modo figurado, com base na presença espiritual de Deus, onde quer que ele se manifeste, sempre trazendo bênçãos, poder, prosperidade e graça especiais.

YAHWEH-TSIDKENU
Esse nome composto de Deus, no hebraico, significa Yabweh, nossa justiça. Ver Jer.23:6; 33:16. Esse nome composto de Deus só aparece nesses dois trechos do livro de Jeremias, em toda a Bíblia. Essa é uma designação do futuro Rei davídico que haverá de governar sobre a restaurada nação de Israel. O Messias é um Rei Justo, sobretudo quando se trata de prover salvação para o seu povo. Alguns intérpretes vêem aqui uma indicação do fato de que ele imputa aos homens a retidão, um tema paulino, conforme se vê, por exemplo, em II Cor. 5:21. Em Jer. 33:16, a alusão é à cidade capital do futuro Rei. Sua pessoa é justa; e o local de sua residência e santo.

YAMA
Os *Vedas* (vide) dizem que Yama e Yami eram os nomes dos irmãos gêmeos que teriam sido o pai e a mãe da raça humana, embora uma outra tradição diga que Manu (vide) foi o genitor da raça humana. Yama teria sido o primeiro ser que preparou uma vereda ligando a terra ao céu. Destarte, tornou-se o rei dos mortos bem-aventurados, que aspiram fazer o mesmo trajeto. Porém, uma tradição posterior faz dele o chefe do inferno. Seja como for, ele é mais freqüentemente descrito como o deus dos mortos.

YANG CHU
Suas datas aproximadas foram 440 - 360 A.C. Ele foi um filósofo chinês do taoísmo (vide). Foi uma personagem interessante, que desenvolveu uma escola hedonista (ver sobre o *Hedonismo*) dentro daquela fé religiosa. Embora presumivelmente egoísta, sempre em busca de seus prazeres preferidos, muito pitorescamente ele declarou (à maneira típica dos chineses) que "jamais arrancaria um fio de cabelo, se isso viesse a beneficiar ao mundo inteiro", uma afirmação de tom nitidamente altruísta. Ver sobre *Altruísta*.

YANG E YIN
Ver sobre *Yin* e *Yang*.

YANTRAS
Essa é a designação dos diagramas místicos usados pelo hinduísmo, usualmente gravados sobre tabletes metálicos de cobre ou de outro metal mole, e que presumivelmente possuiriam poderes psíquicos. São usados paralelamente à mantra (vide) apropriada. Juntas, as duas coisas revestir-se-iam de poderes irresistíveis.

YAJUR-VEDA
Esse é um dos quatro Vedas, de data relativamente antiga, embora represente um estágio posterior da fé religiosa que é refletida no Rig-Veda. Caracteriza-se por muitas menções a questões rituais. As yujas, "formular em prosa", deram nome a esse livro. Ver o artigo geral sobre os *Vedas*.

YHWH
Ver os artigos intitulados *Yahweh* e *Jeová*.

YIDDISH E LADINO
Preservamos aqui a forma inglesa do nome desse idioma, e este verbete aparece aqui, visto que, na letra I, por omissão, não alistamos a forma portuguesa do mesmo, isto é, iídiche. O iídiche é um dos dois idiomas que os judeus, durante séculos têm empregado; o outro idioma é o ladino. O iídiche apareceu na Europa central, oriental e norte, ao passo que o ladino surgiu na Europa sul e sudeste. O iídiche tem por base línguas germânicas e eslavas, posto que escrito em caracteres hebraicos. Seu âmago é o alto alemão médio, falado nas terras que margeiavam o rio Reno, nos séculos XIII e XIV. Tradicionalmente foi falado pelos judeus em terras como a Polônia, a Lituânia, a Ucrânia, a Rumânia, a Hungria, e em muitos outros países para onde os judeus têm emigrado, nos tempos moderno e contemporâneo, incluindo o nosso Brasil. Ao cerne alemão, foram incluídos elementos do aramaico, do hebraico, do francês, do inglês, do polonês e de outras línguas eslavas. Esse idioma é escrito em caracteres hebraicos levemente modificados. Desde a volta de alguns milhões de judeus à Palestina, tem-se feito um esforço consciente por substituir o iídiche pelo hebraico, no estado de Israel. Esse hebraico é um descendente moderno do antigo hebraico bíblico, e é a língua oficial do estado de Israel. O termo iídiche vem do alemão, judisch, "judaico".

O ladino, por sua vez, sendo mais antigo que o iídiche, tem por base o espanhol e o português, com alguns acréscimos rumenos, turcos, gregos, etc. Tem sobrevivido como língua falada entre antigas colônias judaicas da Grécia, da Turquia, dos países balcânicos, etc. Há um bom número de judeus, atualmente instalados em Israel a ponto de justificar a publicação de um jornal diário nesse idioma, cujo título é "Esperança", impresso em Jerusalém.

YIN E YANG – YOGA

É evidente que tanto o iídiche quanto o ladino estão morrendo lentamente, falados por um número cada vez menor de pessoas. Em português, o termo "ladino" é sinônimo de "esperto", "vivo", talvez porque os judeus geralmente mostrem-se mais sagazes e ardilosos que as populações entre as quais têm vivido, qualidade ou defeito esse que lhes tem permitido a sobrevivência em meio a muitas perseguições. O ladino também é escrito em caracteres hebraicos.

YIN E YANG

É difícil determinar quando surgiu em cena o conceito chinês do yin e yang, embora seja sabido que vem de tempos bem remotos. Esses termos indicam os pólos opostos da energia vital e espiritual. O yin representaria o poder negativo (feminino); e o yang representaria o poder positivo (masculino). Todas as coisas que existem ou que acontecem operam de consonância com esses dois pólos de energia.

Idéias e Observações:

1. Uma das fontes desse conceito é o *Tao-Te Ching* (vide), o principal livro sagrado do taoísmo (vide). O tratamento dado à questão, nessa fonte, diz respeito ao esforço por equilibrar os dois poderes extremos, na tentativa de se achar e seguir o tao, ou seja, a vereda espiritual.

2. A filosofia Yin e Yang (ver o artigo *Yin e Yang, Filosofia de*) emprega esses dois termos em relação à rotação e ao predomínio dos elementos básicos da vida física, do metal, da madeira, da água, do fogo e da terra. Esses poderes produziriam uma existência de modelo cíclico para os homens. *Tsou Yen* (vide), que viveu no século III A.C., aparece como o cabeça dessa escola, mas sabemos muito pouco acerca dele ou de suas idéias.

3. O Um, ou Ser Absoluto, a Fonte Originária de toda a vida e existência, teria sido originada (sem saber-se como) do Não-Ser. Então, em suas operações o Um passou a empregar os dois princípios do yin e do yang. Foi Chuang Tzu (vide) quem fez essas asseverações.

4. Esse conceito era a doutrina padrão do Confucionismo Yin e Yang. Deram-lhe o apodo de ser "Governante de tudo".

5. Huai-Nan Tzu (vide) preferia empregar o princípio de explicações cósmicas, acerca de onde vieram à existência o sol, a lua, as estrelas e os planetas, e como esses astros operam.

6. De acordo com Shao Jung (vide), o Grande Último expressa-se através desse princípio; e tudo o mais na história acompanha tal princípio.

7. Chang Tsai (vide) pensava que essas forças são básicas nas operações da materialidade. Eram suas categorias básicas para explicações dos poderes residentes na natureza.

8. Chou-Tun-I opinava que temos aí o princípio produtivo do universo.

9. Chu Hsi (vide) equiparava-os, respectivamente, aos princípios do um e dos muitos.

10. O hegelianismo. Ao que tudo indica, o conceito básico que há no yin e yang é idêntico à noção de tese, antítese e síntese, postulada por Hegel, como se fosse alguma espécie de princípio misterioso, ou mesmo divino, que opera em todas as coisas e as governa, através de tensões, opostos e pólos.

YIN YANG, FILOSOFIA DE

Ver o artigo sobre *Yin* e *Yang*. A leitura desse artigo mostra-nos que esse princípio tem tido uma longa e variegada história na filosofia e na religião chinesas. Tsou Yen (305 - 240 A.C.) esteve entre aqueles que promoveram a idéia; e, ao assim fazê-lo, ele criou toda uma filosofia em torno da mesma. Mas as origens reais desse conceito estão perdidas na mais remota antiguidade.

Idéias:

1. O fluxo. A realidade inteira acha-se em uma constante mutação. Podemos explicar melhor esse fenômeno de fluidez em termos de poderes ou pólos contrários, ou seja, o yin (o princípio negativo, feminino, passivo, mais fraco) e o yang (o princípio positivo, masculino, ativo e mais forte). Esses são princípios importantes, mas não-exclusivos, pois receberiam a cooperação de outras forças, conforme se vê abaixo, nos pontos segundo e terceiro.

2. Existiriam cinco elementos básicos para a existência, ou seja, o metal, a madeira, a água, o fogo e a terra, sobre os quais atuariam o yin e o yang. Por igual modo, há ciclos na natureza e na história; e, por sua vez, esses elementos revezar-se-iam no predomínio sobre as coisas. Assim, o homem e a natureza complementar-se-iam, formando um único esquema teleológico da existência, o que ocorreria em ciclos. Ver o artigo *Filosofia da História*.

3. Vários conjuntos de cincos são importantes nessa fé, a saber: as atividades (aparência, fala, visão, audição, pensamento); as divisões de tempo (ano, mês, semana, dia, distinções zodiacais); bem-aventuranças (longevidade, riquezas, saúde, virtudes e um final feliz na vida); as orientações (cinco notas musicais, cinco órgãos dos sentidos, cinco metais, cinco virtudes, cinco sentimentos, cinco relações sociais).

4. Grosso modo, podemos dizer que esse sistema criou uma forma especial de teleologia, percebendo razão e desígnio em todas as coisas, como parte integral da natureza e do ser, e fazendo essa teleologia (vide) operar através de ciclos.

YOGA (IOGA)

Esse vocábulo vem do termo sânscrito, com o sentido de "jugo", "união". Essas duas palavras emitem importantes conceitos da ioga como um sistema. Há quatro expressões principais da ioga, discutidas no ponto quinto, abaixo, embora haja outras expressões, menos importantes. A ioga propõe-se a prover vários meios práticos para o indivíduo atingir a união com Deus ou a Alma Universal, ao mesmo tempo em que é um "jugo" que a pessoa toma sobre si mesma, sob a forma de uma vida disciplinada, visando atingir metas materiais e espirituais. Outros opinam que essa palavra vem da raiz sânscrita *yuj*, que significa "contemplar", pois a contemplação é um importante exercício para certos tipos de ioga.

Principais Usos da Ioga na Índia Atual. A palavra "ioga" denota: 1. Os exercícios ou métodos pelos quais o aficionado da ioga busca a *moksha*, "salvação". 2. Nome de uma das seis principais escolas de teologia-filosofia que se têm desenvolvido na Índia. Ver o artigo geral intitulado *Hinduísmo*.

Quando os iogues (praticantes da ioga) atingem um elevado nível em seu desenvolvimento, segundo supõe-se, atingem poderes miraculosos, e muitos relatos maravilhosos são contados acerca de seus feitos extraordinários na literatura indiana, os quais têm sido repetidos (e talvez adornados ou exagerados em algumas peças da literatura ocidental). Além disso, ocasionalmente têm aparecido homens, como Sathya Sai Baba (vide), que têm demonstrado seus poderes reais e quase inacreditáveis.

YOGA

Idéias e Informações Gerais:

1. Elementos da ioga foram antecipados na escola mahayana do budismo; mas, finalmente, essa filosofia tornou-se uma das principais seis escolas do hinduísmo ortodoxo. A quinta seção do artigo sobre o *Hinduísmo* descreve, de modo breve, essas seis escolas.

2. Sankhya (uma daquelas seis escolas do hinduísmo) é a escola que utiliza a ioga em seus exercícios. Essa escola segue as idéias do homem desse nome. Talvez seja verdade que Sankhya tenha provido a teoria da ioga, ao passo que a própria, como uma escola, desenvolveu a prática da ioga.

3. A citta é um importante conceito da ioga. É uma espécie de estofo mental de onde o ego humano emerge ou é formado. Porém, nem a citta e nem o ego seriam realidades finais. Não devemos confundir o temporal com o eterno. De fato, o ego é um conceito que derivamos da Avidya, que é a confusão que fazemos entre o eterno com o não-eterno, uma espécie de ilusão conceptual. O ego também deriva-se da prática falsa de nos apegarmos a coisas agradáveis (chamada Dvesa). Se nos pudermos livrar do ego e da citta, então haverá de emergir o "eu" real e eterno.

4. A vereda óctupla da ioga Astranga:

a. Yama, o código negativo da ética, ou seja, aquilo que envolve proibições, abstenções e certas formas de ascetismo (vide). O indivíduo não pode injuriar ao próximo, furtar, deixar-se arrastar por paixões carnais e pela avareza.

b. Niyama, que é a ética positiva do sistema, envolvendo purificações de natureza mental e física, além das atitudes de austeridade, de estudo e de devoção a Deus.

c. Asana, que são os ensinamentos acerca de posturas que ajudam a meditação, um dos principais instrumentos utilizados pela ioga.

d. Pratyahara, que é o controle dos sentidos, a minimização do que os sentidos físicos podem prover-nos, para que possamos buscar as coisas que vão além dos sentidos.

e. Pranayama, a teoria concernente e os exercícios que abordam o controle da respiração, tudo o que provê uma abundante prana (força vital) ao praticante da ioga. Os exercícios de meditação ajudariam a meditação.

f. Dharana, que é a fixação da mente sobre um objeto da meditação, com o envolvimento de diversas técnicas de ajuda. A mente precisa ser disciplinada, a fim de que não fique divagando.

g. Dhyana, a obtenção de uma meditação imperturbada, que transcenda ao corpo físico e suas necessidades, levando o indivíduo ao estado de mente pura.

h. Samadhi, a concentração completa, absorvida, o estado meditativo perfeito. Ao atingir tal estágio, a pessoa permanece consciente do objeto de sua meditação; mas, avançando ainda mais, o indivíduo funde-se ao objeto no qual medita, de tal maneira que não há mais um objeto. É por essa altura que a iluminação é esperada.

5. Tipos de Ioga. Nem toda ioga consiste em meditação e estados místicos. Há muitas variedades de ioga, mas quatro tipos básicos prevalecem na prática, como formas mais prestigiosas. Esses quatro tipos básicos são:

a. Raja Yoga. Esse tipo enfatiza a concentração, a meditação e os estados místicos. Esse é o caminho dos místicos. Ver sobre o *Misticismo*.

b. Bhakti Yoga. Aí a ênfase recai sobre a devoção e o amor, tanto a Deus quanto aos homens, o que resulta em serviço e altruísmo.

c. Inana Yoga. Esse tipo salienta o conhecimento. Esse é o caminho dos eruditos.

d. Hotha Yoga. Esse tipo destaca as posturas corporais, como meios de disciplina do corpo físico. Além de ser uma valiosa ajuda à concentração e à meditação, esse método também tem sido usado nas curas do corpo.

Em certos lugares, em adição a esses quatro tipos, também se utiliza a Karma Yoga, ou seja, a vereda das obras de natureza social, pessoal, caritativa, humanitária. Essa vereda pode ser uma expressão da Bhakti Yoga. As pessoas preferem aí a obra de Deus à comunhão com Deus.

O Propósito das Veredas da Ioga. Apesar de haver muitos propósitos e utilidades nessas veredas, o primeiro princípio consiste em ensinar o homem a desvencilhar-se da materialidade, por tornar-se completamente absorvido por uma dessas veredas. A meta consiste em fazer o homem perder de vista sua atitude egoísta e materialista diante da vida, para que então brilhem as coisas do espírito. Assim o homem seria iluminado e transformado, e a salvação seria conseguida.

Combinações. Muitos iogues combinam dois ou mais desses caminhos da ioga. Essas veredas não são exclusivistas, embora possam parecer conflitar, na opinião de alguns indivíduos.

6. A Asparsha Yoga enfatiza a "meditação não-contaminada". Essa vereda é ascética, na qual seu praticante mantém-se totalmente distante de todos os seres e coisas vivos. Alguns acreditam que o sucesso, nessa vereda, conduz imediatamente à identificação com Brahman, embora pouquíssimos sejam capazes de tal sucesso. Guadapada (vide) frisava essa forma de ioga.

7. Shiva Yoga. No hinduísmo, Shiva é o deus do sono e da destruição. Essa forma de ioga foi criação de Raja. Shiva é um objeto especial nessa vereda. Os ritos e austeridades que ele prescrevia formam a essência dessa vereda.

8. A Karma Yoga enfatiza o livramento dos ciclos de reencarnação por meio do trabalho árduo e do cumprimento dos próprios deveres, tudo revestido de grande utilidade e qualidade.

9. A Mantra Yoga busca alcançar o controle e o progresso mediante mantras secretas, sons e desenhos imaginativos. Uma dessas formas é a utilização do cântico do *om*, a sílaba sagrada da submissão e reverência. A repetição de certos sons supostamente liberaria uma energia vital e produziria a iluminação. A palavra mantra significa "conselho" ou "instrumento do pensamento". As mantras supostamente correspondem a realidades significativas do universo, estabelecendo um tipo de ressonância espiritual com essas realidades.

10. Kundalini Yoga. Essa variedade de ioga está atraindo muita atenção atualmente, até mesmo nos países ocidentais. Ela afirma que o homem é dotado de uma imensa fonte de energia, que reside nas partes reprodutivas de seu corpo físico, ou em partes adjacentes (se concebermos uma energia não-física). Seria uma espécie de energia bobinada (conforme a palavra kundalini dá a entender), a qual pode ser liberada. Uma vez liberada, sobe pela coluna vertebral e entra no cérebro, produzindo uma espécie de maciço orgasmo cerebral, o que, por sua vez, resulta na iluminação, e, finalmente, na total transformação do ser, tornando-o mais espiritual, mais santo, mais divino. Essa teoria inclui a idéia de que o homem é um corpo físico grosseiro, embora também seja um corpo sutil, e, acima de tudo, um espírito puro. O corpo grosseiro seria controlado através do sistema glandular, por via das chakras ou rodas de energia. A mais potente dessas chakras seria a da área reprodutiva, uma energia disponível para fins de iluminação. O alvo mesmo das práticas de meditação é a elevação dessa energia à chakra mais elevada, a do cérebro (no alto da cabeça, também

chamada de "lótus de mil pétalas"). Ao que tudo parece, temos aqui um real fenômeno que os místicos, os cientistas, os filósofos e os teólogos estão estudando em nossos dias. Alguns pensam que o gênio pode resultar desse método, e não meramente a transformação espiritual, supondo que o gênio sempre dependa desse fator, sem importar qual a descrição das experiências envolvidas. Isso talvez seja um exagero, mas tais reivindicações deveriam ser investigadas. Sabemos que o homem é uma criatura ligeiramente inferior aos anjos, e que suas potencialidades são imensas. Deveriam prosseguir as investigações acerca dessas potencialidades e sistemas, que asseveram que tais energias podem ser liberadas. Algumas pessoas têm atingido tais experiências de modo espontâneo, mas, normalmente, elas são resultantes de um esforço prolongado de práticas místicas.

11. A Laya Yoga ensina um dualismo macho-fêmea, pessoa-natureza, no tocante à natureza humana, além de identificar os seis centros de energia (ou chakras: na base da coluna vertebral, na região do umbigo, na região do coração, na região da garganta, na região entre as sobrancelhas e no alto da cabeça) com o dualismo macho-fêmea. A chakra do alto da cabeça (o lótus de mil pétalas) é o princípio masculino da pessoa; e a chakra da base da coluna vertebral é o princípio feminino e da natureza. A tarefa dos exercícios de ioga seria despertar e liberar a energia da fêmea, a energia natural, a fim de conduzi-la até o alto da cabeça, a área masculina, da pessoa. O alvo de tudo isso seria fundir a pessoa com a Pessoa Suprema. São empregados exercícios, como aqueles da Hatha Yoga, ou como o ouvir de sons produzidos pelas chakras, ou a meditação, com suas muitas técnicas de contemplar a luz que ilumina a si mesma.

12. A Yoga Integral é a tentativa para o indivíduo atingir o arrebatamento pessoal, o transporte do ser para uma esfera espiritual, sem a necessidade da ocorrência da morte biológica. Ou o mesmo nome pode ser aplicado ao mesmo resultado, em que a morte física faz parte do processo. (AM E P)

YOGA, TIPOS DE

Ver o artigo chamado *Yoga* (*IOGA*), especialmente em seu quinto ponto.

YOGI (IOGUE)

Um termo hindu que indica aquele que pratica a Ioga. Ver o artigo intitulado *Yoga* (*Ioga*). A ioga divide-se em vários ramos ou formas. O alvo da ioga é a salvação, nos termos hindus.

YOM KIPPUR

Esse é o nome hebraico para Dia da Expiação. Essa festa religiosa é celebrada no décimo dia do mês de Tishri (setembro-outubro). Caracteriza-se por vinte e quatro horas dedicadas à oração, ao jejum e a ritos, do pôr-do-sol ao pôr-do-sol. Ver o artigo geral *Festas* (*Festividades*) *Judaicas*. Ver também o artigo separado sobre o *Dia da Expiação*.

YOUNG, BRIGHAM

Ver o artigo geral *Santos dos Últimos Dias* (*Mórmons*). Aos detalhes que ali aparecem sobre a vida e os labores de Brigham Young, adiciono aqui o seguinte:

Brigham Young nasceu em 1801 e faleceu em 1877. Nasceu em Whitington, estado de Virgínia, nos Estados Unidos da América. Faleceu em Salt Lake City, por ele fundada. Ele foi o nono dos onze filhos de John e Abigail Young. Cresceu praticamente sem ter recebido educação acadêmica, mas era autodidata, um homem que exerceu várias atividades, como carpinteiro, vidraceiro e pintor. A família mudou-se para o estado de Nova Iorque. Seguiu o metodismo durante algum tempo, mas após ter ponderado o Livro de Mórmon durante cerca de dois anos, tornou-se mórmon. Trabalhou como missionário, juntamente com o novo grupo religioso, de 1839 a 1841, na Inglaterra. Em 1834, acompanhou a mudança do Acampamento de Sião para o estado de Missouri, e, de fato, salvou a Igreja Mórmon da extinção, após a morte de Joseph Smith (vide). E quando os mórmons foram expulsos do estado de Missouri, ele organizou a famosa marcha para oeste, até as margens do Lago Salgado, no atual estado norte-americano de Utah. Isso guindou-o à posição de líder do grupo, pois levou a porção mais numerosa dos mórmons ao território agora chamado estado de Utah. Finalmente, também trouxe setenta mil pessoas da Europa, a fim de engrossar as fileiras dos fiéis de seu grupo.

Young foi homem dotado de grande senso de previsão, habilidade organizacional e de inteligência. Foi um dos grandes pioneiros norte-americanos. Estabeleceu um sistema de irrigação (sem o qual os colonos não teriam sobrevivido à aridez da parte ocidental dos Estados Unidos da América). Ele fez os seus seguidores espalharem-se por uma larga faixa de território, para que não formassem cidades populosas, que se tornariam centros de criminalidade. E estabeleceu negócios, mineração e atividades agrícolas. Um de seus mais notáveis feitos foi a fundação da Universidade de Utah (então chamada Deseret, visto que o estado ainda não existia na época). Essa universidade foi fundada somente três anos depois de ali terem chegado os primeiros colonos mórmons. Essa foi a primeira universidade norte-americana a oeste do rio Missouri. Foi nessa universidade que me formei como Mestre em Artes e Doutor de Filosofia (Ph.D) nos campos da Filosofia e das Línguas Clássicas. Essa universidade, apesar de continuar sendo ainda administrada por uma maioria mórmon, é uma das principais críticas da Igreja Mórmon. A universidade mórmon oficial é a Universidade Brigham Young, localizada em Provo, estado de Utah, a cerca de oitenta quilômetros ao sul de Salt Lake City.

Brigham Young tornou-se presidente da Igreja Mórmon, cabeça do concílio dos Doze Apóstolos, primeiro governador do território de Utah e primeiro governador do estado de Utah. Ele construiu o magnificente templo mórmon em Salt Lake City, além do Tabernáculo, uma peça de arquitetura adjacente igualmente surpreendente, além do templo de Saint George, na parte sul do Estado de Utah.

Brigham Young, segundo se noticia, teve vinte e sete esposas e gerou cinquenta e seis filhos. Por ocasião de sua morte, o estado de Utah (praticamente composto apenas por mórmons) tinha uma população de cento e quarenta mil habitantes. Foi sepultado em um lugar, em Salt Lake City, desconhecido para os que não são mórmons. Isso porque temia-se que seu túmulo viesse a tornar-se objeto de peregrinações e superstições, razão do segredo do local. Suponho que bons mórmons recebam permissão de visitar o local. De certa feita, quando pedi a um bom mórmon para mostrar-me o lugar, recebi uma resposta evasiva. Todavia, museus existentes naquela cidade contam com relíquias de Brigham Young, incluindo um tufo de seus cabelos, tufo esse que eu mesmo vi.

Brigham Young e seus poucos fiéis adeptos despertaram a oposição do governo norte-americano por promoverem a poligamia. As ameaças do uso de força por parte do governo fez os mórmons abandonarem a poligamia física, embora suas doutrinas incluam uma forma espiritual de poligamia. Essas questões são discutidas no artigo *Santos dos Últimos Dias* (*Mórmons*).

1. Formas Antigas

fenício (semítico), 1000 A.C.   grego ocidental, 800 A.C.   latino, 50 D.C.

I   Z   Z

2. Nos Manuscritos Gregos do Novo Testamento

ʒ ʒ ȝ

3. Formas Modernas

Z Z z z   Z Z z z.   Z z

4. História

Z é a vigésima sexta letra do alfabeto português (ou a vigésima terceira, se deixarmos de lado o *K*, o *W* e o *Y*). Historicamente, essa letra deriva-se da consoante semítica *zayin*, «martelo» (segundo parece). No hebraico moderno, o nome dessa letra significa «arma». Os gregos adotaram a letra, modificando-lhe a forma e chamando-a *zeta*. Nesse idioma representa os fonemas *dz* ou *zd*. O latim tomou a letra por empréstimo do grego, e dali passou para muitos idiomas modernos. O som original da letra nos idiomas semíticos parece ter sido *z*, fonema esse que tem sido coerentemente preservado em muitas línguas modernas.

5. Usos e Símbolos

O A combinado com o Z indica a extensão inteira de algo (de A a Z), similar ao grego o Alfa e o Ômega. Z, isoladamente, pode apontar para o fim de algo. Z é o símbolo do *Codex Dublinensis*, descrito no artigo separado Z.

Caligrafia de Darrell Steven Champlin

Arte céltica — Letra Z decorativa, Livro de Kells

Z

Z

Essa é a designação do **Codex Dublinenses**, preservado na biblioteca do Trinity College, em Dublin, na Irlanda (o que deu a esse manuscrito o seu nome). Trata-se de um palimpsesto de trinta e duas folhas, contendo somente duzentos e noventa e cinco versículos do evangelho de Mateus. O texto é essencialmente do tipo alexandrino, e o manuscrito quase sempre concorda com o *Codex Sinaiticus*. Data do século V d.C. Aí pelo século X d.C., o manuscrito foi usado novamente, pois um novo texto foi escrito por sobre o original (daí o fato desse manuscrito ser um *palimpsesto*). Esse texto sobrescrito contém uma cópia de escritos dos pais gregos da Igreja.

ZAÃ

No hebraico, **gordura**. Ele foi um dos filhos do rei de Judá, Reoboão (II Crô. 11: 19). Viveu por volta de 960 a.C.

ZAANÃ

No hebraico, "rica em rebanhos". Uma cidade que havia no território ocidental da tribo de Judá, mencionada exclusivamente em Miquéias 1:11. Ainda não foi identificada, embora, geralmente, seja considerada idêntica à Zenã referida em Jos. 15:37 (vide).

ZAANIM

1. *Terminologia*. A palavra hebraica significa "planície", "carvalho de Zaanim", que se refere, provavelmente, à árvore sagrada que marcava o local onde Jael, mulher de Heber, matou Sísera, ao enfiar uma estaca de barraca através de sua têmpora (Juí. 4.11). A Septuaginta, entendendo que o hebraico significava "cortar", "decepar", translitera o nome como *Besamiein* ou *Besananim*. As versões não entendiam o hebraico com certeza alguma, nem o compreendemos nós, havendo assim adivinhações sobre o verdadeiro significado.

2. *Local*. Possivelmente o local que se pretendia retratar ficava na fronteira sul de Naftali (Jos. 19.33), próximo ao incidente da morte de *Sísera* (ver o artigo) mencionado acima. Mas, se seguirmos a Septuaginta, podemos identificar Khirbet Bessum como sendo o local que se situava cerca de 5 km a nordeste do monte Tabor. Há outras sugestões: Lejjun, entre Megido e Tell Abu Qedes (= Quedes?). Ou poderia ser Khan et-Tujjar, que ficava na estrada que levava de Bete-Sea a Damasco, cerca de 6 km a sudeste de Adami.

ZAAVÃ

No hebraico, "causador de temor". Esse nome próprio aparece somente em dois trechos bíblicos, isto é, Gên. 36:27 e I Crô. 1:42. Algumas versões grafam o nome de forma diferente nesse última referência, isto é, *Zavã*. Nossa versão portuguesa adotou, em ambos os trechos, somente uma grafia. Ele era filho de Eser, um chefe de clã entre os horeus.

ZABADE

No hebraico, *presente* ou "Deus deu", entendendo que Yahweh, o Deus de Israel, é aquele que dá os filhos aos pais. Este é o nome de sete pessoas no Antigo Testamento, pessoas que listo em ordem cronológica.

1. Filho de Sutela, líder da tribo de Efraim (I Crô. 7.21), de data incerta.

2. Um filho de Natã, pai de Eflal. Ele era neto de Jara, escravo egípcio que casou com a filha de seu mestre, Sesa, um acontecimento incomum, mas não desconhecido. Ver I Crô. 2.35, 37. Sua data é incerta.

3. Um dos 30 grandes guerreiros de Davi, filho de Alai (I Crô. 11.41), nenhum dos quais mencionado explicitamente no relato bíblico. Ele viveu em cerca de 1000 a.C.

4. Um filho de Simeate, amonita que, com Jeozabade, filho de Sinrite, moabita, assassinou o rei Joás. Ver II Crô. 24.23-27 para a história detalhada. A época foi em torno de 800 a.C. Esses dois matadores acabaram sendo executados pelo que fizeram, mas seus filhos foram poupados em um ato de misericórdia, em obediência à lei de Moisés. Ver II Crô. 25.3, 4 e Deu. 24.16. O nome desse homem é dado como Jozacar em II Reis 12.21.

5, 6, 7. Esse nome também designa três homens que foram forçados a se divorciar de suas mulheres pagãs quando retornaram do exílio babilônico e passaram a habitar em Jerusalém. Havia um tipo de movimento "de volta à Bíblia" que trouxe a legislação mosaica à tona no remanescente da Jerusalém reconstruída. Ver esses homens mencionados em Esd. 10.27; 10.33 e 10.43. Sua época foi em algum momento após 450 a. C.

ZABADEANOS

No grego, **Pabadaioi**. Esse era o nome de uma antiga tribo árabe. Foram atacados e despojados por Jônatas Macabeu, no decurso da guerra contra Demétrio (I Macabeus 12:31). Josefo, ao narrar o incidente, chamou esse povo conquistado pelo nome de nabateus (Josefo, *Anti*. 115,10). E isso significa que eles formavam uma poderosa tribo cujo quartel-general ficava na cidade de Petra (vide). Todavia, não há quaisquer outras evidências em favor dessa opinião. Por outro lado, Oesterley, em Charles, *Apocrypha* 1.112, prefere a forma escrita "gabadeanos", embora com pouquíssimo apoio nos manuscritos.

Os homens dessa tribo talvez habitassem em uma cidade chamada Zabade, embora dificilmente pudesse ser a mesma cidade com esse nome, situada a noroeste de Hamate (*Corpus Inscriptionum Graecarum*, nº 9893). Lemos que quando Jônatas os atacou, ainda não havia atravessado o Eleutero, o moderno nahr el-Kebir, na Biq'a, que deságua no mar entre Trípoli e Arcados, assinalando a fronteira da Cele-Síria e da Fenícia (ver Estrabão 16). Após a sua vitória, Jônatas prosseguiu na direção de Damasco, levando os despojos encontrados. Por conseguinte, parece que o lugar do encontro armado ficava a leste do Eleutero, entre Damasco e Hamate. É possível que Zebdani, entre Baalbeque e Damasco, preserve o nome dessa tribo; mas há estudiosos, como J.C. Dancy, que advertem que não devemos rebuscar relíquias de nomes de tribos nômades na toponímia síria moderna.

ZABAI

No hebraico, "puro" ou "perambulador". Na Septuaginta, *Zabád ou Zaboû*. Outros estudiosos preferem pensar em uma derivação de "conceder", como um nome hipocorístico, ou uma abreviação de *zabadya*, palavra hebraica que significa "Yahweh concedeu". Há dois homens com esse nome, nos escritos bíblicos, a saber:

1. Um descendente de Bebai, que se tinha casado com uma mulher estrangeira, na época de Neemias, e foi forçado a divorciar-se dela, Esd. 10:28; 1 Esdras 9:29; na Septuaginta o seu nome aparece com a forma grega de *Iozábdos*.

2. O pai de Baruque. Esse Baruque trabalhou com grande empenho na reconstrução das muralhas de Jerusalém (Nee. 3:20). A *Qeré* (vide) diz *Zakkai*, juntamente com vários manuscritos hebraicos, com a Vulgata e com a versão siríaca. Esse nome próprio também ocorre em Esdras 2:9 e Neemias 7:14, servindo de base para o apelativo Zaqueu, que aparece no Novo Testamento. Ver sobre *Zaqueu*.

ZABDEU – ZACARIAS

ZABDEU
Uma forma do nome **Zebadias** (vide), nos escritos apócrifos, conforme algumas versões estrangeiras.

ZABDI
No hebraico, "Yahweh deu", ou então, na opinião de outros estudiosos, "presente de Yahweh". Ou então, se o nome não é hipocorístico, "meu dom" ou "meu presente". Cf. sobre o nome *Zebedeu*. Há quatro homens com esse nome, nas páginas do Antigo Testamento:

1. Um descendente de Judá, da família de Zera, avô de Acã (Jos. 7:1,17,18). Alguns manuscritos da Septuaginta, e também no trecho de I Crônicas 2:6, referem-se a ele como "Zinri", mediante a confusão dos fonemas consonantais hebraicos correspondentes ao *b* e ao *m*, além das letras correspondentes a *d* e *r*, que, no hebraico, são muito parecidas entre si. Viveu por volta de 1500 a.C.

2. Um benjamita que, ao que tudo indica, descendia de Eúde (I Crô. 8:6,19). Viveu por volta de 1300 a.C.

3. Um dos oficiais civis de Davi, que estava encarregado "sobre o que das vides entrava para as adegas" (I Crô. 27:27). Ali ele é descrito como um sifmita (vide). Viveu por volta de 1015 a.C.

4. Um levita que era descendente de Asafe (Nee. 11:17). Um descendente dele, de nome Matanias, dirigiu a oração de ação de graças, quando Jerusalém foi repovoada, já nos dias de Neemias. Em I Crônicas 8: 19, o seu nome também aparece, em uma longa lista de descendentes de Benjamim. Viveu por volta de 1300 a.C.

ZABDIEL
No hebraico, "Deus é quem deu". Na Septuaginta, esse nome tem a forma de *Zabdiel*. Esse nome também pode ser interpretado como "meu presente é El (Deus)". No acádico, uma língua semítica, esse nome figura como *Zab-di-du*. Há três personagens do sexo masculino, nas páginas do Antigo Testamento, com esse nome:

1. O pai de Jasobeão, um dos importantes oficiais militares de Davi, encarregado de um segmento do exército de Israel. Ele estava encarregado de operar durante o primeiro mês de cada ano, conforme se aprende em I Crônicas 27:2. Ele descendia de Perez, da tribo de Judá, e, por isso mesmo, era parente distante de Davi. Viveu por volta de 1070 a.C.

2. Um proeminente oficial (no hebraico, *pagid*, "inspetor") dos dias de Neemias (Nee. 11:14), superintendente de um grupo de sacerdotes que habitavam em Jerusalém. Ele é identificado como filho de Gedolim. Viveu por volta de 445 a.C.

3. Um árabe que decapitou Alexandre Balas, quando este fugira para a Arábia. Zabdiel enviou a cabeça dele a Ptolomeu Filopator (I Macabeus 11:17; Josefo, Anti. 114,8).

ZABUDE
Uma forma escrita de **Zacur** (vide).
No hebraico, "dotado". Era filho de Natã. Era amigo e um dos principais ministros de Salomão (I Reis 4:5). Talvez fosse o mesmo homem chamado Zabade, em I Crô. 2:36. Viveu por volta de 1000 a.C.

ZACAI
No hebraico, "puro". Entretanto, de acordo com certos estudiosos, provavelmente essa é uma forma contraída de Zacarias (vide), em cujo caso teria o mesmo significado que este, ou seja, "Yahweh é renomado" ou "Yahweh é famoso". Há dois homens com esse nome, no Antigo Testamento:

1. O nome de uma família de exilados que retornou à Palestina, terminado o exílio babilônico (Esd. 2:9; Nee. 7:14). O texto paralelo no livro apócrifo de I Esdras 5: 12 dá seu nome como Corbe. Esse nome deu origem ao apelativo masculino Zaqueu (vide), e que aparece tanto no livro apócrifo de II Macabeus (10:19) quanto no Novo Testamento. Viveu por volta de 536 a.C.

2. O pai de Baruque (Nee. 3:20), de conformidade com a Qeré (vide). Entretanto, o texto massorético, acompanhado pela nossa versão portuguesa, diz Zabai (vide, número 2). Viveu por volta de 445 a.C.

ZACARIAS
No hebraico, "Yahweh lembra", ou, como dizem alguns, "Yahweh é famoso". Esse é o nome mais popular na Bíblia, o que presumivelmente significa que era o nome mais popular entre os hebreus judeus, ou pelo menos um dos mais populares. *Trinta* pessoas do Antigo Testamento são assim chamadas, enquanto há duas no Novo Testamento. Listo os nomes em ordem cronológica, até o ponto onde foi possível determinar.

No Antigo Testamento
1. Um membro da família de Jeiel da tribo de Benjamim, que viveu em Gibeom (I Crô. 9.35, 37). Ele é chamado de *Zequer* em I Crô. 8.31, o que provavelmente é uma abreviação de Zacarias. Viveu por volta de 1180 a.C.

2. Um membro da tribo de Manassés, que residia em Gileade. Foi o pai de Ido e viveu durante o reinado de Davi, por volta de 1040 a.C. Ver I Crô. 26.10, 11.

3. Um levita do ramo dos coatitas. Era da casa de Izar, descendente de Ebiasafe. Foi o filho primogênito de Meselemias, que trabalhou como porteiro no tabernáculo durante a época de Davi (I Crô. 9.21, 22; 26.2), por volta de 1015 a.C. De interesse especial é a informação dada em I Crô. 26.14 de que ele era um habilidoso conselheiro.

4. Um levita com este nome era um conhecido músico que tocava o saltério e provavelmente outros instrumentos. A música era parte importante dos cultos religiosos dos hebreus. Quando a arca da aliança foi trazida ao tabernáculo temporário de Davi, esse homem tocou seu instrumento acompanhando o passar da procissão. Ver I Crô. 15.18, 20; 16.5. Ele viveu por volta de 1015 a.C.

5. Este homem, do mesmo nome que o anterior, também estava presente quando a arca da aliança foi trazida ao tabernáculo temporário de Davi. Uma procissão especial acompanhava a arca da casa de Obede-Edom a Jerusalém, e esse homem tocou sua trombeta pelo caminho, celebrando a ocasião. Ver I Crô. 15.24. Sua época foi em torno de 1015 a.C.

6. Um levita da família descendente de Coate era assim chamado. Ele pertencia especificamente à família de Uziel, sendo filho de Isaías. Serviu no tabernáculo na época de Davi, em torno de 1015 a.C. Ver I Crô. 24.25.

7. Outro levita com este nome era da família merarita de sacerdotes. Filho de Hosa, trabalhava como porteiro do tabernáculo na época de Davi, por volta de 1015 a.C. É mencionado em I Crô. 26.10, 11.

8. O príncipe de um povo era chamado assim. Ele tinha importante posição na tribo de Judá, sendo um mestre especial do povo na época de Josafá. Esse rei o encorajou a realizar seu ministério de ensino por causa da ignorância e dos muitos lapsos do povo (II Crô. 17.7). Sua época foi em torno de 910 a.C.

9. Um descendente de Asafe, da família de Gérson, um sacerdote (II Crô. 20.14), viveu durante a época em que Josafá era rei de Judá, por volta de 896 a.C. O filho

ZACARIAS – ZACARIAS, LIVRO DE

deste homem encorajou o povo a combater os moabitas que periodicamente assediavam esse povo.

10. O quarto filho do rei Josafá (o quarto rei de Judá depois de sua separação das dez tribos, Israel) tinha esse nome (II Crô. 21.2). Sua época foi em torno de 880 a.C.

11. Filho do sumo sacerdote Joiada, era chamado assim. Esse sumo sacerdote ocupava o ofício de sacerdote na época de Joás, rei de Judá (II Crô. 24.20). É provável que, depois da morte de Joiada, Zacarias tenha assumido seu lugar como sumo sacerdote. Ele se opunha à idolatria radical da época (cerca de 840 a.C.) e, aparentemente, vítima de uma conspiração, foi apedrejado à morte no pátio do templo, entre o próprio prédio e o altar. Pelo menos alguns supõem que ele seja o que é mencionado em Mat. 23.35. O nome de seu pai, *Barquias*, pode ter iniciado à margem e finalmente ter chegado ao texto, substituindo *Joiada*, e o escriba teria confundido esse homem com Zacarias, o profeta, cujo livro de profecia faz parte dos Pequenos Profetas. Ver Zac. 1.1. Alguns estudiosos, contudo, supõem que Zacarias, o profeta, esteja em vista na referência de Jesus, embora não tenhamos observações sobre sua morte nas Escrituras canônicas. Ver Mat. 23.35 no *Novo Testamento Interpretado* para outros comentários sobre o problema de identificação.

12. Um homem de visões e introspecção espiritual tinha esse nome (II Crô. 26.5). Era um conselheiro do rei de Judá, Uzias. Sua época foi em torno de 810 a.C.

13. Uma testemunha à validade de algumas das profecias de Isaías, filho de Jeberequias (Isa. 8.2). Ele foi identificado por alguns com aquele do item 17, abaixo. Sua época foi em torno de 760 a.C.

14. O filho de Jeroboão II (ver a respeito), que se tornou rei de Israel, sendo o último membro da dinastia de Jeú. Foi assassinado por Salum em Ibleão. O assassino tornou-se rei em seu lugar (II Reis 14.29; 15.11). Zacarias reinou apenas por seis meses e morreu sob a praga que declarava que a dinastia de Jeú chegaria apenas à quarta geração (II Reis 10.30). Sua época foi em torno de 770 a.C.

15. Um líder da tribo de Rúben que viveu por volta de 740 a.C. Ver I Crô. 5.7.

16. O avô de Ezequias por parte de mãe, que viveu por volta de 750 a.C. Ver II Reis 18.1, 2.

17. Um levita descendente de Asafe, que viveu por volta de 730 a.C. (II Crô. 29.13). Ele ajudou na purificação do templo na época de Ezequias. Alguns o identificam com o do item 13, acima, mas ninguém sabe com certeza se isto está ou não correto.

18. Um levita da família de Coate, supervisor dos reparos no templo na época do rei Josias II (II Crô. 34.12). Ele viveu por volta de 620 a.C.

19. Um sacerdote que era personagem principal no templo na época do rei Josias (II Crô. 35.8). Viveu por volta de 620 a.C.

20. Um membro da tribo de Judá da família de Selá (Nee. 11.5), que viveu por volta de 460 a.C.

21. Um membro da tribo de Judá da família de Perez (Nee. 11.4), que viveu por volta de 460 a.C.

22. Um filho de Pasur, da tribo de Malquias (Nee. 11.12), sacerdote cujos descendentes voltaram para ajudar a reconstruir Jerusalém após o cativeiro babilônico. Sua época é desconhecida.

23-27. Cinco pessoas da época de Esdras eram chamadas por esse nome, eu as agrupo pois sabemos muito pouco sobre elas. Todas viveram por volta de 460 a.C. Ver as referências a seguir, que fornecem os nomes de seus pais e, em alguns casos, um pouco de informações sobre algo que fizeram: Esd. 8.3; 8.11; 8.16; 10.26; Nee. 8.4.

28. Um filho de Jônatas, levita, líder da casta de músicos que participou com seus talentos musicais na ocasião da dedicação do Segundo Templo (Nee. 12.35, 36). Sua época foi em torno de 450 a.C.

29. Um sacerdote que tocou a trombeta quando os muros de Jerusalém foram dedicados após os exilados retornarem do cativeiro babilônico, por volta de 450 a.C. Ver Nee. 12.41.

30. O profeta Zacarias, que escreveu o livro dos Profetas Menores chamado com seu nome. Ver os detalhes no artigo *Zacarias, Livro de*, seção II. *Autor e Unidade*.

No Novo Testamento

1. Mat. 23.35 e Luc. 11.51 referem-se a um homem (profeta) com esse nome que foi assassinado no pátio do templo, mas não é certo quem seria essa pessoa. Ver o item 11 da lista de pessoas chamadas Zacarias no Antigo Testamento. Os comentários sobre a questão de Mat. 35 no *Novo Testamento Interpretado* dão detalhes e discutem diversas opiniões sobre a identidade dos homens envolvidos.

2. O pai de João Batista (Luc. 1.5, 12, 13, 18, 21, 40, 67; 3.2). Ele era um sacerdote que pertenceu à divisão de sacerdotes de Abias (I Crô. 24.10, 17-19). O Novo Testamento dá louvor à sua piedade e lealdade aos cultos a Yahweh. Enquanto realizava seu trabalho como sacerdote, quando foi a vez de sua companhia fazê-lo, ele recebeu uma visita angelical (Luc. 1.11 ss.), que anunciou o breve nascimento de seu ilustre filho. O anjo foi Gabriel (Luc. 1.19) que não foi desencorajado pelo fato de que Zacarias e sua mulher estavam bem além da idade de produzir filhos. Ele ficou mudo por causa de sua descrença, e tendo sido liberado disso apenas quando nasceu seu filho João, o Batista. Quando a criança nasceu, ele escreveu as palavras "Seu nome é João", que era ao contrário dos planos dos outros envolvidos no caso, e repentinamente recuperou a capacidade de fala. O anjo havia dito que seu nome tinha de ser João, vs. 13. Ver este incidente descrito em Luc. 1.20 ss., especialmente os vss. 60 ss. Depois disso ele pronunciou um notável hino de louvor, inspirado pelo Espírito Santo (vss. 67 ss.) Parte desse hino contém as bem conhecidas palavras "... para alumiar os que jazem nas trevas e na sombra da morte, e dirigir os nossos pés pelo caminho da paz" (vs. 79), que têm importância messiânica, claramente.

ZACARIAS, LIVRO DE

I. Caracterização Geral
II. Autor e Unidade
III. Data; Origem; Destino
IV. Propósito
V. Conteúdo

I. Caracterização Geral

Zacarias era um contemporâneo mais jovem de Ageu e os dois trabalharam na mesma época e no mesmo local (Jerusalém, por volta de 520 a.C.). Assim, é correto chamar as profecias dos dois de "livros companheiros", já que eles se uniram nos esforços de corrigir os mesmos problemas espirituais dos exilados que retornaram a Jerusalém após o *cativeiro babilônico* (ver o artigo nesta *Enciclopédia de Bíblia, Teologia e Filosofia*).

O livro (profecia) de *Zacarias* é uma composição de duas seções, formato comum em livros antigos. Quando se seguia este plano, às vezes ambas as seções eram escritas pelo mesmo autor, às vezes não. Tais livros eram construídos de forma que a parte I podia circular separadamente da parte II. Zacarias é dividido em duas partes: Parte I, caps. 1-18 e Parte II, caps. 9-14. Liberais acreditam que a Parte II é um tipo de compilação de artigos

ZACARIAS, LIVRO DE

(a maioria deles escatológica) por um ou mais autores ou editores, enquanto a Parte I é aceita por quase todos os estudiosos como produção genuína de Zacarias, o profeta, escrita na época que ela reflete, não por um autor posterior que tinha algum conhecimento da história e a escreveu como se fosse profecia. Sob a seção II, Autor e Unidade, entro mais a fundo nos problemas de relacionamento entre as duas partes e de autoria.

Os dois profetas entregaram seus oráculos na mesma época, mas parece que Ageu morreu ou se mudou de Jerusalém. Assim, de certa forma, Zacarias deu continuidade aos trabalhos de Ageu, que os dois haviam compartilhado enquanto este ainda estava em Jerusalém. Zacarias era um entusiasta que antecipava a revolução mundial na qual a nação hebraica viria à liderança e se tornaria Líder das Nações. Naquela época, presumivelmente, todas as nações abraçariam a fé hebraica e judaica, isto é, o yahwismo do Antigo Testamento. Zacarias foi um sacerdote profeta que via o mundo através desses dois olhos e combinava a ênfase ética dos profetas anteriores ao exílio com a visão maior de futuro comum aos profetas posteriores.

Zacarias foi um dos chamados *Profetas Menores*, sendo o 11º dessa fraternidade. Os outros foram Amós, Oséias, Miquéias, Sofonias, Naum, Habacuque, Ageu, Obadias, Malaquias, Joel e Jonas, totalizando então 12 pessoas. Os *Profetas Maiores* foram Isaías, Jeremias, Ezequiel e Daniel. Eles eram considerados *maiores* porque escreveram mais (suas profecias eram mais volumosas). Os profetas *menores* escreveram volumes menores. Não há nesses títulos nada de valor de comparação ou importância. Volume literário é a única referência dos dois termos.

Zacarias foi o mais messiânico e escatológico dos profetas menores e era rival até mesmo de Isaías, entre os grandes profetas. Há profecias mais messiânicas neste livro do que em todos os outros profetas menores combinados. Nos caps. 1.7 - 6.8, oito visões noturnas fazem uma descrição marcante sobre o futuro Messias. A segunda parte trata principalmente de questões escatológicas. Ver o esboço do conteúdo na seção V, que demonstra isso. Essa segunda parte também está recheada de referências messiânicas.

Teísmo. As visões e os oráculos garantem às pessoas que o Criador não as abandonou; que ele está presente para recompensar ou punir, conforme os homens tratam Sua palavra e instruções. Contraste isso com o *deísmo*, que assume que a Força Criativa (pessoal e impessoal) abandonou a criação ao governo da lei natural. Ver esses dois termos na *Enciclopédia*.

Dentro de, ao redor de e sob os oráculos e profecias há advertências drásticas aos espiritualmente preguiçosos e indiferentes que negligenciaram seu trabalho na reconstrução do templo e de Jerusalém. Ageu contribuiu com esses trabalhos e inspirou o povo a colocar as fundações do Segundo Templo. O trabalho então relaxou e foi propósito especial de Zacarias fazer com que ele andasse novamente, e então até sua conclusão. Zacarias viu mais do plano divino de "longo prazo" na teocracia dos judeus que Ageu, mas eles eram membros da mesma equipe.

II. Autor e Unidade

Zacarias é a palavra hebraica para "Yahweh lembra", ou, como dizem alguns, "Yahweh é famoso". Este é o nome mais popular no Antigo Testamento, designando 30 pessoas. Zacarias, o profeta, era o neto de Ido, líder de uma família de sacerdotes, e filho de Berequias (Zac. 1.1) Assim, era tanto sacerdote como profeta e via o mundo através desses dois olhos. Ele retornou a Jerusalém (provavelmente como criança ou jovem adulto) com os exilados do cativeiro babilônico e foi instrumental em fazer com que os exilados preguiçosos e relapsos renovassem o trabalho da construção do Segundo Templo, concluindo-o finalmente. Seu companheiro de tarefa foi Ageu, contemporâneo mais velho que essencialmente estava engajado no mesmo trabalho espiritual. Zacarias também foi contemporâneo de Zorobabel, governador da Jerusalém renovada, e de Josué, sumo sacerdote (Esd. 5.1, 2; Zac. 3.1; 4.6; 6.11). Zacarias nasceu na Babilônia, pertencia à tribo de Levi (que se tornou uma casta de sacerdote) e assim cumpriu os ofícios de sacerdote e profeta (Nee. 12.1, 4, 7, 10, 12, 16). Esdras o chama de "filho de Ido", mas ele era, mais estritamente, seu neto.

O livro foi composto ou compilado em duas partes. A Parte I (caps. 1-8) é universalmente reconhecida como trabalho genuíno de Zacarias, uma pessoa real que viveu por volta de 520 a. C. e entregou as profecias e instruções que são atribuídas a ele na Parte I. Alguns estudiosos chamam as profecias dessa seção de "datadas", pois sabemos a época aproximada em que foram escritas e entregues. O restante do livro, a Parte II (caps. 9-14), fica "sem data", pois não há evidência convincente de que foram escritas por Zacarias. Assim, temos um problema de *Unidade*. O livro, supostamente, foi escrito por profetas posteriores ou autores/editores. Se havia um autor envolvido, então é impossível determinar quem foi, e quando exatamente ele escreveu. O mesmo é válido se existiram mais autores. Muitas tentativas produziram "conclusões" tão diferentes que devemos questionar sua validade. Talvez sejam meramente *exposições* de temas proféticos anteriores, e não profecias novas.

Como a Parte II difere da Parte I, sugerindo diferentes autores:

1. Embora o propósito específico para a redação do livro tenha sido encorajar os exilados retornados a terminar o Segundo Templo, a segunda parte do livro sequer menciona essa tarefa. Isso indica, possivelmente, que, quando foram escritos os capítulos 9-14, a tarefa já havia sido terminada e não era mais necessário pedir.

2. Zac. 9.13 menciona *Yawan* (isto é, *Iônia*), que as traduções corretamente fornecem como *Grécia*, e isto mostra que o Poder Persa havia passado e o Poder Grego (Império Grego) estava no controle quando foi escrita a segunda parte. Dificilmente poderíamos esperar que Zacarias tivesse vivido tanto.

3. As visões e os ensinamentos éticos da Primeira Parte estão essencialmente ausentes, enquanto muitas profecias escatológicas, ou comentários sobre profecias anteriores, assumiram seus lugares. Isto sugere que o livro foi concluído por outro autor ou editores/autores, usando materiais de fontes diferentes.

4. A Parte I está em prosa, enquanto a Parte II aparece em forma poética.

Como a Parte II se assemelha à Parte I:

1. Expressões semelhantes são encontradas, como "assim diz Yahweh" e "de passar através e retornar", a primeira sendo comum aos profetas, mas a segunda um tanto rara. Para a segunda, cf. Zac. 7.14 e cf. 9.8. Em português, é "... para que ninguém passe, nem volte".

2. Senhor dos Exércitos, como um dos nomes divinos, encontra-se em ambas as partes. Por outro lado, esse é um nome divino comum em todo o Antigo Testamento.

3. A Parte II é definitivamente posterior, mas talvez Zacarias pudesse tê-la escrito, sendo que uma das principais preocupações da Parte I não mais existia. Mas ele podia ter vivido no período grego (Zac. 9.13)?

4. Sião é central, e Israel virá a dominar o cenário mundial. Este é um momento para preparar a salvação de

ZACARIAS, LIVRO DE – ZACUR

Deus. Há um universalismo marcante: todas as nações participarão das bênçãos e da renovação da época final. Há uma necessidade de liderança decisiva. Essas épocas são encontradas em ambas as partes, mas também são comuns aos escritos proféticos posteriores do Antigo Testamento no geral.

Unidade. Se as Partes I e II tivessem sido escritas pelo mesmo autor, mesmo que demonstrassem uma progressão de tempo, então diríamos que o livro é uma unidade, não duas unidades agregadas como se devessem formar uma unidade, mas escritas por autores diferentes de épocas diferentes. A evidência parece dar apoio à idéia de que o livro consiste em duas unidades distintas, relacionadas, mas não do mesmo autor nem da mesma data. Se esse for o caso, não temos como identificar o(s) autor(es) posterior(es).

III. Data; Origem; Destino

Data. Com base na discussão da seção II, podemos concluir que a Parte I, genuinamente escrita por Zacarias, data de 520 a.C. e dos poucos anos posteriores. A data da segunda parte é posterior, pelo menos no período de dominância grega, após 350 a.C. Pelo menos parte do livro foi escrita tão tarde quanto isso, como determinado pela presença da referência à Grécia em Zac. 9.13.

Origem. O livro foi escrito em Jerusalém, onde Ageu e Zacarias atuavam como profetas entre os exilados que retornaram do cativeiro babilônico. Pelo menos a Parte I foi escrita ali, enquanto a Parte II pode ter sido escrita em algum outro lugar, o que é impossível de determinar.

Destino. O livro foi escrito como uma exortação ao remanescente que retornou do cativeiro babilônico e deveria terminar a tarefa de construção do templo. Essas exortações obviamente se aplicavam a todo Judá, não apenas àqueles que haviam voltado a Jerusalém.

IV. Propósito

Os exilados voltaram a Jerusalém com entusiasmo, mas logo isso acabou. Trabalho duro os havia deixado cansados e eles estavam dispostos a permitir que o templo permanecesse parcialmente terminado. Além disso, eles haviam perdido zelo pela renovação do yahwismo na Nova Jerusalém. O livro foi escrito para agitar o povo apático; para refutá-los por sua grande variedade de pecados e para mobilizá-los a acabar o Segundo Templo e estabelecer seu culto como a religião nacional. Uma atitude relaxada precisou ser substituída por fortes prioridades espirituais. O povo precisou voltar a manter um relacionamento viável de pacto com Yahweh, renovando os antigos *Pactos* (ver a respeito). Uma teocracia devia ser restabelecida, e o povo tinha de ter fé na restauração de todas as coisas e nações sob a liderança de Israel. O povo precisava ser entusiasta sobre a Esperança Messiânica.

V. Conteúdo

Generalização. Este é um livro de duas partes que segue um antigo formato literário.

A *Parte I* contém as profecias autênticas de Zacarias que podem ser datadas de cerca de 520 a.C. e poucos anos depois disso. Esta parte consiste nos capítulos 1-8, que contém as oito visões com alguns oráculos. Nessa parte foi inserida uma seção histórica (6.1-8), que narra a consagração de Josué como o Ramo simbólico (Messias). 7.1 - 8.23 é outra seção histórica que contém um oráculo do profeta que examina a questão de se deve haver ou não jejum para comemorar a queda de Jerusalém em 597. A Parte I está em prosa.

A *Parte II* é um grande discurso escatológico em poesia, que parece ser um tipo de sumário e comentário sobre temas proféticos que podem ser encontrados tanto nos Profetas Maiores como também nos Menores. Esta parte é bastante messiânica e as interpretações afirmam que ele fala tanto da rejeição como da aceitação final do Messias pelos judeus, com a subseqüente renovação daquela nação e a restauração universal de todas as coisas ao redor de Israel, como a Líder das Nações.

Conteúdo detalhado:
Parte I
Introdução. 1.1-6: Rechaço da apatia e do pecado
I. Oito Visões Noturnas (1.7 - 6.8)
1. Os cavalos (1.7-17)
2. Os quatro chifres e os quatro ferreiros (1.18-21)
3. Jerusalém é medida (2.1-5)
4. O sumo sacerdote acusado por Satanás é justificado por Deus (3.1-10)
5. O castiçal de ouro e as sete lâmpadas (4.1-14)
6. O rolo voador (5.1-4)
7. A mulher e a efa (5.5-11)
8. Os quatro carros (6.1-8)
Duas Seções históricas
1. A consagração de Josué, um tipo de Messias (6.1-8)
2. Um oráculo sobre se a queda de Jerusalém deve ser lembrada com jejum (7.1 - 8.23)
Parte II
II. *Dois Obstáculos* (mensagens pesadas) (9.1 - 14.21)
1. O primeiro advento do Messias: Sua rejeição (9.1 - 11.17)
2. O segundo advento do Messias: Seu triunfo (12.1 - 14.21)

Através do ofício do Messias, haverá restauração generalizada de todas as nações sob a liderança de Israel. O yahwismo, afinal, triunfará. Os propósitos universais de Deus serão alcançados.

ZACUR

No hebraico, "preocupado", "lembrado" (como por Yahweh, que deu a ele sua vida). Este é o nome de dez pessoas do Antigo Testamento, que listo em ordem cronológica.

1. Pai de Samuá, um representante (líder) da tribo de Rúben, escolhido como um dos espiões para espreitar a Terra Prometida e ver se Israel seria capaz de dominar a Palestina (Núm. 13.4). Sua época foi em torno de 1500 a.C.

2. Filho de Misma, da tribo de Simeão. Em Gên. 25.14 e em I Crô. 1.30, *Misma* é um nome ismaelita, portanto a família pode ter tido origem hebraica árabe. Os hebreus e os árabes descendiam de Abraão e, embora houvesse hostilidade desde o início, casamentos mistos não eram incomuns.

3. Um dos quatro filhos de Merari por Jaazias, mas alguns masculinizam esse nome e fazem dele o pai do homem, e ele um descendente de Merari, I Crô. 24.27. Sua época foi em torno de 1015 a.C.

4. Um levita descendente de Asafe que serviu na época de Davi como cantor. Davi, ele mesmo músico, promoveu com entusiasmo o ministério de música nos cultos a Yahweh. Sua época foi em torno de 1015 a.C. Ver I Crô. 25.2, 10.

5. Um homem com esse nome estava entre os exilados que retornaram do cativeiro babilônico por Esdras (Esd. 8.14), que é chamado de Zabude em uma anotação marginal naquele local. Ele foi descendente de Bigvai, que viveu em por volta de 580 a.C.

6. Um cantor do Segundo Templo que havia retornado do cativeiro babilônico com Esdras. Casado com uma mulher estrangeira na Babilônia, foi forçado a divorciar-se dela, pois Esdras estava tentando purificar os cultos de Yahweh de acordo com a legislação mosaica. Ver I Esdras, que menciona esse homem na lista paralela a Esd. 10.24, onde ele não é mencionado. Sua época foi em torno de 586 a.C.

ZACUR – ZADOQUITAS

7. Um homem que retornou do cativeiro babilônico, descendente distante de Asafe, um levita. Ele foi um cantor do Segundo Templo, dando continuidade à profissão sagrada de sua família (ver Nee. 12.35). Sua época foi em torno de 450 a.C.

8. Um filho de Inri, membro do remanescente que retornou do cativeiro babilônico com Neemias. Ele ajudou na reconstrução dos muros de Jerusalém (Nee. 3.2). Sua época foi por volta de 445 a.C.

9. Hanã, tesoureiro do Segundo Templo, na época de Neemias (c. 445 a.C.), foi descendente de um homem chamado de Zacur (Nee. 13.13).

10. Outro Zacur foi um homem que assinou o pacto de Neemias, que regeu a conduta e as intenções do povo para a promoção da reconstrução de Jerusalém e para o culto do yahwismo. Ver Nee. 10.12. Sua época foi em torno de 445 a.C.

ZADOQUE

No hebraico, *justo*, o nome de sete pessoas no Antigo Testamento, que listo em ordem cronológica.

1. Zadoque, filho de Aitube, da família de sacerdotes de Eleazar, filho e sucessor de Arão. Os sacerdotes tinham de vir da linhagem de Arão, enquanto os levitas poderiam ser de vários ramos do clã de Levi. A família de Arão era, portanto, tanto levítica como sacerdotal. Quando Davi triunfou e assumiu o poder, o fiel Zadoque tornou-se um dos sumos sacerdotes juntamente com Abiatar. Ele continuou como sumo sacerdote sob Salomão (I Reis 4.4; I Crô. 29.22). Zadoque apoiava Davi há muito tempo, unindo-se a ele durante o exílio quando Absalão se revoltou contra seu pai. Ele se uniu a Davi em Hebrom (I Crô. 24.3). Ele levou consigo muitos outros que apoiavam Davi, o que ajudou o rei contra seu filho Absalão, quando este tentou derrubar o pai do trono. Davi, por muito tempo, teve de fugir, mas a lealdade de Zadoque para com ele nunca falhou.

Depois de Absalão ter sido morto pelo temeroso general matador Joabe, o Davi pediu a Zadoque e a Abiatar que tentassem unir Israel sob sua liderança como rei. Eles obtiveram êxito nesse esforço e foram recompensados sendo transformados em sumos sacerdotes. Ver II Sam. 15.35; 36; 19.11.

Zadoque apoiou Salomão como sucessor de Davi, enquanto Abiatar favoreceu outra escolha. Assim, depois de Salomão ter assumido, indicou Azarias, um dos filhos do primeiro, como sumo sacerdote. Daquele momento até os macabeus, oito séculos, os descendentes de Zadoque foram os únicos candidatos legítimos para o ofício de sumos sacerdotes. Para uma demonstração disso, ver as referências a seguir: II Sam. 8.17; 15.24-36; 17.15; 18.19, 22; 19.11; I Reis 1.26; I Crô. 6.8; 15.11; II Crô. 31.10; Esd. 7.2; Eze. 40.46; 43.19; 45.14; 48.11.

2. Na genealogia dos sumos sacerdotes em I Crô. 6.12, houve um segundo Zadoque, também filho de Aitube (como foi o caso do Zadoque original, número 1). Essa pode ser uma referência real, sendo que esses nomes eram repetidos, ou pode ter sido um erro do escriba ou mesmo um erro primitivo (isto é, do original). Talvez Josefo estivesse correto quando chamou esse homem de *Odeas* (*Ant.* x.8.6). Esse "Zadoque" viveu em por volta de 940 a.C.

3. O pai de Jerusa, que foi mulher do rei Uzias. Ver II Reis 15.33; II Crô. 27.1. Esse homem foi avô do sucessor de Uzias, Jotão. Viveu por volta de 770 a.C.

4-7. O nome *Zadoque* aparece quatro vezes no livro de Neemias. Talvez estejam em vista quatro pessoas, mas pode haver apenas duas. Um delas é o filho de Baaná (Nee. 3.4) e a outra, o filho de Imer (3.29). Os outros dois poderiam ser repetições desses primeiros. De qualquer forma, o filho de Baaná estava envolvido com o reparo do muro de Jerusalém após o término do cativeiro babilônico (3.29).

O filho de Imer foi um sacerdote que também ajudou a reparar o muro. Temos então um Zadoque que selou o pacto com Neemias, que pode ter sido uma pessoa separada, ou um dos outros já mencionados. Então havia um tesoureiro do Segundo Templo chamado dessa forma, Zac. 13.13, que pode ter sido uma pessoa separada ou uma dessas já mencionadas. Essas pessoas viveram por volta de 450 a.C.

ZADOQUITAS, FRAGMENTOS

Ao final do século 19, um estudioso judeu-americano descobriu algumas páginas sobreviventes de duas cópias medievais de um tratado sectário judeu. O material estava no muro da Sinagoga de Ibn Ezar. Essas páginas faziam parte de uma descoberta maior que preenchia trinta pilhas. Os fragmentos zadoquitas provavelmente remontam ao primeiro século a.C. Talvez os autores do material pertencessem a uma seita de saduceus formada pelos denominados dositeus. Os escritos são chamados de "sectários", pois foram produzidos por esta seita, que não fazia parte do judaísmo principal. Eles jogaram um pouco de luz no período entre o Antigo e o Novo Testamento. Há muitas corrupções linguísticas, provavelmente devido ao fato de esta representação do documento original ter sido copiada no Egito. O material contém exortações à retidão, amplamente baseadas nos textos do Antigo Testamento. Um dos fragmentos inicia com uma paráfrase de Isa. 5.17. Além disso, há liturgia, incluindo hinos que eram usados em louvor público. Grande parte do material encontra-se em forma poética. A apostasia é denunciada pelo fato de o santuário (o templo de Jerusalém) ter sido abandonado por Deus. Ainda assim, os filhos de Zadoque são elogiados por serem fiéis ao pacto, revelando-se os verdadeiros eleitos de Yahweh. A história é chamada de "cíclica", com as forças do bem e do mal alternando-se como poderes dominantes. Um item interessante é o Professor dos Retos, que também é chamado de o "Professor" ou "Equipe". Como essa pessoa é mencionada estando associada aos "últimos dias", ela incorporou uma característica messiânica. Mas não há motivo para supor que os cristãos tenham tomado por empréstimo a idéia de elaborar o ofício messiânico de Jesus. Além disso, parece que mais do que uma pessoa estava envolvida no conceito de "Professor". Então, esse Professor (no singular ou no plural) tinha a tarefa de deixar a *Tora* (ver a respeito) mais clara para as pessoas. Há uma semelhança marcante entre esse material e os fragmentos dos Manuscritos do Mar Morto, particularmente o chamado *Rolo de Guerra*. As citações e usos bíblicos aproximam-se mais dos textos hebreus dos Manuscritos do Mar Morto e certamente têm datas anteriores aos textos massoréticos hebreus padronizados. Ver o artigo *Massora (Massorah); Texto Massorético* nesta *Enciclopédia de Bíblia Teologia e Filosofia*. Esse fato é de valor para crítica textual do Antigo Testamento, mostrando que o texto massorético é um tipo de padronização da Bíblia hebraica, não um que seja quase original.

Não só para menos que esse material se pareça com os Manuscritos do Mar Morto. Alguns pequenos fragmentos de zadoquitas foram encontrados entre os manuscritos achados em Qumran. Essa circunstância mostra-nos que a data para os fragmentos dos zadoquitas deve ser posicionada em algum outro ponto no primeiro século a.C. Além disso, talvez a seita (dos dositeus), se não fizesse parte da seita dos essênios, no mínimo teve alguma forma de relação com eles. Pelo menos podemos afirmar que o documento zadoquita estava na biblioteca essênia, independentemente de ter sido produzido por tal seita.

O trabalho é anterior ao Talmude, apresentando muitas leis rígidas relacionadas à Tora, mas sem as longas adições características da tradição talmúdica. A seita que produziu esses materiais era bastante legalista e rígida, e cultivava grande respeito pelos cultos judeus centralizados no templo, quando o local não era apóstata, em sua avaliação. A seita recusou o templo, mas preservou seus rituais de forma simbólica em seus próprios cultos.

ZAFENATE-PANÉIA

Esse nome, que vem diretamente do egípcio, de acordo com os especialistas, quer dizer "fornecedor do nutrimento da vida", o que concorda perfeitamente com o fato de que José evitou que os egípcios e muitos outros em derredor morressem de inanição, durante os sete anos de fome que houve no mundo antigo, naquelas regiões, ver Gên. 41:45.

Alguns estudiosos pensam que o Faraó que deu essa alcunha a José foi o monarca hicso Afófis, que só aparece nas páginas da história secular, por esse nome. Ver também o artigo intitulado *José*. Na Septuaginta, esse nome aparece com a forma de *Psonthomphanéks*. O nome, em português, passou através da forma hebraizada.

Outros estudiosos, reconhecendo tudo quanto dissemos acima, opinam que ninguém sabe o sentido exato dessa palavra, no egípcio. Josefo *(Anti.* 2:6,1), que foi um grande historiador e militar judeu, que viveu na época dos apóstolos de Cristo, interpretava essa palavra como "revelador de segredos". Mas, a explicação mais geralmente aceita entre os peritos é a de G. Steindorff, ZAS 27 (1899), págs. 41,42; idem, 30 (1892), págs. 50-52, que interpretava a palavra com o sentido de "o deus fala e ele vive"; ou então: "o deus disse: ele viverá". Outra opinião também respeitada é a de E. Naville (JEA 12 (1926), págs. 16-18), que asseverava que Zefenate-Panéia não é um nome próprio, mas um título, com o sentido de "chefe do colégio sagrado dos mágicos". Várias outras interpretações têm sido aventadas, todas elas rejeitadas pelos estudiosos, por lhes faltarem alicerces linguísticos autênticos.

Uma das interpretações mais interessantes, que reservamos propositadamente para o fim, é a de Kitchen, em sua obra *The Joseph Narrative and its Egyptian Background*. De acordo com ele, *Zafenate* seria a maneira hicsa, passando pelo hebraico, de se dizer "José"; e *pNaéia* corresponderia a um bem conhecido nome próprio do período de dominação hicsa no Egito, *Ipanque*. Ao passar pelo hebraico, e daí para o português, acabou com a forma de "Panéia". Se Kitchen está com a razão, então a interpretação do nome seria: "José, apelidado Panéia". E teríamos um fenômeno que reaparece por várias outras vezes na Bíblia, como os casos bem conhecidos de Simão, a quem Jesus deu a alcunha de "Pedro", ou os de Tiago e João, a quem o Senhor apodou de "Boanerges" (vide). Ver o trecho de Marcos 3:16,17. Se fosse indagada a opinião deste tradutor, eu diria que minha favorita é a interpretação de Kitchen. Mas ninguém me pergunte o que significa "Ipanque" – ninguém sabe!

ZAFOM

Alguns eruditos dão a esse nome o sentido de "oculta". Outros preferem pensar na significação "norte". Na Septuaginta aparecem as formas gregas transliteradas *Saphán* e *Saphón*.

Zafom era uma cidade que ficava a leste do rio Jordão, no território da tribo de Gade (Jos. 13:27). Mui provavelmente, ela também é aludida em Juízes 12:1, onde nossa versão portuguesa também diz "Zafom", embora outras versões e traduções digam "para o norte", onde se lê: "Então foram convocados os homens de Efraim, e passaram por Zafom, e disseram a Jefté: ..." Houve, então, uma batalha, na qual os efraimitas foram derrotados (ver Jos. 12:4). Alguns estudiosos pensam que essa cidade também figura em Núm. 32:35, onde nossa versão portuguesa diz "Atrote-Sofã", mas onde outras versões separam "Atrote" de "Sofã".

Zafom também aparece nos registros históricos egípcios da XIX dinastia, sob a forma de *dapuna*; e também em uma das cartas de Tell el-Amarna, com a forma de Sapuna. Ver sobre as *Cartas de Tell el-Amarna*. Nessa carta, uma princesa, que se intitulava "a dama dos leões", buscou ajuda de Faraó, a fim de repelir invasores. E alguns estudiosos têm conjecturado que o nome Zafom talvez indique que houve tempo em que ali havia um santuário dedicado a Baal-Zefom (vide). No entanto, visto que Baal-Zefom parece significar "senhor de Tifão", outros eruditos não percebem qualquer conexão possível entre Zafom e Baal-Zefom.

Várias identificações têm sido propostas com localizações modernas, como com o Tell es Sa'idiyeh (ver sobre *Zeredá*) ou o Tell el Qos, este último no lado norte do wadi Rajeb. Ambos os locais dominam a vista do vale do rio Jordão, e ambos ficam a certa distância dos vaus do Jordão. Ver Juí. 12:5.

ZAHN, THEODOR VON

Suas datas foram 1833 - 1933. Foi um teólogo protestante alemão. Nasceu em Moers, Rhineland, e foi cidadão particular de Goettingen. Foi professor de exegese do Novo Testamento em Kiel, depois em Leipzig, e, finalmente, ensinou em Erlangen. Quando o liberalismo germânico já havia atraído muita atenção na Alemanha do século XIX, Zahn levantou sua voz em protesto. Nisso ele escudava-se sobre uma erudição autêntica, e procurou reverter as implicações e ensinos da Alta Crítica. Ver o artigo intitulado *Crítica da Bíblia*.

Zahn procurou reafirmar os pontos de vista tradicionais acerca das origens e usos do Novo Testamento, a historicidade de seus relatos, e, de modo geral, o caráter fidedigno das tradições e relatos cristãos. Fez um trabalho especialmente completo no tocante ao cânon, tendo provido abundantes informações para os estudantes. Além disso, ele foi um bom expositor do texto bíblico.

ZAIN

Esse é o nome da sétima letra do alfabeto hebraico. Originalmente era escrita com duas linhas horizontais, biseccionadas por uma linha vertical que descia até bem abaixo da linha horizontal inferior. Aí por volta do século XI a.C., entretanto, essa letra passou a ser escrita mais ou menos como um H maiúsculo, deitado de lado. Ainda mais tarde, essa letra passou a ser escrita como se fosse um I maiúsculo. E, finalmente, com o advento da escrita hebraica quadrada (vide), o traço horizontal inferior foi descontinuado, e o traço superior inclinou-se levemente na direção sudeste. Numericamente, o zain servia como o numeral sete. Ao que parece, era pronunciado exatamente como o "z" em inglês, que, em português, soa mais ou menos como "dz". Em algumas palavras, o zain substituía o fonema pré-hebraico *dh* (mais ou menos pronunciado como o *th* em inglês, conforme se ouve na palavra inglesa "this"), e isso tanto no hebraico quanto no aramaico antigo.

ZAIR – ZANZUMINS

ZAIR
No hebraico, **pequena**. Outros estudiosos preferem "lugar estreito" como o significado desse vocábulo, visto que se trata de uma palavra derivada do termo hebraico que significa "ser estreito". É uma localidade mencionada somente no trecho de II Reis 8:21, como a cena da batalha entre a tribo de Judá e um estado dependente insubmisso, Edom. Jorão liderou as suas tropas contra o rei dos idumeus e obteve a vitória, mas permitiu que tantos idumeus escapassem que nunca mais Edom foi subjugado pelos israelitas.

A identificação desse vale nunca foi comprovada, mas o fato de que a Septuaginta traduziu esse nome pelo termo grego *Seior* tem levado alguns estudiosos a pensarem em uma antiga forma do nome moderno Si'ir. O termo hebraico é muito impreciso, referindo-se tão-somente à largura ou circunferência do lugar, de tal maneira que se torna impossível qualquer localização mais exata do local.

ZALAFE
No hebraico, "purificação", conforme alguns estudiosos, ou "alcaparreira", segundo outros eruditos. Esse era o nome do pai de Hanum, que ajudou Neemias a reparar as muralhas de Jerusalém (Nee 3:30). Ele viveu por volta de 445 a.C.

ZALMOM
No hebraico, "terraço" ou "subida". É nome de uma pessoa e dois montes, nas páginas do Antigo Testamento:

1. Um aoíta, um dos heróis de Davi, que figurava entre os "trinta" (II Sam. 23:28). Ele é chamado Ilai, em I Crô. 11:29.

2. Um monte perto de Siquém, onde Abimeleque e seus homens cortaram madeira para incendiar o forte de Baal-Berite (Juí. 9:48). Não tem sido identificado, embora alguns estudiosos pensem que há razões para pensar em um pico do monte Gerizim (vide).

3. Um monte ou uma região, mencionado somente em Sal. 68:14, onde o Senhor, aparentemente, dispersou inimigos de Israel, por meio de uma nevasca. Todavia, a passagem é obscura, não se sabendo com certeza o que o salmista tinha em mente.

ZALMONA
No hebraico, "escura", "melancolia", embora outros estudiosos prefiram pensar em sentidos como "terraço" ou "subida". Esse era o nome do primeiro acampamento dos israelitas, depois de terem partido do monte Hor (Núm. 33:41,42). Provavelmente, essa localidade ficava a leste de Jebel Harun, em Bir Madhkur, nomes topográficos modernos da região.

ZALMUNA
Ver o artigo, **Zeba e Zalmuna**.

ZAMOTE
Forma que aparece, em algumas versões estrangeiras, do nome próprio *Zatu* (vide).

ZANOA
No hebraico, "distrito truncado", conforme pensam alguns eruditos. Outros preferem dizer que não sabem o que a palavra significa. Esse era o nome de duas cidades e de uma pessoa, nas páginas do Antigo Testamento, a saber:

1. Uma cidade da região montanhosa de Judá (Jos. 15:55-57; cf. também I Crô. 4:18), talvez a moderna Khirbet Zanuta, a quase dezoito quilômetros a sudoeste de Hebrom; e mais provavelmente ainda, a moderna Khirbet Beit Atura, no wadi Abu Zenah, cerca de um quilômetro e meio a noroeste de Yatta (Jos. 15:55, *Jutá*). Peças de cerâmica encontradas à superfície do solo, sugerem uma ocupação tardia, embora também possa ter havido alguma ocupação humana mais antiga.

2. Uma cidade antiga da Sefelá (vide), região alocada por Josué à tribo de Judá (Jos. 15:34). De acordo com certos estudiosos, ficaria perto de Adulão e Dã, e atualmente se chamaria *Zanua*, no wady Ismail. Entretanto, nem todos os estudiosos concordam com isso.

Terminado o exílio babilônico, Zanoa tornou-se um dos centros onde se estabeleceram os exilados que retornavam (Nee. 11:30). Quando Neemias lançou-se ao projeto de reconstrução das muralhas de Jerusalém, os homens de Zanoa, sob a liderança de um certo Hanum, tornaram-se os responsáveis pelos reparos da porta do Vale (Nee. 3:13). As cidades de Laquis (vide) e de Azeca (vide) ficavam nas proximidades, de acordo com outros estudiosos. Assim sendo, o local deveria ser identificado com um dentre os muitos cômoros existentes na mesma área geral, como, por exemplo, a Khirbet Zanu', cerca de cinco quilômetros a sul-sudeste de Bete-Semes. A Khirbet Zanu' fica em uma colina que é cortada por vales nas direções leste, oeste e norte. Restos de cerâmica apontam para uma ocupação que vem desde os tempos dos reis de Israel até os tempos árabes. Somente escavações arqueológicas, que ali não foram feitas ainda, poderiam mostrar se houve ou não ocupações humanas ainda mais antigas.

3. Um dos membros da família de Calebe, filho de Jefuné (I Crô. 4:18). Não obstante, outros eruditos preferem pensar que se trata de alguma localidade geográfica, e não de uma pessoa. Nesse caso, o fim desse versículo, que diz: "...Jecutiel, pai de Zanoa", seria "pai" não no sentido de ter sido o genitor de uma pessoa, e, sim o "fundador" de uma localidade com esse nome.

ZANZUMINS
No hebraico, "poderosos", "vigorosos". Na verdade, esse nome deriva-se do amonita. Os amonitas assim se referiam ao povo chamado "refains", pelos israelitas, dentro da narrativa da conquista militar da terra de Canaã. Ver o artigo intitulado *Refains*. Esse vocábulo, zanzumins, ocorre somente no trecho de Deuteronômio 2:20. Na Septuaginta a palavra é grafada como Zouzommin. No versículo seguinte, do mesmo livro de Deuteronômio, aparecem as seguintes palavras descritivas: "... Povo grande, numeroso e alto como os enaquins: o Senhor os destruiu diante dos amonitas; e estes, tendo-os desapossado, habitavam no lugar deles..."

Nossa versão portuguesa, acompanhando outras traduções, traduz erroneamente o termo hebraico raphah como "gigante", quando, na realidade, significa "temível". Ver II Sam. 21:16,18,20,22. Isso segue uma tradição "rabínica", pelo que –gigante é uma interpretação, e não uma tradução. E isso significa que os zanzumins também não eram os verdadeiros "gigantes", mas tão-somente um povo formado por pessoas vigorosas e altas. Ver o artigo intitulado *Gigantes*; ver também sobre *Zuzins*, que já pertencia a outra raça.

No tocante aos amonitas, não se sabe muita coisa sobre eles (ver o artigo intitulado *Amonitas*), exceto que, mui provavelmente, eles eram semitas, de uma cultura bastante parecida com a dos moabitas, incluindo o idioma. Afinal, eles também eram aparentados dos israelitas, porquanto o ancestral deles era Ló, sobrinho de Abraão (ver Gên. 19:38). Os amonitas viviam na área da Palestina central, a leste do rio Jordão e a nordeste do mar Morto, em redor da cidade – que atualmente se chama Aman, capital da

ZANZUMINS – ZAQUEU

Jordânia. As terras pertencentes aos amonitas haviam pertencido aos refains, que também são mencionados em textos econômicos ugaríticos de Ras Shamra.

Somente uma etimologia especulativa pode ser dada ao vocábulo *zanzumins*, embora seja possível que essa palavra represente a tentativa de imitar a fala estrangeira deles, mais ou menos da mesma forma que funciona o termo grego *bárbaroi*, aplicado a todos os povos que não falavam o grego, e com base nos sons que os gregos pareciam ouvir. Nesse caso, isso confirmaria a noção de que os povos aborígenes da Síria-Palestina falavam um idioma não-indo-europeu e não-semítico e, sim, uma língua do tipo aglutinativo, talvez semelhante ao hurriano. E também confirma a idéia de que esses povos tribais agrícolas e frouxamente organizados foram expulsos e aniquilados por sucessivas ondas invasoras semitas e indo-européias, vindas do norte e do oriente. Se essa opinião é plausível, então a pontuação vocálica, do texto massorético, é mera conveniência, sem qualquer base nos fatos, o que significa que a palavra poderia ser pronunciada com quaisquer outros fonemas vogais que não aqueles a-u-i.

ZAQUER

Uma variante do nome **Zacarias** (vide), de conformidade com certas versões estrangeiras.

ZAQUEU

No grego *Zakchaios*, derivado do hebraico, Zacai, "puro" ou "justo". Era um dos coletores de impostos que operava em favor dos romanos dominadores, na época de Jesus. Residia e trabalhava em Jericó e era muito rico. Era de baixa estatura. Veio a tornar-se um dos discípulos de Jesus Cristo em circunstâncias incomuns, segundo a narrativa de Lucas 19:1-10. Disse o Senhor Jesus, referindo-se à conversão de Zaqueu: "Porque o Filho do homem veio buscar e salvar o perdido" (v. 10), exibindo assim a finalidade de seu ministério terreno, de sua missão que recebera da parte do Pai.

Lucas é o único dos quatro evangelistas que registrou a excitante conversão de Zaqueu. Um fato que nos admira é que o relato não tenha sido incluído no evangelho de Mateus, o evangelho de um ex-publicano, endereçado aos judeus. Todavia, o episódio adapta-se muito bem ao tom lucano do "evangelho para os gentios", não havendo dúvidas de que o evangelho de Cristo destina-se a todos quantos estejam alienados de Deus, quer judeus quer gentios. Lucas salienta que Zaqueu era "maioral dos publicanos" (no grego, *architelônes*) e que era "rico". Não se pode duvidar de que ele era uma espécie de comissário distrital dos cobradores de impostos. Sem dúvida, ele conseguira dos romanos a franquia para cobrar impostos em favor do governo de Roma, em Jericó. E encabeçava os cobradores de impostos, que eram os que realmente coletavam as taxas. Todo o grupo cobrava ricas comissões, enriquecendo-se assim às custas de ricos e pobres, igualmente. Sabe-se que os antigos cobradores de impostos, tal como muitos hoje em dia, exageravam nas cobranças.

Jericó era cidade conhecida por seus bosques "de palmeiras e de bálsamo" (Josefo, Anti. 15:4,2). Era por Jericó que passava a carga principal do tráfico entre Jope, Jerusalém e a região a leste do rio Jordão. Quem ali operasse, devido ao intenso movimento comercial, facilmente era capaz de enriquecer, amealhando fortuna especialmente se se mostrasse desonesto. É possível que Zaqueu fosse um dos homens mais odiados de Jericó. Por isso mesmo, que os da multidão que seguia ao Senhor Jesus, e foi testemunhas do incidente, tivessem murmurado contra Cristo: "Todos os que viram isto murmuravam, dizendo que ele se hospedara com homem pecador" (v. 7).

Quando Jesus, seus discípulos e uma multidão de curiosos, admiradores e enfermos atravessaram a cidade de Jericó a caminho da celebração da festa da páscoa, em Jerusalém, isso deve ter produzido uma grande comoção na cidade. É possível que naquele dia, Zaqueu estivesse caminhando pelas ruas, dirigindo-se ao seu local de trabalho, nas proximidades, e se tenha indagado de o que estaria atraindo toda aquela gente. Não há nenhum indício de que Zaqueu já se tivesse encontrado antes com Jesus, porquanto ele "subiu a um sicômoro a fim de vê-lo". Devido à sua baixa estatura, era-lhe impossível observar Jesus no meio da multidão. Zaqueu previu que o Senhor Jesus, que avançava lentamente no meio da multidão, passaria pela sua rua, razão pela qual correu à frente da multidão e subiu em uma árvore, um sicômoro, segundo somos informados, uma espécie vegetal muito comum no vale do rio Jordão. Certamente Zaqueu deve ter ficado surpreso, e talvez até um tanto embaraçado, diante da multidão inteira que olhava para cima, admirada de que o chefe dos coletores de impostos de Jericó se tivesse encarapitado em uma árvore, quando então Jesus estacou, olhou para cima e dirigiu-lhe a palavra, em meio ao ruído natural da multidão. E o que o Senhor Jesus disse faz parte das divinas prerrogativas de conhecimento e propósito que permeiam o relato inteiro: "Zaqueu, desce depressa, pois me convém ficar hoje em tua casa". O Senhor Jesus, sábio como era, penetrou no coração de Zaqueu, da mesma maneira que reconhecera o que estava no coração de Natanael, conforme se lê em João 1:48: "Antes de Filipe te chamar, eu te vi, quando estavas debaixo da figueira". Sabe-se que os judeus tinham por intuito ficar à sombra de alguma árvore, a fim de orar.

Aquelas palavras de Jesus a Zaqueu devem ter provocado uma onda de protestos e comentários ácidos em Jericó. Um odiado cobrador de impostos, colaborador dos romanos opressores, acabara de ser convidado para ser um dos discípulos de Jesus. Milhares de conversões que ocorreram durante o ministério terreno de Jesus nunca foram registradas, mas a conversão de Zaqueu nunca será esquecida.

Nesse breve diálogo encontraram-se opostos extremos, ou seja, um dos principais dentre os transgressores e o Chefe do Amor. E o amor mostrou-se triunfante. Explicando a chamada de Zaqueu, conforme já vimos, Jesus disse: "Porque o Filho do homem veio buscar e salvar o perdido" (v. 10). Logo, a conversão daquele pequenino judeu serve de exemplo de todos aqueles que realmente são regenerados, conforme a doutrina de Cristo. Zaqueu desceu rapidamente do sicômoro, e se postou diante de Jesus com grande alegria de fé; e, ato contínuo, começou a exibir evidências tangíveis de seu arrependimento e fé. Sua vida fora totalmente alterada quanto ao rumo, mediante o seu encontro com Cristo. Ele confessou espontaneamente os seus pecados, que até então caracterizavam a sua vida. Suas palavras revelaram qual era o seu pecado: "Senhor, resolvo dar aos pobres a metade dos meus bens; e, se nalguma cousa tenho defraudado alguém, restituo quatro vezes mais" (v.8). Dali em diante, Zaqueu agiria de modo diametralmente contrário ao que vinha agindo até então. Se antes ele tinha sido desonesto e fraudador, agora estava disposto a fazer reparação quadruplicada pelos seus ludíbrios. O costume judaico era que, nos casos de restituição, uma quinta parte era acrescentada ao capital, e também que uma quinta parte das rendas de uma pessoa deveria ser distribuída entre os pobres. No entanto, além de devolver às vítimas de sua desonestidade uma quarta parte a mais do capital, Zaqueu também tomou a resolução de distribuir entre os pobres metade de seus bens materiais. Dessa forma, tanto ele corrigia as suas extorsões quanto mostrava uma generosidade até então desconhecida em sua vida. Expressa essa resolução em público, diante de toda a multidão, qual não deve ter sido o impacto das palavras de Zaqueu entre aquela gente? Vários estudiosos da Bíblia têm observado que Zaqueu não prometeu doar essa metade de seus bens no futuro, quando morresse, como se fosse uma herança deixada, depois que ele não mais precisasse de dinheiro. Antes, o verbo "dar", no original grego está no presente do indicativo, *didomi*, "dou", o que a nossa versão portuguesa enfraquece em parte ao dizer "resolvo dar", indefinido quanto ao tempo da doação. Interessante é observar a confissão tácita de Zaqueu a respeito de sua desonestidade, porque, de acordo com a legislação mosaica, os ladrões precisavam fazer quíntupla restituição de tudo quanto tivessem furtado. "Se alguém furtar boi ou ovelha, e o abater ou vender, por um boi pagará cinco bois, e quatro ovelhas por uma ovelha" (Êxo. 22:1; ver também Núm. 5:6).

Diante da mudança de atitude (ou arrependimento) de Zaqueu e, como é óbvio, de sua confiança em Jesus, o Senhor declarou o que sucedera à alma daquele homem: "Hoje houve salvação nesta casa, pois que também este é filho de Abraão" (v. 9). Nessas palavras, Jesus não incluiu somente o próprio Zaqueu, mas também os membros de sua família, certamente porque Jesus sabia o que sucederia naquela casa dali por diante. Essas palavras de Jesus exprimem o conceito de família, de conformidade com o antigo pacto. Esse conceito, deve-se observar, também se reflete no Novo Testamento, como quando Paulo respondeu ao carcereiro filipense, que indagara: "Senhores, que devo fazer para que seja salvo?". A resposta foi: "Crê no Senhor Jesus, e serás salvo, tu e tua casa" (Atos 16:31).

Cumpre-nos ainda comentar sobre o final daquela declaração de Jesus Cristo: "...pois que também este é filho de Abraão" (v. 9). Ora, não eram judeus todos os circunstantes? Como, então, Jesus destacou Zaqueu como "filho de Abraão"? Essa questão, que constitui para o povo judeu da atualidade um ponto inaceitável, foi plenamente esclarecida pelas considerações do apóstolo dos gentios, em uma de suas epístolas: "...porque nem todos os de Israel são, de fato, israelitas; nem por serem descendentes de Abraão são todos seus filhos; mas em Isaque será chamada a tua descendência. Isto é, estes filhos de Deus não são propriamente os da carne, mas devem ser considerados como descendência os filhos da promessa" (Rom. 9:6b-8). E ainda: "Assim, pois, também agora, no tempo de hoje, sobrevive um remanescente segundo a eleição da graça" (Rom. 11:5).

A grande maioria do povo judeu em nada difere da grande maioria dos povos gentílicos – não fazem parte dos escolhidos ou eleitos de Deus. Os "filhos de Abrão", por conseguinte, são aqueles que o Senhor escolheu, antes que houvesse mundo (ver Efé. 1:4), de acordo com os ditames de sua soberana vontade "... nele, digo, no qual fomos também feitos herança, predestinados segundo o propósito daquele que faz todas as cousas conforme o conselho da sua vontade" (Efé. 1: 11).

Esclarecimento. Quanto a eleição (vide), devemos nos lembrar que as Escrituras ensinam, igualmente, o livre-arbítrio (vide). É uma teologia unilateral e unipolar que ensina um conceito sem o outro. Ver sobre *Determinismo e Predestinação*. Ver também sobre *Polaridade*.

As *Homilias Clementinas* (3.63) afirmam que, posteriormente, Zaqueu tornou-se companheiro de Pedro e bispo de Cesaréia. Mas, ao que parece essa afirmativa é alicerçada sobre meras conjecturas, sem base em fatos históricos.

ZARAÍAS

Na Septuaginta, **Zaraías**. A forma Zaraías nunca aparece nos livros canônicos do Antigo Testamento, mas somente em livros apócrifos. Mas a forma Zeraías ocorre em Esdras 7:4; 8:4 (ver abaixo, na relação dos nomes). Nos livros apócrifos do Antigo Testamento figuram quatro homens com esse nome, a saber:

1. Um antepassado de Esdras (I Esdras 8:2). Em II Esdras 1:2, esse mesmo homem é chamado de *Arna;* mas, no livro canônico de Esdras 7:4, seu nome aparece com a forma de Zeraías.

2. O pai de Elioenai, um líder dos tempos de Esdras (I Esdras 8:31). No livro canônico de Esdras 8:34 ele é chamado de Zeraías.

3. Um israelita liderante, que retornou do cativeiro babilônico em companhia de Zorobabel (I Esdras 5:8). Nos livros canônicos de Esdras 2:2 e de Neemias 7:7, ele também aparece, no primeiro deles sob a forma de Seraías, e no segundo sob a forma de Azarias.

4. Um filho de Sefatias (I Esdras 8:34), mas que no livro canônico de Esdras 8:8 aparece com o nome de Zebadias.

No hebraico, o nome Zaraías (ou sua forma variante, Zeraías; vide), significa "Yahweh mostrou".

ZARATUSTRA

Esse é o nome original e não-corrompido de Zoroastro, pai do zoroastrismo (vide). Ele foi o fundador do zoroastrismo, algum tempo após 1000 a.C. Ver sobre o *Dualismo*, uma idéia central dessa religião. Houve tempo em que essa foi a religião nacional do Irã. Nietzsche fez dele a personagem principal de seu poema, *Zarathrustra*.

ZAREFATE

Esse nome nunca aparece no Antigo Testamento, segundo a nossa versão portuguesa, onde tal nome teve sua forma mudada para Sarepta, a fim de ajustar-se à forma como aparece no Novo Testamento, depois de passar pelo grego (ver Luc. 4:26). No entanto, no Antigo Testamento hebraico, onde significa "lugar de refino", encontramos essa palavra por três vezes – I Reis 17:9,10 e Oba. 20. O nome atual da localidade é *Surajend*. Todavia, isso representa apenas uma das opiniões dos eruditos. A outra opinião prefere vincular Zarefate à vila árabe de Sarafand, no promontório à beira-mar, a alguns poucos quilômetros ao sul da cidade de Sidom. E, perto dessa vila jazem remanescentes da cidade antiga de Zarefate. O ponto sobre o qual todos os estudiosos concordam é que a Zarefate do Antigo Testamento é a mesma Sarepta (vide) do Novo Testamento. Também há uma interpretação diferente do significado desse nome, pois alguns fazem dele um derivado do verbo acádico *sarapu*, "tingir". E, convenhamos, esse é um sentido muito lógico para uma cidade de uma região onde a indústria de panos tingidos era muito conhecida.

Zarefate, é mencionada em um papiro egípcio do século XIV a.C., como *Dr pt*. A cidade foi capturada em 701 a.C. por Senaqueribe (vide), rei da Assíria, que a chamou de Sariptu. Em certo período da história pertencia a Sidom (ver I Reis 17:9); mas, em 722 a.C., foi transferida para Tiro, depois que Salmanezer IV e seus navios sidônios não conseguiram conquistar Tiro.

Na antiguidade, essa cidade era famosa por seus objetos de mesa feitos de vidro, e seu nome, se realmente vem de uma raiz acádica (ver acima), sugere que ali houvesse uma indústria de tecidos tingidos, tal como sucedia a tantas outras cidades fenícias.

ZARETÃ – ZEBADIAS

Deus enviou Elias para essa cidade, durante certo período de severa carência de alimentos, onde uma viúva cuidou dele, pois não faltou a ela nem a farinha de trigo no pote e nem o azeite de oliveira na jarra (ver I Reis 17:8-24 e Lue. 4:26). No vigésimo versículo do livro de Obadias essa cidade é mencionada como parte integrante da Fenícia; mas, em Lucas 4:26, vemos que a cidade, novamente, era considerada parte do distrito de Sidom, e não mais de Tiro, porquanto esta havia sido destruída. Ver o artigo sobre *Tiro*.

ZARETÃ

No hebraico, "frescor". O nome dessa cidade figura por três vezes nas páginas do Antigo Testamento: Jos. 3:16; I Reis 4:12 e 7:46. Embora algumas versões grafem o nome dessa cidade com mais de uma forma, nossa versão portuguesa o faz somente com a forma acima.

Zaretã era uma cidade no lado oriental do vale do Jordão, nas proximidades do Adão (vide), nas vizinhanças do lugar onde o rio Jordão foi miraculosamente represado, nos dias de Josué, segundo se lê logo no primeiro trecho a mencionar essa cidade: "...pararam-se as águas, que vinham de cima; levantaram-se num montão, mui longe da cidade Adão, que fica ao lado de Zaretã..." Ao que tudo indica, as águas foram miraculosamente represadas desde Adão (modernamente, Tel edDamiyeh), e daí para o norte, até Zaretã (provavelmente a moderna Tell es Sa'idiyeh).

Nos dias de Salomão, essa cidade fazia parte do quarto distrito administrativo do reino salomônico, perto de Bete-Seã (vide), "abaixo de Jezreel" (I Reis 4:12). Foi nessa área geral que Hirão, o artífice fenício, fundiu objetos de bronze para serem usados no templo de Jerusalém. Lê-se em I Reis 7:46: "Na planície do Jordão, o rei os fez fundir em terra barrenta, entre Sucote e Zaretã". Entretanto, em I Crônicas 4:17, aparece um nome alternativo para essa cidade, "Zeredá". Aliás, essa é a única passagem que se altera, em relação a I Reis 7:46, pois em tudo o mais as duas passagens são idênticas. Por isso mesmo, alguns estudiosos pensam que se trata de um erro escribal, porquanto realmente existe uma cidade chamada Zeredá (vide), nas páginas do Antigo Testamento. Escavações arqueológicas, efetuadas no local de Tell es Sa'idiyeh, têm encontrado numerosos objetos de cobre, pertencentes aos séculos XIII e XII a.C., o que sugere que nessa cidade houvesse uma fundição de cobre. O local em redor é proeminente, dominando o wadi Kufrinjeh. Também é o centro de uma extensa área agrícola, que envolve uma longa história que remonta aos tempos calcolíticos.

ZÁRIO

No grego da Septuaginta, **Zários**. Ver I Esdras 1:38. Essa passagem, desse livro apócrifo, diz que quando Faraó do Egito levantou Jeoaquim como rei da Judéia, este último aprisionou seu irmão, Zário, e o tirou do Egito. No entanto, esse versículo de I Esdras parece contrastar com a passagem canônica correspondente de II Crô. 36:4, onde se lê: "O rei do Egito constituiu a Eliaquim, irmão de Jeoacaz, rei sobre Judá e Jerusalém, e lhe mudou o nome em Jeoaquim; mas ao irmão, Jeoacaz, tomou Neco, e o levou para o Egito".

ZATÓIS, ZATUÍ

No hebraico, "agradável", "amável". Há duas personagens com esse nome, no Antigo Testamento, a saber:

1. Um homem cujos descendentes retornaram do cativeiro babilônico em companhia de Zorobabel. Ele é mencionado em três passagens: Esd. 2:8; 10:27 e Nee. 7:13. Viveu por volta de 536 A.C. Alguns dos membros dessa família desfizeram-se de suas esposas estrangeiras, com quem se tinham casado durante o exílio, conforme se lê em Esd. 10:27 e I Esdras 9:28.

2. Um homem chamado Zatu, mas pertencente à mesma família acima referida, é chamado um dos "chefes do povo". Ele assinou o pacto encabeçado por Neemias (Nee. 10:14). Todavia, há quem pense que o nome mesmo do signatário não aparece, porquanto ele seria um membro, então, que veio da família de Zatu. Ao que parece, os textos bíblicos envolvidos não são muito claros quanto à questão, dando margem a mais de uma interpretação possível.

ZAZA

No hebraico, "projeção". Ele pertencia à família de Judá, descendente de Jerameel, que fora neto de Judá (I Crô. 2:33). Zaza viveu por volta de 1340 a.C.

ZA-ZEN

No Zen budismo (vide), esse é o termo que significa "meditação". Ver o artigo intitulado *Meditação*.

ZEBA E ZALMUNA

No hebraico, *Zeba* significa "sacrifício" e *Zalmuna* quer dizer "proteção retida". Esses eram os nomes de dois reis midianitas que foram derrotados por Gideão. Os nomes são sempre encontrados juntos. A história das batalhas com eles pode ser encontrada em Juí. 8.4-21, com uma referência à questão em Sal. 83.11. Parece que eles comandaram uma invasão à Palestina, que aparentemente tinha como propósito principal tomar as boas terras de pastoreio (vs. 12). Dois generais desse povo, subordinados a Zeba e Zalmuna, haviam sido mortos junto com um grande número do bando invasor pela tribo de Efraim. Seus nomes eram Orebe e Zeebe (vss. 23-25). Vendo o que acontecia, os dois pequenos reis fugiram, com Gideão em seu alcanço. Os reis passaram pelo wadi Yabis e foram a Carcor, onde pararam para descansar. A localização exata daquele local não é conhecida. Os pequenos reis ainda tinham 15 mil homens sob seu comando, e parecia que a batalha estava longe de terminar. Até aquela época, apenas ouvir o nome *Gideão* trazia terror ao coração até dos mais corajosos, portanto os israelitas tinham a vantagem psicológica. O ataque foi decisivo e o que poderia ter sido outra batalha prolongada não se concretizou. Os 15 mil homens foram espalhados, a maioria morta, e os dois reis fugiram novamente. Logo, contudo, Gideão os pegou. Ele ordenou que seu filho primogênito, Jeter, os matasse, mas este não teve a coragem para derramar o sangue. Assim, Gideão os matou com as próprias mãos (Juí. 8.21). Era uma época em que as pessoas matavam ou eram mortas, e o líder do exército de Israel não teve problemas para optar entre as duas coisas. Vale observar que esses dois xeques encararam suas mortes com coragem, pedindo apenas que o captor fizesse o serviço, não algum subordinado, o que teria reduzido seu orgulho.

ZEBADIAS

No hebraico, "Yahweh concedeu", provavelmente uma referência ao favor divino ao dar uma criança à sua mãe, como se o nascimento fosse um evento sob o controle do poder divino. Nove pessoas são chamadas assim no Antigo Testamento, cujos nomes listo em ordem cronológica, até onde isso é possível.

ZEBADIAS – ZEBEDEU

1. O filho mais velho de Elpaal (ver a respeito), líder da tribo de Benjamim que viveu em Jerusalém (I Crô. 8.17). Sua época foi em torno de 1300 a.C.

2. Filho de Berias, neto de Elpaal, da tribo de Benjamim (I Crô. 8.15). Foi um líder dessa tribo que viveu por volta de 1300 a.C.

3. Um filho de Jeroão de Gedor, da tribo de Benjamim. Quando Davi estava fugindo de Saul, certo homem corajoso foi contra esse rei e uniu-se a Davi, no exílio em Ziclague (ver a respeito). Ver I Crô. 12.7. A época foi por volta de 1050 a.C.

4. Um filho de Asael e irmão de Joabe (o temeroso general matador de homens de Davi). Zebadias foi um dos generais de Davi, subordinado a Joabe (ver I Crô. 27.7). Sua época foi em torno de 1050 a.C.

5. Um levita da família de Coré que trabalhou como porteiro no tabernáculo de Davi (I Crô. 26.2). Os levitas tinham famílias especializadas em certos serviços e o trabalho passava de geração a geração, sendo o ofício hereditário. Sua época foi em torno de 1015 a.C.

6. Um filho de Ismael, governador da casa de Judá, que tinha grandes responsabilidades na região do rei Josafá. Ver II Crô. 19.11. Sua época foi por volta de 912 a.C.

7. Um levita que foi enviado com outros oito pelo rei Josafá de Judá para ensinar a lei nas cidades de Judá (II Crô. 17.8). O programa de ensino, a longo prazo, incluiu 16 professores, 5 príncipes, 2 sacerdotes, além de 9 levitas, incluindo Zebadias (II Crô. 17.7-9). Sua época foi em torno de 910 a.C.

8. Um homem com esse nome retornou do cativeiro babilônico para ajudar a reconstruir Jerusalém. Foi acompanhado por Esdras (Esd. 8.8). Possivelmente esse é o Zaraías de I Esd. 8.34. Sua época foi em torno de 456 a.C.

9. Quando cativos na Babilônia, muitos homens judeus casaram com mulheres pagãs e estavam criando famílias com elas. Quando o cativeiro acabou e eles retornaram a Jerusalém, foram obrigados a divorciar-se de suas mulheres estrangeiras em obediência à legislação mosaica. As reformas de Esdras foram completas e incansáveis. Zebadias era o nome de um dos judeus que teve de divorciar-se de sua mulher estrangeira. Ele também é mencionado em I Esd. 9.21. Sua época foi em torno de 456 a.C.

ZEBAIM

No hebraico, **gazelas**. O nome desse lugar, de localização desconhecida, ocorre somente por duas vezes em todo o Antigo Testamento: Esd. 2:57 e Nee. 7:59. Em ambas essas passagens, de acordo com a nossa versão portuguesa, esse nome locativo está oculto, dentro da palavra composta Poquerete-Hazebaim (vide).

Alguns estudiosos, contudo, tentam identificar Zebaim com *Zeboim* (vide). Talvez aquelas duas passagens pudessem ser traduzidas como "Poquerete de Zebaim", onde Poquerete seria o residente, e Zebaim seria a cidade. Nesse caso, seus descendentes retornaram do exílio babilônico, no grupo que voltou com Zorobabel, em 536 a.C.

ZEBEDEU
1. O Nome

No grego, *Zebedaios;* na Septuaginta, *Zabdí*. Alguns estudiosos conjecturam que esse nome vem de um nome hebraico que significa "Yahweh é um Dom", ou então, "presente de Yahweh". Zebedeu era um pescador galileu, marido de Salomé e pai de dois apóstolos de Jesus, Tiago e João (Mat. 41:21). Além dessa referência, há outras passagens onde o nome desse homem também aparece: Mat. 10:2; 20:20; 26:37; 27:56; Mar. 1:19,20; 3:17; 10:35; Luc. 5:10; João 21:2, totalizando doze menções. - Ele residia ou em Betsaida ou em Cafarnaum, ambas localidades constantemente referidas nos evangelhos.

2. Pai de Apóstolos de Jesus

Zebedeu figura em todos os quatro evangelhos como o pai de dois dos mais proeminentes apóstolos do Senhor Jesus, Tiago e João, que, juntamente com Pedro, formavam o grupo de discípulos do círculo mais íntimo do Senhor Jesus. Esses três tiveram o privilégio de ser testemunhas da transfiguração de Cristo (ver Mat. 17:1-8), da ressurreição da filha de Jairo ("Tendo chegado à casa, a ninguém permitiu que entrasse com ele, senão Pedro, João, Tiago e bem assim o pai e a mãe da menina" – Luc. 8:51), e sua insistente oração no jardim do Getsêmani (Mat. 26:37). Por conseguinte, Zebedeu tornou-se muito conhecido entre os cristãos, não por causa de seus feitos (pelo menos, nada que ele fez de especial foi registrado na Bíblia), mas por ter sido o pai de dois filhos famosos, um dos quais estava destinado a ser a fonte de materiais que foram incorporados no Novo Testamento.

3. Trabalho

Zebedeu e seus dois filhos dirigiam uma progressista indústria de pesca, no lago ou mar da Galiléia, juntamente com outro par de irmãos destinados a se tornarem não menos famosos, André e Simão Pedro (ver Luc. 5:7-10). Essa indústria pesqueira não era nenhum empreendimento comercial desprezível, porquanto contava até com "empregados" (Mar. 1:20). Portanto, Zebedeu era homem de posses materiais e de larga influência, de tal maneira que alguns pensam que João "era conhecido do sumo sacerdote" (João 18:16), somente por causa de seu pai. Sabe-se que os pescadores da Galiléia chegavam a exportar peixe até para a capital do império romano. No Brasil, quando se fala em pescador, tem-se a impressão de algum nordestino jangadeiro, que quase não consegue sobreviver com o produto de seu labor. Seríamos mais realistas, no tocante aos pescadores da Galiléia, se pensássemos em pescadores japoneses ou noruegueses, que fazem da pesca uma indústria extremamente lucrativa. Esse é o quadro mental que devemos ter, em relação a Zebedeu e seus dois filhos.

4. Discípulo de Jesus

Zebedeu, ao que tudo indica, também confiava no Senhor Jesus. Pois, quando seus dois filhos, que deveriam ser seus maiores auxiliares na indústria pesqueira, passaram a seguir a Jesus, deixando seu lucrativo trabalho para trás, Zebedeu não proferiu nenhuma palavra de protesto-pelo menos nada ficou registrado nesse sentido. Todavia, há razão para crermos que Zebedeu continuou a pescar, visto que, após a ressurreição de Jesus, Pedro convidou outros apóstolos, dizendo: "Vou pescar". Ao que os outros disseram: "Também nós vamos contigo" (João 21:3). Também é possível que Jesus e seu grupo de discípulos tivessem sido financeiramente ajudados por Zebedeu. Afinal, Tiago e João estavam seguindo a um Mestre que nem tinha onde "reclinar a cabeça" (Mat. 8:20). E Zebedeu, próspero como era, e não sendo contrário à chamada de seus dois filhos por Jesus, sem dúvida, não teria ficado indiferente.

5. Sua Esposa

A esposa de Zebedeu e mãe de Tiago e João era Salomé (Mat. 27:56; Mar. 15:40; 16: 1), que também concordava com a chamada de seus dois filhos para serem discípulos de Jesus de Nazaré, porquanto ela é sempre designada, no Novo Testamento, como "...e a mãe dos filhos de Zebedeu" (Mat. 27:56), um trecho que a nossa versão portuguesa trunca quase imperdoavelmente, para "...e a mulher de Zebedeu". O original grego confirma a frase "...a mãe dos filhos de Zebedeu".

6. Generosidade

A família inteira de Zebedeu deve ter apoiado generosamente ao Senhor Jesus, porquanto lemos que Salomé acompanhou ao Senhor, durante o seu ministério pela Galiléia. "...e Salomé; as quais, quando Jesus estava na Galiléia, o acompanhavam e serviam..." (Mar. 15:40,41). Além disso, por ocasião da crucificação de Jesus, Salomé fez-se presente (ver Mat. 27:55), e também encontrava-se entre as mulheres que foram até o túmulo, ungir o corpo morto do Senhor Jesus (Mar. 16: 1). Que Salomé tinha ambições espirituais, embora talvez sem um entendimento esclarecido, torna-se evidente pelo pedido que ela fez ao Senhor Jesus: "Manda que, no teu reino, estes meus dois filhos se assentem, um à tua direita, e o outro à tua esquerda" (Mat. 20:20). A recusa do Senhor Jesus, diante desse pedido, e as instruções que ele então deu, devem ter surtido grande efeito, porquanto a família inteira de Zebedeu permaneceu leal ao Senhor Jesus até o fim. Bem-aventurada a família cujos membros são todos convocados a servir ao Senhor Jesus, embora cada indivíduo que pertence a essa família receba do Senhor uma tarefa diferente a realizar, conforme foi o caso de Zebedeu, sua esposa e seus dois filhos!

ZEBIDA

No hebraico, "dotada". Essa mulher, assim chamada, era filha de Pedaías, de Ruma. Ela foi esposa de Josias, rei de Judá, e mãe de Eliaquim, a quem Faraó Neco mudou o nome para Jeoaquim (II Reis 23:36). Ela viveu por volta de 640 a.C. Nada mais se sabe a respeito dela, além daquilo que se pode ler nessa referência.

ZEBINA

No hebraico, "comprado" ou "compra". Esse era o nome de um dos vários filhos de Nebo. Zebina casara-se com uma mulher estrangeira, estando no cativeiro babilônico, na época de Esdras (Esd. 10:43). Juntamente com todos os judeus que tinham retornado à Palestina e se tinham comprometido dessa maneira, Zebina, "com um aperto de mão", comprometeu-se a despedir sua mulher e seus filhos; e, "por serem culpados", ele e os demais ofereceram um carneiro "por sua culpa" (Esd. 10:19). O nome de Zebina não se acha no trecho paralelo de I Esdras 9:35. Ele viveu em torno de 445 a.C.

ZEBOIM

No hebraico, "lugar selvagem"; na Septuaginta, *Saboeím*. Há três localidades com esse nome, nas páginas do Antigo Testamento. Contudo, estamos falando do ponto de vista da nossa tradução portuguesa, porquanto, no original hebraico, uma dessas localidades é grafada de uma maneira, enquanto as duas outras localidades têm seu nome grafado de outra forma, conforme se vê abaixo:

1. No hebraico, *tsebhoyim*. Esse era o nome de uma das antiqüíssimas cidades do vale de Sidim, que acabou sendo destruída com Sodoma e Gomorra. Seu nome ocorre por cinco vezes no Antigo Testamento: Gên. 10:19; 14:2,8; Deu. 29:23 e Osé. 11:8. Ela é sempre mencionada depois de Admá, outra dessas cinco cidades. Zeboim aparece quando se menciona a fronteira sul dos cananeus, que, da beira-mar para o interior do continente, seguia na direção de Sodoma, Gomorra, Admá, Zeboim e Lasa. Quedorlaomer, rei do Elão, e seus três aliados, atacaram essas cidades durante a campanha que fizeram ao longo do Caminho do Rei (vide). Semeber, rei de Zeboim, juntamente com seus quatro aliados, saíram ao encontro dos invasores no vale de Sidim (vide), mas acabaram sendo derrotados (ver Gên. 14:2,8,10).

Ao que se presume, Zeboim foi destruída juntamente com Sodoma e Gomorra, cuja história aparece em Gên. 19:24-29. Posteriormente, Moisés referiu-se à destruição de Zeboim e suas cidades vizinhas (Deu. 29:23). E Oséias utilizou-se de Zeboim como um exemplo do julgamento que sobrevém, a mandado de Deus, a cidades malignas (Osé. 11:8).

Não se sabe qual a localização exata dessa cidade; mas, ao que tudo indica ela está sepultada na extremidade sul do mar Morto, que antes era terra seca, mas agora está recoberta por águas mais rasas do que no restante do mar Morto. Ver o artigo sobre o *Mar Morto*.

2. No hebraico, *tsebhoim*, "lugar selvagem" (Nee. 11:34). Outros estudiosos, talvez com mais razão, preferem pensar no sentido "hienas". Essa era uma cidade do território de Benjamim, ocupada após o retorno dos judeus do cativeiro babilônico. Não se conhece sua localização exata, embora muitos opinem que pode ser Khirbet Sabieh, ao norte de Lida. Esse nome aparece na carta 274 de Tell el-Amarna como *Sabuma*.

3. Um vale existente no território da tribo de Benjamim, a sudeste de Micmás. Atacantes filisteus, vindos de Micmás, passaram pela estrada nas colinas que dão vista para o vale de Zeboim ou "vale das hienas", ficando o vale do rio Jordão ainda mais adiante. Há wádis, nessa região, que, até hoje, preservam o antigo nome, como o wádi Abu Daba, isto é, "vale do pai das hienas", que deságua no wádi Kelt. Muitos pensam que é no primeiro desses wádis que devemos pensar.

ZEBUDA

Forma variante, nas traduções e versões, do nome que, em nossa versão portuguesa, aparece como *Zebida* (vide).

ZEBUL

No hebraico "habitação", "elevação", às vezes com o significado de "habitação de um deus", como na combinação *Baal-Zebul*.

1. Esse homem era o governador de Siquém, um subordinado de Abimeleque (ver a respeito), um filho de Gideão. Leal a seu chefe, quando tomou ciência de que os habitantes de Siquém estavam fazendo planos contra ele, informou-o da circunstância e sugeriu que ele trouxesse seu exército para atacar o local e eliminar a rebelião antes que ela ganhasse força. Certo Gaal liderava a rebelião. Quando o exército de Abimeleque chegou, Gaal e seus homens saíram contra eles, mas foram facilmente derrotados, e assim acabou a "revolução". Ver a história relatada em Juí. 9.26-41. A época foi em torno de 1100 a.C.

2. *Baal-Zebul*. A raiz *Zebul* é o *zbl* ugarítico, que significa *exaltado*. As linguagens semíticas não têm vogais escritas, portanto as palavras são identificadas com consoantes apenas. Ver o artigo sobre *Ugarite* para as pessoas envolvidas. *Baal* significa "senhor", portanto a combinação Baal-Zebul significa "senhor exaltado". Esse era um dos muitos nomes de *Baal* (ver a respeito).

ZEBULOM

I. O Patriarca
II. A Tribo Chamada com Seu Nome
III. Uma Cidade Chamada Zebulom

I. O Patriarca

Zebulom (do século 16 a.C.) foi o décimo filho de Jacó,

ZEBULOM – ZEDEQUIAS

o sexto com sua mulher Lia (Léia). Ele se envolveu em um incidente triste e ridículo quando os irmãos de José o venderam ao Egito por causa de seu ciúme patológico. Essa "venda" significou que José se tornou escravo no Egito, fornecendo mão-de-obra barata a seus mestres. Ver Gên. 37. Na lista genealógica de Gên. 46 (vs. 14), ele é mencionado como tendo (na época da migração ao Egito) três filhos, os quais se tornaram os fundadores ou líderes de clãs da tribo de Zebulom, que veio a existir em termos praticamente exatos, às margens do mar (Mediterrâneo). A tribo não tocava de fato no mar, mas era próxima a ele. Ver Gên. 49.13. Referências bíblicas a esse patriarca: Gên. 30.20; 35.23; 46.14; 49.13; Êxo. 1.3. O restante corresponde a simples menções de seu nome ou de sua tribo. As referências à tribo chamada com seu nome envolvem sua herança e local, uma vez que Israel havia conquistado a terra.

Em hebraico, o nome *Zebulom* significa "dar", "viver com" ou "honrar".

II. A Tribo Chamada com Seu Nome

A nação de Israel desenvolveu-se a partir de 70 pessoas que desceram ao Egito na época de Jacó. Eles foram tratados com gentileza, e *Gósen* foi dado a eles, tornando-se um tipo de "província hebraica" no meio do Egito. Ver sobre *Gósen* nesta *Enciclopédia de Bíblia, Teologia e Filosofia*. As tribos de Israel mantiveram sua distinção enquanto ainda em Gósen, de forma que, quando chegou o êxodo, eles partiram em grupos tribais e, a longo prazo, receberam seus lotes de terra como tribos. A tribo de Zebulom foi dividida em três clãs descendentes dos três filhos do patriarca: Serede, Helom e Jaleel. Durante os 40 anos de vagueação, essa tribo acampou sob a bandeira de Judá a leste do tabernáculo (Núm. 2.7). Quando a Terra Prometida foi espionada por representantes das diversas tribos, o enviado de Zebulom foi um homem chamado Eliabe, filho de Helom (Núm. 1.9). Infelizmente, esse homem estava entre os 10 que retornaram com um relatório negativo (Israel não seria capaz de dominar Canaã), o que desanimou o povo, que então voltou ao deserto e vagueou por longos 40 anos antes de fazer outra tentativa. Zebulom era uma tribo grande. O primeiro censo (Núm. 1.31) revelou que ela tinha 57.400 membros. O segundo (Núm. 26.27) mostrou que havia crescido um pouco e tinha 60.500 membros. Mas devemos lembrar que esses eram censos militares, que determinavam quantos homens jovens estavam aptos para a guerra. Assim, o total real, incluindo mulheres, crianças e idosos, deve ter sido pelo menos três vezes maior do que os números fornecidos. Israel era um tipo de "exército em marcha constante", que, a longo prazo, atacaria as sete pequenas nações de Canaã.

Quando a terra foi conquistada, Zebulom recebeu o vale do oeste de Jezereel (Gên. 30.20; 35.23; 46.14; 9.13; Êxo. 1.3; Jos. 19.10-16; I Crô. 2.1). Esse território estava entre o mar da Galiléia e o Mediterrâneo. Nazaré e Caná da Galiléia estavam nessa região, uma área onde foi realizada grande parte do ministério de Jesus, séculos depois. Isso cumpriu a profecia de Isaías (Isa. 9.1, 2; cf. Mat. 4.12-16).

Fronteiras. Aser ficava a noroeste; Naftali a nordeste; Issacar a sudeste; e Manasses a sudoeste. O território era favorecido por condições climáticas, recebendo muita chuva em comparação com a maioria dos outros lugares de Israel. Isso permitia boa agricultura e produção abundante de azeitonas, uvas e trigo. A tribo passou por uma série de guerras e rumores de guerras, como foi o caso de todo o Israel. A tribo parece ter desaparecido, antes ou durante os ataques de Tiglate-Pileser em Israel (II Reis 15.29), mas restos dela espalharam-se entre outras tribos. Ela manteve seu lugar na profecia. Consultar as visões escatológicas de Ezequiel (48.26, 27, 33). A tribo é vista preservada em Apo. 7.8. Cf. Mat. 4.13-16, que cumpriu a profecia em 9.1.

III. Uma Cidade Chamada Zebulom

Essa cidade localizava-se na fronteira leste da tribo de Aser, que estava situada entre Bete-Dagom e Iftael (Jos. 19.27). Ela é mencionada como parte da herança de Aser. Cf. a herança de Zebulom em Jos. 19.10-16.

ZEDADE

No hebraico, "ladeira", "inclinação". Uma localidade que havia na fronteira norte da Palestina (Núm. 34:8 e Eze. 47: 15), Provavelmente idêntica à moderna Sadade, a sudeste de Homs, no caminho que vai de Ribla a Palmira.

ZEDEQUIAS

No hebraico "Yahweh é justo", que pode ser interpretado como "Yahu (Yahweh) é minha justiça", sendo Ele tanto justo como também Aquele que efetua a justiça entre os homens. Cinco pessoas no Antigo Testamento eram chamadas assim. Eles são apresentados em ordem cronológica.

1. Um filho de Quenaana era chamado assim. Ele foi um dos 400 profetas do rei Acabe. Votou por um empreendimento militar conjunto de seu rei, Acabe de Israel, com Josafá, contra o rei da Síria, em tentativa de recapturar Ramote-Gileade. Para maiores detalhes sobre a história, ver I Reis 22.1-38 e II Crô. 18.1-19.3. O verdadeiro profeta, Micaías, corretamente previu que o empreendimento terminaria em desastre. Vemos como havia profetas em oposição que competiam pela atenção e pelos benefícios dos reis. Embora I Crônicas ignore a história do reino do norte, o livro inclui esta história, pois Judá estava envolvido e porque o rei Josafá se comprometeu com o mal do norte apóstata. Acabe utilizou os profetas para propaganda, não por alguma motivação espiritual. Os vss. 21 ss. mostram que parte das profecias mentirosas era atividade de espíritos mentirosos e que tais espíritos podem cumprir um bom propósito ao convencer os maus a fazer coisas que seriam danosos a eles. Observe também que Acabe, por causa de seus próprios desejos, estava ansioso por acreditar em falsas profecias a qualquer preço, mesmo ao preço de seu próprio ferimento. De fato, ele tinha o "desejo de acreditar" nas coisas erradas. Então, Josafá de Judá, que deveria ter sido mais consciente, caiu tão facilmente em uma aliança falsa e injuriosa, contra as evidentes declarações de um profeta verdadeiro.

2. Um filho de Hananias, um dos príncipes de Judá, que ordenou que Baruque, secretário de Jeremias, lesse as previsões de desastre do profeta para Judá ante o rei Jeoiaquim (Jer. 36.12). Ele viveu em por volta de 640 a.C.

3. O 20º e último rei de Judá, que reinou de 598 a 587 a.C. como um rei "fantoche" sob o controle da Babilônia. Esse Zedequias foi filho de Josias (I Crô. 3.15). Seu nome original era *Matanias* (dom de Yahweh), mas foi substituído por Nabucodonosor quando este colocou o homem no lugar de seu sobrinho, Jeoiaquim, que foi levado para a Babilônia em 597 a.C., junto com os líderes mais importantes (II Reis 24.8-17; Jer. 29.2). Por 11 anos, houve revolta contínua e Zedequias finalmente rebelou-se contra seus mestres estrangeiros. A Babilônia cansou da brincadeira e destruiu Jerusalém em dezembro de 587 a.C.

Sumário:
1. Reinado (595-586 a.C.)

ZEEBE – ZELO

2. Um reinado iníquo (I Reis 24.19; II Crô. 36.2).

3. Rebelião contra Nabucodonosor (II Reis 24.20; II Crô. 36.13).

4. Aliança contra a Babilônia, agindo com o Egito (Eze. 17.15).

5. Zombados os mensageiros de Deus, inclusive Jeremias (II Crô. 36.16).

6. Seus filhos foram mortos e ele foi cegado por oficiais babilônicos em Ribla (ver II Reis 25.7). Ver também Jer. 52.24-27.

7. Jerusalém foi devastada após um domínio de dois anos. O povo foi confinado na cidade e a maioria passava fome. Alguns escaparam quando os muros foram derrubados, mas a grande maioria foi morta, e os deixados para trás foram levados à Babilônia. Ver o artigo *Cativeiro Babilônico* para maiores detalhes e ver também II Crô. 36.17 ss.

8. O cativeiro durou cerca de 70 anos, depois do que um restante retornou a Jerusalém para iniciar tudo outra vez. Ver Jer. 25.11, 12 e os comentários sobre esses versículos no *Antigo Testamento Interpretado*.

As Cartas de Laquis em Óstraca. Essas cartas dão informações adicionais sobre a invasão de Judá pela Babilônia. Para maiores informações, ver *Laquis*, IV. *Arqueologia e Laquis*, 4. *Cartas de Laquis em Óstraca*.

4. Um filho de Maaséias tinha esse nome. Era um profeta falso que se opunha a Jeremias, mas o último profetizou corretamente sobre sua morte por execução com Acabe, filho de Colaías, pela Babilônia. Os falsos profetas haviam levantado falsas esperanças entre os exilados, prevendo um breve retorno, o que não aconteceu. Eles também eram pessoas muito imorais que corromperam o povo. Ver Jer. 29.21-23. Sua época foi em torno de 630 a.C.

5. Um líder na época de Neemias, que viveu por volta de 450 a.C. Ele estava entre os que assinaram o pacto com Neemias para a renovação de Judá depois de os exilados terem retornado do cativeiro babilônico. Ver Nee. 10.1. Essa renovação envolvia a revivificação do yahwismo entre o povo, de acordo com a legislação mosaica.

ZEEBE
Ver sobre **Orebe e Zeebe**.

ZEFATÁ
No hebraico, "vigia da montanha". Na Septuaginta, porém, temos a tradução do nome como "vale do norte". De acordo com o texto massorético, Zefatá era um vale que ficava nas proximidades de Maressa (vide), na beira das terras baixas existentes a nordeste de Laquis. Todavia, a região inteira é dotada de uma topografia tão complexa entre as colinas arredondadas ao redor de Maressa, que os estudiosos não conseguem identificar com certeza aquele vale, em nossos dias.

Foi no vale de Zefatá que o rei Asa, de Judá, derrotou Zerá, o cuxita, um assaltante etíope bem armado (ou, talvez, árabe), conforme se lê em II Crônicas 14:10. Ver o artigo sobre *Zerá*, nº 7.

ZEFATE
No hebraico, "vigia da montanha". Segundo todas as aparências, Zefate era o nome mais antigo de Hormá, "fortaleza" (ver, por exemplo, Núm. 14:45). Ficava localizada a poucos quilômetros a leste de Berseba. Com freqüência, essa localidade tem sido identificada com a moderna aldeia de Segaita, embora haja estudiosos que objetem a essa identificação. Zefate foi uma cidade cananéia que os homens de Judá e de Simeão destruíram completamente (Juí. 1:17).

De acordo com alguns estudiosos, a raiz de onde vem a palavra Hormá significa "banir", "exterminar", sendo bem possível que esse nome tenha sido dado em face do aniquilamento da mesma, por parte daquelas tribos sulistas de Israel. Ver também sobre Hormá.

ZEFI
No hebraico, "vigia". Ele era filho de Elifaz, um dos chefes de Edom (I Crô. 1:36). Em Gênesis 36: 11, 15, o nome dele aparece com a forma de Zefô. Ele viveu em torno de 1650 a.C.

ZEFÔ
Nome de um dos filhos de Elifaz, de Edom, que aparece com a forma de Zefi, em I Crô. 1:36. Ver sobre *Zefi*.

ZEFOM
No hebraico, várias interpretações para o nome têm sido apresentadas, como "serpente", "escuridão", e até "olhando para fora". Ele era filho de Gade, um dos filhos de Jacó. É mencionado em Gên. 46:16 e Núm. 26:16, embora na primeira dessas passagens o seu nome apareça como Zifiom. Seus descendentes eram chamados zefonitas. Viveu em torno de 1680 a.C.

ZELA
No hebraico, "lado", "costela humana". Esse nome também é dado a uma colina, em II Sam. 16:13. Como substantivo comum, ocorre no trecho de Gên. 2:21,22, onde se lê que Eva foi feita a partir de uma costela tirada de Adão.

Em Josué 18:28, Zela aparece como uma dentre um grupo de catorze cidades que, a grosso modo, ficavam a poucos quilômetros ao norte de Jerusalém. Não se sabe qual a localização exata de Zela, embora alguns estudiosos tenham sugerido Khirbet Salah, entre Jerusalém e Gibeom.

É possível que o nome hebraico, em Josué 18:28, tenha sido algo como Zela ha-eleph "costela de boi", segundo é sugerido na Septuaginta A, onde se lê a transliteração para o grego, *Selaleph*. No entanto, o texto hebraico de II Samuel 21:14 diz Zela, onde a Septuaginta traduz pelo termo grego *Pleurá*, "lado". Nessa última referência lê-se como Davi sepultou os ossos de Saul e de Jônatas, no túmulo ancestral de Quis, o que identificou aquele lugar como localidade importante para aquela família.

ZELEQUE
No hebraico, **rasgadura, brecha.** Um amonita que foi um dos grandes heróis militares de Davi (II Sam. 23:37; I Crô. 11:39). Ele viveu em torno de 1020 a.C.

ZELO, ZELOSO
No Antigo Testamento encontramos a palavra hebraica *qina*, "ardor", "ciúme", que aparece por quarenta e três vezes no Antigo Testamento. Para exemplificar, ver II Reis 10:16; 19:31; Sal. 69:9; 119:139; Isa. 9:7; 37:32; 59:17; 63:15; Eze. 5:13. O termo grego equivalente é *zelos,* zelo, que ocorre por dezesseis vezes: João 2:17 (citando Sal. 69:10); Atos 5:17; 13:45; Rom. 10:2; 13:13; I Cor. 3:3; II Cor. 7:7,11; 9:2; 11:2; 12:20; Gál 5:20; Fil. 16; Heb. 10:27; Tia. 3:14,16. Ainda no hebraico, temos a forma *qana,* "ser zeloso", ciumento, que ocorre por trinta e quatro vezes no Antigo Testamento, conforme se vê, por exemplo, em Núm. 25:11,13; II Sam. 21:2; I Reis 19:10,14; Joel 2:18; Zac. 1:14; 8:2. O termo grego *zelôo*, "ter zelo", aparece por onze vezes: Atos 7:9; 17:5; I Cor. 12:31; 13:4; 14:1,39; II Cor. 11:2; Gál. 4:17,18; Tia. 4:2. Ver Sal. 69:9 e II Cor. 7:7 quanto

ZELO – ZELOTES

ao zelo em sentido positivo. Mas também há um zelo negativo, indicando uma atitude egoísta, segundo se vê, por exemplo, em Núm. 5:14 e Atos 5: 17. Além disso, o zelo pode ser bom, embora opere de acordo com maus motivos (ver Rom. 10:2; Fil. 16). Paulo tinha um bom zelo em favor das igrejas que havia fundado, para que prosperassem no sentido espiritual (II Cor. 11:2). Deus é um Deus zeloso (ver Êxo. 20:5; 34:14; Deu. 4:24; 5:9).

A palavra grega *zeein,* "borbulhar", "ferver", acha-se à raiz da idéia de "zelo". A palavra portuguesa vem daí, passando pelo termo latino, *zelus.* Uma idéia cognata é *entusiasmo, o* estado de quem está "cheio de Deus", divinamente impulsionado. O zelo puro pode realizar mais do que o conhecimento; mas sem esse fator, geralmente mostra-se mal orientado ou exagerado, para nada dizermos que pode ser até abertamente prejudicial. O zelo por alguma causa errada é perigoso e arruinador. E até o zelo mal orientado por uma boa causa pode criar um espírito acalorado e prejudicial, se não for equilibrado pela razão e pelo conhecimento.

O zelo tem inspirado e levado a bom termo grandes projetos espirituais que indivíduos destituídos de zelo ou tímidos jamais teriam realizado. Por outra parte, o zelo mal orientado tem provocado muitas perseguições, banimentos, encarceramentos e até mesmo crimes de sangue. Ver o artigo intitulado *Tolerância.* Talvez tenham razão aqueles que dizem que Deus é o inspirador do zelo deles. Por outro lado, podemos apenas supor que o ódio seja inspirado por poderes malignos, se é verdade que homens maus precisam de ajuda externa. Assim, há um zelo piedoso; e há também um zelo satânico.

O Antigo Testamento vincula a piedade ao zelo (Êxo. 34:14; Deu. 4:24; 5:9; 6:15; Jos. 24:19; Naum 1:12), fazendo assim o Ser divino entrar no quadro, presumivelmente uma qualidade a ser imitada pelos homens. Embora o Novo Testamento não perpetue o conceito de um Deus "zeloso", promove o conceito de um zelo piedoso. No Novo Testamento, o Filho de Deus (ver João 2:17) e os filhos de Deus (ver II Cor. 7:11; 11:2) é que se mostram zelosos na piedade.

É o Espírito Santo quem inspira o zelo na vida espiritual do crente, porquanto o zelo faz parte integrante da espiritualidade. A inspiração e a iluminação espirituais produzem o seu próprio zelo. Ver os artigos *Espiritualidade e Luminação.*

ZELOFEADE

No hebraico, "proteção do medo", de *sel* (sobra) e *pahad* (temor). Zelofeade descendia de Manassés e morreu no deserto, não deixando nenhum herdeiro homem, mas filhas. Os filhos sempre tiveram monopólio no questão de heranças, mas como esse homem não tinha herdeiros homens, suas cinco filhas perceberiam que poderia ser uma grande injustiça se fossem desprovidas de tudo, o que teria significado, provavelmente, a distribuição de suas terras etc. a outros da tribo. Elas fizeram um apelo direto a Moisés para colocar em vigência nova legislação que incluísse mulheres como herdeiras nos casos em que não houvesse herdeiros homens. Moisés considerou lógico o pedido, mas consultou o oráculo de Yahweh para não cometer um erro. O oráculo foi positivo a isso, de forma que as filhas receberam a herança, e o caso delas tornou-se um precedente para todos por vir no judaísmo hebraico. Ver Núm. 26.33; 27.1, 7; 36.2-11; Jos. 17.3; I Crô. 7.15. A época foi em torno de 1490.

ZELOTES

1. O Nome

Esse apelido vem do termo hebraico *qana,* "ser zeloso". No grego do Novo Testamento, *zelótes,* "zeloso".

2. O Partido

Os zelotes eram um partido político judaico (comparáveis aos boxers chineses do começo do século XX), com muito colorido religioso. Eles não hesitavam, nenhum instante sequer, em usar do ludíbrio, da força, da violência, e das intrigas para obter suas finalidades, com o objetivo de libertar a nação de Israel do jugo estrangeiro. Devido à palavra hebraica por detrás do termo (ver acima), o nome caaneano era usado como sinônimo de zelote. Antes de ter-se convertido e ter sido chamado ao discipulado cristão, um dos doze apóstolos de Jesus, Simão, o Zelote, havia pertencido a esse partido que se caracterizava pelo fanatismo (ver Luc. 6:15 e Atos 1:13). E vemos que ele reteve tal apodo, mesmo depois que se uniu ao grupo apostólico, talvez para distingui-lo de outros homens de nome "Simão" que acompanhavam ao Senhor Jesus. Podemos pensar em Simão Pedro e em um dos irmãos de Jesus que tinha esse nome (ver Mar. 6:3). Também houve um Simão, o cireneu (natural de Cirene, no norte da África), que foi forçado a carregar a cruz de Jesus por uma parte do trajeto (Mat. 27:32); sem falar no pai de Judas Iscariotes (João 6:71). Nas páginas do Novo Testamento há menção de nove homens diferentes com esse nome.

3. Movimentos Protótipicos

Voltando aos zelotes, houve vários movimentos protótipicos desse partido, na tradição judaica. Poderíamos pensar, para começar, em dois dos filhos de Jacó, Simeão e Levi, que exterminaram todo um clã, dos siquemitas, depois que a irmã deles, Diná, fora deflorada por Siquém, filho do chefe dos siquemitas, Hamor (Gên. 34:4 ss). Finéias, o araonita, atravessou com sua lança a um homem israelita que adulterava com uma mulher midianita, matando a ambos com um só golpe, quando a prostituição esteve a ponto de prevalecer entre muitos em Israel (ver Núm. 25:8).

Elias exterminou quatrocentos profetas de Baal, à beira do ribeiro de Quisom, quando o culto a Baal já se havia infiltrado pesadamente no meio do povo de Israel (ver I Reis 18:40). E, durante o período intertestamentário, o bravo Matatias, em seu grande zelo pelo Deus de Israel, com quem o povo entrara em aliança, e devido à lealdade às leis divinas, recusou-se a oferecer um sacrifício pagão e matou um comissário do rei sírio que determinara que oferecesse tal sacrifício abominável, juntamente com um sacerdote judeu apóstata, que havia admitido a abominação. Como bem sabemos, foi esse ato de zelo que incendiou as guerras dos Macabeus (vide) (ver I Macabeus 2:15-28).

4. Informação de Josefo

De conformidade com Josefo (vide), o movimento dos zelotes, no aspecto técnico do termo, originou-se durante o reinado de Herodes, o Grande, ou seja, mais ou menos na época do nascimento de Jesus. (Ver Josefo, *Guerras* 2:4, 1; 4:4, 1). Depois que Arquelau foi deposto (6-7 d.C.), Copônio foi despachado para a Judéia pelos romanos, para ser o primeiro procurador romano da Judéia. Nessa viagem foi acompanhado por Quirínio (referido em Luc. 2:2), cujo dever consistia em preparar o recenseamento dos judeus, o qual visava à cobrança de impostos individuais, e anotar detalhadamente as propriedades judaicas. Joazar, o sumo sacerdote dos judeus, que era homem pacífico, tentou persuadir os indignados judeus a aceitarem de bom grado a ordem imperial (ver Josefo, *Anti.* 18:1,1; 18:2,1 e 17:6,4). Entretanto, um irascível líder judeu, Judas, filho de

Ezequias, não estava disposto a anuir diante do que lhe parecia ser uma insuportável imposição dos dominadores romanos. E assim, motivado por um profundo ódio pelos dominadores pagãos da nação judaica, como também por uma feroz lealdade às tradições de seu povo, ele procurou contrabalançar a proposição do sumo sacerdote Joazar, espalhando a propaganda de que, se os judeus cedessem diante do recenseamento, isso resultaria em uma inevitável e ignominiosa escravização do antigo povo de Deus. Tendo logrado êxito, pelo menos por haver conseguido abafar toda oposição dos judeus às suas idéias, ele passou a encabeçar um movimento clandestino que apelava para ataques terroristas e não hesitava em resistir às autoridades romanas das mais ousadas e atrevidas maneiras.

5. Relação com os fariseus

Não há que duvidar que os fariseus eram tão intensamente patrióticos quanto os zelotes; no entanto, os fariseus tinham uma filosofia da história bem diferente da daqueles, pelo que olhavam seus captores com outros olhos, mais tolerantes. Os fariseus interpretavam o domínio dos romanos, e do títere deles, Herodes, o Grande, como um castigo divino por causa dos pecados da nação judaica, e conclamavam os judeus ao arrependimento. Os fariseus deixavam-se guiar por uma atitude otimista, e esperavam, com toda a confiança, pelo fim da dominação estrangeira, quando a culpa da nação fosse devidamente expiada, quando os judeus endireitassem os seus caminhos, andando segundo os rígidos preceitos da lei mosaica. E, então, de acordo com a opinião deles, Deus havia, de intervir pessoalmente. A esperança dos fariseus no tocante à redenção final repousava sobre a mão de Deus, que havia de intervir soberanamente nos negócios da nação judaica.

Por outra parte, o novel movimento libertador dos zelotes sentia que os seus membros tinham a obrigação de repelir, de forma inequívoca, qualquer domínio estrangeiro sobre a nação de Israel, certos de que qualquer atitude menos drástica do que isso era uma virtual traição à causa do Senhor. A inabalável convicção dos zelotes era que Deus só faria intervenção e estabeleceria o reino messiânico se os judeus rejeitassem claramente qualquer governo que fizesse competição com o governo divino, tudo de acordo com os ideais da teocracia. Por essa razão, recusavam-se a pagar impostos, fustigavam e assassinavam oficiais do governo, militavam contra o uso do idioma grego na Palestina (o que lhes parecia um símbolo da influência e da dominação pagã sobre a nação); e, em virtude de seu grande fervor patriótico, sentiam-se no direito de predizer que estava próximo o tempo da salvação (não aquela de natureza espiritual, ensinada por Cristo e por sua Igreja, mas sim, a salvação que consistia na libertação do domínio estrangeiro). Após a queda de Jerusalém (e nos conflitos armados com os romanos, os zelotes desempenharam um papel de defensores heróicos), aqueles sectaristas fanáticos fugiram para o Egito, tantos quantos puderam, em cujo país continuaram em suas táticas fanáticas, recusando-se a chamar César de Senhor (no grego, kúrios), mesmo que isso significasse para eles o martírio. Sabemos que Israel só conseguiu tornar-se nação independente, novamente, em 1948, por resolução das Nações Unidas. Portanto, muitos séculos (quase dezenove) se passaram com os judeus sem nenhuma pátria que pudessem chamar sua. E isso, como é lógico, arrefeceu e fez extinguir, há muito tempo, o movimento dos zelotes, que passaram para as páginas da história.

6. Simão, o Zelote

Naturalmente, Simão, o Zelote, um dos doze discípulos de Cristo, ao converter-se, descontinuou seu ódio e seus métodos violentos. Todo crente sabe que o mundo será conquistado não pela força, "nem por poder, mas pelo meu Espírito, diz o Senhor", conforme se lê em Zacarias 4:6. Essa conquista cumprir-se-á quando do estabelecimento do reino de Deus na face da terra, por ocasião do segundo advento de Cristo (vide).

ZELZA

No hebraico, "proteção solar", o nome de um local na fronteira de Benjamim mencionado por Samuel quando ele deixou Saul em Rama (I Sam. 10.2). Um sinal validaria a bênção de Samuel do rei Saul. Saul deveria encontrar com dois homens em Rama, próximo ao local da tumba de Raquel, os quais lhe informariam que os asnos que ele buscava haviam sido encontrados e que o pai de Saul estava preocupado, temendo que algo mal teria acontecido com ele. O local exato é desconhecido hoje, mas a vila moderna chamada de Beit Jala, entre *Betel* e *Bete-Arabá*, pode marcar o antigo local.

ZEMARAIM

No hebraico, "cobertura dupla" ou, como dizem alguns, "dupla floresta da montanha", o nome de uma cidade antiga e de uma montanha.

1. Uma cidade com esse nome foi designada à tribo de Benjamim quando a Terra Prometida foi dividida entre as tribos que haviam conquistado a terra. Ver Jos. 18.22. Ficava na porção leste do território e próxima a Bete-Araba e Betel. Tem sido tentativamente identificada com as ruínas de Khirbet es-As-es-Samra, que fica na estrada que leva de Jerusalém a Jericó. Alguns identificam o local moderno como el-Bireh, próximo a Jerusalém, ao norte, ou com a Ramalah moderna.

2. Uma montanha da qual Abias, rei de Judá, falou com Jeroboão e com o exército de Israel (II Crô. 13.4). Ela é chamada de a "alta montanha de Efraim", pois ficava no distrito de cidades altas daquela tribo. Benjamim tinha uma fronteira com Efraim naquela área. Abias estava associado ao local quando atacou Israel. Ele capturou algumas cidades na área, como Betel, que estava situada na fronteira entre as duas tribos.

ZEMAREUS

Esse era um povo cananeu, nomeado entre os arvadeus e os hamateus, em Gên. 10: 18 e I Crô. 1: 16. Provavelmente eles viviam na parte norte da Fenícia, entre Arvade e Trípolis, em uma cidade atualmente chamada Sumra, quase inteiramente reduzida a ruínas. Essa porção da Fenícia fica nos sopés do Líbano.

ZEMER

Essa palavra não se encontra em nossa versão portuguesa. Outras versões, como a Revised Standard Version, seguindo uma versão emendada do texto de Ezequiel 27:8, dizem: "...habilidosos homens de Zemer havia em ti, esses foram os teus pilotos", em vez do nosso texto português, que diz: "...os teus sábios, ó Tiro, que se achavam em ti, esses foram os teus pilotos". Zemer ficava localizada ao norte do Líbano, sobrevivendo até hoje na cidade de Suntra, entre Arvade e Trípolis. Assim sendo, os zemareus (vide), eram os habitantes de Zemer.

ZEMIRA

No hebraico, canção. Esse era o nome de um dos filhos de Bequer (vide) (I Crô. 7:8). Bequer era o segundo filho de Benjamim, filho de Jacó. Ele viveu em cerca de 1630 a.C.

ZEN (BUDISMO)

ZEN (BUDISMO)

Ver o artigo geral sobre o Budismo. Zen é a pronúncia japonesa da palavra chinesa *ch'an*, a qual, por sua vez, é uma forma abreviada de *ch'an-na*. Esta última, por sua vez, deriva-se do sânscrito, *dhyana*, "meditação". Todas essas palavras significam a mesma coisa. A meditação sempre foi uma importante técnica para provocar as experiências místicas, uma característica das religiões orientais.

O budismo zen desenvolveu-se como uma espécie de reação ao budismo hinayana e ao budismo mahayana. Mas, tal como no caso dessas variantes do budismo, o misticismo do budismo zen é subjetivo, buscando conhecer o próprio eu, incluindo as maiores profundezas da alma e do espírito. A meditação é usada como fator disciplinador e como instrumento para domínio da mente, com o intuito de obter maior discernimento. Ver o artigo geral sobre o *Misticismo*.

Idéias e Fatos:

O budismo zen originou-se na Índia. Adquiriu preeminência na China, mas foi no Japão, para onde se transferiu, que prosperou mais extraordinariamente. A tradição diz-nos que sua introdução na China ocorreu por diligência de um monge indiano, Bodhidharma, em cerca de 520 d.C. O taoísmo influenciou a variedade chinesa do budismo zen, e sua força combinada floresceu na China durante o final da dinastia T'ang (618 - 906) e então por mais quinhentos anos depois. Achou caminho para o Japão em 1191, quando Ei-sai trouxe essa fé da China. Desde então, até hoje, o budismo zen tem sido uma influência religiosa extraordinária naquele grande país do Extremo Oriente.

O movimento adquiriu um enfoque permanente nos ensinos de Hung-jen (601 - 674 d.C.), que se utilizava da Escritura Diamante ('*Chin-kang Ching*), a qual enfatiza a mente humana, e não o Ser Final.

Após Hung-jen, a escola dividiu-se em dois ramos. O ramo nortista, liderado por Shen-hsiu (606 - 706 d.C.), e o ramo sulista, liderado por Hul-nen (638-713 d.C.). Este último salientava certos exercícios que produziriam uma súbita iluminação. Essa escola sulista gradualmente foi-se tornando mais importante, e o moderno budismo zen é, essencialmente, a manipulação das idéias dessa escola.

O budismo zen continuou muito poderoso na China até o século XIII d.C. No século XII d.C., havia conseguido uma cabeça de ponte poderosa no Japão, tendo sido introduzido naquelas ilhas por Ei-sai. E até hoje continua sendo uma potência religiosa no Japão.

Idéias e Descrições:

1. O budismo zen ensina o caráter inefável do verdadeiro conhecimento, obtido por meio da iluminação. Ver sobre o *Misticismo*. Por causa dessa doutrina básica, tudo quanto puder ser dito verbalmente acerca do verdadeiro conhecimento deve ser entendido apenas como débil tentativa de, descrevê-lo.

2. Nessa fé, a *samsara* (o ciclo da existência, a roda do nascimento e da morte, que serve de base ao karma) é idêntica ao Nirvana (vide). O Tao (vide) é o caminho, sendo equivalente à vida que alguém está vivendo. A natureza de Buda acha-se em todos os homens, mas precisa ser cultivada. A mente de Buda permeia todas as coisas.

3. O *satori* (iluminação) faz avançar a espiritualidade do indivíduo, podendo levar à natureza de Buda, que foi posta à disposição de todos quantos se esforçam por alcançá-la. Pode ser obtida em meio à vida comum. Não é necessário (embora possa ajudar) ingressar em mosteiro algum. Tudo pode acontecer subitamente, ou através de um longo processo de exercícios.

4. O *satori* é, na verdade, uma espécie de retorno à natureza real do indivíduo, pois o homem é um elevado ser espiritual que sepultou seu verdadeiro "eu" sob a carga pesada da materialidade e da temporalidade. Alcançar a iluminação não é apenas uma questão conceptual, nem é algo que se consiga através de um ascetismo rigoroso. Um importante estado é o do não-apego, do desprendimento. A ausência de pensamentos é desejável como uma atitude, a fim de que o indivíduo possa subir das operações cerebrais para as operações do espírito.

5. O *kaon* é um problema que desconcerta o intelecto e força a pessoa a assumir uma nova orientação e consciência própria. Os kaons podem ser afirmações verbais ou atos sem sentido, que tendem por apanhar a pessoa fora de guarda, deixando-lhe confuso o intelecto. Pequenos atos de violência também servem de kaons. Subitamente, o mestre esbofeteia o aluno, torce-lhe o nariz, bate-lhe com uma vara. Se o kaon funcionar, um relâmpago de iluminação poderá atingir o discípulo. Alguns kaons são problemas intelectuais sérios que deixam a pessoa perplexa, e a solução de um desses problemas pode libertar subitamente o discípulo para receber um relâmpago de iluminação.

6. O *satori*, quando se completa, leva o discípulo a explodir em gargalhadas, ou a exprimir sua admiração de alguma outra maneira. Subitamente, percebe a beleza e a grandiosidade da vida, a conotação e o poder do espírito, a trivialidade da matéria. Toda dúvida dissipa-se, e a iluminação se intensifica. Quando isso acontece, o indivíduo torna-se Buda, estando ainda no corpo físico.

7. *Za-zen* é o nome de uma técnica de meditação que busca iluminação. O seu propósito é obter a paz interior, concentrando-se sobre os kaons.

8. O budismo zen é reputado o pináculo do budismo, pelo menos por parte de alguns; mas há outros que insistem que, na realidade, isso reflete uma espécie de revolta chinesa contra o budismo indiano. A intensa busca zen da liberdade tem levado alguns a pensar que temos aí uma revolta contra a autoridade. Mas toda a questão tem sido grandemente exagerada, embora algumas citações convenientes possam ser achadas em apoio a essa tese.

9. O budismo zen busca conhecer o Ser Final mediante o espírito humano; mas, condizendo com o budismo original, não especula acerca da natureza do Ser Final. As declarações feitas mostram uma espécie de panteísmo, de acordo com o qual o Princípio Divino é confundido com a Natureza, com o Absoluto, com a Unidade ou com a *Tathata* (Tal Coisa). É inútil anular os discernimentos do budismo zen encontrando nele certas debilidades teológicas, as quais, afinal, não são piores do que o exagerado antropomorfismo (vide) das teologias judaica e cristã. Quando estudamos religiões diferentes da nossa, podemos supor que o *Logos* implantou nelas as suas sementes, embora possamos descobrir nelas muitas coisas que podemos criticar, de acordo com nossos padrões teológicos ocidentais. Nossa preocupação deveria ser entender o que o Logos fez nessas religiões, e não em quais pontos vemos erros nessas fés. É praticamente impossível sondarmos as profundezas do espírito humano com nossa atual capacidade. Outros sistemas que sondam essas profundezas têm discernimentos a oferecer-nos. Ver o artigo *Rationes Seminales (Logoi Spermatikoi)*.

10. O zen da juventude rebelde, que valoriza a não-conformidade e dela abusa, que se utiliza do auto-indulgência, é uma perversão aberta da filosofia do budismo zen, e não uma expressão dela.

11. Porém, há verdadeiras rejeições de tradições no

ZENÂ – ZENO DE ELÉIA

budismo zen, como a rejeição à adoração a deuses, o uso de escrituras sacras e o emprego de ritos – coisas essas que caracterizam o budismo zen original.

ZENÂ

No hebraico, "rica em rebanhos". Esse era o nome de uma cidade das terras baixas de Judá (Jos. *15:37*). Conforme dizem os estudiosos, provavelmente é a mesma cidade de Zaanã (ver Miq. 1: 11), devendo, por conseguinte, ser identificada com a moderna 'Arak el-Kharba.

ZENAS

No grego, *Zenâs* (Tito 3:13). Sem dúvida, uma forma abreviada de *Zenodóros*, "dom de Zeus". Zenas era um missionário cristão que trabalhava em companhia de Tito, na ilha de Creta; ou, então, em companhia de Apolo, quando esteve em uma viagem missionária encabeçada por Paulo, na ilha de Creta.

Paulo orientou Tito que lhe enviasse Zenas e Apolo a Nicópolis. Paulo usa a palavra grega *spoudaios*, "diligentemente", com provisões e bem equipados (Tito 3:13). Não há que duvidar de que Paulo precisava dos bons serviços de Zenas, porquanto ele é descrito como "Zenas, o intérprete da lei", conforme diz a nossa versão portuguesa – no grego, *nomikós*.

Esse vocábulo grego indicava tanto um advogado romano quanto um intérprete da lei entre os judeus. O mais provável é que Zenas fosse especialista na Tora dos judeus, o que significa que a interpretação de nossa versão portuguesa deve estar certa. Ora, os versículos imediatamente anteriores, nessa passagem de Tito (ver Tito 19-11), aludem a disputas legais religiosas, o que reforça essa interpretação. Os intérpretes da lei são mencionados nos evangelhos como homens dotados de alta posição; talvez eles fossem escribas ou rabinos entre os fariseus e os saduceus. Assim, depois que Jesus silenciara aos saduceus, os fariseus reuniram-se, e um deles, "...intérprete da lei, experimentando-o, lhe perguntou: Mestre, qual é o grande mandamento na lei!"(Mat. 22:34,36; cf. Luc. 10:25). No trecho de Lucas 7:30 são mencionados novamente intérpretes da lei, associados aos fariseus: "...mas os fariseus e os intérpretes da lei rejeitaram, quanto a si mesmos, o desígnio de Deus, não tendo sido batizados por ele (João Batista)". E o Senhor Jesus também proferiu julgamento contra os intérpretes da lei, por causa das pesadas imposições legais com que eles oprimiam religiosamente o povo (Luc. 11:45-52).

Tudo isso parece indicar que Zenas era um erudito judeu que, ao converter-se ao cristianismo, tomou um nome tipicamente grego. É verdade que alguns estudiosos modernos pensam que, em vista dos sentimentos antijudaicos expressos nas epístolas pastorais (ver 1 Tim. 1:7 ss; Tito 1:10-14), ele teria sido um jurista secular. No entanto, conforme já vimos, os evangelhos apontam na direção de um judeu, intérprete da lei. E assim, em sua missão, Paulo recebeu grande ajuda da parte de Zenas e de outros semelhantes a ele. E isso poderia explicar por que Tito deveria providenciar para que Zenas fosse devidamente equipado para a viagem até onde Paulo estava: "Encaminha com diligência a Zenas, o intérprete da lei, e a Apolo, a fim de que não lhes falte cousa alguma" (Tito 3:13). Ver também Rom. 15:24; 1 Cor. 16:6. Ao que parece, Zenas e Apolo serviram de correio, levando essa epístola de Paulo a Tito, que estava na ilha de Creta. Mas aparentemente havia instruções verbais detalhadas que eles transmitiriam pessoalmente a Tito, da parte do apóstolo, além daquilo que foi dito na epístola.

A propósito, essa passagem da epístola a Tito ilustra bem a hospitalidade cristã e o óbvio apoio que as Igrejas primitivas davam aos irmãos e obreiros que costumavam viajar de uma igreja para outra, nos mais diferentes lugares do extenso império romano. Os versículos finais da epístola a Tito indicam a variedade e a mobilidade dos primeiros missionários que atuavam em companhia de Paulo.

Zenas é mencionado também no livro extracanônico, *Atos de Tito* (século V d.C.); e alguns dizem que ele escreveu uma obra chamada *Vida de Tito*. Tradições posteriores ajuntam que Zenas se tornou bispo de Lida, na Palestina.

ZEND-AVESTA

Ver sobre **Avesta**.

ZENO, PARADOXOS DE

Ver o artigo geral intitulado *Zeno de Eléia*.

ZENO DE CITIUM

Suas datas aproximadas são 335 - 264 a.C. Nasceu na ilha de Chipre. Zeno foi um filósofo grego da escola dos cínicos, tendo sido discípulo de Crates (vide). Também foi influenciado por *Estilpo* (vide), Xenócrates e Polemom. Zeno foi um dos fundadores do *estoicismo* (vide). Seus alunos organizaram e refinaram suas contribuições, levando o estoicismo ao ponto que, finalmente, ele chegou. Zeno inclinava-se para *o cinismo* (vide), mas também forneceu idéias básicas para o estoicismo.

Não dispomos de nenhum escritos de Zeno, e precisamos depender da palavra de outros. Estudou em Atenas antes de fundar sua própria escola, o que aconteceu em cerca de 300 a.C. Crisipo muito elaborou as idéias fornecidas por Zeno, conforme muitos eruditos supõem. Porém, não é fácil mostrar onde terminam as idéias de um e começam as idéias de outro.

ZENO DE ELÉIA

Suas datas são 490 - 430 a.C. Ele foi um filósofo grego, discípulo de *Parmênides* (vide). Proveu uma defesa racional habilidosa das idéias de seu mestre, incluindo vários *paradoxos* que obtiveram fama entre os filósofos. De modo geral, ele defendia o ponto de vista de Parmênides acerca de um ser imutável, bem como acerca da natureza ilusória do espaço, do tempo, do movimento e das mudanças. Temos fragmentos de seus escritos e citações em outros escritores. Alguns de seus paradoxos são facilmente solucionados com bom senso e raciocínio, mas outros não cedem facilmente diante de nossos esforços. Precisamos lembrar, entretanto, que os sofismas continuam aí, mesmo quando nos conseguem deixar perplexos.

Idéias e Paradoxos:

1. O paradoxo do grão de painço. Se deixarmos cair um desses grãos no chão, isso não produzirá ruído. Alguns poucos grãos também não farão ruído algum. Mas, se deixarmos cair no chão uns dez quilos desses grãos, isso produzirá algum ruído. Como é que muitos grãos *que não fazem ruído* podem terminar fazendo ruído? Esse paradoxo ignora os ruídos inaudíveis que um ou alguns poucos grãos fazem, e que adicionados aos ruídos inaudíveis de muitos outros grãos, quando isolados, podem ser ouvidos.

2. O paradoxo do espaço. O espaço não é uma realidade. É apenas uma ilusão, conforme vários paradoxos de Zeno tentam provar. O espaço é indivisível, mas, pela razão podemos dividir o espaço em um número infinito de pequenos espaços. A matemática fornece-nos os meios para tanto; no entanto, um número infinito de espaços é uma noção contraditória. Assim sendo, o próprio espaço não passaria de uma ilusão. Poderíamos retrucar que o espaço é finito; mas se podemos dividi-lo de maneira infinita, então o espaço já não é finito. Não sendo nem finito, e nem infinito, simplesmente não existe. E o que Zeno afirmava sobre o espaço, afirmava sobre a realidade material em geral.

3. *O paradoxo da linha*. Uma linha é um conceito espacial que liga imaginariamente dois pontos. Porém, essa ligação é ilusória. Uma linha pode ser divisível ou indivisível. Se é divisível, pode dividir-se em um número finito ou em um número infinito de segmentos ou espaços. Se uma linha for dividida em um número finito, faltar-lhe-a magnitude, o que significa quer não existe. Se for dividida em um número infinito, por meio da matemática, então será uma entidade infinita, o que é claramente impossível. Linhas infinitas são nada.

4. *O paradoxo do movimento*. Se um homem atira uma flecha, ela parece cruzar o espaço de um ponto a outro. Mas isso é claramente ilusório. Podemos dividir o suposto espaço cruzado em um infinito número de espaços, e é evidente que é impossível uma flecha atravessar o infinito. Portanto, seu alegado movimento é ilusório. Não pode mover-se no lugar onde está, pois, nesse caso, não estaria lá. Não pode mover-se no lugar onde não está, visto que não está ali. Portanto, tal flecha não pode mesmo estar em movimento.

5. *O paradoxo de Aquiles e a tartaruga*. Poderíamos pensar que o veloz Aquiles era mais rápido na corrida que uma tartaruga. Em uma competição entre os dois dois, Aquiles ganharia. Mas o fato é que a própria corrida, que envolve as questões de espaço e de tempo, é uma ilusão. Imaginemos que, para sermos justos, demos à tartaruga uma vantagem. Visto estarmos arquitetando um paradoxo, podemos imaginar as condições que quisermos. Portanto, suponhamos que à tartaruga seja dada uma vantagem de vinte metros. Ora, Aquiles deveria ser capaz de alcançar a tartaruga com facilidade, e até passar adiante dela. Porém, para ele poder alcançar a tartaruga, ele teria de atravessar um número infinito de espaços, visto termos resolvido dividir aqueles vinte metros em um número infinito de espaços. E é patente que Aquiles não pode atravessar um número infinito de espaços. Por essa razão, nunca houve corrida alguma, e o próprio movimento imaginado é um absurdo. Ademais, mesmo que ele pudesse percorrer aqueles vinte metros, ao chegar ao lugar onde a tartaruga estava, descobriria que o quelônio já teria avançado algum espaço, o que haveria de prosseguir *ad infinitum*. Ora, qualquer conceito *ad infinitum é* um absurdo, pelo que não pode haver tal corrida, nem movimento nenhum. Isso mostra que o mundo do bom senso está repleto de contradições. Portanto, este mundo *é* ilusório, e somente o Um, que *é* infinito, imutável e perfeito, é que é *real*.

6. *O paradoxo dos corpos sólidos em estado de repouso ou de movimento*. Imaginemos um corpo sólido em estado de repouso, mas posto no meio de dois corpos sólidos em movimento, mas que passem pelo corpo inerte vindo de direções diferentes. Esses corpos em movimento deslocam-se na mesma velocidade. Presumivelmente, esses corpos passam pelo corpo em repouso em uma mínima e específica unidade de tempo. Mas os corpos que passam um pelo outro (aqueles no lado oposto ao corpo em repouso), passam em menos tempo do que aquele período mínimo de tempo. Portanto, esses corpos estão a deslocar-se em duas velocidades diferentes ao mesmo tempo, o que é uma impossibilidade.

ZEQUER

No hebraico, "fama". Foi o nome de um filho de Jeiel, pai de Gibeom, um homem da tribo de Benjamim (I Crô. 8:31). Esse mesmo homem é chamado de Zacarias em I Crônicas 9:37, porquanto Zequer é uma abreviação de Zacarias. Ele viveu por volta de 1180 a.C. Era irmão de Ner (vide) e tio de Saul (vide).

ZER

No hebraico, "rocha". Esse era o nome de uma cidade de Naftali (Jos. 19:35), que até hoje não foi identificada. Sabe-se apenas que ela era fortificada e ficava perto do lago de Genezaré.

ZERÁ

No hebraico, "amanhecer", "levantar", "brilhar" ou "broto", "rebento". Seis ou sete personagens do Antigo Testamento eram chamadas assim. Elas são listadas em ordem cronológica até onde é possível.

1. Um filho de Ruel, que era filho de Esaú (Gên. 36.13; I Crô. 1.37). Ele era um príncipe dos edomitas que viveu em por volta de 1700 a.C. Sua mãe era filha de Ismael.

2. Pai de Jobabe, que foi o segundo dos pequenos reis de Edom (Gên. 36.33; I Crô. 1.44), que viveu em torno de 1700 a.C. Alguns pensam que as personagens 1 e 2 acima são a mesma pessoa.

3. Um filho de *Simeão* (Núm. 26.13; I Crô. 4.24), que fundou uma subtribo da tribo que descendia de seu pai, a qual era formada pelos *zeraítas*. Ele era chamado de Zoar (vide a respeito) em Gên. 46.10; Êxo. 6.15. Viveu em torno de 1700 a.C.

4. Um homem com esse nome foi o irmão gêmeo de Perez (ver a respeito), nascido da união adúltera/incestuosa entre Judá e Tamar, sua nora (Gên. 38.30; I Crô. 2.6; Mat. 1.3). Embora ele não tenha sido o primeiro a nascer, colocou sua mão para fora primeiro, ao redor da qual a parteira pôs um fio vermelho para identificá-lo como primeiro e torná-lo o detentor dos direitos de primogenitura. Os primeiros dois maridos de Tamar, filhos de Judá (Er e Onã), haviam morrido, e, de acordo com a *Lei do Levirato* (ver a respeito), Judá deveria ter passado ainda outro filho para ela. Ele disse que o faria, mas tinha medo de perder outro filho para a viúva negra, Tamar. Judá ficou adiando, de modo que Tamar enganosamente o levou a fazer sexo com ela, disfarçando-se como uma prostituta. O resultado dessa união foi o nascimento dos gêmeos mencionados aqui. Para detalhes sobre a história toda, ver o artigo *Tamar*. Curiosamente, Zerá foi ancestral de Davi e estava na linhagem que levou a Jesus, o Cristo. Zerá viveu em torno de 1700 a.C.

5. Um levita da família (linhagem) de Gérson (I Crô. 6.21). Viveu em torno de 1250 a.C.

6. Um levita, pai de Etni, ancestral distante de Asafe, um conhecido cantor do tabernáculo na época de Davi (I Crô. 6.41). O período de Asafe foi por volta de 1000 a.C., mas seu ancestral, Zerá, viveu por volta de 1250 a.C.

7. Um etíope, provavelmente da tribo dos cuxitas do sul da Arábia, apresentado por seu nome ser dado juntamente com outros daquela região (Núm. 12.1; Heb. 3.7). Asa, rei de Judá, havia tido cerca de 10 anos de paz quando Zera invadiu Judá com 1 milhão de homens (ou pelo menos é isso que diz o registro!) e 300 carruagens.

ZERAÍAS – ZERETE-SAAR

O árabe avançou até uma batalha decisiva ser travada em Maressa. Asa, desesperado, convocou a ajuda de Yahweh e logo recebeu uma surpreendente e impressionante vitória. Ver II Crô. 14.9. Os "milhares de milhares" (milhão), o suposto número de soldados em seu exército, têm impressionado os intérpretes que consideram esse número como "mil unidades", deixando incerto o número exato de soldados do exército. A versão em português retém o monstruoso "milhão". Talvez Zera deva ser identificado com o Osorkons da 22ª Dinastia Bubasitita, mais especificamente, com Osorkon I, que reinou em por volta de 924-895 a.C. É impossível ter certeza sobre isso. De qualquer forma, o nome Zerá tem sido encontrado em inscrições árabes.

ZERAÍAS
Forma variante do nome **Zaraías** (vide). Essa forma variante aparece em Esd. 7:4 e 8:34. E a forma *Zaraías* só aparece em livros apócrifos do Antigo Testamento, e nunca nos seus livros canônicos.

ZERAÍTAS
Duas famílias antigas de Israel foram chamadas por esse coletivo, a saber:
1. Uma família da tribo de Simeão (Núni. 26:13).
2. Uma família da tribo de Judá (Núni. 26:20). Acã (Jos. 7:17) e dois dos poderosos guerreiros de Davi pertenciam a essa família judaíca (I Crô. 27:11 e 13). Ver sobre *Zerá*, números 3 e 4.

ZEREDÁ
Esse nome locativo, grafado no hebraico de três maneiras levemente diferentes, significa "fortaleza". Há considerável confusão sobre esse nome e os lugares para os quais o mesmo aponta, a saber:

O nome, com alguma variação, aparece em I Reis 11:26, em II Crô. 4:17 (com outra forma), e em Jos. 3:16 (ainda com outra forma). Por isso mesmo, as versões grafaram o nome com nada menos de seis maneiras diferentes, nas línguas vernáculas: Zeredá, Zeredate, Zeredata, Zererá, Zererate e Zaretã (vide). Procuraremos sumariar tudo isso sob dois pontos:

1. O lugar onde residia Jeroboão, quando se rebelou contra Salomão (I Reis 11:26). Ficava no distrito de Efrã, provavelmente, na área geral do território de Efraim, conforme se vê em Juizes 12:5, onde a palavra hebraica *eprati* significa - homem de Efraim (em nossa versão portuguesa, "efraimita"). Elcana, pai do profeta Samuel, também é descrito como um efraimita (I Sam. 1:1), que ficava nos sopés montanhosos da região oeste do território de Efraim. Possíveis localizações são as proximidades de 'Ain Seridah, na parte ocidental de Samaria, ou Deir Gliassaneli, a sudoeste de Siquém.

2. Uma cidade existente no vale do Jordão, onde era fundido metal para ser usado no fabrico de objetos a serem usados no templo de Jerusalém (II Crô. 4:17). 0 trecho paralelo de I Reis 7:46 diz *Zaretã* (vide). Em I Reis 7:22, onde a nossa versão portuguesa diz Zererá, os eruditos recomendam que se leia "Zeredá", acompanhando cerca de vinte artigos manuscritos hebraicos, porquanto as letras hebraicas que representam "r" e "d" podiam ser facilmente confundidas pelos copistas. Os trechos de Josué 3:16; I Reis 4:12 e 7:46 contêm o nome "Zaretã". No entanto, no caso de I Reis 7:46, os estudiosos pensam que houve ali um erro escribal, porquanto em seu trecho paralelo, II Crô. 4:17, temos o nome "Zeredá". Ver o artigo *Zaretã*. Visto que no atual Tell es Sa'idiyeh os arqueólogos têm encontrado numerosos objetos de cobre, pertencentes aos séculos XIII e XII a.C., por isso mesmo eles pensam que ali havia uma fundição de cobre. Portanto, parece que isso identifica o local exato da antiga cidade de Zeredá, no vale do Jordão, uma localidade que vem sendo ocupada por seres humanos desde os tempos calcolíticos.

ZEREDE
No hebraico, provavelmente, "torrente dos salgueiros"; ou, então, "bosque dos salgueiros". Esse é o nome de dois acidentes geográficos mencionados no Antigo Testamento, um ribeiro e um vale. O ribeiro é mencionado em Deu. 2:13,14; e o vale, em Núm. 21:12. Todavia outros estudiosos, talvez com mais razão, identificam esse lugar como um wadi, isto é, um ribeiro intermitente, pelo que, quando havia chuva, era um ribeiro, quando não chovia, era um vale seco.

O ribeiro ou vale de Zerede era uma linha fronteiriça entre Moabe e Edom. Em outros trechos, recebe outros nomes. Assim, em Isa. 15-7 aparece com o nome de "torrentes dos salgueiros"; e em Amós 6:14, com o nome de "ribeiro da Arabá", ou seja, "ribeiro do deserto". Talvez seja o moderno wadi el-Ahsy.

Nos tempos de Eliseu, foi em Zerede que, segundo uma predição sua, houve uma inundação. Por algum motivo, essas águas pareciam aos olhos dos moabitas "vermelhas como sangue" (ver II Reis 3:20 e 22). Os moabitas foram derrotados diante das tropas de Israel, de Judá e de Edom, que se tinham aliado contra aqueles. O relato inteiro aparece em II Reis 14-27, com muitos lances sangrentos e horripilantes.

Todavia, visto que Israel penetrou no deserto a leste de Moabe, antes de atravessar o ribeiro de Zerede, alguns estudiosos identificam Zerede com o wadi Kerak, ou, então, com algum tributário do Kerak ou o Arnon (vide)-talvez o Ferranj ou o Seil Sa'ideh. Mas aqueles que pensam que a penetração de Israel seguiu na direção oeste, pensam no wadi el-Ahsy, conforme dissemos acima.

Tal como o Kerak ou o Arnon, o el-Ahsy flui de forma intermitente em um vale muito plano, que atravessa o platô. Quando chegam as chuvas, suas águas chegam até um oásis, atravessando uma garganta que divide ao meio uma escarpa montanhosa. De cada lado dessa garganta há terraços estreitos, de terras cultiváveis.

ZERERÁ
Ver sobre **Zeredá**.

ZERES
No persa, **ouro**. Foi transliterado para o hebraico como zeresh, e daí chegou ao português com a forma de Zeres-. Ela era a esposa de Hamã, o primeiro ministro do rei Assuero (Est. 5:10-14 e 6:13). A Septuaginta grafa seu nome como Sosára. Ela viveu em torno de 510 a.C.

ZERETE
No hebraico, "esplendor", "brilho". Ele pertencia à tribo de Judá, filho de Assur e sua esposa, Helá (I Crô. 4:7). Descendia de Calebe. Viveu por volta de 1470 a.C.

ZERETE-SAAR
No hebraico, "esplendor da aurora". Essa era uma cidade do território dado à tribo de Rúben. É mencionada exclusivamente em Jos. 13:19. A identificação dessa cidade é problemática, mas parece haver razão na localização dessa cidade cerca de trinta e dois quilômetros a sudoeste de Medeba, a poucos quilômetros abaixo do ponto onde o rio

ZERI – ZIBEÃO

Nahaliel deságua no mar Morto, vindo do Oriente. Essa cidade de Zerete-Saar é mencionada juntamente com Quiriataim, do território de Rúben. Sabe-se que Quiriataim havia antes pertencido a Seom, rei dos amorreus, e que essa cidade ficava localizada cerca de dezesseis quilômetros a sudeste de Zerete-Saar.

ZERI

No hebraico, "bálsamo". Um filho de Jedutum. Zeri foi chefe de uma família de cantores levíticos pós-exílicos (I Crô. 25:3). Em I Crô. 25:11, o seu nome aparece com a forma de "Izri". Os peritos dizem que talvez houvesse, originalmente, uma letra hebraica inicial, "iode" (vide), que deve ter sido perdida nas transcrições. Nesse caso, Izri representa melhor o nome dele do que Zeri. Ver o artigo sobre Izri. Viveu por volta de 1015 a.C.

ZEROR

No hebraico, "feixe", "pacote". Ele pertencia à tribo de Benjamim. Foi um dos antepassados do rei Saul (I Sam. 9:1). Viveu em cerca de 1160 a.C.

ZERUA

No hebraico, "seiuda". Ela era a mãe do rei Jeroboão (I Reis 11:26). Aprendemos nesse versículo que ela era viúva. Zerua viveu por volta de 1000 a.C.

ZERUIA

No hebraico, "bálsamo", nome de uma irmã (de acordo com alguns uma enteada) do rei Davi e mãe dos ilustres guerreiros matadores Joabe, Abisai e Asael. Esses guerreiros eram, portanto, sobrinhos de Davi. Embora seu nome seja mencionado cerca de 25 vezes no Antigo Testamento, o de seu marido não é. Possivelmente ele morreu cedo. Ele era um estrangeiro, insignificante demais para ser mantido ao lado dessa notável mulher; ou, menos provável, talvez ela tenha sido uma mãe solteira. Alguns exemplos de referências a ela são: I Sam. 26.6; II Sam. 2.13, 17; 3.39; 8.16; I Reis 1.7; 2.5, 44; I Crô. 2.16. Ela viveu por volta de 1070 a.C.

ZETÃ

No hebraico, "resplendente". Há dois indivíduos com esse nome nas páginas do Antigo Testamento.

No hebraico, seus nomes são escritos de forma levemente diferente, embora ambos com o mesmo significado.

1. Um dos três filhos de Ladã, um gersonita (I Crô. 23:8 e 26:22). Ele viveu por volta de 1020 a.C.
2. O quinto filho de Bilã, neto de Benjamim (I Crô. 7:10). Ele viveu em torno de 1600 a.C.

ZETAR

No hebraico, "sacrifício". Esse homem era um dos sete eunucos que serviam na presença de Assuero (Est. 1:10). Viveu por volta de 520 a.C.

ZETÉTICO (ZÉTESIS)

Esse termo português vem do grego "zétesis", "inquirição", ou, mais formalmente, "a arte da inquirição". Como nome dado a uma pessoa, significa algo como "inquiridor". Esse termo foi aplicado aos seguidores de Pirro (vide), dando assim a entender uma "inquirição cética", ou o próprio "ceticismo".

ZEUS

De acordo com a mitologia grega, Zeus era a divindade principal, que obteve tal posição ao destronar seu pai, Cronos. Os romanos chamavam-no Júpiter, isto é, "pai do céu". Originariamente, Zeus era um deus indo-europeu do céu ou das condições atmosféricas. De fato, seu nome significa "céu". O termo latino "deus" é a transliteração do termo grego para o latim, e agora, Deus é o nome comum supremo que se dá, em português, ao Criador de todas as coisas. Na qualidade de deus do céu, ele controlava os corpos celestes. Usava como seu instrumento especial o raio, diante do qual nem outros deuses, nem homens eram capazes de resistir.

Na concepção dos gregos, a posição e os poderes de Zeus foram crescendo. E ele acabou sendo o *panomphaios*, ou seja, autor de toda adivinhação, origem dos poderes proféticos e dos estados e potencialidades místicos. Gradualmente, sua antiga representação como quem possuía fraquezas humanas em grande estilo, como vícios e atitudes violentas, foi cedendo lugar a descrições mais consonantes a uma boa avaliação racional daquilo que Deus deve ser. Muitos intérpretes insistem que a mesma coisa aconteceu no tocante aos conceitos dos hebreus acerca de Deus, de tal modo que o Destruidor e General de Exércitos tornou-se o Ente Santo dos céus. Não há que duvidar que o Novo Testamento expõe melhores conceitos acerca de Deus do que o Antigo Testamento, e é difícil entender por que algumas pessoas não podem perceber uma questão tão óbvia. Seja como for, os homens, de acordo com sua época e circunstâncias, inventam deuses segundo a sua própria imagem. Nada é tão claro quanto isso. Ver o artigo *Antropomorfismo*.

Zeus acabou por tornar-se o governante supremo tanto dos homens quanto dos imortais. Tornou-se também o protetor e guardião dos reis, da justiça e da retidão. Era assessorado por Dikê, "Justiça", Thêmis, "Lei" e *Nêmesis*, "Retribuição". Alguns antigos viam Zeus como uma divindade predestinadora, que distribuía entre os homens a sorte deles na vida. Ele teria objetos sagrados, como a águia, o carvalho e os picos montanhosos. Os animais que lhe eram sacrificados usualmente eram cabras ou bois.

ZEUS OLÍMPICO, TEMPLO DE

Algumas traduções de II Macabeus 6:2 dizem Templo de Júpiter Olímpico, porque o Zeus dos gregos era o mesmo Júpiter dos romanos. Esse nome foi dado por Antíoco IV Epifânio ao templo de Jerusalém, quando ele estava resolvido a helenizar a religião e demais instituições judaicas. Isso ocorreu em 168 a.C. Ver também o artigo *Olimpas*, quanto à derivação do adjetivo olímpico.

ZIA

No hebraico, "aterrorizado". Ele era da tribo de Gade e chefe de uma das famílias de Israel (I Crô. 5:13). Viveu em torno de 1070 a.C.

ZIBA

No hebraico, "plantação". Ele foi um servo de Saul que também serviu ao filho daquele monarca de Israel, Mefibosete. Seu nome aparece por dezesseis vezes no segundo livro de Samuel (9:2,4,9-12; 16:1-4; 19:17,29). Nessa última referência lemos que ele obteve, por doação de Davi, metade das terras que pertenciam a Mefibosete. Ziba viveu em torno de 1025 a.C.

ZIBEÃO

No hebraico, "ladrão selvagem". Nas páginas do Antigo Testamento há dois homens com esse nome, a saber:
1. Um heveu, que foi avô de Ada, uma das esposas de Esaú (Gên. 36:2; 36:14). Ele viveu em cerca de 1800 a.C.

2. Um filho de Seir, o horeu. Ele é mencionado por seis vezes na Bíblia: Gên. 36:20,24,29; I Crô. 1:38,40. Ele viveu por volta de 1800 a.C.

ZIBIA

No hebraico, esse nome é grafado de duas maneiras. Uma das formas tem o sentido de "gazela"; e a outra forma, segundo tudo indica, quer dizer "gazela de Yah". A primeira forma é o nome de um homem, e a segunda, de uma mulher, conforme se vê abaixo:

1. Um benjamita, filho de Saaraim (I Crô. 8:8,9). Ele viveu em cerca de 1320 a.C.
2. A esposa de Acazias, mãe de Joás, que também foi rei de Judá. Ela era natural da cidade de Berseba (II Reis 12:1 e II Crô. 24:1). Ela viveu em torno de 890 a.C.

ZICLAGUE

No hebraico "serpente" ou "ondulada", nome de uma cidade no Neguebe, isto é, o "território do sul" de Judá (Jos. 15.31). Na divisão da Terra Prometida, após a conquista, a região foi dada primeiro a Simeão (Jos. 19.5; I Crô. 4.30), mas acabou como parte de Judá (Jos. 15.31). Na época de Saul, a região ficou sob o controle dos filisteus (I Sam. 27.6). Ao fugir das intenções assassinas de Saul, Davi tornou esse lugar seu quartel-general, com a cooperação de Aquis, rei de Gate. Foi em Ziclague que Davi recebeu a notícia da morte de Saul (II Sam. 1.1; 4.10), que acabou com seu exílio e lhe possibilitou, não muito tempo depois, assumir o poder em Israel, tornando-se assim seu segundo rei. A cidade foi destruída pelos amalequitas, mas Davi, a longo prazo, conseguiu retirá-los do local (I Sam. 30.1, 2). Depois do exílio de Judá na Babilônia, o local foi usado mais uma vez como habitação de judeus (Nee. 11.28). É provável identificar o antigo local com a moderna Tell el-Kuwilfeh, que se situa cerca de 8 km ao sudoeste de Tell Beit Mirsim (Debir). Tell el-Kuwilfeh fica entre Debir e Berseba.

ZICRI

No hebraico, "renomado". Um nome bastante comum nas páginas do Antigo Testamento. Podem ser mencionados doze indivíduos com esse nome, a saber:

1. Um filho de Izar, neto de Levi (Êxo. 6:21). Ele viveu por volta de 1490 a.C.
2. Um benjamita da família de Simei (I Crô. 8:19). Ele viveu em torno de 1300 a.C.
3. Outro benjamita, filho de Sisaque (I Crô. 8:23). Ele viveu em torno de 1300 a.C.
4. Outro benjamita, filho de Jeroão (I Crô. 8:27). Ele viveu por volta de 1300 a.C.
5. Um levita, filho de Asafe (I Crô. 9:15). Ele viveu em cerca de 500 a.C.
6. Um descendente de Eliezer, filho de Moisés, que viveu nos dias de Davi, em torno de 1040 a.C. (I Crô. 26:25).
7. O pai de Eliezer, um chefe rubenita, nos dias de Davi, ou seja, em torno de 1040 a.C. (I Crô. 27:16).
8. O pai de Amazias, um dos capitães militares no exército de Josafá (II Crô. 17:16). Ele viveu em cerca de 950 a.C.
9. O pai de Elisafate, um capitão de cem, que ajudou o sacerdote Joiada a fazer de Joás rei de Judá (II Crô. 23:1). Ele viveu por volta de 900 a.C.
10. Um efraimita, um poderoso homem de valor, que matou o filho de Acaz, rei de Judá (II Crô. 28:7). Viveu em torno de 740 a.C.
11. O pai de Joel, superintendente dos benjamitas em Jerusalém, terminado o cativeiro babilônico (Nee. 11:9). Ele viveu em cerca de 450 a.C.
12. Um sacerdote dos filhos de Abias, nos dias de Neemias(Nee. 12:17). Ele viveu em cerca de 445 a.C.

ZIDIM

No hebraico, "faldas montanhosas". Uma cidade fortificada do território de Naftali (Jos. 19:35). No Talmude, esse lugar é chamado de Cafar Hitaiá. É a moderna aldeia de Hatin, cerca de oito quilômetros a noroeste de Tiberíades e a menos de um quilômetro e meio ao norte dos *Chifres de Hatin* (vide). Todavia, alguns estudiosos não sabem determinar com precisão a sua localização.

ZIFA

No hebraico, "prestado". Ele era outro dos quatro filhos de Jealelel (I Crô. 4:16). Jealelel (vide) era descendente de Calebe, filho de Jefuné. Zifa viveu por volta de 1380 a.C. Ver sobre *Zife, Tiria e Asareel*, seus irmãos.

ZIFE, ZIFITAS

No hebraico, "lugar de refino". Nas páginas do Antigo Testamento, esse é o nome de dois homens e de duas cidades, a saber:

1. Um neto de Calebe, filho de Hezrom (I Crô. 2:42). Ele viveu por volta de 1500 a.C.
2. Um filho de Jealelel (I Crô. 4:16). Ele viveu em torno de 1380 a.C.
3. Uma cidade da área do Neguebe (vide), pertencente a Judá (Jos. 15:24; I Crô. 2:42; 4:16), onde Zife aparecia como um clã ou uma família vinculada a Calebe. Provavelmente trata-se da moderna Khirbert ez-Zeifeh, a sudoeste de Kurnub, já perto da fronteira com Edom.
4. Uma cidade da região montanhosa de Judá (Jos. 15:55). Davi escondeu-se de Saul em campo aberto, perto de Zife (I Sam. 23:14,15 e o subtítulo de Sal. 54). Nessa mesma região, posteriormente, Davi apossou-se da lança de Saul e de sua botija de água, embora lhe tivesse poupado a vida (I Sam. 26:1,2,7,12).

Essa mesma cidade de Zife foi fortificada por Reoboão, filho de Salomão, depois que a nação de Israel dividiu-se em reino do norte (Israel) e reino do sul (Judá) (II Crô. 11:5,8). Provavelmente, o local é ocupado pelo atual Tell Zif, a seis quilômetros e meio a sudeste de Hebrom, em uma colina cerca de 880 m acima do nível do mar, que domina todas as terras abertas em redor, mais ou menos no mesmo nível de En-Gedi (vide), no mar Morto.

ZIFROM

No hebraico, **topo bonito**. Essa era uma localidade existente na fronteira norte entre a Palestina e Síria (Núm. 34:9). Todavia, não se sabe qual a sua localização exata.

ZIGURATE

Essa palavra deriva-se do assírio, *ziqquratu*, "topo de montanha". Entre os assírios e babilônios, um zigurate era um templo formado por terraços superpostos, cada qual menor que o anterior, em forma piramidal. Isso deixava tanto um terraço estreito, circundando a construção, em cada andar, como um terraço superior, geralmente em forma quadrada, onde os sacrifícios eram efetuados, juntamente com outras cerimônias.

Essa forma arquitetônica se desenvolveu durante o terceiro milênio a.C., a partir de uma plataforma baixa, sobre a qual se construía algum santuário (conforme se vê na antiquíssima Ereque ou em Uqair, cidades da

ZIGURATE – ZIM

Babilônia antiga). Os zigurates foram sendo construídos em proporções cada vez maiores, até chegarem a maciças torres de tijolos de argila, como a de Etemenanki, cujo nome significa "edifício plataforma do céu e da terra", associada ao templo de Marduque, na Babilônia. Essa imensa torre, segundo as proporções da antiguidade, chamava-se Esagila, nome esse que significa "cujo topo está no céu". A torre de Esagila media 90 m de base, e tinha, aproximadamente, a mesma altura. Isso corresponde a um edifício com mais de trinta andares, segundo as modernas construções de arranha-céus. Um verdadeiro feito da engenharia antiga, quando ainda não se conheciam nem o cimento e nem as armações de aço, usados nos arranha-céus da atualidade.

O acesso a cada nível (e o primeiro, geralmente, era o terraço que mais se elevava em relação à base-digamos, chegava a uns 33 m de altura; enquanto que o segundo só chegava aos 51 m de altura; e o terceiro só chegava aos 58 m, etc.) era feito mediante uma rampa ou uma escadaria que partia de várias direções, ao redor do zigurate.

Alguns estudiosos, que não aceitam as manifestações místicas na Palavra de Deus, pensam que Jacó deve ter adormecido diante de algum zigurate; e, na sua sonolência, pensou estar vendo uma escada que ia do chão ao céu, em seu famoso sonho de revelação (ver Gên. 28:12). Naturalmente, nem precisamos comentar sobre isso. Basta dizer que os arqueólogos nunca encontraram zigurates ou pirâmides entre a terra de Canaã e Arã, para onde ele se dirigia.

Era no topo dessa "montanha artificial", no santuário que era erguido no alto, ou no terraço descoberto, que, segundo se acreditava, a divindade adorada descia para receber a veneração dos homens, mediante ritos especiais.

Vários zigurates têm sido escavados pelos arqueólogos, como os de Ur, Assur e Choga Zambil, os três mais bem conhecidos e melhor preservados. A "torre de Babel" (ver Gên. 16:1-5) pode ter sido o primeiro de todos os zigurates, porquanto construções desse tipo podem ser encontradas em todas as principais cidades antigas da Babilônia.

O quanto esse tipo de construção se tornou comum, basta dizer que até mesmo nas Américas foram encontradas essas construções piramidais. Há muito sabia-se que certos indígenas do México e de outros países latino-americanos, da América Central, também haviam construído pirâmides lisas e zigurates. Mas, há menos de uma década, foi descoberto um zigurate perdido nas selvas da Amazônia brasileira, no estado do Amazonas, a certa distância das margens do rio Negro. Quem teria erguido essa construção, sabendo-se que os brasilíndios não sabiam fazer tijolos de barro, quando por aqui aportou Cabral?

ZILÃ

No hebraico, "proteção" ou "tela". Ela era uma das esposas de Lameque, o primeiro bígamo do mundo. Foi mãe de Tubalcaim, "artífice de todo instrumento cortante, de bronze e de ferro" (Gên. 4:19-23). Esse versículo mostra-nos que a metalurgia é mais antiga do que muitos pensam. É muito difícil determinar em que época viveu Zilá. Uma data tentativa tem sido cerca de 4000 a.C.

ZILETAI

No hebraico, "sombra", "proteção". Há dois homens com esse nome, nas páginas do Antigo Testamento, a saber:

1. O cabeça de uma família benjamita (I Crô. 8:20). Ele deve ter vivido em torno de 1300 a.C. Era um dos filhos de Simei (vide).

2. O oficial do exército, pertencente à tribo de Manassés, que veio unir-se a Davi, em Ziclague (I Crô. 12:20). Viveu por volta de 1050 a.C.

ZILPA

No hebraico, "gota de mirra". Ela era uma jovem escrava que foi dada por Labão a Lia, por ocasião do casamento desta com Jacó. Posteriormente, a pedido da própria Lia, tornou-se esposa secundária, ou concubina, de Jacó. Zilpa foi mãe de dois filhos, Gade e Aser (Gên. 29:24; 30:9-13; 35:26; 37:2; 46:18). Viveu em torno de 1730 a.C. Desconhece-se a origem racial de Zilpa. O mais provável é que ela era de sangue sírio, isto é, semita.

ZIM

No hebraico, "terra baixa". O deserto de Zim, conforme seu próprio nome indica no original hebraico, era alguma depressão. Ficava no território que mais tarde foi entregue à tribo de Judá, em sua porção sul, e também a oeste da extremidade sul do mar Morto ou mar Salgado. É mencionado por nove vezes nas páginas do Antigo Testamento: Núm. 13:21; 20:1; 27:14; 33:36; 34:3,4; Deu. 32:51; Jos. 15:1,3. Esse deserto de Zim não deve ser confundido com o deserto de Sim (vide).

O deserto de Zim foi o palco de alguns dos eventos mais críticos da história bíblica do Antigo Testamento. A começar pelo incidente de En-Mispate, ou Cades, que foi invadida por reis mesopotâmicos (ver Gên. 14:7), Cades-Barnéia, onde os israelitas acamparam (ver Núm. 33:36), de onde partiram espias para examinar a Terra Prometida, e o deserto de Zim (ver Núm. 13:21), onde também uma geração incrédula e desafeiçoada a Deus foi sentenciada a morrer antes de entrar na Terra Prometida (Núm. 14:17; 27:14), e onde Miriã faleceu e Moisés bateu rebeldemente na rocha, em vez de falar com ela, a fim de fazer jorrar as águas de Meribá (ver Núm. 20:1-13; 27:14; Deu. 32:51), todos esses são incidentes que se tornaram grandes marcos na história bíblica.

A localização do deserto de Zim, entretanto, sempre foi questão disputada entre os eruditos. Embora, virtualmente, todos reconheçam que o deserto de Zim não é o deserto chamado Sim, o fulcro do debate gira em torno de Cades-Barnéia. Assim, enquanto alguns estudiosos têm favorecido Petra, na Idumeia, outros preferem pensar em 'Ain el-Weibeh, na Arabá (vide), e, ainda outros, em 'Ain Qedeis (Cades), no lado egípcio da fronteira da península do Sinai. Ainda outros pensam que esse deserto ocupava uma parte da Arabá e uma parte do Sinai, visto que é perfeitamente possível que existissem duas localidades com o nome de Cades. Em dias mais recentes, o consenso das opiniões favorece decididamente a localidade de 'Ain Qedeis, ou, então, a circunvizinhança em geral, onde há duas fontes de água abundante, 'Ain Qoseimeh e 'Ain el-Qudeirat. Essa identificação da crucial Cades-Barnéia, juntamente com a descrição das fronteiras da tribo de Judá, que se estenderiam -...até ao deserto de Zim, até à extremidade da banda do sul. (Jos. 15:1; cf. Núm. 34:3,4), indica que o deserto de Zim ampliava-se desde algum ponto próximo de Cades-talvez desde o rio do Egito, também chamado wadi el-Arish, para o oriente, na direção da subida de Acrabim (vide), acompanhando o wadi Zim, chegando até às fronteiras com Edom. É muito difícil determinar limites mais precisos do que isso para o deserto de Zim. Porque até mesmo nos tempos bíblicos, o deserto de Parã (vide) justapunha-se, ou mesmo incluía, o deserto de Zim, segundo se aprende em Números 13:26: "...e vieram a Moisés e a Arão, e a toda a congregação dos filhos de Israel no deserto de Parã, a Cades..."

Mas, sem importar como possamos definir o que constituía o deserto de Zim, o fato é que o mesmo estava incluso em "...todo aquele grande e terrível deserto que vistes..." (Deu. 1: 19; cf. 8: 15). O deserto de Zim era quase inteiramente estéril, porquanto somente em sua extremidade norte haveria um regime pluvial ligeiramente maior do que no sul. Seu solo era coalhado de rochas, pederneiras e areia sem húmus. Sua superfície era muito corrugada e íngreme, com muitas escarpas e muitas "crateras" alongadas, provocadas pela erosão do solo. Nas proximidades havia dois montes, chamados, atualmente, de Khurashe e Kurnub.

Apesar de toda essa aridez, as investigações feitas no local, pelos especialistas, têm mostrado que sempre houve ali alguma ocupação humana, embora rarefeita, desde a época dos patriarcas, passando pelo período israelita, pelo período nabateano e pelo período bizantino. Essa ocupação valia-se de uma meticulosa utilização do solo e da água. Tal ocupação, além disso, servia de barreira de defesa. Pois um complexo sistema de fortalezas, aparentemente seguindo as linhas fronteiriças referidas nos relatos bíblicos, assinalava os limites do território de Judá, no deserto de Zim.

ZIMA

No hebraico, "conselho", "consideração". Ele era levita gersonita, filho de Simei e neto de Jaate (I Crô. 6:20,42; II Crô. 29:12). Viveu em cerca de 1370 a.C.

ZIMBRO

No hebraico, *rothem*. Palavra que figura por quatro vezes: I Reis 19:4,5; Jó 30:4 e Sal. 120:4. Trata-se de um arbusto do deserto que tem sido identificado com o *ratham* dos árabes. Encontra-se em abundância no sul da Palestina e na península do Sinai. Algumas vezes tem sido chamado de "junipeiro", embora tal identificação não seja exata. O zimbro tem ramos longos e finos, folhas pequenas, flores amarelas, e dá uma boa sombra. Elias descansou sob um zimbro (I Reis 19:5). Os animais evitam comer o zimbro, exceto em momentos de grande necessidade; mas seu tronco e suas raízes servem de bom combustível, podendo ser transformados em carvão. (Jó 30:4; ver também Sal. 120:4, quanto a essa conexão).

ZIMRI, ZINRI

Dependendo da raiz da palavra sugerida por trás desse nome, são dadas definições amplamente diferentes. Ela pode significar "pertencente a um antílope", ou "minha proteção", derivando da raiz árabe *dmr*, que quer dizer "proteger". Outros sugerem "minha canção", ou "cantor", se a palavra relacionada for *zimrati*. Se *zmrn* for a raiz, então a palavra pode significar "ovelha montanhesa". De toda forma, este é o nome de quatro personagens do Antigo Testamento e de um distrito. Os nomes são listados em ordem cronológica.

1. Um ancestral distante de uma das clãs de Judá (I Crô. 2.6). Talvez ele tenha tido outro nome, Carmi (ou Zabdi), como sugere o contexto. Ver Jos. 7.1, 17, 18). Viveu em torno de 1600 a.C.

2. Um filho de Saul, ancião simeonita que foi morto por Finéias quando este o pegou em adultério com uma moabita (Núm. 25.14). Finéias era sumo sacerdote e tal conduta aberta, descarada, contrária à legislação mosaica, o deixou furioso, portanto o assassinato (chamado de execução) foi adicionado ao adultério. A história é recontada em I Mac. 2.26. Ele viveu por volta de 1450 a.C.

3. Um descendente de Saul através da linhagem de seu filho Jônatas (I Crô. 8.36; 9.42). Viveu em torno de 940 a.C.

4. Zinri foi assessor de Elá, o quarto rei de Israel. O rei caiu em meio a uma rebelião de bêbados. Zinri proclamou-se rei e imediatamente matou a maioria de seus rivais. Mas Omri, um general militar, trouxe seu exército a Tirza, a capital de Israel naquela época. Quando as tropas entraram na cidade, o novo rei refugiou-se em seu palácio e suicidou-se ateando fogo ao palácio e permanecendo dentro dele. Ele reinou por apenas sete dias, mas parece que teve algum tipo de autorização para seu reinado, pelo menos por parte de diversos oficiais. I Reis 16.9-12 conta a história e o vs. 19 mostra que ele apoiava a idolatria, tão prevalente naquela época em Israel.

Sumário:

a. Zinri reinou por sete dias em 886 a.C. (I Reis 16.21 ss.).

b. Seu período foi curto, então ele agiu com pressa, levando a cabo um grande massacre de seus rivais potenciais, já tendo matado o rei Elá para conseguir seu curto poder. Ele executou praticamente todos os membros da casa de Elá, portanto havia grande loucura e ódio em seu coração.

c. É justo que um homem tão violento tenha tido um fim violento e, em seu caso, foi o suicídio, que era uma ocorrência um tanto rara em Israel.

5. Zinri era o nome de uma tribo ou território árabe. Ver Jer. 25.25.

ZINA

Forma alternativa de **Ziza** (vide).

ZINRÃ

Alguns estudiosos pensam que o sentido dessa palavra é desconhecido, mas outros opinam que significa "célebre", com base na sua possível derivação de *zimra*, "cântico", "fama". Todavia também pode haver uma derivação de *zemer*, "cabra montês".

Zinrã era filho de Abraão e de sua segunda esposa legítima, Quetura. Abraão casou com Quetura após o falecimento de Sara. Neste último versículo, entretanto, Quetura é chamada de "concubina". de Abraão, embora Gênesis 25:1 diga: "Desposou Abraão outra mulher; chamava-se Quetura".

Quanto a Zinrã, muitos eruditos pensam que ele deixou sinais de sua passagem neste mundo. A localidade de Zabram, a oeste de Meca, na Arábia, que foi mencionada pelo geógrafo antigo Ptolomeu, tem um nome relacionado ao nome de Zinrã, embora isso não seja evidente em português, e talvez derive-se do nome daquele filho de Abraão.

ZINZENDORF, CONDE NICOLAU LUDWIG VON

Suas datas são 1700 - 1760. Nasceu em Dresden, na Alemanha. Educou-se em Halle e Wittenberg. Foi um teólogo luterano, entusiasta promotor da união da cristandade. Procurava estimular as experiências religiosas vitais que vão além da mera letra. Quando ainda era criança, teve intensas experiências religiosas, e quando ainda estava no ginásio, por causa de sua preocupação com a sorte dos pagãos, organizou a Ordem do Grão de Mostarda, a fim de promover missões estrangeiras. Sua piedade religiosa aprofundou-se estando ele em Wittenberg e em Utrecht. Em Paris, fez amizade com alguns dignitários católicos romanos, entre eles o cardeal Noailles. Em 1722, entrou em contato com um grupo de Irmãos Morávios exilados. Conforme já seria de esperar, ele acabou tornando-se o líder deles, pelo que mudou de denominação religiosa. Além disso, a universalização de sua postura levou-o um passo mais adiante. Foi consagrado ao ministério pelos luteranos, e tornou-se um bispo dos morávios. Ver sobre *Morávia (Igreja Morávia)*.

Daí por diante seus interesses missionários desabrocharam ainda mais mediante o estabelecimento de obras missionárias. Sentia profundo liame com todos os cristãos e trabalhava ativamente em prol da união eclesiástica. Tinha um esquema grandioso para promover essa união, mas ao tentar coisas práticas na promoção dessa união, foi repreendido e perseguido. Publicou em Londres um hinário interigreja e uma liturgia para todos os cristãos, o que fazia parte de seu ideal em prol da unidade. Entrementes, a Igreja Morávia internacionalizou-se, propagando-se pela Alemanha, Dinamarca, Rússia, Inglaterra, Holanda e os Estados Unidos da América. As atividades da Igreja Morávia têm sido um importante fator no moderno movimento missionário até hoje.

ZIOR

No hebraico, "pequenez". Uma cidade que já havia na Terra Prometida quando os israelitas ali chegaram, e que foi dada à tribo de Judá (Jos. 15:54).

O local geralmente identificado como a antiga Zior é a moderna Sa'ir, também conhecida como Si'air ou Sa'ir, que fica localizada cerca de oito quilômetros a nordeste de Hebrom. O nome dessa cidade está ligado a um adjetivo hebraico que quer dizer "insignificante". Zior ficava localizada na região montanhosa da Judéia, cercada por terras plantadas e por uma boa fonte.

"Muitos estudiosos pensam que Zior e Zair (II Reis 8:21; vide) são apenas dois nomes diferentes da mesma cidade. E os textos de certos manuscritos hebraicos e da Septuaginta dão apoio a isso. A antiguidade do local é confirmada pela presença de túmulos escavados na rocha, o que reflete costumes bem antigos.

ZIPOR

No hebraico, embora com duas grafias diferentes, essa palavra significa somente uma coisa, "ave". Esse era o nome do pai de Balaque, rei de Moabe (Núm. 22:2,4,10,16; 23:18; Jos. 24:9; Juí. 11:25). Ele viveu por volta de 1490 a.C. Há quem pense que esse nome também pode ser entendido como "pardal", sem importar a forma como seja escrito.

ZÍPORA

No hebraico "pardal" ou "pássaro", a filha do sacerdote de Midiã chamado de Jetro ou Reuel, ou os dois. Ver Êxo. 2.21, 22. Essa senhora era a primeira mulher destinada a casar com Moisés e ter dois filhos de importância com ele, ou seja, Gérson e Eliézer (Êxo. 2.22; 18.3, 4). A única outra informação que temos sobre ela é a que diz respeito à circuncisão de Gerson, forçada por Moisés (Êxo. 4.24-26). Depois ela e seus dois filhos retornaram a Jetro (Êxo. 18.2-4), assim concluímos que eles tiveram uma vida dura com o futuro legislador. A família nem podia imaginar que ele estava destinado a ser a estrela mais brilhante no céu dos hebreus, até Jesus, o Cristo, claramente. Zípora viveu em torno de 1450 a.C.

ZITRI

Forma de *Sitri* (vide), conforme algumas versões.

ZIVE

No hebraico, provavelmente significa "esplendor". Esse era o mês da colheita do trigo, depois do primeiro mês, abibe (vide). O templo de Salomão, em Jerusalém, começou no mês de zive (I Reis 6:1,37). É no primeiro desses versículos que esse mês é interpretado como o segundo mês.. Ver também o artigo intitulado *Calendário*.

ZIZ, LADEIRA DE

No hebraico, *ma'aleh ha-sis*, "subida de Ziz". No grego da Septuaginta, *katà tèn anábasin Asas*, "pela subida de Assás". Uma ladeira muito íngreme que havia em um passo, perto de En-Gedi.

Em II Crônicas 20:16, o Senhor instruiu aos homens da tribo de Judá, nos dias do rei Josafá, como deveriam enfrentar o adversário coligado: Amom, Moabe e Seir, pois esses inimigos haveriam de atacar por via da "ladeira de Ziz" (II Crô. 20:20-23). Essa "ladeira de Ziz", mui provavelmente, é o mesmo wadi Hasasa, a norte de En-Gedi e a sueste de Tecoa (vide). É evidente que as tropas inimigas atravessaram o mar Morto, vindas de Moabe, passando por um vau raso, em Lisã (cf. II Crô. 20:1,2), e, então, iniciaram a cansativa subida de Ziz. Os israelitas não tiveram de lutar, tão-somente ficaram postados, entoando louvores ao Senhor. E os três atacantes, até então aliados, atiraram-se uns contra os outros, em encarniçada batalha, ao ponto de se desbaratarem totalmente. "Tendo Judá chegado ao alto que olha para o deserto, procurou ver a multidão, e eis que eram corpos mortos, que jaziam em terra, sem nenhum sobrevivente" (vs. 24). Sem dúvida, um dos maiores livramentos por que passou Judá, mediante a miraculosa intervenção divina!

ZIZA

No hebraico, com duas formas de grafia, mas com um só sentido, "brilho". Há três homens com esse nome, nas páginas do Antigo Testamento, a saber:

1. Um simeonita, filho de Zifi (I Crô. 4:37). Viveu em cerca de 800 a.C.

2. Um descendente de Gérson, filho de Simei (I Crô. 23:10,11). Ele viveu em torno de 1015 a.C., pelo que era contemporâneo de Davi.

3. Um filho de Reoboão, e, por conseguinte, neto de Salomão (II Crô. 11:20). Viveu por volta de 960 a.C.

A primeira dessas grafias, que aparece no nome do homem simeonita e do filho de Reoboão (números 1 e 3, acima), de acordo com alguns estudiosos parece ser uma abreviação infantil, mais ou menos como José = Zezinho.

ZOÃ

Essa palavra vem de um original egípcio, *d'nt*. Alguns estudiosos, com base no paralelo árabe, *tsan*, pensam que devemos pensar no significado "migração" para essa palavra. Esse é o nome bíblico da cidade egípcia que, nos escritos clássicos, aparece com o nome de Tanis, atualmente representada pelas ruínas de San-el-Hagar, na porção nordeste do delta do Nilo, imediatamente ao sul do lago Menzalé.

Esboço:

1. Informações Dadas no Antigo Testamento
2. História Antiga
3. Monumentos dos Hicsos
4. Descrição da Localização de Zoã

1. Informações dadas no Antigo Testamento. Essa cidade é mencionada por sete vezes no Antigo Testamento: Núm. 13:22; Sal. 78:12,43; Isa. 19:11, 13; 30:4 e Eze. 30:14. Na primeira dessas referências, lemos que Hebrom "foi edificada sete anos antes de Zoá, no Egito". Ora, visto que Hebrom já existia nos dias de Abraão, Zoá também era cidade antiqüíssima. Monumentos da VI Dinastia egípcia foram encontrados ali. - Alguns estudiosos têm pensado que Zoar (vide), uma localidade existente nas fronteiras egípcias, é um erro de cópia, em lugar de Zoá. Porém, a tradução dada na Septuaginta, *Zógora*, não favorece essa conjectura.

Fora do Pentateuco, Zoá é mencionada em Salmos e nos livros proféticos. Em Salmos 78:12,43 lemos acerca dos prodígios feitos por Deus "no campo de Zoá", o que

ZOÃ – ZOAR

significa que devemos equiparar Zoá com a "terra de Gósen. (ver Gên. 45: 10, etc.). No livro de Isaías, o profeta, após mostrar que os conselheiros do Faraó eram uns insensatos (19:11,13), em seguida mostra que os líderes de Judá não eram menos insensatos, porquanto tinham ido consultar-se com os líderes de Zoá (30:4). O trecho de Ezequiel 30:14, fala sobre o castigo divino que sobreviria a várias cidades do Egito, dentro de uma predição da conquista do Egito pelas forças babilônicas, dentre as quais aparece também Zoá.

2. *História Antiga*. Zoã tornou-se a capital dos governantes hicsos do Egito, os "reis pastores", das páginas da história. Foi no tempo desses governantes que Jacó e sua família chegou ao Egito, o que favorece a conclusão de que o "campo de Zoã", conforme se lê em algumas referências, ficava na "terra de Ramessés" (Gên. 47:11; Êxo. 12:37). Ver sobre *Ramessés*. Ali, na época de José, os hebreus obtiveram possessões. Parece que, desde os tempos mais remotos, povos pastoris de Edom e da Palestina eram admitidos naquela região, o que talvez explique um dos possíveis sentidos do nome Zoã, ou seja, "migração".

No século XIV a.C., Zoã foi reedificada por Ramsés II, quando então ela se tornou conhecida pelo nome de Pa-Ramesu. Os dominadores hicsos ocuparam a cidade e a região em redor pelo espaço de quinhentos anos, de acordo com Maneto. E, os egípcios só conseguiram expulsá-los em cerca de 1700 a.C. Alguns estudiosos tem emitido a opinião de que Afofis foi o Faraó que acolheu José. Todavia, isso ainda não constitui uma identificação temporal muito segura, pois vários governantes tiveram esse nome, entre os hicsos. Maneto também ajuntava que alguns pensavam que os hicsos eram árabes. Outros acham que eles eram uma mistura de heteus (nas páginas da história secular, hititas) e de mongóis. Porém, os primeiros voltam a argumentar dizendo que somente alguma raça semita teria recebido tão bem aos patriarcas hebreus no Egito. Não obstante, uma das divindades dos hicsos, Suteque, também era adorada por mongóis sírios ou hititas.

3. *Monumentos dos Hicsos*. Além do nome de Afofis, da VI Dinastia egípcia, e de muitos textos da XII Dinastia, foi encontrada uma cártula de Afofis (um dos monarcas hicsos), no braço de uma estátua, aparentemente, de origem mais antiga, como também uma esfinge com o nome Khian gravado, o que os estudiosos supõem ter sido o nome de um governante hicso. O tipo físico dos hicsos, com maçãs do rosto salientes e um nariz proeminente, muito diferente do tipo físico dos egípcios, tem sido tomado pelos peritos como do tipo turaniano ou uralo-altaico. Portanto, os hicsos poderiam ser de origem idêntica a povos como os turcos, os afegãs, os chineses, etc.

4. *Descrição da Localização de Zoá*. Na atualidade, o local onde ficava a antiga Zoá consiste apenas em um pequeno povoado formado por cabanas de barro, em meio a um ermo arenoso, a oeste dos gigantescos cômoros de seu antigo templo. Porém, além da esfinge de granito negro e de outras estátuas pertencentes à era dos hicsos, há também uma figura vermelha de arenito, representando Ramsés II. Obeliscos de granito também foram encontrados pelos arqueólogos, um dos quais com a representação de um rei a adorar divindades. Também foi encontrado um pequeno templo, escavado em arenito vermelho, pertencente ao período de grande prosperidade de Zoá. Durante a XXV Dinastia do Egito, de monarcas núbios (cerca de 715-665 a.C.), Tanis-Zoá continuava sendo usada como residência real ocasional, e também como uma base militar postada no norte do Egito. Esse pano de fundo empresta credência às referências de Isaías aos "príncipes de Zoá", como conselheiros do Faraó. E na dinastia egípcia seguinte (664-525 a.C.), Zoá continuava sendo uma cidade importante, o que se reflete na denúncia de Ezequiel (30:14) a Zoá e a outros centros populacionais egípcios.

ZOAR

No hebraico, "pequena". Essa antiqüíssima cidade é mencionada por nome, nas páginas do Antigo Testamento, por dez vezes: Gên. 13:10; 4:2; 14:8; 19:22,23,30; Deu. 34:3; Isa. 15:5; Jer. 48:34.

Essa antiga cidade, que antes era chamada de *Bela* (ver Gên. 14:2,8; vide), ficava na extremidade suleste do mar Salgado ou mar Morto. Posteriormente foi tomada pelos moabitas. Foi para Zoar que Ló e suas duas filhas correram, por ocasião da destruição das cidades da campina, como Sodoma e Gomorra. Só depois de algum tempo foi que Ló e suas filhas deixaram Zoar para habitarem em um monte, ou, mais precisamente, em uma caverna de um monte. Na Septuaginta o nome dessa cidade aparece com três formas diferentes: *Zegór*, na maioria das vezes, mas *Zógora* em Gên. 13:10 e *Zogór* em Jer. 48:34. Josefo grafava seu nome como *Zoara ou* como *Zoar*.

Tudo quanto se sabe sobre Zoar aparece nas páginas na Bíblia. Mas, todas as dez referências bíblicas em nada nos ajudam quanto à sua exata localização geográfica, além do fato de que ficava na mesma região geral das outras quatro cidades da campina, Sodoma, Gomorra, Admá e Zeboim (vide).

Dessas cinco cidades, Sodoma foi a que se tornou mais famosa (ver Sabedoria de Salomão 10:6). Mas, todos os escritores judeus, cristãos e islamitas, que escreveram sobre Sodoma deixaram claro que conheciam a conexão geográfica entre Zoar e essa cidade. E quase sempre esses escritos dão a entender que essas cidades ficavam ao sul da extremidade sul do mar Morto.

A grande quantidade de depósitos de sal mineral nas proximidades fazem-nos lembrar do incidente que envolveu a mulher de Ló (ver Gên. 19:26), que foi transformada em uma estátua de sal quando ela, Ló e as suas duas filhas fugiam para Zoar. Além disso, há uma teoria, muito generalizada, que diz que toda aquela região passou por alguma catástrofe natural, que, sem dúvida, corresponde àquilo que o trecho de Gên. 19:22-30 descreve. Uma observação feita por Finegan (FLAP, pág. 147) representa bem essa opinião: "Também deve ter sido na idade do bronze média que teve lugar... a destruição catastrófica de Sodoma e Gomorra. Uma cuidadosa pesquisa das evidências literárias, geológicas e arqueológicas aponta na direção das infames *cidades da campina* (Gên. 19:29), que ficavam na área atualmente submersa nas águas que se vão elevando mui lentamente, na extremidade sul do mar Morto, e também que essas cidades foram arruinadas por meio de um poderoso abalo sísmico, acompanhado por explosões, relâmpagos, a ignição de gases naturais em uma conflagração generalizada".

No entanto, alguns estudiosos têm apresentado objeções sérias a essa localização de Zoar. Porquanto a Bíblia localiza a cidade especificamente como em alguma parte da "...campina do vale de Jericó, a cidade das palmeiras até Zoar" (Deu. 34:3). Isso aparece dentro das dimensões da Terra Prometida, conforme o Senhor as mostrou para Moisés, pouco antes deste falecer. Como se entende, mui naturalmente, pois, parece que Zoar ficava na beirada oriental do vale do Jordão, perto do extremo norte do mar Morto, que é a extremidade oposta do local "tradicional",

ZOAR – ZOFAI

especialmente se considerarmos como sua beirada ocidental o monte Nebo (ou Pisga) (vide), como o lugar de onde Moisés espiou a Terra Prometida, na direção de uma planície que seria a planície de Jericó. Ademais, é difícil compreender o propósito da expedição para invadir cidades tão remotas e inacessíveis, que estivessem na extremidade sul do mar Morto, por parte de exércitos mesopotâmicos (ver Gên. 14). Além disso, como Moisés poderia ter espiado toda a extensão da Terra Prometida, com um único lance de olhos, desde o norte até o sul, se ele estivesse bem no sul, e não em um ponto intermediário entre o norte e o sul? Tudo isso aponta para uma localização de Zoar bem mais para o norte do que tradicionalmente se tem pensado. Acrescente-se a isso que as indicações geográficas em conexão com a escolha feita por Ló de uma cidade que ficava na -campina do Jordão (Gên. 13:10-12; cf. Gên. 13:3) parecem indicar o vale do Jordão defronte de Jericó e de Ai, a oitenta ou quase cem quilômetros ao norte da extremidade sul do mar Morto. Talvez somente posteriores descobertas arqueológicas mais exatas, se possíveis, poderão solucionar esse impasse, que R.D. Culver (The Zondervan Pictorial Encyclopedia of the Bible, V, pág. 1069) fez aparecer, com essa sua posição, que, de resto, parece extremamente lógica. Como é evidente, isso não afeta somente a cidade de Zoar, mas também as outras famosas cidades da planície, Sodoma, Gomorra, Admá e Zeboim.

ZOAR (PESSOAS)

Com grafia diferente da de *Zoar* (cidade) (vide), esse nome, que significa "nobreza", "distinção", aparece no Antigo Testamento como o apelativo de três personagens, a saber:

1. O pai de Efrom, o heteu (Gên. 23:8; 25:9). Foi dele que Abraão comprou o campo com a caverna de Macpela. Ele viveu por volta de 1880 a.C.

2. O cabeça de uma família simeonita (Gên. 46: 10; Êxo 6: 15). Ele é denominado *Zerá* (vide) em Números 26:13; 1 Crônicas 4:24. Viveu por volta de 1690 a.C.

3. De acordo com o *kere* (vide) de I Crôn. 4:7, uma família da tribo de Judá. Nossa versão portuguesa, entretanto, diz ali *Izar* (vide), seguindo revisões norte-americanas, como a Revised Standard Version.

ZOBÁ

No hebraico, o nome desse distrito e reino, na Síria, aparece com três grafias diferentes, que os estudiosos supõem significar *amarelo brilhante*. E alguns vinculam esse nome ou ao metal amarelo que era ali fundido, ou aos campos de trigo dourado, que eram plantados nos sopés do monte Líbano, famoso em sua brancura de neves eternas. Na Septuaginta temos a forma grega *Soubá*.

Zobá era um reino arameu, mencionado nas páginas do Antigo Testamento por catorze vezes: I Sam. 14:47; II Sam. 8:3,5,12; 10:6,8; 23:36; I Reis 11:23; I Crô. 18:3,5,9; 19:6; II Crô. 8:3; Sal. 60 (no título). Sua localização era a nordeste da cidade de Damasco (vide), e ao sul de Hamate (vide), ou seja, na faixa de terras entre os rios Orontes e Eufrates.

Em II Samuel 8:8 há referência ao fato de que Davi obteve uma quantidade apreciável de bronze (cobre? isso corresponderia ao *amarelo brilhante* que parece ser o sentido do nome) de Betá (vide) e de Berotai (vide) "cidades de Hadedezer" (vide), famoso rei arameu de Arã-Zobá, mencionado por várias vezes em II Sam. 8 e em I Reis 11:23. Berotai talvez seja Bereitan, cidade de épocas posteriores, na região de Biqa', entre as cadeias do Líbano, e que o trecho de Ezequiel 47:1 chama de Berota, na fronteira norte ideal de Israel, entre Damasco e Hamate.

Saul combateu Zobá (I Sam. 14:47). Davi também entrou em conflito armado contra Hadedezer, de Zobá, e o derrotou, na tentativa bem-sucedida de fixar os limites nortistas do reino de Israel (II Sam. 8:3,5,12; 1 Crô. 18:3,5,9; Sal. 60, título). Posteriormente, quando Davi teve de defender-se de Amom, entre as forças aliadas aos amonitas havia homens de Bete-Reobe, de Zobá, de Tove e de Maaca. Joabe, o general do exército de Davi, conseguiu sobrepujar esses inimigos coligados (II Sam. 10; I Crô. 19).

Nos dias de Salomão, Rezom, fugitivo do rei de Zobá, estabeleceu-se em Damasco, e começou a fustigar ao rei de Judá (I Reis 11: 23), durante todos os seus dias de governo.

ZOBÁ

Em I Crô. 11:47 temos, em nossa versão portuguesa, a interpretação do adjetivo patronímico *mesobaith*, no hebraico original. Esse adjetivo indica um povo ou uma localidade atualmente desconhecida. Se nossa versão portuguesa está correta em sua interpretação, então, Jaasiel, a quem o adjetivo é aplicado, era natural de Zobá, um distrito sírio, a nordeste de Damasco e ao sul de Hamate, ou seja, a faixa de terras entre os rios Orontes e Eufrates. Ver o artigo sobre *Zobá*.

Jaasiel era um dos trinta heróicos guerreiros de Davi, e que o acompanhou quando precisou exilar-se a fim de escapar da ira de Saul.

ZOBEBA

No hebraico, **afável**. Ela era filha de Coz, descendente de Judá por meio de Calebe, filho de Hur (I Crô. 4:8). Ela viveu em torno de 1430.

ZOELETE, PEDRA DE

No hebraico, *aben ha-zoheleth*. No grego, *Lithou toú Zóeleth*. No hebraico, o sentido provável é "pedra do réptil" ou "pedra de escorregar". Essa pedra é mencionada exclusivamente em I Reis 1:9.

Essa era uma pedra ou rocha que havia perto de En-Rogel, uma fonte das proximidades de Jerusalém, no vale do Cedrom, perto da qual Adonias, filho de Davi, ofereceu sacrifícios, em sua tentativa abortada de tornar-se rei (ver I Reis 1:9). No hebraico, *ha-zoheleth,* derivado do verbo hebraico que significa "escorregar" ou "arrastar-se" (cf. Deu. 32:24 e Miq. 7:17). Talvez indique que se podia escorregar pedra abaixo, até dentro da fonte, ou, então, que aquela pedra estivera associada, em algum tempo, ao emblema cúltico da serpente.

ZOETE

No hebraico, "corpulento", "forte", embora outros estudiosos prefiram dizer que o significado desse nome é desconhecido. Zoete pertencia à tribo de Judá e era filho de Isi (I Crô. 4:20). Viveu por volta de 1400 a.C. Ver também sobre *Ben-Zoete*.

ZOFA

No hebraico, embora alguns pensem que o significado da palavra é desconhecido, outros pensam que se trata de *vigia*. Ele era descendente de Aser. Era filho de Helém e teve seis filhos homens (I Crô. 7:35,36). Viveu em torno de 1570 a.C.

ZOFAI

No hebraico, "vigilante". Esse homem foi filho de Elcana

ZOFAR – ZOMBAR

e irmão do profeta Samuel (vide). Com a forma de Zofai o seu nome ocorre em I Crô. 6:26. Com a forma de Zufe (vide), aparece em I Crô. 6:35. Ele viveu em torno de 1120 a.C.

ZOFAR

No hebraico, "peludo", "áspero". Um dos três amigos molestos de Jó. Ele é chamado de "naamatita", o que pode significar que ele era natural de Edom. Outros estudiosos pensam que o seu nome deriva-se de uma raiz que significa "saltar", "pular". Na Septuaginta, *Sóphár*. Seu nome ocorre por quatro vezes no livro de Jó: 2:11; 11:1; 20:1 e 42:9.

Zofar foi um dos três homens que vieram tentar consolar a Jó, no período de sua humilhação e provação. Na verdade, porém, acabaram-no acusando injustamente, com base na antiga teoria de que os ímpios padecem nesta vida terrena, como justa retribuição pelas maldades praticadas. Se Jó estava padecendo, para eles isso era prova da injustiça dele. Zofar era da tribo de Naamá. O nome "Naamá", na Bíblia, ocorre em Jos. 15:41, como uma das cidades que couberam por herança à tribo de Judá. Mas, visto que muitos crêem que Jó viveu antes mesmo de Abraão, não podemos pensar que Zofar fosse de Judá. Além disso, observando que todos os outros amigos de Jó vieram de lugares de fora da Palestina, muitos estudiosos não aceitam que Zofar fosse dessa cidade de Naamá que acabou fazendo parte da herança da tribo de Judá, após a conquista da Terra Prometida, mas antes, postulam alguma outra Naamá qualquer, embora desconhecida. E há também aqueles que pensam que havia uma Naamá em Edom, e que Zofar era natural dessa cidade.

Zofar falou apenas por duas vezes, nas argumentações entre aqueles homens, em cujo grupo também precisamos acrescentar Eliú (vide), que só falou depois que todos já haviam esgotado os seus argumentos. Essas duas vezes em que Zofar se manifestou aparecem em Jó 11:1-20 e 20:1-29. E, com o silêncio de Zofar, na terceira vez de argumentos, o autor sagrado parece ter dado a entender que os argumentos dos molestos amigos de Jó estavam exauridos, e eles nada mais tinham para dizer. Zofar foi o mais impetuoso e dogmático dos três amigos de Jó. Ele acusou Jó de dizer palavras vazias, sem nexo: "Porventura não se dará resposta a esse palavrório? Acaso tem razão o tagarela? Será o caso de as tuas parolas fazerem calar os homens? E zombarás tu sem que ninguém te envergonhe?" (Jó 11:2,3). E, em sua segunda carga, Zofar acusou Jó apenas de estar sofrendo o que suas más ações, embora talvez secretas, mereciam: "Porventura não sabes tu que desde todos os tempos, desde que o homem foi posto sobre a terra, o júbilo dos perversos é breve, e a alegria dos ímpios momentânea?... Tal é, da parte de Deus, a sorte do homem perverso, tal a herança decretada por Deus." (Jó 20:4,5,29). Zofar atirou-se dessa forma contra Jó porque o julgava um presunçoso, ao manter a sua integridade, quando, segundo todas as aparências, estava sofrendo o justo castigo divino. As palavras de Zofar, pois, refletem o exagero nas palavras, um exagero próprio de quem está indignado. Mas, apesar de esse ataque tão severo, à semelhança dos outros dois amigos de Jó, ele prometeu paz e restauração a Jó, sob a condição deste penitenciar-se e desfazer-se de suas iniquidades: "Se dispuseres o teu coração, e estenderes as tuas mãos para Deus; se lançares para longe a iniquidade da tua mão, e não permitires habitar na tua tenda a injustiça; então levantarás o teu rosto sem mácula, estarás seguro, e não temerás. Pois te esquecerás dos teus sofrimentos..." (Jó. 11:13-16).

Por causa dessa sua atitude, na opinião de alguns teólogos, Zofar desempenhou o papel do teólogo *iracundo,* que só vê erros e injustiças em seu redor. Para Zofar, os sofrimentos de Jó ainda eram poucos, em face de sua teimosia em negar sua maldade! No entanto, o juízo divino era inteiramente outro. E a apreciação feita pelos três amigos de Jó (Eliú excluído) foi condenada pelo Senhor: "Tendo o Senhor falado estas palavras a Jó, disse também a Elifaz, o temanita: A minha ira se acendeu contra ti, e contra os teus dois amigos; porque não dissestes de mim o que era reto, como o meu servo Jó" (Jó 42:7). E foi somente mediante a oração intercessória de Jó, em favor de Elifaz, Bildade e Zofar, que a ira do Senhor desviou-se deles.

ZOFIM, CAMPO DE

No hebraico, *sadeh zophim,* "campo dos vigilantes". Uma localidade no alto do monte Pisga (vide), até onde Balaque conduziu Balaão, para que este amaldiçoasse ao povo de Israel. Isso aconteceu por volta de 1450 a.C. A única passagem onde esse lugar é mencionado é em Núm. 23:14. Ver também sobre *Ramataim-Zofim,* também chamada *Ramá,* lugar do nascimento do profeta Samuel (I Sam. 1:1). Modernamente, Zofim tem sido identificada como Tela 'at es-Safa. Alguns estudiosos, entretanto, pensam que não se deveria traduzir essa expressão hebraica como um nome próprio, "Campo de Zofim", e, sim, apenas "campo dos vigilantes".

ZOHAR

No hebraico, "esplendor", "brilho". Esse é o título de uma obra judaica, de natureza mística, que data do século II d.C. Foi escrita em aramaico, segundo se crê pelo homem santo Simeão ben Yohai. Tornou-se um importante segmento da *Cabala* (vide). Trata-se de uma espécie de comentário do Pentateuco, embora com interpretações esotéricas, combinadas com idéias místicas, mágicas e astrológicas. O livro foi posto na forma em que o conhecemos atualmente por Moisés de Leão, no século XIII. Além de estar baseado sobre o Pentateuco, também inclui comentários sobre os sentidos místicos dos livros Cântico dos Cânticos, Rute e Lamentações de Salomão. Há muitas interpretações alegóricas, onde Israel aparece como noiva de Yahweh, o templo de Jerusalém é a câmara nupcial deles, aparecem especulações messiânicas, fala-se em angelologia e demonologia, e Moisés figura como o fiel pastor de Israel.

O Zohar começou a exercer um impacto incomum sobre o povo de Israel após a expulsão dos judeus da Espanha, em 1492. Movimentos Messiânicos subseqüentes empregaram a obra como fonte inspiradora. Os judeus hasidim continuam a estudar essa obra, considerando-a um livro sagrado. Essa obra apresenta uma interpretação mística da vida, comum a outras obras místicas, com seus ciclos da vida, reencarnações, explicações místicas do céu e do inferno, etc. Muitos comentários têm sido escritos a respeito do Zohar. Em sua tradução para o inglês, essa obra foi impressa em cinco volumes. Também existe uma moderna versão em hebraico. A primeira tradução do Zohar foi feita de seu original aramaico para o latim, no século XVI.

ZOMBAR (ZOMBARIA)

Neste verbete alinhamos certo número de palavras hebraicas que têm o sentido variegado de "rir-se de", "zombar", "insultar", "agir violentamente", etc. E as palavras gregas envolvidas têm os sentidos básicos de "brincar", "virar o nariz" e "zombar".

ZOMBAR – ZORÁ

Esboço:
I. Tipos de Zombaria
II. Importantes Incidentes Bíblicos de Zombaria
III. Usos Metafóricos

I. Tipos de Zombaria
No hebraico:
1. *Hathal*, "enganar", "brincar com". Essa palavra é usada por dez vezes, segundo se vê, para exemplificar, em Juí. 16:10,13, 15; I Reis 18:27 e Jó 13:9.
2. *Qalas*, "mofar", "escarnecer". Essa palavra é usada por quatro vezes: II Reis 2:23; Eze. 22:5; 16:31; Hab. 1: 10.
3. *Luts*, "zombar", "derrisão", "zombaria". Palavra empregada por vinte e duas vezes, conforme se vê, por exemplo, em Pro. 14:9; 21:1; 14:6; 22:10; 24:9; Isa. 29:20. Interessante é que, por uma vez, no particípio, essa palavra hebraica é usada com o sentido de "embaixador", em II Crô. 32:31. Corresponde ao verbo grego *mukterízo* (ver abaixo).
4. *Tsachaq*, "zombar", "brincar com", "rir-se de". Palavra utilizada por catorze vezes, conforme se vê, para exemplificar, em Gên. 17:17; 18:12,13,15; 19:14; 21:6,9; 39:14,17. Corresponde em parte ao verbo grego *geláo*, "rir-se" (ver Luc. 6:21,25). Daí deriva-se o nome próprio *Isaque*.
5. *Laaq*, "zombar". Palavra que ocorre por vinte e quatro vezes, segundo se vê, por exemplo, em Jó 11:3; Pro. 1:26; 17:5; 30:17; Jer. 20:7; Eze. 36:4; Osé. 7:16.
6. *Alal*, "abusar", "insultar". Com esse sentido, esse vocábulo aparece por cinco vezes: Núm. 22:29; Jer. 38:19; Juí. 19:25; I Sam. 31:4; I Crô. 10:4
7. *Sachaq*, "rir-se de", "zombar", "brincar". Palavra que ocorre por trinta e cinco vezes, conforme se vê, por exemplo, em Jó 39:22; Lam. 1:7; Jó 12:4; Jer. 15:17; II Crô. 30:10; Ecl. 3:4; Pro. 1:26.
No grego:
1. *Empaízo*, "brincar com", "ridicularizar", "enganar". Termo grego que figura por treze vezes no Novo Testamento: Mat. 2:16; 20:19; 27:29,31,41; Mar. 10:34; 15:20,31; Luc. 14:29; 18:32; 22:63; 23:11,36. No sentido positivo, essa palavra pode indicar apenas "brincar de".
2. *Empaigmoné, empaigmós*, "zombadores", "zombar". Essa palavra, nas duas formas, aparece somente por uma vez cada, em II Ped. 3:3 e Heb. 11:36. Nos últimos dias, aparecerão "zombadores", pondo em dúvida os valores espirituais e morais, incluindo o ensino sobre a segunda vinda de Cristo. Na referência em Hebreus a idéia é que os mártires são alvos de zombarias e castigos injustos.
3. *Empaíktes*, "zombadores". Palavra que só aparece por duas vezes: II Ped. 3:3; Jud. 18.
4. *Mukterízomai*, "torcer o nariz", "zombar". Palavra que ocorre somente por uma vez em todo o Novo Testamento: Gál. 6:7. A alusão é que Deus não deixa ninguém zombar dele, escapando do merecido castigo.
5. *Xleuázo*, "escarnecer". Palavra que ocorre apenas por uma vez: Atos 17:32. Literalmente, essa palavra significa "apontar com o beiço".
6. *Geláo*, "rir-se". Vocábulo que aparece por duas vezes somente: Luc. 6:21,25. O substantivo *gélos*, "riso", aparece somente em Tia. 4:9.

II. Importantes Incidentes Bíblicos de Zombaria
1. Sansão envolveu-se com uma mulher que lhe foi muito prejudicial. O relacionamento entre eles chegou a envolver a zombaria (ver Juí. 16:10,13).
2. Os inimigos do povo de Israel zombavam deles quando tentaram reconstruir Jerusalém e suas muralhas, após o exílio babilônico (Nee. 4:1).
3. Um filho ocasionalmente zombava de seu pai ou sua mãe, algo considerado um pecado seriíssimo em Israel (Pro. 30:17).
4. Os inocentes com razão podem zombar de seus adversários acusadores (Jó 22:19).
5. Elias moquejou dos falsos profetas (I Reis 18:27).
6. Jeremias foi alvo de zombarias, por parte de seus inimigos (Jer. 20:7).
7. O povo de Israel zombou de Deus, e o resultado foi o cativeiro babilônico (II Crô. 36:16).
8. Deus escarnece dos arrogantes em atitudes e atos (Êxo. 10:2; I Sam. 8:6; Sal. 2:4; 59:8; Pro. 3:34; Gál. 6:7).
9. O homem que não calcula o preço do discipulado cristão e falha na tentativa de ser discípulo de Cristo é sujeito a zombarias, tal como o homem que começa a construir uma torre, mas não tem recursos para terminá-la (Luc. 14:29).
10. Os magos zombaram de Herodes, enganando-o (Mat. 2:16; e assim foi preservada a vida do menino Jesus.
11. Os incrédulos zombaram dos que participavam dos fenômenos do dia de Pentecoste (Atos 2:13).
12. No Areópago, em Atenas, Paulo e sua mensagem foram escarnecidos (Atos 17:32).
13. Os homens espirituais sempre sofrerão zombarias da parte dos incrédulos (Jud. 18).
14. Os incrédulos zombam da mensagem espiritual (II Ped. 3:3).
15. A zombaria está ligada à perseguição e a atos de tortura (Heb. 11:36).
16. Os ímpios pensam poder zombar de Deus, mas sua lei da colheita segundo a semeadura sempre funciona (Gál. 6:7).
17. Jesus previu que seria zombado pelos soldados romanos, por ocasião da sua crucificação (Mat. 20:19), o que se cumpriu, de fato (Mat. 27:29). Os judeus incrédulos também zombaram dele, quando de seu injusto julgamento (Luc. 22:63), tal como fizeram os homens de Herodes (Luc. 23:11), e os soldados, ao pé da cruz (Luc. 23:36).

III. Usos Metafóricos
1. Deus zomba dos homens, quando teme que seus juízos lhes sobrevenham (Pro. 1:26). Não devemos supor, diante dessa expressão antropomórfica, que Deus assemelha-se aos homens, ao fazer tais coisas. Mas a linguagem ilustra o ridículo da situação dos homens, quando são sujeitados ao julgamento divino.
2. Quando é dito que "de Deus ninguém zomba" (Gál. 6:7), isso significa que ninguém pode fazer de Deus um tolo, ignorando as suas leis.
3. O vinho é zombador, devido aos males que causa, levando os homens a praticarem muitas tolices e caindo na desgraça, na degradação física e moral e na violência (Pro. 20: 1). Os homens sofrem tudo isso e o vinho então zomba deles, devido à insensatez por eles praticada, por causa de um gole!
4. As palavras e o comportamento errados dos homens zombam de Deus, especialmente quando se mostram inclinados à parcialidade (Jó 13:9).

ZORÁ
1. *Nome e Referências Bíblicas*. O nome significa "golpe", "chicotada", "vespa"; uma cidade na tribo de Dã, embora, posteriormente, tenha ficado dentro dos limites de Judá. A cidade ficava nas regiões baixas (shephela) de Judá. Jos. 19.41; Juí. 13.2; 18.2 a designam a Dã, mas Jos. 15.33 identifica a localização dela como sendo em Judá.
2. *Acontecimentos Bíblicos e Zorá*. Esta era a cidade natal de Manoá, pai de Sansão (Juí. 13.2). O juiz, Sansão,

ZORÁ – ZOROASTRISMO

no início começou a ser liderado pelo espírito entre Estaol e Zorá, de acordo com Juí. 13.25. Ele foi enterrado ali quando sua carreira violenta, mas eficaz, acabou (Juí. 16.31). Dã, sempre sob ataque dos filisteus, decidiu mudar para o norte, a Laís, cerca de 40 km ao norte do mar da Galiléia. Este local ficava próximo a Arã. Os espiões que recomendaram a mudança eram de Zorá e de Estaol (Juí. 18.8-11). Reoboão fortificou Zorá (II Crô. 11.10) para melhorar as condições de seu império do sul (Judá-Benjamim). Após o retorno do restante de Judá do cativeiro babilônico, Zorá estava entre os lugares que foram novamente habitados. A Sarah moderna, no norte do wadi es-Sarar, marca o antigo local. Ficava cerca de 30 km a oeste de Jerusalém.

ZORATITAS, ZOREUS

Esses são os adjetivos locativos ou pátrios pelos quais, em nossa versão portuguesa da Bíblia, são designados os habitantes de Zorá (vide).

ZOROASTRISMO (ZOROASTRO)

Zoroastro é uma forma corrompida do nome original, *Zarathustra*. Ele viveu em cerca de 1000 a.C. Foi o fundador do zoroastrismo, religião essa que se agüentou até as perseguições movidas pelo islamismo, tendo sido varrida do mapa no ano de 636 d.C. Essa religião emergiu da escola dos magos, na Média. Zoroastro teve pouco sucesso em sua terra natal e mudou-se para o Irã, onde a religião acabou lançando raízes. O rei Vishtaspa, do Irã Oriental, deu apoio à nova fé, pois ele e sua corte converteram-se a ela. E do Irã o zoroastrismo espalhou-se por todo o Oriente Médio.

O zoroastrismo é uma das poucas fés religiosas realmente dualistas. Ver sobre o *Dualismo*. Isso significa que as forças opostas do bem e do mal são permanentes. A "salvação" consistiria na separação entre essas forças, e não na eliminação do mal. O mal será isolado do bem. Em algum tempo futuro, um novo conflito poderá ocorrer; mas por enquanto buscamos a separação mediante a cooperação com o bem, visto que a expressão do bem tende pôr o mal em seu lugar, diminuindo-lhe o poder. A teologia judaica e cristã tem uma espécie de dualismo temporário, que nunca pôs em dúvida que, algum dia, o bem haverá de triunfar sobre o mal, o qual será derrotado e eliminado, e não meramente isolado. Naturalmente, a doutrina cristã de um inferno eterno, com todos os seus tormentos, para onde irá a maioria dos homens, é uma continuação do conceito dualista, embora essa conclusão não seja reconhecida por muitos teólogos, e as noções teológicas de muitos não contribuam para aliviar a situação. Ver os artigos intitulados *Restauração* e *Mistério da Vontade de Deus*, onde vejo a esperança para a verdadeira eliminação do mal, com o fim de qualquer tipo de dualismo.

Alguns Informes Históricos:

1. Zoroastro viveu em torno de 1000 a.C. O zoroastrismo floresceu, principalmente na Pérsia.

2. Após a morte de Zoroastro, foi organizado o sacerdócio, bem como as doutrinas do zoroastrismo. Os livros sagrados do zoroastrismo foram codificados. O zoroastrismo aceitava muitos deuses, alguns mais antigos e outros mais recentes. Foi criado um elaborado sistema de anjos e de demônios, sistema esse que, sem dúvida, influenciou o judaísmo posterior e as formulações cristãs a respeito. Tornou-se muito importante a doutrina do anjo guardião. O centro da adoração passou a ser o "fogo santo". O dia do julgamento foi marcado para três mil anos após a morte de Zoroastro, um prazo que está prestes a cumprir-se!

3. Sob os Sassânidas, o zoroastrismo tornou-se a religião oficial da Pérsia, e o chefe religioso do zoroastrismo só era menos importante naquele país do que o monarca.

4. O maniqueísmo (vide) foi um segmento cismático dessa fé, a seita mais numerosa a separar-se do grupo principal.

5. Alexandre, o Grande, destruiu o que pôde do *Avesta* (vide), a escritura sagrada dessa fé. Maomé tentou terminar essa destruição, no século VII d.C. Mas o que restou do zoroastrismo foi reconstituído, e isto em cinco partes: *Yasna* (a liturgia); *Gathas* (os hinos supostamente escritos pelo próprio profeta); *Vispered* (o ritual organizado); *Yashta* (os hinos dirigidos aos anjos e às divindades secundárias); *Vendidad* (relato da criação); *Khorda Avesta* (orações breves, para uso dos fiéis).

6. Os parses eram seguidores do zoroastrismo que migraram para o Oriente, a fim de escapar da destruição de Alexandre, o Grande. Atualmente existe uma forma de parsismo na Índia, procurando dar continuação à fé de Zoroastro, e o uso do Avesta. Porém, essa fé é monoteísta e não-dualista. Ver sobre o *Parsismo*.

O zoroastrismo é essencialmente uma religião de obras, embora obras inspiradas por um elevado princípio espiritual, e não por algum sistema de méritos creditados e debitados. Mas trata-se de uma espécie de antropologia, que assevera que o homem é um ser elevado, passível de aperfeiçoamento por meio de esforços espirituais. O zoroastrismo é uma religião de ética pura, embora também envolva consideráveis especulações metafísicas.

Segundo o zoroastrismo, o homem esqueceu-se de seu caminho, ao longo da vereda para a perfeição, embora o criador, *Ahura Mazda*, tenha ordenado o mundo segundo a sua vontade. O homem, como um agente autoconsciente, dotado de livre-arbítrio independente, tem o supremo dever de apressar o avanço na direção da perfeição, mediante esforços conscientes e voluntários. Para cumprir o seu elevado destino, o homem precisa seguir o caminho da *Asha* ou Justiça.

O bem poderia ser atingido sintonizando a mente ao Bem Supremo, o todo-poderoso *Ahura Mazda*, que é a fonte, a inspiração e o alvo de toda bondade. Se alguém seguir essa vereda, estará dando seu apoio à causa do bem. Finalmente serão separadas as forças do bem das forças do mal, e assim haverá uma restauração individual e coletiva.

Os magos do relato do nascimento de Jesus (ver Mat. 2:11 ss) podem ter sido sacerdotes do zoroastrismo. Os pais da Igreja interpretavam esse relato como indicação de que a sabedoria de outras religiões, sistemas e idéias, por ocasião do nascimento de Jesus, prostraram-se diante de uma sabedoria superior, trazendo seus presentes, a fim de serem incorporados, por assim dizer, a uma sabedoria superior.

Esse é o nome conferido aos conceitos religiosos ensinados pelo sábio iraniano Zaratustra, que provavelmente viveu no século VI a.C. Muitos estudiosos opinam que ele nasceu e se criou na porção noroeste do que seria o atual Irã, embora tenha migrado para o centro do país, mais ao sul, cerca de trezentos anos antes das invasões de Alexandre, o Grande. Visto que ele pregava a adoração a uma divindade suprema, chamada *Ahura Mazda*, por isso mesmo essa religião é mais bem denominada de *Masdeísmo*.

Esboço:
I. História Inicial

ZOROASTRISMO

II. Relações com Israel
III. Ensinamentos

I. História Inicial

A história inicial do movimento é muito obscura, porquanto não se dispõe de nenhuma informação de natureza histórica e cronológica a respeito. Sem dúvida, havia fatores econômicos e políticos dentro da organização feudal da antiga religião panteísta do Irã, contra os quais os seguidores de Zaratustra insurgiram-se. Todavia, os conceitos de Zaratustra jamais conseguiram escapar inteiramente desse panteísmo original dos iranianos, embora fossem bem mais teóricos e místicos. Entretanto, grande parte daquilo que se sabe sobre os ensinamentos do fundador dessa religião deriva-se de fontes informativas e de tradições muito posteriores a ele. As suas doutrinas foram incorporadas aos cânticos, em forma de versos extremamente elaborados, do *Gathas Avesta*, que foram reduzidos à forma escrita em algum tempo dentro da era sassânida (vide), ou seja, em cerca do século quarto depois do início da era cristã.

Sabe-se também que o nome completo de Zaratustra era, mais especificamente, Zaradust i Khuragan. Mas a religião por ele iniciada só chegou a obter preeminência nos fins do século V d.C., sob a liderança de um tal Mazdak i Bamdade. Em face do nome desse homem, alguns estudiosos preferem pensar que o masdeísmo deriva seu nome dessa personagem, e não do deus *Ahura Mazda* (ver acima). Entretanto, é possível que "masdeísmo" derive-se de ambos. O fato é que nenhum livro da época de Zaratustra ou de Mazdak i Bamdade chegou até nós. O conhecimento sobre o movimento deriva-se muito mais de breves crônicas em siríaco, de Josué, o Estilita, e também de histórias gregas e árabes, das crônicas reais sassânidas perdidas, do romance atualmente perdido, *Livro de Mazdak*, e, finalmente, de menções às doutrinas feitas por Shahrastani, que não se aprofundou muito sobre elas.

II. Relações com Israel

Desde o começo, o zoroastrismo foi uma religião ativa, que se propalava mediante o trabalho missionário de entusiastas. As suas idéias religiosas mesclavam-se facilmente com idéias ocidentais, formando sistemas sincretistas. Mas é justamente essa tendência sincretista que agora dificulta enormemente o trabalho dos pesquisadores históricos. Esses entusiasmados missionários eram chamados por muitos de "magos" ou mágicos, que começaram a atuar desde bem antes da eclosão da era cristã. No período de 538-332 a.C., Israel esteve sob fortíssima influência do masdeísmo, porquanto esteve dentro da órbita persa e, conforme muitos estudiosos asseveram, Ciro, rei da Pérsia, foi uma grande figura do masdeísmo. Essas idéias masdeístas aparecem em várias passagens do Talmude (vide), além de livros como o de Tobias, que faz parte dos livros apócrifos do Antigo Testamento. Essas idéias também se refletem em vários costumes que tinham os essênios, em vários encantamentos antidemoníacos (ver sobre o *Exorcismo* e sobre a *Feitiçaria*) e, talvez, até em certos detalhes da festa de Purim (vide).

Após o contato de Israel com a Pérsia, puderam ser acompanhados os seguintes elementos do masdeísmo dentro das manifestações religiosas de Israel: a. uma angelologia formal, com seis ou sete arcanjos à testa de uma hierarquia angelical bem desenvolvida; b. anjos que não eram meros assessores de Deus, mas também seus intermediários, com freqüência, com a responsabilidade de certas nações no mundo; c. na filosofia da religião, uma doutrina das hipóstases (vide); d. em conseqüência disso, um conceito de um Deus mais remoto do homem; e. uma demonologia bem mais desenvolvida do que a que se vê no Antigo Testamento; f. o conceito de um cabeça supremo do mal (Satanás), formando um dualismo bem pronunciado; g. uma doutrina bem desenvolvida da imortalidade; h. recompensas ou punições para as almas, imediatamente após a morte física; i. uma escatologia bem esquematizada, sobretudo no tocante a épocas, ou seja, com uma cronologia bem determinada; j. um Messias sobre-humano; 1. a ressurreição do corpo físico (ver o artigo sobre a *Ressurreição*); m. um conceito racionalizado e legalista das exigências morais de Deus. A influência masdeísta sobre a religião de Israel do período intertestamentário pode ser percebida sobretudo nos pontos "a", "b", "e" e "f", da lista acima.

III. Ensinamentos

De acordo com o masdeísmo, existem dois princípios originais e antagônicos, em um dualismo bem pronunciado: o princípio do bem (ou da luz) e o princípio do mal (ou das trevas). A luz atuaria por livre-arbítrio e com um claro desígnio; e as trevas atuariam cegamente e por puro acaso. Foi mediante um infeliz acidente que esses dois princípios se misturaram, produzindo assim o mundo físico. Haveria três elementos derivados da luz: a água, o fogo e a terra. A divindade da luz, que deve ser adorada, está entronizada no paraíso. Seus assessores são quatro poderes: a percepção, a inteligência, a memória e a alegria. Esses quatro poderes governam sobre sete "ministros" e doze "seres espirituais". Os quatro poderes podem ser encontrados unidos nos seres humanos; os sete ministros e os doze seres espirituais podem ser encontrados no mundo.

Mediante as suas boas ações, o homem deve procurar liberar a luz neste mundo, por meio de sua conduta moral e de uma vida caracterizada pelo ascetismo. Uma das práticas ascéticas consiste em não matar nenhum animal, nem comer carne. Quanto às suas qualidades morais, as mais destacadas são a gentileza, a bondade, a hospitalidade e a clemência para com os adversários. Mazdak, na tentativa de fomentar a diminuição da ganância e das contendas ensinava que tanto as propriedades quanto as mulheres deveriam ser usadas em comum pelos homens. Como é evidente, entre outras coisas, isso eliminava a família, conforme a conhecemos. Mazdak acreditava tanto em seu ensino que influenciou o rei Kavade I (488-531 a.C.) a aceitar e a impor legalmente as suas doutrinas. Essa imposição legal liberalizava algumas leis referentes ao matrimônio e algumas leis alusivas às propriedades. Mas isso provocou a sua deposição, em 494 a.C., porquanto a reação dos nobres a essas idéias extremistas foi fortíssima. Todavia, apesar de Kavade I haver recuperado posteriormente o seu trono, mostrando-se então muito menos drástico em suas idéias masdeístas, as idéias comunistas, sobre a posse e o uso de bens materiais, penetraram fundo nas massas populares, e houve saques, invasões de terras e seqüestros de mulheres para servirem a muitos homens ao mesmo tempo. O filho de Kavade I, Khorsrau, que o substituiu no trono, precisou tomar as medidas mais enérgicas contra tão grandes e graves abusos sociais. Muitos masdeanos fanáticos foram executados; a literatura do masdeísmo foi destruída e muitos masdeanos foram perseguidos. Entretanto, o masdeísmo sobreviveu, ainda que clandestinamente, até bem dentro do período islâmico. Não haveria um reflexo disso no Irã de Khomeini?

Um ponto que não devemos olvidar é que os filósofos zoroástricos propunham uma vasta hierarquia de espíritos intermediários e demiurgos (ver sobre o *Demiurgo*), procurando assim unificar as idéias de

ZOROASTRISMO – ZOROBABEL

Zaratustra com os conceitos da religião persa mais antiga. O resultado disso foi que muitos mitos, lendas e rituais vieram a ser incluídos na religião fundada por Zaratustra. Essas práticas religiosas até hoje são praticadas na Índia, com muitos costumes antigos, como as chamadas chamas perenes, os elaborados ritos nos templos e a exposição de cadáveres nas "torres de silêncio", ou *dakhma*. A literatura do zoroastrismo é bastante vasta, incluindo, acima de tudo, o Avesta e muitos textos subsidiários escritos no idioma pálavi. Grande parte dessas idéias do zoroastrismo foi transferida para o islamismo persa, para o mistraísmo (vide) e, sobretudo, para o gnosticismo (vide). E é justamente quanto a esse último ponto que devemos concentrar a atenção, porquanto as idéias gnósticas eram muito fortes no tempo do cristianismo primitivo, e deram muito trabalho aos apóstolos de Cristo, que tiveram de combatê-las de modo decisivo. Ver o artigo intitulado *Gnosticismo*.

ZOROBABEL
I. Nome e Família
II. Caracterização Geral
III. Observações Históricas
IV. Realizações

I. Nome e Família
No acádico, *seru Babili*, que significa "progênie da Babilônia", embora este significado seja disputado. Ele é chamado de o filho de *Sealtiel* em Esd. 3.3, 8; 5.2; Nee. 12.1; Ageu 1.1, 12, 14; 2.2; Mat. 1.12; Luc. 3.27. Mas em I Crô. 3.19, ele é chamado de filho de *Pedaías* e irmão de Sealtiel. Portanto, há uma confusão que os estudiosos não foram capazes de esclarecer. De qualquer forma, ele era neto de Jeoaiquim (Esd. 3.2; Ageu 1.1; Mat. 1.12; Luc. 3.27), da posteridade de Davi e da tribo de Judá (como afirma Josefo, *Ant.* xi, 3.10).

II. Caracterização Geral
Zorobabel descendia de Davi e participou no *cativeiro babilônico* (ver a respeito). A linhagem real de Judá havia sido abolida por esse evento histórico. O Dia Babilônico logo terminou e a Pérsia foi o próximo poder mundial que assumiu Judá (e Jerusalém). Zorobabel tornou-se o governador da província persa chamada de Yehud (Judá) sob Dario I (522-486 a.C.). Ele foi o neto de Jeoaiquim, o penúltimo rei de Judá (que governou por apenas três meses em 597 a.C.). Esse homem foi preso na Babilônia (II Reis 24.13; II Crô. 36.10). Naquela deportação, quase todos os oficiais e poderes de Judá foram levados ao exílio, juntamente com a maioria dos tesouros do templo. Apenas os pobres foram deixados na terra (II Reis 24.14-16). Então veio o rei Zedequias, o último da linhagem real davídica e, de fato, o último dos reis de Judá, embora tenha sido apenas um fantoche dos babilônicos. Ele "reinou" por 11 anos (597-586 a.C.). Ao rebelar-se contra Nabucodonosor (II Reis 24.20; II Crô. 36.13), provocou outro ataque da Babilônia, com outra deportação. *Zedequias* (ver o artigo para maiores detalhes) e a família real foram levados a Ribla, onde os filhos do rei foram executados ante seus olhos, e ele foi cegado, e então levado à Babilônia e colocado na prisão. Jerusalém e Judá e o templo de Salomão foram nivelados. Ver II Reis 25.7 e II Crô. 36.

Zorobabel e o sumo sacerdote, Josué, eram os líderes dos exilados que retornaram da Babilônia e foram responsáveis pela construção do Segundo Templo. Como Zorobabel descendia da família real de Davi, tinha certa autoridade para fazer o que fez. Ageu 2.23 o chama de "servo de Yahweh". Talvez o "ramo" de Zacarias (3.8; 6.12) faça alusão a ele como um tipo de "prévia" de Messias.

O templo havia sido iniciado em 520 a.C., mas não foi acabado até 515 a.C. Zorobabel não foi mencionado como estando presente em sua dedicação (Esd. 6.16-18). Ele pode ter sido removido do poder por causa da ameaça eterna de rebelião em Judá, ou ele pode ter tido uma morte precoce.

Quarenta anos depois da queda de Jerusalém (596 a.C.), a Babilônia foi capturada por Ciro, rei da Pérsia, e Judá tornou-se uma província persa (537 a.C.). No ano seguinte, Ciro emitiu um edital que permitia que Judá voltasse a Jerusalém, *se* desejasse. Muitos ficaram na Babilônia, mas um remanescente que sonhava reconstruir Jerusalém retornou. Os que ficaram tiveram de auxiliar os repatriados com dinheiro e bens e fazer doações voluntárias para a reconstrução do templo. Um total de 42.360 retornou, entre eles estava Zorobabel. A viagem de volta era de cerca de 900 km.

Para outros detalhes históricos, ver a seção III, a seguir.

III. Observações Históricas
Para a história essencial envolvida, ver a seção II, *Caracterização Geral*.
Descrição:

1. No primeiro ano de Ciro, Zorobabel viveu na Babilônia e foi o chefe, a autoridade reconhecida dos exilados enquanto eles ainda estavam lá. Ele provavelmente foi um instrumento da Babilônia para ajudar a manter as coisas sob controle e recebeu o nome aramaico *Sesbazar* (Esd. 1.8; 5.14, 15). A identificação dos dois é questionado por alguns estudiosos. Para maiores detalhes, ver o artigo sobre ele.

2. Quando a Pérsia assumiu o poder sob Ciro, foi natural que Zorobabel (Sesbazar?) tivesse sido indicado como governador dos exilados que retornaram a Jerusalém.

3. Zorobabel liderou a primeira colônia de exilados de volta a Jerusalém, e foi acompanhado pelo sumo sacerdote Josué (Jesuá). Quando eles chegaram a Jerusalém, primeiro construíram um altar no local antigo do templo e restauraram os sacrifícios diários (Esd. cap. 2; 3.1-3).

4. O grande trabalho de Zorobabel foi a reconstrução do templo, para o que aqueles que ficaram na Babilônia contribuíram, como o fez Ciro. A fundação do prédio foi colocada no segundo mês do segundo ano após o retorno deles, realização comemorada com muita pompa e circunstância (Esd. 3.8-13).

5. Os samaritanos, que haviam retornado em pequeno número com os outros exilados, queriam fazer parte do trabalho, mas Zorobabel e as outras autoridades lhes negaram esse privilégio. Eles, incomodados com essa decisão, começaram a atrapalhar o trabalho, até mesmo fazendo apelos às autoridades persas. Como resultado, o trabalho do templo foi interrompido pelo restante do reinado de Ciro, e por 8 anos na época de Cambises e Smerdis (Esd. 4.1-24). Isto significa que o trabalho foi suspenso por 16 longos anos, durante os quais Zorobabel e outros oficiais de Judá se ocuparam na construção de caras casas para eles mesmos! (Ageu 1.2-4).

6. Motivado pelas ameaças, exortações e profecias de Ageu e de Zacarias, Zorobabel retomou seu trabalho. Seu ajudante constante era o sumo sacerdote, Josué (Jesuá). O novo início ocorreu no segundo ano do rei Dario Histaspes (520 a.C.). As autoridades persas locais receberam ordens para ajudar.

7. O trabalho do templo agora andava rapidamente, de forma que no terceiro dia do mês adar, no sexto ano de Dario, o templo foi terminado e dedicado com alegria e pompa (Esd. 5.1-6, 22). Zorobabel não é mencionado

como estando presente, por um dos seguintes motivos: a. um descuido de um escriba; b. ele havia retornado à Babilônia; c. ele havia morrido uma morte precoce, a qual não foi registrada.

8. O Segundo Templo foi terminado em 515 a.C. e durou 585 anos. Foi elaborado de uma forma "remodelada", virtualmente substituída por Herodes, o Grande (37-4 a.C.). Seu magnífico templo foi destruído pelos romanos (sob Tito) em 70 d.C.

9. Quanto às partes de Esdras e de Neemias em toda essa história, ver os artigos separados sobre eles.

IV. Realizações

1. Zorobabel não foi um rei, mas apenas o governador de Judá indicado por um poder estrangeiro. Embora não tivesse autoridade de rei, pois Judá não era um estado independente, ele se conduziu de maneira real.

2. Enquanto ainda no exílio, ele era um poder unificador e inspirador entre os judeus em sua maior provação.

3. Por causa de seu bom trabalho no exílio, ele foi indicado governador, sob o império persa, para cuidar das coisas em Judá, que se tornou uma província persa sob Ciro e Dario.

4. Seu companheiro e líder religioso era o sumo sacerdote Josué (Jesuá), sendo assim as questões espirituais não foram negligenciadas. Além de construir o templo, eles também restauraram os diversos cursos de serviço levítico e fizeram uma provisão para sua manutenção no ministério, de acordo com as exigências davídicas (Esd. 6.18; Nee. 12.47). Os antigos festivais foram renovados.

5. O registro do remanescente que retornou a Jerusalém, de acordo com sua genealogia (algo sempre muito importante para os judeus), foi realizado (Nee. 7.5).

6. Embora o homem tenha enfraquecido durante a construção do templo, e tenha havido um longo atraso, ele foi sensível às exortações de Ageu e Zacarias, e finalmente renovou seu propósito e venceu.

7. A tradição judaica muito o honrou, falando dele como um homem "reconhecido" (Eclesiastes 49.11). I Esd. 3.1-5:6, que Josefo menciona, fala da sabedoria do homem e até o compara com o profeta Daniel, que tem grande louvor.

ZOSTRIANOS, LIVRO DOS

Essa obra tem sido incorretamente identificada como o *Apocalipse dos Zostrianos*. Um documento encontrado no códice oitavo dos textos de Nag Hammadi (Chenoboskion) (vide), é o livro dos zostrianos. De suas cento e trinta e duas páginas estão preservadas apenas quarenta e seis em bom estado, mas no começo e no fim. O cólofon é um criptograma, "Palavras de Zoroastro". Entretanto, as linhas anteriores falam sobre "Palavras Verdadeiras de Zostrianos: Deus da Verdade". Como é evidente para os estudiosos, trata-se de um típico tratado setiano. Para esclarecer, Zostrianos equivale a Seth, uma divindade egípcia muito antiga, que era a personificação do mal.

ZUAR

No hebraico, "pequeno". Ele foi o pai de Natanael, chefe da tribo de Issacar durante as vagueações pelo deserto, em que o povo de Israel se viu envolvido durante cerca de quarenta anos (Núm. 1:8; 2:5; 7:18,23; 10:15). Ele viveu por volta de 1520 a.C. Foi um dos escolhidos para assessorar a Moisés no recenseamento que se fez das tribos de Israel.

ZUBIRI, XAVIER

Ele nasceu em 1898. Minhas fontes informativas não dão a data de sua morte. Nasceu em San Sebastian, na Espanha. Educou-se em Roma, Madri e Freiburgo. Ensinou em Madri e Barcelona. Deixou-se influenciar pelo existencialismo (vide), embora sem aceitar o desespero tão característico dessa filosofia. Heidegger havia falado acerca do *Geworfen* ou "dano" que o homem sofre neste mundo, onde precisa enfrentar o desespero e o conflito. Mas Zubiri substituía isso por sua idéia de *religação*, com o que entendia certo senso de obrigação relacionado a alguma tarefa específica e planejada, que estaria destinado a cumprir. Esse senso de obrigação seria nossa mais poderosa ligação com o divino. Ele percebia uma única realidade, da qual nos podemos aproximar de vários modos, asseverando que a filosofia e a ciência estão entre esses modos, por serem complementares, e não contraditórios.

ZUFE

No hebraico, "favo de mel". Ele era um dos antepassados de Elcana e do profeta Samuel (I Sam. 1:1). Alguns estudiosos têm conjecturado, com base em certos textos gregos, que dizem *Zouphei* ou *Zouphi*, em I Crônicas 6:26, que Ramataim-Zofim (vide), que aparece em I Sam. 1:1, talvez esteja alicerçado sobre um nome gentílico, o que faria com que o texto final desse versículo se tornasse: "...filho de Toú, um zufita, um efraimita", em vez do que lemos ali: "...filho de Toú, filho de Zufe, um efraimita". Em I Crô. 6:26, o nome de Zufe é grafado como "Zofai" (vide). Ele viveu por volta de 1280 a.C.

ZUFE, TERRA DE

Esse era um distrito do território de Benjamim, onde Saul foi procurar pelos jumentos de seu pai (I Sam. 9:5). Ao que parece, Elcana, pai do profeta Samuel, de Ramataim-Zofim, da região montanhosa de Efraim, é oriundo desse distrito. É possível que o nome de família, Zufe, tenha provido o nome daquele distrito, cuja localização exata, entretanto, é desconhecida.

ZUR

No hebraico, "rocha". Há dois homens com esse nome, nas páginas do Antigo Testamento, a saber:

1. Um líder midianita, pai de Cosbi, uma mulher que era uma princesa midianita. Quando ela mantinha contato sexual com um israelita da tribo de Simeão, Cosbi, foi morta, juntamente com o israelita, com um único golpe de lança dado por Finéias, quando o Senhor Deus já havia dado início a uma praga, no acampamento de Israel. Zur viveu em torno de 1500 a.C.

2. Um benjamita, que residia em Gibeom (I Crô. 8:30 e 9:36). Ele era filho de Jeiel e irmão de Quis, o pai de Saul (I Crô. 9:35,36,39). Ele viveu por volta de 1250 a.C.

ZURIEL

No hebraico, "Deus é rocha" ou "rocha de Deus". Ele foi um levita, filho de Abiail. Foi chefe dos meraritas, no deserto do Sinai (Núm. 3:35). Ele viveu por volta de 1490 a.C.

ZURISADAI

No hebraico, "o Todo-Poderoso é rocha". Esse homem era pai de Selumiel, o príncipe da tribo de Simeão, no deserto do Sinai (Núm. 1:6; 2:12; 7:36,41; 10:19). Ele viveu por volta de 1510 a.C.

ZUZINS

Uma tribo pré-israelita que residia na região da Síria-Palestina. Eles são mencionados exclusivamente no trecho de Gênesis 14:5, onde figuram como uma das nações que foram derrotadas pelo rei elamita Quedorlaomer.

Embora muitas autoridades equiparem os zuzins com os zanzumins (vide), que são mencionados no livro de Deuteronômio (2:20), outros estudiosos encontram sérias objeções a essa suposição, conforme se vê nos pontos abaixo:

1. Em Gênesis 14:5, os zuzins são mencionados juntamente com os refains (vide), ao passo que em Deuteronômio 2:20, os zanzumins é que são os refains.

2. O período de tempo passado entre as duas passagens acima é bastante amplo. Quedorlaomer foi um contemporâneo de Abraão (cerca de 1850 a.C.), ao passo que a referência aos zanzumins, de acordo com o mesmo esquema cronológico, já deve ser datada em cerca de 1350 a.C., ou seja, uma diferença de meio milênio. Na turbulência do período, é extremamente duvidoso que qualquer pequena tribo tivesse permanecido unida e em existência durante tanto tempo, em um único local geral.

3. Os zuzins são localizados em Hã (Gên. 14:5), um lugar que não aparece em nenhuma outra passagem da Bíblia. Sabe-se, todavia, que esse lugar ficava localizado cerca de trinta quilômetros a sudoeste de Irbide (Bete-Arbel), mais ou menos à mesma distância a oeste de Ramote-Gileade, no distrito de Aglum.

Embora os zuzins não sejam mencionados por nome em qualquer outro trecho bíblico, além daquele do livro de Gênesis, a etimologia popular faz derivar o nome deles de uma palavra hebraica que significa "fortes" ou gigantes "fortes". Com base nessa evidência, a Septuaginta diz *éthne ischurà*, "nações fortes", ao passo que os pais latinos da Igreja preferem a tradução "gentes fortes". Todavia, há estudiosos que não concordam com essa interpretação.

Ao que parece, eles cram uma das raças de gigantes da antiguidade, talvez da mesma origem da raça a que pertenciam Golias e outros gigantes mencionados na época de Davi. Ver o artigo sobre *Golias*. Ver também sobre os *Refains*. Entretanto, muitos estudiosos insistem que não devemos confundir os zuzins com os zanzumins (vide). Ver também sobre os *Emins*.

ZWÍNGLIO, HULDREICH

Suas datas foram 1484 - 1531. Nasceu em Wildhaus, São Gal, na Suíça. Educou-se em Viena e Basiléia, e ensinou em Basiléia. Foi ordenado padre em 1506. Tornou-se um reformador religioso dotado de poderoso ponto de vista humanista da vida, o que fez com que fosse apenas natural ele manter correspondência com Erasmo de Roterdã (vide).

Zwínglio foi o terceiro dos oito irmãos, filhos de um meirinho relativamente abastado. Os estudos de Zwínglio culminaram na obtenção de seu grau de Mestre em Artes. Em 1506, ele começou a servir como padre paroquial, promovendo sua orientação humanista. Por essa altura, dedicou-se ao estudo do Novo Testamento, o que teria uma tremenda influência em todo o restante de sua vida. E assim ele veio a acreditar na urgente necessidade de reforma da Igreja como algo necessário para restaurar o modelo original, uma ordem e uma expressão muito mais simples, que a Igreja teve no começo. Gradualmente, ele foi mudando para a posição do biblicismo, isto é, que a Bíblia reveste-se de autoridade suficiente quanto às questões de fé e prática; e ao assim fazer, desviou-se de suas raízes eclesiásticas católicas romanas. Também sentiu-se perplexo diante dos muitos abusos doutrinários e de prática que via ao seu derredor, na Igreja Católica Romana e seu clero. Zwínglio continuou a estudar a Bíblia e as obras de Erasmo. Também aprendeu música e a tocar instrumentos musicais, demonstrando grande pendor para essas atividades.

Em Zurique, Suíça, a reforma surgiu devido aos ensinos de Zwínglio ali. É por essa razão que ele tem sido freqüentemente chamado de "terceiro homem" da Reforma Protestante, depois de Lutero e Calvino. Uma de suas primeiras formulações doutrinárias foram as Sessenta e Sete Conclusões, publicadas em 1523. Até mesmo nesse antigo trabalho ele exibiu ensinos como aquele que diz que o evangelho não está sujeito à aprovação da Igreja, podendo operar separado da autoridade e das restrições eclesiásticas, uma posição tipicamente protestante. Também assegurou que a súmula do evangelho é a reconciliação e redenção realizadas por Jesus Cristo, que é o cabeça dos crentes, constituindo eles, coletivamente, o seu corpo místico. Por igual modo, ensinou a comunhão dos santos e o sacerdócio de todos os crentes. Todos os crentes são iguais entre si, e nenhum deles merece o título de "pai", como se fosse superior a seus irmãos.

Zwínglio apresentou uma poderosa defesa da doutrina da autoridade da Bíblia, em sua obra *Sobre a Clareza e Certeza da Palavra de Deus*. No livro *Comentário Sobre a Verdadeira e a Falsa Religião*, ele estabeleceu a distinção entre a Igreja visível e a Igreja Universal mística e verdadeira, composta por todos os regenerados. Apesar de crer no governo democrático, ele não ensinava a separação entre a Igreja e o Estado. Outrossim, continuou a ensinar a validade do batismo infantil, julgando que o mesmo é paralelo à circuncisão dos meninos, por parte dos judeus. Zwínglio entrou em controvérsia com Lutero por causa da eucaristia, afirmando que ela é apenas um memorial do sacrifício de Cristo, e não um sacrifício contínuo com a presença real do corpo e do sangue de Cristo. A expressão "este é o meu corpo", ele interpretava como "isto simboliza o meu corpo". Já estando em conflito com as autoridades católicas romanas, Zwínglio despertou assim as hostilidades de luteranos e anabatistas. Conrado Grebel, um dos seguidores de Zwínglio, tornou-se fundador dos menonitas (vide), pelo que Zwínglio foi um dos pais espirituais dos menonitas, mesmo que esse grupo se tenha desviado dele quanto a diversos pontos de doutrina.

Zwínglio teve seus problemas políticos, e não apenas religiosos. Os cantões (distritos) urbanos suíços deram apoio à crescente reforma, mas os cinco mais antigos cantões da federação helvética não o fizeram. Zurique impôs sanções políticas e econômicas sobre os cantões antigos. Em retaliação, atacaram Zurique, conseguindo apanhar seus defensores em um momento de descuido. Zwínglio foi à batalha, como capelão, juntamente com as tropas de Zurique. Mas foi morto durante a luta, em Kappel.

Sua causa foi esposada por seus discípulos, e seu primeiro sucessor foi Heinrich Bullinger (vide). Alguns de seus discípulos formularam as chamadas Confissões Helvéticas (vide), uma das declarações clássicas da fé reformada.

Hoje, 6 de abril de 1989, redigi, o último artigo da *Enciclopédia de Bíblia, Teologia e Filosofia*, a qual contém mais de quinze mil verbetes. Contei com a incansável colaboração do pastor João Marques Bentes, o qual contribuiu pessoalmente com muitos artigos de natureza bíblica e com valiosos comentários adicionais a muita coisa que escrevi. O pastor Bentes também foi o tradutor da obra inteira, redigida em inglês. Faz agora quase dez anos que concluímos juntos o *Novo Testamento Interpretado Versículo por Versículo*, que já está na sua sexta edição. Sem falsa modéstia, o *Novo Testamento Interpretado* é um grande sucesso de livraria, considerando tratar-se de uma obra lançada para o ainda pequeno público leitor evangélico do Brasil. Atribuo tudo à graça de Deus.

Sentimos que nada somos, pois tudo és, Tu e em Ti;
Sentimos que Algo somos, isso também vem de Ti;
Sabemos que nada somos, mas Tu nos ajudas a ser algo.
Bendito seja o Teu nome. – Aleluia!
(Alfred Lord Tennyson, *The Human Cry*).

Assim, agora, por essa mesma graça, sinto-me em dívida imensa, tendo chegado ao fim desta presente obra, após um labor realmente obcessivo de quase seis anos. Já contemplei a boa terra de Dã a Berseba, e hoje minha alma exulta em Cristo, mediante a graça de Deus, o qual me deu forças físicas, mentais e espirituais para levar esta obra a bom termo.

Apresento, pois, ao público leitor do expressivo idioma português a mais completa enciclopédia sobre Bíblia, Teologia e Filosofia que se tem publicado na língua que já é a oitava mais falada no mundo.

Seja sobre nós a graça do Senhor, nosso Deus;
e confirma sobre nós a obra das nossas mãos.
Sim, confirma a obra das nossas mãos.
    (Salmos 90:17)

Digo, o conhecimento de Deus, em Cristo, o Logos,
Aceito pela tua razão, soluciona, para ti,
Todas as questões da terra e fora dela.
    (Robert Browning)

O Novo Testamento Interpretado e a *Enciclopédia de Bíblia, Teologia e Filosofia* para mim têm sido uma grande peregrinação na erudição e, conforme penso, representam um considerável avanço na espiritualidade. Tenho aprendido a investigar os pontos de vista alheios a fim de considerá-los, e não condená-los. Tenho aprendido a usar de maior tolerância, compreensão e compaixão. Imagino haver adquirido uma visão mais ampla do Ser divino e do poder do evangelho de Jesus Cristo. Na confiança que essa visão me tem inspirado, agora busco a iluminação espiritual da união de minha alma com Deus. Nele está o Poder, e podemos valer-nos dele, se aprendermos como fazê-lo.

A verdade é, ao mesmo tempo fácil e difícil. Parte da verdade pode ser obtida sem grande esforço, mas uma porção apreciável dela só pode ser adquirida mediante um árduo esforço. Os muitos artigos desta Enciclopédia não podem alterar essa situação. Contudo, a verdade aqui apresentada talvez se revista de considerável importância, conforme cremos no íntimo.

Até aqui flui aquela maré
Que vem do mar sem praias;
Incomensurável que ela é;
alcança a ti e a mim.
    (Russell Norman Champlin)

Hoje, 27 de abril de 1989, traduzi a última página desta extraordinária obra que é a *Enciclopédia de Bíblia, Teologia e Filosofia,* cujo autor principal é o Dr. Russell Norman Champlin. Foi desvanecido que, cerca de seis anos atrás, recebi dele o convite para traduzir do inglês para o português tudo quanto por ele fosse redigido. Também foi-me dado o privilégio de contribuir com ligeiros comentários aos artigos de autoria dele, do ponto de vista de um pastor evangélico brasileiro.

Trabalhar com o Dr. Champlin é mais do que um prazer, é uma aventura. Sua profunda erudição alia-se a um espírito inquisitivo como poucos. É verdade que, vez por outra, ele nos leva a meandros do pensamento humano com os quais não nos sentimos muito à vontade. Mas é que o Dr. Champlin sentiu que deveria relembrar ao público leitor que a tradição doutrinária que nos influenciou mais é a tradição da Igreja Ocidental, e que há todo um tesouro patrístico e doutrinário oriental cristão que faríamos bem em atender, pois esse conhecimento não pode ser desprezado por quem queira ter uma mais completa formação teológica, que não despreza a herança cultural cristã do Oriente, o berço mesmo do cristianismo. Não podemos concordar com tudo quanto diz o Dr. Champlin. Ele retrucaria que isso se deve ao provincialismo de nossa visão e conhecimento. Seja como for, notei que de vez em quando precisei assumir a posição de um típico pastor evangélico brasileiro, e procurei argumentar como faria qualquer um deles, relembrando a posição teológica evangélica tradicional do Ocidente. O Dr. Champlin sempre se mostrou magnânimo, acolhendo comentários meus que entram em choque direto com o que ele disse aqui ou acolá. Se deixássemos a questão nesse pé, isso poderia dar a impressão de que o Dr. Champlin é um filósofo especulador. Porém, tirante certas questões, a posição bíblica do Dr. Champlin parece-nos perfeitamente sólida. E aqueles que têm tido a oportunidade de comungar com ele, conforme o tenho feito já por vinte e dois anos, reconhecem nele um cristão sincero, que ama ao Senhor Jesus supremamente e que tem dedicado praticamente a sua vida inteira à causa do evangelho no Brasil. Quem pode aquilatar a contribuição dele à erudição bíblica em nosso país e em outras terras de fala portuguesa?

Esta é a primeira enciclopédia bíblica em língua portuguesa. Cada um dos seus verbetes foi planejado para dar informações objetivas, em uma linguagem simples e de leitura fácil. Nós (autor e tradutor) agradecemos a Deus por ter-nos ele julgado idôneos para tão arrojada empreitada. Almejamos que não se veja nestas páginas somente um esforço intelectual, pois, amantes da verdade divina, que nos foi revelada em Cristo, por meio das Sagradas Escrituras, demos muito de nosso coração e alma. Que nossa recompensa seja a satisfação de ter contribuído para um conhecimento maior por parte daqueles que se gloriam somente no Senhor (ver I Cor. 1:30,31). De nossos leitores crentes, solicitamos que levantem uma oração ao Senhor, para que nos não seja concedido dar prosseguimento a outros projetos literários, alguns dos quais já rebrilham em nosso horizonte, além de outros que o Supremo Pai nos permita realizar no futuro, segundo a medida de sua graça, em Cristo Jesus.

Santo Amaro, 27 de abril de 1989.
Pastor João Marques Bentes.

O Índice desta Enciclopédia foi compilado pelo trabalho diligente de Darrell Steven Champlin

Borda decorativa do Evangelho de João, Livro de Burrow

ÍNDICE

Compilado Por

DARRELL STEVEN CHAMPLIN

A

A I,1
Aalar I,1
Aará I,1
Aarão I,1
  1. Significado do nome
  2. Família
  3. Nomeação divina
  4. Resistência do Faraó
  5. O sacerdócio
  6. A impaciência produziu um lapso
  7. Arrependimento e consagração
  8. Longa fidelidade
  9. Moisés o Aarão sob ataque
  10. Fracasso
  11. Morte
  12. Descendentes
  13. Caráter e lições espirituais
  14. Símbolo: Tipo de Cristo
Aarão, a Vara I, 2
Aarão, tipo de Cristo, Ver
  Aarão, último parágrafo.
Aarel I 3
Aaronitas I, 3
Aasbai I, 3
Aava I, 3
Ab I, 3
Ab I, 3
Aba I, 3
  Forma enfática e definitiva
  Usos neotestamentários
Aba, Pai, Ver *Paternidade de Deus, V.*
Abã I, 3
Abadessa I, 4
Abadia I, 4
Abadon I, 4
Abagta I, 4
Abana I, 4
Abandono I, 4
  Ver também o artigo *detalhado sobre Existencialismo.*
Abarim I, 4
Abater I, 4
Abattachim I, 5
Abda I, 5
Abdeel I, 5
Abdi I, 5
Abdias I, 5
Abdias, História
  Apostólica de I, 5
Abdiel I, 5
Abdon I, 5
  1. Filho de Hilel
  2. Primogénito de Jeiel e Maaca
  3. Filho de Mica
  4. Filho de Sasaque
  5. Cidade
Abdução I, 5
Abe I, 5
Abecedarianos I, 6
Abedo-Nego I, 6
Abede-Nego, Ver *Sadraque, Mesaque e Abede-Nego.*
Abegaro (Abagaro) I, 6
Abel I. 6
  1. História da família
  2. Tradição judaica
  3. Interpretações simbólicas baseadas no nome Abel
  4. Um nome de fé
  5. Simbolismo
  6. Nos escritos dos pais da Igreja
  7. Referência de Jesus
Abel I, 6
Abel, símbolo, Ver *Abel*, 5.
Abel nos pais da Igreja e no NT,
  Ver *Abel*, 6 e 7.
Abelardo de Bath I, 7
Abelardo, Pedro I, 7
  Idéias e livros
Abelardo sobre a expiação,
  Ver *Expiação*, II. 7.
Abel-Bete-Maacá I, 7
Abel-Meolá I,7
Abel-Mizraim, I, 7
  Provas arqueológicas
Abel-Naim I, 8
Abel-Queramim I, 8
Abel-Sitim I, 8
Abelha I, 8
  Definições científicas e trechos bíblicos
Abençoar I, 8
  1. Quando o homem bendiz
  2. Quando Deus abençoa
  3. O conceito grego
  4. Responsabilidades de quem é abençoado
Aberta moradia, Ver *Moradia Aberta.*
Abes I, 9
Abgar (Abgarus) e as Epístolas de Cristo
Abgarus (Abagarus) e a
  Epístolas de Cristo, *Doctrina Addaei.*
Abbidharmakosa I, 9
Abhinivesha I, 9
Abi I, 9
Abiail I, 9
  1. Mãe de Maalate
  2. Filho de Huri
  3. Pai de Zuriel
  4. Pai da rainha Ester
  5. Esposa de Abisur
Abi-Albom I, 9
Abias 1, 9
  1. Filho de Bequer
  2. Filha de Maquir
  3. Segundo filho de Samuel
  4. Filho de Jeroboão
  5. Descendente de Eleazar
  6. A versão portuguesa
    Dificuldade vinculada à maternidade
  7. Filha de Zacarias
  8. Um dos sacerdotes que provavelmente assinou o pacto feito com Neemias
  9. Outra proposta de alguns eruditos
Abiasate I, 10
Abiatar I, 10
  1. Como sumo sacerdote
  2. Deposição
  3. Aparente discrepância

Abida I, 10
Abide I, 10
Abiel I, 10
  1. Pai de Quis
  2. Um arbatita
Abiézer I, 11
  1. O segundo filho de Hamolequete
  2. Um nativo de Anatote Abiezritas I, 11
Abigail I, 11
  1. Esposa de um próspero, criador de ovelhas
  2. Filha de Naás
Abi-Jonas I, 11
Abila I, 11
  1. Tradição
  2. Localização
  3. Provas arqueológicas
Abilene I, 11
Abilene I, 11
  Localização
  Discrepância
Abimael I,12
Abimeleque I,12
  Definição
  1. Rei filisteu
  2. Disputa por poços e intervenção divina
  3. Rei de Siquém
  4. Sumo sacerdote
Abinadabe I,12
  Definição
  1. Filho e Jessé
  2. Filho de Seul
  3. Um levita
  4. Pai de um oficial nomeado por Salomão
Abinoão I, 12
Abiqueila, Ver *Queila (Abiqueila)* I, 13
Abirão I, 13
  1. Chefe de família da tribo de Rúben
  2. Filho de Hiel
Abisague I, 13
Abisai I, 13
Abisalão I, 13
Abismo I, 13
  Definição
  Antigas idéias cosmológicas
  O NT
  Ver também *Inferno.*
Abismo, hades, Ver *Hades*, VI
Abissínia I, 14
Abisua I, 14
  1. Filho de Finéias
  2. Filho de Bela
Abisum I, 14
Abisur I, 14
Abital, I, 14
Abitube I, 14
Abiú I, 14
  1. Estabelecimento de adoração cerimonial
  2. Negligência fatal
  3. O vinho proibido
  4. Linhagem sacerdotal
  5. Simbolismo

Abiúde I, 14
  1. Filho de Bela
  2. Trineto de Zorobabel
Ablução I, 15
  Lavagem cerimonial (quatro tipos)
  1. Das mãos
  2. Das mãos e dos pés
  3. Do corpo
  4. Vasos, casas, vestee e outros itens
  Simbolismo
Abner I, 15
  1. Comandante militar de Saul
  2. Filho de Saul
  3. Derrota de Abner em Gibeom
  4. Reconhecimento de Davi
  5. Lamento de Davi
Abóbada Celeste I, 15
Aboboreira I, 15
  A planta: usos e localização
  Lição espiritual da planta de Jonas
Abominação I, 16
  Usos populares
  A abominação idólatra
Abominável da Desolação I, 16
  Definição
  O Anticristo
  A adoração de Satanás em um homem
Abordagem Científica à
  Crença na Alma e em sua Sobrevivência Ante a Morte Física I,16
Aborto I,16
  Assunto complexo
  1. A vida como um dom de Deus
  2. O sofrimento
  3. Santidade da vida
  4. Considerações bíblicas e teológicas
  5. Exceções
  6. Perdão dos pecados
  7. Estados psicológicos
Aborto, Ver *Vida*, IV, 2.a.
Aborto Oculto I, 17
  Definição
  Ocorrências bíblicas
  Referência figurada
Aboth, Pirke, Ver *PirkeAboth.*
Abraão I,17
  1. Fontes informativas
  2. História primitiva
  3. Ur dos Caldeus
  4. Chamada de Abraão
  5. O herdeiro
  6. A prova da fé
  7. Falecimento de Sara
  8. Isaque aos quarenta
  9. Falecimento de Abraão
  10. Caráter de Abraão
  11. Abraão como tipo
  12. Descobertas arqueológicas e Abraão
    a. Nuzu; b. obtenção de herdeiros; c. a circuncisão; d.a concubina; e. o código legal hitita; f. Canaã; g.o local de Nuzu
  13. Abraão e o AT
  14. Abraão o NT

ABRAÃO – ADMOESTAÇÃO

Abraão, Apocalipse de I, 19
Abraão Ben Samuel
Abuliafa I, 20
Abraão, fé de, Ver *Fé de Abraão*
Abraão, Seio de I, 20
  Linguagem Figurada
  1. O jardim do Éden
  2. O trono da glória
  3. O seio de Abraão
    A parte boa do hades
Abraão, Testamento de I, 20
  Livro Pseudepígrafo
Abraão e arqueologia, Ver *Abraão*, ponto 12.
Abraão no AT., fora de Gênesis, Ver *Abraão*, 13.
Abraão no NT., Ver *Abraão*,14
Abrão I, 20
Abron I, 20
Absalão I, 20
  1. A narrativa de Temer
  2. A volta de Jerusalém
  3. Ambições de Absalão
  4. A revolta
  5. Triunfo de Davi
  6. Batalha com Joabe
  7. Morte de Absalão
  8. A tristeza de Davi
Absalão, o Embaixador I, 21
Absinto I, 21
Absoluto I, 21,22
  O termo
  Diversos filósofos sobre:
  Descartes; Fichte; Nicolau de Cusa; Hegel; Soloviev; Bradley; Autrebindo; Spinoza
  Na teologia
Absolutos Morais I, 22
Ética absoluta, relativa o de valores
  No cristianismo Argumentos contra
  Respostas aos argumentos
Absolvição I, 22
  O termo; Na teologia; Intérpretos Protestantes; e Tomás de Aquino
Abstinência I, 23 O termo; Renúncia voluntária; Israel; Na vida de Jesus; No NT
Abstração I, 23 O termo: Aristóteles e Tomás de Aquino; John Locke; na lógica e na matemática
Abubo I,23
Abu Hanifa I, 23
Abundância I, 23
Abundância, Generosidade I,24
  Os termos
  Conceitos básicos
  Começa com o Senhor; Assunto de oração; Eterna e abundante;
  Segundo Salomão; Paulo; Princípio geral espiritual
Abuso de drogas, Ver *Drogas*.
Abuso dos dons espirituais, Ver *Dons Espirituais*, II.
Abutre I, 24
Acã I, 24
  Seu pecado; Seu castigo;
  Adivinhação; Alegorização de Orígenes
Acã I, 24
Ácaba, Golfo de,Ver *Golfo de Ácaba*.
Acabe I, 24
  1. Sexto rei de Israel Influência fenícia Jezebel, sua esposa
    Idolatria absoluta Relação a Elias
    O casa de Nabote Morte de Acabe
    Cumprimento da frecia e Acabe e a arqueologia
    Fracasso espiritual
    Na genealogia de Jesus
  2. Acabe, filho de Colias I, 25
Acácia I, 25
Acácio de Cesaréia I, 26
Acade I, 26
Academia de Platão I, 26

Universidade de grande duração; Divisões históricas; Speusipo; Arcésilas; Carnéades Clitômaco; Filo de Larissa (e outros)
Academia Florentina I, 26
  Gemistos Pleton
  Marsilio Ficino
  Médicis
Academias de Platão e Aristóteles, Ver *Filosofia Grega*, V.
Açafrão I, 26
Acaia I, 26
Acampamento I, 27
  Ver também sobre *Exército*.
Ação, ética da, Ver *Ética da Ação*.
Ação de graças às refeições,
  Ver *Graças às Refeições, Ação de*.
Acar I, 27
Acaso, Ver Chance.
Acaz I, 27
  13º rei de Judá
  O termo;
  Sua família; Seu reinado; Idolatria; Guerras com os assírios; Um rei vassalo; Sua morte; Arqueologia e Acaz
Acaz I, 28
  Bisneto de Jônatas
Acazias I, 28
  8º rei de Israel. O termo; Revolta; Relação com Josafá; Acazias e o oráculo
Acazias I, 28
  Sobrinho de Acazias, 8º rei de Israel; Foi o oitavo rei de Judá; Reino pecaminoso;
  Família corrupta de Jezabel; Julgamento e morte
Acbor I, 28
Aceitação I, 28
  O termo; De Cristo; De Deus; Conceito no NT; Paul Tillich; Existencialismo;
  Na Filosofia
Aceldama I, 29
Acepção de pessoas,
  Ver *Respeito (Acepção) de Pessoas*.
Acesso I, 29
  Termo e usos; Acesso em Cristo; Natureza do acesso espiritual
Acidente I, 29
  O termo; Na filosofia aristotélica e escolástica; Na teologia, Na ética
Acifa I, 30
Acmeta I, 30
Aco I, 30
  Referências bíblicas
  Nos dias da hegemonia a sol na
Ações de Graça I, 30
  I. Referências e Idéias
  II. Em tudo dá graças
  III. Em Cristo
  IV. Observações Diversas
    Ver também *Agradecimento*.
Açoite I, 31
Acomodação I, 32
  1. Descrição de Deus e das entidades espirituais
  2. Descrições da natureza
  3. O uso quando não sentimos estar justificada a interpretação literal da Bíblia
  4. Significações duplas
  5. A Bíblia usa termos e Idéias pagãs dando-lhes um colorido judaico ou cristão
  6. O uso de textos do AT e do NT com freqüência exibe acomodação
  7. A revelação por si mesma é uma acomodação
  8. Na filosofia
  9. Referências bíblicas
Aconselhamento, Ver *Conselheiro (Aconselhamento)*.

Aconselhamento, Pastoral I, 32
  Ver sobre *Conselheiro (Aconselhamento)*.
Acontecimento Pivotal I, 32
Acontecimentos no dia da ressurreição, Ver *Ressurreição e a Ressurreição de Jesus Cristo*, XII.
Acontecimentos relacionados à morte, Ver *Experiências Perto da Morte*, II. 9 e III.
Acor I, 32
Acordo entre povos para comprovar a existência de Deus,Ver *Consensus Gentium*.
Acosmismo I, 33
Acra I, 33
Acrabatena I, 33
Acrabatene I, 33
Acrabim I, 33
Acrabim, subida de,
  Ver *Subida de Acrabim*.
Acre I, 33
Acrisolar, Refinar I, 33
  No hebraico;
  Os usos dessas palavras;
  O processo
Acrópole I, 33
  No grego; As cidades
Acróstico I, 34
  No AT,
  No NT
Acsa I, 34
Acsafe I, 34
Actus Purus I, 34
Acua I, 34
Acube I,34
  Forma variante de Baque-bueque;
  Filho de Elioenai;
  Porteiro do templo de Salomão;
  Família de servos; Um sacerdote
Açude de Hasselá, Ver *Poço do Aqueduto (Açude de Hasselá)*.
Aczibe I, 34
  a. Uma aldeia de Aser
  b. Uma aldeia nas terras baixas de Judá
  c. Homens de Cozeba
  d. Em Esdras, Cozeba, uma família de serviçais do templo
Ada I, 34
Adada I, 35
Adaga I, 35
Adaías I, 35
  1. Avô materno do rei Josias
  2. Um levita da família de Gérson
  3. Filho de Bani
  4. Outro descendente de Bani
  5. Um benjamita
  6. Pai de Maaséias
  7. Filho de Joiaribe
  8. Sacerdote, filho de Jeroão
Adalia I, 35
Adam I, 35
Adama I, 35
Adamata I, 35
Adami-Neguebe, I, 35
Adão I, 35
  O pai da raça humana
  A igualdade da humanidade
  Interpretações sobre Adão
  1. Bíblico: literal O NT.
  2. Bíblico-literário modificado: Personagem histórica
  3. Líbero-radical
    O valor histórico em debate
    A teoria astronômica
    Cosmologia.
    A origem humana
  4. Abordagem libero-neoortodoxa Simbologia
    Trechos neotestamentários
  1. O homem como um ser elevado

  2. O homem é a imagem de Deus
  3. A missão do último Adão
  4. O ser físico como veículo.O homem não pertence ao terreno físico
  5. A intervenção divina na história humana, ou teísmo, em contraste com deísmo
  6. Deus eo espírito presentes no terreno materialista
  7. O conhecimento espiritual
  8. Pecaminosidade
  9. A existência da vida eterna
  10. O pecado
  11. O princípio maligno
  12. A penalidade
Adão, Cidade, de I, 37
Adão, Livros de I, 37
  Obras não-canônicas
Adão, O Último (Segundo) I, 37
  O título aplicado por Paulo a Cristo
  A incorporação na nova humanidade
  Provisão universal
  1. Cristo anula o pecado original
  2. A provisão universal de Cristo
  3. Os universalistas Adão, Segundo, Ver *Segundo Adão e Dois Homens, Metáfora dos*.
Adar I, 38
  Definição do termo
  No hebraico
Adasa I, 38
Adega, Ver *Depósito*.
Ad Hoc I, 38
Adi I, 38
Adiabene I, 38
Adiáfora I, 38
  Exemplos bíblicos
  Na história eclesiástica
  As diversões
Adições ao Livro de Ester I, 39
  Ver *Ester, Adições ao Livro de*.
Adida I, 39
Adiel I, 39
Adim I, 39
Adina I, 39
Adinu I, 39
Adinus I, 39
Aditaim I, 39
Aditum I, 39
Adivinhação I, 40
  I. Prática Escrituras
    1. Rabdamancia
    2. Hepatoscopia
    3. Terafins
    4. Necromancia: os espíritos dos mortos regressam?
    5. Astrologia: Três variedades de astrologia
    6. Hidromancia
    7. Sonhos e seus estudos
    8. Sortes
  II. Como Ilustrada em *Atos* 1:26
    A literatura antiga
    Recair sobre Metias
  III. Comentários
    1. Os sonhos o a previsão do futuro
    2. Capacidades psíquicas
    3. A Bíblia e a adivinhação
    4. O discernimento psíquico e os problemas
    5. O crente espiritual
    6. Os extremos absurdos
Adlai I, 43
Adima I, 43
Administrar, Administração I, 43
Admiração 1, 43
Admoestação 1, 43
  Idéias
  1. A aplicação de exemplo santo
  2. A transmissão de ensino espiritual
  3. A repreensão dos hereges

ADMOESTAÇÃO – ÁGRAFOS

4. O mistério dos líderes
5. A repreenda
Admoestação,
Ver *Repreensão (Admoestação)*.
Adna I, 43
Adoção I, 43
Ver sobre *Adopcianismo*.
Definição do termo
1. Origem prática
2. No AT
3. Gregos e romanos
4. Idéias neotestamentárias
  A participação da natureza divina
  O benefício universal da missão de Cristo
5. Adoção em relação ao filho, Cristo
6. A luz da arqueologia sobre a adoção pré-abraâmica
7. Um termo ético
  Adoção do Espírito,
  Ver *Paternidade de Deus*, IV.
Adoção em Relação ao Filho I.45,
Ver o artigo sobre *Adopcianismo*.
Diferentes interpretações
1. A cristologia da adoção pura
2. O ponto de vista da teoria da adoção radical
3. A encarnação; Apóstolo Paulo
4. Teoria da adoção modificada
Adocianismo
Ver *Adopcianismo*, I, 47
Adom I, 46
Adonai I, 46
Adonias I, 46
Diversas pessoas bíblicas
Adoni-Bezeque I, 46
Adoni-Zedeque I, 46
Adonição I, 47
Adonirão (Hadorão, Adorão) I, 47
1. Filho de Toi
2. Pessoas do departamento de trabalhos de Salomão
Adônis I, 47
Adônis, Ver Religiões Misteriosas (dos Mistérios), I, 2.
Adopcianismo I, 47
Ver também *Adoção*.
Um dos grandes problemas do cristianismo
Exponentes desta doutrina
Extremo oposto
Forma correta da idéia
O Filho eterno
Ador (Adora) I, 48
Adoração I, 48
1. A reação religiosa
2. Uma estrada dupla
  Atos e objetos; atos físicos
Adoração a objetos materiais
O NT
  Elementos Necessários
1. Um despertamento, íntimo
2. A própria vida requer adoração
3. Associação com pessoas de ideologia semelhante
4. Confissão; arrependimento
5. Reiterada outorga a Deus
6. Confronto aos aspectos negativos do indivíduo e da coletividade
7. A busca do ideal
8. Os elementos: oração, louvor, ação de graças, meditação
  Esboço:
I. Termos Gregos Importantes
II. Adoração no AT
  a. Princípios Básicos:
     Louvor; Serviço; Oração;
     Adoração Bíblica
  b. Adoração Doméstica
  c. Adoração Pública
  d. Adoração Individual
  e. Idolatria
  f. O Testemunho dos Profetas

III. Adoração e o NT
  a. Formas de Adoração
  b. Elementos Componentes da Adoração
     Nove componentes alistados
  c. A Essência da Adoração
Adoração ao bezerro,
  Ver *Deuses Falsos*, III. 12.
Adoração ao Imperador (Deificação) I, 62
Adoração ao Sol I, 63
Ver também *Sol, Adoração ao*.
Adoração aos Ancestrais I, 63
  Motivações do Ato
1. Desejo de servir aos mortos
2. Temor de danos causáveis por visitas de fantasmas
3. Desejo de ser protegido e abençoado
4. O avanço dos mortos a níveis mais elevados
Adoração da Bíblia, Ver *Bibliolatria*.
Adoração da Natureza I, 63
Adoração do Diabo I, 64
Adoração dos anjos, Ver *Anjo*, V.
Adoração, oração, como,
  Ver *Oração*, 2.
Adoraim I, 64
Adrameleque I, 64
1. Um ídolo
2. Um ídolo como parte da adoração a Moloque
3. Filho de Senaqueribe
  Ver também sobre *Deuses Falsos*, III. 1.
Adramitino I, 64
Ádria I, 64
Adriano I, 65
  15º imperador de Roma
  Ver *Império Romano*, XII.
Adriano IV, Papa (1154-1159) I,65
  Único papa nascido na Inglaterra
Adriel I, 65
Adulão I, 65
  Definição do termo
  A caverna de Adulão
Adultério I, 65
  No AT
  Base original da monogamia
  Por que o adultério é proibido?
  Severidade do NT
  Uso metafórico
  Em outras sociedades, antigas e modernas
  A lei do Amor
  Comentários adicionais
  Sófocles; Paulo
Adumim I, 67
Adus I, 67
Advaita I, 67
Adventistas; I, 67
  Seitas religiosas originárias
  Idéias principais
  Desistência
  Defesa de todas as doutrinas adventistas originais
Advento I, 68
1. O nascimento de Jesus Cristo
2. A segunda vinda de Cristo
3. A observância luterana e católica romana de quatro domingos anteriores ao Natal
  Origens da palavra
Adversário I, 68
  Um inimigo de qualquer categoria.
  Um dos nomes de Satanás
Advogado I, 68
1. Um advogado legal
2. Intercessor
3. Um ajudante
  Uso secular
  No grego, *nomikos* - especialista na lei
  Deveres dos advogados
  Os advogados e Jesus

Aedias I, 69
Aenesidemus I, 69
Aeon I, 69
  Declaração geral
1. A eternidade
2. Pelas eras
3. Pelas eras das oras
4. Pela era das eras
  Ver também sobre *Era*.
Aer I, 69
Aesora (Esora) I, 69
Afarsaquitas I, 69
Afarsitas I, 69
Afeca I, 69
Afeque I, 70
1. Cidade no território de Aser
2. Localidade na fronteira norte do território cananeu
3. Cidade na planície de Sarom
4. Cidade ao norte da Transjordânia
Aferema I, 70
Aforra I, 70
Afetos I, 70
Afia I, 70
Afinidade (relativa ao matrimônio) I, 70
1. Nos tempos antigos
2. Graus de afinidade e regulamentação
3. Em relação aos casamentos polígamos
Afirmações de Jesus de Oxyrhynchus, Ver *Oxyrhynchus, Afirmações de Jesus de.*
Afirmações, ditados de Jesus,
  Ver *Oxyrhynchus,*
Afirmativas I, 71
  Fórmula de assentimento
  Entre os judeus
  Entre os gregos e romanos
Aflição I, 71 Ver *Sofrimento*.
Afo I 71
A Fortiori I, 71
África I, 71
  África e a Bíblia
1. Antigas designações
2. AT
3. NT
Afrodite-Adônis, Ver *Religiões Misteriosas (dos Mistérios)*, I.2.
Ágaba I, 71
Agabo I, 71
  Várias personagens
  Conhecimento prévio
  Ver os artigos, *Profeta e Parapsicologia*.
Agagita I, 72
Ague, I, 72
Agapao, Relação com Phileo I, 72
  As diferenças verbais e os intérpretes
  Agapao - o mais usado no NT
1. O uso antigo - sinônimos
2. Uso como sinônimo
3. As palavras expressando todas as formas de emoção
4. O uso no quarto evangelho
5. A restauração de Simão Pedro ao ofício apostólico
6. A falta de intenção de distinção entre as palavras
7. Jesus e Paulo conversavam em aramaico, não grego; nesse caso não existia distinção entre as duas palavras
  Ver *Agape*.
Agape I, 73
  Definição do termo
1. Usado designar uma festa de amor no NT.
  História
2. A palavra Agape vem de *agapao*
  Fileo, o sinônimo grego

Eros, também significa amor
Agar I, 74 Ver *Hagar*.
Ararenes I, 74
Ágata, I, 74
Agé I, 74
Agente de redenção,
  Ver *Redenção (Redentor)*, II.
Agentes poderosos, Ver *Poder*, II.
Ageu I, 74
  Esboço
1. Autor
  Derivação do termo hebraico que significa festividade
2. Pano de fundo do livro
3. Data
4. Lugar de origem
  retorno dos exilados da Babilônia
5. Destino
  Judéia, especificamente, Jerusalém
6. Propósito
  Encorajar a reconstrução do templo
7. Canonicidade
  O primeiro dos três livros pós-exílicos
8. Texto
9. Unidade
  Dividido em três partes
10. Conteúdo
11. Perspectiva teológica
  a. Prosperidade material vs prosperidade espiritual
  b. Os reveses na vida de um crente
  c. Importância do ritual
  d. O poder do mal
  e. Proteção divina à missão humana
Aggiornamento I, 76
Agni I, 76
Agnoetal I, 76
Agnosticiamo I, 76
  Definição da palavra
  Raízes filosóficas
  A oposição ao teísmo e ao ateísmo
  Agnosticismo favorecido no seio da própria Igreja
  Argumentos contrários
1. Filosóficos
2. Científicos; a parapsicologia,
3. Míticos.
Agnus Dei I, 77
Agonia I, 77
Agora I, 77
Agoraios I, 78
Agostinho I, 78
  Ver também *Agostinianismo*.
Agostinho de Canterbury I, 78,
  Apóstolo, dos anglo-saxões
Agostinho do Islã, Ver *Alghazzali*.
Agostinianismo I, 78
  Os ensinos de Agostinho
  Elementos
1. A vereda da felicidade e da salvação
2. Teísmo
3. Importância da defensibidade filosófica
4. Refutação do ceticismo
5. Formosura e bondade
6. A descoberta de Deus
7. Evidências de Deus
8. O mal
9. Fé no cristianismo
10. A natureza de Deus
11. Sobre as obras de Deus
12. Sobre o tempo
13. Sobre o conhecimento
14. Sobre o homem
15. Política
  Os quatro períodos da história
16. Sua influência
Agouro I, 80
  Ver *Presságio (Agouro)*.
Agradecimento I, 80
Ágrafos I, 81
  Coisas *não escritas*

ÁGRAFOS – ALEMETE

Exemplos
1. No NT
2. Nos primitivos escritos cristãos
3. A *Logia*
Agramatos I, 81
Agricultor I, 81
Nomes bíblicos; Metáforas
Ver sobre *A agricultura*.
Agricultura I,82
Agricultura e Arqueologia
1. Antes do dilúvio
2. No Egito
3. Ao entrarem na terra prometida
4. Evidências extrabíblicas, os arqueólogos, antropólogos e estudiosos
5. As estações do ano
6. O solo e seu uno
7. As espécies
8. Semeadura
9. A colheita
10. Leia
11. A metáfora agrícola
Agricultura Metáfora de I, 83
I. A Palavra Implantada
1. Deus enxerta a sua palavra
2. O cultivo de um campo na mira da parábola do semeador
3. O evangelho de Cristo se apossa de nosso ser inteiro
II. Poderoso para Salvar
Ver o artigo sobre *Alma*, e diversos sobre *Imortalidade*.
III. Gál. 5:22,23. Os Frutos ou Virtudes Espirituais e Éticas.
Ver o artigo sobre o *Fruto do Espírito*.
Agripa I, 84 Ver *Herodes*.
Agripa I, 84 filósofo G7.O
Agripa Von Nettesheim, Henrique Cornélio I, 84
Filósofo e cabalista alemão,
Ver sobre *Cabala*.
Água I, 84
1. Considerações gerais
A água é essencial para a sobrevivência humana
O suprimento de água; fonte de contenda
Na narrativa bíblica
2. Chuva, evaporação e infiltração
3. Água subterrânea
4. Sistema de drenagem do rio Jordão
O mar Morto
5. Uso da água
a.Uso profano
b. Uso religioso
6. Uso metafórico da água
Água Amarga I, 86. O rito
Água-Benta I, 87
Pontos de vista filosófico e parapsicológicos
Experiências científicas
Água de Impureza ou Água Purificadora I, 87
Água e Sangue (de Jesus) 1, 88
Ver o artigo sobre *Sangue e Água*.
Água e Sangue, Cristo Veio Por I, 88
Cristo veio por água e sangue;
Testemunho do Espírito (I Jo. 5:6-12)
O texto
A rejeição à encarnação
A verdadeira confissão e a encarnação
A verdadeira confissão do Andar sobre I,88 Ver *Milagre I.*
Água, Transformação em Vinho I, 88
I. Declaração Introdutória
II. Diversas Interpretações
1.Explicações naturais
2.Explicações místicas
3.Interpretações simbólicas
4.Interpretações históricas
III. Considere esses Fatos

Água transformada em sangue,
Ver *Pragas do Egito*, IV.
Águas de Megido I, 89
Águas de Merom I, 89
Águas de Neftoa,
Ver *Neftoa, Águas de*.
Águas de Ninrim,
Ver *Ninrim, Águas de*
Águas, porta das,
Ver *Porta das Águas*.
Águia I, 90 Aves imundas; descrições científicas; simbolismo
Águia-Marinha I, 90 Ver também *Xofrango e Águia-Marinha*.
Aguilhões I, 90
Agulha I, 90
Agulha, Buraco da I, 91
Ver o artigo *Agulha*.
O costume de Jesus de usar objetos familiares como ilustrações em suas parábolas
Diferentes interpretações
Ver artigo *Bordados*.
Agur I, 91
Ahimsa I, 91
Ahriman I, 91
Ai I. 91
Ai I, 91
Tradução portuguesa de sete interjeições hebraicas
Usos diversos
Ai I, 92
Termo chinês para Amor
Ai (de Moabe) 1, 92
Ai I, 92
No hebraico, "irmão ou meu irmão"
Aia I. 92
Aia I, 92
Forma alternativa de Ai
Aiá I, 92
Definição do termo
1. Filho de Zibeão
2. Pai de Rispa
Aiá I, 92
Aião I, 92
Aías I, 92
1. Um profeta
2. Filho de Aitube
3. Um dos príncipes de Salomão
4. Pai de Bassa
5. Um dos heróis de Davi
6. Um levita
7. Um dos líderes de Israel
8. Descendente de Beni
9. Pai de Aitube
Aiate I, 93
Forma alternativa de *Ai*
Aição I, 93
Definição do termo
Aicar, Livro de I, 93
Personagem da antiga literatura do Oriente Próximo
Elementos principais
Aieser I, 93
Definição do termo
Nome de duas pessoas no AT.
Aijalom I, 94
1. Cidade da tribo de Dã
2. Cidade da tribo de Zebulom
Aijelete I, 94
Ver *Instrumentos Musicais*.
Ailude I, 94
1. Pai de Josefá
2. Pai de Baana
Aim I, 94
1. Uma aldeia na extremidade nordeste de Canaã.
2. Uma cidade dada à tribo de Judá, posteriormente à tribo de Simeão
3. A 16º letra do alfabeto hebraico
Aima I, 94
1. Um dos três famosos gigantes anaquins

2. Um porteiro levita do templo
Aimaás I, 94
1. Pai da esposa de Saul
2. Filho do sucessor de Sadoque
3. Genro de Salonião Aimeleque I, 95
1. Nome para Alas
2. Um heteu seguidor de Davi
3. Um filho de Abiatar
Aimote I, 95
Ainadabe I, 95
Ain Feshka I, 95
Ain Karim, I, 95
Ainoã I, 95
1. Uma mulher de Jezreel
2. Filha de Aimaás
Aio I, 95 Ver sobre *Guia Aio* I, 95
1. Filho de Abinadabe
2. Um Benjamita
3. Um filho de Jeiel
Aion, Ver *Mundo* III. B,
Aira I, 95
Aira (Airamitas) I, 95
1. Terceiro filho de Bonjamim
2. Rei fenício
Airamitas I, 95
Aisaar I, 95
Aisamaque I, 95
Aisar I, 95
Aitofel I, 96
Um homem no templo de Davi que se tornou muito conhecido em Israel
1. Sabedoria política
2. Defecção
3. Suicídio
Aitube I, 96
1. Filho de Finéias
2. Pai de Sadoque
3. Descendente ou filho de Amarias
4. Um antepassado de Judite
Aiúde I, 96
1. Um príncipe da tribo de Aser
2. Um dos filhos de Eúde
Ajativada I, 96
Ajoelhar Ver *Joelho, Ajoelhar* I, 96
Ajuda Econômica I, 96
Ver *Nações Subdesenvolvidas*.
Ajudador I, 96
Ajudas I, 96
Ver sobre *Socorros (Ajudas)*.
Ajudas, dom de,
Ver *Dons Espirituais*, IV. 3.
Akiba I,97
Alabastro I, 97
Alabe I, 97
Alai I, 97
Alameleque I, 97
Alamo I, 97
Um tipo de árvore Alamote I, 97
Ver sobre *Estética e Música. Alberto Magno* I, 98
Filósofo e teólogo escolástico
História de sua vida
Escritos
Idéias e realizações
Albigenses, Doutrina dos I, 98
Albino I, 98
Filósofo grego do século II d.C.
Ver a *Academia de Platão*.
Albo, José I, 98
Albrecht Ritschl, Ver *Liberalismo*, III.6.c. *Alcimo* I, 98
Sumo sacerdote em Jerusalém
1. Descendia de Aarão
2. Opôs-se a Judas Macabeu
3. Demétrio quis vingar-se
4. Álcimo tentou ser nomeado sumo sacerdote
5. Nicanor enviado para destruir Israel
6. Demétrio enviou Baquides e Álcimo com um poderoso exército, onde Judas foi morto
7. Álcimo tornou-se sumo sacerdote

8. Problemas com a antiga narrativa
Alcméon de Crótona I, 99
Alcoolismo I, 99
Definição do termo e da condição
O fenômeno mundial e as estatísticas
Enfermidade ou pecado?
A Bíblia e o alcoolismo
Tratamento, Ver também o artigo sobre *Enfermidades na Bíblia*, I. 1.
Alcorão I, 99
Definição e origens do termo *Quran*, o Livro Sagrado do islamismo
Características e mensagens
1. O orador o Deus
2. As primeiras suras são vívidas
3. As últimas suras são menos vividas, com ataques aos judeus, e a fé é defendida
4. O Alcorão ensina lições morais e espirituais
5. O conteúdo centraliza-se em obediência e na busca do aí A através da importância.
6. Uma sura notável
7. Cristo visto como um profeta
8. O alvo do Alcorão
9. Autoridade
10. Texto original
Um protesto: A opinião do autor
Os dois grandes absurdos
Alcott sobre personalismo,
Ver *Personalismo*, III. 1.
Alcuíno I, 101
Eclesiástico e educador inglês
Aldrava I, 101
Alefe I, 101
1. Primeira letra do alfabeto hebraico
2. Símbolo usado para indicar o *Codex Sinaiticus*, um manuscrito bíblico do século IV D.C.
Alegoria I, 101
1. A explicação ou expressão de alguma coisa por meio do nome ou imagem de outra coisa
2. Distinções
3. Alegorias na Bíblia
4. Interpretação alegórica
Alegoria, método de interpretação,
Ver *Interpretação Alegórica*.
Alegorias na Bíblia, Ver *Alegoria*, ponto 3.
Alegórica, interpretação,
Ver *Interpretação Alegórica*.
Alegria, fruto do Espírito,
Ver *Fruto do Espírito*, III.B.
Aleijado I, 102
Ver também o artigo sobre *Enfermidades na Bíblia* I, 20.
Aleluia I, 102
1. A palavra
2. O uso nos Salmos
3. No NT
4. Usos festivos
5. Usos modernos do vocábulo
Ver o artigo sobre *Hallel*.
Aleph, Ver *Aleph, Codex Sinaiticus*, no artigo *Manuscritos do NT*
Aleph, Codex Sinaiticus,
Ver *Manuscritos do NT*, III, 5.
Aleph.
Aleppo, manuscrito. Ver *Manuscritos do AT*, seção VI.
Alema, I, 102
Alembert, Jean Le Rond D' I, 103
Filósofo e matemático francês
Além do Bem e do Mal,
Ver *Nietzsche, Friedrich*, 7.
Além do Bem e do Mal, Ver *Bem e Mal, Além do*.
Além do Jordão I, 103
Além do Rio I, 103
Alemete I, 103
1. Filho de Jeoada

2. Um benjamita
3. Cidade levítica de Benjamim
Alexandra I, 103
Alexandra, Ver *Hasmoneanos, (Macabeus)*, III.8.
Alexandre, Bispo de Alexandria I, 103
Alexandre de Hales I, 103
Fundador do escolasticismo no sentido estrito
Alexandre Janeu I, 103 Ver *Janeu, Alexandre e também Hasmoneanos (Macabeus)*, III.7
Alexandre, o Grande I, 103
1. A família de Alexandre
2. Vida pregressa e conquistas
3. Alexandre e a profecia bíblica
4. Alexandre, o universalista
5. Universalidade do idioma
6. Resultados para as terras bíblicas
Alexandre, Samuel I, 104
Filósofo inglês
Alexandre III, Papa (1159-1181) I, 105
Alexandres (vários) I, 105
Alexandria I, 105
A cidade fundada por Alexandre, o Grande
Alexandria depois de Alexandre, o Grande
As descobertas arqueológicas,
O governo de Ptolomeu
Os portos
A capital do Egito
O grande centro intelectual
A população judaica
A Alexandria como um centro do cristianismo. Ver o artigo sobre *Alexandria, Biblioteca de*.
Alexandria, Biblioteca de I, 107
A mais famosa e completa do mundo antigo
Desenvolvimento de grandes idéias
Destruições irracionais
1. Um incêndio em 47 AC
2. No tempo do imperador Aurélio
3. Destruição pelos cristãos em 391 D.C.
4. A queimada de livros em 641 D.C. por Caliph Omar
Alexandria, Teologia de I, 108
Orígenes e Clemente de Alexandria
Características distintivas da teologia de Alexandria
1. A missão universal do Logos
2. Preexistência da alma
3. Teorias sobre os homens
4. A eterna geração do Filho
5. Interpretações de trechos bíblicos
6. A oportunidade não-cessante com a morte biológica
7. A necessidade de chamas purgatoriais do juízo
Alexandrinos, tipo de texto do NT
Ver Manuscritos *Antigos do N T*.
Alexandrinos I, 108
Alexandrinos I, 108
Alexandrinus, Codex, Ver *Manuscritos Antigos do NT*.
Alfa e o Ômega I, 110
1. Itens do alfabeto
2. No NT
Na literatura cristã
Ver sobre *Primeiro e último e o Logos*.
Alfabeto (Escrita) I, 108
Origem do termo
Definição do termo
1. O termo alfabeto
2. Escritas pré-alfabéticas
3. Escritas alfabéticas
4. Origem do alfabeto
5. Ilustrações de princípios
6. Principais ramos alfabéticos

7. Alfabeto dos hebreus
8. O ramo aramaico
9. O alfabeto grego
A origem de vários outros alfabetos
10. A invenção da imprensa
A utilidade do alfabeto
Alfabeto fenício, Ver *Escrita*,V.c
Ál-Farabi I, 110
Filósofo árabe
Escritos
Idéias
1. Deus é Um
2. O alvo da vida humana é a identificação com o Um
3. Argumentos em prol da existência de Deus
4. A lógica como um estudo introdutório a filosofia
5. A filosofia e suas divisões principais: a teórica e a prática
O maior dos teólogos do Islã
Al-Ghazzali I, 110
Al-Kindi I, 110
Filósofo islâmico
Alfarrobas I, III
Alfeu I, III
1. Pai de Levi
2. Pai de Tiago
Alforje I, III
Alfredo, O Grande I, III
Algodão I, III
Definição do termo
Definições científicas
Alhos Silvestres I, III
Aliança, livro da,
Ver *Livro da Aliança*.
Aliança nova, Ver *NT (Pacto)*.
Alianças, Ver também sobre *Pactos* I, III.
1. Usos bíblicos
2. Natureza das alianças
3. Interdito mosaico
4. Alianças na antiguidade
5. Resultados
6. Alianças por casamento
7. Princípio espiritual envolvido
Alienação I, 112
1. Na teologia do modernismo ou existencialismo e o cristianismo
2. No campo político e filosófico: o conceito de Marx e Hegel
Alienação do Homem em Col. 1:21 I, 112
Um paralelo das condições dos pagãos descritos em Efé. 2:1-3,5
O estabelecimento da paz mediante a reconciliação; isso resultando em acesso ao Deus pai
1. Estranhos
2. Inimigos
3. Pelas vossas obras malignas as
4. Outras considerações
Referências e idéias; Ignorar Deus:
a. A indiferença
b. A separação
c. A alienação
d. O senso de separação
A obtenção do perdão dos pecados com Cristo
Alienação e comunismo, Ver *Marxismo, Ética do*, ponto 9.
Alimentação, Ver *Alimentos*.
Alimentos I, 114
1. Tempos primitivos Menção ao consumo da carne
2. Era patriarcal
3. Outras culturas
4. Israel e a lei mosaica
a. Proibições
b. Alimentos permitidos
c. Preparação dos alimentos
Métodos de preparação

d. Refeições
e. Preço dos alimentos
f. Alimentos oferecidos aos ídolos
g. Usos metafóricos
Aljava I, 115
Definição do termo
Ocorrências bíblicas
Allah I, 115
Definição do termo
Alma I, 115
Ver o artigo sobre *Imortalidade da Alma*; *o Problema Corpo-mente; Experiências Perto da Morte; Reencarnação*.
I. A Origem da Alma
1. O criacionismo
2. O traducionismo
3. A fulguração,
4. A eternidade
5. A preexistência
Os pais alexandrinos
6. Emanação desde a eternidade
II. A Natureza da Alma
1. O uso da palavra
2. A idéia platônica
3. O ponto de vista alexandrino
4. A alma vista como uma substância semifísica ou mesmo física
5. A constituição do ser humano (homem)
6. A alma vista como um corpo animado sem a existência de qualquer entidade separada
7. A alma vista como sendo semelhante à idéia de fantasmas
III. O Destino da Alma
1. A idéia mais antiga – a não-existência da alma
2. A alma-fantasma
3. A transmigração da alma
O contraste com a idéia da reencarnação
4. Reabsorção
5. A imortalidade cristã
IV. Provas da Existência e Sobrevivência da Alma
1. O consensus gentium
2. O desejo universal
3. Argumentos platônicos
4. A bondade de Deus
5. A probabilidade teísta
6. A evolução
7. A revelação
8. Os efeitos da fé
9. O argumento moral de Emanuel Kant
10. Argumentos empíricos científicos
Ver o artigo intitulado *Uma Abordagem Científica I*
A Crença na Alma e em sua Sobrevivência ante a Morte Física.
V. O Problema Antropológico
Ver sobre o *Problema Corpo-Mente e Espírito*.
Alma, independência da,
Ver *Independência da Alma*.
Alma, noite escura da,
Ver *Noite Escura da Alma*.
Alma, preexistência da,
Ver *Preexistência da Alma*.
Alma, provas científicas em favor,
Ver *Imortalidade, Artigos 1 e 4*;
Ver também *Experiências Perto da Morte*.
Alma, provas filosóficas em favor, Ver *Imortalidade, Artigo 3 e o artigo geral sobre Alma*.
Alma, sono da, Ver *Sono da Alma*.
Alma do Mundo I, 120
O conceito divino
1. Em Platão

2. Entre os estóicos
3. Entre os platônicos
4. Plotino
5. O panteísmo
6. No pampsiquismo
Alma dos Animais I, 120
As idéias de Platão,
Pensamento, razão e emoção dos animais – sugestivo de uma presença de uma alma
Ver os artigos *Transmigração, Reencarnação e Idéias*.
As religiões orientais
A teoria mecânica e a explicação dos processos biológicos
O padre Bougeant, um jesuíta e sua crítica
Loke e sua distinção
McTaggart e suas idéias
Skinner. I
O princípio da teologias.
Alma e evolução, Ver *Evolução*, II, 1,2,8; III.
Alma feita de partículas da matéria, Ver *Lucrécio*, 4.
Alma preexistente e crime,
Ver *Crime*, parágrafos 4,5 e 6.
Alma, Ver *Nascimento Virginal de Jesus*, 1.
Almas Debaixo do Altar II 121
I. Debaixo do Altar as Almas, Apo. 6:9
Por qual razão essas almas estão debaixo do altar?
1. Os mártires sacrificaram sua vida como ofertas a Deus
II. Aceitação Especial dos Mártires
1. Acesso ao trono com a sua morte, por isso há total dedicação a Deus
2. Não há necessidade de passar por vários níveis espirituais
3. O escape do mundo intermediário
4. Recebem novo corpo
III. A Teologia Desta Cena
Demonstração da sobrevivência da alma ante a morte biológica
Almas em grupo, Ver *Nova Era*, 3.
Almodá I, 122
Almom-Diblataim I, 122
Alnatan, I, 122
Aloés I, 122
Alógenes Supremo I, 122
Alogi I, 122
Alom I, 122
Definição do termo
1. Designação de um carvalho
2. Uma cidade na fronteira de Naftali
3. Filho de Jedaías
Alom-Bacute I, 122
Alta Crítica I, 122
Ver sobre *Crítica Alta*.
Alta Igreja I, 122
Alta Igreja, Ver *Igreja Alta*.
Altar I, 122
I. Altares Pagãos
II. Semitas
III. Altar do Tabernáculo
IV. Dos Templos
V. No NT
1. Simbolismo do altar
2. Em Heb. 13: 10 – Um entendimento cristão
VI. Culto Verdadeiro
Altar Alto I, 124 Altar de Incenso I, 124
O altar e suas descrições
Algumas referências bíblicas
Uso metafórico
Altar de Josué I, 124
Altar de Pérgamo I, 124
Ver *Pérgamo, Altar de*.

ALTAR – ANA

Altar do Testemunho I, 124
Altar Grande e Vistoso I, 124
Al-Taschith I, 124
Alternativos dos dons do primeiro século, Ver *Dons Espirituais*, III.
Altíssimo I, 125
Altruísmo e Egoísmo I, 125
Altura, Profundidade I, 125
Ver as muitas interpretações no artigo. Ver também *Segurança Eterna do Crente*.
Alus I, 126
Alvá I, 126
Alvo I, 126
Alvo da Vida I, 126
Para quem existimos (I Cor. 8:6)
I. Idéias Gerais
 1. Nas páginas do NT
 2. Os crentes levados a glória do Filho
 3. Participação na natureza divina
 4. A missão de Cristo
 5. A glorificação como alvo infinito
II. Meios de Desenvolvimento Espiritual
 1. Treinamento do intelecto
 2. A prática da oração
 3. A meditação
 4. A santificação
 5. A prática da lei do amor
 6. O uso de dons espirituais
Para quem existimos
A verdadeira vida é aquela envolvida por Cristo
Alvo da santificação,
Ver *Santificação*, IV.
Alvo do misticismo,
Ver *Misticismo*, VI.
Alvorada I, 127
Definição do termo
Ama I, 127
Definição do termo
Uso metafórico
Amá I, 127
Amá I, 127
Amade I, 127
Amado I, 127
Termo para designar os eleitos
Amal I, 128
Amaleque I, 128
Amalequitas I, 128
No hebraico, *habitantes do vale*
 1. Os primeiros atacantes
 2. Próximo encontro armado
 3. No tempo de Jesus
 4. Nos dias de Saul
 5. Nos dias de Davi
 6. Nos dias de Ezequias, rei de Judá
Amana I, 129
Amante I, 129
Amarelo I, 129
Amargas ervas, Ver *Ervas Amargas*.
Amargo I, 129
Amarias I, 129
 1. Um levita da linhagem de Eleazar
 2. Um levita da linhagem de Coate
 3. Um levita da linhagem de Eleazar, filho de Azarias
 4. Um sumo sacerdote durante o reinado de Josefá
 5. Filho de Sefatias de Judá
 6. Um levita que viveu durante o reinado de Ezequias
 7. Homem de tribo de Judá
 8. Um sacerdote que regressou a Jerusalém com sua família e assinou o pacto junto com Neemias
 9. Antepassado do profeta Sofonias
Amarna, Tell El I, 129
Ver *Tell el-Amarna*.
Amasa I, 129
 1. Capitão do exército israelita

2. Um chefe efraimita
Amasai I, 130
Nome de várias personagens bíblicas
Amasias; I, 130
Amasis I, 130
Amassai I, 130
Amazias I, 130
Várias personagens bíblicas
Ambar I, 130
Ambição I, 131
Ver o artigo sobre *Orgulho*.
Ambição espiritual e sua distorção
Ambiente I, 131
 1. Cosmológico
 2. Meio ambiente natural
 3. Aspecto legal e prático
 4. Fatores sociológicos
Ambiente e Herança I, 132
A controvérsia sobre a hereditariedade
A hereditariedade espiritual
 1. O crime como exemplo
 2. O ambiente e a hereditariedade interagem
 3. Responsabilidade espiritual
Ambiente, Poluição do I, 133
 1. Causas da poluição
 2. O problema populacional
 3. O problema das riquezas materiais
 4. O abuso da tecnologia
 5. Ecologia
 6. Um ponto de vista ético da natureza
 7. O homem como um mor domo
Ambiente poluído,
Ver *Poluição Ambiental*.
Ambigüidade I, 133
 1. Ambigüidade verbal
 2. Ambigüidade sistemática
 3. Ambigüidade teológica
Ambrosianos I, 134
 1. Ordem monástica
 2. Seita anabatista radical do século XVI
Ambrosiastro I, 134
Ambrósio de Milão I, 134
Um dos mais notáveis exegetas, teólogo-filósofos, compositores de hinos e oradores da Igreja cristã antiga
Ambrósio e os escritos clássicos Obras
Amém (amém, amém)
Ver *Em Verdade, em Verdade* I, 134
Origens no NT.
Amém, Cristo como,
Ver *Amém, Título de Cristo*.
Amém, Título de Cristo em Apoc 3:14 I, 134
As cartas do Apocalipse
Sete significados do título
Amêndoas I, 135
Amendoeira I, 135
Amesha Spentas I, 135
Ametista I, 135
Ami I, 135
Ami (Amom) I, 136
Amidianos I, 136
Amiel I, 136
Amigo, Amizade I, 136
Definição do termo
A amizade com Cristo
A amizade prejudicial
A forma mais elevada de amizade
O amigo do noivo
Amigos do Noivo I, 136
Ver *Matrimônio*.
Amigos de Deus I, 136
Amigos, Sociedade de I, 136
Ver *Sociedade de Amigos*.
Amilenialismo I, 136
Aminadabe I, 136
Várias personagens bíblicas
Aminadibe I, 137

Amiraldismo I, 137
Ver *Livre-Arbítrio e Determinismo*.
Amisadai I, 137
Amitabha I, 137
Amitai I, 137
Amiúde I, 137
Várias personagens bíblicas
Amizadabe I,137
Ammonius Saccas,
Ver *Amônio Saccas*.
Amnom I, 137
Duas personagens bíblicas
Amom I, 137
Várias personagens bíblicas
Amom (Amonitas) I, 138
Descendentes de Amom
 1. O nome Amom
 2. Localização
 3. Hostilidade contra Israel
 4. O cativeiro de Israel
 5. Outros pontos de interesse
Amomum I, 138
Amonai, Ver *Quefar-Amonai*.
Amônio Saccas I, 138
Filósofo helenista 174-242 d.C.
Sua filosofia
Amoque I, 138
Amor I, 138
Discussão preliminar
A palavra hebraica *aheb* Ocorrências no NT. (Agape)
Ver o artigo sobre *Agape*.
I. Tipos de Amor
 1. O amor de Deus
 2. O amor de Cristo
 3. O amor por si mesmo
 4. O amor de um homem por outro ser humano
 5. O amor dirigido a Cristo
 6. O amor do homem a Cristo ou a Deus Pai Cristo como uma figura distante
II. O Amor de Deus pelo Mundo
 1. Este mundo não é o mundo dos eleitos
 2. A consciência de Deus da existência desse mundo
III. O Amor de Deus pelo Filho e na Família Divina
IV. Deus é Amor
Implicações dessa grande declaração
As escrituras
Deus, como amor
 1. Os antigos gregos o seus deuses
 2. Aristóteles
 3. Os gnósticos
 4. As religiões modernas
V. O Amor é a Prova da Espiritualidade
 1. A maior virtude cristã
 2. O amor como o solo de onde brotam as outras virtudes espirituais
 3. A implantação do amor na alma
 4. O amor como uma prova de espiritualidade
 5. A aceitação na família divina
 6. Nossa espiritualidade imita Deus
 7. A lei do amor
VI. O Amor e a Cultivação;
O Fruto do Espírito Santo
 1. O amor como o primeiro fruto do Espírito na alma
 2. O amor como o produto supremo do Espírito
 3. Deus nos confere o seu amor
VII. O Amor como Altruísmo
 1. O serviço ao próximo sem preocupar-se consigo

 2. A amor não consiste em mera emoção
 3. O amor aos outros como temos por nós mesmos
Referências bíblicas e filosóficas
Ver o artigo sobre a *Lei do Amor*.
Amor, Ver *Leon Hebreu*.
Amor, a fonte principal da espiritualidade, Ver *Espiritualidade*, III.
Amor, citações que ilustram,
Ver *Amor*, seção VIII.
Amor de Cristo, conhecimento de,
Ver *Conhecendo o Amor de Cristo*.
Amor de Deus e Jonas, Ver *Jonas (o Livro e o Profeta)*, VII e VIII.
Amor de Deus ilustrado,
Ver *Jonas*, VII.
Amor e a restauração,
Ver *Restauração*, XII.
Amor e responsabilidade,
Ver *Responsabilidade*, 3.
Amor e tolerância,
Ver *Tolerância*, IV.
Amor fraternal, Ver *Fraternidade (Amor Fraternal)*.
Amor, fruto do Espírito,
Ver *Fruto do Espírito*, III. A.
Amor, prova da espiritualidade,
Ver *Amor*, seção V.
Amor, qualidades do,
Ver *Fruto do Espírito*, III.
Amor segundo Jesus, Ver *Jesus*, III.3.d.2.
Amor segundo João Apóstolo,
Ver *João Apóstolo, Teologia (Ensinos) de*. VIII.
Amora (Amorai), Ver *Lei no AT*, I.
Caracterização Geral
Amoreira I, 142
Amoreiras I, 142
Amorreus I, 143
 1. Nome
 2. Lugar
 3. O povo
Referências extrabíblicas
 4. As conquistas israelitas
 5. A absorção
 6. Idioma
 7. O deus Amurru
Amós I, 143 Ver *Amós, Livro de*, 3.
Amós I, 143
Amós, Livro de I, 144
Introdução
 1. Pano de fundo
 2. Data
 3. Autoridade e unidade
 a. O homem Amós
 b. A escrita
 c. Unidade
 4. Lugar de origem e destino
 5. Canonicidade e texto
O texto hebraico
 6. Mensagem e conteúdo
 a. O conceito de Deus
 b. A lei moral
 c. Arrependimento
 d. O julgamento não é a palavra final
Esboço do conteúdo
 7. Amós e o NT
Amosis I 146
Ampliativo I, 146
Ampliato I, 146
Amuleto I, 146
Amuleto de Pascal, Ver *Pascal, Blaise*, primeiro parágrafo.
Amuletos do Novo Testamento,
Ver *Manuscritos Antigos do NT*, I.
Ana I, 147
Ana I, 147
 1. Como esposa sem filhos
 2. Oração para resolver o problema

752

ANÃ – ANJO

3. Nascimento de Samuel
4. Outra viagem a Silo
5. O poder de Deus
6. Depois disso
Anã I, 147
  Duas pessoas no AT
Anã I, 147
  Dois homens no AT
Anaarate I, 147
Anabatistas I, 147
  O termo
  Seitas que surgiram em cerca de 1521 em Zurique
  Suas Doutrinas Distintivas
  Os anabatistas e a história
Anabe I, 148
Anacoreta I, 148
  Ver sobre Monasticismo.
Anael I, 148
Anáfora I, 148
Anagógica, interpretação,
  Ver Interpretação Anagógica.
Anelas I, 149
  Duas personagens bíblicas
Analee Skarin, arrebatamento de,
  Ver Eliseu, IV. par. 6.
Analítico, juízo,.
  Ver Juízo Analítico.
Analogia I, 149
  O grego
  1. Uma relação de semelhança entre duas coisas ou mais Fracasso da analogia
  2. Três comuns e importantes analogias
  3. Outras aplicações Tomás de Aquino
  4. A analogia da verdade
  5. A analogia do ser, ou analogia entis
  6. Analogias filosóficas
Analogia e a lei, Ver Lei,
  Analogia da (Declaração Geral).
Analogia Falsa I, 150
  Ver também Analogia.
  O abuso de analogias
Analogia fidei, Ver Linguagem Religiosa, 10.
Analogia gratiae, Ver Linguagem Religiosa, 10.
Analogias da Experiência I,150
Analógica, Tipo de Interpretação I, 150
Anameleque I, 150
  Ver também Deuses Falsos, III. 2.
Anamim, I, 150
  1. Segundo filho de Mizraim
  2. Uma tribo relacionada aos egípcios
Anamnese I, 150
  O grego Memória
  1. Na ceia do Senhor (I Cor 11:23)
  2. Em Platão
Ananias I, 161
  1. Pai de Maaséias e avô de Azarias
  2. Uma cidade da tribo de Benjamim No grego
  1. No lugar de Hananias
  2. No lugar de Anias
  3. No lugar de Hanani
  4. No lugar de Hananiah
  5. O pai de Azarias
  6. Personagem do NT
  7. Um crente de Damasco
  8. Um sumo sacerdote no NT
Anão I, 151
Anaque (Anaquim) I, 151
Anarquismo I, 152
  Quatro tipos
Anás I, 152
  Sumo sacerdote dos judeus
  O filho de Sete
Anás e o sacerdotismo
Anasib I, 153

Anata I, 153
Anate I, 153
  1. O pai de Sangar
  2. Deusa guerreira em Ugarite
Anátema I, 153
  Na Septuaginta
  No NT
  História do uso do termo
Anatemata I, 154
Anatikaya I, 154
Anatote I, 154
  1. Um líder de Israel que assinou estabelecido por Neemias
  2. O 8º dos nove filhos de Bequer
  3. Uma cidade Referências bíblicas
Anaxágoras de Clazômenas I, 154
  Discípulo de Anaxímenes (vide)
  Idéias
Anoxágoras o Logos,
  Ver Logos (Verbo), IV. 2.
Anaximandro I, 155
  Filósofo grego
  Idéias
Anaximandro, ética de,
  Ver Ética, II. 4.
Anoxímenes de Mileto I, 155
  Compatriota de Anaximandro
  Idéias
Ancestrais, adoração dos,
  Ver Adoração dos Ancestrais.
Ancião de Dias I, 156
Ancião (no AT e no NT) I, 156
  Discussão preliminar
  Definição e uso
  A sinagoga e a presença de anciãos no NT
  Os anciãos e o decorrer dos séculos
  Na cristandade moderna
  1. Origem e desenvolvimento do ofício no NT
    Referências bíblicas
  2. Oito qualificações discutidas
  3. Outros comentários – considerando I Tim. 5:17-25
    O sustento e a disciplina dos ministros
Âncora I, 159
  Uso figurativo
  Âncora da alma
  Penetra além do véu
  Além do véu
  A âncora está fora de vista, mas ela mantém-se firme.
  Isso é o que importa.
Andar I, 160
  O termo o seu uso
  O batismo cristão
Andar, Metáfora de I, 161
  1. A metáfora e a natureza geral da vida espiritual
  2. A orientação do Espírito
  3. Os mandamentos e o andar
    a. Os mandamentos éticos do NT e sua relação ao modo de andar
    b. O andar do crente o suas características
  4. A maneira digna de andar
  Aspectos da conduta ideal
    a. Cristo como exemplo
    b. O cumprimento de uma missão divina e a maneira ideal de se andar
    c. A inclusão da comunhão com Deus na maneira ideal de se andar
    d. A maneira digna de se andar e a ética dos meios de desenvolvimento espiritual
    Seis meios discutidos
  5. Através desses meios nos tornamos dignos
  6. O lado negativo: andar nas trevas
Andar sobre a Água, o Milagre de I, 162

Ver Mat. 14:22-27, Mar. 6:45,46 e João 6:15-21
Diversificações nos relatos
Oito interpretações discutidas que se aplicam também ao assunto de milagres, de modo geral.
Andorinha I, 163
André I, 163 Ocorrências bíblicas
  Sua vida André, Atos de, Ver André e Paulo, Atos de.
André, Atos de Pedro e I, 163
  Ver Pedro e André, Atos de, nos livros apócrifos do NT
  Os Atos Leucianos
André e Matias (Mateus) Atos de I,163
  A obra
  A narrativa
André e Paulo, Atos de I, 164
  a história
André, História Fragmentada de I, 164
Andrônico I, 164
  Várias personagens bíblicas
Andrônico de Rodes I, 164
  Filósofo helenista do século I a C.
Anel I, 164
  Ocorrências bíblicas
  História do uso de anéis
  Um símbolo social
Anem, I, 165
Aner I, 165
Anethon I, 166
Anfipolis I, 165
  Uma cidade grega
  Localização
  A região
Angelolatria, Ver Anjo, V.
Angelologia, Ver Anjo.
Angelogia, origem, Ver Anjo, II.
Ângelus I,165
  1. A oração recitada três vezes ao dia
  2. Os sinos que soam para que se faça essa oração
Anglicanismo e os concílios,
  Ver Concílios Ecumênicos, VII.
Anglo-Catolicismo I, 165
  Aqueles que favorecem o catolicismo sem o papa
  O movimento de Oxford (ver artigo)
Angst I, 166
  Do vocabulário alemão - Angústia
  A condição básica da humanidade
Anhipostasis I, 166
Anhomoeanos I, 166
Anião I, 166
Anias I, 166
Anim I, 166
Anima I, 166
  1. Palavra latina
  2. Na psicologia de Jung
Anima, Ver Jung, Idéias, 4.
Animais, Adoração aos I, 166
  Os animais sua grande variedade, sua beleza e força e a admiração dos homens
Animais, alma dos, Ver Alma dos Animais.
Animais, Direitos de, e Moralidade I, 166
  Argumento em prol do respeito aos animais e seus direitos
  1. Os animais têm alma
  2. A inteligência dos animais
  3. Emoções dos animais
  4. Interesses dos animais
  5. A sociedade primitiva e os animais
  Indagações são levantadas por essas observações
  1. Os animais devem ser usados como alimentos?
  2. Os animais devem ser castigados e tratados como prisioneiros?

  3. Animais usados em experiências científicas
  4. Os homens devem caçar animais por puro esporte?
Animais do mar, Ver Mar, Animais do.
Animais marinhos, peles de,
  Ver Peles de Animais Marinhos.
Animais, no AT e NT I, 167
  Termos usados
  Uso metafórico
  Sacrifícios de animais
  Proibições que persistiram
Animais, peles de, Ver Peles de Animais (Trabalho em Couro); Peles de Animais Marinhos; Peles de Cabras; Peles de Carneiros; Pêlos de Ovelhas e Pêlos de Camelos.
Animal Cevado I, 168
  Definição do termo
  Uso metafórico
Animal, primogênito,
  Ver Primogênito, I.
Animismo I, 168
  O termo e o uso
  Tipos
  1. O universo como uma presença viva, sendo que todos os objetos físicos possuem vida
  2. Objetos físicos seriam habitados por espíritos
  3. Os espíritos manifestam-se por meio das pessoas, objetos físicos ou lugares animismo universal crença em fantasmas
  No AT Pampsiquismo
  O cristianismo e o dualismo
  No que convergem o cristianismo e o animismo
  Pontos de divergência
Animus, Ver Jung, Idéias, 4.
Aníqueres I, 169
  Filósofo grego do século II a.C. da escola cirenaica (ver Cirenaicismo).
Aniquilacionismo I, 169
  Um ponto de vista pessimista do destino final da humanidade, onde o homem é reduzido a nada
  Formas
  1. Materialismo
  2. Exclusivismo-espiritualista
  3. Cíclico-filosófico
  4. A alma temporária
  5. Absorção
  6. Budista anatta
  Argumentos em prol do aniquilacionismo
  1. Só Deus é imortal
  2. A imortalidade é um dom especial
  3. A afirmação de que alguns trechos bíblicos falam sobre uma cessação da existência
  4. Demonstração do amor de Deus
Aniute I, 170
Aniversário Natalício I, 170
Anjo I, 171
  Ver o artigo sobre Anjo da Guarda.
  I. A Palavra e seus usos
  II. Angelologia e origens
    O Anjo do Senhor
    Origem da doutrina
  III. Natureza dos anjos
    Anjos guardiães
  IV. Anjos caídos
  V. Adoração aos anjos
  VI. Homens e anjos.
  VII.Os anjos e a espiritualidade
  VIII.O erro da demitização
  IX. Inexatidão do termo anjo
  X. Ofícios e Poderes Especiais
    1. Os anjos e seus poderes criativos
    2. Em Apo. 4: os elementos da adoração e cultos divinos

3. Os anjos como mediadores
4. O envolvimento dos anjos na missão de Cristo
5. A função dos anjos de guardar e proteger
6. Referências bíblicas de atos angélicos de serviço físico, e espiritual
7. Em Apocalipse, o serviço prestado ao Senhor nos lugares espirituais
XI. Tarefas dos anjos
  Oito tarefas discutidas
  Os anjos guardiães fazem mais que apenas proteger-nos
  Os anjos não têm nada a ver com nossa salvação, mas nos ajudam a crescer espiritualmente
  As sete igrejas e seus anjos
Anjo da Guarda I, 174
Ver sobre *Anjos*.
Uma doutrina antiga
Referências bíblicas
O destino da humanidade e a ajuda dos anjos
A inspiração orientada por anjos
Um ponto de vista oriental
Anjos caídos, Ver *Anjo*, IV.
Anjos como mediadores,
  Ver *Mediador (Mediação)*, II. 1.
Anjos das Sete Cartas do Apocalipse I, 175
Ver *Apo.* 1:16,20,21 etc.
Os anjos em Apo. são chamados *de estrelas*.
Sete interpretações.
Anjos e demitização, Ver *Anjo*, VIII.
Anjos e o desenvolvimento espiritual do homem, Ver *Anjo*, últimos pars.
Anjos, julgamento dos,
  Ver *Julgamento dos Anjos*.
Anjos, ministério dos, Ver *Ministério dos Anjos; e Anjos*, X e XI.
Anjos protetores,
  Ver *Anjo da Guarda*.
Ano I, 175
Ver *Calendário*.
Ano de Jubileu, Ver *Jubileu, Ano de*.
Ano do Mundo I, 175
  Os vários anos mundiais
Ano Eclesiástico I, 175
An-Omoi-Ans I, 175
Ano Novo I, 175
  Ver *Festas (Festividades) Judaicas*.
Ano Novo Ver os artigos:
  Calendário Judaico (Bíblico) e Festas (Festividades), II. 4. e, Dia do Ano Novo, II.4.f., Dias das Trombetas.
Ano Sabático I, 175
O ano final em um ciclo de sete
No livro do pacto
No código sacerdotal
No código deuteronômico
As provas extrabíblicas da observação desse ano pelos judeus após o exílio babilônico
Anrafel I, 176
Anrão I, 176
  Várias personagens bíblicas
Anselmo I,176
Filósofo e teólogo escolástico nascido na Itália
Escritos
Idéias
Oito conceitos principais discutidos
Ver *Argumento Ontológico*.
Anselmo sobre perfeição, Ver *Perfeição na Filosofia*, 5.
Ansiedade (Ver também sobre *Cuidado*).
Ver sobre *Angst*.
Ansiedade da Criação (Rom. 8:22) I, 178

1. A ansiedade universal por contemplar a culminação do plano divino atinente a redenção do homem
2. Os remidos levados à glória e a participação da família divina
3. A ansiedade subentende os efeitos universais da missão de Cristo
4. A descida de Cristo ao hades e os efeitos dessa missão (ver o artigo *Descida de Cristo ao Hades*).
5. A restauração de todas as coisas
6. O nascimento da nova espécie e a liberdade trazida por ela será compartilhada por essa criação inteira
7. O amor de Deus e sua misericórdia
Revelação dos filhos de Deus
Antediluvianos I, 178
O termo
1. Datas e controvérsia Outras considerações
2. Uma espécie de reconciliação
3. A arqueologia e as medições por radio carbono
  As misturas e as não-misturas
  A medição por radiocarbono
4. A arqueologia e as informações sobre os antediluvianos
5. Algumas evidências de avançadas civilizações pré-adâmicas
  O texto indiano Mahabharta
Antédon I, 180
Antema I, 180
Antenicenos, pais, Ver *Pais Antenicenos*.
Anticristo I, 181
Declaração geral
O epíteto
Suas características
Dezesseis características são discutidas
Aspectos históricos da doutrina do Anticristo
1. No AT
  Referências bíblicas
2. No período intertestamental
3. No NT
4. Na Igreja
Anticristo, Ver *Besta da Terra e Besta do Mar*.
Anticristo, sinal do, Ver *Sinal (Marca) da Besta (Anti Cristo)*.
Antífom, Ver *Sofistas*, 8.
Antífona I, 184
Antigo Símbolo Romano 1, 184
Antigo Testamento I, 184
1. Designação e coleção dos livros
2. Origem e preservação
3. Principais divisões
  a. O Pentateuco
  b. Livros históricos
  c. Livros poéticos
  d. Profetas Maiores
  e. Profetas Menores
    Uma divisão simples
    Outros escritos judaicos
4. Valor
5. Relação com o NT
6. Breve pesquisa do conteúdo dos livros
Todos os livros são descritos abreviadamente. Ver os *artigos separados sobre cada livro*.
Ver o artigo geral sobre a *Bíblia*.
Antigo Testamento e o Logos,
  Ver *Logos (Verbo)*, II 3.
Antigo Testamento, ética do,
  Ver *Ética do AT*.
AT, lei no, Ver *Lei no AT*.
Antigo Testamento, sacrifícios do
  Ver *Sacrifícios e Ofertas*, III.
Antigo Testamento, salvação do,
  Ver *Salvação*, I.

Antigo Testamento, seu uso pelos cristãos primitivos, Ver *Uso do AT pelos Cristãos Primitivos*.
Antigo Testamento, teologia de,
  Ver *Teologia do AT*.
Antigos Católicos,
  Ver *Católicos Antigos*.
Antiguidade da criação,
  Ver *Astronomia*, 3.
Antiintelectualismo I, 189
1. Na filosofia
2. Na religião
3. Definição do misticismo
  Ver *Misticismo*.
4. Antiintelectualismo
  A maturidade espiritual
Antilegomena I, 190
A denotação dos livros do NT
1. Os homologoumena
2. O antilegomena
3. Os notha
4. Os livros totalmente espúrios e ímpios
Antilíbano I, 190
  Uma cadeia montanhosa
Antílope I, 191
Antílope, Ver *Órix (Antílope)*.
Antinomia I, 191
No grego
Na filosofia
Considerações teológicas
Antinomianismo I, 191
O grego
A base teológica
1. Na lei do amor
2. No NT
Que queria dizer Paulo, portanto?
Considerações históricas
Falsidades do antinomianismo
1. O Deus do AT e o Deus do NT
2. A moralidade do AT e a moralidade do NT
3. O corpo e a alma
4. O antinomianismo prejudica a unidade das Escrituras, lançando o AT contra o NT
5. O antinomianismo não entende a demanda moral do evangelho
Antíoco I, 192
A região
Os reis
Antíoco de Ascalão I, 193
Filósofo grego do século I A.C.
Antíoco Epifânio I, 194
Antioquia, Cálice de I, 194
Antioquia da Pisídia I, 194
Antioquia, Escola Teológica de I, 194
  Ver *Escola Teológica de Antioquia*.
Antioquia, Sínodo de I, 194
Antioquia, sobre o *Orontes (Síria)* I, 194
Antioquianos I, 195
  Uma comunidade judaica
Antioquis I, 195
Antipapa I, 195 Ver sobre *Novaciano*.
  Personagens consideradas antipapas
Ântipas I, 195
  Várias personagens bíblicas
  O livro apócrifo, Atos de Ântipas
Antípater I, 196
Antipatris I, 196
Anti-Semitismo I, 196
  Preconceitos e perseguições contra judeus
  Atividades antijudaicas
  Três facetas de anti-semitismo
  1. Faceta histórico-política
  2. Faceta pseudocientífica
  3. Faceta religiosa
  A crucificação de Jesus
  A penetração do anti-semitismo – Constantino (323 D.C.)
  A condenação oficial dessa atitude

pelo catolicismo e protestantismo os fanáticos religiosos
Antístines I, 197
  Filósofo grego (445-360 A.C.)
  Discípulo de Sócrates
Antítese I, 197
  O grego
  Hegel
  Soren Kierkegaard
Antítipo I, 197
Antônia, Torre de I, 197
  Uma fortaleza ao norte da área do templo de Jerusalém
Antônio, Ordem de Santo I, 198
  Ver também sobre *Santo Antônio*.
Antônio, Santo I, 198
Antônio Pio,
  Ver *Império Romano*, XII.
Antotias I,198
Antropocentrismo I, 198
  O homem visto como o centro de tudo
Antropologia I, 198
  O estudo do homem
  1. Ciência da antropologia
    Antropologia física é:
    a. Estudo das origens
    b. Somatologia
    c. Antropoçografia
    d. Psicologia racial
    e. Fisiologia racial e bioquímica
    f. Anatomia comparada o morfologia
    A antropologia cultural
    a. Lingüística
    b. Tecnologia
    c. Arqueologia da pré-história
    d. Antropologia social
  2. Antropologia filosófica
  3. Antropologia teológica
Antropologia metafísica,
Jacques Maritain sobre,
  Ver *Maritain Jacques*, 6.
Antropomorfismo I, 199
  O termo grego
  No AT
  Extremo pagãos
  Extremos filosóficos.
  No NT Deus aproxima-se do homem em Cristo
Antropomorfismo e expiação,
  Ver *Expiação*, IV.B.
Antropomorfismo o linguagem,
  Ver *Linguagem Religiosa*, 2.
Antropopatismo I, 200
  O grego
  Atribuição dos sentimentos humanos a qualquer coisa não-humana
  Referências bíblicas
Antroposofia I, 200
  Um sistema de ocultismo
Anu I, 200
Anube I, 200
Anubis I, 200
Anunciação I, 200
  No registro dos evangelhos, três pessoas recebem anunciações especiais
  Adições lendárias
Anunciação, Ordens da I, 201
  Seis ordens religiosas da Igreja Católica Romana
Anzi I, 201
  Duas personagens bíblicas
Anzol I, 201
  Ver também *Peixes e Pesca*.
Aoá I, 201
Aol I, 201
Aoíta I, 201
Aoliabe I, 201
Aolibá I, 201
Apagadores I, 202
Apagoge I, 202

APAIM – APRENDIZAGEM

Apaim I, 202
Aparelhos I, 202
Aparência I, 202
  Na filosofia, o uso do termo
  Na epistemologia
  Seis discussões
  Aparência física de Jesus,
  Ver *Epístola de Lentulus e Sudário de Cristo*.
Aparição I, 203
Aparições de Jesus após a ressurreição, Ver *Ressurreição e a Ressurreição de Jesus Cristo*, XIII.
Aparição de Jesus, depois de sua ressurreição I, 204
  I. O Registro Histórico
  II. Comentários Gerais sobre as Aparições
  III. Os Evangelhos de Lucas e João Comparados
  IV. A História e a Fé
  Ver sobre a *Historicidade dos Evangelhos*.
Aparições e santuários de Mana, Ver *Mariologia (Maria, a Bendita Virgem)*, V.
Apartheid I, 207
Apatia I, 207
Apedrejamento I, 207
  A forma mais comum de punição capital da lei bíblica
  Dez formas de ofensa punidas por apedrejamento
Apeiron I, 208
Apeles I, 208
Apelo I, 208
  Seis itens considerados
Apelo de Paulo a César I, 208
  I. O Provocativo
    Em Atos
    Nos primeiros tempos da república romana
  II. Implicações
Apercepção I, 209
  1. Em Leibnitz
  2. Em Karit
Aperfeiçoamento de Cristo,
  O Filho I, 209
  I. Comentário sobre Heb. 2:10
    Em que sentido foi Cristo aperfeiçoado?
    Seis interpretações apresentadas
  II. Docetismo
    A igreja evangélica moderna e a enfatização de Cristo e sua divindade à custa de sua humanidade
Aperfeiçoamento do Cristão I, 210
  I. Definição
    Aperfeiçoamento
  II. Idéias Diversas
    Cinco idéias discutidas
Apetição I, 210
Apetites I, 210
  1. Em Aristóteles
  2. Tomás de Aquino
Ápio Fórum I, 211
Apis I, 211
Aplicação universal da missão de Cristo, Ver *Missão Universal do Logos (Cristo)*.
Apocalipse I, 211
  Introdução
  I. O que é um Apocalipse?
    Literatura Apocalíptica
    Características
  II. Confirmação Antiga Os pais da igreja, concílios e disputas
  III. Autoria
  IV. Dependência Literária
    Diversas fontes
  V. Data
  VI. Providência e Destino
  VII. Motivo o Propósitos

VIII. O Grego do Apocalipse
IX. O Texto Grego
X. Visão Geral do Conteúdo
  Diversos conceitos de arranjos
XI. Esboço de Conteúdo
XII. Conceitos e Métodos de Interpretação
  Cinco conceitos discutidos
XIII. Bibliografia
Apocalipse da Virgem,
  Ver *Virgem, Apocalipse da*.
Apocalipse e Abraão,
  Ver *Abraão, Apocalipse de*.
Apocalipse de Dositeu I, 226
  Um documento gnóstico
  Ver *também Dositeu, Apocalipse de*.
Apocalipse de Elias I, 226
  Há três obras pseudepígrafas com esse título
  1. A mais antiga conhecida por forma fragmentar com algumas referências obscuras feitas por Orígenes (ver artigo).
  2. Um escrito pós-cristão
  3. A história do rabino Josué Ben Levi
Apocalipse de João, Ver *Apocalípticos, Livros (Literatura Apocalíptica)*, III.
Apocalipse de Messos, Ver *Messos, Apocalipse de*.
Apocalipse de Paulo, Ver *Livros Apócrifos, Novo Testamento*, 2.d; e *Paulo, Apocalipse de*.
Apocalipse de Pedro,
  Ver *Livros Apócrifos, NT*, 2.d.
Apocalipse de Sofonias,
  Ver *Sofonias, Apocalipse de*.
Apocalipse de Tiago I, 226
  Dois documentos antigos com esse título
  1. Um diálogo entre Tiago e Jesus
  2. Um discurso formal feito por Tiago
Apocalipse de Tomé,
  Ver *Tomé, Apocalipse de*.
Apocalipse grego de Baruque
  Ver *Baruque III (Apocalipse Grego de Baruque)*
Apocalipse Siríaco de Baruque
  Ver *Baruque II (Apocalipse Siríaco de Baruque)*.
Apocalípticos, Livros (Literatura Apocalíptica) I, 227
O termo; propósitos
  I. O que é um Apocalipse?
  II. Características
    Oito características discutidas
  III. Literatura Apocalíptica
    No AT
    I. Enoque
    Assunção de Moisés
    II. Enóque
    II. Baruque
    III. Baruque
    No NT
Apocalipse de Pedro
Testamento de Abraão
Pastor de Hermas
O Pastor de Hermas e o cânon do NT
Oráculos Sibilinos Cristãos
Apocalipse de Paulo
Apocalipse de João
  Revelações de Bartolomeu
Apocatástase I, 231
Apócrifon de João, Ver *Livros Apócrifos, Novo Testamento*, 2.e
Apócrifon de Tiago, Ver *Livros Apócrifos, Novo Testamento*, 2.e
Apócrifos, Evangelhos,
  Ver *Evangelhos Apócrifos*.
Apodíctico I, 231
Apódose I, 231

Apolinarianismo I, 231
Apolinário I, 232
  Bispo de Laodicéia da Síria
Apolinário e cristologia,
  Ver *Cristologia*, 4.f.
Apoliom I, 232
Apolo I, 232
  Um judeu da cidade de Alexandria
Apolo I, 233
Apolofanes I, 233
Apologetas (Apologistas) I, 233
  O uso do termo
  1. A pregação de Pedro
  2. O livro chamado Quadratus
  3. Aristides
  4. Justino Mártir
  5. Aristo
  6. Atenágoras
  7. Taciano
  8. Teófilo de Antioquia
  9. Minúcio Félix
  10. Tertuliano
  11. Irineu
  12. Arnóbio
  13. Lactâncio e Eusébio de Cesaréia
Apologética I, 234
  Base bíblica
  Motivos bíblicos
  As denominações evangélicas como atividades apologéticas
  A natureza do conhecimento força-nos a apelar para a apologética
  Visões históricas acerca da apologética
  1. Tertuliano
  2. Os pais alexandrinos
  3. Agostinho
  4. Tomás de Aquino
  5. Os ataques desfechados por deístas e racionalistas contra a fé cristã produziram apologetas modernos
  6. Karl Barth
  7. Rudolf Bultman
  Principais temas da apologética
  Sete temas discutidos
Apologia de Quadrato,
  Ver *Quadrato, Apologia de*.
Apologistas I, 236
  Ver *Apologetas (Apologistas)*.
Apolônia I, 236
Apoloniano I, 237
Apolônio I, 237
  Nos livros apócrifos do AT, há três homens com esse nome
Apolônio de Tiana I, 237
  Filósofo grego do século I
Aposento I, 237
  Traduções e usos (uma boa variedade de uso e palavras)
  1. Câmaras usadas em conexão com o templo
  2. Quarto
  3. Câmara
  4. Câmaras laterais
  5. Outra palavra usada para substituir câmaras laterais
  6. Sala
  7. Temeîon, despensa
  8. Uperôon
Aposta de Pascal. I, 237
  Ver *Pascal, Blaise*, 6.
Aposta de Pascal, prova da existência de Deus, Ver *Deus*, IV. 17.
Apostasia I, 237
  1. Usos do termo
  2. No NT
  3. A apostasia
  4. Aspectos históricos da apostasia; No NT;
    Na igreja pós-apostólica;
    Nos primeiros séculos;
    Nos tempos modernos

Apóstata, Juliano,
  Ver *Juliano, o Apóstata*.
A Posteriori I, 238
  Ver sobre *A Priori, A Posteriori*.
A posteriori, julgamento, Ver *Julgamento a Posteriori (Sintético)*.
Apostolado I, 238
  O uso, do termo
  Apostolado de Paulo comprovado,
  Ver *Paulo (Apóstolo)*, II. 7.
Apostólica, Igreja,
  Ver *Igreja Apostólica*.
Apostolicidade I, 238
  Uma das quatro características da Igreja, conforme o credo
  No vocabulário dos teólogos protestantes
Apostólico, decreto,
  Ver *Decreto Apostólico*
Apostolicum = Credo dos Apóstolos (vide) I, 238
Apostolo I, 238
  Ver sobre *Apóstolos*.
  O termo
  O uso
Apóstolo Filipe,
  Ver *Filipe (Diácono)*.
Apóstolos (Apostolado) I, 239
  I. A Palavra e o Ofício
    1. O termo no grego
    2. Apostolado
    O termo apóstolos
    3. Sinais do apostolado
    Pano de fundo histórico
  II. Nomes, Características e Listas
    Todos os apóstolos são descritos
    As quatro listas dos Apóstolos
  III. Observações sobre as Listas
  IV. O Apostolado
  V. As Qualificações Especiais dos Apóstolos
    Cinco qualificações são discutidas
  VI. Autoridade dos Apóstolos
    Três itens são discutidos
    Ver *Autoridade*
  VII. A Importância do Ofício Apostólico
    Cinco itens são discutidos
  VIII. Sucessão Apostólica
    Ver o artigo com este título.
Apóstolos como fundamento da Igreja, Ver *Fundamento dos Apóstolos e Profetas*.
Apóstolos, credo dos,
  Ver *Credo dos Apóstolos*.
Apóstolos, dom de, Ver *Dons Espirituais*, IV. 6.
Apóstolos e o perdão do pecado, Ver *Perdão de Pecados pelos Apóstolos*.
Apóstolos, Epístola dos I, 244
Apóstolos, era dos, Ver *Era Apostólica*.
Apóstolos, Evangelho dos Doze, I, 244
  Ver o artigo *Livros Apócrifos, sob NT*
  Mencionado pela primeira vez por Orígenes
  Nome dado a vários outros evangelhos não-canônicos
Apóstolos Falsos I, 244
Apóstolos, os outros relacionados a Paulo, Ver *Paulo (Apóstolo)*. II. 6.
Apóstolos perdoam os pecados,
  Ver *Perdão de Pecados pelos Apóstolos*
Apóstolos, sucessão dos,
  Ver *Sucessão Apostólica* e *Apóstolos e Apostolado, VIII*. Apoteose I, 245
Aprendizado, Paradoxo de I, 245
Aprendizagem, grande,
  Ver *Grande Aprendizagem*.

A PRIORI – ARGUMENTOS

A Priori, A Posteriori I, 245
 Definições e usos
 Hume, Platão e Leibniz
A priori, julgamento, Ver *Julgamento a Priori (Analítico)*.
Apriorismo I, 245
Aprisionamento,
 Ver *Prisão, Prisioneiros*.
Aprisionamento de Paulo em Roma
 – Uma ou Duas Vezes? I, 245
 Ver Julgamento de *Paulo perante César* e o artigo sobre *Paulo*
Apropriação I, 246
Apse I, 246
Aquedutos Antigos I, 246
 1. Senaqueribe, de Nínive 700 a.C.
 2. Ezequias - 650 a.C.
 3. Polícrates de Samos
 4. Os aquedutos como especializações dos romanos
Aquenatom I, 246
 No egípcio
 O fundador de Tell E-l.
Amarna (vide)
Áquila, Priscila I, 247
Áquila, Versão de,
 Ver *Versão de Áquila*
Aquim I,247
Aquino, Tomás de (Tomismo) I, 247
 Teólogo, filósofo e monge dominicano italiano
 1. Influências sofridas por Aquino
 2. Com adaptações
  Na metafísica
  Provas de existência de Deus
   a. Precisamos postular Deus a fim de explicar os movimentos do mundo
   b. Argumento etiológico
   c. Argumento baseado na contingência
   d. Argumento axiológico
   e. Argumento teleológico
 3. Abordagem geral
 4. Teoria moral
  Sumário:
   a. A criação do homem
   b. Os alvos podem ser alcançados
   c. Ajuda divina
 5. Influência de Tomás de Aquino
 6. Controvérsias, e para além das controvérsias
Aquior I, 250
Aquis I, 250
A Quo I, 250
Ar I, 250
 O grego
 Usos espirituais e simbólicos
 1. O céu, de onde desce o julgamento
 2. Figuradamente
 3. As potestades do ar
  Ver o artigo sobre *Satanás*.
Ar I, 250
 No hebraico
Ara I, 250
 Várias personagens bíblicas
Arã I, 251
Arã (Arameus) I, 251
 1. Um povo
 2. Os arameus na história do AT
  a. Listas do AT
  b. No século XI
 3. O idioma aramaico,
Arã, o Povo e a Terra I, 251
 Ver sobre *Arameus*.
Arã, Terra dos Arameus I.251
 Ver o artigo sobre *Arameus*.
Arã, Vários Povos I, 251
 Várias personagens bíblicas
Arabá I, 252
 Usos da palavra
 Detalhes da Arabá

Árabe I, 252
Arábia (Árabes) I, 252
 No hebraico - definição de usos
 As três Arábias dos tempos antigos
 A descrição de Lucas em Atos 2:11
 1. Restrições bíblicas
 2. Dimensões e localizações modernas
 Os modernos estados árabes
 3. Divisões antigas
 4. Rica em minerais
 5. Esboço da história da Arábia
  a. A história secular
   (ver o artigo sobre *Petra*).
  b. Em relação ao AT.
  c. Em relação ao NT.
 6. Características da cultura árabe, segundo os indícios do AT. e da arqueologia
 7. A religião árabe
Arade I, 254
 1. Uma cidade no sul do território de Judá
 2. Um rei que combateu os israelitas perto do monte Hor
 3. Um dos filhos de Berias
Arado I, 254
 Um instrumento usado para arar o solo (ver o artigo geral sobre *Agricultura*).
 As diferentes formas
 Usos metafóricos
Aradus I, 254 Ver *Arvade*,
Aramaico I, 254
 Um dialeto semita
 1. Arqueologia
 2. A língua dos judeus
 3. Parte do AT
 4. O aramaico e o cristianismo
 5. Nos tempos modernos
Aranha I, 255
Ararate I, 255
 A região entre o rio Tigre e as montanhas Cáucaso
 As tradições nativas
 Ver sobre *Dilúvio*.
 Os montes sagrados no Oriente
 1. Localizando o Ararate
 2. Descrição do Ararate
 3. O reino Ararate
  As inscrições de Salmaneser I
Arates I, 256
Arato I, 256
Araúna I, 256
Arauto I, 257 Ver *Mensageiro*.
Arauto, mensageiro, Ver *Mensageiro (Arauto)*.
Arba I, 257
 Ancestral dos anaquins, e o maior herói da raça
 Ver o artigo sobre *Anaque (Anaquins)*
Arba, Ver *Quiriate-Arba*.
Arbata I, 257
Arbatita I, 257
Arbita I, 257
Arbítrio I, 257
Árbitro I, 257
Arbusto solitário,
 Ver *Junípero (Arbusto Solitário)*.
Arcabouço I, 257
Arca da Aliança I, 257
 A arca sagrada
 A tampa da arca era o propiciatório
 Não se sabe o que sucedeu com a arca
 Símbolos espirituais envolvidos na arca:
 1. O sinal do pacto de Deus com os homens
 2. Representava a presença e proteção de Deus
 3. As teofanias
Arca de Noé I, 258

No hebraico
A arca e suas dimensões
Ver sobre o *Dilúvio*.
Simbolismo da arca de Noé
Referências bíblicas
Sua carga
O dilúvio e suas dimensões
Ver o artigo sobre a *Descida de Cristo ao Hades* para mais ilustrações sobre a qualidade da misericórdia o do amor divino.
Arcanjo I, 259 Ver sobre *Anjos*.
Arcebispo, Ver *Bispo e Ofícios Eclesiásticos*.
Arceasilau I, 259
 Filósofo grego (315-241 a.C.)
 A vida deve ser guiada pela probabilidade
Arche I, 259
 O termo e seu uso
 1. Entre os filósofos jônios
 2. Para os pitagoreanos
 3. Quanto a Platão
 4. Em Aristóteles
 5. No evangelho de João
  Ver o artigo sobre os *Logos no NTI*, em João 1:1
Arco I, 259
Arco de Guerra I, 259
 Ver sobre *Armadura, Armas*.
Arco-Íris I, 259
 Definições científicas do fenômeno
 Referências bíblicas
 O arco-íris e a cena celeste
Arcturus I, 269
Ardate I, 260
Arde I, 260
Arditas I, 260
Ardom I, 260
Areia I, 260
Areli I, 260
Areópago I, 260
Aretas I, 262
 Nome comum de diversos reis árabes
Areto I, 262
Arfaxade I, 262
 Nome de várias personagens bíblicas
Argamassa I, 262
 Ver o artigo sobre *Cimento*.
Arganaz I, 262
Argila I, 263
 O termo e seu uso
 1. Kaolinita
 2. Montmorilonita
 3. Ilita
  Referências bíblicas
 Argila, tabletes,
 Ver *Tabletes de Argila*.
Argobe I, 263
 Um distrito em Basã
 Descrição
Argueiro I, 263
Argumento ad Hominem I, 263
 Do latim "argumento dirigido a um homem"
 1. Um ataque pessoal contra a opinião de alguém
 2. A fim de mostrar que um oponente tem uma opinião que sugere certas conseqüências que ele não quer reconhecer
Argumento Axiológico I, 263
Argumento, Baseado no Desígnio I, 264
 É o argumento teleológico
Argumento Clássico do Relógio I, 264
 Ver *Paley, William*.
Argumento Cosmológico I, 264
 Ver o artigo sobre *Deus*.
 Descrição completa
 Objeções
Argumento de Graus de Perfeição I, 264 Ver *Argumento Axiológico*.

Argumento do consenso comum,
 Ver *Consenso Comum, Argumentos de*.
Argumento do desígnio,
 Ver *Argumento Teleológico*.
Argumento do Mundo Exterior de Descartes I, 264
 Ver *Mundo Exterior, Argumento do*.
Argumento Especulativo I, 264
 A adoção de uma tese contrária à hipótese
Argumento Físico - Teleológico I, 265
 Outro nome para o *Argumento Teleológico* (ver o artigo a respeito)
Argumento Henológico I, 265 Estudo ou raciocínio sobre o Um
 Ver o artigo sobre *Deus*, sob *Provas da Existência de Deus*.
Argumento Moral I, 265
 A mais bem conhecida formulação do argumento moral é a de Kant, que tentou provar a existência de Deus e da alma humana pelas exigências da moralidade.
Argumento Ontológico de Anselmo I, 265
 Anselmo 1033-1109, arcebispo de Canterbury, o mais importante filósofo do século XI
 O criador do Argumento Ontológico
 Explicações detalhadas do argumento
Argumento Ontológico por Russell N. Champlin I, 266
 "Deus é tudo o que é melhor ser do que não ser"
 (Anselmo)
 Introdução
 1. Definição
 2. Refutação
 3. O erro básico de seus oponentes
 4. Afirmação
Argumento Teleológico I, 269
 1. Base
 2. Ciência
  Invariabilidade
 3. A palavra em questão
 4. Os fenômenos observados
 5. O argumento teleológico e os filósofos
 6. O argumento teleológico e Darwin
  Ver o artigo sobre *Deus*, sob o subtítulo *Provas da Existência de Deus*.
Argumento Transcendental I, 270
 1. Para Emanuel Kant
 2. No campo da teologia
  Ver os artigos sobre *Cosmologia e Teologia*
Argumentos contemporâneos em favor da existência de Deus,
 Ver *Reafirmação Contemporânea*.
Argumentos de Bom Senso I, 270
 Os argumentos sobre crenças quase universais
Argumentos de ilusão, Ver *Ilusão, Argumentos Baseados na*.
Argumentos do consenso comum,
 Ver *Consenso Comum, Argumentos de*.
Argumentos em favor da existência Deus, Ver *Deus*, IV e diversos artigos mencionados sob o título *Argumentos em Prol da Existência de Deus*. Ver também Cinco Argumentos de Tomás de Aquino em Favor da Existência de Deus, comentário de F.C. Copleston, *o Cinco Argumentos em Prol da Existência de Deus, por Tomás de Aquino*.
Argumentos em Prol da Existência de Deus I, 271
 Esta enciclopédia apresenta grande variedade de artigos sobre o assunto

756

ARGUMENTO – ARQUEOLOGIA

Argumento Axiológico
Argumento Cosmológico
Argumento do Bom Senso
Argumento Moral
Argumento Ontológico
Argumento Teleológico
Deus (vide)
Argumentos morais de Kant,
   Ver *Ética* VIII.3.j.
Arianismo I, 271
O conjunto de ensinos de *Ário*
Ele e seus seguidores negam a divindade de Cristo.
Formas de arianismo
   Os homoiousianos
   Eusébio
Arianismo explica Jesus,
   Ver *Jesus*, I.2.d.
Aridai I, 271
Aridata I, 271
Arié I, 271
Ariel I, 271
No AT é um nome de vários empregos lingüísticos
   1. "Semelhante a um leão"
   2. "Nome de uma pessoa"
   3. "Altar de terra"
Ariete I, 272
Um forte poste dotado de uma ponta de metal
Arim, Ver *Quiriate-Arim*.
Arimatéia I, 272
O local de nascimento de Samuel
Arimatéia e sua menção no NT
Arimatéia, José de,
   Ver *José de Arimatéia*.
Ário I, 272
Presbítero de Alexandria (256-336 D.C.) Ver o artigo sobre *Arianismo*.
Ário e cristologia, Ver *Cristologia*, 4.d.
Arioque I, 272
No hebraico
Nome de várias personagens bíblicas
Arisai I, 272
Aristarco I, 272
Fiel seguidor de Paulo
Referências no NT
Aristéias I, 273
Título de um documento cujo autor afirma ter sido testemunha ocular de como o AT hebraico foi traduzido para o grego
Epístola de Aristéias
Aristides I, 273
Apologista cristão do séc. II d.C
   Ver *Apologetas (Apologistas)*.
Arístion (Aristo) I, 273
Mencionado como fonte informativa sobre as Declarações
Argumentos do Senhor por Eusébio
Aristipo I, 273
Filósofo grego
Aristo, Ver *Apologetas (Apologistas)*, 5.
Aristóbulo I, 274
Vários homens ligados a narrativa bíblica
Aristóbulo I, Ver *Hasmoneanos (Macabeus)*, III.6.
Aristóbulo II, Ver *Hasmoneanos (Macabeus)*, III.10.
Aristocracia I, 274
Ariston de Alexandria I, 275 Filósofo helenista do século I. a.C.
Ariston de Quios I, 275
Filósofo grego do séc. III a.C.
Aristóteles I, 275
Filósofo grego (384-322 a.C)
Sua vida
Escritos
Esboços de suas idéias
   I. A Filosofia e as Ciências
      Tipos de ciência

II. Conhecimento, Epistemologia (ver o artigo sobre *Epistemologia*).
   O processo
   Lógica
   Silogismo
   1. A ciência é um autêntico conhecimento, um pensar correto
      Passa do particular ao universal
   2. O conhecimento começa pela percepção dos sentidos
   3. As dez categorias ou propriedades universais
      a. O que é
      b. Como ela se constitui
      c. Quão grande é
      d. Como está relacionada
      e. Onde está
      f. Quando é
      g. Postura assumida
      h. Seu estado
      i. O que faz
      j. O que sofre
   4. Processo de raciocínio
III. Metafísica
   1. Para Platão
   2. Para Aristóteles
   3. A matéria assume diferentes formas
   4. A substância de uma coisa é sua totalidade
   5. A matéria une-se à forma
      As quatro causas
      a. Causa material
      b. Causa formal
      c. Causa eficiente
      d. Causa final
      Ilustração
   6. Deve haver movimento para que qualquer coisa suceda
      Os quatro movimentos
      a. Movimento substancial
      b. Movimento quantitativo
      c. Movimento qualitativo
      d. Movimento local
      A filosofia medieval
IV. Biologia
V. Psicologia
   Três tipos de alma
      a. Nutritiva-vegetativa
      b. Sensível
      c. Humana
VI. Ética
VII. Política
VIII. Estética
   Realizações
   Ver também o artigo sobre *Aristotelianismo*.
Aristóteles e a dialética,
   Ver *Dialética*, 3.
Aristóteles, ética de, Ver *Ética*, VI.
Aristóteles sobre:
   Idéias inatas, Ver *Idéias Inatas*, ponto 4, III,204.
   Linguagem, Ver *Linguagem (Filosofia e)*, ponto 4.
   Macrocosmo, Ver *Macrocosmo*, ponto 4.
   Mansidão, Ver *Mansidão*, ponto 3.
   Perfeição, Ver *Perfeição na Filosofia*, ponto 3.
   Sabedoria, Ver *Sabedoria, V*, ponto 2.
   Teologia, Ver *Teologia de Aristóteles*.
Arístotelianismo I, 277
A filosofia de Aristóteles e sua importância para a teologia e para a fé cristã
Ver o artigo sobre *Aquino, Tomás de*.
Aspectos históricos
Platão e Aristóteles e suas diferentes idéias
No século XIII o aumento do interesse por Aristóteles, sobretudo através de Tomás de Aquino
Arles, Sínodo de I, 278
O primeiro concílio geral da Igreja ocidental reuniu-se em Arles
Arma da oração, Ver *Armadura, Armas*, V.6.
Armação do Navio I, 278
   Ver *Navios e Embarcações*.
Armadilha I, 278
   Os termos hebraicos
   Referências bíblicas
   Ver o artigo sobre *Rede (Armadilha, Laço)*.
Armadura, Armas I, 278
Ver a *exposição no NTI sob Efé. 6:13 ss.*
Esboço
I. Armadura, Armas Antigas *Armas de Defesa*
   1. Perikephalaia; 2. Zoma; 3. Thorakis; 4. Knemides; 5. Cheirides; 6. Tipos de escudo (Gerron; Laiseion; Pelte; Thureos) Armas de Ataque
   1. Egchos; 2. Doru; 3. Ziphos; 4. Machaira; 5. Aksine; 6. Pelekus; 7. Korune; 8. Tokson; 9. Sphendone; 10. Akontion; 11. Belos
II. A Luta: A Necessidade da Armadura
III. O Inimigo: Não Carne e Sangue
   Principados e potestades
   Ciladas do diabo
IV. Preparação para Batalhar
   A colocação da armadura
V. Peças Principais: Lições Morais e Espirituais
   A descrição paulina
   1. Cinturão: A Verdade, Efé. 6:14
   2. Couraça: Justiça, Efé. 6:14
   3. Calçados: a Preparação do Evangelho Efé. 6:16
   4. Escudo: A Fé
      Efé. 6:16 Ver o artigo sobre os *Dons do Espírito* e o artigo sobre a *Fé*.
      Embraçando sempre Escudo
      Apagar todos os dardos inflamados do maligno
      O uso de tochas em chamas
      Do maligno
      Apagar
   5. O Capacete: Salvação, Efé. 6:17
      Esse idéia se alicerça em Isa. 59:17
      De que consiste a *salvação*?
      Oito elementos discutidos
   6. Espada do Espírito:
      A Palavra de Deus, Efé. 6:17
      A Palavra de Deus
      Os usos e ocorrências dessa expressão
   7. Oração, Arma ofensiva, sem um uso metafórico
      Efé. 6:18
Metáforas
1. A armadura; 2. O cinto; 3. O peitoral; 4. Os pés calçados; 5. O escudo; 6. capacete; 7. A espada; 8. A oração; 9. A colocação de armadura; 10. A flecha; 11. A batalha
Armagedom I, 285
Sete visões dos adoradores do Cordeiro e da besta, Apo. 14:1-20
O Armagedom, a colheita, Apo. 14:14,16
O Armagedom será uma espécie de colheita
Referências bíblicas
O julgamento eterno

A colheita final
Armagedom – a palavra na passagem em Apo. 14:14-16 não aparece, mas essa passagem é vista como paralela ao décimo sexto capítulo de Apo.
No AT
Conforme se compreende a profecia
Armas, Ver *Armadura, Armas*.
Armeiro I, 286
Armênia I, 286
Armênia, Versão,
   Ver *Versão Armênia*.
Arminianismo I, 286
Deriva-se do nome próprio de Jacó Hermano, um teólogo holandês (ver o artigo a seu respeito).
Sua busca independente pela verdade e o documento
Remonstrance
Principais doutrinas de Armínio
O problema dos textos de prova
Algumas referências bíblicas
Arminianismo, pontos principais,
   Ver *Cinco Pontos do Arminianismo*
Armínio, Jacó I, 288
Teólogo holandês (1560-1609)
Sua vida
A posição arminiana exposta em Remonstrance
Os textos de prova
As tentativas de evitar diversos grandes paradoxos que têm algo a ver com a natureza humana
Armom I, 288
Arnã I, 288
Arnauld, Antoine I, 288
Teólogo e filósofo francês
Arni I, 288
Arnóbio I, 289 Ver também *Apologetas (Apologistas)*, 12.
Arnold, Matthew I, 289
Arnom I, 289
Um rio que formava a fronteira Sul de Palestina
Arodi I, 289
Aroer I, 789 Várias cidades no AT
Arom I, 289
Aroma I, 289
No hebraico
Várias referências bíblicas
A idéia
Figuradamente, as orações são vistas como aromas que agradam a Deus
Arpade I, 290
Arpão I, 290
Arqueiro I, 290
   Ver *Exército, Armadura e Armas*.
Arquelau I, 290 Ver *Herodes*.
Arquelau, I,290
Filósofo grego do séc. V a.C.
Arqueologia I, 290
Esboço do artigo
Introdução: O termo
A ciência que investiga o homem e sua cultura
I. *Períodos Arqueológicos*
   Sete períodos discutidos
II. *Medição pelo Carbono-14*
   Descrição química e científica dos processos de formação e vida do carbono-14
   Materiais que podem ser testados
   Medição pelo argônio de potássio
   Muitos outros métodos
III. *Materiais Examinados*
   Treze tipos descritos
IV. *Métodos Arqueológicos*
   1. Preliminares
   2. Organização das expedições
   3. A pesquisa
   4. *Escavações e mapeamento*
   5. Tratamento cuidadoso dos artefatos

ARQUEOLOGIA – ASCETISMIO

6. Trabalho de laboratório
7. A preservação das informações obtidas
V. Usos da Arqueologia no que Diz Respeito à Bíblia
  1. A fim de ilustrar a história da Bíblia
  2. Sublinhando a realidade da inspiração divina
  3. A arqueologia empresta interesse
  4. O valor apologético é evidente
  5. O valor exegético
VI. Escavações Arquelógicasna Palestina e em Outros Locais de Interesse Bíblico
Arqueologia e a Pérsia, Ver *Pérsia*, VI
Arqueologia e o tempo intertestamental Ver *Período Intertestamental*, 6.
Arquétipo I,310
  1. Em Platão
  2. No escolasticismo
  3. Em Locke
  4. Em Jung
  5. Na teologia cristã
Arquétipo, Ver *Jung*, artigo inteiro.
Arquétipos e linguagem, Ver *Linguagem Religiosa*, 7.
Arqueus I, 310
Arquevitas I, 310
Arquipo, I, 310
Arquitas I, 310
  Uma tribo
Arquitas I, 310
  Filósofo grego
Arquitetônico I, 310
Arquitetura I, 310
  1. O termo
  2. Declaração geral
  3. Arquitetura egípcia
    Variedades de pirâmides
    Outras maravilhas arquitetônicas
  4. Arquitetura na Mesopotâmia
  5. Arquitetura persa
  6. Arquitetura grega
    O estilo dórico
    O estilo jônico
    O estilo coríntio
  7. A arquitetura etrusca e romana
  8. A arquitetura dos hebreus
    No tempo dos reis
    No tempo de Davi e Salomão
    Residências particulares
  9. O período intertestamental
  10. O Novo Testamento
    As sinagogas
    Residências particulares
  11. A metáfora da arquitetura
Bibliografia
Arquivos, Casa dos I, 314
Arrátel, Ver *Pesos e Medidas*, IV.H.
Arrazoar, Racional I, 314
Arrebatamento I, 314 Ver *Parousia*.
Arrebatamento da Igreja, Ver *Segunda Vinda*, 8.
Arrebatamento de Analee Skarin, Ver *Eliseu*, IV,parágrafo 6.
Arrebatamento de Elias, Ver *Elias*, V.
Arrebatamento de Eliseu, Ver *Eliseu*, IV.
Arrebatamento e a segunda vinda relacionados, Ver *Parousia*, VI.
Arrebatamento, tempo do, Ver *Parousia*, VII.
Arrecadas I, 314, Ver *Pendentes*.
Arrependimento I, 314
  I. Exigência Espiritual
    A conversão verdadeira é uma transformação interna da alma
  II. De Que Consiste o Arrependimento?
    Dez elementos e condições descritos

III. Arrependimento e Fé
IV. Requisitos
Arrombamento I, 315
  Ver *Crimes e Castigos*.
Arruda I, 315
Arsa I, 315
Arsaces I, 316
Ars Combinatória I, 315
Ars Moriendi I, 316
Arsipurite I, 316
Artaxerxes I, 316
Artaxerxes I
  O nome o as origens persas
  O nome de três monarcas
Arcabouço histórico
Arte I, 316
Estética
  1. *A arte eclesiástica*, breve história
    a. Desenhos nas catacumbas romanas (ver o artigo a respeito)
    b. Edificações para o uso da igreja
    c. O estilo bizantino em Constantinopla
    d. O estilo romanesco
    e. O estilo gótico
    f. A renascença e a arquitetura
    Os templos da América do Norte e o estilo gótico aviltado, e o estilo gregoriano
    g. O período gregoriano
    h. Os estilos a partir de 1900
  2. Principais teorias da estética
    As idéias de 20 filósofos são examinadas
  3. A música nas igrejas
    Ver o artigo separado sobre *Música*.
Arte Culinária I, 318
  As variedades de alimentos mencionadas na Bíblia
  1. Categorias básicas de alimentos
  2. Preparações dos cereais
  3. Condimentos
  4. Moagem de cereal
  5. Preparações
  6. Carnes
  7. Legumes
  8. Cozimento
  9. Utensílios
Arte de pregar, Ver *Homilética (Homilia)*.
Arte na Bíblia e nas Civilizações Relacionadas I, 319
  Ver artigo sobre *Arte*.
  1. Antes de 3000 a.C
    a. Arte linear
    b. Escultura
    c. Trabalho de entalhe
    d. Cerâmica
  2. De 3000 a.C. até a era cristã
    a. Egípcia
    b. Hitita
    c. Hurriana
    d. Creta
    e. Fenícia
    f. Grega
    g. Roma
  3. A arte em Israel
    a. a influência do segundo mandamento da lei
    b. Nos primeiros tempos
    c. O templo
    d. Após o templo
    e. Trabalho em metais
    f. Período Macabeu-Hasmoreano
  4. No NT
  5. Aplicações modernas
    Arte no Israel, Ver *Arte na Bíblia*, 3.
Arte no Novo Testamento, Ver *Arte na Bíblia*, 4.
Artemas I, 321
Ártemis I, 321
  A deusa grega. Os romanos a conheciam como Diana

Artes e Ofícios I, 325
  As sociedades e o conjunto de artes e ofícios, além da agricultura
  1. Materiais básicos
  2. O comércio e as guildas
  3. Instrumentos básicos
  4. Alguns ofícios específicos
    a. Os oleiros
    b. Os construtores
      Usos metafóricos
    c. Os carpinteiros
    d. Os pedreiros
    e. Os ferreiros
    f. Os curtidores
    g. Os tintureiros
    h. Os lavadeiros
    i. Os tecelões
  Usos metafóricos
  Artífice I, 328
  O grego
  Várias referências bíblicas
  Ver os artigos sobre *Ouro e Artes e Ofícios*.
Artífices, Vale dos, Ver *Vale dos Artífices*.
Artigos de Esmalcalde (Schmalkald) I,328
  Uma confissão luterana
  A tentativa de unificação dos protestantes
  Ver artigo sobre o *Luteranismo*.
Asbel I, 333
Artigos de Fé I, 328 *Artigos credais no NT*.
  I. Texto Principal
  Na Igreja primitiva
  A Igreja pós-apostólica
  Ver o artigo sobre *Credos*.
  O uso por Tomás de Aquino
  No anglicanismo
  Vantagem e desvantagem
Artigos de Lambeth I, 329
Artigos de Torgau I, 329
Artigos Galicanos (Confissão Galicana, Confissão de Rochelle) I, 329
Artigos redigidos por Calvino
Artigos Irlandeses I, 329
Artigos relacionados a Paulo, Ver *Paulo (Apóstolo)*, introdução.
Artistas, obras de, Ver *Obra de Artista*.
Arubote I, 329
Arumá I, 329
Arvade, Arvaditas I, 329
  No hebraico - lugar de fugitivos
  Uma cidade
Árvore da Vida I, 329
Árvore das espécies, Ver *Porfírio*, 1.
Árvore de Judas I, 330
  Na Bíblia não há nenhuma árvore com esse nome
  O uso pode ser subentendido em Mat. 27:5
  A tradição
Árvore de Porfírio I 330
  Ver *Porfírio, Árvore de*.
Árvore do Conhecimento I, 330
  A expressão no hebraico, e a tradução da LXX
  A falta de conhecimento do bem e do mal vista como um sinal de imaturidade.
  Os ensinos da árvore do bem e do mal
  Qual seria a árvore do conhecimento do bem e do mal?
Árvore Oleosa I, 331
  Ver *Óleo, Árvore de*.
Árvore Verde da Terra Natal I, 331
Arzarete I,331
Asa I, 331
  O hebraico, e seus termos. As considerações, no hebraico, das asas sob vários pontos de vista.

Algumas referências bíblicas
As riquezas são simbolizadas pelas asas de pombas Personagens simbólicas
O termo grego e suas ocorrências bíblicas
Asa I, 331
No AT existem duas pessoas com esse nome
  1. Um rei de Judá
    a. Generalidades
    b. Conduta religiosa
    c. Suas guerras
    d. Reformas
    e. Problemas e declínio
  2. Asa, um levita, filho de Elcana
Asá I, 332
Asael I, 332
  Várias pessoas no AT
Asafe I, 332
  Várias pessoas no AT
Asalas I, 333
  Várias pessoas no AT
Asana I,333
Asara I, 333
Asaramel I, 333
Asareel I, 333
Asarela I, 333
Asat I, 333
Asbéia I, 333
Asbel I, 333
Ascensão de Cristo I, 333
  I. Texto Principal
    Atos 1:6-11
    O evangelho de Marcos
    O evangelho de Mateus
    O evangelho de João
    As indicações desses quatro evangelhos
  II. Fatos a Considerar
    1. O evangelho de Lucas
    2. A ascensão de Jesus não é registrada em todo o resto do *NT* formalmente
    3. Nas páginas do *NT* a ascensão faz parte integral da glorificação de Cristo e do começo de seu ministério celeste
    4. Esse ensino está presente em todos os livros, direta ou indiretamente aludido
  III. Diversas Interpretações
    Sete interpretações são apresentadas
  IV. A Ascensão no Evangelho de João
    Não há narrativa do evento; mas existem alusões
  V. Significado da Ascensão
    Oito são alistados e examinados detalhadamente
Ascensão de Isaías I, 336
  O título aposto ao livro que Orígenes chamava de *O Apócrifo de Isaías*
  Também conhecido como *O Testamento de Ezequias*, ou a *Visão de Isaías*
  1. Manuscritos
  2. Data
  3. Autoria
  4. Unidade
  5. Conteúdo
    a. Os Martírio de Isaías
    b. O Testamento de Ezequias
    c. A Visão de Isaías
Ascensões de Tiago I, 337
  Tiago manifesta-se contra os sacrifícios no templo e contra o fogo do altar
  Outros elementos do livro
Ascetismo I, 338
  O papel do ascetismo
  1. Na filosofia

ASCLEPÍADES – ATO

2. Nas religiões não-cristãs.
3. Na Bíblia
   a. No AT
   b. No NT
      Principal trecho do NT sobre o ascetismo
4. Tempos pós-apostólicos
5. Argumentos em prol do ascetismo
   Argumento bíblico
   O movimento evangélico moderno
Asclepíades I, 339
   Filósofo grego dos séculos II ou I a.C
Asdode (Asdoditas) I, 339
   O hebraico
   Uma das cinco cidades mais importantes dos filisteus
   Localização geográfica
   Acontecimentos históricos
Aseitas I, 339
Asenate I, 339
Aser I, 340
   Tribo de Aser; Herança;
   Terra; Com Davi; A cidade
Aserá, Ver *Deuses Falsos*, III.4.
Asfalto (Betume) I, 340
Asgard I, 340
Ashramas, As Quatro I, 340
Ashivaghosa I,340
   Filósofo indiano do século I D.C.
Ásia I, 341
   Os antigos e seus conhecimentos dos continentes
A Ásia e o AT.
   Referências bíblicas
   O domínio do território
   Ver sobre *Átalo*.
Ásia, Igrejas da I, 341
   Ver o artigo sobre a *Ásia* e os nomes das cidades ali mencionadas, cada uma das quais recebe um tratamento especial em artigos separados.
Asiarcas I, 341
   Os ritos religiosos e públicos da Ásia
   A narrativa de Lucas
Asibias I, 341
Asiel I, 341
Asilo I, 341
1. De acordo com a lei mosaica
2. De acordo com o paganismo
3. De acordo com o cristianismo
Asima I, 342 Ver também sobre *Deuses Falsos*, III.3.
Asíncrito I, 342
Asmita I, 342
Asmodeu I, 342
Asmônio (Asmoneano) I, 342
   Ver *Hasmoneano*.
Asmos, pães, Ver *Pães Asmos*.
Asna I,342
Asná I,342
Asnaper I, 342
Asno I, 342
Asno de Buridan I, 343
   Na filosofia, a metáfora encontra-se nos escritos de
   Aristóteles, mas essa metáfora está associada com Jean Buridan, um filósofo francês
Aspálato I, 343
Aspata I, 343
Aspecto Duplo I,343
   Ver também, *Duplo Aspecto, Problema Corpo-mente*.
Aspenaz I, 344
Asperges I, 344
Áspide I, 344
   Uma serpente venenosa
   Ver o artigo geral sobre *Víboras*.
Asquelom I, 344
Asquenaz I, 344
Asquenazitas I, 344
Assaltos, crime, Ver *Crimes e Castigos*, II.2.b.
Assaltos de Transporte I, 344
   Seqüestros de veículos de transporte
Assassinato I, 345 Ver *Homicídio*.
Assassinos I, 345
Assembléia I, 345
   Uso figurado
   A solene assembléia
   Assembléia, Monte da,
   Ver *Monte da Assembléia*.
Assembléia de Deus I, 345
Assembléia de Westminster I, 345
Assembléia Geral (Universal) I, 346
   A ocorrência no NT
   As interpretações
   1. Igreja dos primogênitos
   2. Incontáveis hostes de anjos
   3. Aos anjos e à Igreja igualmente
Assembléia Solene I, 346
   No hebraico
   O oitavo dia da festa dos Tabernáculos, ou o sétimo dia da festa da Páscoa
   Dias especiais de jejum também contavam com a reunião solene
Assento I, 346
   Ver o artigo sobre *Cadeira*.
Asserções éticas,
   Ver *Linguagem, Ética*, II.
Assertórica I, 346
Assideanos I, 346
   As ações muito boas ou muito más
Assidismo I, 346
   1. O termo
   2. Um grupo religioso no tempo dos Macabeus
   3. Assidismo moderno
   Influência crescente
Assidismo, Ver *Judaísmo*, II.19.
Assinatura I, 347
Assir I, 347
   Várias personagens da Bíblia
Assíria I, 347
   Esboço do artigo
   1. Nome
   2. Lugar
   3. Capitais
   4. Língua
   5. Relações com a Babilônia
   6. O povo
   7. Registros escritos
   8. Religião
   9. Principais descobertas arqueológicas
   10. História
      a.Primórdios
      b.Antigo Império Asário
      c.Médio Império Assírio
      d.Novo Império Assírio
Assírio, cativeiro de Israel,
   Ver *Cativeiro Assírio de Israel* e *Assíria*, 10.d.
Assis, Francisco de,
   Ver *Francisco de Assis*.
Assobiar I, 350
Associação de Idéias I, 350
   A tese de Hume
   O fenomenalismo de J. S. Mill Hobbes
Associação Geral das Igrejas Batistas Regulares I, 350
Associação Nacional de Evangélicos,
   Ver *Concílios Ecumênicos*, VIII.
Associacionismo I, 351
   Uma teoria psicológica defendida por alguns filósofos
Assopro I, 351
Assôs I, 351
   Uma cidade do porto marítimo da Mísia
   Descrição e localização
Assuero I, 351
   1. O pai de Dario

2. O sucessor de Dario I
3. Em Dan. 9:1, pai de Dario, o medo (vide)
4. O trecho de Tobias o outro Assuero
Assunção da Bendita Virgem Maria I, 351
   A declaração do papa Pio XII e seu decreto
   A reação dos protestantes e a defesa dos católicos
   Ver também sobre *Mariolatria*, 5.
Assunção de Moisés I, 351
   Uma obra judaica, extra canônica
Assur I, 351
   No hebraico
   1. O segundo dos filhos de Sem
   2. A cidade de Assur
Assurbanipal I, 353
Assurim I, 353
   Uma tribo árabe
Assuritas I, 353
Assurnasirpal II I, 353
Astarotes, Astarte I, 353
Astarte I, 354 Ver também sobre *Deuses Falsos*, III.5.
Asteratita I, 354
Asterote-Carnaim I, 354
Astíages I, 354
Astika I, 354
Astikaya I, 354
Astorete I, 354 Ver *Astarote*.
Astrologia I, 354
   Ver o artigo sobre *Adivinhação*, 5.
   A astrologia ocidental
Astrologia e Lúcifer, Ver *Lúcifer*, 2.
Astrólogo I, 355
   Ver sobre *Criação*.
Astronomia I, 355
   1. As teorias geocêntrica e heliocêntrica
   2. Conceito hebreu do universo e sua relação com a astronomia
   O diagrama e o AT
   Esses comentários e as dificuldades de fazer da Bíblia um compêndio científico
   Os hebreus e a astronomia
   A adoração ao sol e das estrelas
   A significativa declaração de Jó
   3. A imensa antiguidade da criação
   Evidências abundantes desta antiguidade
   4. A vastidão da criação
   5. A astronomia e outros itens interessantes na Bíblia
   6. Vida em outros planetas
   7. A teoria da grande explosão e a teologia
Astronomia Copérnica I, 360
Asur I, 360
Asvate I, 360
Átace I, 360
Atade I, 360
Atai I, 360
   Três personagens do AT
Ataías I, 360
Atalho I, 361
Atália I, 361
Atália I, 361
   Um porto marítimo da Panfília
Atálias I, 361
   Dois homens do AT
Átalo I, 361
   Vários reis de Pérgamo
Atanásio I, 361
Atanásio e cristologia,
   Ver *Cristologia*, 4.e.
Atar I, 362
Atara I, 362
Ataraxia I, 362
Atargátis I, 362
Atarias I, 362
Atarim I, 362

Atarote I, 362
   Diversos lugares no AT
Atbach (Athbach, Atbash) I, 363
Ateísmo I, 363
   Ver sobre *Deus, Conceitos de*.
   Dez tipos e características do ateísmo
   Sete bases e argumentos em favor da idéia
   Argumentação contra o teísmo
   Platão sobre
Ateísmo Metódico I, 365
Ateísmo prático, Ver *Deísmo*, II.
Atenágoras I, 365
Apologista cristão Ver também *Apologetas, (Apologistas)*, 6.
Atenas I, 366
   Informações históricas e gerais
   Atenas relacionada ao NT
   Artigo: A Glória que foi Atenas
Atenas, Escola de I, 370
   Ver *Escola de Atenas*.
Atenóbio I, 370
Ater I, 370
   Várias personagens do AT
Atestado de óbito de Jesus Cristo, o,
   Ver *Livros Apócrifos (Modernos)*, 13.
Atharva-Veda I, 370
Ático I, 370
   Filósofo platônico do século II D.C.
Atitude I, 371
   1. As atitudes
   2. Atitudes e posturas
   Quatorze discussões
   3. Atitudes mentais
   Ver sobre *Coração, Mente e Alma*.
Atitude básica do liberalismo,
   Ver *Liberalismo*, III.l.
Atitude Infantil I, 372
Ativismo I, 372
   Ver também sobre seu contrário, o *Quietismo*.,
Atlai I, 372
Atletismo I, 372
   Os clássicos gregos
   Considerações
   1. A Bíblia e o atletismo
   2. O atletismo oferece uma atividade saudável
   3. O atletismo oferece aos homens um certo desafio
   4. O atletismo promove a saúde
   5. O atletismo como uma profissão
   6. Os espectadores
   7. Abusos
Atletismo, Ver *Jogos Atléticos*.
Atletismo entre os gregos,
   Ver *Jogos Atléticos*, III.
Atletismo entre os hebreus,
   Ver *Jogos Atléticos*, I,II.
Atletismo no NT,
   Ver *Jogos Atléticos*, IV.
Atma I, 373
Ato I, 373
   O latim
   1. O contraste de Aristóteles
   2. O conceito na teologia escolástica e na filosofia
   3. A filosofia de Gentile
   4. No campo da ética
   Vontade e ação
Ato criador, oração como,
   Ver *Oração*, 3.
Ato Humano I, 373
   Questão complexa
   Dez itens discutidos
Ato Ilocucionário I, 374
   Ver sobre *Austin, John L.*
Ato Impuro I, 374
Ato Indiferente I, 374
Ato Necessário, Existencial I, 374
Ato Puro I, 374
   1. Eticamente

ATO – AZALIAS

2. Na filosofia de Tomás de Aquino
Ver também, *Aquino, Tomás de.*
Ato Redentor I, 374
Atomismo I. 374
  A ideologia do atomismo
  Os filósofos gregos *Leucipo* e *Demócrito* (ver os artigos)
  A metafísica
  Os físicos atômicos (clássicos modernos)
  Estágios na história do atomismo
  1. Filosofia indiana do jainismo
  2. No ocidente, os filósofos gregos
  3. Epicuro
  4. Estrato
  5. Nas religiões e filosofias orientais
  6. Lucrécio
  7. A teoria atômica moderna
  8. Desde o século XVII
  9. A idéia de *Mente* (ver o artigo)
Atomismo lógico. Ver Linguagem *(Filosofia e)*; Filosofia da linguagem, 16.
Atomistas gregos e materialismo. Ver *materialismo* III.2.
Átomo I, 375
  Definição científica
Átomo, eternidade do,
  Ver *Lucrécio* 6.
Atonismo. Ver Tell El-Amarna, III.
Atormentadores, Verdugos I, 375
Atos (NT) I, 375
Introdução
  Discussão geral do conteúdo
  Títulos diversos do Livro
  Esboço
    I. Autor
      Argumentos contra e em favor de Lucas como o autor
    II. Data, Proveniência
      Destino
    III. Caráter Literário
    IV. Texto Grego do Livro de Atos
    V. Contatos e Influência Literárias
    VI. Fontes Informativas
    VII. Ênfase Apologética
      Interesses e Propósitos Teológicos
    VIII. Conteúdo
      Bibliografia
Atos de André e Paulo,
  Ver *André e Paulo, Atos de.*
Atos de Filipe, Ver *Filipe, Atos de.*
Atos de Paulo, Ver *Paulo*
Atos de *(Paulo e Tecla, Atos de)*
Atos de Paulo e Tecla,
  Ver *Livros Apócrifos, NT,* 2.b.
Atos de Pedro, Ver Pedro, Atos de*; e Livros Apócrifos
  Novo Testamento. 2.b
Atos de Pedro, Ver Livros Apócrifos Novo Testamento. 2.b.
Atos de Pedro e André.
  Ver *Pedro e André, Atos de.*
Atos de Pedro e dos Doze Apóstolos, Ver *Pedro e os Doze Apóstolos, Atos de.*
Atos de Pedro e Paulo,
  Ver *Pedro e Paulo, Atos de.*
Atos de Pilatos, Ver *Evangelho de Nicodemos.*
Atos de Salomão I, 389
Atos de Tomé, Ver *Livros Apócrifos, Novo Testamento, e Tomé, Atos de.*
Atos Divinos I, 389
Atos Eslavônicos de Pedro,
  Ver *Pedro, Atos Eslavônico de.*
Atos, um fim abrupto de, Ver *Fim de Abrupto de Atos.*
Atos sobrenaturais,
  Ver *Sinal (Milagre),* II.B.
Atração Universal de Cristo I, 390
  I. Declaração Notável

II. Interpretação da Declaração
III. Como Cristo Atrairá a si Todos os Homens
  Ver o artigo sobre Restauração.
IV. Simbolismo Envolvido
  Ver também *Missão Universal do Logos (Cristo).*
Atribuições do Espírito de Deus,
  Ver *Espírito de Deus,* IV.
Atributos I, 391
  O Latim
  Ver o artigo sobre *Acidente.*
  1. Para Aristóteles
  2. Pam Tomás de Aquino
  3. Para Descartes
  4. Spinoza
  5. Na teologia
Atributos de Deus I, 391
  Na metafísica e na teologia Atributos de Deus, classficados e brevemente descritos
  I. Atributos de Deus
    1. Onisciência
    2. Sensibilidade
    3. Qualidades morais
      a. Santidade
      b. Justiça
      c. Amor
      d. Bondade
      e. Veracidade
      f. Sabedoria
    4. Qualidade estética
    5. Vontade
  II. Qualidades Divinas
    1. Onipotência
    2. Simplicidade
    3. Unidade
    4. Espiritualidade
    5. Eternidade
    6. Infinitude
    7. Imutabilidade
    8. Onipresença ou Imensidade
    9. Soberania
    10. Independência
    Conclusão
Atributos de Deus e platonismo,
  Ver *Platonismo,* IV.11.
Atributos de Deus segundo Isaías,
  Ver *Isaías, Seu Conceito de Deus,* IV
Átrio da Guarda I, 393
Átrio dos Gentios I, 393
  Ver o artigo sobre *Templo.*
Átrios de templo I, 393
  Ver *Templo; e Templo (Átrios)*
Atrofia, Ver *Enfermidades, na Bíblia,* I.3
Atrote-Sofá I, 393
Augiensis. Codex, Ver F*(p).*
Augsburgo, Confissão de, I, 393
Augustana I, 393
Augusto (César) I, 393
Aulén, Gustavo Emanuel Hildebrando (1879 ...) I, 394
Aumai I, 394
Aura Humana (Campo de Vida) I, 394
Aura-Mazda I, 394
Aurano I, 395
Áurea, e Ver *Era Áurea.*
Aurobindo, Sri *(Aurobindo Ghose)* I, 395
  Filósofo indiano (1872-1950)
Austin, John L. I, 396
  Filósofo inglês (1911-1960)
Autencidade I, 395
  1. Jaspers
  2. Heidegger
  3. Ortega y Gasset
  4. Bultmann
  5. No que concerne aos livros da Bíblia
Auto-Amor I, 395
Autocéfalo I, 396
Autocompreensão I, 396

Autoconhecimento I, 396
Autocontradição I, 396
Autocontrole I, 396
Autodecepção (Engano) I, 396
Autodefesa I, 397
Autodependência I, 397
Autodeterminação I, 397
Autodisciplina I, 397
  Ver sobre *Autocontrole.*
Auto-Exame I, 397
  Sócrates e suas idéias
  1. As perguntas básicas do auto-exame
  2. As implicações éticas
  3. A aplicação específica dessa oração
  4. Outra aplicação bíblica
  5. A aplicação moral
  Auto-Interesse I, 398
  Outro termo para indicar *egoísmo* (vide).
Autojulgamento, Ver *Julgamento do Próprio Ser.*
Autolimitação II 398
Autonegação I, 398
  Os ensinos de Jesus a esse respeito
  Paulo
  Cristo como o alvo do eu
Autonomia I, 398
Autopista I, 399
Autopreservação I, 399
  Na ética
  As filosofias e as religiões
Auto-Realização I, 399
  1. Nos escritos de Aristóteles
  2. Para T.H. Green
  3. F.H. Bradley, J. Seth e J.H. Muirhead
  4. O ponto de vista da Bíblia
  Do ponto de vista prático
Auto-Relacionado I, 400
Auto-Rendição I, 400
  Ver *Autonegação.*
Auto-Suficiência I, 400
Autor I, 400
  Ver também, *Salvação, Autor da.*
Autor de inspiração,
  Ver *Espírito de Deus,* VIII.
Autoridade I, 400
  Definição do termo
  Esboço
  1. Autoridade da Bíblia
    Sinais de autoridade no NT
  2. Autoridade pós-apostólica
  3. A reforma
  4. Problemas quanto à autoridade da Bíblia
  5. Conceito básico emergente de autoridade
  6. Hierarquia de autoridades
    Cinco autoridades são discutidas
  7. Autoridade de Jesus no NT
    Seis considerações são examinadas
  8. O problema da continuação da autoridade
Autoridade apostólica,
  Ver *Apóstolos, Apostolado,* VI.
Autoridade das Escrituras,
  Ver *Escrituras,* III.
Autoridade do Novo Testamento,
  Ver *Novo Testamento.* III.
Autoridade o cânon, Ver *Cânon do Novo Testamento,* 5.
Autoridade e inspiração,
  Ver *Inspiração,* V.
Autoridade e os concílios,
  Ver *Concílias Ecumênicos,* IX e o artigo geral sobre *Autoridade.*
Autoridade, provas da existência de Deus, Ver *Deus,* IV.9.
Autoridade, teoria da verdade, Ver *Conhecimento e a Fé Religiosa,* II.

Auzão I. 403
Ava I, 403
Avaliação da vida, Ver *Vida, Avaliação e Uso.*
Avaliação do liberalismo,
  Ver *Liberalismo,* VI.
Avalokitesvara I, 403
Avatar I, 403
Aves de Rapina de Várias Cores I, 404
Aveia, Espelta, Nigela I, 404
Ave-Maria I, 404
Avempace I, 404
  Filósofo árabe (1138 D.C.)
  Sua vida e idéias
Áven I, 404
  1. Em Oséias 10:8
  2. Em Josué 7:2; 18:12; I Sam. 13:5
  3. Em Amós 1:5
Avental I, 404
  A palavra
  Os usos dos aventais
  Ver o artigo sobre *Vestuário,* no NTI.
Averróis I, 404
  Filósofo árabe (1126-1198)
Averroísmo I, 405
  Ver o artigo sobre *Averróis.*
  A influência de Averróis na religião islâmica
  A crítica de Tomás de Aquino Aves da Bíblia I, 405
  a. Espécies
    Quinze aves e espécies são discutidas
  b. Divisão Geral
  c. Ninhos
  d. Ovos
  e. Migração
  f. Usos Metafóricos
Aves de rapina I, 406
  Na Palestina
  Uso metafórico
Avesta I, 407
Avestruz I, 407
Aveus I, 407
  Os habitantes de Ave Eram idólatras
  Outras informações
Avicebron, Salomão Avicebron, Ver *Judaísmo,* II.8.
Ben-Gabirol I, 407
  Filósofo judeu (1020-1070)
Avicena I, 407
  Filósofo e médico islamita (908-1037)
Avidya I, 408
Avignon I, 408
  Uma cidade francesa
Avite I, 408
Avyakta I, 408
Axiologia I, 408
  O grego
  O estudo do valor em três sistemas básicos: Ética, Religião e Estética
  Axiologia e a existência de Deus,
  Ver *Argumento Axiológico.*
Axioma I, 408
  Uma proposição auto-evidente
  Idéias:
  Um estudo sobre as idéias de diversos filósofos sobre o assunto é apresentado
Ayer Alfredo J. I, 409
  Filósofo inglês (1910...)
  Vida e idéias
  Ver também *Ceticismo* e *Pragmatismo Científico.*
Aza I, 410
Azã I, 410
Azael I, 410
Azai I, 410
Azalias I, 410

Azanias I, 410
Azaraias I, 410
Azareel I, 410
  Várias personagens do AT
Azarias I, 410
  Várias personagens relacionadas à narrativa bíblica
Azarias (nos livros apócrifos) I, 411
  Várias personagens relacionadas à narrativa bíblica
Azarias, Oração de I, 411
  Uma adição feita ao livro de Daniel
Azaruz I, 411
Azaz I, 411
Azazel I, 411
  O termo e sua tradução
  1. Alguns supõem que está em pauta o bode enviado ao deserto no *Dia da Expiação* (ver o artigo)
  2. O lugar para onde o bode foi enviado
  3. Um ser pessoal
  4. Um completo envio
Azazias I, 412
  O hebraico
  O nome de várias personagens do AT
Azbuque I, 412
Azeca I, 412
Azeite (Óleos) I, 412
  Nove considerações são apresentadas.
Azeite Batido I, 413
Azeitona I, 413
  No hebraico
  No grego
  Numa metáfora
  Ver também o artigo sobre *Oliveira (Azeitona)*.
Azel I, 414
Azém I, 414
Azepurite I, 414
Azetas I, 414
Azgade I, 414
Azia I, 414
Aziei I, 414
Aziel I, 414
Aziza I, 414
Azmavete I, 414
  Várias personagens do AT
Azmom I, 414
Aznote-Tabor I, 414
Azrição I, 414
  Várias personagens do AT
Azriel I, 414
  Várias personagens do AT
Azor I, 415
Azoto I, 415
Azuba I, 415
Azul I, 415
Azur I, 415

B

B I, 416
  O manuscrito *Codex Vaticanus*
  Ver sobre os *Manuscritos da Bíblia*.
Bã I, 416
Baader, Franz V. I, 416
Baal (Baalismo) I, 416
Baal-Berite I, 417
Baal-Gade I, 417
Baal-Hamom I, 417
Baal-Hanã I, 417
Baal-Hazor I, 418
Baal-Hermom I, 418
Baal-Meom I, 418
Baal, Meu I, 418
Baal-Peor I, 418
Baal-Perazim I, 418
Baal-Salisa I, 418
Baal-Tamar I, 418
Baal-Zebube I, 418

Baal-Zefom I, 419
Baalã I, 419
  O hebraico
  As variações do nome
Baalate I, 419 Ver *Baalá*, 4 e 5.
Baalate-Beer I, 419
Baalbeque I, 419
  Ver *Senhor do Vale*.
Baalbeque,
  Ver *Heliópolis, (Baalbeque)*.
Baale-Judá I, 420
Baalins I, 420
  Ver também *Deuses Falsos*, III.8.
Baalis I, 420
Baanã I, 420
Baara I, 420
Baasa I, 420
  O sentido incerto do nome
  Os significados:
  Mau ou ofensivo
  O instrumento divino que impôs julgamento à casa de Jeroboão
Baaséias I, 420
Bab, Ver *Bahaísmo*, 1
Babel (Torre e Cidade) I, 420
Babilônia I, 422
  1. Nome
  2. Localização
  3. Fundação e pré-história
  4. História
  Onze discussões principais
  5. Religião e moral
  6. Principais cidades
  7. Arqueologia
Babilônia, A Meretriz (Apo.17:1-6) I, 427
  As perseguições pelos romanos aos cristãos
  A meretriz
  A dupla destruição
  As distinções entre as duas Romas
Babilônia e a ética,
  Ver *Ética Babilônica*.
Babilônia no Novo Testamento I, 429
  1. Uso literal
  2. Em I Pedro
Babismo I, 430 Ver *Bahaísmo*
Baca, Vale de I, 430
  No hebraico
  As passagens bíblicas
Bacbuque I, 430
Bacbuquias I, 430
Bacenor I, 430
Bach, Johann Sebastian I, 430
Bacia I, 431
Bacia de Lavar I, 431
Backus, Isaque I, 431
Baco I, 431 Ver *Dionísio*.
Bacon, Benjamim Wisner I,431
Bacon, Francis I, 431
Bacon, Roger I,432
Bade, William Frederic I,432
  Suas datas e sua vida
Baeanos I, 432
Baetil I, 432
Bagoas I, 432
Bahaísmo I, 432
  Um movimento religioso iniciado na Pérsia
  Crenças principais
Baha Ullah I, 433 Ver *Bahaísmo*.
Bahya Ben Joseph Ibn Paquda I, 433
  Ver também sobre *Judaísmo*, II.7.
Baía, Ver *Seio, Baía*.
Bain, Alexander I, 433
Bainha da Espada I, 433
Baio I, 433 Ver *Cor, Cores*.
Baio, (ou Du Bay) Michael I, 433
Baíte I, 433
Baiterus I, 433
Baixa crítica,
  Ver *Crítica Baixa*.

Bakunin, Mikahil I,433
Balã I, 433
Balaão I, 433
  1. Pano de fundo
  2. Confrontos
  3. Uma lição
  4. Uso metafórico do episódio
  5. Detalhes dos usos metafóricos
Baladá I, 435
  Ver também sobre *Merodaque-Baladã*
Balanças I, 435
  Ver também *Pesos, e Medidas*, V.
Balaque I, 436
Balaústres I, 436
Balde I, 436
Baleia I, 436
Baleia de Jonas I, 436
Ballou, Hosea I, 437
Balmes, James I, 437
Balsa I, 437
  Ver sobre *Embarcações e Navios*
Bálsamo I, 437
Bálsamo (pessoa) I, 437
Baltazar I, 437
Baluarte I, 438
Bamã I, 438
  Ver também *Lugares Altos*.
Bamiã I, 438
Bamote I, 438
Banaia I, 438
Banco Instituições Bancárias I,438
Banco, Tábuas I, 439
Banho, I,439
Bani I, 439
  Várias personagens do AT
Bani (Livros Apócrifos) I. 440
Banias I. 440
Banquete I. 440
Banquetes, Ver *Refeições (Banquetes)*.
Banuas I, 441
Banquebacar I, 441
Baquides I, 441
Bar (prefixo) I, 441
Baraíta I,441
Baraque I, 441
Baraquel I, 441
Baraquias I, 441
Barat, Sta. Madalena Sofia I, 442
Barba I, 442
Bárbaro I, 442
Barbeiro I, 442
Barclay, Robert I, 443
Barco a Remo I, 443
  Ver também sobre *Embarcações e Navios*
Barcos I, 443
Barcos (Navios) I,443
Bardesanes I, 444
Barganha Coletiva I, 444
  Ver *Negociações Coletivas*.
Bariã I, 444
Barjesus I, 444
Berjonas I, 444
Bar Kochba Simeão I, 445
Bar Mitzvah I, 445
Barnabé I, 445
  As menções
  1. Em Atos 9:27
  2. Foi Barnabé quem representou os apóstolos em Antioquia
  3. As ofertas aos santos pobres
  4. A personalidade de Barnabé
  5. Paulo e Barnabé foram companheiros na primeira viagem missionária entre os gentios
  6. O rompimento das relações mais fraternais entre Paulo e Barnabé Barnabé foi um dos poucos elementos a ser chamado de apóstolo juntamente com os doze
  No calendário anual da Igreja Anglicana
  Seu nome original

Variante Textual
Barnabé chamado de Apóstolo,
  Ver *Barnabé*, 10.
Barnabé, Epístola de (e outros escritos a ele atribuídos) I,466
Barnabé, Evangelho de I, 447
Barnabitas I, 447
Barnes, Albert I, 447
Barodis I, 447
Baronius, César I, 447
  Um historiador eclesiástico
Barra I, 448
Barrabás I, 448
Barrabás, símbolo do pecado,
  Ver *Barrabás*, último parágrafo.
Barreira de Cor I, 448
Barrows, John Henry I, 448
Barsabás I, 449
  Ver também *José Barsabás*.
Bartaco I, 449
Barth, Karl I, 449
  Teólogo reformado
  Suas datas
  Sua vida
  Idéias Principais
  1. O Deus transcendental
  2. A verdade é um resultado da graça e não da busca racionalista
  3. Devemos substituir a analogia do ser pela analogia da fé
  4. Aguda distinção é feita entre a revelação e a religião
  5. A ênfase de Barth recai sobre a Palavra de Deus
  Ver também o artigo sobre a questão da *Autoridade*.
  Obras Barth, Karl, e liberalismo,
  Ver *Liberalismo*, III.l.
Barth e linguagem,
  Ver *Linguagem Religiosa*, 10.
Bartimeu I, 450
Bartolo de Sassoferrato I, 450
Bartolomeu I, 450
Bartolomeu, Evangelho(Perguntas) de I, 450
Bartolomeu, Livro da Ressurreição de Cristo por I, 451
Bartolomeu, Massacre de São I, 451
Baruque I, 451
  Várias personagens bíblicas
Baruque, Livro de (apócrifo) I, 452
  Ver também *Livros Apócrifos*.
Baruque II (Apocalipse e Siríaco de Baruque) I, 452
Baruque III (Apocalipse Grego de Baruque) I, 452
Barzilai I, 452
  Vários homens na Bíblia
Basã I, 453
Basã Havote-Jair I, 453
Bascama I, 453
Basel, Concílio de I, 453
Basemate I, 453
  Várias mulheres do AT
Bases do Santuário I, 453
Basilianos I, 454
Basílica I, 454
Basílides I, 454
  Um gnóstico do século II D.C.
Basílides, Evangelho de I, 454
Basilidianos I, 454
Basiliensis, Codex, Ver sob a letra E, E *Codex Basiliensis*.
Basílio da Capadócia I, 454
  Ver sobre a *Patrística*, 10.
Basílio, o Grande I, 454
  Um eclesiástico da Cesaréia da Capodócia
  Ver sobre os *Basilianos, Capadócios e Cenobitas*.
Basle-Ferara-Florença, Concílio de,
  Ver *Concílios Ecumênicos*, IV. 17.
Bassebate, Ver *Josebe-Bassebate*.

BASTARDO – BENOTE

Bastardo I, 454
Batalha I, 455 Ver sobre *Guerra*.
Batalha de Bete-Heron, Ver *Bete-Horon, Batalha de*.
Batalha dos Deuses e Gigantes I, 455
Batalhão I, 455
Batanea I, 455
Bater no peito, Ver *Peito, Bater no*.
Bate-Rabim I, 455
Bate-Seba I, 455
Bate-Sua I, 455
   Duas mulheres do AT
Bath Koi (Qol) I, 456
   Oito possíveis incidentes do fenômeno discutidos
   Interpretações inferiores
Bath Qol Ver *Bath Kol (Qol)*.
Batismal: regeneração,
   Ver *Regeneração Batismal*.
Batismo I, 456
   Esboço
   Introdução - Descrições Gerais
   1. Pano de fundo cristão: o batismo de João; o batismo judaico; o batismo de Jesus
   2. Sacramentalismo: crasso e sofisticado
     a. Sacramentalismo crasso
     b. Sacramentalismo sofisticado
     Versículos do NT
   3. Batismo institucional
   4. Batismo simbólico
   5. Batismo simbólico-místico
   6. Negação da validade do batismo
   7. Batismo judaico
   8. Batismo de João
   9. Batismo de Jesus
     Ver os artigos separados sobre esses títulos
   10. Batismo dos discípulos de Jesus
   11. Batismo cristão – Significado e modos
     O modo de batizar é importante?
     Batismo infantil
   12. Uso metafórico
     A lei do amor
Batismo de Crentes I, 461
   1. O batismo em água ordenado aos crentes
   2. O trecho de Atos 2:38 e o batismo em água
   3. O batismo de famílias inteiras
   4. A teologia do batismo
   5. O trecho de Col. 2:11 ss.
   6. O interesse de Jesus pelas crianças
   7. Exposição bíblica
   8. Argumentos baseados na história
Batismo de Fogo I, 462
Batismo de Jesus I, 462
   Oito itens discutidos
Batismo de João Batista I, 463
Batismo de Sangue I, 463
Batismo do Espírito e línguas,
   Ver *Batismo do Espírito Santo*, III.
Batismo do Espírito Santo I, 463
   I. História das Operações do Espírito
     Oito itens discutidos
   II. A Obra do Espírito e seu Batismo
     Doze itens discutidos
   III. O Batismo do Espírito e seu Relacionamento com Línguas.
     Os usos em Atos e I Cor.
     Sete itens discutidos
     Variedades do falar em Quatro itens discutidos
     Avaliação do fenômeno das línguas
     Sete itens discutidos
     Conclusão
   IV. O Batismo do Espírito em I Cor. 12:1
     Sete itens discutidos
   Batismo espiritual

Batismo Infantil I, 470
Argumentos favoráveis
   1. Argumentos com base bíblica
   2. Argumentos com base histórica
   3. Argumentos com base teológica
     Argumentos contrários
Batismo Judaico I, 472
Batismo Leigo I, 472
   A doutrina católica romana
   O batismo leigo não – católico
Batismo Não-Cristão I, 472
   As categorias do batismo ritual
   As religiões misteriosas (*ver o artigo a respeito*).
Batismo pelos Mortos I, 472
   Mais do que onze interpretações são discutidas
Batismo, símbolo místico,
   Ver *Batismo*, 5.
Batismo, tipos e conceitos,
   Ver *Batismo*.
Batismo, variedades do,
   Ver *Batismo*.
Batista, João, Ver *João (o Batista)*.
Batistas I, 474
   Origem; doutrinas distintivas; debilidades; batistas no Brasil
Batistas do Sétimo Dia I, 476
Batistas Gerais e Batistas Particulares I, 476
Batistas Particulares I, 477
   Ver *Batistas Gerais e Particulares*.
Batistério I, 477
Batizar (Dar Nome) I, 477
Bato I, 477 Ver *Pesos e Medidas*.
Baumgarten, Alexander Gottlied I, 477
   Filósofo alemão (1714-1762)
Baur, Ferdinand Christian I, 477
   Teólogo alemão (1792-1860)
   Sua vida
   Suas idéias
Baurim, Barumita I, 477
Bautain, Louis Abbé I, 477
   Filósofo francês católico romano (1796-1867)
Bavai I, 477
Baxter, Richard I, 477
   Pregador e autor puritano (1615-1691)
   Sua vida
Bayle, Pierre I, 478
   Filósofo francês (1647-1706)
Bazar I, 478
Bazlite I, 478
Baélio I, 478
Bealias I, 478
Bealote I, 478
Beatificação I, 478
   O estágio da canonização dentro da Igreja Católica
Bebai I, 478
   Três personagens da Bíblia
Bebedice I, 478
   Ver *Alcoolismo e Bebida Forte*.
Beber, Ver *Bebida, Beber*.
Beber o Sangue de Cristo I, 478
   Ver *Comer a Carne e Beber o Sangue de Jesus*.
Bebida, Beber I, 479
   Ver também sobre *Alcoolismo*.
Bebida Forte I, 479
Bec I, 481
Beca I, 481
Beca, peso, Ver *Pesos e Medidas*, IV.E.
Beck, Johann Tobias I, 481
   Teólogo protestante (1804-1874)
Becket, Thomas I, 481 Arcebispo de Canterbury e chanceler da Inglaterra (1118-1170)
Becorate I, 481
Bectilete I, 481
Bedã I, 481

Bedade I, 481
Bede, o Venerável I, 481
   Monge e erudito inglês (673-735)
Bedias I, 481
Bedlam I, 481
Beecher, Henry Ward I, 481
   Ministro congregacional (1813-1887)
Beeliada I, 482
Beemote I, 482
Beer I, 482
   Duas localidades no AT
Beer-Elim I, 482
Beer-Laai-Roi I, 482
Beera I, 482
Beeri I, 482
   Duas pessoas do AT
Beerote-Bene-Jacã I, 482
Beesterá I, 483
Behaviorismo I, 483
Beijo I, 483
Beira do Rio I, 484
Bel I, 484
Belá I, 484
   Uma localidade e várias pessoas do AT
Belas-Artes I, 485
   Ver também os artigos sobre *Artes e Música*.
Belas Artes, natureza das, Ver *Arte*, 2.
Belém I, 485
Belém, Estrela de I, 485
   Ver sobre *Estrela dos Magos; Astronomia, e Estrela de Belém (dos Magos)*.
Belemita I, 485
Bel e o Dragão I, 485
   Um dos trechos adicionados ao livro canônico de Daniel
Beleza I, 486
Beleza Espiritual I, 486
   Platão em seu diálogo identifica a mais elevada identidade metafísica (Idéia ou Forma) com a Beleza
   A caracterização da feiúra
Belial I, 487
Bellamy, Joseph I, 487
Bellarmine, St. Robert I, 487
   Jesuíta italiano (1542-1621)
Belmaim I, 487
Belot, Gustave I, 487
   Filósofo francês
Belsazar I, 487
Bebessazar I, 487
Beltetmo I, 487
Belzebu I, 488
   Ver sobre *Baalzebube*.
Bem-Aventuranças I, 488
   Quatro itens discutidos
Bem-Aventuranças I, 488
   I. De Mateus 5:3-12
     As oito bem-aventuranças são discutidas detalhadamente
   II. Do Apocalipse
     1:3 A promessa especial
     As sete bem-aventuranças do livro
     Paralelos na literatura judaica
   III. De João 20:29
     Bem-Aventuranças, Monte das, Ver *Monte das Bem-Aventuranças*.
Bem Comum I, 494
   Ver sobre *Utilitarismo*.
Bem e Mal, Além do I, 494
   Uma obra filosófica de Friederich Wilhelm
   Nietzsche publicada em 1886
   Idéias
Bem Geral I, 494
   Ver sobre *Utilitarismo*.
Bem Instrumental I, 494
Bem Intrínseco I, 494
Bem supremo de Aristóteles,
   Ver *Ética*. VI.7.

Ben (prefixo) I, 494
   Um prefixo usado para indicar linhagem
Ben-Abinadabe I, 494
Ben-Ami I, 494
Ben-Dequer I, 495
Ben-Geber I, 495
Ben-Hadade I, 495
   Três reis da Síria em Damasco
Ben-Hadade I, II e III
Ben-Hesede I, 495
Ben-Hinom, Vale de I, 495
   Ver *Hinom, Vale de*.
Ben-Hur I, 495
Ben-Hur (Novela) I, 496
   Título de um livro escrito por Lew Wallace
Benaia I, 496
   Várias personagens do AT
Bênção, cálice de, Ver *Cálice de Bênção*.
Bênção do Bendito Sacramento I, 496
Bênção e Maldição I, 496
Bênção Espiritual I, 497
Bênção Sacerdotal I, 498
Bênção, segunda, Ver *Segunda Bênção*.
Bênçãos às Crianças,
   Mat. 19:13-15 I, 498
   Os paralelos
   Um breve catequismo sobre o tratamento que se deve conferir às crianças na comunidade religiosa
Bender, Wilhelm I, 499
Bendita Virgem, Ver *Mariolagia (Maria, a Bendita Virgem)*
Bendita Virgem, Maria como mediadora, Ver *Mediação (Mediador)*, V.
Bene I, 499
Bene-Beraque I, 499
Bene-Hail I, 499
Bene-Hanã I, 499
Bene-Hasém I, 499
Bene-Jaacã I, 499
Bené-Jásen I, 499
Bene-Zeote I, 499
Benedictus I, 500
   Uma das fases da *Missa* (vide).
Beneditinos I, 500
   A mais antiga ordem religiosa do Ocidente
Benedito de Núrsia I, 500
   Ver o *Monasticismo*.
Benedito do Monte Cassino (Núrsia) I, 500
Benedito XIV, Papa I, 500
Benedito XV, Papa I, 500
Beneficência I, 500,
   Ver *Altruísmo*.
Beneficio do Clero I, 501
Benefícios de perseguições,
   Ver *tribulações como Benefícios*.
Beneke, Friedrich I, 501
   Filósofo alemão (1798-1854)
   Sua vida
Benevolência I, 501
Benevolência Desinteressada I, 501
Benevolência social,
   Ver *Filantropia*.
Benfeitor I, 501
Bengel, Johann Albrecht I, 501
Benignidade, fruto do Espírito,
   Ver *Fruto do Espírito*, III.E.
Beniinu I, 502
Benjamim I, 502
   No hebraico
   Várias personagens do AT
Benjamim, Porta de I, 502
Benjamita I, 502
Beno I, 503
Benoni I, 503
Benote, Ver *Sucote-Benote*.

BEN SÍRA – BIBLIOMANCIA

Ben Sira, Ver *Eclesiástico*, II
Bens, comunidade de,
   Ver *Comunidade de Bens*.
Bens da ética, Ver *Ética*, I.8
Bentes, João Marques I, 503
Bentham, Jeremy I, 503
   Escritor inglês (1748-1832)
Beor I, 503
   Duas personagens do AT
Bequer I, 503
   Dois homens referidos no AT
Bera I, 503
Beraca I, 504
Beraías I, 504
Berdyaev, Nicolai Alexandrovitch I, 504
Berede I, 504
   Nome de uma cidade e de um homem no AT
Beréia I, 504
Berenice I, 504
Berequias I, 505
   Sete personagens no AT
Bergson, Henri I, 505
   Um judeu francês notável e brilhante filósofo de nossa época
Beri I, 506
Berias I, 506
   Quatro pessoas do AT
Berigard, Claude I, 506
   Filósofo francês
Beriítas I, 506
Berilo I, 506
Beritas I, 506
Berite I, 506
   Ídolo adorado em Siquém
Berito I, 507
   Nome da cidade de Beirute
Berkeley, George I, 507
   Bispo e filósofo irlandês, (1685-1753), Ver também *Idealismo*, II.5.
Berlin, Sir Isaiah I, 507
   Filósofo, político e moral inglês (1909-?)
Bernardo de Chartres I, 507
   Filósofo platônico (1080?-1167)
Bernardo de Clairvaux I, 508
Bernardo de Cluny (de Morlaix) I, 508
Bernardo de Tours (B. Silvestris) I, 508
Bernays, Isaac, Ver *Judaísmo Conservador*, 2.
Berodaque-Baladã I, 508
   Ver *Merodaque-Baladã*.
Berota I, 508
Berotai I, 508
Berseba I, 508
Bertoldo de Regensburg I, 509
Bes I, 509
Besai I, 509
Bescaspasmis I, 509
Besete, Ver *Pi-Besete*.
Besodias I, 509
Besor I, 509
Bessarion I, 509
Besta I, 509
   As quatro palavras hebraicas e as três palavras gregas são discutidas
   Proibições mosaicas
   Usos metafóricos
   Observações
Besta da Terra I, 510
   Uma detalhada discussão é apresentada sobre toda a informação do Apocalipse
Besta do Mar I, 512
   Uma detalhada discussão é apresentada sobre toda a informação do Apocalipse
Besta, o anticristo, Ver *Anticristo, e Besta, Usos Metafóricos*.
Besta, sinal da, Ver *Sinal (Marca) da*

Besta *(Anticristo)*.
Bestialidade I, 514
   O contato sexual entre seres humanos e outras formas de vida
Bestiário I, 515
Betá I, 515
Betânia I, 515
   Duas cidades com esse nome no NT
Bete I, 515
Bete-Anate I,515
Bete-Anote I, 515
Bete-Arã I, 515
Bete-Arabá I, 515
Bete-Arbel I, 516
Bete-Asmote I, 516
Bete-Áven I, 516
Bete-Azmavete I, 516
Bete-Baal-Amom I, 516
Bete-Bara I, 516
Bete-Basi I, 516
Bete-Biri I, 516
Bete-Car I, 516
Bete-Dagom I, 516
   Duas cidades do AT e um templo
Bete-Diblataim I, 517
Bete-Éden I, 517
Bete-Eglaim I, 617
Bete-Equede I, 517
Bete-Deuede I, 517
Bete-Ezel I, 517
Bete-Gader I, 517
Bete-Gamul I, 517
Bete-Gilgal I, 517
Bete-Hagã I, 518
Bete-Hanã I, 518 Ver *Elom*.
Bete-Haquerém I, 518
Bete-Harã I, 518
Bete-Hogla I, 518
Bote-Horom I, 518
   O nome de dois lugares no AT
Bete-Horom, Batalha de (O Dia Longo de Josué) I, 518
Bete-Jesimote I, 519
Bete-Le-Afra I, 519
Bete-Lebaote I, 519
Bete-Lomom I, 519
Bete-Maacá I, 519
Bete-Marcabote I, 519
Bete-Meom I, 519
Bete-Milo I, 519
Bete-Nimra I, 519
Bete-Pazes I, 519
Bete-Pelete I, 519
Bete-Peor I, 519
Bete-Rafa I, 520
Bete-Reobe I, 520
Bete-Seã I, 520
Bete-Semes I, 520
   Vários lugares do AT.
Bete-Semita I, 521
Bete-Sita I, 521
Bete-Tapua I, 521
Bete-Togarma I, 521
   Ver *Togarma*.
Bete-Zacarias I, 521
Bete-Zaíte I, 521
Bete-Zur I, 521
Betel I, 521
   Casa de Deus
   Uma cidade da antiga Palestina
Betel (Deus Pagão) I, 522
Betel, Monte de I, 522
Béten I, 522
Betesda I, 522
   A única ocorrência: em João 5:2
   O grego
   A localidade
Betezata I, 523 Ver *Betes da*.
Betfagé I, 523
Bet-Hamidrash I, 523
Betham, Ver *Livros Apócrifos (Modernos)*, I.
Bet Hillel e Bet Shammai I, 523

Duas escolas rabínicas
Beth, Karl I, 523
Betomastaim I, 523
Betonim I, 523
Betsaida (da Galiléia), I, 523
   Uma cidade da Galiléia
   Localização
   A narrativa do quarto evangelho e a confusão lançada ali
Betsaida de Gaulonite I, 524
   Ver sobre a *Betsaida da Galiléia*.
Betto, Frei, Ver *Teologia da Libertação*, III.
Betuel I, 524
   O nome de um lugar e de um indivíduo no AT
Betúlia I, 524
Betume I, 524
Beyond God and Evil, Ver *Nietzche, Friedrich*, 7.
Beyschlag, Willibald I, 524
Beza, Theodore I, 524
Bezae, Codex, Ver *Manuscritos Antigos do NT*., III.5.D.
Bezae, Codex, Ver *D. Cadex D* ou *Bezae* no artigo sobre *Manuscritos Antigos do NT*.
Bezai I, 525
Bezalel I, 525
   Duas pessoas do AT
Bezeque I, 525
   Dois lugares no AT
Bezer I, 525
   O nome de uma pessoa e um lugar no AT
Bezerro I, 525 Ver *Gado*.
Bezerro de Ouro I, 525
Bhagavad-Gita I, 526
   Origens da palavra
   Um poema filosófico no sexto livro do Mahabharata
   Temas principais
   O livro de devoção mais popular na Índia
Bhairava I, 526
Bhakte ioga, ver *Hinduísmo*, IV.2.
Bhakti I, 326
   O caminho da devoção, segundo o Hinduísmo (vide).
Biatas I, 527 Ver *Pelaias*.
Bíblia I, 527
   Ver os artigos sobre *AT, NT* e o tratamento sobre *a Bíblia*.
Bíblia I, 527
   Ver o esboço da página I, 527 sobre os inúmeros artigos diretamente relacionados à Bíblia que estão presentes nesta enciclopédia
   Esboço
   1. Os termos
   2. As designações Antigo e Novo Testamentos
   3. A Coletânea
   4. A unidade da Coletânea
   A heterogenia da Bíblia
   O problema da rejeição de certas porções do AT no NT
   Uma teologia única no NT
   Os livros apócrifos no NT
   Ver o artigo sobre no Citações do AT no NT e também o artigo sobre a *Teologia Bíblica*.
   5. Línguas
   6. Divisões
   7. Usos da Bíblia
      a. Como literatura
      b. Uso particular
      c. Uso litúrgico
      d. Uso teológico
      e. Uso ético
Bíblia, alegorias na, Ver *Alegoria*, 3.
Bíblia, autoridade da, Ver *Autoridade*, 1 e 4.

Bíblia, ciência e a,
   Ver *Ciência na Bíblia, Bíblia, Comentários e Dicionários* I, 530
Bíblia como Literatura I, 530
   Ver também *Literatura, a Bíblia como*.
Bíblia, Crítica da I, 530
   Ver *Crítica da Bíblia*.
Bíblia e a arqueologia,
   Ver *Arqueologia*, V.
Bíblia e a vida (idéies),
   Ver *Vida*, III.
Bíblia e mediação,
   Ver *Mediação (Mediador)*, II.
Bíblia e meditação,
   Ver *Meditação*, 3.
Bíblia e monoteísmo,
   Ver *Monoteísmo*, I.
Bíblia e pacifismo,
   Ver *Pacifismo*, 3.
Bíblia e Pérsia, Ver *Pérsia*, IV.
Bíblia e raças, Ver *Raça*, II.A.i.
Bíblia e responsabilidade,
   Ver *Responsabilidade*, 6.
Bíblia e retribuição,
   Ver *Retribuição*, II.
Bíblia e sortes, Ver *Sortes*, 2 e 6.
Bíblia e teoria histórica,
   Ver *História*, VI.
Bíblia em Português (História da) I, 530
   1. Anos de preparação
   2. Tradução da Bíblia completa
      Oito traduções são discutidas
   3. A Bíblia e os meios do desenvolvimento espiritual
   4. Bibliografia
      Gráfico ilustrativo
Bíblia, exegese da, Ver *Exegese*.
Bíblia, livros perdidos da, Ver *Livros Perdidos da Bíblia*.
Bíblia, milagres na, Ver *Milagres*, VI.
Bíblia Pauperum I 534
   O significado do título
   Duas obras diferentes com esse título
Bíblia portuguesa, comentários,
   Ver *Comentários sobre a Bíblia*, VIII.
Bíblia portuguesa, concordância da,
   Ver *Concordância* últimos 5 parágrafos.
Bíblia sobre mansidão,
   Ver *Mansidão*, 2.
Bíblia Sociedades da I, 534
   Ver *Sociedades Bíblicas*
Bíblia, uso adivinhador da,
   Ver *Bibliomancia*.
Bíblia, Versões da I, 534
   Os propósitos das diferentes versões
   I. Versões do AT
      1. A Septuaginta (LXX)
      2. Latim Antigo
      3. Siríaco Peshitta
      4. Hexapla Siríaca
      5. Copta (egípcio)
      6. Vulgata Latina
      7. Versões menores
   II. Versões do NT
      1. Latim antigo
      2. O Diatessaron
      3. Siríaco antigo
      4. Peshitta
      5. Copta
      6. Armênia
      7. Geórgia
      8. Vulgata Latina
      9. Versões secundárias
      10. Traduções modernas
Bíblias Poliglotas I, 536
Biblicismo I, 536
Bibliolatria I, 536
Bibliomancia I, 537
   Uma estranha forma de *Adivinhação*

(vide).
Biblion, Bíblia I, 537
Biblioteca de Alexandria I, 537
  Ver *Alexandria, Biblioteca de.*
Bibliotecas I, 537
Biblos I, 538
Bicho da seda, Ver *Seda, Bicho da.*
Bicri I, 538
Bidcar I, 538
Biddle, John I, 538
Biedermarm, Alois Emmanuel I, 538
Biel, Gabriel I, 538
Bigamia I, 538
Bigorna I, 539
Bigtá, Bigtã I, 539
Bigvai I, 539
  Dois homens no AT
Bila I, 539
  Nome de uma mulher e de uma cidade no AT
Bilã I, 539
  Dois homens do AT
Bildade I, 539
Bileã I, 540
  Dois homens do AT
Bilga I, 540
Bilgai I, 540
Bilocação I, 540
Bilsã I, 540
Bimal I, 540
Binação I, 540
Bineá I, 540
Binitarianismo I, 540
Binui I, 541
  Várias personagens do AT
Bio de Cirene I, 541
  Ver sobre o *Cirenaicismo,* segundo ponto
Biologia I,541
  Ramo da ciência que fazia parte central dos estudos do
  Liceu (ver o artigo) de *Aristóteles.*
  Definições
  1. Reducionismo
  2. Vitalismo
  3. Biologia organicista
Biologia e a filosofia, Ver *Filosofia da Biologia.*
Biologia Orgânica I, 541
Bion de Borístenes I, 541
Biran, Maine de I, 541
Birgitta, Stª I, 541
Birsa I, 542
Birzavite I, 542
Bissexualismo,
  Ver *Homossexualismo*, II.4 e V.
Bislão I, 542
Bismilá I, 542
Bispo I, 542
  No grego
  Algumas referências bíblicas
  Origens
  Intervenção do Estado
  Bispos da cristandade atual
  a. Na Igreja Católica Romana
  b. Nas Igrejas Ortodoxas
  c. Na Igreja Episcopal
  d. Presbiterianos
  e. Mórmons
  f. Pentecostais
  g. Congregacionais
Bispo Auxiliar I, 543
Bitia I, 543
Bitínia I, 544
Bitrom I, 544
Bizâncio I, 544
Bizantino, tipo de texto do NT, Ver *Manuscritos do N T,* VI., vol. IV, págs.93,94,95.
Biziotiá I, 544
Bizta I, 544
Blanshard, Brand I, 544
  Filósofo norte-americano

Idéias
Blasfêmia I, 544
Blasfêmia, crime contra Deus,
  Ver *Crimes e Castigos*, III.1.d.
Blasto I, 545
Blavatosky, Madame I, 545
  Ver sobre a *Teosofia.*
Blondel, Maurice I, 545
  Filósofo francês espiritualista (1891-1949)
Blondus, Flavius I, 545
Bloomfield sobre linguagem, Ver *Linguagem (Filosofia e),* ponto 15.
Blumhardts, Os I, 545
Boã I, 545
Boanerges I, 545
Boas, George I, 545
  Filósofo norte-americano (1891-1980)
Boas Obras I, 546
  1. Considerações práticas
  2. Um dos aspectos do pragmatismo
  3. A boa vontade
  4. Considerações teológicas
Boas sobre linguagem,
  Ver *Linguagem (Filosofia e),* 12.
Boaventura, São I, 547
Boaz I, 548
Boca I, 548
Boccaccio, Giovanni I, 549
  Poeta e novelista italiano (1313-1375)
Bochechas I, 549
  Ver *Rosto (Bochechas).*
Bocru, I. 549
Bode expiatório, Ver *Azazel.*
Bode Judas, Ver *Jezebel, no NT,* últimos parágrafos.
Bodelschwing, Friedrich Von I, 549
Bodhi I, 549
Bodhisattva I, 549
Bodin, Jean I, 549
  Filósofo político francês (1530-1596)
Bodmer, Papiros de,
  Ver *Papiros de Bodmer.*
Boehm, Martin I, 549
Boehme, Jacob I, 549
  Filósofo místico e religioso alemão
Boethius I, 550
  Filósofo eclético romano (489-525)
Bofete I, 650
Boff, Leonardo,
  Ver *Teologia da Libertação.*
Bohmer, Heinrich I, 550
Boicote I, 550
Boieiro I, 550
Boi Selvagem I, 551
Bois, Henri I, 551
Bolo de Pão I, 551
Bolsa I, 551
Bom, Bondade I, 551
  I. Idéias filosóficas
    Quatorze filósofos e ou sistemas falam sobre bondade
  II. Idéias Bíblicas
    Dez discussões são apresentadas
Bom Senso I, 552
  Os três aspectos
Bom,argumentos do, Ver *Argumentos do Bom Senso.*
Bom senso, realismo, Ver *Realismo do Bom Senso.*
Bom Vizinho I, 552
Bonald, Louis Gabriel Ambroise, Visconde de I, 553
Bonar, Horatius I, 553
Bondade, Ver *Bom, Bondade.*
Bondade, fruto do Espírito.
  Ver *Fruto do Espírito,* III.F.
Bonhoeffer, Dietrich I, 553
  Teólogo alemão (1906-1945)
Bonifácio VIII, Papa I, 553
Bonifácio, São (Mártir) I, 553
Bonosianos I, 553

Bons Portos I, 553
Boodin, John Elof I, 554
Booth, William I, 554
Boquim I, 554
Bordador, Bordadeira I, 554
Boreeliamis, Codex,
  Ver *F (Codex Boreelianus).*
Borgianus, Codex, Ver I.
Borlas I, 554
  Jesus e as borlas
  Os fariseus e as borlas
Bornhausen, Karl I, 555
Bornholmianos I, 555
Borra de Vinho I, 555
Bosanquet, Bernard I, 555
  Filósofo inglês (1848-1923)
Bosor I, 555
  Um homem e uma cidade do livro apócrifo de I Macabeus
Bosora I, 655
Bosque,Ver *Floresta* I.
Bosque de Efraim,
  Ver *Efraim, Bosque de.*
Bossuet, Jacques Benigne I, 556
Bota I, 556
Botticher, Ver *Lagarde, Paul Anton de.*
Bouglê, Colestin Charles Alfred I, 556
Bourdalque, Louis I, 556
Bourignon, Madame Antoniette I, 556
Bousset, Johann Franz Wilhelm I, 556
Boutroux, Emile I, 556
Bouvier, Ami Auguste Oscar I, 556
Bovet, Pierre I, 556
Bovon, Jules I, 557
Bowne, Borden Parker, I, 557
Bowne sobre personalismo
  Ver *Personalismo*, III.3
Boxe e Luta Livre I, 557
Boyle, Robert I, 557
Bozcate I, 558
Bozes I, 558
Bozra I, 558
Braça I, 558
Braceletes I, 558
Braço I, 558
Bradley, Francis Herbert I, 558
  Um filósofo inglês
Bradley sobre aparência,
  Ver *Aparência,* 6.
Bradwardine, Thomas I, 558
  Filósofo e teólogo inglês (1290-1349)
  Sua vida
Brahe, Tycho I, 559
  Astrônomo dinamarquês (1546-1601)
Brahma (Brama) I, 559
Bralmia Samaj I, 559
  Um moderno movimento eclético e reformista do hinduísmo
  Características do movimento
Brahman (Braman) I, 559
Brahman sobre o macrocosmo,
  Ver *Macrocosmo,1.*
Brahmanas (Bramanas) I, 559
  Escritos sacerdotais do hinduísmo
Brahmanaspati I, 559
Brahmanismo (Bramanismo) I, 559
  Ver *Hinduismo.*
Brahmins (Bramins) I, 560
Branco I, 560
Brasas I, 560
Braseiro I, 560
Brentano, Franz I, 560
Breviário I, 560
Brewster, William I, 561
Bridel, Philippe I, 561
Brightman, Edgar Sheffield I, 561
Brightman sobre personalismo,
  Ver *Personalismo*, III.6.
Brihaspati I, 561
Brincos I, 561
Brithwaite, R.B. I, 561
  Filósofo inglês

Broad, Charles Dunbar I, 562
  Suas datas
  Idéias
Broad, Charles, sobre o materialismo,
  Ver *Materialismo*, 18.
Broadus, John A. I, 562
Broche I, 562
  Ver também o artigo sobre *Ornamentos.*
Bronze I, 562
Bronze, serpente de,
  Ver *Serpente de Bronze.*
Brooke, Stopford Augustus I, 562
Brorson, Hans Adolf I, 562
Browne, Robert I, 563
Browne, Sir Thomas I, 563
Browning, Robert I, 563
Brownismo I, 563
  Ver sobre *Robert Brown.*
Brownson, Orestes Augustus I, 563
Brunner, Emil I, 563
Bruno Giordano I, 564
Brunschwigg, Léon I, 564
  Filósofo francês
  Brutalidade na natureza divina,
  Ver *Josué,* VI.2.
Bruxa (arquétipo), Ver *Jung,* Idéias, 7.f.
Bruxaria I, 564 Ver *Adivinhação.*
Bruxaria, crime contra Deus,
  Ver *Crimes e Castigos,* II. 1.c.
Bruxaria e Magia I, 564
  A mágica e a religião - sua vinculação
  As artes mágicas vistas como uma forma disfarçada de religião
  As artes mágicas são de âmbito universal
  No AT
  No NT
  A condenação das artes mágicas no AT
  Na cultura egípcia
  As artes mágicas e a influência de fraude
  Ver o artigo sobre *Adivinhação.*
Bruxo I, 566 Ver *Adivinhação.*
Bryson, Filho de Stilpo I, 566
Buber, Martim I, 566
  Ver também *Judaísmo*, II.19.
Bucer, Martim I, 566
  Um reformador e teólogo ecumênico de Estrasburgo
Buchmanismo I, 566
  Um movimento não-credal, de despertamento religioso do séc. XX
Buchner, Ludwig I, 566
  Filósofo alemão
Buchner sobre o materialismo,
  Ver *Materialismo,* 13.
Budde, Karl I, 566
Buddha, Gautama Siddharta I, 566
Budismo I, 567
  I. A Religião: Pano de Fundo Histórico
  II. As Idéias de Gautama Siddharta, Buddha
  Doze conceitos principais do Budismo são discutidos
  III. A Escola Hinayana (incluindo a Theravada) do Budismo
  Sete idéias principais são discutidas
  IV. A Escola Mahayana do Budismo
  Quatro idéias principais são discutidas
  V. Contrastes entre as Escolas Theravada e Mahayana
  VI. O Budismo na China
  VII. O Budismo no Japão
Budismo Ch'an I, 570
  Ver sobre o *Budismo Zen,* bem como o artigo geral sobre o *Budismo.*
Budismo, concílios,
  Ver *Concílios Budistas.*

Budismo e jejum, Ver *Jejum*, VIII.
Budismo, veículos,
 Ver *Veículos do Budismo*.
Bugaeano I, 570
Bugios I, 570
Bul I, 570
Bula Unigenitus I, 570
Bulas Papais I, 570
Bullinger, Heinrich I, 570
Bultmann, Rudolf I, 570
 Teólogo protestante alemão
Buna I, 571
Buni I, 571
 Três homens no AT
Bunyan, John I, 571
Buqui I, 571
 Dois homens no AT
Buquias I, 571
Buraco da Agulha I, 572
 Ver *Agulha, Buraco da*.
Burguesia (Burguês) I, 572
Buridan, asno de,
 Ver *Asno de Buridan*.
Buridan, John I, 572
Burke, Edmund I, 572
Burlegh, Walter I, 572
Bushido I, 572
Bushnell, Horace I, 572
 Um pregador e teólogo norte americano
Butler, Joseph I, 572
 Bispo e filósofo britânico
Buxo I, 573
Buz, Buzita I, 573
 Duas pessoas no AT
Buzi I, 573

C

C I, 574
Caaba I, 574
Cabala I, 574 Ver *também Judaísmo*, II.12.
Cabala versus o Talmude,
 Ver *Judaísmo*, II.16.
Cabanis, Pierre I, 575
Cabe I, 575
 Ver sobre *Pesos e Medidas*.
Cabeça I, 575
Cabeça (Cristo) e Corpo (Igreja) I, 575
 Em Col. 1: 18: Também ele é a cabeça do corpo da igreja; é o princípio, o primogênito dentre os mortos, para que em tudo tenha a preeminência
 A *metáfora* da cabeça e do corpo
 Oito elementos são discutidos
Cabeças, sete, Ver *Sete Cabeças*.
Cabeleira Frisada I, 577
Cabelos I, 577
 As palavras gregas e hebraicas
 Costumes humanos e cabelos
 Sete são descritos
Cabelos brancos, Ver *Cãs*.
Cabet, Etienne I, 578
 Ver sobre a *Utopia*, 7.
Cabir I, 578 Ver *Kabir*.
Cabom I, 578
Cabra I, 578
Cabra Montês I, 579
Cabras, peles de, Ver *Peles de Cabras*.
Cabris I, 579
Cabul I, 579
Cabzeel I, 579
Caça I, 579
Cachorro I, 580
 Avaliações bíblicas
 Usos metafóricos
 Sete itens descritos
Cachorro de Leão I, 580
Caco I, 581

Cadáver I, 581
Cadê I, 581
 Décima oitava letra do alfabeto hebraico
Cadeado, Ver *Trancar (Cadeado, Fechadura, Pino)*.
Cadeia, Cadeias I, 581
 Algumas ocorrências bíblicas
 Os usos literais e metafóricos
Cadeia (Fio) de Prata I, 582
 Uma série de expressões poéticas que indicam morte física
 O fio de prata
 Ver sobre as *Experiências, de* Quase-Morte.
 Ver o artigo sobre a
 Abordagem Científica à Crença na Alma e em sua Sobrevivência ante a Morte Física.
Cadeia do Ser I, 582
Cadeias I, 582
Cadeira (Assento) I, 582
Cadeira de julgamento,
 Ver *Julgamento, Cadeira de*.
Cadeira de Moisés I, 583
Cadeira de São Pedro I, 583
Cadeiras primeiras, Ver *Primeiras Cadeiras*.
Cades-Barnéia I, 583
Cades Sobre o Orontes I, 584
Cadias, Cadiansanos I, 584
Cadish I, 584
Cadmiel I 584
 No hebraico
 O nome de dois homens do AT
Cadmoneu I, 584
Cafarnaum I, 584
 1. Informações gerais
 2. Profecia de condenação
 3. Cafarnaum e a arqueologia
 4. Pedro e a casa de Jesus
 O culto na Sinagoga
 A luz de Cafarnaum
Cafarnaum, Sinagoga de, do primeiro século, Ver *Sinagoga*, VII.
Cafarsalama I, 585
Café I, 585
 A décima primeira letra do alfabeto hebraico
Cafenata I, 585
Cafir I, 585 Ver *Kafir*.
Caftor, Caftorim I, 585
Caiadura I, 586
 Ver o artigo sobre *a Cal*.
Caibara I, 586 Ver *Kaibara*.
Caifás I, 586
Caim, I, 586
 O filho mais velho de Adão e Eva
 Nove itens são discutidos
Caim, Cidade de I, 587
Cain I, 587
 Ver *Queneu*.
Cainã I, 587
 Dois homens na Bíblia
Caird, Edward I, 588
Caird, John I, 588
Caixão I, 588
 Ver *Sepultamento, Costumes de*.
Cajado I, 588 Ver *Vara*.
Cajetano, Tomas de Vio I, 588
Cal I, 588
Calá I, 588
Calafates I, 588
Calai I, 589
Calam I, 589 Ver *Kalam*.
Câlamo I, 589
Câlamo Aromático I, 589
Calamolalus I, 589
Calaucau I, 589
Calçados I, 589
Calçados como símbolo do Evangelho, Ver *Armadura, Armas*, V.3.

Calcanhar I, 589
Calcedônia I, 590
 O nome de uma pedra preciosa
Calcedônia, Concílio de I, 590
 O concílio ecumênico de 451
 Ver também *Concílios Ecumênicos*, IV.4.
Calções I, 590
Calcol I 590
Calcondilas, Demétrio I, 590
 Ver sobre o mesmo no artigo sobre a *Academia Florentina*.
Caidéia I, 590
 O nome de um distrito ao sul da Babilônia
Caldeirão I, 591
Caldo I, 591
Caldo I, 591
 No hebraico
 O nome de vários homens no AT
Calendário Eclesiástico I, 592
 O calendário original
 A partir do século VIII D.C.
 Principais datas do ano cristão
Calendário Egípcio I, 592
Calendário Grego I, 593
Calendário Islâmico I, 593
Calendário Judaico (Bíblico) I,593
 1 Dias
 2 Semanas
 3 Meses
 4 Anos
 5 Ciclos
 6. Eras
 Astronomia
 Gráfico ilustrativo
Calendário Romano I, 600
Calendários Babilônico, Assírio e Caldeu I, 600
Calendários Juliano e Gregoriano I, 600
 Reforma gregoriana
Calevala I, 600 Ver *Kalevala*.
Calfi I, 600
 Pai de Judas
Cali I, 600 Ver *Kali*.
Cálice I, 600
Cálice de Bênção I, 601
 Um título aplicado ao Vinho da Ceia do Senhor em I Cor. 10:16
Cálices I, 601
 Filósofo e político grego do séc. V A.C
Calides, Ver *Sofistas*, 7.
Califa I, 601
Calígula I, 601
 Ver também Império Romano, V.
Calístenes I, 601
Calisto I, 601
 Suas datas
 Um teólogo luterano
Calisto II, Papa I, 601
 Ver *Worms, Concordata de*.
Calné I, 602
Calor ardente, Ver *Enfermidades na Bíblia*, 1.18.
Calor e Frio I, 602
Calúnia I, 602
 Seis palavras são discutidas
 Ver também *Verdade; os Dez Mandamentos e Satanás*.
Calvário I, 602
Calvície I, 603
 Ver também os artigos sobre *Cabelos e Enfermidades na Bíblia*, I.4.
Calvinismo I, 603
 Sete pontos oferecem uma discussão detalhada sobre este assunto.
 Ver também *Calvino, João*.
Calvinismo, pontos principais, Ver *Cinco Pontos do Calvinismo*.
Calvinistas, Antigos (Coerentes) e

Moderados I, 606
 As variações do calvinismo enfatizam o aspecto da soberania de Deus
Calvino, João I, 606
 Vida
 Idéias: Nove conceitos principais são discutidos
 Calvino exemplo inquisitório, Intolerância exemplificada
 Ver sobre *Tolerância*.
 Evolução da vereda espiritual: estágios da Inquirição Espiritual
Calvino e cristologia,
 Ver *Cristologia*, 5.b.
Calvino, João, intolerância de,
 Ver *Tolerância*, III.2.
Cama, Leito I, 609
Camaldolitas I, 610
Camaleão I, 610
Câmera I, 610
Câmeras Pintadas de Imagens I, 611
Camareiro I, 611
Camareiro-Mor I, 611
Câmbio, Cambistas I, 611
Cambises I, 611
 O nome de dois monarcas da dinastia acamenida da Pérsia
Cambises e a Bíblia
Cambistas, Ver *Câmbio, Cambistas*.
Cambatas, Cambas I, 612
Cambridge, plataforma de,
 Ver *Plataforma de Cambridge*.
Cambridge, platonistas de,
 Ver *Platonistas de Cambridge*.
Camelo I, 612
Camelos, pêlos de,
 Ver *Pêlos de Camelo*.
Cami I, 613 Ver *Kami*.
Caminho I, 613
 Dez palavras gregas e quatro hebraicas são discutidas
 Usos metafóricos no AT
 Usos metafóricos no NT
 O caminho da fé cristã Cristo, o Caminho
Caminho, Cristo como I, 614
 Exclusividade de Cristo
 Cristo, o Caminho
 Cinco maneiras discutidas
Caminho de Deus I, 615
 O caminho de Deus e a presença do Evangelho nos seus benefícios resultantes
 1. A verdade tornou-se conhecida pelo mundo inteiro
 2. O avanço irresistível da verdade de Cristo
 Referências bíblicas
Caminho de Oito Elementos I, 615
Caminho do amor no hinduísmo, Ver *Hinduísmo*, IV.2.
Caminho do conhecimento no Hinduísmo, Ver *Hinduísmo*, IV. 1.
Caminho do trabalho no hinduísmo, Ver *Hinduísmo*, IV.3.
Caminho psíquico no Hinduísmo, Ver *Hinduísmo*, IV.4.
Caminhos do Desenvolvimento Espiritual I, 615
 1 O destino terreno
 2. O destino espiritual
  Quais são os meios de desenvolvimento espiritual?
  1. O treinamento do intelecto
  2. O uso da oração
  3. O uso da meditação
  4. A santificação
  5. As boas obras
  6. A lei do amor
  7. O desenvolvimento de todas as virtudes
Os quatro caminhos do hinduísmo

CAMISARDOS – CARRAPATO

a. O caminho do trabalho
b. O caminho do conhecimento
c. O caminho do misticismo
d. O caminho do amor
Camisardos (Filhos de Deus) I.617
Camom I, 617
Camos I, 617
 Ver também sobre *Deuses Falsos*, III.14.
Campainha, Sino I, 617
Campanell, Tomasso I, 617
Campbelitas I, 618
Campbell, Alexander I, 618
Campbell, John Mcleod I, 618
Campbell, Thomas I, 618
Campianus, Codex,
 Ver *M (Manuscrito)*.
Campina do Jordão I, 618
Campo I, 618
 Nove palavras são discutidas
 Usos simbólicos
Campo de Vida I, 619
 Ver *Aura Humana (Campo de Vida)*.
Campo de sangue,
 Ver *Sangue, Campo de*.
Campo de Zofim,
 Ver *Zofim, Campo de*.
Campo do Oleiro I, 619
 Ver *Acéldama*.
Campo Unificado I, 619
 Ver *Einstein*, 4.
Camponeses, guerra dos,
 Ver *Guerra dos Camponeses*.
Campos de Elísios,
 Ver *Elísios, Campos de*.
Camus, Albert I, 619
Cana I, 619
Caná I, 619
 Duas localizações bíblicas Canaã,
Cananeus I, 620
 Ver o artigo separado sobre a *Fenícia*.
 1. O nome
 2. O território
 3. A civilização cananéia
 4. O idioma dos cananeus
 5. A história dos cananeus
 6. A religião dos cananeus
Canaã, a Pessoa I, 621
Cana Aromática I, 621
Caná da Galiléia I 621
 O nome de certa aldeia da Galiléia
 O local do primeiro milagre de Jesus
Cana de Medir I, 622
 Ver também *Pesos e Medidas*, I.8.
Canada I, 622 Ver *Kanada*.
Canais I, 622
Canais de Água I, 622
Canal I, 622
Canal de Warren, Ver *Warren*,
Canal, Escavação de.
Canal Subterrâneo I, 622
Canalização, Ver *Nova Era*, 3 e 4.
Canalizadores, Ver *Nova Era*, 4.
Cananeu, Simão, O I, 623 Ver também o artigo sobre *Apóstolos*.
Cananeus, Ver *Canaã, Cananeus*.
Canção das Três Crianças, Ver *Três Crianças, Canção das*.
Câncer I, 623
 Ver sobre *Doenças e Enfermidades na Bíblia*, I.9.
Câncer e o fumo, Ver *Fumar*, terceiro parágrafo.
Cancionário I, 623
 Uma coleção de músicas eclesiásticas
Candace I, 623
Candeeiro, Ver *Lâmpada (Candeeiro)*.
Candeeiro de Ouro I, 623
 No trecho de Êxodo 25:31-19
 Simbolismo de candeeiro de ouro
 Ver *também Lâmpada (Candeeiro)*, II. 13.
Candeeiros, sete, Ver *Sete Candeeiros*.

Candelária I, 623
 A festa religiosa da apresentação de Cristo ao templo de Jerusalém
Cânegos (Cônegos) I. 623
Cânfora I, 624
Canhestro I, 624
Canibalismo I, 624
Canísio, Pedro I, 624
Canivete I, 624
Cânon I, 624
 O significado da palavra
 1. O uso frouxo do termo
 2. Uma lista das obras de um autor qualquer
 3. Uma relação oficial da igreja,
 4. Uma regra de fé ou de disciplina
 5. A porção da missa católica romana entre o Sanctus e a oração do Padre Nosso
 6. Na música
 7. Lei canônica
 8. Os livros cânones do AT e NT
Cânon Budista I, 625
Cânon do Antigo Testamento I, 625
 1. Um processo histórico
 2. O salto da fé
 3. Buscando uma posição intermediária
 4. Breve declaração do processo histórico do cânon do AT
 5. Os livro ditado
 6. Os livros apócrifos
 7. O cânon do AT no NT
 8. Os Livros Apócrifos e os cristãos primitivos
 9. Citações dos Livros Apócrifos do AT pelos primeiros pais da Igreja
 10. Os Pseudepígrafos
 11. Cronologia de literatura
 12. Catálogos cristãos dos livros do AT: livros disputados
 Gráfico
Cânon do NT I, 633
 Esboço
 1. A palavra Cânon
 2. Influências na formação do Cânon
 3. Resumo da história do cânon
 4. Princípios que formaram o cânon
 5. O problema de autoridade para determinar a verdade
 6. Os livros controvertidos nos concílios e catálogos
 7. Bibliografia
Cânon e autoridade,
 Ver *Cânon do NT*, 5.
Cânon Hindu I, 641
 Ver o artigo sobre as *Shatras e sobre os Vedas*.
Cânon Islâmico I, 641
 Ver o artigo sobre a *Sunna*.
Cânon Muratoniano,
 Ver *Muratoniano (Cânon)*.
Cânones I, 641
Cânones Anglicanos I, 641
 A revisão da lei canônica
Cânones de Várias Igrejas I, 641
Canônica, lei, Ver *Lei Canônica*.
Canonicidade dos livros de Macabeus, Ver *Macabeus, Livros de*, VI.
Canônicas, horas,
 Ver *Horas Canônicas*.
Canonização I, 641
 Dentro do catolicismo romano
Canonização dos santos,
 Ver *Santos (Eclesiásticos)*, III.
Cantar do Galo I, 641
 Uma designação de tempo na antiguidade
Cantares de Salomão I, 642
 Ver *Salomão, Cantares de*.
Cântaro I, 642
 Em Heb. as catorze ocorrências
 A palavra hebraica

Usos figurados
Cantata I, 642
Cântico, Cantores I, 642
Cântico dos Cânticos I, 642
 Ver *Salomão, Cantares de*.
Cânticos dos Três Jovens,
 Ver *Cânticos dos Três Jovens*.
Cântico Gregoriano I, 643
Cântico Simples I, 643
Cânticos I, 643
Cânticos da Bendita Virgem I, 643
Cânticos do Servo do Senhor,
 Ver *Servo do Senhor*, I.
Cânticos dos Cânticos,
 Ver *Salomão, Cantares de*.
Cânticos dos Degraus I, 643
Cânticos dos Três Jovens I, 642
Canto I, 643
Cantor I, 643
Cantores, Ver *Cântico, Cantores*.
Canzis, Ver *Jugo, Canzis*.
Cão, Filho de Noé I, 643
Caos I,643
 Ver também *Ordem e Caos*.
Capa, manta,
 Ver *Manta (Capa, Vestido)*.
Capa Babilônica I, 644
Capacete I, 644
Capacete como símbolo da fé,
 Ver *Armadura, Armas*, V.6.
Capacidade I, 644
Capacidade de pessoas,
 Ver *Pessoas, Capacidade de*.
Capadócia I, 644
Capadócios, os Três (Pais Capadócios da Igreja) I, 645
 Os três grandes luminares teológicos da Capadócia
 Outras religiões e seus conceitos trinitarianos
Capela I, 645
Capelão I, 645
Capila I, 645 Ver *Kapila*
Capital Punição, Ver *Punição Capital*.
Capitalismo I,645
Capitais, pecados, Ver *Sete Pecados Capitais*.
Capitão I, 647
Capitão do Exército I, 647
 Ver o artigo sobre *Capitão, Usos Figurados*.
Capitel, 647
Capítulos e Versículos da Bíblia I, 647
Capuchinhos I, 648
Caraatalá I, 648
Características da lei, Ver *Lei, Características da*.
Características do liberalismo,
 Ver *Liberalismo*, III.7.
Características do milênio,
 Ver *Milênio*, 7.
Características dos pagãos,
 Ver *Vícios*, II.
Caraítas I, 648
 O nome dado a uma seita judaica do Oriente
 A história do grupo
 Ver também *Judaísmo*, II.6.
Caráter I, 648
Caráter Ímpar de Cada Indivíduo I,648 Ver *Novo Nome e Pedra Branca*.
Caráter Indelével I, 648
 Ver também o artigo sobre *Caráter Sacramental*.
Caráter, Moral e Espiritual I, 648
Caráter Sacramental I, 650
 As crenças de muitos teólogos
 Na prática
 A Igreja Ortodoxa Oriental
 No tocante aos grupos cristãos não-cerimonialistas
 Ver o artigo sobre a *Lei Cerimonial*

e sobre os *Sacramentos*.
Caravana I, 650
Carbaritas I, 651
Carbono-14 I, 651
 Medição pelo radiocarbono
 Descrições dos processos químicos
 Ver os artigos sobre *Astronomia e Arqueologia*.
 Ver também *Sudário de Cristo*, primeiros parágrafos.
Carbúnculo I, 651
Carca I, 651
Carcaça I, 651
Carcas I, 651
Cardan, Girolamo I, 651
Cardeal I, 652
Cardeais, pecados, Ver *Sete Pecados Capitais*.
Cardo I, 652
Careá I, 652
Carem I, 652
Carey, William I, 652
Cária I, 652
Caridade I, 652
 Ver também sobre *Esmolas*.
 A caridade cristã
 Um aspecto da lei do amor
Carisma, Ver *Movimento Carismático*.
Carismata I, 653
 Ver também sobre *Dons Espirituais e Movimento Carismático*.
Carismático, movimento, Ver *Movimento Carismático*.
Carlstadt, Andreas Rudolf Bodenstein, I, 653
Carlyle,Thomas I, 653
Carma I, 654
 Ver sobre *Karma e Semeadura e Colheita, Lei da*.
Carmanianos I, 654
Carmelitas I, 654
Carmelo I, 654
Carmesim I, 654
Carmi I, 654
 Três homens do AT
Carmis I, 655
Carnal I, 655
Carnal, homem, Ver *Homem Carnal*.
Carnalidade, Ver *Carnal e Carne*.
Carnap, Rudolf I, 656
Carne I, 656
 Esboço
 I. Idéias Básicas
 II. A Carne Não é Pecaminosa
 III. A Carne é Fraca
 IV. Usos Metafóricos e Espirituais
 V. O Corpo Não-Físico
 VI. A Comunhão Mística com Cristo
 VII. Palavras Envolvidas
Carne e sangue, comer, beber,
 Ver *Comer a Carne e Beber o Sangue de Jesus*.
Carne Oferecida aos Ídolos I, 657
Carneádes I, 657
Carneiro I, 657 Ver *Ovelha*.
Carneiros, peles de, Ver *Peles de Carneiros*.
Carnes oferecidas aos ídolos,
 Ver *Ídolos, Carnes Oferecidas aos*.
Caro, José I, 657
Carolinas, Mestres,
 Ver *Mestres Carolinas*.
Carpinteiro I, 657
 Ver também sobre *Artes e Ofícios*.
Carpinteiro José, História de,
 Ver *José, o Carpinteiro, História de*.
Carpo I, 658
Carquêmis I, 658
 Uma cidade hitita
Carquêmis, batalha de,
 Ver *Jeremias (o Profeta)*, III.1; 3.c.
Carrapato, Ver *Mosquito (Piolho,*

CARRIÇAL – CEIA

Carrapato).
Carriçal, Ver *Prado (Carriçal).*
Carro I, 658
Carroll, Lewis I, 658
Carros do Sol I, 659
Carruagem I, 659
  1. Carruagens egípcias
  2. Carruagens assírias
  3. Carruagens cananéias
  4. Carruagens dos hebreus
  5. Uso das carruagens
  6. No NT
  7. Usos figurados
Carsena I, 660
Carta, Ver *Epístola.*
Carta (Letra), Ver *Letra (Carta) e Epístola.*
Carta I, 660
Cartá I 660
Carta a Laodicéia, Ver *Laodicéia, Carta do Apocalipse.*
Carta a Pérgamo, Ver *Pérgamo, Carta (Epístola a).*
Carta a Tiatira,
  Ver *Tiatira (Igreja e Carta à).*
Carta de Behan, A, Ver *Livros Apócrifos (Modernos), 7.*
Carta de Direitos I, 660
  Uma série de documentos constitucionais que enumeram as liberdades fundamentais do indivíduo
  Ver também sobre *Direitos Civis, Direitos e Direitos Naturais.*
  História
Carta de Divórcio I, 661
  Ver *Divórcio, Carta (Termo) de.*
Carta de Jeremias,
  Ver *Jeremias, Carta de.*
Cartas de Inácio I, 661
  Ver *Inácio, Cartas de.*
Cartas de Mari, Ver *Mari,* 3.d e 4.
Carta de Paulo e Sêneca, Ver *Paulo e Sêneca, Cartas de.*
Cartas de Tell El-Amarna,
  Ver *Tell El-Amarna,* IV.
Cartesianismo I, 661
Cartusianos I, 661
Carvalho I, 661
Carvalho de Moré,
  Ver *Moré, Carvalho de.*
Carvalho de Tabor,
  Ver *Tabor, Carvalho de.*
Carvalho dos Adivinhadores I, 661
  Ver também *Meonerim, Carvalho de (Carvalho dos Adivinhadores).*
Cãs I, 661
Casa I, 662
  Esboço
  I. Antes de Israel e no Começo de Israel
  II. As Casas no Oriente
  III. Desenvolvimentos Arquiteturais
  IV. Usos Metafóricos
Casa das Armas I, 663
Casa de César I, 663
Casa de Deus, Ver *Betel.*
Casa de Inverno I, 664
Casa do Bosque do Líbano I,664
  Ver também sobre *Palácios.*
Casa do Pai, Ver *Pai, Casa do.*
Casa do Tesouro I, 664
Casa dos Depósitos I, 664
Casamento I, 664
  Ver o artigo sobre *Matrimônio.*
Casamento como veículo espiritual,
  Ver *Matrimônio,* IX.
Casamento Comunal I, 664
Casamento cristão, Ver *Matrimônio,* XII.
Casamento da Lei Comum I, 664
  Vantagens
  Desvantagens
Casamento entre Pessoas de Raças Diferentes I, 665
  1. Do ponto de vista cristão
  2. A Bíblia
  3. As considerações meramente humanas
    a. Ética
    b. Condições sociais
    c. Atitudes culturais diferentes
    d. A saída da terra nativa para um dos elementos ao casal
Casamento, Impedimentos ao I, 665
  Ver *Impedimentos ao Casamento.*
Casamento Infantil I, 665
Casamento, informação histórica.
  Ver *Matrimônio,* II.
Casamento Levirato Ver *Matrimônio Levirato e Matrimônio,* IV.
Casamento Misto I, 666
  Os ensinos de Paulo
  Sete conceitos são examinados
Casamento no Novo Testamento,
  Ver *Matrimônio,* II, 6.
Casamento novo,
  Ver *Novo Casamento.*
Casamento plural
  Ver *Concubina e Poligamia.*
Casamento, santidade do,
  Ver *Matrimônio,* X.
Casamento, símbolos do,
  Ver *Matrimônio,* XIII.
Casamentos mistos,
  Ver *Matrimônio,* IX.
Casfor I, 666
Casífia I, 666
Casluim I, 666
Caspis (Caspim) I, 667
Cássia I, 667
Cassiano, João I, 667
Cassiodorus, Magnus Aurelius I, 667
Cassirer, Ernst I, 667
Castanhas, Ver *Pistácia, Castanhas.*
Castanholas I, 667
  Ver *Instrumentos Musicais.*
Castas I, 667
Castas no hinduísmo,
  Ver *Hinduísmo,* VI.9.
Castelo I, 668
Castidade I, 668
Castigar, Ver *Castigo, Castigar e Julgamento.*
Castigo, Castigar I, 669 Ver diversos artigos sobre *Julgamento.*
  Palavras relacionadas ao castigo
  Princípios que governam o castigo
  Sete idéias são apresentadas
Castigo como remédio, Ver *Castigo, Castigar, 2 e Restauração.*
Castigo Eterno I, 670
  Ver sobre o *Julgamento de Deus dos Homens Perdidas.*
Castigo Futuro I, 670
Castor e Pólux I, 671
  Ver sobre os *Dióscuros.*
Castro, Fidel, destruidor da Igreja,
  Ver *Comunismo,* 8. Ver também *Teologia da Libertação* III, VII
Casualismo I, 671
Casuísmos I, 671
Catacumbas I, 671
Catadupas I, 671
  A ocorrência da palavra
Catão, Marcus Porcius I, 672
  Um filósofo estóico romano
Catarina de Alexandria I, 672
Catarina de Médici I, 672
Cátaros I, 672
Ver *Albigenses* I, 672
Catarse I, 672
Catate I, 672
Catecismo I, 672
  1. O termo
  2. Antigos catecismos
  3. O catecismo medieval
  4. O período da Reforma
  5. A catequese moderna
Catecismo de Heidelberg I, 673
  Ver *Heidelberg, Catecismo de.*
Catecismo de Westminster I,673
  Ver *Westminster, Catecismo de.*
Catecumenado I, 673
Catecúmeno I, 673
Cátedra I, 673
Catedral I, 673
Categoria I, 673
  1. O termo
  2. Na filosofia
Categorias da ética, Ver *Ética,* I. 7.
Categorias da mente, Ver *Idéia,* 12, III, 203.
Categorias de Kant, Ver *Kant,* 2.g.
Categorias místicas,
  Ver *Misticismo,* IX.
Categórico, imperativo,
  Ver *Imperativo Categórico.*
Catena I, 674
Catequese I, 674
Catequética I, 674
Cativeiro (Cativeiros) I, 674
Cativeiro Assírio I, 675
  Ver *O artigo geral sobre Cativeiro, Cativeiros.*
  O cativeiro das dez tribos de Israel
Cativeiro Babilônico I, 675
  O período histórico
  A comparação do cativeiro Assírio e Babilônico
Cativeiro Babilônico do Papado I, 676 Ver sobre *Avignon.*
Cativeiro de Israel, Ver *Cativeiro Assírio e Cativeiro Babilônico*
Cativeiro e hades,
  Ver *Cativeiro Levado Cativo.*
Cativeiro Levado Cativo I, 676
  Levou cativo o cativeiro Efé. 4:8
Cativeiros de Israel,
  Ver *Cativeiro Assírio o Cativeiro Babilônico.*
Católica Romana, Igreja, Ver *Igreja Católica Romana,*
Catolicismo,
Católicas, Epístolas, Ver *Epístolas Católicas.*
Catolicismo I, 676
  Ver os artigos sobre *Católico, Igreja Católica e Igreja Católica Romana, Catolicismo.* Ver também o artigo sobre *Aquina, Tomás de*
Catolicismo, ética do Ver *Ética Católica.*
Catolicismo anglicano.
  Ver *Anglo-Catolicismo.*
Catolicismo o ecumenismo,
  Ver *Movimento Ecumênico,* V.
Catolicismo e fé, Ver *Fé (Posições Católica Romana e Protestantes)*
Catolicismo liberal, Ver *Liberalismo Católico.*
Católico I, 676
  Definição do termo
  1. No ambiente cristão
  2. Pelos fins do século II D.C.
  3. Durante a Reforma protestante
  4. Usos modernos
Católico I, 677
  Um título dos patriarcas nestorianos e armênios
Católicos Antigos I, 677
Catua I, 677
Cauda I, 677
Cauda Gorda I, 678
Causa I, 678
  Treze filósofos falam sobre o assunto
  Causa e teologia
  O Logos e as causas de Deus Causa (em frases latinas) I, 679
  1. Causa cognoscendi
  2. Causa essendi
  3. Causa immanens
  4. Causa transiens
  5. Causa sui
  6. Vera causa
Causa, diversas considerações, Ver os artigos sobre *Causa (diversos).*
Causa Eficiente I, 679
Causa Final I, 679
Causa Formal I, 680
Causa Material I, 680
Causa na filosofia,
  Ver diversos artigos sobre *Causa.*
Causa Primeira I, 680
  Ver também *Primeira Causa.*
Causa Secundária I, 680
Causa Sui I, 680
Causalidade e identidade,
  Locke, sobre, Ver *Locke, John,* 12.
Causas, Ver diversos artigos sobre *Causa.*
Causas da poluição ambiental,
  Ver *Poluição Ambiental,* I.
Cavalaria I, 680
Cavaleiros de Colombo I, 680
Cavaleiros do Apocalipse, Ver *Cavalos, os Quatro do Apocalipse*
Cavalherismo I, 680
Cavalo I, 680
  Ver sobre *Cavalaria; Cavalos, Os Quatro do Apocalipse.*
  A domesticação do cavalo
  I. Origens
  II. Domesticação
  III. Referências Bíblicas
    Usos do cavalo
  IV. Referências Figuradas Cavalo amarelo, Ver *Cavalos, os Quatro do Apocalipse,* IV.
Cavalo branco, Ver *Cavalos, os Quatro do Apocalipse* III
Cavalo preto, Ver *Cavalos, os Quatro do Apocalipse,* III.
Cavalo vermelho, Ver *Cavalos, Os Quatro do Apocalipse,* II.
Cavalos do Apocalipse, Ver *Cavalos, os Quatro do Apocalipse*
Cavalos do Sol I, 682 Ver sobre o *Sol.*
Cavalos, freios dos, Ver *Freios dos Cavalos.*
Cavalos, os Quatro do Apocalipse I, 682
  O livro de Apocalipse é representado como selado com sete selos
  Os quatro cavalos dão os primeiros quatro selos
Cavalos, Porta dos I, 687
  Ver sobre *Porta dos Cavalos.*
Cavalsilas, Nickaloas I, 687
Caveira, Lugar da I, 687 Ver *Gólgota.*
Caverna I, 687
Caverna (Metáfora de Platão) I, 688
  Ver *Metáfora da Caverna de Platão.*
Céboro I, 688
Cebola I, 688
Cecília I, 688
Cedro I, 688
Cedrom I, 689
Cefas I, 689
Cegonha I, 689
Cegueira I, 690
  A incidência de cegueira
  A causa da cegueira de nascença
  A lei do AT
  Usos metafóricos Ver também *Enfermidades na Bíblia,* I.6.
Cegueira, mistério da, Ver *Mistério da Cegueira e Endurecimento de Israel.*
Cegueira Judicial I, 690
  Ver *Julgamento que Julgamento que Cega (Cegueira Judicial).*
Ceia do Senhor I, 690

Ver também sobre *Eucaristia*.
Celeiro I, 691
Celestial I, 691
  No grego
  Ocorrências bíblicas
  1. Em I Cor. 15:40,41
  2. O termo celestial
  3. Outro importante uso
  4. Os teólogos judaicos
Celestiais, lugares.
  Ver *Lugares Celetiais*.
Celibato I, 692
  Nove itens são discutidos terminando com uma conclusão e avaliação
Celibato e Jesus, Ver *Jesus*, III.3.d.7.
Celso I, 695
Cem, Torre dos I, 695
Cemitério I, 695 Ver também o artigo sobre *Sepultamento, Costumes de*.
Cenáculo Ver *Sala Superior*, I, 695
Cencréia I, 696
Cendebeu I, 696
Cenobita I, 696
Censor, Censura I, 696
Censura de uma pessoa contra outra, Ver *Julgamento (Censura) de uma Pessoa Contra Outra*.
Cento e Quarenta e Quatro Mil I, 697
Apo. 7:4
  As três posições extremas das interpretações
  Outros pontos de vista sobre o simbolismo desse número
Centurião I, 698
Cera I, 698
Cerâmica I, 699
  Ver *Oleiro (Olaria; Cerâmica)*.
Cerca I, 699
Cerro I, 699 Ver *Guerra*.
Cerebral, lavagem,
  Ver *Lavagem Cerebral*.
Cérebro I, 699 Ver *Órgãos Vitais*, I.
Cerimonial, lei, Ver *Lei Cerimonial*.
Ceríntios I, 699
Cerinto I, 699
Certeza e Dúvida I, 699
Certeza Segundo a Crença Religiosa I, 700
  As quatro maneiras básicas de chegar ao conhecimento
  1. O empirismo
  2. O racionalismo
  3. A intuição
  4. O misticismo
  As evidências em favor da validade de algumas experiências místicas
  O conhecimento da pessoa religiosa
  A obtenção da verdade
Certeza Segundo a Filosofia I 701
Cerulário, Miguel I, 701
Cerviz dura, Ver *Dura Cerviz*.
César, I, 701
Cesareano, tipo de texto do Novo Testamento, Ver *Manuscritos Antigos do NT*, VI, Vol. IV.
Cesaréia I, 701
Cesaréia, Eusébio de,
  Ver *Eusébio de Cesaréia*.
Cesaréia de Filipe I, 703
Cesário de Arles I, 703
Cesário de Heisterbach I, 703
Cesaropapismo I, 703
Cesto de Junco I 704
Cesto de Junco, de Moisés I, 704
  O vocábulo hebraico
  A recompensa pela fé da mãe de Moisés
Ceteris Paribus I, 704
Ceticismo I, 704
  Introdução
  I. Ceticismo na Filosofia
  II. Ceticismo e Desobediência
  III. O Ceticismo Leva a Rebelião Espiritual

IV. O Provincialismo do Ceticismo
V. Ceticismo Honesto e Ceticismo Desonesto
VI. A Utilidade do Ceticismo
Ceticismo e o conceito de Deus, Ver *Deus*, III. 15.
Cetro I, 706
Céu I, 707
  Esboço
  1. A palavra hebraica e a palavra grega
    a. Shamayin ou shemayin
    b. Ouranós
  2. Os céus materiais
  3. Os céus não-materiais
  4. A pluralidade dos céus
  5. Os céus em dois níveis
  6. Relação entre Cristo o os céus
  7. Os lugares celestiais de Paulo
  8. O destino final do homem nos céus
Céu (Firmamento) I, 709
Céu (Terceiro) I, 709
  Ver o artigo sobre o *Terceiro Céu*.
Céus, Ver *Céu*.
Céus, exército dos,
  Ver *Exército dos Céus*.
Céus e os lugares celestiais,
  Ver *Céu*, 7.
Céus Novos, Terra Nova I, 709
  Ver *Nova Criação*.
Ceva I,709
Cevada I, 709
Châlon Sur-Saone, Concílios de I, 710
  Os anos dos concílios
Chamada I, 710
Chamados Muitos, Escolhidos Poucos I, 710
Chaminé I, 711
Champeaux, Guilherme de I, 711
Champlin, Russell Norman I, 711
Chance I, 711 Dez conceitos são examinados
Chang Tsai I, 713
Chang Tsai sobre o materialismo, Ver *Materialismo*, III.5.
Chang Tung-Sun I, 713
Channing, Willlam Ellery I, 714
Chapéu I, 714
  Ver o artigo sobre *Vestimentas*.
Characteristica Universalis I, 714
Charis, Ver *Graça*, especialmente, VIII.
Charismata I, 714 Ver os artigos: *Dons Espirituais; Dom e Movimento Carismático*.
Chartismo I, 714
Chartres I, 714 Uma escola francesa
Charvaka I, 714
  Um sistema filosófico
  Idéias
  Ver também *Ceticismo*.
Chasidismo I, 714
  Ver sobre *Assidismo*.
Chave I, 714
  Ver também sobre *Chaves*.
  No hebraico
  As chaves da antiguidade
  A associação da chave com o conhecimento
  O simbolismo
Chaves I, 715
  I. Declaração Geral
    A metáfora No NT
    As chaves que abrem o reino
  II. As Chaves e Pedro, Mat. 16:19
    Tenho as chaves da morte e do inferno
    Morte
    A chave do hades
  III. Chaves de Davi
    Que abre e ninguém fechará, e que fecha e ninguém abre
Chaves de Pedro,
  Ver *Pedro (Apóstolo)*, VIII.4.

Chefe I, 716
  Treze palavras hebraicas e gregas são discutidas
Chefe da Sinagoga I, 717
Cheiro I, 717 Ver *Odor*.
Chemnitz, Martim I, 717
Ch'eng, Ver *Li*, I.
Ch'eng I, 717
Ch'eng I Lu Hsian-shan, Ver *Li*, I.
Chenobsokion I, 717
  Ver *Nag Hamade, Manuscritos de*.
Checter Beatty, Papiros de I, 717
  Ver *Papiros de Chester Beatty*.
Chesterton, Gilbert Keith I, 717
  Suas datas
  Um autor e jornalista inglês
Ch'i, Ver *Li*, I.
Chibolete, Sibolete I, 717
Chifres I, 718
  Usos bíblicos
  Usos metafóricos
Chifres do Altar I, 718
  Ver também o artigo sobre *Cidades de Refúgio*.
Chifres, sete, Ver *Sete Cabeças e Sete Chifres*.
Chih Tao-Lin I, 718
Chi I I, 718
  Suas datas
  Um filósofo chinês
  Sua vida
Chile, embalsamamento em, Ver *Embalsamar (Embalsamamento)*, 5.
China, Religião e Filosofia da I, 718
  7Ver *Religião e Filosofia Chinesas*.
Chipre I, 718
Chisholm, Roderic I, 719
Chi-Tsang I, 719
Choba I, 719
Chola I, 719
Chomsky, A. Noam I, 719
Choro I, 720
  A idéia do choro humano
  A expressão de diversas emoções humanas
Chou Tun-I I, 720
Ver também *Li*, 1.
Chuang Tzu I, 720
Chubb, Thomas I, 721
Chu Hsi I, 721
  Ver também *Li*, 1.
Chumbo I, 721 Ver também sobre *Minas, Mineração*.
Chuva I, 721
Chuvas Anteriores e Posteriores I, 722 Ver o artigo sobre *Chuva*.
Chuvas da Primavera I, 722
  Ver sobre *Chuvas*.
Ciamom I, 722
Cibele-Átis I, 722
  Ver sob *Religiões Misteriosas*, 2.
Cibernética I, 722
Cícero, Marcus Tullius I, 723
Cicílio I, 723 Ver *Saco*.
Ciclo do Tempo I, 723
  Filosofia da história
Ciclos do destino
Ciclos do tempo, Ver *Ciclo do Tempo*.
Ciclos o precognição, Ver *Precognição (Conhecimento Prévio)* I .7.
Cidadania I, 724
Cidadania espiritual,
  Ver *Cidadania*, 4.
Cidade I, 725
  Esboço
  1. As palavras
  2. Primeiras referências bíblicas
  3. A cidade: revolução social
  4. Antigas cidades hebréias
  5. Cidades não-israelitas
  6. Nos dias do NT
Cidade Baixa I, 728
Cidade Celestial,

Ver *Nova Jerusalém*.
Cidade Cercada I, 729
Cidade da Destruição I, 729
  Ver *Heliópolis*.
Cidade das Palmeiras I, 729
Cidade de Adão,
  Ver *Adão, Cidade de*.
Cidade de Davi I, 729 Ver *Sião*.
Cidade de Deus I, 729
  Obra literária de Agostinho
  Ver também sobre *Igreja e Estado*.
Cidade de Enoque I, 729
  Ver *Enoque, Cidade de*.
Cidade de Moabe I, 729
Cidade do Sal I, 729
  Ver também *Sal, Cidade do*.
Cidade do Sol I, 729
  Ver também sobre *Sol, Cidade do e Baalbeque e Heliópolis*.
Cidade santa, Ver *Jerusalém e Nova Jerusalém*.
Cidadela I, 730
Cidades-Armazéns I, 730
Cidades da Babilônia,
  Ver *Babilônia*, 6.
Cidades da Campina I, 730
  O sentido básico
  A área
Cidades de Refúgio I, 731
  Ver o artigo separado sobre *Cidade*.
  Cades
  Tipologia
  Contrapartes modernas
Cidades do vale do Rio Jordão, Ver *Jordão (Rio)*, IX.
Cidades dos levitas, Ver *Levitas, Cidades dos*.
Cidades e Colônias Romanas I, 731
Cidades Leviticas I, 732 Ver *Levitas, Cidades dos*.
Ciência I, 732 Ver *Religião e a Ciência*.
Ciência Cristã I, 732
Ciência e a alma, Ver *Abordagem Científica à Crença na Alma e em Sua Sobrevivência Ante Morte Física entre os artigos Imortalidade*.
Ciência e a filosofia, Ver *Filosofia da Ciência*
Ciência e a religião Ver *Religião, e a Ciência*.
Ciência e ética, Ver *Ética e a Ciência*.
Ciência e liberalismo,
  Ver *Liberalismo*, II.6; III.8.c.
Ciência e milagres, Ver *Milagres*, VI.
Ciência e o espírito, Ver *Espírito*, IV.
Ciência e religião, Ver *Religião*, VII e *Religião e a Ciência*.
Ciência, filosofia da, Ver *Filosofia da Ciência*.
Ciência na Bíblia I,732
  I. A Bíblia e o Método Científico
  II. Ciência Natural
  III. Toda a Realidade que Pode Ser Experimentada
  IV. A Ciência e a Teologia Cilícia I, 735
Címbalo I, 735
  Ver sobre *Música e Instrumentos Musicais*.
Cimento (Argamassa) I, 735
Cimérios I, 736
Cinamorno I, 736
Cinco Argumentos de Tomás de Aquino em Favor da Existência de Deus I, 736
  Comentário de F.C. Copleston
Cinco Argumentos em Prol da Existência de Deus I, 741
Cinco Pilares do Deísmo I ,742
  Ver também o artigo geral sobre *Deísmo*.
Cinco Pontos do Arminianismo I, 742

CINCO – COGITO

O protesto dos armimanos
Os cinco pontos discutidos
Cinco Pontos do Calvinismo I, 742
Ver também os artigos sobre *Calvino, João e sobre o Calvinismo*.
Avaliação dos pontos do arminianismo e os cinco pontos do calvinismo
1. Os sistemas
2. O princípio do paradoxo
3. O princípio da polaridade
4. O problema da perseverança dos santos
5. O orgulho o a arrogância dos sistemas teológicos
Cingir o Navio I, 744
Ver sobre *Navios e Embarcações*
Cínicos, Cinismo I, 744
Uma poderosa corrente filosófica que perdurou do séc. V a.C. ao séc. V d.C.
Ver também *Escolas Filosóficas do NT*.
Cinismo, ética do, Ver *Ética*, IV. 1.
Cintas I, 744
Cinto I, 744
Cinturão como símbolo da verdade, Ver *Armadura, Armas*, V. 1.
Cinzas I, 745
Cipreste I, 745
Ciprano de Cartago I, 745
Círculo I, 745
Círculo de Viena I, 746
Ver *Viena*, Círculo de.
Círculo Mágico I, 746
Ver *Magia*, Círculo da.
Circum-Ambulação I, 746
Usos do rito
Circuncisão I, 746
Esboço
I. A Palavra
II. Antiguidade e Uso Largamente Espalhado
III. Origem o Propósitos
IV. No Judaísmo
V. Considerações no NT
Circuncisão, Partido da I, 746
Ver também sobre *Circuncisão*.
Qual é a argumentação em prol da circuncisão?
As falhas dos argumentos
Substituições modernas
Circuncisão, substituições modernas da, Ver *Circuncisão, Partido da*, Vol. I, últimos parágrafos
Circuncisão de Timóteo I, 750
Circuncisão e o cristianismo, Ver *Circuncisão*, V.
Circuncisão Falsa I, 750
Circuncisão no NT, Ver *Circuncisão*, V.
Circunstâncias I, 751
A ética relativa;
Ver também *Ética*.
Cirenaicos, Cirenaísmo I, 751
Três escolas filosóficas que se desenvolveram com base nas idéias de Sócrates
Cirene I, 751 Ver também *Líbia*, último parágrafo.
Cirilo de Alexandria I, 751
Um patriarca de Alexandria
Cirilo de Jerusalém I, 752
Cirilo e cristologia, Ver *Cristologia*, 4.I.
Ciro I, 752
Chamado Ciro II, o Grande
Cirurgia I, 753 Ver sobre *Medicina*.
Cisco e Refugo I, 753
Cisma I, 753
Ver também sobre *Grandes Cismas*.
Cismas, os grandes, Ver *Grandes Cismas*.
Cistercienses I, 753
Uma ordem religiosa católica romana
Cisterna I, 753
Cita (Povo) I, 754
Ver *União em Cristo*, I. c, Cita.
Citações do AT pelos cristãos primitivos, Ver *Uso do Antigo Testamento pelos Cristãos Primitivos*.
Citações dos livros pseudepígrafos no NT, Ver *Livros Apócrifos*, IV.C.
Citações dos pais do NT, Ver *Manuscritos*
Artigos do NT I, IV.
Citações no NT I, 754
1. Números e tipos
2. Afinidades textuais
3. Estilo das citações do AT
4. Propósitos das citações do AT
5. Citações de fontes externas ao AT. Citações sobre o amor, Ver *Amor*, VIII.
Citópolis I, 756
Ciúme, Água de I, 756
Ver *Água Amarga. Ciúmes* I, 756
Civilização I, 756
Oito pontos discutidos
Civilização Cristã I, 757
Clã I, 758
Clairvaux, Bernardo de, Ver *Bernardo de Clairvaux*.
Clapham, Seita I, 758
Clarividência I, 758
Clark, Gordon Haddon I, 758
Clarke, Adam I, 759
Clarke, James Freeman I, 759
Clarke, Samuel I, 759
Claro, Clareza I, 759
Class, Gustav I, 760
Classe (na Filosofia) I, 760
1. Na opinião de Aristóteles
2. Indivíduos em sua multiplicidade
3. Desenvolvimentos posteriores
Classes, luta de, Ver *Luta de Classes*.
Classes de deuses, Ver *Deuses Falsos*, I.
Classes de literatura sagrada, Ver *Literaturas Sagradas*, 4.
Classes de nomes, Ver *Nomes*, III.
Classes Sociais I, 760
1. Elementos de distinção
2. Classes principais
3. As denominações religiosas e as classes sociais
4. A classe média como meio equilibrador
5. O NT e as classes sociais Clássico Argumento do Relógio, em Favor da Existênciade Deus I, 761
Classificação das raças, Ver *Raça*, I.B.
Classificação dos escritos neotestamentários, Ver *Epístola*, IV.
Clauberg, Johannes I, 761
Clauda I, 761
Claudia I, 761
Forma alternativa de *Cauda*
Cláudia I, 761
Cláudio I, 761
O nome do quarto imperador romano era Tibério Nero Druso Germânico
Cláudio e o cristianismo. Ver também sobre *Império Romano*, VI.
Cláudio de Turim I, 762
Cláudio Galeno, Ver *Galeno, Cláudio*.
Cláudio Lísias I, 762
Claustro I, 762
Claver, Pedro I, 762
Cleantes I, 762
Clearco I, 763
Clemente I, 763
Personagem do NT
Seria esse o mesmo Clemente de Roma?

Clemente I de Roma, Papa? I, 763
Clemente II I, 763
Clemente III I, 763
Clemente III (Antipapa) I, 763
Clemente IV I, 763
Clemente V I, 764
Clemente VI I, 764
Clemente VII I, 764
Clemente VIII I, 764
Clemente VIII (Antipapa) I, 764
Clemente IX I, 765
Clemente X I, 765
Clemente XI I, 765
Clemente XII I, 765
Clemente XIII I, 765
Clemente XIV I, 765
Clemente, Epístolas de I, 765
I. Primeira Epístola de Clemente
Esboço
1. Autor
2. Data
3. Propósito e conteúdo
4. Fatos importantes sobre a carta
5. Sua relação com o cânon do NT
6. Texto
II. II Clemente
III. Outra Literatura Clementina.
Não Autêntica Clemente de Alexandria I, 767
1. Vida
2. Obras principais
3. Idéias Quinze conceitos principais são discutidos
4. A teologia alexandrina e as denominações cristãs Clemente de Roma (Clemente I, Papa?) I, 769
Um dos primeiros bispos de Roma
Cléopas I. 769
Cleópatra I, 770
Várias princesas egípcias
Clérigos Regulares I, 771
Clérigos Seculares I, 771
Clero I, 771
Clero, Clerical I, 771
Clitômaco I, 771
Cloe I, 771
Clopas I, 771
Clóvis I, 772
Cluniacense I, 772
Cluny I, 772
Cluny, Bernardo de, Ver *Bernardo de Cluny*.
Cnido I, 772
Coa I, 772
Coabitação I, 772
Coate, Coatitas I, 773
Coberta I, 773
Coberta para a Cabeça, Véu I, 773
Cobertura dos olhos, Ver *Olhos, Cobertura dos*.
Cobiça I, 774
As palavras gregas e hebraicas
Definição; condenação no AT e no NT, exemplos na Bíblia
Pecado mortal
Cobra, Ver *Serpentes (Serpentes Venenosas)*.
Cobra (arquétipo), Ver *Jung*, Idéias, 7.b.
Cobre I, 774
Definições científicas
As demonstrações arqueológicas
Os produtores desse metal
As instruções de Moisés
Coceira I, 774 Ver *Doenças*.
Cocheiro I, 775 Ver também sobre *Carruagens no AT*
Codex I, 775
Origens da palavra
Definição da palavra
Usos nas Escrituras
Codex Alexandrinus,
Ver *Manuscritos Antigos do Novo Testamento*, III.5.A.
Codex Bezae,
Ver *Manuscritos Antigos do NT*.
Codex Borgianus, Ver *T*.
Codex Campianus,
Ver *M (Manuscritos)*.
Codex Cyprius, Ver *K*.
Codex Dublinenses, Ver *Z*.
Codex Ephraemi Rescriptus,
Ver *Manuscritos Antigos do Novo Testamento*, III.5.C.
Codex Koridethianua,
Ver *Manuscritos Antigos do Novo Testamento*, III.5.Theta.
Codex Mosquesis, Ver *V*.
Codex Nanianus, Ver *U*.
Codex Nitriensis, Ver *R*.
Codex Petropolitanus, Ver *Manuscritos Antigos do NT*, III.5.Pi. e Pi *(Codex Petropolitanus)*.
Codex Purpurus Petropolitanus,
Ver *N*.
Codex Regius, Ver *L*.
Codex Sinaiticus, Ver *Manuscritos Antigos do NT*, III.5. Aleph e S.
Codex Sinopensis, Ver *O*.
Codex Vaticanus, Ver *Manuscritos Antigos do NT*, III.5.B.
Codex Vaticanus 354, Ver *S* (segundo artigo).
Codex Washingtonianus, Ver *W*.
Codex Washingtonianus I,
Ver *Manuscritos Antigos do Novo Testamento*, III.5.w.
Codex Washingtonianus II,
Ver *Manuscritos Ant, do Novo Testamento*, III.5.I.
Códice Wolfii B,
Ver *H (Códice Wolfii B)*.
Código de Hamurabi I, 775
Ver sobre *Hamurabi, Código de*.
Código de Manu I, 775
Um poema métrico do hinduísmo
O seu conteúdo essencial
Código de Santidade I, 775
Ver *Santidade, Código da e J. E. D. P. (S.)*.
Código moral do comunismo,
Ver *Marxismo, Ética do*, 6.
Código Sacerdotal I, 775
A mais recente e mais ampla das quatro camadas literárias e legislativas principais do Pentateuco.
Ver *P (Código Sacerdotal) e J. E. D. P. (S.)*.
Códigos da Bíblia,
Ver *Lei da Código Bíblia*
Códigos éticos da medicina,
Ver *Medicina, Ética da*, III.
Códigos legais do Pentateuco,
Ver *Pentateuco*, I.9.
Codorniz I, 775
Uma ave limpa
Coele-Síria I, 776
Coelestini I, 776
Coelho I, 776 Ver sobre *Lebre*.
Coelho (Arganaz) I, 776
Coentro I, 776
Coerção I, 776
Coerência, Teoria da Verdade I, 777
Ver também sobre *Conhecimento e a Fé Religiosa, e Racionalismo*. A coerência como um critério da verdade
Cofe I, 777
Cogitabilitas, Princípio da I, 777
Cogitatio I, 777
Cogito, Ergo Sum I, 777
As palavras gregas para 'penso portanto existo'. A famosa declaração de Descartes,
Ver sobre *Racionalismo e também sobre Descartes*,

COGNIÇÃO – CONCÍLIO

Idéias, 3.
Cognição I, 778
Cognitivo I, 778
Cognoscendum, I, 778
Cohen, Hermann I, 778
 Ver também *Judaísmo*, II.20.
Cohen, Morris Raphael I, 778
Coincidência,
 Ver *Coincidência Significativa*.
Coincidência Significativa I, 778
 As coincidências que nos surpreendem e admiram
 As histórias do autor
 A história de Richard Bach
 O que é uma coincidência?
 Idéias:
 1. Carl Jung
 2. As piadas da natureza
 3. O tiquismo
 4. Sinais de desígnio
Coinerência I, 779
Coisa, Ver *Res*.
Coisa em Si I, 780
Coisas Consagradas I, 780
Coisas indiferentes, Ver *Indiferença Espiritual*.
Cola I, 780
Colaías I, 780
 Duas Personagens do AT
Colar,
 Ver *Pendente (Colar), e Pendentes*.
Colchas I, 780
Colchetes I, 780
Coleções de Cânones Apostólicos I, 780
Colégio Apostólico I, 780
Colégio de Cardeais I, 780
Colégio de Propagação,
 Ver *Propagação, Colégio de*.
Colégio Pontifical I, 781
Coleridge, Samuel Taylor I, 781
Colet, John I, 781
 Ver o artigo sobre os *Platônicos de Cambridge*.
Coleta I, 781
Coleta I, 782
Coletânea de livros do NT, descrita,
 Ver *Novo Testamento*, II.
Coletiva personalidade,
 Ver *Personalidade Coletiva*.
Coletivismo I, 782
Coletivo I, 783
Coletivo inconsciente,
 Ver *Inconsciente Coletivo*.
Coletores de Impostos I, 783
Coletaria I, 783 Ver também sobre *Impostos, Taxação*.
Colheita I, 784
 Ato de cortar e recolher o produto dos campos
 Os usos ilustrativos
 O Pentecoste
 Ver o artigo sobre o Calendário.
 Usos metafóricos
Colheita segundo a semeadura,
 Ver *Lei Moral da Colheita Segundo a Semeadura*.
Colheitas e festas,
 Ver *Festas (Festividades) Judaicas*.
Col-Hoze I, 784
Coligação I, 784
Colírio I, 784
Collingwood, Robin George I, 784
Colocíntidas I, 784
Colônia (Colonialismo) I, 785
Colonialismo,
 Ver *Colônia (Colonialismo)*.
Colóquio de Marburgo,
 Ver *Marburgo, Colóquio de*.
Colossenses I, 785
 Esboço
  I. Autoria
  II. Data e Proveniência

  III. Motivo e Propósitos
  IV. Integridade da Epístola
  V. Temas Principais
  VI. Confirmação Antiga e Aceitação
  VII. Estado do Texto Grego
  VIII. Conteúdo
  IX. Bibliografia
Colossos I, 795
 Uma cidade da Frígia às margens do rio Lico
 A chegada do evangelho a essa localidade
 As indústrias locais
 A prosperidade de Colossos
Colportagem I, 795
 Ver o artigo sobre o *Movimento de Tratados e Folhetos*.
Columbano I, 796
Coluna I, 796
 Oito palavras discutidas
 Definições e usos
 Usos Figurados
Coluna de Apocalipse 3:12 I, 797
 I. A Promessa
 II. Significados da Coluna
  Dez significados são discutidos
Coluna de fogo e nuvem,
 Ver *Colunas de Fogo e Nuvem*.
Colunas da Terra I, 797
Colunas de Fogo e Nuvem I, 797
Combustível I, 798
Comenius, João Amós I, 798
Comentários sobre a Bíblia I, 798
 Esboço
 Introdução
 a. Observações preliminares
 b. Utilidade
 c. O impulso para escrever
 d. O número grande
 e. Um testemunho
  I. Os Pais da Ária
  II. A Idade Média
  III. A Reforma Protestante
  IV. O Século XVII
  V. O Século XVIII
  VI. O Século XIX
  VII. O Século XX
  VIII. Comentários na Língua Portuguesa
  1. Série Cultura Bíblica
  2. Comentário Bíblico Moody
  3. O Novo Comentário da Bíblia
  4. Comentários individuais
  5. O Novo Testamento Interpretado
 Bibliografia
Comer I, 805
 Ver o artigo geral sobre *Alimentos*.
 Ver também o artigo geral sobre *Comer a Carne e Beber o Sangue de Jesus*.
Comer a Carne e Beber o Sangue de Jesus I, 805
 Em João 6:53
 As muitas interpretações são discutidas
 União com Cristo e participação na sua forma de vida
Comércio, Negócios e Intercâmbio I, 806
 Definição dos termos
 1. Intercâmbio local
 2. Intercâmbio no período intertestamental
 3. Comércio internacional
 4. Negócios
  Dinheiro; metais preciosos; moedas; banqueiros; no tempo do NT
Comida I, 813
 Ver *Alimentos*.
Comida Saborosa I, 813
 As referências no capítulo 27 de Gênesis

 A glutonaria
 Ver sobre a *Glutonaria*.
Cominho I, 813
Comissão, a Grande I, 814
 1. Ocasião histórica
 2. Versões bíblicas
  A versão de Marcos
  A versão de Lucas
  No evangelho de João
  No livro de Atos
Comissões Bíblicas, as I, 815
Comissões Eclesiásticas I, 815
 Na Igreja Católica Romana
 1. Comissões pontifícias
 2. Comissões prelaciais
 3. Comissões diocesanas
Communicatio Essentiae, I, 815
Communicatio Idiomatum I, 815
Communicatio Operationum I, 816
Compactatas I, 816
Compaixão I, 816
 O amor em ação
 No que consiste a compaixão?
Companheiro I, 816
Companheiro de Jugo I, 817
 A ocorrência em Fil. 4:3
 A quem Paulo se dirigia?
Comparação das religiões,
 Ver *Religiões Comparadas*.
Compensação, Princípio de I, 817
Competência I, 817
Competição I, 818
Complexo de caráter I, 818
Complexo de Édipo I, 818
 As lendas gregas.
 O nome Étipo, I, 818
 Ver sobre *Freud*.
Complexo de Electra I, 818
Comprar I, 818
 Ver sobre *Comércio e Viagem*.
Compreensão I, 818
Compulsão I, 820
Comte Augusto I, 820
 Um Filósofo francês
Comum I, 821
 As ocorrências bíblicas
 Pertencente a todos
 Ver sobre *Puro e Impuro*.
Comum, graça, Ver *Graça Comum*.
Comum, lei, Ver *Lei Comum*.
Comunhão I, 821
Comunhão Aberta ou Fechada I, 822
 Ver sobre a *Comunhão Fechada*.
Comunhão Anglicana I, 822
 Ver também sobre *Anglo - Catolicismo e Episcopalismo*.
Comunhão com as trevas,
 Ver *Separação do Crente*, VII.
Comunhão do Altar I, 823
Comunhão dos santos I, 823 Ver também *Santos (Eclesiásticos)*, IV.
Comunhão Fechada I, 823
Comunhão Santa I, 824
 Ver o artigo sobre a *Eucaristia*.
Comunhão universal, Ver *Comunhão dos Santos*.
Comunicação de almas-em grupo,
 Ver *Nova Era*, 3,4.
Comunicação de seres extra-terrenos,
 Ver *Nova Era*, 3,4.
Comunicação horizontal,
 Ver *Escrita*, I.A
Comunicação Indireta I, 824
Comicação vertical, Ver *Escrita*, I.B.
Comunidade I, 824
Comunidade Anglicana e os concílios,
 Ver *Concílios Ecumênicos*, VII.
Comunidade Anglicana sobre purgatório, Ver *Purgatório*, III
Comunidade de Bens I, 824
Comunidade de Inquirição I, 825
Comunidade de Interpretação I, 825
Comunidade de Qumran, Ver *Mar*

Morto, Manuscritos (Rolos) do, 5.
Comunidade do Espírito, Ver *Fundamento da Igreja, Cristo Como*, IV.
Comunidade Ilimitada I, 825
 Ver *Peirce, Charles S*., 13 e 14.
Comunidades Essênias,
 Ver *Essênios*, V.
Comunismo I, 825
 Esboço
 1. Definição
 2. Origens
 3. Platão
 4. Incidentes históricos
 5. Marx e Engels
 6. O comunismo e a Igreja
  a. A experiência de Jerusalém
  b. Estabelecimentos religiosos comunistas
  O comunismo Mórmon
  c. A Teologia da Libertação
 7. O comunismo e a ética
  O que dizer sobre a luta de classes?
  O lema de Karl Marx
 8. O comunismo e os mártires
  A Igreja cubana e o comunismo - uma ilustração
 9. Os serviços do comunismo
 10. O comunismo e a tradição profética Ver também *Marx, Karl (Marxismo)*.
Comunismo da Igreja primitiva,
 Ver *Comunismo*, 6.
Comunismo e a ética,
 Ver *Comunismo*, 7.
Comunismo e Platão,
 Ver *Comunismo*, 3.
Comunismo na Igreja,
 Ver *Comunismo*, 6 e a *Teologia da Libertação*.
Comunismo, seitas cristãs que praticaram, Ver *Comunismo*. 6.b.
Comunismo, serviços de,
 Ver *Comunismo*, 9.
Comutação da Penitência I. 829
Cona I,829
Conanias I, 829
 No hebraico
 O nome de duas personagens do AT
Conato I, 830
Conceição da Bendita Virgem Maria,
 Ver *Mariolatria*, 5.
Conceição Imaculada I, 830
 Ver *Imaculada Conceição*.
Conceito I, 830
Conceito básico de autoridade,
 Ver *Autoridade*, 5.
Conceito bíblico de Deus,
 Ver *Deus*, IV.
Conceito hebraico do universo,
 Ver *Astronomia*, 2.
Conceitos de Deus, Ver *Deus*, III.
Conceitos importantes do hinduísmo,
 Ver *Hinduísmo*, VI.
Conceitualismo I, 830
 Esse é o termo que expressa posição particular no tocante aos universais (Ver o artigo sobre *Justiça*).
Conceitualismo, Ver *Universais*, 11.3.
Conciliarismo, Ver *Movimento Conciliar (Conciliarismo)*.
Concílio I, 830
Concílio Americano de Igrejas Cristãs, Ver *Concílios Ecumênicos*, VIII.
Concílio de Ferrara-Florência,
 Ver *Ferrara-Florência, Concílio de*.
Concílio de Jerusalém I, 831
 O primeiro concílio da Igreja cristã
Concílio de Trento,
 Ver *Trento, Concílio de*.
Concílio Internacional de Igrejas Cristãs I, 832 Ver o artigo sobre

770

CONCÍLIO – CONSTÂNCIA

Concílios Ecumênicos.
Concílio Mundial de Igrejas, I 832
Ver o artigo sobre *Concílios Ecumênicos.*
Concílios Budistas I, 832
Concílios da Igreja, Ver *Concílios Ecumênicos.*
Concílios de Éfeso
Ver *Éfeso, Concílios de.*
Concílios de Lyons,
Ver *Lyons, Concílios de.*
Concílio de Nicéia, Ver *Nicéia, Concílio de.*
Concílios e autoridade, Ver *Concílios Ecumênicos, IX, e o artigo geral sobre Autoridade.*
Concílios e cristologia,
Ver *Cristologia*, 3
Concílios Ecumênicos I, 832
Esboço
 I. Importância dos Concílios
 II. Participantes
 III. Pontos de Vista Protestantes
 IV. Concílios Reconhecidos pela Igreja Católica
 V. Concifício Plenários e Outros
 VI. A Ortodoxia Oriental
 VII. A Comunidade Anglicana
 VIII. Os Grupos Protestantes
  O Concílio Mundial de Igrejas
  O Concílio Americano de Igrejas Cristãs
  A Associação Nacional de Evangélicos
 IX. O Antigo Problema da Autoridade;
Concílios Lateranos I, 835
 Os concílios lateranos de números 9, 10, 11, 12 e 18 entre os 21 concílios eclesiásticos da Igreja Católica Romana
Concílios Vaticanos, Ver *Vaticano, Concílios de.*
Conclave I, 835
Concomitância I,835
Companheirismo,
Concordância (Concordâncias da Bíblia) I, 835
Concordâncias da Bíblia,
Ver *Concordância.*
Concordâncias da Bíblia portuguesa,
Ver *Concordância, últimos cinco parágrafos.*
Concordata de Worms, Ver *Worms, Concordata de.*
Concórdia, Fórmula de I, 836
Ver também sobre *Fórmula de Concórdia.*
Concórdia, Livro da,
Ver *Livro da Concórdia.*
Concórdia de Wittenberg,
Ver *Wittenberg, Concórdia de.*
Concreto Universal I, 837
Concubina, I, 837
Concupiscência I, 838
Concurso I, 838
Condenação I, 839
Condenar I, 839
Condicional, imortalidade,
Ver *Imortalidade Condicional.*
Condições Atmosféricas I, 840
Ver *Palestina.*
Condillace, Étienne Bonnot de I, 840
Condimento, Ver *Condimentos.*
Condimentos I, 840
Conduta I, 841
Conduta Ideal I, 841
Cônegos, Ver *Cônegos (Cônegos).*
Conferência de Thorn I, 842
Ver *Thorn, Conferência de.*
Confessar, Confissão I, 842
Esboço
 I. Palavras Envolvidas

1. Yada
2. Homologéo
3. Eksomologéo
 No NT
II. Usos Bíblicos
III. Usos Eclesiásticos
1. A confissão pública de Cristo
 Os abusos
 Na antiga Igreja cristã
2. Com base na confissão oral e pública surgiu o credo formal escrito
3. A confissão da Igreja Católica Romana
 A confissão nas Igrejas Ortodoxa e Anglicana
 Requisitos da confissão
4. Substituições protestantes
Confessor I, 844
Confessor máximo,
Ver *Máximo, o Confessor.*
Confiar I,844
Confins, quatro da terra,
Ver *Quatro Seres Viventes.*
Confirmar, Confirmação I, 845
Confisco I, 846
Confissão, Ver *Confessar, Confissão.*
Confissão a um leigo,
Ver *Leigo, Confissão a Um.*
Confissão Auricular I, 846
Confissão Belga I, 846
Confissão da alma,
Ver *Livro da Vida*, IV.
Confissão de Cristo I, 846
Ver também o artigo geral sobre a *Confissão*
1. Seriedade do ato
2. Idéias doutrinárias
Confissão de Fé I, 847
Ver os artigos sobre *Confissão; Confissão de Cristo e Confissões da Igreja Histórica.*
Confissão de Fé de Dordrecht I, 847
Confissão de Pecados I, 847
Confissão de Pôncio Pilatos, a, Ver *Livros Apócrifos (Modernos)*, 6.
Confissão de Westminster, I, 847
Ver *Westminster, Confissão de.*
Confissão Escocesa I, 847
Ver *Escoceses, Confissão.*
Confissão Galicana I,847
Confissão pública,
Ver *Livro da Vida,* IV.
Confissão Tetrapolitana I,847
Ver *Sacramentarianos.*
Confissões da Igreja Histórica I, 847
Confissões de Agostinho I, 849
Confissões Helvéticas I, 849
Conflito de Deveres I, 849
Ver o artigo sobre *Transigência.*
Conflito de investidura, Ver *Investidura, Conflito de Investidura.*
Conflito entre a religião e a ciência,
Ver *Religião e a Ciência,* II.
Conformidade I, 849
 Definição do termo
1. Quanto às idéias
2. Quanto às práticas éticas
3. O modelo arquétipo
4. Conformidade ao exemplo
5. Conformidade eclesiástica
6. A independência mental e espiritual
Conformidade na natureza, Ver *Uniformidade na Natureza.*
Confúcio, Confucionismo I, 850
Ver também o artigo geral sobre a *Religião e a Filosofia Chinesas.*
Confusão das Línguas I, 851 Ver os artigos sobre *Babel, a Cidade e a Torre e Línguas, Confusão das.*
Congregação I, 851
Congregação como Termo Bíblico

I, 851
1. A assembléia ou assembléia solene. Termos que se aplicam ao povo de Israel
2. A assembléia dos chamados
3. A assembléia solene
4. No NT
5. Usos não-religiosos
6. O conceito de congregação
Congregação, Monte da I, 852
Ver *também Monte da Congregação.*
Congregacional, governo, Ver *Governo Eclesiástico*, II.3.
Ver *Congregacionalismo* I, 852
1. O termo
2. Situação histórica
 Períodos históricos distintos do congregacionalismo
3. O congrecionalismo como forma de governo
Congressos I, 853
Congruência, Incongruência I,853
Congruidade I, 853
Congruísmo I, 853
Conhecendo a Deus I, 854
Conhecendo o Amor de Cristo I, 855
Conhecimento, árvore do, Ver *Árvore do Conhecimento.*
Conhecimento, Conhecer I, 856
1. A palavra conhecimento
2. Principais usos da palavra conhecimento
3. Distinções e declarações filosóficas
4. O conhecimento da fé religiosa
5. O dom da fé
Conhecimento, dom de,
Ver *Dons Espirituais,* IV.13.
Conhecimento, modos do, valores relativos, Ver *Revelação (Inspiração),* V.
Conhecimento, natureza simbólica do, Ver *Símbolos e o Conhecimento.*
Conhecimento de Deus,
Ver *Deus,* VII.
Conhecimento e a Ética I, 857
1. O empirismo
2. No racionalismo
3. A intuição
4. No misticismo
5. Na razão
6. No positivismo
7. No pragmatismo
8. Dentro do pensamento cristão
Conhecimento e a Fé Religiosa I, 858
Esboço
 Introdução
Conhecimento linear
 Tales de Mileto (ver também seu artigo separado)
 Filosofia e a ciência
 I. Pontos de Vista Filosóficos sobre a Natureza as Fontes do Conhecimento
  1. Empirismo
  2. Racionalismo
  3. Intuição
  4. Misticismo
  5. Ceticismo
  6. Positivismo lógico
  7. Psiquismo
 II. Teorias da Verdade - Critérios
  1. Realismo (diversos tipos)
  2. Sentimentos
  3. Costumes e tradições
  4. Tempo
  5. Intuição (diversos tipos)
  6. Revelação (misticismo)
  7. Instinto
  8. Maioria
  9. Autoridade
  10. Correspondência
  11. Pragmatismo
 Sumário

Bibliografia
Conhecimento e fé, Ver *Fé para os Filósofos e Teólogos e Conhecimento e a Fé Religiosa.*
Conhecimento e profecia, Ver *Profecia, Profetas e o Dom da Profecia,* VIII, Ver também *Misticismo e Conhecimento e a Fé Religiosa.*
Conhecimento Espiritual I, 866
 I. Natureza de
 II. Seu Poder e Efeitos
 III. Os Ignorantes: Heb. 5:11
 Exemplos ruins
Conhecimento intuitivo, demonstrativo e sensitivo,
Ver *Locke, John,* 8,9,10.
Conhecimento, natureza parabólica do, Ver *Símbolos e o Conhecimento.*
Conhecimento Prévio I, 867 Ver *Precognição (Conhecimento Prévio).*
Conheço as tuas Obras I, 867 Apo. 2:2
Conotação I, 868
Ver também *Denotação.*
Conrado de Gelnhausen I, 868
Consagrado,
Ver *Consagrar, Consagração.*
Consagração da Eucaristia I, 868
Consagração de mulheres, Ver *Mulher, Consagração da Mulher.*
Consagradas, coisas, Ver *Coisas Consagradas.*
Consagrar, Consagração I, 868
Consalvi, Ercole I, 870
Consangüinidade, *Impedimento Marital* I, 870
Consciência I, 870
 Onze itens discutidos
Consciência (como Percepção) I, 871
 Dez itens discutidos
Consciência Cósmica I, 872
Consciência de Cristo I, 872
 Seis itens discutidos
Conselheiro (Aconselhamento) I, 874
 Os ministros evangélicos
 O nosso moderno e complexo mundo
 Ver também *Conselho, Conselheiro.*
Conselho, Conselheiro I, 875
 As ocorrências bíblicas
 O Messias como Conselheiro
 No NT
Conselho Plenário I, 875
Conselhos Evangélicos I 875
Consenso Comum,
 Argumentos de I, 875
 Os argumentos alicerçados sobre a aceitação quase universal de certas crenças
Consensus Gentium, I, 876
Consensus gentium, prova da existência de Deus, Ver *Deus,*IV,13.
Consensus Patrum I, 876
Consentimento I, 877
Conseqüencialismo I, 877
Conservação de Valor I, 877
Conservador, judaísmo,
 Ver *Judaísmo Conservador.*
Conservantismo Ético I, 877
Consistório I, 878
 Uma assembléia de oficiais eclesiásticos
 Origem do termo
Consolação I, 878
 Ver *Consolo, Consolação.*
Consolação e propósito,
 Ver *Propósito,* 4.
Consolador I, 878
Consolamentum I, 878
Consolo, Consolação I, 878
Consolo mental e paradoxos,
 Ver *Paradoxo,* III.8.
Constância I, 879 Ver *Perseverança.*

CONSTÂNCIA – CORPUS CHRISTI

Constância, Concílio de I, 879
  Ver também *Concílios Ecumênicos*, IV.16.
Constância na Natureza I, 879
  Ver *Uniformidade na Natureza*.
Constantino, doação de,
  Ver *Doação de Constantino*.
Constantino, o Grande I, 879
  Imperador romano (280-337 D.C)
  Sua vida
  Ver também *Império Romano*, XII.
Constantinopla, Concílios de I,879
  1. Concílio de 381 D.C.
  2. Concílio de 553 D.C.
  3. Concílio de 680 D.C.
  Ver também *Concílios Ecumênicos*, IV,2,5,6,8.
Constelações I, 880
  Ver também *Plêiades (e Outras Constelações); Sete-Estrelo*.
Consternação da morte, Ver *Morte*, V.
Constitucionalismo I, 880
Constituição de Israel,
  Ver *Israel, Constituição de*.
Constituições e Cânones Apostólicos I, 880
  As constituições apostólicas
  O concílio de Trullan
  Títulos e conteúdo
Constituições Papais I, 880
Construção,
  Ver *Construir, Construção*.
Construir, Construção I, 880
Consubstanciação I, 881
Cônsul I, 881
Consulta, Ver *Consultar*.
Consultar I, 881
Consumidor, fraude contra,
  Ver *Fraude contra o Consumidor*
Consumo Conspícuo I, 881
Contaminação, Ver *Contaminar*.
Contaminar I, 881
  As várias referências bíblicas
  Contaminação entre os judeus
Contar, Conto I, 882
Contemplação I, 882
  Onze itens discutidos
Contenda, Ver *Contendas*.
Contendas I, 883
Contender, Contendas I, 884
Contentamento I, 884
Conteúdo dos ensinos de Jesus,
  Ver *Ensinos de Jesus*, V.
Contextualismo I, 885
Continência I, 885
  A temperança e a restrição em relação a qualquer tipo de apetite sexual
  O sentido mais geral
Contingência I, 885
  O uso na filosofia e na teologia
  Sete itens discutidos
Contínua oportunidade, Ver *Infantes, Morte e Salvação dos*, 5.
Continuum I, 886
  Um conceito da realidade
  O grande Continuum
Contrabando I, 886
Contraceptivos I, 887
  Ver os artigos sobre *Aborto e Controle de Natalidade*.
Contraconversão I, 887
Contradição I, 887
Contradições bíblicas
Contradições teológicas
Contradições morais
Contra-Exemplo I, 887
Contra-Reforma I, 888
  Ver sobre a *Reforma Católica*.
Contratos I, 888
  A leitura de contratos
  Referências bíblicas
Contribuições da filosofia da ciência,
  Ver *Filosofia da Ciência*, IV.
Contribuições dos mártires,
  Ver *Mártir* IV.
Contrição I, 888
Controle de Natalidade I, 888
  Ver também o artigos relacionados: *Aborto; Anticoncepcionais, Esterilização,Controle de População*.
Controle de população,
  Ver *Controle de Natalidade*.
Controle do Próprio Ser I, 889
  Ver também *Autocontrole*.
Controles sociais sobre a população,
  Ver *Raça*, II. B. 1.
Controvérsia I, 890
Controvérsia de Gorham,
  Ver *Gorham, Controvérsia de*.
Controvérsia lapsária,
  Ver *Lapsarianismo (A Controvérsia Lapsária)*.
Controvérsia Lapsariana I, 891
Controvérsia legalista,
  Ver *Legalismo*.
Controvérsia sobre o nascimento virginal de Jesus, Ver *Nascimento Virginal de Jesus*, V.
Controvérsias entre Lutero e Erasmo,
  Ver *Lutero*, 12.
Controvérsias Iconoclásticas I, 891
  Ver também *Iconoclasmo (Controvérsias Iconoclásticas)*.
Convenção e a moralidade,
  Ver *Moralidade Convencional*.
Convencer, Convicção I, 892
Convencionalismo I, 892
Conventículo I, 892
Conventos I, 892
Conventuais I, 892
Conversão I, 892
  I. As Palavras Envolvidas
  II. Usos Bíblicos
  III. Tipos de Conversão
    1. Não-religiosa, política
    2. Conversão biológica
    3. O nascimento de um novo ser
    4. Uma resolução de conflito
    5. Uma revolução copernicana
    6. A conversão da mente sã
    7. A conversão bíblica
  IV. Elementos da Conversão Bíblica
  V. Bases Espirituais
Conversão de Paulo I, 893
  Ver também *Paulo (Apóstolo)*. 1.2.
Convicção Como Certeza Espiritual I, 895
Convidado I, 895 Ver também artigo sobre *Hospitalidade no NT*
Convidados para o Casamento I, 895
Convocação Militar I, 895
Convocação Santa I, 896
Cooperação, a Grande I, 896
  Em II Cor. 5:1
  A grande cooperação
Cooperadores Deus I, 896
Coorte I, 897
Coorte Imperial I, 897
Copeiro I, 897
Copérnica, astronomia,
  Ver *Astronomia Copérnica*.
Copérnico, Nicolau I, 897
Copo I, 898
Cóptica, Igreja, Ver *Igreja Cóptica*.
Cor I, 899   Ver sobre *Cores*.
Cor I, 899 Ver *Pesos e Medidas*.
Cor, barreira de, Ver *Barreira de Cor*.
Coração I, 899
  I. Uso Geral
  II. A Perversão de Coração
  III. A Variedade de Usos da Palavra
Coração, razões do,
  Ver *Razões do Coração*.
Coração, singeleza de,
  Ver *Singeleza de Coração*.

Coragem I, 899
Coral I, 900
Coral (Hino) I, 900
Corantes I, 900 Ver *Tintureiros*.
Corasã I, 900
Corazim I, 900
Corbã I, 901
Corça I, 901
Corça da Manhã I, 901
Corço I, 901
Córcova,
  Ver *Enfermidades na Bíblia*, I.11.
Corda I, 901
Corda (cordão) de prata,
  Ver *Cadeia (Pio de Prata)*.
Cordão I, 902
Cordão umbilical,
  Ver *Umbigo (Cordão Umbilical)*.
Cordeiro I, 902, Ver *Ovelha*.
Cordeiro da Páscoa,
  Ver *Páscoa, Cordeiro da*.
Cordeiro de Deus I, 902
  I. Em João 1:29
    1. O cordeiro pascal
    2. A crença de que nenhum cordeiro sacrificial esteja em foco nesse trecho
    3. As ofertas pelo pecado
    4. Cristo como o cordeiro de Deus
    5. A necessidade de aceitar várias alternativas
    Efeitos do sacrifício de Jesus
  II. Em Apo.5:5,6
    Cordeiro
    Como tinha sido morto
Cordel de medição,
  Ver *Medição, Cordel de*.
Coré I, 904
  O nome de dois Homens no AT
Coré (Corá) I, 904
  O nome de quatro ou cinco pessoas da Bíblia
Cores I, 905
  Usos literais
  Usos metafóricos
  Símbolos psicológicos
Coríntios, Primeira Epístola aos I, 907
  Esboço
  Introdução
  Caráter da Primeira Epístola aos Coríntios
  I. Autor
  II. Data e Proveniência
  III. A Igreja em Corinto
  IV. A Correspondência com Corinto
  V. Razão Desta Epístola
    A primeira porção
    A questão dos perturbadores da ordem
    O sétimo capítulo de primeira epístola
    As indagações sobre a natureza da ressurreição
    A epístola aos Romanos e sua época
  VI. Temas Principais
    1. O evangelho
    2. Os dons do Espírito Santo
    3. A repreenda contra o abuso
    4. A conduta sexual
    5. A conduta social e eclesiástica
    6. A segunda vinda de Cristo
  VII. Conteúdo
Coríntios, Segunda Epístola de Paulo aos I, 915
  Introdução
  I. Autor
    a. A liderança de Paulo é desafiada
    b. Desígnio de Paulo é o motivo da escrita dessa epístola
    e. Autoridade dessa epístola
  II. Data

  A chamada epístola severa
  III. Proveniência
  IV. Correspondência Paulina com Corinto
    1. Questão da integridade desta epístola
    2. A epístola de agradecimento
    3. Outras possíveis missivas
  V. Temas Centrais
    1. Deus Pai
    2. Realidade de Satanás
    3. O Senhor Jesus Cristo
    4. O Espírito Santo
    5. Autoridade do AT
    6. A imortalidade
    7. A função e os propósitos do sofrimento do crente
    8. A esperança cristã
    9. O uso do dinheiro
    10. Defesa do apostolado de Paulo
  VI. Conteúdo
  VII. Bibliografia
Coríntios, Terceira Epístola aos I, 923
Corinto I, 923
Cornélio I, 924
Coro I, 925
Coroa I, 925
  Esboço
  I. Termos Envolvidos
  II. No AT
    O uso da coroa
  III. Outras Culturas
    A arqueologia
  IV. A Coroa como um Símbolo Espiritual Ver também o artigo separado sobre *Coroas*.
Coroa de Espinhos I, 926
Coroa incorruptível,
  Ver *Coroas*, 2.a.
Coroas I, 926
  1. O simbolismo
  2. Tipos de coroas
  3. A perda de coroas
  4. Elementos importantes em II Tim. 4:8
  5. Em Apo. 3:11
Coroas de justiça, vida, glória e incorruptível, Ver *Coroas, 2.a.b.c.d.*
Corpo I, 928
Corpo de Cristo I, 929
  Expressão metafórica que aponta para a Igreja como parte integrante de Cristo
  As particularidades
  1. A aplicação à Igreja
  2. A totalidade dessas coisas haverá de ser concretizada em Cristo
  3. A expressão corpo de Cristo
  4. A controvérsia
  5. Princípios e observações
  Os princípios básicos
Corpo Espiritual I, 930
  Ver o artigo sobre *a Ressurreição*.
Corpo, Isto é Meu I, 930
  Diversas interpretações e debates
Corpo-mente, problema,
  Ver *Problema Corpo-Mente*.
Corpo, redenção do,
  Ver *Redenção do Corpo*.
Corpo ressurrecto, natureza do,
  Ver *Ressurreição e a Ressurreição de Jesus Cristo*, VI.
Corpo semifísico,
  Ver *Projeção da Psique*, Vol. V.
Corpo superfísico,
  Ver *Projeção da Psique*, Vol. V.
Corpo vital,
  Ver *Projeção da Psique*, Vol. V.
Corporal I, 932
Corporal, punição,
  Ver *Punição Corporal*.
Corpos Terrestres e Celestes I, 932
Corpus Christi I, 932

CORPUS – CRISTIANISMO

Corpus Hermeticurn I, 932
Correção I, 932
Correias I, 933
Corrente de Consciência I, 934
  Ver *Riacho da Consciência.*
Correspondência, Doutrina da I, 934
Correspondência, Teoria da Verdade da I, 934
Correspondência entre Paulo e Adgar
  Ver *Livros Apócrifas, NT*, 2.c.
Correspondência entre Paulo o Sêneca, Ver *Livros Apócrifos, Novo Testamento*, 2.c.
Corrida I, 934 Ver *Jogos.*
Corrupção 934
  A apresentação bíblica desse assunto
  As formas de corrupção
  No NT
Corrupção, Monte da I, 934
Corrupção moral na Igreja,
  Ver *Jezabel* (do NT).
Cortando o Nó Gordiano I, 934
Cortar, Golpear I, 934
Cortes Eclesiásticas I, 935
Cortesia I, 935
Cortina do Templo I, 935
  Ver *Véu do Templo.*
Cortinas I, 936
  As palavras hebraicas
  1. Doq
  2. Yeriah
  3. Masak
  A fabricação das cortinas do Tabernáculo,
Coruja I, 936
Corvo I, 936
Corvo Marinho I, 937
Cós I, 937
Cosã I, 937
Cosameu I, 937
Cosmético, Ver *Cosméticos.*
Cosméticos I, 937
  Sete itens discutidos
Cosmogonia I, 938
  Esboço
  I. Cosmogonias Antigas
  Idéias de cinco povos discutidas
  Sete interpretações que tentam reconciliar a ciência com Gênesis
  II. Indicações do NT
  III. Lições Morais e Espirituais
  Ver também sobre *Astronomia; Adilo; Cosmologia; e Criação.*
Cosmologia I, 942 I.
  1. Um ramo da filosofia
  2. A cosmologia científica
  3. A cosmologia teológica
Cosmologia de Ptolomeu,
  Ver *Ptolomeu, Teoria Cósmica de.*
Cosmologia do Pentateuco
  Ver *Pentateuco*, VII.
Cosmópolis I, 942
Cosmos I, 943
  O grego
  Inúmeras referências bíblicas
  Na teologia
Cosmos, argumento baseado no,
  Ver *Argumento Cosmológico.*
Cosmos usado para provar a existência de Deus, Ver *Argumento Cosmológico*
Costa Marítima I, 943
Costas I, 943
  Lado ou costela
Costas I, 943
Costela I, 944
  Ver *Mulher Feita de Costela.*
Costela, mulher feita de,
  Ver *Mulher Feita de Costela.*
Costume I, 944
  I. Na Filosofia
  II. Na Religião
Costumes de Natal, Ver *Natal*, III.

Costumes de sepultamento,
  Ver *Sepultamento, Costumes de.*
Costumes do casamento,
  Ver *Matrimônio*, II.
Costumes e tradições, teoria da verdade, Ver *Conhecimento e a Fé Feligiosa*, II.3.
Costumes Funerários I, 944
  Ver o artigo geral sobre *Sepultamento.*
Costurar I, 944
Cota de Malhas I, 944
  Ver também sobre *Armadura, Armas.*
Coulanges, Fustel de I, 944
  Suas datas
  Um historiador francês
Couraça I, 945
  Ver *Armadura, Armas.*
Couraça a como símbolo da justiça
  Ver *Armadura Armas*, V
Cournot, Antoine I, 945
Couro I, 945 Ver *Peles de Animais (Trabalho em Couro);*
  Peles de Animais Marinhos;
  Peles de Cabras;
  Peles de Carneiros;
  Peles de Ovelhas e Pêlos de Camelos.
Cousin, Victor I, 945
  Suas datas
  Filósofo francês
  Idéias
  Obras
Cova dos Leões I, 945
  O uso na Bíblia
  As menções
Côvado I, 945
  Ver também *Pesos e Medidas.*
Covenanters I, 946
Coverdale, Mytes I, 946
Coxa I, 946
Cozbi I, 947
Cozeba I, 947
Cozinhado I, 947
Cozinhar, Cozinheiro I, 947
Cozinhas I, 947
Cranmer, Thomas I, 948
  Reformador religioso inglês e arcebispo de Canterbury
Crantor I, 948
Crashaw, Richard I, 948
Crates I, 948
  Três filósofos gregos
Crátilo I, 948
  Um filósofo sofista grego
  Ver também *Sofistas*, I.
Crédito, Credor I, 948
Credo I, 949
  1. Credo quia absurdum est
  2. Credo ut intelligam
  3. Credo
  4. Na missa da Igreja Católica Romana
Credo Atanasiano I, 949
  Ver também *Credos da Cristandade.*
Credo Constantinopolitano I, 949
  Também conhecido como Credo Niceno-Constantipolitano
  Ver *Credos da Cristandade.*
Credo de Nicéia,
  Ver *Nicéia, Credo de.*
Credo de Toledo,
  Ver *Toledo, Credo de.*
Credo dos Apóstolos I, 950
Credo Niceno I, 950
  Ver *Nicéia, Credo de.*
Credo Quis Absurdum Est I, 950
  Ver o artigo sobre *Credo.*
Credo Quia Impossible Est I, 950
  Ver o artigo sobre *Credo.*
Credo Ut Intelligam I, 951
  Ver o artigo sobre *Credo.*
Credor, Ver *Crédito, Credor.*
Credos I, 951
  Os credos principais
  1. Classificação geral dos credos

cristãos
2. A autoridade dos credos
3. Considerações históricas
4. Inadequações
Credulidade I, 951
Creísmo fácil, Ver *Fácil Creísmo.*
Cremação I, 952 Ver sobre *Sepultamento, Costumes de.*
Cremer, Hermann I, 952
Crença (Crer) I, 952
  No que consiste o ato de crer?
  1. Na filosofia
  2. Na teologia
  3. Crença fácil
Crença e relativismo,
  Ver *Relativismo*, 3.
Crença melhor, prova da existência de Deus, Ver *Deus*, IV. 16.
Crença religiosa, certeza na,
  Ver *Certeza Segundo a Crença Religiosa.*
Crença Religiosa e o Problema de Verificação I, 952 Ver *Verificação de Crenças Religiosas.*
Crença Verdadeira Justificada I, 952
  Ver *Gettier, Problema de.*
Crença verdadeira, justificada, não-derrotada,
  Ver *Problema Corpo-Mente*, Introdução, Caracterização Geral, 4.
Crenças ilógicas, poder das,
  Ver *Le Bon, Gustave.*
Crenças religiosas, verificação de,
  Ver *Verificação de Crenças Religiosas.*
Crente, batismo de,
  Ver *Batismo de Crentes.*
Crente, julgamento do,
  Ver *Julgamento do Crente por Deus, e Julgamento de Cristo, Tribunal de.*
Crente e o Estado,
  Ver *Nacionalismo*, 5.
Crente julga outro,
  Ver *Julgamento de um Crente por Outro Perante a Lei.*
Crentes como um reino, Ver *Reino de Deus (ou dos Céus)*, IV.
Crentes como sacerdotes,
  Ver *Sacerdotes, Crentes como.*
Crentes, intercessão dos,
  Ver *Intercessão*, II.
Crescas, Hasdai Ben Abraham, I, 952
Crescente Fértil I, 952
Crescer, Crescimento I, 953
  Definição
  Meios espirituais de crescimento
  Ver *Crescer, Crescimento.*
Crescimento da teologia sobre a Virgem Maria, Ver *Mariologia*, III.
Crescimento espiritual e a meditação,
  Ver *Meditação*, 1.
Creta I, 953
Cretenses I, 953
Criação, I, 954
  Esboço
  I. Discussão Preliminar
  II. Origens da Criação
  Dez idéias são apresentadas
  III. Pontos de Vista Bíblicos da Criação
  IV. Significados da Criação
  V. Alguns Poucos Problemas Especiais
  VI. A Criação Cristocêntrica
  VII. Interpretações que Tentam Reconciliar a Ciência com Gênesis
  Avaliação e conclusão Criação, ansiedade da,
  Ver *Ansiedade da Criação.*
Criação, Realizada no, por Meio de e para o Filho I, 958
Criação, sujeição da, Ver *Sujeição da*

Criação.
Criação cristocêntrica,
  Ver *Criação*, VI.
Criação Espiritual I, 960
Criação Ex Nihilo I, 961
Criação Nova I, 961 Ver *Nova Criação; Criação Espiritual e Nova Criatura.*
Criacionismo I, 961
  1. No tocante a alma Dificuldades dessa opinião Criados do nada?
  2. Criacionismo cosmológico
  3. Criacionismo antropolólógico
  Ver também o artigo sobre *Evolução*
Criança I, 962
  1. O termo
  2. As Escrituras e as crianças Sete itens são discutidos
  3. Usos bíblicos figurados
  4. As crianças e a ética
  5. A idade da responsabilidade e da salvação Cinco idéias são apresentadas
Crianças, a Idade da Responsabilidade e da Salvação I, 965
  Ver os artigos: *Criança, e Infantes, Morte e Salvação dos.*
Crianças, as Três, Canção das,
  Ver *Três Crianças, Canção das.*
Crianças, bênçãos às,
  Ver *Benção às Crianças.*
Crianças de Deus,
  Ver *Filhos (Crianças) de Deus.*
Crianças moribundas e fenômenos psíquicos, Ver *Paropsicologia*, X.
Criatividade I, 965
Criatura nova, Ver *Nova Criatura.*
Criaturas Vivas I, 965
  Uma referência geral
Crime I, 966
Crimes contra Deus,
  Ver *Crimes e Castigos*, II.1.ss
Crimes contra o homem,
  Ver *Crimes e Castigos*, II.2.ss
Crimes e Castigos I, 967
  I. Elementos do Ensino Bíblico Quatro itens são discutidos
  II. Classificação dos Crimes Dezessete crimes são alistados e discutidos
  III. Sumário das Punições Seis punições são discutidas
Crimes sexuais, crimes contra o homem, Ver *Crimes e Castigos*, II.2.d.
Cripta I, 970
Criptocalvinismo I, 970
Crise, Teologia da I, 970
  Ver também *Dialética, Teologia da*
Crisipo I, 970
Crisma I, 971
Crisol I, 971
Crisólito I, 971
Crisoloras, Manuel I, 971
Crisópraso I, 971
Crisóstomo, João I, 971
Crispo I, 972
Cristandade I, 972
Cristão I, 973
Cristãos e as nações, Ver *Nações*, VII.
Cristianismo I, 973
  1. O termo
  2. Suas origens
  3. Principais períodos históricos
  4. Principais divisões históricas
  5. Idéias principais
  Caráter distintivo Cristianismo, como fé universal,
  Ver *Cristianismo*, 6.
Cristianismo e a ética,
  Ver *Ética Cristã.*
Cristianismo e as religiões misteriosas
  Ver *Religiões Misteriosas (dos Mis-*

CRISTIANISMO – CRÍTICA

térios), II.
Cristianismo e castas,
Ver *Castas, terceira parte*.
Cristianismo e escravatura,
Ver *Filemom*, V.
Cristianismo e o pessimismo,
Ver *Pessimismo*, 4º parág.
Cristianismo o reencarnação,
Ver *Reencarnação*, 1.d e 7.
Cristianismo e salvação,
Ver *Salvação e Salvação em Várias Religiões*, V.
Cristianismo Secular I, 977
Ver *Secularização do Cristianismo*.
Cristianismo teísta, Ver *Teísmo*, V.
Cristo I, 977
Introdução ao artigo
1. O termo
2. O Cristo vivo
   a. Jesus é o Messias
   b. Considerações modernas
   c. Afirmações com base na ignorância
3. A operação protestante Cristo, aparições após a ressurreição, Ver *Ressurreição e a Ressurreição de Jesus Cristo*, XIII.
Cristo, arquétipo dos ministros,
Ver *Ministério, Ministro*, V.
Cristo, ascensão de,
Ver *Ascensão de Cristo*.
Cristo como a Imagem de Deus,
Ver *Imagem de Deus, Cristo como*.
Cristo como a luz,
Ver *Luz do Mundo, Cristo como*.
Cristo como a luz do mundo,
Ver *Luz do Mundo, Cristo como*.
Cristo como a Páscoa,
Ver *Páscoa, V; Páscoa, Cristo como, e Cordeiro de Deus*.
Cristo, como a Verdade I, 978
Cristo como a Vida I, 979
Cristo como o Caminho I, 980
Cristo como o Fundamento da Igreja I, 980
Cristo como pastor, Ver *Pastor*, 5.
Cristo como profeta,
Ver *Ofícios de Cristo*, II.1.
Cristo como rei, Ver *Ofícios de Cristo*, II.3.
Cristo como sacerdote, Ver *Ofícios de Cristo*, II.2.
Cristo, Conhecer Segundo a Carne I, 980
Antes conhecemos a Cristo segundo a carne
Cristo-Consciência I, 980
Outro nome para a elevada iluminação
A visão beatífica
As revelações
Ver também o artigo sobre *Revelações*.
Cristo, dia de, Ver *Dia de Cristo*.
Cristo, Divindade de I, 981
Ver o artigo sobre a *Divindade de Cristo*.
Cristo, doutrina de Ver *Cristologia*.
Cristo, encarnação de
Ver *Encarnação de Cristo*.
Cristo, ensinos de, Ver *Jesus*, III.
Cristo, ensinos sobre,
Ver *Cristologia*.
Cristo, Enviado do Pai I, 981
Cristo o os pactos, Ver *Pactos*, III.
Cristo, exaltação de,
Ver *Exaltação de Cristo*.
Cristo, exclusividade de,
Ver *Exclusividade de Cristo*.
Cristo, expiação de,
Ver *Expiação pelo Sangue de Cristo*.
Cristo, Feito Pecado I, 981

Ele o fez pecado por nós
1. A linguagem
2. A explicação da palavra pecado
3. Um mistério
Cristo, fiel testemunha,
Ver *Testemunha Fiel, Cristo como Cristo, Filho santo de Deus*,
Ver *Santidade*, IV,V.
Cristo, fundamento da Igreja,
Ver *Fundamento da Igreja, Cristo como*.
Cristo, glória de,
Ver *Glória de Cristo*.
Cristo, Humanidade de I, 981
Ver o artigo sobre *Humanidade de Cristo*.
Cristo, identificação, Ver *Jesus*, I.
Cristo, imitação de,
Ver *Imitação de Cristo*.
Cristo, imutabilidade,
Ver *Imutabilidade de Cristo*.
Cristo, intercessão de,
Ver *Intercessão*, III.
Cristo, Kenosis de, Ver *Kenosis*.
Cristo, logia extracanônica de,
Ver *Oxyrhynchus, Ditados (Logia) de Jesus*.
Cristo, Luz do Mundo I, 981
Ver *Luz do Mundo, Cristo como*.
Cristo, mandamentos de,
Ver *Mandamentos de Cristo*.
Cristo, Mediador, o Único
Ver *Mediador, Cristo, o Único*.
Cristo, mente de,
Ver *Cristo-Consciência, Consciência Cósmica*;
Mente Universal, Mente Cósmica e Iluminação.
Cristo, Messiado de,
Ver *Messiado de Jesus, Apologia da Igreja*.
Cristo, messiado profetizado,
Ver *Profecias Messiânicas Cumpridas em Jesus*.
Cristo, ministério de, Ver *Jesus*, II.
Cristo, missão de, Ver *Missão Universal do Logos (Cristo)*.
Cristo, Missão Tridimensional de,
Ver *Restauração*, XIII.
Cristo, Missão Universal de I, 981
Ver *Missão Universal de Cristo*.
Cristo (Logos), Missão Universal de I, 982
Cristo-Misticismo I, 982
1. A expressão em Cristo
2. Participação na vida eterna
3. O significado de em Cristo
4. Em Cristo
5. Estar em Cristo
6. Estar identificado com a comunidade cristã
Ver as referências de *Romanos*
Cristo, Mito de I, 982
Ver *Morte de Cristo*.
Cristo, morte de, Ver *Morte de Cristo*.
Cristo, nascimento virginal de,
Ver *Nascimento Virginal de Jesus*.
Cristo, necessidade universal de,
Ver *Cristo, Necessidade Universal de*.
Cristo, noiva de,
Ver *Noiva, Noivo e Noiva de Cristo*.
Cristo, nosso paz, Ver *Paz*, II.
Cristo, o Corpo de I, 982
No NT
1. O corpo humano e literal de Cristo
2. O corpo de Cristo simbolizado na Ceia do Senhor
3. A Igreja
Implicações possíveis da metáfora
Implicações teológicas
Cristo, ofícios de,
Ver *Ofícios de Cristo*.
Cristo, oração do,

Ver *Oração do Senhor*.
Cristo, paixão de,
Ver *Paixão de Cristo (Semana da Paixão)*.
Cristo, palavra de, Ver *Palavra de Cristo e Palavra do Senhor*.
Cristo, pão da vida,
Ver *Pão da Vida, Jesus como*.
Cristo, pedra angular,
Ver *Pedras Angulares, sob Usos Espirituais e Figurados*.
Cristo, pioneiro,
Ver *Pioneiro, Jesus como*.
Cristo, plenitude de,
Ver *Plenitude (Pleroma) de Deus, Cristo como*.
Cristo, pleroma de Deus,
Ver *Plenitude (Pleroma) de Deus, Cristo como*.
Cristo, poder de, Ver *Poder de Cristo*.
Cristo, porta, Ver *Porta, Jesus como; e Porta das Ovelhas*.
Cristo, porteiro, Ver *Porteiro*, 3.
Cristo, precursor,
Ver *Precursor, Cristo como*.
Cristo, preexistência de,
Ver *Preexistência de Cristo*.
Cristo, primeiro e último,
Ver *Primeiro e Último, Títulos de Cristo*.
Cristo, primícias, Ver *Primícias*, IV.6.
Cristo, primogênito,
Ver *Primogênito*, III.
Cristo, princípio da criação,
Ver *Princípio da Criação, Cristo como*.
Cristo, profeta, Ver *Profecia, Profeta e o Dom da Profecia*, VI.
Cristo, propiciação, Ver *Propiciação*.
Cristo, redentor,
Ver *Redenção (Redentor)*, II.
Cristo, regenerador dos homens,
Ver *Regeneração e Novo Nascimento*.
Cristo, rei, Ver *Rei, Realeza*, 3,6.
Cristo, ressurreição de,
Ver *Ressurreição e a Ressurreição de Jesus Cristo*.
Cristo, restaurador de tudo, afinal,
Ver *Mistério da Vontade de Deus*.
Cristo, revolucionário?
Ver *Teologia da Libertação*, III.
Cristo, sabedoria de Deus,
Ver *Sabedoria de Deus*, II
Cristo, sacrifício de,
Ver *Sacrifício de Cristo*.
Cristo, salva pela vida,
Ver *Salvos pela Vida de Cristo*.
Cristo, salvador, Ver *Salvador*.
Cristo, seguindo a,
Ver *Seguindo a Cristo*.
Cristo sobre oração, Ver *Oração*, 5.
Cristo sobre perfeição,
Ver *Perfeição na Filosofia*, 4.
Cristo, sudário de,
Ver *Sudário de Cristo*.
Cristo, sumo sacerdote,
Ver *Sumo Sacerdote, Cristo como*.
Cristo, sustentador,
Ver *Sustentador, Cristo (Logos) como*.
Cristo, Tentação de I, 983
Cristo, teologia sobre,
Ver *Cristologia*.
Cristo, transfiguração de,
Ver *Transfiguração de Jesus*.
Cristo, tribunal de julgamento,
Ver *Julgamento de Cristo, Tribunal de*.
Cristo, tríplice ofício de,
Ver *Ofícios de Cristo*, II.
Cristo, Único Mediador I, 984
Ver *Mediador, Cristo, o Único*.
Cristo Vivo I, 984

Ver também *Cristologia*.
Os cristãos liberais
A operação de Deus
Como é liberada a criatividade de Deus?
Cristo, túmulo de, Ver *Túmulo do Gordon*.
Cristo, ungido, Ver *Ungüento*,7;*Cristo; e Messias*.
Cristo, união com,
Ver *União com Cristo*.
Cristo, unidade de tudo em,
Ver *Unidade de tudo em Cristo*.
Cristo, Unigênito,
Ver *Unigênito, Cristo como o*.
Cristo veio por água e sangue,
Ver *Veio por Água e Sangue,Cristo*.
Cristo, verdade,
Ver *Verdade, Cristo como*.
Cristo, vida nossa, Ver *Vida, V, VII; e Vida, Cristo como Nossa*.
Cristologia I, 985
1. Várias definições
2. A base bíblica
3. A cristologia nos concílios e nas controvérsias
4. Declarações cristológicas de vários pais da Igreja
5. Outros desenvolvimentos e opiniões
6. O mistério
Cristos falsos, Ver *Falsos Cristos*.
Critério I, 989
Critérios de uma Guerra Justa I, 989
Críticas de Atenas I, 990
Ver também *Sofistas*, 9.
Crítica Alta I, 990
Ver também *Alta Crítica*.
Crítica Baixa I, 990
Crítica da Bíblia I, 990
Esboço
1. Definições e funções
2. Esboço histórico da crítica da Bíblia
   a. Pano de fundo
   b. A Reforma
   c. Período moderno
      O AT
      O NT
      Os milagres
3. Evidência positiva de Satya Sai Baba e dos gigantes espirituais
4. Crítica de forma
5. Atividade dos críticos
6. Crítica textual
7. Conclusão e avaliação
   Aspectos positivos e bons da crítica
8. Bibliografia
Crítica da Bíblia e exegese,
Ver *Exegese*, 8.
Crítica de Forma I, 994 Ver também *Crítica da Bíblia, ponto* 4.
Crítica de Texto I, 994
Ver sobre os *Manuscritos Antigos do Antigo e Novo Testamentos*. Para o Antigo Testamento, ver seções IX e X. Para o Novo Testamento, ver seções VI, VII e VIII.
Crítica de texto do Antigo Testamento,
Ver *Manuscritos do Antigo Testamento*, IX.
Crítica do materialismo,
Ver *Materialismo*, IX.
Crítica do Pentateuco,
Ver *Pentateuco*, IV.
Crítica Histórica I, 994
Ver o artigo geral sobre *Crítica da Bíblia*.
Crítica Literária I, 994
Ver *Crítica da Bíblia*.
Crítica textual, Ver *Manuscritos Antigos do NT, VII, e Crítica da*

CRÍTICA – DAVI

Bíblia, 6.
Crítica textual do Novo Testamento,
 Ver *Manuscritos Antigos do Novo Testamento*, VI,VII,VIII.
Crítica textual do NT, esboço histórico, Ver *Manuscritos Antigos* do NT, VIII.
Críticas do idealismo,
 Ver *Idealismo*, V.
Criticismo
 1. Na filosofia
 2. Na teologia e na religião
 3. Na ética
Crítico, realismo,
 Ver *Realismo Crítico*.
Críticos de Jesus I, 995
Croça I, 996
Croce, Benedetto I, 996
Crocodilo I, 996
Croeso, Ver *Lídia*, 3, ao fim.
Cromwell, Oliver I, 996
Crônicas dos Videntes I, 996
Crônicas, Livros de I, 996
 Esboço
 1. Declaração geral
 2. O título
 3. Autoria
 4. Data
 5. Autenticidade histórica
 6. Fontes informativas literárias
  As fontes informativas
  a. Registros oficiais
  b. Escritos e registros proféticos
  c. Diversas outras fontes
 7. Motivos e propósitos
 8. Filosofia e teologia
  a. A lei da colheita segundo a semeadura
  b. A questão da autoridade
  c. O davidismo
  d. Uma ênfase exclusiva
 9. Canonicidade
 10. Alguns problemas
 11. Conteúdo
 12. Bibliografia
Cronista I, 999
Cronologia da era apostólica,
 Ver *Cronologia do NT*, III.
Cronologia da vida de Jesus,
 Ver *Cronologia do NT*, II.
Cronologia do AT I, 999
 I. Definição e Declaração Geral
 II. Alguns Métodos Usados nas Datas
 III. Problemas Comuns da Cronologia
 IV. Metodologia
 V. Períodos Bíblicos Específicos
 VI. Cronologia Literária Bibliografia
 VII. Gráficos Históricos e Literários Diversas tabelas
Cronologia do Novo Testamento I, 1012
 I. Dificuldades da Cronologia do NT
 II. Cronologia da Vida de Jesus
 III. A Cronologia da Era Apostólica
 IV. Cronologia das Epístolas Paulinas
 V. Datas Pós-Paulinas Importantes
 VI. Tabelas Cronológicas Literárias e Históricas
 VII. Bibliografia
Crua justiça, Ver *Justiça Crua*.
Crucificação I, 1020
Crucificação, Dia da I, 1022
 Ver *Dia da Crucificação, Sexta-Feira*.
Crucificação, Narrativa do Calvário I, 1022
Crucificação de Jesus,
 Ver *Livros Apócrifos (Modernos)* 4.
Crucifixo I, 1023
Crueldade I, 1023

Crusius, Christian August I, 1024
Cruz I, 1024
 Esboço
 I. Costumes Antigos Seculares e Bíblicos
 Ver também sobre a *Crucificação*.
 II. Simbolismos Neotestamentários
 III. Um Símbolo Antigo
 IV. Usos Modernos
Cruz como um julgamento,
 Ver *Julgamento da Cruz*.
Cruz de Cristo, Efeitos I, 1025
 Ver os *18 pontos no artigo e o artigo sobre Restauração*.
Cruz, estações da,
 Ver *Estações da Cruz*.
Cruz, sinal da,
 Ver *Sinal da Cruz*.
Cruz, Teologia da I, 1026
 Ver o artigo sobre *Cruz de Cristo, Efeitos*.
Cruz Vermelha I, 1026
Cruzadas I, 1026
Cuba, igreja destruída,
 Ver *Comunismo*, 8.
 Ver também *Teologia da Libertação*, VII.
Cube I 1027
Cudworth Ralph I, 1027
 Suas datas
 Um filósofo platonista inglês
 Idéias
 As idéias metafísicas de Deus e outras
Obras Cuidado (Ansiedade) I, 1027
 As palavras gregas e hebraicas
 1. Deagah
 2. Phronéo
 3. Merimnáo
 O ser humano, uma criatura fraca e dependente
Cuidado, Cuidados I, 1028
 As palavras gregas
 1. Spoudé
 2. Mello
 Ansiedade o cuidado, idéias correlatas
Cuidado dos docentes,
 Ver *Doentes, Cuidado com os Cuidados*,
 Ver *Cuidado, Cuidados*.
Cuidados sociais e liberalismo,
 Ver *Liberalismo*, III.8.e.
Cullman, Oscar I, 1028
Culpa I, 1028
Culpa de Sangue I, 1029
Cultivador de Sicômoros I, 1029
Culto de Maria, Ver *Mariolatria e Mariologia*.
Culto hindu, Ver *Hinduísmo*, VI.8.
Cultos de Fertilidade I, 1029
 Ver *Fertilidade, Cultos de*.
Cultura I, 1029
 Esboço
 I. Definições
 II. Cultura Segundo a Filosofia
 O ponto de vista de inúmeros filósofos
 III. Pontos de Vista Cristãos da Cultura
Cultura e Fé Religiosa I, 1031
 Ver o artigo sobre *a Cultura, terceiro ponto*.
Cultura Ética I, 1031
Cultura relativista,
 Ver *Relativismo*, 5.
Cultura segundo a filosofia,
 Ver *Cultura*, II.
Cultura segundo o cristianismo,
 Ver *Cultura*, III.
Culverwel, Nathanael I, 1031
Cum I, 1031
Cumberland, Richard I, 1031

Cumi I, 1032
 Ver sobre *Talitha Cumi*.
Cumprimento I, 1032
 Ver sobre *Realizar, Realização*.
Cuneiforme I, 1032
 Ver também *Escrita*, III.
Cuneiforme, diversos tipos de,
 Ver *Escrita*, III.A-H.
Cura I, 1032
Cura I, 1032
 Ver também o artigo sobre *Curas pela Fé*.
Cura das Almas I, 1034
Cura, dom de,
 Ver *Dons Espirituais*, IV.2.
Cura, Incluída na Expiação? I, 1034
 Ver o artigo sobre *Doenças*, IV, *A Teologia da Doença*.
Cura na expiação,
 Ver *Enfermidades na Bíblia*, IV.5.
Curas pela Fé I, 1034
 Ver também o artigo sobre a *Cura*.
Cúria Romana I, 1035
Currais I, 1035
Cursivos I, 1036
Curso I, 1036
Curso da vida segundo o hinduísmo,
 Ver *Vida*, 11.7.
Curtidor I, 1036
Curtimento de peles,
 Ver *Peles de Animais (Trabalho em Couro)*.
Cusã I, 1037
Cusa, Nicolau de I, 1037
 Ver *Nicolau de Cusa*.
Cusã-Risataim I, 1037
Cusaías I, 1037
Cusi I, 1037
 Duas personagens no AT
Cuspir I, 1037
 Ver *Saliva (Cuspir)*.
Custódia Romana I, 1037
 Em Atos 23:17
 1. Custódia pública
 2. Custódia libera
 3. Custódia militaris
Cuta I, 1038
 Uma cidade e um indivíduo
Cutler (Cutlerites), Ver *Santos dos Últimos Dias*, III.4.
Cuxe I, 1038
 Duas pessoas e um lugar com esse nome na Bíblia
Cuxita (Mulher Etíope) I, 1039
Cuza I, 1039
Cyprius, Codex, Ver *K*.

D

D II, 1
 Um símbolo do autor ou autores do livro de Deut.
 Uma escola de historiadores-autores-editores
D (Codex Bezae) II, 1
 Um manuscrito também chamado *Codex Cantabrigiensis*
Dã II, 1
 Juiz, quinto filho de Jacó; tribo; cidade
Dabria II, 2
Dado II, 2
Dados das Percepções II, 2
 Ver *Percepção, especialmente* II.13.
Dadu II, 2
Dafne III, 2
Dagã II, 2
Dagom II, 2
D'Ailly, Pierre II, 3
Daimon (Daimonion) II, 3

Dã-Jaã II, 3
Dakhma II, 4
Dalai Lama II, 4
Dale, Robert William II, 4
Dálete II, 4
Dalfom II, 4
Dalila II, 4
Dalmácia II, 4
Dalmanuta II, 4
Dalmática II, 5
D'alva Estrela,
 Ver *Estrela D'Alva*.
Dâmaris II, 5
Damasceno, João,
 Ver *João Damasceno*.
Damasco II, 5
Damasco, Pacto de II, 6
Daná II, 6
Dança II, 6
Daniel II, 8
 O nome de quatro personagens da Bíblia
Daniel, o Profeta e o Livro II, 8
 O nome hebraico
 Esboço
 I. Características Gerais
 A terceira seção do cânon hebraico
 II. O Homem Daniel e o Pano de Fundo Histórico do Livro
 III. Autoria, Data e Debates a Respeito
 IV. Ponto de Vista Profético
 V. Proveniência e Unidade
 VI. Destino e Propósito
 VII. Canonicidade
 VIII. Esboço do Conteúdo
 IX. Acréscimos Apócrifos
 X. Gráfico Ilustrativo das Setenta Semanas
 Ver *o gráfico Setenta Semanas*.
Danitas II, 13
Dano à propriedade, crime contra o homem Ver *Crimes e Castigos* II.2.h.
Danos, provocador de II, 13
Dante, Alighieri II, 13
Danu II, 13
Darcom II, 13
Darda II, 13
Dardo II, 14
Darico II, 14
 Ver o artigo sobre *Dinheiro*.
Dario II, 14
 Há quatro pessoas com esse nome de alguma maneira relacionadas à narrativa bíblica
Dario, o Medo II, 16
 Ver sobre *Dario*, 4.
Dario, o Persa II, 16
 Ver sobre *Dario*, 3.
Darshana II, 16
Darwin, Darwinismo II, 16
 1. O darwinismo e a ética
 2. Definição do real
 3. O problema dos começos
 4. O verdadeiro homem
 5. A teoria da evolução corresponde a verdade dos fatos?
 Escritos
Darwinismo II, 17
Darwmismo Social II, 17
Dasein II, 18
Dasius II, 18
Datã II, 18
Datas II, 18
Datas determinadas na arqueologia,
 Ver *Carbono e Arqueologia*, II.
Datas, métodos para determinar,
 Ver *Arqueologia*, II.
Datema II, 18
Davi II, 18
 I. Relações Genealógicas
 II. A Morte de Saul

III. O Reinado de Davi
IV. Instituições e Obras
V. Outros Eventos Notáveis
VI. Davi e a Bíblia
VII. Caráter Espiritual de Davi
    Bibliografia
Davi, A Raiz e a Geração de II, 23
Davi, chaves de, Ver *Chaves*, III.
Davi, Cidade de II, 23
Davi na Bíblia, Ver *Davi*, VI.
Davi, tesouros de, Ver *Tesouro*, V.
Davi, Torre de II, 24
David de Dinant II, 24
Davidson, Andrew Bruce II, 24
Deavitas II, 24
Deberate II, 24
Debesete II, 24
Debilidades da filosofia da ciência,
    Ver *Filosofia da Ciência*, III.
Debir II, 24
    Duas cidades e um homem no AT
Débora II, 25
    Duas pessoas da Bíblia
Decálogo II, 25
Decano, Deão II, 26
Decapitação II, 26
    Ver *Crimes e Castigos*.
Decápolis II, 26
Décio II, 27
Decisão II, 27
    Sete itens discutidos
Decisão, Teoria da II, 28
Decisão, Vale da II, 28
Decisão Existencial II, 28
Decisão por Cristo, Ver *Decisão*, 7.
Decisões e destino, Ver *Decisão*, 6.
Decisões morais, Ver *Decisão*, 3.
Declaração da Fé da Igreja
    Reformada Francesa II, 29
Declaração de Barmen II, 29
    Ver sobre *Confissão Galicana*.
Declaração de Savóia II, 29
    Ver *Savóia, Declaração de*
Declarações dos pais da Igreja sobre
    cristologia, Ver *Cristologia*, 4.
Decretais, Falsas II, 29 Ver também
    sobre os *Decretos Papais*.
Decreto II, 29
    Ver também *Decretos Divinos*.
Decreto Apostólico II, 29
Decreto de Nazaré
    Ver *Nazaré, Decreto de*.
Decretos Divinos II, 30
    I. Caracterização Geral
    II. Um Termo Coletivo
    III. Alguns Decretos Divinos Onze
        decretos principais são discutidos
Decretos Papais II, 31
Dedã II, 32
    Duas pessoas e uma área geográfica
Dedicação, Ver *Dedicar, Dedicação*.
Dedicação, Festa da II, 32
    Ver *Festas (Festividades) Judaícas*.
Dedicar, Dedicação II, 32
Dedo II, 33
    Ver também *Pesos e Medidas* I.E.
Dedo de Deus II, 33
    Ver o artigo sobre *Dedo*, II,1.
Dedução II, 33
Defeito,
    Ver *Enfermidades na Bíblia*, I.C.
Defensor da Fé II, 34
Defesa, Mecanismos de II, 34
    Doze mecanismos de defesa são
        discutidos
Definição II, 35
    Onze tipos de definições são
        discutidos
Definição de Estado II, 36
    Ver *Estado, Definição de*.
Definição de Religião II, 36
    Ver *Religião, Definição de*
Definição Léxica II, 36

Ver o artigo geral sobre *Definição*.
Definição Real II, 36
Definições as filosofia,
    Ver *Filosofia*, I e II.
Definições da vida, Ver *Vida*, 1.
Definições do pecado, Ver *Pecado*, I.
Degrau, Grau II, 36
    Ver também sobre *Escada*.
Deidade de Cristo,
    Ver *Divindade de Cristo*.
Deificação II, 37
    O uso do termo
    A deificação e as perseguições contra os cristãos
    A doutrina neotestamentária da participação do homem na natureza divina
De Inesse II, 38
Deísmo II, 38
    Esboço
    I. Definições Básicas
    II. Ateísmo Prático
    III. Contribuições Principais
    IV. Críticas Ver também *Deus*, III.5.
Deissman, Adolf II, 39
Delaías II, 39
    Três personagens e uma tribo
Delfos, oráculo de,
    Ver *Oráculo de Delfos*.
Deliberação II, 39
Delinqüência Juvenil II, 39
    I. Definição
    II. Disciplinas Envolvidas no Estudo do Problema
    III. Causas Propostas
    IV. O Remédio Espiritual
Delitzsch, Franz Julius II, 41
Delos II, 41
Demas II, 42
Demeter-Persefone II, 42
Demétrio (NT) II, 42
    Dois homens do NT
Demétrio, o Cínico II, 42
Demétrio de Falero II, 43
Demitização II, 43
Demiurgo II, 44
Democracia II, 44
    Esboço
    I. Definições
    II. Breve História e Idéias
    III. Formas Gregas e Romanas
    IV. Pseudodemocracias
    V. A Democracia e a Igreja
    VI. Algumas Idéias da Democracia
Democracia na Igreja,
    Ver *Democracia*, V, *e Governo Democrático*, II.3.
Demócrito II, 46
Demofom II, 46
Demonax do Chipre II, 46
Demoníaco II, 46
Demônico II, 46
Demônio (Demonologia) II, 46
    I. O Termo *Daimon*
    II. Caracterização Geral
    III. Idéias de Várias Culturas
    IV. Demonologia no NT e na Interpretação Cristã
    V. Possessão Demoníaca
        Bibliografia
Demônio, Ver *Demônio, Demomonologia*.
Demônio, possessão do,
    Ver *Possessão Demoníaca e Demônio, Demanologia*.
Demônios,
    Ver *Demônio, Demonologia*.
Demônios no NT, Ver *Demônio, Demonologia*, IV.
Demônios, possessão dos,
    Ver *Possessão Demoníaca e Demônio, Demonologia*.
Demonstração II, 52

O significado do termo No campo da ética
Denário II, 53 Ver sobre *Moedas*.
Denck, Hans II, 54
Dênis, São II, 54
Denny, James II, 54
De Nobili, Roberto II, 54
Denominação II, 54
    Os três significados da palavra
    Quando as denominações são boas?
    Quando as denominações são prejudiciais?
Denotação II, 55
Dente(s) II, 55
Deodoro Cronos II, 55
Deontologia II, 55
Dependência Absoluta II, 56
Dependência Humana II, 56
    Contra a auto-suficiência
Deposição II, 57
Depósito II, 57
Depósito (Adega) II, 57
Depravação II, 57
    Esboço
    1. Definição na teologia cristã
    2. Controvérsia sobre a origem e a transmissão da depravação
    3. Modos de transmissão da depravação
        De acordo com os teólogos
        a. Animalescos
        b. Biólogos
        c. Cósmicos
        d. Sociólogos
        a psicologia
    4. O problema do criacionismo
    5. A total depravação e a questão da salvação
    6. Conseqüências da depravação
Dequer II, 59
    Ver sobre *Ben-Dequer*.
Derbe II, 59
Dervixe II, 59
Desabrigo II 59
    Ver sobre *Infanticídio e Nudismo*.
Desafio à autoridade da lei, crime contra Deus,
    Ver *Crimes e Castigos*, II.I.g.
Desafio e Resposta II, 59
Desarmamento II, 60
Descanso II, 60
    1. Descanso físico
    2. Descanso social
    3. Descanso espiritual
Descartes, René II, 60
    Um filósofo francês
    Dez conceitos são discutidos
Descendentes de Jafé, Ver *Jafé*, III.
Descendentes de Noé, Ver *Noé*, 5.
Descensus de Cristo,
    Ver *Descida de Cristo ao Hades*.
Descida ao hades, tema universal,
    Ver *Descida de Cristo ao Hades*, IV, XI.
Descida de Cristo ao Hades II, 62
    Ver também o artigo intitulado *Descida de Cristo ao Hades, Perspectiva Histórica e Citações Significativas*.
    Sua misericórdia desce ao hades
    Esboço
    I. Os Intérpretes, Antigos Modernos, que Admitem Estar em Foco Real Descida ao Hades
    II. Os que Crêem que essa Descida ao Hades visou o Propósito de Melhorar a Condição das Almas Perdidas ali.
        Clemente de Alexandria
        Meyer
    III. Os que Crêem que a Descida Visou o Propósito de Agravar a Condição dos Ímpios, ou pelo menos, Ajudou somente os

Justos,
    Deixando de Lado os Injustos
IV. Paralelos em Outros Antigos Escritos ou Credos Judaicos e Cristãos, que dão Apoio à Descida ao Hades
V. Os que Negam Toda a Idéia de Tal Descida
VI. Quem são os Espíritos que Seriam Melhorados?
VII. Qual Potencial ou Extensão de sua Melhoria?
VIII. Não é a Mesma Coisa que o Purgatório
IX. Sumário do Ensino da passagem
X. Esse ensino dos Comentários Modernos
XI. A Descida ao Hades na História do Cristianismo
    Na literatura pagã
XII. A Descida no NT
    A abundância das referências não é grande, mas as alusões são muitas
XIII. A Descida e a Restauração
    Tempo e a salvação
    Tempo e a restauração
    Otimismo
    Conclusão
Descida de Cristo ao hades e a restauração, Ver *Restauração*, XI.
Descida de Cristo ao hades e o purgatório, Ver *Descida de Cristo ao Hades*, VIII
Descida de Cristo ao Hades:
Perspectiva Histórica e Citações Significantes II, 73
    Ver também artigo geral sobre *Descida de Cristo ao Hades*.
    A doutrina e as denominações
    O ensino de uma teologia comparada
    A distorção de versículos
    Observações importantes
    1. A busca da verdade
    2. A expansão de ideologias
    3. A teologia comparativa
    A. Fatos a observar: uma perspectiva histórica
    B. Citações antigas e modernas
    1. João Damasceno
    2. Clemente de Alexandria
    3. Martinho Lutero
    4. João Pedro Lange
    5. Richter
    6. O International Critical Commentary
    7. A.H. Hunter
    8. F.W. Bare
    9. Alford
    10. J. Isidor Mombert
    11. Wordsworth
    12. Vários outros autores
    13. Anotações na New American Bible
    C. Uma percepção (arquétipo) universal
    D. Ortodoxia e heresia
    E. Evidências científicas
Desconhecido, Deus,
    Ver *Deus Desconhecido*.
Descrição de Cristo Ver *Livros Apócrifos (Modernos)*, 12.
Descrição e Conhecimento II, 78
    A idéia de Aristóteles
Descrição física de Jesus,
    Ver *Epístola de Lintulus e Sudário de Cristo*.
Descritivismo II, 78
Descuido, Incúria II, 78
Desde Dã até Berseba II, 79
Desejado das Nações II, 79
Desejar II, 79

DESEJO – DIADEMAS

Desejo II, 80
 O termo grego
 Ocorrências bíblicas
Desemprego II, 80
Desenvolvimento da maiorialatria,
 Ver *Mariolatria*, 4.
Desenvolvimento de fé, Ver *Fé*, 5.
Desenvolvimento espiritual,
 Ver *Maturidade*.
Desenvolvimento espiritual, caminhos de, Ver *Caminhos do Desenvolvimento Espiritual*.
Desenvolvimento Espiritual, Meios do II, 85
 O uso dos meios de desenvolvimento espiritual
Desenvolvimento Humano II, 80
Deserção II, 82
Deserto II, 83
Deserto de Sin (Sim),
 Ver *Sin, Deserto de*.
Deserto do Sinal,
 Ver *Sinai, Deserto do*.
Desespero II, 84
Desfazer II, 84
Desfazer os Torrões II, 84
Desígnio, argumento baseado no,
 Ver *Argumento Teleológico*.
Desígnio, Argumento do II, 84
 A procura da prova da existência de Deus pela filosofia
Desígnio para provar a existência de Deus, Ver *Argumento Teleológico*.
Desigualdade II, 85 Ver *Igualdade*.
Desligar, ligar, Ver *Ligar, Desligar (Poderes dos Apóstolos)*.
Desmamar II, 85
Desobediência Civil II, 85
Desolação, Abominável da II, 85
 Ver sobre o *Abominável da Desolação*.
Desonestidade II, 85
Desonra aos Pais
 Ver *Crimes e Castigos*, II.2.e
Despenseiro II, 85
Despertamento II, 86
 Ver *Reavivamento*.
Despojo, Ver *Presa, Despojo*.
Despojos II, 86
Desposada II, 86
Desqualificação II, 86
Desprezo da razão na religião,
 Ver *Razão na Religião*, II
Desterro II, 87
Destino II, 87
 Esboço
 I. Elementos Básicos
 II. A Moralidade o o Destino
 III. Destino e a Providência Divina
 IV. Participação na Divindade
 V. O Destino Ímpar de Cada Indivíduo
Destino de alma,
 Ver *Alma, III, e Imortalidade*.
Destino de Igreja,
 Ver *Igreja (No NT)*, 6.
Destino dos pagãos,
 Ver *Pagãos, Destino dos*.
Destruição, Ver *Destruidor*,
Destruição.
Destruição, Cidade de II, 90
 Ver sobre *Heliópolis*.
Destruição de Jerusalém, 70 A. C.,
 Ver *Período Intertestamental*, 7.f.
Destruidor, Destruição II, 90
Destutt de Tracy, Antoine II,91
Destutt de Tracy sobre Ideologia,
 Ver *Ideologia*, 1.
Desvio II, 91
Desvio na matéria, Ver *Lucrécio*, 3
Determinismo (Predestinação) II, 91
 Esboço
 I. Idéias Diversas

Quinze conceitos discutidos
 II. Nas Escrituras
 III. Na História
 IV. A Doutrina da Eleição Posições teológicas do infralapsarianismo e do supralapsarianismo
 V. Predestinação Segundo a Imagem de Cristo
 Várias interpretações
 VI. Garantia da Santidade
 VII. A Predestinação e o Livre-arbítrio
 Ver também o artigo sobre *Restauração*.
Determinismo e responsabilidade,
 Ver *Responsabilidade*, 2.
Deus II, 96
 Ver também os vários artigos relacionados a esse assunto com provas da existência de Deus
 Esboço
 I. Mistério Tremendo
 O homem e sua inteligência atual
 Os místicos
 Abordando a realidade
 II. Mistério Fascinador
 III. Conceitos de Deus
 Dezessete conceitos são apresentados
 IV. Conceito Bíblico de Deus Oito itens são discutidos,
 V. Provas da Existência de Deus
 Os vinte argumentos diversos que comprovam a realidade da existência de Deus
 VI. Nomes Bíblicos de Deus
 VII. O Conhecimento de Deus
 Maneiras de conhecer a Deus
 Sete maneiras são discutidas
 Deus, Amor de II, 108
 Ver o artigo geral sobre *Amor*.
 Deus, argumentos em prol da existência de, Ver *Deus*, V, e Argumentos em Prol da Existência de Deus.
Deus, Atributos de II, 108
 Ver *Atributos de Deus*.
Deus, caminho de,
 Ver *Caminho de Deus*.
Deus, como exemplo,
 Ver *Exemplo*, III.
Deus, conceito de Isaías de
 Ver *Isaías, seu Conceito de Deus*.
Deus, conhecimento de,
 Ver *Conhecendo a Deus*.
Deus, Filho de II, 108
 Ver *Filho de Deus*.
Deus, Filhos de (Filhas de) II, 108
 Ver *Filhos (Filhas) de Deus*.
Deus Finito II, 118
 Ver sobre *Finito*, 3.
Deus, glória de, Ver *Glória de Deus*.
Deus, independência de,
 Ver *Independência de Deus*.
Deus, invisível,
 Ver *Invisível, Deus como*.
Deus, Ira de II, 108
 Ver sobre *Ira e Julgamento*.
Deus, mãe de, Ver *Mãe de Deus*.
Deus, morte de, Ver *Morte de Deus*.
Deus, Nomes Bíblicos de II, 108
 Esboço
 I. Caracterização Geral
 II. Lista dos Nomes Divinos
 III. Comentário sobre os Principais Nomes
 Bibliografia
Deus, o Deus do Israel II, 110
Deus, obras de, Ver *Obras de Deus*.
 Ver sobre *El - Elohe-Israel*.
Deus, palavra de,
 Ver *Palavra de Deus*.
Deus, paternidade de,
 Ver *Paternidade de Deus*.

Deus, paz de, Ver *Paz de Deus*.
Deus, personalidade de, Ver *Pessoa, Deus como uma*.
Deus, povo de, Ver *Povo de Deus*.
Deus, presciência de,
 Ver *Presciência de Deus*.
Deus, presença de,
 Ver *Presença de Deus*.
Deus, propósitos de, Ver *Propósito*.
Deus, providência de,
 Ver *Providência de Deus*.
Deus, santidade de,
 Ver *Santidade*, II.
Deus, soberania de,
 Ver *Soberania de Deus*.
Deus Absconditus II, 110
Deus a Se II, 110
Deus como amor, Ver *Amor*, IV.
Deus como a única causa,
 Ver *Malebranche, Nicolas*, 2.
Deus como luz,
 Ver *Luz, Deus como a*.
Deus como uma pessoa,
 Ver *Pessoa, Deus como uma*.
Deus Desconhecido II, 110
 Sete itens são discutidos
Deus dos Hiatos II, 111
Deus e religião no comunismo,
 Ver *Marxismo, Ética do*, 8.
Deus ex Machina II, 111
Deus sem precognição,
 Ver *Lequier, Jules*
Deus Pro Nobis II, 111
Deus Sive Natura II, 111
Deus Tribal II, 112
Deus Tutelar II, 112
Deusa-Mãe, Ver *Ártemis*.
Deuses Falsos II, 112
 A adoração aos mais variados tipos, de deuses
 Esboço
 I. Classes de Deuses
 Quinze itens são discutidos
 II. A Geração dos Deuses
 III. Alguns Deuses Falsos Referidos na Bíblia, 39 deles Ver também *Idolatria*, III.
Deuterocanônicos, Livros II, 116
 Ver o artigo sobre os *Livros Apócrifos*.
Deuteronômio II, 116
 O último livro do Pentateuco
 Esboço
 I. Composição
 II. Conteúdo e Propósito
 III. Esboço do Livro
 IV. Seção Legal
 V. A Importância do Livro
 VI. Bibliografia
Deva II, 118
Devedor, Ver *Dívida, Devedor*.
Dever II, 118
 Uma de nossas mais importantes palavras éticas
 Esboço
 I. O Vocábulo e seus Usos
 II. Vários Pontos de Vista
 III. O Ponto de Vista da Bíblia No N.T.
 IV. O Dever de Amar
 Dever do Cristão II, 119
 Tipos de dever (Rom. 1:5)
Deveres, Ver *Dever*.
Deveres éticos, Ver *Deontologia*.
Deveres no maometismo,
 Ver *Maometismo*, 4.
Deveres prima facie,
 Ver *Prima facie, Deveres*.
Devoção, Devotar II, 120
 No hebraico
 No grego
 Devoção cristã
Devoção medalhas de,
 Ver *Medalhas de Devoção*.

Devoção Voluntária (Col. 2:23) II, 120
Devoções e Literatura Devocional II, 120
 A história da Igreja cristã
Devoto II, 121
De Wette, Wilhelm Martin Deberecht II, 121
Dewey, John II, 121
Dewey sobre o materialismo,
 Ver *Materialismo*, 19.
Dez Artigos II, 122
Dez Chifres II, 122
Dez cidades, Ver *Decápolis*.
Dez Estágios do Budismo II, 123
Dez Mandamentos II, 123
 Esboço
 1. O princípio da lei
 Códigos antigos
 2. Palavras envolvidas e designações
 3. Ocasião histórica
 4. Versões
 5. Natureza e conteúdo
 Os Dez Mandamentos
 6. Divisões
 7. Os Dez Mandamentos e o NT
 a. Segundo alguns estudiosos
 b. Jesus
 c. Tiago
 d. Paulo
Dez mandamentos e Jesus,
 Ver *Dez Mandamentos*, 7.b.
Dez mandamentos e o NT,
 Ver *Dez Mandamentos*, 7.
Dez mandamentos e Paulo,
 Ver *Dez Mandamentos*, 7.d.
Dez mandamentos e Tiago,
 Ver *Dez Mandamentos*, 7.c.
Dhammapada II, 127
Dharma II, 127
Dhyana II, 128
Dia II, 128
 Oito itens são discutidos
Dia, grande, Ver *Grande Dia*.
Dia da Crucificação, Sexta Feira II, 128
 Oito discussões são apresentadas
Dia da Expiação II, 130
Dia da Graça II, 131
Dia da Preparação II, 131
Dia da ressurreição, acontecimentos do, Ver *Ressurreição e a Ressurreição de Jesus*, XII.
Dia de Cristo II, 132
Dia de Jornada II, 132
Dia do Julgamento II, 132
 Ver sobre *Julgamento, diversos artigos*.
Dia do Senhor II, 132
Dia do Senhor, Domingo II, 133
 Ver sobre *Domingo, Dia do Senhor*.
Dias dos Inocentes II, 133
Dia Longo de Josué II, 133
 Ver também *Bete-Horom, Batalha de (o Longo Dia de Josué)*.
Diabo II, 133
 Ver o artigo geral sobre *Satanás*.
Diabo, adoradores do,
 Ver *Adoradores do Diabo*.
Diaconisa II, 134
 Ver sobre *Diácono*
Diácono II, 135
 Esboço
 I. Diáconos Originais
 II. Qualificações em Atos
 III. Qualificações em I Tim.
Diácono Filipe,
 Ver *Filipe (Diácono)*.
Diáconos originais,
 Ver *Diácono*, I.
Diadema II, 139
Diademas, sete,
 Ver *Sete Diademas*.

DIALÉTICA – DIVISÃO

Dialética II, 139
As idéias de doze filósofos são discutidas
Dialética, ética da,
Ver *Ética Dialética*.
Dialética, Teologia da II, 140
Dialética do materialismo,
Ver *Materialismo Dialético*.
Dialética do materialismo,
Ver *Marxismo*, 1.
Diálogo II, 140
Diamante II, 140 Ver também sobre *Jóias e Pedras Preciosas*.
Diana II, 141
Ver o artigo sobre *Ártemis*.
Dias especiais, observação de,
Ver *Sabatismo e Observação de Dias Especiais*.
Dias finais de Jesus, Ver *Jesus*, II. 5.
Dias Santos de Festivais II, 141
Ver sobre *Calendário Eclesiástico*.
Dias últimos, Ver *Últimos Dias*.
Diáspora (Dispersão de Israel) II, 141
Esboço
 I. Definição
 II. Distinta dos Cativeiros
 III. Uma Antiga Diáspora em Três Fases
    A dispersão dos judeus
 IV. Algumas Características
 V. Contribuições
 VI. Influências Sofridas pelos Dispersos
 VII. No NT
    Uso metafórico
Diatessaron II, 143
Diatribe II, 143
Diaus II, 143
Dibelius, Martin II, 143
Dibla II, 143
Ver sobre *Ribla (Dibla)*.
Diblim II, 143
Diblataim II, 144
Ver sobre *Bete-Diblataim*.
Dibom, Dibom-Gade II, 144
Duas cidades referidas no AT
Dicaearco II, 144
Dicionários da Bíblia em português,
Ver *Dicionários e Enciclopédias da Bíblia*, IV.
Dicionários e Enciclopédias da Bíblia II, 144
Esboço
 I. Observações Preliminares
 II. Usos de uma Enciclopédia Bíblica
    Há homens que valorizam a ignorância
 III.Relato Histórico Abreviado das Enciclopédias Religiosas
 IV. Dicionários e Enciclopédias da Bíblia em Português
Dicla II, 147
Dicotomia, Tricotomia II, 147
Esboço
 I. Problema da Dicotomia Tricotomia
 II. Fundo Histórico
    Platão
    Aristóteles
 III. Tricotomia
    Referências bíblicas
 IV. A Ajuda da Ciência
 V. O Sobre-Ser
Dictatus Papae II, 149
Documentos também conhecidos como *Dictatus Hildebrandini*
Didache II, 149
 I. Caracterização Geral
 II. Proveniência
 III. Data
 IV. O Texto e o Cânon
 V. Conteúdo
Diderot, Denis II, 150

Diderot, sobre o materialismo,
Ver *Materialismo*, III.9.
Dídimo II, 151
Didracma II, 151
Ver também sobre *Dinheiro*.
Dies Irae, II, 151
Dieta de Speyer, Ver *Lutero*, 13.
Dieta de Worms II, 151
Ver *Worms, Dieta de*.
Dietas de Espira,
Ver Vol.5, pág 475, segunda coluna.
Dietrich de Freiberg II, 151
Dietrich de Niem II, 151
Difate II, 152
Diferenças nas raças, Ver *Raça*, I.D.
Diferentia II, 152
Ver o artigo sobre *Definição*.
Diléa II, 152
Dilema II, 152
Dilema de Eutifro II, 152
Ver *Eutifro, Dilema de*.
Dillman, Christian Friedrich August II, 152
Dilthey, Wilhelm II, 152
Dilúvio, data do,
Ver *Dilúvio de Noé*. V.
Dilúvio de Noé II, 153
 I. Pré-História e Antigos Relatos do Dilúvio
 II. Provas Arqueológicas, Geológicas, Zoológicas e Botânicas de Mudanças de Pólos e de Dilúvios
 III. A Narrativa Bíblica e o Registro Mesopotâmico
 IV. Um Dilúvio Universal ou Parcial?
 V. Data do Dilúvio de Noé
 VI. A Próxima Mudança dos Pólos
 VII. Implicações Éticas
    Ver também sobre *Gilgamés*.
Dimensões da restauração,
Ver *Restauração*, III.
Dimittis, Ver *Nuno Dimittis*.
Dimna II, 159
Dimom II 159
Dimona II, 159
Diná II, 159
Dinabá II, 160
Dinaítas II, 160
Dinamismo II, 160
Ding-An-Sich II, 160
Dinheiro II, 160
 I. Dinheiro Não-Cunhado
 II. Alusões Bíblicas ao Dinheiro
 III. Dinheiro Sob a Forma de Moedas
    Dinheiro do Tributo II, 162
    Ver sobre *Tributo e Dinheiro*.
Dinsmore, Charles Allen II, 162
Diocese II, 163
Diocleciano II, 163
Diofisista II, 163
Diógenes de Apolônia II, 163
Diógenes de Ionoanda II, 163
Diógenes de Sinope II, 163
    Suas datas
    Um filósofo grego
    Suas idéias
Diógenes Laércio II, 163
Diogneto, Epístola A II, 163
Díon Crisóstomo II, 164
Dionísia II, 164
Dionísio (O Areopagita) II, 164
Dionísio de Alexandria II, 165
Dionísio de Roma II, 165
Dionísio, O Pseudo-Aeropagita II, 165
Dioniso (Deus) II, 165
Dioniso, mistérios, Ver *Religiões Misteriosas* (dos Mistérios), 1.4.
Dioscorínto II, 166
Dióscuros II, 166
Dioteletismo II, 166
Diótrefes II, 166
Dipartição do ser,

Ver *Dicotomia, Tricotomia, e o Problema Corpo-Mente*.
Diplomacia II, 167
Diplomacia de Laramie II, 167
Diplomacia Papal II, 167
Díptychs II, 167
Direção Espiritual II, 167
Direita, Rua II, 168
Direito II, 168
Direito II, 168
 I. A Palavra
 II. Vários Usos Filosóficos
    Dez itens são discutidos
Direito de Primogenitura II, 169
Direito de Trabalhar II, 170
Direito Divino II, 170
Direito divino dos reis,
Ver *Reis, Direito Divino dos*.
Direito Eclesiástico II, 171
Direito Natural II, 171
Ver também sobre *Direitos Naturais*.
Direito Romano II, 171
Esboço
 I. O Termo
 II. Formação
 III. Fontes
 IV. Algumas Leis Específicas Nove itens são discutidos
 V. A Lei Romana e o NT
 VI. A Lei Romana e a Cristandade
Direitos, Impostos II, 173
Direitos Civis II, 175
Direitos de animais,
Ver *Animais, Direitos de, e Moralidade*.
Direitos Humanos II, 176
Ver também *Direito*.
 I. O Princípio do Direitos
    Tipos
 II. A Ética Social
 III. Pontos de Vista Filosóficos
 IV. O Ideal Cristão
Direitos Naturais II, 177
Ver também sobre *Direito Natural*.
Disã II, 177
Discante II, 177
Discernimento de Espíritos II, 177
Ver também *Dons Espirituais*, IV.9.
Disciplina II, 178
 I. Princípios de Disciplina
 II. Razão da Disciplina
 III. Modos de Disciplina
 IV. Aspectos Históricos da Disciplina
    A Reforma protestante
Disciplina Arcani II, 180
Disciplina dos Arcanos II, 180
Discipulado, Ver *Discípulo, Discipulado e Seguindo a Cristo*.
Discípulo, Discipulado II, 180
Esboço
 I. A Palavra e Seus Usos no NT
 II.Características Básicas de um Discípulo
 III. Discipulado: Sacrifício e Recompensa
 IV. A Recompensa Magnífica
Discípulo Amado II, 183
    A ocorrência da expressão
    Idéias a respeito
Discípulos de Cristo II, 183
Discípulos falsos,
Ver *Falsos Discípulos e Profetas*.
Disco II, 184
Discriminação e Preconceito II, 184
Discurso de São João, o Divino II, 186
Discurso de Teodósio II, 186
Disenteria II, 186
Ver também *Enfermidades na Bíblia*, I. 16.
Dismas II, 186
Disom II, 186
Dispater II, 186
Dispensação (Dispensacionalismo)

II, 186
Esboço
 I. O Termo e Caracterização Geral
 II. Variedade de Usos Bíblicos
 III. Dispensacionalismo Cronológico
 IV. Pontos Fortes e Fracos do Dispensacionalismo
 V. Implicações Teológicas
 VI.Implicações Éticas
    Ver também *Ética Dispensacional*
Dispensação da Plenitude dos Tempos II, 189
Ver também *Restauração*, VII;
Dispensação Eclesiástica II, 190
Dispensacionalismo, Ver *Dispensação (Dispensacionalismo)*.
Dispensacionalismo, ética do,
Ver *Ética Dispensacional*.
Dispersão II, 190
Ver sobre a *Diáspora*.
Dispersão de Israel II, 190
Ver *Diáspora (Dispersão) de Israel*.
Disposição II, 190
Disposição dominante no homem,
Ver *Espírito*, VI.
Disputa II, 191
Dissenters II, 191
Distâncias entre pontos,
Ver *Pesos e Medidas*, I.H.
Disteleologia II, 191
Distinção na lei moral e cerimonial,
Ver *Lei no Antigo Testamento*, III; e *Lei cerimonial*.
Distinções de tipos de adoração,
Ver *Mariolatria*, 2.
Distinções fato-valor,
Ver *Fato-Valor, Distinções*
Distribuição geográfica dos idiomas no mundo bíblico, Ver *Língua*, VI.
Ditados de Jesus, Ver *Oxyrhynchus, Ditados (Logia) de Jesus*.
Diversões II, 191 Vícios o diversões
Dives II, 191
Ver também *Lázaro e Dives*.
Dívida, Devedor II, 191
As palavras hebraicas e as gregas
Esboço
 I. A Lei Mosaica acerca das Dívidas
 II. Algumas Indicações Neotestamentárias
 III. Usos Metafóricos
Divindade II, 192
Esboço
 I. Variedade de Usos
 II. Elementos Essenciais da Divindade
 III. Usos Bíblicos
Divindade de Cristo II, 193
Esboço
 I. Os Argumentos em Favor da Divindade de Cristo
 II. Segundo Colossenses 2:9
 III. A Divindade de Cristo e a Vida Eterna
Divindade, habitação corporalmente em Cristo,
Ver *Habitação da Divindade Corporalmente em Cristo*.
Divindade, Participação na, Pelos Homens II, 195
Esboço
 I. Segundo Colossenses 2:10
    Participantes do pleroma
 II. Segundo II Pedro 1:4
    Pelos Quais
    Preciosas Grandes
    Natureza divina
    A salvação nas páginas do NT
    Interpretações inferiores
    Buscando o caminho
Divisão II, 197
    A divisão humana

DIVISÃO – EA

No NT
Divisão da Bíblia em versículos e capítulos,
  Ver *Versículos e Capítulos*,
Divisão da Bíblia em, e Langton Speptlen.
Divisões bíblicas de tempo,
  Ver *Tempo, Divisões Bíblicas do*.
Divórcio II, 197
  Cinco discussões são apresentadas
Divórcio, Carta (Termo) de II, 201
Di-Zaabe II, 201
Dízimo II, 201
Esboço
  I. Palavras Usadas
  II. Fora da Cultura Judaica
  III. Dízimos dos Hebreus, Antes da Lei
  IV. Elementos da Doutrina do Dízimo sob a Lei
  V. O Dízimo no NT
  VI. A Lei da Generosidade
Dízimo, antes da lei,
  Ver *Dízimo*, III.
Dízimo no Novo Testamento,
  Ver *Dízimo*, V.
Doação de Constantino II, 203
Dobradiça II, 203
  Ver *Gonzo, Dobradiças*.
Dobradiças, Ver *Gonzo, Dobradiças*.
Docetismo II, 203
  Seis itens são discutidos numa descrição completa do sistema
Docetismo atacado no NT,
  Ver *Docetismo*, VI.
Docetismo explica Jesus,
  Ver *Jesus*, I.2.c.
Docilidade,
  Ver *Gentileza, Docilidade*.
Docta Ignorantia II, 205
Doctor Angelicus II, 205
Doctor Irrefragável II, 205
Doctor Mirabilis II, 205
Doctor Subtilis II, 205
Doctor Universalis II, 205
Doctrina Addaei e Abgar e as Epístolas de Cristo II, 205
  Ver *Abgarus (Abagarus) e as Epístolas de Cristo*.
Documentos do judaísmo,
  Ver *Judaísmo*, 1.2.
Dodai II, 206 Ver sobre *Dodô*.
Dodanim II, 206
Dodava II, 206
Dodô, Dodai II, 206
  Três homens no AT
Dods, Marcus II, 206
Doegue II, 206
Doenças e possessão demoníaca,
  Ver *Possessão Demoníaca*, 2
Doenças e teologia,
  Ver *Enfermidades na Bíblia*, IV.
Doenças e tratamento na antiguidade
  Ver *Enfermidades na Bíblia*, III.
Doenças físicas na Bíblia,
  Ver *Enfermidades na Bíblia*, I.
Doenças mentais na Bíblia, Ver *Enfermidades na Bíblia*, II.
Doenças na Bíblia II, 207
  Ver *Enfermidades na Bíblia*.
Doenças Venéreas II, 207
Doentes, Cuidados com os II, 207
Dofca II, 208
Dogma II, 208
  1. Na filosofia
  2. No NT
  3. Dogmas eclesiásticos
  4. Teologia dogmática
  5. Usos dos dogmas
  6. O vício dos dogmas
Dogmas e Estagnação TV,
  Ver *Estagnação dos Dogmas*
Dogmatismo II, 209
Dois II, 209

Ver também sobre *Números*,
Dois gumes, espada de,
  Ver *Espada de Dois Gumes*.
Dois Homens, Metáfora dos II, 210
  Em Rom. 5:14, quatro itens discutidos
Dois muros, porta entre,
  Ver *Porta entre Dois Muros*.
Dollinger, Johann Joseph Ignaz Von II, 211
Dolorosa, via, Ver *Via Dolorosa*.
Dom II, 211
Esboço
  I. Palavras Envolvidas
  II. A Atividade e Atitude de Quem Dá
  III. Os Dons Divinos
  IV. O Reflexo Humano
Dom Gratuito de Deus II, 212
Dom da Cura II, 213
  Ver também sobre *Dons Espirituais; Curas e Curas pela Fé*.
Dom de Línguas II, 213
  Ver o artigo sobre *Dons Espirituais*.
Domésticas, missões,
  Ver *Missões Domésticas*.
Domiciano II, 213
  Ver também *Império Romano*, XI.
Domingo, Dia do Senhor II, 213
  O dia do sol
  I. O Kuriakos
    Em Apo. 1:10
  II. Sabatismo e Domingo
    Sete itens discutidos
Domingo, Identificado com o Sábado II, 215
Domingo da Trindade II, 215
Domingo de Ramos II, 216
Domingos, São II, 216
Dominic Gundisalvo II, 216
Dominicale II, 216
Dominicum II, 216
Domínio II, 216
Domínio próprio, fruto do Espírito,
  Ver *Fruto do Espírito*, III.I.
Donatismo, Donatistas II, 216
Donatistas,
  Ver *Donatismo, Donatistas*.
Doninha II, 217
Donne, John II, 217
Donoso Cortes, Juan II, 217
Dons Divinos II, 217
  Ver sobre *Dom*.
Dons do Espírito,
  Ver *Espírito de Deus*, X.
Dons Espirituais II, 217
Esboço
  I. Problemas Afins
  II. Abuso do Exercício dos Dons Espirituais
  III. Alternativas aos Dons como Manifestados no Primeiro Século
    Dez itens discutidos
  IV. Charismata
    Todos os dons são alistados e discutidos individualmente.
Dons espirituais do ministério
  Ver *Ministério, Ministro*, VII.
Dons Espirituais, Homens como II, 223
  Os dons espirituais cooperam com o propósito universal
  Os homens como dons
Esboço
  I. Os Dons: Ofícios
    1. Apóstolos
    2. Profetas
    3. Evangelistas
    4. Pastores
    5. Mestres
  II. Desenvolvimento Histórico
Dons espirituais, restauração dos,
  Ver *Movimento Carismático*
Dons, sete, Ver *Sete Dons do Espírito*.
Donum, Superadditum II, 225

Donzela, Ver *Menina (Donzela)*.
Doque II, 225
Dor (Cidade) II, 225
Dor (Sofrimento) II, 225
  Ver também os artigos sobre *Sofrimento e sobre o Problema do Mal*.
Dorcas II, 225
Dorileum, Eusébio de,
  Ver *Eusébio de Dorileum*.
Dorner, August Johannes II, 226
Dorner, Isaac August II, 226
Dort, Sínodo de II, 226
Dositeu, Apocalipse de II, 226
  Ver também *Apocalipse de Dositeu*.
Dostoievski, Fyodor Mikhaylovich II, 226
Dotã II, 226
Dotaim II, 227 Ver sobre *Dotã*.
Dote II, 227
Doutor II, 228
Doutor da Igreja II, 228
Doutrina II, 228
Doutrina da Igreja,
  Ver *Eclesiologia e Igreja*.
Doutrina da justificação,
  Ver *Justificação*, III.
Doutrina da ressurreição,
  Ver *Ressurreição e a Ressurreição de Jesus Cristo*, V.
Doutrina das Escrituras II, 229
  Ver *Escrituras, Doutrina das*.
Doutrina das Duas Espadas II, 229
  Ver o artigo sobre *Direito dos Reis*.
Doutrina de Cristo, Ver *Cristologia*.
Doutrina de Jesus,
  Ver *Ensino de Jesus*.
Doutrina de Paulo,
  Ver *Paulo (Apóstolo)*, II.5,6,7,8.
Doutrina do Meio-Termo II, 229
Doutrinas distintas do luteranismo,
  Ver *Luteranismo*, 5.
Doutrinas distintas do mormonismo,
  Ver *Santos dos Últimos Dias*, IV.
Dowling, Levi H.,
  Ver *Livros Apócrifos (Modernos)*, 3.
Doxa II, 229
Doxologia II, 229
Doze discípulos especiais,
  Ver *Doze, os*.
Doze, Os II, 230
Doze Patriarcas, Testemunho dos,
  Ver *Testamento dos Doze Patriarcas*.
Doze, Simbolismos II, 230
Doze, Usos Bíblicos II, 231
Doze virtudes de Aristóteles,
  Ver *Ética*, V I.8.
Dracma II, 231 Ver sobre *Dinheiro*.
Dragão II, 231
  Ver também *Dragão e a Mulher*.
  Diversos animais nas Escrituras são chamados dragões.
  O dragão do Apocalipse
  Sete cabeças e dez chifres
  Simbolismos
Dragão, Bel o O II, 233
  Ver sobre *Bel e o Dragão*.
Dragão, Fonte do,
  Ver *Fonte do Dragão*.
Dragão e a Mulher II, 234
Drama Religioso II, 234
Esboço
  I. Primitivos Dramas Religiosos
  II. Dramas Religiosos dos Gregos
  III. Dramas Religiosos da Era Medieval
  IV. O Espetáculo da Paixão de Oberammergau
  V. Dramas Religiosos Modernos
  VI. A Questão Estética
Driesch, Hans Adolf II, 236
Drogas II, 236
Esboço
  I. Definição
  II. Classificação das Drogas

III. O Ponto de Vista Cristão
Drogas e experiência religiosa,
  Ver *Psicodélico: Experiência Religiosa Psicodélica*.
Dromedário II, 238
  Ver sobre o *Camelo*.
Drummon, Henry II, 238
Drusila II, 238
  I. Forma diminutiva de Drusa
  II. A família Drusus
Drusos II, 238
  O nome de uma seita religiosa
Dualismo II, 238
  I. Caracterização Geral
  II. Dualismo na Filosofia e na Teologia
  Dez sistemas e filósofos são discutidos
Dualismo de Platão
  Ilustrado com um gráfico:
  Ver *Ética*, V.6,
Dualismo do ser,
  Ver *Dicotomia, Tricotomia*; Problema *Corpo-Mente; e o artigo geral sobre Dualismo*.
Duas Espadas, Doutrina das II,239
  Ver sobre *Direito Divino dos Reis*.
Duas palavras, homem de,
  Ver *Homem de Duas Palavras*.
Duas Testemunhas II, 239
Duas Vezes Morto II, 240
Duas Vezes Nascido II, 240
Dublinenses, Codex, Ver *Z*.
Ducasse, Curt, J. II, 241
Dugongo II,241
  Ver *Texugo (Dugongo)*.
Dulin, Bernhard II, 241
Duhring, Eugen II, 241
Duhring sobre o materialismo,
  Ver *Materialismo*, 14.
Dulia, Ver *Mariolatria*, 2.c. e 3.
Dumá II, 241
Duns Scotus II, 242
Dupla Mente II, 242
Dupla Predestinação II, 242
Dupla Procedência do Espírito Santo II, 243
Dupla Verdade II, 243
Duplo II, 243
Duplo Aspecto (Gnosiologia) II, 243
Duplo Aspecto (Metafísica) II, 244
  Ver também *Problema Corpo-Mente*, III.
Duplo Efeito, Princípio do II, 244
Duplo Padrão de Moralidade II , 244
Duplo Reino de Deus II, 244
Duques, Ver *Príncipes (Duques)*.
Dura II, 245
Dura Cerviz II, 245
Duração II, 245 Ver os artigos sobre *Paciência e Resistência; Espaço e Tempo, Filosofia do*.
Durandus de São Purcain II, 245
Durkheim, Émile II, 246
Dustan, São II, 246
Du Vair, Guillaume II, 246
Dúvida II, 246
  1. Na filosofia
  2. Na teologia
Dvesa II, 246
Dwight, Timothy II, 246

E

E II, 248
E Codex Basiliensis
E (Documento Elohim) II, 248
  Símbolo usado para designar um dos documentos que comporia o Pentateuco
E o Filho, Ver *Enoque*.
Ea II, 248

Uma divindade assírio-babilônica
Eanes de Maaséias II, 248
Easter, Ver *Páscoa Cristã (Easter)*
Ebal II, 248
   Várias pessoas do AT
Ebal, Monte II, 248
Ébano II, 249
Ebede II, 249
   O nome de duas pessoas
Ebede-Meleque II, 249
Eben-Boã II, 249
   Ver sobre *Boã.*
Eben-Ezel II, 249
   Ver sobre *Ezel.*
Ebenézer II, 249
   1. Uma localidade
   2. Uma pedra
Éber II, 250
   Várias personagens do AT
Ébes II, 250
   Na LXX
Ebionismo, Ebionitas II, 250
Ebionitas, Ver *Ebionismo, Ebionitas.*
Ebionitas, Evangelho dos II, 251
Ebrom II, 251
Ebrona II, 251
Ecanus II, 251
Ecbátana II, 251
Ecce Homo II, 251
Ecclesia II, 252
Eck, Johann Maier II, 252
Eckhart, Johannes Meister II, 252
Eclano, Juliano de, Ver *Juliano de Eclano.*
Eclesiastes II, 254
   Esboço
   I. Caracterização Geral
   II. Autor
      Em favor de Salomão como autor do livro
      Contra Salomão como autor do livro
   III. Integridade
      Em favor da integridade do livro
   IV. A Inspiração Histórica da Obra
   V. Data
   VI. Canonicidade
      Ver também o artigo geral sobre o Cânon do AT e NT
   VII. Usos e Atitudes Cristãs
      Os eruditos liberais
      A falta de ortodoxia do livro
   VIII. Conteúdo
   IX. Bibliografia
Eclesiástico II, 258
   Ver também o artigo sobre *Livros Apócrifos.*
   Esboço
   I. Caracterização geral
   II. Autor
      Informações sobre o autor
   III. Data
   IV. Proveniência e Destino
   V. Propósito
   VI. Conteúdo
   VII. Doutrina
   VIII. Cânon
Eclesiástico, governo, Ver *Governo Eclesiástico.*
Eclesiásticos Latitudinários II, 260
Eclesiologia II, 260
Ecleticismo II, 261
Ecologia II, 262
   Ver sobre *Poluição do Ambiente.*
Economia II, 262 Ver os artigos sobre *Capitalismo; Comunismo; Socialismo e Sociologia.*
Ecrom II, 262
Ecumênicos, concílios, Ver *Concílios Ecumênicos.*
Ecumenismo (Ver *Movimento Ecumênico)* II, 262
Ecumenismo, definições, Ver *Movimento Ecumênico,* I.
Ecumenismo e catolicismo romano, Ver *Movimento cumênico,* V.
Ecumenismo e dissidentes, Ver *Movimento Ecumênico,* VI.
Ecumenismo e Ética II, 262
   Ver também sobre *Ecumenismo.*
Ecumenismo e profecia, Ver *Movimento Ecumênico,* VII.
Ecumenismo no AT, Ver *Movimento Ecumênico,* II.
Ecumenismo no NT, Ver *Movimento Ecumênico,* II.
Edar II, 263
   Ver sobre *Eder.*
Eddy, Mary Baker II, 263
Éden, Filhos de ou Casa de II, 263
   Ver sobre *Bete-Éden.*
Éden, Jardim do II, 263
   Esboço
   I. A Palavra
   II. Interpretações Liberais e Alegóricas sobre o Éden.
      Nos mitos mesopotâmicos.
      Era um jardim especialíssimo
   III. Localização do Éden.
      As tentativas
   IV. Significados da Narrativa
   V. A Dilmum dos Textos sumérios
      Eder II, 264
      Duas personagens do AT e uma cidade
Eder, Torre de II, 265
Edersheim, Alfred II, 265
Edessa II, 265
Edias II, 265
   Ver *Izias.*
Edificação, Edificar II 265
Edificar, Ver *Edificação, Edificar.*
Edino II, 266
Édipo, complexo de, Ver *Complexo de Édipo.*
Edison sobre idéias inatas, Ver *Idéias Inatas,* 8.
Edito de Milão II, 266
Edito de Nantes II, 266
Edito de Worms II, 266
Edna II, 266
Edom, Ver *Obede-Edom.*
Edom, Idumeus II, 266
   Esboço
   I. A Palavra
   II O Território
   III. Os Idumeus
   IV. História
      As descobertas arqueológicas
Edos II, 268
Edrei II, 268
   Duas cidades do AT
Educação II, 268
   Esboço
   I. A Palavra e suas Definições
   II. A Educação em Relação ao AT
      Dez itens discutidos
   III. A Educação Helênica
      Quatro itens discutidos
   IV. A Educação e Certas Personagens do NT, Jesus, os Doze Apóstolos, Paulo, Lucas
   V. A Educação Cristã
   VI. Filosofia da Educação
   VII. A Educação e os Ideais do NT
Educação, Filosofia da II, 273
   Esboço
   I. Aspectos Históricos
   II. Áreas da Filosofia Enfatizadas
      Quatro discussões apresentadas
   III. Filosofias Tradicionais da Educação
   IV. Algumas Teorias Educacionais Contemporâneas
   V. Idéias de Filósofos Específicos
      Sete filósofos falam sobre o assunto
      Ver também *Educação,*VI.
Educação Cristã II, 275
   Introdução
   1. A cena moderna
   2. Problemas das escolas cristãs
   3. O NT Ver também *Educação,* II.
Educação e Moralidade II, 276
   Esboço
   I. Definição dos Termos
   II. O Antigo Exemplo Judaico
   III. A Continuação Cristã
   IV. O Processo de Secularização
   V. Uma Colheita Inesperada
Educação helênica, Ver *Educação,* III.
Educação no AT, Ver *Educação,* III.
Educação no NT, Ver *Educação,* IV.
Educação Religiosa I, 277
Edwards, Jonathan II, 277
Efa (Medida) II, 278
Efã (Pessoa) II, 278
   O nome de várias personagens do AT
Efai II, 278
Efatá II, 278
Efeito do tapete de muitas cores, Ver *Mortos, Estado dos,* IV.
Efeito do Tomate II, 278
   O efeito do tomate é a rejeição de alguma teoria ou idéia
Efeito Ganzfeld, Ver *Parapsicologia* IX.
Efeitos cósmicos da expiação, Ver *Expiação,* VIII, especialmente ponto 3.
Efeitos da cruz de Cristo, Ver *Cruz de Cristo, Efeitos.*
Efeitos universais da expiação, Ver *Expiação,* VIII.
Efer II, 279
   O nome de três pessoas no AT
Efes-Damim II, 279
Efésios II, 279
   Introdução
   Esboço
   I. O Vexatório Problema da Autoria
   II. Data e Proveniência
   III. Para Quem Foi Escrita?
   IV. Temas Centrais
      Nove são discutidos
   V.Conteúdo
   VI. Bibliografia
Éfeso II, 287
   Esboço
   I. Localização e Caracterização Geral
   II. História
   III. Religião
   IV. Éfeso e a Arqueologia
Éfeso, Concílios de II, 289
Efetuação da salvação,
   Ver *Efetuai a Vossa Salvação.*
Efetuai a Vossa Salvação! Fil. 2:12 II, 289
Eficácia dos ensinos de Jesus, Ver *Ensinos de Jesus,* II.
Eficiência de leis, Ver *Lei, Analogia,* 6.
Efial II, 290
Efluxos, Teoria dos II, 290
Éfode II, 290
Efraim (Cidade) II, 290
Efraim (Pessoa) II, 290
Efraim (Tribo) II, 291
Efraim, Bosque de II, 292
Efraim, Porta de II, 292
Efraim, Região Montanhosa de II, 292
Efraimitas II, 293
Efrata II, 293
   O nome de três lugares diferentes no AT
Efrate II, 293
Efrateu II, 293
Efrom II, 293
   O nome de várias localidades e de uma pessoa no AT
Egídio de Lessines II, 293
Egídio Romano II, 294
Egípcio, o II, 294
Egípcios, Evangelho dos II , 294
Egito II, 294
   Esboço
   I. O Nome
   II. Geografia e Topografia
   III. Esboço da História do Egito
   IV. A Língua e a Literatura do Egito
   V. As Religiões do Egito
      Oito itens discutidos
   VI. A Ética do Egito
   Bibliografia
Egito, Ética do II, 306
Egito, pragas do,
   Ver *Pragas do Egito.*
Egito, Religiões do II, 306
Egito, Ribeiro do II, 306
Eglã II, 306
Eglaim II, 307
Eglate-Selisias II, 307
Eglom II, 307
   O nome de uma cidade e de um homem no AT
Ego II, 307
   Esboço
   I. A Palavra
   II. O Eu Experimentado
   III. Nas Descrições da Psicanálise
   IV. Na Filosofia e na Religião
      Ver também *Jung,* idéias, 3.
Egoísmo II, 308
   Esboço
   I. Definição
      Ver também o artigo sobre *Altruísmo e Egoísmo.*
   II. Egoísmo Coletivo
   III. Egoísmo Religioso e Cristão
   IV. Mistura do Egoísmo com o Prazer e a Fé Religiosa
   V. Várias Definições do Egoísmo
Egoísmo coletivo, Ver *Egoísmo,* II.
Egoísmo religioso, Ver *Egoísmo,* III.
Eí II, 309
Eidéticas, imagens,
   Ver *Imagens Eidéticas.*
Eidético (Eidos) II, 309
Eidola II, 309
Eidologia II, 309
Eidos, Ver *Eidético (Eidos).*
Einfuhlung II, 309
Einstein, Albert II, 309
Einstein sobre *idéias inatas,*
   Ver *Idéias Inatas,* 8.
Eira II, 310
Eirado, Terraço, Teto II, 310
Eirado da Esquina II, 311
Eis o homem; Ver *Ecce Homo.*
Eisegese 50 II, 311
Ejetos II, 311
El II, 311
Elá II, 312
   Sei personagens e um acidente geográfico nas páginas do AT
Elã Vital II, 312
El-Amarna, Ver *Tell El-Amarna*
Elamitas, Ver *Elão, Elamitas.*
Elana II, 313
   Duas pessoas do AT
Elão (Norne Pessoal) II, 313
   O nome de nada menos que oito personagens no AT
Elão, Elamitas II, 313
   Esboço
   I. O Nome e o Lugar
   II. A História Geral do Elão

ELASA – ENCARNAÇÕES

III. Dissolução do Elão
Elasa II, 314
Elasar II, 314
Elate II, 315
El-Berite II, 315
El-Betel II, 315
Elcana II, 315
  O nome de oito pessoas no AT
Elcós, Elcosita II, 316
Elda II, 316
Eldade e Medade II, 316
Eleada II, 316
Eleade II, 316
Eleale II, 316
Eleasá II, 317
Eleasa, Eleasá II, 317
Eleáticos II, 317
Eleazar II, 317
Electra, complexo de,
  Ver *Complexo de Electra*.
Elefante II, 318
Elefantinos, Papiros II, 318
  1. Designação
  2. Localização geográfica
  3. Elefantina e a arqueologia
  4. Informes históricos
    A colônia judaica
  5. Os Papiros Elefantinos
  6. Referências bíblicas
Elefe, II, 319
Eleição II, 319
Esboço
  I. Caracterização Geral
    1. Um dos decretos de Deus
    2. O lado oposto
    3. O arminiasmo
    4. Uma posição intermediária
    5. Opiniões do autor deste artigo e da enciclopédia
  II. Vinte o Três Fatos Distintos sobre a Eleição
  III. Que Dizer sobre o Livre-Arbítrio?
  IV. Conceitos Relacionados
    Ver os artigos sobre
    Determinismo; *Voluntarismo e Reprovação*.
  V. Antiguidade da Eleição
  VI. A Implacável Doutrina da Predestinação
  VII. Finalidade da Eleição
Eleição Canônica II, 323
Eleição e determinismo, Ver
  Determinismo (Predestinação),V.
Eleição segundo a presciência de Deus, Ver *Presciência de Deus*, III.
Eleison, Ver *Kyrie Eleison*.
Eleita, Senhora, Ver *Senhora Eleita*.
El-Elyon II, 323
Elementares, espíritos, Ver *Elemento e Espíritos Elementares*.
Elementos II, 323
Elementos básicos do liberalismo,
  Ver *Liberalismo*, II.
Elementos comuns de epístolas,
  Ver *Epístolas*, V.
Elementos da adoração,
  Ver *Adoração*, III.B.
Elementos da salvação,
  Ver *Salvação*, 6.
Elementos e Espíritos Elementares II, 323
  Uso moderno do termo "espíritos elementares"
Elementos principais na experiência perto da morte,
  Ver *Experiências Perto da Morte*,III.
Elenchus II, 324
Eleusianos, mistérios,
  Ver *Religiões Misteriosas (dos Mistérios)*, I 1.
Eleusianos, Ritos II, 324
  Ver sobre as *Religiões Misteriosas (dos Mistérios)*.

Elêusis II, 324
Eleutério (Papa) II, 324
Eleutero II, 324
Elevação da Hóstia II, 325
Eli II, 325
  Duas pessoas do AT
Eli, Eli, Lama Sabactâni II, 326; em Mat 47:46; no evangelho apócrifo, de Pedro
Eliã II, 327
Eliaba II, 327
Eliabe II, 327
  Seis personagens do AT Eliada II, 327
  Três homens do AT
Elialis II, 327
Eliaquim II, 327
  Cinco personagens no AT
Elias II , 328
Esboço
  I. O Nome
  II. História Pessoal
    Características pessoais
  III. Passado Formativo
  IV. Eventos Resultantes
    A ajuda mútua
    O desafio do fogo
  V. Translação de Elias
  VI. Estatura de Elias e sua Posição nas Escrituras
Elias Apocalipse de, Ver *Elias, Apocalipse* de. Elias, luto com Jezebel, Ver *Jezebel*, 5 e 7.
Elias (Outros que Não o Profeta) II, 332
Elias redivivo, Ver *João (o Batista)*, V.
Eliasafe II, 332
Eliasibe II, 332
  Seis pessoas no AT
Eliasibe (Eliasibe) II, 332
Eliasis II, 332
Eliata II, 332
Elica II, 332
Elidade II, 332
Eliel II, 332
  Nove ou dez personagens do AT
Elienai II, 333
Eliezer II, 333
  Onze personagens do AT
Elifal II, 333
Elifaz II, 333
Elifelete II, 334
  Seis personagens do NT
Elifeleu II, 334
Elim II, 334
Elimais II, 334
Elimas II, 335
Elimeleque II, 335
Elioenai II, 335
  Seis pessoas no A.T
Elionas II, 336
Eliorefe, II, 336
Elipando II, 336
Élis, Pino de, Ver *Pino de Élis*.
Elisa II, 336
  Um dos filhos de Javã
Elisafã, Elizafã II, 336
  Duas personagens do AT
Elisafate II, 336
Elisama II, 336
  Sete pessoas no AT
Eliseba II, 337
Eliseu II, 337
Esboço
  I. Nome
  II. Família e Origens
  III. Sua Chamada e Esboço de seu Ministério
  IV. Incidentes Específicos de sua Vida. Dezenove incidentes descritos
  V. Conclusão

Elísios, Campos II, 342
Elisua II, 342
Elite, Teoria da II, 342
  Ver sobre *Pareto*.
Eliú II, 342
  Cinco homens do AT
Eliúde II, 343
Elizur II, 343
Elmadã II, 343
Elnaão II, 343
Elnatã II, 343
  Várias personagens do AT
Eloã II, 343
Elohim II, 343
Elohim, documento, Ver *E (Documento Elchim)*, e *J.E.D.P.(S.)*
Eloi, Eloi, Lemá Sabactâni II, 344
  Ver sobre *Eli, Eli, Lema Sabactâni*.
Eloísta II, 344
  Ver também *Jeovista (Eloísta)*.
Elom II, 344
  O nome de várias personagens AT
Elom (Cidade) II, 344
Elom-Bete-Hanã II, 344
  Ver sobre *Elom (Cidade)*,último parágrafo.
Elote II, 344
Elpalete, II, 344
El-Pará II, 344
Elquesaítas II, 344
Elquias I I , 345
El-Roí II, 345
El-Shaddai II, 345
  Um nome divino
Eltecom II, 345
Elteque II, 345
Eltolade II, 345
Elul II, 345
Eluzai II, 345
Elvira, Sínodo de II, 345
Elzabede II, 346
  Duas personagens do AT
Em Cristo, Ver *Identificação com Cristo*.
Emadabum II, 346
Emanação II, 346
  A doutrina que diz que todas as coisas que existem emanaram do Ser ou Realidade Suprema
  As aplicações
Emanação e Jesus, Ver *Jesus*, I.2.e.
Emancipação da Mulher II, 347
  Ver sobre *Mulher*,
  Posição da.
Emanuel II, 347
Esboço
  I. Significado e Usos Bíblicos
  II. O Significado de Isaías 7:14
    As várias interpretações sobre Isaías 7:14
  III. A Teologia do Emanuel
  IV. Deus Está Conosco e Nós Estamos com Deus
Emaús II, 348
Embaixada II, 349
Embaixador II, 349
Embaixadores de Cristo,
  Ver *Embaixador*.
Embalsamamento, Ver *Embalsamar (Embalsamamento)*.
Embalsamamento mais antigo,
  Ver *Embalsamar (Embalsamamento)*, 5.
Embalsamar (Embalsamamento) II, 350
Embarcações, Ver *Barcos (Navios)*.
Emblema II, 352
Emboscada II, 352
Emeque-Queziz II, 352
Emerson, Ralph Waldo II, 352
Emerson sobre o macrocosmo,
  Ver *Macrocosmo*, 9.
Emessa, Eusébio de,

Ver *Eusébio de Emessa*.
Eminentiae, via, Ver *Via Eminentiae*.
Emins II, 353
Emmet, Dorothy II, 353
Emmons, Nathaniel II, 353
Emoção, Ver *Emoções*.
Emoção expressada no riso,
  Ver *Riso (Rir.)*
Emoções II, 353
Esboço
Introdução
  1. Definições
  2. Emoções básicas
  3. O poder das emoções
    Manifestações psicossomáticas
    As emoções e o comportamento
  4. Emoções certas e erradas
  5. Teorias básicas sobre as emoções
  6. As emoções e o bom equilíbrio
    As emoções e o enriquecimento espiritual
Emotivismo (Emoções e a Ética) II, 355
Empatia II, 356
Empecilhos ao casamento,
  Ver *Matrimônio*, IV.
Empédocles II, 356
Empédocles sobre o macrosmo,
  Ver *Macrocosmo*, 2.
Empiriocriticismo II, 357
Empirismo II, 357
Esboço
  I. Definição
  II. O Que é Combatido Pelo Empirismo
  III. Estágios do Empirismo
  IV. Elementos do Empirismo Nove conceitos são discutidos
  V. Filósofos Específicos e o Empirismo
    Seis discussões são apresentadas
  VI. Críticas Contra o Empirismo
Empirismo e linguagem, Ver *Linguagem (Filosofia e)*, 7, e *Linguagem Religiosa*, 3.
Empirismo e teologia,
  Ver *Teologia Empírica*. e
Empregado, Ver *Trabalhador, (Empregado, Mercenário)*.
Emprego II, 359
Emprestar, Tomar Emprestado II, 360
Empréstimo, Ver *Emprestar, Tomar Emprestado*.
Empréstimos no NT de
Enoque, Ver *Enoque*.
Etíope, VIII.
Em Verdade, em Verdade II, 360
Em João 1:51
  O vocábulo Amém
Enã II, 361
  Uma cidade e um homem
Enaim II, 361
Enantã II, 361
Encaixes II, 361
Encantador II, 361
Encantadores II, 362
  Ver sobre *Adivinhação e Magia*.
Encantamento II, 362
Encantamento de Serpentes II, 362
Encanto II, 362
Encarnação de Cristo II, 362
  Ver também sobre *Encarnações*
Esboço
  I. O Fato da Encarnação
    Em João 1:14
    E o Verbo se fez carne
  II. A Natureza da Encarnação
  III. A Confissão da Encarnação
  IV. O Grande Efeito da Encarnação
    Em João 4:2
  V. A Operação da Encarnação pela Água e pelo Sangue
    As interpretações
Encarnações II, 366

ENCARNAÇÃO – ERA

Ver também o artigo separado sobre Encarnação de Cristo.
1. Formas de relacionamento
2. Pessoas específicas
   A religião grega popular
3. No cristianismo
4. No espiritismo
5. Na reencarnação
6. Nas possessões demoníacas
Encíclicas Papais II, 366
Enciclopédias da Bíblia II, 367
Ver o artigo sobre *Dicionários e Enciclopédias da Bíblia*.
Enciclopédias da Bíblia em português, Ver *Dicionários e Enciclopédias da Bíblia*, IV
Enciclopedistas II, 367
Certo grupo de escritores franceses do séc. XVIII
Encratitas II, 367
Endogamia, Ver *Exogamia*.
En-Dor II, 367
En-Eglaim II, 367
Uma cidade de Moabe
En-Ganim II, 368
Duas cidades no AT
En-Gedi II, 368
Três locais diferentes no AT
En-Hacoré II, 368
En-Hadá II, 368
En-Hazor II, 368
En-Mispate II, 368
En-Rimom II, 369
En-Rogel II, 369
En-Semes II, 369
En-Soi II, 369
En-Tapua II, 369
Endro II, 369
Uma das plantas alistadas em Mat. 23:23
Endurecimento do Coração II, 369
Eneadas II, 370
Enéias II, 370
Energeia II, 370
Energia Atômica II, 370
Enfeites II, 370
Enfermidades na Bíblia II, 370
Esboço
Declaração introdutória
I. Enfermidades Físicas
Trinta e sete doenças alistadas e discutidas
II. Enfermidades Mentais
1. Loucura
2. Possessão demoníaca
III. Tratamento das Enfermidades na Antiguidade
Nos tempos do NT.
IV. A Teologia da Doença
Cinco itens discutidos
Enfermidades possessão demoníaca, Ver *Possessão Demoníaca*, 2.
Enforcamento II, 378
Enganar, Ver *Engano, Enganar*.
Engano, Enganar II, 378
As palavras hebraicas e gregas
Atos cujo propósito é enganar outras pessoas Satanás, o grande mestre do engano. Ver também *Autodecepção (Engano)*.
Engels, Friedrich II, 379
Engi Shiki II, 380
Enigma II, 380
Enipôstase II, 380
Enom II, 380
Enoque II, 381
Várias personagens bíblicas;
Enoque, Cidade de II, 381
Enoque, Livros de II, 381
Há três livros que estampam o nome de Enoque
Enoque, I, usado no NT, Ver *Livros Apócrifos*, IV. C.6.

Enoque Eslavônico (II Enoque) II, 382
Esboço
I. Caracterização Geral
II. Conteúdo
1. Viagens pelos sete céus
2. O décimo céu é visitado
3. A volta a terra
III. Crenças Refletidas em II Enoque
IV. Linguagem e Proveniência
V. Data
VI. Autoria
VII. Influência Exercida por II Enoque
VIII. Descobertas de II Enoque; Texto Crítico
Enoque Etíope
(I Enoque) II,383
Esboço
I. O Material de Enoque Em seu todo
II. Conteúdo
III. Data, Integridade e Autor(es)
IV. Linguagem e Proveniência
V. Manuscritos
VI. I Enoque, e o NT
Os paralelos específicos no NT
VII. Problemas Criados pelo Uso dos Livros Pseudepígrafos no NT
1. Para os estudiosos liberais
2. Para aqueles que estabelecem uma rígida e radical distinção entre os Livros Sagrados
3. A tradição profética No NT
4. O Messias celestial VIII.
VIII. I Enoque e a Literatura Cristã Posterior
Cânon
Bibliografia
Enoque Hebreu (III Enoque) II, 390
Esse livro não é antigo
A era medieval
Enos II, 390
Enoteísmo II, 390
Ver *Deus*, III.2, *Enoteísmo*.
Ens (Ente) II, 390
Ens Realissimun II, 390
Ensinamentos de Silvano, Ver *Silvano, Ensinamentos de*.
Ensinamentos do espiritismo, Ver *Espiritismo (Espiritualismo)*, II.
Ensino II, 390
I. A Importância do Ensino Cristão
II. Em Rom. 12:7
III. O Exemplo de Paulo. Ver também *Mestre, e Ensino*.
Ensino, dom de, Ver *Dons Espirituais*, IV.10
Ensinos, Ver *Doutrina*; e *Escrituras, Doutrina das*.
Ensinos de Cristo, Ver *Jesus* III.
Ensino de Jesus II, 392
Ver também sobre *Jesus*.
I. Autoridade
Cinco itens discutidos
II. Eficácia
III. Habilidade
Oito itens discutidos
IV. Métodos
Novo itens discutidos
V. Conteúdo
Oito itens discutidos
Ensinos de Jesus, fonte dos, Ver *Jesus*, III l.
Ensinos de Paulo, Ver *Paulo (Apóstolo)*, II.5,6,7,8.
Ensinos do Apóstolo João, Ver *João Apóstolo*, III e *João Apóstolo, Teologia (Ensinos) de*.

Ensinos do NT sobre a Virgem Maria, Ver *Mariologia*, II.
Ensinos sem-par de Jesus, Ver *Jesus*, III.2.
Entalhe II, 397
Ver também o artigo sobre Artes e Ofícios.
Uma obra artística em madeira, pedra e vários outros materiais
Entelêcheia II, 397
Enteléquia II, 397
Enterro, Ver *Sepultamentos, Costumes de e Túmulo*.
Entia Naturae II, 397
Entia Rationis II, 397
Entidade II, 397
Entorpecentes II, 397
Ver sobre *Drogas*.
Entorpecentes e experiência religiosa, Ver *Psicodélica (Experiência Religiosa Psicodélica)*.
Entrada Triunfal II, 397
Entre os Testamentos, período, Ver *Período Intertestamental*.
Entusiasmo II, 398
Enuma Elish II, 399
Enumeração II, 399
Enxerto II, 399
Seis ocorrências na epístola aos Romanos
Enxofre II, 399
Epafras II, 400
Epafrodita II, 400
Epagoge II,400
Epêneto II, 400
Ephraemi Rescriptus, Codex, Ver *C. Codex Ephraemi Siry Rescriptus* no artigo sobre *Manuscritos Antigos do NT*, Vol. IV, p. 82, segunda coluna.
Epiclesis II, 401
A porção principal da cerimônia da eucaristia
Épico de Querete, Ver *Ugarite*, 6.
Epicteto II, 401
Epicteto sobre resignação, Ver *Resignação*, últimos dois parágrafos
Epicureus, Ver *Escolas Filosóficas do NT*, III.
Epicurismo II, 402
Epicurismo, ética do, Ver *Ética*, IV. 3.
Epicurismo (Esboço Histórico) II, 402
A história dessa escola filosófica em seis pontos
Ver também sobre *Escolas Filosóficas do NT*
Epicuro sobre o materialismo, Ver *Materialismo*, III.3.
Epifânia II, 403
Epifânio II, 404
Epifânio Antíoco, IV II, 405
Ver artigo sobre *Antíoco IV Epifânio*.
Epifenomenalismo II, 405
Ver o artigo geral sobre o *Problema Corpo-Mente*.
Epifi II, 405
Epilepsia, Ver *Enfermidades na Bíblia*, I.17.
Episcopal II, 405 (Igreja Anglicana)
Esboço
I. Caracterização Geral
II. Dentro do Contexto Anglicano
1. Os eclesiásticos da Alta Igreja
2. Os eclesiásticos da Igreja Baixa
3. Os eclesiásticos da facção liberal da Igreja Anglicana
4. Os Episcopais Reformados
Episcopal, governo, Ver *Governo Eclesiástico*, II l.
Episcopal, Igreja II, 406

Episcopalismo II, 406
Epistemologia (Gnosiologia) II, 406
O uso da palavra
Um dos seis ramos tradicionais da filosofia
Epistemologia e linguagem, Ver *Linguagem (Filosofia e)*, ponto 18.
Epístola II, 407
Esboço
I. A Palavra
II. Distinções
III. Composição e Energia
IV. Classificação dos Escritos Neotestamentários
V. Elementos Comuns nas Epístolas Antigas
Epístolas aos Laodicenses, Ver *Laodicenses, Epístola aos, e Livros Apócrifos*, NT, 2.c.
Epístola de Barnabé, Ver *Barnabé, Epístola de*.
Epístola de Jeremias, Ver *Jeremias, Carta de*.
Epístola de Lentulo, Ver *Lentulo, Epístola de*.
Epístola de Policarpo, Ver *Policarpo, Epístola de*.
Epístola do céu, Ver *Livros Apócrifos (Modernos)*, 9.
Epístola dos Apóstolos II, 408 Ver *Apóstolos, Epístola dos*.
Epístolas Apócrifas II, 408
Epístolas Católicas II, 408
Epístolas de Clemente, Ver *Clemente, Epístolas de*.
Epístolas de Pedro, Ver *Pedro (Primeira Epístola) e Pedro (Segunda Epístola)*.
Epístolas dos Pais Apostólicos, II, 409
Epístolas Pastorais II, 409
I, II, Timóteo e Tito
I. O Vexatório Problema de Autoria
II. Dependência Literária
III. Data e Proveniência
IV. A Quem Foram Dirigidas
V. Motivos e Propósitos
VI. Integridade e Confirmação Histórica
VII. Ensinamentos e Temas
VIII. Importância das Epístolas Pastorais
IX. Conteúdo de I Timóteo
X. Conteúdo de II Timóteo
XI. Conteúdo de Tito
XII. Bibliografia
Epoché II, 411
Epopéia de Gilgamés, Ver *Gilgamés Epopéia de*.
Equer II, 424
Equiprobabilismo II, 424
Ver também *Liguori, St. Alphonus*.
Equívoco II, 424
Er II, 424
Há três pessoas com esse nome na Bíblia
Er, Mito de II, 425
Era II, 425
Uma época histórica
I. Eras Judaicas
II. Eras Profanas
III. Era Cristã
Era (Aeon, Aion) II, 426
Cinco definições discutidas
Era, É e Será (Cristo) Apo. 1:4 II, 427
Que é
Que era
Que há de vir
Os sentidos diversos desse título
Era Apostólica II, 427

ERA – ESPELHO

Era Áurea II, 427
Era Nova, Ver *Nova Era*.
Era patriarcal, Ver *Patriarcas (Bíblicos)*.
Era, Vigilante II, 428
Erasmo, Desidério II, 428
Erastianismo II, 428
Erasto II, 428
Três homens do NT
Eremita II, 429
Ereque II, 429
Ergo sum, Ver *Cogito, Ergo Sum*.
Eri II, 429
Erígena, João Escoto II, 429
Erígena sobre o macrocosmo, Ver *Macrocosmo*, 6.
Erístico II, 430
Ermo II, 430
Ver sobre *Deserto*.
Ernst Troeltsch, Ver *Liberalismo*, III.6.e.
Erquebel II, 430
Erro II, 430
Esboço
I. Na Filosofia
  1. Sócrates
  2. Platão
  3. Descartes
  4. Royce
  5. No campo da ética
  6. No campo das crenças religiosas
II. Idéias Bíblicas
  Erros comuns no texto hebraico do Antigo Testamento, Ver *Manuscritos do AT*, VII.
Erudição e liberalismo, Ver *Liberalismo*, III.8.f.
Ervas II, 431
Ervas Amargas II, 431
Esã II, 432
Esar-Hadom II, 432
Esaú II, 432
  1. Relações de família
  2. Incidentes de sua vida pessoal
Esba II, 434
Esbaal II, 434
Escabelo II, 434
Escabrosos, Montes, Ver *Montes Escabrosos*.
Escada II, 435
Escada de Tiro II, 436
Escamas de Peixes II, 435
Escândalo, Ver *Skándalon (Escândalo)*.
Escapar II, 436
  As palavras hebraicas e gregas
  Ocorrências bíblicas
  O uso na Bíblia
Escarlata II, 436
Escarnecedores, Ver *Escárnio, Escarnecedores*.
Escárnio, Escarnecedores II, 436
Escatologia II, 437
Esboço
I. Definição e Caracterização Geral
  Sete itens discutidos
II. Alguns Aspectos Históricos da Escatologia
  Nove itens discutidos
III. Temas Principais da Escatologia do AT
  Cinco discussões apresentadas
IV. Temas Principais da Escatologia dos Livros Apócrifos e Pseudepígrafos
V. Temas Principais da Escatologia
  Oito itens discutidos
VI. A Escatologia e os Princípios Éticos
Escatologia e a Ética II, 443
Esboço
I. Jesus, a Escatologia e a Ética

II. A Ética e as Recompensas
III. Considerações Paulinas
IV. A Ética e a Metafísica
Escatologia e promessas, Ver *Promessa*, VI.
Escavações arqueológicas, Ver *Arqueologia*, VI.
Escavadores II, 444
Escol II, 444
  O nome de uma pessoa, de um lugar e de certas plantas nas páginas da Bíblia
Escola II. 444
Escola de Atenas II, 444
Escola de Bagodá II, 444
Escola de Heidelberg II, 444 Ver *Heidelberg, Escola de*.
Escola de Madri II, 444 Ver sobre *Madri, Escola de*.
Escola de Megara, Ver *Megara Escola Filosófica de*.
Escola de Milesianos, Ver *Milesianos (Escola Filosófica)*.
Escola de Pérgamo, Ver *Pérgamo, Escola de*.
Escola de São Vítor, Ver *São Vítor, Escola de*.
Escola de Tien-Tal II, 445 Ver *Tien-Tal, Escola de*.
Escola de Tubingen II, 445 Ver sobre *Tubingen, Escola de*.
Escola de Uppsala II, 445
  Ver sobre *Hagerstrom*.
Escola do Palácio II, 445
  Ver *Palácio, Escola do*.
Escola Dominical II, 445
  Ver sobre *Sunday. School*.
Escola liceu, Ver *Liceu e Peripatético*
Escola Paroquial II, 445 Ver *Paróquia, Escola da*.
Escola peripatética, Ver *Peritético*.
Escola a Teológica da Antioquia II, 445
Escolas de psicologia, Ver *Psicologia*, III.
Escolas dos Profetas II, 445
Escolas éticas, Ver *Filosofia Grega*, III.
Escolas Filosóficas no NT II, 446
Esboço
  I. Cínicos
  II. Hedonistas
  III. Epicureus
  IV. Estoicismo
Escolas hindus, Ver *Hinduísmo*, III.
Escolas Socráticas II, 450
Escolasticiamo II, 451
Esboço
  I. Caracterização Geral
  II. Principais Períodos e Filósofos
Escolásticos e a dialética, Ver *Dialética*, 7.
Escolher, Escolha II, 451
Escolhidos poucos, Ver *Chamados Muitos, Escolhidos Poucos*.
Escolta de Quatro Soldados II, 451
Escoltas II, 452
Esconder II, 452
Escondido, Ver *Esconder*.
Escória II, 452
Escornear II, 452
Escorpião II, 452
Escotismo, Ver *Duns Scotus*.
Escravatura e Filemom, Ver *Filemom*, V.
Escravidão II, 453
Esboço
  I. Cristianismo e a Escravidão
  II. Aplicações Modernas
  III. Em I Coríntios 7:21
  IV. Atitudes Estóicas
  V. Oportunidade da Escravidão

VI. Aplicações Espirituais
  Seis discussões apresentadas
Escravidão do Pecado II, 456
Escravidão e cristianismo, Ver *Filemom*, V.
Escravidão Espiritual II, 457
  Ver também *Escravidão do Pecado*.
  Seis discussões apresentadas
Escravidão moderna, Ver *Escravidão*, II.
Escravo, Escravidão II, 457
Esboço
Escravidão no AT
  Sete itens discutidos
  II. Escravidão no NT
  Quatro itens discutidos
  Ver também sobre *Escravidão*.
Escriba II, 462
  1. Uso no AT
  2. Esdras e o período intetestamentário
  3. Uso neotestamentário
Escrita II, 464
Esboço
  I. Expressão e Comunicação
    Quatro discussões apresentadas
  II. Origem da Comunicação Vertical
    Três discussões apresentadas
  III. Escrita Cuneiforme Várias formas históricas, discutidas
  IV. Hieróglifos
  V. Semita Ocidental e Grego
  VI Escrita nas Escrituras
Escrita nas Escrituras, Ver *Escrituras*, VI.
Escrita semita, Ver *Escrita*, V.
Escritas, julgamentos das, Ver *Julgamento das Escrituras*.
Escritos Joaninos, Ver *João Apóstolo*, IV
Escrituras II, 469
Esboço
  I. Terminologia Neotestamentária
  II. Inspiração das Escrituras
  III. A Autoridade das Escrituras;
  IV. O Uso das Escrituras
  V. Níveis e Tipos de Inspiração
Escrituras, autoridade das, Ver *Escrituras*, III.
Escrituras, inspiração das, Ver *Escrituras*, II, e *Inspiração*, I.
Escrituras, sentido das, Ver *Sentido das Escrituras*.
Escrituras, usos das, Ver *Escrituras*, IV.
Escrituras e as Tradições II, 486
  Ver *Tradição e as Escrituras, e Autoridade*.
Escrituras Herméticas II, 486
  1. O título
  2. Origem e caráter
  3. Obras mais conhecidas
  4. A ênfase
  5. Relações com o NT
Escrituras hindus, Ver *Hiduísmo*, VI. 1 e *Shastras*.
Escrituras somente como autoridade, Ver *Ortodoxia*, 3, e *Autoridade*.
Escrivão da Cidade II, 487
Escrupolosidade II, 487
Escrutínio II, 487
Escudo II, 487
  Ver *Armadura, Armas*.
  Usos metafóricos
Escudo como símbolo da fé, Ver *Armadura, Armas*, V.4.
Escuridão, Metáfora II, 488
Escuridão Sobrenatural II, 488
Escutar II, 488
Esdras (a Pessoa) II, 489
  O nome de três personagens do AT
Esdras (o Livro) II, 490
Esboço

I. Pano de Fundo Histórico
II. Esdras, o Homem e a sua História
III. Relações e Características Literárias
IV. Autoria e Data
  As memórias de Esdras Data
V. Cânon
VI. Alguns Problemas
VII. Esboço do Conteúdo
Esdras, I II, 492
Esboço
  I. O Nome do Livro e sua Caracterização Geral
  II. Conteúdo
  III. Elementos Importantes
    1. Conteúdo
    2. A lei
    3. A literatura judaica de sabedoria
  IV. Data
  V. Autor
Esdras, II II, 493
Esboço
  I. Caracterização Geral
  II. Conteúdo
  III. Temas e Idéias
    1. Interesse pelo futuro
    2. Deus
    3. O homem
    4. O conhecimento
    5. A ressurreição e o julgamento
    6. O messias
    7. O reino
    8. O problema do mal
  IV. Data e Autoria
Esdrelom, Planície (Vale) II, 495
Esdris II, 495
Eseque II, 495
Esferas, música das, Ver *Música das Esferas*.
Esfoladura II, 495
Esli II, 495
Esmalcalde, Ver *Liga de Esmalcalde*.
Esmeralda II, 495
Esmirna II, 496
Esmolas II, 497
  Esmolas como cumprimento da lei do amor, Ver *Esmolas*, 3.
Esmoler II, 498
  Ver também *Esmolas*.
Esoterismo II, 499
Espaço II, 499
  Ver sobre *Tempo e Espaço, Filosofia do*.
Espaço e Tempo, *Filosofia do* II, 499
  Ver sobre *Tempo e Espaço Filosofia do*.
  Ver também *Espaço*.
Espaço, filosofia do, Ver *Tempo e Espaço, Filosofia do*.
Espada II, 499
Espada como símbolo do Espírito, Ver *Armadura, Armas*, V.6.
Espada de Dois Gumes II, 499
  1. Seu significado básico
  2. Significados ampliados
  3. A espada tem dois fios
Espanha II, 500
Esparta II, 500
Especial, revelação, Ver *Revelação Geral e Especial*, 4.
Espécies II, 501
  Ver também *Gênero*.
Espécies II, 501, Ver *Porfírio*, 1.
Espelho II, 501
Espelho Espiritual II, 501
Esboço
  Em II cor. 3:18
  Uma das mais profundas das declarações do NT
  I. Elementos dessa Transformação Espiritual
  II. O Rosto Desvendado
  III. Modo de Operação

783

ESPELTA – ESTOLA

IV. A Glória do Senhor Transformados de glória em glória
V. Um Processo Eterno Espelhos, Ver *Espelho*.
Espelta II, 503
Esperança II, 503
Esboço
I. Natureza da Esperança
II. Cristo, nossa Esperança
III. Em Romanos 8:24 Algumas famosas citações sobre a esperança
Esperança, Cristo como, Ver *Esperança*, II.
Esperança ardente da criação, Ver *Expectativa Ardente da Criação*.
Esperança Messiânica II, 505 Ver também os artigos sobre *Messias e Jesus*.
Esperança no inferno, Ver *Inferno*, VI.
Esperança religiosa, prova da existência de Deus, Ver *Deus*, IV. 11.
Espeusipo, Ver *Speusipo (Espeusipo)*.
Espevitadeira Tenaz II, 505 Ver *Tenaz Espevitadeira*
Espinhos II, 506
Espinhos, coroa de, Ver *Coroa de Espinhos*.
Espira, Dietas de, Ver *Protestantismo*, II, últimos três parágrafos.
Espiritismo (Espiritualismo) II, 507
I. Caracterização Geral
II. Ensinamentos
III. Primeiros Bem Conhecidos Espíritas
IV. Objeções Cristãs V. Fenômenos Espíritas
VI. Naturalidade e Legitimidade dos Fenômenos Psíquicos
Espiritismo, ensinos de, Ver *Espiritismo (Espiritualismo)*, II.
Espiritismo, objeções contra, Ver *Espiritismo (Espiritualismo)*, IV.
Espírito II, 510
Ver também sobre *Alma e Imortalidade*.
Esboço
I. Termos Usados
II. Espírito como um Ser Inteligente, Destituído do Corpo
III. O Princípio Vital do Homem no NT
IV. A Ajuda da Ciência e o sobre ser
V. O Ser Essencial do Homem
VI. A Disposição Dominante do Homem
Espírito, adoção de, Ver *Paternidade de Deus*, IV.
Espírito, lei do, Ver *Lei*
Espiritual, do Espírito.
Espírito Adivinhador II, 512
Ver sobre *Pitonisa*.
Espírito como espada, Ver *Armadura, Armas*, V.6.
Espírito como mediador, Ver *Mediação (Mediador)*, II. 9 .
Espírito de Cristo, Ver *Espírito de Deus*, IX.
Espírito de Deus II, 512
Esboço
I. Operações Históricas entre os Homens
II. Nomes do Espírito
III. O Espírito é uma Pessoa?
IV. Sumário de Qualidades e Atribuições
V. Espírito da Verdade

VI. Testemunha da Salvação dos Crentes
VII. A Obra e a Orientação do Espírito
VIII. Autor de Inspiração
IX. O Espírito de Cristo é o Espírito de Deus
X. Dons do Espírito
Espírito de Deus, nomes do, Ver *Espírito de Deus*, II.
Espírito de Deus, uma pessoa, Ver *Espírito de Deus*, III.
Espírito do Mundo II, 516
Espírito Familiar II, 517
Ver também sobre *Demônios e Adivinhação*.
Espírito, fruto do, Ver *Fruto do Espírito*.
Espírito, primícias, Ver *Primícias do Espírito*.
Espírito Santo, batismo do, Ver *Batismo do Espírito Santo*.
Espírito Santo, procedência do, Ver *Procedência do Espírito Santo*.
Espírito testemunho, Ver *Testemunho Ocular*.
Espíritos, discernimentos dos, Ver *Discernimentos de Espíritos*.
Espíritos Elementares, Ver *Elementos e Espíritos Elementares*.
Espíritos na Prisão II, 517
A pregação de Cristo aos espíritos durante o intervalo entre a sua morte e a sua ressurreição
De quem seriam os espíritos?
No NT
A importância da doutrina
Espíritos, sete, Ver *Sete Espíritos de Deus*.
Espiritual, homem, Ver *Homem, Espiritual*.
Espiritualidade II, 518
Esboço
I. Definição
O homem espiritual
II. Amor, a Fonte Principal da Espiritualidade
A prática da lei do amor
III. A Nobreza Espiritual Características e Evidências
IV. Qualidades Espirituais Onze qualidades são discutidas
V. A Expressão da Espiritualidade Começa no Lar: I Ped. 3:1-8
VI. Os Meios do Desenvolvimento da Espiritualidade
Espiritualidade como uma armadura, Ver *Armadura, Armas*, IV e V.
Epiritualidade de Davi, Ver *Davi*, VII.
Espiritualidade e parapsicologia, Ver *Parapsicologia*, VI.
Espiritualidade e significado, Ver *Significado*, 5.
Espiritualidade, estágios da, Ver *Vitória Espiritual; Estágios da Inquirição Espiritual*.
Espiritualidade, meios de desenvolvimento, Ver *Desenvolvimento Espiritual, Meios de*; e *Maturidade*.
Espiritualidade morna, Ver *Mornidão Espiritual*.
Espiritualidade, Ver *Espiritismo (Espiritualismo)*.
Espirrar II, 520
Esponja II, 520
Espontaneidade II, 520
Esportes II, 520
Os lados positivos e negativos
Esportes e os hebreus, Ver *Jogos Atléticos*, I e II.
Esportes no NT,

Ver *Jogos Atléticos*, IV.
Esposa II, 521
Ver sobre *Matrimônio*.
Esposa de Pilatos, Ver *Pilatos, Esposa de*.
Esposas de Davi, Ver *Davi*, I.
Esquecer II, 521
Esquecimento, Ver *Esquecer*.
Esse II, 521
Essência II, 521
1. Platão
2. Aristóteles
3. Avicena
4. Tomás de Aquino
5. Godfrey de Fontaine
6. Husserl
7. Na gnosiologia
8. Anselmo
Essência da adoração, Ver *Adoração*, III.E.
Essência da fé religiosa segundo Jeremias, Ver *Jeremias (o Profeta)*, VIII.9,11,13,15.
Essência-Mente II, 522
Essencialismo II, 522
Essênios II, 522
Esboço
I. A Palavra
II. Fontes Informativas Históricas
1. Josefo
2. Plínio, o Velho
3. Filo
4. Hipólito Banhos freqüentes
III. Os Essênios e a Literatura
IV. Os Essênios, João Batista e Jesus
V. Comunidades Essênias
VI. A Teologia dos Essênios
Essênios, ensinos de, Ver *Essênios*, VI.
Essênios e literatura, Ver *Essênios*, III.
Essênios e os manuscritos do Mar Morto, Ver *Mar Morto, Manuscritos (Rolos)*, 5.
Essentia II, 524
Está Escrito II, 524
Referências bíblicas
Estabelecimentos Comunistas II, 524
Estábulo II, 524
Ver *Terras de Pastagem*.
Estaca II, 524
Ver também *Pilar (Estaca)*.
Estações da Cruz II, 524
As catorze estações da cruz
Estações do Ano II, 525
Por ocasião do êxodo Agriculturamente
Estado II, 525
Definições filosóficas
Onze discussões são oferecidas
Estado do Bem-Estar (Socialista) II, 526
Estado dos mortos, Ver *Mortos, Estado dos, e Morte*, VI.
Estado e a Igreja, Ver *Igreja e Estado*.
Estado e o crente, Ver *Nacionalismo*, 5.
Estado fluido e o novo, Ver *Lapso*, 1.
Estado Intermediário II, 527
Esboço
1. Definição
2. Caracterização geral
3. O Estado Intermediário em relação a Cristo:
A Descida ao Hades
4. Idéias variadas na Igreja cristã
Oito interpretações principais são discutidas
Estados Papais, II, 529
Estágios da inquirição espiritual
Ver *Vitória Espiritual; Estágios da Inquirição Espiritual*.
Estagnação dos Dogmas II, 529
Estandarte II, 530

Estanho II, 530
Ver sobre *Minas, Mineração e Metais*.
Estaol II, 531
Estáquis II, 531
Estáter II, 531
Estatura II, 531
Estéfanas II, 531
Estela II, 531
Um tipo de laje
Seu uso
Estemoa II, 532
Ester (Livro de) II, 532
Introdução
Esboço
I. A Heroína e Certas Dificuldades Históricas
II. Conteúdo
III. Propósito Geral
IV. Autoria e Data
O livro é anônimo
Data
V. Posição no Cânon
Ester, Adições ao Livro de II, 533
Declaração Introdutória
Esboço
I. Conteúdo
Da primeira adição à sexta adição
II. Data
III. Linguagem e Manuscritos
IV. Propósitos
Ester (a Pessoa) II, 534
Ver a primeira seção do artigo sobre *Ester (o Livro)*.
Ester, Festa de II, 534
Ver sobre *Festas (Festividades) Judaicas*.
Esterco de Pombas II, 534 Ver sobre *Pombas, Esterco de*.
Esterilidade II, 534
Esterilização II, 534
Estética II, 535
Ver o artigo sobre a *Arte*.
Estêvão II, 535
O primeiro mártir do cristianismo
Esboço
I. Passado Formativo
II. Seu Trabalho
III. Suas Crenças
IV. Sua Detenção
V. Sua Defesa
VI. Seu Martírio
VII. História de Estêvão: Atos 6:8–8:3
VIII. As Características de Estêvão
Uma das personagens secundárias mais distintas do NT
Sua influência sobre Paulo
O sermão de Estêvão
A pessoa de Estêvão
Sua fé
Estêvão, Revelação de II, 538
Estigmas (Stigmata) II, 538
Estilo Aporético II, 539
Estoicismo II, 539
Esboço
Introdução
1. A lógica
O empirismo
2. A metafísica
A substância universal
3. A ética
A direção do mundo pelo puro acaso
Os estóicos e o ideal epicureu do prazer
A grande virtude do estoicismo
Ver também Escolas Filosóficas do NT, IV.
Estoicismo sobre o macrocosmo, Ver *Macrocosmo*, 5.
Estóicos sobre o Logos, Ver *Logos (Verbo)*, II.2.
Estola II, 541

ESTOM – EVANGELHO

Estom II, 541
Estômago II, 541
Estopa II, 541
Estoraque II, 541
Estrada Real II, 542
Estrada, Ver *Estradas*.
Estradas II, 542
  I. As Estradas da Antiguidade
  II. Estradas no AT
  III. Estradas no NT
  Estradas da Palestina,
    Ver *Viagens*, I, II, III.
  Estradas internacionais,
    Ver *Estradas*, II. B.
  Estradas no AT, Ver *Estradas*, II.
  Estradas no NT, Ver *Estradas*, III
  Estradas persas e helenistas,
    Ver *Estradas*, III.B.
  Estradas romanas, Ver *Estradas*, III.C.
  Estradas, uso religioso e político das,
    Ver *Estradas*, II.E.
Estrangeiro II, 547
  Esboço
  I. No AT
  II. No NT
Estrangular, Sufocar II, 548
Estratão, Ver *Stratão (Estratão)*.
Estrato de Lâmpsaco II, 548
Estrebaria II, 548
Estrela II, 549
  Ver sobre *Astronomia*.
Estrela D'Alva II, 549
Estrela de Belém (Dos Magos) II, 549
  Em Mat. 2:2
  Sua estrela
  As várias interpretações
Estruturalismo II, 550
  Estudo II, 550
  Ver *Desenvolvimento Espiritual*,
    Meios do e Antiintelectualismo.
  Estudo da Bíblia como literatura,
    Ver *Literatura, a Bíblia como*, II.
Estupro II, 550
  Ver *Crimes e Castigos*.
Esvaziamento de Cristo, Ver *Kenosis*.
Esvaziar II, 550
Etã II, 550 Várias localidades e
  pessoas no AT.
Etanim II, 551
Etano II, 551
Etbaal II, 551
Ete-Cazim II, 551
Eter II, 551
Eterna geração, Ver *Geração*
  Eterna.
Eternamente Gerado II, 551
  Ver sobre Geração Eterna.
Eternidade II, 551
  Esboço
  I. Considerações Filosóficas
    A opinião de numerosos filósofos
  II. Considerações Bíblicas
    No AT
    No NT Imutabilidade
    Deus não vive no tempo e nem
      no espaço
  III. A Filosofia do Tempo e da
    Eternidade
  IV. Aplicações Práticas
Eterno II, 553
Eterno, nome de Deus, Ver Jeová.
Ética II, 553
  Esboço
  I. Discussões Preliminares
  II. A Ética Pré-Socrática
  III. Sócrates
  IV. Os Movimentos Éticos
  V. A Ética de Platão
  VI. A Ética de Aristóteles
  VII. Utilitarismo
  VIII. A Ética de Imanuel Kant
  IX. A Ética Teísta
  X. O Problema do Mal
  XI. A Ética de Jesus
  XII. A Ética: Teorias;
    Especulações, Dogmas;
    Afirmações e Fé
  XIII. Sumário de Idéias Éticas na
    História da Filosofia
Ética, definições, Ver *Ética*, I.
Ética, linguagem da, Ver *Linguagem*
  Ética.
Ética, Locke sobre,
  Ver *Locke, John*, 13.g.
Ética Axiológica II, 572
Ética Babilônica II, 572
Ética Católica II, 573
  Ver também sobre *Tomás de Aquino*.
Ética Católica Romana II, 573
Ética comunista, Ver *Comunismo*, 7.
Ética Contextual II, 573
Ética contra linchamento,
  Ver *Linchamento*, último parágrafo
Ética Cristã II, 573
Ética da Ação II, 574 Ver também
  Ética Normativa.
Ética da hospitalidade,
  Ver *Hospitalidade*, VI.
Ética da medicina, Ver *Medicina*,
  Ética de.
Ética da Situação II, 575
Ética da teologia, Ver *Teologia a*
  Ética da.
Ética de Jesus II, 575
  Ver o artigo geral sobre
    Ensinos de Jesus, e Ética, XI.
Ética de Kant,
  Ver *Ética*, VIII, e *Kant*, 4.
Ética de obrigação, Ver *Deontologia*.
Ética de Paulo, Ver *Paulo, Ética de.*
Ética de Pelágio, Ver *Pelágio*,
  Pelagianismo V.
Ética de regras II, 575
Ética Dialética II, 575
Ética Dispensacional II, 576
  Ver sobre *Dispensação*.
Ética do Antigo Testamento II, 577
  Esboço
  1. O fator determinante:
    Yahweh foi o criador
  2. Defeitos de pensamento
  3. A lei
  4. A nação eleita
  5. A base do NT
Ética do dispensacionalismo,
  Ver *Dispensação*
    (Dispensacionalismo), VI.
Ética do Interim, II, 577
Ética do marxismo, Ver
  Marxismo, Ética do.
Ética do pragmatismo, Ver
  Pragmatismo, III.
Ética do trabalho, Ver *Trabalho*,
  Dignidade e Ética do.
Ética do Zoroastrismo II, 577
Ética dos pais, Ver *Ética*
  Patrística.
Ética dos valores, Ver *Ética*, I.7.c.
Ética e a Ciência II, 577
  Nove discussões são apresentadas
Ética e a metafísica, Ver *Metafísica*,
  IV.
Ética e a ressurreição, Ver
  Ressurreição e a Reissurreição
  de Jesus Cristo, VII.
Ética e as crianças, Ver *Criança*, 4.
Ética e ecumenismo, Ver
  Ecumenismo e Ética.
Ética e escatologia, Ver *Escatologia*
  e a Ética
Ética e evolução, Ver *Evolução*
  e Ética.
Ética e Freud, Ver *Freud*, IV.
Ética e graça, Ver *Graça e Ética*.
Ética o idealismo, Ver *Idealismo*, IV.
Ética e João Apóstolo, Ver
  João Apóstolo, Teologia
  (Ensinos) de, VII
Ética e liberalismo, Ver *Liberalismo*,
  IV.
Ética e Moisés, Ver *Moisés*, III.
Ética e o capitalismo,
  Ver *Capitalismo*, 2.
Ética e o conhecimento,
  Ver *Conhecimento e a Ética*.
Ética e o realismo, Ver *Realismo*, IV.
Ética egípcia, Ver *Egito*, VI.
Ética Existencialista II, 579
  Ver também o artigo sobre
    Existencialismo.
Ética formal, Ver *Ética*, 1. 7. a.
Ética hindu, Ver *Hinduísmo*, VI. 10.
Ética Islâmica II, 580
  Esboço
  1. Fontes informativas
  2. Um lema importante e as crenças
  3. A ênfase sobre a caridade
  4. Cinco tipos de atos éticos
  5. Colunas da prática religiosa
  6. O conceito do pecado
  7. Poligamia
  8. Outras proibições
Ética luterana, Ver *Luteranismo*, 6.
Ética Médica II, 580
  Ver *Medicina, Ética da*.
Ética normativa, Ver *Normativa*.
Ética nos Negócios II, 581
  1. A ética do trabalho
  2. A cobiça e a avareza
  3. O idealismo e o esforço
    filantrópico
  4. O darwinismo social
  5. A fé cristã e o mundo dos
    negócios
Ética Patrística II, 581
  Esboço
  1. Diferenças entre os pais da
    Igreja e Paulo
  2. O Didache
  3. I Clemente
  4. A apologia de Justino Mártir
  5. Clemente de Alexandria
  6. O monasticismo
  7. Tertuliano
  8. Jerônimo
  9. Agostinho
  10. Reservas e imitações modernas
Ética Pessoal II, 582
  Esboço
  1. A relação entre Deus e o homem
  2. Os deveres diante de Deus são
    fundamentais
  3. A ética da situação
  4. O que é o homem?
  5. O sagrado drama da alma
  6. A avaliação de Deus
Ética pré-socrática, Ver *Ética*, II.
Ética Primitiva II, 583
Ética Profissional II, 583
Ética Protestante II, 584
Ética Puritana II, 584
  Ver também *Puritanismo*,
    Ética do.
Ética relativa, Ver *Relativismo*, 4; e
  Ética, I.7.b
Ética relativista, Ver *Relativismo*, 4
Ética Social II, 585
  Oito discussões são apresentadas
Ética teísta, Ver *Ética*, IX.
Ética Teológica II, 586
Ética, teorias e especulações,
  Ver *Ética*, XII.
Ética Trabalhista II, 586
Etiologia II, 586
Etiópia II, 586
  Esboço
  I. Nome
  II. Caracterização Geral
  III. História
  IV. As Profecias Bíblicas e a Etiópia
Etma II, 588
Etnã II, 588
Etnarca II, 588
Etni II, 588
Etrúria, Religião da II, 588
Eu experimental, Ver *Ego*, II.
Eu na filosofia é na religião,
  Ver *Ego*, IV.
Eu na psicanálise, Ver *Ego*, III.
Eu sou de Deus, de Jesus e do
  homem. Ver depois de *Eusébio*
  de Laodicéia.
Eubulides II, 588
Eúbulo II, 588
Eucaristia II, 588
Eucken, Rudolf II, 589
Euclides de Megara II, 589
Eúde II, 589
  Três personagens do AT
Eudemo II, 589
Eudemoniamo II, 589
  Cinco discussões detalhadas
    apresentadas
Eudoro de Alexandria II, 590
Eudoxo de Cnido II, 590
Eufrates, Rio II, 590
Eugênia II, 590
Eugnostos, Cartas de II, 591
Euhemerismo II, 591
Eulogon II, 591
Eumenes II, 591
Eunice II, 591
  Ver também sobre a *Educação*
  Cristã.
Eunomianismo II, 591
  A cristologia como um ponto difícil
    para os teólogos
Eunuco II, 592
Eunuco Etíope II, 593
Eupator II, 593
Eupolemo II, 593
Euquitas II, 593
Eurito de Crótona II, 593
Euroclidão II, 593
Eusébio da Nicomédia II, 594
Eusébio de Cesaréia II, 594
Eusébio de Dorileum II, 694
Eusébio de Emessa II, 595
Eusébio de Laodicéia II, 595
Eu sou de Deus II, 595
  Esboço
  I. Sentidos Envolvidos
    Nesse Nome
  II. Arcabouço Veterotestamentário
  III. O Original Hebraico Envolvido
    Yahweh
  IV. Para Uso em Tempos de Crise
  V. Jesus Tomou para Si esse Nome
  VI. Eu Sou de Deus é o
    Eu Sou do Homem
Eu Sou de Jesus II, 597
  Notável declaração de João 8:58
Eu Sou do Homem II, 598
  Ver também *Eu Sou de Deus*. VI.
Eutanásia II, 598
Êutico (Personagem Bíblica) II, 599
Êutico e cristologia, Ver *Cristologia*,
  4.J.
Eutipro, Dilema de II, 599
Eutiquianismo (Eutiquio) II, 599
Eu-Tu, Relação de II, 600
  Ver sobre *Buber*.
Eva II, 600
  Esboço
  I. O Nome
  II. Seu Relacionamento com Adão
  III. Participação de Eva na Queda
  IV. Comparação com o Relato, sobre
    o Deus Sumério Enki
  V. Eva no NT
Eva, Evangelho de II, 601
Evangelho (A Mensagem) II, 601

EVANGELHO – EXPOSIÇÃO

Evangelho (A Palavra) II, 601
Evangelho (e Outros Evangelhos) II, 601
 Em Gál. 1:8
Evangelho Aquariano, o, Ver *Livros Apócrifos (Modernos)*, 3.
Evangelho Árabe da Infância II, 602
Evangelho Armênio da Infância II, 602
Evangelho como calçados, Ver *Armadura, Armas*, V.3.
Evangelho de Barnabé, Ver *Barnabé, Evangelho de.*
Evangelho de Bartolomeu, Ver *Bartolomeu, Evangelho (Perguntas) de.*
Evangelho de Eva,
 Ver *Eva, Evangelho de.*
Evangelho de Filipe,
 Ver *Filipe, Evangelho de.*
Evangelho de Josefo, o, Ver *Livros Apócrifos (Modernos), 10.*
Evangelho de Maria, Ver *Maria,*
Evangelho do Nascimento de.
Evangelho de Márcion, Ver *Márcion, Evangelho de.*
Evangelho de Nicodemos,
 Ver *Nicodemos, Evangelho de; e Livros Apócrifos*, NT, 2.a.
Evangelho de Pedro, Ver *Pedro, Evangelho de;* e *Livros Apócrifos*, NT, 2. a.
Evangelho de Tomé, Ver *Tomé, Evangelho de; e Livros Apócrifos*, NT, 2. a.
Evangelho do nascimento de Maria, Ver *Maria, Evangelho do Nascimento de.*
Evangelho do Pseudo-Mateus,
 Ver *Pseudo-Mateus, Evangelho do.*
Evangelho dos Doze Apóstolos II, 602 Ver *Apóstolos, Evangelho dos Doze.*
Evangelho dos Ebionitas, Ver *Ebionitas, Evangelho dos.*
Evangelho dos Egípcios,
 Ver *Egípcios, Evangelho de; e Livros Apócrifos*, NT, I, 602.
Evangelho dos Nazarenos I M21 Ver *Nazarenos, Evangelho Segundo os.*
Evangelho e a lei, Ver *Lei e o Evangelho.*
Evangelho otimista, Ver *Restauração*, XIII.
Evangelho, poder de Deus,
 Ver *Poder de Deus, Evangelho.*
Evangelho Segundo os Hebreus II, 603
 Ver também *Hebreus, Evangelho Segundo os, e Livros Apócrifos*, NT, 2. a.
Evangelho Social II, 603
 Ver *também Liberalismo*, V.
Evangelho, verdade, Ver *Verdade, o Evangelho como.*
Evangelhos (Livros) II, 603
 Esboço
  I. O Termo Evangelho
  II. Fontes Informativas dos Evangelhos
  III. Caracterização Geral
  IV. Historicidade
  V. A Vida o os Ensinamentos de Jesus
  VI. O Evangelho de Paulo
   O Jesus teológico
  VII. Autoria
   A mensagem dos apóstolos
  VIII. Mensagens Centrais do Evangelho
Evangelhos Apócrifos II, 605
 Ver o artigo sobre *Livros Apócrifos do NT*

Evangelhos da Infância de Jesus II, 605
Evangelhos, fonte dos,
 Ver *Problema Sinóptico.*
Evangelhos, gênero distinto de literatura,
 Ver *Literatura, A Bíblia como*, III.7.
Evangelhos, harmonia dos,
 Ver *Harmonia dos Evangelhos.*
Evangelhos, historicidade dos,
 Ver *Historicidade dos Evangelhos.*
Evangelhos Sinópticos II, 605
 Ver também *Problema Sinóptico.*
Evangelicalismo II, 605
 Ver também sobre *Protestantismo.*
Evangelismo II, 606
 Ver os artigos *separados* sobre *Evangelho; Evangelista e Missão, Teologia de (Evangelismo).*
Evangelismo, elementos teológicos,
 Ver *Missão, Teologia de (Evangelismo).*
Evangelismo no NT , Ver *Missão, Teologia de (Evangelismo)*, II, III.
Evangelistas II, 606
 Os missionários
Evento Criador II, 606
Eventos Finais da Vida
 de Jesus II, 606
Evergetes II, 607
Evidência II, 607
Evidências científicas em favor da existência e sobrevivência da alma, Ver *Imortalidade, Artigo* 1 e *Artigo* 4; Ver também *Experiências Perto da Morte.*
Evidências científicas em favor do dilúvio, Ver *Dilúvio de Noé*, II.
Evil-Merodaque, II, 607
Evódia II, 608
Evódio, Homilia de II, 608
Evolução II, 608
 Ver também sobre *Charles Darwin.*
  I. O Termo e sua Definição
  II. Vários Pontos de Vista sobre a Evolução
  III. Considerações Teológicas e Filosóficas
  IV. Declaração Final
Evolução da vereda espiritual,
 Ver *Evolução*, últimos sete parágrafos e *Apóstolos*,últimos oito parágrafos.
 Seis discussões oferecidas
Evolução Emergente II, 612
Evolução Espiritual II, 612
Exaltação de Cristo II, 613
Exaltação do Homem II, 614
 Ver sobre a *Glorificação.*
Exarca II, 614
Exatores, Feitores II, 614
Ex-Cathedra II, 614
Exceção II, 614
  1. O imperativo categórico de Emanuel Kant
  2. A ética relativa
  3. Uma exceção pode provar a regra
  4. Uma exceção pode negar a regra
Exceção paulina, Ver *Divórcio*, 3.
Excelência II, 614
Excelente, Excelentíssimo II, 615
Exclusão II, 615
Exclusividade, Jonas contra,
 Ver *Jonas (o Livro e o Profeta)*, VII, VIII.
Exclusividade de Cristo II, 616
Exclusivismo II, 616
Exclusivismo contra o amor de Deus, Ver *Jonas*, I, VII, VIII.5
Excomunhão - Expulsão II, 617
Executar, Executor II, 617
Executor, Ver *Executar, Executor.*
Exegese II, 617

Exegese Bíblica II, 618
 Ver *Exegese.*
Exegese e a crítica bíblica,
 Ver *Exegese*, 8.
Exemplarismo II, 618
Exemplo II, 618
 Esboço
  I. O Poder de uma Vida Isolada
  II. O Exemplo de Paulo
  III. Deus: O Supremo Exemplo para Imitar
  IV. O exemplo de Cristo
  V. Algumas Ilustrações
Exemplum II, 621
Exército II, 621
Exército da Salvação II, 622
Exército dos Céus II, 623
Exército romano, Ver *Legião.*
Exílio II, 623
Existência II, 623
 Esboço
  I. A Palavra
  II. Conceitos Filosóficos Referentes a Existência
  III. A Existência Bíblica
   A mera existência
Existência de Deus, Locke sobre,
 Ver *Locke, John*, 11
Existência de Deus, provas da,
 Ver *Deus*, V.
Existência segundo a Bíblia,
 Ver *Existência*, III.
Existencialismo II, 624
 Esboço
  I. O Termo e sua Caracterização Básica
  II. Informes Históricos
  III. Principais Filósofos e Teólogos envolvidos com o Existencialismo
  IV. O Existencialismo e a Tempestade; Depois daTempestade
Existencialismo e a ética,
 Ver *Ética Existencialista.*
Existencialismo e linguagem,
 Ver *Linguagem Religiosa, 8.*
Existencialismo e o conceito de Deus, Ver *Deus*, III. 17.
Existencialismo e retidão,
 Ver *Retidão*, IV.A.
Existenz II, 625
Ex Nihilo II, 625
 Ver *Criação Ex Nihilo.*
Ex Nihilo Nihil Fit II, 625
Êxodo II, 625
 Introdução
 Esboço
  I. Composição
   1. Autoria e data
   2. Relação com o resto do Pentateuco
   3. Ponto de vista literário
  II. Historicidade
  III. Quatro Áreas Salientadas
  IV. Conteúdo
  V. Seção Legal
   As leis do livro de Êxodo
   As leis casuísticas
   1. As leis dadas antes Sinai
   2. Os Dez Mandamentos
   3. O Livro do Pacto
   4. Regulamentações para o Tabernáculo e estabelecimentos do sacerdócio
   5. O decálogo ritual
  VI.Milagres
Êxodo (O Evento) II, 630
 Esboço
  I. A Palavra
  II. Caracterização Geral
  III.Informes Bíblicos
  IV. O Êxodo em Trechos Bíblicos Posteriores; Tipologia

Êxodo cristão, Ver *Páscoa*, V.5.
Exogamia II, 631
Ex Opere Operatio II, 631
Exorcismo II, 631
Exortação II, 632
Exortação, dom de,
 Ver *Dons Espirituais*, IV. 11.
Exotérico II, 632
Expectativa Ardente da Criação II, 632
Em Rom. 8:19
Experiência II, 633
Experiência (na Filosofia) II, 633
Experiência comunista da Igreja primitiva, Ver *Comunismo,* 6.
Experiência dos Sentidos II, 633
Experiência Porto da Morte II, 633
 Ver *Experiências Perto da Morte.*
Eperiência Religiosa II, 633
 Esboço
  I. Declaração Introdutória
  II. Experiência Mística
  III. Surgimento da Crítica Bíblica
  IV. Ponto de Equilíbrio
  V. Não Há Necessidade de seleção
  VI. As Drogas, o Jejum e a Meditação
  VII. Religião Natural e Religião Sobrenatural
  VIII. A Ênfase da Bíblia
Experiência religiosa, prova da existência de Deus, Ver *Deus*, IV.10.
Experiência religiosa psicodélica,
 Ver *Psicodélico*:
Experiência Religiosa Psicodélica.
Experiências Antecipadas II, 635
Experiências Perto da Morte II, 635
 Esboço
  I.Declaração Introdutória
  II. Casos Específicos e Caracterização Geral
  III. Sumário de Elementos Principais
  IV. Explicações Alternativas
  V. Implicações Teológicas
   Expiação II, 649
   Esboço
  I. Observações Preliminares
  II. Principais Teorias
   Oito teorias são discutidas
  III. Explicações Suplementares
  IV. Expiação ou Propiciação? V. Paz da Expiação
  VI. Referências e Idéias
  VII. Expiação pelo Sangue
  VIII. Extensão da Expiação: Efeitos universais
Expiação Dia da II, 655 e
 Ver também *Dia da Expiação.*
Expiação e curas físicas,
 Ver *Doenças*, II,
 A Teologia da Doença.
Expiação Inclui a Cura Física? II, 655
Expiação ou propiciação?
 Ver *Expiação*, IV, e *Propiciação*, IV.
Expiação Pelo Sangue II, 655
Expiação pelo Sangue de Cristo II, 656
 Ver também *Expiação.*
Expiação vicária, em IV Macabeus, Ver *IV Macabeus*, 5.g.
Explanandum II, 657
Explanans II, 657
Explicação, II, 657
 As idéias de vários filósofos
Explicação Mecânica II, 657
Explicações da Bíblia, Ver *Comentários sobre a Bíblia.*
Explicações da ressurreição de Jesus, Ver *Ressurreição e a Ressurreição de Jesus Cristo*, XI.
Explicações de milagres,
 Ver *Milagres*, II.
Exposição II, 657

EXPULSÃO – FELICIDADE

Expulsão, Ver *Excomunhão Expulsão e Exclusão.*
Exsultet II, 657
Êxtase II, 657
Extensão II, 658
Exterior, mundo, Ver *Mundo Exterior (Argumentos em Favor do).*
Extorsão II, 658
Extra-sensorial, percepção, Ver *Parapsicologia*
Extrema-Unção II, 658
Ver o artigo geral sobre *Sacramentos.*
Extroversão, Ver *Introvertidos e Extrovertidos.*
Extrovertido, Ver *Introvertidos e Extrovertidos.*
Ewald, Georg Heinrich August Von II, 659
Ezbai II, 659
Ezbom II, 659
Duas personagens bíblicas
Ezel II, 659
Ezem II, 659
Ezeque II, 659
Ezequias II, 659
Esboço
1. Caracterização geral
Suas datas
As reformas religiosas
2. Cronologia
3. Ezequias como um reformador
4. Aventuras militares
5. As obras de Ezequias
A inscrição de Siloé
Houve três outros homens com esse nome
Ezequiel (A Pessoa) II, 661
1. Família e a história
2. Características pessoais
3. Seu ministério profético
4. Sua influência
Ezequiel (Livro) II, 661
Esboço
I. O profeta Ezequiel
II. Pano de Fundo Histórico
III. Períodos Pessoais e Proféticos de Ezequiel
IV. Autenticidade, Unidade, Canonicidade
V. Ezequiel no NT e no Apocalipse
VI. Data
VII. Proveniência
VIII. Propósito e Ensinamentos
IX. Esboço do Conteúdo
Ezequiel, templo de, Ver *Templo de Jerusalém, V.*
Ezer II, 664
Seis homens do AT
Eziom-Geber II, 664
Ezora II, 665
Ezraíta II, 665
Ezri II, 665

F

F (*Codex Boreelianus*) II, 666
F(p) II, 666
Faber, Jacobus II, 666
Fabricante de Ídolos II, 666
Ver também sobre *Idolatria.*
Fabricante de Tendas II, 666
Fabricante de Tijolos II, 668
Ver também sobre *Tijolos.*
Fábula II, 668
Fábulas II, 668
Faca II, 669
Facções, Ver *Divisão.*
Facções na Igreja II, 669
Face II, 670

Facho II, 671
Fácil-Creísmo II, 671
Faia II, 671
Faixas II, 672
Falácia II, 672
Falácia das Muitas Perguntas II, 673
Falácia Genética II, 673
Falácia Lógica por Acidente II, 673
Falácia Naturalista II, 673
Ver também *Naturalismo* e *Hume, Lei de.*
Falar em Línguas II, 674
Ver também *Línguas (Falar em),* e *Línguas, Falar em (Dom de).*
Falashas II, 674
Falcão II, 674
Faldas de Frajas II, 674
Falha de Marcos,
Ver *Marcos, Falha de.*
Falibilidade (Falibilismo) II, 674
Falibilismo, Ver *Falibilidade (Falibilismo).*
Falicismo, Fálico II, 674
Falsa circuncisão, Ver *Circuncisão Falsa.*
Falsas decretais, Ver *Decretais, Falsas.*
Falsidade Contingente II, 674
Falsificação II, 674
Falsificação (Na Filosofia) II, 674
Ver também sobre *Verificabilidade.*
Falsificação na filosofia da ciência,
Ver *Popper, Karl,* 2.
Falso Profeta II, 675
Falso Testemunho II, 676
Falsos apóstolos,
Ver *Apóstolos Falsos.*
Falsos Cristos II, 676
Falsos deuses, Ver *Deuses Falsos.*
Falsos Discípulos e Profetas II, 678
Falsos Profetas II, 678
Ver também *Profetas Falsos.*
Falto no Falar; Inculto II, 679
Família II, 680
Esboço
I. Definição
II. As Principais Funções da Família
III. A Origem da Família
IV. Práticas de Casamento
V. Alguma Informação Veterotestamentária
Oito discussões apresentadas
VI. O NT e a Família
Três discussões apresentadas
VII. Metáforas Espirituais e a Família
VIII. A Família e os Símbolos nos Sonhos e nas Visões
Oito discussões apresentadas
Família de Jesus II, 683
Em Mat. 12:47
Irmãos literais?
Família Pi, Ver *Manuscritos Antigos do NT,* 7. *Família Pi.*
Família 1, Ver *Manuscritos Antigos do NT,* 7. Família 1
Família 13, Ver *Manuscritos Antigos do NT,* Família 13.
Familiar, espírito, Ver *Espírito Familiar.*
Fana II, 684
Fanático, Ver *Fanatismo.*
Fanatismo II, 684
Fano II, 684
Fantasma II, 684
Pesquisas psíquicas
A natureza humana
Identificação dos fantasmas
Fantasma II, 686 Ver *Coruja.*
Fantasma na Máquina II, 686
O uso da expressão
Uma ilustração

A aplicação da ilustração pelos filósofos
Fanuel II, 686
Faquir II, 686
Farabi, Al II, 686
Faraó II, 687
Esboço
I. O Título e sua Origem
II. O Ofício de Faraó
O conceito do direito
As tradições nacionais
As funções de Faraó
III. Os Faraós Mencionados na Bíblia
Quinze discussões apresentadas
Faraós, Ver *Faraó.*
Faraquim II, 688
Farel, Guillaume II, 688
Farfar II, 688
Fariseus II, 688
Esboço
I. O Nome e Descrições
Os fariseus - origens do termo
II. História e Caracterização Geral
As alusões no NT
III. Doutrinas Distintivas
IV. Denúncias da Parte de Jesus e Pontos Positivos
Farrar, Frederic William II, 690
Fasailus II, 690
Dois homens associados aos tempos bíblicos
Fascinação, Ver *Fascinar.*
Fascinar II, 690
Fascinosum, Mysterium, Ver *Mysterium Fascinosum.*
Fascismo II, 690
Faselis II, 691
Fa-Shen II, 691
Fasiron II, 691
Fatalismo, Sorte II, 691
Fatihah II, 691
Fato-Valor, Distinções II, 691
Fator de religião, Ver *Religião, Fator de.*
Fator Religioso II, 692
Fa-Tsang II, 692
Favas II, 692
Fauna II, 692
Ver os artigos sobre *Animais; Adoração aos Animais; Direitos e Moralidade dos; Animais no Antigo e Novo Testamentos.*
Fauno II, 692
Favor II, 692
Favorino II, 692
Filósofo grego (80-150 D.C.)
Sua vida
Escritos
Fa-Wen II, 692
Fé II, 692
Ver os artigos sobre *Fé; Fé (para os Filósofos e Teólogos); Fé (Posições Católica Romana e Protestante);* Fé *Salvadora;* Fieldade; Fideísmo
Fé II, 692
Esboço
1. Tipos de fé
2. Na epístola aos Hebreus
3. A fé é um atributo da alma
4. Significação e função da fé
5. Como pode ser desenvolvida a fé?
6. Ilustração da natureza da fé
7. A fé é um dom e uma operação do Espírito
8. Há idéias variegadas sobre a fé
9. A fé nas Escrituras
10. A fé e as obras
Fé (Para os Filósofos e Teólogos II, 697
Fé (Posições Católica Romana e Protestante) II, 698

1. Na teologia católica romana
2. Na teologia protestante
Fé, atributo da alma, Ver *Fé,* 3.
Fé, bíblica, prova da existência de Deus, Ver *Deus,* IV.20.
Fé como escudo,
Ver *Armadura, Armas,* V.4.
Fé da realidade da ressureição de Jesus,
Ver *Aparições de Jesus.*
Fé de Abraão - Rom. 4:16 ss. II, 699.
Qual teria sido o objeto da fé de Abraão?
As considerações
Fé, dom de, Ver *Dons Espirituais,* IV.5; e *Fé,* 7.
Fé, Meio da Salvação II, 699
Fé, operação do Espírito, Ver *Fé,* 7.
Fé, profissão de, Ver *Profissão de Fé.*
Fé, proporção da, Ver *Proporção da Fé.*
Fé, tipos de, Ver *Fé,* 1.
Fé, unidade da, Ver *Unidade da Fé.*
Fé, Utilidade da II, 699
Vinte e três pontos sobre a fé
Fé, vitória da, Ver *Vitória, Vencedor,* III.
Fé e Conhecimento II, 700
Fé e obras, Ver *Obras, Relacionadas à Fé.*
Fé e obras relacionadas, Ver *Fé,* 10.
Fé Explícita II, 700
Fé firme, Ver *Firmeza na Fé.*
Fé Implícita II, 700
Fé na filosofia, Ver *Fé (Para os Filósofos e Teólogos).*
Fé na teologia, Ver *Fé (Para os Filósofos e Teólogos), e Fé, Posições Católica e Protestante.*
Fé nas Escrituras, Ver *Fé,* 9.
Fé relacionada às obras,
Ver *Obras, Relacionadas à Fé.*
Fé religiosa e a filosofia,
Ver *Filosofia, V; Filosofia da Religião, e Filosofia e a Fé Religiosa.*
Fé Religiosa e a metafísica,
Ver *Metafísica, V.*
Fé religiosa e conhecimento,
Ver *Conhecimento e a Fé Religiosa.*
Fé religiosa e verificação,
Ver *Verificação de Crenças Religiosas.*
Fé Salvadora II, 701
Febre II, 702
Ver artigos sobre as *Doenças na Bíblia;* e *Enfermidades na Bíblia,* I.2.
Febronianismo II, 702
Fechadura II, 703
Ver *Trancar (Cadeado, Fechadura, Pino).*
Fechner sobre perfeição, Ver *Perfeição na Filosofia,* 10.
Federal, teologia,
Ver *Teologia Federal.*
Feigl, Herbert II, 703
Suas datas
Um filósofo austríaco
Idéias
Escritos
Feitiçaria, Ver *Magia e Feitiçaria.*
Feiticeiro, Ver *Feitiço, Feiticeiro e Adivinhação.*
Feitiço, Feiticeiro II, 703
As seis ocorrências bíblicas
O uso das palavras
Feitores, exatores, Ver *Exatores, Feitores.*
Fel II, 703
Ver *Absinto.*
Felicidade II, 703

FELICIDADE – FILIPOS

1. A felicidade na ética
2. No campo do utilitarismo
3. Norris
4. Emanuel Kant
5. Agostinho
6. A complexidade da felicidade

Felicidade, prova da existência de Deus, Ver *Deus*, IV. 15.
Félix de Urgel II, 704
Félix Marcus Antonius II, 704
 1. História
 2. Uma vida pessoal duvidosa
 3. Encontro com Paulo
 4. História Subseqüente
Fêmea II, 705
 Ver sobre *Mulher*.
Feminismo II, 705
 Ver dois artigos: *Mulher, Posição da e Mulher*.
Fenda II, 705
Fenda do vale do Jordão, Ver *Jordão* (Vale).
Fénelon II, 705
 Suas datas
 Um arcebispo de Cambrai
Fenícia
 Esboço
 I. Nome, Raça e Caracterização Geral
 II. Localização Geográfica
 III. História
  Doze itens discutidos
 IV. O Comercialismo
 V. Arte e Literatura
 VI. Religião
Fênix II, 709
 1. Um Pássaro místico das lendas egípcias
 2. Um porto marítimo
Feno II, 709
Fenomenalismo (Fenomenismo) II, 709
 Ver também *Fenomenologia e Husserl*.
Fenomenismo, Ver *Fenomenalismo (Fenomenismo)*.
FenômenoII, 710
Fenômeno da Voz II, 710
Fenômeno Psíquico II, 710
 Ver o artigo sobre *Parapsicologia*.
Fenomenologia II, 710
 I. Definições: Husserl
 II. Outras Idéias o Usos Fenômenos espíritas, Ver *Espiritismo (Espiritualismo), V*.
Fenômenos psíquicos e privação dos sentidos, Ver *Parapsicologia*, IX
Fenômenos psíquicos, naturais e legítimos, Ver *Espiritismo (Espiritualismo)*, VI.
Fenômenos psíquicos, natureza dos, Ver *Parapsicologia*, IV.
Ferdinand de Saussure,
 Ver *Linguagem (Filosofia e), II*.
Féretro II, 711
Ferezeus, Ver *Perezeus (Ferezeus)*.
Ferguson, Adam II, 711
Ferguson sobre perfeição,
 Ver *Perfeição na Filosofia, 8*.
Ferida II, 711
 Ver também *Enfermidades na Bíblia*, I.35.
Ferimentos, os Cinco Sagrados II, 712
Ferir, Quebrar, Moer II, 712
Fermento II, 712
 Em Mat. 13:33 - *Parábola de*,
Fermento, Parábola de,
 Ver *Parábola*, III.4.
Fermento e seus Simbolismos, I Cor. 5:8 II, 713
Ferramentas II, 713
Ferrara-Florência, Concílio de II, 714
Ferreiro II, 715 Ver também *Ofícios*.

Ferrete II, 715
 Ver sobre *Crimes e Castigos*.
Ferro II, 715
Ferrolho II, 716
Ferrugem II, 716
Fertilidade, Cultos de II, 717
Fervor (Qualidade Moral) II, 718
Festa da Dedicação,
 Ver *Dedicação, Festa da*.
Festa das Semanas II, 718
 Ver *Festas (Festividades) Judaicas*.
Festa das Sortes,
 Ver *Sortes, Festa das*.
Festa das Trombetas II, 718
 Ver *Festas (Festividades) Judaicas*.
Festas dos Tabernáculos,
 Ver *Tabernáculos, Festa dos*.
Festas e Colheitas II, 718
 Ver sobre *Festas (Festividades) Judaicas*.
Festas e Festividades da Igreja II, 718
 Ver sobre *Festas (Festividades) Judaicas*.
Festas (Festividades) Judaicas II, 718
 Esboço
 I. Caracterização Geral
 II. Festividades do AT
  Festividades particulares
  Festividades comuns
  Festividades semanais
  Festividades mensais
  Festividades anuais
  Seis discutidas
 III. Festividades Após o *Exílio Babilônico*
 IV. Gráfico do Ano Sagrado dos Judeus
 V. Festas e Festividades no NT
  Nove são discutidas
 VI. Festas e Festividades do Judaísmo Moderno
Festividades e Dias Santos da Igreja II, 721
 Ver sobre *Calendário Eclesiástico*.
Festo, Pórcio II, 721
Fetichismo II, 721
Feticídio II, 722
Feudalismo II, 722
Feuerbach, Ludwig II, 722
 Ver também *Liberalismo*, III.6.h.
Fiação II, 722
Fiador, Ver *Fiança, Fiador e Fiador, Jesus como*.
Fiador, Jesus como II, 723
Fiança, Fiador II, 723
 As palavras gregas e hebraicas.
 No AT
 O ato de intervenção o seu simbolismo
 No NT
Fianças desonestas, crime contra o homem, Ver *Crimes e Castigos*, II.2.i.
Ficcionaliamo II, 723
Fichte, Immanuel II, 723
Fichte, Johann Gottlieb II, 724
Fichte e a dialética, Ver *Dialética*, 9.
Fichte e o Logos, Ver *Logos (Verbo)*, IV.9.
Ficino, Marsilio II, 724
Fideísmo II, 724
Fidel Castro, destruidor da Igreja,
 Ver *Comunismo*, 8.
Fidelidade II, 725
Fidelidade, fruto do Espírito,
 Ver *Fruto do Espírito*, III.G.
Fidens Quaerens Intelectum II, 725
Fides Histórica II, 725
Fieira, obra de, Ver *Obra de Fieira*.
Fígado II, 726
 Ver *Órgãos Vitais*, 4.
Fígelo II, 726
Figueira II, 726
Figura (Figuras) II, 727
Figuras do casamento,

Ver *Matrimônio*, XIII.
Filactérias II, 727
Filadélfia II, 727
Filantropia II, 728
Filarco II, 729
Filefo, G. Francesco II, 729
Filemom II, 729
 Esboço
 I. Autoria; Confirmação Antiga; Crítica Moderna
  A importância da epístola de Filemom em relação à coletânea paulina
 II. Data e Proveniência
 III Filemom e Onésimo
 IV. Motivos e Propósitos
 V. O Cristianismo e a Escravatura
 VI. Qualidade Estética
 VII. Conteúdo
 VIII. Bibliografia
Fileto II, 734
Filha II, 734
 O uso extensivo no AT
 Os vários usos no hebraico
 Usos metafóricos
Filha da voz, Ver *Bath Kol (Qol)*.
Filha de Sião, Ver *Sião, Filha de*.
Filhas profetizarão,
 Ver *Profecia, Profeta e o Dom da Profecia*, IV.
Filho (Filhos) II, 735
 Ver sobre *Família*.
Filho da Perdição II, 735
 Ver *Perdição, Filho da*.
Filho de Davi II, 735
 Ver *Messias*.
Filho de Deus II, 735
 Esboço
 I. Origens Veterotestamentárias da Expressão
 II. Usos nos Evangelhos Sinópticos
 III. Uso no Livro de Atos
 IV. Significação da Expressão no Mundo Pagão
 V. Uso nas Epístolas de Paulo
 VI. Evidências Joaninas
 VII. Uso na Epístola aos Hebreus
 VIII .Alguns Usos Bíblicos de Importância
Filho de Deus no mundo Pagão,
 Ver *Filho de Deus IV*.
Filho de Deus, origem do termo,
 Ver *Filho de Deus*, I.
Filho de Deus, segundo João,
 Ver *Filho de Deus*, VI.
Filho de Deus, uso paulino,
 Ver *Filho de Deus*, V.
Filho de Deus, usos em Hebreus,
 Ver *Filho de Deus*, VII.
Filho de Perdição,
 Ver *Perdição, Filho de* II, 742
Filho do Homem II, 742
 Esboço
 I. Sentido da Expressão e Algumas Estatísticas
 II. Origem Veterotestamentária
 III. Uso da Expressão no NT Diversos itens discutidos
 Filho do homem em Apo. 1:13 II, 744
Filho do Homem em Apo. 1:13 II, 744
Filho do Homem em Mar. 2:10 II, 745
Filho do homem no AT,
 Ver *Filho do Homem*, II.
Filho do homem no NT,
 Ver *Filho do Homem*, III.
Filho do homem, origem do termo,
 Ver *Filho do Homem*, II.
Filho do homem, segundo Jesus,
 Ver *Jesus*, III.3.b.

Filho, Menino do Apocalipse II, 745
 Em Apo. 12:5
Filho varão
 1. Um Cristo nascido nos homens
 2. O próprio Cristo
 3. Outras interpretações
Filho, Revelador de Deus II, 746
Filhos (Crianças) de Deus II, 747
 Ver também sobre *Filhos de Deus*.
Filhos de Deus II, 748
 Esboço
 I. No AT
 II. No NT
 III. Sumário de Usos
 IV. Filiação, Sinônimo de Salvação
Filhos de Deus no AT,
 Ver *Filhos de Deus*, I.
Filhos de Deus no NT,
 Ver *Filhos de Deus*, II.
Filhos de Deus, sumário, Ver *Filhos de Deus*, III.
Filhos do Amigo do Noivo II, 750
 Ver o artigo sobre o *Matrimônio*.
Filhos do Oriente II, 750
 Ver também *Oriente, Filhos do*.
Filhos dos Profetas II, 750
Filhos Espirituais de Deus II, 750
 Ver também sobre *Filhos de Deus*;
 Filhos (Crianças) de Deus; e Filiação.
 Esboço
 I. Pela Fé
 II. A Imensidade da Salvação: Filiação e Salvação
 III. Pelo Poder de Deus
 IV. Significa a Participação Na Natureza Divina
Filia II, 751
Filiação II, 751
 O conceito da filiação explicado em sete pontos
 Ver também *Paternidade de Deus*, II.
Filiação como salvação,
 Ver *Salvação*, 5.
Filiação, sinônimo de salvação,
 Ver *Filhos de Deus, IV e Filiação*.
Filigrana II, 752
Filioque II, 752
 Ver também *Nicéia, Credo de*, IV 495, *1º* parágrafo
Filipe (Apóstolo) II, 752
 Ver também *Apóstolos*.
Filipe (Diácono) II, 753
Filipe *(Filho de Herodes, o Grande, e Cleópatra)* II, 754
Filipe (Filho de Herodes, o Grande, e Mariamne) II, 754
Filipe, Atos de II, 754
Filipe, Evangelho de II, 754
 Uma obra também chamada de *Pistis Sophia*.
Filipe de Hesse II, 755
Filipe II da Macedônia II, 755
Filipenses II, 755
 Esboço
 Uma introdução
 I. Autoria
 II. Data e Proveniência
 III. Motivo e Propósito
 IV. Integridade da Epístola
  A indicação de Policarpo
  Dois grupos distintos
 V. Temas Principais
  Sete pontos discutidos
 VI. Conteúdo
 VII. Bibliografia
Filipistas II, 761
Filipos II, 761
 Esboço
 I. Localização
 II. História e Caracterização Geral
 III. Sumário das Descobertas Arqueológicas

FILISTEUS – FONTES

IV. Filipos e as Missões Cristãs
V. Observações Históricas Subseqüentes
Filisteus, Filístia II, 763
Esboço
I. Nome e Caracterização Geral
II. Origem e Raça
III. Território
IV. História
V. Elementos de sua Cultura
VI. Arqueologia
Filístia, Ver *Filisteus, Filístia.*
Fibrier, Sir Robert II, 765
Filo de Larissa II, 765
Filo e judaísmo, Ver Judaísmo, II.5.
Filo e o Evangelho de João, Ver *João, Evangelho de,* V.
Filo e o Logos, Ver *Logos (Verbo),* 5.
Filo, influências de em Hebreus, Ver *Hebreus (Epístola),* VI.4.
Filo Judeu II, 765
Filodemo de Gadara II, 766
Filolau II, 766
Filólogo II, 767
Filopono, João II, 767
Filosofema II, 767
Filosofia II, 767
Esboço
I. A Palavra
II. Definições e Caracterizações
III. Sistemas Tradicionais
IV. Períodos da História da Filosofia
Dez períodos são discutidos
V. A Filosofia e a Fé Religiosa
Quatro discussões
Filosofia Analítica II, 774
Filosofia chinesa e a religião, Ver *Religião e Filosofia Chinesas.*
Filosofia cristã e a vida, Ver *Vida,* II.II.
Filosofia da Biologia II, 774
Filosofia da Ciência II, 774
Esboço
I. Definições e Caracterização Geral
II. Desenvolvimento Gradual
III. Debilidades da Filosofia da Ciência
Sete são discutidas
IV. Contribuições da Filosofia da Ciência
V. Esboço da História da Filosofia da Ciência
Filosofia da Educação II, 777
Ver *Educação, Filosofia da, e Educação Cristã.*
Filosofia da História II, 777
Doze teorias são discutidas Filosofia da Linguagem II, 778
Ver *Linguagem (Filosofia e); Filosofia da Linguagem.*
Filosofia da Religião II, 778
Ver também sobre *Religião e Filosofia e a Fé Religiosa.*
Esboço
I. Definição e Caracterização Geral
II. Principais Assuntos Examinados
III. Valor Apologético
Filosofia de processo, Ver *Processo, Filosofia de.*
Filosofia define a existência, Ver *Existência,* II.
Filosofia do período intertestamental, Ver *Período Intertestamental,* 8.c.
Filosofia do radicalismo, Ver *Radicalismo Filosófico.*
Filosofia do tempo e espaço, Ver *Tempo e Espaço, Filosofia do.*
Filosofia e a alma, Ver *Imortalidade,* artigo 3, e o artigo geral Alma.
Filosofia e a evolução,

Ver *Evolução,* III.
Filosofia e a Fé Religiosa II, 779
Esboço
I. O Uso Legítimo da Filosofia
II. A Atitude de Paulo
III. Definição: Uma História
IV. Referência Bíblica
V. Uso e Abuso da Filosofia
Ver também o artigo sobre *Filosofia,* V.
Filosofia e a história, Ver *História,* IV.
Filosofia e a lei, Ver *Lei na Filosofia.*
Filosofia e antropologia, Ver *Antropologia,* 2
Filosofia e ética da Babilônia, Ver *Babilônia,* 5.f.
Filosofia e hábito, Ver *Hábito,* I.
Filosofia e o Logos, Ver *Logos (Verbo),* II e IV.
Filosofia e parapsicologia, Ver *Parapsicologia,* VIII.
Filosofia e polaridade, Ver *Polaridade, Princípio da,* II.
Filosofia e probabilidade, Ver *Probabilidade,* II.
Filosofia e Psicologia, Ver *Psicologia,* II.
Filosofia: Escolas Filosóficas no NT II, 781
Ver *Escolas Filosóficas no NT*
Filosofia Grega II, 781
Esboço
Declaração introdutória
I. Esboço da Filosofia Pré-Socrática
II. O Período Clássico
III. As Escolas de Ética
IV. As Academias de Platão e Aristóteles
V. O Ceticismo
VI. O Ecletismo Helenista e Romano
VII. O Neoplatonismo
VIII. Influências Sobre o Cristianismo
IX. A Filosofia Grega como um Mestre-Escola
Ver também os artigos sobre *Filosofia e Filosofia e a Fé Religiosa.*
Filosofia Helenista II, 783
Ver também sobre o *Helenismo.*
Filosofia Hindu II, 784
Ver também *Hinduísmo,* VI.2.
Filosofia, História da II, 785
Ver sobre a *Filosofia.*
Filosofia Islâmica II, 785
Filosofia jônica, Ver *Jônia (Filosofia Jônica).*
Filosofia Judaica II, 786
Esboço
I. A Preocupação Final
II. Filosofia da História O AT
III. A Filosofia do Livro
IV. O Problema do Mal
V. Os Tempos Helenistas
VI. Começo da Era Cristã
VII. A Cabala
VIII. Do Séc. X D.C. em Diante
IX. O Iluminismo
X. O séc. XIX
O sionismo
XI. O Séc. XX
O nazismo de Hitler
XII. Ética - a Grande Contribuição da Filosofia Judaica
Filosofia, julgamento na, Ver *Julgamento na Filosofia.*
Filosofia Lingüística II, 788
Filosofia, paradoxos da, Ver *Paradoxo,* II.
Filosofia Perene II, 788
Filosofia Política II, 788

Esboço
I. Definições e Caracterização Geral
II. Origem
III. Idéias, e Sistemas Específicos
Quinze idéias discutidas
Filosofia primeira, Ver *Primeira Filosofia.*
Filosofia Radical II, 790
Filosofia Russa II, 790
Filosofia sobre (alguns exemplos de assuntos tratados) alma, Ver *Alma e Imortalidade.*
Deus, Ver *Deus (diversos artigos).*
ética, Ver *Ética.*
milagres, Ver *Milagres,* III.
mito, Ver *Mito,* VI. natureza das belas-artes, Ver *Arte,* 2.
percepção, Ver *Percepção,* II.
perfeição, Ver *Perfeição na Filosofia.*
realidade, Ver *Realidade,* 1-16.
religião, Ver *Religião* II e *Filosofia da Religião* religião e a ciência, Ver *Religião e a Ciência,* II
retórica, Ver *Retórica.*
teísmo, Ver *Teísmo,* II.
teologia, Ver *Teologia,* IV.
tolerância, Ver *Tolerância.*
tragédia, Ver *Tragédia,* 1-18.
Trindade, Ver *Trindade,*
Opiniões Importantes
Filósofos e Teólogos.
universais, Ver *Universais,* III.
utilidade, Ver *Utilidade.*
valores finais, Ver *Valores Finais.*
verdade, Ver *Verdade,* III e *Verdade na Filosofia.*
vida, Ver *Vida,* II.
virtude, Ver *Virtude na Filosofia.*
voluntarismo, Ver *Voluntarismo,* Vol. VI, p. 833.
vontade, Ver *Vontade na Filosofia.*
Filosofias no NT, Ver *Escolas Filosóficas no NT*
Filósofos Novos II, 790
Filósofos sobre alguns assuntos importantes, Ver *Filosofia sobre (alguns exemplos de assuntos tratados).*
Fim Abrupto de Atos II, 790
Fim do Mundo II, 792
Final, Julgamento II, 793
Final perseverança, Ver *Perseverança Final.*
Finalidade da perfeição, Ver *Perfeição Espiritual,* II.
Finalidades da vida, Ver *Vida,* XI.
Finalismo II, 793
Finéias II, 793
Finitude, Ver *Finito.*
Finito II, 794
Finney, Charles Grandison II, 794
Fio de Prata II, 794
Em Eclesiastes 12:6,7
A projeção da psique
Ver também os artigos sobre *Experiências Perto da Morte Abordagem Científica à Crença na Alma e em sua Sobrevivência ante a Morte Física; e Cadeia (Fio) de Prata.*
Fioretti II, 795
Fiqh II, 795
Firmamento II, 795
As dezessete ocorrências do AT
Espaço expandido
Firmeza II, 795
Ver o artigo geral sobre *Coragem.*
Firmeza na Fé II, 796
Fiscalismo II, 796
Fisicofísico II, 796
Físico-Teológico (Argumento) II, 796
Fisicratas II, 796

Fisiólogo II, 796
Fiske, John II, 796
Flabellum II, 796
Flacius, Matthias II, 797
Flagelação II, 797
Ver sobre *Crimes e Castigos.*
Flagelantes II, 797
Flatus Vocis II, 797
Flauta II, 797
Ver sobre *Música, Instrumentos Musicais.*
Flávio Josefo, Ver *Josefo, Flávio.*
Flecha II, 797
Ver também o artigo geral sobre *Armadura, Armas.*
Usos metafóricos
Flecha voadora, paradoxo da, Ver *Paradoxo da Flecha Voadora; e Zeno, Paradoxos de.*
Flegonte II, 797
Fletcher, Joseph II, 797
Flewelling, R.T. II, 797
Fliedner, Theodor II, 797
Flor de Lírios, Ver *Lírios, Flor de.*
Flora II, 798
Florentina, Academia, Ver *Academia Florentina.*
Floresta II, 798
Florilégio II, 799
Flournoy Theodore II, 799
Fludd, Robert II, 799
Flugel, Otto II, 799
Fluxo II, 799
Na filosofia
Platão
Fluxo de Sangue II, 799
Ver *Enfermidades na Bíblia; e Sangue, Fluxo de.*
Fócio II, 799
Fogão II, 800 Ver sobre *Forno.*
Fogo II, 800
Oito itens discutidos, inclusive usos metafóricos
Fogo, batismo de, Ver *Batismo de Fogo.*
Fogo, coluna de, Ver *Colunas de Fogo e de Nuvem.*
Fogo e Idolatria, Ver *Fogo,* V.
Fogo e nuvem, colunas de, Ver *Colunas de Fogo e de Nuvem.*
Fogo Inextinguível II, 801
Fogo, Lago do II, 801
Ver *Lago do Fogo.*
Fogo, línguas do, Ver *Línguas do Fogo.*
Fogo, presença divina, Ver *Fogo,* VI.
Fogo punição capital, Ver *Fogo,* III.
Fogo, Símbolo do II, 801
Fogo, símbolos, Ver *Fogo,* VII, VIII, e *Fogo, Símbolo do.*
Fogo, usos bíblicos, Ver *Fogo,* I.
Foice II, 802
Folclore II, 802
Fole II, 803
Fome II, 803
Fonseca, Pedro II, 803
Fonte II, 804
Fonte Batismal II, 804
Fonte do Dragão II, 804
Fonte Giom, Ver *Giom (Fonte).*
Fonte peculiar a Lucas, Ver *L, e Problema Sinóptico.*
Fonte, Porta da II, 804
Fontes da inspiração, Ver *Inspiração,* VI.
Fontes da lei moderna, Ver *Lei, Analogia,* 5.
Fontes de Mateus, Ver *Mateus, Evangelho de,* VIII.
Fontes do Evangelho de João, Ver *João, Evangelho de,* IV.
Fontes dos evangelhos sinópticos, Ver *Problema Sinóptico*s

Fontes dos ensinos de Jesus,
Ver *Jesus*, III.1.
Forasteiros II, 804
Força II, 805
Força das Idéias II, 805
Ver sobre *Fouilée*.
Força de Israel II, 805
Ver sobre *Deus*.
Força do Pensamento II, 806
Forjar II, 805
Forma II, 805
1. Platão
2. Tratamento geral pela filosofia
3. Aristóteles
4. Avicebron
5. Gilberto de Poitiers
6. Tomás de Aquino
7. Duns, Scoto
8. Guilherme de Ockham
9. Emanuel Kant
10. Cassirer
Forma, Crítica Bíblica da II, 806
Ver sobre *Crítica da Bíblia*.
Forma de Ídolo II, 806
Forma Sensível II, 806
Formal e Fundamental,
Teologia II, 806
Formalismo II, 806
Formas de adoração,
Ver *Adoração*, III.A.
Formas de Pensamento II, 806
Formas de Vida II, 807
Esboço
1. Considerações filosóficas
2. Na teologia
3. Considerações atinentes ao juízo, à restauração e à redenção
Formas históricas de liturgia,
Ver *Liturgia*, 3.
Formas (idéias) platônicas,
Ver *Universais (Formas) e Platão*, III.
Formiga II, 807
Uso metafórico
Formosa, Porta II, 807
Ver *Porta Formosa*.
Fórmula de Concórdia II, 807
Ver também *Concórdia, Fórmula de*.
Fórmula Hormisdae, Ver *Hormisdas, (Papa)*.
Fornalha II, 808
Fornicação II, 808
Forno II, 809
Fornos de Tijolos II, 809
Fornos, Torre dos II, 810
Forquilha II, 810
Forragem II, 810
Forte, Fortificação II, 810
Ver também *Cidade Cercada*.
Forter, George Burman II, 811
Fortuna na Religião
Grega e Romana II, 811
Fortunato II, 812
Fórum de Apio II, 812
Ver *Ápio, Fórum*.
Fossários II, 812
Fosso, Ver *Vala (Fosso)*.
Foster, Frank Hugh II, 812
Fótio II, 812 Ver sobre *Fócio*.
Foucher, Simon II, 812
Fouillée, Alfred II, 812
Fox, George II, 812
Fox, Oliver, Ver *Projeção da Psique*, Vol. V, p. 458, primeira coluna.
Foxe, John II, 813
Frade II, 813
Frades Menores II, 813
Frades Negros II, 813
Fragmentos de Qumran, Marcos (Evangelho), Ver *Marcos (Evangelho), Fragmentos de Qumran*.

Fragmentos de Zadoquitas,
Ver *Zadoquitas, Fragmentos*.
Fraldas II, 813
Francesco Petrarca,
Ver *Petrarca (Francesco Petrarca)*.
Franciscanos II, 814
Ver também sobre *Francisco de Assis* (São).
Francisco de Assis (São) II, 814
Francisco de Paula (São) II, 814
Francisco de Sales (São) II, 815
Francke, August Hermann II, 815
Frank, Franz Reinhold II, 815
Frank, Sebastian II, 815
Frankel, Zachariah,
Ver *Judaísmo Conservador*, 2.
Franzelin, John Baptist II, 815
Fraquezas, Gloriando nas II, 815
Em II Cor. 12:5: Salvo nas minhas fraquezas
Fraternidade II, 816
Ver sobre *Irmandade*.
Fraternidade (Amor Fraternal) II, 816
Fraude Contra o Consumidor II, 816
Fravishi II, 816
Frazer, James George II, 817
Freios dos Cavalos II, 817
Fressura II, 817
Freud, Sigmund II, 817
Freud e a ética, Ver *Freud*, IV.
Freud e sonhos, Ver *Freud*, III.
Fries, Jakob Friedrich II, 819
Frígia II, 819
Frigideira II, 820
Frio e calor, Ver *Calor e Frio*.
Froebel, Friedrich Wilhelm
August II, 820
Frohschammer, Jacob II, 820
Frommel, Gaston II, 820
Fronesis II, 821
Fruto II, 821
Itens literais e metafóricos são discutidos
Fruto do Espírito II, 822
Esboço
I. A Natureza do Fruto do Espírito
II. A Nova Lei e seus Resultados
III. Os Frutos Alistados
Cada fruto é discutido
IV. A Satisfação do Princípio da Lei
Frutos do Espírito, Ver *Fruto do Espírito*.
Fuga (Música) II, 826
Fulbert II, 827
Fulguração II, 827
Ver *Leibnitz*, sob *Idéias*, 3.
Fuller, Margaret II, 827
Fumaça II, 827
Usos literais e simbólicos
Fumar II, 827
Função da fé, Ver *Fé*, 4.
Função da lei, Ver *Lei, Função da*.
Funcionalismo, Psicologia
Funcional II, 828
Funções psíquicas e a privação dos sentidos, Ver *Parapsicologia*, IX.
Funda II, 828
Ver sobre *Armadura, Armas*.
Fundamentalismo II, 828
Ver também sobre a *Crítica da Bíblia*.
Fundamento II, 829
Ver os artigos separados sobre *Fundamento da Igreja, Cristo como; Fundamento dos Apóstolos e Profetas*.
Esboço
I. As Palavras Envolvidas
II. No AT
III. No NT
IV. Usos Metafóricos
Fundamento da Igreja, Cristo como II, 830

Esboço
Em I Cor. 3:11
Uma introdução
I. Discussão Preliminar
II. Os Alicerces e o Grande Alicerce
III. O Unificador
Jesus visto como um grande evangelista
Os intérpretes protestantes
IV. A Comunidade do Espírito
Fundamento da Igreja, Pedro como II, 832
As principais interpretações são apresentadas e discutidas
Fundamento dos Apóstolos e Profetas II, 834
Fundamento, Porta do II, 836
Fundição II, 836
Ver sobre *Metais e Metalurgia*.
Fundição, mar de, Ver *Mar de, Fundição (de Bronze); Lavatório*.
Funerais II, 836
Ver o artigo sobre *Sepultamento, Costumes de*.
Fung Yu-Lan II, 836
Furto II, 836
Ver também sobre *Crimes e Castigos*.
Furtos, crime contra o homem,
Ver *Crimes e Castigos*, II.2.c.
Fuso II, 836 Ver sobre *Fiação*.
Fustigação II, 836
Ver sobre *Crimes e Castigos*.
Futilidade da vida,
Ver *Vaidade, Futilidade da Vida*.
Futuro II, 837
Ver o artigo sobre *Tempo e Espaço*.
A opinião dos filósofos
Futuro, ensinos de Jesus, Ver *Jesus*, III.3.c.
Futuro imediato e profecia,
Ver *Profecia: Tradição da, e a Nossa Época*, II.
Futuro, Vida do II, 837
Ver os artigos sobre *Imortalidade; Escatologia; Profecia: Tradição da, e a Nossa Época; Vida Eterna e Julgamento*.

G

G II, 838
Um manuscrito do NT
Gaã II, 838
Gaal II, 838
Gaar II, 838
Gaás II, 838
Gabai II, 838
Gabares, Chebéres II, 838
Gabatá II, 838
Gabatá II, 839
Gabel II, 839
Gabirol, Solomon Ibn II, 839
Gabrias II, 839
Gabriel II, 839
Definição do termo
Ver o artigo separado sobre *Anjo*.
As alusões a esse ser na Bíblia
A ideologia da angeologia
Casos de visitas de anjos
Gabriel Biel II, 840
Ver sobre *Biel, Gabriel*.
Gadara, Gadarenos II, 840
Gadara, Filodemo de,
Ver *Filodemo de Gadara*.
Gadarenos,
Ver *Gadara, Gadarenos*.
Gade II, 841
Várias *personagens e certas*

coisas ligadas ao AT
Ver também *Deuses Falsos*, III.19.
Gadi II, 842
Gadis II, 842
Gaditas II, 842
Gado Vacum II, 842
Gaetã II, 843
Gafanhoto, Ver *Praga de Gafanhotos*.
Gafanhoto Devorador II, 843
Gafanhotos,
Ver *Pragas do Egito*, II.8.
Gagueira, Ver *Enfermidades na Bíblia*, I.24.
Gai II, 843
Gaiatri II, 843
Gaio II, 843
Vários indivíduos do NT
Gaiola II, 843
Gaita de Foles II, 844
Ver sobre *Música e Instrumentos Musicais*.
Gaivota II, 844
Ver também sobre *Aves da Bíblia*.
Galaade II, 844 Ver sobre *Gileade*.
Galácia II, 844
O uso no NT
1. O antigo reino étnico da Galácia
2. A província romana da Galácia
Galácia do Norte, teoria de,
Ver *Galácia, Missão de Paulo*, 4° parágrafo *Gálatas*, III.
Galácia do Sul, teoria de,
Ver *Galácia, Missão de Paulo*, 5° parágrafo; *Gálatas*, III.
Galácia, Missão de Paulo II, 845
Galacianismo II, 846
Galal II, 846
O nome de três levitas
Galardão II, 846
Gálatas II, 847
Esboço
Introdução do artigo
A declaração da independência cristã
A perseguição à Igreja cristã primitiva
I. Autor
Um dos grandes clássicos paulinos
II. Data e Proveniência
III. Quem eram os Gálatas, para Quem Paulo Escreveu?
Missão de Paulo na Galácia
IV. Motivo da Escrita: Propósitos
Os pontos por causa dos quais Paulo vinha sendo atacado como visto na epístola aos Gálatas
V. Temas Principais
VI. Conteúdo
VII. Bibliografia
Galba, Ver *Império Romano*, VIII.
Gálbano II, 855
Galeede II, 855
Galeno, Cláudio II, 855
Galesburgo, Regra de II, 855
Gália II, 856
O território entre o rio Reno, os Alpes, os Pirineus e o Oceano Atlântico.
Galicanismo II, 856
Galilei, Ver *Galileu Galilei*.
Galiléia II, 856
Esboço
I. Caracterização Geral
Antigas fronteiras
II. Localização Geográfica
Nos tempos do AT
III. Lugar da Vida e do Ministério de Jesus
IV. Dados Históricos
V. Outros Pontos de Interesse
Galiléia, Mar da II, 868
Galiléia, ministério de Jesus,

GALILEU – GLÓRIA

Ver *Jesus*, II.2.
Galileu II, 858
Galileu Galilei II, 859
Galileu, exemplo de perseguição,
  Ver *Calvino*.
Galim II, 860
Galinhas II, 860
Gálio II, 860
Galluppi, Pasquale II, 861
Galo II, 861
Gamaditas II, 862
Gamaliel II, 862
  Dois indivíduos na Bíblia
Gamo II, 863
Gamul II, 863
Ganância II, 863
Gandharva II, 863
Gandhi, Mohandas Karamchand II, 863
Ganesha II, 864
Gangrena II, 864
  Ver sobre *Enfermidades na Bíblia*.
Gano, John II, 864
Gansfort, John Wesel II, 864
Ganzfeld, efeito,
  Ver *Parapsicologia*, IX.
Garantia de renda,
  Ver *Renda Garantida*.
Garça II, 864
Garebe II, 864
Garfo II, 864
Garfo de Hume II, 864
  Ver sobre *Hume, Garfo de*.
Garmita II, 864
Garrigou-Lagrange, R.M. II, 864
Gas II, 865
Gassendi II, 865
Gatas II, 865
Gate II, 865
Cinco cidades dos filisteus
  Ver também *Moresete - Gate*.
Gate-Hefer II, 865
Gate-Rimom II, 866
Gato II, 866
Gaudapara II, 866
Gaulanites II, 866
Gaunilo II, 866
Gautama Buddha II, 867
  Ver sobre *Buda*.
Gautama Nyana II, 867
  Ver sobre *Nyaya*.
Gauthier, F.P. II, 867
  Ver sobre *Maine de Biran*.
Gavião II, 867
Gay, John II, 867
Gaza II, 867
  Esboço
  I. Caracterização Geral
    Uma das principais cidades dos filisteus
  II. Localização e Características Geográficas
  III. Dados Históricos
    Em 704-681 a.C.
    Em 66 D.C.
Gazali, Al II, 869 Ver *Al-Gazali*.
Gazão II, 869
Gazara II, 869 Ver sobre *Gezer*.
Gazela II, 869
  Ocorrências bíblicas
Gazer II, 869 Ver sobre *Gezer*.
Gazera II, 869
Gazez II, 869
  Duas personagens do AT
Geada II, 869
Geazi II, 869
Geba II, 870
Geba, Vizinhanças do,
  Ver *Vizinhanças de Geba*.
Gebal II, 870
  Uma cidade e um distrito do AT
Geber II, 871
  Duas personagens do AT

Ver também *Eziom-Geber*.
Gebim II, 871
Gedalias II, 871
  Cinco personagens do AT
Geder II, 871
Gederã II, 871
Gederatita II, 871 Ver sobre *Geder*.
Gederita II, 872
Gederotaim II, 872
Gederote II, 872
Gedor (Cidades) II, 872
  Várias cidades do AT
Gedor (Indivíduo) II, 872
Geena II, 872
  O julgamento
  Ver também o artigo sobre
  Descida de Cristo ao Hades.
Geiger, Abraham, Ver
  Judaísmo Reformado, 5.
Geiler, Von Kaiserberg II, 873
Geites winssenschaften II, 873
Gelilote, II, 873
Gelo II, 873
  As ocorrências bíblicas
  O uso da neve na Palestina
Gemali II, 873
Gemara II, 874
  Ver também o artigo sobre o
  Talmude.
  O uso da palavra
Gemarias II, 874
  O nome de quatro pessoas na Bíblia
Genealogia II, 874
  Oito discussões são apresentadas
Genealogia de Davi, Ver *Davi*, I.
Genealogia de Jesus, o Cristo II, 876
  As genealogias de Mateus e Lucas são examinadas detalhadamente
Genealogias (I Tim. 1:4) II, 880
General II, 881
Gênero II, 881
  Cinco pontos a respeito dessa palavra
Generosidade II, 881
  Ver *Liberalidade e Generosidade*;
  e também *Abundância, Generosidade*.
Generosidade e o dízimo,
  Ver *Dízimo*, VI.
Genesaré II, 881
  As ocorrências bíblicas
  O nome de uma cidade, de um distrito da Galiléia, e de um lago da Galiléia
  Descrição da campina de Genesaré
Genesaré , Lago de II, 881
Gênesis II, 881
  Esboço
  Introdução
  I. Importância do Livro
    1. Teológico
    2. Literário
    3. Histórico
  II. Composição
    1. Ponto de vista conservativo
    2. Ponto de vista crítico
    A fonte
    Data e lugar
  III. Conteúdo
    1. Esboço histórico
      a. História primordial
      b. Historia patriarcal
    2. Esboço temático
    3. Esboço detalhado do conteúdo
  IV. Teologia
    1. Deus é o único e supremo monarca do universo e de seu povo
    2. Deus é onipotente
    3. Deus é sábio
    4. Deus tem profunda misericórdia e amor por sua criação
    5. Deus se revelou a seu povo
  V. Descobertas Arqueológicas

VI. Considerações Finais
  Bibliografia
Genesius, Friedrich Heinrich Wilhelm II, 884
Genética II, 884
Genética, falácia,
  Ver *Falácia Genética*.
Geneus II, 885
Geniza II, 886
Genizah, manuscritos,
  Ver *Manuscritos do AT*, V.
Genocídio II , 885
Gentile, Giovanni II, 886
Gentileza, Docilidade II, 887
Gentil, Alberico II, 887
Gentio II, 887
  Sete discussões são apresentadas
Gentios, Átrio dos II, 888
  Ver *Átrio dos Gentios*.
Gentios, átrio do templo de,
  Ver *Átrio dos Gentios* e *Templo (Átrios)*.
Gentios, missão cristã entre,
  Ver *Missão Gentílica*.
Gentio, plenitude dos,
  Ver *Plenitude dos Gentios*.
Genubate II, 888
Genuflexão II, 888
Geocêntrica e heliocêntrica,
  Ver *Astronomia*, 1.
Geometria II, 888
Gera II, 888
Gera (Pessoas) II. 889
  Três benjamitas no AT
Gera, peso, Ver *Pesos e Medidas IV.D*
Geração II, 889
Geração, Diferença de (ou Gerações, Hiato de) II, 889
  O inglês 'generation gap'
  O uso da expressão e seu significado
Geração dos deuses,
  Ver *Deuses Falsos*, II.
Geração Eterna II, 890
  Os ensinos de Orígenes sobre o *Logos*
  Algumas referências bíblicas
  Ver também o *artigo detalhado sobre o Logos*.
Geração não Passará (Mat. 24:34) II, 890
Gerado, Ver *Gerar, Gerado*.
Geral, revelação,
  Ver *Revelação Geral e Especial*, 3.
Gerar II, 891
  A principal cidade dos filisteus
Gerar, Gerado II, 891
Gerasa (Gerasenos) II, 892
Gerasenos, Ver *Gerasa (Gerasenos)*.
Gerbert de Aurillac II, 893
Gergesa II, 893
Gerhard, Johann II, 893
Gerizim II, 893
Gerlach, Stephen II, 894
Germânica, Filosofia II, 894
Germânica, Teologia II, 894
Geron II, 894
Gerrenianos II, 894
Gersitas II, 894
Gérson II, 894
  Três pessoas do AT
Gerson, Jean de II. 895
Gerson, Levi Ben II, 895 Ver sobre *Gersonides*; *Gerson, Levi Ben*.
Gersonitas; Gerson, Levi Ben
Gersonitas II, 896
  Ver também *Levitas*
Gerute-Quimã II, 896
Gesã II, 896
Gesém II, 896
Gestalt II, 896
Gesto II, 897
Gesur II, 897

Gesur, Gesuritas II, 897
Gesuritas, Ver *Gesur, Gesuritas*.
Géter II, 897
Getsêmani II, 897
Gettier, Problema de II, 898
Geulincx, Arnold II, 898
Gia II, 899
Gibar II, 899
Gibeá II, 899
  O uso do termo no AT
  As ocorrências do termo no AT
Gibeá de Saul II, 900
  Ver sobre, *Gibeá*, 4.
Gibeate, II, 900
Gibeatita II, 900
Gibeom II, 901
  1. O nome
  2. Caracterização geral e história
  3. A arqueologia e a cidade de *Gibeom*
Gibeonitas II, 901
  Ver também o artigo sobre *Gibeom*.
  O uso do termo
Gibetom II, 902
Gidalti II, 902
Gideão II, 902
  Esboço
  I. Nome e Pano de Fundo Bíblico
  II. Caracterização Geral
  III. Eventos Significativos e Lições a Vida de Gideão
  IV. Gideão no NT
Gidel II, 904
  Dois homens na Bíblia
Gideões II, 904
Gideoni II, 904
Gidgade, Ver *Hor-Gidgade*.
Gidom II, 904
Gigantes II, 904
Gigante, Vale dos II, 905
  Ver sobre *Refains, Vale dos*.
Gigitas II, 905
Gilalai II, 905
Gilbert de la Porree II, 905
Gilboa, Monte II, 905
  Uma cadeia montanhosa
Gildas II, 906
Gileade II, 906
Gileaditas II, 907
Giles de Roma II, 907
Gilgal II, 907
Gilgamés, Epopéia de II, 908
  Ver também *Dilúvio de Noé*, III.
Gill, John II, 909
  Um teólogo e escritor de comentários bíblicos
  Ver também o artigo geral, *Comentários sobre a Bíblia*.
Giló, Gilonita II, 910
Gilonita, Ver *Giló, Gilonita*.
Gilson, Etienne II, 910
Gimel II, 910
Ginásio II, 910
Ginate II, 910
Ginetom II, 910
Ginzo II, 911
Giom (Fonte) II, 911
Giom (Rio) II, 911
Girgaseus II, 911
  Sete tribos de Canaã
Girgensohn, Karl II, 911
Gitaim II, 912
Gitite II, 912
Gizonita II, 912
Gladden, Washington II, 912
Globos II, 912
Glogau, Gustav II, 912
Glória II, 912
  Esboço
  I. Definição Geral
  II. Idéias do AT a Respeito
  III. Idéias do NT a Respeito
    1. Usos diversos

791

GLÓRIA – GRICE

2. No tocante a Cristo
IV. A Glória Escatológica e a Salvação do Homem
  A parousia de Cristo
Glória (em latim) II, 914
Glória, coroa de, Ver *Coroas, 2.d.*
Glória de Cristo II, 914
Glória de Deus II, 914
Glória do Senhor no espelho espiritual, Ver *Espelho Espiritual*, IV.
Glória in Excelsis II, 915
Glória nas fraquezas, Ver *Fraquezas, Gloriando nas.*
Glória Patri II, 915
Glorificação II, 915
  I. Caracterização Geral
  II. Sua Essência: Transformação Segundo a Imagem de Cristo
  III. Um Processo Eterno
    1. Participação na plenitude de Deus
    2. A operação do Espírito Santo
    3. O significado de ser salvo
Glossolalia II, 916
  Falar em línguas
  Teorias sobre o fenômeno
  Ver também sobre *Batismo no Espírito Santo.*
Glutão II, 917
Gnana Ioga II, 917
  Ver sobre a *Jnana Ioga*, no artigo geral sobre *Ioga*, 5.c.
Gnésio-Luteranismo II, 917
Gnosiologia II, 917
  Ver os artigos sobre *Conhecimento e a Fé Religiosa e Epistemologia.*
Gnosiologia e linguagem Ver *Linguagem (Filosofia e); Filosofia da Linguagem*, 18.
Gnosis II, 917
Gnosticismo II, 918
  Treze discussões detalhadas são apresentadas sobre este sistema e suas idéias.
Gnosticismo e docetismo, Ver *Docetismo*, V.
Gnosticismo e o NT, Ver *João III (Terceira Epístola)*, e o artigo geral sobre *Gnosticismo.*
Gnosticismo e Paulo, Ver *Paulo (Apóstolo)*, II. 6, parágrafos 5,6,7,8.
Gnosticismo e I João, Ver *João I (Primeira Epístola)* IV.
Gnosticismo explica Jesus, Ver *Jesus*, I.2.b.
Gnosticismo no maniqueísmo, Ver *Maniqueísmo*, 11.
Gobe II, 923
Gobineau, Arthur II, 923
  Suas datas
  Um teólogo protestante francês
Godet, Frederic Louis II, 923
Godfrey de Fontaines II, 923
Goel (Remidor) II, 923
Goethe, Johann Volfgang Von II, 924
Gogue II, 924
  Dois indivíduos no AT e uma localização geográfica do NT
Gogue e Magogue II, 924
Gogue, Forças de II, 926
  Ver sobre *Hamona.*
Goim II, 926
Golã II, 927
Golfinho Ver *Texugo (Dugongo).*
Golfo de Ácaba II, 927
Gólgota II, 927
  Ver sobre o *Calvário.*
Golias II, 927
Golpe, Golpear, Ver *Cortar, Golpear.*
Gomede, Ver *Pesos e Medidas, I.F.*

Gômer II, 928
  Duas personagens da Bíblia
Gomorra II, 928
Gongo II, 929
  Ver sobre *Música, Instrumentos Musicais.*
Gonzos, Dobradiças II, 929
Goodman, Nelson II, 929
Górdio, Nó II, 929
  Ver o artigo sobre *Nó*, último parágrafo.
Gordon, Calvário de II, 929
Gordon, George Angier II, 929
Gordon, Sepulcro (Túmulo) de II, 929
Ver sobre o *Túmulo de Gordon.*
Gordon, túmulo de, Ver *Túmulo de Gordon.*
Gordura II, 929
Gore, Charles II, 930
Górgias (Filósofo Grego) II, 930
  Ver também *Sofistas*, 4.
Górgias (General) II, 930
Gorham, Controvérsia de II, 930
Gortina II, 931
Gósen II, 931
  Três localidades geográficas do AT
Gótica, Versão da Bíblia II, 932
Gotoniel II, 932
Governador II, 932
Governo II, 932
  Esboço
  I. Filosofia Política
  II. Formas de Governo
  III. Uma Instituição Divina
  IV. Sumário de Idéias do NT
Governo batista, Ver *Governo Eclesiástico*, II.3, *Governo Congregacional.*
Governo congregacional, Ver *Governo Eclisiástico*, II.3.
Governo da Igreja, *Ver Governo Eclesiástico.*
Governo Eclesiástico II, 935
  Esboço
  I. Na Era Apostólica
  Governo eclesiástico no NT
  Os diversos oficiais
  II. No Cristianismo Histórico
  Os tipos principais de governos na Igreja são discutidos
Governo eclesiástico do NT, Ver *Governo Eclesiástico*, Vol. II p. 942, primeira coluna.
Governo episcopal, Ver *Governo Eclesiástico*, II.3.
Governo, Instituição de Deus II, 943
  Sete discussões são apresentadas
Governo Mundial II, 951
  Esboço
  I. As Nações Unidas
  II. Conflitos Nacionalistas
  III. Os Ideais do Governo Mundial
  IV. O Governo Mundial e as Profecias
Governo presbiteriano, Ver *Governo Eclesiástico*, II.1.
Governo, teoria da expiação, Ver *Expiação*, II.4.
Governo universal, Ver *Governo Mundial.*
Governos, dom de, Ver *Dons Espirituais*, IV.4.
Gozã II, 953
  As ocorrências no AT
  Uma cidade da Mesopotâmia
Gozo II, 953
  Ver o artigo sobre *Felicidade.*
Graal, Santo II, 953
  Ver o artigo sobre *Santo Graal.*
Graça II, 953
  Esboço

I. O Vocábulo
II. Palavras que Indicam Graça
III. A Graça como Meio da Salvação
IV. A Graça no AT
V. A Graça nos Escritos Neotestamentários, Não-Paulinos
VI. A Graça como Atitude Divina Para Com os Homens
VII. A Graça Segundo é Vista na Igreja Cristã
VIII. Sumário do Uso do Vocábulo *Graça* nas Páginas do NT
IX. Descrições Teológicas das Operações de Graça
  Onze tipos de graça são discutidos. Ver também *Dom Gratuito de Deus.*
Graça Comum II, 958
Graça, dia da, Ver *Dia da Graça.*
Graça e a lei, Ver *Lei e Graça, Conflito.*
Graça e Ética II, 959
Graça eficaz, Ver *Graça*, IX.8.
Graça e justificação, Ver *Justificação*, VI.
Graça geral, Ver *Graça*, IX.4.
Graça habitual, Ver *Graça*, IX. 2.
Graça, infusão da, Ver *Infusão da Graça.*
Graça irresistível, Ver *Graça*,IX.3.
Graça no AT, Ver *Graça*, IV.
Grasa no NT, Ver *Graça*, V, VIII.
Graça preveniente, Ver *Graça*, IX.5.
Graça santificadora, Ver *Graça*, IX.6.
Graça Sobre Graça II, 959
Graça suficiente, Ver *Graça*, IX.7.
Graças, Ver *Ações de Graças.*
Graças às Refeições, Ação de II, 960
Graciano, II, 960
Gracioso II, 960
Gradações do pecado, Ver *Pecado*, VIII.
Gradual II, 960
Graduale II, 960
Gráficos históricos, cronológicos da Bíblia, Ver *Cronologia do AT* VII.
Gralha II, 960
Grama II, 961 Ver sobre *Erva.*
Granada II, 961
  Um tipo de minério
Grande (Grandeza) II, 961
  O extensivo uso em Gên.
Grande Aprendizagem II, 961
Grande Comissão II, 962
  Ver também *Comissão, a Grande.*
Grande Dia II, 962
Grande explosão, teoria, Ver *Astronomia*, 7.
Grande final, Ver *Chu Hsi, Idéias*, 2.
Grande Instauração II, 962
Grande Mãe II, 962
Grande Mãe (arquétipo), Ver *Jung, Idéias*, 7.c.
Grande Mar II, 962
  Ver também *Mar, Grande.*
Grande preço, pérola, Ver *Pérola de Grande Preço.*
Grande Sinagoga II, 962
  Ver também *Sinagoga, a Grande.*
Grande Tribulação II, 962
  Ver sobre *Tribulação, a Grande.*
Grande último II, 962
  Ver *Último, o Grande.*
Grande Veículo II, 963
  Ver o artigo sobre *os Veículos do Budismo.*
  1. A separação entre a Igreja Ocidental e a Igreja Oriental

2. O Grande Cisma Ocidental
3. A Reforma Protestante
Grandeza, Ver *Grande (Grandeza).*
Granth II, 963
Grão II, 963
  Ver também sobre *Agricultura e Alimentos.*
Grão de mostarda, parábola de, Ver *Parábola*, III.3.
Gratia Creata II, 964
Gratia Gratis Data II, 964
Gratia Gratum Faciens II, 964
Gratia Increata II, 964
Gratia Prevéniens II, 964
Gratidão II, 964
Grau, Ver *Degrau, Grau.*
Graus de castigo, Ver *Inferno*, IV.
Graus de perfeição,Ver *Perfeição, Graus de.*
Graus de valor para provar a existência de Deus, Ver *Argumento Axiológico.*
Graus do pecado, Ver ,VIII; e *Pecado Mortal e Pecado Venial.*
Gravuras sobre o Cristo e o Evangelho de Magus, Ver *Livros Apócrifos (Modernos)*, 17.
Grebel, Konrad, Ver *Menonitas*, 1.
Grécia II, 965
  Esboço
  I. Caracterização Geral
  II. Nome
  III. Geografia e Localização
  IV. Dados Históricos
  V. A Filosofia Grega
  VI. A Religião Grega
  VII. A Língua Grega
  VIII. A Literatura Grega
  IX. Esboço de Descobertas Arqueológicas
Grécia e a arqueologia, Ver *Grécia*, IX.
Grécia, religião de, Ver *Grécia*, VI e *Gregos Primitivos, Religião dos.*
Green, T.H. sobre aparência, Ver *Aparência*, 5 sobre *Perfeição*, Ver *Perfeição na Filosofia*, 5.
Grego comum, Ver *Koiné.*
Grego, língua, Ver *Língua Grega.*
Grego universal, Ver *Koiné.*
Gregório, o Grande (Gregório I) Papa II, 973
Gregório (Papa) II, 974
Gregório III (Papa) II, 974
Gregório IV (Papa) II, 974
Gregório V (Papa) II, 974
Gregório VI (Papa) II, 975
Gregório VII (Papa) II, 975
Gregório VIII (Papa) II, 975
Gregório IX (Papa) II, 976
Gregório X (Papa) II, 976
Gregório XI (Papa) II, 976
Gregório XII (Papa) II, 977
Gregório XIII (Papa) II, 977
Gregório XIV (Papa) II, 977
Gregório XV (Papa) II, 978
Gregório XVI (Papa) II, 978
Gregório de Nissa II, 978
Gregório de Rímini II, 979
Gregório de Tours II, 979
Gregório de Utrecht II, 979
Gregório Nazianzeno II, 979
  Ver também *Cristologia*, 4.g
Gregório, o Iluminador II, 980
Gregório Taumaturgo II, 980
Gregos, filosofia de, Ver *Filosofia Grega.*
Gregos Primitivos, Religião dos II, 980
Grelha II, 982
Grenzsituationen II, 982
Grice, H.P. II, 982
  Ver sobre *Significado.*

GRILHÕES – HASBADANA

Grilhões II, 982
Grilo II, 983
Grinaldas II, 983
Grito de Abandono (Mat. 27:46) II, 983
Ver o artigo sobre *Eli, Eli, Lama Sabactâni,* e também sobre *Sete Declarações da Cruz.*
Groote, Gerard II, 983
Grosseteste, Robert II, 983
Grote, John II, 983
Grotius, Hugo II, 983
Suas datas
Sua vida
Grundtvig, Nicolai Frederick Severin II, 984
Grupo de Oxford, Ver *Oxford, Grupo de.*
Guarda II, 984
Guarda Pessoal II, 984
Guarda, Porta da II, 985
Ver também *Porta da Guarda.*
Guarda pretoriana, Ver *Pretoriana, Guarda.*
Guardador, Ver *Guardar, Guardador.*
Guardar, Guardador II, 985
Guarnição II, 985
Gudgodá II, 986
Guel II, 986
Guerra II, 986
Ver também sobre *Armadura. Armas; Forte; Fortificação.*
Esboço
I. Descrições Vividas
II. Guerra Entre Várias Nações Antigas
III. Guerra Entre os Hebreus
IV. Métodos e Costumes das Guerras dos Hebreus
V. Alexandre e a Guerra
VI. Os Romanos e a Guerra
VII. A Guerra nas Páginas do NT
VIII. A Guerra e a Religião
IX. Usos Figurados
Guerra, descrições bíblicas, Ver *Guerra,* I.
Guerra dos Camponeses II, 990
Guerra dos Trinta Anos II, 990
Guerra e a religião, Ver *Guerra,* VIII.
Guerra justa, critérios de uma II, 990
Ver *Critérios de uma Guerra Justa.*
Guerra no NT, Ver *Guerra,* VII.
Guerra santa, Ver *Maomé,* 8.
Guerras antigas, Ver *Guerra,* II.
Guerras do Senhor, Livro das II, 990
Guerras dos hebreus, Ver *Guerra,* III, IV.
Guerras e os romanos, Ver *Guerra,* VI.
Guerras Religiosas II, 990
Ver o artigo separado sobre a *Guerra dos Trinta Anos.*
Guerreiro II, 991
Guia, Aio II, 991
As aplicações do termo
Guiados Pelo Espírito II, 991
Guildas Comerciais II, 992
Guizot, Francis II, 993
Ver sobre *Tolerância.*
Guna II, 993
Gundisalvo, Dominic II, 994
Guni II, 994
Dois indivíduos do AT
Gunitas II, 994
Gunkel, Hormann II, 994
Gunnerus, John Ernst II, 994
Gunther, Anton II, 994
Gur II, 994
Gur-Baal II, 994
Gurney, Joseph John II, 994
Guru, II, 994

Guthrie, Kernneth S., Ver *Livros Apócrifos (Modernos),* 14.
Guyau, Jean-Marie II, 995
Guyon, Jeanne Marie (Madame) II, 995

H

H *(Códice Wolfii B)* III, 1
Haastari III, 1
Habacuque (o Profeta e *o Livro)* III,1
Esboço
I.O Profeta
II. Caracterização Geral
III. Data
IV. Estilo Literário e Unidade
V. Pano de Fundo e Propósitos
VI. Canonicidade e Texto
VII. Conteúdo e Mensagem
Bibliografia
Habaías III, 3
Habazinias III, 3
Habdalah III, 3
Habilidade, Mão-de-Obra III, 3
Ver sobre *Artes e Ofícios.*
Habilidade de Jesus no ensino, Ver *Ensinos de Jesus,* III.
Habiru, Hapiru III, 3
Habitação III, 3
Habitação da Divindade Corporalmente em Cristo III, 4
Habitação de Cristo no Crente III, 5
Porém Cristo é tudo em todos, Col. 3:11
Hábito III, 6
Esboço
I. Na Filosofia
II. Na Fé Religiosa
III. Quebrando Hábitos
IV. Como Vestes Eclesiásticas
Hábito, vestes eclesiásticas, Ver *Hábito,* IV.
Habor III, 8
Uma região geográfica e um rio no AT
Hacaba III, 8
Hacalias III, 8
Hacmonita, Taquemoni III, 8
Hacufa III, 8
Hadade III, 8
Hadadezer III, 9
Rei de Zobá
Hadadrimom III, 9
Duas divindades sírias no AT
Hadassa III, 9
Hadata, Ver *Hazor-Hadata.*
Hades III, 9
Ver também *Descida de Cristo ao Hades,* II. 62; e *Sheol.*
Esboço
I. Hades e na Mitologia Grega
II. Na Septuaginta
Em Lucas 16:19-31
III. Portas do Inferno (Mat.1:18)
IV. Na Literatura Hebraica
V. A Descida de Cristo ao Hades
VI. Hades - o Abismo (Apo 9:1)
Hades, Descida de Cristo ao, III. 12
Hadido III, 12
Hades e a experiência perto da morte, Ver *Experiências Perto da Morte,* II, últimos 4 parágrafos.
Hades e o estado intermediário, Ver *Estado Intermediário,* 3.
Hadis, Ver *Hadite (Hadis).*
Hadite (Hadis) III, 12
Hadj III, 12
Hadlai III, 12

Hadorão III, 12
Três personagens do AT
Hadraque III, 12
Haeckel, Ernst III, 13
Ha-Elefe III, 13
Hafaraim III, 13
Haftarah III, 13
Hagaba III, 13
Hagabe III, 13
Hagada III, 13
Hagar III, 13
Hagarenos III, 14
Hagerstrom, Axel III, 14
Hagerstrom sobre o materialismo, Ver *Materialismo,* 15.
Hagi III, 14
Hagiógrafa III, 14
A terceira divisão do cânon hebraico das Escrituras do AT
1. A lei
2. O profetas
3. Os escritos
Hagiografia III, 15
Hagite III, 15
Hagri III, 15
Hahn, Hans III, 15
Ver sobre o *Círculo Vienense dos Positivistas Lógicos.*
Hala III, 15
Halacá III, 15
Ver também *Judaísmo,* I.2.
Halaque e, Monte III, 15
Hali III, 15
Halicarnasso III, 16
Hallaj III, 16
Hallel III, 16
Hallevi, Yehudah (Judá) III, 16
Haloés III, 16
Halul III, 16
Hamã III, 17
Hamaleque III, 17
Hamann, Hohann Georg III, 17
Hamate III, 17
Hamate (Pessoa) III , 18
Hamate, Entrada de III, 18
Hamate-Zobá III, 18
Hamateus III, 18
Hamedata III, 18
Hamilton, Sir William III, 18
Hammond, Howard C., Ver *Petra,* último parágrafo.
Hamolequete III, 19
Hamom III, 19
Duas cidades do AT
Hamona III, 19
Hamor III, 19
Hamote-Dor III, 19
Hampshire, Stuart Newton III, 19
Hamuel III, 19
Hamul III, 19
Hamurabi III, 20
Hamurabi, Código de III, 20
Esboço
I. Descoberta
II. Códigos Mais Antigos
III. Natureza Geral do Código de Hamurabi
IV. Algumas Leis Específicas
V. Funções do Código de Hamurabi
VI. O Código de Hamurabi e a Lei Mosaica
Hamutal III, 22
Hanã III, 22
Nove homens do AT
Hanamel III, 22
Hananeel III, 22
Hananeel, Torre de III, 22
Hanani III, 22
Vários homens do AT
Hananias III, 22
Catorze homens do AT
Hanatom III, 23
Hanbal, Ibn III, 23

Handel, George Frederic III, 23
Hanes III, 23
Han Fei Tzu III, 23
Haniel III, 24
Dois homens do AT
Hanoque III, 24
Duas personagens do AT
Hanrão III, 24
Hanukkah III, 24
Hanum III, 24
Três homens do AT
Han Yuz III, 24
Hapiru, Ver *Habiru, Hapiru.*
Hapizez III, 25
Hapuque, Ver *Quéren – Hapuque.*
Haquilá III, 25
Hara III, 25
Harã (Lugar) III, 25
Harã (Pessoas) III, 25
Três pessoas na Bíblia
Harada III, 26
Haraías III, 26
Harakiri III, 26
Hararita III, 26
Harary, Blue, Ver *Projeção da Psique,* Vol. V, p. 448, 2ª coluna e ss.
Harás III, 26
Dois homens do AT
Harbona III, 26
Hare, Richard M. III, 26
Harém III, 26
Harife III, 27
Harim III, 27
Duas famílias e um indivíduo no AT
Har-Magedom III, 27
Ver sobre *Armagedom.*
Harmom III, 27
Harmonia III, 27
Esboço
I. Palavra
II. Na Filosofia
III. Na Teologia
Harmonia antiga dos evangelhos, Ver *Diatessaron.*
Harmonia Co-Estabelecida III, 28
Harmonia dos Evangelhos III, 28
Esboço
I. Inspiração e Natureza Dessa Atividade
II. Seus Exageros
III. Várias Obras Harmonizadoras dos Evangelhos
Harmonia Preestabelecida III, 29
Ver também *Leibnitz,* sob *Idéias,* 4; e *Problema Corpo-Mente.*
Harnack, Adolf Von III, 29
Harode III, 29
Um ribeiro e uma localidade no AT
Haroditas III, 29
Haroé III, 29
Harosete-Hagoim III, 29
Harpa III, 29
Ver também sobre *Música e Instrumentos Musicais.*
Harper, W.R. III, 30
Harpias III, 30
Harsa III, 30 Ver *Tel-Harsa.*
Hartmann, Eduard Von III, 30
A teoria dos valores
Hartmann, Nicolai III, 30
Hartshorne, Charles III, 31
Harufita III, 31
Harum III, 31
Harumafe III, 31
Haruz III, 31
Hasabias III, 31
Vários homens mencionados no AT
Hasabná III, 32
Hasabnéias III, 32
Duas personagens do AT
Hasadias III, 32
Hasbadana III, 32

Hasdai Ben Abraham, Crescas,
Ver *Judaísmo*, II. 15; e *Crescas, Hasdai Ben Abraham*.
Hase, Karl August Von III, 32
Hasidim III, 32
Ver o artigo sobre *Assidismo Hasmona* III, 32
Um dos locais de descanso
Hasmoneanos (Macabeus) III, 32
Esboço
I. Caracterização Geral
Ver também os artigos
Livros Apócrifos; e Macabeus, Livros dos.
II. A Família dos Hasmoneanos (Macabeus)
III. Descrições dos Diversos Reis-Sacerdotes
Dez pessoas são discutidas
IV. Intervenção Romana
V. Significado do Período dos Hasmoneanos (Macabeus)
Hasmoneanos e independência
Ver *Período Intertestamental*, 4.
Hasmoneanos (*Macabeus*), significado do, Ver *Hasmoneanos (Macabeus)*, V.
Hasselá, Ver *Poço do Aqueduto (Açude de Hasselá)*.
Hasselá, Açude de III, 36
Hassenaá III, 36
Hassideanos III, 36
Ver sobre *Assideanos*.
Hassube III, 36
Hasubá III, 36
Hasufa III, 36
Hasum III, 37
Dois homens no AT
Hatá III, 37
Hataavá, Ver *Quibrote-Hataavá*.
Hatate III, 37
Hatch, Edwin III, 37
Hatha Yoga III, 37
Ver também o artigo sobre *Yoga*.
Haticom, Ver *Hazer-Haticom*.
Hatifa III, 37
Hatil III, 37
Hatita III, 37
Hator III, 37
Hatus III, 37
O nome de três pessoas no AT
Hauck, Albert III, 37
Hauge, Hans Nielson III, 38
Haurã III, 38
Haustafel III, 38
Havilá III, 38
Duas pessoas e duas regiões geográficas no AT
Havote-Jair III, 39
Hazael III, 39
Esboço
I. O Nome
Ver também o artigo sobre *Deus*.
II. Relação com os Reis de Israel e de Judá
III. A Entrevista com Eliseu
IV. Hazael Mata a Ben-Hadade
V. Hazael e as Guerras
VI. As Inscrições em Escrita Cuneiforme
Hazaías III, 40
Hazar-Adar III, 40
Hazar-Enã III, 40
Hazar-Gada III, 40
Hazar-Sual III, 40
Hazar-Susim III, 40
Hazarmavé III, 40
Hazazom-Tamar III, 40
Hazebaim, Ver *Poquerete - Hazebaim*.
Hazelelponi III, 40
Hazer-Haticom III, 41
Hazerote III, 41

Haziel III, 41
Hazo III, 41
Hazor III, 41
Hazor-Hadata III, 42
He III, 42
Héber III, 42
O nome de várias pessoas no AT
Hebraico III, 42
Esboço
1. Algumas características
2. Origem das palavras semíticas e hebraicas
3. O alfabeto hebraico
4. Uso do hebraico na Palestina
5. Maneira de escrever
6. Cuidados na escrita
7. Sumário de fatos
Fatos históricos
Hebraico antigo, Ver *Escrita*, V.D.
Hebreus (Epístola) III, 44
Esboço
Declaração introdutória
I. Autoria
II. Confirmação e Disputas Antigas
Idéiais paulinas, mas vistas como sendo de outra autoria
A aceitação no Ocidente
III. Data, Proveniência e Destinatários
IV. Propósitos do Tratado e Natureza da Apostasia Combatida
V. Forma Literária e Integridade
VI. Idéias Religiosas e Filosóficas
VII. Conteúdo
VIII. Bibliografia
Hebreus (Povo) III, 57
Artigos a serem consultados com respeito aos hebreus:
Hebraico; Hebreus; Hebreus, Literatura dos; Antigo Testamento; A Ética do AT; Israel, História de; Israel, Religião de; e a Filosofia Judaica.
Hebreus dos Hebreus III, 58
Hebreus e a lei, Ver *Lei no NT*, VI.
Hebreus e as nações,
Ver *Nações*, VII.
Hebreus, Ética dos III, 58
Ver sobre *Ética Judaica*.
Hebreus, Evangelho Segundo aos III, 58
I. Antiga Confirmações
II Problemas Específicos
III. O Impulso para Escrever Evangelhos
Ver também *Livros Apócrifos, Novo Testamento*, 2.a
Hebreus, Filosofia dos III, 60
Ver sobre *Filosofia Judaica*.
Hebreus, História dos III, 60
Ver sobre *Israel, História de*.
Hebreus, Literatura dos III, 60
Esboço
I. O antigo Testamento
II. Literatura Pós-Antigo Testamento
III. Escritos Interpretativos
IV. A Literatura Medieval dos Hebreus
V. A Cabala: O Poder do Misticismo
VI. A Renascença e a Reforma Protestante
VII. O Despartamento do Nacionalismo
VIII. Desde a Primeira Guerra Mundial para Cá
Hebreus, Religião dos III, 63
Ver sobre *Israel, Religião de*.
Hebrom III, 63

Hebrom (Pessoas) III, 64
Dois homens do AT
Hecticidade III, 64
Hedonismo III, 64
Ver também os artigos sobre
Ética e Escolas Éticas do NT
Esboço
I. Definição
II. Hedonismo Histórico dos Gregos
III. O Hedonismo na História da Filosofia
IV. Crítica
Hedonismo, ética do, Ver *Ética*, IV.2.
Hedonismo, Lucrécio sobre,
Ver *Lucrécio*, 8.
Hedonistas, Ver *Escolas Filosóficas do NT*, II
Hefele, Karl Joseph Von III, 65
Três personagens e uma cidade no AT
Héfer III, 65
Hefiziba III, 65
Hegai III, 65
Hegel, Georg Wilhelm Friedrich III, 66
Esboço
I. Caracterização Geral
II. Idéias Específicas
III. O Sistema de Tríadas
IV. Influência e Crítica
Hegel e a dialética, Ver *Dialética*, 10.
Hegel e o Logos, Ver *Logos (Verbo)*, IV.10.
Hegel sobre idealismo epistemológico, Ver *Idealismo Epistemológico*, 3.
Hegelianismo III, 72
Hegemonides III, 73
Hegenberg, Leonidas, Ver ao fim do artigo, sob *Filosofia*.
Hegesias III, 73
Hegesipo III, 73
Hegira III, 73
Heglam III, 73 Ver sobre *Gera*.
Heidegger, Martin III, 73
Heidegger e linguagem,
Ver *Linguagem Religiosa*, 8.
Heidegger e o Logos, Ver *Logos (Verbo)*, IV. 12.
Heidelberg, Catecismo de III, 74
Heidelberg, Escola de III, 75
Heilsgeschichte III, 76
Heim, Karl III, 76
Teólogo sistemático alemão
Heinsenburg, Werner III, 75
Helá III, 75
Helã III, 75
Helba III, 76
Helbom III, 76
Helcai III, 76
Helcate III, 76
Helcate-Azurim (Campo das Espadas) III, 76
Heldai (Helede) III, 76
Duas pessoas no AT
Helebe III, 76
Helefe III, 76
Helem III, 76
Nome de duas personagens do AT
Helenismo III, 76
Ver também os artigos separados sobre *Período Intertestamental; Filosofia Helenista e Escolas Filosóficas do NT*
Esboço
I. Definição
II. O Helenismo e o Idioma Grego
III. Esboço de Eventos Históricos
IV. Vários Elementos da Cultura Helenista
V. Indicações de Helenização no NT
Bibliografia
Helenista, judaísmo, Ver *Judaísmo Helemista*.

Heleque III, 79
Helez III, 79
Dois indivíduos e uma tribo no AT
Heliocêntrica, Teoria III, 79
Heliodoro III, 79
Heliópolis III, 79
Heliópolis (Baalbeque) III, 80
Helmholtz, Hermarm Von III, 80
Helom III, 80
Helquias III, 80 Ver sobre *Hilquias*.
Helvetius, Claude Adrien III, 80
Hem III, 80
Hemã III, 80
Hemerobatistas,
Ver *Mandeanos, Tradição*.
Hemorragia III, 81
Ver também o artigo sobre *Enfermidades na Bíblia*.
Hempel, Carl Gustav III, 81
Hena (Cidade) III, 81
Hena (Planta) III, 81
Henadade III, 81
Henadas, Doutrina das III, 81
Ver o artigo sobre *Proclo*, 2.
Hendã III, 82
Hengstenberg, Ernst Wilhelm III, 82
Henke, Heinrich Philipp Konrad III, 82
Henológico, argumento,
Ver *Argumento Henológico*.
Henoteísmo III, 82
Henrique de Ghent III, 82
Henrique de Langenstein III, 82
Henrique VIII III, 82
Henry, Matthew III, 83
Heortologia III, 83
Hepatoscopia III, 83
Ver também *Adivinhação*, 2.
Hera III, 83
Heráclides do Ponto III, 83
Heráclito III, 84
Heráclito sobre o Logos,
Ver *Logos (Verbo)*, II.1.
Herança III, 84
Ver também sobre Herdeiro.
I. Discussão Preliminar
II. Uma Herança Indescritível
III. Co-herdeiros com Cristo
IV. Uma Condição
V. Elementos Principais:
Sumário
Herança Física III, 86
Ver o artigo sobre *Genética*.
Herança Social e Cultural III, 86
Herbart, Johann Friedrich III, 86
Herbart sobre perfeição, Ver
Perfeição na Filosofia, 9.
Herberto de Cherbury III, 87
Hércules III, 88
Herdeiro III, 88
Herder, Johann Gottfired Von III, 89
Herder sobre linguagem,
Ver *Linguagem (Filosofia e); Filosofia da Linguagem*, 8.
Herege III, 90 Ver sobre *Heresia*.
Heres III, 90
Nome de uma pessoa e de vários acidentes geográficos no AT
Heresia III, 90
Esboço
I. A Palavra
II. No que Consiste a Heresia?
III. Usos Bíblicos dos Termos Traduzidos por Heresia
IV. Segundo o Catolicismo Romano
V. Segundo os Grupos Protestantes A Bíblia como a única autoridade
VI. O Papel Positivo das Heresias
VII. Como Tratar com os Hereges
Heresímaco III, 93
Heresiologista III, 93
Herete III, 94
Hermágoras III, 94

HERMARCO – HITITAS

Ver o artigo sobre a *Retórica*.
Hermarco III, 94
Hermas III, 94
Hermas, Pastor de III, 94
  Esboço
  I. Caracterização Geral
  II. Autor
  III. Data e Origem
  IV. Esboço do Conteúdo
  V. Teologia e Ética Desse Livro
  VI. Texto e Cânon
  Ver também o artigo geral sobre o *Cânon*.
Hermenêutica III, 95
  Esboço
  I. A Palavra e seus Usos
  II. Caracterização Geral
     O método critico-histórico de investigação bíblica
     A Nova Hermenêutica
  III. A Hermenêutica como um Modo de Interpretação
     Princípios de Interpretação da Bíblia
     Ilustração
Hermenêutico e Melquisedeque, Ver *Melquisedeque*, V.
Hermes III, 98
Hermes Trismegistus III, 98
Hermética, Literatura III, 98
  Ver sobre *Escrituras Herméticas*.
Herméticas, escrituras, Ver *Escrituras Herméticas*.
Hermeticismo III, 98
Hermógenes (NT) III, 98
Hermógenes de Tarso III, 99
  Ver sobre *Retórica*.
Hermom III, 99
Herodes III, 99
  I. Nome e Caracterização Geral
  II. Gráfico da Família Herodes
  III. Os Herodes do NT
    1. Herodes, o Grande
    2. Arquelau, o Etnarca
    3. Herodes, o Tetrarca
    4. Herodes Agripa
    5. Agripa, filho de Herodes Agripa
Herodes e o período Intertestamental, Ver *Período Intertestamental*, 7.b,c,d.
Herodianos III, 102
Herodião III, 103
Herodias III, 103
  Ver também sobre *Herodes*.
Herodium III, 103
Herodotage III, 103
Heródoto III, 104
Heróis, veneração de, Ver *Veneração de Heróis*.
Hesbom III, 104
Hesbom, piscina de, Ver *Piscina de Hesbom*.
Hesíodo III, 104
Hesmom III, 105
Hesse, Filipe de, Ver *Filipe de Hesse*.
Héstia III, 105
Hete III, 105
Heterodoxia III, 105
Heteronomia III, 105
Heteus III, 105
  Ver sobre *Hititas, Heteus*.
Hetlom III, 105
Heurístico III, 105
Heveus III, 105
Hexapla III, 106
Hexateuco III, 106
Heziom III, 107
Hezir III, 107
  Duas pessoas no AT
Hezrai III, 107 Ver sobre *Hezro*.
Hezro III, 107
Hezrom III, 107
  Duas personagens e uma localidade no AT
  Ver também *Queriote-Hezrom*.
Hiato de gerações, Ver *Geração, Diferença de*.
Hiatos, Deus dos, Ver *Deus dos Hiatos*.
Hicsos III, 107
Hidai III, 107
Hidaspes III, 107
Hidequel III, 108
Hidromancia, Ver *Adivinhação*, 6.
Hidropisia III, 108
  Ver sobre *Doenças, e Enfermidades na Bíblia*, I. 13.
Hiel III, 108
Hienas III, 108
Hierápolis (Ásia Menor) III, 108
Hierápolis (Síria) III, 109
Hierarquia III, 109
Hierarquia de autoridades, Ver *Autoridade*, 7.
Hierocles de Alexandria III, 110
Hieróglifos III, 110
Hieróglifos asiáticos ocidentais, Ver *Escrita*, II.A.3.
Hieróglifos egípcios, Ver *Escrita*, IV.A.
Hieróglifos hititas, Ver *Escrita*, IV.B.
Hieronimitas III, 110
Hieronimous III, 110
Hilário, III, 110
Hilel III, 110
Hilomorfismo III, 111
Hiloteísmo III, 111
Hilozoísmo III, 111
Hilquias III, 111
  Vários homens, quase todos sacerdotes de Israel
Him III, 112
  Ver sobre *Pesos e Medidas*.
Himeneu III, 112
Hinayana, Budismo III, 112
  Ver sobre *Budismo Hinayana*.
Hinayana, escola do budismo, Ver *Budismo*, III.
Hinduísmo III, 112
  Ver também *Filosofia Hindu*.
  Esboço
  I. Declaração Introdutória e Caracterização Geral
  II. Estágios do Desenvolvimento Histórico
  III. Crenças, Literatura, Escolas as e suas Características
  IV. Os Quatro Caminhos da Religião Hindu
  V. Seis Sistemas da Filosofia Hindu
  VI. Sumário de Alguns Importantes Conceitos Hindus
  Bibliografia
Hinduísmo brahmane, Ver *Hinduísmo*, II.2.
Hinduísmo devocional e sectário, Ver *Hinduísmo*, II. 4
Hinduísmo e jejum, Ver *Jejum*, VII
Hinduísmo filosófico, Ver *Hinduísmo*, II.3.
Hinduísmo, literatura, Ver *Hinduísmo*, III.
Hinduísmo, quatro caminhos do, Ver *Hinduísmo*, IV.
Hinduísmo reformado, Ver *Hinduísmo*, II.5.
Hinduísmo, seis sistemas do, Ver *Hinduísmo*, V.
Hinduísmo sobre aparência. Ver *Aparência*, 2. idéias inatas, Ver *Idéias Inatas*, 2.
Hinduísmo védico, Ver *Hinduísmo*, II.l.
Hindus, escrituras, Ver *Shastras*.
Hino (Hinologia) III, 118
  Ver os artigos separados sobre Música e *Música e Instrumentos Musicais*.
  Esboço
  I. A Palavra e Seus Usos
  II. Pano de Fundo no AT.
  III. Música Cristã Primitiva: As Distinções em Colossenses
  IV. O Poder da Música
  V. Informes Históricos
Hino Angelical III, 120
Hinologia, Ver *Hino (Hinologia)*.
Hinos Hebraicos e Judaicos III, 120
  A história e as origens de hinos hebraicos e judaicos através dos séculos
Hinos na história, Ver *Hino (Hinologia)*, V.
Hinos no AT, Ver *Hino (Hinologia)*, II.
Hinos no NT, Ver *Hino (Hinologia)*, III.
Hinom, Vale de III, 120
Hipapo de Metaponto III, 121
Hiperdulia, Ver *Mariolatria*, 2.b. e 3.
Hípias de Elis III, 121
  Ver também *Sofistas*, 3.
Hipnotismo III, 121
  Esboço
  Declaração introdutória
  I. Na História Antiga
  II. Franz Mesmer
  III. Técnicas Clássicas
  IV. Usos
  Seis usos discutidos
Hipócrates, Juramento de III, 123
  Ver também *Medicina, Ética da*.
Hipocrisia III, 124
  Esboço
  I. A Palavra e Suas Definições
  II. Referências e Idéias Bíblicas
  III. Exemplos Bíblicos de Hipocrisia
  IV. Um Emprego Filosófico Útil
  V. Todos os Religiosos São Hipócritas
Hipocrisia, exemplos bíblicos, Ver *Hipocrisia*, III.
Hipocrisia na Bíblia, Ver *Hipocrisia*, II, III.
Hipocrisia na filosofia, Ver *Hipocrisia*, IV
Hipólito III, 125
Hipopótamo III, 125
  Ver sobre *Beemote*.
Hipóstase III, 125
Hipótese III, 126
Hipóteses non Fingo III, 127
  Ver sobre *Hipótese*, 5.
Hipotético-dedutivo, método, Ver *Método Hipotético-Dedutivo*.
Hira II 127
Hiranyagarbha III, 127
Hirão III, 127
  Três personagens do AT
Hircano III, 127
Hircano II, Ver *Hasmoneanos (Macabeus)*, III.9.
Hissopo III, 128
História III, 128
  Esboço
  I.O Termo
  Origens do termo
  A história é uma disciplina
  II. Historiografia Bíblica
  III. Definições Filosóficas da História
  IV. A História Bíblica Cronológica
  V. Filosofia da História
  VI.A Bíblia e a História: Significados
  Pontos de vista bíblicos sobre a História
  Sete pontos discutidos
  Bibliografia
História, definições da, Ver *História*, III.
História, mudanças pela influência de Lutero, Ver *Lutero*, II.
História Árabe do Carpinteiro José III, 131
  Fontes informativas
História da filosofia da ciência, Ver *Filosofia da Ciência*, V.
História da Igreja primitiva, Ver *Atos*, primeiros sete parágrafos.
História da magia e bruxaria Ver *Magia e feitiçaria*, IV.
História de Israel, Ver *Israel História de*.
História de Jerusalém, Ver *Jerusalém*, V.
História de José, o Carpinteiro, Ver *José, o Carpinteiro, História de*.
História de Susana, Ver *Susana, História de*.
História do Antigo Testamento III, 131
  Ver os artigos: *História, II; Historiografia Bíblica; História Bíblica Cronológica; A Bíblia e a História, Significados; Cronologia do AT*.
  Ver especialmente sobre *Israel, História de*.
História do Pentateuco, Ver *Pentateuco*, VI.
História do texto hebraico do AT, Ver *Manuscritos do Antigo Testamento*, II.
História dos hebreus, Ver *Israel, História de*.
História e filosofia, Ver *Filosofia da História*.
História e Satanás, Ver *Satanás*, IV.
História entre os Testamentos, Ver *Período Intertestamental*.
História moderna de Natal, Ver *Natal*, VI.
História segundo os filósofos, Ver *História*, IV.
História sobre a religião e a ciência, Ver *Religião e a Ciência*, III.
Historicidade de Jonas, Ver *Jonas (o Livro e o Profeta)*, IV, VI.
Historicidade dos Evangelhos III, 131
  Esboço
  I. Ceticismo
  II. Meios do Conhecimento
  III. Problema do Interesse Histórico
  IV. A Compeliadora Realidade de Jesus
  V. Testemunhos de Marcos e Pedro
  VI. Testemunho de Lucas
  VII. Testemunho de Mateus
  VIII. Testemunho de Paulo
  IX. Testemunho da Igreja Primitiva
  X. Testemunho dos Livros Apócrifos e Outros Primitivos Escritos Cristãos
  XI. Influência Divina dos Evangelhos
  XII. O Que Não Significa a Historicidade
  XIII. Bibliografia
Historicidade dos Sermões de Atos III, 140
Historicidade e Êxodo, Ver *Êxodo*, II.
Historicismo III, 142
Histórico, Jesus, Ver *Jesus Histórico*.
Historiografia Bíblica III, 142
  Ver também *História*, II.
Hititas, Heteus III, 143

Esboço
I. O Termo
 Usos eruditos desse termo
II. Caracterização Geral
III. Esboço Histórico
IV. Referências Bíblicas aos Heteus
V. Religião dos Heteus
VI. Língua e Literatura dos Heteus
Hive, Jacob, Ver Livros *Apócrifos (Modernos)*, 14.
Hizqui III, 145
Hoão III, 145
Hobá III, 145
Hobabe III, 145
Hobbes, Thomas III, 145
Hobbes sobre linguagem, Ver *Linguagem (Filosofia e); Filosofia de Linguagem*, 5.
Hobbes, Thomas, sobre o materialismo, Ver *Materialismo*, III.6.
Hodavias III, 147
 Quatro personagens do AT
Hode III, 147
Hodes III, 147
Hodeva III, 147
Hodge, Charles III, 147
Hodgson, Shadworth III, 147
Hodias III, 147
 Cinco pessoas do AT
Hodsi, Ver *Tátim-Hodsi*.
Höffding, Harold III, 147
Hoffmann, Johann Christian Von III, 148
Hofmann, Melchior III, 148
Hofni e Finéias III, 148
 A história desses dois
Hofra (Faraó) III, 148
Hogla III, 148
Holandeses, radicais, Ver *Radicais Holandeses*.
Holbach, Apul Henri D' (Barão) III, 148
Holbach sobre o materialismo, Ver *Materialismo*, III.11.
Holdheim, Sam, Ver *Judaísmo Reformado*, 5.
Holismo, III, 149
Holocausto III, 150
Holofernes III, 150
 Ver também *Judite (Livro)*, I, II ,IV.
Holom III, 150
 Duas cidades em Israel
Holt sobre o materialismo, Ver *Materialismo*, 16.
Homem III, 150
 Ver o artigo sobre a *Natureza Humana*, e outro sobre *Imortalidade da Alma*,
Homem (Natureza Humana) III, 150
 Ver o artigo intitulado *Humanidade (Natureza Humana)*.
Homem, impecabilidade do, Ver *Impecabilidade do Homem*.
Homem, indesculpável, Ver *Indesculpável – Homem*.
Homem, ira do, *Ver Ira dos Homens*.
Homem Carnal III, 150
Homem como a imagem de Deus, Ver *Imagem de Deus, o Homem como*.
Homem como um microcosmo, Ver sobre *Lotze, Rudolf Hermann*, 3.
Homem da Iniqüidade (do Pecado) III, 151
Homem de Duas Palavras III, 151
Homem Espiritual III, 151
 Ver também artigo separado sobre *Homem Novo*, e também *Homem Carnal* e *Homem Natural*.
Homem Interior III, 151
Homem Natural III 151
Homem Novo III, 152
Homem participante na pleroma (plenitude) de Deus,
 Ver *Plenitude (Pleroma) de Deus, Participação do Homem na.*
Homem, primogênito, Ver *Primogênito*, II
Homem, queda no pecado, Ver *Origem do Mal*, III, IV, e V.
Homens a pé III, 152
 Ocorrências bíblicas
Homens como dons espirituais, Ver *Dons Espirituais, Homens como*.
Homens como luz, Ver *Luz, Homens como*.
Homens Valentes (Poderosos) III, 152
Homero III, 152
Homicídio III, 153
Esboço
I. A Palavra e suas Definições
II. Homicídio Justificado
III. Homicídio Não-Justificado
IV. Idéias Bíblicas Sobre o Homicídio
V. Punição Capital
 Ver também sobre *Crimes e Castigos*.
Homicídio, crime contra o homem, Ver *Crimes e Castigos* II.2.a
Homicídio e a Bíblia, Ver *Homicídio*, II.
Homicídio justificado, Ver *Homicídio*, II.
Homilética (Homilia) III, 154
Homilia III, 155
 Ver também *Homilética (Homilia)*.
Homilia de Evódio, Ver *Evódio, Homilia de*.
Homiliário III, 155
Homilias Clementinas, Ver *Livros Apócrifos. NT*, 2.e.
Homoianos III, 155
Homoiousianos III, 155
Homoiousios, Ver *Homoianos e Homousios*.
Homologoumena, Ver *Antilegomena, Eusébio, 1.*
Homo Mensura III, 156
Homoousios III, 156
Homossexualismo III, 156
Esboço
I. Definição
II. Causas Alegadas do *Homossexualismo*
III. Tratamento e Prevenção do *Homossexualismo*
IV. Pontos de Vista Bíblicos
V. Estatísticas
Homossexualismo e a Bíblia, Ver *Homossexualismo*, IV.
Homossexualismo, tratamento e prevenção, Ver *Homossexualismo*, III.
Honestidade III, 159
Esboço
I. Definições e Palavras Bíblicas Empregadas
II. A Honestidade como Qualidade Ética
III. Tipos de Honestidade
Honório I e Cristologia, Ver *Cristologia*, 4. n.
Honra III, 159
 Ver também o artigo sobre a *Honestidade*.
Hooker, Richard III, 160
Hopkins, Samuel III, 160
Hora III, 160
 Ver também sobre *Tempo*.
Horão III, 161
Horas Canônicas III, 161
Horebe III, 161
 Referências bíblicas
Horém III, 161
Horesa III, 161
Horeus III, 161
Esboço
I. O Nome e sua Identificação
II. Referências Bíblicas
III. Os Hurrianos
Hor-Gidgade III, 162
Hori III, 162
Hormá III, 162
Hormisdas (Papa) III, 162
Hor, Monte III, 163
 Dois montes na Bíblia
Horonaim III, 163
Horonita III, 163
Horóscopo III, 163
 Ver também sobre *Astrologia e Coincidências Significativas*.
Hort, Ver *Westcott e Hort*.
Hortelã III, 163
Hortelã, Ver *Mentha Longifolia (Hortelã)*.
Horus III, 163
 O nome do deus-sol
Hosa III, 164
 Uma personagem e uma cidade no AT
Hosaías III, 164
 Duas personagens do AT
Hosama III, 164
Hosana III, 164
Hósius III, 164
Hoskyns, Sir Edwyn III, 164
Hospedaria III, 165
Hospitais III, 165
Hospital, Ver *Hospitais*.
Hospitalidade III, 166
Esboço
I. Declaração Geral
II. Uma Prática (Hábito)
III. Uma Virtude Cardinal
IV. O Valor da Hospitalidade: Expressão do Amor
V. No AT e no NT
VI. Implicações Éticas
Hóstia III, 168
Hóstia, elevação da, Ver *Elevação da Hóstia*.
Hotão III, 168
 Duas personagens do AT
Hotir III, 168
Hotman, François III, 168
Houtin, Albert III, 169
Howison, George Holmes III, 169
Ho Yen III, 169
Hsiung Shih-Li III, 169
Hsuan-Tsang III, 169
Huai-Nan Tzu III, 170
Hua-Yen, Escola de III, 170
Hubmaier, Balthasar III, 170
Hucoque III, 170
Hufão III, 171
Hugel, Baron Friedrich, Von III, 171
Hugo de São Vítor III, 171
Hugo de Tours, Ver *Hugue notes*, 2º parágrafo.
Huguenotes III, 171
Hui Shih III, 172
Hul III, 172
Hulda III, 172
Humanidade (Natureza Humana) III, 172
Esboço
I. Pressupostos Teológicos Básicos Sobre a Natureza Humana
II. Sumário das Idéias Básicas
III. Idéias Filosóficas e Teológicas
 Ver também sobre *Calvinismo e Arminianismo*.
Humanidade de Cristo III, 175
Esboço
I. Fatos a Considerar
II. Textos de Prova
III. Fatores Teológicos
IV. Significado da Humanidade de Cristo em Heb. 5:7
V. Pervertendo o Texto
 O *docetismo* (vide)
Humanismo III, 178
Esboço
I. A Palavra e Suas Definições
II. Alguns Usos Históricos
III. Humanismo Religioso, Não-Teísta
 Um contraste teísta
IV. O Novo Humanismo
V. O Humanismo Cristão
 Deus visto como um grande humanista
 A Igreja Oriental reconhece as dimensões maiores do amor de Deus
Humanismo, conceito de Deus, Ver *Deus*, III.8.
Humanismo Cristão III, 179
 Ver sobre *Humanismo*, quinta seção.
Humanismo, idéias históricas, Ver *Humanismo*, II.
Humanismo novo, Ver *Humanismo*, IV.
Humanismo religioso, Ver *Humanismo*, III
Humanitarismo III, 179
 Definição
 Prática dos ricos
 Na filosofia
Hume, David III, 179
 Vida
 Idéias: treze idéias básicas são discutidas
Hume, Garfo de III, 182
Hume, Lei de III, 182
 A falácia naturalista
Humildade III, 182
Esboço
I. Definição
II. Opiniões Contrárias
III. Ensinos Bíblicos Sobre a Humildade
IV. Termos Bíblicos
 As palavras hebraicas e gregas
Humildade de Cristo, Ver *Humilhação (Humildade) de Cristo*.
Humildade ilustrada, Ver *Lava-Pés*, V.
Humilhação (Humildade) de Cristo III, 183
Esboço
I. Discussão Preliminar
II. Importância da Humanidade Cristo
III. Exposição do Texto Principal sobre Este Assunto
IV. Em João 14:28: O Pai é maior do que eu
 Sumário de idéias
Humor III, 186
Esboço
I. Palavras e Definições
 Origem da palavra
II. Antigas Expressões de Humor no AT
III. O Humor no NT
IV. Teorias de Humor e Coisas das Quais Rimos
V. Valor Terapêutico do Humor
Hunta III, 188
Hupá III, 188
Hur III, 188
Hurão III, 189
 Três personagens do AT
Huri III, 189
Hurrianos III, 189
 1. Localização geográfica
 2. Idioma
 3. Informes históricos

4. Os hurrianos e a cultura hebréia
Husá III, 190
Husai III, 190
Husão III, 190
Husim, III, 190
  Várias personagens do AT
Huss, João III, 190
Husserl, Edmundo III, 191
Hussitas III, 193
Hutcheson, Francis III, 194
Huxley, Aldous III, 194
  Ver *Utopia*, 9.
Huxley, Thomas Henry III, 194
Huzabe III, 194
Huzote, Ver *Quiriate-Huzote*.

I

I (manuscrito) III, 195
Iamblichus III, 195
Iarmuque, Wadi El III, 195
Iaweh, Ver *Yahweh* III, 196
Ibas III, 196
Ibhar III, 195
Ibleã III, 195
  Moderno Khirbet Bil 'ameh
Iblis III, 196
Ibn Daud, Abraliam, III, 196
Ibn Ezra, Abraliam Ben Meier III, 196
Ibn Gabirol, Salomão Ben Judá III, 196
Ibn Rushd III, 196,
  Ver *Averróis e Averroísmo*.
Ibn, Sina III, 196 Ver *Avicena*.
Ibnéias III, 197
Ibnijas III, 197
Ibrj III, 197
Ibsão III, 197
Ibzã III, 197
  Décimo juiz de Israel; pai de muitos filhos; lugar de autoridade
Icabô III, 197
I Ching III, 197
  Ver *Livro das Mudanças*.
Ícone III, 197
Icônio III, 197
Iconoclasmo (Controvérsias Iconoclásticas) III, 198
Iconografia III, 199
ld III, 199
  Freud: definição
Idade III, 199
  Idade avançada; extensão e idade da responsabilidade
Idade avançada, Ver *Enfermidades na Bíblia*, I.29.
Idade da Responsabilidade III, 200
Idala III, 200
Idbás III, 200
Ideal III, 200
  Seis definições
Ideal, conduta, Ver *Conduta Ideal*.
Idealismo III, 200
  Esboço
  I. Definição e Caracterização Geral
  II. Os Filósofos e Várias Formas de Idealismo
  III. Quatro Tipos Históricos de Idealismo
  IV. O Idealismo e a Ética
  V. Críticas Principais do Idealismo
  Ver também *Problema Corpo-Mente*, II
Idealismo Absoluto III, 202
Idealismo, críticas,
  Ver *Idealismo*, V.
Idealismo Crítico III, 202

Idealismo Epistemológico, III, 202
  Formas: de Berkeley; Kant; Hegel; Platão
Idealismo impessoal e Deus,
  Ver *Deus*, III.9.
Idealismo Metafísico, III, 202
Idealismo Objetivo III, 202
Idealismo Prático III, 202
Idealismo Subjetivo III, 202
Idealismo Transcendental III, 203
Idéia III, 203
  17 definições e descrições dos filósofos
Idéias, Ver *Idéia*, e *Universais (Formas)*,
Idéias (Formas) Platônicas,
  Ver *Universais (Formas)*.
Idéias bíblicas sobre a vida,
  Ver *Vida*, III.
Idéias de Baal (Baalismo),
  Ver *Baal (Baalismo)*, par.4.
Idéias do judaísmo, Ver *Judaísmo*, I.
Idéias éticas na filosofia sumariadas,
  Ver *Ética*, XIII.
Idéias filosóficas sobre a vida,
  Ver *Vida*, II.
Idéias Inatas III, 204
Idéias inatas, Locke sobre,
  Ver *Locke, John*, 1.
Idéias inatas, sistemas favoráveis às,
  Ver *Idéias Inatas*, 9.
Idéias principais do cristianismo,
  Ver *Cristianismo*, 5.
Idéias principais sobre expiação
  Ver *Expiação*, II.
Idéias sobre origens,
  Ver *Origens, Teorias das*.
Idéias, tipos, Ver *Locke, John*, ponto 5.
Identidade, Teoria da III, 204
  Ver *Problema Corpo-Mente; e Experiências perto da Morte*.
Identidade, Teoria dos Universais III, 204 Ver *Champeaux, Guilherme de*.
Identidade Metafísica III, 204
  Ver *Identidade Pessoal*.
Identidade Pessoal III, 205
Identificação com Cristo III, 205
Identificação de Jesus, Ver *Jesus*, I.
Identificação do domingo com o sábado, Ver *Domingo, Identificado com o Sábado*.
Identificação, teoria da expiação. V
  Ver *Expiação*, II.3.
Ideologia III, 206
  Definições; Destutt de Tracy, Marx e Engels; Karl Mann-heim, Quine
Ido III, 206
  Oito personagens do AT
Idolatria III, 206
  I. Definições e Caracterização Geral
  II. Os Ídolos e as Imagens
  III. Deuses Falsos
  IV. Ensinos Bíblicos sobre a Idolatria
  V. A Idolatria na Igreja
Idolatria como abominação,
  Ver *Abominação*.
Idolatria, crime contra Deus,
  Ver *Crimes e Castigos*, II.1.a.
Idolatria definida, Ver *Idolatria*, I.
Idolatria e fogo, Ver *Fogo*, V.
Idolatria, ensinos bíblicos,
  Ver *Idolatria*, IV.
Idolatria na Igreja,
  Ver *Idolatria*, V.
Ídolo III, 209, Ver *Idolatria*.
Ídolos, Carnes Oferecidas aos III, 209
Ídolos da Mente III, 210
  Ver também *Bacon, Francis*, quarto parágrafo.
ídolos e Imagens III, 210
  Ver *Idolatria*, II.

Idolos, fabricante de,
  Ver *Fabricante de Ídolos*.
Iduel III, 210
Iduméia III, 210
  Ver também *Edom, Idumeus*.
Ie-Naãs III, 210
Iezer III, 210
Ifdéias III, 210
Iftá III, 210
Iftael III, 210
Igal III, 211
  Três pessoas bíblicas
Igbal, Mohammad. III, 211
Igdalias III, 211
Igigi III, 211
Ignorância III, 211
Ignorância Invencível III, 211
Ignoratio Elenchi III, 212
Igreja (No NT) III, 212
  1. Sentido e usos da palavra
  2. Conceitos da Igreja dentro do cristianismo histórico
  3. A Igreja primitiva
  4. A natureza da Igreja
  5. O mistério da Igreja
  6. O destino da Igreja
  7. Sumário de características principais
Igreja, a Nova Jerusalém,
  Ver *Nova Jerusalém*.
Igreja, Adoração da III, 215
  Ver sobre *Adoração*.
Igreja, características da,
  Ver *Igreja (no NT)*, 7.
Igreja, conceitos da,
  Ver *Igreja (No NT)*, 2.
Igreja, Destino da,
  Ver *Igreja (No NT)*, 6.
Igreja, doutor da,
  Ver *Doutor da Igreja*.
Igreja, Ética da III, 215
  Ver *Cristianismo*, 5.E.
Igreja, facções na,
  Ver *Facções na Igreja*.
Igreja, governo,
  Ver *Governo Eclesiástico*.
Igreja, História da III, 215
  Ver *Cristianismo*, 3, *Principais Períodos Históricos*; e 4 *Principais Divisões Históricas*.
Igreja, idolatria na, Ver *Idolatria*, V.
Igreja, independência da,
  Ver *Independência da Igreja*.
Igreja, Interpretações e Definições da III, 215
  Diversas definições: eclesia na Septuaginta
Igreja, ministério da,
  Ver *Igreja (No NT)*, 5.
Igreja, natureza da, Ver *Igreja (No NT)*, 4.
Igreja Pacto da (Declarações Introdutórias) III, 216
Igreja, Pai da III, 216
  Ver sobre a *Patrística*.
Igreja, Pano de Fundo no Antigo Testamento III, 216
  Ver também *Sinagogas*.
Igreja, templo de Deus,
  Ver *Templo de Deus, Igreja como*.
Igreja Alta III, 217
Igreja Anglicana, Ver *Comunhão Anglicana e Episcopalismo*.
Igreja Apostólica III, 217
Igreja Apostólica e a lei,
  Ver *Lei no NT*, III.
Igreja Batista III, 218
  Ver *Batista*.
Igreja Bizantina III, 218
  Ver *Igreja Ortodoxa Oriental*.
Igreja Católica III, 218
Igreja Católica Apostólica III, 218
Igreja Católica Romana, Catolicismo III, 218
  Esboço
  1. Considerações gerais
  2. Origens
    O ponto de vista católico romano
    O ponto de vista protestante
  3. Descentralização
  4. Conflitos com poderes civis
  5. Centralização renovada
  6. O fim do papado medieval
  7. A Renascença e a Reforma Protestante
  8. A Reforma Católica e a moderna Igreja Católica
  9. Teologia e autoridade
  10. Normas diretivas
  11. Os credos da Igreja Católica Romana
  12. Ofícios
  13. O catolicismo e as estatísticas
Igreja Cóptica III, 222
Igreja Cristã (Igreja de Cristo) III, 222
Igreja da Escócia III, 222
Igreja da Inglaterra III, 222
Igreja de Cristo III, 222
Igreja de Deus III, 222
Igreja de Jesus Cristo dos Santos dos Últimos Dias III, 222
  Ver *Santos dos Últimos Dias*.
Igreja de Roma III, 222
Igreja definida, Ver *Igreja (NT)*, 1, e *Igreja, Interpretações e Definições da*.
Igreja do Nazareno III, 222
Igreja do Santo Sepulcro,
  Ver *Sepulcro, Igreja do Santo*.
Igreja e democracia,
  Ver *Democracia*, V.
Igreja e Estado III, 223
  Quatorze discussões são apresentadas
Igreja e o Mundo III, 226
  Nove discussões são apresentadas
Igreja Indígena III, 228
  Ver *Indigenização (Igreja Indígena)*
Igreja Invisível (Mística);
Igreja Visível III, 228
  Esboço
  I. Negação da Realidade da Igreja Mística
  II. A Unidade no Espírito
  III. A Igreja Mística
  IV. Várias Definições
  V. Abusos Combatidos
Igreja mística, Ver *Igreja Invisível (Mística); Igreja Visível*.
Igreja Morávia, Ver *Morávia (Igreja Morávia)*.
Igreja, no AT, Ver *Igreja, Pano de Fundo no AT*.
Igreja Oriental,
  Ver *Ortodoxa Oriental, Igreja*.
Igreja Ortodoxa,
  Ver *Ortodoxa Oriental, Igreja*.
Igreja Ortodoxa Oriental, III, 229
  Ver *Ortodoxa Oriental, Igreja*.
Igreja Presbiteriana III, 229
  Ver também sobre *Igrejas Reformadas*.
Igreja Primitiva III, 230
  Ver também *Igreja (No NT)*, 3.
Igreja Reformada III, 231
Igreja Reorganizada dos Santos dos Últimos Dias III, 231 Ver sobre *Santos dos Últimos, Dias (Mórmons)*.
Igreja segundo João Apóstolo,
  Ver *João Apóstolo, Teologia (Ensinos de), VIII*.
Igreja visível, Ver *Igreja Invisível (Mística); Igreja Visível*.
Igrejas de Santidade III, 231
Igrejas Oficiais (Estabelecidas) III, 232

IGREJAS – INDULTO

Igrejas reformadas,
　Ver *Igreja Reformada.*
Igrejas Siríacas III, 232
Igualdade III, 233
Igualitário III, 233
I H S III, 233
Iídiche, Ver *Yiddish.*
Iim III, 233
　Duas localidades no AT
Ijé-Abarim III, 233
Ijma III, 233
Ijom III, 234
Ilai III, 234
Ilegitimidade III, 234
Iletrado, Inculto III, 234
Iliadum III, 235
Ilimitado, O III, 235
Ilírico III, 235
Illuminati III, 236
Iluminação III, 236
Esboço
　I. Definição
　II. Na Filosofia e na Teologia
　III. Alguns Ensinos Bíblicos
　IV. Os Olhos da Alma
Iluminação, A III, 240
　Na religião
　Na literatura
　Na arte e na música
　Na filosofia
　Na ciência
　Na economia e na política
Iluminação do pagão, Ver *Luz do Mundo, Cristo como,* 9.
Iluminação e as Escrituras,
　Ver *Escrituras,* IV. B.
Iluminação no hinduísmo,
　Ver *Hinduísmo,* VI.7.
Ilusão III. 240
Ilusão, Argumentos Baseados na III, 241
Ímã III, 241
Imaculada Conceição III, 241
Imagem (na Bíblia) III, 243
　Ver também os artigos *Idolatria; Imagem de Deus, Cristo como; Imagem de Deus, o Homem como; e Imagem (Na Filosofia).*
Esboço
　I. Quanto a Objetos Materiais
　II. Usos Teológicos do Termo
　III. Imagem no NT
Imagem (Na Filosofia) III, 243
Imagem, Semelhança III, 244
Imagem de Deus, Cristo como III, 244
Imagem de Deus, o Homem como III, 245 Ver também o artigo separado sobre *Imagem de Deus, Cristo como.*
Esboço
　I. Referências Bíblicas
　II. Problemas Teológicos
　　Quatro discussões apresentadas
　III. O Destino do Homem como Imagem de Deus
Imagem de Escultura III, 247
Imagem de Nabucodonosor, A III, 248
Imagem dos dois relógios,
　Ver *Relógio, Imagem dos Dois.*
Imagem Esculpida (Fundida) III, 248
　Ver sobre *Idolatria.*
Imagem Genérica III, 248
　Ver o artigo sobre *Imagem.*
Imagens, Ver *Idolatria.*
Imagens Eidéticas III, 248
Imagens e Ídolos III, 249
Imaginação III, 249
Esboço
　I. Definações Gerais
　II. Usos Filosóficos
　III. Usos Bíblicos
　IV. Usos Psíquicos
Imago Dei III, 204

Imacule, III, 249
Imanência (Imanente) III, 249
Imanência de Deus, Ver *Presença de Deus,* 4, e *Imanência (Imanente).*
Imanente, Ver *Imanência (Imanente).*
Imarcescível III, 250
Imaterialismo III, 250
Imediação III, 250
Imensidade III,250
Imer III, 250
　No hebraico,
　Vários homens do AT
Imersão, III, 251
　Ver também sobre *Batismo.*
Imersão Trina III, 251
Iminente, Volta de Cristo III, 251
Imitação de Cristo III, 251
Imitador da Fé Religiosa III, 251
Imná (Imna) III, 252
　Três personagens do AT
Imodéstia III, 252
　Ver os artigos sobre *Modéstia; Nudismo e Obscenidade.*
Imolação III, 252
Imortalidade III, 252
　Ver também os artigos: *Alma; Problema Corpo-Mente.*
　Quatro artigos sobre a imortalidade são apresentados:
　Artigo I: *Abordagem Científica à Crença na Alma e em sua Sobrevivência Ante a Morte Biológica*
　Artigo II: *O Mundo Não-Físico do Dr. Stromberg*
　Artigo III: *Uma Prova da Imortalidade da Alma*
　Artigo IV: *Quando os Mortos Voltam!*
Imortalidade, argumento científicos em favor, Ver *Imortalidade, Artigos I e IV.*
Imortalidade, argumentos filosóficos em favor, Ver *Imortalidade, Artigo III,* e *Alma.*
Imortalidade da Alma – Afirmações Teológicas, 279
Esboço
　I. Pano de Fundo Histórico na Religião e na Filosofia
　II. Conceitos Gerais
　III. Sobrevivência mas Não - Imortalidade
　IV. Imortalidade Condicional
　V. Imortalidade no Pensamento Cristão
　VI. Ensinos de Algumas Referências Bíblicas
Imortalidade Condicional III, 281
　Argumentos em favor deste conceito
　Argumentos contra este conceito
　História da idéia
Imortalidade, Locke sobre,
　Ver *Locke, John,* 13.b,c.
Imortalidade necessária,
　Ver *Leibnitz, Idéias,* 10.
Imortalidade relacionada a ressureição, Ver *Ressurreição e a Ressurreição de Jesus Cristo,* VIII.
Imortalidade, Tipos de III, 283
Esboço
　I. Formas Verdadeiras de Imortalidade
　II. Formas Espúrias de Imortalidade
Imortalidade, vitória da,
　Ver *Vitória, Vencedor,* V.
Imortalista III, 285
Impecabilidade de Jesus, III, 285
Esboço
　I. Os Títulos de Jesus
　II. O Paradoxo: Jesus Poderia Cometer Pecado?
　III. Outra Consideração
　IV. A Beleza Moral de Cristo
　V. A Impecabilidade de Jesus e seu

Ofício Como Sumo Sacerdote
　VI. Outros Textos de Prova
Impecabilidade do Homem III, 286
Impedimentos ao Casamento III, 287
Imperador III, 287
Imperador, adoração do,
　Ver *Adoração do Imperador.*
Imperativo III, 287
Imperativo Categórico III, 288
Imperativo categórico de Kant,
　Ver *Ética,* VIII.3.g.
Imperativo Prático III, 288
Império Bizantino III, 288
Império Romano III, 288
Esboço
　I. O Termo
　II. A Transição
　III. Augusto
　IV. Tibério
　V. Calígula
　VI. Cláudio
　VII. Nero
　VIII. O Ano dos Quatro Imperadores (69 D.C.)
　IX. Vespasiano
　X. Tito
　XI. Domiciano
　XII. Cinco Bons Imperadores (96-180 D.C.)
Império Romano, Santo III, 292
　Roma como um império cristão no começo séc. IV com Constantino
Impigem Branca III, 293
Implicações teológicas e experiências perto da morte, Ver *Experiências Perto da Morte,* V.
Importância do Ensino,
　Ver *Ensino,* I.
Importância dos milagres,
　Ver *Milagres, Importância dos.*
Imposição das Mãos III, 293
　Ver *Mãos, Imposição das.*
Imposto das Duas Dracmas III, 293
Impostos III, 293
Esboço
　I. Controvérsia sobre o Imposto, Mat. 22:15-22
　II. Impostos em Rom. Cap. 13
　Ver também *Direitos, Impostos.*
Impostos, coletores de,
　Ver *Coletores de Impostos.*
Imprecação, Salmos de III, 294
Imprensa III, 295
Impressão III, 295
Imprimatur III, 295
Impulsionador,
　Ver *Primeiro Impulsionador.*
Impulso III, 295
Impuro, Ver *Limpo e Imundo.*
Imputação, Ver *Imputar, Imputação.*
Imputação negada na teologia,
　Ver *Imputar, Imputação,* V.
Imputar, Imputação III, 295
　I. A Palavra
　II. Caracterização Geral
　III. Reforços Teológicos Dessa Doutrina
　IV. A Não-Imputação de Pecado
　V. Negações Teológicas da Imputação
　VI. O Pecado do Homem Imputado a Cristo
　VII. O Pecado de Adão Imputado à Humanidade
Imundícia III, 297
　Ver também *Limpo e Imundo.*
Imundo III, 298
　Ver *Limpo e Imundo.*
Imundo e limpo,
　Ver *Limpo e Imundo.*
Imunidade III, 298
Imutabilidade III, 298
Imutabilidade de Cristo III, 299

Inabilidade Natural III, 299
Inácio, Cartas de III, 300
Esboço
　I. Caracterização Geral e As cartas, de 1 a 7
　II. Data
　III. Motivo e Propósitos
　IV. Ensinamentos Doutrinários
Inácio de Antioquia III, 301
Inácio de Loyola III, 301
Inalterável III, 301
Inari III, 302
Inatas, idéias, Ver *Idéias Inatas.*
Incenso III, 302
Esboço
　I. Definções e Palavras Empregadas
　II. Caracterização Geral e Uso Entre os Hebreus
　III. O Altar do Incenso
　IV. Uso Entre os Hebreus Cristãos
　V. Usos Simbólicos
Incerteza, Princípio da III, 303
　Ver também *Princípio da Incerteza.*
Incesto III, 303
Inchação III, 304
Incircuncisão III, 304
Inclinai-Vos! III, 305
Inconsciente (Mente) III, 305
Inconsciente Coletivo III, 306
Incorruptível coroa, Ver *Coroa,* 2.a.
Incredulidade III, 306
Incubus e Succtibus III, 307
Inculpável III, 307
Inculto, Ver *Iletrado, Inculto.*
Inculto, falto no falar,
　Ver *Falto no Falar, Inculto.*
Indefectibilidade III, 307
Independência da Alma III, 307
Independência da Igreja III, 307
Independência de Deus III, 308
Independência Política III, 308
Independente, ser,
　Ver *Ser Independente.*
Indesculpável – O Homem III, 308
Indeterminismo III, 309
Índia (País) III, 309
Índia, Filosofia da III, 310
　Ver *Filosofia Hindu.*
India, Religiões da III, 310
　Ver sobre *Hinduísmo.*
Índice, III, 310
　Ver sobre *Censor, Censura.*
Indiferença, Indiferentismo III, 310
Indiferença Espiritual, Coisas de III, 311
Indiferentismo,
　Ver *Indiferença, Indiferentismo.*
Indígena, Igreja, Ver *Indigenização (Igreja Indígena).*
Indigenização (Igreja Indígena) III, 313
Indigestão,
　Ver *Enfermidades na Bíblia,* I.25.
Individual (Individualização) III, 313
Esboço
　I. Na Filosofia
　　1. Na lógica
　　2. Aristóteles
　　3. Tomás de Aquino
　II. Na Teologia
Individualismo III, 314
Individualização, Ver *Individual (Individualização).*
Individualização, princípio da,
　Ver *Individual (Individualização).*
Indra III, 315
Indubitável III, 315
Indução III, 315
Indulgência III, 316
Indulgências, Ver *Indulgência.*
Indulto III, 317

INEFÁVEL – INTROMISSÃO

Inefável III, 317
Inerrância III, 317
Inevitabilidade III, 317
Infalibilidade III, 317
  Declaração introdutória
  Esboço
  I. Definição
  II. Pontos de Vista Católicos Romanos
    A Igreja, o Papa, os Concílios e as Escrituras
  III. Pontos de Vista Ortodoxos Orientais e Anglicanos
  IV. Pontos de Vista Protestantes e Evangélicos
  V. Críticas
    Consolo mental
Infalibilidade, crítica de,
  Ver *Infalibilidade*, V.
Infalibilidade e a Igreja Anglicana,
  Ver *Infalibilidade*, III.
Infalibilidade e a Igreja Ortodoxa,
  Ver *Infalibilidade*, III.
Infalibilidade e catolicismo,
  Ver *Infalibilidade*, II.
Infalibilidade e protestantismo,
  Ver *Infalibilidade*, IV.
Infâmia III, 318
Infância de Jesus e evangelhos de,
  Ver *Livros Apócrifos do NT*.
Infância, Evangelhos da,
  Ver *Livros Apócrifos, NT*, 2. a.
Infante, morte e salvação do,
  Ver *Infantes, Morte e Salvação dos*.
Infantes, batismo de,
  Ver *Batismo Infantil*.
Infantes, Morte e Salvação dos III, 318
  Diversas idéias
  1. O limbo
  2. O inferno do calvinismo
  3. A idade da responsabilidade
    Acresça-se a isso a questão da justiça
  4. A não-entrada ou não-criação das almas
  5. A contínua oportunidade da Igreja Oriental
  6. Os níveis existentes no hades
  7. A reencarnação
    A. A reencarnação no NT como uma crença popular
    B. A reencarnação no NT como um dogma,
  8. Um corredor desconhecido
  Ver também *Limbo*, 3.a.b.c.d.e.f.g.
Infanticídio III, 322
Inferência III, 322
  Origens do termo
  Na teologia
  Na lógica
Inferno III, 322
  Ver também os artigos separados sobre *Hades; Geena; Sheol; Julgamento de Deus dos Homens Perdidos; Descida de Cristo ao Hades-Perspectiva Histórica e Citações Significativas;Estado Intermediário; Mortos, Estado dos, e Abismo*.
  Esboço
  I. Palavras e Pano de Fundo
  II. O AT e o Inferno
  III. Pontos de Vista Intertestamentais
  IV. Ensinamentos do NT
  V. A Igreja Histórica e o Julgamento
  VI. A Esperança Maior; as Grandes Dimensões do Amor de Deus No NT
    1. O relato da descida de Cristo ao hades
    2. O mistério da vontade de Deus

3. Em conseqüência
4. A eternidade do julgamento divino
Inferno do calvinismo, Ver *Infantes, Morte e Salvação dos*, 2.
Inferno e a Igreja histórica,
  Ver *Inferno*, V.
Inferno, esperança, Ver *Inferno*, VI.
Inferno no AT, Ver *Inferno*, II.
Inferno no NT, Ver *Inferno*, IV.
Inferno período intertestamentário,
  Ver *Inferno*, IV.
Inferno, portas do, Ver *Portas do Inferno*.
Infidelidade III, 328
Infiel III, 328
Infinito III, 328
Inflamação, Ver *Enfermidades na Bíblia*, I.23.
Influência da Bíblia, Ver *Literatura, A Bíblia como*, IV.
Influência de Baal sobre Israel,
  Ver *Baal (Baalismo)*, par. 6.
Influência dos *Livros Apócrifos*, Ver *Livros Apócrifos*, IV.
Influência moral e a expiação,
  Ver *Expiação*, II. 2.
Influências da filosofia grega sobre o cristianismo, Ver *Filosofia Grega*, VIII.
Influências das tríades de Hegel,
  Ver *Hegel*, IV. 1.
Informes Religiosos III, 329
Infrações eclesiásticas,
  Ver *Penas Eclesiásticas*, II.
Infralapsarianismo III, 329
  Ver também *Sublapsarianismo (Infralapsarianismo); Supralapsarianismo e Lapsarianismo*.
Infusão da Graça III, 329
  A base bíblica da doutrina
Infusionismo III, 330
Ingenerar III, 330
Ingênuo realismo,
  Ver *Realismo Ingênuo*.
Ingersoll, Robert Green III, 330
  Suas datas
  Sua vida
Ingleses moralistas,
  Ver *Moralistas Ingleses*.
Inibição III, 330
Iniciação, Rito de III, 331
Inimigo III, 331
  Esboço
  I. A Palavra
  II. Usos no AT
  III. Usos no NT
  IV. Ensinos Neotestamentários Superiores sobre os Inimigos
  V. A Inimizade e a Teologia do Evangelho Cristão
Inimizade III, 332
Inimizade Contra Deus III, 333
Iniqüidade, homem de,
  Ver *Homem de Iniqüidade*.
Injustiça, Ver *Injusto, Injustiça*.
Injusto, Injustiça III, 333
Inlá III, 333
Inocência, Inocente III, 333
Inocente, Ver *Inocência, Inocente*.
Inocentes, Dia dos III, 337
  Ver sobre *Dia dos Inocentes*.
Inocentes, Massacre dos III, 337
Inocentes, Os Papas de I a XIII III, 334
Inquirição, Ver *Inquirir, Inquirição*.
Inquirição, comunidade de,
  Ver *Comunidade de Inquirição*.
Inquirição espiritual, estágios da,
  Ver *Vitória Espiritual; Estágios da Inquirição Espiritual*.
Inquirir, Inquirição III, 338
  1. Definição

2. Na filosofia
3. Na Bíblia o na teologia
Inquisição III, 338
  Esboço
  I. Definição da Inquisição
    A perseguição da Igreja cristã
    Origem do termo
  II. Caracterização Geral
    Datas
  III. Portugal e Brasil
  IV. Propósitos de Inquisição
  V. Tentativas de Justificação dos Abusos
Inra III, 339
Inri III, 340
I. N. R. I. III, 340
Insanidade III, 340
Inscrições III, 340
  O latim
  No sentido arqueológico
  Esboço
  I. Contribuição das Inscrições
  II. Inscrições Antes de Israel Estabelecer-se na Terra Prometida
  III. Inscrições da Época da Terra Santa Ocupada por Israel
In Se III, 342
Inseminação Artificial III, 342
Insensatez, Ver *Insensato, Insensatez*.
Insensato, Insensatez III, 343
Insetos III, 344
Insolubilia III, 344
Inspiração III, 344
  Esboço
  I. A Inspiração e as Escrituras
  II. A Inspiração e o Misticismo
  III. A Revelação e a Inspiração
  IV. Inspiração, um Fator Comum e Vital à Experiência Humana
  V. A Inspiração e a Autoridade
  VI. Fontes de Inspiração
  VII. Critérios para Julgamento de Inspiração Verdadeira e Falsa
  Ver também *Revelação (Inspiração)*.
Inspiração, critérios da,
  Ver *Inspiração*, VII.
Inspiração das Escrituras,
  Ver *Escrituras*, II.
Inspiração e autoridade,
  Ver *Inspiração*, V.
Inspiração, fontes da,
  Ver *Inspiração*, VI.
Inspiração, níveis e tipos de,
  Ver *Escrituras*, V.
Inspiração verbal e linguagem,
  Ver *Linguagem (Filosofia e); Filosofia da Liguagem*, 20, e *Linguagem Religiosa*, 1.
Instalação III, 345
Instinto III, 345
  Origens do termo
  Freud
  A moralidade, a espiritualidade e os instintos
Instinto, teoria da verdade,
  Ver *Conhecimento e a Fé Religiosa*, II.7.
Instituição bancárias,
  Ver *Banco, Instituições Bancárias*.
Instrução, Ver *Educação*.
Instrução cristã, Ver *Educação*, V.
Instrumentalismo III, 347
  John Dewey
Instrumento III, 346
  Ver sobre *Música e Instrumentos Musicais*.
Instrumento do Bem III, 346
  Ver sobre *Bem Instrumental*.
Instrumentos Musicais de Corda III, 347
  Ver sobre *Música e Instrumentos Musicais*,

Insuflação III, 347
Insulto III, 347
Insurreição III, 347
  Ver também o artigo geral intitulado *Crimes e Castigos*.
  As idéias dos teólogos
Integridade III, 347
  Ver também o artigo geral sobre a *Honestidade*.
  A higidez moral
Inteira santificação,
  Ver *Santificação*, III.
Intelecto III, 347
Inteligência Artificial III, 348
  Ver o artigo sobre *Cibernética*.
Inteligência dos animais,
  Ver *Animais, Direitos de, e Moralidade*, 2.
Intemperança III, 348
Intenção sacramental III, 348
  Após o concílio de Trento
Interacionismo III, 349
  Ver também *Problema Corpo-Mente*, VI.
Intercessão III, 349
  Esboço
  I. A Palavra e Caracterização Geral
  II. A Intercessão dos Crentes
    Os exemplos bíblicos de oração intercessória
  III. A Intercessão de Cristo
  IV. A Intercessão do Espírito Santo
    Algumas questões e controvérsias teológicas
Intercessão de Cristo,
  Ver *Intercessão*, III.
Intercessão do Espírito,
  Ver *Intercessão*, IV.
Intercessão dos crentes,
  Ver *Intercessão*, II.
Intercessão mútua, Ver *Oração*, 9.
Interdição III, 350
Interdito III, 350
Interesse III, 351
  Na psicologia
Interior, homem,
  Ver *Homem Interior*.
Internacionalismo III, 351
  Ver o artigo sobre *Nacionalismo*.
Internúncio III, 351
  Ver também *Legados e Anúncios*.
Interpolação III, 351
  As raízes do termo
Interpretação III, 351
  Ver sobre *Hermenêutica*.
Interpretação Alegórica III, 351
Interpretação alexandrina,
  Ver *Alexandria, Teologia de*
Interpretação mágica III, 352
Interpretação das Escrituras,
  Ver *Escrituras*, IV.C.
Interpretação de línguas,
  Ver *Línguas, Interpretação de*.
Interpretação de línguas, dom de,
  Ver *Dons Espirituais*, IV. 15.
Interpretação Literal III, 352
  João Calvino
  A necessidade de equilíbrio
Interpretação por analogia,
  Ver *Analógica, Tipo de Interpretação*.
Interpretações do Logos,
  Ver *Logos (Verbo)*, II.
Interpretações do milênio,
  Ver *Milênio*, 7.
Interpretações históricas e teológicas da graça, Ver *Graça*, X.
Intertestamental, período,
  Período Intertestamental.
Intolerância III, 353
  Ver o artigo sobre *Tolerância*.
Introdução Bíblica III, 353
Intróito III, 353
Intromissão romana no tempo inter-

799

INTROSPECÇÃO – JABNE

testamental, Ver *Período Intertestamental*, 5.
Introspecção III, 353
 Origens do termo
 Na filosofia e na psicologia
Introversão, Ver *Introvertidos e Extrovertidos*.
Introversão, extroversão,
 Ver *Jung, Idéias*, 1.
Introvertido, Ver *Introvertidos e Extrovertidos*.
Introvertidos e Extrovertidos III, 353
Intrusão III, 353
Intuição III, 354
Intuição, Locke sobre,
 Ver *Locke, John*, 8.
Intuição, misticismo e linguagem
 Ver *Linguagem (Filosofia e); Filosofia da Linguagem*, 19.
Intuição Ética III, 354
Ver sobre o *Intuicionismo*, 7.
Intuicionismo III, 354
 Ver também sobre *Intuição*.
Invariabilidade, Princípio de,
 Ver *Uniformidade da Natureza*.
Inveja III, 354
Inverno III, 355
 Ver sobre *Calendário*.
Investidura; Conflito de Investidura III, 355
 Conflito de investidura
Invisível, Deus como III, 356
 Do Deus invisível, Col. 1:15
 O sentido físico
 A visão beatífica
Invisível, mística, Igreja,
 Ver *Igreja Invisível (Mística); Igreja Visível*.
Invitatório III, 356
Invocação III, 356
Invocação aos Santos III, 356
Iode III, 356
Ioga, Ver *Yoga*.
Iota III, 357
Iquenatom (Aquenatom) III, 357
Iques III, 357
Ir III, 367
 Ver também *Reobote*, 3.
Ir-Ha-Heres III, 357
Ir-Semes III, 357
Irá III, 357
Ira III, 357
 Esboço
 I. Palavras Envolvidas
 II. A Ira de Deus
 III. A Ira do Homem
 IV. Usos Antropomórficos
 V. A Ira de Deus e o Seu Amor São Sinônimos
Ira (Pessoa) III, 365
 Várias personagens do AT
Ira de Deus III, 365
Ira de Deus e expiação,
 Ver *Expiação*, do IV.
Ira do homem, Ver *Ira*, III, e *Ira dos Homens*.
Ira dos Homens III, 366
Ira e expiação, Ver *Ira*, II.A.3.
Ira, sinônimo do amor, Ver *Ira*, V.
Irade III, 366
Irascível III, 366
Irênica, Teologia III, 366
Iri III, 366
Irineu III, 366
Irineu e cristologia,
 Ver *Cristologia*, 4.b.
Irmã III, 367
 Ver também sobre a *Família*.
Irmãs de Caridade III, 368
Irmandade III, 368
Irmão III, 368
Irmãos Cristãos III, 368
Irmãos de Caridade III, 368

Irmãos de Jesus III, 368
 Ver *Família de Jesus*.
Irmãos de Plymouth, Ver *Plymouth, Irmãos*.
Irmãos do Senhor III, 368
Irmãos Gêmeos III, 369
 Ver sobre os *Dióscuros*.
Irom III, 369
Ironia III, 369
Irpeel III, 369
Irracionais III, 369
Irracional, Ver *Irracionalismo*.
Irracionalismo III, 369
Irrigação III, 370
Iru III, 370
Irving, Edward III, 370
Irvingitas III, 371
Is-Boste III, 371 Ver sobre *Esbaal*.
Is-Hode III, 371
Is-Sequel III, 371
Ia-Tobe III, 371
Isabel III, 371
 No hebraico
 No NT
 A narrativa
Isabel, Santa III, 372
Isagoge III, 372
Isaías III, 372
 Esboço
 I. Isaías, O Profeta
 II. Pano de Fundo Histórico
 III. Unidade do Livro: Isaías e os Críticos
 IV. Autoria e Data
 V. Cânon e Texto
 VI. Isaías, Seu Conceito de Deus
 VII. Idéias Teológicas
  1. Contra a idolatria
  2. A providência e a soberania de Deus
  3. O pecado do homem
  4. Redenção
  5. Os poemas do servo
  6. Escatologia
 VIII. Isaías no NT
 IX. Problemas Especiais
 X. Esboço do Conteúdo
  Bibliografia
Isaías, Ascensão de, Ver *Ascensão de Isaías*.
Isaías como Pastor, Ver *Pastor*, 4.
Isaías, Seu Conceito de Deus III, 378
 Esboço
 Introdução
 I. Teísmo
  1. Definição básica
  2. Idéias contrastantes
  3. O teísmo em Isaías 40-48
 II. Deus de Juízo
  1. Contra os pagãos
  2. Contra o povo de Deus
 III. Deus de Perdão: Deus é Redentor
 IV. Os Atributos de Deus
  Personalidade
  Onisciência
  Justiça
  Simplicidade
  Unidade – Esses entre muitos outros
 V. A Natureza de Deus
  Conclusão
Isaque III, 381
 Esboço
 I. Caracterização Geral
 II. A Origem do Nome
 III. Sacrifício Humano por Deus?
 IV. As Notáveis Características de Isaque
 V. Isaque no NT
 VI. Tipologia
Isaque e sacrifício humano,
 Ver *Isaque*, III.
Isba III, 384
Isbi-Benobe III, 384

Iscá III, 384
Iscariotes III, 384
Iscariotes, Judas, Ver *Judas*, 2.
Ishi (Nome de Deus) III, 384
Ishvara III, 384
Isi III, 384
Ísis III, 384
 Uma deusa egípcia
 A tradição
Ísis-Osíris III, 385
 Ver também *Religiões Misteriosas (dos Mistérios)*, I.2.
Isidoro de Sevilha III, 385
 Suas datas
 Filósofo espanhol
Islã III, 385
 O signficado da palavra
 Ver também os artigos relacionados com o islamismo:
 Maomé; Maometanismo; Ética Islâmica; Filosofia Islâmica e Alcorão.
Islã e Jesus, Ver *Jesus (Nas Tradições Islâmicas)*.
Islã, ética do, Ver *Ética Islâmica*.
Islã, filosofia de,
 Ver *Filosofia Islâmica*.
Islamismo, Ver *Islã*.
Islamismo e jejum, Ver *Jejum*, VII.
Islamismo, filosofia de,
 Ver *Filosofia Islâmica*.
Islamismo sobre Jesus, Ver *Jesus (Nas Tradições Islâmicas)*.
Isma III, 385
Ismael III, 385
 Esboço
 1. O nome
 2. Circunstâncias de seu nascimento
 3. Sumário da vida de Ismael
 4. O Filho expulso
 5. Incidentes posteriores
  Ismael e Isaque unidos na morte de Abraão
 6. Descendentes de Ismael
 7. No NT
 Ismael (Outros) III, 387
  Menção de vários outros no AT
Ismaelita III, 387
Ismaías III, 388
 Duas personagens do AT
Ismaquias III, 388
Ismerai III, 388
Isócrates III, 388
Isolacionismo III, 388
Ispa III, 389
Ispã III, 389
Israel III, 389
 Ver *Israel, História de*.
 Uma lista de 23 artigos relacionados
 A história no AT
Israel (Jacó) III, 400
Israel, Constituição de III, 389
 Esboço
 I. O Israel Patriarcal
 II. O Israel Teocrático
 III. A Constituição Civil de Israel
 IV. Propósitos Históricos de Israel
Israel, História de III, 391
 Esboço
 I. Definições e Usos do Termo
  O uso espiritual
  O uso cristão
 II. Caracterização Geral
  Juízes, Davi, Salomão
  O poder grego Antíoco, o Grande
  O poder romano
 III. Gráficos Ilustrativos dos Reis de Israel e Judá
 IV. O Reino de Israel
 V. Filosofia
  Bibliografia
Israel, juízes de, Ver *Juízes*, VII.
Israel, o termo, Ver *Israel*, I.

Israel, queda de, Ver *Queda e Restauração de Israel*.
Israel, Queda o Restauração de III, 396
Israel, Reino de III, 396
 Os reis de Israel
 Lista e descrição dos reis de Israel, o reino do norte
Israel, Religião de III, 397
 Vinte e duas discussões são oferecidas
Israel, restauração de,
 Ver *Queda e Restauração de Israel*.
Israel Ben Eliezer Baal Sheir, Tobe (Besht) III, 400
Israel de Deus III, 400
Israel teocrático,
 Ver *Israel, Constituição de*, II
Israeli, Isaac Ben Solomon III, 401
Israelita III, 401
Issacar III, 401
Issias III, 402
Istalcuro III, 402
Istar III, 402
Isvá III, 402
Isvara Krishna III, 402
Isví III, 402
Itacada, Ver *Judaísmo*, I.2.
Itai III, 402
Itala, Versão III, 402
Itália III, 402
Itamar III, 403
Itinerário III, 403
Itla III, 404
Itmã III, 404
Itnã III, 404
Itreão III, 404
Itritas III, 404
Ituréia III, 404
Ius Divinum III, 404
Ius Naturale III, 405
Iustita Naturalis III, 405
Iustitia Originalis III, 406
Iva III, 405
Iyyar III, 406
Izar III, 405
Izaritas III, 406
Izias III, 405
Izlias III, 405
Izraías III, 405
Izri III, 405

J

J III, 406
Já III, 406
No AT
Jaacá III, 406
Jaacobá III, 406
Jaalá III, 406
Jaar III, 406
Jaaré-Oregim III, 406
Jaaresias III, 406
Jaasai III, 406
Jaasiel III, 406
Jaate III, 407
 O nome de várias personagens do AT
Jaazias III, 407
Jaaziel III, 407
 O nome de vários homens do AT
Jabal III, 407
 A arqueologia
Jabes III, 407
Jabes-Gileade III, 407
 Significado dos nomes
 Narrativas bíblicas
 Em I Samuel
Jabez III, 408
Jabim III, 408
 Dois reis de Hazor
Jabne III, 408
 Ver também sob *Jabneel*.

JABNEEL – JESIMIEL

Jabneel III, 409
Jaboque III, 409
  Significado do termo
  A arqueologia
Jacã III, 409
Jacinto III, 409
Jacó III, 409
  Esboço
  I. O Nome
  II. Israel e Seus Significados
  III. Informes Históricos Sobre sua Vida
    Na Bíblia
  IV. Seu Caráter
  V. Sentidos Espirituais e Metafóricos
  VI. A Arqueologia e a Vida de Jacó
Jacó (No NT) III, 415
Jacó, Poço de III, 415
Jacobi, Friedrich Heinrich III, 416
Jacobitas III, 416
  Nome da igreja nacional da Síria
Jacopo da Voragine III, 416
Jactância III, 416
Jada III, 417
Jadai III, 417
Jadaí III, 417
Jadiel III, 417
Jado III, 417
Jadom III, 417
Jaduá III, 417
  O nome de várias personagens bíblicas
Jadus III, 417
Jael III, 417
Jafé III, 417
  Esboço
  I. Informações Gerais
  II. Raças Descendentes de Jafé
  III. Gráfico Comparativo dos Descendentes de Jafé, Cão e Sem
Jaflete III, 419
Jafleti III, 419
Jafletitas III, 419
Jagur III, 419
Jaimini III, 419
Jainismo III, 420
Jair III, 421
  Quatro personagens do AT
Jairita III, 421
Jairo III, 421
Jalão III, 422
Jalom III, 422
Jambres III, 422
  Ver sobre *Janes e Jambres*.
Jambri III, 422
James William, III, 422
Jamim III, 424
  Várias personagens do AT
Jamnia, Jaminitas III, 424
  Ver sobre *Jabneel*.
Janai III, 424
Jane Frances de Chantal III, 424
Janela III, 424
Janes e Jambres III, 425
  Origens egípcias dos nomes em II Tim. 3:18
Janeu, Alexandre III, 426
  Ver sobre os *Hasmoneanos*.
Jangada III, 426
  Ver *Navios e Embarcações*.
Janim III, 426
Janleque III, 426
Janoa III, 426
  O nome de duas cidades do AT
Jansen, Cornelius III, 426
Jansenismo III, 426
Janus III, 427
Japão, Religiões do III, 427
Jaque III, 428
Jaquim III, 429
  Várias personagens do AT
Jará III, 429

Jarcom, Ver *Me-Jarcom*.
Jardim III, 429
Jardim de Uzá III, 430
Jardineiro III, 430
Jarebe III, 430
Jarede III, 430
  Dois indivíduos do AT
Jaribe III, 430
  Várias personagens da Bíblia e de livros apócrifos
Jarmute III, 430
  O nome de duas cidades da Palestina
Jaroa III, 430
Jarro III, 430
Jaseías III, 430
Jásem (Hasém); Bené-Jásem III, 431
Jasobeão III, 431
  O nome de vários indivíduos do AT
Jasom III, 431
Jaspe III, 431
Jaspers, Kari III, 432
Jasube III, 434
  Dois homens do AT
Jasubi-Leém III, 434
  Ver também *Leém (Jasubi-Leém)*.
Jatão III, 434
Jatir III, 434
Jatniel III, 434
Javá III, 434
  O nome do neto de Noé
  O poder dos descendentes de Java
Javali III, 435
Javé III, 435
  Ver sobre *Yahweh*.
Jaza III, 435
Jazanias III, 435
  Quatro personagens do AT
Jazeel III, 436
Jazer III, 436
Jazera III, 436
Jaziz III, 436
Jealelel III, 436
  Duas personagens do AT
Jeans, James H. III, 436
Jearim III, 436
  Ver também *Quiriate-Jearim*.
Jeatorai III, 436
Jeberequias III, 436
Jebus III, 436
  Um antigo nome de Jerusalém quando ainda na Cananéia
  Ver também *Jerusalém*, II.
Jebuseu(s) III, 437
  Ver também sobre *Jebus*.
Jebuseus, Ver *Jebuseu(s)*.
Jecameão III, 437
Jecamias III, 437
Jecolias III, 437
Jeconias III, 437
Jecutiel III, 437
Jedaías III, 438
  Várias personagens da Bíblia
Jediael III, 438
  Várias personagens do AT
Jedias III, 438
Jedida III, 438
Jedidias III, 438
J.E.D.P.(S.) III, 488
  Abreviações das alegadas quatro fontes do Pentateuco
Jedutium III, 438
Jeezquel III, 439
Jefoné III, 439
  Duas personagens da Bíblia
Jefté III, 439
Jegar-Saaduta III, 440
Jeías III, 441
Jeiel III, 441
  Dez ou onze homens do AT
Jeira III, 441
Jeizquias III, 441
Jejum III, 441

Esboço
  I. Caracterização Geral
  II. O Valor do Jejum
  III. História do Jejum nas Escrituras
  IV. No NT
  V. A Importância do Jejum
  VI. Do Séc. II D.C. em Diante
  VII. O Jejum no Islamismo, no Hinduísmo e no Budismo
Jejum. nas Escrituras,
  Ver *Jejum*, III.
Jejum Negro III, 443
Jejum no NT, Ver *Jejum*, IV.
Jeleel III, 443
Jemina III, 443
Jemuel III, 444
Jeoacaz III, 444
  Várias personagens da Bíblia
Jeoada III, 444
Jeoadã III, 444
Jeoaquim III, 444
  Décimo oitavo monarca de Judá
Jeoiaribe III, 445
Jeorão III, 445
  Esboço
  I. Jeorão, Rei de Israel
  II. Jeorão, Rei de Judá
Jeosabeate III, 447
Jeosafá, Ver *Josafá, Jeosafá*.
Jeoseba III, 447
Jeová III, 447
  Ver também *Yahweh*.
  Jeová (Yahweh), fonte do Pentateuco, Ver *J e J.E.D.P.,(S.)*.
Jeová-Jiré III, 448
  Ver *Yahweh-Jiré*.
Jeová-Nissi III, 448
  Ver *Yahweh-Nissi*
Jeová-Sama III, 448
  Ver *Yahweh-Sama*.
Jeová-Salom III, 448
  Ver *Yahweh-Salom*.
Jeová-Tisidkenu III, 448
  Ver *Yahweh-Tisidkenu*.
Jeovista (Eloísta) III, 448
Jeozabade III, 449
  Três homens do AT
Jeozadaque, III, 449
Jerá III, 449
Jerameel III, 449
  Três homens que figuram no AT
Jerameelita III, 449
Jerede III, 449
  Dois homens na Bíblia
Jeremai III, 449
Jeremias (o Profeta) III, 449
  Ver sobre *Jeremias (o Livro)*.
  Esboço
  I. O Nome
  II. A Família de Jeremias
  III. Informações Históricas e Biográficas
  IV. A Arqueologia e o Profeta Jeremias
    As crônicas babilônicas
  V. O Caráter e a Contribuição de Jeremias
  Bibliografia
Jeremias (o Livro do AT) III, 452
  Esboço
  I. Jeremias, o Profeta
  II. A Arqueologia, Jeremias e Nabucodonosor
  III. Caracterização Geral do Livro Propósito
  IV. Relações Entre Jeremias e Cinco Reis de Judá
  V. Autoria e Integridade do Livro
  VI. A Cronologia Histórica e Jeremias
  VII. Esboço do Livro
  VIII. Alguns Conceitos Básicos de

Jeremias - Sua Mensagem
Jeremias (Outras Pessoas, que não o Profeta) III, 455
  Ver também sobre *Jeremias (o Profeta)*.
Jeremias, Carta de III, 455
  1. Origem da carta
  2. Data
  3. Idioma original
  4. Canonicidade e texto
  5. Conteúdo
Jeremias, Epístola de,
  Ver *Jeremias, Carta de*.
Jeremias II, O Patriarca III, 456
Jeremias, sua mensagem,
  Ver *Jeremias (o Livro)*, VIII.
Jeremiel III, 456
Jeremote III, 457
  Várias personagens bíblicas
Jerias III, 457
Jeribai III, 457
Jericó III, 457
  Esboço
  I. O Nome
  II. Informes Geográficos
  III. Informações Históricas
  IV. No NT Posteriormente
  V. Escavações Arqueológicas
  Sumário
Jeriel III, 459
Jerimote III, 459
  Várias personagens do AT
Jeriote II, 459
Jeroão III, 460
  O nome de oito personagens do AT
Jeroboão III, 460
  O primeiro rei da nação do norte
Jeroboão II III, 462
  O décimo terceiro rei de Israel
Jerônimo (Santo) III, 462
  Um dos grandes eruditos cristãos da antiguidade
Jerônimo de Praga III, 462
Jerubaal III, 463
Jerubesete III, 463
Jeruel III, 463
Jerusa III, 463
Jerusalém III, 463
  Esboço
  I. Nome
  II. Jebus, a Antiga Jerusalém Cananéia
  III. Situação Geográfica e Topografia
  IV. Caracterização Geral
  V. História de Jerusalém
  VI. Jerusalém e a Arqueologia
  VII. Jerusalém dos Dias de Davi e de Neemias
  VIII. Jerusalém e a Profecia Bíblica
  IX. Lugares Interessantes da Moderna Jerusalém
  Bibliografia
Jerusalém Celestial III, 469
  Ver sobre a *Nova Jerusalém*.
Jerusalém, Concílio de,
  Ver *Concílio de Jerusalém*.
Jerusalém, destruição de, 70 AC,
  Ver *Período Intertestamental*, 7.f.
Jerusalém, Nova III, 469
  Ver sobre *Nova Jerusalém*.
Jerusalém, Patriarcado de III, 469
Jerusalém, Sínodo de III, 469
Jerusalém, templo de,
  Ver *Templo de Jerusalém*.
Jesaías III, 469
  Várias personagens do AT
Jesana III, 469
Jesarela III, 469
Jesebeabe III, 469
Jeser III, 469
Jesimiel III, 469

JESIMON – JOÃO

Jesimon III, 469
Jesisai III, 470
Jesoaías III, 470
Jessé III. 470
Jesua III, 470
 Vários homens e lugares no AT
Jesuítas III, 471
 Uma das ordens religiosas da Igreja Católica Romana
Jesurum III, 472
Jesus III, 472
 Ver também a explicação do nome Jesus no artigo intitulado *Jesus (Não o Cristo)*.
 O Jesus histórico
 Ver também os artigos separados intitulados *Jesus Histórico, e Cristologia*.
 Esboço
 Introdução
 A grandeza do assunto
 Uma mensagem ao leitor
 I. Identificação
  1. Magnitude de sua influência
  2. Muitas idéias sobre sua pessoa: identidade
 II. Ministério
  A história detalhadamente explicada
 III. Ensinos
  1. Fontes
  2. Natureza sem-par
  3. Temas básicos
 IV. Bibliografia
Jesus (Não o Cristo) III, 496
 As quatro personagens com esse nome
Jesus (Nas Tradições Islâmicas) III, 496
 Nos escritos islâmicos Asceticismo
Jesus, aparições após a ressurreição,
 Ver *Ressurreição e a Ressurreição de Jesus; e Aparições de Jesus*.
Jesus, autoridade de no NT,
 Ver *Autoridade*, 7.
Jesus, batismo de,
 Ver *Batismo de Jesus*.
Jesus como a porta,
 Ver *Porta, Jesus como*.
Jesus como a Vida III, 497
 Ver *Vida, Jesus como*.
Jesus como:
 emanação de Deus, Ver *Jesus*, 1.2.e.
 fiador, Ver *Fiador, Jesus como*.
Jesus como o Pão da Vida III, 497
 Ver *Pão da Vida, Jesus como*.
Jesus como:
 o porteiro, Ver *Porteiro*, 3.
 o Senhor Ver *Senhor*, 3.
 o pastor, Ver *Pastor*, 5.
Pioneiro, Ver *Pioneiro, Jesus como*.
Jesus, críticos de,
 Ver *Críticos de Jesus*.
Jesus, dias finais, Ver *Jesus*, II.5.
Jesus e a Lei III, 497
 Ver também *Lei no NT*, II e o artigo geral *Jesus*, III.
 Ensinos, g. Relações com o Judaísmo; e *Lei, Jesus e*,
 1. Uma significativa declaração não-canônica no codex D
 2. Trechos bíblicos problemáticos Viver realmente a lei do amor O problema filosófico da vida eterna
 3. Um comportamento ilegítimo
 4. A declaração clássica de Jesus
 5. Ênfase entre a lei do amor Jesus e João Batista,
 Ver *João (o Batista)*, VI.
Jesus e os dez mandamentos,
 Ver *Dez Mandamentos*, 7.b.
Jesus e os essênios,

Ver *Essênios*, IV.
Jesus e Paulo,
 Ver *Paulo (Apóstolo)*, II.6.
Jesus e Pecado III, 498
 Ver o artigo sobre a *Impecabilidade de Jesus*.
Jesus e triteísmo, Ver *Jesus*, I.2.g.
Jesus, Ensinos de III, 498
 Ver o artigo sobre *Jesus*, III, *e Ensinos de Jesus*.
Jesus, Ética de III, 498
 Ver os artigos sobre *Jesus*, III.d, e Ética, IX; *Ética Teísta; e Ensinos de Jesus*.
Jesus, expiação do NT,
 Ver *Jesus* I.2.h.
Jesus, família de,
 Ver *Família de Jesus*.
Jesus, genealogia de,
 Ver *Genealogia de Jesus, o Cristo*.
Jesus Histórico III, 498
 Esboço
 1. A criação de problemas
 2. Obras clássicas
 3. Obras racionalistas
  As idéias de David Strauss (1808-1874)
 4. O Cristo histórico e o Jesus histórico
 5. Crítica da forma
 6. A autenticidade dos relatos sobre milagres
 7. Kari Barth: teologia dialética
 8. Rudolf Bultmann: a demitização
 9. A nova inquirição pelo Jesus histórico
 10. Contradição inglesa ao ceticismo alemão
 11. A importância do relato dos evangelhos
 12. A realidade do elemento miraculoso
 Bibliografia
Jesus, Identificação III, 501
 Ver sobre *Jesus*, I.
Jesus, impecabilidade de,
 Ver *Impecabilidade de Jesus*.
Jesus, julgamento de,
 Ver *Julgamento de Jesus*.
Jesus Justo III, 501
 Ver sobre *Justo*.
Jesus, messiado de,
 Ver *Messiado de Jesus, Apologia da Igreja Primitiva; Messias; e Profecias Messiânicas Cumpridas em Jesus*.
Jesus, Ministério de III, 501
 Ver sobre *Jesus*, II.
Jesus, ministério na Galiléia,
 Ver *Jesus*, II.2.
Jesus, ministério pré-Galiléia,
 Ver *Jesus*, II.1.
Jesus na Judéia, Ver *Jesus*, II.4.
Jesus, não-existente,
 Ver *Jesus*, I.2.a.
Jesus, nascimento virginal de,
 Ver *Nascimento Virginal de Jesus*.
Jesus, o eu sou de,
 Ver *Eu sou de Jesus*.
Jesus, pão da vida, Ver *Pão da Vida, Jesus como*.
Jesus, Paulo e Tiago (em conflito?), Ver *Tiago (Livro)*, VII.10.
Jesus, precursor,
 Ver *Precursor, Jesus como*.
Jesus, profeta, Ver *Profecia, Profeta e Dom da Profecia*, VI.
Jesus segundo:
 o arianismo, Ver *Jesus*, I.2.d.
 o docetismo, Ver *Jesus*, I. 2.c.
 o gnosticismo, Ver *Jesus*, 1.2.b.
 o liberalismo, Ver *Jesus*, 1.2.f.
Jesus sobre:

a ética, Ver *Jesus*, III.3.d.
a missão messiânica, Ver *Jesus*, III.3.b.
juramentos, Ver *Juramentos* II.
o celibato, Ver *Jesus*, III.3. d.7.
o futuro, Ver *Jesus*, III.3.e.
o judaísmo, Ver *Jesus*, III.3.g.
oração, Ver *Oração*, 5.
o reino, Ver *Jesus*, III.3.a.
perfeição, Ver *Perfeição na Filosofia*, 4.
sua morte, Ver *Jesus*, III.3.f.
Jesus, sua consciência de ser o Messias, Ver *Consciênciade Cristo*.
Jesus, temas de parábolas,
 Ver *Jesus*, III.3.h.
Jesus, Tradições Muçulmanas III, 501 Ver *Jesus (Nas Tradições Islâmicas)*.
Jesus, transfiguração de,
 Ver *Transfiguração de Jesus*.
Jesus, vida nossa, Ver *Vida*, V.
Jesus, Vidas de III, 501
 Ver também os artigos os separados sobre *Jesus; Jesus e a Lei: Jesus Histórico*.
 Os Evangelhos
 O Diatessaron, a harmonia dos Evangelhos de Taciano
 Obras correntes sobre a vida de Jesus
Jesus Ben Siraque III, 602
 Várias personagens do AT
Jeter III, 503
Jetete III, 503
Jetro III, 503
Jetur III, 504
Jeú (Companheiro de Davi) III, 504
Jeú (Filho de Josibas) III, 504
Jeú (Filho de Obede) III, 504
Jeú (o Rei) III, 504
Jeú (Simbólico) III, 505
Jeubá III,505
Jeúde III,505
Jeudi III, 505
Jeudia, Mulher Judia III, 505
Jeuel III, 505
 O nome de três personagens da Bíblia
Jeús III, 506
 Quatro personagens do AT
Jeuz III, 506
Jewell, John III, 506
Jezabel III, 506
 Ver também *Jezebel* (NT).
Jezabel No NT:
 Apo. 2:26) III, 507
Jezanias III, 509 Ver *Jazanias*.
Jezer III, 509
Jezeritas III, 509
Jeziel III, 509
Jezraías III, 509
Jezreel III, 509
 Várias pessoas e lugares no AT
Jezreelita III, 510
Jidlafe III, 510
Jihad (Jehad) III, 510
Jinn III, 510
Jiré Ver *Yahweh-Jiré*.
Jiva III, 510
Jnana ioga, Ver *Hinduísmo*, IV.I.
Jnana Marga III, 510
Jó III, 510
Jó (o Livro) III, 511
 Esboço
 I. Caracterização Geral
 II. O Homem Jó; Problema de Historicidade
 III. Proveniência
 IV. Data, Autoria e Integridade do Livro
 V. O Problema do Mal
  Razões do sofrimento, segundo o livro de Jó

VI. Esboço do Conteúdo
Jó e o problema do mal,
 Ver *Problema do Mal*, V.
Joa III, 515
 Duas personagens bíblicas
Joá III, 515
 Quatro personagens do AT
Joabe III, 515
Joacaz III, 516
Joachim, H.H III, 516 Ver o artigo sobre *Verdade, Teorias da*, 23.
Joana III, 516
Joanã III, 516
 Dez personagens do AT
Joana D'Arc III, 517
 Suas datas
 Sua vida
 Suas visões
 A reabilitação de Joana pelas autoridades eclesiásticas
João, Apocalipse de,
 Ver *Apocalipse*.
João, Evangelho de III, 517
 Esboço
 I. Data
 II. Autor
 III. Proveniência e Destino
 IV. Fontes Informativas
 V. Relação com o Pensamento Religioso Contemporâneo
 VI. Influência do AT e de Outra Literatura Cristã Primitiva
 VII. Propósitos do Evangelho de João
 VIII. Unidade do Evangelho de João
 IX. Relação Entre o Evangelho de João e as Epístolas Joaninas e o Apocalipse
 X. Conteúdo
 XI. Bibliografia
João, Evangelho relacionado com I João, Ver *João I (Primeira Epístola)*, V.
João I (Primeira Epístola) III, 530
 Esboço
 I. Confirmação Antiga
 II. Autoria
 III. Data, Proveniência e Destino
 IV. Motivos e Propósitos
 V. Relação entro as Epístolas e o Evangelho de João
 VI. Temas Principais
 VII. Conteúdo
 VIII. Bibliografia
João II (Segunda Epístola) III, 539
João III (Terceira Epístola) III, 540
João Apóstolo III, 541
 Ver também os artigos separados sobre *João Apóstolo, Teologia (Ensinos) de*; e *Apóstolos, Apostolado*.
 Esboço
 I. Caracterização Geral
 II. Fontes Informativas
 III. A Teologia o os Ensinos Joaninos
 IV. Escritos Joaninos
 Bibliografia
João Apóstolo e a ética,
 Ver *João Apóstolo, Teologia (Ensinos) de*, VII.
João Apóstolo, ensinos,
 Ver *João Apóstolo*, III.
João Apóstolos, escritos,
 Ver *João Apóstolo*, IV,
João Apóstolo sobre a Igreja,
 Ver *João Apóstolo, Teologia (Ensinos) de*, VIII.
João Apóstolo, Teologia (Ensinos) de III, 544
 Declaração introdutória
 Esboço
 I. Ensinos Acerca de Deus
 II. Ensinos Acerca de Jesus Cristo

802

JOÃO – JUBILEU

III. Ensinos Acerca do Espírito de Deus
IV. Ensinos Acerca da Salvação
V. Escatologia
VI. A Lei do Amor
VII. Ensinos Acerca da Ética Cristã
VIII. Ensinos Acerca da Igreja
Bibliografia
Ver também *João Apóstolo*, III.
João (o Batista) III, 550
Esboço
I. Caracterização Geral
II. Família e Começo de Vida
III. Fontes Informativas
IV. Ministério e Mensagem de João Batista
V. Elias Redivivo
VI. João Batista e Jesus
VII. Seguidores de João Batista
VIII. Morte de João Batista
Bibliografia
João Batista, batismo de,
Ver *Batismo de João Batista*.
João Batista e Jesus,
Ver *João (o Batista)*, VI.
João Batista e os mandeatos,
Ver *Mandeanos*.
João Batista e os essênios,
Ver *Essênios*, IV.
João Batista, morte de,
Ver *João (o Batista)*, VIII.
João (Diversos) III, 555
Origens e significado do nome
O nome de dez homens na Bíblia
João Marcos III, 555
Ver *Marcos, João*.
João (Papas) III, 555
Nome de vinte e dois papas
João XX III, 556
João XXIII (Antipapa) III, 557
João da Cruz (Santo) III, 557
João Damasceno III, 559
João de Jandum III, 559
João de La Rochelle III, 559
João de Mirecourt III, 559
João de Salisbury III, 559
João de São Tomás III, 560
João Duns Scotus III, 560
Ver sobre *Duns Scotus*.
João e a lei, Ver *Lei no NT*, V.
João e o Logos,
Ver *Logos (Verbo)*, III.
João Escoto Erigena
Ver *Erigena, João Escoto*.
João Filopono, Ver *Filopono, João*
João Hircano, Ver *Hasmoneanos (Macabeus)*, III.5.
João Marcos III, 560
Ver *Marcos, João*.
João Paulo III, 660
O título de dois papas
Necessidade histórica do ofício papal
Acontecimentos notáveis na vida de João Paulo II
João Scotus III, 561
Ver sobre *Erigena*.
João 3:16 do AT, Ver *Jonas*, VIII.
Joaquim III, 561
O 19º e penúltimo dos reis de Judá
Ver também o artigo separado sobre *Judá*,
Reino de, e também sobre *Rei, Realeza*, que apresenta um gráfico comparativo dos reis de Israel e Judá, juntamente com monarcas contemporâneos dos poderes gentílicos.
Joaquim (Nos Livros Apócrifos) III, 562
Joaquim de Floris III, 562
Joaribe III, 563

Joás III, 563
Várias personagens do AT
Joatão III, 563
Jobabe III, 564
Várias personagens do AT
Jocdeão III, 564
Jocmeão III, 564
Jocneão III, 564
Ver *Jocmeão*.
Jocsã III, 564
Joctã III, 564
Jocteel III, 564
Jodá III, 564
Joede III, 564
Joel (Livro de) III, 564
Quanto ao significado do nome Joel, ver o artigo *Joel (Não o Profeta)*, na introdução.
Esboço
I. Caracterização Geral
II. Joel e a Autoria do Livro de Joel
III. Data
IV. Pano de Fundo Histórico e Propósitos
V. Alguns Pontos Teológicos Distintos do Livro
VI. Esboço de Conteúdo
Bibliografia
Joel (Não o Profeta) III, 567
Várias personagens do AT
Joela II, 568
Joelho, Ajoelhar-se III, 568
Joezer III, 568
Jogbeá III, 568
Jogli III, 568
Jogo III, 568
Ver também o artigo sobre *Acaso*.
Jogo de Dados III, 569
Jogo de linguagem,
Ver *Linguagem, Jogo de*.
Jogo e moralidade,
Ver *Jogo*, últimos parágrafos.
Jogos Atléticos III, 570
Esboço
I. Antigos Jogos Atléticos e as Terras Bíblicas
II. A Cultura dos Hebreus e os Jogos Atléticos
III. Os Esportes entre os Gregos
IV. Esportes e Jogos Atléticos no NT
V. Usos Simbólicos
Joiada III, 572
Várias personagens da Bíblia
Joiaquim III, 572
Joiaribe III, 572
Três personagens no AT
Jóias e Pedras Preciosas III, 572
Esboço
I. Antiga História das Jóias
II. Uso de Jóias na Bíblia
III. Jóias Egípcias, Assírias, Babilônias, Fenícias, Gregas e Romanas
IV. Pedras Preciosas Especificamente Usadas
V. Uso Metafórico
Joio, Parábola de,
Ver *Parábola*, III.2.
Jonã III, 575
Jonadabe III, 575
Três homens no AT
Jonas (o Livro e o Profeta) III, 576
Esboço
I. Caracterização Geral
II. O Nome
III. O Profeta Jonas e a Autoria do Livro
Argumentos contra Jonas como autor do livro
IV. Historicidade
V. Data
VI. A História do Grande Peixe: Sua Historicidade

e Tipologia
VII. Ocasião e Propósitos do Livro
VIII. Pontos de Vista Teológicos
IX. Esboço do Conteúdo
Jorias, baleia de,
Ver *Baleia de Jonas*.
Jonas contra exclusividade,
Ver *Jonas (o Livro e o Profeta)*, VII e VIII.
Jonas e a teologia, Ver *Jonas (o Livro e o Profeta)*, VIII.
Jonas, João 3:16 do AT, Ver *Jonas, (o Livro e o Profeta)*, VII, VIII
Jônatas III, 580
Jônatas Macabeu, Ver *Hasmoneanos (Macabeus)*, III.3,
Jonath Elem Rehokim III, 582
Ver sobre *Músicas; Instrumentos Musicais*.
Jônia (Filosofia Jônica) III, 582
Joio III, 582
Jope III, 582
Joquebede III, 583
Joquim III, 584
Jora III, 584
Joraí III, 584
Jorão III, 584
O nome do 9º rei de Israel e de outras personagens bíblicas
Jordão (Rio) III, 584
Esboço
I. Vale do Jordão
II. Caracterização Geral
III. O Nome
IV. Formadores
V. Curso do Rio
VI. Pontos e Vaus
VII. Tributários
VIII. Informes Históricos
IX. Cidades do Vale do Jordão
X. Nos Tempos Modernos
XI. Usos Simbólicos
Bibliografia
Jordão (Vale) III, 587
Ver também *Jordão (Rio)*, I.
Jordão parado pela palavra de Josué, Ver *Josué*, VI. 4.
Jorim III, 588
Jornada, dia, de, Ver *Dia de Jornada*.
Jornada, Viagem III, 588
Jornada de um Sábado III, 588
Jorqueão III, 589
Josa III, 589
Josafá III, 589
Cinco personagens do AT
Josafá, Jeosafá III, 590
Josafá, Vale de III, 590
Josavias III, 591
Josbecasa III, 591
José III, 591
O nome
A. *No AT*:
José, o patriarca
Esboço
I. Nome e Caracterização Geral
Origens do nome
II. A Família de José
III. Informes Históricos
IV. Cronologia
V. Arqueologia
VI. Caráter de José e Lições Espirituais
VII. José do AT no NT
B. *No NT*:
1. José, marido de Maria e pai guardião de Jesus, o Cristo
2. Um antepassado de Jesus, o Cristo
3. Outro antepassado de Jesus, o Cristo
Esses entre outros
José Barsabás III, 595
José, Irmãs de São III, 595

Ver sobre *as freiras da Sociedade de São José para Missões Estrangeiras*.
José, o Carpinteiro, História de III, 595 Ver também o artigo *Livros Apócrifos; Novo Testamento*.
José, Oração de III, 695
José de Arimatéia III, 595
Ver também sobre *Arimatéia*.
Josebe-Bassebate III, 596
Josefo III, 596
Josefo, Evangelho de, Ver *Livros Apócrifos (Modernos)* 10.
Josefo, Flávio III, 596
Josiah Royce sobre lealdade,
Ver *Lealdade*, 2º par.
Josias III, 598
Esboço
I. Caracterização Geral
II. Sumário de Informes Históricos
III. História Contemporânea
Josias (Contemporâneo de Zacarias) III, 599
Josibias III, 599
Josué, (Livro) III, 599
Ver também o artigo separado sobre *Josué (Pessoa)*
Esboço
I. Caracterização Geral
II. Pano de Fundo Histórico
III. Autoria e Data
IV. Destino e Propósito
V. Canonicidade; Texto; Traduções
VI. Problemas Especiais
VII. Problemas Arqueológicos
VIII. Teologia Distintiva do Livro
IX. Tipogia
X. Esboço do conteúdo
Bibliografia
Josué (Pessoas) III, 605
Ver também sobre *o Livro de Josué*.
Quatro personagens da Bíblia Josué, Dia Longo de III, 606
Ver sobre *Bete-Horom, Batalha de (o Dia Longo de Josué) e Astronomia*, 5.h.
Josué, longo dia de, Ver *Bete-Horom, Batalha de (o Dia Longo de Josué)*.
Jotão III, 606
Três personagens do AT
Jotbá III, 607
Jotbata III, 607
Joviniano III, 607
Jowett, Benjamim III, 607
Jozabade III, 607
Dez homens no AT
Jozacar III, 608
Jozadaque III, 608
Jubal III, 608
Jubileu, Ano de III, 608
Esboço
I. Cacterização Geral
II. O Nome
III. Referências Bíblicas
IV. Provisões da Lei
V. Propósitos da Lei
VI. Relação com o Ano Sabático
VII. O Problema do Ano Sem Cultivo
VIII. Tipologia
Jubileu (Católico Romano) III, 609
Jubileus, Livro de III, 609
Esboço
I. Caracterização Geral
Ver também os artigos *Livros Apócrifos e Apocalípticos*.
II. Autoria
III. Origem e Propósito
IV. Conteúdo e Manuscritos
V. Teologia
Bibliografia

803

JUCAL – JUSTIÇA

Jucal III, 611
Judá III, 611
Esboço
 I. Indivíduos de Nome Judá
 II. A Tribo de Judá
 III. O Território Ocupado por Judá.
 IV. O Reino de Judá
Judá (História) III, 613
 Ver sobre *Reino de Judá.*
Judá (Pessoas) III, 613
Judá (Reino de) III, 613
Judá (Território e Lugares Ocupados) II, 613
 Ver sob *Judá*, II.3-Território, e também seção III, o Território ocupado por Judá, III.
Judá (Tribo de) III, 613
 Ver sob *Judá*, II, *Tribo de Judá.*
Judá, divisão de Israel,
 Ver *Reino de Judá*, I.
Judá e outras nações,
 Ver *Reino de Judá*, II.
Judá Halevi III, 613
 Ver também *Judaísmo*, II.9.
Judá, história sumariada,
 Ver *Reino de Judá*, III.
Juda Ibn Gabirol III, 613
 Ver sob *Avicebron.*
Judá, Leão, Ver *Leão de Judá.*
Judá, reino de, Ver *Reino de Judá.*
Judah Halevi, Ver *Judaísmo*, II.9.
Judaísmo III, 613
 Definições do judaísmo
 Esboço
 I. Origens e Idéias Religiosas do Judaísmo
  1. O monoteísmo
  2. O cânon bíblico e os documentos judaicos de apoio
  3. A importância crucial da lei
  4. A lei escrita; a dominação romana; a diáspora; a universalização do judaísmo
 II. Instituições e Tradições Judaicas e a Tradição Filosófica Judaicas
  5. Filo de Alexandria
  6. Saadia ben Joseph Fayyumi
  7. Harmonia entre a religião e o conhecimento geral
  8. Avicebron
  9. Judah Halevi
  10. Ibn Ezra
  11. Moisés ben Maimon
  12. A Cabala
  13. Misticismo versus razão
  14. Levi ben Gershon
  15. Hasdai ben Abraham
  16. O Talmude versus a Cabala
  17. Moisés Mendelssohn
  18. O movimento reformado no judaísmo
  19. Assidismo
  20. O neokantianismo e o existencialismo, Herman Cohen
 Bibliografia
Judaísmo Conservador III, 616
Judaísmo e Filo, Ver *Judaísmo*, II.5.
Judaísmo, filosofia de,
 Ver *Filosofia Judaica.*
Judaísmo Helenista III, 617
Judaísmo Ortodoxo III, 617
Judaísmo Reformado III, 618
 Ver também os artigos sobre *Judaísmo; Judaísmo Conservador; Judaísmo Ortodoxo*, e muitos artigos sobre *Israel.*
Judaizantes, Ver *Judaizar, Judaizantes e Legalismo*, especialmente Vol. III, p. 755.
Judaizar, Judaizantes III, 619
Judas III, 620
Judas (Livro) III, 623
 Introdução

Esboço
 I. Confirmação Antiga
 II. Autoria
 III. Data
 IV. Proveniência e Destino
 V. Relação Entre II Pedro e Judas
 VI. Motivo e Propósitos
 VII. Conteúdo
 Bibliografia
Judas, antepassado de Jesus,
 Ver *Judas*, 4.
Judas, Árvore de,
 Ver *Arvore de Judas.*
Judas, cidadão de Jerusalém,
 Ver *Judas*, 9.
Judas de Damasco,
 Ver *Judas*, 7.
Judas, filho de Simão,
 Ver *Judas*, 10.
Judas, Galileu III, 629
 Ver o sexto item do artigo sobre *Judas.*
Judas, Irmão do Senhor III, 629
 Ver o quinto item do artigo sobre *Judas*, e *Judas (Livro)*, II
Judas Iscariotes III, 629
 Ver o artigo sobre *Judas*, 2.
Judas Macabeu III, 629
 Ver o artigo sobre *Judas*, 11, e *Hasmoneanos (Macabeus)*, III.2.
Judas, o Galileu III, 629
 Ver o sexto item do artigo sobre *Judas.*
Judas, o patriarca, Ver *Judas*, 3.
Judas, profeta cristão, Ver *Judas*, 8.
Judas Tadeu (Labeu) III, 629
 Ver o primeiro item do artigo sobre *Judas.*
Judéia III, 629
 1. Nome
 2. A terra
 3. Dimensões
 4. O deserto da Judéia
 5. Estradas
 6. Topografia
 7. Informes históricos
 Bibliografia
Judéia em Atos 2:9
Judéia, ministério de Jesus,
 Ver *Jesus*, II.4.
Judeu III, 631
 1. O nome
 2. Usos da palavra
 3. Uso metafórico e espiritual
 4. Uso moderno
 5. Uso pejorativo
Judeus III, 631
Judite III, 632
 Duas pessoas na Bíblia
Judite (o Livro) III, 632
 Esboço
 I. Caracterização Geral
 II. Judite, a Heroína
 III. Historicidade do Livro
 IV. Holofernes
 V. Autoria e Data
 VI. Propósitos do Livro
 VII. Esboço do Conteúdo
 Bibliografia
Judson, Adonirão III, 634
Jugo, Canzis III, 635
Jugo, companheiro de,
 Ver *Companheiro de Jugo.*
Jugo da lei, Ver *Lei, Jugo da.*
Jugo desigual, Ver *Separação do Crente*, IV.
Juiz III, 636
 Ver também *Juízes, Eclesiásticos* e uma lista completa dos Juízes de Israel, no artigo sobre o livro de *Juízes*, oitava seção
Juízes (Livro de) III, 637
 Esboço

 I. Caracterização Geral
 II. Pano de Fundo Histórico
 III. Arqueologia
 IV. Propósito e Plano do Livro
 V. Autoria o Data
 VI. Integridade e Unidade
 VII. Os Juízes de Israel
  Cronologia
 VIII. Esboço do Conteúdo
 IX. Principais Idéias Teológicas
 Bibliografia
Juízes, Eclesiásticos III, 641
Juízes de Israel, Ver *Juízes* VII
Juízo Analítico III, 641
Juízo remedial, Ver *Purgatório*, V, e *Julgamento de Deus dos Homens Perdidos.*
Julgamento – Julgamentos III, 642
 Esta enciclopédia apresenta um número de artigos sobre *Julgamentos* da Bíblia, da filosofia e da teologia.
 Ver também *Coroas, Galardão e Recompensas.*
Julgamento a Priori (Analítico) III, 642
Julgamento a Posteriori (Sintético) III, 642
Julgamento, Cadeira de III, 642
Julgamento, Censura III, 642
Julgamento da Cruz III, 642
Julgamento das Nações III, 642
Julgamento de Cristo, Tribunal de III, 643
 Ver também sobre *Cadeira*, 5.
Julgamento de Deus dos Homens Perdidos III, 643
 A descrição do julgamento de Deus
 Ver outro sumário no NTI
 Os sete grandes princípios do julgamento divino segundo Rom cap. 2.
 As modificações no modo de pensar do autor
Julgamento de Jesus III, 645
 Esboço
 Introdução
 A injustiça do julgamento de Jesus
 O orgulho dos romanos
 I. O Julgamento Judaico
  1. O exame preliminar
  2. O julgamento noturno ilegal
  3. A decisão matinal, adredemente determinada
 II. O Julgamento Romano
  1. Tentativa de evasão
  2. Acusações sem fundamento
  3. Exame e absolvição
  4. O parecer de Herodes
  5. Jesus ou Barrabás?
  6. Eis o Homem!
  7. A sentença
Julgamento de Israel III, 648
Julgamento de Paulo III, 648
Julgamento de um Crente por Outro Perante a Lei III, 649
Julgamento de Satanás,
 Ver *Satanás*, VI.
Julgamento de Sodoma, Ver *Ló*, 7.
Julgamento, dia do, Ver *Julgamento de Deus dos Homens Perdidos.*
Julgamento do Crente por Deus III, 653
Julgamento do Próprio Ser III, 662
 Autojulgamento e autocensura
Julgamento do Trono Branco III, 662
 Ver o artigo separado *Trono Branco, o Grande.*
Julgamento dos Anjos III, 662
Julgamento dos perdidos,
 Ver *Julgamento de Deus dos Homens Perdidos.*
Julgamento e a Igreja histórica,

Ver *Inferno*, V.
Julgamento final,
 Ver *Final, Julgamento.*
Julgamento na Filosofia III, 663
Julgamento que Cega (Cegueira Judicial) III, 663
 Há três tipos de cegueira
 1. Cegueira física
 2. Cegueira espiritual
 3. Cegueira judicial
 Predestinação?
Julgamento relacionado à restauração, Ver *Mistério da Vontade de Deus, IV, e Restauração*, V.
Julgamento Segundo as Obras III, 664
Julgamento Sintético a Priori III, 666
Julgamentos das Escrituras III, 666
Júlia III, 666
Juliano de Eclano III, 666
Juliano, o Apóstata III, 667
Júlio III, 667
Júlio (Papas) III, 667
Jumentinho III, 668
Jumento Selvagem III, 668
Junco III, 669
Jung, Carl Gustav III, 669
Jung, C.G. e experiências perto da morte, Ver *Experiências Perto da Morte*, II.5
Júnias III, 671
Junípero (Arbusto Solitário) III, 671
Juntas III, 671
Junturas III, 671
Júpiter III, 671
Ver *Deuses Falsos*, III. 20.
Juramento de Hipócrates III, 671
 Ver *Hipócrates, Juramento* de.
Juramentos III, 671
 Esboço
 I. Definição e Sentidos;
  Palavras Envolvidas
 II. Os Juramentos de Deus
 III. O Ensino de Jesus Sobre os Juramentos
 IV. Gestos e Atos Acampanhantes
 V. Juramentos e Provas
 VI. O Perjúrio
 VII. Juramentos Tolos e Pecaminosos
 VIII. Juramentos Judiciais, Antigos e Modernos
Juramentos de Deus,
 Ver *Juramentos*, II.
Juramentos éticos da medicina,
 Ver *Medicina, Ética da* III
Juramentos, Jesus sobre,
 Ver *Juramentos*, II.
Juramentos judiciais, Ver *Juramentos*, VII.
Juramentos médicos,
 Ver *Medicina, Ética da* III
Juramentos tolos e pecaminosos,
 Ver *Juramentos*, VII.
Juros III, 675
 O lucro calculado sobre determinada taxa de dinheiro emprestado
 A história
 Onde o dinheiro prevalece, aí surgem abusos
Jusabe-Hesede III, 675
Jus Naturale III, 675
 Lei natural
Justiça III, 675
 Esboço
 I. Definições
 II. Na Filosofia e na Ética
 III. Na Bíblia
 IV. A Justiça Divina
 V. A Justiça de Deus em Rom. 1: 17
 Bibliografia
Justiça como couraça,

804

Ver *Armadura, Armas*, V.2.
Justiça, coroa de, Ver *Coroas*, 2.b.
Justiça Crua III, 679
Justiça de Deus III, 679
 Ver *Justiça*, V.
Justiça Divina, A III, 679
 Ver *sobre Justiça*, IV.
Justiça e a restauração,
 Ver *Restauração*, XII.
Justiça na Bíblia III, 679
 Ver *sobre Justiça*, III.
Justiça na Filosofia e na Ética III,
 679 Ver sobre *Justiça*, II.
Justiça, oficiais de,
 Ver *Oficiais de Justiça*.
Justiça Original III, 679
 Ver *Original, Justiça*.
Justiça Própria III, 679
Justiça, tribunais de,
 Ver *Tribunais de Justiça*.
Justificação III, 680
 Esboço
  I. Usos Clássicos da Palavra
  II. Usos do Termo no NT
  III. Justificação – A Doutrina Interpretações
  IV. Justificação é Mais do que Perdão
  V. Justificação Gratuita
  VI. Pela Graça
  VII. Para Tiago, do que Consistia a Justificação? Tiago Capítulo 2
  VIII. Considerações em Torno da Justificação
  IX. A Justificação que dá Vida – Rom. 4:25
  X. A Justificação nos Sistemas Eclesiásticos
  Bibliografia
Justificação, doutrina da,
 Ver *Justificação*, III.
Justificação é mais do que perdão,
 Ver *Justificação*, IV.
Justificação gratuita,
 Ver *Justificação*, V.
Justificação nos sistemas eclesiásticos, Ver *Justificação*, X.
Justiflcação pela graça,
 Ver *Justificação*, VI.
Justificação que dá vida,
 Ver *Justificação*, IX.
Justino Mártir III, 686
Justino e cristologia,
 Ver *Cristologia*, 4.b.
Justo (Homens) III, 687
O nome de diversos indivíduos do NT
Justos, Livro dos III, 888
Uma antiqüíssima obra que não mais existe
Os fragmentos minúsculos
A publicação dessa obra sob forma impressa
Jutá III, 688
Juvenil, delinqüência,
 Ver *Delinqüência Juvenil*.
Juventude III, 688

K

K, o *Codex Cyprius* III, 691
Ka III, 691
Kabala, Ver *Cabala*.
Kabir III, 691
Kaehler, Martin III, 691
Kafir III, 691
Kaftan, Theodor III, 691
Kahnis, Karl Friedrich August III, 691
Kaibara Ekken III, 691
Kairós III, 691
Kalam, III, 691

Kalevala III, 692
Kali III, 692
Kalpa III, 692
Kami III, 692
Kanada III, 692
K'ang Yu-Wei III, 692
Kant, Emanuel III, 692
Kant sobre:
 a metafisica, Ver *Kant*, 3.
 aparência, Ver *Aparência*, 4.
 categorias, Ver *Kant*, 2.g.
 estética, Ver *Kant*, 5.
 idealismo epistemológico
  Ver *Idealismo epistemológico* 2.
 idéias inatas, Ver *Idéias Inatas*. 7
Kant e a dialética, Ver *Dialética*, 8.
Kant e conhecimento, Ver Kant, 2.
Kant e teologia liberal,
 Ver *Liberalismo*, III.6.b.
Kant, ética de, Ver *Ética*, VIII.
Kant, imperativo categórico,
 Ver *Imperativo Categórico*.
Kant influência, Ver *Kant*, 6.
Kant, tipo de idealismo,
 Ver *Idealismo*, II.4.
Kant, três mundos de,
 Ver *Ética*, VIII.
Kaon, Ver *Zen (Budismo)*, 5.
Kapila III, 695
Kaplan, Mordecai M. III, 695
Karaítes III, 696
Karl Mannheim sobre ideologia,
 Ver *Ideologia*, 4.
Karma III, 696
No sânscrito
Definições
 1. No hinduísmo
 2. No judaísmo
 3. No budismo hinayana
 4. A liberação
 5. A lei da colheita segundo a semeadura
 6. Karma sem reencarnação
 7. Reencarnações ao molde do karma, no NT
 Os pais gregos da Igreja
 Ver também *Semeadura e Colheita, Lei da*.
Karma e liberação, Ver *Karma*, 4.
Karma e reencarnação,
 Ver *Karma*, 7.
Karma ioga, Ver *Hinduísmo*, IV.3.
Karma sem reencarnação,
 Ver *Karma*, 6.
Karma-Marga III, 697
Kathenoteísmo III, 697
Kautilya III, 697
Kautshy, Karl III, 697
Keble, John III, 698
Kempis, Thomas À III, 698
 Ver sobre *Thomas à Kempis* e sobre a *Imitação de Cristo*.
Kenosis III, 698
Kepler, Johann III, 698
Kerugma (Kerygma),
 Ver *Pregar, Pregação*.
Kerygma III, 699
Keshub, Chunder Sen III, 699
Keyserling, Hermann III, 699
Khirbert Kerak III, 700
Khirbet Qumran III, 700
Khnum III, 700
Khorda Avesta III, 700
Kibla III, 700
Kidd, Benjamin III, 700
Kiddush III, 700
Kiddush Hashem e Hillul Hashem III, 701
Kierkegaard, Soren Aabye III, 701
Kilwardby, Robert III, 702
Kindi, Al III, 702 Ver sobre *Al-Kindi*.
King, Henry Churchill III, 702
Kismet III, 702

Kittel, Gerhard III, 702
Kittel, Rudolf III, 703
Klages, Ludwig III, 703
Kleutgen, Joseph III, 703
Kliefoth, Theodor III, 703
Knox, John III, 703
Knudson sobre personalismo,
 Ver *Personalismo*, III.9.
Knutzen, Martin III, 703
Koheleth (Qoheleth),
 Ver *Eclesiastes*, par. 1.
Kohler, Kaufmann,
 Ver *Judaísmo Reformado*, 6.
Koiné III, 704
Koinonia III, 704
Koinonia, Ver *Comunhão*, especialmente ponto 4.
Kojiki III, 704
Kol Nidre III, 704
Koridethianus, Codex, Ver *Manuscritos Antigos do NT*, III.5. Theta.
Korn, Alejandro III, 704
Kosher III, 704
Kosmos, Ver *Mundo*, III.C.
Kotarbinski, Tadeusz III, 705
Kozlov, Alexey A. III, 705
Krause, Karl Christian Friedrich III, 705
Krauth, Charles Porterfield III, 705
Krikorian, Yervant III, 705
Krishna III, 705
Kropotkin, Peter III, 705
Kubler-Ross, Elisabeth,
 Ver *Experiências Perto da Morte*, I, 4º par. e seção II.
Kuenen, Abraham III, 706
Kuhn, Thomas S. III, 706
Ku-Klux-Klan III, 706
Kulpe, Oswald III, 706
Kulturkampf III, 706
Kumarajiva III, 707
Kundalini Yoga III, 707
 Ver sobre *Yoga*.
Kung-Sun Lung III, 707
Kuo Hsiang III, 707
Kurtz, Benjamin III, 707
Kuyper, Abraham III, 707
Kyrie Eleison III, 707

L

L III, 708
 O símbolo do manuscrito
 Codex Regius
 Os materiais com que Lucas contou para compor o seu evangelho
L(ap) III, 708
Lã III, 708
Laade III, 709
Laai-Roi III, 709
Laamás III, 709
Laanah III, 709
Lass, Ernst III, 709
Labão III, 709
Labarum III, 710
Labeu III, 710
Lábio III, 710
Labirinto III, 710
Labor III, 710
 Ver também os artigos separados intitulados, *Trabalho, Dignidade e Ética do*, e *Preguiça e Ócio*.
Labor, divinamente determinado,
 Ver *Labor*, 6.
Laçadas III, 711
Lacedemônios III, 711
Lachelier, João III, 712
Lacordiare, Jean-Baptiste Henri III, 712
Lactâncio, Ver *Apologetas, (Apologistas)*, 13.

Lactânio III, 712
Lactanius, Ver *Laestadianos*.
Lacum III, 712
Lacuno III, 712
Lada III, 712
Ladã III, 712
Há dois homens com esse nome no AT
Ladeira de Ziz, Ver *Ziz, Ladeira de*.
Ladrão III, 712,
 Ver sobre *Crimes e Castigos*.
Ladrão, Roubo III, 712
 Ver *Crimes e Castigos*.
Lael III, 712
Laestadianos III, 712
Laetare (Domigo) III, 713
Lagar III, 713 Ver sobre *Vinho*.
Lagarde, Paul Anton de III, 713
Lagarto III, 713
Lagneau, Jules III, 714
Lago III, 714
Lago de Genezaré III, 714
Lago de Fogo III, 714
 Esboço
  I. Origem da Doutrina
  II. Desenvolvimento Histórico da Doutrina
  III. Ensinos Específicos da Doutrina
  IV. Um Ponto de Vista Mais Otimista
Lago de fogo, desenvolvimento histórico da doutrina,
 Ver *Lago de Fogo*, II.
Lago de fogo, julgamento remedial,
 Ver *Lago de Fogo*, II, IV.
Lago de fogo, otimismo e,
 Ver *Lago de Fogo*, IV.
Lagoa, Ver *Poço (Lagoa)*.
Lágrimas III, 715
Lainez, James III, 716
Laís III, 716
Uma pessoa e duas cidades no AT
Laissez-Faire III, 716
Lamaísmo III, 717
Lama Sabactâni,
 Ver *Eli, Eli, Lama Sabactâni*.
Lâmede III, 718
Lamentação III, 718
 Esboço
  I. Palavras Envolvidas
  II. Razões para Lamentação
  III. Alguns Modos e Costumes de Lamentação
  IV. Significações da Lamentação
Lamentações, muralha das,
 Ver *Muralha das Lamentações*.
Larnentações (Livro) III, 720
 Esboço
  I. Caracterização Geral
  Esse livro faz parte da terceira divisão do cânon do AT
  II. Nome do Livro
  III. Autoria e Data
  IV. Propósitos e Teologia do Livro
  V. Estilo Literário
  VI. Conteúdo
  Bibliografia
Lamento Pelos Mortos III, 721
Lameque III, 721
O nome de dois homens no AT
La Mettrie, Julian Offray de III, 722
La Mettrie sobre o materialismo,
 Ver *Materialismo*, III.8.
Lami III, 722
Lâmpada (Candeeiro) III, 722
 Esboço
  I. Palavras Envolvidas
  II. Tipos e Formatos
  III. Usos
  IV. Simbologia
Lâmpsaco, Estrato de,
 Ver *Estrato de Lâmpsaco*.
Lança III, 724
 Ver sobre *Armadura, Armas*.

LANÇADEIRA – LEÕES

Lançadeira III, 724
Landranc III, 724
Lange, Friedrich Albert III, 24
Lange, Johann Peter III, 724
Langer, Susanne K. III, 724
Langton, Stephen III, 725
Lanterna III, 725
Laodicéia, Eusébio de,
  Ver *Eusébio de Laodicéia*.
Laodicéia, Laodicenses III, 725
Laodicéia, Carta do Apocalipse III, 726
Laodicéia, Síriodo (Concílio) de III, 727
Laodicenses III, 727
Laodiconses, Epístola aos III, 727
  Esboço
  I. A Epístola de Paulo aos Laodicenses
  II. Epístola aos Laodicenses em Latim
Laodicensis,
  Ver *Laodicéia (Laodicenses)*.
Lao Tzu III, 728
Lapidadores III, 728
Lapidários III, 728
Lapidote III, 728
Lápis-Lazúli; Lápis Lazulite III, 728
Laplace, Pierre, Simon, determinismo mecânico,
  Ver *Mecânica (Mecanismo)*, I.
Lapsarianismo (A Controvérsia Lapsária) III, 729
Lapso III, 729
  Um problema para o crente
  A controvérsia entre os calvinistas e os arminianos
  Classes distinguidas no lapso
  Seis são discutidas
Laquis III, 730
  Esboço
  I. Localização Geográfica
  II. Referências Literárias
  III. Informes Históricos
  IV. A Arqueologia e Laquis
  Bibliografia
Laramie, diplomacia de,
  Ver *Diplomacia de Laramie*.
Lares III, 732 Ver também sobre *Religiões Romanas*.
O latim
Largura da Mão III, 732
  Ver *Pesos e Medidas*.
Larissa, Filo de, Ver *Filo de Larissa*.
Lasa III,732
Lasalle, Ferdinando III, 733
La Salle, João Batista de (Santo) III, 733
Lasarom III, 733
Lascívia III, 733
Laséia III, 733
Latão III, 733
Lateranos (Concílios) III, 734
  Ver os artigos intitulados *Concílios Lateranos e Concílios Ecumênicos*.
Latim III, 734
Latim Eclesiástico III, 734
Latimer, Hugh III, 734
Latitudinários III, 735
  O nome de um movimento de eruditos e clérigos anglicano do séc. XVII
  Ver também os artigos sobre *Episcopalismo e Eclesiásticos Latitudinários*.
Latoeiro III, 735
Latria III, 735
  Ver também *Mariolatria*, 2.a e 3.
Latrina, Lugar Escuso III, 735
Laud, William, III 736
Laudes III, 736
Lavabo III, 736

Lavagem III, 736 Ver sobre *Ablução*.
Lavagem Cerebral III, 736
Lavagem dos Pós III, 737
  Ver *Lava-Pés*.
Lavandeiro III, 737 Ver o artigo geral sobre *Artes e Ofícios*.
Lavandeiro, Campo do III, 737
Lavandeiros, Potassa dos III, 737
Lava-Pés III, 737
  Esboço
  I. No Contexto Bíblico
  II. Cerimônia ou Ordenança do Lava-Pés
  III. Argumentos Contrários e Favoráveis a Obrigação do Lava-Pés na Igreja
  IV. Significação da Cerimônia do Lava-Pés
Lava-pés, obrigatoriedade,
  Ver *Lava-Pés*, III.b.
Lava-pés, pró e contra,
  Ver *Lava-Pés*, III.
Lavater, Johann III, 741
Lavatório III, 741
  Ver *Mar de Fundição (de Bronze); Lavatório*.
Lavatórios, Ver *Mar de Fundição (de Bronze); Lavatório*.
Lavelle Louis III, 741
Lavradores III, 741
Law, força predominante do judaísmo, Ver *Judaísmo*, I.3.
Law, William III, 742
Laya Ioga III, 742 Ver sobre *Ioga*.
Lázaro III, 742
Lázaro de Betânia III, 743
  Ver sobre *Lázaro*.
Lázaro e Dives III, 743
Lázaro e o Rico III, 743
  Ver *Dives e Lázaro e Dives*.
Lázaro, parábola, Ver *Lázaro*, 1.
Lázaro, Ressurreição de – João 11:1-57 III, 744
Leabim III, 746
Lealdade III, 746
Leanote III, 746
Leão III, 746
Leão, Papas - Leão I a Leão XIII III, 748 a 751
Leão de Judá III, 752
Leão Hebreu (Abrabanel) III, 752
Le Bon, Gustave III, 752
Lebona III, 752
Lebre III, 752
Leca III, 752
Lecionário III, 752
Lecomte du Nouy, Pierre A. III, 752
Lection III, 753
Leêm (Jasubi-Leém) III, 753
Legados e Núncios (Papais) III, 753
Legalismo III, 753
  Ver também *Obras Relacionadas a Fé, e Circuncisão*.
Legião III, 756
Legislador III, 757
  No hebraico
  No NT
Legumes III, 757
  No hebraico
  O regime alimentar humano
  As populações nômades
Lei III. 757
  Esta, enciclopédia oferece vários artigos sobre esse assunto - ver a lista em III , 757
  Ver também: *Legalismo; Direito; Direito Divino; Direito Natural; Direito Romano; Direitos Civis; Direitos Humanos; Direitos Naturais*.
Lei Agrária III, 758
Lei, Analogia da (Declaração Geral)

III, 758
Lei Canônica III, 759
  Ver o artigo sobre o *Cânon*.
Lei, Características da III, 759
Lei Cerimonial III, 760
Lei-Códigos da Bíblia. III, 761
  1. A lei mosaica, do AT
  2. No NT
  3. O apóstolo Paulo
  4. A lei do amor
  5. Códigos específicos da Bíblia
Lei como guia da vida,
  Ver *Luteranismo*, 6.d.
Lei como mediador, Ver *Mediação (Mediador)*, II.3.
Lei Comum III, 762
Lei comum, casamento,
  Ver *Casamento da Lei Comum*.
Lei da colheita segundo a semeadura, Ver *Karma*, 5.
Lei da colheita segundo a semeadura e responsabilidade,
  Ver *Responsabilidade*, 4.
Lei da parcimônia,
  Ver *Parcimônia, Lei da, e Navalha de Ockham*.
Lei da semeadura e colheita,
  Ver *Semeadura e Colheita, Lei da*.
Lei de Hume, Ver *Hume, Lei de*.
Lei de Leibnitz, Ver *Leibnitz, Lei de*.
Lei do amor, Ver *Amor; Lei no NT, V; e Responsabilidade*, 3.
Lei do Levirato III, 762
  Ver sobre *Matrimônio Levirato*.
Lei dos Três Estágios III, 762
  Ver sobre *Comte*.
Lei e a Igreja Apostólica,
  Ver *Lei no NT*, III
Lei e a vida eterna,
  Ver *Lei no NT*, II.4.
Lei e Graça, Conflito III, 762
Lei e hebreus, Ver *Lei no NT*, VI.
Lei e Jesus, Ver *Jesus e a Lei*.
Lei e o Evangelho, A III, 762
  Esboço
  I. Considerações Preliminares
  II. Lei e Graça como Sistemas
  III. O Cristo - Misticismo
  IV. Graça e Obras como Sinônimos
  V. Distinções Históricas
Lei e Tiago, Ver *Lei no NT*, VII.
Lei Espiritual do Espírito III, 764
Lei, Função da III, 764
Lei Internacional III, 765
  Ver sobre *Nações Unidas; Governo Mundial; e Lei, Analogia*, 6.
Lei, Jesus e a III, 765
  Essa questão é amplamente examinada no artigo *Lei no NT*.
Lei, Jugo da III, 766
Lei Modelo Abrangente III, 766
Lei Moral III, 766
  Ver sobre a *Lei Cerimonial*.
Lei Moral da Colheita Segundo a Semeadura III, 766
Lei moral e cerimonial,
  Ver *Lei no AT, e Lei Cerimonial*.
Lei mosaica e doença
  Ver *Enfermidades na Bíblia*, III.
Lei na Filosofia III, 767
  Esboço
  I. Alguns Problemas Básicos
  II. Sentidos Descritivos
  III. Sentidos Prescritivos
  IV. A Filosofia da Lei
Lei Natural III, 769
  Ver sobre *Direito Natural e Direitos Naturais*.
Lei no AT III, 769
  Esboço
  I. Caracterização Geral
    A lei nacional dos hebreus – a 'lei de Moisés'

O período de desenvolvimento da lei
  II. Tora e Outras Palavras Importantes
    1. Tora
    2. Dabar
    3. Mishpatim
    4. Tisvah
    5. Mitsvah
  III. Três Tipos de Lei Comentários sobre essa divisão de preceitos
  IV. Códigos Legais
  V. A Lei e as Alianças
    O pacto mosaico
  VI. A Lei antes e Depois de Moisés
    A. Antes de Moisés
    B. Depois de Moisés
  VII. Princípios e Propósitos: e Complexidade das Provisões da Lei
  VIII. Confronto com o Código de Hamurabi e Outros Códigos Antigos III, 773
  Bibliografia
Lei no NT III, 773
  Esboço
  I. Variedade de Referências a Lei no NT
  II. Jesus e a Lei
  III. A Igreja Apostólica e a Lei
  IV. Paulo e a Lei
  V. João e a Lei
  VI. A Epístola aos Hebreus e a Lei
  VII. Tiago e Lei
  Bibliografia
Lei, obras da, Ver *Obras da Lei*.
Lei Oral III, 776
Lei, referências variadas no NT,
  Ver *Lei no NT*, I.
Lei Romana III, 777
Lei, Rudimentos Fracos e Pobres III, 778
Lei Usos da III, 778
Lei III, 779
Leibnitz, Gottfried Wilhelm III, 779
Leibnitz (Lei de) III, 781
Leibnitz sobre:
  linguagem, Ver *Linguagem (Filosofia e); Filosofia da Linguagem*, 6.
  o macrocosmo, Ver *Macrocosmo*, 6.
  perfeição, Ver *Perfeição na Filosofia*, 7.
Leigo, batismo feito por,
  Ver *Batismo Leigo*.
Leigo, Confissão a um III, 781
Leigo (Irmão, Irmã) III, 781
Leigo, Leitor III, 782
Leigos III, 782
Leis da Terra III, 782
  Ver sobre *Lei no AT*
Leis de Manu III, 782
Leite III, 782
Leite e Mel III, 783
  Ver sobre *Leite*.
Leite, Metáfora do III, 783
Leito III, 784 Ver *Cama, Leito*.
Leitor III, 784
Leitor leigo, Ver *Leigo, Leitor*.
Leitura III, 785
Lembrete Divino e Piedoso III, 785
Lemuel III, 785
Lenço III, 785
Lençol III, 785
Lenda III, 785
Lenha, rachadores de,
  Ver *Rachadores de Lenha*.
Lenin, Vladimir Ilyich III, 785
Lentilhas III, 786
Lentisco III, 786
Lento III, 786
Lentulo, Epístola de III, 787
Leões, cova dos,
  Ver *Cova dos Leões*.
Leôncio e cristologia,

LEOPARDOS – LÍNGUAS

Ver *Cristologia*, 4.1.
Leopardo III, 787
Lepra, Leproso III, 788
Ver *Enfermidades na Bíblia*.
Leproso, Ver *Enfermidades na Bíblia Enfermidades Físicas*, 27.
Lequier, Jules III, 788
Lesbianismo III, 788
Ver também *Homossexualismo*.
Lesém III, 788
Lesma III, 788
Lessines, Egídio de,
Ver *Egídio de Lessines*.
Lessing, Gotthold Ephraim III, 789
Leste III, 789
Letra (Carta) III, 789
Ver também sobre *Escrita*.
Letra que Mata (II Cor. 3:6) III, 790
Letusim III, 791
Leucipo de Mileto III, 791
Leumin III, 791
Levi III, 791
Levi Ben Gerson III, 792
Ver também sobre *Gersonides; Gerson; Levi Ben*.
Leviatã III, 792
Levi Ben Gershon, Ver *Judaísmo*, II. 14 e *Gersonides, Gerson Levi Ben*.
Levirato, lei, Ver *Lei do Levirato*.
Levis III, 792
Levi-Strauss, Claude III, 792
Levitas III, 793
Ver também *Sacerdotes e Levitas*.
Levitas, Cidades dos III, 793
Levítico III, 794
I. Caracterização Geral
II. Autoria o Data
A autoria do livro não é atribuída a Moisés
1. O ponto de vista conservantista
2. Ponto de vista crítico
III. Propósitos
IV. Conteúdo
A. Direções para aproximar-se de Deus
B. Direções para manter um relacionamento com Deus
V. Notas Sobre as Leis e a Expiação
Leis sacrificiais
Leis de purificação
O dia da expiação
VI. A Importância do Livro
Levy-Bruhl, Lucien III, 796
Lex Divina III, 796
Ver sobre *Lus Divinum*.
Lex Naturalis III, 796
A expressão latina que significa *Lei Natural*
Lex Talionis III, 797
Lexicografia III, 797
Li III, 797
Lia III, 797
Li Ao III, 798
Libação III, 798 Ver também *Sacrifícios e Ofertas*, II.2.C.
Libação, Ofertas de III, 798
Ver sobre *Sacrifícios e Ofertas*.
Líbano III, 798
Esboço
I. A Palavra
II. Localização Geográfica e Descrição
III. Produtos e Recursos
IV. Informes Bíblicos e Históricos
V. Usos Figurados
VI. O Líbano e a Arqueologia
Libellatici, Ver *Lapso*, 4.
Liberais sobre a doutrina da Virgem Maria, Ver *Mariologia* III, 2.
Liberalidade e Generosidade III, 800
Liberalismo III, 800

Esboço
I. Definições
II. Elementos Básicos e Atitudes do Liberalismo
III. O Liberalismo Teológico
Dez discussões apresentadas
IV. O Liberalismo Ético
V. Avaliações
Bibliografia
Liberalismo, avaliação,
Ver *Liberalismo*, V.
Liberalismo Católico III, 804
Liberalismo, cinco raízes do,
Ver *Liberalismo*, III. 8.
Liberalismo e cristologia,
Ver *Cristologia*, 5.d.
Liberalismo, elementos e atitudes,
Ver *Liberalismo*, II.
Liberalismo e o nascimento virginal de Jesus, Ver *Nascimento Virginal de Jesus*, V.
Liberalismo explica Jesus,
Ver *Jesus*, I.2.f.
Liberalismo, seis características,
Ver *Liberalismo*, III.7.
Liberdade III, 805
Esboço
I. Caracterização Geral
1. Quando o homem é um ser livre?
2. Dentro do campo espiritual
II. Considerações Filosóficas
A importância do livre-arbítrio
A posição dos filósofos e teólogos cristãos
III. Algumas Considerações Bíblicas e Teológicas
Ver também *Lequier, Jules*.
Liberdade Cristã III, 807
Ver também *Ídolos, Carnes Oferecidas aos*, primeiros parágrafos.
Liberdade da Vontade III, 808
Liberdade da vontade segundo Leibnitz, Ver *Leibnitz*, sob *Idéias*, 11.
Liberdade de Informações III, 808
Ver sobre *Sigilo*
Liberdade e liberalismo,
Ver *Liberalismo*, II.1,2,8.
Liberdade e pornografia,
Ver *Pornografia*, 3.
Liberdade Religiosa III, 808
Esboço
1. Ilustrações e exemplos
2. Os preconceitos e a conduta indígena
3. A dignidade humana
4. Liberdade para os cativos
5. Na Igreja cristã primitiva
6. A Reforma Protestante
7. O Estado e a liberdade religiosa
8. Elementos e tipos de liberdade religiosa
9. Direitos religiosos básicos
10. Onde está o Espírito de Deus, aí há liberdade
Bibliografia
Liberdade – valor, Ver *Valor, Juízos de e Liberdade – Valor*.
Liber de Causis III, 809
Liber Pontificalis III, 809
Libertação,
Ver *Libertador, Libertação*.
Libertação, teologia da,
Ver *Teologia da Libertação*.
Libertador, Libertação III, 810
O uso nos Testamentos
Libertador, O III, 810
Ver também sobre *Libertador, Libertação*.
Libertarianismo e Necessarianismo III, 810
Libertinos III, 811
Liberto, livre, Ver *Livre, Liberto*.

Libertos III, 811
Em Atos 6:9
Libertos III, 811
Ver sobre *Libertinos*.
Libertos, Sinagoga dos III, 811
Liberum Arbitrium III, 812
Líbia, Líbios III, 812
Líbios, Ver *Líbia, Líbios*.
Libna, III, 812
Libnate, Ver *Sior-Libnate*.
Libni, Libnitas III, 813
Duas personagens do AT
Libnitas, Ver *Libni, Libnitas*.
Libra III, 813
Ver sobre *Pesos e Medidas*.
Licaônia III, 813
Licença (Termo Ético) III, 813
Licenciosidade III, 814
Liceu III, 814
Lícia III, 814
Lições da experiência perto da morte, Ver *Experiências Perto da Morte*, Vol. II, p. 642, segunda coluna e seção V.
Lícon III, 814
Lida III, 814 Ver sobre *Lode, Lida*.
Lidebir III, 814
Lídia (Mulher) III, 814
Lídia (País) III, 815
Liebmann, Otto III, 816
Liebner, Carl Theodor Albert III, 816
Lieh Tzu III, 816
Liga de Esmalcalde III, 816
Ligar, Desligar (Poderes dos Apóstolos) III, 816
Lightfoot, Joseph Barber III, 819
Liguori, Alfonso III, 820
Lilite (Fantasmas) III, 820
Limbo III, 820
1. O termo
2. Tipos de limbo
3. Teologia do limbo:
Descrições e críticas
Bibliografia
Ver também sobre *Infantes, Morte e Salvação dos*, 1.
Limbo, teologia de, Ver *Limbo*, 3.
Limbus infantum, Ver *Limbo*, 2 e 3.a.
Limbus patrum, Ver *Limbo*, 2 e 3.
Limiar III, 822
As palavras hebraicas e seus usos
Limites III, 822
Limpo e Imundo III, 822
Sete discussões são apresentadas
Limpos de coração,
Ver *Bem-Aventuranças*, 6.
Linchamento III, 826
Ling Chos III, 826
Linga III, 826
Lingayats III, 826
Língua-Linguagem-Linguagens III, 826
Esta enciclopédia apresenta vários artigos relacionados a *Linguagem*.
Consultar a lista da página III, 826
Os artigos sobre o *Aramaico* e o *Hebraico* são apresentados em ordem alfabética.
Língua III, 827
Esboço
I. Línguas do Mundo
II. Línguas Indo-européias
III. As Seis Línguas Mais Faladas do Mundo
IV. A Origem das Línguas
V. Uso Apropriado da Linguagem
VI. Mapa Ilustrativo: Distribuição Geográfica dos Idiomas do Mundo Bíblico
Língua do NT III, 832
A língua grega do NT discutida detalhadamente: seis pontos

As quatro correntes distintas de tradição lingüística
Características individuais dos autores do NT
Bibliografia
Língua Estranha III, 838
Ver sobre *Línguas, Dom de*.
Língua Grega III, 838
Ver o artigo sobre a *Língua do NT*.
Língua hebraica, Ver *Hebraico*.
Línguas, dom de,
Ver *Dons Espirituais*, IV.14.
Línguas, interpretação das, dom de,
Ver *Dons Espirituais*, IV.15.
Linguagem dos Livros Apócrifos III, 838 Ver também o artigo separado sobre os *Livros Apócrifos*.
Um grupo heterogêneo de livros
Linguagem e significado,
Ver *Significado*, 1.
Linguagem Ética III, 839
Esboço
I. Caracterização Geral
II. As Proposições Éticas são Assertivas
III. As Proposições Éticas como Sentimentos
IV. Assertivas Objetivas e Subjetivas
V. Juízos Morais e Critérios Universalmente Obrigatórios
VI. Os Pontos de Vista Metaéticos e Linguagem
VII. A Linguagem Ética da Revelação Divina
Linguagem ética da revelação divina, Ver *Linguagem Ética*, VII.
Linguagem (Filosofia e): Filosofia da Linguagem III, 840
Vinte e um conceitos e filósofos explicam o assunto
Linguagem, Jogo de III, 842
Linguagem, Uso Apropriado da III, 843
Linguagem Religiosa III, 844
Esboço
1. Inspiração verbal
2. O problema dos antropomorfismos
3. O dilema dos empiristas
4. Via negationis
5. Via eminentiale
6. A linguagem é simbólica
7. Os arquétipos
8. O existencialismo
9. A mitologia e a linguagem
10. Analogia gratiae: analogia fidei
Línguas, Confusão das III, 846
Ver sobre *Babel (Torre e Cidade)*.
Línguas de Fogo III, 846
Línguas do mundo, Ver *Línguas*, I.
Línguas do mundo bíblico, distribuição, Ver *Línguas*, VI.
Línguas e o batismo do Espírito,
Ver *Batismo do Espírito Santo*, III.
Línguas (Falar em) III, 846
Esboço
I. Uma Experiência Ilustrativa
II. Avaliações da Experiência Ilustrativa
III. Confronto do Uso das Línguas em Atos e I Cor.
IV. Variedades do Falar em Línguas
V. Línguas e o Batismo do Espírito
Línguas Falar em (Dom de) III, 850
Declaração introdutória
Esboço
I. As Línguas no AT
II. As Línguas nos Evangelhos
III. A Experiência do Dia de Pentecoste
IV. Evidências Posteriores no Livro de Atos
V. As Línguas nas Epístolas Paulinas

807

LÍNGUAS – LUA

VI. As Línguas na Igreja Pós-Apostólica
Línguas indo-européias, Ver *Língua*, II.
Línguas Interpretação de III, 853
Línguas, Origem das III, 853
Ver sobre *Língua*, 4.
Linguística, Filosofia da III, 853
Ver Filosofia *Linguística e Língua e Linguagem (Filosofia e), Filosofia da Linguagem.*
Linha a III, 853
Linha dividida de Platão, Ver *Linha, Metáfora Platônica da.*
Linha, Metáfora Platônica da III, 854
Linho III, 854
Linho em Flor III, 855
Linho Retorcido III, 855
Lino III, 856
Liqui III, 856
Lira, Nicolau de III, 856
Lírios III, 856
Lírios do Campo III, 851
Lírios, Flor de III, 857
Lírios, melodia, Ver *Melodia, os Lírios.*
Lírios, os III, 857
Lisânias III, 857
Lísias III, 857
Lisímaco III, 857
O nome de dois homens na Bíblia
Lista de profecias messiânicas cumpridas por Jesus, Ver *Profecias Messiânicas Cumpridas em Jesus.*
Listados III, 858
Listas bíblicas das nações, Ver *Nações*, III.
Listra III, 858
Ver também *Licaônia*.
Litania III, 858
Liteira III, 859
Literal, interpretação, Ver *Interpretação Literal.*
Literatura, A Bíblia como III, 859
Esboço
I. Caracterização Geral
II. O Estudo da Bíblia como Literatura
III. Qualidades Literárias da Bíblia
IV. A Influência Exercida pela Bíblia
Literatura Apocalíptica, Ver *Apocalipse, I, e Apocalípticos, Livros.*
Literatura clássica do liberalismo, Ver *Liberalismo*, III.9.
Literatura do Antigo Testamento e cronologia, Ver *Cronologia do AT*, VII
Literatura dos essênios, Ver *Essênios*, III.
Literatura dos fenícios, Ver *Fenícia*, V.
Literatura dos hebreus, Ver *Hebreus, Literatura dos.*
Literatura grega, Ver *Grécia*, VIII.
Literatura Hermética, Ver *Escrituras Herméticas.*
Literatura hindu, Ver *Hinduísmo*, III.
Literatura messiânica, Ver *Messias*, V.
Literatura Órfica, Ver *Religiões Misteriosas (dos Mistérios)*, I.3.
Literatura, tipos, do Pentateuco, Ver *Pentateuco*, VIII.
Literaturas Sagradas III, 862
Teísmo e não deísmo
Os sistemas teístas
Lithostroton, pavimento, Ver *Gabatá*.
Liturgia III, 864
Liturgia (Forma de Adoração da)

III, 864
Liturgias Galicanas III, 864
Litúrgica III, 865
Litúrgico, movimento, Ver *Movimento Litúrgico.*
Liturgiologia III, 865
Livingstone, David III, 865
Livre-Arbítrio III, 865
Esboço.
1. O livre arbítrio é um ensinamento bíblico
2. O livre-arbítrio é uma experiência humana
3. Obrigação moral sem livre-arbítrio é um absurdo
4. A chamada ao arrependimento e à fé
5. Graça geral
6. Significados mais amplos do livre-arbítrio
   a. Na filosofia
   b. Quando o indivíduo se converte a Cristo
7. Livre-arbítrio e determinismo
8. Conceitos relacionados
9. O homem é um ser criativo
Livre-arbítrio e predestinação, Ver *Predestinação (e Livre-Arbítrio); e Determinismo (Predestinação)*, VII.
Livro-arbítrio e responsabilidade, Ver *Responsabilidade*, 2.
Livre-arbítrio, Locke sobre, Ver *Locke, John*, 13.f.
Livre Empresa III, 867
Ver também os artigos sobre *Capitalismo; Laissez-Faire; Socialismo; e Comunismo.*
Um sistema econômico alicerçado sobre a liberdade de escolha
Livre, Liberto III, 868
Livre sociedade e socialismo, Ver *Socialismo*, III.
Livro, Livros III, 868
Livro da Aliança III, 869
Livro da Concórdia III, 869
Livro da Ressurreição de Cristo por Bartolomeu, Ver *Bartolomeu, Livro da Ressurreição de Cristo por.*
Livro da Vida III, 869
Esboço
I. A Metáfora
II. Outros Livros Celestiais
III. Questão de Segurança
IV. A Confissão Pública;
   A Confissão da Alma
   A Confissão de Cristo do crente e o Livro da Vida
V. Outras Observações
Livro das Mudanças III, 871
Também chamado I Ching
Filosofia do livro
Livro de Abraão III, 871
Ver *Abraão, Apocalipse de.*
Livro de Baruque, Ver *Baruque, Livro de.*
Livro de Ben Siraque, Ver *Siraque, Livro de Ben.*
Livro de Enoque III, 871
Ver sobre *Enoque, Livros de.*
Livro de Homílias III, 871
Ver sobre *Homilias.*
Livro de Mórmon III, 871
Esse livro é também descrito no artigo Livros Apócrifos Modernos.
Livro de Noé III, 872
Ver *Noé, Livro de.*
Livro de Oração Comum III, 872
Livro de Provérbios, Ver *Provérbios, Livro de.*
Livro de Zostrianos, Ver *Zostrianos, Livros de.*
Livro dos Jubileus III, 872

Ver *Jubileus, Livro dos.*
Livro dos Justos, O, Ver *Livros Apócrifos (Modernos)*, 11.
Livro dos Mortos III, 872
Livro Negro III, 873
Livros, Ver *Livro (Livros).*
Livros Apócrifos (Antigo e Novo Testamentos) III, 873
Esboço
I. Discussão Preliminar
II. Livros Apócrifos do AT
III. NT: Livros Apócrifos e outra Literatura Cristã Antiga
IV. Influência dos Livros Apócrifos e Pseudepígrafos sobre o Judaísmo Posterior (Helenista), o Cristianismo e o Judaísmo Moderno
Livros Apócrifos citados no NT, Ver *Livros Apócrifos*, IV.13.
Livros Apócrifos e o Logos, Ver *Logos (Verbo)*, 4.
Livros Apócrifos e Pseudepígrafos e os manuscritos do Mar Morto, Ver *Mar Morto, Manuscritos (Rolos) do*, 6.
Livros Apócrifos, influência, Ver *Livros Apócrifos*, IV.
Livros Apócrifos Modernos III, 887
Dezessete livros são discutidos
Livros Carlovíngios III, 889
Livros celestiais, Ver *Livro da Vida*, II.
Livros de Bíblia III, 889
Ver o artigo sobre a *Bíblia*.
Livros de Adão III, 889
Ver *Adão, Livros de.*
Livros de Enoque, Ver *Enoque, Livros de.*
Livros disputados, Ver *Antilegomena.*
Livros do AT III, 889
Ver sobre o *AT*.
Livros do NT III, 889
Ver sobre *NT*.
Livros do NT descritos, Ver *NT*, II.
Livros dos Justos, Ver *Justos, Livros dos.*
Livros Perdidos da Bíblia III, 889
Ver também *Livros Apócrifos (Modernos)*, 16.
Livros Pseudepígrafos citados no NT, Ver *Livros Apócrifos*, IV.C.
Ló III, 889
Lo-Ami III, 890
Lobo III, 890
Lobstein, Paul III, 891
Loci Communes III, 891
Logi Theologici III, 891
Locke, John III, 891
Treze discussões apresentadas
Locusta III, 894
Ver sobre *Praga de Gafanhotos.*
Lode, Lidia III, 894
Lo-Debar III, 895
Logia III, 895
Esboço
1. Definições e a descoberta em Oxyrhynchus
2. Muitas coletâneas de Logia
3. Nag Haminadi, Antiga Chenoboskion
Logia de Jesus, Ver *Oxyrhynchus, Ditados (Logia) de Jesus.*
Lógica III, 895
Lógica e linguagem, Ver *Linguagem (Filosofia e); Filosofia da Linguagem*, 17.
Lógica por acidente, falácia, Ver *Falácia Lógica por Acidente.*
Lógica, tipos da, Ver *Lógica*, 2.
Lógica Transcendental III, 897
Logoi Spermatikoi,

Ver *Rationes Seminales*.
Logoi Spermatikoi nas literaturas sagradas, Ver *Literaturas Sagradas*, 6.
Logos (Verbo) III, 897
Esboço
I. No Princípio era o verbo
II. Diversas Interpretações do Verbo Visões históricas da idéia
III. A Doutrina do Logos no Evangelho de João
IV. Sumário de Idéias da Filosofia e da Teologia
Logos como mediador. Ver *Mediação (Mediador)*, II.7.
Logos em Filo, Ver *Logos (Verbo)*, 5.
Logos em Heráclito, Ver *Logos (Verbo)*, II.1
Logos em João, Ver *Logos (Verbo)*, III.
Logos Interpretado, Ver *Logos (Verbo)*, II.
Logos, missão do, Ver *Missão Universal do Logos (Cristo)*.
Logos no AT, Ver *Logos (Verbo)*, II.3.
Logos no estoicismo, Ver *Logos (Verbo)*, II.2.
Logos nos Livros Apócrifos, Ver *Logos (Verbo)*, 4.
Logos universalidade de sua missão, Ver *Missão Universal do Logos (Cristo)*.
Logro III, 902
Lohe, Johann Konrad Wilhelm III, 902
Lóide III, 902
Loisy, Alfred, Abade III, 902
Lokayatas III, 903
Lolardos III, 903
Lombardo, Pedro III, 903
Ver sobre *Pedro Lombardo*.
Lombos III, 903
O hebraico
No NT
Longanimidade, fruto do Espírito, Ver *Fruto do Espírito*, III.D.
Longânimo III, 904
Longino III, 904
Longo dia de Josué, Ver *Bete-Horom, Batalha de (O Longo Dia de Josué)*.
Loreto, Santa Casa de III, 905
Lo-Ruama III, 905
Loteria III, 905
Ver sobre *o Jogo* III, 905
Lotos (Árvore)
Lotze, Rudolf Hermann III, 905
Lotze sobre o macrocosmo, Ver *Macrocosmo*, 10.
Lotze, tipo de idealismo, Ver *Idealismo*, III.4.
Loucos, Ver *Loucura (Homens Loucos)*.
Loucura (Homens Loucos) III, 905
Ver sobre *Enfermidades*, e sobre *Lunático*.
Louvor III, 906
Esboço
I. Palavras Bíblicas
II. Definições
III. Formas de Louvor
IV. Idéias do NT
V. Nos Salmos, o Livro do Louvor
Louvor, formas, Ver *Louvor*, III.
Louvor no NT, Ver *Louvor*, IV.
Louvor nos Salmos, Ver *Louvor*, V.
Loyola, Inácio de III, 906
Ver sobre *Inácio de Loyola*.
Lua III, 907
Ver *Lua Nova e Lua: Símbolos em Visões e Sonhos*.

LUA – MAL

Lua, efeito sobre a mente,
 Ver *Lunático*.
Lua Nova III, 908
 A lua na simbologia dos sonhos e nas visões
Lubim III, 909
 Ver sobre *Líbia*.
Lucas, Evangelho de III, 909
 Ver também sobre *Lucas, o Evangelista*.
 Esboço
 1. Autoria
  Unidade de Lucas-Atos
 2. Data e lugar
 3. Propósito do evangelho de Lucas
  A declaração do próprio autor
 4. Fontes informativas
  a. Muitas fontes
  b. Evangelho de Marcos
  c. Fonte informativa Q
  d. Fonte informativa L
  e. A influência de Paulo
  f. Diagrama das fontes do evangelho de Lucas
 5. Conteúdo
  a. Breve esboço
  b. Esboço pormenorizado
  c. Material encontrado só em Lucas
 Milagres, parábolas, outros incidentes
 Bibliografia
Lucas, O Evangelista III, 913
Luciano de Samosata (da Síria) III, 916
Luciano Mártir III, 915
Lúcifer III, 915
Lúcifer e astrologia, Ver *Lúcifer*, 2.
Lúcifer e demonismo,
 Ver *Lúcifer*, 3.
Lúcifer e simbolismo,
 Ver *Lúcifer*, 2.
Lúcifer queda, Ver *Lúcifer*, 4.
Lúcio III, 916
 Dois homens nos livros apócrifos do AT
Lucrécio III, 916
Lucrécio sobre o materialismo,
 Ver *Materialismo*, III.4.
Lucro III, 917
Lude, Ludim III, 918
Ludim, Ver *Lude, Ludim*.
Ludlul Bel Memeqi III, 918
Ludolfo da Saxônia III, 918
Lugar de Oração III, 918
Lugar escuso,
 Ver *Latrina, Lugar Escuso*.
Lugar Mais Santo III, 919
 Ver também sobre *Tabernáculo*.
Lugar Santo (Santuário) III, 919
Lugares Altos III, 919
 Esboço
 I. Significado da Expressão
 II. Usos da Palavra Hebraica 'Bamah'
 III. Sentido Negativo
 IV. Um Sentido Positivo
 V. Origens e Psicologia Envolvida
 VI. Poluções Pagãs
Lugares Celestiais III, 920
 I. Assunto Importante de Efésios
 II. Considerando os Lugares Celestiais
 III. Outras Interpretações
 IV. Lições Morais e Espirituais Ligadas ao Conceito
 V. Os Lugares Celestiais e o Destino Humano
Lu Hsiang-Shan III, 921
Luíte, Subida de III, 921
Lulabe III, 922
Lullus, Raimundo III, 922
Lumen Gratiae, Lumen Naturale III, 922
Lunático III, 922
Lund, A Teologia de III, 922
Lurdes (Lourdes) III, 923

Luta III, 923
Luta de Classes III, 923
Luta Livre III, 924
 Ver também *Boxe e Luta Livre*.
Luteranismo III, 924
 Ver também sobre *Lutero, Martinho*.
 Uma discussão detalhada do luteranismo é apresentada
Lutero III, 926
 Esboço
 I. Informes Biográficos
 II. Os Acontecimentos Históricos e Lutero
 III. A Teologia e Lutero
 IV. Tendências do Luteranismo
Luthardt, Christoph Ernst III, 929
Lux Mundi III, 929
Luz III, 930
 Vários artigos apresentados
Luz (Cidade) III, 930
 Duas cidades do AT
Luz, A Metáfora da III, 930
 Esboço
 I. Natureza da Metáfora e Contraste com a Metáfora das Trevas
 II. Deus como a Luz
 III. Cristo como a Luz
 IV. A Luz e a Iluminação São Universais
 V. Cristo como Luz
 VI. Referências e Idéias
Luz, Deus como a II, 932
Luz de Cafarnaum,
 Ver *Cafarnaum*, últimos parágrafos.
Luz do Mundo, Cristo como a III, 933
Luz e Escuridão, Metáfora da III, 933
 Ver sobre *Luz, a Metáfora da*.
Luz, Homens como III, 933
Luz inacessível, Deus habita na,
 Ver *Luz, Deus como*, 1.
Luz Inteligível III, 934
Luz Interior III, 934
Luz, Propriedades Curativas da III, 934
Luzes espirituais, secundárias,
 Ver *Luz, Homens como*, 4 e 5.
LXX III, 934
Lyons, Concílios de III, 935
 Ver também *Concílios Ecumênicos*, IV. 13,14.
Lytton, Bulwer III, 935

M

M (Fonte Informativa) IV, 1
M, fonte de Mateus,
 Ver *M e Mateus, Evangelho de*, VIII.
M (Manuscrito) IV, 1
Maaca IV, 1
Maacatitas IV, 1 Ver também *Maqueratita (Maacatita)*.
Maadai IV, 1
Maadias IV, 1
Maai IV, 2
Maalá IV, 2
Maalabe IV, 2
Maalalel IV, 2
Maalate IV, 2
 Ver sobre *Música e Instrumentos Musicais*.
Maanaim IV, 2
Maané-Dã IV, 2
Maani IV, 2
Maarai IV, 2
Maarate IV, 3
Ma'Arib IV, 3
Maaséias IV, 3
Maasmás IV, 3
Maate IV, 3
Maate (do Egito) IV, 3
Maavita IV, 4
Maaz IV, 4

Maazias IV, 4
 O nome de dois homens do AT
Maaziote IV, 4
Maça IV, 4
Maçã (Macieira) IV, 4
Macabeus IV, 4
 Ver o artigo sobre os *Hasmoneanos*.
Macabeus, I, relação com o NT,
 Ver *Macabeus, Livros dos*, II.6.
Macabeus, II, relação com o NT,
 Ver *Macabeus, Livros dos*, III.6.
Macabeus, III, relação com o NT,
 Ver *Macabeus, Livros dos*, IV.7.
Macabeus, IV, relação com o NT,
 Ver *Macabeus (Livros dos*, V.6.
Macabeus, Livros dos IV, 4
 Ver também *Livros Apócrifos*.
 I. Caracterização Geral
 II. I Macabeus
  Seis discussões são apresentadas
 III. II Macabeus
  Seis discussões são apresentadas
 IV. III Macabeus
  Sete discussões são apresentadas
 V. IV Macabeus
  Seis discussões são apresentadas
 VI. Canonicidade da Coleção
 Bibliografia
Macabeus e independência,
 Ver *Período Intertestamental*, 4.
Macabeus, significado dos,
 Ver *Hasmoneanos (Macabeus)*, V.
Maçãs de Sodoma IV, 14
Macaz IV, 14
Macbanai IV, 14
Macbena IV, 14
Macedônia IV, 14
Macedônia, Filipo II da,
 Ver *Filipe II, da Macedônia*.
Macedonismo IV, 15
Mach, Ernst IV, 16
Machado IV, 16
Machado de Guerra IV, 16
 Ver sobre *Armadura, Armas*.
Machados IV, 16
Machen, J. Gresham IV, 16
Machiavelli, Niccoló IV, 17
Machiavelli, o Chinês IV, 17
 Ver sobre *Shang Yang*.
Machucado, Ver *Ferida, e Ferir, Quebrar, Moer*.
Macnadbai IV, 17
Maçonaria IV, 17.
Macpela IV, 17
Macróbio IV, 18
Macrocosmo IV, 18
Macron IV, 19
Madai IV, 19
Madalena IV, 19
Madeira Odorífera IV, 19
Madhva IV, 19
Madhyamika IV, 19
Madmana IV, 20
Madmén IV, 20
Madmena IV, 20
Madmom IV, 20
Madona IV, 20
Madrinha, Ver *Padrinho, Madrinha*.
Mãe IV, 20 Ver também *Família*.
Mãe (Animal) IV, 21
Mão (arquétipo),
 Ver *Jung, Idéias*, 7.d.
Mãe, a grande, Ver *Grande Mãe*.
Mãe de Deus IV, 21
 Ver também *Mães-deusas*.
Mãe de Jesus, Ver *Marias do NT*, 2; *Mariolatria e Mariologia*.
Mães-Deusas IV, 21
Má Fé IV, 22
Magadá IV, 22
Magbis IV, 22
Magdala IV, 22
Magdalena IV, 22

Ver sobre *Marias*, 3.
Magdiel IV, 22
Magia como religião,
 Ver *Magia e Feitiçaria*, III.
Magia, Círculo da IV, 22
Magia e bruxaria, Ver *Bruxaria e Magia e Adivinhação*.
Magia e Feitiçaria IV, 23
 Ver também *Adivinhação*.
 I. Definições
 II. Pressupostos Básicos
 III. Como Religião
 IV. Informes Históricos
 V. Suas Técnicas
 VI. Menções na Bíblia
 Conclusão
Magia, informes históricos,
 Ver *Magia e Feitiçaria*, IV,
Magia na Bíblia,
 Ver *Magia e Feitiçaria*, VI.
Magia pressupostos de,
 Ver *Magia e Feitiçaria*, II.
Mágico enganador,
 Ver *Jung, Idéias*, 7.1
Magister Sacri Palati IV, 25
Magistrado IV, 25
Magna Charta IV, 25
Magna Mater IV, 26
Magnanimidade IV, 26
Magnificar IV, 26
 Ver também *Adoração*.
Magnificat IV, 26
Magno, Alberto,
 Ver *Alberto Magno*
Mago IV, 27 Ver sobre *Magos*
Magogue IV, 27
 Ver os artigo separados, *Gogue, e Gogue e Magogue*.
Magor Missabibe IV, 27
Magos IV, 27
Magos, Estrela de, Ver *Estrela de Belém (dos Magos)*.
Magpias IV, 29
Mague, Ver *Rabe-Mague*.
Mahabharata IV, 29
Mahan, W.D., Ver *Livros Apócrifos (Modernos)*. 5.
Mahat IV, 29 Ver sobre *Sankhya*.
Mahatma IV, 30
Mahavairocana IV, 30
Maliavira IV, 30
Mahayana IV, 30
 Uma importante escola do budismo
 Ver sobre *Budismo*.
Mahayana, escola do budismo,
 Ver *Budismo*, IV.
Mahdi IV, 30
Maher-Shalal-Haz-Baz IV, 30
Maiêutico IV, 30
Maim, Ver *Misrefote-Maim*.
Maimônides IV, 30
 Ver também *Judaísmo*, II.11.
Maine de Biran IV, 31
Mainlander, Philipp IV, 32
 Suas datas
 Idéias
Maior calamidade da vida, segundo Platão, Ver *Ética*, V. 13
Maior, o servo, Ver *Servo o Maior entre os Homens*.
Maiores Obras que Cristo Fez IV, 32
Maioria, pluralidade, teoria da verdade, Ver *Conhecimento e a Fé Religiosa*, II.8.
Maistre, Joseph de IV, 33
Maitreya IV, 33
Mestade IV, 33
Mal IV, 33
 Ver também sobre o *Problema do Mal*.
Mal, origem do, Ver *Origem do Mal*.
Mal, problema do, Ver sobre *Problema do Mal*.

MAL – MARCOS

Mal Cósmico, Participação no IV, 35
Malandragem IV, 35
Malaquias (Livro) IV, 35
  Esboço
  1. Caracterização geral
  2. Unidade do livro
  3. Autoria
  4. Data
  5. Lugar de origem
  6. Destino e razão do livro
  7. Propósito
  8. Canonicidade
  9. Estado do texto
  10. Teologia do livro
  11. Esboço do conteúdo
Malaquita IV, 41
Malcá IV, 41
  Dois pontos
Malca, Ver *Deuses Falsos*, III.21.
Maldição IV, 41
Maldição e bênção, Ver *Bênção e Maldição*.
Malebranche, Nicolau IV, 42
Malhados IV, 42 Ver sobre *Listados*.
Mali IV, 42
  Duas pessoas do AT
Malícia IV, 42
Maliquitas IV, 43
Malleus Maleficarum IV, 43
Malom IV, 43
Maloti IV, 43
Malquias IV, 43
  Várias personagens bíblicas
Malquiel IV, 43
Malquirão IV, 43
Malquisua IV, 44
Malta (Melite) IV, 44
Malthus, Thomas Robert IV, 44
Maluque IV, 45
  Várias pessoas no AT
Maluqui IV, 45
Malva IV, 45
Mamadeira espiritual,
  Ver *Escrituras*, V.4. 3º par.
Mamertina, Prisão IV, 45
Mamom IV, 45
Maná IV, 46
Maná Escondido IV, 46
Manaate (Manaatitas) IV, 47
  Um homem e uma cidade no AT
Manaatitas,
  Ver *Manaate (Manaatitas)*.
Manaém IV, 47
Manasseas IV, 48
Manassés IV, 48
  Esboço
  I. O Nome
  II. Um dos Dois Filhos de José
  III. Uma das Tribos de Israel; seu
    Território
    Estatísticas
  IV. Um Rei de Judá
Manassés (Outros além do Patriarca e do Rei) IV, 49
Manassés, meia-tribo,
  Ver *Meia-Tribo de Manassés*
Manassés, Oração de IV, 50
  Esboço
  I. Caracterização Geral
  II. Pano de Fundo Histórico
  III. Autoria e Data
  IV. Propósito e Ensinamentos do Livro
  V. Conteúdo
Mandai IV, 51
  Ver também *Mandeanos*.
Mandala IV, 51
  Ver também *Jung e Arquétipo*.
Mandalas (arquétipos), Ver *Jung, Idéias*, 8.
Mandamento IV, 52
  Ver também os artigos sobre *Novo Mandamento; Dez Mandamentos;*

e Mandamentos da Igreja.
Mandamento Novo IV, 52
  Em João 13:34
  O amor a Deus
  A lei do amor
Mandamentos da Igreja IV, 55
Mandamentos de Cristo IV, 55
Mandamentos, os Dez IV, 55
  Ver sobre *Dez Mandamentos*.
Mandeanos IV, 55
  O nome de uma seita gnóstica
  Ver também *João (o Batista)*, VIII.7.
Mandeísmo e o Evangelho de João, Ver *João, Evangelho de*, V.3.
Mandeville, Bernard de IV, 56
Mandrágoras IV, 56
Maneira da ressurreição de Jesus Cristo, Ver *Ressurreição e a Ressurreição de Jesus Cristo*.
Maneira da restauração,
  Ver *Restauração*, II.
Maneiras de conhecer a Deus,
  Ver *Deus*, VII.
Manes IV, 56
Mangas IV, 57
Mani e o Maniqueísmo IV, 57
Manifestação, Ver *Epifania*.
Manifestações de Deus,
  Ver *Presença de Deus*, 3.
Manifesto (Manifestação) IV, 58
Maniqueísmo,
  Ver *Mani e o Maniqueismo*.
Manipula IV, 58
Manjus, Titus IV, 58
Manjedoura IV, 59
  O hebraico e o grego
  No AT
Manjusri IV, 59
Manoã IV, 59
Manre IV, 59
  Uma pessoa e uma localidade no AT
Mansão IV, 59
Mansão de Atom, Ver *Pitom*.
Mansidão IV, 60
Mansidão, fruto do Espírito,
  Ver *Fruto do Espírito*, III.H.
Mansos, herdeiros da terra,
  Ver *Bem-Aventuranças*, 3.
Manta (Capa, Vestido) IV, 60
Manteiga IV, 61
Mântico IV, 61
Manto IV, 61
Mantra IV, 62
Manu IV, 62
Manuscrito IV, 62
Manuscritos Antigos do Antigo e do Novo Testamentos IV, 63
  Esboço
  I. Importância dos Manuscritos do Mar Morto
    Ver também sobre *Mar Morto, Manuscritos (Rolos) do*.
  II. Esboço Histórico do Texto Hebraico
  III. O Trabalho Feito pelos Massoretas
    Massora: Texto Massorético
  IV. Importantes Manuscritos Massoréticos e Edições Impressas
  V. A Genizah de Cairo, no Egito
  VI. O Manuscrito de Aleppo
  VII. Tipos de Erros Comuns nos Manuscritos
  VIII. Importância das Versões do AT
    Ver também sobre *Bíblia, Versões da*.
  IX. Crítica Textual do AT
  X. Diagrama: Restauração do Texto Original
Manuscritos Antigos do NT IV, 69
  Esboço
  I. Informação Geral
    Tipos de testemunhas

Fontes informativas e a restauração do texto do NT
  II. Lista dos Papiros
  III. Lista dos Manuscritos Unciais e dos Mais Importantes Manuscritos Minúsculos
  IV. Descrição das Versões e Escritos dos Pais da Igreja
  V. Fontes de Variantes nos Manuscritos
  VI. Princípios da Restauração, do Texto
  VII. Ilustrações de Como as Formas Corretas são Escolhidas Quando há Variantes no Texto
  VIII. Esboço Histórico da Crítica Textual do NT
  IX. Bibliografia
Manuscritos de Nag Hamade,
  Ver *Nag Hamade, Manuscritos de*.
Manuscritos (Rolos) do Mar Morto,
  Ver *Mar Morto, Manuscritos (Rolos) do*.
Manuscritos do Mar Morto, importância para o estudo do AT,
  Ver *Manuscritos Antigos do AT*.
Manuscritos massocréticos, importância dos, Ver *Manuscritos AT IV; e Massorá*.
Manuscritos - Papiros IV, 101
  Ver os artigos; *Papiros de Bodmer e Papiros Chester Beatty*.
Manuscritos unciais do NT,
  Ver *Manuscritos Antigos do NT*, III.
Mão IV, 101
  As palavras gregas e hebraicas
  Definições
  Usos metafóricos
Mão Ressequida IV, 102
Maol IV, 102
Maom IV, 102
  Vários indivíduos ou lugares do AT
Maomé IV, 103
  Dez discussões são apresentadas
Maometanismo IV, 104
  Ver também os artigos separados sobre *Maomé; Alcorão; Ética Islâmica; Filosofia Islâmica e Islã*.
  Esboço
  1. Nomes
  2. Fontes informativas
  3. Monoteísmo absoluto
  4. Principais deveres
  5. Ética islâmica
  6. Filosofia islâmica
    Ver o artigo separado com esse título.
  7. Escatologia
  8. Sucessores de Maomé e as divisões do islamismo
  9. Sufismo
  10. Disputas teológicas
  11. Imã
  12. Estatísticas
Maoque IV, 105
Mão, Imposição de IV, 105
  Ver também *Dons Espirituais; Curas; e Curas Pela Fé*.
Mão Tsé-Tung IV, 106
  Ver também sobre *Comunismo; e Teologia da Libertação*.
Maquedá IV 107
Maquede IV, 107
Maquelote IV, 107
Maqueratita (Maacatita) IV, 107
Maquero IV, 107
Maqui IV, 107
Maquiavelismo,
  Ver *Machiavelli, Niccolo*
Máquinas IV, 108
  Ver também sobre *Armaduras, Armas*.
Maquir IV, 108

O nome de duas personagens da Bíblia
Maquiritas IV, 108
Mar IV, 108
  Esboço
  1. Mar Vermelho
  2. Mar Mediterrâneo
  3. Mar Morto
  4. Mar da Galiléia
Mar, Animais do IV, 109
Mar, Besta do, Ver *Besta do Mar*.
Mar, Grande IV, 110
Mar da Galiléia IV, 110
  Ver *Galiléia, Mar da*.
Mar de Arabá IV, 110
  Ver *Mar Morto*.
Mar de Fundição (de Bronze), Lavatório IV, 110
Mar de Quinerete IV, 111
  Ver *Galiléia, Mar da*.
Mar de Tiberíades IV, 111
Mar de Vidro IV, 111
Mar do Oriente IV, 112
Mar Mediterrâneo IV, 112
  Ver sobre *Mar, Grande e Grande Mar*.
Mar Morto IV, 112
  Esboço
  I. Caracterização
  II. Conteúdo Mineral
  III. Extração de Minérios
  IV. Aspectos Históricos Mar Morto, Manuscritos (Rolos) do IV, 113
  Esboço
  I. Caracterização Geral
  II. Descoberta
  III. Datas
  IV. Lista dos Manuscritos
  V. Avaliações
Mar, o grande, Ver *Grande Mar*.
Mar Ocidental IV, 116
Mar Salgado IV, 116
  Ver *Mar Morto*.
Mar Vermelho IV, 116
Mara IV, 117
Mara (Localidade) IV, 117
Maralá IV, 117
Maranata IV, 117
Maravilha, Maravilhoso IV, 118
Maravilhoso,
  Ver *Maravilha, Maravilhoso*.
Marburgo, Colóquio de IV, 118
Marca (Sinal) IV, 118
  Ver também *Sinal (Marca)*.
Marca (Sinal) da Besta (Anticristo) IV, 119 Ver sobre *Sinal (Marca) da Besta (Anticristo)*.
Marcelo de Ancira IV, 119
Marcheshvan IV, 119
Marciano Capella IV, 119
Márcion de Sinope (Marcionismo) IV, 119
Márcion, Evangelho de IV, 120
Marcionismo, Ver *Márcion de Sinope (Marcionismo)*.
Marco, 121
Marco Aurélio,
  Ver *Império Romano*, XII.
Marcos IV, 121
  Ver sobre *Marcos, João*.
Marcos IV, 121
  O hebraico
  Linguagem figurada
Marcos, Evangelho de IV, 121
  Esboço
  Observações gerais
  Marcos, o evangelho original
  1. Autor
  2. Data
  3. Lugar e destino
  4. Propósito
  5. Linguagem
  6. Fontes dos materiais
    A base do livro de Atos

A influência de Paulo em outros evangelhos
Outras fontes informativas
Um diagrama ilustrativo das fontes informativas do evangelho de Marcos e dos outros evangelhos sinópticos
7. Conteúdo
Marcos (Evangelho), Fragmentos de Qumran IV, 128
Marcos (Evangelho), fragmentos do nos manuscritos do Mar Morto,
Ver *Marcos (Evangelho), Fragmentos de Qumran.*
Marcos, Falha de IV, 128
Marcos, fonte histórica dos evangelhos sinópticos,
Ver *Marcos, Evangelho de,* 6.
Marcos , João IV, 129
Marcus Antonius Félix,
Ver *Félix, Marcus Antonius.*
Marcus Aurelius Antonius IV, 130
Marduque IV, 131
Ver também *Deuses Falsos,* III.24.
Mareal IV, 131 Ver sobre *Maralá.*
Maressa IV, 131
O nome de uma cidade e de duas personagens do AT
Marfim IV, 132
Margarida de Navarra IV, 132
Mari IV, 132
Esboço
1. Localização e identificação
2. História
3. Escavações arqueológicas
4. Os textos de Mari e o AT
Mari e o AT, Ver *Mari,* 4.
Mari, textos de, Ver *Mari,* 4.
Maria IV, 133 Ver *Marias do NT*
Maria, a Bendita Virgem,
Ver *Mariologia (Maria, a Bendita Virgem).*
Maria, Aparições e Santuários IV, 133
Ver *Mariologia (Maria, a Bendita Virgem),* V.
Maria, Culto de IV, 133
Ver os dois artigos intitulados:
Mariolatria e Mariologia.
Maria e mediação, Ver *Mediação (Mediador),* V, e *Mediadora.*
Maria, ensinos do NT sobre,
Ver *Mariologia (Maria, a Bendita Virgem),* II.
Maria, Evangelho do Nascimento de IV, 133
Esboço do conteúdo
Maria, Mãe de Jesus, IV, 133
Ver *Marias do NT*
Maria, Nascimento (ou Descendência) de IV, 133
Maria, teologia sobre,
Ver *Mariolatria e Mariologia.*
Maria, teologia sobre, objeções protestantes, Ver *Mariolatria e Mariologia (Maria, A Bendita Virgem),* IV.
Marias do NT IV, 134
Esboço
1. Maria de Betânia
2. Maria, mãe de Jesus
3. Maria Madalena
4. Maria, mãe de Tiago e José
5. Maria, mãe de João Marcos
6. Maria, uma conhecida de Paulo
Marías, Julian IV, 135
Marido IV 136
Ver também *Matrimônio.*
Marinheiro IV, 136
Marino de Neápolis IV, 136
Mariolatria IV, 136
Mariolatria, desenvolvimento da,
Ver *Mariolatria,* 4.
Mariolatria, objeções evangélicas,

Ver *Mariolatria,* 6.
Mariologia (Maria, A Bendita Virgem) IV, 138
Ver também *Marias,* 2.
Esboço
I. Definições
II. Ensinos do NT
III. Desenvolvimento da Teologia Acerca de Maria
IV. Pontos de Vista e Objeções Protestantes
V. Aparições e Santuários
A freqüência das aparições recentes
Ver também *Mariolatria.*
Maritain, Jacques IV, 141
Maritain sobre:
amor, Ver *Maritain,* 6.
personalismo, Ver *Personalismo,* III.7.
Marital, separação,
Ver *Separação Marital.*
Mármore IV, 142
Marote IV, 142
Marrom IV, 142
Marsena IV, 143
Marsílio de Inghen IV, 143
Marsílio de Pádua IV, 143
Marta IV, 143
Marte IV, 144
Marte, Colina de IV, 144
Ver *Areópago.*
Martelo IV, 144
Martinho (Papas), de Martinho I a Martinho V IV, 145
Martinho de Tours IV, 145
Mártir IV, 146
Esboço
I. Definições
II. No AT
III. No NT e Posteriormente
IV. Contribuições
V. Martirológio
Tipos de mártires
VI. Mártires Modernos
Mártires, Ver *Mártir.*
Mártires, contribuições dos,
Ver *Mártir,* IV.
Mártires e comunismo,
Ver *Comunismo,* 8.
Mártires modernos, Ver *Mártir,* VI.
Mártires na Bíblia, Ver *Mártir,* II, III.
Mártires no AT, Ver *Mártir,* II.
Mártires no NT, Ver *Mártir,* III.
Mártires, tipos de, Ver *Mártir,* V, últimos 3 parágrafos.
Martírio de Mateus,
Ver *Mateus, Martírio de.*
Martírio de Policarpo,
Ver *Policarpo, Martírio de.*
Martírio, teoria da expiação,
Ver *Expiação,* II. 1.
Martirológio IV, 148
Ver sobre *Mártir,* V.
Marx, Karl (Marxismo) IV, 148
Marx e Engels e comunismo,
Ver *Comunismo,* 5.
Marx sobre:
ideologia, Ver *Ideologia* 3.
o materialismo, Ver *Marxismo,* 1.
Marxismo IV, 149
Ver também os artigos separados sobre *Engels; Marx, Karl; Teologia da Libertação; e Comunismo.*
Marxismo, Ética do IV, 150
Ver também sobre *Marx, Karl; Marxismo; e Comunismo.*
Más IV, 161
Masai IV, 151
Masal IV, 151
Masda IV, 151
Masdeísmo IV, 151
Masias IV, 151
Masmorra IV, 151

Masquil IV, 152
Masreca IV, 152
Massa IV, 152
Massá IV, 152
Massá e Meribá IV, 152
Massacre dos inocentes,
Ver *Inocentes, Massacre dos.*
Massada IV, 152
Massebah IV, 153
Massora (Massorah); Texto Massorético IV, 153
Massorah, Ver *Massora (Massorah); Texto Massorético.*
Massoretas, trabalho dos,
Ver *Manuscritos do AT,* III.
Massorético, texto, Ver *Massora (Massorah); Texto Massorético.*
Mastro IV, 153
Ver sobre *Barcos e Navios.*
O hebraico
Masturbação IV, 154
Matã IV, 154
Matanã IV, 154
Matança de infantes,
Ver *Infanticídio.*
Matança misericordiosa,
Ver *Eutanásia.*
Matanias IV, 154
Matatá IV, 155
Matate IV, 155
Matatías IV, 155
Ver também *Hasmoneanos (Macabeus),* I,II,III.
Matenai IV, 155
Materia (Latim), Matéria IV, 155
Esboço
I. Caracterização Geral
II. Usos da Palavra Matéria
III. Avaliação
Ver também Problema *Corpo-Mente,* I.
Materialismo IV, 156
Esboço
I. Caracterização Geral
II. Definições Básicas
III. Idéias de Vários Filósofos
IV. Crítica
Ver também Problema *Corpo-Mente,* I.
Materialismo Dialético IV, 160
Materialismo e os filósofos,
Ver *Materialismo,* III.
Materialismo e socialismo,
Ver *Socialismo,* IV.
Materialismo prático,
Ver *Materialismo,* II, último par.
Maternidade IV, 160
Definição e expansão do termo
Problemas especiais
Oportunidade ímpar
Ver também *Paternidade (Maternidade).*
Mateus (Pessoa) IV, 161
Esboço
I. Caracterização Geral
II. Nome e Família
III. Informes Dados pelo N.T.
IV. Tradições a Respeito
Mateus, atos de, Ver *André e Matias (Mateus), Atos de.*
Mateus, Evangelho de IV, 162
Esboço
Declaração Introdutória
I. Autoria e Confirmação Antiga
II. Data
III. Proveniência
IV. Destino
V. Propósitos
VI. Linguagem
VII. Os Manuscritos Antigos Papiros
VIII. Fontes de Informação
IX. Conteúdo
Mateus, fonte dos evangelhos,
Ver *M.*
Mateus, Martírio de IV, 171
Mather IV, 171

Mathews, Shailer IV, 171
Matias (Apóstolo) IV, 172
Matias, atos de, Ver *André e Matias (Mateus), Atos de.*
Matias, Tradições de IV, 173
Matinas IV, 173
Matitias IV, 173
Matrede IV, 173
Matri IV, 173
Matriarcal, Sistema IV, 173
Matrimônio IV, 174
Esboço
I. Definições
II. Informações Históricas
III. Empecilhos ao Casamento
IV. Tipos de Matrimônio
V. Término do Estado Matrimonial
VI. Casamento Levirato
VII. A Condição da Mulher e o Casamento
VIII. A Condição dos Filhos
IX. Casamentos Mistos, Judaicos e Cristãos
X. A Santidade do Matrimônio Em Heb. 13:4
XI. As Vantagens do Matrimônio Em 1 Cor. 7:2
XII. O Casamento Cristão
XIII. Figuras e Símbolos do Matrimônio
Matrimônio Levirato IV, 181
Ver também *Matrimônio,* VI.
Matrimônio, tipos de,
Ver *Matrimônio,* IV.
Maturidade IV, 182
Maturidade na Bíblia,
Ver *Maturidade,* 2.
Matusalém IV, 184
Mau olhado,
Ver *Olho Mau (Mau Olhado).*
Maupertius, Pierre-Louis
Moreau de IV, 186
Maurus, Magnentius Rabanus IV, 185
Maus Espíritos IV, 185
Ver sobre *Demônios.*
Mauthner sobre linguagem,
Ver *Linguagem (Filosofia e); Filosofia da Linguagem,* 10.
Máxima Pragmática IV, 185
Máximo, O Confessor IV, 185
Máximo de Alexandria IV, 185
Máximo de Esmirna IV, 185
Máximo de Tiro IV, 185
Maya IV, 186
Mc Taggart, John Ellis IV, 186
Meara IV, 186
Mebunai IV, 186
Meca IV, 186
Mecânica (Mecanismo) IV, 186
Ver também o artigo intitulado *Explicação Mecânica.*
Mecânica clássica,
Ver *Mecânica (Mecanismo).*
Mecânica de Ondas IV, 187
Ver sobre *Mecânica.*
Mecânica Quantum IV, 187
Mecanismo,
Ver *Mecânica (Mecanismo).*
Mecanismo e Explicação de,
Ver *Explicação Mecânica.*
Mecanismos de Defesa IV, 188
Ver *Defesa, Mecanismos de.*
Meconá IV, 188
Medã IV, 188
Medabe IV, 188
Medalha de Devoção IV, 188
Medeba IV, 189
Média (Medos) IV, 189
Esboço
I. O Nome
II. Geografia e Raça
III. Pré-História da Média

MEDIAÇÃO – MÊS

IV. Informes Históricos
V. Referências Bíblicas
Mediação (Mediador) IV, 190
Esboço
I. Terminologia e Definições
II. Doutrina Bíblica da Mediação
Os anjos, Moisés, a lei, o Logos, os ministros do evangelho, o Espírito Santo, o próprio Cristo
III. Cristo, o Único Mediador
IV. A Oração e a Mediação
Em Apo. 5:8
V. A Mediação da Virgem Maria e dos Santos
VI. O Teísmo e a Mediação
Mediação de anjos de oração,
Ver *Mediação (Mediador)*, IV.3.
Mediação do misticismo,
Ver *Misticismo*, III.
Mediação e oração,
Ver *Mediação (Mediador)*, IV.
Mediação e teísmo,
Ver *Mediação (Mediador)*, VI.
Mediador IV, 196
Ver *Mediação (Mediador)*.
Mediadora IV, 196
Medição, Cordel de IV, 196
Medicina (Médicos) IV, 196
Ver também o artigo geral sobre as *Enfermidades*.
Medicina, Ética de IV, 197
Introdução
Esboço
I. Definição
II. Problemas Especiais da Ética médica
III. Códigos e Juramentos Médicos
Médico IV, 198
Ver sobre *Medicina (Médico)*.
Médico amado, Ver Lucas, o *Evangelista*, especialmente 5.
Medidas IV, 198
Ver sobre *Pesos o Medidas*.
Medidas de áreas,
Ver *Pesos e Medidas*, II.
Medidas de capacidade,
Ver *Pesos e Medidas*, III.
Medidas de comprimento,
Ver *Pesos e Medidas*, I.
Medidas de peso,
Ver *Pesos e Medidas*, IV.
Medidas egípcias
Ver *Pesos e Medidas*, II.A.
Medidas israelitas,
Ver *Pesos e Medidas*, II.C.
Medidas, líquidos,
Ver *Pesos e Medidas*, II.A.
Medidas mesopotâmicas,
Ver *Pesos e Medidas*, II.B.
Medidas no NT,
Ver *Pesos e Medidas*, III.C.
Medidas romanas,
Ver *Pesos e Medidas*, III.D.
Medidas, secos,
Ver *Pesos e Medidas*, III.B.
Medina IV, 199
Meditação IV, 199
Esboço
1. Definição e natureza da meditação
2. Um dos meios de desenvolvimento espiritual
3. Considerações bíblicas a respeito
Meditação e a Bíblia,
Ver *Meditação*, 3.
Meditação, meio do desenvolvimento espiritual,
Ver *Meditação*, 2.
Mediterrâneo,
Ver *Grande Mar e Mar, Grande*.
Medos IV, 201 Ver *Média (Medos)*.
Medos e persas,
Ver *Média (Medos)*, II, IV.7,V; e *Pérsia*, II.B.

Medula IV, 201
Meetabel IV, 201
Mefaate, IV, 201
Mefibosete IV, 201
Megara, Escola Filosófica de IV, 202
Megido IV, 202
Esboço
I. Caracterização Geral
O nome e seu significado
II. Esboço da História
III. A Arqueologia e Megido
As escavações
Sumário das descobertas significativas
Megido e arqueologia,
Ver *Megido*, III.
Megilote IV, 204
Meia-Tribo de Manassés IV, 204
Meída IV, 204
Meio (Meio-Termo Áureo) IV, 204
Meio áureo,
Ver *Meio (Meio Termo Áureo)*
Meio da salvação,
Ver *Salvação*. 3.
Meio da salvação, a graça,
Ver *Graça*, III.
Meio da salvação, fé, Ver *Fé, Meio da Salvação*.
Meio-Dia IV 205
Meio-Termo Áureo IV, 205
Ver *Meio (Meio-Termo Áureo)*.
Meio-termo, doutrina do,
Ver *Doutrina Do Meio-Termo*.
Meios de conhecimento,
Ver *Misticismo*, XI.
Meios do crescimento espiritual,
Ver *Misticismo*, XII.
Meios do Desenvolvimento Espiritual IV, 205
Ver *Desenvolvimento Espiritual, Meios do*.
Meios de Graça IV, 205 Ver também o artigo geral sobre *Graça*.
Meios-Fins-Continuum IV, 205
Meios para alcançar maturidade espiritual, Ver *Maturidade*, 4.
Meir IV, 205
Me-Jarcom IV, 205
Mel IV, 206
Mela, Ver *Tel-Melá*.
Melanchton, Filipe IV, 206
Melanchton, Ver *Melanchthon*.
Melancia, Ver *Melão (Melancia)*.
Melancolia IV, 208
Melão (Melancia) IV, 208
Melatias IV, 209
Meleá IV, 209
Meleque IV, 209
Ver também *Ebede-Meleque; Natã-Meleque; e Regén-Meleque*
Melhor de todos os mundos,
Ver *Leibnitz*, sob *Idéias*, 9.
Melhor explicação, prova da existência de Deus, Ver *Deus*, IV.19.
Meliorismo IV, 209
Melisso de Samos IV, 209
Melita IV, 209
Melite, Ver *Malta (Melite)*.
Melito IV, 209
Melito e cristologia,
Ver *Cristologia*, 4.b.
Melito, Narrativa de IV, 209
Melodia, Os Lírios IV, 209
Melqui IV 210
Melquisedeque IV, 210
Esboço
I. Nome e História
II. Rei e Sacerdote; Tipologia
III. Rerências Bíblicas
IV. Significação Profética
V. Uso Hermenêutico
VI. Identificação
Melquisedeque, identificações,

Ver *Melquisedeque*, VI .
Melquisedeque, rei e sacerdote,
Ver *Melquisedeque*, II.
Meizar (Cozinheiro-Chefe) IV, 211
Mem IV, 211
Membro IV, 211
Memento IV, 213
Memória IV, 213
Esboço
I. Definições
II. Ponto de Vista Reducionista Críticas
III. Pontos de Vista Filosoficos
IV. Memória Arquétipa e Memória Ancestral
V. Ponto de Vista Espiritual
Memória ancestral,
Ver *Memória*, IV.
Memória e espiritualidade,
Ver *Memória*, V.
Memória e filosofia,
Ver *Memória*, III.
Memória e reducionismo,
Ver *Memória*, II.
Memorial, Memória IV, 216
Memorial Escrito IV, 216
Memra IV, 216
Memucã IV, 217
Menã IV, 217
Menaém IV, 217
Ver também os artigos sobre *Israel, Reino de Israel, História de*.
Mêncio (Meng-Tzu) IV, 218
Mencius, Ver *Li*, 3.
Mendelssohn, Moisés IV, 218
Mendicantes, Ordens IV, 219
Mene, Ver *Mene, Mene, Tequel, Ufarsim*.
Mene, Mene, Tequei, Ufarsim IV, 219
Menelau IV, 220
Menesteu IV, 220
Mênfis IV, 220
Mênfis, versão do NT, IV, 221
Meng-Tzu, Ver *Mêncio (Meng-Tzu)*.
Meni (Destino) IV, 221
Meni. Ver *Deuses Falsos*, IV, 221
Menina IV, 221
Menina (Donzela) IV, 221
Menina do Olho IV, 222
Menino IV, 222
Menino de Gadara IV, 223
Menino do Apocalipse,
Ver *Filho, Menino do Apocalipse*.
Menno, Simons IV, 223
Menológion IV, 223
Menonitas IV, 223
Menorah IV, 225
Mensageiro IV, 225
Mensageiro (Arauto) IV, 225
Menstruação, Ver *Enfermidades na Bíblia*, I.22.
Mentalismo IV, 225
Mente IV, 226
Esboço
1. Monismo materialista
2. Monismo espiritual
3. Dicotomia
4. Tricotomia
5. Considerações filosóficas
Um esboço
6. A parapsicologia.
7. Experiências perto da morte
8. Interação entre a mente e o corpo
Ver artigo intitulado *Problema Corpo-Mente*.
9. Os ensinos bíblicos a mente Mente-corpo, problema,
Ver *Problema Corpo-Mente*.
Mente Cósmica IV, 227
Ver *Mente Universal; Mente Cósmica*.
Mente criminosa,
Ver *Crime*, 4º parágrafo.

Mente criminosa e reencarnação,
Ver *Reencarnação*, 3.g., vol. V, p. 593.
Mente de Cristo IV, 227
Mente dupla, Ver *Dupla Mente*.
Mente e percepção,
Ver *Percepção*, IV.
Mente, espelho da natureza,
Ver *Lu Hsiang-Shan*, 1.
Mente, ídolos da,
Ver *Ídolos da Mente*.
Mente inconsciente IV, 227
Ver *Inconsciente (Mente)*.
Mente, renovação da,
Ver *Renovação da Mente*.
Mente Universal; Mente Cósmica IV, 227
Mentha Longifolia (Hortelã) IV, 228
Mentira (Mentiroso) IV, 228
Mentiroso, Ver *Mentira (Mentiroso)*.
Mentiroso, Paradoxo do IV, 229
Meolatita IV, 229
Meonenim, Carvalho de (Carvalho dos Adivinhadores) IV, 229
Meonotai IV, 229
Merabe IV, 229
Meraías IV, 229
Meraiote IV, 229
Merari (Meraritas) IV, 230
Meraritas, Ver *Merari (Meraritas)*.
Merataim (Terra Duplamente Rebelde) IV, 230
Mercado IV, 230
Mercado Negro IV, 230
Mercancia, Negociant IV, 230
Mercenário, Ver *Trabalhador (Empregado Mercenário)*.
Mercier, Désire IV, 230
Mercúrio IV, 231
Ver também *Deuses Falsos*, III.23.
Merede IV, 231
Meremote IV, 231
Meres IV, 231
Meretriz, Babilônia,
Ver *Babilônia, A Meretriz*.
Meribá IV, 231
Ver também *Maná e Meribá*.
Meribá de Cades IV, 232
Meribe-Baal IV, 232
Mérito IV, 232
I. A Palavra e suas Definições
II. No Judaísmo
III. Nos Ensinos de Jesus e de Pedro
IV. Nos Ensinos de Tiago e do Legalismo
V. Na Teologia Católica Romana
VI. Objeções dos Protestantes e Evangélicos
VII. Quando Méritos, Recompensas, Obras e Salvação são Sinônimos
Mérito em Tiago, Ver *Mérito*, IV.
Mérito no judaísmo, Ver *Mérito*, II.
Mérito segundo Jesus,
Ver *Mérito*, II.
Mérito segundo evangélicos,
Ver *Mérito*, VI
Mérito segundo o catolicismo,
Ver *Mérito*, V.
Mérito, sinônimo de obras e salvação, Ver *Mérito*, VII.
Méritos, tesouro dos,
Ver *Tesouro de Méritos*.
Mernepta IV, 234
Merodaque IV, 234
Ver também *Deuses Falsos*, III.24, e *Evil-Merodaque*.
Merodaque-Baladã IV, 234
Merom, Águas; de IV, 235
Ver sobre *Águas de Merom*.
Meron, Ver *Simon-Meron*.
Meronotita IV, 235
Meroz IV, 235
Mês IV 235 Ver sobre *Calendário*.

MESA – METÁFORA, METÁFORAS

Mesa IV, 235
Mesa (Nome Próprio) IV, 237
　No hebraico
　O nome de uma localidade e de três pessoas na Bíblia.
Mesa, do Senhor,
　Ver *Senhor, Mesa do.*
Mesa, Rei de Moabe IV, 237
　Ver o artigo, *Mesa*, 4
Mesalote IV, 237
Mesaque IV, 237
　Ver *Sadraque, Mesaque e Abede-Nego.*
Meselemias IV, 238
Meseque IV, 238
Mesezabeel IV, 238
　Três homens da Bíblia
Mesilemite, Mesilemote IV, 238,
　Duas pessoas da Bíblia
Mesilemote,
　Ver *Mesilemite, Mesilemote.*
Meslier sobre o materialismo,
　Ver *Materialismo*, III.7.
Mesmer, Franz, Ver *Hipnotismo*, II.
Mesobabe, IV, 238
Mesopotâmia IV, 239
　Esboço
　1. O nome
　2. Localização geográfica
　3. Informes históricos
Mesopotâmia, Religiões da IV, 239
　Ver também *Suméria, Assíria; Babilônia.*
Mesquita IV, 239
Messiado de Jesus, Apologia da Igreja Primitiva Ver IV, 239
Messiado, de Jesus profetizado,
　Ver *Profecias Messiânicas Cumpridas em Jesus.*
Messianica, esperança,
　Ver *Esperança Messiânica.*
Messianismo IV, 240
　Definição do termo
Messias IV, 240
　Esboço
　I. Palavras Empregadas
　II. Definições e Usos
　III. Unção Fora de Israel
　IV. Tipos de Unção em Israel
　V. A Literatura Messiânica
　VI. O Messias no NT
Messias, a consciência de Jesus de ser o, Ver *Consciência de Cristo.*
Messias celestial do Enoque *Etíope,*
　Ver *Enoque, Etíope* VII.4.
Messias na literatura extracanônica,
　Ver *Messias*, 2.
Messias no NT, Ver *Messias*, VI.
Messias pré-NT,
　Ver *Enoque, Etíope,* VII.4.
Messos, Apocalipse de IV, 243
Mestre de Justiça, Ver *Zodoquitas Fragmentos* II.2.5. e *Mar Morto, Manuscritos (Rolos)* do, 5, 2º parágrafo.
Mestre do Navio IV, 243
Mestre, Ensino IV, 244
Mestre, Escola IV, 245
　Ver *Educação.*
Mestro-escola, filosofia como,
　Ver *Filosofia Grega,* IX.
Mestre-Sala IV, 245
Mestres IV, 245
Mestres Carolinos IV, 245
Mesulão IV, 246
　Vinte e uma pessoas da Bíblia
Mesulemete IV, 247
Meta-Ética,
　Ver *Linguagem da Ética,* VI.
Metafísica IV, 247
　Esboço
　I. Definição Básica
　II. Definições de Vários Filósofos

III. A Metafísica como uma Disciplina Filosófica
IV. A Metafísica e a Ética
　Bibliografia
Metafísica definida pelos filósofos,
　Ver *Metafísica*, III.
Metafísica, disciplina na filosofia,
　Ver *Metafísica*, III.
Metafísica dos sacramentos,
　Ver *Sacramentos,* I.
Metafísica e a ética,
　Ver *Metafísica,* IV.
Metafísica e a fé religiosa,
　Ver *Metafísica,* V.
Metafísica e a psicologia,
　Ver *Psicologia,* V.
Metafísica, Glossognosa IV, 250
　Ver *Stohr, Adolph.*
Metafísico, idealismo,
　Ver *Idealismo Metafísico.*
Metafísico, realismo,
　Ver *Realismo,* II.

METÁFORA, METÁFORAS (SÍMBOLOS)
Ver os cinco artigos: *Símbolo, Simbolismo; Símbolos e o Conhecimento; Tipos, Tipologia; Símbolos Histórico-Cristãos; Símbolos na Filosofia.*
Lista de Metáforas
Agricultura, Ver *Agricultura Metáfora de; e Fruto do Espírito,* III, últimos três parágrafos.
Água, Ver *Água,* 6.
Ajoelhar- se, Ver *Joelho, Ajoelharse,* sob *Usos Específicos.*
Alicerce, Ver *Fundamento,* IV.
Alicerce da Igreja, Apóstolos com,
　Ver *Fundamento dos Apóstolos e Profetas.*
Alicerce da Igreja, profetas como,
　Ver *Fundamento dos Apóstolos e Profetas.*
Alimentos, Ver *Alimentos*, item g.
Altar, Ver *Altar*, V.1,2.
Altar de incenso, Ver *Altar de incenso,* último parágrafo.
Âncora, Ver *Âncora*, segundo parágrafo e *ss.*
Andar, Ver *Andar, Metáfora de.*
Aprisionamento,
　Ver *Prisão, Prisioneiros,* 5.
Ar, Ver *Ar.*
Aranha, Ver *Aranha.*
Arca da aliança, Ver *Arca da Aliança,* últimos três parágrafos.
Arca de Noé, Ver *Arca de Noé,* segundo parágrafo.
Armas, Ver *Armadura, Armas,* V.
Árvore, Ver *Árvore da Vida;* e *Árvore do Conhecimento.*
Atletismo, Ver *Jogos Atléticos,* V.
Aves, Ver *Aves de Rapina,* terceiro parágrafo.
Azeite, Ver *Azeite,* 8.
Azeitona, Ver *Oliveira (Azeitona),* sob *Usos Figurados.*
Balaão, Ver *Balaão,* 5.
Balanças, Ver *Balanças,* quinto parágrafo.
Bálsamo, Ver *Bálsamo,* último parágrafo.
Banquete, Ver *Banquete,* último parágrafo; e *Refeições (Banquetes),* VI.
Batismo, Ver *Batismo,* 12.
Bebedores de vinho, Ver *Vinho, Bebedores de.*
Besta, Ver *Besta,* sob *Usos Metafóricos; e Anticristo.*
Boca, Ver *Boca*, terceiro parágrafo.

Borlas, Ver *Borlas.*
Bosque das vinhas,
　Ver *Vinhas, Bosque das.*
Branco, Ver *Branco,* parágrafos 3 e 4.
Brasas, Ver *Brasas,* último parágrafo.
Cabeça, Ver *Cabeça (Cristo)* e *Corpo (Igreja).*
Cabelo, Ver *Cabelo,* 6.
Cabelos brancos, Ver *Cãs,* quarto parágrafo.
Cabra, Ver *Cabra,* último parágrafo.
Cachorro, Ver *Cachorro,* sob *Usos Figurados.*
Cadáver, Ver *Cadáver,* último parágrafo.
Cadeias, Ver *Cadeias,* último parágrafo.
Calçados, Ver *Calçados, a Significação Simbólica dos.*
Cama, Ver *Cama,* último parágrafo.
Caminho, Ver *Caminho,* 2 e *ss.* e *Caminho, Cristo como.*
Campo,
　Ver *Campo,* último parágrafo.
Candeeiro,
　Ver *Lâmpada (Candeeiro),* IV.
Cântaro,
　Ver *Cântaro,* último parágrafo.
Casa do Pai, Ver *Pai, Casa do.*
Casamento, Ver *Matrimônio,* XXIII.
Cavalo, Ver *Cavalo,* IV; e *Cavalos, os Quatro do Apoc.*
Caverna, Ver *Metáfora da Caverna de Platão.*
Cegueira,
　Ver *Cegueira,* último parágrafo.
Cerca, Ver *Cerca,* últimos dois parágrafos.
Chave (chaves), Ver *Chave,* últimos dois parágrafos; e *Chaves,* parágrafos 1 e 2.
Chifres, Ver *Dez Chifres.*
Cimento, Ver *Cimento (Argamassa),* 3.
Cinto, Ver *Cinto,* último parágrafo.
Cinzas,
　Ver *Cinzas,* segundo parágrafo.
Cisterna,
　Ver *Cisterna,* último parágrafo.
Colheita, Ver *Colheita,* último parágrafo; e *Lei Moral da Colheita Segundo a Semeadura.*
Coluna, Ver *Coluna,* 4.
Conhecimento,
　Ver *Símbolos e o Conhecimento.*
Copo,
　Ver *Copo,* sob *Usos Figurados.*
Coração,
　Ver *Coração,* seções II e III.
Corda, Ver *Corda,* sob *Usos Figurados; e Fio de Prata.*
Cores, Ver *Cores,* 12.
Coroa, Ver *Coroas.*
Corpo, Ver *Corpo,* sob *Usos Metafóricos; Cabeça (Cristo)* e *Corpo (Igreja); Corpo de Cristo;* e *Corpo, Isto é Meu.*
Cortar, Ver *Cortar, Golpear,* II.
Cozinhar, Ver *Cozinhar, Cozinheiro,* últimos 2 parágrafos.
Crente como luz,
　Ver *Luz, a Metáfora da,* V.
Criança, Ver *Criança,* 3.
Cristianismo como o caminho,
　Ver *Caminho,* últimos dois parágrafos.
Cristo: oferecemos muitos artigos sobre *Cristo (in loc.),* um número dos quais inclui metáforas.
Alguns Exemplos:
Água, Ver *Água,* 6.
Alfa e Ômega, Ver *Alfa e Ômega,* 2.
Caminho, Ver *Caminho, Cristo*

como.
Fundamento da Igreja, Ver *Fundamento da igreja, Cristo como.*
Luz, Ver *Luz do Mundo, Cristo como.*
Noivo, Ver *Noiva, Noivo, e Noiva de Cristo*
Pão, Ver *Pão da Vida, Jesus como.*
Porta, Ver *Porta, Jesus como;* e *Porta das Ovelhas.*
Ramo, Ver *Ramos.*
Unigênito, Ver *Unigênito,Cristo como o,* III.
Videira verdadeira, Ver *Videira Verdadeira.*
Vigário, Ver *Cristo, Vigário de.*
Dedo, Ver *Dedo,* II.
Depósito, Ver *Depósito,* último parágrafo.
Descanso, Ver *Descanso,* 3.
Deus como luz, Ver *Luz, a Metáfora da,* II; e *Luz, Deus como a.*
Dez chifres, Ver *Dez Chifres.*
Dia, Ver *Ver Dia,* 4,5,6,7,8.
Diáspora, Ver *Diáspora,* VII
Dois homens, Ver *dois Homens, Metáfora dos.*
Éden, novo jardim,
　Ver *Nova Jerusalém,* V.
Escravidão, Ver *Escravidão,* VI; *Escravidão do Pecado; e Escravidão Espiritual.*
Escudo,
　Ver *Escudo,* último parágrafo.
Escuridão, Ver *Luz, a Metáfora da.*
Espelho, Ver *Espelho Espiritual.*
Epinhos, Ver *Espinhos,* sob *Usos Metafóricos.*
Esportes, Ver *Jogos Atléticos,* V
Estradas, Ver *Estradas,* III. G e H.
Estrangeiro, Ver *Estrangeiro,* último parágrafo.
Êxodo cristão, Ver *Páscoa,* V.5.
Faca, Ver *Faca,* último parágrafo.
Face, Ver *Face,* 3.
Família, Ver *Família,* VII e VIII.
Fermento, Ver *Fermento e seus Simbolismos.*
Ferramentas, Ver *Ferramentas,* último parágrafo.
Ferro, Ver *Ferro,* último parágrafo.
Figueira, Ver *Figueira,* sob *Usos Figurados.*
Fogos Ver *Fogo,* VII e VIII; e *Fogo, Símbolo de.*
Fome, Ver *Fome,* primeiro parágrafo e ponto 2.
Fonte, Ver *Fonte,* 6;
Formiga, Ver *Formiga,* segundo parágrafo.
Fornalha, Ver *Fornalha,* sob *Usos Figurados.*
Forte, fortificação, Ver *Forte, Fortificação,* últimos sete parágrafos.
Fruto, Ver *Fruto,* sob *Usos Metafóricos.*
Fumaça, Ver *Fumaça,* 1,2,3,4.
Fundamento, Ver diversos artigos: Fundamento, IV; Fundamento da Igreja,
Cristo como; Fundamento da Igreja,
Pedro como; e Fundamento da Igreja,
Apóstolos e Profetas como.
Gafanhoto, Ver *Praga de*
Golpes Ver *Cortar, Golpear,* II.
Guerra, Ver *Guerra,* IX.
Habitação, Ver *Habitação,* sob *Linguagem Simbólica.*
Igreja, templo de Deus, Ver *Templo de Deus, Igreja como.*

813

METÁFORA, METÁFORAS – MILAGRES

Inceso, Ver *Incenso*, V.
Ira, Ver *Ira*, IV.
Jardim,
  Ver *Jardim*, sob *Usos Figurados*.
Jerusalém nova,
  Ver *Nova Jerusalém*.
Jezabel, Ver *Jezabel*, no NT
Jogos atléticos,
  Ver *Jogos, Atléticos*, V.
Jóias,
  Ver *Jóias e Pedras Preciosas*, V.
Jordão, rio, Ver *Jordão (Rio)*, XI.
Judeu, Ver *Judeu*, 3.
Lábio, Ver *Lábio*, 2.
Lagarto, Ver *Lagarto*, 5.
Lago de fogo, Ver *Inferno*, IV; *Fogo*, VII, VIII; *Fogo, Símbolo de; e Lago do Fogo*.
Lâmpada, Ver *Lâmpada (Candeeiro)*, IV.
Lava-Pés, Ver *Lava-pés*, IV.
Lavradores, Ver *Lavradores*, 2.
Leão, Ver *Leão*, 5.
Leite,
  Ver *Leite*, 4, e *Leite, Metáfora do*.
Leopardo, Ver *Leopardo*, sob *Usos Figurados*.
Lepra Ver *Enfermidades na Bíblia*, sob *Enfermidades Físicas*, 27.
Leste, Ver *Leste*, último parágrafo.
Leviatã, Ver *Leviatã*, 3,4.
Lex talionis, Ver *Vingança*, III.
Linha dividida de Platão,
  Ver *Linha, Metáfora Platônica da*
Livro da vida,
  Ver *Livro da Vida*, I e II.
Lobo, Ver *Lobo*, sob o título
  O Lobo na Linguagem Simbólica da Bíblia.
Lua, Ver *Lua*, 4; e *Lua Nova*, sob o título, *A Lua na Simbologia dos Sonhos e das Visões*.
Lúcifer, Ver *Lúcifer*, 2.
Luz, Ver *Luz*, *a Metáfora da*.
Luz, Cristo como, Ver *Luz do Mundo, Cristo como*; e *Luz, a Metáfora da*, II.
Luz, Deus como, Ver *Luz, a Metáfora da*, II.
Luz homens como,Ver *Luz,a Metáfora da*, V.
Machado, Ver *Machado*, último parágrafo
Mansão, Ver *Mansão*.
Manto, Ver *Manto*, último parágrafo.
Mão, Ver *Mão, sob Usos Metafóricos*.
Mar, Ver *Mar*, último parágrafo; e *Mar de Vidro, sob Simbolismo*.
Mar de vidro, Ver *Mar de Vidro, sob Simbolismo*.
Matrimônio, Ver *Matrimônio*, XIII.
Melquisedeque,
  Ver *Melquisedeque*, II e IV.
Membro, Ver *Membro*, 3.
Mesa, Ver *Mesa*, V, VI.
Moinho, pedra de, Ver *Moinho, Pedra de Moinho*, 3.
Montanha, Ver *Monte (Montanha)*, 3.
Monte, Ver *Monte (Montanha)*, 3
Morte, Ver *Morte*, VII, VIII e IX; e *Segunda Morte*.
Noite, Ver *Noite*, 3.
Noiva, Ver *Noiva, Noivo e Noiva de Cristo*.
Noivo, Ver *Noiva, Noivo e Noiva de Cristo*.
Nome, Ver *Nome*, V.
Nova Jerusalém, Ver *Nova Jerusalém*.
Novo jardim de Éden,
  Ver *Nova Jerusalém*, V.
Nudez, Ver *Nu, Nudez*, sob *Usos Figurados*.
Números, Ver *Números (Numeral, Numerologia)*, III, IV e V.
Olho, Ver *Olho*, 3.
Oliveira, Ver *Oliveira (Azeitona)*, sob *Usos Figurados*.
Ombro, Ver *Ombro*, último parágrafo.
Oriente, Ver *Oriente*, último parágrafo.
Ouro, Ver *Ouro* , III.
Ouvido, Ver *Ouvido*, sob *Usos Simbólicos*.
Ovelha, Ver *Ovelha*, 4; e *Ovelhas, Metáfora de*.
Ovo, Ver *Ovo*, último parágrafo.
Pá, Ver *Pá*, último parágrafo.
Palácio, Ver *Palácio*, IV.
Palestina, Ver *Palestina*, IX.
Palha, Ver *Palha*, último parágrafo.
Pão, Ver *Pão*, 6; e *Pão da Vida, Jesus como*.
Parteira, Ver *Parteira*, último parágrafo.
Parto, Ver *Parto*, III.
Páscoa, Ver *Páscoa*, IV.
Pedra de moinho,Ver *Moinho, Pedra de Moinho*, 3.
Passarinheiro, Ver *Passarinheiro*, últimos dois parágrafos.
Paternidade, Ver *Paternidade de Deus*.
Pé, Ver *Pé*, sob *Usos Metafóricos*.
Pedra, Ver *Pedra de Tropeço*, B e C.
Pedra angular, Ver *Pedras Angulares*, quarto parágrafo.
Pedro, símbolo em sonhos e visões, Ver *Pedro (Apóstolo)*, VII.
Peixe, Ver *Peixe*, V.
Perfume, Ver *Perfume*, 4.
Perna, Ver *Perna*, 2.
Pérola, Ver *Pérola de Grande Preço; e Pérola*, sob *Usos Metafóricos*.
Pobreza, Ver *Pobre, Pobreza*, 5.
Pomba,
  Ver *Pomba*, último parágrafo.
Porco,
  Ver *Porco*, últimos dois parágrafos.
Porta, Ver *Porta, sob Usos Metafóricos; Porta, Jesus como; e Porta das Ovelhas*.
Portão, Ver *Portão*, VII.
Porteiro, Ver *Porteiro*.
Praga, Ver *Praga*, últimos dois parágrafos.
Primícias, Ver *Primícias*, IV.
Primogênito, Ver *Primogênito*, IV.
Prisão, Ver *Prisão, Prisioneiros*, 5.
Prisioneiro,
  Ver *Prisão, Prisioneiros*, 5.
Prostituição, Ver *Prostituta, Prostituição*, V.
Prostituta, Ver *Prostituta, Prostituição*, V.
Ramo, Ver *Ramos*.
Raquel, Ver *Raquel*, VIII.
Rede, Ver *Rede*, 4.
Rede, armadilha, Ver *Rede (Armadilha, Laço)*, último parágrafo.
Refeição, Ver *Refeições (Banquetes)*, VI.
Rei, Ver *Rei, Realeza*, 6.
Rio Jordão, Ver *Jordão* (Rio), XI.
Rocha, Ver *Rocha*, último parágrafo.
Sal, Ver *Sal*, penúltimo parágrafo.
Salário, Ver *Salários*, V.
Sangue, Ver *Sangue*, 5.
Sangue, vingador de,
  Ver *Vingador de Sangue*.
Selo, Ver *Selo*, 5.
Serpente de bronze, Ver *Serpente de Bronze*, último parágrafo.
Servidão, Ver *Servidão*, último parágrafo.
Shekinah Ver *Shekinah*, 3.
Símbolos, Ver *Símbolos*.
Sodoma, Ver *Sodoma*, 1, quarto parágrafo.
Sol, Ver *Sol, Simbolismo nos Sonhos e nos Visões*.
Sombra, Ver *Sombra*, parágrafos 8 e 9.
Sono, Ver *Sono*, 4.
Tabernáculo, Ver *Tabernáculo*, IX e X.
Taça, Ver *Taça*, último parágrafo.
Templo, Ver *Templo de Deus,a Igreja como*; e *Templo de Jerusalém*.
Tenda, Ver *Tenda*, últimos dois parágrafos.
Terra, Ver *Terra*, 7,8,9,10,11,12.
Tesouro, Ver *Tesouro*, VII.
Tijolo, Ver *Tijolo*, último parágrafo.
Torre, Ver *Torre*, III.
Torre de vigia, Ver *Vigia, Torre de*.
Touro, Ver *Touro*, último parágrafo.
Traça, Ver *Traça*, último parágrafo.
Trevas, Ver *Trevas (Metáfora)*.
Trigo, Ver *Trigo*, 7.
Trombeta, Ver *Trombetas*, as Sete.
Trono, Ver *Trono*, 2,3,5; *Trono Branco, o Grande; Trono de Graça; e Trono de Satanás*.
Trovão, Ver *Trovão*, último parágrafo, e *Boanerges*.
Tutor, Ver *Tutor*, 3.
Ungüento, Ver *Ungüento*, 6 e 7
Unigênito, Ver *Unigênito, Cristo como o*, III.
Vento,
  Ver *Vento*, sob *Usos Simbólicos*.
Verme, Ver *Verme*, 8º parágrafo e ss.
Vespas,
  Ver *Vespas*, último parágrafo.
Vestimentas dos sacerdotes,
  Ver *Sacerdotes, Vestimentas de*, Vol. VI, p. 28.
Vestir, Ver *Vestir, Metáfora de*.
Víbora, Ver *Víbora*, Vol. VI, p. 772.
Vida, livro da, Ver *Livro da Vida*, I e II.
Videira, Ver *Videira Verdadeira*.
Vidro, Ver *Vidro*, último parágrafo; e *Vidro, Mar de*.
Vigilante, Ver *Vigia, Vigilante,Vinha*, Ver *Vinho, Vinha*.
Virgem, Ver *Virgem (Virgindade)*, IV.
Viúva, Ver *Viúva*, 5.

Metáforas Terminam

Metal, Metalurgia IV, 250
  Ver também sobre *Artes e Ofícios*.
Metalurgia, Ver *Metal, Metalurgia*.
Metempsicose IV, 253
Metheg-Ammah (Rédeas da Metrópole) IV, 253
Metódico, ateísmo,
  Ver *Ateísmo Metódico*.
Metódico IV, 253
Metodismo IV, 253
  Um estudo completo sobre o metodismo é apresentado com nove discussões
Metodismo, doutrinas distintas,
  Ver *Metodismo*, VIII.
Metodismo, evolução,
  Ver *Metodismo*, VIII.
Metodistas Calvinistas IV, 256
Método Axiomático IV, 256
Método de Jesus de ensinar,
  Ver *Ensinos de Jesus*, IV.
Método ético de Sócrates,
  Ver *Ética*, II.3
Método Hipotético-Dedutivo IV, 256 Ver sobre *Hipótese*.

Método Socrático IV, 256
  Ver o artigo geral sobre *Sócrates*.
Metodologia de cronologia
  Ver *Cronologia do AT*, IV
Métodos arqueológicos,
  Ver *Arqueologia*, IV.
Metrologia IV, 256
  Ver sobre *Pesos e Medidas*.
Metropolita IV, 256
Metusael IV, 256
Meujael IV, 257
Meumã IV, 257
Meunim (Meunitas) IV, 257
  O sentido incerto da palavra Meunitas, Ver *Meunim (Meunitas)*.
Mexericar, Ver *Mexerico*.
Mexerico IV, 257
Me-Zaabe IV, 258
Mezuzá IV, 258
Miamim IV, 258
  O nome de duas ou três personagens da Bíblia
Mibar IV, 258
Mibsão IV, 258
  Duas personagens bíblicas
Mibzar IV, 25
Mica IV, 258
  Sete personagens bíblicas
Micael IV, 259
  Dez personagens do AT
Micaías IV, 259
Mical IV 259
Miclote IV, 260
  Duas personagens do AT
Micmãs IV, 260
Micmetá IV, 261
Micnéias IV, 261
Micri IV, 261
Microcosmo IV, 262
  Ver sobre *Macrocosmo*.
Mictã IV, 261
Midgal-Éder IV, 261
  Ver sobre *Éder*.
Midiã (Pessoa) IV, 261
Midiã, Midianitas IV, 261
  Esboço
  I. Informações Bíblicas
    A constância das hostilidades
  II. A Terra de Midiã
  III. Os Midianitas
  IV. Descobertas Arqueológicas
Midianitas, Ver *Midiã, Midianitas*.
Midim IV, 262
Midrash IV, 262
  Ver também *Talmude*, II.B.
Miéville, Hern Henri IV, 263
Migdal-El IV, 264
Migdal-Gade IV, 264
Migdol IV, 264
Migrom IV, 264
Miguel, Arcanjo IV, 264
  Significado do nome, a tradição e as referências bíblicas
Miguel, Festa de São IV, 265
Mil IV, 265 Ver sobre *Número*.
Milagre, Ver *Sinal (Milagre)*.
Milagre, ato sobrenatural,
  Ver *Sinal (Milagre)*, II.B.
Milagre da tranformação da água,
  Ver *Água, Transformação em Vinho*.
Milagres IV, 265
  Esboço
  I. A Palavra e Suas Definições
  II. Maneiras de Explicar os Milagres
  III. Especulações Filosóficas sobre os Milagres
  IV. Milagres da Bíblia
  V. Milagres em Culturas Não Hebreu-Cristãs
  VI. A Ciência e os Milagres
  VII. Milagres Modernos Milagres,

MILAGRES – MITOLOGIA

dom de, Ver *Dons Espirituais*, IV.1.
Milagres e a ciência,
  Ver *Milagres* VI.
Milagres, Importância dos IV, 274
Milagres Modernos,
  Ver *Milagre*, VII.
Milagres na Bíblia, Ver *Milagres*, IV
Milagres no AT,
  Ver *Sinal (Milagre)* I.A.
Milagres no NT,
  Ver *Sinal (Milagre)*, I.C.
Milagres para provar a existência de Deus, Ver *Deus*, IV. 12.
Milagres sentido,
  Ver *Sinal (Milagre)*, III.
Milagres, significações,
  Ver *Sinal (Milagre)*, II.
Milalai IV, 274
Milca IV, 274
  Duas mulheres da Bíblia
Milcom IV, 274
  Uma divindade amonita
  Ver também *Deuses Falsos*, III.25.
Milenarianismo IV, 275
  Ver também sobre o *Milênio*.
Milênio IV, 275
  Um estudo detalhado é apresentado com nove discussões
Milênio e os pais, Ver *Milênio*, 3.
Milênio, fraquezas na idéia,
  Ver *Milênio*, 9.
Milênio no AT, Ver *Milênio*, 1.
Milênio no NT, Ver *Milênio*, 1.
Milênio, variedade de interpretações, Ver *Milênio*, 6.
Milesianos (Escola Filosófica) IV, 278
Mileto IV, 278
Milic, John de Kromeriz IV, 279
Militarismo IV, 279
Mill, James IV, 280
Mill, John Stuart IV, 281
Miller, William (Millerismo) IV, 282
Milton, John IV, 282
Mimese, Ver *Mimesis (Mimese)*.
Mimesis (Mimese) IV, 283
Mina IV, 283 Ver sobre *Moedas*.
Mina, Mineração IV, 283
  Ver também sobre *Metal, Metalurgia e Artes e Ofícios*.
Mina, IV, 283
  Ver *Pesos e Medidas*, V.
Minas IV, 284
Minas de Salomão, Ver *Minas do Rei Salomão*.
Minas do Rei Salomão IV, 284
  Um estudo completo é oferecido com dezesseis discussões
Mindos IV, 286
Mineanos IV, 286
Mineração, Ver *Mina, Mineração*.
Mineral (ais) IV, 286
Minerva IV, 286
Mini IV, 286
Miniamim IV, 286
  O hebraico
  O nome de dois homens da Bíblia
Minimi, Ver *Minims (Minims)*.
Minims (Minimi) IV, 287
Ministério, Ministro IV, 287
Esboço
  I. Terminologia Bíblica
  II. Caracterização Geral e Definições
  III. Ministério Angelical
  IV. Os Ministros o AT
  V. Cristo, o Arquétipo dos Ministros
  VI. Natureza do Ministério Cristão
  VII. Os Dons Espirituais e o Ministério
  VIII. Os Ministros como Dons Dados à Igreja
  IX. O Ministério Organizado (Eclesiástico)
Ministério cristão,
  Ver *Ministério, Ministro*, VI.
Ministério de Jesus, Ver *Jesus*, II.
Ministério de Jesus na Galiléia, Ver *Jesus*, II.2.
Ministério de Jesus na Judéia,
  Ver os artigos sobre *Jesus*, II.4, e *Mediação (Mediador)*, II.8.
Ministério dos Anjos IV, 290
  Ver também o artigo geral sobre os Anjos.
  Os anjos e seu ministério no pensamento cristão
Ministério e mensagem de João Batista, Ver *João (o Batista)*, IV. Ver também *Ministério, Ministro*, III.
Ministro, Ver *Ministério, Ministro*.
Ministros como dons dados à Igreja, Ver *Ministério, Ministro*, VIII.
Ministros como mediadores,
  Ver *Mediação (Mediador)*, II.8.
Ministros no AT,
  Ver *Ministério, Ministro*, IV.
Minite IV, 291
Minoria Criativa IV, 291
Minúcio e o Logos,
  Ver *Logos (Verbo)*, IV.8.
Minucius, Felix Marcus IV, 291
Minúsculos IV, 291
Minúsculos mais importantes do NT, Ver *Manuscritos Antigos do NT*, III.7.
Minyan IV, 291
Miphkad, Ver *Porta da Guarda*.
Miquéias IV, 291
Esboço
  I. Quem foi Miquéias?
  II. O Período de Miquéias
  III. Suas Relações com Isaías
  IV. Conteúdo e Forma de sua Profecia Escrita
Miquéias (Livro)
Esboço
  I. Caracterização Geral
  II. Unidade do Livro
  III. Autoria do Livro
  IV. Data do Livro
  V. Razão e Propósitos do Livro
  VI. Condições do Texto do Livro
  VII. Problemas Especiais
  VIII. Esboço do Conteúdo
Mira IV, 296
Miriã IV, 297
  Duas personagens bíblicas
Mirma IV, 297
Mirra IV, 297
Misã IV, 298
Misael IV, 298
  Três personagens do AT
Misericórdia (Misericordioso) IV, 298
Esboço
  I. Palavras Envolvidas
  II. Definições
  III. Na Ética Cristã
  IV. Referências e Idéias Bíblicas
  V. Uma Virtude Cultivada pelo Espírito
Misericordioso,
  Ver *Misericórdia (Misericordioso)*.
Misericordioso abençoados,
  Ver *Bem-Aventuranças*, 5.
Misgabue (Fortaleza) IV, 300
Mishna IV, 300
  Ver também sobre o *Talmude*.
Mishnah, Ver *Mishna*.
Mishneh (Cidade Baixa de Jerusalém) IV, 300
Misia IV, 301
Misma IV, 301
Mismana IV, 301
Miso, Demétrio IV, 301
Mispa IV, 301
  Várias localidades do AT
  Ver também *Ramate-Mispa*.
Mispar IV, 302
Misperete IV, 302
Misraeus IV, 302
Misraim IV, 302
  Fatos a observar
Misrefote-Maim IV, 302
Missa IV, 303
Missa Pontifical,
  Ver *Pontifical, Missa*.
Missal Romano IV, 304
Missão, Teologia de (Evangelismo) IV, 304
  Ver também sobre e *Evangelismo; Evangelho e Evangelistas*.
Esboço
  I. Pano de Fundo
  II. O Manifesto do NT
  III. Primeiros Esforços Missionários
  IV. Missões Católicas Romanas da Idade Média
  V. A Reforma Protestante
  VI. O Moderno Movimento Missionário
  VII. Elementos da Teologia de Missão e Evangelismo
Missão de Cristo IV, 306
  Ver Missão *Universal do Logos (Cristo)*.
Missão de Cristo em Hades,
  Ver *Descida de Cristo ao Hades*.
Missão de Paulo na Galácia,
  Ver *Galácia, Missão de Paulo*.
Missão do servo do Senhor,
  Ver *Servo do Senhor*, III.
Missão dos setenta,
  Ver *Setenta, Missão dos*.
Missão Gentílica IV, 306
Missão messiânica segundo Jesus,
  Ver *Jesus*, III.3.c.
Missão tridimensional de Cristo e a restauração, Ver *Restauração*, XIII.
Missão tridimensional do Logos (Cristo), Ver *Mistério da Vontade de Deus*, VII.
Missão Universal do Logos (Cristo) IV, 307
Esboço
  I. Preparação no AT
  II. Durante o Período Intertestamental
  III. Durante o NT
  IV. A Dimensão do Hades
  V. A Dimensão Celeste
  VI. A Universalidade da Missão de Cristo
  A missão tridimensional de Cristo na terra, no hades, nos céus
Missões Domésticas IV, 309
Missões Urbanas IV, 309
Mistério IV, 309
Esboço
  I. Definição
  II. Pano de Fundo
  III. Mistérios de Paulo
  IV. Sumário dos Mistérios do NT
Mistério da Cegueira e Endurecimento de Israel: Rom. 11:25 IV, 311
Mistério da restauração de tudo,
  Ver *Mistério da Vontade de Deus*.
Mistério da Vontade de Deus IV, 311
Esboço
  I. Unidade de Tudo em Cristo - Efé.1:10
  II. Sumário de Idéias
  III. A Redenção é Um Aspecto da Restauração
  IV. O que Dizer sobre o Julgamento?
  V. Algumas Particularidades desse Mistério
  VI. Cuidado para não Diminuir a Grandeza do Evangelho
  VII. A Missão Tridimensional dos Logos (Cristo)
  Ver também, *Restauração* IV.
Mistério Fascinador, Ver *Deus*, II.
Mistério, sumário de idéias, Ver *Mistério da Vontade de Deus*, II.
Mistério Tremendo, Ver *Deus*, I.
Mistérios de Dioniso, Ver *Religiões Misteriosas (dos Mistérios)*, I.4.
Mistérios de Paulo,
  Ver *Mistério*, III.
Mistérios Dionisíacos IV, 313
  Ver o artigo sobre *Religiões Misteriosas (dos Mistérios)*.
Mistérios do NT, Ver *Mistério*, IV.
Mistérios Eleusianos IV, 313
  Ver também *Religiões Misteriosas (dos Mistérios)*, I. 1.
Mistérios órficos, Ver *Religiões Misteriosas (dos Mistérios)*, I.3.
Mistérios, religiões dos, Ver *Religiões Misteriosas (dos Mistérios)*.
Mística, teologia, Ver *Teologia Mística e Misticismo*.
Misticismo IV, 313
  Ver também sobre *Visão (Visões)*, V.
Esboço
  I. Definições e Descrições
  II. Tipos de Misticismo
  III. A Mediação do Misticismo
  IV. A Fé Cristã é de Natureza Mística
  V. Conhecimento do Infinito
  VI. Alvo do Misticismo
  VII. Misticismo Falso e Misticismo Verdadeiro
  VIII. Considerações Históricas e Filosóficas
  IX. Categorias Místicas
  X. Lições que o Misticismo Ensina
  XI. Meios do Conhecimento
  XII. Meios de Crescimento Espiritual
Misticismo, alvo do,
  Ver *Misticismo*, VI.
Misticismo contra razão,
  Ver *Judaísmo*, II.13.
Misticismo definido,
  Ver *Misticismo*, I.
Misticismo em Cristo,
  Ver *Cristo-Misticismo*.
Misticismo Falso IV, 319
Misticismo falso e verdadeiro,
  Ver *Misticismo*, VII, e *Misticismo Falso*.
Misticismo judaico, Ver *Cabala*.
Misticismo, lições que ensina,
  Ver *Misticismo*, X.
Misticismo, prova da existência de Deus, Ver *Deus*, IV. 14.
Misticismo, tipos de,
  Ver *Misticismo*, II.
Misticismo versus razão no judaísmo, Ver *Judaísmo*, II.13.
Místicos de São Vitor IV, 319
  Ver *Victor, Místicos de*.
Místicos sobre, o macrocosmo,
  Ver *Macrocosmo*, 7.
Misto de Gente IV, 319
Mitani IV, 319
Mitca IV, 320
Mitenita IV, 320
Mitilene IV, 320
Mito IV, 320
Mito de Cristo IV, 323
Mito de Er IV, 323
  Ver sobre *Er, Mito de*.
Mito, definição, Ver *Mito*, I.
Mito e filosofia, Ver *Mito*, VI.
Mitos e milagres, Ver *Mito*, V.
Mitos na Bíblia, Ver *Mito*, III.
Mitologia IV, 323
Mitologia e linguagem,
  Ver *Linguagem Religiosa*, 9.

Mitra IV, 323
Mitradates IV, 323
Mitraísmo IV, 324 Ver *Religiões Misteriosas (dos Mistérios)*, I.5.
Mizá IV, 324
Mizar IV, 324
Mnasom IV, 324
Moabe, Moabitas IV, 324
Moabita, Paula IV, 327
Moabitas, Ver *Moabe, Moabitas*.
Moabitas, religião dos,
Ver *Moabe, Moabitas*, VI.
Mobiliário IV, 328
Ver também sobre *Casa*.
Moccia, Signor Luigi, Ver
Livros Apócrifos (Modernos), 10.
Modalismo IV, 328
Modas (Música) IV, 329
Modelo IV, 329
Moderação IV, 329
Modernismo IV, 329
Ver também *Liberalismo*.
Modernos livros apócrifos,
Ver *Livros Apócrifos Modernos*.
Modéstia IV, 330
 Origens e definição do termo
 Modo IV, 330
 Esboço
 1. Descartes
 2. Spinoza
 3. Locke
Modo da propiciação,
Ver *Propiação*, III
Modos de Ser IV, 330
Modos de transmissão da depravação, Ver *Depravação*, II.
Modos e batismo, Ver *Batismo*, II.
Modus operandi IV, 331
Modus operandi da ressurreição de Jesus, Ver *Ressurreição e a Ressurreição de Jesus Cristo*, XI.
Modus operandi da restauração,
Ver *Restauração*, II.
Modus Vivendi IV, 331
Moeda,
Ver *Dinheiro*, especialmente III.
Moer IV, 331
Mohists, Ver *Li*, 2
Moinho, Pedra e Moinho IV, 331
Moisés IV, 332
 Esboço
 I. Nome, Linhagem e Família Imediata
 II. Visões Críticas sobre Moisés
 III. Significado Ético e Teológico de Moisés
 IV. Fontes Informativas
 V. Moisés e os Acontecimentos Históricos
 VI. Referências a Moisés Fora do Pentateuco
 VII. Ofícios de Moisés e o seu Caráter
 VIII. Moisés e a Arqueologia
 Bibliografia
Moisés (Não o Legislador) IV, 341
Moisés, Assunção de IV, 341
Ver sobre *Assunção de Moisés*.
Moisés ben Jacob Iben Izra,
Ver *Judaísmo*, II. 10.
Moisés ben Maimon,
Ver *Judaísmo*, II.11.
Moisés como mediador,
Ver *Mediação (Mediador)*, II.2.
Moisés como pastor, 3
Ver *Pastor*, 3.
Moisés e a arqueologia,
Ver *Moisés*, VIII .
Moisés e a crítica, Ver *Moisés*, II.
Moisés e a história, Ver *Moisés*, V.
Moisés e teologia, Ver *Moisés*, III.
Moisés, fontes de informação,
Ver *Moisés*, IV.
Moisés Mendelssohn,

Ver *Judaísmo*, II. 17.
Moisés, ofícios, Ver *Moisés*,VII.
Moísmo IV, 341
Moksha IV, 341
Moladā IV, 342
Moldura IV, 342
Moleque, Moloque IV, 342
 Esboço
 1. Sentidos possíveis da palavra e seus usos
 2. O culto a Moleque
 3. Um propósito central no culto a Moloque
 Ver também *Deuses Falsos*, III.26.
Molho IV, 343
Molide IV, 343
Molina, Luís de (Molinismo) IV, 343
 Um escolástico espanhol
 Suas datas e sua vida
 Molinismo
Molinismo, Ver *Molina, Luís de (Molinismo)*.
Molinos, Miguel IV, 344
Moloque IV, 344
 Ver também *Deuses Falsos*,II.26 e
 Moleque, Moloque.
Momentariedade, Doutrina da (Transitoriedade) IV, 344
Monacensis, Codex, Ver *X*.
Mônada (Monadologia) IV, 344
 Ver também *Leibnitz*, sob *Idéias*, 2,5,6,7
Monadas,
Ver *Leibnitz*, sob *Idéias*, 3,5,6,7.
Mônadas e liberdade,
Ver *Leibnitz*, sob *Idéias*, 11.
Monadologia,
Ver *Mônada (Monadologia)*.
Monarquianiamo IV, 344
Monasticismo, Ver *Mosteiro; Monasticismo; Eremita*.
Monergismo IV, 344
 Ver também *Sinergismo*, últimos dois parágrafos.
Monges Negros IV, 345
Monismo IV, 345 Ver também *Problema Corpo-Mente*, I.
Monismo Neutro IV, 345
Monofisismo IV, 345
Monogamia IV, 345
Monogenismo IV, 346
Monolatria IV, 346
Monoteísmo IV, 346
 Esboço
 I. Definição
 II. Distinções
 III. Idéias Usualmente Associadas ao Monoteísmo
 IV. Monoteísmo na Bíblia
 V. As Religiões Monoteístas
 Ver também *Deus*, III.3.
Monoteísmo e idéias,
Ver *Monoteísmo*, III.
Monoteísmo e Maomé,
Ver *Maomé*, 4.
Monoteísmo na Bíblia,
Ver *Monoteísmo*, IV.
Monotelismo IV, 348
Monroe, Robert, Ver *Projeção da Psique*, Vol. V, p. 456, primeira coluna e ss.
Monsenhor IV, 348
Montague, W.P. IV, 348
Montague sobre o materialismo,
Ver *Materialismo*, 17.
Montaigne, Michel de IV, 349
Montanha, Ver *Monte (Montanha)*.
Montanha, Sermão da,
 Ver *Sermão da Montanha (Monte)*.
Montanhas de Heres IV, 349
Montanismo IV, 349
Montano IV, 350
 Ver sobre *Montanismo*.

Montão IV, 350
Montão de Pedras IV, 350
Monte (Montanha) IV, 350
Monte Atos (Monte Santo) IV, 351
Monte da Assembléia IV, 351
 Ver sobre *Monte da Congregação*.
Monte da Congregação IV, 351
Monte da Transfiguração, Ver
 Monte Tabor e Transfiguração, I.1.
Monte das Bem-Aventuranças
 IV, 351
Monte das Oliveiras IV, 352
Monte Ebal, Ver *Ebal, Monte*.
Monte Efraim IV, 353 Ver sobre
 Efraim, Região Montanhosa.
Monte Escabroso IV, 353
Monte Halaque,
 Ver *Halaque, Monte*.
Monte Hor, Ver *Hor, Monte*.
Monte Nebo IV, 363
Monte Parã, Ver *Parã, Monte*.
Monte Perizim, Ver *Perizim, Monte*.
Monte, Sermão do,
 Ver *Sermão da Montanha (Monte)*.
Monte Sinai, Ver *Sinai, Monte*.
Monte Tabor IV, 353
 Informes dados pelo AT
Monumento IV, 54
 1. Definição
 2. Na Bíblia
Moody, Dwight Lyman IV, 354
Moody, R.A., e experiência perto da morte, Ver *Experiências Perto da Morte*, II.9.
Moore, G.E. IV, 355
Moradia Aberta IV, 355
Moral, argumento da,
 Ver *Argumento Moral*.
Moral, lei, Ver *Lei Moral*.
Moral, senso, Ver *Senso Moral*.
Moral, teologia,
 Ver *Teologia Moral*.
Moralidade IV, 356
Moralidade absoluta,
 Ver *Absolutos Morais*.
Moralidade a Posteriori IV, 357
 Ver o artigo sobre a *Moralidade*, 2.
Moralidade a Priori IV, 357
 Ver sobre a *Moralidade*, 2 e 4.
Moralidade, Argumentos Baseados sobre a IV, 357
Moralidade Convencional IV, 357
Moralidade e a Metafísica IV, 357
 Ver *Metafísica*, IV.
Moralidade do comunismo,
 Ver *Marxismo, Ética do*, 6.
Moralidade e educação
 Ver *Educação e Moralidade*.
Moralidade e o jogo,
 Ver *Jogo*, últimos parágrafos.
Moralidade e o destino,
 Ver *Destino*, II
Moralidade nova,
 Ver *Nova Moralidade*.
Moralidade, obrigação,
 Ver *Obrigação Moral*.
Moralidade para provar a existência de Deus, Ver *Argumento Moral*.
Moralistas Ingleses IV, 357
Morastita IV, 357
Morávia (Igreja Morávia) IV, 357
Morcego IV, 358
Mordecai IV, 358
 Vários personagens do AT
Mordomo IV, 359
More, Henry IV, 359
More, Sir Thomas IV, 359
Moré, Carvalho de IV, 369
Moré, Outeiro de IV, 360
Mores IV, 360
Moresete-Gate IV, 360
Morgan, C. Lloyd IV, 360
Morgan, Thomas IV, 360

Moriá IV, 360
Mórmon, definição, Ver *Santos dos Últimos Dias (Mórmons)*, I.
Mórmon, Livro de IV, 361
 Idéia geral sobre o Livro de Mórmon
 Ver também *Livro de Mórmon e Livros Apócrifos Modernos*, 1.
Mormonismo, avaliação, Ver
 Santos dos Últimos Dias (Mórmons), Vol. VI, p.122.
Mormonismo, doutrinas distintas,
 Ver *Santos dos Últimos Dias*, IV.
Mórmons IV, 361
Ver o artigo *Santos dos últimos Dias (Mórmons)*
Mórmons, doutrinas dos, Ver *Santos dos Últimos Dias (Mórmons)*, IV.
Mórmons, história dos, Ver *Santos dos Últimos Dias (Mórmons)*, II.
Mórmons, livros sagrados dos
 Ver *Santos dos Últimos Dias (Mórmons)*, V.
Mórmons seitas, Ver *Santos dos Últimos Dias (Mórmons)*, III.
Mornidão Espiritual IV, 361
Moroni, Ver *Santos dos Últimos Dias*, 1,2.
Morrison, Robert IV, 362
Mortal (Mortalidade) IV, 362
Mortalidade,
 Ver *Mortal (Mortalidade)*.
Mortalista IV, 362
Morte IV, 362
 Estudo completo inclui os usos metafóricos e espirituais
 Ver também *Experiências Perto da Morte*.
Morte, a Segunda IV, 366
Morte Clínica, Volta Após a IV, 367
 Ver também *Experiências Perto da Morte*.
Morte, conotações da palavra,
 Ver *Morte*, II.
Morte de Cristo IV, 367
 Esboço
 I. Pano de Fundo do AT
 II. Primeiras Discussões Teológicas
 III. A Morte de Cristo como Expiação
 Ver sobre *Expiação*.
 IV. A Teologia da Cruz
 Ver *Cruz, Efeitos da*.
 V. A História da Morte de Cristo
 VI. Implicações Éticas
Morte de Deus, A IV, 368
 Esboço
 I. Pano de Fundo Histórico
 II. Preparação para o Secularismo,
 III. O Séc. XIX – o Existencialismo
 IV. A Teologia Radical e a Morte de Deus
 V. O Homem, o Super-Homem, é Deus
 VI. A Morte de Deus como um Fato Cultural e Pessoal
Morte de João Batista,
 Ver *João (o Batista)*, VIII.
Morte derrotada, Ver *Morte*, VI.
Morte dos primogênitos,
 Ver *Pragas do Egito*, IV.
Morte e Salvação de infantes IV, 369
 Ver *Infantes, Morte e Salvação dos; e Limbo*, 3.a.b.c.d.e.f.g.
Morte e Sepultamento IV, 370
 Ver o artigo sobre *Sepultamento, Costumes de*.
Morte espiritual, Ver *Morte*, VII.
Morte fácil, Ver *Eutanásia*.
Morte nos serve, Ver *Morte*, IX.
Morte, punição do pecado,
 Ver *Morte*, IV.
Morte, segunda, Ver *Segunda Morte*.
Morte, sobrevivência da,
 Ver *Experiências Perto da Morte; Al-*

MORTIFICAÇÃO – NACIONALISMO

ma; Imortalidade (diversos artigos).
Mortificação,
   Ver *Mortificar, Mortificação*.
Mortificar, Mortificação IV, 370
Morto duas vezes, Ver *Duas Vezes Morto*.
Morto, Mar, Ver *Mar Morto*.
Mortos IV 370
   Ver também sobre *Sepultamento, Costumes de; e Morte*.
   Esboço
   I. Costumes Sobre a Morte e o Sepultamento
   II. Vários Sentidos da Palavra Morte
   III. Expressões Figuradas
   IV. Os Mortos Voltam?
      O caso de Samuel
      A doutrina dos demônios Mortos, batismo pelos, Ver *Batismo pelos Mortos*.
Mortos, Estado dos IV, 372
   Esboço
   I. O Pentateuco
   II. O AT em Geral
   III. No NT
   IV. O Efeito do Tapete de Muitas Cores
Mortos, Livros dos,
   Ver *Livro dos Mortos*.
Mortos, Orações Pelos IV, 375
   Ver o artigo *Orações pelos Mortos*.
Mortos, sepultamento,
   Ver *Sepultamento, Costumes de*.
Mortos, significados, Ver *Mortos*, II.
Mortos voltam, Ver *Mortos*, IV; *Experiências Perto da Morte; e Reencarnação*.
Mosaico IV, 375
Mosca IV, 375
Moscas, Ver *Pragas do Egito*, II.4.
Mosera, Ver *Moserote (Mosera)*.
Moserote (Mosera) IV, 376
Mosquesis, Codex, Ver *V*.
Mosquito (Piolho, Carrapato) IV, 376
   Ver também *Piolho*, 3.
Mostarda IV, 376
Mosteiro; Monasticismo;
Eremita IV, 377
   Um estudo detalhado deste assunto é apresentado com quatro discussões
Mo Tzu IV, 379
Motivação, Ver *Motivo, Motivação*.
Motivo, Motivação IV, 379
Motivos Misturados IV, 380
Movedor Inabalável IV, 381
   Ver sobre *Aristóteles*.
Móveis do tabernáculo,
   Ver *Tabernáculo*, IV, p. 386, Vol. VI.
Movimento IV, 381
Movimento Carismático IV, 381
Movimento Conciliar (Conciliarismo) IV, 386
Movimento de Oxford,
   Ver *Oxford, Movimento de*.
Movimento Ecumênico, IV, 386
   Esboço
   I. A Expressão
   II. Conceitos Veterotestamentários do Ecumenismo
   III. Conceitos Neotestamentários Ecumenismo
   IV. O Moderno Movimento Ecumênico
   V. Relações com o Catolicismo Romano
   VI. Protestantes Dissidentes
   VII. A Tradição Profética e o Verdadeiro Ecumenismo
Movimento Litúrgico IV, 390
Movimento reformado do judaísmo,
   Ver *Judaísmo*, II.18.
Movimento utilizado para provar a existência de Deus,
   Ver *Cinco Argumentos de Tomás de Aquino em Favor da Existência de Deus*, Vol. I, pp. 739 a 741.
Movimentos éticos, Ver *Ética*, IV.
Movimentos Sociais Cristãos IV, 390
   Um estudo detalhado é apresentado com dezesseis discussões
Moza IV, 392
   O nome de duas pessoas e de uma cidade no AT
MT (TM) IV, 392
Mudança IV, 392
Mudança dos Pólos IV, 392
   Ver também *Dilúvio de Noé*, II e VI; *Pólos, Mudança dos*.
Mudanças, Livro das IV, 393 .
   Ver *Livro das Mudanças*.
Mudas de Fora IV, 393
Mudo IV, 393
Muenzer, Thomos IV, 393
Mufti IV, 393
Mugharah, Wadi El IV, 393
Muhlenberg, Henry Melchior IV, 393
Muitas perguntas, falácia de,
   Ver *Falácia das Muitas Perguntas*.
Mujtahid IV, 393
Mulá IV, 393
Mulddon, Sylvan, Ver *Projeção da Psique*, V, p. 457, segunda coluna.
Mulher IV, 394
   Esboço
   I. Posição no Judaísmo
   II. As Mulheres e as Igrejas
   III. A Exceção na Antioquia da Pisídia
   IV. As Exceções (Biblicamente) Não Criam uma Regra
   V. Uma Previsão Esperançosa
   VI. Mudança de Costumes Sociais Exige Modificação de Certas Regras
   VII. Pontos Fortes e Fracos da Mulher
   VIII. A Mulher no AT
   IX. A Mulher no NT
Mulher, Consagração da Mulher IV, 402
   Esboço
   1. A proposta justificação bíblica
   2. As diaconisas
   3 O problema moderno
Mulher, pontos fortes e fracos da,
   Ver *Mulher*, VII.
Mulher, Situação da IV, 403
Mulher, véu da, Ver *Véu da Mulher*.
Mulher Adúltera, Tradição de IV, 403
   Jesus e a mulher adúltera:
      João 7:53-8:11
      A narrativa e os manuscritos
      A opinião dos eruditos
Mulher e a família,
   Ver *Mulher*, VIII.B.
Mulher e costumes sociais,
   Ver *Mulher*, II.
Mulher e o dragão,
   Ver *Dragão e a Mulher*.
Mulher e o ministério de Jesus,
   Ver *Mulher*, IX.A.
Mulher Etíope IV, 404
Mulher Feita de Costela IV, 404
Mulher na Igreja, Ver *Mulher*, II.
Mulher na Igreja primitiva,
   Ver *Mulher*, IX.B,C.
Mulher no AT, Ver *Mulher*, VIII.
Mulher no judaísmo, Ver *Mulher*, I.
Mulher no NT, Ver *Mulher*, IX.
Mulher Vestida do Sol Apo. 12:1,2 IV, 404
Mulheres IV, 406 Ver sobre *Mulher*.
Mulla Sarda IV, 406
Múltipla personalidade,
   Ver *Personalidade Múltipla*.
Multiplicação dos Pães Para os Cinco Mil IV, 406
Mundanismo IV, 407
   Ver também sobre *Vícios*.

Esboço
   I. Identificando-nos com Cristo
   II. O Mundo é um Objeto Inapropriado do Nosso Amor
   III. O Mundo: Definição
   IV. Uma Condição Crítica
   V. O Verdadeiro Amor
   VI. Detalhes do Mundanismo
      Mundo IV, 410
      Esboço
      I. O Mundo no AT
      II. Idéias Gregas sobre o Cosmos
      III. O Mundo no NT
Mundo, alma do,
   Ver *Alma do Mundo*.
Mundo, cosmos dos gregos,
   Ver *Mundo*, II.
Mundo e a Igreja,
   Ver *Igreja e o Mundo*.
Mundo, espírito do,
   Ver *Espírito do Mundo*.
Mundo (existência e natureza do) para provar a existência de Deus,
   Ver *Argumento Cosmológico*.
Mundo Exterior (Argumentos em Favor do) IV, 417
Mundo, fim do, Ver *Fim do Mundo*.
Mundo, governo do,
   Ver *Governo Mundial*.
Mundo greco-romano,
   Ver *Período Intertestamental*, 8.
Mundo, idéias gregas,
   Ver *Mundo*, II.
Mundo Inteligível IV, 418 Ver sobre *Mundo Universal (Inteligível)*.
Mundo intermediário,
   Ver *Estado Intermediário*.
Mundo melhor possível,
   Ver *Mundos Possíveis*.
Mundo não-físico e a alma,
   Ver *Imortalidade*, 2.
Mundo no AT, Ver *Mundo*, I.
Mundo no NT, Ver *Mundo*, III.
Mundo Psíquico de Crianças Moribundas IV, 418
   Ver *Parapsicologia*, X.
Mundo, rudimentos do,
   Ver *Rudimentos do Mundo*.
Mundo, segundo os filósofos gregos, Ver *Mundo*, II.
Mundo Sensível IV, 418
Mundo Universal (Inteligível) IV, 418
Mundo vencido,
   Ver *Vitória, Vencedor*, I.
Mundo vindouro, poderes do,
   Ver *Poderes do Mundo Vindouro*.
Mundos Possíveis IV, 418
Mundus Imaginalis IV, 418
Mundus Intelligibilis IV, 418
Mundus Sensibilis IV, 418
Mupim IV, 418
Muralha das Lamentações IV, 419
Muratorian (Cânon) IV, 419
Muratoriano (Fragmento) IV, 419
Murjitas IV, 419
Muro das Lamentações IV, 419
   Ver sobre *Muralha das Lamentações*.
Murray, John IV, 419
Murta IV, 419
Musa IV, 420
Musi (Musitas) IV, 420
Música IV, 420
   Esboço
   I. O Poder da Música
   II. Formas de Música na Igreja
      Salmos, hinos
   III. O Espírito da Música
   IV. Formas Nocivas
Música da paixão,
   Ver *Paixão, Música da*.
Música das Esferas IV, 427
Música, espírito da, Ver *Música*, III

Música, força negativa,
   Ver *Música*, I .
Música, formas na Igreja,
   Ver *Música*, II.
Música, fuga, Ver *Fuga (Música)*.
Música, Instrumentos Musicais IV, 423
   Esboço
   I. A Teoria da Música
   II. A Música no AT
   III. A Música no NT
   IV. Instrumentos Musicais Mencionados na Bíblia
      Bibliografia
Música nociva, Ver *Música*, IV.
Música no NT,
   Ver *Hino(Hinologia)*, III.
Música, Poder da, Ver *Música*, I.
Mute IV, 427
Mutilação IV, 427
Mutismo, Ver *Enfermidades na Bíblia*, I. 15.
Mutuca IV, 427
Muxoxo IV, 428
Myers, F.W. H.,
   Ver *Projeção da Psique*, Vol. V, p. 455, primeira coluna.
Mysterium Fascinosum IV, 428
Mysterium Tremendum IV, 428

N

N IV, 429
   A abreviação do manuscrito chamado *Codex Purpureus Petropolitanus*
Naã II, 429
Naã IV, 429
Naalal IV, 429
Naaliel IV, 429
Naamá IV, 429
Naamã IV, 429
   Dois homens na Bíblia
Naamani IV, 431
Naamanitas IV, 431
Naamatita IV, 431
Naará IV, 431
Naarai IV, 431
Naarate IV, 431
Naás IV, 431
   O nome de duas personagens do AT
Naasom IV, 431
Naate IV, 431
   O nome de três homens do AT
Naatus IV, 432
Nabal IV, 432
   Sua vida
Nabarias IV, 432
Nabateus IV, 432
Nabi IV, 433
Nabonido IV, 433
Nabopolassar IV, 434
   O rei da Babilônia
Nabote IV, 434
Nabucodonosor IV, 434
   Esboço
   I. Nome e Família
   II. Fontes Informativas
   III. Informes Históricos
   IV. Obras Públicas de Nabucodonosor
   V. A Arqueologia e Nabucodonosor
      Bibliografia
Nabucodonosor e Jeremias,
   Ver *Jeremias (o Profeta)*, IV.
Nabucodonosor, imagem de,
   Ver *Imagem de Nabucodonosor*.
Nacionalismo IV, 436
Nacionalismo, fatores criadores,
   Ver *Nacionalismo*, 2.
Nacionalismo judaico,
   Ver *Período Intertestamental*, 7.e.

817

NACIONALISMO – NERGAL

Nacionalismo negativo,
 Ver *Nacionalismo*, 4.
Nacionalismo positivo,
 Ver *Nacionalismo*, 3.
Nações IV, 437
 Esboço
 I. Caracterização Geral
 II. Terminologia
 III. Listas Bíblicas das Nações
 IV. Fontes Informativas
 V. Tabela das Nações
 VI. Declaração Sumária sobre a Tabela das Nações
 VII. Atitudes dos Hebreus e dos Cristãos sobre as Nações
Nações, julgamento das,
 Ver *Julgamento das Nações*.
Nacom IV, 441
Nada IV, 441
 Treze discussões são apresentadas sobre a natureza *do nada*.
Nadabate IV, 442
Nadabe IV, 442
 Várias personagens do AT
Nafis IV, 442
Naltali IV, 443
 1. O patriarca
 2. A tribo de Naftali
 3. O distrito montanhoso de Naftali
Naftuim IV, 443
Nag Hamade, Manuscritos de IV, 444 Ver também sobre *o Gnosticismo*.
 Lista de importantes manuscritos de Nag Hamade
Nagaí IV, 444
Nagarjuna IV, 444
 Um dos maigres filósofos teólogos da Índia
Nagel, Ernest IV, 445
Naido IV, 445
Naim IV, 445
Naiote IV, 445
Nanaque IV, 446
Nanar IV, 446
Nanianus, Codex, Ver U.
Nanismo, Ver *Enfermidades na Bíblia*, I. 14.
Não-Cognitivismo IV, 446
Não-Compadecida, Ver *Ló-Ruama*.
Não-Favorecida IV, 446
Não-imputação do pecado,
 Ver *Imputar, Imputação*, IV.
Não-Meu-Povo IV, 446
 Ver também *Lo-Ami*.
Não-resistência, Ver *Não-violência (Não-Resistência)*.
Não-Violência (Não-Resistência) IV, 446
Naor IV, 446
 Duas personagens e uma cidade do AT
Narciso IV, 446
Narcóticos IV, 447
 Ver sobre *Drogas*.
Nardo IV, 447
Nariz, pendentes de,
 Ver *Pendentes de Nariz*.
Nariz, Ventas IV, 447
Narrativa de Melito,
 Ver *Melito, Narrativa de*.
Nasbas IV 447
Nascer da Água IV, 448
 Ver sobre *Nascer de Novo*.
Nascer de Novo IV, 448
 Diversas interpretações
Nascido duas vezes,
 Ver *Duas Vezes Nascido*.
Nascimento IV, 449
Nascimento de Maria, Evangelho do IV, 449 Ver *Maria, Evangelho do Nascimento de*.
Nascimento novo, Ver *Novo Nascimento (Regeneração) e Regeneração*.

Nascimento Virginal de Jesus IV, 449
A profecia de Isa. 7:14
 Esboço
 I. Palavras Envolvidas
 II. Várias Interpretações sobre Isa. 7:14
 III. Propósitos de Mateus e Lucas ao Usar o Texto de Isaías
 IV. Nascimento Virginal em Luc. 1:27
 V. Controvérsia Liberal-Conservadora sobre o Nascimento Virginal de Jesus
Nascimento, segundo, Ver *Segundo Nascimento e Regeneração*.
Nascimento virginal de Jesus, controvérsia, Ver *Nascimento Virginal de Jesus*, V.
Nascimento virginal de Jesus em Lucas, Ver *Nascimento Virginal de Jesus*, IV.
Nascimento virginal de Jesus em Mateus, Ver *Nascimento Virginal de Jesus*, III.
Nash, papiro de, Ver *Papiro de Nash*.
Nasi IV, 453
Nastika IV, 453
Natã IV, 453
 Várias personagens da Bíblia
Natã-Meleque IV, 454
Natal IV, 454
 Esboço
 I. Razões da Celebração a 25 de Dezembro
 II. A Celebração, uma Festividade, e não um Jejum
 III. Vários Costumes Típicos do Natal
 IV. São Nicolau, a História de Papai Noel, e a Reação Amarga de Alguns Evangélicos
 V. A Noite Encantada Epifania
 VI. Uma Moderna História de Natal
Natalidade, controle de,
 Ver *Controle de Natalidade*.
Natanael IV, 456
 Dez personagens do AT e um dos apóstolos de Jesus
Natura Naturans; Natura Naturata IV, 457
 O significado das expressões latinas
Natura naturata, Ver *Natura Naturans; Natura Naturata*.
Natural, direito,
 Ver *Direito Natural*.
Natural, homem,
 Ver *Homem Natural*.
Natural inabilidade,
 Ver *Inabilidade Natural*.
Natural, lei, Ver *Lei Natural*.
Natural revelação,
 Ver *Revelação Natural*.
Natural, teologia,
 Ver *Teologia Natural*.
Naturalis, Lex, Ver *Lex Naturalis*.
Naturalismo IV, 457
Naturalismo crítico,
 Ver *Materialismo*, II. *Definições Básicas*.
Naturalismo religioso e Deus,
 Ver *Deus*, III.11.
Natureza IV, 457
Natureza, adoração da,
 Ver *Adoração da Natureza*.
Natureza da alma, Ver *Alma*, II.
Natureza da matéria, Ver *Matéria*.
Natureza da meditação,
 Ver *Meditação*, 1.
Natureza da perfeição,
 Ver *Perfeição Espiritual*, III.
Natureza das obras,
 Ver *Obras, Natureza e Utilidade*.
Natureza, direitos segundo,
 Ver *Direitos Naturais*.

Natureza Divina IV, 459
 Ver sobre *Deus e Atributos de Deus*.
Natureza do pecado,
 Ver *Pecado*, III.
Natureza Humana IV, 459
 Ver os artigos intitulados *Homem Natural; Homem Carnal Homem Espiritual; Humanidade (Natureza Humana); e Homem Novo*.
Natureza humana, conceitos bíblicos
 Ver *Humanidade (Natureza Humana)*, II.
Natureza humana e a filosofia,
 Ver *Humanidade (Natureza Humana)*, III.
Natureza parabólica do conhecimento, Ver *Símbolos e o Conhecimento*.
Natureza, respeito da, Ver *Poluição Ambiental*, III.
Naum (Livro) IV, 459
 Esboço
 I. Pano de Fundo Histórico
 II. Autoria
 III. Data
 IV. Conteúdo
 V. Propósitos e Principais Ensinos
 VI. Características Literárias
 VII. Gráfico Histórico de Israel Bibliografia
Naum (Pessoas) IV, 463
 Duas personagens do AT
Navalha IV, 463
Navalha de Ockham, IV, 463
Navios IV 463
 Ver também *Barcos e Navios*.
Naya IV, 463
Nazaré IV, 464
Nazaré, Decreto de IV, 464
Nazareno IV, 465
Nazareno, Igreja,
 Ver *Igreja dos Nazarenos*.
Nazarenos, Evangelho dos IV, 465
 Ver também *Evangelho dos Nazarenos*.
Nazarenos (Igreja dos) IV, 466
 Ver sobre *Igreja dos Nazarenos*.
Nazianzeno, Gregório,
 Ver *Gregório Nazianzeno*.
Nazireado (Voto do) IV, 466
Nazireado e o Apóstolo Paulo IV, 467
Nazireu IV, 468
 Ver *Nazireado (Voto do)*.
Neá IV, 468
Neápolis IV, 468
Nearias IV, 469
 Duas pessoas do AT
Nebai V, 469
Nebaiote IV, 469
Nebalate IV, 469
Nebate IV, 469
Nebo IV, 469
 Várias localidades e pessoas no AT
 Ver também *Deuses Falsos*, III.27.
Nebo, Monte IV, 469
 Ver sobre *Monte Nebo*.
Nebusazbã IV, 469
Nebuzaradã IV, 469
Necessarianismo,
 Ver *Libertarianismo e Necessarianismo*.
Necessário, ser, Ver *Ser Necessário*.
Necessidade IV, 470
Necessidade de sofrimento,
 Ver *Sofrimento, Necessidade de*.
Necessidade Universal de Cristo IV, 470
Necessitarianismo IV, 471
 Ver também *o Determinismo*.
Neco (Faraó) IV, 471
Necoda IV, 472
 Um indivíduo e um clã no AT

Necrológio IV, 472
Necromancia IV, 472
 Ver também *Adivinhação*, 3.
Necromantes IV, 472
 Ver sobre *Adivinhação*.
Nedabias IV, 472
Neelamita IV, 472
Neemias (Autor do Livro) IV, 472
 Ver *Neemias (Livro)*, primeira seção.
Neemias (Livro) IV, 472
 Esboço
 I. Neemias, o Autor
 II. Data e Autoria
 III. Pano de Fundo Histórico
 IV. Propósito do Livro
 V. Problemas Especiais do Livro
 VI. Esboço de Conteúdo
Nefegue IV, 475
 Duas personagens do AT
Néfes IV, 475
Nefilins IV, 476
Neftoa, Águas de IV, 476
Nefussim IV, 476
Negação IV, 476
Negação de Pedro IV, 476
Negationis, via, Ver *Via Negationes*.
Negligência IV, 477
Negociações Coletivas IV, 478
Negociante, Ver *Comércio, Negócios e Intercâmbio*.
Negócios, Ver *Comércio, Negócios e Intercâmbio*.
Negócios, ética nos,
 Ver *Ética nos Negócios*.
Negro IV, 478
Negro mercado, Ver *Mercado Negro*.
Negueba IV, 479
 1. O nome
 2. A religião
 3. Estradas do Negueba
 4. Economia da região
 5. Povos e informes históricos
Negueba (Adami-Negueba) IV, 480
Neiel IV, 480
Nemésio IV, 480
Nêmesis IV, 480
Neocatólico IV, 480
Neocriticismo IV, 480
Neo-Escolasticiamo IV, 480
 Ver também *Escolasticismo e Tomismo*.
Neo-Espiritualismo IV, 480
Neo-Estoicismo IV, 480
Neo-Evangelicalismo IV, 480
Neófito V, 481
Neo-Hegelianismo IV, 481
Neokantianismo IV, 481
Neoluteranismo IV, 481
Neo-Ortodoxia IV, 481
 Esboço
 I. Caracterização Geral
 II. Perspectiva Histórica e Nomes Importantes
 III. Sobre a Autoridade Religiosa
 IV. Método Existencial
 V. Sobre a Queda do Homem
 VI. Sobre o Batismo Infantil
 VII. Sobre a Expiação
 VIII. Sobre a Teoria Social
 IX. Sobre a Escatologia
 X. Sobre a Ética
Neopitagoreanismo IV, 484
Neoplatonismo IV . 486
 I. Caracterização Geral
 II. Esboço Histórico; o Processo e as Crenças
Neoprotestantismo, Ver *Liberalismo*.
Neotomismo IV, 486
Ner IV, 486
Nereidas IV, 486
Nereu IV, 486
Nergal IV, 486
 Uma divindade pagã

NERGAL – NOVO TESTAMENTO

Ver também Deuses Falsos, III.29.
Nergal-Sarezer IV, 486
 Uma das principais divindades da Babilônia
 1. O Nergal-Sarezer assírio
 2. O Nergal-Sarezer babilônico
Neri IV, 487
Nerias IV, 487
Nero IV, 487
 Ver também *Império Romano*, VII.
Nerva, Ver *Império Romano*, XII.
Nestor (Nestorianismo) IV, 489
Nestor e cristologia,
 Ver *Cristologia*, 4.h.
Nestorianismo,
 Ver *Nestor (Nestorianismo)*.
Nestorianos IV, 489
 Ver também sobre *Nestor (Nestorianos)*.
Netaim IV, 489
Netanias IV, 489
Neti Neti IV, 490
Netinim (Servos do Templo) IV, 490
Netofa (Netofatitas) IV, 490
Netofatitas,
 Ver *Netofa (Netofatitas)*.
Netsefe, peso,
 Ver *Pesos e Medidas*, IV. F.
Netuno IV, 491
Neum IV, 491
Neurose IV, 491
Neusta IV, 491
Neustã IV 491
 Ver também *Deuses Falsos*, III.28.
Neutralidade IV, 491
Neve IV, 491
 O termo hebraico e os termos gregos
Névoa IV, 492
Newbrough, John B., Ver *Livros Apócrifos (Modernos)*, 15.
Newman, John Henry IV, 492
Newton, Sir Isaac IV, 493
Neziá IV, 493
Nezibe IV, 493
Nibaz IV, 493
 Ver também *Deuses Falsos*, III.30.
Nibsã IV, 493
Nicanor IV, 493
Nicéforo, Patriarca (convocou o sínodo que aprovou a veneração de imagens). Ver *Iconoclasmo*, Vol. III, p. 199, 3° parágrafo.
Nicéia (Concílios de) IV, 494
 Ver também *Concílios Ecumênicos*.
Nicéia, Credo de IV, 494
 Ver *Nicéia (Concílios de)* para o pano de fundo histórico deste credo e o artigo geral sobre *Credos*.
Nichos IV, 495
Nicodemos IV, 495
Nicodemos, Evangelho de IV, 497
 Ver também sobre *Livros Apócrifos do NT*
Nicolaítas IV, 497
Nicolau IV, 499
Nicolau Copérnico,
 Ver *Copérnico, Nicolau*.
Nicolau de Cusa (Nicolau Cusano) IV, 499
Nicolau Cusano, Ver *Nicolau de Cusa (Nicolau Cusano)*.
Nicolau de Damasco IV, 499
Nicolau de Lira, Ver *Lira, Nicolau de*.
Nicolau de Mira (Santo) IV, 500
Nicolau (Papas), Ver *Nicolaus (Papas)*.
Nicolau, São, Ver *Natal, IV; e Nicolau de Mira (Santo)*.
Nicolaus (Papas) IV, 500
Nicomaco de Gerasa IV, 501
Nicomédia, Eusébio de, Ver *Eusébio da Nicomédia*.
Nicópolis IV, 501
Nicotrasto IV, 501

Niebuhr, H. Richard IV, 501
Niebuhr, Reinhold IV, 501
Nietzsche, Friedrich IV, 502
Níger, IV, 503
Nigídio Fígulo IV, 503
Nihilianismo IV, 503
Nihil in Intellectu Nisi Prius in Sensu IV, 503
 A expressão latina
Nihil Obstat IV, 503
 A expressão latina
Nihilismo IV, 503
Nihongi IV 504
Nilo (Rio) IV, 504
Nimbus IV, 505
Ninfa IV, 505
Ninfas IV, 506
Ninho IV, 506
Ninho de Ave IV, 506
Nínive IV, 506
 Esboço
 1. O nome
 2. Localização e fundação
 3. Esboço histórico
 4. Arqueologia
  As expedições inglesas através de mais de cem anos
 5. A biblioteca real de Nínive
 6. A história de Jonas
Ninrim, Águas de IV, 508
Ninrode IV, 508
Ninsi IV, 508
Ninurta IV, 508
Nipur IV, 509
Nirguna Brahman IV, 509
Nirvana IV, 509
 Ver também *Budismo*, 9
Nisã IV, 509
 Ver o artigo intitulado *Calendário*.
Nisroque IV, 509
 Ver também *Deuses Falsos*, III.31
Nissi, Ver *Yahweh-Nissi*.
Nitriensis, Codex, Ver *R*.
Niyania IV, 510
No (No-Amom) IV, 510
Nó IV, 510
 Cortando o Nó Górdio
Nó Górdio IV, 510
 Ver também *Nó*, último parágrafo.
Noa IV, 510
Noá IV, 510
 O hebraico,
 Um clã o uma localidade do AT
Noadias, Noadia IV, 510
No-Amom, Ver *No (No Amom)*.
Noba IV, 510
 Um indivíduo e uma cidade no AT
Nobe IV, 510
Nobre Selvagem IV, 511
Nobreza espiritual,
 Ver *Espiritualidade*, III.
Noção IV, 511
Noções comuns IV, 511
Nodabe IV, 511
Node IV, 511
Noé IV, 511
 Esboço
 Ver também Dilúvio de Noé.
 1. Nome e família
 2. Noé e os críticos
 3. Indicações cronológicas
 4. Noé e o propósito redentor
 5. Descendentes de Noé
 6. Caráter de Noé
Noé babilônico,
 Ver *Gilgamés, Epopéia de*.
Noé, descendentes de, Ver *Noé*, 5.
Noé e cronologia, Ver *Noé*, 3.
Noé e o dilúvio, Ver *Dilúvio de Noé*.
Noé e os críticos, Ver *Noé*, 2.
Noé, Livro de IV, 513
Noemi IV, 513
Noético IV, 513

Nofá IV, 513
Nofe IV, 513
Nogá IV, 513
Noite IV, 513
Noite Escura da Alma IV, 514
 Ver também sobre São *João da Cruz*.
Noiva, *Noivo e Noiva de Cristo* IV, 514
Noivo IV, 515
 Ver os artigos *Noiva, Noivo e Noiva de Cristo* e também *Matrimônio*.
Nômades IV, 515
Nômades, na Bíblia,
 Ver *Nômades*, 4.
Nômades, tipos, Ver *Nômades*, 2
Nômades, vida dos, Ver *Nômades*, 3.
Nomadismo, lições espirituais,
 Ver *Nômades*, 3.
Nome IV, 516
 Esboço
 I. Terminologia
 II. Classes de Nomes
 III. Significados e Usos
 IV. Nomes Divinos
 V. Usos Figurados
 VI. Sumário das Características dos Nomes Bíblicos
Nomes, Ver *Nome*.
Nomes bíblicos de Deus,
 Ver *Deus*, VI.
Nomes de Deus, Ver *Deus, Nomes Bíblicos de*.
Nomes divinos, Ver *Deus, Nomes Bíblicos de, e Nome, IV*.
Nomes próprios, tipos,
 Ver *Nome*, VI.A.
Nomes, significados, Ver *Nome*, III.
Nominalismo IV, 518
 Ver também *Universais*, II.4.
Non-Conformistas (Não-Conformidade) W, 518
Non-Sequitur IV, 519
Noosfera IV, 519
Nora IV, 519
Normas diretivas da Igreja Católica Romana, Ver *Igreja Católica Romana, Catolicismo*.
Normativa, Ética IV, 519
Norris, John IV, 519
Norte IV, 619
Nossa época e profecia, Ver *Profecia: Tradição da, e a nossa Época*.
Notha (espúrios), Ver *Antilegomena*, Eusébio, 3.
Notre Dame IV, 520
Noturno IV, 520
Noumena, Ver *Noumenon (Plural: Noumena), Noumenal* IV, 520
Noumenon (Plural: Noumena); Noumenal IV, 520
Nous IV, 520
 Significado do termo
 Sumário de usos
 Anaxágoras, Platão, Aristóteles e os filósofos neoplatônicos
Novaciano (Novacianismo) IV, 520
Nova Aliança, Ver *NT (Pacto)*.
Nova Criação IV, 521
 Ver sobre *Criação Espiritual*.
Nova Criatura IV, 521
Nova Era IV, 523
 Esboço
 1. Declaração geral
 2. Crenças comuns
 3. Método
 4. Seres canalizadores
 5. Informações e curas incomuns
 6. Uma definição da Nova Era
 7. Avaliação
Nova Era, avaliação,
 Ver *Nova Era*, 7.
Nova Era, crenças da,
 Ver *Nova Era*, 2.

Nova Era, definições e descrições,
 Ver *Nova Era*, 1,6.
Nova Era, fontes de comunicação,
 Ver *Nova Era*, 3,4.
Nova Jerusalém IV, 524
 Esboço
 I. Sua Aparência (Apo. 21:3)
 II. Suas dimensões (Apo 21:15-17)
 III. Sua Composição (Apo.12:18-21)
 IV. Sua Glória (Apo.21:2-27)
 V. É o Novo Jardim do Éden (Apo. 22:15)
Nova Lua IV, 526
 Ver sobre *Lua Nova*.
Nova Moralidade IV, 526
Nova Terra e Novos Céus IV, 526
 Ver sobre *Nova Criação*.
Nove idéias sobre origens,
 Ver *Origens, Teoria das*.
Novena IV, 526
Noventa e Cinco Teses,
 Ver *Lutero*, 3.
Noviço, Noviciado IV, 526
Novilhos IV, 526
Novo Ano IV, 526
 Ver os artigos gerais *Calendário Judaico (Bíblico) e Festas (Festividades) Judaicas*.
Novo Casamento IV, 526
 Ver também os artigos sobre *Matrimônio e Divórcio*.
Novo homem, Ver *Homem Novo*.
Novo jardim do Éden,
 Ver *Nova Jerusalém*, V.
Novo Mandamento IV, 527
 Ver sobre *Mandamento Novo*.
Novo Nascimento (Regeneração) IV, 527
 Esboço
 I. O Termo «De Novo»
 II. Diversas Interpretações
 III. Elementos da Conversão
 IV. Natureza da Regeneração
 Ver também *Nascer de Novo; e Regeneração*.
Novo nascimento e a paternidade de Deus, Ver *Paternidade de Deus*, VI.
Novo nascimento e responsabilidade, Ver *Paternidade de Deus* VI.
Novo nascimento, vitória do,
 Ver *Vitória, Vencedor*, II.
Novo Nome e Pedra Branca IV 529
 Carácter ímpar de cada indivíduo, agora e para sempre (Apo. 2:17)
Novo Pacto IV, 531
 Ver *Novo Testamento, e Pactos*, VI.
Novo Realismo IV, 531
Novo Testamento (Aliança) IV, 531
 Ver o artigo sobre *NT*
Novo Testamento (Coletânea de Livros do) IV, 531
 Esboço
 I. Artigos Separados a Consultar
 II. Comentários Sobre a Coletânea de Livros
 Todos os livros do NT comentados
 III. Autoridade do NT
 Oito discussões apresentadas
Novo Testamento (Pacto) IV, 643
 Esboço
 I. Definição
 II. O Maior de Todos os Pactos
 III. Nova Aliança
  Assim chamada em contraste com a antiga aliança do AT
 IV. Promessas do NT
  Com Base em Promessas Superiores
 V. O NT: Seus Propósitos
Novo Testamento, autoridade do,
 Ver *NT*, III.
Novo Testamento, Cânon de IV, 544

NOVO TESTAMENTO – OGUE

Ver *Cânon do NT*
Novo Testamento, coletânea de livros descritos, Ver NT, II.
Novo Testamento e a lei,
Ver *Lei no NT.*
Novo Testamento e o dízimo,
Ver *Dízimo,* V.
Novo Testamento e os dez mandamentos, Ver *Dez Mandamentos,* 7.
Novo Testamento, Ética do IV, 544
Ver sobre *Ética.*
Novo Testamento explica Jesus,
Ver *Jesus,* I.2.
Novo Testamento, lei no,
Ver *Lei no NT.*
Novo Testamento, Língua do IV, 544
Ver *Língua do NT.*
Novo Testamento, lista de artigos relativos, Ver *NT, I.*
Novo Testamento, Manuscritos do IV, 544
Ver *Manuscritos do NT*
Novo Testamento, mistérios do,
Ver *Mistério,* especialmente IV.
Novo Testamento, quatro tipos de literatura do, Ver *NT,* II.
Novo Testamento, sacrifícios do,
Ver *Sacrifícios e Ofertas.*
Novo Testamento, Salmos no,
Ver *Salmos,* XII.
Novo Testamento, salvação do,
Ver *Salvação,* 2.
Novo Testamento, Teologia do IV, 544
Ver *Teologia do NT*
Novo Testamento, Texto do IV, 544
Ver sobre *Manuscritos do NT.*
Novo Testamento, uso dos livros pseudepígrafos, Ver *Livros Apócrifos,* IV.C.
Novos Céus e Nova Terra IV, 544
Ver sobre *Nova Criação.*
Novos filósofos, Ver *Filósofos Novos.*
Nu, Nudez IV, 544
Nuda, tabula, Ver *Tabula Nuda.*
Nudez, Ver *Nu, Nudez.*
Nudismo IV, 546
Ver também sobre *Nu, Nudez.*
Num (Letra) IV, 546
Num (Pessoa) IV, 546
Numem IV, 546
Numênio de Apaméia IV, 546
Numênio (Pessoa) IV, 547
Número (Numeral, Numerologia) IV, 547
Esboço
 I. Os Números e a Matemática na Cultura Hebréia
 II. Sistemas Numéricos
  Sete sistemas são descritos
 III. Os Números e seus Alegados Significados
 IV. Os Números na Filosofia
  Oito filósofos ou sistemas apresentam suas idéias
 V. Numerologia
Numerologia IV, 552
Ver o artigo *Número (Numeral Numerologia)*
Números (Livro) IV, 552
Introdução
O quarto livro da Bíblia
Esboço
 I. Composição
 II. Propósito e Conteúdo
 III. Esboço do Conteúdo
 IV. Teologia
 V. Problemas Especiais
  Bibliografia
Números bíblicos, significados
Ver *Número (Numeral, Numerologia),* III.
Números em sonhos e visões,
Ver *Número (Numeral, Numerologia),* III.

Números na Bíblia IV, 555
Ver o artigo *Número (Numeral, Numerologia).*
Números na filosofia, Ver *Número (Numeral, Numerologia),* IV.
Numinoso IV, 555
 Palavra cunhada por Rudolph Otto
 Significado e usos do termo
Nunc Dimittis IV, 655
Núncios, Ver *Legados e Núncios (Papais)*
Nuvem IV, 556
Nuvem, Coluna de IV, 556
Ver *Colunas de Fogo e de Nuvem.*
Nuzi IV, 556
Esboço
1. Referências da cidade
2. Localização
3. Importância
4. Pontos de interesse comparados com o Livro de Gênesis
Nyaya IV, 558
Nygren, Anders IV, 558

O

O IV, 559
 O uso da letra
Oade IV, 559
Oahspe, Ver *Livros Apócrifos (Modernos),* 15.
Obadias (Livro) IV, 559
Esboço
 I. Pano de Fundo e Caracterização Geral
  O menor livro do AT
  Obadias, um poeta
 II. Autoria e Data
  Data
  Evidências
 III. Problema de Unidade
  Os críticos
 IV. Propósitos do Livro
  V. Relação com o Livro de Jeremias
 VI. Teologia
 VII. Esboço do Conteúdo
  Bibliografia
Obadias (Pessoas) IV, 560
 Doze personagens da Bíblia
Obal IV, 561 Ver sobre *Ebal*
Obede IV, 561
 Duas personagens bíblicas
Obede IV, 561
 Cinco personagens bíblicas
Obede-Edom IV, 561
 Três personagens bíblicas
Obediência IV, 561
 Ver sobre *Dever e Dever do Cristão.*
Obelisco IV, 563
Obesidade, Ver *Enfermidades na Bíblia,* I, 28.
Obil IV, 563
Objeção Conscienciosa IV, 563
Objeção à mariolatria dos evangélicos, Ver *Mariolatria,* 6.
Objetivismo IV, 564
Objetivismo, Subjetivismo IV, 665
Objetivo, idealismo, Ver *Idealismo Objetivo.*
Objeto IV, 565
Oblação IV, 565
Ver também sobre *Sacrifícios e Ofertas.*
 Usos bíblicos
Obote IV, 565
Obra de Artista IV, 565
Obra de Fieira IV, 566
Obra de Rede IV, 566
 O uso da idéia da rede
Obra e orientação do Espírito
 Ver *Espírito de Deus,* VII.

Obras IV, 566
 Ver os artigos intitulados
  Boas Obras e Obras de Deus,
Obras boas, Ver *Boas Obras*
Obras da Carne IV, 566
 Ver sobre *Vícios.*
Obras da Lei IV, 566
Obras de Davi, Ver *Davi,* IV.
Obras de Deus IV, 566
 Expressão comum na Bíblia
Obras e fé relacionados,
 Ver *Obras, Relacionadas à Fé.*
Obras, julgamento segundo as,
 Ver *Julgamento Segundo as Obras.*
Obras maiores que Cristo fez,
 Ver *Maiores Obras que Cristo Fez.*
Obras, Natureza e Utilidade IV, 568
 Como as obras se relacionam com a graça
 A realização divina é contínua e eterna
 As boas obras fazem parte do nosso destino eterno
 Para que andássemos nelas
Obras Relacionadas à Fé IV, 570
 Em Tiago 2:14-26
 Paulo e Tiago
Obrigação IV, 57
 Origens do termo
Obrigação de observar o sábado,
 Ver *Sábado,* III, e *Sabatismo e Observação de Dias Especiais.*
Obrigação Moral IV, 572
Obscenidade IV, 573
 Ver também sobre *Censura e Pornografia.*
Obscurantismo IV, 573
Observação de dias especiais,
 Ver *Sabatismo e Observação de Dias Especiais.*
Obsessão IV, 573
Ocasionalismo IV, 573
 Ver também *Malebranche, Nicolas, 1 e Problema Corpo-Mente.*
Ocidental, tipo de texto do NT,
 Ver *Manuscritos Antigos do NT,* VI, Vol. IV, págs. 93,94,95.
Ocina IV, 573
Ócio (Ociosidade) IV, 573
Ócio (Usos Legítimos) IV, 574
Ockham, Ver *Ockham,* IV, 575
Ockham, William, de IV, 575
Ockhanismo IV, 576
Ocrã IV, 576
Ocular, testemunha,
 Ver *Testemunha Ocular.*
Ocultismo IV, 576
Ocultismo e parapsicologia,
 Ver *Parapsicologia,* VI.
Ocupações, Profissões IV, 576
 Ver sobre *Artes e Ofícios.*
Odede IV, 576
 Duas personagens do AT
Odin IV, 576
Ódio IV, 576
 Ver também *Vícios,* VII.
Esboço
 I. Palavras Empregadas:
  Significado
  Referências
 II. Coisas Odiadas com Razão
 III. O Caráter e as Obras do Ódio
 IV. O Ódio em I Jo. 4:20
 V. O Ódio Exemplificado em Personagens da Bíblia
 VI. O Ódio Divino
 VII. O Ódio e a Possessão Demoníaca
Ódio de teologia,
 Ver *Odium Theologicum.*
Ódio divino, Ver *Ódio,* VI.
Ódio na Bíblia, Ver *Ódio,* IV, V.
Ódio teológico,
 Ver *Odium Theologicum.*

Odium Theologicum IV, 578
Odomera IV, 578
Odor IV, 578
Odres IV, 579
 Ver sobre *Vinho e Bebidas Fortes.*
Oecolampadius, Johannes IV, 579
Oel IV, 579
Oeste IV, 580
Ofel IV, 580
Ofensa IV, 580
Oferecimento no Fogo VI, 581
 Ver sobre *Sacrifícios e Ofertas.*
Oferta Pelo Pecado IV, 581
 Ver *Sacrifícios e Ofertas.*
Oferta Votiva IV, 581
 O latim
Ofertas IV, 581
Ver sobre *Sacrifícios e Ofertas.*
Ofertas consagratórias,
 Ver *Sacrifícios e Ofertas,* III.D.2.
Ofertas de ação de graças,
 Ver *Sacrifícios e Ofertas.*
Ofertas de comunhão,
 Ver *Sacrifícios e Ofertas,* III.D.3.
Ofertas de Culpa IV, 581
 Ver sobre *Sacrifícios e Ofertas.*
Ofertas de Manjares IV, 581
 Ver sobre *Sacrifícios e Ofertas.*
Ofertas expiatórias, Ver
 Sacrifícios e Ofertas, III.D.1.
Ofertas Movidas IV, 581
 Ver sobre *Sacrifícios e Ofertas.*
Ofertas Queimadas IV, 581
Esboço
 1. Origem
 2. Material
 3. Cerimônias
 4. Vezes
Ofertas Votivas IV, 581
 Ver sobre *Sacrifícios e Ofertas.*
Ofertório IV, 581
Oficiais de Justiça IV, 581
Oficial IV, 582
Ofício, Sagrada Congregação do Santo IV, 582
Ofício Divino IV, 582
Ofício dos diáconos,
 Ver *Diácono,* IV.
Ofício Pelos Mortos IV, 582
Ofício tríplice de Cristo,
 Ver *Ofícios de Cristo,* II.
Ofício Votivo IV, 582
Ofícios, Ver *Artes e Ofícios.*
Ofícios da Igreja Católica Romana,
 Ver *Igreja Católica Romana, Catolicismo,* 12.
Ofícios da paixão, Ver *Paixão, Ofícios da.*
Ofícios de Cristo IV, 582
 Ver sobre *Cristologia,*
Esboço
 I. Considerações Preliminares Tríades importantes
 II. O Tríplice Ofício de Cristo: Profeta; Sacerdote; Rei
 III. O Tríplice Ministério de Cristo
 IV. A Tríplice Natureza de Deus
  Ver também *Trindade.*
Ofícios e poderes dos anjos,
 Ver *Anjo,* X.
Ofícios Eclesiásticos IV, 584
 Dezoito ofícios são alistados e discutidos
Ofir IV, 585
 O nome de uma pessoa e uma região geográfica na Bíblia
Ofitas IV, 585
Ofni IV, 585
Ofra IV, 585
 Uma pessoas e duas cidades do AT
Ogue IV, 586
 Um dos reis dos amorreus
Oito Elementos, Caminho de IV, 586

OLAMUS – ORVALHO

Ver *Caminho de Oito Elementos*.
Olamus IV, 586
Olaria, Ver *Oleiro (Olaria)*.
Oleiro (Olaria) IV, 586
  Ver também *Artes e Ofícios e Argila*
  Esboço
  I. Informes Históricos
  II. A Massa dos Oleiros
  III. A Profissão dos Oleiros
  IV. O Processo da Olaria
  V. Tipos de Vasos Produzidos
  Bibliografia
Oleiro, Campo de IV, 588
  Ver *Acéldama*.
Oleiro, porta do,
  Ver *Porta do Oleiro*.
Óleo IV, 588
  Ver sobre *Azeite (Óleo)*.
Óleo, Árvore de IV, 588
Olhado mau,
  Ver *Olho Mau (Mau Olhado)*.
Olho IV, 588
Olho, Cegueira do IV, 588
  Ver sobre *Crimes e Castigos*.
Olho Mau (Mau Olhado) IV, 588
Olhos, Cobertura dos IV, 589
Olhos da alma, Ver *Iluminação*, IV.
Olhos do cordeiro.
  Ver sobre *Sete Olhos do Cordeiro*
Olhos, Doenças dos IV, 589
  Ver o artigo sobre *Enfermidades na Bíblia*.
Olhos, Pintura dos IV, 589
Oligarquia IV, 589
Olimpas IV, 590
Olimpo IV, 590
  Ver sobre *Olimpas*.
Oliveira (Azeitona) IV, 590
Oliveiras, Monte das IV, 591
  Ver *Monte das Oliveiras*.
Olshausen, Justus IV, 591
Om IV, 591
Om (Cidade) IV, 591
Om (Pessoa) IV, 591
Oman, John Wood IV, 591
Omar IV, 592
Ombreira IV, 592
Ombro IV, 592
Ômega IV, 592
  Ver também *Alfa e Ômega*.
Ômer IV, 592
  Ver sobre *Pesos e Medidas*.
Omissão, Pecados de IV, 593
Onã IV, 593
  O hebraico
  O nome de três personagens do AT
Onesícrito IV, 593
Onesíforo IV, 593
  O nome de um crente de Éfeso
Onésimo IV, 595
Onias IV, 595
  O nome de três sumos sacerdotes que viveram durante o período dos Macabeus, e um de um dos filhos de um dos sacerdotes
Onicha IV, 595
Onipotência IV, 595
  Ver também o artigo geral sobre os *Atributos de Deus*.
Onipotência, Paradoxos da IV, 596
  Esboço
  1. O problema do mal (vide)
  2. O problema da liberdade
  3. Deus não pode praticar o mal
  4. Paradoxo do peso
Onipresença IV, 597
  Ver também o artigos separados sobre os *Atributos de Deus; Onipresença*.
Onipresença Paradoxos da IV, 597
  A dificuldade ontológica e verbal
Onisciência IV, 598
  Ver também o artigo separado sobre os *Atributos de Deus* e também *onisciência, Paradoxos da*.
Onisciência, Paradoxos da IV, 599
Onix IV, 599
  Ver também o artigo sobre *Jóias e Pedras Preciosas*.
Ono IV, 599
Onri IV, 599
  Várias pessoas do AT
Ôntico IV, 600
Ontologia IV, 600
  Esboço
  1. A palavra e sua definição básica
  2. Considerações fundamentais
  3. Idéias de vários filósofos
  4. O cristianismo e a ontologia
Ontologia para provar a existência de Deus, Ver *Argumento Ontológico*.
Ontológico, argumento, Ver *Argumento Ontológico*.
Ontologismo, IV, 601
Ontosofia IV, 601
Onze, os, Ver *Os Onze*.
Oolá (e Oolibá) IV, 601
Oolibá IV, 601 Ver *Oolá (e Oolibá)*.
Oolibama IV, 601
  O hebraico
  O nome de duas personagens do AT
Operações de graça, Ver *Graça*, IX.
Operações do Espírito de Deus,
  Ver *Espírito de Deus*, I
Opinião IV, 602
Oportunidade Universal IV, 602
  Ver os artigos: *Restauração; Descida de Cristo ao Hades; Missão Universal do Logos (Cristo); Infantes, Morte e Salvação dos*.
Opostos IV, 602
Opressão social, crime contra o homem, Ver *Crimes e Castigos*, II.2.J.
O Primeiro e o Último IV, 602
Opus Dei IV, 602
Opus Operandum IV, 602
O Que lhe é Devido IV, 603
Oração IV, 603
  Esboço
  1. Oração como submissão
  2. Oração como ato de adoração
  3. Oração como ato criador
  4. Oração nas páginas do AT
  5. Ensinamentos de Jesus sobre a oração
  6. Ensinamentos de Paulo sobre a oração
  7. Outros conceitos neotestamentários sobre a oração
  8. Orar sem cessar
  9. Intercessão mútua
  Que é orar?
Oração (Dominical) IV, 606
  Ver *Oração do Senhor*.
Oração (Lugar de) IV, 606
  Ver sobre *Lugar de Oração*.
Oração como arma ofensiva,
  Ver *Armadura, Armas*, V.6.
Oração comum, livro,
  Ver *Livro de Oração Comum*.
Oração de José,
  Ver *José, Oração de*.
Oração de Manassés IV, 606
  Ver *Manassés, Oração de*.
Oração de Pedidos IV, 606
Oração do Senhor IV, 606
Oração do Senhor no Islamismo IV, 609 Ver também sobre o *Alcordão*.
  A notável oração islâmica
Oração do sumo sacerdote,
  Ver *Oração Sumo Sacerdotal*.
Oração e a mediação,
  Ver *Mediação (Mediador)*, IV.
Oração, Jesus sobre, Ver *Oração*, 5.
Oração no AT, Ver *Oração*, 4.
Oração no NT, Ver *Oração*, 4,5,6.
Oração Sumo Sacerdotal IV, 609
Orações Pelos Mortos IV, 611
  Esboço
  1. Motivação
  2. Pano de fundo judaico
  3. No cristianismo antigo
  4. No cristianismo atual
  5. Avaliação
  Ver também *Purgatório*, IV.
Oráculo IV, 612
Oráculo de Delfos IV, 612
Oráculos Sibilinos IV, 613
Orador IV, 613
Oral, lei, Ver *Lei Oral*.
Orar sem cessar, Ver *Oração*, 8
Oratorianos (Oratório de São Filipe Neri) IV, 613
Oratório IV, 613
Ordem IV, 613
Ordem Cósmica,
Ordem Internacional IV, 613
  O microcosmo
  O macrocosmo
Ordem de Salvação (Ordo Salutis) IV, 614
Ordem Dominicana IV, 614
Ordem e Caos IV, 614
  Especulações filosóficas e teológicas
Ordenação,
  Ver *Ordenar (Ordenação)*.
Ordenação de Mulheres, IV, 615
  Ver os artigos sobre *Ordenação e Mulheres, Ordenação de*.
Ordenança IV, 615
Ordenanças da Igreja IV, 615
  Ver *Ordenança*, 4.
Ordenar (Ordenação) IV, 615
Ordens, Maiores e Menores IV, 616
  Ver sobre *Ordens, Santas*.
Ordens Mendicantes,
  Ver *Mendicantes, Ordens*.
Ordens, Santas IV, 616
Ordens Religiosas IV, 617
Ordo Romanus IV, 617
Ordo salutis, Ver *Ordem de Salvação (Ordo Salutis)*.
Orebe e Zeebe IV, 617
Orém IV, 617
Orfa IV, 618
Orfanatos IV, 618
Orfão IV, 618
Orfeu IV, 619
  Ver sobre *Religiões Misteriosas (dos Mistérios)*.
Órfica, literatura, Ver *Religiões Misteriosas (dos Mistérios)*, I.3.
Órficos, mistérios, Ver *Religiões Misteriosas (dos Mistérios)*, I.3.
Orfismo IV, 619
  Ver sobre *Religiões Misteriosas (dos Mistérios)*.
Organismo, Filosofia de IV. 619
Organon IV, 619
Órgão IV, 619 Ver *Música e Instrumentos Musicais*.
Órgãos sexuais na Bíblia,
  Ver *Sexo*, II.B.
Orgãos Transplantes de,
  Ver sobre *Transplante de Órgãos*.
Órgãos Vitais IV, 619
  Esboço
  1. O cérebro
  2. Coração
  3. Rins
  4. Fígado
  5. Estômago
  6. Ventre; Útero
Orgia IV, 621
  O grego
  Usos
Orgulho IV 621
Orientação Espiritual IV, 622
  Dez discussões são apresentadas
  Ver também *Direção Espiritual*.
Oriental, Portão,
  Ver *Portão Oriental*.
Oriental, tipo de texto do NT,
  Ver *Manuscritos Antigos do NT*, VI, Vol. IV, pp. 93,94,95.
Oriente IV, 622
Oriente, Filhos do IV, 623
  Ver também *Filhos do Oriente*.
Origem da alma, Ver *Alma*, I.
Origem da comunicação vertical,
  Ver *Escrita*, II.
Origem da depravação,
  Ver *Depravação*, 2.
Origem, Dependente, Lei da IV, 623
Origem do judaísmo,
  Ver *Judaísmo*, I.
Origem do Mal IV, 623
  Ver também o *Problema do Mal*.
  I. Tipos de Mal
  II. Teorias sobre a Origem do Mal
  III. A Queda do Homem
  IV. Quando o Homem Caiu?
  V. Restauração e Redenção
  Bibliografia
Orígenes IV, 1626
  Ver também o artigo sobre *Alexandria, Teologia de*.
Orígenes e cristologia,
  Ver *Cristologia*, 4.c.
Orígenes (Neoplatônico) IV, 628
Origem da criação, Ver *Criação*
Origens das línguas, Ver *Língua*, IV.
Origens do cristianismo,
  Ver *Cristianismo*, 2.
Origens, Teorias das IV, 628
  Um dos grandes mistérios e assunto de grande controvérsia. Várias teorias são apresentadas
Original, Justiça IV, 629
  Três significados
Original, pecado,
  Ver *Pecado Original*.
Órion IV, 629
Órix (Antílope) IV, 629
Urla IV, 630
Ornã IV, 630
Ornamentos IV, 630
Ornamentos dos Pés IV, 631
Ornamentos Torcidos IV, 631
Orontes IV, 631
  Um rio da Síria
Ortega Y Gasset, Jose IV, 631
Ortodoxa, (Igreja) IV, 632
  Ver o artigo separado sobre *Ortodoxa Oriental, Igreja*.
Ortodoxa, Igreja, aprovou veneração de imagens, Ver *Iconoclasmo*, III, p.199.
Ortodoxa, Igreja, sobre purgatório,
  Ver *Purgatório*, III.
Ortodoxa Oriental, Igreja IV, 632
Ortodoxia IV, 633
  Esboço
  1. Definições e manipulações
  Origem do termo
  2. Forças moldadoras da ortodoxia no NT
  3. A regra das Escrituras somente
  4. Definição resultante da ortodoxia
  5. Na direção de uma verdadeira ortodoxia
  6. Uma útil citação
Ortodoxia, forças moldadoras,
  Ver *Ortodoxia*, 2.
Ortodoxia oriental e os concílios,
  Ver *Concílios Ecumênicos*, VI.
Ortodoxia verdadeira,
  Ver *Ortodoxia*, 5.
Ortodoxo, judaísmo, Ver *Judaísmo Ortodoxo*.
Orvalho IV, 635

OSÉIAS – PAPA

O hebraico
Ocorrências no AT
Descrições
Oséias IV, 635
   Cinco homens no AT
   Consultar também o artigo sobre *Oséias (Profeta e Livro).*
Oséias (Profeta e Livro) IV, 635
   Esboço
   I. Oséias, o Profeta
   II. Caracterização Geral
   III. Data
   IV. Proveniência e Destino
   V. Pano de Fundo Histórico
   VI. Problemas de Unidade e Integridade
   VII. Mensagem e Conceitos Principais
      Alguns pontos de vista doutrinários
   VIII. Esboço do Conteúdo
   IX. Canonicidade
   X. Oséias Ilustra o Princípio da Restauração
      As lições de Oséias
   XI. Bibliografia
Osiander, Andreas IV, 640
Osíris IV, 640
   Um deus egípcio
Osis, Karlis, Ver *Projeção da Psique*, Vol. V, p. 450, primeira coluna e ss.
Osnapar IV, 640
Os Onze IV, 640
   Onze discípulos remanescentes de Jesus
Os Pais e o milênio, Ver *Milênio*, 3.
Osso(s) IV, 641
Ossuários IV, 641
Óstia IV, 641
Ostraca (Ostracos) IV, 641
Ostraca de Laquis, Ver *Laquis*, 4.
Ostracon, Ver *Ostraca (Ostracos).*
Ostracos, Ver *Ostraca (Ostracos).*
Otimismo IV, 642
   Ver também sobre *Pessimismo.*
Otimismo e o lago de fogo,
   Ver *Lago de Fogo*, II e IV.
Otimismo, evangelho do,
   Ver *Restauração*, XIII.
Otimismo Moral IV, 643
Otni IV, 643
Otniel IV, 643
   O hebraico
   O nome de duas personagens do AT
Oto, Ver *Império Romano*, VIII.
Otonias IV, 644
Otto, Rudolf IV, 644
Ouk On IV, 644
Ouriço IV, 644
Ourives IV, 644
Ouro IV, 645
   Ver também o artigo sobre *Mina e Mineração.*
   Esboço
   I. Palavras da Bíblia para o Ouro
      O hebraico e o grego
   II. O Ouro como Metal, sua História e seus Usos
   III. Usos Metafóricos
Ouro, Candeeiro de IV, 646
   Ver sobre *Candeeiro de Ouro.*
Ouro Batido IV, 646
Ousadia IV, 646
Ousía IV, 647
Outeiro de Moré,
   Ver *Moré, Outeiro de.*
Ouvido IV, 647
Ovelha IV, 648
Ovelhas, Metáfora de, João 10:3 IV, 649
Ovelhas, peles de,
   Ver *Peles de Ovelhas.*

Ovelhas, porta das,
   Ver *Porta das Ovelhas.*
Ovo IV, 650
Ox IV, 650
Oxford, Grupo de IV, 650
Oxford, Movimento de IV, 651
Oxyrhynchus, Ditados (Logia) de Jesus IV, 651
   Ver também sobre *Logia.*
   Sete discussões apresentadas
Ozém IV, 652
Ozias IV, 652
Oziel IV, 652
Ozni IV, 652

P

P (Código Sacerdotal) V, 1
   Uma das alegadas fontes do Pentateuco
P (Manuscrito) V, 1
P (2) (Manuscrito) V, 1
Pá V, 1
Paarai V, 1
Paate-Moabe V, 1
Pacatiana V, 2
Paciência V, 2
   Seis discussões apresentadas
Pacificador V, 2
Pacificadores abençoados,
   Ver *Bem-Aventuranças*, 7.
Pacifismo V, 3
Pacom V, 3
Pacômio (Santo) V, 5
Pacto V, 5
   Seis discussões apresentadas
Pacto, Teologia do V, 6
Pacto abraâmico, Ver *Pactos*, IV.
Pacto da Igreja, Ver *Igreja*, Pacto da.
Pacto davídico, Ver *Pactos*, V.
Pacto de Sal V, 6
Pacto Novo V, 6
   Ver NT e sobre *Pactos*, VI, *Novo Pacto.*
Pactos V, 6
   Esboço
   I. Definição e Caracterização Geral
   II. Os Pactos Enumerados
   III. Os Pactos e Cristo
   IV. O Pacto Abraâmico,
   V. O Pacto Davídico
   VI. Novo Pacto
Pactos de Westphalia,
   Ver *Westphalia, Pactos de.*
Pactos e Cristo, Ver *Pactos*, III.
Pactos enumerados, Ver *Pactos*, II.
Padã (Padã-Arã) V, 8
Padeiro V, 8
   Ver o artigo sobre *Artes e Ofícios* e sobre *Pão.*
Padom V, 8
Padrão duplo de moralidade,
   Ver *Duplo Padrão da Moralidade.*
Padres Negros e Irmãs Negras V, 8
Padrinho, Madrinha V, 8
Pães Asmos V, 8
Pães da Proposição V, 9
Pães, multiplicação dos,
   Ver *Multiplicação dos Pães.*
Pafos V, 9
   Duas cidades no Chipre
Paganismo, Ver *Pagão (Paganismo).*
Pagão (Paganismo) V, 10
   Ver também *Gentio.*
Pagãos, Destino dos V, 10
   I. Definição
   II. Uma Questão de Justiça
   III. Podemos Levar-nos por Demais a Sério
   IV. A Provisão da Descida de Cristo ao Hades

V. A Provisão do Mistério da Vontade de Deus
VI. A Seriedade do Julgamento
   Ver também sobre *Restauração.*
Pagãos responsabilidade dos,
   Ver *Responsabilidade dos Pagãos.*
Pagiel V, 12
Pagode V, 12
Páhlavi (Pálavi) V, 12
Pai V, 12
   I. Significados
   II. Referências Bíblicas e Significados
   III. O Pai e a Família
Pai, Casa do V, 13
Pai de família, parábola de,
   Ver *Parábola*, III.8.
Pai-Nosso V, 13
   Ver sobre *Oração do Senhor.*
Pai ogro, Ver *Jung*, Idéias, 7.g.
Pain, Thomas V, 13
Pais V, 13
   Ver *Família* e *Paternidade (Maternidade).*
Pais Antenicenos V, 13
Pais Apostólicos V, 13
Pais apostólicos e cristologia,
   Ver *Cristologia*, 4
Pais apostólicos, epístolas de,
   Ver *Epístola dos Pais Apostólicos.*
Pais da Igreja e o texto do NT,
   Ver *Manuscritos Antigos do NT*, IV, Vol. IV, pp. 89,90.
Pais da Igreja, Ética dos V, 14
   Ver sobre *Ética Patrística.*
Paixão, Música da V, 14
Paixão, Ofícios da V, 14
Paixão de Cristo (Semana da Paixão) V, 15
Paixão de Paulo,
   Ver *Paulo, Paixão de.*
Paixão de Pedro,
   Ver *Pedro, Paixão de.*
Paixão de Pedro e Paulo,
   Ver *Pedro e Paulo, Paixão de.*
Palácio V, 15
Palal V, 16
Palanquim V, 16
Pálavi, Ver *Páhlavi (Pálavi).*
Palavra da Verdade V, 16
Palavra da Vida V, 17
Palavra de Cristo V, 17
Palavra de Deus V, 17
Palavra de sabedoria, dom de,
   Ver *Dons Espirituais*, IV. 12.
Palavra do Senhor V, 18
   I. Os Vocábulos
   II. A Palavra no AT
   III. A Palavra Dentro da Filosofia
   IV. A Palavra no NT
      Ver também sobre *Logos.*
Palavra do Senhor na filosofia grega,
   Ver *Palavra do Senhor*, III.
Palavra do Senhor no AT,
   Ver *Palavra do Senhor*, II.
Palavra do Senhor no NT,
   Ver *Palavra do Senhor*, IV.
Palavra que Exprime Conhecimento V, 25
Palavras da cruz,
   Ver *Sete Declarações da Cruz*,
Palavras do NT V, 25
Palestina V, 25
   Esboço
   I. Nome
   II. Geografia e Topografia
   III. Esboço de Informes Históricos
      Vinte e seis discussões apresentadas
   IV. Clima, Flora e Fauna
   V. A Ocupação Humana
   VI. Surgimento de Água e Agricultura

VII. Regiões e Divisões
VIII. Arqueologia da Palestina
IX. Usos Figurados
X. Mapas Ilustrativos
   Bibliografia
Palestina, água e agricultura,
   Ver *Palestina*, VI.
Palestina, arqueologia,
   Ver *Palestina*, VIII.
Palestina, clima, flora e fauna,
   Ver *Palestina*, IV.
Palestina, geografia e topografia,
   Ver *Palestina*, II.
Palestina, informes históricos,
   Ver *Palestina*, III.
Palestina, mapas,
   Ver *Palestina*, fim do artigo.
Palestina no tempo de Jesus
   Ver *Período Intertestamental*, 7.
Palestina, ocupação humana,
   Ver *Palestina*, V.
Palestina, origem do nome,
   Ver *Palestina*, I.
Palestina, regiões e divisões,
   Ver *Palestina*, VII.
Paley, William V, 32
   Filósofo moral e teólogo britânico
   O clássico argumento do relógio
Palha V, 35
Palhoças, Tendas V, 35
Palimpsesto V. 36
Palingenesia V, 36
Pallium V, 36
Palma da Mão V, 36
   Ver sobre *Pesos e Medidas.*
Palmeira V, 36
Palmo V, 36
   Ver sobre *Pesos e Medidas.*
Palti V, 36
   O hebraico
   Duas personagens do AT
Paltiel V, 37
Paltita V, 37
Palu, V, 37
Pampsiquismo V, 37
Panaétio de Rodes V, 38
Panague, Confeitos V, 38
Panéia, Ver *Zafenate-Panéia.*
Panela V, 38
Panelas de Carne V, 38
Panenteísmo V, 38
Panfília V, 39
Panlogismo V, 39
Pano de Linho V, 39
Pano de Saco V, 39
   Ver sobre *Saco (Pano de Saco).*
Pansomatismo V, 39
Pantaeno V, 39
Pântanos V, 40
Panteísmo V, 40
   Ver também *Deus*, III.6.
Pão V, 41
Pão, O Partir do V, 42
Pão da Vida, Jesus como V, 43
Pão Diário V, 48
Pão do Altar V, 48
Papa, Papado V, 48
   Esboço
   I. Termos e Definições
   II. Desenvolvimento Histórico
   III. Opiniões Divergentes
   IV. Lista dos Papas
      Bibliografia
PAPAS: Esta enciclopédia oferece artigos separados sobre os seguintes papas.
   Ver também o artigo *Papa, Papado.*
Alexandre III, I, 105
Ariano IV, I, 65
Bonifácio VIII, I, 533
Benedito XIV, I, 500
Benedito XV, I, 500

Calisto II, I, 601
Clemente (I–XIV), I, pp. 763-765
Eleutério II, II, 324
Gregórios (I–XVI), II, pp. 973-978
Hormisdas, III, 162
Inocente (I–XIII), III, pp. 334-337
João (I–XXIII), III, pp. 555-557
Júlios (I-III), III, p.667
Leão (I–XIII), III, pp.748-751
Lino, III, 856
Martinho (I–V), IV, 145
Nicolau (I–V), IV, pp. 500-501
Paulo (I–VI), V, 118
Pedro Ver *Pedro (Apóstolo),* V, 158, VIII, IX.
Pio (I-XII), V, pp. 279-281
Silvestre (I-IV), VI, pp. 269-270
Urbano (I-VIII), VI, pp. 693-694
Xisto (I–V), VI, pp. 852-853
Papa de papel, Ver *Bibliolatria e Liberalismo,* II. 7.
Papado V, 54
Ver o artigo intitulado *Papa, Papado.*
Papa do, desenvolvimento histórico, Ver *Papa, Papado,* II.
Papado e a Igreja Anglicana, Ver *Papa, Papado,* III.3.
Papado e a Igreja Ortodoxa, Ver *Papa, Papado,* III.2.
Papado e a tradição profética, Ver *Papa, Papado,* III.5, 3° parágrafo.
Papado e protestantismo, Ver *Papa, Papado,* III.4.
Papado e lista dos papas, Ver *Papa, Papado,* IV.
Papado, opiniões divergentes, Ver *Papa, Papado,* III.
Papado segundo a Igreja Católica Romana, Ver *Papa, Papado,* II e III.l.
Papais, decretos, Ver *Decretos Papais.*
Papais, estados, Ver *Estados Papais.*
Papas, artigos sobre, Ver *Papa, papado: Papas, artigos desta enciclopédia sobre.*
Papas, lista, Ver *Papa, Papado,* IV.
Papel V, 54
Ver sobre *Papiro e Escrita.*
Papias de Hierápolis V, 54
Papiro V, 55
Esboço
1. Descrições
2. Importância para a arqueologia
3. O papiro como planta e seus usos
4. O papiro e o NT
5. A crítica textual e os manuscritos em papiro
Papiro de Nash V, 56
Papiros, Ver *Papiro; Papiros Bodmer e Papiros Chester Beatty,* Ver também *Manuscritos do NT,* I.a e II.
Papiros Bodmer V, 56
Papiros Chester Beatty V, 56
Papiros no NT, Ver *Manuscritos Antigos do NT,* II.
Papiros e a crítica textual do NT, Ver *Papiro,* 5.
Papiros Elefantinos, Ver *Elefantinos, Papiros.*
Pará V, 56
Nome de uma cidade
Parã V, 57
Parã, Monte V, 57
Parábola V, 57
Esboço
I. Caracterização Geral
II. As Parábolas do AT
III. As Parábolas do Reino
IV. As Parábolas do AT
V. As Parábolas Rabínicas
VI. Os Propósitos das Parábolas
Bibliografia
Parábola, conhecimento como, Ver *Símbolo e o Conhecimento.*
Parábola da Pérola de Grande Preço, Ver *Parábola,* III.6.
Parábola da Rede de Pesca, Ver *Parábola,* III. 7.
Parábola do Fermento, Ver *Parábola,* III.4.
Parábola do Grão de Mostarda Ver *Parábola,* III.3.
Parábola do Joio, Ver *Parábola,* III.2.
Parábola do Pai de Família, Ver *Parábola,* III.8.
Parábola do Semeador, Ver *Parábola,* III.l.
Parábola do Tesouro Escondido, Ver *Parábola,* III.5.
Parábola, linguagem como, Ver *Linguagem Religiosa,* 6.
Parábolas de Jesus, temas, Ver *Jesus,* III.3.h.
Parábolas do AT, Ver *Parábola,* IV.
Parábolas do NT, Ver *Parábola,* II.
Parábolas do reino, Ver *Parábola,* VI.
Parábolas, propósitos das, Ver *Parábola,* VI.
Parábolas rabínicas, Ver *Parábola,* V.
Paracelso, V, 63
Paracletos V, 64
Em João 15:26
As interpretações
Paradigma V, 64
Paradoxo V, 64
Ver também *Zeno, Paradoxos de; e Polaridade.*
I. O Termo
II. Na Filosofia
III. Na Teologia
Doze discussões apresentadas
Paradoxo da Flecha Voadora V, 67
Ver o artigo sobre *Zeno, Paradoxos de.*
Paradoxo do aprendizado, Ver *Aprendizado, Paradoxo de.*
Paradoxo do mentiroso, Ver *Mentiroso, Paradoxo do.*
Paradoxo do Relógio V, 67
Paradoxo na filosofia, Ver *Paradoxo,* II.
Paradoxo na teologia, Ver *Paradoxo,* III.
Paradoxos da onipotência, Ver *Onipotência, Paradoxos da.*
Paradoxos da onipresença, Ver *Onipresença, Paradoxos da.*
Paradoxos da onisciência, Ver *Onisciência, Paradoxos da.*
Paradoxos de Zeno V, 67
Ver sobre *Zeno de Eléia.*
Paradoxos na filosofia, Ver *Paradoxo,* II.
Paradoxos na teologia, Ver *Paradoxo,* III.
Paraíso V, 68
Esboço
I. O Vocábulo
II. No AT
III. Nos Escritos e Pensamento Judaico Posteriores à Tradição Rabínica
IV. No NT
V. Homens que Ingressam no Paraíso
Ver também o artigo sobre *Experiências Perto da Morte.*
Paraíso no AT, Ver *Paraíso,* II.
Paraíso no judaísmo posterior, Ver *Paraíso,* III.
Paraíso no NT, Ver *Paraíso,* IV.
Paralelismo VI, 69
Ver sobre *Poesia; e Problema Corpo-Mente,* IV.
Paralelismo (Problema Corpo Mente) V, 69
Ver também sobre *Problema Corpo-Mente.*
Paralelismo Psicofísico V, 69
Paralipomenon V, 69
Paralisia V, 69
Ver sobre *Enfermidades na Bíblia.*
Paralogismo V, 70
Parapeito V, 70
Parapsicologia V, 70
Ver também os artigos separados sobre *Percepção Extra-sensorial e Experiências Perto da Morte.*
Esboço
I. Definições; Informes Históricos
II. Declaração Introdutória; Defesa
III. Conceitos Básicos
Dez discussões são apresentadas
IV. Natureza dos Fenômenos Psíquicos
V. Experiências Ilustrativas
VI. Contraste com o Ocultismo
VII. Contraste com a Espiritualidade
VIII. Sua Importância para a Filosofia e a Teologia
IX. Psi: As Funções Psíquicas e a Privação dos Sentidos
X. O Mundo Psíquico de Crianças Moribundas
XI. Avaliação Pessoal
Bibliografia
Parapsicologia, avaliação do autor desta enciclopédia, Ver *Parapsicologia,* XI.
Parapsicologia, conceitos básicos Ver *Parapsicologia,* III.
Parapsicologia contrastada com a espiritualidade, Ver *Parapsicologia,* VI.
Parapsicologia contrastada com o oculto, Ver *Parapsicologia,* VI.
Parapsicologia, e precognição, Ver *Precognição (Conhecimento Prévio),* VI.
Parapsicologia, sua importância para a filosofia e a teologia, Ver *Parapsicologia,* VIII.
Parbar V, 86
Parcimônia, Lei da V, 86
Ver também *Navalha de Ockham.*
Pardal V, 86
Parede V, 87
Parede de Separação V, 87
Parente, Vingador do Sangue V, 87
Parente Remidor V, 87
Ver sobre *Goel.*
Pareto, Vilfredo V, 87
Parker, Theodore V, 88
Parmasta V, 88
Pármenas V, 88
Parmênides V, 88
Parmênides sobre aparência, Ver *Aparência,* 1.
Parnaque V, 88
Paroleiro V, 88
Paróquia V, 89
Parós V, 89
Parousia (Segunda Vinda de Cristo) V, 89
I. Observações Gerais
II. O Tempo do Arrebatamento
III. A Vinda Literal de Cristo
IV. A Igreja Cristã Primitiva Esperava esse Acontecimento em seus Dias
V. A Segunda Vinda de Cristo Será a Concretização do Senhorio de Cristo
VI. Observações Sobre o Arrebatamento no Tocante a Segunda Vinda de Cristo para Julgar
VII. Urgência desta Verdade
VIII. Acontecimentos que Terão de Anteceder à Parousia
Parousia, tempo da, Ver *Parousia,* II.
Parousia, urgência do ensino, Ver *Parousia,* VII.
Parsismo V, 95
Partas (Pártia) V, 95
Parteira V, 95
Parteiro moral e espiritual, Ver *Maiêutico.*
Parteiros da morte, Ver *Experiências Perto da Morte,* II.9, III.8.
Partenogênese V, 96
Parthenos, Ver *NascimentoVirginal de Jesus,* I; e *Partenogênese.*
Pártia, Ver *Partas (Pártia).*
Participação dos homens na divindade Ver *Divindade, Participação na, pelos Homens.*
Participação dos Homens na Natureza Divina V, 96
Ver *Divindade, Participação na, pelos Homens.*
Particulares V, 96
Partido da Circuncisão V, 96
Ver *Circuncisão, Partido da; Circuncisão, V.4 e Legalismo.*
Partir do pão, Ver *Pão, Partir do.*
Parto V, 96
I. As Palavras Usadas
II. Sentido Literal no NT
III. Uso Metafórico
Partos V, 98
Parua V, 98
Parvaim V, 98
Pasaque V, 98
Pascal *(Pascho)* V, 98
O termo
Pascal, Amuleto de V, 98
Ver sobre *Pascal, Blaise,* 6.
Pascal, Aposta de V, 98
Ver sobre *Pascal, Blaise.*
Pascal, Blaise V, 98
Páscoa V, 99
Esboço
I. Caracterização Geral
II. Palavras Associadas à Páscoa
III. Associações e Desenvolvimento Histórico.
IV. Principais Símbolos e Lições Espirituais Envolvidos
V. A Última Ceia: a Páscoa Cristã
Páscoa, Cordeiro da V, 102
Páscoa, Cristo Como a V, 102
Páscoa, desenvolvimentos Históricos, Ver *Páscoa,* III.
Páscoa, símbolos e lições, Ver *Páscoa,* IV.
Páscoa, Vela da V, 102
Páscoa Cristã (Easter) V, 102
Pasea V, 103
Três personagens do AT
Passadiço Coberto V, 103
Passado V, 103
Passarinheiro V, 103
Pássaros da Bíblia V, 103
Ver sobre *Aves da Bíblia.*
Passas, Pastas de Uvas V, 103
Passionistas V, 104
Passos Curtos V, 104
Pastas de uvas, Ver *Passas, Pastas de Uvas.*
Pastor V, 104
Pastor (Ofício da Igreja) V, 105
Pastor como dom, Ver *Pastor (Ofício da Igreja),* 1.
Pastor de Hermas V, 106
Ver *Hermas, Pastor de.*

Pastor, Isaías, Ver *Pastor*, 4
Pastor, Moisés, Ver *Pastor*, 3
Pastor no NT, Ver *Pastor*, 5
Pastor, qualificações Ver Pastor *(Ofício das Igreja)*, 4
Pastor, trabalho do, Ver *Pastor*, 2.
Pastor, usos bíblicos, Ver *Pastor (Ofício da Igreja)*, 3.
Pastorais, Epístolas V, 106
Ver o artigo sobre *Epístolas Pastorais*.
Pastoral, teologia, Ver *Teologia Pastoral*
Pasur V, 106
O hebraico
O nome de quatro homens do AT
Patanjali V, 106
Pátara V, 106
Um porto da Lícia
Paternidade (Maternidade) V, 107
Paternidade de Deus V, 107
Esboço
I. Principais Ensinos
II. O Conceito da Filiação
III. A Paternidade é Efetuada pelo Poder do Espírito
IV. A Adoção pelo Espírito
V. Aba, Pai
VI. O Novo Nascimento e a Responsabilidade
Paternidade de Deus segundo Jesus, Ver *Jesus*, III.3.d. 1.
Pátio da Guarda V, 110
Pátio do Cárcere, Pátio da Guarda V, 111
Patmos V, 111
Em Apo. 1:9
A história da ilha
Informações gerais Ocorrências
Patriarca (Patriarcado) V, 111
Ver também os artigos Ofícios *Eclesiásticos e Patriarcas (Bíblicos)*.
Descrições
No sentido veterotestamentário
No sentido geral
Na Igreja Mórmon
Definição verbal
Patriarca Jeremias,
Ver *Jeremias*, II, o *Patriarca*.
Patriarcado V, 112
Ver também *Patriarca (Patriarcado)*
Patriarcado de Jerusalém,
Ver *Jerusalém, Patriarcado de*.
Patriarcal, Era V, 112
Ver sobre *Patriarcas (Bíblicos)*.
Patriarcal, sistema, Ver *Sistema Patriarcal*.
Patriarcas (Bíblicos); O Período Patriarcal V, 112
Oito discussões apresentadas
Patriarcas, estilo de vida, Ver *Patriarcas (Bíblicos), O Período Patriarcal*, 2.
Patriarcas, religião dos, Ver *Patriarcas (Bíblicos); O Período Patriarcal*, 6.
Patriarcas, vidas ilustradas pela arqueologia, Ver *Patriarcas (Bíblicos); O Período Patriarcal*, 4.
Patricídio V, 114
Patrício (Santo) V, 114
Patrimônio de São Pedro V, 115
Patriotismo V, 115
Ver sobre *Nacionalismo*.
Patripassianismo V, 115
Patrística V, 116
Pátrobas V, 116
Patroclo V, 116
Patrologia V, 116
Patronos, Santos,
Ver *Santos Patronos*.
Patros V, 116
Patrusim, V, 117

Pau V, 117
Paula, Francisco de, Ver *Francisco de Paula (São)*.
Paulicianismo,
Ver *Paulicianos (Paulicianismo)*.
Paulicianos (Paulicianismo) V, 117
Uma seita adocionista armênia
Paulinismo V, 117
Paulistas V, 117
Paulo (Apóstolo) V, 117
Ver este artigo após *Paulo (Papas)*.
Paulo (Papas) V, 118
Seis papas
Paulo (Apóstolo) V, 119
Ver a lista de artigos separados relacionados a Paulo para maior compreensão do Apóstolo.
Esboço
I. Vida
Onze discussões são apresentadas
II. Significado de Paulo
Sete discussões são apresentadas
Paulo, apelo a César, Ver
Apelo de Paulo a César.
Paulo, Apocalipses de V, 134
Duas obras
Paulo, apóstolo dos gentios,
Ver *Paulo (Apóstolo)*, II.4.
Paulo, Apóstolo, Teologia (Ensinos) de V, 135
Paulo, artigos relacionados com,
Ver *Paulo (Apóstolo), Introdução*.
Paulo, Atos de, Ver *André e Paulo, Atos de*.
Paulo, Atos de (Paulo e Tecla, Atos de) V, 135
Ver também *Paulo, Paixão de Paulo*.
Paulo, Atos de André e V, 137
Ver sobre *André e Paulo, Atos de*.
Paulo, conversão de,
Ver *Paulo (Apóstolo)*, I.2.
Paulo, ensinos de, Ver *Paulo (Apóstolo)*, II.5,6,7,8.
Paulo, Ética de V, 137
Ver também os artigos separados sobre *Paulo*.
I. A Natureza Revolucionária da Ética Paulina
II. Os Frutos do Espírito; as Virtudes Cardeais
III. A Base de Toda Ação Ética
IV. Ética Paulina e a Lei
V. A Presença Transformadora
VI. Pressupostos da Ética Paulina
VII. Uma Notável Citação
Paulo, exemplo de, Ver *Exemplo*, II.
Paulo, exemplo do ensino,
Ver *Ensino*, III.
Paulo, julgamento de,
Ver *Julgamento de Paulo*.
Paulo, Paixão de V, 138
Na obra *Atos de Paulo*
Paulo, Sérgio V, 139
Ver sobre *Sérgio, Paulo*.
Paulo, servo de Cristo,
Ver *Paulo (Apóstolo)*, II.3.
Paulo, significação de,
Ver *Paulo (Apóstolo)*, II.
Paulo, teologia de, Ver *Paulo (Apóstolo)*, II, especialmente 5.
Paulo, Tiago e Jesus (em conflito?), Ver *Tiago, Livro de*, VII.10.
Paulo, vida de, Ver *Paulo (Apóstolo)*, I.
Paulo comprovou seu apostolado,
Ver *Paulo (Apóstolo)*, II.7.
Paulo de Samosata V, 139
Paulo e a lei, Ver *Lei no NT*, I.V.
Paulo e Adgar, correspondência,
Ver *Livros Apócrifos, NT*, 2.c.
Paulo e gnosticismo, Ver *Paulo*

(Apóstolo), II.6, parágrafos 5,6,7,8.
Paulo e Jesus, Ver *Paulo (Apóstolo)*, II.6.
Paulo e o nazireado, Ver *Nazireado, e o Apóstolo Paulo*.
Paulo e os dez mandamentos,
Ver *Dez Mandamentos*, 7.d.
Paulo e os outros apóstolos,
Ver *Paulo (Apóstolo)*, II.6.
Paulo e Sêneca, Cartas de V, 139
Paulo e Tecla, Atos de V, 139
Ver sobre *Paulo, Atos de*.
Paulo e Tiago (conflito entre),
Ver *Tiago, Livro de*, VII.
Paulus, H.E.G., Ver *Liberalismo*, III.6.f.
Paulus Sergius V, 140
Ver sobre *Sérgio, Paulo*.
Pavão V, 140
Pavilhão V, 140
Pavimentação de Pedra de Safira V, 140
Pavimento V, 140
Pavimento, Gabatá, Ver *Gabatá*.
Paz V, 140
Paz V, 140 Ver também *Paz de Deus*.
Paz fruto do Espírito,
Ver *Fruto do Espírito*, III.C.
Paz, Oferta de IV, 143 Ver o artigo sobre *Sacrifícios e Ofertas*.
Paz de Deus V, 143 Ver também o artigo geral sobre *Sacrifícios e Ofertas*.
Paz e expiação, Ver *Expiação*, V.
Pe V, 143
Pé V, 143
Pé de Vento V, 144 Ver *Vento, Pé de*.
Pé, mão quebrada,
Ver *Enfermidades na Bíblia*, I.8.
Peca V, 144
1. Nome
2. Família
3. Rei de Israel
4. Evidências arqueológicas
5. Problema de cronologia
6. Avaliação bíblica
Pecado V, 145
Esboço
I. Definições
II. Como Transgressão da Lei (I João 3:4)
O pecado é a transgressão da lei
A gravidade do pecado
III. Natureza do Pecado
IV. Como é que Todos Pecaram? Rom. 5:12
V. Como a Graça Opera, a Fim de Nos Dar Vitória
Sobre o Pecado - Rom. 6:14
VI. Perfeição Impecável?
I João 1:10
VII. Perdão dos Pecados
VIII. Gradações de Pecado
IX. O Reino do Pecado
Pecado, atitude liberal,
Ver *Liberalismo*, III.6.j.
Pecado, definições, Ver *Pecado*, I.
Pecado, escravidão do,
Ver *Escravidão do Pecado*.
Pecado, gradações do,
Ver *Pecado*, VIII.
Pecado, Graus de V, 147
Ver sobre *Pecado Mortal e Pecado Venial*.
Pecado, natureza do,
Ver *Pecado*, III.
Pecado, perdão do, Ver *Pecado*, VII.
Pecado, reino do, Ver *Pecado*, IX.
Pecado, retenção de pelos apóstolos,
Ver *Perdão de Pecados pelos Apóstolos*.
Pecado, vitória sobre, Ver *Pecado*, 5, e *Vitória, Vencedor*, IV.

Pecado de Adão imputado à humanidade, Ver *Imputar, Imputação*, VII.
Pecado e Jesus, Ver *Impecabilidade de Jesus*.
Pecado e Perfeição, Ver *Pecado*, VI
Pecado Eterno V, 147
Ver sobre *Pecado Imperdoável*.
Pecado Imperdoável - Mat.12:32 V, 147
As interpretações
Pecado Mortal e Pecado Venial V, 149
Pecado Original V, 150
Pecado, Retenção do V, 151
Ver *Retenção dos Pecados*.
Pecado Venial V, 151
Ver sobre *Pecado Mortal e Pecado Venial*.
Pecado Voluntário V, 151
Pecados Capitais V, 152
Ver sobre *Sete Pecados Capitais*.
Pecados Cardeais V, 152
Pecados de Omissão V, 152
Ver sobre *Omissão, Pecados de*.
Pecados mortais, Ver *Sete Pecados Mortais*.
Pecaías V, 152
Pecode V, 153
Pedaço de Pão Molhado V, 153
Pedael V, 153
Pedaías V, 163
Várias pessoas do AT
Pedazur V, 153
Pederastia V, 153
Pederneira V, 153
Pedestal V, 154
Pedobatismo V, 154
Pedra Branca V, 154
Ver *Novo Nome e Pedra Branca*.
Pedra branca e novo nome,
Ver *Novo Nome e Pedra Branca*.
Pedra com Figuras V, 154
Pedra da Serpente, Ver *Serpente, Pedra da (Pedra de Zoelete)*.
Pedra de Cal V, 154
Pedra de Escape V, 154
Pedra de moinho,
Ver *Moinho; Pedra de Moinho*.
Pedra de Roseta,
Ver *Roseta, Pedra de*.
Pedra de Tropeço V, 154
Pedra de Zoelete V, 155
Ver *Zoelete, Pedra de*.
Pedra Filosofal V, 155
Pedra Moabita V, 155
Ver sobre *Moabita, Pedra*.
Pedras V, 155
Pedras Angulares V, 157
Pedras Preciosas V, 157
Ver sobre *Jóias e Pedras Preciosas*.
Pedreiras V, 157
No AT
Pedreiro V, 158
Pedrinhas de Areia V, 158
Pedro (Apóstolo) V, 158
Esboço
I. Seus Nomes
II. Família
III. Caracterização Geral
IV. Nos Escritos dos Pais da Igreja e nas Tradições
V. Um Louvor a Pedro: Suas Características Pessoais
VI. Pedro e Alguns Problemas Especiais
VII. Pedro e os Símbolos dos Sonhos e Visões
VIII. Pedro Foi Mesmo o Primeiro Bispo de Roma?
IX. Pedro Foi a Rocha sobre a qual Cristo Edificou sua Igreja
Ver o artigo intitulado *Fundamento da Igreja, Pedro como*.

PEDRO – PERÉIA

Bibliografia
Pedro (Primeira Epístola) V, 162
Esboço
Introdução
I. Confirmação Antiga
II. Autoria
III. Data; Proveniência e Destino
IV. Estilo Literário e Linguagem
V. Motivo e Propósitos
VI. Primeira Epístola de Pedro e o Resto do NT
VII. Pedro e Paulo
VIII. Temas Principais
IX. Conteúdo
X. Bibliografia
Pedro (Segunda Epístola) V, 169
Esboço
I. Confirmação Antiga
II. Autoria
III. Data
IV. Proveniência e Destino
V. Relação entre esta Epístola, I Pedro e Judas
VI. Motivo e Propósitos
VII. Conteúdo
VIII. Bibliografia
Pedro, alicerce da Igreja? Ver *Pedro (Apóstolo)*, IX, e *Fundamento da Igreja, Pedro como*.
Pedro, Apocalipse de V, 174
1. Semicanonicidade
2. Data
3. Remanescentes
4. Conteúdo
5. Variações
Pedro, Atos de V, 175
1. O impulso de escrever
2. A primeira menção dos Atos de Pedro
3. Uma fonte latina
4. Conteúdo
Pedro, Atos Eslavônicos de V, 175
Pedro, bispo de Roma,
Ver *Pedro (Apóstolo)*, VIII.
Pedro, Cadeira de V, 175
Ver *Cadeira de São Pedro*.
Pedro, caracterização geral,
Ver *Pedro (Apóstolo)*, III.
Pedro, chaves de, Ver *Chaves*, II.
Pedro, Epístolas V, 175
Pedro, Evangelho de V, 175
Esboço
1. Caracterização geral
2. Manuscritos e citações
3. Alguns detalhes distintivos
4. Características distintivas
Ver também *Livros Apócrifos, NT*, 2.a.
Pedro, família de, Ver *Pedro (Apóstolo)*, II.
Pedro, Fundamento da Igreja? V 176
Ver *Fundamento da Igreja, Pedro como, e Pedro (Apóstolo)*, IX.
Pedro, louvor a, Ver *Pedro (Apóstolo)*, V.
Pedro, Negação de V, 176
Ver *Negação de Pedro*.
Pedro, nomes de, Ver *Pedro (Apóstolo)*, I.
Pedro, o Eremita V, 176
Pedro, Paixão de V, 176
Pedro, papa? Ver *Pedro (Apóstolo)*, VIII.
Pedro, Pregação de V, 176
Esboço
1. Citações e canonicidade
2. Características e conteúdo
3. Outros documentos com o mesmo título
Pedro, Primeiro Bispo de Roma? V, 177 Ver *Pedro (Apóstolo)*.
Pedro, Primeiro Papa? V, 177
Pedro, problemas especiais,

Ver *Pedro (Apóstolo)*, VI.
Pedro, restauração de,
Ver *Restauração de Pedro*.
Pedro, rocha da Igreja?
Ver *Pedro (Apóstolo)*, IX.
Pedro, Rocha Fundamental da Igreja V, 177
Ver *Fundamento da Igreja, Pedro como*,
Pedro, símbolo. Ver *Pedro (Apóstolo)*, VII.
Pedro e André, Atos de V, 177
1. Manuscritos
2. Conteúdo
Ver também *André, Atos de Pedro e*.
Pedro e os Doze Apóstolos, Atos de V, 177
Pedro e Paulo, Atos de V, 177
Pedro e Paulo, Paixão de V 178
Pedro Damião V, 178
Pedro de Aureol V, 178
Pedro Espanhol (Petrus Hispanus) V, 178
Pedro Lombardo V, 179
Pedro Mártir (Dominicano) V, 179
Pedro Mártir (Martire Vermegli) V, 179
Pedro nos escritos dos pais,
Ver *Pedro (Apóstolo)*, IV.
Peirce, Charles Sanders V, 179
Peito, Bater no V, 181
Peitoral V, 181
Ver *Armadura, Armas*.
Peitoral do Sumo Sacerdote V, 181
Peixe, Pesca V, 182
Esboço
I. As Palavras e Caracterização Geral
II. Maneiras de Pescar
III. Comercialização da Pesca
IV. A Idolatria e o Peixe
V. Usos Figurados
Peixe como Símbolo V, 184
Ver o artigo sobre *Peixe*.
Peixe, escamas de,
Ver *Escamas de Peixes*.
Peixe, porta do, Ver *Porta do Peixe*.
Pela V, 184
Pelagianismo,
Ver *Pelágio, Pelagianismo*.
Pelágio, Pelagianismo V, 184
Esboço
I. Pelágio, o Homem
II. O Pelagianismo
III. A Oposição de Agostinho
IV. O Semipelagianismo
V. A Ética de Pelágio
Pelágio, ética de,
Ver *Pelágio, Pelagianismo*, V.
Pelaías V, 185
Duas personagens do AT
Pelalias V, 185
Pelatias V, 185
Quatro homens do AT
Pele V, 186
Pelegue V, 186
Peles de Animais (Trabalho em Couro) V, 186
Peles de Animais Marinhos V, 188
Peles de Cabras V, 188
Peles de Carneiros V, 188
Peles de Ovelhas V, 188
Pelete V, 188
Duas personagens do AT
Peletitas V, 189
Pelicano V, 189
Pelonita V, 189
Pêlos de Camelo V, 189
Pelusium V, 189
Penalogia V, 189
Ver também *Punição Capital; Punição Corporal; Reforma, das Prisões; Punição e Retribuição*.
Penas Eclesiásticas V, 190 Ver

também o artigo sobre *Disciplina*.
Esboço
I. Princípios Envolvidos
II. Infrações
III. Algumas Penas
IV. Maneiras de Aplicar
Penas eclesiásticas, aplicações das,
Ver *Penas Eclesiásticas*, IV.
Pendão V, 191
As palavras hebraicas
Pendente V, 192
As palavras hebraicas
Pendente (Colar) V, 192
A arqueologia
Pendentes V, 192
Pendentes de Nariz V, 192
Peneira V, 192
Penhas das Cabras Monteses V, 192
Penhor V, 192
Peniel (Penual) V, 193
Penina V, 193
Penitência V, 193
Dez discussões apresentadas
Penitencial V, 194
Pensamento, força do,
Ver *Força do Pensamento*.
Pensamento, formas do,
Ver *Formas de Pensamento*.
Pensar, Capacidade de V, 194
Ver também sobre *Conhecimento e a Fé Religiosa, O; Razão; Raciocínio*.
Pêntada de vícios, Ver *Vícios*, III.
Pentateuco V, 195
Esboço
I. Palavra e Caracterização Geral
II. Designações Bíblicas do Pentateuco
III. Conteúdo
IV. Autoria e Unidade: Os Críticos e o Pentateuco
Dez discussões apresentadas
V. Teologia do Pentateuco, e Sua Importância Religiosa
VI. Importância Histórica do Pentateuco
VII. Teorias Cosmológicas
VIII. Tipos de Literatura no Pentateuco
Bibliografia
Pentateuco, a palavra,
Ver *Pentateuco*, I.
Pentateuco, autoria,
Ver *Pentateuco*, IV.
Pentateuco, códigos legais do,
Ver *Pentateuco*, I.9.
Pentateuco, crítica do,
Ver *Pentateuco*, IV.
Pentateuco, designações do,
Ver *Pentateuco*, I.
Pentateuco, importância histórica do, Ver *Pentateuco*, VI.
Pentateuco, importância religiosa do, Ver *Pentateuco*, V.
Pentateuco Samaritano V, 201
Ver sobre *Samaritano, o Pentateuco*.
Pentateuco, seções poéticas,
Ver *Pentateuco*, I.10.
Pentateuco, teologia do,
Ver *Pentateuco*, V.
Pentateuco, teoria de fontes,
Ver *Pentateuco*, I.8.
Pentateuco, tipos de literatura do, Ver *Pentateuco*, VIII.
Pentateuco, unidade do,
Ver *Hexateuco*, últimos Parágrafos.
Pentateuco, unidade (integridade) do, Ver *Pentateuco*, IV.
Pentecostalismo V, 201
Ver também sobre *Movimento Carismático*.
Pentecoste e o Pentecoste Cristão V, 202

Ver também *Festas (Festividades) Judaicas*.
Esboço
I. O Pentecoste Judaico
II. O Pentecoste Cristão
Pentecoste cristão, Ver *Pentecoste e o Pentecoste Cristão*, II.
Penuel, Ver *Peniel (Penuel)*.
Peor V, 203
Um monte e uma divindade no AT
Pepino V, 204
Pepper, Stephen C. V, 204
Percepção V, 204
Esboço
I. Contrastada com Outros Modos de Tomar Conhecimento
II. Idéias de Vários Filósofos Sobre a Percepção
III. A Percepção e Sua Relação com Outros Fatores; A Mediação da Mente; A Memória; A Gestalt; A Imaginação; A Ilusão; As Alucinações; Os Equívocos
IV. A Percepção e a Mente
Bibliografia
Percepção dos Sentidos V, 206
Ver o artigo geral sobre a *Percepção*.
Percepção e a mente,
Ver *Percepção*, IV.
Percepção e significado,
Ver *Significado*, 2.
Percepção Extra-Sensorial V, 206
O uso da expressão
Os poderes psíquicos
Ver também sobre a *Parapsicologia*.
Percepção, filósofos sobre,
Ver *Percepção*, II.
Percepção relacionada a outros meios do conhecimento,
Ver *Percepção*, III.
Percepção, um meio de conhecimento, Ver *Percepção*, I.
Percepções como ilusórias,
Ver *Ilusão, Argumentos Baseados na*.
Percepções, privação das, fenômenos psíquicos,
Ver *Parapsicologia*, IX.
Perceptions petites,
Ver *Petites Perceptions*.
Perdão V, 207
Esboço
I. Palavras Envolvidas
II. Caracterização Geral
III. A Ênfase da Fé Cristã
IV. Ensino Bíblico Sobre o Perdão
V. Problemas Relativos à Doutrina do Perdão
VI. O Escopo e o Tempo do Perdão
Perdão de Pecados Pelos Apóstolos V, 210
Perdão dos pecados,
Ver *Pecado*, VII.
Perdão, doutrina do, problemas,
Ver *Perdão*, V.
Perdão, ensinos bíblicos,
Ver *Perdão*, IV.
Perdão, escopo, tempo, limites,
Ver *Perdão*, VI.
Perdão no cristianismo,
Ver *Perdão*, III.
Perdão, Palavras relacionadas a,
Ver *Perdão*, I.
Perdição V, 212
Perdição esperança na,
Ver *Perdição, sob o título, Missão Tridimensional de Cristo*.
Perdição, Filho da V, 213
Perdidos, julgamento dos,
Ver *Julgamento de Deus dos Homens Perdidos*.
Perdiz V, 213
Peregrino V, 214
Peréia V, 215

825

Esboço
1. A palavra e as referências bíblicas
2. Sua área geográfica
3. Divisões da Mishnah; informes históricos
4. Jesus na Peréia
Peres V, 216
Ver também *Pesos e Medidos*, IV.J.
Perez V, 216
Ver também *Perezitas (Perez)*.
Perez-Uzá V, 216
Perezeus (Ferezeus) V, 216
Perezitas (Perez) V, 216
Perfeccionismo V, 216 Ver também *Perfeito, Perfeccionismo*.
Perfeição V, 216
Perfeição, diversos filósofos sobre, Ver *Perfeição na Filosofia*.
Perfeição, Graus de V, 217
 Um dos argumentos tradicionais em favor da existência de Deus
 Ver artigos separados intitulados *Cinco Argumentos de Tomás de Aquino em Favor da Existência de Deus e Argumento Axiológico*.
Perfeição, Princípio da V, 217
Perfeição Espiritual V, 217
 I. Pelo Conhecimento
 II. Finalidade
 III. A Natureza da Perfeição
Perfeição impecável, Ver *Pecado*, VI
Perfeição na Filosofia V, 218
 Ver também o artigo geral sobre a *Perfeição*.
Perfeição pelo conhecimento,
 Ver *Perfeição Espiritual*, I.
Perfeito, Perfeccionismo V, 220
 Sete discussões apresentadas
Perfume V, 222
Perfumista V, 223
Pergaminho V, 223
 Ver sobre *Escrita*.
Pergaminho para livros, Ver *Peles de Animais (Trabalho em Couro)*, 4,5.
Pérgamo V, 223
Pérgamo, Altar de V, 224
 Ver também sobre *Pérgamo*.
Pérgamo, Carta (Epístola) a V, 224
Pérgamo, Escola de V, 225
Perge V, 225
Pericorese V, 225
Período clássico da filosofia grega, Ver *Filosofia Grega*, II.
Período helenista, Ver *Helenismo*.
Período Intertestamental V, 225
 Acontecimentos e condições do mundo no tempo de Jesus
 Um estudo histórico completo é oferecido em oito discussões
Período Patriarcal, Ver *Patriarcas (Bíblicos); o Período Patriarcal*.
Períodos arqueológicos,
 Ver *Arqueologia*, 1.
Períodos cronológicos bíblicos,
 Ver *Cronologia do AT*, V.
Períodos históricos da filosofia,
 Ver *Filosofia*, IV.
Períodos históricos do cristianismo,
 Ver *Cristianismo*, 3.
Peripatético V, 238
Perito Encantador V, 238
Perizeus V, 238
 Ver sobre *Perezeus (ferezeus)*.
Perizim, (Monte) V, 238
Perjúrio V, 238
 Ver sobre *Mentira e Juramento*.
Perjúrio, crime contra o homem,
 Ver *Crimes e Castigos*, II.2.g.
Perjúrio e juramentos,
 Ver *Juramentos*, VI.
Permanecer V, 238
Permanência, Ver *Permanecer*.
Perna V, 238

O hebraico e o grego
Usos metafóricos
Per-Napishtim,
 Ver *Utnapishtim (Per-Napishtim)*.
Pernilongo, Ver *Piolho*, 4.
Pérola , 239
O AT
Descrições de pérolas
Usos metafóricos
Pérola de Grande Preço V, 239
 Ver também sobre *Pérola*.
Perpétua Virgindade de Maria V, 240
 Ver também sobre *Marias do NT; Maria, Culto a; Mariolatria e Mariologia (Maria, a Bendita Virgem)*.
Perrinistas, Ver *Libertinos*, 2.
Perry Ralph Barton V, 241
Persefone V, 241
 Ver também *Demeter-Persefone*.
Perseguição V, 241
Esboço
 I. Definição e Comentários Gerais
 II. No AT
 III. No NT
 IV. Alguns Informes Históricos
 V. Razões das Perseguições
 VI. Valores das Perseguições
 VII. Referências e Idéias
Perseguição, definição,
 Ver *Perseguição*, I.
Perseguição do comunismo,
 Ver *Comunismo*, 8.
Perseguição, informes históricos,
 Ver *Perseguição*, V.
Perseguição no AT,
 Ver *Perseguição*, II.
Perseguição no NT,
 Ver *Perseguição*, III.
Perseguição, razões da,
 Ver *Perseguição*, V.
Perseguição, referências bíblicas,
 Ver *Perseguição*, VII.
Perseguição, valores da,
 Ver *Tribulações como Benefícios*.
Perseguidos abençoados,
 Ver *Bem-Aventuranças*, 8.
Perseguir, Ver *Perseguição*.
Persépolis V, 245
Perseu V, 246
Perseverança V, 246
Perseverança Final V, 246
Perseverar, Ver *Perseverança*.
Pérsia V, 247
Esboço
 I. Geografia
 II. Os Persas e Informe e Históricos
 III. Aspectos Culturais; Religião Persa
 IV. A Pérsia e a Bíblia
 V. A Pérsia e o Cristianismo
 VI. A Arqueologia e a Pérsia Bibliografia
 VII. Mapa da Pérsia
Pérsia, cultura, Ver *Pérsia*, III.
Pérsia e a arqueologia,
 Ver *Pérsia*, VI.
Pérsia e o período intertestamental, Ver *Período Intertestamental*, 2.
Pérsia, geografia, Ver *Pérsia*, I,
Pérsia, história, Ver *Pérsia*, II.
Pérsia, mapa da, Ver *Pérsia*, VII.
Pérsia na Bíblia, Ver *Pérsia*, IV.
Pérsia, religião, Ver *Pérsia*, III.
Pérside V, 252
Persona V, 252
Personalidade Coletiva V, 252
Personalidade de Deus, A,V, 252
Personalidade do Espírito,
 Ver *Espírito de Deus*, III.
Personalidade Múltipla V, 252
Personalidade múltipla e possessão demoníaca, Ver *Possessão Demoníaca*, 1.
Personalismo V, 253

Personalismo e teologia,
 Ver *Personalismo*, VI.
Personalismo na filosofia,
 Ver *Personalismo*, III.
Personalismo, tipos,
 Ver *Personalismo*, IV.
Personificação V, 254
Personificação da morte,
 Ver *Morte*, VIII.
Perspectiva histórica da descida de Cristo ao hades, Ver *Descida de Cristo ao Hades: Perspectiva Histórica e Citações Significantes*.
Perspectivismo V, 254
Peruda V, 254
Pesado V, 255
Pesca V, 255   Ver o artigo geral sobre *Peixe, Pesca*.
Pescar, Ver *Peixe, Pesca*.
Pescoço V, 255
 O hebraico e o grego
Pés Desnudos V, 255
Pés, lavagem dos, Ver *Lava-Pés*.
Pés, ornamentos dos,
 Ver *Ornamentos dos Pés*.
Peshitta V, 255
Pesos e Medidas V, 255
Esboço
 I. Medidas de Comprimento
 II. Medidas de Área
 III. Medidas de Capacidade
 IV. Medidas de Peso
 V. As Balanças
 VI. Conclusão
Pesos no NT,
 Ver *Pesos e Medidas*, IV.L.
Pessimismo V, 265
Pessimismo e o cristianismo,
 Ver *Pessimismo*, 4° parágrafo.
Pessoa V, 265
Pessoa, Deus como uma V, 266
Pessoa de Cristo V, 267
 Ver sobre *Cristologia*.
Pessoas do NT, e educação,
 Ver *Educação* IV
Pestilência V, 267   Ver também *Enfermidades na Bíblia*, I.31.
Pestilência nos animais,
 Ver *Pragas do Egito*, II.5.
Petites Perceptions V, 268
Petitio Principii V, 268
Petor V, 268
Petra V, 268
Petrarca (Francesco Petrarca) V, 268
Petropolitanus, Codex, Ver *Manuscritos Antigos do NT, III.5. Pi, e Pi (Codex Petropolitanus)*.
Petuel V, 269
Peuletai V, 269
Phileo,   Ver *Agapao, Relação com Phileo*.
Philo Judaeus, Ver *Filo Judeu*.
Pi (Codex Petropolianus) V, 269
Pi-Besete V, 269
Picaretas V, 269
Piche V, 269   Ver sobre *Betume*.
Pico Della Mirandola V, 269
Pictográfico cretense,
 Ver *Escrita*, V.A.
Piedade, Piedoso V, 270
 Ver também *Santidade*.
Piedoso, Ver *Piedade, Piedoso*.
Pierson, Allard V, 271
Pietismo V, 271
Pietismo, descendentes religiosos do, Ver *Pietismo*, 6.
Pietismo, ênfases, Ver *Pietismo*, 5.
Pietismo, história, Ver *Pietismo*, 2.
Pietismo, vícios do, Ver *Pietismo*, 4.
Pi-Hairote V, 272
Pilão V, 272
Pilar V, 272 Ver sobre *Coluna* (artigo geral); *Coluna no Apocalipse*;

Colunas da Terra, e Colunas de Fogo e de Nuvem.
Pilar (Estaca) V, 272
Pilar(es) de Fogo e de Nuvem V, 273
 Ver sobre *Colunas de Fogo e de Nuvem*.
Pilatos, Pôncio V, 273
Pilatos, Atos de V, 274
Pilatos, avaliações cristãs,
 Ver *Pilatos, Pôncio*, 5.
Pilatos e Filo, Ver *Pilatos, Pôncio*, 6.
Pilatos e Jesus, Ver *Pilatos, Pôncio*, 4.
Pilatos, Esposa de V, 274
Pilatos, história de,
 Ver *Pilatos, Pôncio*, 2,3.
Pildas V, 274
Pileser, Ver *Tiglate-Pileser*.
Pilha V, 274
Piloto V, 274
PilPul V, 275
Piltai V, 275
Pim V, 275
 Ver também sobre *Pesos e Medidas*.
Pináculo V, 275
Píndaro V, 275
Píndaro, ética de, Ver *Ética*, II.2.
Pinheiro, Ver *Pinho, Pinheiro*.
Pinho, Pinheiro V, 275
Pino V, 275
 Ver *Trancar (Cadeado, Fechadura, Pino)*.
Pinom V, 275
Pintar, Pintura V, 275
Pintura, Ver *Pintar, Pintura*.
Pintura dos olhos,
 Ver *Olhos, Pintura dos*.
Pio V, 277 Ver *Pios (Papas)*.
Piolho V, 277 Ver também *Mosquito (Piolho, Carrapato)*.
Piolhos, Ver *Pragas do Egito*, II.3.
Pioneiro do caminho, Ver *Pioneiro, Jesus como*, II.
Pioneiro, Jesus como V, 278
 I. Autor (Pioneiro)
 II. Jesus, o Pioneiro do Caminho
 III. As Escrituras Falam:
  Heb. 5:8
  Interpretações
 IV. Pelas Coisas que Sofreu
  Interpretações
 V. Trabalho do Pioneiro
  Salvação
  Pinhos à glória
Pioneiro, trabalho do, Ver *Pioneiro, Jesus como*, V.
Pios (Papas) V, 279
 O título aplica-se a doze papas
Pir V, 281
Pirâmide V, 281
Pirão V, 282
Pirataria V, 282
Piratoni (Piratonitas) V, 282
Piratonitas,
 Ver *Piratoni, (Piratonitas)*.
Pirke Aboth V, 282
Pirro V, 283
Pirro de Élis V, 283
Pirronismo V, 283
Pisar a Eira V, 283
Piscina de Hesbom V, 284
Pisga V, 284
Pisídia V, 284
Pisom V, 284
Pispa V, 285
Pistacia, Castanhas V, 285
Pistis Sophia V, 285
Pitágoras de Samos V, 285
Pitágoras, ética de, Ver *Ética*, II. 1.
Pitagoreanisino V, 286
Pitom V, 286
Pitom (Pessoa) V, 287
Pitonisa V, 287
PK V, 287

PLACAS – POSSESSÃO

Ver também *Psicocinesia (PK)*.
Placas de ouro (mormonismo),
 Ver *Santos dos Últimos Dias*, 2.b.c.
Plágio V, 287
Planejamento Familiar V, 287
 Ver *sobre Contraceptivos e Controle de Natalidade*.
Planetização V, 287
Planície V, 288
Planície, Cidades da V, 288
 Ver sobre *Cidades da Campina*.
Planta(s) V, 288 Ver sobre *Flora*, e cada planta separadamente.
Plataforma de Cambridge V, 288
Plátano V, 288
Platão V, 288
 Esboço
 I. Informes Históricos
 II. Teoria do Conhecimento
 III. Metafórica
 IV. Política
 V. Ética
 VI. Estética
 VII. Ciências Naturais
 VIII. Platonismo
 Bibliografia
Platão, Academia de V, 294
 Ver *Academia de Platão*.
Platão, Alegoria da Caverna,
 Ver *Platão*, Vol. V, p. 451 e ss.
Platão, ciência natural,
 Ver *Platão*, VII.
Platão, conhecimento,
 Ver *Platão*, II.
Platão, comunismo de,
 Ver *Comunismo*, 3.
Platão contra relativismo ético,
 Ver *Ética*, V. 16.
Platão e a dialética,
 Ver *Dialética*, 2.
Platão, estética, Ver *Platão*, VII.
Platão, ética de, Ver *Ética*, V.
Platão, história, Ver *Platão*, I.
Platão, metafísica, Ver *Platão*, III.
Platão, política, Ver *Platão*, IV.
Platão sobre:
 aparência, Ver *Aparência*, 2.
 a vida, Ver *Vida*, II.
 idealismo epistemológico, Ver *Idealismo Epistemológico*, 4.
 idéias inatas, Ver *Idéias Inatas*, I.
 linguagem, Ver *Linguagem (Filosofia e); Filosofia da Linguagem, 1*
 o macrocosmo, Ver *Macrocosmo*, 3.
 perfeição, Ver *Perfeição na Filosofia*, 2.
 sabedoria, Ver *Sabedoria*, V.1.
 universais, Ver *Idealismo Epistemológico*, 4.
Platonismo V, 294
 Esboço
 I. Definições Gerais
 II. Estágios da Filosofia de Platão
 III. Idéias Principais de Platão
 IV. Estágios do Desenvolvimento Histórico do Platonismo
Platonismo, definição,
 Ver *Platonismo*, I.
Platonismo em Hebreus,
 Ver *Hebreus (Epístola)*, VI.4.
Platonismo, estágios,
 Ver *Platonismo*, II, IV.
Platonismo, idéias principais,
 Ver *Platonismo*, III.
Platonistas de Cambridge V, 297
Plêiades (e Outras Constelações; Sete-Estrelo) V, 297
Plenitude V, 297
Plenitude (Pleroma) de Deus V, 298
Plenitude (Pleroma) de Deus, Cristo como V, 298
Plenitude (Pleroma) de Deus, Participação do Homem na V, 299

Plenitude dos Gentios V, 300
Plenitude dos Tempos V, 301
Plenitude dos tempos, dispensação da, Ver *Dispensação da Plenitude dos Tempos*.
Plenitude, tipos de, Ver *Plenitude*.
Pleroma V, 302 Ver diversos artigos sobre *Plenitude*.
Pletho, Giorgius Gemistus V, 302
Plínio, o Moço V, 302
Plotino V, 302
Ver também sobre *Neoplatonismo*.
Pluralidade dos céus, Ver *Céu*, 4.
Pluralismo V, 303
Plutarco de Atenas V, 304
Plutarco de Queronéia V, 304
Plymouth, Irmãos V, 304
Pneuma V, 305
Pneumatologia V, 305
Pneumatomachi, Ver *Macedonismo*.
Pó V, 305
Pobre, Pobreza V, 306
Pobreza V, 308
 Ver sobre *Pobre, Pobreza*.
Pobreza Evangélica V, 308
Poço V, 308
Poço (Lagoa) V, 309
Poço de Jacó V, 309
 Ver *Jacó, Poço de*.
Poço de Sirá, Ver *Sirá, Poço de*.
Poço do Aqueduto, (Açude de Hasselá) V, 309
Poder V, 309
 Esboço
 I. Definições
 II. Agentes Poderosos na Bíblia
 III. Poderes Malignos
 IV. O Poder do Evangelho:
 A Missão Tridimensional de Cristo
Poder da música,
 Ver *Hino (Hinologia)*, IV.
Poder da vontade,
 Ver *Vontade, Poder da*.
Poder de Cristo V, 311
Poder de Deus - O Evangelho V, 311
Poder, definições, Ver *Poder*, I.
Poder do Evangelho, Ver *Poder*, IV.
Poder do exemplo, Ver *Exemplo*, I.
Poderes V, 312
 Ver também sobre *Poder*.
Poderes da religião,
 Ver *Religião, Poderes da*.
Poderes do Mundo (Era) Vindouro V, 312
Poderes espirituais pessoais,
 Ver *Poderes*.
Poderes malignos, Ver *Poder*, III.
Poesia V, 313
 Ver sobre *Poeta, Poesia*.
Poesia e Teologia V, 313
 Ver sobre *Poeta, Poesia*.
Poesia no AT V, 313
 Ver sobre *Poeta, Poesia* III.
Poesia no NT V. 313
 Ver sobre *Poeta, Poesia*, III,
Poesia no Pentateuco,
 Ver *Pentateuco*, I. 10.
Poeta, Poesia V, 313
 Esboço
 I. Definições e Descrições
 II. A Poesia no AT
 III. A Poesia no NT
 IV. A Poesia e a Teologia Polaridade, Ver Paradoxo, III.12.
Polaridade, Princípio da V, 315
 Esboço
 I. Definições
 II. Idéias dos Filósofos sobre a Polaridade
 III. Algumas Aplicações Teológicas
 IV. A Teologia Dialética; Pares Polares
Polaridade e filosofia,

Ver *Polaridade, Princípio da*, II.
Polaridade e teologia,
 Ver *Polaridade, Princípio da*, III, IV.
Polaridades enumeradas,
 Ver *Polaridade, Princípio da*, III.
Polegar V, 317
Polêmica V, 317
Poliandria V, 317
Policarpo, 318
Policarpo, Epístola de V, 318
Policarpo, Martírio de V, 319
Poligamia V, 319
 Ver também *Matrimônio e Monogamia*.
Poligamia, cena religiosa atual,
 Ver *Poligamia*, 3.
Poligamia e moralidade,
 Ver *Poligamia*, 4.
Poligamia no cristianismo,
 Ver *Santos dos Últimos Dias (Mórmons), II; Brigham Young e Joseph Smith*.
Poligamia, primeira menção bíblica, Ver *Lameque*, 1.
Poligamia, sociedades de,
 Ver *Poligamia*, 2.
Politarca V, 321
Politeísmo V, 321
 Ver também *Deus*, III.1.
Política V, 321 Ver também sobre *Filosofia Política*.
Política e a filosofia, Ver *Filosofia Política*.
Pólos, Mudança dos V, 321
 Ver também *Dilúvio de Noé*, II e VI; e *Mudança dos Pólos*.
Poluição V, 322
Poluição Ambiental V, 322
Poluição, causas,
 Ver *Poluição Ambiental*, I.
Poluição e teologia,
 Ver *Poluição Ambiental*, IV.
Pólux V, 323 Ver sobre *Dióscuros; e Castor e Pólux*.
Pomar V, 323
Pomba V, 323
Pombas, Esterco de V, 324
Pôncio Pilatos V, 324
 Ver sobre *Pilatos, Pôncio*.
Pontes V, 324
Pontifical V, 324
Pontifical, Missa V, 324
Pontificália V, 324
Ponto V, 325
Pontos de vista protestantes sobre a Virgem Maria, Ver *Mariologia*, IV.
Pontos principais do arminianismo, Ver *Cinco Pontos do Arminianismo*.
Pontos principais do calvinismo
 Ver *Cinco Pontos do Calvinismo*.
Popper Karl V, 325
População, Controle da V, 325
 Ver sobre *Controle de Natalidade*
Poquerete-Hazebaim V, 325
Porata V, 325
Porca V, 325 Ver sobre *Porco*.
Pórcio V, 326
 Ver sobre *Festo, Pórcio*.
Porco V, 326
Porfírio V, 326
Pornografia V, 327
Pornografia e liberdade,
 Ver *Pornografia*, 3.
Pornografia e o cristão,
 Ver *Pornografia*, 3.
Porquê da ética, Ver *Ética*, I. 4.
Porquê do sofrimento,
 Ver *Jó*, V; e *Problema do Mal*.
Porta V, 328
 As palavras hebraicas e gregas
 A arqueologia e as referências literais
 Usos metafóricos

Porta, Formosa V, 329
Porta, Jesus como V, 329
Porta Aberta V, 330
Porta Antiga V, 330
 Ver sobre *Porta Velha*.
Porta da Fonte, Ver *Fonte, Porta da*.
Porta da Guarda V, 330
Porta da Guarda (Miphkad) V, 330
Porta das Águas V, 331
Porta das Ovelhas V, 331
Porta de Efraim,
 Ver *Efraim, Porta de*.
Porta do fundamento,
 Ver *Fundamento, Porta do*.
Porta do Oleiro V, 331
Porta do Peixe V, 331
Porta do Vale V, 331
 Ver *Vale, Porta do*.
Porta dos Cavalos V, 331
Porta entre os Dois Muros V, 331
Porta Formosa Ver *Porta, Formosa*.
Porta Nova V, 332
Porta Velha V, 332
Portão V, 332
Portão Oriental V, 333
Portas do Inferno V, 333
Porteiro V, 334
Pórtico V, 335
Pórtico de Salomão V, 335
Porto V, 335
Portos Bons, Ver *Bons Portos*.
Português, Bíblia em,
 Ver *Bíblia em Português*.
Pós Aromáticos V, 336
Poseidon V, 336
Pós-exílio,
 Ver *Pré-Exílio, Pós-Exílio*.
Posição da mulher no judaísmo,
 Ver *Mulher*, I.
Posição das crianças nos tempos bíblicos, Ver *Matrimônio*, VII.
Positivismo, Ver *Positivismo, Positivismo Lógico*.
Positivismo, nomes ligados ao,
 Ver *Positivismo, Positivismo Lógico*, 6.
Positivismo, Positivismo Lógico V, 336
Positivismo como religião, Ver *Positivismo, Positivismo Lógico*, 4.
Positivismo, e o conceito de Deus,
 Ver *Deus*, III.16.
Positivismo lógico sobre idéias,
 Ver *Positivismo, Positivismo Lógico*, 16.
Positivismo sobre:
 o materialismo, Ver *Materialismo*, 20
 perfeição, Ver *Perfeição na Filosofia*, 13.
Pós-milenarismo, Ver *Pós-Milenarismo (Pós-Milenarismo)*.
Pós-Milenismo (Pós-Milenarismo) V, 337 Ver também o artigo sobre o *Milênio*.
Descrições
Posse V, 337
Possessão V, 337 Ver os artigos sobre: *Possessão Demoníaca e Demônio, Demonologia*.
Possessão Demoníaca V, 337
 Um estudo completo com sete discussões é apresentado
Possessão demoníaca, autenticidade do fenômeno, Ver *Possessão Demoníaca*, 7.
Possessão demoníaca e enfermidades, Ver *Possessão Demoníaca*, 2.
Possessão demoníaca e Ódio,
 Ver *Ódio*, VII.
Possessão demoníaca e pessoas religiosas, Ver *Possessão Demoníaca*, 3.
Possessão demoníaca, níveis da,
 Ver *Possessão Demoníaca*, 5.
Possessão demoníaca, sinais da,

POSSIBILIDADE – PRISCA

Ver *Possessão Demoníaca*, 4.
Possibilidade V, 343
Possidônio V, 343
Possível, Ver *Possibilidade*.
Poste-Ídolo V, 343
Postes V, 344
Post Hoc Ergo Propter Hoc V, 344
O latim
Usos da expressão
Postulante V, 344
Postular V, 344
Potencialidade (Potentia) V, 344
Potencialidade e realidade,
Ver *Realidade e Potencialidade*.
Potência,
Ver *Potencialidade (Potência)*.
Potéoli V, 345
Potifar V, 345
Potifera V, 345
Poupa V, 345
Povo de Deus V, 346
Povo do Senhor V, 346
Prado (Carriçal) V, 346
Praedicamenta V, 347
Praga V, 347 Ver também o artigo *Pragas do Egito*.
Praga de Gafanhotos V, 347
Praga, teologia da, Ver *Praga*, 3.
Pragas do Egito V, 348
Esboço
I. Fundo Histórico
II. Pragas Específicas
III. Implicações Teológicas
IV. Outras Interpretações Críticas; Imitações Egípcias
Pragmatismo V, 352
Esboço
I. Definições e Caracterização Geral
II. Teoria da Verdade
III. A Ética
IV. Importantes Filósofos Ligados ao Pragmatismo.
Pragmatismo como teoria da verdade, Ver *Pragmatismo*, II.
Pragmatismo, definições,
Ver *Pragmatismo*, I.
Pragmatismo e significado,
Ver *Significado*, 3.
Pragmatismo, ética do,
Ver *Pragmatismo*, III.
Pragmatismo, filósofos do,
Ver *Pragmatismo*, IV.
Pragmatismo, objeções religiosas,
Ver *Pragmatismo*, V.
Praia V, 355
Pranto V, 355
Ver sobre *Lamentação*.
Prata V, 355
Prata Batida V, 356
Prata, corda (fio) de,
Ver *Fio de Prata*.
Prata, fio de, Ver *Fio de Prata*.
Prático, idealismo,
Ver *Idealismo Prático*.
Prático, imperativo,
Ver *Imperativo Prático*.
Prato V, 356
Praxe V, 356
Praxiologia V, 356
Ver sobre *Kotarbinski*.
Prazer V, 357
Esboço
1. Considerações bíblicas
2. Definições amplas e truques filosóficos
3. A alegria de servir a Jesus
4. O prazer nas funções bem-sucedidas
Prazer, definições, Ver *Prazer*, 2
Prazer e alegria espiritual,
Ver *Prazer*, 3.
Prazer espiritual, Ver *Prazer*, 3,4.
Prazer na Bíblia, Ver *Prazer*, 1.

Pré-adâmicas, raças,
Ver *Raças Pré-Adâmicas*.
Pré-Adâmicas V, 358
Ver também sobre os *Antediluvianos*.
Precognição (Conhecimento Prévio) V, 358
Esboço
I. Definição e Tipos de Precognição
II. Relação para com a Predestinação
III. A Precognição e a Profecia
IV. A Precognição na Bíblia
V. Algumas Considerações Filosóficas a Respeito
VI. A Precognição e a Parapsicologia
Preconceito V, 360
Ver também *Discriminação*.
Precursor V, 360
Precursor, Jesus como V, 361
Predestinação V, 361 Ver sobre *Determinismo (Predestinação)*.
Predestinação (determinismo),
Ver *Determinismo (Predestinação)*.
Predestinação dupla,
Ver *Dupla Predestinação*.
Predestinação (e Livre-Arbítrio) V, 361 Ver também sobre *Determinismo e Livre-Arbítrio*.
Esboço
I. Textos de Prova
II. Fatores Interpretativos
III. Fatores Filosóficos
IV. Fatores Psicológicos
V. Uma Possível Reconciliação
VI. O Que é Promovido pela Predestinação
Um humanismo cristão
Predicado V, 364
Predicável V, 364
Preeminência V, 365
Preestabelecida, harmonia,
Ver *Harmonia Preestabelecida*.
Pré-Exílio, Pós-Exílio V, 365
O uso dos termos
Preexistência da Alma V, 365
Ver também sobre a *Alma*.
Preexistência de Cristo V, 366
Ver também sobre *Cristologia e Preexistência da Alma*.
Prefeito Apostólico V, 366
Pregação, Ver *Pregar, Pregação*.
Pregação da Igreja primitiva,
Ver *Kerygma*.
Pregação de Pedro, Ver *Apologetas (Apologistas)*, 1, e Pedro, *Pregação de*.
Pregação e o ensino, Ver *Pregar, Pregação*, 2.
Pregação Exegética V, 366
Pregação Expositiva V, 367
Pregação, função distinta do ensino,
Ver *Pregar, Pregação*, 5.
Pregação, função divina,
Ver *Pregar, Pregação*, 4.
Pregação na Igreja,
Ver *Pregar, Pregação*, 7.
Pregação no NT,
Ver *Pregar, Pregação*, 3.
Pregação, uma arte,
Ver *Pregar, Pregação*, 8.
Pregar, Pregação V, 367
Um estudo completo com oito discussões é apresentado
Prego V, 368
Preguiça V, 369
Preguiçoso V, 370
Pré-história e o dilúvio de Noé,
Ver *Dilúvio de Noé*, I.
Prelado, Prelazia V, 370
Prelazia, Ver *Prelado, Prelazia*.
Pré-milenarismo, Ver *Pré-Milenismo (Pré-Milenarismo)*.
Pré-Milenismo (Pré-Milenarismo)

V, 370 Ver também sobre o *Milênio*.
Prêmio V, 371
Ver *Galardão e Coroas*.
Premissas V, 371
Preparação, Dia de V, 371
Ver sobre *Dia de Preparação*.
Prepúcio V, 371
Presa, Despojo V, 371
Presbiteriana, Igreja V, 371
Presbiteriano V, 371
Ver *Igreja Presbiteriana*.
Presbiteriano, governo,
Ver *Governo Eclesiástico*, II.2.
Presbitério V, 371
Ver também sobre *Presbítero e Governo Eclesiástico*.
Presbítero V, 372
Presciência V, 372
Ver sobre *Precognição (Conhecimento Prévio)*.
Presciência de Deus V, 372
Esboço
I. Porquanto aos que de antemão conheceu
II. A Idéia de Conhecimento Prévio não é Usada em Nenhum dos Sentidos Abaixo
III. Eleitos Segundo a Presciência de Deus Pai
Prescritivismo V, 374
Presença de Deus V, 374
Presença divina e fogo,
Ver *Fogo*, VI.
Presença divina, soluciona o problema do mal, Ver *Jó (o Livro)*, V.6.
Presença Real V, 375
Presente V, 375
Presidente V, 375
Pré-Socráticos V, 375
Presságio (Agouro) V, 376
Pressuposição V, 376
Pressuposto Estratoniciano V, 376
Presunção (Tomar a Questão como Resolvida) V, 376
Pretas V, 376
Pretor V, 376
Pretoriana, Guarda V, 376
Pretório V, 377
O grego
No NT
Definições
Previsibilidade V, 377
Price, H.H. V, 377
Price, Richard V, 378
Priestly sobre o materialismo,
Ver *Materialismo*, III. 10.
Prima Facie, Deveres V, 378
Primalidades V, 378
Primárias qualidades, Ver *Qualidades: Primárias, Secundárias e Terciárias*.
Primeira Causa V, 378
Primeira Filosofia V, 379
Primeira mulher, Ver *Eva*.
Primeira viagem missionária de Paulo, Ver *Paulo (Apóstolo)*, I.3.
Primeiras Cadeiras V, 379
Primeiro Dia da Semana V, 379
Ver sobre *Domingo*.
Primeiro e último, Ver *O Primeiro e o Último, e Alfa e Ômega*.
Primeiro e Último Títulos de Cristo V, 379
Em Apo. 1:17
Interpretações do trecho
A linguagem aristotélica
A lição da vida
No AT
Primeiro Enoque,
Ver *Enoque Etíope*.
Primeiro Esdras, Ver *Esdras*, I
Primeiro Impulsionador V, 380
Primeiros Serão Últimos; Últimos

Serão Primeiros V, 380
Primícias V, 381
Esboço
I. Caracterização Geral
II. Coisas Específicas Envolvidas nas Oferendas
III. Oferendas e Cerimônias Envolvidas nas Primícias
IV. Usos Figurados
Primícias do Espírito V, 382
Primitivismo V, 383
Primitiva, Igreja,
Ver *Igreja Primitiva*.
Primo V, 383
Primogênito V, 383
Esboço
I. Considerações Humanas
II. Considerações Animais
III. O Termo Primogênito Aplicado a Cristo
IV. Usos Figurados
Primogênito, Cristo como V, 385
Ver também sobre *Primogênito*.
Primogênito, Jesus como V, 385
Ver também o artigo separado sobre *Ressurreição*.
Primogênito, morte do,
Ver *Pragas do Egito*, II. 10.
Primogenitura, direito de,
Ver *Direito de Primogenitura*.
Princesa, príncipe,
Ver *Príncipes, Princesa*.
Princesa, sedutora,
Ver *Jung*, Idéias, 7.e.
Principados V, 385
Principais dos Judeus V, 386
Principais da Sinagoga V, 386
Principal vital do homem,
Ver *Espírito*, III.
Príncipe, Princesa V, 386
Príncipes (Duques) V, 387
Princípio V, 387
Princípio (Princípios) V, 388
Princípio da colheita segundo a semeadura, Ver *Gálatas*, V.6.
Princípio da Criação, Cristo como V, 388
Princípio da polaridade,
Ver *Polaridade, Princípio da*.
Princípio da compensação,
Ver *Compensação, Princípio de*.
Princípio de Incerteza, V, 388
Ver também *Incerteza, Princípio de*.
Princípio de Individualização
V, 389 Ver sobre *Indivíduo (Individualização)*.
Princípio de Razão Suficiente V, 389
Princípio Protestante V, 389
Princípios corretos permeiam a natureza, Ver *Lu Hsiang-Shan*, 3.
Princípios da restauração do texto do NT, Ver *Manuscritos Antigos do NT*, VI.
Princípio do utilitarismo ético
Ver *Ética*, VII.A.1,2,3,4,5.
Princípios éticos de Jesus,
Ver *Jesus*, III.3.d.
Princípios éticos do teísmo,
Ver *Ética*, IX.
Princípios Principais do Arminianismo, Ver *Cinco Pontos do arminianismo*.
Princípios principais do calvinismo,
Ver *Cinco Pontos do Calvinismo*.
Princípios Reguladores V, 389
Principium Individationis V, 389
Prior V, 389
Prisão, Prisioneiros V, 389
Prisão, espíritos na,
Ver *Espíritos na prisão*.
Prisão Mamertina,
Ver *Mamertina, Prisão*.
Prisca, Priscila V, 390

Ver sobre *Áquila e Priscila.*
Priscila, Ver *Áquila e Priscila.*
Priscilianismo V, 390
Prisioneiro, Ver *Prisão, Prisioneiros.*
Prisioneiros da Bíblia,
  Ver *Prisão, Prisioneiros,* 4.
Prisões no AT,
  Ver *Prisão, Prisioneiros,* 2.
Prisões no NT,
  Ver *Prisão, Prisioneiros* 3.
Privação V, 391
Privação das Percepções dos Sentidos e Fenômenos Psíquicos V, 391
  Ver sobre *Parapsicologia,* IX.
Privilégio Sabatino V, 391
Probabilidade V, 391
Probabilidade e filosofia,
  Ver *Probabilidade,* II.
Probabilidade e religião,
  Ver *Probabilidade,* III.
Probabiliorismo V, 392
Probabilismo V, 392
Problema biológico da raça,
  Ver *Raça,* I.
Problema Corpo-Mente V, 392
  Esboço
Introdução detalhada com sete discussões
  I. Materialismo (Monismo)
  II. Idealismo (Monismo; Dualismo; Pluralismo)
  III. Teoria do Duplo Aspecto (Monismo; Dualismo Aparente)
  IV. Paralelismo (Harmonia Preestabelecida)
  V. Ocasionalismo (Dualismo sem Interação)
  VI. Interacionismo (Dualismo)
  VII. Substancialismo (Dualismo; Natureza Tríplice)
  Bibliografia
Problema de Gettier,
  Ver *Gettier, Problema de.*
Problema do Mal V, 407
  Esboço
  I. Definição
  II. A Reconciliação de Seis Elementos Aparentemente Irreconciliáveis
  III. Duas Distinções
  IV. Diversas Soluções Propostas Nove supostas soluções supostas soluções
  V. A Respeito do Livro de Jó
Problema do mal e Satanás,
  Ver *Satanás,* V.
Problema do mal, solução do livro de Jó, Ver *Jó,* V.
Problema Corpo-Mente,
  Ver *Problema Corpo-Mente.*
Problema Sinóptico V, 410
  Esboço
  I. A Palavra Sinóptico
  II. Exposição do Problema
  III. Idéias sobre a Origem dos Evangelhos Sinópticos
  IV. Marcos, Principal Fonte (Histórica) dos Sinópticos
  V. Bibliografia
  VI. Ilustrações das Similaridades e Diferenças entre os Evangelhos Sinópticos
Problemas da ética da medicina,
  Ver *Medicina, Ética da,* II.
Problemas de cronologia,
  Ver *Cronologia do AT,* III.
Problemas sociais das raças,
  Ver *Raça,* II.
Procedência do Espírito Santo V, 420
Processo, Filosofia de V, 420
Processo, Teologia de V, 420
  Ver sobre *Teologia de Processo;*
e Progresso, 5.
Processo eterno, glorificação como,
  Ver *Glorificação,* III.
Processos Legais, Abusos dos V, 420
Procissão V, 420
Proclo V, 421
Procônsul V, 421
Próclo V, 421
Procôro V, 422
Procriação V, 422 Ver sobre *Sexo.*
Procurador V, 422
Pródigo V, 422
  Ver também *Sofistas,* 2.
Pródomos, Ver *Precursor.*
Produção de efeitos como significado, Ver *Significado,* 4.
Pró-Escravidão, Doutrina de V, 422
  O uso da Bíblia para defender a escravidão
Profano V, 423
Profecia V, 423
  Consultar a lista de artigos sobre a profecia na pág. V, 423, sob *Profecia.*
Profecia, definições, Ver *Profecia, Profetas e o Dom da Profecia,*
Profecia, dom de,
  Ver *Dons Espirituais,* IV.8.
Profecia e comunismo,
  Ver *Comunismo,* 10.
Profecia e Conhecimento V, 423
  Consultar a lista de artigos relacionados no artigo sob *Profecia.*
Profecia e ecumenismo,
  Ver *Movimento Ecumênico,* VII.
Profecia e precognição,
  Ver *Precognição (Conhecimento Prévio),* III.
Profecia falsa, crime contra Deus,
  Ver *Crimes e Castigos,* II.1.e.
Profecia, Profetas e o Dom da Profecia V, 423
  Esboço
  I. Termos e Definições
  II. No AT
  III. Gráfico dos Profetas do AT
  IV. No NT
  V. Vossos Filhos e Vossas Filhas Profetizarão
  VI. Jesus Cristo como Profeta
  VII. Profetas Modernos
  VIII. Profecia e Conhecimento
  Bibliografia
Profecia: Tradição da, e a, Nossa Época V, 429
  Esboço
  I. Os Sinais dos Tempos
    Seis discussões
  II. A Moldagem do Futuro
    Seis discussões
  III. O Que se Pode Fazer?
    Cinco discussões
Profecia Moderna V, 436
  Ver sobre *Profecia, Profetas e o Dom da Profecia.*
  Ver também *Profecia: Tradição da, e a Nossa Época.*
Profecia Mundial V, 435
  Ver sobre *Profecia: Tradição da, e a Nossa Época.*
Profecia no AT V, 435
  Ver sobre *Profecia, Profetas e o Dom da Profecia.*
Profecia no NT V, 435
  Ver sobre *Profecia, Profetas e o Dom da Profecia.*
Profecias Messiânicas Cumpridas em Jesus V, 435
Profeta V, 437 Ver sobre *Profecia.*
Profeta (arquétipo),
  Ver *Jung,* Idéias, 7.a.
Profeta, Cristo como,
  Ver *Ofícios de Cristo,* II.1.
Profeta falso, Ver *Falso Profeta.*
Profeta Velho V, 437
Profetas, Ver *Profecia, Profetas e o Dom da Profecia.*
Profetas, dom de, Ver *Dons Espirituais,* IV.7.
Profetas, escolas dos,
  Ver *Escolas dos Profetas.*
Profetas Falsos V, 437
  Ver também *Falsos Profetas.*
Profetas, filhos dos,
  Ver *Filhos dos Profetas.*
Profetas Maiores V, 438
Profetas Menores V, 438
Profetas Modernos, Ver *Profecia Profetas e o Dom da Profecia.*
Profetisa V, 439
Profissão da Fé, V, 439
  No catolicismo romano
  O exagero
Profissões V, 439
  Ver sobre *Artes e Ofícios.*
Profissões, ética das,
  Ver *Ética Profissional.*
Profundezas V, 439
Prognóstico V, 440
  Ver sobre *Adivinhação.*
Progresso V, 440
Progresso espiritual, Ver *Vitória Espiritual; Estágios da Inquirição Espiritual.*
Progresso na filosofia,
  Ver *Progresso,* 3.
Progresso na religião,
  Ver *Progresso,* 4.
Projeção da Psique V, 441
  Um artigo muito detalhado sobre esse assunto é apresentado; uma avaliação com cinco discussões é acrescentada
Prolepse V, 462
Proletariado V, 462
  A palavra e seus usos
  O conceito
Promessa V, 462
  I. As Palavras e suas Definições
  II. As Promessas de Deus
  III. Temas das Promessas: Quatro classes principais
  IV. A Teologia da Promessa
  V. Promessas de Cunho Escatológico
  Dez discussões apresentadas
  VI. As Promessas Humanas
Promessas, Ver *Promessa.*
Promessas de Deus, Ver *Promessa,* II.
Promessas do NT, Ver *NT (Pacto),* II.
Promessas e realização,
  Ver *Realizar, Realização,* III.
Promessas e teologia,
  Ver *Promessa,* VI.
Promessas escatológicas,
  Ver *Promessa,* VI.
Promessas humanas,
  Ver *Promessa,* VI.
Promessas, tipos de,
  Ver *Promessa,* III.
Promiscuidade V, 464
Propagação, Colégio de V, 464
Propaganda V, 464
  O latim
  O uso da propaganda com a comunicação em massa
  Os truques
  Na religião
Propedêutica V, 465
Propiciação V, 465
  Ver sobre *Expiação* em Rom. 3:25.
  Esboço
  I. A Quem Deus Propôs Como Propiciação
  II. Propiciação: Diversas Interpretações
    1. O único outro uso da palavra no NT e sua interpretação
  2. A despeito dos argumentos a maioria dos eruditos não acredita que Paulo usasse a palavra com este sentido
  III. O Modo
  IV. Expiação ou Propiciação
Propiciação, modo,
  Ver *Propiciação,* III.
Propiciação ou expiação, Ver *Propiciação,* IV, e *Expiação,* IV.
Propiciatório V, 467
Proporção V, 467 Ver também sobre *Proporção da Fé.*
  Esboço
  I. Definições
  II. Algumas Considerações Amplas
  III. Tipos de Proposição na Filosofia
  IV. Contraste da Proposição com o Postulado
Proposição Auto-Evidente VI, 468
Proposição, Pães de,
  Ver *Pães da Proposição.*
Proposições contraditórias,
  Ver *Antinomia.*
Proposições éticas como: asserções, Ver *Linguagem Ética,* II. revelação divina, Ver *Linguagem Ética,* VII.
Sentimentos, Ver *Linguagem Ética,* III.
Propósito V, 468
  Esboço
  1. A palavra e suas definições
  2. Doutrinas e idéias relativas a propósito
  3. O mistério da vontade de Deus
  4. O consolo e o propósito
  5. Qualidades dos propósitos de Deus
Propósito do mistério da vontade de Deus, Ver *Propósito,* 3.
Propósito e teologia,
  Ver *Propósito,* 2.
Propósitos das doenças,
  Ver *Enfermidades na Bíblia,* IV.4.
Propósitos de Deus,
  Ver *Propósito,* 5
Propósitos do NT (Pacto),
  Ver *NT (Pacto),* V.
Própria justiça, Ver *Justiça Própria.*
Propriedade V, 469
Propriedades curativas da luz,
  Ver *Luz, Propriedades Curativas da*
Propriedades Não-Naturais V, 469
Proprietário (Dono) da Casa V, 469
Próprio ser, autojulgamento,
  Ver *Julgamento do Próprio Ser.*
Próprio ser, controle do,
  Ver *Controle do Próprio Ser.*
Proprium V, 469
Proselitismo,
  Ver *Prosélito, Proselitismo.*
Proselitismo no AT,
  Ver *Prosélito, Proselitismo,* V.
Proselitismo no NT,
  Ver *Prosélito, Prosclitismo,* V.
Proselitismo nos rabinos,
  Ver *Prosélito, Proselitismo,* IV.
Prosélito, Proselitismo V, 469
  Esboço
  I. Palavras e Definições
  II. Caracterização Geral
  III. No AT
  IV. Informações Rabínicas
  V. No NT
Prostituição,
  Ver *Prostituta, Prostituição.*
Prostituta, Prostituição V, 474
Protágoras V, 474
  Ver também *Sofistas,* I.
Protágoras, ética de, Ver *Ética,* II.5.
Protestante, Ver *Protestantismo.*
Protestante, Ética V, 474

PROTESTANTE – QUATRO

Ver sobre *Ética Protestante*.
Protestante, princípio, Ver
Princípio Protestante.
Protestantes dissidentes e ecumenismo, Ver *Movimento Ecumênico*, VI.
Protestantismo V, 475
  Esboço
  I. O Termo Protestante
  II. Caracterização Geral
  III. Esboço Histórico
    Doze discussões apresentadas
  IV. Tipos Básicos de Protestantismo
  V. Expressões Modernas: Gráficos
  VI. Doutrinas Distintivas Básicas
    Ver *também Batistas; Metodismo; Igreja Presbiteriana; Calvino; Lutero; Luteranismo; e Pentecostalismo*.
Protobalcodanubiano,
  Ver *Escrita*, II.A.2.
Proto-eufrateano,
  Ver *Escrita*, II.A.1.
Proto-evangelho de Tiago,
  Ver Tiago, *Proto-evangelho de*.
Protofenício silábico,
  Ver *Escrita*, V.D.
Prova da espiritualidade, o amor,
  Ver *Amor*, V.
Provas científicas em favor da alma,
  Ver *Imortalidade*,
  Artigos 1 e 4, e *Experiências Perto da Morte*.
Provas da existência de Deus,
  Ver *Deus*, IV, e diversos artigos mencionados *Argumentos em Prol da Existência de Deus*. Ver também, *Cinco Argumentos de Tomás de Aquino em Favor da Existência de Deus*,
  comentário de F.C. Copleston,
  Cinco Argumentos em Prol da Existência de Deus, por Tomás de Aquino, e dois artigos intitulados *Argumento Ontológico*.
Provas da existência e sobrevivência da alma, Ver sobre *Alma*, V, e *Imortalidade* (diversos artigos).
Provas de Culpa V, 479
Provas filosóficas em favor da alma,
  Ver *Imortalidade*, Artigo 3, e o artigo sobre *Alma*.
Provérbio V, 479
Provérbio, definições,
  Ver *Provérbio*, 1.
Provérbio, natureza,
  Ver *Provérbio*, 2.
Provérbio, fenômeno literário universal, Ver *Provérbio*, 4.
Provérbios, Livro de V, 480
  Esboço
  I. Pano de Fundo
    Autoria; características literárias
  II. Unidade do Livro
  III. Autoria
  IV. Data
  V. Lugar de Origem e Destinatários
  VI. Propósito do Livro
  VII. Canonicidade
  VIII. Estado do Texto
  IX. Problemas Especiais
  X. Conteúdo e Esboço do Livro
    Bibliografia
Provérbios na Bíblia,
  Ver *Provérbio*, 3.
Providência de Deus V, 487
Providência divina e destino,
  Ver *Destino*, III.
Província V, 488
Provisões do ano de jubileu,
  Ver *Jubileu*, *Ano de*, IV.
Provocação V, 488
Próximo V, 489

Prudência V, 489
Prudência na filosofia,
  Ver *Prudência*, 2.
Prudência na teologia,
  Ver *Prudência*, 3.
Prudente V, 490
Prumo V, 490
Prurido, Ver *Enfermidades na Bíblia*, I.26.
Pseudepígrafos V, 490
  Esboço
  I. A Designação
  II. Caracterização Geral
  III. Classificações
  IV. Lista Básica de Obras Pseudepígrafas
  V. Preservação Cristã da Coletânea
  VI. Influência dos Livros Pseudepígrafos
    Bibliografia
Pseudepígrafos, caracterização geral, Ver *Pseudepígrafos*, II.
Pseudepígrafos citados no NT,
  Ver *Livros Apócrifos*, IV.C.
Pseudepígrafos, classificados,
  Ver *Pseudepígrafos*, III.
Pseudepígrafos, definição,
  Ver *Pseudepígrafos*, I.
Pseudepígrafos, influência dos,
  Ver *Pseudepígrafos*, VI.
Pseudepígrafos, lista de obras,
  Ver *Pseudepígrafos*, IV.
Pseudodemocracias,
  Ver *Democracia*, IV.
Pseudo-Dionísio V, 493
Pseudo-Mateus, Evangelho do V. 493
Pseudônimo V, 493
Pseudos-Messias V, 494
  Ver sobre *Falsos Cristos*.
Psi V, 495
  Ver também *Parapsicologia*.
Psi e Privação dos sentidos,
  Ver *Parapsicologia*, IX.
Psicocinésia (PK) V, 495
Psicodélico (Experiência Religiosa Psicodélica) V, 495
Psicologia V, 496
  Esboço
  I. A Palavra e Suas Definições
  II. Na Filosofia
  III. Escolas de Psicologia
  IV. A Psicologia da Religião
  V. A Psicologia Metafísica
  Psicologia da religião,
  Ver *Psicologia*, IV.
Psicologia das Faculdades V, 499
Psicologia, definições,
  Ver *Psicologia*, I.
Psicologia, e a metafísica,
  Ver *Psicologia*, V.
Psicologia e a religião,
  Ver *Psicologia*, IV,V.
Psicologia e filosofia,
  Ver *Psicologia*, II.
Psicologia em Profundidade V, 500
Psicologia Empírica V, 500
  Ver sobre *Psicologia*.
Psicologia, escolas da,
  Ver *Psicologia*, III.
Psicologismo V, 500
Psicossinesia,
  Ver *Psicocinesia* (PK).
Psicoterapia V, 500
Psique V, 500
Psique, projeção da,
  Ver *Projeção da Psique*
Psíquico, Fenômenos Psíquicos
  Ver o artigo sobre *Parapsicologia*.
Psiquismo V, 501
  Ver também *Parapsicologia*.
Psiquismo e privação dos sentidos,
  Ver *Parapsicologia*, IX.
Ptolemaida V, 502 Ver sobre *Aco*.

Ptolomeu, Cláudio V, 502
Ptolomeu, Teoria Cósmica de V, 502
Ptolomeus V, 502
Ptolomeus e o período intertestamental, Ver *Período Intertestamental*, 3.
Puá V, 504
Publicano V, 505
  Ver sobre *Coletores de Impostos*.
Púbio V, 505
Pul V, 505
  Um rei assírio e um povo
Pulga V, 505
  Ver também *Piolho*, 5.
Púlpito V, 506
Punição V, 506 Ver também *Penalogia; Penas Eclesiásticas; Punição Capital; Punição Corporal; Punição e Retribuição e diversos artigos Julgamentos*.
Punição Capital V, 506
  Ver também os artigos sobre *Punição Capital; Crime e Castigo e Retribuição; e Governo Instituição de Deus*.
Punição Corporal V, 507
Punição do pecado, morte,
  Ver *Morte*, IV.
Punição Eterna V, 508
  Ver sobre *Julgamento*.
Punições de crimes,
  Ver *Crimes e Castigos*, III.
Punom V, 508
Pur V, 508 Ver sobre *Purim*.
Pura V, 508
Puranas V, 508
Pureza V, 508
  Ver também sobre *Santidade e Purificação*.
Pureza cerimonial, Ver *Pureza*, 2.
Pureza, meios de, Ver *Pureza*, 3.
Pureza moral e espiritual,
  Ver *Pureza*, 5.
Pureza racial, Ver *Pureza*, 4.
Purgatório V, 509 Ver também *Estado Intermediário*.
  Esboço
  I. Origem Possível da Doutrina
  II. Caracterização Geral: Informes Históricos
  III. Idéias das Comunidades Ortodoxa e Anglicana
  IV. Orações pelos Mortos
  V. O verdadeiro Purgatório
    A missão tridemensional de Cristo
    Bibliografia
Purificação V, 512
  Esboço
  1. A palavra
  2. No AT
  3. No NT
Purim V, 513
Puritanismo, Ética do V, 514
  Ver sobre *Puritanismo*; e *Ética Puritana*.
Puritanos, Ver *Puritanismo*.
Puro e Impuro V, 514
  Ver sobre *Limpo e Imundo*.
Púrpura V, 515
Purpurus Petropolitanus,
  Codex, Ver *N*.
Purva Mimamsa V, 515
Pústula V, 515
  Ver também sobre *Enfermidades na Bíblia*.
Pute V, 515
Putéoli V, 516 Ver sobre *Potéoli*.
Puteus V, 516
Putiel V, 516
Puva V, 516
Puvitas V, 516

Q

Q V, 517
Qadaritas V, 517
Qadi V, 517
Qere V, 517
Qesita V, 517
  Ver sobre *Pesos e Medidas*.
Qoheleth (Koheleth),
  Ver *Eclesiastes*.
Qouyunjig, Coleção de Tabletes de V, 517 Ver sobre *Nínive*.
Quacres V, 517
Quadrado V, 517
Quadragésima V, 517
Quadrato, Apologia de V, 517
Quadratus, Ver *Apologetas* (*Apologistas*), 2.
Quadripartido, ser humano como,
  Ver *Dicotomia, Tricotomia, especialmente* V.
Quadrivium V, 517
Quaestio V, 517
Quaestiones Disputatae V, 517
Quaestiones Quodlibetales V, 517
Qualidade literária da Bíblia,
  Ver *Literatura, A Bíblia como*, III.
Qualidades V, 517
  Primárias, secundárias e terciárias
  A definição
Qualidades divinas, Ver *Atributos de Deus*, II.
Qualidades do amor, Ver *Fruto do Espírito*, III.
Qualidades do Espírito, Ver *Espírito de Deus*, IV.
Qualidades dos propósitos de Deus,
  Ver *Propósito*, 5.
Qualidades espirituais, Ver *Espiritualidade*, IV.
Qualidades morais de Deus,
  Ver *Atributos de Deus*, 3.
Qualidades primárias, secundárias,
  Ver *Locke, John*, 7.
Qualificações de pastores,
  Ver *Pastor* (*Ofício da Igreja*), 4
Qualificações dos Apóstolos
  Ver *Apóstolos, Apostolado*, V.
Qualificações dos diáconos,
  Ver *Diácono*, II.
Quantidade V, 518
Quantidade segundo Kant,
  Ver *Kant*, 2.g.
Quantum V, 518
  Ver *Mecânica Quantum*.
Quarantania V, 518
Quarenta V, 518
  Um número importante no AT
Quarenta anos e a vida de Moisés,
  Ver *Moisés*, V, 1,2.3.
Quarenta e Dois Artigos V, 518
Quarenta Horas de Devoção V, 518
Quaresma V, 519 Ver sobre *Páscoa*.
Quarta-Feira de Cinzas V, 519
Quarto V, 519
Quarto V, 519
  Ver sobre *Hospedagem*.
Quarto V, 519
  Ver sobre *Pesos e Medidas*.
Quarto de hóspede,
  Ver *Sala* (*Quarto*) *de Hóspede*.
Quartodecimanos V, 519
Quarto Evangelho V, 519
Quaternidade (Quatro) V, 519
Quarto V, 519
  Ver sobre *Quaternidade* (*Quatro*).
Quatro V, 519 Ver sobre *Número*.
Quatro caminhos da religião hindu,
  Ver *Hinduísmo*, IV.
Quatro caminhos do hinduísmo,
  Ver *Caminhos do Desenvolvimento*

QUATRO – REALIDADE

Espiritual, últimos sete parágrafos.
Quatro Cantos da Terra V, 519
Quatro Causas da V, 519
  Ver sobre *Aristóteles.*
Quatro Cavalheiros do Apocalipse V, 519 Ver sobre *Cavalos, Os Quatro do Apocalipse.*
Quatro classes principais de promessas, Ver *Promessas*, III.
Quatro Confins da Terra V, 520
Quatro Dedos V, 520
  Ver sobre *Pesos e Medidas*
Quatro Elementos V, 520
  A filosofia pré-socrática Anaximandro
Quatro elementos do ser humano, Ver *Dicotomia, Tricotomia*, especialmente V.
Quatro estágios do conhecimento, Ver *Linha, Metáfora Platônica da.*
Quatro Líquidos do Corpo V, 520
Quatro Seres Viventes V, 520
Quatro soldados, escolta de, Ver *Escolta de Quatro Soldados.*
Quatro verdades nobres, Ver *Budismo*, II.8.
Quatro virtudes de Platão, Ver *Ética*, V.II.
Qué V, 521
Quebrar V, 521
Quebra-Jejum V, 521
Quebrando hábitos, Ver *Hábito*, III.
Queda de Satanás V, 521 Ver *Satanás, Queda de, e Satanás*, III,VIII.
Queda do Homem no Pecado V, 522
  Ver sobre *Origem do Mal*, III.
Queda do homem, quando, Ver *Origem em do Mal*, IV.
Queda e Restauração de Israel V, 522
  Ver também o artigo sobre a *Restauração de Israel.*
Quedar V, 523
  Um homem e uma tribo no AT
Quedemá V, 523
Quedemote V, 523
  Um deserto e uma cidade no AT
Quedes V, 524
Quatro cidades no AT
Quedorlaomer V, 524
Quedrom V, 524
Queelata V 524
Quefar-Amonai V, 524
Quefira V, 524
Queijo V, 524
Queila V, 525
Queila (Abiqueila) V, 525
Queimadas, Ver *Ofertas Queimadas.*
Queixo V, 525
  Ver sobre *Maxilar, Osso Maxilar.*
Quelaías V, 525
Quelal V, 525
Queleanos V, 525
Quelita V, 595
Quelle, Ver *Q.*
Quelode V, 525
Quelube V, 525
Queluí V, 526
Quelus V, 526
Quemarim V, 626
Quemuel V, 526
  Três personagens no AT
Quenã V, 526
Quenaaná V, 526
  Dois homens do NT
Quenani V, 526
Quenanias V, 526
Quenate V, 526
Quenaz V, 526
  Três personagens do AT
Queneus V, 527
Quenezeu V, 527
Quenobosquiom V, 527

Uma antiga cidade do Egito
Querã V, 528
Queréias V, 528
Quéren-Hapuque V, 528
Querete, épico de, Ver *Ugarite*, 6.
Quereteus V, 528
Queriote V, 528
  Duas cidades do AT
Queriote-Hezerom V, 529
Querite V, 529
Queros V, 529
Querube V, 529
Querubim V, 529
  Oito discussões apresentadas
Quesalom V, 530
Quésede V, 530
Quesil V, 530
Quesita, Ver *Pesos e Medidas*, IV, I.
Quesnel, Pasquier V, 531
Questão, tomar como resolvida, Ver *Presunção (Tomar a Questão como Resolvida).*
Quesulote V, 531
Quetuba V, 531
Quetura V, 531
Quezia V, 531
Quibrote-Hataavá V, 531
Quibzaim V, 531
Quidditas V, 532
Quidom V, 532
Quietismo V, 532
Quikar V, 532
Quilan V, 532
Quiliasmo V, 532
Quiliom V, 532
Quilmade V, 532
Quimã V, 532
  Um homem e uma localidade
Química e experiência religiosa, Ver *Psicodélico (Experiência, Religiosa Psicodélica).*
Quinerete V, 533
Quinque Viae V, 533
  Ver também *Cinco Argumentos em Prol da Existência de Deus.*
Quinta-Feira Santa V, 533
  Ver *Sexta-Feira Santa.*
Quintessência V, 533
Quios V, 533
Quir V, 533
Quir de Moabe V, 533
  Uma cidade no AT
Quiriataim V, 533
Quiriate V, 534
  Ver sobre *Quiriate-Jearim.*
Quiriate-Arba V, 534
  Ver sobre *Hebrom.*
Quiriate-Arim V, 534
  Ver sobre *Quiriate-Jearim.*
Quiriate-Baal V, 534
  Ver sobre *Quiriate-Jearim.*
Quiriate-Huzote V, 534
Quiriate-Jearim V, 534
Quiriate-Sanã V, 534
  Ver sobre *Debir.*
Quiriate-Sefer V, 534
  O nome mais antigo de Debir
Quirínio V, 534
Quis V, 535
  Cinco personagens do AT
Quisi V, 535
Quisiom V, 535
Quisleu V, 535
Quislom V, 535
Quisom V, 535
Quitim V, 536
Quitilis V, 536
Quitrom V, 536
Quium V, 536
  Ver também *Deuses Falsos*, III.15.
Qumran V, 536
  Ver sobre *Khirbet Qumran e Mar Morto, Manuscritos do.*

Qumran, comunidade de, Ver *Mar Morto, Manuscritos (Rolos) do*, 5.
Qumran e fragmentos de Marcos, Ver *Marcos (Evangelho), Fragmentos de Qumran.*
Quran V, 536
  Ver sobre *Alcorão.*
Qutb V, 536

R

R V, 537
  Designação do Codex *Nitriensis*
Rá V 537
Rã V, 537
Raabe V, 537
Raamã V, 538
Raamias V, 538
Rão V, 538
Rabá V, 538
Rabdomancia, Ver *Adivinhação*, 1.
Rabe-Mague V, 539
Rabe-Sáris V, 539
Rabinismo V, 539
Rabino V, 539 Ver também *Mestre.*
Rabite V, 539
Raboni V, 539 Ver *Rabino.*
Rabsaqué V, 540
Raca (Tolo) V, 540
  Em Mat. 5:22
Raça V, 540
  Esboço
  I. O Problema Biológico da Raça
    Cinco discussões
  II. Os Problemas Sociológicos da Raça
    Quatro discussões
Raça, definição, Ver *Raça*, I.A.
Racal V, 543
Raças, Ver *Raça.*
Raças, diferenças nas, Ver *Raça*, ID.
Raças modernas versus raças pré-históricas, Ver *Raça*, I.E.
Raças Pré-Adâmicas V, 643
  Ver também os artigos separados sobre *Antediluvianos; Língua; Criação; Adão e Pré-Adâmicas.*
Raças unidas, Ver *Unidade em Cristo*, I.
Racate V, 544
Rachadores de Lenha V, 544
Racionalidade V, 544
  Os filósofos
Racionalismo V, 544
Racom V, 545
Radai V, 545
Radberto, Pascácio V, 545
Radhakrishnan, Sarvepalli V, 545
Radicais Holandeses V, 545
Radical filosofia, Ver *Filosofia Radical.*
Radicalismo Filosófico V, 546
Rafa V, 546
Rafael V, 546
Rafaim V, 546
Rafom V, 546
Rafu V, 546
Raga V, 546
Ragaú V, 546
Raguel, Ver *Reuel (Raguel).*
Raia Ioga V, 546
Rainha, Rainha-Mãe V, 546
Rainha de Sabá V, 547
Rainha do Céu V, 547
Rainha-mãe, Ver *Rainha, Rainha-Mãe.*
Raiz V, 547
Raízes principais no liberalismo, Ver *Liberalismo*, III.8.
Raja Ioga, Ver *Hinduísmo*, IV.2.

Ram Mohan Roy V, 548
Rama V, 548
Ramá V, 548
Ramadã V, 550
Ramate-Leí V, 550
Ramate-Mispa V, 550
Ramatita V, 550
Ramayana V, 550
Ramassés V, 550
Ramias V, 550
Ramo, Ver *Ramos.*
Ramos V, 550
Ramos, Domingo de, Ver *Domingo de Ramos.*
Ramote V, 551
  Uma pessoa e três cidades no AT
Ramote-Gileade V, 551
Ramsés V, 551
Ranger V, 552
Rão V, 552
  Três homens no AT
Raposa V, 552
Raquel V, 553
  Esboço
  I. O Nome
  II. Origens Raciais
  III. Encontro com Jacó
  IV. Esposa Favorita de Jacó
  V. Filhos de Raquel
  VI. Morte e Sepultamento de Raquel
  VII. O Caráter de Raquel
  VIII. Simbolismo Bíblico
Raquel, Túmulo de V, 556
  Em Gên. 35:19,20
  A narrativa
Rãs, Ver *Pragas do Egito*, II. 2.
Ras Shamra V, 556
  Ver *Ugarite.*
Rasa, Tabula, Ver *Tabula Rasa.*
Rasgar das vestimentas, Ver *Vestimentas, Rasgar das.*
Rassis V, 557
Rationes Seminales V, 557
Razão V, 557
  Esboço
  I. Definição
  II. Idéias dos Filósofos
  III. Razão na Religião
  Ver também *Razão na Religião.*
Razão Crítica V, 558
Razão das doenças, Ver *Enfermidades na Bíblia*, IV.4.
Razão na filosofia, Ver *Razão*, II.
Razão na Religião V, 558
  Esboço
  I. Perspectiva Histórica
  II. Motivos que Levam Alguns a Desprezar a Razão
  III. Apoio da Razão à Religião
  Ver também *Razão*, III.
Razão (raciocínio) na religião, Ver *Judaísmo*, II.6.
Razão na religião apoiada, Ver *Razão na Religião*, III.
Razão Prática V, 560
Razão, suficiência da, Ver *Suficiência da Razão.*
Razão suficiente, Ver *Suficiência da Razão.*
Razão suficiente, princípio da, Ver *Princípio de Razão Suficiente.*
Razões do Coração V, 560
Razões do sofrimento segundo Jó, Ver *Jó (o Livro)*, V.
Ré V, 560
Reabias V, 660
Reafirmação Contemporânea V, 560
  De argumentos tradicionais em prol da existência de Deus
Reaías V, 566
Real, Estrada, Ver *Estrada Real.*
Real presença, Ver *Presença Real.*
Realidade V, 566

831

Dezesseis filósofos examinam a natureza da realidade Ver também *Enteléquia*.
Realidade compelidora de Jesus, Ver *Historicidade dos Evangelhos*, IV.
Realidade, diversos filósofos sobre, Ver *Realidade, 16 pontos*.
Realidade dos milagres, prova da existência de Deus, Ver *Deus*, IV.12.
Realidade e Potencialidade V, 567
Realidade segundo Leibnitz, Ver *Leibnitz*, sob *Idéias*, p.
Realismo V, 567
Esboço
 I. Definição Básica
 II. O Realismo Metafísico
 III. O Realismo Epistemológico
 IV. O Realismo Ético
 V. O Realismo e as Religiões
 VI. Artigos Separados a Consultar
Realismo agnóstico, Ver *Deus*, III.7.
Realismo, artigos relacionados ao, Ver *Realismo*, VI.
Realismo Crítico V, 568
Realismo, definição, Ver *Realismo*, I.
Realismo do Bom Senso V, 568
Realismo e as Religiões V, 569 Ver sobre *Realismo*.
Realismo e religião, Ver *Realismo*, V.
Realismo Epistemológico V, 569 Ver sobre *Realismo*.
Realismo ético, Ver *Realismo*, IV.
Realismo Ingênuo V, 569
Realismo moderado, Ver *Universais*, II.2.
Realismo Metafísico V, 569 Ver sobre *Realismo*.
Realismo Moral (Ético) V, 569 Ver sobre *Realismo*.
Realismo radical, Ver *Universais*, II. 1.
Realização, Ver *Realizar, Realização*.
Realização da salvação, Ver *Salvação*, 7.
Realização (humana) da salvação, Ver *Efetuai a Vossa Salvação*.
Realização máxima, princípio ético, Ver *Ética*, VI.3.
Realização universal da missão de Cristo, Ver *Missão Universal do Logos (Cristo)*.
Realizar Realização V, 569
Reatus Culpae, Reatus Poenae V, 570
Reavivamento (Revivalismo) V, 570
Reba V, 571
Rebanho V, 571
Rebatismo V, 571
Reboca V, 572
Esboço
 1. Família
 2. Casamento
 3. Maternidade
Rebelião V, 572
Rebelião Contra Deus V, 572
Reca V, 573
Recabe, Recabitas V, 573
Recâmaras do Sol V, 573
Recapitulação V, 573
A recapitulação na restauração
Recasamento V, 574 Ver também os artigos sobre *Novo Casamento e Matrimônio e Divórcio*.
Receber a face, Ver *Respeito (Acepção) de Pessoas*.
Receptáculo, Ver *Vaso, Receptáculo*.
Recipientes V, 574
Recompensa V, 574
Ver também sobre *Coroas*.
Recompensa do discipulado, Ver *Discípulo, Discipulado*, IV.

Reconciliação V, 574
Esboço
 I. Idéia Básica
 II. Os Elementos da Reconciliação
 III. Sumário de Fatores Principais
 IV. Os Elementos da Reconciliação
Reconciliação Eclesiástica V, 576
Reconhecimentos Clementinos, Ver *João (o Batista)*, I.8.
Redação V, 577
Rede V, 577
Rede (Armadilha, Laço) V, 578
Rede de pesca, parábola de, Ver *Parábola*, II.7.
Rede, obra de, Ver *Obra de Rede*.
Redenção (Redentor) V, 578
Esboço
 I. Significados da Palavra
 II. O Agente
 III. A Redenção Cósmica
 IV. Caracterização Geral
Sumário
Redenção, aspecto da restauração, Ver *Restauração*, IV.
Redenção cósmica, Ver *Redenção (Redentor)*, IV.
Redenção do Corpo V, 581
Redenção no dualismo religioso (maniqueísta), Ver *Maniqueísmo*, 5.
Redenção relacionada à restauração, Ver *Mistério da Vontade de Deus*, III.
Redenho V, 582
Redentor, Ver *Redenção (Redentor)*.
Redentoristas V, 582
Redentoristinas V, 582
Redondeza da Terra V, 582
Reducibilidade, V, 582
Reducionismo V, 582
Reductio ad Absurdum V, 583
Reductio ad Impossibile V, 583
Reelaías V, 583
Reelias V, 583
Reencarnação V, 583
Um estudo detalhado é apresentado com oito discussões
Ver também *Infantes, Morte e Salvação dos*, 7.
Argumentos contra, Ver *Reencarnação*, 5.
argumentos em favor, Ver *Reencarnação*, 4.
argumentos morais em favor, Ver *Reencarnação*, 4.c
argumentos teológicos, Ver *Reencarnação*, 4.d
casos modernos da, Ver *Reencarnação*, 3.
e a morte e salvação de infantes, Ver *Limbo*, 3.f., e *Infantes, Morte e Salvação dos*, 7.
e conhecimento especial, Ver *Reencarnação*, 3.g.
e estranhas marcas no corpo, Ver *Reencarnação*, 3.d.
e hipnose, Ver *Reencarnação*, 3.a., e 5.a.b.c.d.e.
e judaísmo, Ver *Reencarnação*, 2.c.
e memória, Ver *Reencarnação*, 3.c.
e memória ancestral, Ver *Reencarnação*, 5.h.
e o cristianismo, Ver *Reencarnação*, 1.d. e 7.
e psicologia, Ver *Reencarnação*, 3.f
e sonhos, Ver *Reencarnação*, 3.e.
e superpercepção extra-sensorial, Ver *Reencarnação*. 3.f.
essência da idéia, Ver *Reencarnação*, 6.
história no pensamento humano, Ver *Reencarnação*, 2. no NT como um dogma, Ver *Infantes, Morte e Salvação dos* 7.B.
no NT como uma crença popular,

Ver *Infantes, Morte e Salvação dos*, 7.A.
no Ocidente, Ver *Reencarnação*, 2.a.
no Oriente, Ver *Reencarnação*, 2.b.
reconciliação com o cristianismo, Ver *Reencarnação*, 7.
vocábulos e diversos conceitos da Ver *Reencarnação*, 1.
Refã, Ver *Deuses Falsos*, III. 33.
Refaim V, 608
Refains, Vale dos V, 608
Refeição sacramental, Ver *Sacramental, Refeição*.
Refeições (Banquetes) V, 608
Ver também *Alimentos*.
Refidim V, 611
Refinador, Ver *Refinar, Refinador*.
Refinar, Refinador V, 612 Ver também sobre *Metal, Metalúrgica*
Reforma, Ver sobre *Lútero, Reforma Protestante*.
Reforma Católica V, 612
Reforma, movimento do judaísmo, Ver *Judaísmo*, II. 18.
Reforma Protestante V, 612
Ver também artigos relacionados como *Protestantismo, Lutero e Calvino*.
Reformado, Judaísmo, Ver *Judaísmo Reformado*.
Refugérios, Ver *Refidim*.
Refúgio V, 613 Ver também *Asilo*.
Regém V, 613
Régem-Meleque V, 613
Regeneração V, 613
Ver também *Novo Nascimento*.
Esboço
O grego
 1. Testemunho bíblico
 2. Perspectiva teológica bíblica
 3. Desenvolvimento doutrinário
 4. Formulação doutrinária
 5. Ver os artigos separados sobre Novo Nascimento; Nascer de Novo, e Nova Criatura.
 6. Alvos finais da regeneração
Regeneração, alvos da, Ver *Regeneração*, 6.
Regeneração Batismal V, 615
Regeneração, dados bíblicos, Ver *Regeneração*, 1.
Regeneração, história da, Ver *Regeneração*, 3.
Regeneração, novo nascimento, Ver *Regeneração* 5, e *Novo Nascimento*.
Regeneração, teologia bíblica da, Ver *Regeneração*, 2.
Regeneração, teologia da, Ver *Regeneração*, 4.
Região Montanhosa V, 616
Região Montanhosa de Efraim Ver *Efraim, Região Montanhosa de*.
Região Montanhosa dos Amalequitas V, 616
Régio V, 616
Regiões Inferiores V 616
Regius, Codex, Ver *L*.
Regra Áurea V, 617
Regra áurea de Kant, Ver *Ética*, VIII.3.g.
Regra da Fé V, 617
Regra das Escrituras somente, Ver *Ortodoxia*, 3; e *Autoridade*.
Regra de Galesburg, Ver *Galesburg, Regra de*.
Regras, éticas das, Ver *Ética das Regras*.
Regras Gerais V, 617
Reguladores, princípios, Ver *Princípios Reguladores*.
Reí V, 617
Rei, Cristo como, Ver *Ofícios de*

Cristo, II.3.
Rei no NT, Ver *Rei, Realeza*, 5.
Rei, Realeza V, 617
Um estudo detalhado é apresentado com sete discussões e um gráfico dos reis de Israel e Judá
Reid, Thomas V, 622
Reificação (Reísmo) V, 622
Reinado de Davi, Ver *Davi*, III.
Reinado em Israel, Ver *Rei, Realeza*, 3.
Reino V, 622
Reino, Parábolas do V, 622
Ver *Parábola*, III.
Reino Animal V, 623
Reino como virtudes, Ver *Reino de Deus (ou dos Céus)*, III.
Reino de Deus V, 623
Esboço
 I. Caracterização Geral
 II. Sumário de Conceitos
 III. O Reino como Virtudes Cristãos Cardeais
 IV. Os Crentes como um Reino
 V. Aspectos do Reino na Teologia
Reino de Israel V, 625
Ver *Israel, Reino de*.
Reino de Judá V, 625
Esboço
Considerações Preliminares
 I. Razão da Divisão
 II. Pontos Altos das Relações entre Judá e Outras Nações
 III. Sumário de Eventos
 IV. Considerações Sobre a Individualidade dos Reis de Judá
 V. Gráfico: Judá comparado com outras nações
Ver também *Rei, Realeza*.
Reino de Judá, divisões do, Ver *Reino de Judá*, I.
Reino do pecado, Ver *Pecado*, IX.
Reino dos céus, Ver *Reino de Deus (ou dos Céus)*.
Reino dos céus na teologia moderna, Ver *Reino de Deus (ou dos Céus)*, V.
Reino dos céus, sumário de conceitos, Ver *Reino de Deus (ou dos Céus)*, II.
Reino duplo de Deus, Ver *Duplo Reino de Deus*.
Reino, os crentes como, Ver *Reino de Deus (ou dos Céus)*, IV.
Reino segundo Jesus, Ver *Jesus*, III.3.a.
Reis como mediadores. Ver *Mediação (Mediador)*, II.6.
Reis de Israel, tesouro Ver *Tesouro*, V.
Reis de Judá, lista e estudo Ver *Reino de Judá*, IV.
Reis, Direito Divino dos V, 631
Reis, gráfico, Ver *Rei, Realeza*, 7.
Reis (I e II) Livros dos V, 631
Esboço
 I. Caracterização Geral
 II. Antigas Formas Desses Livros Na Bíblia em hebraico
 III. Autoria
 IV. Fontes
 V. Data
 VI. Proveniência
 VII. Motivos e Propósito
 VIII. Cronologia
 IX. Cânon
 X. Conteúdo e Mensagem
 XI. Gráfico dos Reis
Ver o artigo *Rei, Realeza*.
Reis, sepulcro dos, Ver *Sepulcro dos Reis; Sepulcro de Davi*.
Reísmo, Ver *Reificação (Reísmo)*.
Rejeição, Ver *Rejeitar*.
Rejeitar V, 634

RELAÇÃO – RESSUREIÇÃO

Relação de Eu-Tu,
 Ver sobre a *Buber*.
Relação segundo Kant,
 Ver *Kant*, 2.g.
Relações Interpessoais V, 634
Relâmpago V, 635
Relatividade, Teoria da V, 635
Relativismo V, 636
Relativismo, crítica,
 Ver *Relativismo*, 6.
Relativismo Cultural V, 637
 Ver também *Relativismo*, 5.
Relativismo, definição,
 Ver *Relativismo*, 1.
Relativismo epistemológico,
 Ver *Relativismo*, 2.
Relativismo na crença,
 Ver *Relativismo*, 3.
Relativismo, na ética,
 Ver *Relativismo*, 4.
Relativo, Ver *Relativismo*.
Relatório de Pilatos, O, Ver *Livros Apócrifos (Modernos)*, 5.
Religião V, 637
 Esboço
 I. Palavras e Definições
 II. Idéias dos Filósofos; A Filosofia da Religião
 III. Tipos de Religião
 IV. Religiões Comparadas
 V. Religiões Primitivas
 VI. A Religião e a Tolerância
 VII. A Religião e a Ciência
  Bibliografia
Religião, definições, Ver *Religião*, I.
Religião, experiência na,
 Ver *Experiência Religiosa*.
Religião, Fator de V, 640
Religião, Filosofia da V, 640
 Ver o artigo intitulado *Filosofia da Religião*.
Religião filosofia sobre, Ver *Religião*, II, e *Filosofia da Religião*.
Religião, liberdade da,
 Ver *Liberdade Religiosa*.
Religião, linguagem da,
 Ver *Linguagem Religiosa*
Religião, Podereș da V, 641
Religião, sociologia da,
 Ver *Sociologia da Religião*.
Religião, tipos de, Ver *Religião*, III.
Religião a Posteriori V, 641
Religião a Priori V, 641
Religião chinesa, Ver *Religião e Filosofia Chinesas*.
Religião Cristã V, 641
 Ver sobre o *Cristianismo*.
Religião da Fenícia, Ver *Fenícia*, VI.
Religião de Israel,
 Ver *Israel, Religião de*.
Religião de Locke,
 Ver *Locke, John*, 13.
Religião do período intertestamental, Ver *Período Intertestamental*, 8.d.
Religião dos Gregos Primitivos V, 641
 Ver sobre Gregos Primitivos, *Religião dos*.
Religião dos hebreus, Ver *Israel, Religião de*.
Religião dos patriarcas, Ver *Patriarcas (Bíblicos), Período Patriarcal*, 6.
Religião dos semitas, Ver *Semitas, Religião dos*.
Religião e a Ciência V, 641
 Esboço
 I. Definições e Observações Gerais
 II. Um Aparente Conflito
 III. Informes Históricos
 IV. Algumas Idéias dos Filósofos
 V. Perspectiva
  Bibliografia
Religião e a lógica, Ver *Lógica*, 3.

Religião e a magia, Ver *Magia e Bruxaria*, III.
Religião e a realeza,
 Ver *Rei, Realeza*, 2.
Religião e a aparência.
 Ver *Aparência*, último parágrafo
Religião e ciência, Ver *Religião VII, e Religião e a Ciência*.
Religião e Conhecimento V, 646
 Ver sobre *Conhecimento e a Fé Religiosa*.
Religião e Drama V, 646 Ver sobre *Drama Religioso*
Religião e Educação V, 646
 Ver sobre *Educação Religiosa*.
Religião e Filosofia, Ver *Filosofia da Religião; Filosofia, V; e Filosofia e a Fé Religiosa*.
Religião e Filosofia Chinesas V, 646
 Esboço
 I. Fés Remotas e Primitivas
 II. Religiões e Filosofias Tradicionais
 III. Introduções Estrangeiras
 IV. Comunismo, Perseguição e Liberalização
Religião e Freud, Ver *Freud*, II.
Religião e guerra, Ver *Guerra*, VIII; e *Guerras Religiosas*.
Religião e hábito, Ver *Hábito*, II.
Religião e Liberdade V, 648
 Ver os artigos sobre *Liberdade Religiosa e Liberdade Cristã*.
Religião e mito, Ver *Mito*, II.
Religião e moral da Babilônia,
 Ver *Babilônia*, 5.
Religião e personalismo,
 Ver *Personalismo*, VI.
Religião e positivismo lógico,
 Ver *Positivismo, Positivismo Lógico*, 2,4,5.
Religião e probabilidade,
 Ver *Probabilidade*, III.
Religião e Psicologia V, 648
 Ver sobre *Psicologia*.
Religião e Psicoterapia V, 648
 Ver o artigo sobre *Psicoterapia*.
Religião e 1azão, Ver *Razão*, III; e *Razão na Religião*.
Religião e realismo, Ver *Realismo*, V.
Religião e socialismo,
 Ver *socialismo*, II.
Religião e Sociologia V, 648
 Ver sobre *Sociologia da Religião*.
Religião e tolerância,
 Ver *Religião*, VI.
Religião Grega V, 648
 Ver sobre *Gregos Primitivos, Religião dos; e Grécia*, VI.
Religião Hindu V, 648
 Ver sobre *Hinduísmo*.
Religião Judaica V, 648
 Ver sobre *Judaísmo*.
Religião Persa, Ver *Persa*, III.
Religião Prática V, 648
Religião Primitiva V 648
Religião Relacionada à Filosofia V, 649
 Ver sobre *Filosofia e a Fé Religiosa*.
Religião Romana V, 649
Religiões, Tipos de V, 652
 Ver sobre *Religião*, III.
Religiões Comparadas V, 652 Ver também *Rationales Seminales (Logoi Spermatici); e Religião, IV*.
Religiões do Egito, Ver *Egito*, V.
Religiões do Japão,
 Ver *Japão, Religiões do*.
Religiões dos mistérios relacionados ao cristianismo, Ver *Religiões Misteriosas (dos Mistérios)*, II.
Religiões Misteriosas (dos Mistérios) V, 653
 Esboço

I. Lista das Religiões Misteriosas (dos Mistérios)
II. Qual a Relação entre essas Religiões e o Cristianismo?
III. Contribuições
Religiões misteriosas, contribuições,
 Ver *Religiões Misteriosas (dos Mistérios)*, III.
Religiões monoteístas,
 Ver *Monoteísmo*, V.
Religiões, salvação nas, Ver *Salvação em Várias Religiões*.
Religiosos e possessão demoníaca,
 Ver *Possessão Demoníaca*, 3.
Religiosos hipócritas,
 Ver *Hipocrisia*, V.
Relógio, argumento clássico do,
 Ver *Paley, William*.
Relógio de Sol V, 656
Relógio, paradoxo do, Ver *Paradoxo do Relógio*.
Relógios, Imagem dos Dois V, 656
Remalias V, 656
Remanência V, 656
Remanescente V, 656
Remar, Remador V, 657
 Ver *Navios e Embarcações*.
Remédio do castigo (julgamento),
 Ver *Castigo, Castigar* 2 e *Restauração*.
Remete V, 657
Remidor, Ver *Goel (Remidor)*.
Remidor de Parente V, 657
 Ver *Goel*.
Remidor, parente, Ver *Goel*.
Reminiscência V, 657
Remissão de Pecados V, 657
 Ver sobre *Perdão*.
Remonstrantes V, 657
Remorso V, 657
 Ver sobre *Arrependimento*.
Renan, Joseph Ernest V, 658
Renascença V, 658
 Dez discussões detalhadas são apresentadas
Renascimento V, 659
 Ver sobre *Reencarnação; Novo Nascimento; e Regeneração*.
Renascimento e libertação no hinduísmo, Ver *Hinduísmo*, VI.5.
Renda Garantida V, 659
Renfã V, 660
Renouvier sobre personalismo,
 Ver *Personalismo*, II 1. 2.
Renovação V, 660
Renovação da Mente V, 660
 Em Rom. 12:1,2
Renúncia V, 661 Ver também *Discípulo, Discipulado*.
Reobe V, 661
 Dois homens e três localidades no AT
Reoboão V, 661
 Primeiro rei de Judá
 Oito discussões apresentadas
Reobote V, 662
Reobote-Ir V, 662
 Ver sobre *Reotote*.
Reordenação V, 662
 Na teologia católica romana
Reparação (Restituição) V, 663
Repetição Eterna V, 663
Reposteiro V, 663
Repreensão (Admoestação) V, 663
Representacionalismo, Ver *Teoria Representativa das Idéias (Representacionalismo)*.
Representações Coletivas V, 664
 Ver sobre *Émile Durkheim*.
Representante V, 664
Réprobo V, 664
Reprovação V, 664
 Esboço
 I. Defrontando o Problema Difícil

II. Exposição de Rom. 9:20
III. O Outro Lado da Moeda
Reprovado V, 667
 Ver também *Reprovação*.
Répteis V, 668 Ver *Fauna*.
Requém V, 668
 Dois homens e uma cidade do AT
Réquiem V, 668
Requiescat V, 668
Res V, 668
Rês V, 668
Res cogitans, Ver *Res*.
Res extensa, Ver *Res*.
Resá V, 668
Rescrito V, 668
Resefe V, 668
Resém V, 668
Reserva do Sacramento V, 669
Reserva Mental V, 669
Reservatório V, 669
Resgate V, 669
Resgate de Terras V, 669
Resgate, teoria da expiação,
 Ver *Expiação*, II.6.
Resignação V, 669
Resistência Passiva V, 670
Respeito a pessoas, Ver *Respeito Humano (Respeito a Pessoas)*.
Respeito (Acepção) de Pessoas V, 670
Respeito Humano (Respeito a Pessoas) V, 671
 Ver sobre *Reverência Pela Vida*.
Respigar V, 672
 O hebraico
 A lei mosaica
Respiração V, 672
 O hebraico e o grego
Responsabilidade V, 672
 Seis discussões apresentadas
Responsabilidade, Idade da V 674
 Ver sobre *Infantes, Morte e Salvação dos*.
Responsabilidade Coletiva V, 674
Responsabilidade de crianças,
 Ver *Infantes, Morte e Salvação dos*.
Respoṇsabilidade do homem segundo o maniqueísmo,
 Ver *Maniqueísmo*, 7.
Responsabilidade dos Pagãos V, 674
 Ver também o artigo intitulado *Responsabilidade*.
 A tríplice missão de Cristo
 Considerações filosóficas
Responsabilidade, e a lei da colheita, Ver *Responsabilidade*, 4.
Responsabilidade e amor,
 Ver *Responsabilidade*, 3.
Responsabilidade e determinismo,
 Ver *Responsabilidade*, 2.
Responsabilidade e livre-arbítrio
 Ver *Responsabilidade*, 2.
Responsabilidade espiritual das crianças, Ver *Criança*, 5; e *Infantes, Morte e Salvação dos*.
Responsabilidade na Bíblia,
 Ver *Responsabilidade*, 6.
Ressurreição V, 674
 Ver *Ressurreição e a Resssurreição de Jesus Cristo*.
Ressurreição, aparições de Jesus depois, Ver *Aparições de Jesus*.
Ressurreição de Cristo, Ver *Ressurreição e a Ressurreição de Jesus Cristo*, IV.
Ressurreição de Cristo, modus operandi, Ver *Ressurreição e a Ressurreição de Jesus Cristo*, XI.
Ressurreição de Jesus, explicações da, Ver *Ressurreição e a Ressurreição de Jesus Cristo*, XI.
Ressurreição de Lázaro V, 674

RESSURREIÇÃO – ROMANOS

Ver sobre *Lázaro, Ressurreição de*.
Ressurreição e a ética, Ver *Ressurreição e a Ressurreição de Jesus Cristo*, VII.
Ressurreição e a ressurreição de Jesus Cristo V, 674
Esboço
  I. Pano de Fundo
  II. A Ressurreição no AT
  III. A Ressurreição no NT
  IV. A Ressurreição de Cristo
  V. Subentendidos Teológico, da Doutrina da Ressurreição de Cristo
  VI. A Natureza do Corpo Ressurrecto
  VII. Inferências, Éticas da Ressurreição
  VIII. A Ressurreição em Relação a Imortalidade da Alma e o Estado Intermediário da Alma Desencarnada
  IX. A Ressurreição de Cristo nas Escrituras
  X. A Ressurreição na Pregação da Igreja
  XI. Diversas Teorias sobre o Modus Operandi da Ressurreição de Jesus
  XII. Acontecimentos no Dia da Ressurreição
  XIII. Aparições de Jesus após a Ressurreição
Bibliografia
Ressurreição e a teologia, Ver *Ressurreição e a Ressurreição de Jesus Cristo*, V.
Ressurreição na pregação da Igreja, Ver *Ressurreição e a Ressurreição de Jesus Cristo*, 10.X.
Ressurreição no AT, Ver *Ressurreição e a Ressurreição de Jesus Cristo*, II.
Ressurreição no NT, Ver *Ressurreição e a Ressurreição de Jesus Cristo*, III.
Ressurreição relacionada a imortalidade, Ver *Ressurreição e a Ressurreição de Jesus Cristo*, VIII.
Restauração V, 682
Esboço
Introdução detalhada
  I. O Mistério da Vontade de Deus
  II. O Modus Operandi da Restauração
  III. As Dimensões do Mistério da Vontade de Deus: A Restauração Universal
  IV. A Redenção é um Aspecto da Restauração
  Oito discussões
  V. O Que Dizer Sobre o Julgamento
  VI. Algumas Particularidades do Mistério da Vontade de Deus
  VII. A Dispensação da Plenitude dos Tempos
  VIII. A Universalidade da Restauração
  IX. A Universalidade Ilustrada em Col. 1:16
  X. A Universalidade Ilustrada em I Cor. 15:22
  XI. A Descida de Cristo ao Hades e a Ascensão Efetuam a Restauração
  XII. Fatores de Amor e Justiça Exigem a Restauração
  XIII. A Missão Tridimensional de Cristo Diagrama de Ilustração
  XIV. Bibliografia
Restauração de Israel V, 692
Em Rom. 11:26
Restauração de Pedro V, 692

Em Mat. 21:15-23
Restauração de Satanás, Ver *Satanás*, IX.
Restauração do texto original do AT, Ver *Manuscritos do AT*, IX e X.
Restauração dos dons espirituais, Ver *Movimento Carismático*.
Restauração e a descida de Cristo ao hades, Ver *Descida de Cristo ao Hades*, XIII.
Restauração e a missão tridimensional, Ver *Restauração*, XIII.
Restauração e redenção, Ver *Restauração*, IV.
Restauração e retribuição, Ver *Retribuição*, V.
Restauração ilustrada, Ver *Restauração*, XIV.
Restauração, mistério da, Ver *Mistério da Vontade de Deus*.
Restauração relacionada ao julgamento, Ver *Restauração*, V.
Restauração universal, Ver *Restauração*, VIII, IX, X.
Restauracionismo V, 693
Restaurações do templo de Jerusalém, Ver *Templo de Jerusalém*, VIII.
Restituição V, 693
Ver sobre *Reparação (Restituição) e Crimes e Castigos*.
Retenção de Pecados V, 693
Ver *Perdão de Pecados pelos Apóstolos*.
Retidão V, 693
Esboço
  I. Sentido do Termo, Linguisticamente Falando
  II. Retidão no AT
  III. Retidão no NT
  IV. Retidão no Mundo Moderno
Retidão, definições, Ver *Retidão*, I.
Retidão em diversas religiões, Ver *Retidão*, IV.B.
Retidão no AT, Ver *Retidão*, II.
Retidão no existencialismo, Ver *Retidão*, IV.A.
Retidão no mundo moderno, Ver *Retidão*, IV.
Retidão no NT, Ver *Retidão*, III
Retórica V, 698
Retorno da morte clínica, Ver *Experiências, Perto da Morte*.
Retribuição V, 699
Esboço
  I. Termos Bíblicos
  II. Princípios Bíblicos Envolvidos
  III. Retribuição na Vida Presente
  IV. Retribuição no Mundo Vindouro
  V. Retribuição e Restauração
Retribuição e restauração, Ver *Retribuição*, V.
Retribuição na Bíblia, Ver *Retribuição*, II.
Retribuição na vida atual, Ver *Retribuição*, III.
Retribuição no mundo vindouro, Ver *Retribuição*, IV.
Retribuição, termos, Ver *Retribuição*, I.
Reu V, 700
Reuel (Raguel) V, 700
Quatro homens do AT
Reum V, 700
Reumá V, 701
Reunião das Igrejas V, 701
Ver sobre *Movimento Ecumênico*.
Revelação, artigos para consultar, Ver *Revelação (Inspiração)*, 1.
Revelação (Inspiração) V, 701
Esboço
  I. Principais Artigos a Consultar
  II. Modos Básicos de Conhecer

III. Limitando a Revelação
IV. Considerações Bíblicas
V. Valores Relativos dos Modos de Conhecer
Bibliografia
Revelação (Inspiração) em Efé. 1: 17 V, 703
Como é que chegamos a saber das coisas?
Natureza do conhecimento
Experiências místicas
Revelação de Estêvão, Ver *Estêvão, Revelação de*.
Revelação de Jesus Cristo, Ver *Apocalipse*.
Revelação e inspiração, Ver *Inspiração*, III.
Revelação e liberalismo, Ver *Liberalismo*, II.93.III.3, 6.b.c.; 8.b.
Revelação e os modos de conhecer, Ver *Revelação (Inspiração)*, II.
Revelação Especial V, 704
Ver sobre *Revelação Geral e Especial*.
Revelação, forças conflitantes, Ver *Revelação Geral e Especial*, 5.
Revelação Geral e Especial V, 704
Ver também o artigo sobre *Revelação*.
Revelação, informes bíblicos, Ver *Revelação (Inspiração)*, IV.
Revelação, Locke sobre, Ver *Locke, John*, 13.e.
Revelação Natural V, 705
Revelação, prova da existência de Deus, Ver *Deus*, IV. 14.
Revelação Sobrenatural V, 705
Revelação, unidade da, Ver *Revelação Geral e Especial*, 5.
Revelações de Bartolomeu, Ver *Apocalípticos, Livros (Literatura Apocalíptica)*, III.
Revelada, teologia, Ver *Teologia Revelada*.
Revelador de Deus, o Filho, Ver *Filho, Revelador de Deus*.
Reverência V, 705
Reverência Pela Vida V, 705
Reverendo V, 706
Reversão da depravação, Ver *Depravação*, 7.
Revestimento V, 706
Revisão da Vida V, 706
  1. Definição
  2. Um motivo universal
  3. No contexto do NT
  4. Nas experiências perto da morte
  5. O livro da vida
Revivalismo, Ver *Reavivamento (Revivalismo)*.
Revogável V, 707
Revolta, Ver *Revolução, Revolta*.
Revolução, Revolta V, 707
Rezefé V, 708
Rezim, Rezom V, 708
Duas personagens do AT
Rezom V, 709
Ver sobre *Rezim (Rezom)*.
Rhetorici V, 709
Ribai V, 709
Ribeiro V, 709
Ribeiro da Arabá V, 709
Ribeiro do Egito V, 709
Ver também *Egito, Ribeiro do*.
Ribla (Dibla) V, 709
Ricardo Avenarius V, 710
Ricardo de Santa Vitória V, 710
Ridley, Nicolau V, 710
Rifã V, 710
Rigorismo V, 710
Rig-Veda V, 710
Rim V, 711 Ver sobre *Rins, e também Órgãos Vitais*.

Rimom, V, 711
Quatro pessoas na Bíblia
Ver também *Gate-Rimom*.
Rimom, Ver *Deuses Falsos*, III.34.
Rimom-Perez V, 711
Rimono V, 711
Rin V, 711
Rina V, 711
Rins V, 711
Crenças e metáforas antigas
Uso dos rins no sacrifício de animais
Ver o artigo separado sobre *Órgãos Vitais*.
Rio V, 712
Rio do Egito V, 713
Rio Giom, Ver *Giom (Rio)*.
Rio Jordão, Ver *Jordão (Rio)*.
Riquezas V, 713
Riso V, 715
Rispa V, 716
Rissa V, 716
Rita V, 716
Ritmá V, 716
Rito Antioquino (Sírio) V, 716
Rito Caldeu (Persa) V, 716
Rito de Coroação V, 716
Rito de iniciação, Ver *Iniciação, Rito de*.
Rito Persa, Ver *Rito Caldeu (Persa)*.
Ritos Bizantinos V, 716
Ritschl, Albrecht (Ritschlianismo) V, 716
Ver também *Liberalismo*, III.6.c.
Ritschlianismo V, 717
Ver sobre *Ritschl, Albrecht, (Ritschhanismo)*.
Rituais de sepultamento, Ver *Sepultamento, Costumes de*, 4.
Ritual, Ritualismo V, 717
Ritualismo, Ver *Ritual, Ritualismo*.
Rizia V, 718
Roca V, 718
Rocha V, 718
Rocha V, 718
Rocha Espiritual V, 718
Roda V, 719
Roda da vida, Ver *Karma Reencarnação*.
Roda do Oleiro V, 719 Ver sobre *Oleiro (Olaria) e Cerâmica*.
Rodanim, V, 719
Rodas V, 720
Rode V, 720
Rodes V, 720
Rodoco V, 720
Roga V, 721
Rogelim V, 721
Roi, Ver *Laai-Roi*.
Rola V, 721
Roll, William G., Ver *Projeção da Psique*, Vol. V, p. 447, segunda coluna e ss.
Rolo V, 721 Ver *Escrita*.
Rolos (Manuscritos) do Mar, Morto V, 721 Ver *Mar Morto, Manuscritos (Rolos) do*.
Roma V, 721
Ver também *Império Romano*.
Roma e a religião, Ver *Religião Romana*.
Roma, Igreja em V, 722
Roma imperial, Ver *Império Romano*.
Romã V, 724
Romano, direito, Ver *Direito Romano*.
Romano, missal, Ver *Missal Romano*.
Romanos, Epístola de Paulo aos V, 724
Esboço
Declaração introdutória

ROMANTI-EZER – SADAÍ

I. Autoria
II. As Epístolas de Paulo
III. Data, Proveniência e Destino
IV. Lugar Ocupado no Cânon
V. A Igreja Cristã em Roma
VI. Propósitos
VII. Temas Principais
VIII. Integridade da Epístola
IX. Conteúdo
X. Bibliografia
Romanti-Ezer V, 735
Romantismo V, 735
Rôs V, 736
Uma pessoa e um lugar no AT
Rosa V, 736
Rosa de Ouro V, 736
Rosacruz V, 736
Rosado, Ruivo V, 737
Rosário V, 737
Roscelino de Compiégne V, 737
Rosenzweig, Franz V, 738
Roseta, Pedra de V, 738
Rosto (Bochechas) V, 738
Uso na Bíblia
Rosto mutilado, Ver *Enfermidades na Bíblia*, I. 19.
Roubo V, 738
Ver sobre *Crimes e Castigos*.
Roupas V, 738
Ver sobre *Vestimentas*.
Rousseau, Jean-Jaques V, 738
Royce, Josiah V, 739
Rua V, 740
Rua Direita V, 740 Ver *Direita, Rua*.
Ruali V, 740
Rúben V, 741
Rubi V, 741
Rubrica Negra V, 741
Rudimentos do Mundo V, 741
Ver também sobre *Elementos (Espíritos Elementares)*.
Rudimentos fracos da lei, Ver *Lei, Rudimentos Fracos e Pobres*.
Rufo V, 742
Ruivo, Ver *Rosado, Ruivo*.
Ruma. V, 742
Rumor V, 742
Russell, Bertrand V, 742
Russell, Charles Taze V, 744
Russell sobre Linguagem, Ver *Filosofia da Linguagem*, 16.
Russellismo V, 745
Ver sobre *Russell, Charles Taze e sobre Testemunhas de Jeová*.
Rússia, filosofia da,
Ver *Filosofia Russa*.
Rute V, 745
Rute (Livro) V, 745
Esboço
I. Significado do Nome
II. Pano de Fundo
III. Autoria
IV. Data
V. Propósitos do Livro
VI. Canonicidade
VII. Teologia do Livro
VIII. Valor Literário
IX. Esboço do Conteúdo
Bibliografia
Rutherford, J.F. V, 750
Ruysbroeck, John V, 750

S

S VI, 1
Símbolo usado para o *Codex Sinaiticus*
S VI, 1
Designação do *Codex Vaticanus* 354
S VI. 1
Declaração do *Código Sacerdotal*.

Saadia Ben, Joseph Al-Fayyumi VI, 1
Ver também *Judaísmo*, II.g.
Saaduta, Ver *Jegar-Saaduta*.
Saafe VI, 1
Dois homens do AT
Saalabim VI, 1
Saalbim, VI, 1
Saalbonita VI, 1
Ver sobre *Saalbim*.
Saalim VI, 1
Saar, Ver *Zerete-Saar*.
Saaraim (Lugar) VI, 1
Duas localidades em Israel
Saaraim (Pessoa) VI, 2
Saasgaz VI, 2
Saazima VI, 2
Sabá, rainha de,
Ver *Rainha de Sabá*.
Sabactâni VI, 2
Ver sobre *Eli, Eli, Lama Sabactâni*.
Sábado VI, 2
Esboço
I. Os termos
II. Caracterização geral
III. Teorias de Origem
IV. Observações Bíblicas
V. Opiniões sobre a Obrigatoriedade
Sábado Cristão VI, 4
Ver também *Puritanos; Sábado Puritario; e Domingo, Identificação com o Sábado*.
Sábado, jornada de, Ver *Jornada de um Sábado*.
Sábado Puritano VI, 4
Ver também sobre os *Puritanos*.
Sabaísmo VI, 4
Sabão VI, 4
Sabaote VI, 4
Ver sobre *Senhor dos Exércitos*.
Sabatá VI,4
Sabatarianismo VI, 5
Ver também *Sábado Cristão*.
Sabatino, privilégio, Ver *Privilégio Sabatino*.
Sabatismo e domingo, Ver *Domingo, Dia do Senhor*, II.
Sabatismo e Observação de Dias Especiais VI, 5
Ver também *Domingo, Dia do Senhor*.
Sabedoria VI, 7
I. Termos Relativos aos Tipos de Sabedoria
II. Caracterização Geral
III. A Maior Fonte de toda a Sabedoria
IV. A Unidade da Verdade
V. Fontes Secundárias de Sabedoria
VI. Literatura sobre a Sabedoria
VII. Sabedoria de Acordo com a Filosofia
Sabedoria, dom de,
Ver *Dons Espirituais*, IV. 12.
Sabedoria, fontes de,
Ver *Sabedoria*, 11.
Sabedoria, literatura de,
Ver *Sabedoria*, 11.
Sabedoria, Livro de VI, 9
Ver sobre *Sabedoria de Salomão*.
Sabedoria de Deus VI, 9
Esboço
I. Idéias Gerais
II. Deus fez de Jesus Cristo essa Sabedoria
III. Referências e Idéias. A Sabedoria de Deus
IV. A Multiforme Sabedoria de Deus se Torna Conhecida: Efé. 3:10
Sabedoria de Deus, conhecimento da, Ver *Sabedoria de Deus*, IV.
Sabedoria de Deus, referências e idéias, Ver *Sabedoria de Deus*, III,

Sabedoria de Jesus VI, 10
Ver sobre *Eclesiástico*
Sabedoria de Salomão VI, 10
I. Títulos
II. Status Canônico
III. Caracterização Geral
IV. Autor e Data
V. Conteúdo
VI. Influências
Sabedoria de Siraque VI, 12
Ver sobre *Eclesiástico*.
Sabedoria na filosofia,
Ver *Sabedoria*, V.
Sabedoria no cristianismo,
Ver *Sabedoria*, IV.
Sabelianismo VI, 12
Ver sobre *Cristologia*, e *Trindade*.
Sabélio VI, 12
Sabetaí VI, 12
Dois personagens nas Escrituras
Sabeus (Povos) VI, 12
Sabi VI, 12
Sábio (Proficiência) VI, 12
Sábios VI, 13
Ver sobre *Magos e Sabedoria*, I.
Saborosa Comida VI, 13
Sabtá VI, 13
Sabtecá VI, 13
Sacar VI, 13
Dois homens da Bíblia Saccas, Animonius VI, 13
Ver sobre *Amônio Saccas*.
Sacerdócio bíblico, princípio do,
Ver sobre *Sacerdotes e Levitas*, e o sumário, últimos 5 parág.
Sacerdócio de Aarão,
Ver *Aarão*, 5.
Sacerdócio, desenvolvimento histórico, Ver *Sacerdotes e Levitas*, I.
Sacerdócio no NT,
Ver *Sacerdotes e Levitas*, V.
Sacerdos, Sacerdotal VI, 13
Definição do termo
A versão latina
Sacerdotal, Ver *Código Sacerdotal*.
Sacerdotal, Código VI, 13
Ver o artigo intitulado J.E.D.P.(S.)
Sacerdotalismo VI, 13
Ver sobre *Sacerdos, Sacerdotal*.
Sacerdote (Eclesiástico) VI, 13
Esboço
I. Os termos usados
II. Informes históricos
As constituições apostólicas
Cristo como o sumo sacerdote
III. Um corolário lógico Sacerdote, Cristo como, Ver *Ofícios de Cristo*, II.2.
Sacerdote no Novo Testamento VI, 14
Ver sobre *Sacerdotes e Levitas* e também sobre *Sacerdotes, Crentes como*.
Sacerdotes, características e funções, Ver *Sacerdotes e Levitas*, II.
Sacerdotes, Crentes como VI, 14
Sacerdotes, distinções entre,
Ver *Sacerdotes e Levitas*, II.
Sacerdotes, Vestimentas dos VI, 15
Ver também sobre *Sacerdotes e Levitas e Sumo Sacerdote*.
Os itens de vestimentas e seus símbolos
Sacerdotes como mediadores,
Ver *Mediação (Mediador)*, II.5
Sacerdotes e Levitas VI, 16
Ver também sobre *Levitas; Levi; Tribos (Tribos de Israel); Sacrifícios e Ofertas; Sumo Sacerdote; Sumo Sacerdote, Cristo como; Sacerdotes, Crentes como; Melquisedeque; Sacerdote (Eclesiástico)*.

Esboço
I. Desenvolvimento Histórico
Cinco discussões
II. Distinções no Ofício e nas Funções Sacerdotais; Argumentos dos Críticos
III. Características e Funções
IV. As Vestes Sacerdotais
V. O Sacerdócio no N.T.
Quatro discussões
VI. Bibliografia
Saco (Pano de Saco) VI, 19
Sacramental, caráter,
Ver *Caráter Sacramental*.
Sacramental, Refeição VI, 20
Característica comum das religiões antigas
Sacramentaliamo VI, 20
As ordenanças da Igrejas vistas como sacramentos
Ver o artigo sobre *Sacramentos*.
Sacramentalismo e batismo,
Ver *Batismo*, 2.
Sacramentário VI, 20
Sacramentário Gregoriano VI, 20
Sacramentaristas VI, 20
Ver também sobre *Confissões da Igreja Histórica e Confissões Helvéticas*.
Sacramento, reserva do,
Ver *Reserva do Sacramento*.
Sacramentos VI, 20
Esboço
I. Considerações de Pano de Fundo:
a Metafísica da Questão
II. Definições Básicas
III. A Teologia Sacramental
IV. Os Sete Sacramentos da Igreja Católica Romana
V. O Protestantismo e os Sacramentos
Sacrificati, Ver *Lapso*, 2.
Sacrifício, Ver *Sacrifícios*, e *Sacrifícios e Ofertas*.
Sacrifício Cristão VI, 24
Ver também os artigos *Expiação; Expiação Pelo Sangue e Expiação Pelo Sangue de Cristo*.
Sacrifício de Cristo VI, 24
Sacrifício de infantes, crime contra Deus, Ver *Crimes e Castigos*, II.l.b.
Sacrifício Eucarístico VI, 25
Ver os artigos sobre *Eucaristia, e Sacramentos*.
Sacrifício Humano VI, 25
Sacrifício humano e Isaque,
Ver *Isaque*, III.
Sacrifício Vespertino VI, 25
Sacrifício Vivo (Em Rom. 12:1) VI, 25
Sacrifícios VI, 26
Ver também *Sacrifícios e Ofertas*.
Sacrifícios de Animais VI, 26
Sacrifícios e Ofertas VI, 26
Ver também sobre *Expiação*.
Esboço
I. Caracterização geral
II. Classificação dos Sacrifícios
III. Materiais Empregados
IV. Modos de Apresentação
V. Sacrifícios do Mundo Antigo
VI. Sacrifícios no Antigo Testamento
VII. Sacrifícios no Novo Testamento
Sacrifícios, história remidora dos,
Ver *Sacrifícios e Ofertas*, III.E.
Sacrifícios no AT,
Ver *Sacrifícios e Ofertas*, III.
Sacrifícios no mundo antigo,
Ver *Sacrifícios e Ofertas*, II.
Sacrilégio VI, 29
Sadaí VI, 30
Ver sobre *Deus*, e sobre *Deus*,

SADRAQUE – SANTIFICAÇÃO

Nomes de.
Sadraque, Mesaque e Abede-Nego VI,30
Saduceus VI, 30
  Uma importante seita judaica, mais política do que religiosa
  Cinco discussões detalhadas oferecidas
Safã VI, 31 Três homens da Bíblia
Safate VI, 31
  Cinco homens do A.T.
Safe VI, 31
Safir VI, 31
Safira VI, 32
Saga de Ciro, Ver *Ciro*, 2.
Sage VI, 32
Sagrado VI, 32
Sai Baba VI, 32
  Ver sobre *Sathya Sai Baba.*
Saídica, Versão VI, 32
Saint-Simon, Claude-Henri VI, 32
Saivismo VI, 33
  Ver também *Hinduísmo.*
Sal VI, 33
Sal, Cidade do VI, 33
Sal, pacto de, Ver *Pacto de sal.*
Sal, Vale do VI, 33
Sala (Quarto) de Hóspede VI, 33
Sala Superior (Cenáculo) VI, 34
Salai VI, 34
  Dois homens do AT
Salamiel VI, 34
Salamina VI, 34
1. O Termo
2. Referências Históricas
3. Época Neotestamento
Salário, Ver *Salários.*
Salário, abuso, Ver *Salários*, III.
Salários VI, 34
  I. Os termos
  II. Primeiros Usos
  III. Informações Bíblicas
  IV. Usos figurativos
Salários na Bíblia, Ver *Salários*, IV.
Salatiel VI, 35
  Forma de Sealtiel, conforme se vê no NT, Ver *Sealtiel.*
Salcã VI, 35
Salefe VI, 35
Salém VI, 35
Salequete VI, 35
Sales, Francisco de, Ver *Francisco de Sales (São).*
Salgueiro VI, 35
Salgueiros, torrentes dos, Ver *Torrentes dos Salgueiros.*
Salim VI, 36
Salisa, Terra de VI, 36
Salisbury, João de, Ver *João de Salisbury.*
Salitre VI, 36
Saliva (Cuspe) VI, 36
Salma, Salmom VI, 36
  Duas pessoas do A.T.
Salmã VI, 36
Salmai VI, 36
Salmaneser VI, 36
  Cinco reis discutidos
Salmeron, Alfonso VI, 37
Salmodia VI, 37
Salmona, Ver *Salma, Salmom.*
Salmona VI, 37
Salmos VI, 37
  Esboço
  I. O Título e Vários Nomes
  II. Caracterização Geral
  III. Idéias dos Críticos e Refutações apresentadas
  IV. Autoria e Datas
  V. Várias compilações e Fontes Informativas
  VI. Conteúdo e Tipos
  VII. A Esperança Messiânica

VIII. Usos dos Salmos
IX. A Poesia dos Hebreus
X. Pontos de Vista e Idéias Religiosas
XI. Canonicidade
XII. Os Salmos no N.T.
XIII. Bibliografia
Salmos de Imprecação, Ver *Imprecação, Salmos de.*
Salmos de Romagens VI, 46
Salmos de Salomão VI,46
Esboço
  I. Caracterização geral
  II. Informes históricos e o cânon do AT
  III. Data, autoria, título, autoria múltipla
  IV. Conteúdo
  V. Messianismo
    A importância da esperança Ossiânica nessa obra
  VI. Bibliografia
Salmos no N.T., Ver *Salmos*, XII.
Salmos Penitenciais, Ver *Sete Salmos Penitenciais.*
Salom, Ver *Yahiwelt-Salom.*
Salomão VI, 47
  Um estudo completo sobre Salomão é apresentado com onze pontos
Salomão, Açudes de VI, 49
  Ver sobre *Açude.*
Salomão, Cantares de VI, 49
  I. Pano de Fundo
  II. Autoria
  III. Data
  IV. Unidade do Livro
  V. Lugar de Origem
  VI. Destino
  VII. Motivo da Escrita
  VIII. Propósito do Livro
  IX. Canonicidade
  X. Estado Atual do Texto
  XI. Conteúdo e Esboço
  XII. Interpretação de sua Mensagem
  XIII. Teologia do Livro
  XIV. Bibliografia
Salomão, Minas de VI, 53
  Ver sobre *Minas do Rei Salomão.*
Salomão, Pórtico de VI, 53
  Ver sobre *Pórtico de Salomão.*
Salomão, Sabedoria de VI, 53
  Ver sobre *Sabedoria de Salomão.*
Salomão, Salmos de VI, 53
  Ver sobre *Salmos de Salomão*
Salomão, Servos de VI, 53
  Ver sobre *Servos de Salomão.*
Salomão, templo de, Ver *Templo de Jerusalém*, II, III, IV
Salomão, tesouro de, Ver *Tesouro*, IV.
Salomão Bem Elisha VI, 53
  Ver sobre *Cabala.*
Salomé VI, 53
  Duas mulheres da época Neotestamentaria
Salpicados VI, 53
  Ver sobre *Cor, Cores.*
Saltério VI, 53
  Ver sobre *Salmos.*
Salu VI, 53
  Duas pessoas do A.T.
Salum VI, 53
Salvação VI, 54
  Esboço
  I. Salvação segundo o A.T.
  II. Salvação no N.T.
    Cinco discussões apresentadas
  III. O meio da salvação
  IV. A salvação é um processo eterno e infinito
  V. O conceito da filiação

VI. Elementos da salvação
  Ver os artigos separados que falam de elementos da salvação: *Arrependimento; Conversão, Justificação; Regeneração; Santificação; Glorificação.* Ver também *Divindade, Participação do na, Pelos Homens.*
VII. A realização da salvação: do ponto de Vista teológicos
VIII. Salvação em várias religiões
IX. Bibliografia
Salvação, Autor da VI, 57
Salvação como capacete, Ver *Armadura, Armas,* V, 5.
Salvação de infantes, Ver *Infantes, Morte e Salvação dos.*
Salvação do hinduismo, Ver *Hinduísmo*, VI.6,
Salvação em Várias Religiões VI, 57
  Ver o artigo geral sobre *Salvação.*
  I. O Termo
  II. Pano de Fundo
  III. Em Várias Religiões
  IV. Na Filosofia
  V. No Cristianismo
  VI. Bibliografia
Salvação, Exército da,
  Ver *Exército da Salvação.*
Salvação segundo João Apóstolo, Ver *João Apóstolo, Teologia (Ensinos de),* IV.
Salvador VI, 60
  Ver também *Salvação.*
Salvador, Deus como VI, 61
Salvos Pela Vida de Cristo VI, 62
Sama VI, 62
Sama, Ver *Yahweh-Sama.*
Samã VI, 62
  Cinco indivíduos no AT
Samadhi VI, 62
Samai VI, 62
  Três homens na Bíblia
Samaria, Cidade de VI, 62
  Cinco discussões apresentadas
Samaria, Território de VI, 63
Samaritano, o Pentateuco VI, 64
Samaritano, Parábola do VI, 64
Samaritanos VI, 65
  Seis discussões apresentadas
Sambalate VI, 66
Sameque VI, 66
Samir VI, 66
  Uma pessoa e duas cidades no NT
Samkhyha VI, 66
Samlá VI, 67
Samos VI, 67
Samos, Pitágoras de,
  Ver *Pitágoras de Samos.*
Samotrácia VI, 67
Sampsames VI, 67
Samsara VI, 67
  Ver *Zen (Budismo),* 2.
Samua VI, 67
  Quatro homens do A.T.
Samuel VI, 68
  Oito discussões apresentadas
Samuel (Livros) VI, 69
  Esboço
  I. Nome
  II. Caracterização Geral
  III. Autoria
  IV. Data
  V. Propósito
  VI. Estado do Texto
  VII. Problemas Especiais
  VIII. Teologia do Livro
  IX. Conteúdo e Cronologia
    Ver *gráfico da cronologia* pág. VI, 102
  X. Bibliografia
Samute VI, 77

Saná, Ver *Quiriate-Saná,* e *Debir.*
Sanctus VI, 77
Sandália (Sapato) VI, 77
Sândalo VI, 78
Sangar VI, 78
Sangar-Nebo VI, 78
Sangue VI, 78
  Descrições científicas
  1. Idéias das culturas antigas
  2. O sangue usado como alimento
  3. O sangue e os hebreus
  4. O sangue no NT
  5. Sentidos metafóricos
Sangue, alimento, Ver *Sangue,* l.
Sangue, batismo de, Ver *Batismo de Sangue.*
Sangue, Campo de VI, 79
Sangue, Fluxo de VI, 79
Sangue, Não Nasceram de Sangue e Carne VI, 79
  Em João 1:13
Sangue, Vingador do VI, 80 Ver *Vingador do Sangue.*
Sangue e Água VI, 80
  Os trechos bíblicos que mencionam a expressão
Sangue e água, Cristo veio por,
  Ver *Água e Sangue, Cristo Veio por.*
Sangue e expiação, Ver *Expiação,* V e VI; *Expiação pelo Sangue; Propiciação e Expiação pelo Sangue de Cristo.*
Sangue no N.T., Ver *Sangue,* 4.
Sangue Precioso VI, 81
Sangue, suor de, Ver *Suor de Sangue.*
Sanguessuga VI, 81
Sansana VI, 81
Sansão VI, 81
  Oito discussões apresentadas
Sanserai VI, 82
Santa Fé VI, 82
Santa Isabel, Ver *Isabel, Santa.*
Santas Ordens, Ver *Ordens, Santas.*
Santayana, George VI, 82
Santidade, VI, 83
  Esboço
  I. Os Termos Envolvidos
  II. Características da Santidade de Deus
  III. A Santidade do Povo de Deus, Cuja Base é a Salvação
  IV. Santidade de Coisas e de Lugares
  V. O Fillho de Deus é Santo
  VI. O Espírito de Deus é Santo
  VII. A Suprema Manifestação do Amor é a Santidade
Santidade, Código da VI, 85 Ver também sobre o *Pentateuco.*
  O Código da Santidade como uma alegada fonte literária do Pentateuco
Santidade da vida, Ver *Vida,* IV.
Santidade de Deus, Ver *Santidade,* II.
Santidade de Deus, características, Ver *Santidade,* II.
Santidade do casamento, Ver *Matrimônio,* X.
Santidade do Espírito, Ver *Santidade,* VI.
Santidade do povo de Deus, Ver *Santidade,* III.
Santidade e determinismo, Ver *Determinismo (Predestinação),* VI.
Santidade, Igreja, Ver I*grejas de Santidade.*
Santificação VI, 86
  Ver também *Santificar.*
  Esboço

SANTIFICAÇÃO – SEGUNDA

I. Idéias Gerais
II. Elementos da Santificação
III. Inteira Santificação
IV. O Alvo da Santificação
Santificação, alvo da,
Ver *Santificação*, IV.
Santificação, elementos da,
Ver *Santificação*, II
Santificação inteira,
Ver *Santificação*, III.
Santificar VI, 87
Ver também *Santificação*.
Seis discussões apresentadas
Santo de Israel VI, 87
Ver sobre *Deus, Nomes Bíblicos de*.
Santo dos Santos VI, 87
Ver também sobre *Lugar mais Santo; Tabernáculo, e Templo*.
Santo Graal VI, 88
Santo Império Romano, Ver *Império Romano, Santo*.
Santo, Santo, Santo, Ver *Triságio*.
Santo Sepulcro VI, 88
Santo Ver sobre *Sepulcro Santo*.
Santo Sínodo, Ver *Sínodo Santo*.
Santos VI, 88
Santos (Eclesiásticos) VI, 89
Esboço
I. A Palavra e suas Definições
II. Usos Bíblicos do Termo
III. Canonização; Posição e serviço
IV. Comunhão dos Santos
V. Veneração aos Santos
VI. Avaliação
Santos, avaliação do conceito,
Ver *Santos (Eclesiásticos),* VI.
Santos, canonização, Ver *Santos (Eclesiásticos),* III.
Santos, Comunhão dos, Ver *Comunhão dos Santos, e Santos (Eclesiásticos),* IV.
Santos dos Últimos Dias (Mórmons) VI, 91
Esboço
Introdução
I. O Nome Mórmon
II. Informes Históricos
III. Seitas Mórmons
IV. Algumas Características e Doutrinas Distintivas dos Mórmons
V. Livros Sagrados dos Mórmons e Avaliação do Marmonismo
Opinião pessoal do autor da enciclopédia
Santos e mediação, Ver *Mediação (Mediador),* V.
Santos, invocação dos, Ver *Invocação dos Santos*.
Santos Patronos VI, 96
Santos, termo bíblico, Ver *Santos (Eclesiásticos),* II.
Santos, veneração dos, Ver *Santos (Eclesiásticos),* V.
Santuário VI, 96 Ver também *Lugar Santo (Santuário)*.
Esboço
I. Santuário Terrestre
II. Descrições
Santuários de Maria,
Ver *Mariologia (Maria, a Bendita Virgem),* V.
Santuários do Monte das Oliveiras,
Ver *Monte das Oliveiras,* 4.
São Nicolau, Ver *Natal,* IV e *Nicolau de Mira (Santo)*.
São Vítor, Escola de VI, 97
São Vítor, Místicos de VI, 97
Sapatos VI, 97
Ver *Sandalias (Sapatos)*.
Sapir sobre *linguagem,* Ver *Linguagem (Filosofia e); Filosofia da Linguagem,* 14.

Saquias VI, 97
Sara, Ver *Sarai, Sara*.
Sarafe VI, 97
Sarai VI, 97
Sarai, Sara VI, 97
Saraiva VI, 98, Ver também *Pragas do Egito,* II.7.
Sarça Ardente VI, 98
Sardes VI, 99
Sárdio VI, 99
Sardônio VI, 99
Sarea VI, 99
Sareá VI, 99
Sarepta VI, 99
Sarezer VI, 99
O nome de duas pessoas do A.T.
Ver também *Nergal-Sarezer*.
Sargão VI, 99
Sargom VI, 100 Ver sobre *Sargão*.
Saride VI, 100
Sáris, Ver *Rabe-Sáris*.
Sarna, Ver *Enfermidades na Bíblia,* 1.34.
Sarom VI, 100
Saronita VI, 100
Sarotie VI, 100
Sarquedono VI, 101
Sarsequim VI, 101
Sartre, Jean-Paul VI, 101
Sartre e a dialética,
Ver *Dialética,* 12.
Saruém VI, 101
Sarvastivada VI, 102
Sasai VI, 102
Sasaque VI, 102
Sat, Chit, Ananda VI, 102
Satanás VI, 102
Esboço
I. O Nome
II. Um Ser Vivo
III. Sua Queda
IV. História do Universo
V. O Problema do Mal
VI. O Plano Redentor
VII. Satanás Limitado e Julgado
VIII. A Queda Gradual de Satanás
Ver sobre *Satanás, Queda de*.
IX. Restauração de Satanás?
Ver sobre *Restauração*.
Satanás e o problema do mal,
Ver *Satanás,* V.
Satanás, limitado e julgado,
Ver *Satanás,* VI.
Satanás, nome definido,
Ver *Satanás,* 1.
Satanás, Queda de VI, 103
Esboço
I. Estágios Desta Queda
Sete discussões apresentadas
II. Em João 12:31
No que consiste o julgamento de Satanás? Ver também *Satanás,* III, VIII.
Satanás relacionado à história,
Ver *Satanás,* IV.
Satanás restaurado? Ver *Satanás,* IX.
Satanás, Sinagoga de, Ver *Sinagoga, de Satanás*.
Sathya Sai Baba VI, 104
Introdução do artigo
O problema do ceticismo
O interesse do autor na vida deste homem
Satia Sai Baba, Ver *Sathya Sai Baba*.
Sati VI, 109 Origens do termo
Uso do termo
Sátiro, Ver *deuses Falsos,* III.35.
Sátiros VI, 109
O hebraico Na Septuaginta
Uso do termo
Satisfação VI, 110

Ver também sobre *Expiação*.
As articulações da teoria da satisfação.
Para alguns teólogos Bases no Antigo Testamento
Os sacrifícios feitos como uma satisfação pelo pecado. O sistema sacrificial dos Hebreus no N.T. O sacrifício de Cristo
Satisfação, teoria da expiação, Ver *Expiação,* II.5.
Satori VI a 110 Ver *Zen (Budismo),* 3,4,6.
Sátrapas VI, 110 Na Septuaginta
Um oficial governante do império persa.
Satya Sai Baba VI, 110
Ver sobre *Sathya Sai Baba*.
Satyasiddhi, Escola VI, 110
Uma das escolas do budismo
Ver também *Sunya*.
Saudação VI, 110
Saudação Angelical VI, 111
Saúde VI, 111 Ver também sobre *Enfermidades na Bíblia*.
Saul VI, 112
O rei Saul descrito com nove discussões
Saul VI, 113
O nome de três homens do A.T. que não o rei Saul.
Saulo, Mudança de Nome para Paulo VI, 113
Sausa VI, 114
Sautrantika VI, 114
Uma das três principais escolas do budismo
Savé-Quiriataim VI, 114
Savias VI, 114
Savóia, Declaração de VI, 114
Savonarola, Jerônimo VI, 114
Scala Sancta VI, 115
Schaff, Philip VI, 115
Schechter, Solomom,
Ver *Zadoquitas, Fragmentos,* I.
Schelling, Friedrich Wilhelm VI, 115
Ver sobre *Shelling (Schelling), Friedrich Wilhelm*.
Schelling, tipo de idealismo, Ver *Idealismo,* II. 1,2.
Schenkel, Daniel VI, 115
Schiller, Friedrich VI, 115
Schiwy sobre personalismo,
Ver *Personalismo,* III.4.
Schiller, F.C.S. VI, 115
Schiwy, Gunther (Estruturalismo) VI, 116
Importante filósofo que defendia certa versão do estruturalismo
O estruturalismo – Oito discussões apresentadas,
Schlatter, Adolfo VI, 117
Schlegel, Friedrich Von VI, 117
Schleiermacher, Friedrich VI, 117
Filósofo e teólogo alemão.
Sua vida Idéias Nove discussões apresentadas
Schopenhauer, Arthur VI., 118
Consultar a lista das principais idéias de Schopenhauer nas págs. VI, 118 e 119
Schweitzer, Alberto VI, 119
Schwenkfeld Von Ossig, Casper VI, 120
Scientia Media VI, 120
Scintilla Conscientiae VI, 120
Ver sobre *Synderesis*.
Scotismo VI, 120
O nome do sistema e das atividades de *Duns Scotus* (vide).
Scotus, Duns, Ver *Duns Scotus*.
Scotus Erigena, João, VI, 120
Ver sobre *Erigena, João Escoto*.

Scotus, João, Ver *Erigena*.
Scotus, João Duns VI, 120
Ver sobre *Duns Scotus*.
Scriptorium VI, 120
Sé VI, 120
Sea VI, 120
Ver sobre *Pesos e Medidas*.
Seal VI, 120
Sealtiel VI, 120
Searias VI, 121
Searias VI, 121
Seba VI, 121
Sebã VI, 122
Sebate VI, 122
Sebe, Cerca VI, 122
Seber VI, 122
Sebna. VI, 122
Sebuel VI, 122
Seca VI, 122
Secacá VI, 123
Secanias VI, 123.
Secu VI, 123
Secular, Secularismo VI, 123
Esboço
1. Definições e caracterização
2. A secularização da Igreja cristã
3. União entre o secular e o sagrado
Secularismo, Ver *Secular, Secularismo*.
Secularização da Igreja VI, 124
Ver sobre *Secular, Secularismo* 2.
Secularização da Igreja cristã,
Ver *Secular, Secularismo,* 2.
Séculos Vindouros, Expressão da Eternidade VI, 124 Secundárias qualidades, Ver *Qualidades: Primárias, Secundárias e Terciárias*.
Secundo VI, 125
Seda, Bicho da, 125
Sede da justiça, Ver *Bem Aventuranças,* 4.
Sedeur VI, 125
Sedução VI, 125
Seerá VI, 126 Ver *Uzém-Seerá*.
Sefã VI, 126
Sefar VI, 126
Sefarade VI, 126
Sefardim VI, 126
Sefarvaim VI, 127
Sefatias VI, 127
Nove personagens no A.T.
Sefer, Ver *Debir*.
Séfer VI, 127
Sefo VI, 127
Seforis VI, 127
Sega VI, 127
Segredo Messiânico VI, 128
Ver sobre *Consciência de Cristo*.
Ver também *Traição, 3° parág.* e *ss, e Traição de Jesus por Judas*.
Segregação VI, 128 Ver *Apartheid*.
Segregação das raças,
Ver *Apartheid*.
Segube VI, 128
Duas personagens do A.T.
Seguidores de João Batista,
Ver *João (o Batista),* VII.
Seguindo a Cristo VI, 128
Ver também sobre *Discípulo, Discipulado*.
Seis discussões apresentadas
Segunda Bênção VI, 129
Segunda Morte VI, 130
A morte espiritual. Ver também *Morte* VII; *Morte, a Segunda*.
Segunda viagem missionária de Paulo, Ver *Paulo (Apóstolo),* I.5.
Segunda Vinda VI, 130
Ver também sobre *Parousia*.
Esboço
1. Referências gerais do A.T.
2. A segunda vinda nos Salmos

SEGUNDA – SER

3. A segunda vinda nos livros proféticos
4. Referências gerais no N.T.
5. A segunda vinda nos Evangelhos
6. A segunda vinda no livro de Judas
7. A segunda vinda no livro do Apocalipse
8. O arrebatamento da Igreja
Ver também o artigo separado sobre a *Parousia*.
9. Conclusão
Segunda vinda de Cristo e o arrebatamento relacionados, Ver *Parousia*, VI.
Segunda vinda em Judas, Ver *Segunda Vinda*, 6.
Segunda vinda no A.T., Ver *Segunda Vinda*, 1.
Segunda vinda no Apocalipse, Ver *Segunda Vinda*, 7.
Segunda Vinda no N.T., Ver *Segunda Vinda*, 4.
Segunda vinda nos livros proféticos, Ver *Segunda Vinda*, 3.
Segunda vinda nos Salmos, Ver *Segunda Vinda*, 2.
Segundo VI, 130
Segundo Adão VI, 130
Ver também *Dois Homens, Metáfora dos; e Adão, o Último (Segundo)*.
Segundo Concílio Ecumênico, aprovou veneração de imagens, Ver *Iconoclasmo*, III.
Segundo Enoque, Ver *Enoque Eslavônico*.
Segundo Esdras, Ver *Esdras*, II
Segundo Nascimento VI, 131
1. Regeneração
2. A reencarnação
3. A conversão
4. A entrada nas dimensões celestes
5. A participação na natureza divina
Ver também *Nascer de Novo; Novo Nascimento (Regeneração) e Regeneração*.
Segurança Eterna do Crente VI, 131
I. Escrituras em Favor
II. Fazendo Contraste Com Essas Passagens Escrituras contrárias
III. Quatro Interpretações principais
Seio, Ver *Seios*.
Seio, Baía VI, 137
Seio de Abraão VI, 137
As três expressões comumente usadas pelos judeus para expressar o futuro estado de bem aventurança
Ver também, *Abraão, Seio de*.
Seios VI, 137
Seir VI, 137
Seirá VI, 138
Seis Princípios Batistas VI, 138
Seis sistemas do hinduísmo, Ver *Hinduísmo*, V.
Seiscentos e Sessenta e Seis VI, 138
Ver sobre *Sinal (Marca) da Besta (Anticristo)*.
Seita VI, 138 Ver também *Seitas*.
Seitas VI, 139
Quatro discussões apresentadas
Sela VI, 139
Sela VI, 140
Selá VI, 140
Ver sobre *Música e Instrumentos Musicais*.
Selá VI, 140
Nome de duas pessoas e de um acidente geográfico no A.T.
Seleção Natural VI, 140 Ver também sobre *Evolução*.
Selede VI, 140

Selemias VI, 140
Nove homens no A.T.
Selemias VI, 140
Seles VI, 141
Selêucia VI, 141
Oito discussões apresentadas
Selêucidas e o período intertestamental, Ver *Período Intertestamental*, 3.
Seleuco VI, 142
Seis monarcas helenistas da Síria, quatro dos quais tem importância bíblica
Sellars, Roy Wood VI, 143
Sellars, Wilfrid S. VI, 143
Selo VI, 143
Esboço
I. Termos
II. Caracterização geral
III. Tipos
IV. Dos vizinhos de Israel
V. Usos Literais
VI. O uso da expressão
VII. Usos Figurativos
Selo de Confissão VI, 145
O uso da expressão
Selomi VI, 145
Selomite VI, 145
Várias pessoas no A.T.
Selomote VI, 145
Três pessoas no A.T.
Selos VI, 145 Ver sobre *Selo*.
Selos Cilíndricos VI, 145
Ver também sobre *Escrita*.
Selos, descrições dos, Ver *Selos*, 4.
Selos, sete, Ver *Sete Selos*
Selos, tipos, Ver *Selos*, 2.
Selos, usos, Ver *Selos*, 3.
Selumiel VI, 145
Selvagem nobre, Ver *Nobre Selvagem*
Sem VI, 145
Sema VI, 146
Nome de uma cidade e de quatro pessoas no A.T.
Semaá VI, 146
Semaías VI, 146
Semana VI, 147
Ver sobre *Calendário*.
Semana Santa VI, 147
Ver também os artigos sobre *Sexta-Feira Santa; Quinta-Feira Santa; e Lava-Pés*.
Semanas, Festas das VI, 147
Ver sobre *Festas (Festividades) Judaicas*.
Semanas, setenta, Ver *Setenta Semanas*.
Semântica VI, 147
Semarias VI, 147
Quatro homens no A.T.
Semeador, Parábola do, Ver *Parábola*, III.1.
Semeador, Semear VI, 148
Ver sobre *Agricultura*.
Semeadura e Colheita, Lei da VI, 148
Em Gál. 6:7
A metáfora baseada na vida agrícola
Onze discussões apresentadas
Semeber VI, 150
Semede VI, 150
Semei VI, 150
Semelhança VI, 150
Ver também *Imagem, Semelhança*.
Semente, Sementeira VI, 150
Sementeira, Ver *Semente, Sementeira*.
Semer VI, 150
Três homens no A.T.
Semi-Arianismo VI, 150
Semida VI, 150

Semipelagianismo VI, 151
Ver também sobre *Pelágio, Pelagianismo*.
Semiramote VI, 150
Dois homens no A.T.
Semita, escrita, Ver *Escrita*, V
Semitas VI, 150
Semitas, definição, Ver *Semitas, Religião dos*, 1.
Semitas, idiomas, Ver *Semitas, Religião dos*, 3.
Semitas, Religão dos VI,151
Esboço
1. O termo semitas
2. Idiomas semíticos
3. Religião dos semitas
Ver também os artigos separados sobre *Judaísmo, e Israel, Religião de*.
Semuel VI, 152
Três homens no A.T.
Senaã VI, 152
Senado, Senador VI, 152
Senaqueribe VI, 152
Senazar VI, 153
Sené VI, 153
Sêneca, Lucius Anneus VI, 153
Sêneca, cartas de a Paulo, Ver *Paulo e Sêneca, Cartas de*.
Sêneca e Paulo VI, 154
Ver sobre *Paulo e Sêneca, Cartas de*.
Senhor VI, 154
Esboço
1. Grande número de usos: o teísmo
2. Palavras hebraicas envolvidas
3. A palavra grega envolvida
Ver também *Deus, Nomes Bíblicos de*.
Senhor (Proprietário) VI, 155
Senhor, Ceia do VI, 155
Ver sobre *Ceia do Senhor o Eucaristia*.
Senhor, Dia do VI, 155
Ver os artigos sobre *Dia do Senhor; e Domingo, Dia do Senhor*.
Senhor, Mesa do VI, 155
Ver também sobre *Ceia do Senhor e Eucaristia*.
Senhor, Oração do VI, 155
Ver também sobre *Oração do Senhor, Oração e Oração sumo Sacerdotal*.
Senhor, palavra do, Ver *Palavra do Senhor*.
Senhor, povo do, Ver *Povo do Senhor*.
Senhor, servo do, Ver *Servo do Senhor*.
Senhor dos Exércitos VI, 155
Ver sobre *Yahweh Sabaoth, e também sobre Deus, Nomes Bíblicos de*.
Senhora Eleita VI, 155
Senhores dos Filisteus VI, 156
Senhorio de Cristo (o Logos) concretizado na parousia, Ver *Parousia*, V.
Senir VI, 156
Sensação VI, 157
Sensacionalismo VI, 157
Sensações VI, 157
Ver também sobre as *Emoções*.
Sensações Espirituais VI, 157
Senso VI, 158
Senso (Bom) VI, 158
1. Para Aristóteles
2. Na filosofia em geral
Senso bom, Ver *Bom Senso*.
Senso Moral VI, 158
Sensual VI, 158
Sentença Protocolar VI, 158

A importância da expressão para o *Positivismo Lógico* (vide).
Sentenças VI, 158
Sentido das Escrituras VI, 158
Os intérpretes rabínicos A interpretação alegórica Orígenes
O uso de um termo anagógico
Sentidos, Dados dos VI, 159
Ver sobre *Percepção*.
Sentidos, Percepção dos VI 159.
Ver sobre *Percepção*.
Sentimentalismo VI, 159
Sentimentos como linguagem ética, Ver *Linguagem Ética*, III.
Sentimentos, teoria da verdade,Ver *Conhecimento e a Fé Religiosa*, II.2.
Seol VI, 159 Ver sobre *Sheol*.
Seom VI, 159 Rei dos amorreus
Seorim VI, 159
Separação do Crente; A Vida de Separação VI, 159
Uma discussão detalhada é oferecida com nove itens.
Separação do crente, princípios da, Ver *Separação do Crente*, V.
Separação do crente, regras da, Ver *Separação do Crente*, I.
Separação Eclesiástica VI, 162
Ver *Separação do Crente*.
Separação Marital VI, 162
Ver também *Separação do Crente; e Divórcio*.
Separação no casamento, Ver *Separação Marital*.
Separação, parede da, Ver *Parede da Separação*.
Septuaginta (LXX) VI, 162
Um artigo detalhado é apresentado com nove discussões.
Septuaginta, avaliação, Ver *Septuaginta (LXX)*, 5.
Septuaginta e os manuscritos do Mar Morto, Ver *Septuaginta (LXX)*, 9.
Septuaginta, grego da, Ver *Septuaginta (LXX)*, 6.
Septuaginta, necessidade da, Ver *Septuaginta (LXX)*, 3.
Septuaginta no N.T., Ver *Septuaginta (LXX)*, 7.
Septuaginta, origem e data, Ver *Septuaginta (LXX)*, 1.
Sepulcro VI, 163
Ver sobre *Sepultamento, Costumes de, e Túmulo*.
Sepulcro, Igreja do Santo VI, 163
Sepulcro de Davi, Ver *Sepulcro dos Reis; Sepulcro de Davi*.
Sepulcro de Gordon, Ver *Túmulo de Gordon*.
Sepulcro dos Reis; Sepulcro de Davi VI, 164
Sepulcro Santo VI, 164
Sepultamento, Ver *Sepultamento, Costumes de*.
Sepultamento, Costumes de VI, 164
Um artigo detalhado é apresentado com nove discussões. Ver *também sobre Imortalidade; Reencarnação; Ressurreição*.
Sepultura VI, 166 Ver sobre *Sepultamento, Costumes de e Túmulo*.
Seqüestro VI, 166 Ver sobre *Crimes e Castigos*.
Seqüestro, crime contra o homem, Ver *Crimes e Castigos*, II.2.f.
Ser (Tornar-se: Vir-a-Ser) VI, 166
Os três pontos principais
Ver também *Jung, Idéias*, 6.
Ser dipartido, Ver *Dicotomia, Tricotomia, e Problema Corpo-Mente*.

SER – SIMÃO

Ser divino, modos do,
  Ver *Modos de Ser.*
Ser essencial, Ver *Espírito,* V.
Ser Independente VI, 167
Ser luminoso, na experiência perto da morte, Ver *Experiências Perto da Morte,* 11.9; 111.9.
Ser mais alto, Ver *Sobre-Ser.*
Ser Necessário VI, 167
Ser Subliminal VI, 167
Ser tripartido, Ver *Dicotomia, Tricotomia, o Problema Corpo-Mente.*
Ser, usado para provar a existência de Deus, Ver *Argumento Ontológico.*
Sera VI, 168
Serafins (Terafins) VI, 168
Seraías VI, 168 Dez homens no A.T.
Serápis VI, 169
Serebias VI, 169
  Dois homens do A.T.
Serede VI, 169
Seres VI, 169
Seres canalizadores, Ver *Nova Era,* 4.
Seres extraterrenos, Ver *Nova Era,* 3.
Seres viventes, os quatro,
  Ver *Quatro Seres Viventes.*
Sérgio e cristologia,
  Ver *Cristologia,* 4.m.
Sergio Paulo VI, 169
  Em Atos 13:7
  O encontro de Paulo e Barnabé com esse homem
  A única referência ao procônsul Sérgio Paulo
  A busca por algo melhor em Chipre
Sermão VI, 170
  Ver sobre *Homilética (Homilia).*
Sermão da Montanha (Monte) VI, 170
  I. Título e Unidade
  II. Caracteríticas Literárias
  III. Conteúdo
  IV. O Primeiro Grande Discurso do Evangelho de Mateus
  V. Os Nomes
  VI. Fontes do Material de Mateus
  VII. Harmonia Desta Seção
  VIII. Comparação das Duas Narrativas
Sermão do Monte, Ver *Sermão da Montanha (Monte).*
Sermões de Atos, historicidade dos,
  Ver *Historicidade dos Sermões de Atos.*
Serom VI, 173
Serpente VI, 173 Ver sobre *Serpentes (Serpentes Venenosas).*
Serpente, A Antiga VI, 173
  Título de Satanás. Ver *Apo.* 12:9.
  O homicida desde o princípio
  O grande dragão sua qualidade de destruidor
Serpente de Bronze VI, 173
Serpente, Encantamento da VI, 173
Serpente, Pedra da (Pedra de Zoelete) VI, 174
Serpente Tortuosa VI, 174
  Ver sobre a *Astronomia.*
Serpentes (Serpentes Venenosas) VI, 174
Serpentes Abrasadoras VI, 175
Serra VI, 175
Serra da Judéia VI, 175
Seruge VI, 175
Serva VI, 175
Serveto, Miguel VI, 175
Serviço VI, 176
Serviço à Vista VI, 177
Serviço prático ilustrado, Ver *Marta.*
Serviço Social VI, 177
  No tocante à obra social e à religião, ver sobre o *Evangelho Social.*
Servidão VI, 177
Servo VI, 177
Servo do Senhor VI, 179
  Esboço
  I. Terminologia
  II. Usos no Antigo Testamento
  III. Modos da Interpretação
  IV. Algumas Referências Gerais
  V. Idéias do Judaísmo Posterior
  VI. O servo do Senhor no Novo Testamento
Servo do Senhor, caráter do,
  Ver *Servo do Senhor,* III.
Servo do Senhor, interpretações,
  Ver *Servo do Senhor,* III
Servo do Senhor, judaísmo posterior, Ver *Servo do Senhor,* IV.
Servo do Senhor, missão do,
  Ver *Servo do Senhor,* III.
Servo do Senhor no N.T., Ver *Servo do Senhor,* V.
Servo, o Maior Entre os Homens VI, 180
Servos de Salomão VI, 181
Servos do templo, Ver *Netinim (Servos do Templo).*
Sesã VI, 182
Sesai VI, 182
Sesaque VI, 182
Sesbazar VI, 182
Sessenta VI, 182 Ver sobre *Número.*
Setar VI, 182
Setar-Bozenai VI, 182
Sete (Filho de Adão e Eva) VI, 182
Sete (Setenta) VI, 183 Ver sobre *Número (Numeral, Numerologia).*
Sete Cabeças VI, 183
  Sete cabeças e dez chifres *Apo.* 12:3
Sete Candeeiros VI, 183
Sete Cartas VI, 183
  (Apo. Capítulos 2-3)
  Cartas às Igrejas
  Sete discussões apresentadas
Sete Chifres VI, 184
Sete Declarações da Cruz VI, 185
Sete Diademas VI, 185
Sete Dons do Espírito VI, 186
Sete Espíritos de Deus, Apo. 1:4 VI, 186
  O sumário das interpretações
Sete Estrelas VI, 187
  Ver sobre *Astronomia.*
Sete-estrelo, Ver *Plêiades (e Outras Constelações); Sete-Estrelo.*
Sete Obras de Misericórdia:
  Espirituais e Corporais VI, 187
Sete Olhos do Cordeiro VI, 187
Sete Palavras da Cruz VI, 187
  Ver sobre *Sete Declarações da Cruz.*
Sete Pecados Mortais VI, 187
Sete sacramentos, Ver *Sacramentos,* IV.
Sete Salmos Penitenciais VI, 188
Sete Selos VI, 188
  A visão dos sete selos (Apo. 6:1-8:6)
Sete Taças VI, 189
  Juízos das sete taças, Apo.15:1-16:21,
Sete Trombetas, Ver *Trombetas, As Sete.*
Sete Unidades Espirituais VI, 190
  Ver sobre *Unidades: As Sete Unidades Espirituais.*
Sete Virtudes Cardeais VI, 190
Setenta VI, 190
  Ver sobre *Sete, Setenta.*
Setenta Discípulos VI, 190
  Ver *Setenta, Missão dos.*
Setenta, Missão do VI, 190

Ver *Lucas* 10:1-24.
Setenta Semanas VI, 191
  Esboço
  I. Elementos da Profecia
  II. Diversas Interpretações
  III. Gráfico e Observações
Sétimo Dia, Adventistas
  Ver *Adventistas.*
Sétimo Dia, Batistas do, Ver *Batistas do Sétimo Dia.*
Setur VI, 191
Seva VI, 191
  Dois homens do AT.
Sevene VI, 191
Sexo VI, 192
  I. Caracterização Geral
  II. Observações do Antigo Testamento
  III. Tipos de Casamento
  IV. No Período Greco-Romano
  V. Observações do Novo Testamento
Sexos unidos, Ver *Unidade em Cristo,* II.
Sexta-Feira, Dia da Crucificação VI, 194
  Ver sobre *Dia da Crucificação, Sexta-Feira.*
Sexta-Feira Santa VI, 194
  O dia tradicional da crucificação de Jesus
Sextário VI, 195
  Ver sobre *Pesos e Medidas.*
Sexto Empírico VI, 195
Shabbethai Zvi Ben Mordecai VI, 195
Shakespeare, William VI, 195
  Ver sobre *Tragédia,* 2.
Shammai (Escola Rabínica) VI, 195
  Ver também sobre *Hillel.*
Shamra, Ras, Ver *Ras Shamra*
Shankara (Shankaracharya) VI, 195
Shan Karacharya, Ver *Shankara (Shan Karacharya).*
Shao Yung VI, 196
Shastras VI, 196
Shekinah VI, 197
  Esboço
  1. Origem do termo
  2. O uso no Talmude
  3. Representações simbólicas
  4. Paralelos no N.T.
Sheldon, W.H. VI, 198
  Ver sobre *Polaridade.*
Sheler, Max F. VI, 198
Shelley, Percy Bysshe VI, 198
Shelling (Schelling), Friedrich Wilhelm VI, 198
Sheol VI, 199
  Ver também sobre *Hades,* e *Descida de Cristo ao Hades.*
  1. O sheol como habitação dos mortos
  2. Lugar de almas desincorporadas, conscientes
  3. Localidade imaginária
  4. O sheol em relação à imortalidade
  5. Esperança no sheol (hades)
Shephelah VI, 201
Shiggaion VI, 201
  Ver sobre *Música e Instrumentos Musicais.*
Shiitas VI, 201
  Ver sobre *Maometanismo.*
Shiva (Siva, Civa) VI, 201
Shunyavada VI, 201
Sia VI, 201
São VI, 201
  Esboço
  I. Nome
  II. Aplicação Geográfica
  III. Significação Teológica

Sião, Filha de VI, 202
Sião, geografia, Ver *Sião,* II.
Sião, o nome, Ver *Sião,* I.
Sião, teologia, Ver *Sião,* III.
Sibecai VI, 202
Sibilinos, Oráculos, Ver *Oráculos Sibilinos.*
Sibma VI, 202
Sibolete VI, 203
  Ver sobre *Chibolete.*
Sibraim VI, 203
Sicar VI, 203
Sicília VI, 203
Siciom VI, 203
Siclo VI, 203
  Ver sobre *Dinheiro.*
Siclo, peso,
  Ver *Pesos e Medidas,* IV.C.
Siclo Real VI, 203
  Ver sobre *Dinheiro.*
Siclo Sagrado VI, 203
Siclos de Prata VI, 203
  Ver sobre *Dinheiro.*
Sicômoro VI, 204
Sicrom VI, 204
Sicute, Ver *deuses Falsos,* III.36.
Sicute e Quium VI, 204
Siddur VI, 204
Side VI, 204
Sidgwick, Henry VI, 204
Sidim, Vale de VI, 205
Sidom VI, 205
Siene VI, 205 Ver sobre *Sevene.*
Si Fallor, Sum VI, 205
Sifi VI, 205
Sifmita VI, 205
Siftmote VI, 205
Sifra VI, 205
Significação de Paulo,
  Ver *Paulo (Apóstolo),* II.
Significado VI, 205
  Ver também sobre *Conhecimento e a Fé Religiosa.*
Significado da fé, Ver *Fé,* 4.
Significado da humanidade de Cristo, Ver *Humanidade de Cristo,* IV.
Significado Existencial VI, 206
Significados da criação,
  Ver *Criação,* IV.
Signos do Zodíaco VI, 206
Sikhismo VI, 207
  Um movimento reformador
Sila VI, 207
Silas VI, 207
  Seis discussões apresentadas
Silém VI, 207
Sili VI, 207
Silim VI, 207
Silo VI, 207
  Esboço
  1. Escavações
  2. Silo na Bíblia
  3. Silo citada em Gên. 49:10
Siló, Ver *Taanate-Siló.*
Siloé VI, 208
Siloé, Torre de VI, 209
Siloé, Vila de VI, 209
Silonita VI, 209
  Duas personagens do A.T.
Silsa VI, 209
Silvano VI, 210 Ver sobre *Silas.*
Silvano, Ensinamentos de VI, 210
Silvestre I, Papa VI, 210
Silvestre II, Papa VI, 210
Silvestre III, Antipapa VI, 210
Silvestre IV, Antipapa VI, 210
Sim VI, 210 Ver sobre *Sin.*
Sim, Deserto de VI, 210
  Ver sobre *Sin, Deserto de.*
Simão VI, 210
  Dez homens na Bíblia
Simão, o Cananeu VI, 211
  Ver sobre *Simão,* 2.

839

SIMÃO – SOCIEDADES

Simão Macabeu VI, 211
  Ver também o artigo geral sobre os *Hasmoneanos (Macabeus).*
Simão Mago VI, 211
  Cinco discussões apresentadas
Simão Zelote, Ver *Zelotes*, 6.
Simbolismo da cruz, Ver *Cruz*, II, III.
Simbolismo do fogo, Ver *Fogo*, VII, VIII, *e Fogo, Símbolo de.*
Símbolo, Ver *Metáfora, Metáforas (Símbolos).*
Símbolo, Simbolismo VI, 212 T.
  I. Natureza dos Símbolos o do Simbolismo
  II. Símbolos na Bíblia
  III. A Cruz
  IV. Simbolismo Pós-Bíblico
Símbolo; Simbolismo; Tipos VI, 213
  Ver os artigos:
  Símbolo, Simbolismo
  Símbolos, Histórico-Cristãos
  Símbolos e o Conhecimento
  Símbolos na Filosofia
Símbolos, Ver *Metáfora, Metáforas (Símbolos).*
Símbolos do casamento, Ver *Matrimônio*, XIII.
Símbolos e o Conhecimento VI, 213
  A própria linguagem como símbolo.
  As teologias e filosofias
Símbolos, Histórico-Cristãos VI, 214
  A importância dos símbolos para a fé religiosa
Símbolos na Filosofia VI, 215
  Oito discussões apresentadas
Simeão VI, 215
  A tribo e diversas pessoas da Bíblia
Simeão VI, 216
Simeatitas VI, 216
Simei VI, 216
  Seis pessoas da Bíblia
Siméia VI, 217
  Cinco pessoas mencionadas
Símile, VI, 217
Similitudo Dei VI, 217
Simonia VI, 217
Simpatia VI, 217 Ver também sobre *Altruísmo e Egoísmo.*
Símplices VI, 218
Simplicidade VI, 218
Simul Justus et Peccator VI, 218
Sin VI, 219
Sin (Cidade) VI, 219 Ver sobre *Pelúsio.*
Sin, Deserto de VI, 219
Sinabe VI, 219
Sinagoga VI, 219
Esboço
  I. A Palavra e Descrições
  II. Origem da Sinagoga
  III. Oficiais da Sinagoga
  IV. Centro da Sociedade
  V. Arquitetura e Funções das Sinagogas
  VI. O Culto nas Sinagogas
  VII. Sinagoga de Cafarnaum do Primeiro Século Descoberta
Sinagoga, A Grande VI, 222
Sinagoga de Satanás VI, 222
  I. Identificações
  II. Detalhes
  III. Como Judeus: Perseguições e Reações
Sinagoga, descrições, Ver *Sinagoga*,1.
Sinagoga do primeiro século, Ver *Sinagoga*, VII.
Sinagoga dos Libertos, Ver *Libertos, Sinagoga dos.*
Sinagoga, funções, Ver *Sinagoga*, V.
Sinagoga, oficiais, Ver *Sinagoga*, III.
Sinagoga, origem, Ver *Sinagoga*, III.

Sinai VI, 223
  As relações entre o Sinai e Horebe
  A identificação moderna
Sinal, Deserto do VI, 223
Sinai, Monte VI, 223
Esboço
  I. Identificações Sugeridas
  II. Identificação Tradicional
  III. O Monte Sinai na Bíblia
  IV. Depósito de Manuscritos Bíblicos
Sinais de possessão demoníaca, Ver *Possessão Demoníaca*, 4.
Sinais dos Céus VI, 224 Ver sobre *Astronomia.*
Sinais dos tempos, Ver *Profecia*: *Tradição da, e a Nossa Época*, I.
Sinaiticus, Codex, Ver *Manuscritos Antigos do N. T.*, 111.5. *Aleph*; e S.
Sinal (Marca) VI, 224
  Ver também *Marca (Sinal).*
Sinal (Marca) da Besta (Anticristo) VI, 225 Ver Apo. 13:16,17; 14:9,11; 15:2; 16:2; 19:20; 20:4.
  As várias interpretações
  A resposta mais simples
  Ver também *Marca (Sinal)*, 9.
Sinal (Milagre) VI, 227
Esboço
  I. Sinônimos
  II. Significações
  III. Sentido
Sinal da Cruz VI, 228
Sinal de Asserção VI, 228
Sinal e Símbolo VI, 228
Sinceridade VI, 228
Sincero VI, 229
  Ver sobre *Sinceridade.*
Sincretismo VI, 229
  Seis discussões apresentadas
Sindérese VI, 229
Sindicatos VI, 230
  Ver sobre *Oficiais e Profissões*
Sinear VI, 230
Sinédrio VI, 231
Esboço
  1. Fontes informativas
  2. Terminologia
  3. História
  4. Composição
  5. Sessões
  6. Competência
  7. O sinédrio no N.T.
Sinergismo VI, 233
Sinete VI, 234
  O hebraico
  Ocorrências
  O uso de sinetes
Sineus VI, 234
Singeleza de Coração VI, 234
Singularidade de cada indivíduo, Ver *Destino*, V.
Sinim, Terra de VI, 234
  Ver sobre *Siene.*
Sino VI, 234
Sínodo de Elvira, Ver *Elvira, Sínodo de.*
Sínodo de Jerusalém, Ver *Jerusalém, Sínodo de.*
Sínodo (Concílio) de Laodicéia, Ver *Laodicéia, Sínodo (Concílio) de.*
Sínodo Santo VI, 234
Sínodos de Cartago VI, 234
Sinopensis, Codex, Ver *O.*
Sinóptico VI, 235
Sinóptico, Problema VI, 235
  Ver sobre *Problema Sinóptico.*
Sinópticos e o Filho de Deus, Ver *Filho de Deus*, II.
Sinópticos, Evangelhos VI, 235
  Ver sobre *Problema Sinóptico*
Sinrate VI, 235

Sinri VI, 235
  Quatro homens do A.T.
Sinrite VI, 235
Sinrom VI, 235
  Um homem e uma cidade do Antigo Testamento
Sinron-Meron VI, 235
Sinsai VI, 235
Síntese VI, 235
Sintético, julgamento, Ver *Julgamento Sintético a Priori.*
Síntique VI, 235
Siom VI, 235
Siom VI, 236
Sionismo VI, 236
Sior VI, 236
Sior-Libnate VI, 236
Siquém VI, 236
  Três pessoas e uma cidade no A.T.
Sirá, Poço de VI, 237
Siracusa VI, 237
Siraque, Filho de VI, 237
  Ver sobre *Eclesiástico.*
Siraque, Jesus Ben VI, 237
  Ver sobre *Jesus Ben Siraque,*
Siraque, Livro de Ben, VI, 237
  Ver sobre *Eclesiástico.*
Siraque, Sabedoria de, Ver *Eclesiástico.*
Siria VI, 237
  Ver sobre *Arã, Arameus.*
Siria de Damasco VI, 237
Siríacas, Igrejas, Ver *Igrejas Siríacas.*
Siriano VI, 237
Siriom VI, 237
Sírios da Mesopotâmia VI, 237
Siro-Fenícia VI, 238
Sirte VI, 238
Sisa VI, 238
Sisaque VI, 238
  O nome de um, rei do Egito
Sísera VI, 238
  Ver também sobre *Débora.*
Sisines VI, 239
Sismai VI, 239
Sistema VI, 239
Sistema matriarcal, Ver *Matriarcal, Sistema.*
Sistema Patriarcal VI, 239
  Ver também sobre *Matriarcal, Sistema.*
Sistema teísta, Ver *Literaturas Sagradas*, 2.
Sistemas do hinduísmo, Ver *Hinduísmo*, V.
Sistemas pré-históricos de escrita, Ver *Escrita*, II.
Sistemas semióticos, Ver *Escrita*, I.D.
Sistemas tradicionais da filosofia, Ver *Filosofia*, III.
Sistemática, teologia, Ver *Teologia Sistemática.*
Sitim VI, 240
  O nome de uma região nas planícies de Moabe Papel de Sitim, nas Escrituras Sagradas
  O recenseamento feito em Sitim,
Sitna VI, 240
Sitrai VI, 240
Sitri VI, 240
Situação da mulher, Ver *Mulher, Situação da.*
Situação de Fronteira VI, 240
Sivã VI, 240
Siza VI, 240
Sizígia VI, 240
Skándalon (Escândalo) VI, 241
Skandhas VI, 241
  Ver também sobre *o Budismo*
Smart sobre o materialismo, Ver *Materialismo*, 21.

Smith, Adam VI, 241
Smith, John VI, 241
  Ver sobre *Sensações Espirituais.*
Smith, Joseph Jr. VI, 241
  Ver também sobre *Santos dos Últimos Dias (Mórmons), e Livro de Mórmon.*
Sô VI, 241
Soa VI, 242
Soalho VI, 242
Soão VI, 242
Sobabe VI, 242
Sobai VI, 242
Sobal VI, 242
  Dois ou três homens do A.T.
Sobeque VI, 242
Soberania de Deus VI, 242
  Ver também os artigos separados sobre *Determinismo e Livre-Arbítrio.*
Sobi VI, 243
Soboque VI, 243
Sobrenatural e liberalismo, Ver *Liberalismo*, III.4,6,F.
Sobrenaturalidade delata, Ver *Deus*, III.10.
Sobrenaturalismo VI, 243
  Cinco discussões apresentadas
Sobrenaturalismo, informes históricos e controversiais,
  Ver *Sobrenaturalismo*, 5.
Sobrenaturalismo, na filosofia,
  Ver *Sobrenaturalismo*, 3.
Sobrenaturalismo, na teologia cristã,
  Ver *Sobrenaturalismo*, 4.
Sobrenaturalismo, nas religiões,
  Ver *Sobrenaturalismo*, 2.
Sobrenome VI, 245
Sobre-Ser VI, 245
  Ver também *Dicotomia, Tricotomia; e Espírito*, IV.
Sobrevivência VI, 246
Sobrevivência dos Mais Aptos VI, 246 Ver sobre *Seleção Natural.*
Sobriedade, Ver *Sóbrio,Sobriedade.*
Sóbrio, Sobriedade VI, 246
Sociais cristãos, movimentos,
  Ver *Movimentos Sociais Cristãos.*
Socialismo VI, 246
  Ver sobre *Comunismo e Teologia da Libertação,*
Esboço
  I. Definições
  II. Raízes Anti-religiosas
  III. Raízes Contra uma Sociedade Livre
  IV. O Socialismo e o Materialismo
  V. Perspectiva Histórica e Filosófica do Socialismo
Socialismo, livre sociedade e, Ver *Socialismo*, III.
Socialismo, materialismo e,
  Ver *Socialismo*, IV.
Socialismo, perspectiva histórica,
  Ver *Socialismo*, V.
Socialismo, religião e,
  Ver *Socialismo*, II.
Sociedade Aberta VI, 248
Sociedade com a iniquidade,
  Ver *Separação do Crente*, VI.
Sociedade de Amigos VI, 248
  Ver também sobre *Fox, George; e Quacres.*
Sociedade de Jesus VI, 248
  Ver sobre *Jesuítas.*
Sociedade Para Pesquisas Psíquicas VI, 248
  Ver sobre *Parapsicologia.*
Sociedades Bíblicas VI, 248
Sociedades polígamas, Ver *Poligamia*, 2.
Sociedades primitivas e lei,
  Ver *Lei, Analogia*, 3.

SOCIEDADES – SUMO SACERDOTE

Sociedades Secretas VI, 249
Socinianismo VI, 249
 Ver também sobre *Socínio, Laélio e Fausto.*
Sociologia da Religião VI, 249
 Esboço
 I. Definições
 II. Escola Principais
 III. Como as condições Sociais Criam Crenças
 IV. A Sociologia e a Ética
Sociologia do Conhecimento VI, 251
Socó, VI, 251
 Três cidades na Bíblia
Socorros (Ajudas) VI, 251
Sócrates VI, 252
 Um artigo detalhado é oferecido com informes históricos e discussões de suas idéias
Sócrates e a dialética,
 Ver *Dialética*, 1.
Sócrates, Escolas de VI, 254
 Ver sobre *Escolas Socráticas.*
Sócrates, ética de, Ver *Ética*, III.
Sodi VI, 254
Sodoma VI, 254
Sodoma e Ló, Ver Lá, 6.
Sodoma, Maçãs de, Ver *Maçãs de Sodoma.*
Sodoma, Mar de VI, 255
 Ver sobre *Mar Morto.*
Sodoma, Vinha de VI, 255
 Ver sobre *Vinha de Sodoma.*
Sodomia VI, 255
 Ver sobre *Crimes e Castigos.*
Sodomita VI, 255
Sofaque VI, 255
Soferete VI, 256
Sofia VI, 256
Sofisma VI, 256
Sofistas VI, 256
 História dos sofistas
 Os sofistas e Sócrates
 Principais sofistas
Sofistas sobre linguagem,
 Ver *Linguagem (Filosofia e; Filosofia da Linguagem*, 2.
Sofonias VI, 257
 Quatro homens do A.T.
Sofonias (Livro de) VI, 257
 Esboço
 1. Unidade
 2. Data
 3. Pano de fundo histórico
 4. Propósito
 5. Conteúdo
Sofonias, Apocalipse de VI, 258
Sofrimento, Ver *Dor (Sofrimento).*
Sofrimento, *Necessidade de* VI,259
 Ver também *Problema do Mal.*
Sofrimento e o Problema do Mal VI, 260
Sofrimento humano, o porquê,Ver *Problema do Mal.*
Sofrimento no Julgamento VI, 260
Sofrimento Remedial dos Perdidos VI, 260
Sofrimento Vicário VI, 260
 Ver *Expiação do* II. 7.
Sogra VI, 260
 Ver sobre *Família.*
Sol VI, 260
 Esboço
 I.O Sol no A.T.
 II.O Sol no N.T.
 III.O Sol na Literatura Pós-Bíblica
 IV.O Sol na Literatura, na Arte e no Folclore do Mundo Greco-romano
Sol, Adoração ao VI, 261
Sol, Cavalos do VI, 261
Sol, Cidade do VI, 261
Sol, mulher vestida do, Ver *Mulher*

Vestida do Sol.
Sol, relógio do, Ver *Relógio do sol.*
Sol, Simbolismo nos Sonhos e nas Visões VI, 261
Sola Fide, Solifidianismo VI, 262
Soldado VI, 262
 Ver sobre *Exército, e Guerra.*
Soldadura VI, 262
Solene, Assembléia,Ver *Assembléia Solene.*
Solidariedade VI, 262
Solifidianismo, Ver *Sola Fide, Solifidianismo.*
Solipsismo VI, 262
Soma VI, 262
Somatismo VI, 263
 Ver sobre *Kotarbinski.*
Sombra VI, 263
 Ver também *Jung*, Idéias, 5.
Somer VI, 263
 Dois homens no A.T.
Sonho, Ver *Sonhos.*
Sonho, definição, Ver *Sonhos*, I.
Sonhos VI, 263
 Esboço
 I. O Que é um Sonho?
 Treze discussões apresentadas
 II. Algumas Idéias Antigas sobre os Sonhos
 III. Os Sonhos na Bíblia
 IV. Os Sonhos nos Estudos Científicos
 V. Sonhos Psíquicos
 VI. Sonhos Espirituais
 Bibliografia
 Ver também *Adivinhação.*
Sono VI, 267
 Sentidos literais e metafóricos
Sono da Alma VI, 268
 Argumentos dos que crêem no "Sono da Alma"
 Argumentos contra o "Sono da Alma"
Sóprato, VI, 269
Sopro de Jesus do Espírito VI, 269
 Em João 20:22
 Interpretações do trecho
Sopro do Espírito, Ver *Sopro Jesus do Espírito*
Sorel, Georges VI, 270
Soreque VI, 270
Sorley, William Ritchie VI, 270
Sorte, Ver *Chance e Fatalismo, Sorte.*
Sortes VI, 271
 Oito discussões apresentadas
 Ver também sobre *Adivinhação*, 8
Sortes, Festa das VI, 271
Sosíprato VI, 271
Sóstenes VI, 271
 Dois homens no N.T.
Sóstrato VI, 272
Sotai VI, 272
Soteriologia VI, 272
Sovela VI, 272
S. (P), abreviação para Código Sacerdotal, Ver *Código Sacerdotal.*
Spencer, Herbert VI, 272
Spengler, Oswald VI, 272
Speusipo (Espeusipo) VI, 273
Spinoza. Baruque (Benedito) VI, 273
 Um estudo detalhado com onze discussões é apresentado
 Ver também *Judaísmo*, V.6.
Spinoza sobre sabedoria,
 Ver *Sabedoria*,V.6.
Spraggett, Alan, Ver *Projeção da Psique*, Vol. V, p. 450, segunda coluna.
Spranger Edward VI, 275
Spurgeon, Charles Haddon VI, 275

Stanley, Arthur Penrhyn VI, 275
Stern sobre personalismo,
 Ver *Personalismo*, III.5.
Stigmata VI, 275
 Ver *Estigmas (Stigmata).*
Stoicheia VI, 275
 Ver sobre *Elementos (Espíritos Elementares).*
Strang (Strangites),
 Ver *Santos dos Últimos Dias,* IV. 6.
Stratão (Estratão) VI, 275
Strauss, David VI, 275
Streeter Burnett Hillman VI, 276
Strong, Augustus Hopkins VI, 276
Sua VI, 276
 Três pessoas na Bíblia
Sua Mulher, Judia VI, 276
Sua, Sude VI, 276
Suá VI, 276
 Duas pessoas no A.T.
Sual VI, 277
 Um homem e uma região geográfica da Bíblia.
Suarez, Francisco VI, 277
Suástica VI, 277
 A raiz da palavra Formas
 A Alemanha moderna
Subas VI, 277
Subba, Ver *Mandeanos.*
Subdiácono VI, 277
Subida de Acrabim VI, 277
Subiu às Alturas VI, 277
 I. Interpretação
 II. A Descida de Cristo ao Hades e a Sua Subida
 Tinham o Mesmo Propósito
 Ele subiu para encher todas as coisas Ver também os artigos gerais sobre a *Descida de Cristo ao Hades*; a *Missão Universal de Cristo*; e a *Restauração.*
Subjetivismo VI, 278
 Ver sobre *Objetivismo; Subjetivismo.*
Subjetivismo, idealismo,
 Ver *Idealismo Subjetivo.*
Sublapsarianismo (Infralapsarianismo) VI, 278
 Ver também *Lapsarianismo (A Controvérsia Lapsária).*
Submissão, oração como,
 Ver *Oração*, I.
Subordenação VI, 278
Suborno 71, 278
Subsistência VI, 279
Substância VI, 279
 Treze filósofos expressam suas idéias sobre este assunto
 Ver também as *idéias alistadas* na pág. 352 e *Problema Corpo-Mente.*
Substância, Locke sobre, Ver *Locke, John,* 6 e 7.
Substancialismo VI, 280
 Ver sobre *Problema Corpo-Mente.*
Substituição VI, 280
 Ver sobre *Expiação.*
Substituição, teoria da *expiação*,
 Ver *Expiação*, II.7.
Subúrbios VI, 280
Sucatitas VI, 281
Succubus, Ver *Incubus e Succubus.*
Sucessão, Ordem de VI, 281
Sucessão Apostólica VI, 281
 Declaração geral
 Significado da expressão
 O uso do termo
 A tríplice corda protetora
 1. As Escrituras apostólicas
 2. A regra da fé dos apóstolos
 3. A sucessão apostólica
 Primeiras declarações
 Posição da Igreja Católica

Romana
 Os protestantes
Sucote VI, 282
Sucote-Benote VI, 282
 Ver também *deuses falsos*, III.37 .
Súcubo VI, 282
 Ver sobre *Íncubo e Súcubo.*
Sudário de Cristo VI, 282
 Um estudo completo é oferecido sobre este assunto que inclui as informações mais recentes
Sudário de Turim VI, 285
 Ver sobre *Sudário de Cristo.*
Sude, Ver *Sua, Sude.*
Sudias VI, 285
Sudra VI, 285
Suetônio VI, 285
Sufá VI, 285
Sufã VI, 285
Sufe VI, 285
Suficiência da Razão VI, 286
Sufismo VI, 286
Sufocar, Ver *Estrangular, Sufocar.*
Sugestão VI, 286
Suicídio VI, 286
 Esboço
 I.Definições e Causas
 II. Idéias dos Filósofos a Respeito
 III. Idéias dos Teólogos a Respeito
 Ver também *Eutanásia.*
 IV. Relações com a Eutanásia
 Bibliografia
Suicídio de Judas,
 Ver *Judas*, 2,Vol.III, p.621 na 2ª coluna
Suicídio e eutanásia
 Ver *Suicídio*, IV.
Suicídio na filosofia,
 Ver *Suicídio*, II.
Suicídio na teologia,
 Ver *Suicídio*, III.
Sui Generis VI, 289
Sujeição às Autoridades Humanas VI, 289
Sujeição da Criação VI, 290
Sul VI, 290
Sulamita VI, 290
Sulco VI, 291
Sumário de idéias éticas na filosofia,
 Ver *Ética*, XIII.
Sumateus VI, 291
Suméria VI, 291
 Esboço
 I. Nome
 II. Geografia
 III.História
 IV. Instituições Sociais e Econômicas
Summa Theologica VI, 292
Summae VI, 292
Summum Bonum VI, 292
Sumo Sacerdote VI, 292
 Esboço
 I. História
 II. Vestes dos Sumos Sacerdotes
 III.Natureza dos Deveres do Ofício Sumo Sacerdotal
 IV. Lições e Tipos Espirituais do Ofício Sumo Sacerdotal
Sumo Sacerdote, Cristo como VI, 295
 Esboço
 I. Detalhes de Heb. 8:1 -10:18
 II. Sumário de Idéias
 III.Sumo Sacerdote no Lugar de Aarão e Segundo a Ordem de Melquisedeque
 IV. A Superioridade de Jesus
Sumo Sacerdote, deveres, Ver *Sumo Sacerdote*, III.
Sumo Sacerdote, história, Ver *Sumo Sacerdote*, I.
Sumo Sacerdote, lições que ensina,

SUMO SACERDOTE – TEMPERANÇA

Ver *Sumo Sacerdote,* IV.
Sumo Sacerdote, vestes do,
  Ver *Sumo Sacerdote,* II.
Sunamita VI, 296
  Variante de *Sulamita* (vide).
Sunday, William Ashley VI, 296
Sunday School (Escola Dominical)
  VI, 296
Suném, VI, 298
Suni VI, 298
Sunitas VI, 298
Sunna VI, 298
Suor VI, 298
Suor de Sangue VI, 298
Superego VI, 299
Supererogação VI, 299
Superlapsarianismo,
  Ver *Lapsarianismo.*
Superpessoal VI, 299
Superstição VI, 299
Supim VI, 300
  Dois homens do A.T.
Suporte VI, 300
Suposição VI, 300
Supralapsarianismo VI, 301
  Ver também *Infralapsarianismo;* e *Lapsarianismo.*
Suquitas VI, 302
Sur VI, 302
Suras VI, 302
Surdez, Ver *Enfermidades na Bíblia,* 1. 12; *e Surdo, Surdez.*
Surdo, Surdez VI, 302
Susã (Susa) VI, 302
Susana, História de VI, 303
Esboço
  1. Conteúdo do livro
  2. Historicidade
  3. Autoria, lírigua e data
  4. Propósito
  5. Texto e canonicidade
Susaquitas; VI, 304
Susi VI, 304
Sustentador, Cristo (Logos) como VI, 304
Sutela VI, 305
Sutras VI, 305
Swedenborg, Emanuel VI, 305
  Um estudo completo é oferecido com onze discussões
Syllabus Errorum, Papal VI, 306

T

T VI, 307
Taã VI, 307
  Duas pessoas do A.T.
Tanaque, VI, 307
Taanate-Siló VI, 307
Taãs VI, 307
Taate VI, 307
  Três personagens e uma localidade no A. T.
Tabaote VI, 307
Tabate VI, 307
Tabeel VI, 307
Tabela das nações, mapa, Ver *Nações,* V, V, I.
Tabelas cronológicas do N.T., Ver *Cronologia do N. T.,* VII.
Taberá VI, 307
Tabernáculo VI, 308
Esboço
  I. Referências no A.T.
  II. Plano do Tabernáculo
  III. Ponto de Vista Tradicional
  IV. O Tabernáculo em Êxodo e Números
  V. Referências Históricas ao Tabernáculo
  VI. Críticas
  VII. Historicidade do Tabernáculo
  VIII. Problemas Relacionados à Tenda da Congregação e ao Tabernáculo
  IX. O Tabernáculo no N.T.
  X. A Significação Espiritual do Tabernáculo
  Bibliografia
Tabernáculo, crítica sobre,
  Ver *Tabernáculo,* VI.
Tabernáculo, historicidade do,
  Ver *Tabernáculo,* VII.
Tabernáculo no N.T.,
  Ver *Tabernáculo,* IX.
Tabernáculo, plano do,
  Ver *Tabernáculo,* I.
Tabernáculo, referências históricas,
  Ver *Tabernáculo,* V.
Tabernáculo, significação espiritual do, Ver *Tabernáculo.*
Tabernáculos, Festa dos VI, 310 Ver também sobre *Festas (Festividades) Judaicas.*
Tabita VI, 310Ver sobre *Dorcas.*
Tabletes de Argila VI, 310
Tabletes de Qouyunjig,
  Ver *Nínive,* 5,
Tabletes de Ugarite,
  Ver *Ugarite,* 2.
Tabor, Carvalho de VI, 310
Tabor, Monte VI, 310
  Ver sobre *Monte Tabor.*
Tabrimom VI, 310
Tabu VI, 310
Tábua de Pedra VI, 311
  As tábuas onde os dez mandamentos haviam sido escritos
Tábuas de Cipreste VI, 311
Tabuinha VI, 311
Tabula Nuda VI, 311
  Ver também sobre *Duns Scotus.*
Tabula Rasa VI, 311
  Ver também *Locke, John,* 2.
Taça VI, 312
Taças, sete, Ver *Sete Taças.*
Taciano VI, 312
  Ver também *Apologetas (Apologistas),* 7.
Taciario, Diatessaron dé,
  Ver *Diatessaron.*
Tadeu VI, 312
Tadeu, Atos de VI, 312
Tadmor VI, 312
Taeteto VI, 313
Tafate VI, 313
Tafnes VI, 313
  Uma rainha egípcia e uma localidade
Tagore, Sir Rabindranath, 313
T'Ai Chi VI, 314
Taine, Hipólito VI, 314
Talento VI, 314
  Ver também sobre *Moedas;* e *Pesos e Medidas.*
Talento, peso, Ver *Pesos e Medidas,* IV.A.
Tales de Mileto VI, 314
Talhas VI, 315
Talionis, Lex, Ver *Lex Talionis*
Talismã VI, 315
Talita Cumi VI, 315
Talmai VI, 315
  Duas personagens do A.T.
Talmom VI, 316
Talmude VI, 316
Esboço
  I. Origens e Desenvolvimento da lei Oral dos Judeus
  II. Antecedentes do Talmude
    A. A Mishnah
    B. A Midrash
  III. Divisões Literárias do Talmude
  IV. O Talmude Palestino e o Talmude Babilônico
  V. História Literária doTalmude
  VI.Significação do Talmude
  Talmude versus a Cabala,
  Ver *Judaísmo,* II,16.
Tama VI, 317
Tamer VI, 317
Três mulheres do A.T.
  Ver também *Hazazom-Tamar*
Tâmara VI, 318
Tamargueira, Arbusto VI, 318
Tambor VI, 318
  Ver sobre *Música e Instrumentos Musicais* 8
Tamboril VI, 318
  Ver sobre *Música o Instrumentos Musicais*
Tamborim VI, 318
  Ver sobre *Música e Instrumentos Musicais.*
Tamunete VI, 318
Tamuz VI, 318
  Ver também *deuses falsos,* III. 38.
Tanatologia VI, 319
Tânis VF, 319
Tanna VI, 319
Tantras; VI, 319
Tao VI, 319
Taoísmo VI, 319
Tao-Te Ching VI, 320
  Ver também sobre *Taoísmo.*
Tapua VI, 320
  Um homem e duas cidades no A.T.
Taquemoni VI, 320
  Ver *Hacmonita, Taquemoni.*
Tarala VI, 321
Tarde VI, 321
Tareia VI, 321
Targum VI, 321
Esboço
  I. Definição e Origem do Nome
  II. Targuns do Pentatouco
  III. Targuns dos Livros Proféticos
  IV. Targuns dos Hagiógrafos
  V. Uso dos Targuns
Tarpelitas VI, 322
Társis VI, 322
  O nome de três personagens, uma cidade e um tipo de embarcação no A.T.
Tarso VI, 322
Tart, Charles, Ver *Projeção da Psique, Vol. V, p.* 446, primeira coluna.
Tarã VI, 323
Tartaque VI, 324
  Ver também *deuses Falsos,* III. 39.
Tártaro VI, 324
Tassi VI, 324
Tatenai VI, 324
Tathata, Ver *Zen (Budismo),* 9.
Tátim-Hodsi VI, 324
Tatuagem VI, 324
Tau VI, 325
Tauler, João VI, 325
Taumaturgo, Gregório, Ver *Gregório Taumaturgo.*
Tautologia VI, 325
Tav (Tau, Assinatura) VI, 325
Taxação VI, 325
Taylor, Jeremy VI, 326
Taylor, Nathaniel VI, 326
Taylorismo VI, 326
  Ver sobre *Taylor, Nathaniel.*
Tear VI, 326
  Ver também sobre *Fiação.*
Teatro VI, 326
Tebá VI, 327
Tebaica, Versão VI, 327
Tebalias VI, 327
Tebas VI, 327
Tebes VI, 327 O hebraico
Tebete VI, 327
Tecer VI, 327
Téchne VI, 328
  Ver sobre *Tecnologia e Tecnocracia.*
Tecla, Atos de Paulo e VI, 328
  Ver sobre *Paulo, Atos de.*
Tecla e Paulo, Ver *Paulo, Atos de (Paulo e Tecla, Atos de).*
Técnicas da magia e bruxaria,
  Ver *Magia e Bruxaria V*
Tecnocracia, Ver *Tecnologia e Tecnocracia.*
Tecnologia e Tecnocracia VI, 328
Tecoa VI, 329
Te Deum VI, 329
Tefon VI, 329
Teichmuller, Gustavo VI, 329
Teilhard de Chardin, Pierre VI, 329
Teína VI, 329
Teísmo VI, 329
Esboço
  I. A Palavra e suas Definições
  II. Contrastes com Outras Idéias
  III. Idéias dos Filósofos
  IV. Arpinentos Teístas e a Existência de Deus
  V. O Teísmo Cristão
Teísmo e mediação,
  Ver *Mediação (Mediador).* VI.
Teísmo, ética de Ver *Ética,* IX.
Teísmo filósofo; sobre,
  Ver *Teísmo,* II.
Teísmo Ilustrado em literaturas sagradas, Ver *Literaturas Sagradas,* 1.
Teísmo prático, prova da existência de Deus, Ver *Deus,* IV. 18.
Tekhelet VI, 331
Teleologia VI, 331
  O conceito que diz que todas as coisas são originadas, controladas e desenvolvidas com uma finalidade do ser divino
Teleologia, Ética da VI, 331
Telepatia VI, 331
  Ver também *Parapsicologia.*
Televisão VI, 332
Tel-Harsa VI, 333
Tel-Melá VI, 333
Tela VI, 333
Telã VI, 333
Telaim VI, 333
Telassar VI, 333
Telém VI, 334
  Nome de uma personagem e de uma localidade do A.T.
Teleologia para provar a existência de Deus, Ver *Argumento Teleológico.*
Teleológico, argumento
  Ver *Argumento Teleológico.*
Telepatia em animais,
  Ver *Espiritismo (Espiritualismo), VI, 3º parágrafo.*
Telha VI, 334
Tell El-Amarna VI, 334
Esboço
  I. Introdução
  II. Significação Cultural
  III. O Atonismo
  IV. As Cartas de Tell ElAmarna Tema VI, 421
  Uma personagem e uma localidade no A.T.
Temã VI, 335 o hebraico
  Uma pessoa e uma localidade no A.T
Temas básicos dos ensinos de Jesus, Ver *Jesus,* III.3.
Temas das parábolas de Jesus, Ver *Jesus,* III.3.h.
Temeni VI, 336
Têmis VI, 336
Temístio VI, 336
Temor VI, 336
Temperança VI, 337 Ver também *Abstinência,* e *Auto-controle.*

TEMPESTADE – TEOLOGIA

Tempestade VI, 337
Templários VI, 338
Templo VI, 338
 Ver *Templo de Jerusalém*.
Templo (Átrios) VI, 338
 Ver também *Templo de Jerusalém*.
Templo de Deus, Igreja como VI,338
Templo de Ezequiel, Ver Templo de Jerusalém, V.
Templo de Herodes, Ver *Templo de Jerusalém*, VII.
Templo de Jerusalém VI, 339
 Esboço
 I. Pano de Fundo Histórico
 II. Significação do Templo de Salomão
 III. Localização
 IV. O Templo de Salomão
 V. O Templo de Ezequiel
 VI. O Templo de Zorobabel
 VII. O Templo de Herodes
 VIII. Restaurações
Templo, Símbolo de Graus de Acesso Espiritual VI, 342
 Descrições e interpretações
Templos VI, 342
 Esboço
 I. Significação e Função dos Templos da Antiguidade
 II. Arquitetura Clássica dos Templos do Oriente Médio
 Diversas culturas são discutidas
Templo de Salomão,
 Ver *Templo de Jerusalém*, II, V.
Templo de Zorobabel,
 Ver *Templo de Jerusalém*, VI.
Templo espiritual, Ver *Templo de Deus, Igreja como*.
Templo, restaurações,
 Ver *Templo de Jerusalém*. XIXI.
Templo, tesouraria do,
 Ver *Tesouraria do Templo*.
Templos, arquitetura,
 Ver *Templo* 10 11.
Templos funerários, Ver *Templos*, I.D.
Templos locais e cívicos,
 Ver *Templos*, I.B.
Templos, monumentos,
 Ver *Templos*, I.C.
Templos rituais, Ver *Templos*, I.E.
Templos, significados,
 Ver *Templos*, I.
Tempo VI, 345
 Ver sobre *Tempo e Espaço, Filosofia do, e Tempo, Divisões Bíblicas do Tempo*.
Tempo, ciclos do, Ver *Ciclo do Tempo*.
Tempo, conceitos do e precognição,
 Ver *Precognição (Conhecimento Prévio)*, 1.6.
Tempo, Divisões Bíblicas do VI, 345
 Esboço
 I. Terminologia
 II. Divisões Específicas do Tempo
 III. Gráfico das Divisões e Nomes
 IV. Conceitos Bíblicos do Tempo
 Consultar também o artigo sobre *Tempo e Espaço, Filosofia do*.
Tempo do arrebatamento,
 Ver *Parousia*, II.
Tempo do perdão, Ver *Perdão*, VI.
Tempo e Espaço, Filosofia do VI, 347
 Ver também o artigo sobre *Espaço*.
 Esboço
 I. A Filosofia do Espaço
 II. A Filosofia do Tempo
 III. A Filosofia do Tempo e do Espaço
Tempo, teoria da verdade, Ver *Conhecimento e a Fé Religiosa*, II.4.
Temporalidade de Deus VI, 349
Têmporas VI, 349

Tempos, plenitude dos,
 Ver *Plenitude dos Tempos*.
Tenaz, Espevitadeira VI, 349
 Ver também *Espevitadeira, Tenaz*.
Tenda VI, 349
Tendas, Ver *Palhoças, Tendas*.
Tendas, Fabricação de VI, 350
 Ver também *Fabricante de Tendas*.
Tendões VI, 350
Tendões Frescos VI, 350
Tentação VI, 350
 Esboço
 I. Definição
 II. O Dilema Humano
 III. Deus é Fiel
 IV. A Vitória é Possível
 V. Por que é Importante Resistir à Tentação
 VI. Meios para Escapar
Tentação de Cristo VI, 352
 Ver também *Cristo, Tentação de*.
Teocracia VI, 353
Teodicéia VI, 353
Teodócio VI, 355
 Ver sobre *Septuaginta*.
Teodoro de Estudion VI, 355
Teodoro de Mopsuéstia VI, 355
Teodoro de Tarso VI, 355
Teodoro, o Ateu VI, 355
Teodoto VI, 355
Teofagia VI, 355
Teofinia VI, 355
 Ver também *Presença de Deus*, 2
Teofascitas VI, 356
Teófilo VI, 356
Teófilo de Antioquia,
 Ver *Apologetas (Apologistas)*, 8.
Teófilo e cristologia,
 Ver *Cristologia*, 4.b.
Teofrasto VI, 356
Teologia VI, 357
 Esboço
 I. A Palavra e suas Definições
 Nove discussões apresentadas
 II. Referências a Artigos Relacionados
 III. Caracterização Geral; Esboço Histórico
 IV. A Teologia e os Filósofos
 V. Limitações e Expectativas
Teologia Além da Tempestade VI, 360
 Ilustradas por meio de uma parábola-visão
Teologia Alexandrina VI, 361 Ver sobre *Alexandria, Teologia de*.
Teologia Apofática VI, 361
Teologia, artigos relacionados a,
 Ver *Teologia*, I.
Teologia Ascética VI, 361
Teologia Bíblica VI, 361
 Esboço
 I. Sentidos da Expressão
 II. Observações e Críticas sobre Essas Idéias
 III. Principais Temas da Teologia Bíblica
 IV. Noções da História da Teologia Bíblica
 Doze discussões apresentadas
 Bibliografia
Teologia da Crise VI, 367
 Ver também *Dialética, Teologia da; e Crise, Teologia da*.
Teologia da cruz
 Ver *Cruz, Teologia da*.
Teologia da dialética,
 Ver *Dialética, Teologia da*.
Teologia da Doença Física VI, 367
 Ver sobre *Enfermidades*.
Teologia da ignorância,
 Ver *Ignorância, quinto parágrafo*.
Teologia da imputação,

Ver *Imputar, Imputação*.
Teologia da Libertação VI, 367
 Esboço
 I. O Termo e suas Definições
 II. Uma Crise Generalizada na Igreja Católica Romana
 III. Cristo, Cabeça Revolucionário?
 IV. Oposição e Críticas
 Doze discussões apresentadas
 V. Boff Critica o Vaticano
 VI. Defesa de Boff e da Teologia da Libertação
 VII. O Mau Exemplo de Cuba e a Sorte da Igreja Católica Romana Conclusão
Teologia de Alexandria,
 Ver *Alexandria, Teologia de*.
Teologia de Antioquia VI, 375
 Ver sobre *Escola Teológica de Antioquia*.
Teologia de Aristóteles VI, 375
Teologia de João Apóstolo,
 Ver *João Apóstolo*, III e *João Apóstolo, Teologia (Ensinos) de*.
Teologia de Jonas. Ver *Jonas, (o Livro e o Profeta)*, VIII.
Teologia de Lund,
 Ver *Lund, Teologia de*.
Teologia de Paulo, Ver *Paulo (Apóstolo)*, III, especialmente 5.
Teologia de Processo VI, 375
 Ver também *Progresso*, S.
Teologia Dialética VI, 376
 Ver *Dialética, Teologia da*.
 Ver também *Barth, Karl*.
Teologia do Antigo Testamento VI, 376
 Esboço
 I. A Teologia dos Começos
 II. Conceitos Primitivos da Natureza Metafísica do Homem
 III. Independência da Teologia Bíblica da Teologia Dogmática
 IV. Distinção Entre a Religião e a teologia do A.T.
 V. Diferenças Quanto a Metodologia e ao Ponto de Vista
 VI. O Poder Profético do A.T. As Promessas de Deus
 VII. A Ética do A.T.
 Bibliografia
Teologia do Logos,
 Ver *Logos (Verbo)* especialmente *IV*.
Teologia do Novo Testamento VI, 378
 Consultar lista de outros artigos relacionados na pág. 378
 1. Um método descritivo, histórico e informático
 2. Uma teologia bíblica
 3. Método pessoal e existencial
 4. Método cético-crítico
Teologia do Novo Testamento definições, Ver *Teologia do Novo Testamento*.
Teologia do Novo Testamento, métodos da, Ver *Teologia do Novo Testamento*.
Teologia do Pentateuco,
 Ver *Pentateuco*, V.
Teologia do propósito,
 Ver *Propósito*, 2.
Teologia Dogmática; a Dogmática VI, 378
Teologia e evolução,
 Ver *Evolução*, III.
Teologia e antropologia,
 Ver *Antropologia*, 3.
Teologia e autoridade da Igreja Católica Romana, Ver *Igreja Católica Romana, Catolicismo*, 9.
Teologia dispensacionalismo,
 Ver *dispensão (Dispensacionalismo)*.

Teologia e doença, Ver *Enfermidades na Bíblia*, IV.
Teologia e ecologia,
 Ver *Poluição Ambiental*, IV.
Teologia e experiência perto da morte, Ver *Experiência Perto da Morte*.
Teologia e evangelismo, Ver *Missão, Teologia de (Evangelismo)*.
Teologia e imortalidade, Ver *Imortalidade da Alma, Afirmações Teológicas*.
Teologia e mistérios, Ver *Mistério*,V.
Teologia o Moisés, Ver *Moisés*, III.
Teologia parapsicologia, Ver *Parapsicologia*, VIII.
Teologia e personalismo, Ver *Personalismo*, VI.
Teologia poesia, Ver *Poeta, Poesia*, IV
Teologia polaridade Ver *Polaridade, Princípio da*, III, IV.
Teologia e probabilidade, Ver *Probabilidade*, III.
Teologia e psicologia, Ver *Psicologia*, IV, V.
Teologia e universais,
 Ver *Universais*, IV.
Teologia Empírica VI, 378 Ver também o artigo sobre *Religião e Ciência*.
Teologia Federal VI, 380
 Ver também *Pactos, Teologia dos*.
Teologia, filósofos sobre,
 Ver *Teologia*, IV.
Teologia formal o fundamental,
 Ver *Formal e Fundamental, Teologia*.
Teologia Germânica VI, 380
 Ver também *Germânica, Teologia*
Teologia, história da,
 Ver *Teologia*, III.
Teologia Joanina VI, 380
 Ver *João Apóstolo, Teologia (Ensinos) de*.
Teologia liberal, Ver *Liberalismo*, especialmente III.
Teologia, limitações e expectativas, Ver *Teologia*, V.
Teologia Ludensiana VI, 380
 Ver sobre *Lund Teologia de*
Teologia melancólica,
 Ver *Melancólica*, 2° o parágrafo.
Teologia Mística VI, 380
 Ver também sobre *Misticismo*.
Teologia Moral VI, 380
Teologia Natural VI, 381
Teologia Negativa VI, 381
 Ver sobre *Pseudo-Dionísio; e Via Negationis*.
Teologia, ódio da,
 Ver *Odium Theologicum*
Teologia, paradoxos da,
 Ver *Paradoxo*, III.
Teologia Pastoral VI, 381
 Usos e origens da expressão
Teologia Paulina VI, 381
Teologia Prática VI, 381
Teologia Rabínica VI, 381
 Ver sobre *Judaísmo*.
Teologia Radical VI, 381
 Ver sobre *Morte de Deus*.
Teologia Revelada VI, 381
Teologia sacramental,
 Ver *Sacramentos*, III.
Teologia, salvação na,
 Ver *Salvação*, 7.

843

TEOLOGIA – TINTEIRO

Teologia Sistemática VI, 382
Esboço
I. Definição
II. Caracterização Geral
III. Conteúdo
IV. Esboço Histórico
  Bibliografia
Teologia sobre Maria, Ver *Mariologia (Maria, a Bendita Virgem)*, III
Teologia, sobrenaturalismo e, Ver *sobrenaturalismo*, 4
Teologia utilitária, Ver *utilitarismo teológico*
Teonomia VI, 384
Teoria casual da percepção VI, 384
Teoria da decisão, Ver *Decisão, Teoria da*.
Teoria da identidade, Ver *Identidade, Teoria da*.
Teoria da relatividade, Ver *Relatividade, Teoria da*.
Teoria do Conhecimento VI, 384
Teoria do conhecimento e linguagem, Ver *Linguagem (Filosofia e); Filosofia da Linguagem*, 18
Teoria heliocêntrica, Ver *Heliocêntrica, Teoria*.
Teoria Pragmática da Verdade VI, 384
Teoria Representativa das Idéias (Representacionalismo) VI, 384
Teorias cosmológicas do Pentateuco, Ver *Pentateuco*, VII
Teorias da evolução, Ver *Evolução*, II.
Teorias da origem, Ver *Criação*, II.
Teorias da Verdade VI, 384
Teorias e especulações sobre a ética Ver *Ética*, XII.
Teorias principais sobre expiação, Ver *Expiação*, II
Teosofia VI, 384
Treze discussões apresentadas
Tequel VI, 385 Ver sobre *Mene, Tequel, Ufarsim*.
Terá VI, 385
Terafins VI, 385 Ver também sobre *Serafins (Terafins)*.
Terapeutas VI, 386
Terceira Epístola aos Coríntios, Ver *Livros Apócrifos, N. T., 2.c*.
Terceira viagem missionária de Paulo, Ver *Paulo (Apóstolo)*, 1.6.
Terceiro Céu VI, 386 A ida de Paulo ao terceiro céu, em II Coríntios 12:2 A discussão sobre o assunto
Terceiro Dia, ao VI, 387
Ver *Dia da Crucificação*.
Terceiro Dia, o Dia da Ressurreição VI, 387 Ver sobre *Dia da Crucificação, Sexta-Feira*.
Terceiro Enoque, Ver *Enoque Hebreu (III Enoque)*.
Terciárias, qualidades, Ver *Qualidades: Primárias, Secundárias e Terciárias*.
Tércio VI, 387
Terço VI, 387
Terebinto VI, 387
Teres VI, 387
Teresa, Santa VI, 387
Terminismo VI, 388
Término do casamento, Ver *Matrimônio*, V.
Término do Evangelho de Marcos VI, 388. Ver sobre *Marcos, Término do Evangelho de*.
Término do matrimônio, Ver *Matrimônio*, V.
Termos que expressam adoração, Ver *Adoração*, I.A,B,C, ., E.
Terra VI, 388
Os povos antigos

Esboço
1. Palavras hebraicas
2. Outras idéias
3. No Novo Testamento
4. A existência da terra
  Usos literais
  Usos figurados
Terra Baixa de Hodsi VI, 389
Terra, Besta da, Ver *Besta da Terra*
Terra, colunas de, Ver *Colunas da Terra*.
Terra dos Filhos do Seu Povo VI, 389
Terra duplamente rebelde, Ver *Merataim (Terra Duplamente Rebelde)*.
Terra, leis da, Ver *Lei no A. T*.
Terra Oriental VI, 389
Terra, redondeza da, Ver *Redondeza da Terra*.
Terração, Ver *Eirado, Terraço, Teto*.
Terremoto VI, 389
  Oito discussões apresentadas
Terrorismo VI, 391
Tertuliano VI, 392
Tertuliano e cristologia, Ver *Cristologia*, 4.b
Tértulo VI, 392
Tesbita VI, 392
Tese-antítese-síntese, Ver *Hegel*, III.
Teses, Noventa e Cinco VI, 392 Ver sobre *Lutero*.
Tesouraria do Templo VI, 392
Tesouro VI, 393
  Um artigo detalhado é apresentado com oito discussões
Tesouro de Méritos VI, 396
Tesouro escondido, Ver *Parábola*, III.5.
Tesouro, Novo Testamento, Ver *Tesouro*, VIII.
Tesouro, termos, Ver *Tesouro*, 1.
Tesouro, tipos, Ver *Tesouro*,
Tesouro, tropeço espiritual Ver *Tesouro*, I .
Tesouros, Davi e Salomão, Ver *Tesouro*, IV.
Tesouros, reis de Israel, Ver *Tesouro*, V.
Tessalônica VI, 396
Tessalonicenses, Primeira Epístola de Paulo aos VI, 397
Esboço
I. A Igreja em Tessalônica
II. Autoria
III. Data e Proveniência
IV. Motivos e Propósitos
V. Temas Centrais
VI. Conteúdo
VII. Bibliografia
Tessalonicenses, Segunda Epístola de Paulo aos VI, 399
Esboço
I. A igreja em Teosalônica
II. Autoria, Autenticidade e Relação com I Tes.
III. Data e Proveniência
IV. Motivos e Propósitos
V. Temas Centrais
VI. Conteúdo
VII. Bibliografia
Testa VI, 403
Testamento VI, 403
Testamento de Abraão, Ver *Abraão, Testamento de*.
Testamento de Aser, Ver *Testamento dos Doze Patriarcas*, 1, 10º par.
Testamento de Benjamim. Ver *Testamento dos Doze Patriarcas*, 1, 12º par.
Testamento de Dã, Ver *Testamento dos Doze Patriarcas*, 1, 7º par.

Testamento de Gade, Ver *Testamento dos Doze Patriarcas*, 1, 9º par.
Testamento de Issacar, Ver *Testamento dos Doze Patriarcas, 1, 5º par*.
Testamento José, Ver *Testamento dos Doze Patriarcas*, 1,11º par.
Testamento de Judá, Ver *Testamento dos Doze Patriarcas*, 1, 4º par.
Testamento de Levi, Ver *Testamento dos Doze Patriarcas*, 1, 3º par.
Testamento de Naftali Ver *Testamento dos Doze Patriarcas*, 1, 8º par.
Testamento de Rúbem, Ver *Testamento dos Doze Patriarcas*, 1. 2º par.
Testamento de Simeão. Ver *Testamento dos Doze Patriarcas*, 1, 2º par.
Testamento de Zebulom, Ver *Testamento dos Doze Patriarcas*, 1, 6º par.
Testamento dos Doze Patriarcas VI, 404
Testamento dos Doze Patriarcas, influência sobre o N.T., Ver *Testamento dos Doze Patriarcas*, 6.
Testamentos, período entre, Ver *Período Intertestamental*.
Testemunha da salvação dos crentes, Ver *Espírito de Deus*, VI.
Testemunha Fiel, Cristo como VI, 405
Testemunha Ocular VI, 406
Testemunhas, as duas, Ver *Duas Testemunhas*
Testemunhas de Jeová VI, 406
  Consultar também os artigos intitulados *Russell, Charles Taze; Russelismo; Alvorecer do Milênio e Rutherford, J. F.*
Testemunhas de mormonismo, Ver *Santos dos Últimos Dias*, 2.c.
Testemunho VI, 406
Testemunho do Espírito VI, 407
Testemunho falso, Ver *Falso Testemunho*.
Testudo Inimigo VI, 408
Tete VI, 408
Tetragrarna VI, 408
Tetrarca VI, 408
Tetzel, João VI, 408
Teudas VI, 408
Teurgia, VI, 409
Texto hebraico, do A.T., História, Ver *Manuscritos do Antigo Testamento*, II.
Texto massorético, Ver *Massora (Massorah); Texto Massorético*.
Texto Tipo Bizantino VI, 409
Textos Bíblicos, Crítica dos VI, 409 Ver o artigo sobre *Manuscritos Antigos do Antigo e Novo Testamentos*.
Textos de Mari, Ver *Mari*, 4.
Textos e Manuscritos Bíblicos VI, 409 Ver *Manuscritos Antigos do AT e NT*
Textus Receptus VI, 409
Texugo, Dugongo VI, 409
Thánatos VI, 409
Theótokos VI, 410
Theravada VI, 410
Theravada, escola do budismo, Ver *Budismo*, III e V.
Thesaurus Meritorum, Ver *Tesouro de Méritos*.
Thoreau, Henrique David VI, 410
Thorn, Conferência de VI, 410
Thurificati, Ver *Lapso*, 5.
Tia VI, 410
Tiago VI, 410 Ver sobre *Tiago (Livro) e Tiago (Pessoas)*.
Tiago (Livro) VI, 410
Esboço
I. Confirmação Antiga e Autenticidade
II. Autoria

III. Data, Proveniência e Destino
IV. Fontes e Integridade
V. Tipo Literário e Relações
VI. O Cristianismo Judaico
VII. Paulo e Tiago
VIII. Propósitos e Ensinamentos
IX. Linguagem
X. Conteúdo
XI. Bibliografia
Tiago (Pessoas) VI, 425
Tiago, Apocalipse de VI, 426
Ver sobre *Apocalipse de Tiago*.
Tiago, Ascensões de VI, 427
Ver *Ascensões de Tiago*
Tiago o a lei, Ver *Lei Testamento*, VII.
Tiago e os dez mandamentos, Ver *Dez Mandamentos*, 7.c.
Tiago e Paulo, Ver *Tiago (Livro)*, VII.
Tiago, Justificação segundo Ver *Justificação*, VII,
Tiago Paulo o Jesus (em conflito?) Ver *Tiago (Livro)*, VII.10.
Tiago, Proto evangelho de VI, 427
Esboço
I. Caracterização Geral
II. Data
III. Autoria
IV. Integridade
V. Texto
VI. Conteúdo
  A história de Jesus, história de Maria e de José
Tiamate VI, 428
Tiara VI, 428
Tiatira VI, 428
Tiatira (Igreja e Carta à) VI, 430
Tibate VI, 430
Tiberíades VI, 430
Tibério VI, 431
Ver também *Império Romano*, IV.
Tibni VI, 431
Tição VI, 431
Ticvá VI, 431
Tidal VI, 431
Tifsa VI, 431
Tiglate-Pileser VI, 431
Tigre VI, 432
Tijolo VI, 432
Tijolos, fabricante de, Ver *Fabricante de Tijolos*.
Tijolos, fornos de, Ver *Fornos e Tijolos*.
Til VI, 433
Tillich, Paul VI, 433
Tillich sobre linguagem, Ver *Linguagem Filosofia a da Linguagem*, 13.
Tilom VI 434
Timão Vi, 434
Timeu VI, 434
Timinate-Heres, Timinate Seres VI, 434
Timna (Cidade) VI, 434
  Duas cidades no A.T.
Timna (Pessoas) VI, 434
  Quatro personagens no A.T.
Timnita VI, 435
Timocracia VI, 435
Timom de Flio VI, 435
Timóteo VI, 435
Timóteo, circuncisão de, Ver *Circuncisão de Timóteo*.
Timóteo, Epístolas a VI, 436
Ver sobre *Epístolas Pastorais Timóteo*, I e II (Livros) VII, 436
Ver sobre *Epístolas Pastorais*.
Tindal, Matthew VI, 436
Tinha VI, 436
Ver *Coceira, e Enfermidades na Bíblia*, I.33.
Tinta VI, 436
Tinteiro (Tintureiros) VI, 437
Ver também o artigo geral sobre *Artes e Ofícios*, 4.b.

TINTUREIROS – TRADIÇÃO

Tintureiros VI, 437 Ver sobre *Tinteiro (Tintureiros)*.
Tio VI, 437 Ver sobre *Família*.
Tipo VI, 437
Ver sobre *Tipos, Tipologia*.
Tipo de texto dos papiros do N.T., Ver *Manuscritos Antigos do Novo Testamento* II.
Tipologia VI, 437
Ver sobre *Tipos, Tipologia*.
Tipos, características dos, Ver *Tipos, Tipologia*, V.
Tipos, definição, Ver *Tipos, Tipologia*, II
Tipos, exageros, Ver *Tipos, Tipologia, VI*
Tipos, inspiração atrás, Ver *Tipos, Tipologia*, III.
Tipos legitimidade de, Ver *Tipos Tipologia* IV.
Tipos, termos empregados, Ver *Tipos, Tipologia*, II
Tipos Tipologia VI, 437
Esboço
I. Definição e Caracterização Geral
II. Termos Empregados
III. Inspiração Dessa Forma de Interpretação
Os rabinos
IV. Legitimidade da Tipologia e Oposição à Mesma
V. Características dos Tipos
VI. Como Evitar Exageros

TIPOS, TIPOLOGIA
Tipos Bíblicos Principais
Ver *a lista que segui e também os cinco artigos: Tipos Tipologia; Símbolo, Simbolismo; Símbolos e o Conhecimento; Símbolos, Histórico-Cristãos; e Símbolos na Filosofia*.
Aarão, Ver *Aarão, último parágrafo*.
Abraão, Ver *Abraão*, 13.
Adão, Ver *Adão, o Último (Segundo); e Dois Homens, Metáfora dos*.
Altar de incenso, Ver *Altar de Incenso, último parágrafo*.
Âncora, Ver *Âncora, segundo parágrafo o ss*.
Anticristo, Ver *Anticristo, antitipo de Cristo*.
Ar, Ver *Ar*.
Arca da Aliança, Ver *Arca da Aliança, últimos três parágrafos*.
Arca de Noé, Ver *Arca de Noé, segundo parágrafo*.
Armas, Ver *Armadura, Armas*, V.
Árvore, Ver *Árvore da Vida, e Árvore do Conhecimento*.
Azeite, Ver *Azeite*, 8
Batismo, Ver *Batismo*, 12.
Besta, Ver *Besta, sob Usos Metafóricos*.
Besta, o anticristo, Ver *Anticristo*.
Casamento, Ver *Matrimônio*, XIII.
Circuncisão, Ver *Circuncisão*, V.
Dois homens, Ver *Dois Homens, Metáfora dos*.
Éden, novo jardim, Ver *Nova Jerusalém*, V.
Êxodo cristão, Ver *Páscoa*, V.5.
Fiador, Ver *Fiador, Jesus como, e Fiança, Fiador*.
Incenso, Ver *Incenso*, V.
Isaque, Ver *Isaque*, VI.
Jardim de Éden, Ver *Nova Jerusalém*, V.
Jerusalém nova, Ver *Nova Jerusalém*.
Jessé, Ver *Jessé*, 4.
Jezabel Ver *Jezabel, no Novo Testamento*.

José, Ver *José*, VI.
Josué, Ver *Josué (Livro)*, IX.
Lepra, Ver *Enfermidades na Bíblia, sob Enfermidades Físicas*, 27.
Matrimônio, Ver *Matrimônio*, XIII.
Melquisedeque,
Ver *Melquisedeque*, II e IV.
Moisés, Ver *Moisés*, VI, 6º parágrafo, e VII.
Noé, Ver *Noé*, 4.
Noiva, noivo, Ver *Noiva, Noivo e Noiva de Cristo*.
Noivo, noiva, Ver *Noiva, Noivo e Noiva de Cristo*.
Nova Jerusalém,
Ver *Nova Jerusalém*.
Ovelha, Ver *Ovelha, 4, e Ovelhas, Metáfora de*.
Pão, Cristo como, Ver *Pão da Vida, Cristo como*.
Páscoa, Ver *Páscoa*, IV.
Pedra angular, Ver *Pedras Angulares, sob Usos Espirituais Figurados*.
Pragas do Ver *Pragas do Egito*,
Ramo, Ver *Ramos*.
Rocha, Ver *Rocha, último parágrafo*.
Sangue, Ver *Sangue*, 5.
Serpente de bronze, Ver *Serpente de Bronze, último parágrafo*.
Sodoma, Ver *Sodoma*, 1, 4º *parágrafo*.
Sumo Sacerdote, Ver *Sumo Sacerdote, Cristo como, e Sumo Sacerdote*, IV.
Tabernáculo,
Ver *Tabernáculo*, IX e X.
Templo, Ver *Templo de Deus, Igreja como; e Templo de Jerusalém*.
Última ceia, Ver *Páscoa*, V.
Vestimentos dos sacerdotes,
Ver *Vestimentas dos Sacerdotes*, Ver VI, p. 28.

A lista de tipos termina.

Tipos de casamentos,
Ver *Matrimônio*, IV.
Tipos de erros nos manuscritos gregos do N.T., Ver *Manuscritos Antigos do N.T.*, V.
Tipos de fé, Ver *Fé*, 1.
Tipos de imortalidade, Ver *Imortalidade, Tipos de, especialmente* II.
Tipos de inspiração, Ver *Escrituras*, II.
Tipos de mártires, Ver *Mártir*, V *últimos 4 parágrafos*.
Tipos de misticismo,
Ver *Misticismo*, II.
Tipos de personalismo,
Ver *Personalismo*
Tipos de Religião VI, 439
Ver sobre *Religião*.
Tipos de texto dos manuscritos do NT, Ver *Manuscritos Antigos do NT*, VI.
Tipos Ideais VI, 439
Ver sobre *Weber, Max e Spranger Edward*.
Típico VI, 439
Tiquismo VI, 439
Tiraca VI, 439
Tiradores de Água VI, 439
Tiraná VI, 439
Tirania VI, 439
Tirano VI, 440
Tiras VI, 440
Tiratitas VI, 440
Tiria VI, 440
Tiro VI, 440
Tiro, a Escada de VI, 443
Ver sobre *Escada de Tiro*.
Tiropeano, Vale VI, 443
Ver o artigo sobre *Jerusalém*.
Tirsata VI, 443

Tirza VI, 443
Nome de uma personagem feminina e de uma cidade no Antigo Testamento
Tisbe VI, 443
Tischendorf, Lobegott Friedrich Constantin Von VI, 443
Tísica,
Ver *Enfermidades na Bíblia*, 1. 10.
Tisidkenu, Ver *Yahweh-Tsidkenu*.
Tisri VI, 444
Tito, VI, 444
Ver também sobre *Epístolas Pastorais*.
Tito (Imperador de Roma) VI, 445
Ver também *Império Romano*, X.
Tito (Livro) VI, 445
Ver sobre *Epístolas Pastorais*.
Tito, Epístola a VI, 445
Ver sobre *Epístolas Pastorais*
Tito, Epístola de (Não-Canônica) VI, 445
Tito Justo VI, 445
Ver sobre *Justo*.
Título VI, 445
Ver sobre *Inscrições*.
Titus Manius, Ver *Manius, Titus*.
Tizita VI, 445
TM, Ver *MT*
Toá VI, 445
Toalha VI, 445
Tobe VI, 445
Tobe-Adonias VI, 446
Tobias VI, 446
Quatro homens no A.T. e dois nos livros apócrifos
Tobias, Livro de VI, 446
Esboço
I. Conteúdo
II. Pano de Fundo Histórico
III. Fontes Informativas
IV. Linguagem, Lugar de Origem e Data
V. Propósito e Ensino Teológico
VI. Texto e Carionicidade do Livro
Tocha VI, 447
O hebraico grego
Todo-Poderoso VI, 448
Todos pecaram, Ver *Pecado*, IV.
Tófel VI, 448
Tofete VI, 448
Togarma VI, 448
Toi VI, 449
Tola VI, 449
O significado do nome
O nome de dois homens no Antigo Testamento
Tolade VI, 449
Toland, John VI, 449
Toldo VI, 449
Toledo Credo de VI, 449
Tolerância VI, 449
Esboço
I. Terminologia Bíblica e Exemplos
II. Caracterização Geral
III. Contra-exemplos; Exemplos Inquisitoriais
IV. A Lei do Amor
V. A Tolerância para os Filósofos
Quatorze discussões apresentadas
Tolerância, Ato de VI, 453
Tolerância e religião,
Ver *Religião*, V.
Tolo, Ver *Raca*.
Tolstoy, Leão VI, 453
Tom de Oitava VI, 453
Tomar a questão como resolvida, Ver *Presunção (Tomar a Questão como Resolvida)*.
Tomás, Cristãos de VI, 453
Tomás à Kempis VI, 453
Tomás de Aquino VI, 453 Ver sobre

Aquino, Tomás de (Tomismo).
Tomás de Aquino, argumentos em favor da existência de Deus,
Ver *Cinco Argumentos de Tomás de Aquino em Favor da Existência de Deus*.
Tomás de Aquino sobre: *perfeição*, Ver *Perfeição na Filosofia, 6. sabedoria*, Ver *Sabedoria, V.4*.
Tomate, efeito do,
Ver *Efeito do Tomate*.
Tomé, VI, 453
Tomé, Apocalipse de VI, 454
Tomé, Atos de VI, 454
Tomé; Evangelho da Infância, Ver *Livros Apócrifos*, VI.
Tomé, Evangelho de VI, 455
Os dois documentos diferentes que receberam esse título Ver também *Livros Apócrifos, Novo Testamento*, 2.a.
Tomismo VI, 455
Tons Gregorianos VI, 456
Toparquia VI, 456
Topázio VI, 456
Toquém VI, 456
Tora VI, 457
Torah, Ver *Tora*.
Tornar-se; vir a ser,
Ver *Ser (Tornar-se; Vir-a-Ser)*.
Torre VI, 457
Torre de Antônia,
Ver *Antônia, Torre de*.
Torre de Babel VI, 458
Ver sobre *Babel, Torre e Cidade*.
Torre de Davi, Ver *Davi, Torre de*.
Torre de Eder, Ver *Eder, Torre de*.
Torre de Hananoel, Ver *Rananeel*,
Torre de Siloé, Ver *Silod, Torre de*.
Torre dos Cem (Meah) VI, 458
Torre dos Fornos,
Ver *Fornos, Torre dos*.
Torrentes dos Salgueiros VI, 458
Tosquia VI, 458
Tosquiadores VI, 458
Total Depravação VI, 459
Ver também *Depravação, especialmente* 5.
Totalitarismo VI, 459
Totemismo VI, 459
O complexo cultural o os antropólogos Ver também sobre *Religiões Primitivas*.
Totum Simul VI, 461
Toú VI, 461
Toupeiras VI, 461
Touro VI, 461
Tours, Gregório de, Ver *Gregório de Tours*.
Toynbee, Arnold VI, 461
TR VI, 462
Trabalhador (Empregado, Mercenário) VI, 462
Os tipos de trabalhadores em Israel
Trabalhar, direito de, Ver *Direito de Trabalhar*.
Trabalho, Dignidade e Ética de VI, 462
Esboço
I. A Nobreza do Trabalho
II. Definições
III. Uma Citação Notável
IV. A Ética no Trabalho
Trabalho em couro, Ver *Peles de Animais (Trabalho em Couro)*.
Trabalho, ética do, Ver *Ética Trabalhista*.
Traça VI, 463
Trácia VI, 463
Traconites VI, 464
Tradição, Tradição dos Anciãos VI, 464
Esboço

845

TRADIÇÃO – UGARITE

I. As Tradições do Antigo Oriente Próximo
II. A Tradições no A.T.
III. A Tradições no Período Intertestamental
IV. As Tradições no Tempo do Novo Testamento
V. Manuscritos do Mar Morto
VI. As Tradições na Diáspora e na Igreja Cristã

Tradição Católica Romana VI, 465
Ver também os artigos sobre *Tradicionalismo* e *Tradição*
Tradição Cristã VI, 466
Um artigo detalhado é apresentado com treze discussões
Tradição da mulher adúltera, Ver *Mulher Adúltera, Tradição da*.
Tradição e as Escrituras VI, 467. Ver também sobre *Escrituras e Autoridade*.
Tradição Profética e a Nossa Época VI, 469. Ver *Profecia: Tradição da, e a nossa Época*
Tradicionalismo VI, 469
Tradições de Matias, Ver *Matias, Tradições de*.
Tradições dos Homens VI, 470
  I. Uma Situação Concreta
  II. Quando as Tradições são mais Poderosas que a Verdade
Tradições e Escrituras, Ver *Escrituras e as Tradições*
Tradução VI, 470, Ver *Versões*.
Tradução da Bíblia em português, Ver *Bíblia em Português*.
Traducionismo VI, 470
Tragédia VI, 471
Ver *os artigos separados sobre Problema do Mal e Pessimismo*.
Tragédia e a fé religiosa, Ver *Tragédia*, 19.
Traição VI, 472
Traição de Jesus por Judas VI, 473
Trajano VI, 473
Ver também *Império Romano*, XII.
Trancar (Cadeado, Fechadura, Pino) VI, 474
Tranqüilidade VI, 474
Transcendência,
Ver *Transcendente, Transcendência, Transcendentais*.
Transcendentaia,
Ver sobre *Transcendente, Transcendência, Transcendentais*.
Transcendental, argumento,
Ver *Argumento Transcendental*.
Transcendental, idealismo,
Ver *Idealismo Transcendental*.
Transcendentalismo,
Ver *Emerson, Ralph Waldo*.
Transcendente, Transcendência, Transcendentais VI, 474
Ver também o artigo intitulado do *Transcendentalismo*
Esboço
  I. O Termo e Suas Definições
  II. Nos Escritos dos Filósofos
  III. Na Teologia
  IV. Vários Transcendentais
Transe VI, 476
Esboço
  I As Palavras
  II. Definições
  III. Usos Bíblicos
Transe Egocêntrico VI, 476
Transfiguração de Jesus VI, 477
Ver também o artigo separado sobre *Transformação Segundo a Imagem de Cristo*.
Transfiguração, Monte da VI, 478
Ver sobre *Monte Tabor* e sobre *Transfiguração*

Transformação Segundo a imagem de Cristo I, 478
Nota de sumário
Novo discussões são apresentadas
Transgressão VI, 481
Transigência VI, 482
Transitoriedade, Ver *Momentariedade, Doutrina da*.
Transjordânia VI, 483
Translação VI, 483
Translação de Elias, Ver *Elias*, V.
Translação de Eliseu, Ver *Eliseu*, IV.
Transmigração VI, 483
Transmissão da depravação,
Ver *Depravação*, 3.
Transplante de Orgãos VI, 483
Transubstanciação VI, 484
Traseu VI, 484
Trasímaco VI, 484
Ver *também Sofistas*, 6.
Tratado VI, 484
Tratamento de doenças na antiguidade, Ver *Enfermidades na Bíblia*, III.
Travesseiro VI, 485
Treinamento,
Ver *Treinar, Treinamento*.
Treinar, Treinamento VI, 485. O hebraico e o grego
Tremendum, Mysteium, Ver *Mysterium Tremendum*.
Trento, Concílio de VI, 485
Ver também o *artigo geral sobre Concílios Ecumênicos*.
Três Crianças, Canção das VI, 485
Nome de um fragmento preservado nos livros apócrifos
Três Dias e Três Noites VI, 486
Três mundos de Kant, Ver *Ética*, VIII.
Três Tavernas VI, 486
Três Vendas VI, 486
Três viagens missionárias de Paulo, Ver *Paulo (Apóstolo)*, I.3,5,6.
Trevas, Ver *Pragas do Egito*, II.9.
Trevas (Metáforas) VI, 486
Ver também o *artigo sobre Trevas*.
Treze, Trinta VI, 487
Ver sobre *Número*.
Treze Artigos VI, 487
Tríades de Hegel, Ver *Hegel*, III.
Tríades (Trindades) na Religião, VI, 487
Exemplos
  1. Na Índia
  2. Na Babilônia
  3. No Egito
  4. No budismo
  5. Na religião dos etruscos
  6. Na antiga religião sueca,
  7. Nos escritos de Numênio de Apaméia
  8. No taoísmo
  9. No zoroastrismo
  10. No cristianismo
Tribo (Tribos de Israel) VI, 488
Esboço
  I. Origem das Tribos de Israel
  II A Organização Tribal
  III. A Organização Intertribal
  IV. Desenvolvimento Posterior das Tribos
  V. As Tribos de Israel no Novo Testamento
  VI. As Tribos de Israel no Judaísmo Posterior
Tribos, Localização das VI, 490
Esboço
  I. Antes Informativas
  II. História das Divisões em Tribos
  III. As Tribos da Transjordânia
  IV. Tribos Sem Fronteiras Fixadas
  V. Judá (Josué 15)
  VI. As Tribos Centrais

VII. As Tribos Nortistas
VIII. As Cidades Levíticas
Tribulação VI, 491
Ver também *Tribulação, a Grande, e Tribulações como Benefícios*.
Tribulação, A Grande VI, 491
Em Apo. 7:14
Tribulações como Benefícios VI, 493
Ver também artigo sobre *Sofrimento, Necessidade do*.
Tribunais de Justiça VI, 494
Tribunal de Cristo, Ver *Julgamento de Cristo, Tribunal de*.
Tribuno, Comandante VI, 494
Tributários do Rio Jordão,
Ver *Jordão (Rio)*, VII.
Tributo VI, 494
Tributo, Dinheiro do VI, 495
Ver sobre *Taxas, Taxação*.
Tricotomia VI, 495
Ver sobre *Dicotomia, Tricotomia e Problema Corpo-Mente*
Tridentina, Profissão de Fé VI, 495
Tridimensional, missão de Cristo, Ver *Restauração*, XIII
Trifena e Trifosa VI, 495
Trifo VI, 495
Trifosa VI, 495
Ver sobre *Trifena, e Trifosa*.
Trigo VI, 495
Trina imersão,
Ver *Imersão Trina*.
Trindade VI, 496
Esboço
Em I João 5:8
  1. Definição
  2. História
    O primeiro uso da palavra
    No séc. IV d.C.
  3. Base neotestamentária
  4. Significação e importância da doutrina da trindade
    Consultar lista de significações na pág. 499
  5. Opiniões de importantes Filósofos e teólogos
Ver o artigo separado sobre *Trindade, Opiniões de Importantes Filósofos e Teólogos*.
Bibliografia
Trindade, Opiniões de Importantes Filósofos e Teólogos VI, 499
Ver também o artigo sobre *Trindade*.
Trindade Econômica VI, 499
Trindade Essencial VI, 499
Trindades (Tríades) na Religião VI, 499 Ver sobre *Triades (Trindades) na Religião*.
Trinta Anos, Guerra dos VI, 499 Ver sobre *Guerra dos Trinta Anos*.
Trinta e Nove Artigos VI, 499
A fórmula doutrinal básica da Comunhão Anglicana (vide).
Trinta Moedas VI, 500
Tripartição de ser, Ver *Dicotomia, Tricotomia, Problema Corpo-Mente*.
Tríplice ofício de Cristo,
Ver *Ofícios de Cristo*, II.
Trípolis VI, 501
Trirreme VI, 502
Triságio VI, 502
Proclamado Santo, Santo, Santo é o Senhor, em Apo. 4:8
Tristeza VI, 503
Triteísmo VI, 503
Triteísmo e Jesus, Ver *Jesus*, I.2.g
Triunfo VI, 503
Trivium VI, 504
Trôade VI, 504
Troeltsch, Ernst,
Ver *Liberalismo* III.6.c.
Trófimo VI, 504
Trogílio VI, 505

Trombeta VI, 505 Ver sobre *Música e Instrumentos Musicais*.
Trombeta, Última VI, 505
Em I Cor. 15:52
Trombetas, As Sete VI, 506
Visão dos sete selos, Apo. 6:1-8:6
Trombetas de Chifres VI, 507
Trombetas, Festa das VI, 507
Ver sobre *Festas (Festividades) Judaicas*.
Tronco VI, 507
O hebraico e o grego
Trono VI, 507
Trono branco, julgamento do,
Ver *Julgamento do Trono Branco*.
Trono Branco, o Grande VI, 508
Trono de Graça VI, 510
Trono de Satanás VI, 510
Tropeço, pedra de, Ver *Pedra de Tropeço*.
Trovão VI, 511
Trovão, Filhos do VI, 511
Ver sobre *Boanerges*.
Tsidkenu, Ver *Yahweh-Tsidkenu*.
Tsou, Yen VI, 511
Tubal VI, 511
O nome de um indivíduo e seus descendentes. A história do indivíduo e sua nação
Tubalcaim VI, 512
Em Gên. 4:22
A história da vida deste indivíduo
Tubias VI, 512
Tubingens, Escola de VI, 512
Título da escola germânica hegeliana
Tudo unido no Logos, afinal
Ver *Unidade, Afinal, de Tudo no Logos*.
Tumim VI, 512 Ver sobre *Urim e Tumim*.
Tumor VI, 512 Ver também sobre *Tumores*.
Tumores VI, 512 Ver também *Enfermidades na Bíblia*, 1.7.
Túmulo VI, 513 Ver sobre *Sepulcro e Sepultamento, Costumes de*.
Esboço
  I. Terminologia
  II. Tipos de Túmulos
  III. Localização dos Túmulos
  IV. Conteúdo dos Túmulos
  V. Túmulos dos Reis
Túmulo de Alisalão VI, 514
Túmulo de Gordon VI, 514
O local do sepultamento de Jesus?
Túmulo de Raquel VI, 514
Ver sobre *Raquel, Túmulo de*.
Tung Chung-Shu VI, 514
Túnica VI, 514
Turbante VI, 516
Turificati, Ver *Lapso*, 2.
Turim Sudário de VI, 516
Ver sobre *Sudário, de Cristo*.
Turnos dos Sacerdotes e Levitas VI, 516
Turquesa VI, 516
Tutmés VI, 516
Tutor VI, 516
Tyndale, William, VI, 517

U

U VI, 518
O *Codex Nanianus*.
Ucal VI, 518
Uel VI, 518
Ufarsin, Ver *Mene, Mene, Tequel, Ufarsin*.
Ufaz VI, 518
Ugarite VI, 518
Sete discussões apresentadas
Ugarite, tabletes de, *Ugarite*, 2.

ULA – VALOR

Ula VI, 520
Ulai VI, 520
Ulama VI, 520
Ulão VI, 520
Úlcera, Ver *Enfermidades na Bíblia* I.36.
Úlceras, Ver *Pragas do Egito*, 11.6.
Ulceroso VI, 520
Ulfilas VI, 520
Última Ceia VI, 520
 Ver sobre *Ceia do Senhor*.
Última trombeta,
 Ver *Trombeta, Última*.
Últimas coisas (acontecimentos),
 Ver *Escatologia*.
Últimas Situações VI, 520
Último, o Grande VI, 520
Último Adão, Ver *Adão, o Último (Segundo)*.
Último Dia da Festa VI, 520
Último e o primeiro,
 Ver *O Primeiro e o Último, e Alfa e Ômega*
Último Tempo (Últimos Tempos) VI, 521 Ver sobre *Escatologia e Últimos Dias*.
Últimos Dias VI, 521
 Ver também sobre *Escatologia*.
Últimos serão primeiros, Ver *Primeiros Serão últimos; últimos Serão Primeiros*.
Últimos tempos, Ver *Últimos Dias e Escatologia*.
Ultramontanismo VI, 522
 Origens o usos do termo
Um (Unidade) VI, 522
 Cinco discussões apresentadas
Um batismo, Ver *Unidades: As Sete Unidades Espirituais*, II.6.
Um corpo, Ver *Unidades: As Sete Unidades Espirituais*, II.1.
Um Espírito, Ver *Unidades: As Sete Unidades Espirituais*, II.3.
Um Pai, Ver *Unidades: As Sete Unidades Espirituais*, II.7.
Um Senhor, Ver *Unidades: As Sete Unidades Espirituais*, II.4.
Umá VI, 523
Uma esperança, Ver *Unidades: As Sete Unidades Espirituais*, II.2.
Uma fé, Ver *Unidades: As Sete Unidades Espirituais*, II.5.
Umbigo (Cordão Umbilical) VI, 523
Umbiqüidade VI, 523
Um-Rosto-Volverá VI, 523
Unamuno, Miguel de VI, 523
Unamuno e o Logos, Ver *Logos (Verbo)*, IV.11.
Unção VI, 524
 Pano de fundo
 O costume hebreu
 Tipos de Unção fora de Israel,
 Ver *Messias*, III.
Unção no Israel, Ver *Messias*, III.
Unciais VI, 525
Uncial VI, 525
 Ver *Unciais e o artigo geral sobre Manuscritos Antigos do Novo Testamento*.
Underhill, Evelyn (Sra. Stuart Moore) VI, 525
Ungüento VI, 525
 Seis discussões apresentadas
Uni VI, 527
 Dois homens no A.T.
União com Cristo VI, 527
 Ver também *União com Deus*.
União com Deus VI, 527
União do secular e sagrado,
 Ver *Secular, Secularismo*, 3.
União dos Egoístas VI, 528
União Hipostática VI, 528 Ver sobre *Unidade (União) Hipostática*.

União Prosópica VI, 528
 Ver sobre *Nestorianismo*.
Unicórnio VI, 528
Unidade, Ver *Um (Unidade)*.
Unidade *(União)* VI, 528
 Consultar a lista de artigos
 Consultar listas de artigos que tratam de vários aspectos da unidade da pág. 528 do volume VI.
Unidade, Afinal, de Tudo no Logos; VI, 528
 Ver também os artigos *Unidade em Cristo; Unidade de Tudo em Cristo; Universalismo e Restauração*
Unidade da Fé VI, 529
 Esboço
 I. Uma Declaração de Importância Máxima
 II. Unidade da Fé: Definições O Exclusivismo da Ortodoxia
Unidade da Raça Humana VI, 530
Unidade da revelação, Ver *Revelação Geral e Especial*, 5
Unidade de Tudo em Cristo VI, 530
 Esboço
 I. A Restauração Geral Ver o artigo sobre *Restauração*.
 II. A Unidade Espiritual de Todos os Remidos em Cristo, Efé. 2:11-23
 III. O Novo Homem, Efé. 2:15
 Ver também os artigos sobre *Restauração; Universalismo; o Mistério, da Vontade de Deus*.
Unidade de tudo em cristo, afinal, Ver *Mistério da Vontade de Deus*, I.
Unidade Eclesiástica VI, 531 Ver os *artigos sobre movimento Ecumênico; Unidade de Tudo em Cristo e, Unidade em Cristo*.
Unidade em Cristo VI, 531
 Esboço
 I. Raças Unidas
 II. Sexos Unidos
 III. As Sete Grandes Unidades Espirituais
 IV. O Destino Comum dos Remidos
 V. A Unidade da Restauração Final
Unidade (União) Hipostática VI, 533
 Dentro do contexto da cristologia.
 O uso do termo. Ver também sobre *Hipóstasis, e Cristologia*.
Unidades: As Sete Unidades Espirituais VI, 533
 Esboço
 I. Idéias Sobre o Conceito de Unidade
 II. As Sete Unidades espirituais, Ver *Unidades*:
   As Sete Unidades Espirituais, II.1.
Unidades greco-romanas, Ver *Pesos e Medidas, I.G.*
Unificador, Cristo como, Ver *Fundamento da Igreja, Cristo Como* III.
Uniformidade na Natureza VI, 538
Unigênito, Cristo Como o VI, 538
 Esboço
 I. O Unigênito: Escrituras
 II. Diversas Interpretações
 III. Declaração Antropomórfica Descrição
 IV. Sumário de Usos da Palavra na Bíblia e em Outra Literatura
Unio Mystica VI, 539
Unipersonalidade de Deus VI, 539
Unitarismo VI, 539
Universais VI, 540
 Esboço
 I. Terminologia e Caracterização Geral
 II. Teorias Principais a Respeito
 III.Filósofos Falam sobre os Universais
 Nove discussões apresentadas;
 Universais na teologia,

Ver *Universais*, IV.
Universal, Mente VI, 543
 Ver também, *Mente Cósmica; Cristo-Consciência; e Consciência Cósmica*.
Universalidade da Missão de Cristo VI, 543 Ver *Missão Universal de Cristo*.
Universalidade da restauração,
 Ver *Restauração*, VIII, IX, X.
Universalidade do idioma grego,
 Ver *Língua do N T., e Alexandre, o Grande*, 5.
Universalismo VI, 543
 Esboço
 I. Definições e Caracterização Geral
 II. Apoio Histórico na Igreja Cristã Quinze discussões apresentadas
 III. Base Bíblica do Universalismo,
 IV. Alternativas Não-Viáveis e Viáveis do Universalismo
 V. Avaliação do Universalismo
 Bibliografia
 O Mistério da Vontade de Deus
 Dr João Marques Bentes crítica de seus conceitos
Universalização do judaísmo,
 Ver *Judaísmo*, I.4.
Universo VI, 557
Upanisliadas VI, 557
Ur VI, 557
Ur-Marcos VI, 557
Ur dos Caldeus VI, 557
 Esboço
 I. Nome e Localização
 II. Escavações Arqueológicas
 III. História
Urbano VI, 559
Urbanos Papas, consultar lista de papas com este nome nas págs. 559 e 560 De Urbano I a Urbano VIII
Uri VI, 560 Três homens no N.T.
Urias VI, 560 Sela homens no A.T.
Uriel VI, 560
 O nome de dois homens e um anjo
Uriel da Costa, Ver *Judaísmo*, II.16.
Urim e Tumim VI, 561
Urna VI, 562
Ursino, Zacarias VI, 562
Urso VI, 562
Úrsula, Santa VI, 562
Uso apropriado da linguagem,
 Ver *Linguagem, Uso Apropriado*
Uso Apropriado da Vida VI, 562
 I. Idéia Geral
 II. Descrições
 Ver também *Vida*, III.9 e VII.
Uso da vida, Ver *Vida, Avaliação e Uso*.
Uso do Antigo Testamento Pelos Cristãos Primitivos VI, 563
Usos da Bíblia, Ver *Bíblia*, 7.
Usos da lei, Ver *Lei, Usos da*.
Usos das Escrituras,
 Ver *Escrituras*, IV.
Usos do ócio, Ver *Ócio, (Usos Legítimos de)*.
Ussher, James VI, 565
Usura VI, 565 Ver sobre *Ganho, Lucro*.
Uta VI, 565
Utai VI, 565
 Dois homens no A.T. e um nos livros apócrifos
Utensílios VI, 565
Útero VI, 565
 Ver sobre *Orgãos Vitais*.
Utilidade VI, 566
Utilidade da fé, Ver *Fé, Utilidade de*.
Utilidade das obras, Ver *Obras, Natureza e Utilidade*.
Utilitarismo VI, 566
 Ver também *Ética*, VII.

Utilitarismo, definido,
 Ver *Ética*, VII.B.
Utilitariamo Teológico VI, 566
Utnapishtim (Per-Napislitim) VI, 566
Utopia VI, 566
Uttara Mimamsa VI, 567
Uva VI, 567
 Ver sobre *Vinha, Vinhedo*.
Uvas Bravas VI, 567
Uvas Secas VI, 567
Uz VI, 567
Uzá VI, 568
 Quatro personagens do AT.
Uzai VI, 568
Uzal VI, 568
Uzém-Seerá VI, 568
Uzi VI, 568
 Sete personagens na do AT.
Uzia VI, 569
Uzias VI, 569
 Cinco personagens do AT.
Uzias, o Rei VI, 569
 Ver também sobre *Rei, Realeza; e Reino de Judá*.
 O hebraico
Uziel VI, 570
 Seis personagens do AT.

V

V VI, 571
 A designação do manuscrito Chamado codex Mosquesis
Vaca VI, 571 Ver sobre *Gado*.
Vaebe em Sufã VI, 571
 Ver sobre *Carruagem*.
Vagão VI, 571
Vagueação no Deserto por Israel VI, 571
Vaibhiasiska VI, 571
Vaidade VI, 571
Vaidade, Futilidade da Vida VI, 573
 O Problema do Mal (vide).
Vaisata VI, 573
Vaiseshika VI, 573
Vaisya VI, 574
Vala (Fosso) VI, 574
Vale VI, 574
Vale, Porta do VI, 574
 Ver também *Porta do Vale*.
Vale de Hinom, Ver *Hinom, Vale de*.
Vale de Josafá, Ver *Josafá, Vale de*.
Vale de Refaim VI, 575
Vale de Sidim, Ver *Sidim, Vale de*.
Vale do Jordão, Ver *Jordão (Rio), I, e Jordão (Vale)*.
Vale do Rei VI, 575
Vale do sal, Ver *Sal, Vale do*.
Vale dos Artífices VI, 575
Vale dos gigantes,
 Ver *Gigantes Vale dos*.
Vale dos Viajantes VI, 575
Valentes VI, 575
Valentino VI, 575
Valentino e Dia de São Valentino VI, 575
Validade VI, 576
Validade (Valor) VI, 576 Ver os seguintes artigos que se relacionam a esses termos: *Validade; Valor; Valor, Juízos de Valor; Liberdade-de valor; Teorias de; Valores Finais; e Axiologia*.
Valor VI, 576 Ver *Vida*, VI
Valor da hospitalidade,
 Ver *Hospitalidade*, IV.
Valor do jejum, Ver *Jejum*, IV.
Valor Extrínseco VI, 577
Valor Intrínseco VI, 577
Valor, Juízos de e Liberdade,
 Ver *Valor* VI, 577

847

VALOR – VIDA

Valor, Teorias de VI, 577
　Ver também sobre *Axiologia*.
Valores da Vida VI, 578 Ver *Vida*, VI.
　Dez discussões apresentadas
Valores de perseguições,
　Ver *Tribulações como Benefícios*.
Valores Finais VI, 578
　Ver também sobre *Validade (Valor), e Axiologia*.
Valores (graus de) para provar a existência de Deus, Ver *Argumento Axiológico*.
Valores Instrumentais VI, 579
　Ver sobre *Valor; Bem Instrumental, e Bem Intrínseco*.
Valores relativos dos modos de conhecer, Ver *Revelação (Inspiração)*, V.
Vampiro VI, 579
Vanias VI, 580
Vantagens de Israel VI, 580
　Nove discussões apresentadas
Vantagens do casamento,
　Ver *Matrimônio*, XI.
Vão VI, 582
Vara VI, 582
Vara de Aarão, Ver *Aarão, Vara de*.
Variantes no texto grego do NT., Ver *Manuscritos Antigos do* NT., V.
Varredoura VI, 582
Vasni VI, 582
Vaso, Receptáculo VI, 583
Vassalo VI, 584
Vassoura da Destruição VI, 584
Vasti VI, 584
Vasubandhu VI, 585
Vaticano VI, 585
Vaticano, Concílios do VI, 585
　Ver também sobre os *Concílios Ecumênicos*.
Vaticanus, *Codex*, Ver *B*.
　Codex Vaticanus no artigo sobre os Manuscritos Antigos do N. T., Vol. IV, p. 82, primeira Coluna.
Vaticanus 354, *Codex*, Ver *S* (segundo artigo).
Vau VI, 587
Vav VI, 587
Veado VI, 587
Vedã e Javã, de Uzal VI, 587
Vedanta VI, 587
　Ver também *Hinduísmo*.
Vedas VI, 588
Vegetal, ânimo, racional, ser humano como, Ver *Dicotomia, Tricotomia*, II.
Veículo, o grande,
　Ver *Veículos do Budismo*.
Veículos do Budismo VI, 588
　Ver também *Budismo*.
Veio por Água e Sangue, Cristo VI, 588 Em I João 5:6-12
Vela da Páscoa VI, 589 Ver sobre *Páscoa, Vela da*.
Velas VI, 589 Ver sobre *Navios e Embarcações*.
Velho Testamento
　(seu uso Pelos Cristãos Primitivos) VI, 589 Ver sobre *Uso do A. T. pelos Cristãos Primitivos*.
Velhos Católicos VI, 589
Velino para livros, Ver *Peles de Animais (Trabalho em Couro)*, 4,5.
Vencedor, Ver *Vencer, Vencedor e Vitória, Vencedor*.
Vencer, Vencedor VI, 589
　Quatro discussões apresentadas
Veneno VI, 589
Veneração à Virgem Maria VI, 590
　Ver os dois artigos chamados *Mariolatria e Mariologia*.
Veneração aos Santos Ver sobre *Santos (Eclesiásticos)*.
Veneração de Heróis VI, 590
Veneração de imagens aprovada

Ver *Iconoclasmo*, Vol. III, pág. 199.
Veneração dos santos, Ver *Santos (Eclesiásticos)*, V.
Venérea VI, 590
　Ver sobre *Doenças Venéreas*.
Venial (Pecado) VI, 590
　Ver sobre *Pecado Mortal, e Pecado Venial*.
Vento VI, 590
Vento, Pé de VI, 591
Vento Oriental VI, 592
　Ver também sobre *Ventos*.
Ventre VI, 592
Vênus VI, 592
Verão VI, 592
Verbo VI, 592 Ver sobre *Logos (Verbo)*.
Verbo (O Logos) VI, 592
　Ver sobre *Logos (Verbo)*.
Verdade VI, 592
Verdade (na Bíblia e Outras Considerações) VI, 593
　Esboço
　I. Terminologia Bíblica
　II. Três Conceitos de Verdade na Bíblia
　III. Conceitos Filosóficos da Verdade
　IV. Teorias de Verdade Ver também *Conhecimento e a Fé Religiosa, e Verdade na Filosofia*.
Verdade, Cristo como VI, 596
Verdade, Espírito da, Ver *Espírito da Verdade*.
Verdade, o Evangelho como VI, 597
Verdade, palavra da, Ver *Palavra da Verdade*.
Verdade, Teorias de VI, 597
　Ver também *Conhecimento e a Fé Religiosa* V.1. ,
Verdade bíblica, Ver *Verdade*, I, II.
Verdade como cinturão,
　Ver *Armadura, Armas*.
Verdade dupla, Ver *Dupla Verdade*.
Verdade na Bíblia, Ver *Verdade*, I, II.
Verdade na Filosofia VI, 597
　Um estudo detalhado é apresentado com discussões de muitos filósofos sobre a verdade.
Verdadeira videira,
　Ver *Videira Verdadeira*.
Verdadeiro pastor, Cristo,
　Ver *Pastor*, 5.
Verdadeiro purgatório,
　Ver *Purgatório*, V.
Verdades duplas,
　Ver *Paradoxo*, III.7.
Verde VI, 599
Verdugo VI, 599
Vereda (Caminho) VI, 599
　Usos literais e metafóricos
Vereda espiritual, evolução de,
　Ver *Apóstolo, últimos parágrafos*.
Vereda nobre e mediana,
　Ver *Budismo*, II.7.
Verga da Porta VI, 600
Vergonha VI, 600
Verificação científica,
　Ver Verifica do de *Crenças Religiosas*, VI
Verificação, Critérios de VI, 601
Verificação de Crenças Religiosas VI, 601
　Esboço
　I. Definição e Comentários Sobre a Verificação
　II. Qual a Razão das Dúvidas?
　III. A Verificação com Base na Experiência
　IV. A Verificação Moral
　V. A Verificação Mística

VI. A Verificação Científica
VII. A Verificação Escatológica
　Bibliografia
Verificação empírica, Ver *Verificação de Crenças Religiosas*, III.
Verificação escatológica,
　Ver *Verificação de Crenças Religiosas*, IV.
Verificação mística, Ver *Verificação de Crenças Religiosas*, V.
Verificação moral, Ver *Verifição de Crenças Religiosas*, IV.
Verme VI, 611
Vermelho VI, 612
　Ver também sobre *Cores*.
Vermelho, mar, Ver *Mar Vermelho*.
Vermes, Ver *Enfermidades na Bíblia*, I.37.
Verônica, Santa VI, 613
Versão Armênia VI, 613
Versão Boárica VI, 613
Versão Cóptica VI, 613
　Ver sobre *Bíblia, Versões da*.
Versão de Aquila VI, 613
Versão de Mênfis, Ver *Mênfis*,
Versão do NT
Versão portuguesa, Ver *Bíblia em Português*.
Versículos da Bíblia, Ver *Capítulos e Versículos da Bíblia*
Versículos, Divisão da Bíblia em VI, 613
　A Vulgata Latina
Versões Aramaicas VI, 613
　Ver sobre *Manuscritos Antigos do AT*.
Versões da Bíblia VI, 613
　Ver sobre *Bíblia, Versões da*.
Versões do AT, Ver *Manuscritos do AT*, VIII.
Versões do NT, Ver *Manuscritos Antigos do* NT, I, IV.
Versões Egípcias do Novo Testamento VI, 613
Versões Eslavônicas VI, 614
　Ver sobre *Bíblia, Versões da*.
Versões Etíopes VI, 614
　Ver sobre Bíblia, *Versões da, o Manuscritos Antigos do Antigo e Novo Testamento*.
Versões Latinas VI, 614
　Ver sobre *Bíblia, Versões da o Manuscritos do Antigo e Novo Testamentos*.
Versões Siríacas VI, 614
　Ver sobre *Bíblia, Versões da e Manuscritos Antigos do Novo Testamento*.
Vespa VI, 614
Vespas VI, 614
Vespasiano VI, 614
　Ver também *Império Romano*, IX.
Vesta VI, 615
Veste Suntuosa VI, 615
Vestes VI, 615
　Ver *Vestimenta (Vestimentos)*.
Vestes femininas,
　Ver *Vestimenta (Vestimentos)*, VI.
Vestes Festivais VI, 615
Vestes masculinas,
　Ver *Vestimenta (Vestimentos)*, IV.
Vestes, ocasiões especiais,
　Ver *Vestimenta (Vestimentos)*, VI
Vestes Sacerdotais VI, 615
　Ver *Sacerdotes, Vestimenta dos; e Sacerdotes e Levitas*, IV.
Vestiário, Guarda-Roupa VI, 615
Vestíbulo VI, 615
Vestimenta (Vestimentos) VI, 616
　Esboço
　I. Por que Vestimos Roupas?
　II. Fontes Informativas
　III. Materiais Empregados

IV. Vestes Masculinas
V. Vestes Femininas
VI. Vestes Para Ocasiões Especiais
VII. Sacerdotais Vestimentos dos sacerdotes. Ver *Sacerdotes, Vestimentas dos*.
Vestimentas, Rasgar das VI, 620
Vestir, Metáfora de VI, 620
Véu (no Tabernáculo e no Templo) VI, 620
Véu da Mulher VI, 621
　Esboço
　I. Interpretações Antigas e Modernas
　II. Quais são as Razões Específicas para o Uso do Véu?
　III. Interpretando I Cor. 11:15
Véu Rasgado VI, 622
Via Ápia VI, 623
Via Dialética. VI, 623
　Ver sobre *Teologia Dialética*.
Via Dolorosa VI, 623
Via Eminentiae VI, 624
　Ver também *Linguagem Religiosa*, 5.
Via Negationis VI, 624
　Ver também *Linguagem Religiosa*, 4.
Via Negativa VI, 625
　Ver *Via Negationis*.
Via Positiva VI, 625
　Ver *Via Eminentiae*.
Viagem, Ver *Jornada, Viagem*.
Viagens VI, 625
　Esboço
　I. As Estradas
　II. Principais Estradas da Palestina
　III. Estradas Secundárias da Palestina
　IV. Viagens Internacionais Através da Palestina
　V. Viagens por Via Fluvial e Marítima
　VI. Viagens Terrestres do Novo Testamento
　VII. Viagens Marítimas no Novo Testamento
　VIII. Razões para as Viagens no N.T.
Viagens missionárias de Paulo,
　Ver *Paulo (Apóstolo)* I.3,5,6.
Viajante VI, 627
Viajantes, Vale dos, Ver *Vale dos Viajantes*.
Viandas VI, 627 Ver sobre *Alimentos*.
Víbora VI, 627
Vicente de Paula, São VI, 628
Vícios VI, 629
　Esboço
　I. Listas de Vícios
　II. As Características do Pagão Rom.1:28 ss 21 vícios alistados e discutidos
　III. Empregando o Método da Pêntada
　　Col. 3:5: cinco vícios discutidos
　　Col. 3:8: cinco vícios discutidos
　IV. A Maior Lista de Vícios dos Evangelhos Sinópticos
　　Quatorze vícios discutidos
　V. Os Vícios como Obras da Carne Gál. 5:18-21: 15 vícios discutidos
　VI. Vícios de II Tim. 3:2-4: Características dos homens dos Últimos Dias
　　18 características discutidas
　VII. O Vicio do Ódio: II João 2:9
　VIII. O Vício da Idolatria
　IX. O Mundanismo
Vico Giovanni Batista VI, 641
Vida VI, 641
　Esboço
　I. Definições e Termos Básicos
　II. Algumas Idéias Filosóficas
　　Onze discussões apresentadas
　III. Idéias Bíblicas
　IV. O Caráter Sagrado da Vida

848

VIDA – WILLIAM

V. Vida, Jesus como a
VI. Valores da Vida
VII. Vida, sua Avaliação e Uso
VIII. Vida, Cristo como a Nossa
IX. Jesus como o Pão da Vida
X. Vida Eterna
XI. A Vida e Suas Finalidades
Vida, alvo da, Ver *Alvo da Vida*.
Vida, Arvore da, Ver *Árvore da Vida*.
Vida, Avaliação e Uso VI, 647
Vida, Campos de VI, 647
 Ver *Aura Humana (Campo de Vida)*.
Vida Comunal da Igreja Primitiva VI, 647
Vida, coroa de, Ver *Coroas*, 2.c.
Vida, Cristo Como Nossa VI, 649
 Ver também *Vida*, VIII.
Vida de Jesus VI, 650
Vida, definições, Ver *Vida*, 1.
Vida de Paulo,
 Ver *Paulo (Apóstolo)*, I.
Vida desconhecida de Cristo,
 Ver *Livros Apócrifos Modernos)*, 2.
Vida do futuro, Ver diversos artigos sobre *Imortalidade;* Ver *Escatologia; Profecia: Tradição da e a Nossa Época;*
Vida Eterna e diversos artigos sobre *Julgamento*.
Vida em outros planetas,
 Ver *Astronomia*, 6.
Vida Espiritual VI, 650
 Ver também o artigo detalhado sobre *Espiritualidade*.
Vida Eterna VI, 650
 Ver também *Vida*, X.
 Esboço
 I. A Vida Eterna na Pregação da Igreja Evangélica e Outras
 II. A Vida Eterna nos Evangelhos Sinópticos
 III. No Evangelho de João
 IV. Nas Cartas de Paulo
 V. Sumário
 Ver também sobre *Salvação; Transformação Segundo a Imagem de Cristo; Divindade, Participação dos Homens na; Imortalidade; e Alma*.
Vida, filósofos sobre, Ver *Vida*, II.
Vida, finalidades da, Ver *Vida*, XI
Vida, formas da, Ver *Formas da Vida*.
Vida, idéias bíblicas, Ver *Vida*, III.
Vida, Jesus como VI, 652
Vida, Jesus e, Ver *Vida, Jesus como*.
Vida, Jesus pão da, Ver *Vida*, IX.
Vida, livro da, Ver *Livro da Vida*.
Vida palavra da,
 Ver *Palavra da Vida*
Vida relacionada à luz, Ver *Luz do Mundo, Cristo como*, 3 e 11.
Vida, Respeito pela Reverência de VI, 652 Ver sobre *Reverência Pela Vida*.
Vida, reverência pela,
 Ver *Reverência pela Vida*.
Vida, revisão da, Ver *Revisão da Vida*.
Vida sagrada, Ver *Vida*, IV.
Vida, valores de, Ver *Valores da Vida, e Vida*, VI.
Vide Brava VI, 652
Videira Verdadeira VI, 652
Vidente VI, 655
 Ver *profecia, Profetas*.
Vidro VI, 655
Vidro, Mar de VI, 655
Viena, Circulo dos Positivistas Lógicos VI, 657
 Ver também sobre *Positivismo, Positivismo Lógico*.
Viena, Concílio VI, 657
 Ver também *Concílios Ecumênicos*, IV. 15.
Vigário VI, 657

Vigário, Apostólico VI, 657
Vigário de Cristo VI, 657
Vigésimo nono capítulo de Atos, O,
 Ver *Livros Apócrifos (Modernos)*, 8.
Vigia, Torre de VI, 657
Vigia, Vigilante VI, 658
Vigiar VI, 658
Vigílias VI, 659
Vila VI, 659
Vilão (arquétipo),
 Ver *Jung, Idéias*, 7. j .
Vinagre VI, 660
Vínculo VI, 660
Vinda de Cristo VI, 660
 Ver também *Parousia, e Segunda Vinda de Cristo*
Vinda literal de Cristo, Ver *Parousia*, III.
Vinda, Segunda, Ver *Segunda Vinda*.
Vindima VI, 660
 O hebraico e o grego
Vingador do Sangue VI, 660
 Ver também *Parente, Vingador do Sangue, e Goel*.
Vingança VI, 661
 Esboço
 I. As Palavras Bíblicas
 II. Tipos de Vingança
 III. Lex Talionis
 IV. Na Sociedade
 V. A Natureza Remedial e Restaurador da Vingança Divina
Vinha de Sodoma VI, 663
Vinhas, Bosque das VI, 663
Vinhas de En-Gedi VI, 663
Vinho, Bebedores de VI, 663
Vinho feito de água, Ver *Água, Transformação em Vinho*.
Vinho, Vinha VI, 663
Vinte e Cinco Artigos VI, 665
Viola VI, 665 Ver sobre *Música e Instrumentos Musicais*.
Violência VI, 665
 Ver também sobre *Autodefesa; Guerra Justa; Terrorismo; Pacifismo; e Revolução*.
Violeta, Azul VI, 665
Vir-a-ser,
 Ver *Ser (Tornar-se; Vir-a-Ser)*.
Virgem (Virgindade) VI, 665
 Ver também *Nascimento Virginal de Jesus*.
 Esboço
 I. Terminologia
 II. Virgem no A.T.
 III. Virgem no N.T.
 IV. A Igreja como Noiva Virgem
 V. Na Igreja Católica Romana
 Virgem, a Bendita, Ver *Manologia (Maria, a Bendita Virgem)*.
Virgem, Apocalipses de VI, 668
Virgem Igreja como, Ver *Virgem, (Virgindade)*, IV.
Virgem, Maria assunção da, Ver *Assunção da Bendita Virgem Maria*.
Virgem Maria e mediação,
 Ver *Mediação (Mediador), V, e Mediadora*.
Virgindade, Ver *Virgem (Virgindade)*.
Virgindade perpétua de Maria,
 Ver *Perpétua Virgindade de Maria*.
Virtude VI, 668
Virtude Bíblica VI, 668
Virtude na Filosofia VI, 669
Virtudes Cardeais VI, 670 Ver sobre *Sete Virtudes Cardeais*.
Virtudes cardeais, sete,
 Ver *Sete Virtudes Cardeais*.
Virtudes como o reino de Deus,
 Ver *Reino de Deus (ou dos Céus)*, III.
Virtudes de Aristóteles,
 Ver *Ética*, VI, 6,8.

Virtudes Dianoéticas VI, 670
Virtudes Intelectuais VI, 670
 Ver sobre *Virtudes Dianoéticas*.
Visão (Visões) VI, 670
 Esboço
 I. As Palavras Bíblicas Envolvidas
 II. Variedade de Conceitos
 III. Fenômeno Comum
 IV. Explicações e Distinções
 V. O Misticismo
 Ver também *Misticismo, Desenvolvimento Espiritual, Meios do; e Maturidade*.
 VI. Crítica e Avaliações
Visão Beatífica VI, 672
 Esboço
 I. Declaração de Características
 II. Natureza dessa Transformação
 III. Efeitos Eternos
 Gradações de explicações
Visão de Deus VI, 674
Vishnu (Vishnuísmo) VI, 674
Visitação VI, 675
Visitas de Paulo a Jerusalém VI, 675
Visivel, Igreja Ver *Igreja Invisível (Mistica), Igreja Visível*.
Visões VI, 676
 Ver sobre *Visão (Visões)*.
Visualização VI, 676
Vitalismo VI, 677
Vitélio, Ver *Império Romano*, VIII.
Vítor, Místicos de São VI, 677
 Ver sobre *São Vitor, Místicos*
Vitória, Vencedor VI, 677
 Esboço
 I. Sobre o Mundo
 II. Vitória do Novo Nascimento
 III. A Vitória da Fé
 IV. Vitória sobre o Pecado
 V. A Vitória da Imortalidade
Vitória Divina VI, 680
Vitória Espiritual, Estágios da Inquirição Espiritual VI, 681
 Ver também sobre *Desenvolvimento Espiritual, Meios do*.
Vitória sobre o pecado,
 Ver *Pecado*, V.
Vitrificar VI, 682
Viúva VI, 682
Vivos, os VI, 683
Vivos, Vivificar VI, 683
Vizinhanças de Geba VI, 683
Vizinho bom, Ver *Bom Vizinho*.
Vocação VI, 684 Ver sobre *Chamada*.
Vofsi VI, 684
Volta da Morte Clínica VI, 684
 Ver também *Experiências Perto da Morte, e Imortalidade*, artigo 4.
 Volta dos mortos, Ver *Mortos, IV, Experiências Perto da Morte; e Reencarnação*.
Volta Iminente de Cristo VI, 684
 Ver sobre *Iminente, Volta de Cristo e Parousia*.
Voltaire VI, 684
Voluntário, pecado,
 Ver *Pecado Voluntário*.
Voluntarismo VI, 684
 Na filosofia e na teologia
Von Humboldt sobre linguagem
 Ver *Linguagem (Filosofia e); Filosofia da Linguagem*, 9.
Vontade VI, 686
 Ver sobre *Livre-Arbítrio*.
Vontade-Adoração VI, 686
Vontade, Poder da VI, 686
Vontade da Carne, Vontade do Varão VI, 686
Vontade de Crer VI, 686
Vontade de, Deus (Mistério da) VI, 687 Ver sobre *Mistério da Vontade de Deus*.
Vontade de Deus, Como Descobri-la

VI, 687
Vontade de Não Crer VI, 687 Em Rom. 1:18
Vontade Divina VI, 688
 Ver também sobre *Voluntarismo; Livre-Arbítrio; Determinismo; Predestinação e Polaridade*.
Vontade escatológica de Deus, VI,688
 Ver *Mistério da Vontade de Deus*.
Vontade Geral VI, 689
Vontade Humana VI, 689
Vontade na Filosofia VI, 689
Votiva, oferta,
 Ver *Oferta Votiva*.
Voto VI, 689
 Esboço
 I. As Palavras Utilizadas
 II Voto Religioso
 III Voto como Promessa
 IV. Votos de Disciplina e Missão
 V. Seriedade dos Votos
 VI. Votos Perversos
Voto do nazireado, Ver *Nazireado (Voto de)*.
Votos ignorantes,
 Ver *Jefté e Jônatas*, 2.a.
Voz VI, 691
Voz, Fenômeno da VI, 691
 Ver sobre *Fenômeno da Voz*.
Voz mística, Ver *Bath Kol (Qol)*
Vulgata VI, 691
 Ver *Bíblia, Versões da Vulgata Latina (Antigo e Novo Testamentos)*.

W

W VI, 692
 A designação do Codex *Washingtonianus*
Wadi VI, 692
Waldenses (Pedro Waldo) VI, 629
Waldo, Pedro Ver *Waldenses (Pedro Waldo)*.
Wan Yan-Ming, Ver II, 1.
Wang Ch'ung VI, 693
Warfield, Benjamim Breckinridge VI, 693
Warren Canal (Escavação) de VI, 693
Wartburg, Ver *Lutero*, 9.
Washington, manuscritos, Ver I
Washingtonianus, Codex, Ver *W*.
Washingtonianus, I, Codex,
 Ver *Manuscritos Antigos do Novo Testamento*, III.5.
Washingtonianus, II, Codex, Ver *Manuscritos Antigos do Novo Testamento*, III.5.I.
Watson, J.B. VI, 694
Weiss, Johannes VI, 694
Weisse, Christian H. VI, 694
Wesley, Charles VI, 694
Wesley, John VI, 694
Westcott e Hort VI, 694
Westfália, Pactos de VI, 694
Westminster, Assembléia de VI, 695
 Ver *sobre Assembléia de Westminster*.
Westminster, Catecismos de VI, 695
 Ver também *Westminster, Confissão de Fé de*.
Westminster, Confissão de Fé de VI, 695
 A vitória temporária do puritanismo calvinista na Inglaterra
Whitefield, George VI, 696
 Ver também *Metodismo*.
Whitehead, *Alfred North VI*, 696
Whitehead sobre o macrocosmo,
 Ver *Macrocosmo*, 11.
William Booth, Ver *Exército da Salvação*.

849

WILLIAM – ZWINGLIO

William de Ockham VI, 697
  Ver sobre *Ockham, William de.*
Wilson, Colin, Ver *Projeção da Psique,* Vol. V, p. 454, primeira coluna.
Wise, Charles C., Ver *Livros Apócrifos (Modernos),* 17.
Wise, Isaac M.,
  Ver *Judaísmo Reformado,* 6.
Wittenberg, Concórdia de VI, 697
Wittgenstein, Ludwig VI, 697
  Ver também *Linguagem, Jogo de.*
Wittgenstein sobre linguagem, Ver *Linguagem (Filosofia e), e Filosofia da Linguagem, 16.*
Wolf, Christian VI, 698
Wordsworth, William VI, 699
Worms, Concordata de VI, 699
Worms, Dieta de VI, 699
Worms, Edito de VI, 699
  Ver *Edito de Worms.*
Wycliffe (Wyclif), John VI, 699

X

X VI, 702
  O Codex Monacensis
Xarmanismo VI, 702
Xântico VI, 702
Xavier, Francisco VI, 702
Xenócrates VI, 702
Xenófanes de Cólofon VI 702
Xenófanes, ética de, Ver *Ética,* II.3.
Xenófanes sobre perfeição,
  Ver *Perfeição na Filosofia,* 1.
Xenofonte VI, 703
Xerxes VI, 703
Xiitas VI, 704
Ximenes de Ciscernos, Francisco VI, 704
Xintoísmo (Religião) VI, 704
Xisto VI, 704
  Cinco papas
Xofrango, Águia Marinha VI, 704

Y

Yah, Ver *Yahweh o Jeová.*
Yaho, Ver *Yahweh e Jeová.*
Yahu, Ver *Yahweh e Jeová.*
Yahvi
Yahweh VI, 706
  A forma vocalizada de um dos três grandes nomes hebraicos de Deus
  Ver também o *artigo sobre Jeová.*
Yahweh está lá, Ver *Jeová Samá.*
Yahweh-Jiré VI, 706
Yahweh, minha bandeira,
  Ver *Jeová-Nissi.*
Yahweh-Nissi VI, 707
Yahweh, nossa justiça,
  Ver *Jeová-Tsidkenú.*
Yahweh-paz, Ver *Jeová Salom.*
Yahweh-Salom VI, 707
Yahweh-Samã VI, 707
Yahweh-Tsidkenu VI, 707
Yahweh verá, Ver *Jeová-Jiré.*
Yama VI, 707
Yang Chu VI, 707
Yang e Yin VI, 707
  Ver sobre *Yin e Yang.*
Yantras VI, 707
Yajur – Veda VI, 707
YHWH VI, 707 Ver sobre *Yahweh e Jeová.*
Yiddish e Ladino VI, 707
Yin e Yang VI, 708
Yin Yang, Filosofia. de VI, 708

Ver também o artigo sobre *Yin e Yang.*
Yoga (Ioga) VI, 708
  Doze discussões apresentadas
Yoga, Tipos de VI, 710
  Ver o *artigo (Yoga).*
Yogi (Iogue) VI, 710
Yon Kippur VI, 710
Young, Brigham VI, 710
  Ver também o artigo geral sobre *Santos dos Últimos Dias (Mórmons).*

Z

Z VI, 711
  A designação do *Codex Dublinenses*
Zaã VI, 711
Zaana VI, 711
Zaanim VI, 711
Zaavã VI, 711
Zabade VI, 711
Zabadeanos VI, 711
Zabai VI, 711
  Dois homens na Bíblia
Zabdeu VI, 712
Zabdi VI, 712
  Quatro homens no A.T.
Zabdiel VI, 712
  Três personagens do A.T.
Zabude VI, 712
Zacai VI, 712
  Dois homens do A.T.
Zacarias VI, 712
  Nome de 31 personagens do A.T.
Zacarias, Livro de VI, 713
  Esboço
  I. Pano de Fundo
  II. Unidade do Livro
  III. O Autor, Zacarias
  IV. Data
  V. Lugar de Origem
  VI. Destinatários
  VII. Motivos
  III. Propósito
  IX. Canonicidade
  X. Condição do Texto
  XI. Conteúdo
  XII. Teologia
Zacur VI, 715
  Nove personagens do A.T.
Zadoque, VI, 716
  Vários indivíduos da Bíblia
Zadoquitas, FragmentosVI, 716
  Esboço
  I. Descobrimento
  II. Conteúdo
  III. Proveniência
  IV. Data
  V. Relação com os Manuscritos do Mar Morto
Zafenate-Panéia VI, 717
Zafom VI, 717
Zahn, Theodor Von VI, 717
Zain VI, 717
Zair VI, 718
Zalafe VI, 718
Zalmon VI, 718
Zalmona VI, 718
Zalmuna VI, 718 Ver *Zeba e Zaimuna.*
Zamote, VI, 718
Zanoa VI, 718
  Duas cidades e uma pessoa no A.T.
Zanzumis VI, 718
Zaquer VI, 719
Zaqueu VI, 719
Zaraías VI, 719
  Quatro indivíduos no A.T.
Zaratustra VI, 719
Zarefate VI, 719
Zaretã VI, 721

Zário VI, 721
Zatóis, Zatuí VI, 721
  Duas personagens do A.T.
Zaza VI, 721
Za-Zen VI, 721
  Ver *Zen (Budismo),* 7.
Zeba e Zalmuna VI, 721
Zebadias VI, 721
  Nove personagens da Bíblia
Zebaim VI, 722
Zebedeu VI, 722
Zebida VI, 723
Zebina VI, 723
Zeboim VI, 723
  Três localidades no A.T.
Zebuda VI, 723
Zebul VI, 723
Zebulom VI, 723
Zebulom, pessoa, Ver *Zebulom, tribo,*
  Ver *Zebulom,* 2,3,4.
Zedade VI, 724
  O Hebraico
Zedequias VI, 724
  Cinco personagens do A.T.
Zeebe VI, 725
  Ver sobre *Orebe e Zeebe.*
Zefatá VI, 725
Zefate VI, 725
Zefi VI, 725
Zefô VI, 725
Zefom VI, 725
Zela VI, 725
Zeleque VI, 725
Zelo, Zelosos VI, 725
Zelofeade VI, 726
Zeloso, Ver *Zelo, Zeloso.*
Zelote, Simão, Ver *Zelotes, 6.*
Zelotes VI, 726
Zelza VI, 727
Zemaraim VI, 727
  Uma cidade e um monte no A.T.
Zemareus VI, 727
Zemer VI, 727
Zemira VI, 727
Zen (Budismo) VI, 728
  Ver também o artigo geral sobre o *Budismo.*
Zenã VI, 729
Zenas VI, 729
Zend, Avesta VI, 729
  Ver sobre *Avesta.*
Zeno, Paradoxos de VI, 729
  Ver sobre *Zeno de Eléia.*
Zeno de Citium VI, 729
Zeno de Eléia VI, 729
  Idéias e Paradoxos
Zequer VI, 730
Zer VI, 730
Zerá VI, 730
  Sete homens do A. T.
Zeraías VI, 731
Zeraítas VI, 731
Zeredá VI, 731
Zerede VI, 731
Zererá VI, 731
Zeres VI, 731
Zerete VI, 731
Zerete-Saar VI, 731
Zeri VI, 732
Zeror VI, 732
Zerua VI, 732
Zeruia VI, 732
Zetã VI, 732
Zetar VI, 732
Zetesis, Ver *Zetético (Zétesis)*
Zetético (Zétesis) VI, 732
Zeus VI, 732
Zeus Olímpico, Templo de VI, 732
Zia VI, 732
Ziba VI, 732
Zibeão VI, 732

Zibia VI, 733
Ziclague VI, 733
Zicri VI, 733
  Doze indivíduos no A.T.
Zidim VI, 733
Zifa VI, 733
Zife, Zifitas VI, 733
Zifitas, Ver *Zife, Zifitas.*
Zifrom VI, 733
Zigurate VI, 733
Zigurates e Babel, Ver *Babel (Torre e Cidade),* par. 5.
Zilá VI, 734
Ziletai VI, 734
Zilpa VI, 734
Zim VI, 734
Zima VI, 735
Zimbro VI, 735
Zimri, Zinri VI, 735
  Quatro Pessoas do A.T.
Zina. VI, 735
Zinrã VI, 735
Zinri, Ver *Zimri, Zinri.*
Zinzendorf Conde Nicolau Ludwig Von VI, 735
Zior VI, 736
Zipor VI, 736
Zípora VI, 736
Zitri VI, 736
Zive VI, 736
Ziz, Ladeira de VI, 736
Ziza VI, 736
  Três homens no A.T.
Zoã VI, 736
Zoar VI, 737
Zoar (Pessoas) VI, 738
  Três pessoas no A.T.
Zobá VI, 738
Zobeba VI, 738
Zodíaco, signos do,
  Ver *Signos do Zodíaco.*
Zoelete, Pedra de VI, 738
Zoete VI, 738
Zofa VI, 738
Zofai VI, 738
Zofar VI, 739
Zofim, Campo de VI, 739
Zohar VI, 739
  Ver também *Cabala,* 2 e 3.
Zombar (Zombaria) VI, 739
Zombaria, Ver *Zombar (Zombaria).*
Zorá VI, 740
Zoratitas, Zoreus VI, 741
Zoroastrismo (Zoroastro) VI, 741
  Uma fé verdadeiramente dualista.
  Ver *Dualismo.*
  Esboço:
  I. História Inicial
  II. Relações com Israel
  III. Ensinamentos
Zoroastro, Ver *Zoroastrismo (Zoroastro).*
Zorobabel VI, 743
  Esboço:
  I. Nome
  II. Pano de Fundo Histórico
  III. Realizações de Zorobabel
Zorobabel, templo de,
  Ver *Templo de Jerusalém,* VI.
Zostrianos, Livro dos VI, 744
Zuar VI, 744
Zubiri, Xavier VI, 744
Zufe VI, 744
Zufe, Terra de VI, 744
Zuriz, Leopold, Ver *Judaísmo Reformado,* 5.
Zur VI, 744
Zuriel VI, 744
Zurisadai VI, 744
Zuzins VI, 744
Zwinglio, Huldreich VI, 745

Hoje, 26 de outubro de 1989, eu, Darrell Champlin, indexei a última página desta grande obra, depois de muitos meses de trabalho ativo, não só na indexação, mas também no trabalho artístico da enciclopédia Poucas pessoas tiveram o privilégio de acompanhar a montagem e a preparação da obra, mas creio que muitos beneficiarão diretamente dela. Cresci muito espiritualmente.

Sua opinião é importante para nós. Por gentileza, envie seus comentários pelo e-mail
editorial@hagnos.com.br

Visite nosso site:
www.hagnos.com.br

Esta obra foi impressa na Imprensa da Fé.
São Paulo, Brasil.
Outono de 2021.